완벽한 자율학습서

완자는 친절하고 자세한 설명, 효율적인 맞춤형 학습법으로
학생들에게 학습의 자신감을 향상시켜 미소 짓게 합니다.

ⓦ는 완자(WJ)와 미소(ⓤ)가 만든 완자의 새로운 얼굴입니다.

· 완벽한 자율학습서 ·

Wi 완자

통합과학

Structure 구성과 특징

01 | 단원 핵심 내용 파악하기

이 단원에서 꼭 알아야 하는 핵심 포인트를 확인하고, 친절하게 설명된 개념 정리로 개념을 이해한다.

탐구 자료창
교과서에 나오는 중요한 탐구와 자료를 출제 경향에 맞게 정리했어.

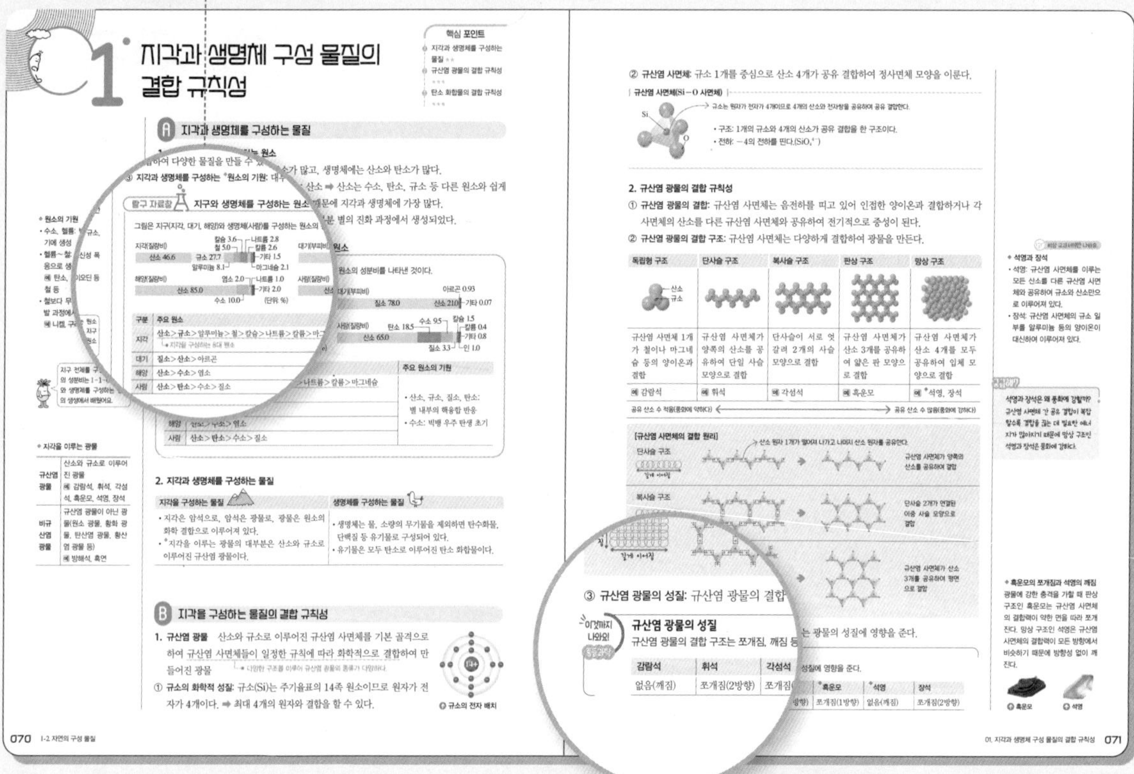

이것까지 나와요!
시험에 출제되는 중등과학 개념이나 심화 개념도 같이 제시했어.

완자쌤 비법 특강
빅뱅 우주론
1 시간에 따른 빅뱅 우주의 변화

완자쌤 비법 특강
더 자세한 설명이 필요하거나 반복 학습이 필요한 경우에 활용할 수 있어.

02 | 내신 문제 적용하기

시험에 자주 출제되는 유형의 문제를 풀어 보면서 실전에 대비하고, 문제를 통해 개념을 다시 한번 다진다. 실력 UP 문제의 난이도 있는 문제에도 도전한다.

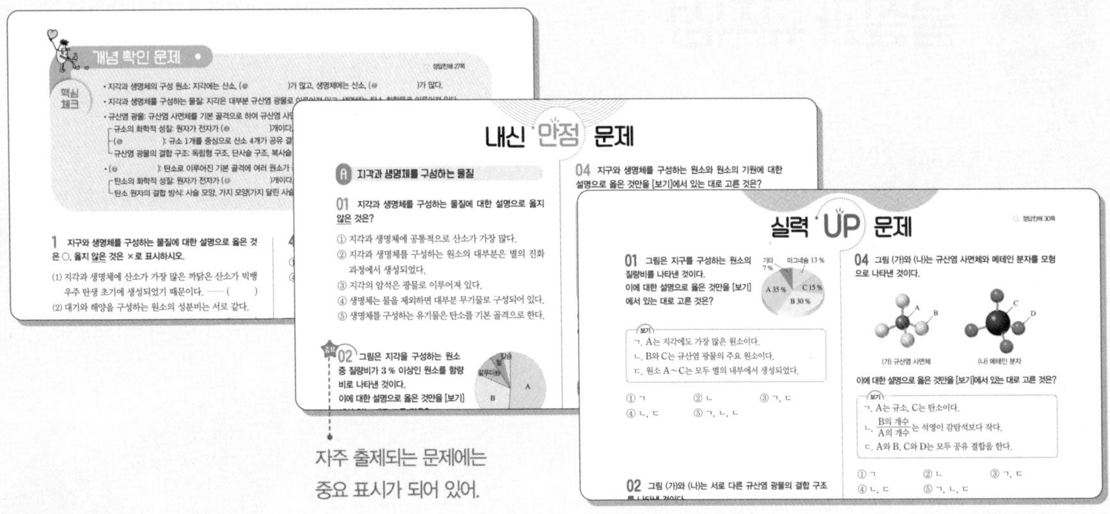

자주 출제되는 문제에는 중요 표시가 되어 있어.

03 | 반복 학습으로 실력 다지기

중단원 핵심 내용을 다시 한번 복습한 다음, 중단원 마무리 문제로 자신의 실력을 확인한다. 중단원 고난도 문제를 통해 어려운 문제에도 대비한다.

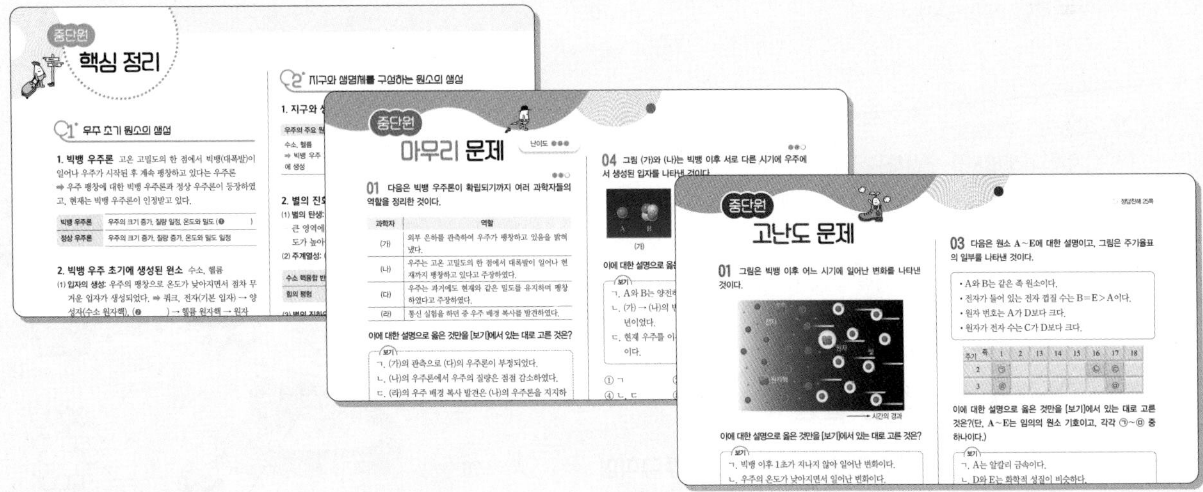

Contents 차례

I 물질과 규칙성

우주는 한 점에서 시작되었고, 빅뱅(대폭발)으로 우주가 급격히 팽창하면서 [01]**가벼운 원소가 생성**되었다. 빅뱅 후 수억 년이 지나 별이 탄생하였고, [02]**별에서 생성된 원소**들이 우주에 흩뿌려졌다. 원소들은 원자의 전자 배치에 따라 일정한 [03]**주기성**을 나타내고, 안정한 전자 배치를 이루기 위해 서로 [04]**화학 결합**을 한다. 이처럼 별에서 생성된 원소들이 화학 결합을 하여 지구와 생명체를 이루는 [04]**다양한 물질**이 만들어졌다.

1 물질의 규칙성과 결합

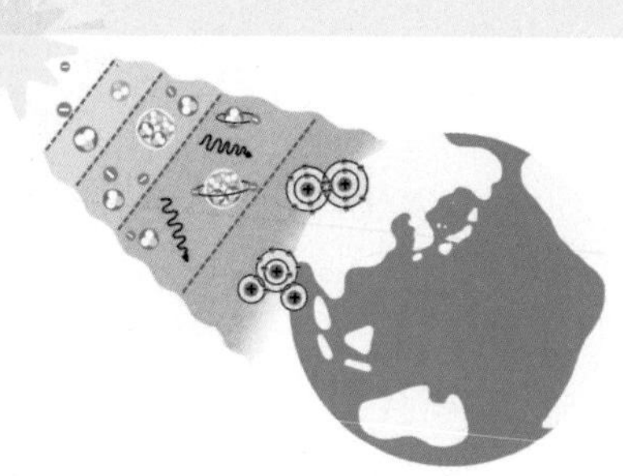

지각과 생명체를 구성하는 물질은 구성 원소의 종류나 비율이 다르다. [01]**지각**은 대부분 규산염 광물로 이루어져 있고, [01]**생명체**는 대부분 탄소 화합물로 이루어져 있는데, 규산염 광물과 탄소 화합물은 원소들이 규칙적으로 다양하게 결합하여 만들어진다. [02]**생명체를 구성하는 물질**은 단위체의 다양한 조합으로 형성되는데, 이때 단위체가 어떻게 조합되는지에 따라 물질의 특성이 달라진다. 인류는 이러한 물질의 특성을 이용하여 [03]**신소재를 개발하여 이용**하고 있다.

2 자연의 구성 물질

Ⅱ 시스템과 상호 작용

지구에는 여러 가지 힘이 작용하고, [01]**물체는 힘을 받아 운동**한다. 지구 시스템에서 일어나는 다양한 현상은 이러한 [02]**힘과 관련된 역학적 시스템**에 의해 유지되고 있다. 인류는 일상생활에서 힘의 작용으로 인한 충돌과 관련하여 [03]**역학적 시스템에서 일어나는 안전사고**를 예방하는 장치를 고안하고 있다.

1 역학적 시스템

[01]**지구 시스템**의 구성 요소들은 끊임없이 상호 작용을 하고 있다. 이 과정에서 지구 시스템의 [01]**에너지가 각 요소 사이를 이동하고 물질이 순환**하면서 다양한 자연 현상이 나타난다. 대표적인 자연 현상인 지진과 화산 활동은 판 경계에서 지구 내부 에너지와 물질이 방출되면서 일어나고, 이러한 [02]**지권의 변화**는 다시 지구 시스템에 영향을 준다.

2 지구 시스템

생물은 [01]**생명 시스템의 기본 단위**인 세포가 유기적으로 조직되어 정교한 체제를 이루고 외부 환경과 상호 작용을 하여 생명 현상을 유지한다. 생명체에서는 [02]**생명 시스템을 유지하기 위한 화학 반응**이 끊임없이 일어나 생명 활동에 필요한 에너지를 얻고 물질을 합성하며, [03]**세포 내 정보의 흐름**을 통해 이러한 생명 현상을 조절한다.

3 생명 시스템

Contents 차례

Ⅲ 변화와 다양성

우리 주변에서는 물질들이 상호 작용을 하여 다른 물질로 변하는 화학 반응이 끊임없이 일어나고 있고, 지구 시스템과 생명 시스템도 여러 가지 화학 반응을 통해 끊임없이 변화되어 왔다. 대표적인 화학 반응에는 [01]**산화 환원 반응**과 [02, 03]**산 염기 중화 반응**이 있다. 지구와 생명의 역사에 큰 변화를 가져온 광합성과 호흡은 산화 환원 반응이고, 산성화된 토양을 중화시키거나 속이 쓰릴 때 제산제를 복용하는 것은 생활 속에서 중화 반응이 이용된 예이다.

1 화학 변화

오랜 지구의 역사에서 [01]**지질 시대의 환경과 생물**은 끊임없이 변화해 왔다. 지질 시대 동안 지구 환경이 변화하여 생물이 살 수 있는 환경이 만들어졌고, 지구 환경 변화에 따라 [02]**생물의 진화**가 일어났다. 생물이 진화하면서 다양한 생물이 등장하였고, 인류는 생물 다양성을 통해 다양한 혜택을 누리고 있다. 하지만 오늘날 인간에 의해 생물 다양성이 빠르게 감소하고 있으므로 우리는 더 늦기 전에 [03]**생물 다양성의 중요성**을 인식하고, 이를 [03]**보전하는 방안**을 찾아야 한다.

2 생물 다양성과 유지

환경과 에너지

인간은 지구 환경에서 [01]**생태계를 구성하는 요소** 중 하나이며, 인간을 포함한 생물과 환경은 상호 작용을 하여 [02]**생태계 평형**을 유지한다. 우리가 에너지원으로 주로 사용하는 화석 연료는 지구 온난화를 일으킨다. 이로 인해 대기와 해수의 순환이 변하여 [03]**지구 환경이 변화하고 인간 생활**을 비롯한 생태계가 위협받고 있다. 이에 따라 우리는 지구 환경과 에너지 문제를 해결하기 위해 다양한 [04]**에너지 전환과 효율적 이용 방법**을 찾아야 한다.

1 생태계와 환경

우리나라는 주로 석탄이나 석유와 같은 화석 연료로 [01]**전기 에너지를 생산**하여 가정이나 산업에 사용하고 있다. 화석 연료는 [02]**태양 에너지가 다양한 에너지로 전환**되는 과정에서 생성되지만, 과도한 사용으로 점점 고갈되고 있으며, 기후 변화와 대기 오염과 같은 지구 환경 문제를 일으킨다. 따라서 현재 [03]**화석 연료를 대체하고 있는 발전** 방식을 더 활용해야 하고, 고갈되지 않고 [04]**지속 가능한 발전**을 할 수 있는 새로운 에너지 자원을 개발해야 한다.

2 발전과 신재생 에너지

완자와 내 교과서 비교하기

대단원	중단원	소단원	완자	비상교육	금성	동아	미래엔	천재교육
I 물질과 규칙성	1 물질의 규칙성과 결합	01 우주 초기 원소의 생성	12~25	13~19	14~21	17~25	14~21	16~21
		02 지구와 생명체를 구성하는 원소의 생성	26~33	20~27	22~25	26~33	22~25	22~28
		03 원소들의 주기성	34~45	28~37	28~37	34~45	26~35	30~39
		04 원소들의 화학 결합과 다양한 물질	46~59	38~49	38~53	46~55	36~47	40~51
	2 자연의 구성 물질	01 지각과 생명체 구성 물질의 결합 규칙성	70~77	57~63	60~66	61~65	58~63	62~68
		02 생명체 구성 물질의 형성	78~87	64~69	68~71	66~72	64~69	69~72
		03 신소재의 개발과 이용	88~97	70~77	74~81	73~79	70~77	74~79
II 시스템과 상호 작용	1 역학적 시스템	01 물체의 운동	108~113	중등과학과 물리학 I 내용으로 구성하였습니다.				
		02 중력과 역학적 시스템	114~121	91~99	88~97	91~97	88~95	92~99
		03 역학적 시스템과 안전	122~129	100~105	98~107	98~105	96~103	100~105
	2 지구 시스템	01 지구 시스템의 에너지와 물질 순환	138~151	113~125	114~127	111~124	114~127	116~126
		02 지권의 변화	152~165	126~133	128~139	125~131	128~135	128~136
	3 생명 시스템	01 생명 시스템의 기본 단위	174~185	141~147	148~152	137~143	146~151	148~154
		02 생명 시스템에서의 화학 반응	186~193	148~153	154~157	144~150	152~161	155~160
		03 생명 시스템에서 정보의 흐름	194~203	154~159	160~167	151~157	162~165	162~168

물질과 규칙성

배운 내용

- 우주의 팽창
- 빅뱅 우주론
- 스펙트럼
- 원소
- 원자와 분자
- 이온

1 물질의 규칙성과 결합

배울 내용

- 빅뱅과 입자의 생성
- 우주의 원소 분포
- 별의 진화와 원소의 생성
- 태양계와 지구의 형성
- 원소와 주기율표
- 이온 결합 물질
- 공유 결합 물질

세상을 이루는 원소들이 우주의 역사 속에서 어떻게 생겨났는지 배우고, 원소들이 주기성을 나타내는 까닭과 원소들이 화학 결합을 형성하여 다양한 물질을 생성하는 과정을 배운다.

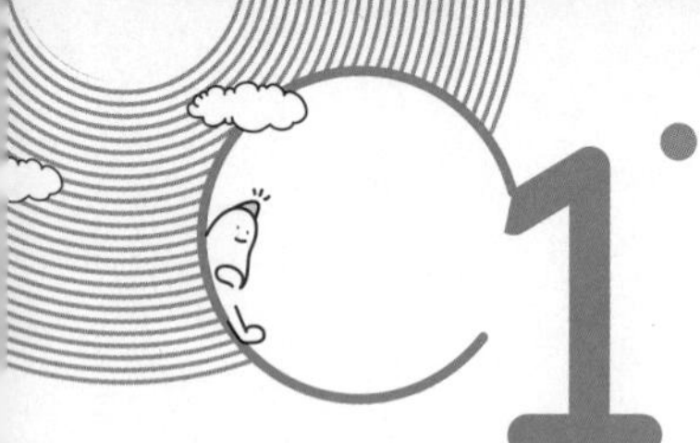

우주 초기 원소의 생성

핵심 포인트

❶ 빅뱅 우주론 ★★★
❷ 빅뱅과 입자의 생성 ★★★
❸ 우주 배경 복사 ★★
❹ 스펙트럼과 우주의 원소 분포 ★★★

A 우주의 시작과 빅뱅 우주론

원소들은 우주 초기부터의 진화 과정에서 생성되었어요. 우주는 어떻게 시작하여 변해왔을까요? 이에 대한 ◆다양한 이론들이 등장해 왔어요. 허블의 관측으로 우주가 팽창하고 있다는 것이 밝혀졌고, 현재는 빅뱅 우주론이 가장 인정받고 있지요.

1. 우주의 팽창 허블은 외부 은하의 스펙트럼을 관측하여 멀리 있는 은하일수록 빨리 멀어진다는 것을 발견하였고, 이것으로 우주가 팽창하고 있다는 것이 밝혀졌다. (완자쌤 비법 특강 19쪽)

2. 빅뱅 우주론과 정상 우주론의 등장 우주의 팽창을 바탕으로 하는 두 우주론이 등장하였다.

① ❶**빅뱅(대폭발) 우주론:** 약 138억 년 전, 고온 고밀도의 한 점에서 빅뱅(대폭발)이 일어나 우주가 시작된 후 계속 팽창하고 있다는 우주론 → 기본적인 원소는 우주 초기에 만들어졌기 때문에 우주의 밀도는 감소하고 있다.

② **정상 우주론:** 우주가 팽창하는 동안 계속 물질이 생성되어 우주는 항상 같은 밀도를 유지한다는 우주론

▲ 빅뱅 우주론 모형

| 빅뱅 우주론과 정상 우주론의 비교 |

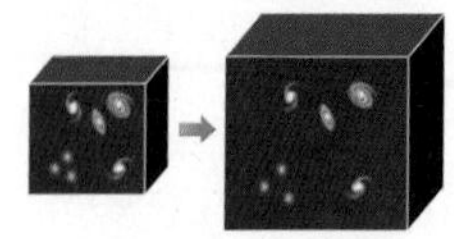
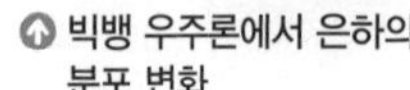
▲ 빅뱅 우주론에서 은하의 분포 변화

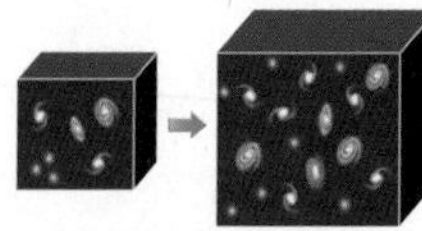
▲ 정상 우주론에서 은하의 분포 변화

구분	빅뱅 우주론	정상 우주론
주장한 과학자	가모프 등	호일 등
우주의 크기	팽창	팽창
우주의 질량	일정	증가
우주의 밀도, 온도	감소	일정

3. 빅뱅 우주론의 확립 여러 증거들이 관측됨에 따라 빅뱅 우주론이 인정받고 있다.
→ 증거: 우주 배경 복사, 우주에 존재하는 수소와 헬륨의 질량비

B 빅뱅과 우주 초기 원소의 생성

1. 물질을 구성하는 입자 모든 물질은 원자로 이루어져 있고, 원자는 원자핵과 전자로, 원자핵은 양성자와 중성자로, 양성자와 중성자는 더 이상 분해되지 않는 쿼크로 이루어져 있다.

입자의 종류		
	기본 입자 (쿼크, 전자)	• 더 이상 분해할 수 없는 가장 작은 입자이다. ➡ ◆종류: 쿼크, 전자 등 (쿼크와 전자는 더 이상 분해되지 않으므로 기본 입자이다.) • 전자는 ❷음전하를 띤다.
	양성자, 중성자	• 3개의 쿼크가 강하게 결합하여 1개의 양성자나 중성자가 된다. • 양성자는 양전하를 띠고, 중성자는 전하를 띠지 않는다.
	원자핵	• 양성자와 중성자가 강하게 결합하여 생성된 입자이다. • 원자핵은 양전하를 띤다. → 양성자는 양전하를 띠고, 중성자는 전하를 띠지 않기 때문이다.
	원자	• 원자핵에 전자가 결합하여 생성된 입자이다. • 전자 수는 원자핵을 이루는 양성자수와 같다. ➡ 원자는 전기적으로 중성이다.

◆ **우주론 논쟁과 빅뱅 우주론의 확립 과정**

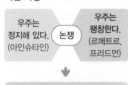

우주는 정지해 있다. (아인슈타인) ⟷ 논쟁 ⟷ 우주는 팽창한다. (르메트르, 프리드먼)
↓
우주 팽창의 증거 관측 (허블의 외부 은하 관측)
↓
빅뱅 우주론 (가모프) ⟷ 논쟁 ⟷ 정상 우주론 (호일)
↓
빅뱅 우주론의 증거 관측 (펜지어스와 윌슨의 우주 배경 복사 관측)

◆ **기본 입자의 종류**

쿼크와 경입자(렙톤)로 구분한다.

- 쿼크(6종류): 위(up), 아래(down), 맵시(charm), 야릇한(strange), 꼭대기(top), 바닥(bottom)
- 경입자(6종류): 전자, 전자 중성미자 등

(용어)

❶ **빅뱅(Big Bang)** 대폭발을 의미하는 것으로, 정상 우주론을 주장한 호일이 가모프의 우주론을 비판하면서 '빅뱅'이란 용어를 처음 사용하였다.

❷ **전하(electric charge)** 물체가 띠고 있는 전기적 성질로, 양전하와 음전하가 있다.

2. 빅뱅과 입자의 생성 빅뱅 우주론에 따르면, 빅뱅 직후 우주가 팽창함에 따라 우주의 온도가 낮아지면서 최초로 기본 입자가 생성된 후, 점차 무거운 입자가 생성되어 수소 원자와 헬륨 원자가 생성되었다. ➡ **우주 초기에 생성된 원소:** 수소, 헬륨 (완자쌤 비법 특강 20쪽)

| 빅뱅 이후 우주의 변화와 입자의 생성 순서 |

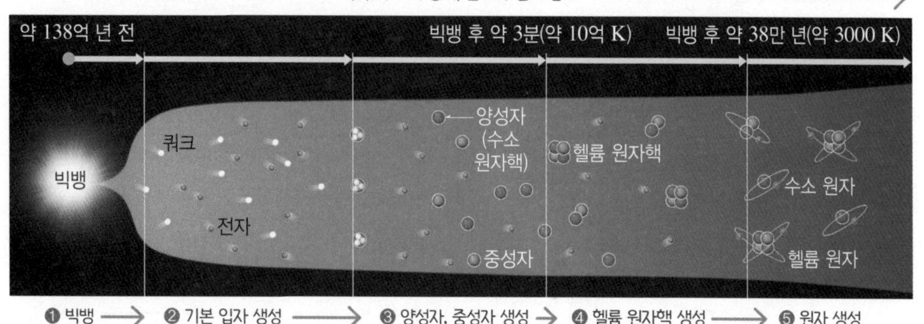

❶ **빅뱅(약 138억 년 전):** 매우 뜨겁고 밀도가 높은 한 점에서 빅뱅이 일어나 우주가 시작되었다.
- ◆빅뱅 직후에는 우주의 온도가 매우 높았기 때문에 입자가 존재할 수 없었다.

❷ **기본 입자 생성:** 우주가 급격히 팽창하면서 온도가 낮아졌고, 무수히 많은 쿼크, 전자 등의 기본 입자가 만들어졌다.

❸ **양성자, 중성자 생성:** 우주의 온도가 더 낮아지면서 쿼크 3개가 결합하여 양성자와 중성자가 만들어졌다.
(같은 성질을 가진 쿼크 2개와 다른 성질을 가진 쿼크 1개가 다르게 결합한다.)
- 양성자와 중성자가 생성된 초기에는 양성자와 중성자의 개수가 비슷하였으나 점차 중성자에 비해 양성자의 개수가 많아졌다.
- 전자는 운동 에너지가 충분히 커서 자유롭게 움직일 수 있었다.
- 양성자는 그 자체로 수소 원자핵이 된다. (우주의 온도가 높아 양성자와 중성자가 매우 빠르게 운동하여 수소 원자핵 외의 원자핵은 생성되지 못하였다.)

쿼크
◆ ⬆ 양성자: 위 쿼크 2 + 아래 쿼크 1
⬆ 중성자: 아래 쿼크 2 + 위 쿼크 1

❹ **헬륨 원자핵 생성(빅뱅 후 약 3분):** 우주의 온도가 10억◆K 이하로 낮아져 양성자와 중성자의 운동이 느려지면서 양성자 2개와 중성자 2개가 서로 결합하여 헬륨 원자핵이 만들어졌다.
- 빅뱅 약 3분 이후 수소 원자핵과 헬륨 원자핵의 질량비는 약 3 : 1이었다.
- 우주 초기에 헬륨 원자핵보다 질량이 더 큰 원자핵이 거의 생성되지 못한 까닭은 우주의 온도가 계속 낮아져 더 무거운 원소의 핵합성이 일어나지 못했기 때문이다. (더 높은 온도에서 일어난다.)

확대경 헬륨 원자핵의 생성 과정

양성자 1개와 중성자 1개가 결합하여 중수소 원자핵이 생성되었고, 여러 경로로 헬륨 원자핵이 생성되었다.

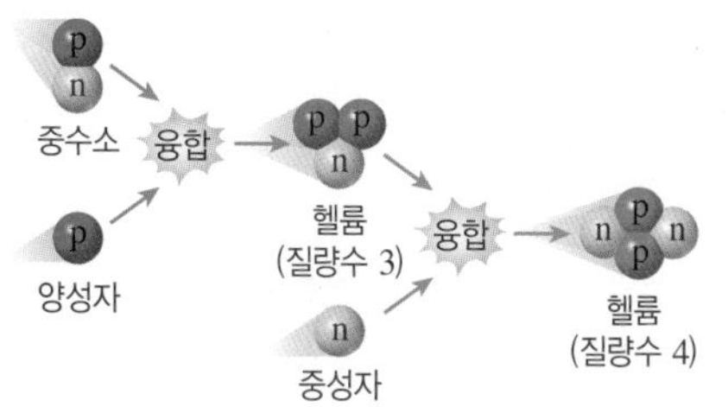

⬆ 중수소 원자핵과 양성자의 결합 후 중성자 결합

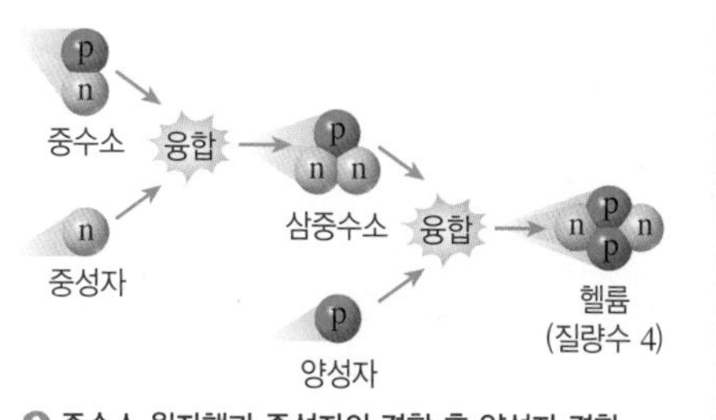

⬆ 중수소 원자핵과 중성자의 결합 후 양성자 결합

◆ **빅뱅 우주의 온도와 밀도 변화**
우주는 계속 팽창하였으므로 시간을 거슬러 과거로 가면 우주는 점차 수축한다. 물질을 압축하면 열이 발생하는 것처럼 초기 우주로 갈수록 온도는 높아진다. 따라서 빅뱅 직전에는 모든 물질과 에너지가 한 점에 모여 있어 고온 고밀도였으며, 빅뱅 이후 우주의 온도와 밀도는 점차 감소하였다.

◆ **빅뱅 직후의 물질 분포**
우주의 온도가 매우 높았기 때문에 물질과 에너지의 구분이 불분명하여 물질이 에너지로, 에너지가 물질로 변하는 과정이 반복되었다.

◆ **양성자와 중성자의 전하**
전자의 전하를 -1이라고 할 때 위 쿼크의 전하는 $+\frac{2}{3}$, 아래 쿼크의 전하는 $-\frac{1}{3}$이므로 양성자와 중성자의 전하는 다음과 같다.

구분	양성자	중성자
구성 입자	위 쿼크 2+ 아래 쿼크 1	위 쿼크 1+ 아래 쿼크 2
상대 전하	$(+\frac{4}{3})+(-\frac{1}{3})$ $=+1$	$(+\frac{2}{3})+(-\frac{2}{3})$ $=0$

◆ **K(켈빈)**
절대 온도의 단위로, 절대 온도(T)와 섭씨온도(t)는 다음과 같은 관계가 있다.
➡ $T(\text{K})=t(^\circ\text{C})+273.15$

◆중수소: 수소의 동위 원소로, 양성자수가 같고 중성자수가 달라서 질량수가 다른 원소를 동위 원소라고 한다.

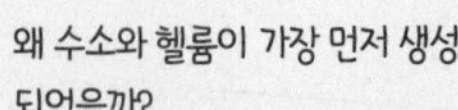

궁금해?

왜 수소와 헬륨이 가장 먼저 생성되었을까?

우주에 존재하는 원소 중에서 원자의 구조가 가장 단순한 것은 수소이고, 그 다음이 헬륨이다. 따라서 수소와 헬륨이 가장 먼저 생성되었고, 이보다 무거운 원소는 수억 년 후 별의 진화 과정에서 생성된다.

암기해!

시간에 따라 일어난 사건의 순서

❶ 빅뱅
❷ 쿼크, 전자 생성
❸ 양성자(수소 원자핵), 중성자 생성
❹ 헬륨 원자핵 생성(빅뱅 후 약 3분)
❺ 수소 원자, 헬륨 원자 생성, 우주가 투명해짐, 우주 배경 복사 생성(빅뱅 후 약 38만 년, 우주 온도 약 3000 K)

❺ **원자 생성(빅뱅 후 약 38만 년):** 우주의 온도가 3000 K 정도로 낮아지자 전자가 원자핵과 결합하여 수소 원자와 헬륨 원자가 만들어졌다.

수소 원자 모형

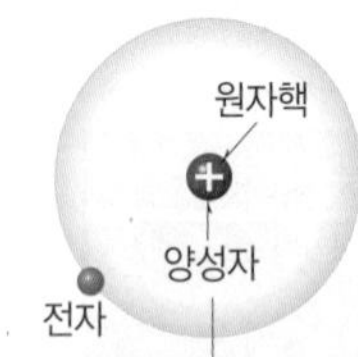

수소 원자핵 주위를 전자 1개가 돌고 있는 구조
- 양성자수 1, 중성자수 0 → 수소 원자핵
- 전자 수 1 (전자 수 = 양성자수)

헬륨 원자 모형

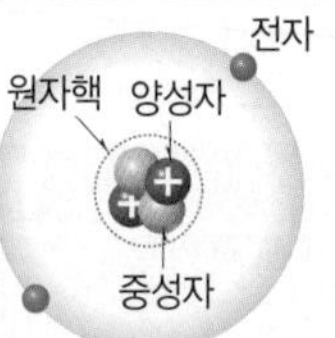

헬륨 원자핵 주위를 전자 2개가 돌고 있는 구조
- 양성자수 2, 중성자수 2 → 헬륨 원자핵
- 전자 수 2 (전자 수 = 양성자수)

→ 양성자수에 따라 어떤 원소인지 결정된다. 양성자가 1개이면 수소, 양성자가 2개이면 헬륨이다.

원자의 생성에 따른 우주의 변화

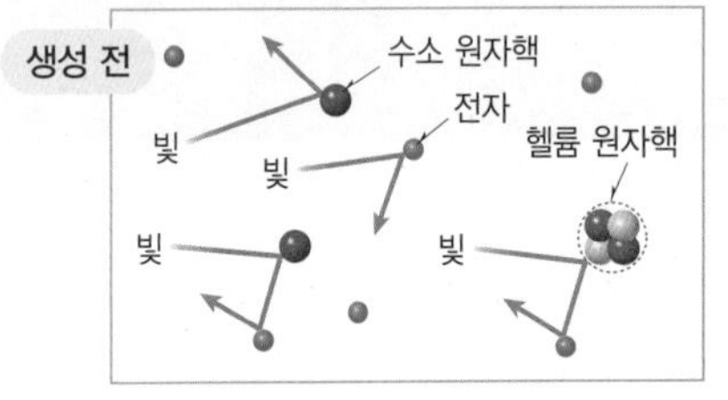

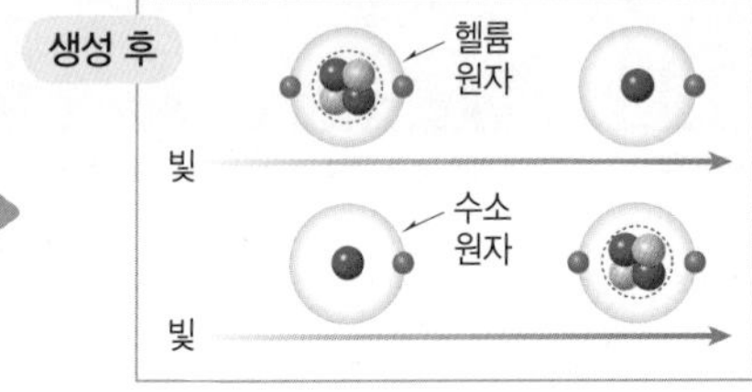

- 우주의 온도가 높아서 전자가 원자핵에 붙잡히지 않고 서로 분리되어 있었다.
- 빛은 전하를 띠는 전자와 원자핵에 방해를 받아 직진하지 못하였다. ➡ 우주는 불투명한 상태였다.

- 우주의 온도가 낮아지면서 운동 에너지가 감소한 전자가 원자핵에 붙잡혀 원자가 생성되었다.
- 중성인 원자는 빛의 진로를 방해하지 않아 빛이 우주 공간으로 퍼져 나갔다. ➡ 우주는 투명해졌다.
  - → 우주 배경 복사

◆ **펜지어스와 윌슨의 관측**

지상에서 전파 안테나를 통해 최초로 우주 배경 복사를 관측하였다.
→ 그 후 코비 위성, 더블유맵 위성, 플랑크 위성이 우주에서 우주 배경 복사를 정밀하게 관측하였다.

◆ **우주 배경 복사의 파장 변화**

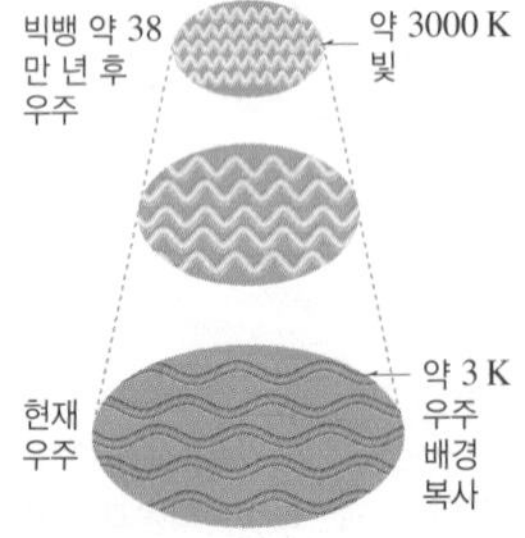

3. 우주 배경 ❶복사

빅뱅 후 약 38만 년, 우주의 온도가 약 3000 K일 때 우주 공간으로 퍼져 나가 우주 전체를 채우고 있는 빛

① **우주 배경 복사의 예측과 관측:** 가모프가 예측하였고, 펜지어스와 윌슨이 관측하였다.

가모프의 예측

우주가 빅뱅으로 팽창하였다면 우주 배경 복사가 관측될 것이다. ➡ 우주가 팽창하면서 우주의 온도가 낮아져, 약 3000 K일 때 퍼져 나간 빛은 현재 수 K의 복사 에너지로 관측될 것이다.

➡

◆펜지어스와 윌슨의 관측

우주의 모든 방향에서 거의 같은 세기로 관측되는 전파(❷마이크로파) 신호를 발견하였다. ➡ 이 신호는 온도가 약 3 K인 물체에서 방출되는 복사의 파장과 일치하며, 우주 배경 복사라는 것이 밝혀졌다.

② **우주 배경 복사의 의미:** 빅뱅 우주론에서 예측한 우주 배경 복사의 존재가 실제로 관측되었기 때문에 빅뱅 우주론을 지지하는 결정적인 증거가 되었다. (완자쌤 비법 특강 20쪽)

우주 배경 복사의 특징

- ◆파장 변화: 우주의 온도가 약 3000 K일 때 퍼져 나간 빛이 우주의 팽창으로 온도가 낮아져 파장이 길어졌다.
- 우주의 온도: 현재 우주 배경 복사의 온도는 약 3 K이다. ➡ 현재 우주의 온도는 약 3 K이다.
- 등방성과 균등성: 우주 배경 복사는 우주의 모든 방향에서 거의 같은 세기로 관측된다.
- 인공위성 관측: 우주의 온도 분포가 대체로 균일하지만 미세하게 차이가 있다는 것을 알아냈다.

▲ **플랑크 위성에서 관측한 우주 배경 복사**_전 우주 영역을 관측하여 우주 배경 복사 지도를 작성하였다.

(용어)

❶ **복사(輻 바퀴살, 射 쏘다)** 물체로부터 사방으로 방출되는 열이나 전자기파

❷ **마이크로파(microwave)** 파장이 1 mm~1 m인 전파

개념 확인 문제

◌ 정답친해 2쪽

핵심 체크

- (❶): 약 138억 년 전, 고온 고밀도의 한 점에서 빅뱅이 일어나 우주가 시작된 후 계속 팽창하고 있다는 우주론 ➡ 시간이 흐름에 따라 우주의 온도와 밀도가 감소한다.
- 물질을 구성하는 입자: 물질은 원자로, 원자는 원자핵과 (❷)로, 원자핵은 양성자와 (❸)로, 양성자와 (❸)는 (❹)로 구성된다.
- 빅뱅 우주에서 입자의 생성: 쿼크, (❺) → 양성자, 중성자 → 헬륨 원자핵 → (❻), 헬륨 원자
  - 빅뱅 후 약 (❼): 우주의 온도가 낮아지면서 양성자와 중성자가 결합하여 헬륨 원자핵 생성
  - 빅뱅 후 약 (❽): 우주의 온도가 약 (❾) K으로 낮아지면서 원자 생성
- (❿): 우주의 온도가 약 3000 K일 때 우주 공간으로 퍼져 나가 우주 전체를 채우고 있는 빛

1 빅뱅 우주론의 특징은 '빅', 정상 우주론의 특징은 '정'으로 표시하시오.

(1) 가모프 등이 주장하였다. ( )
(2) 우주가 팽창하는 동안 질량이 증가한다. ( )
(3) 우주가 팽창하는 동안 밀도는 일정하다. ( )
(4) 우주가 팽창하면서 온도가 낮아진다. ( )

2 물질을 구성하는 입자에 대한 설명으로 옳은 것은 ○, 옳지 않은 것은 ×로 표시하시오.

(1) 쿼크는 전자가 결합하여 만들어진다. ( )
(2) 중성자는 2개의 쿼크와 1개의 전자가 결합하여 만들어진다. ( )
(3) 양성자는 양전하를 띠고, 중성자는 전하를 띠지 않는다. ( )
(4) 헬륨 원자핵은 2개의 양성자와 2개의 중성자로 이루어져 있다. ( )
(5) 원자는 원자핵과 전자로 이루어져 있다. ( )

3 [보기]의 입자들을 빅뱅 우주에서 만들어진 순서대로 옳게 나열하시오.

보기
ㄱ. 원자　　ㄴ. 헬륨 원자핵
ㄷ. 쿼크와 전자　　ㄹ. 양성자와 중성자

4 빅뱅 약 3분 이후 수소 원자핵과 헬륨 원자핵의 질량비는?

① 약 1 : 1　② 약 1 : 3　③ 약 1 : 4
④ 약 3 : 1　⑤ 약 4 : 1

5 그림은 수소 원자와 헬륨 원자의 모형을 나타낸 것이다.

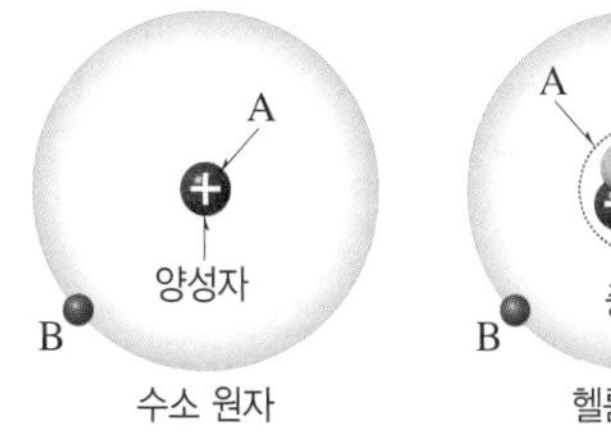

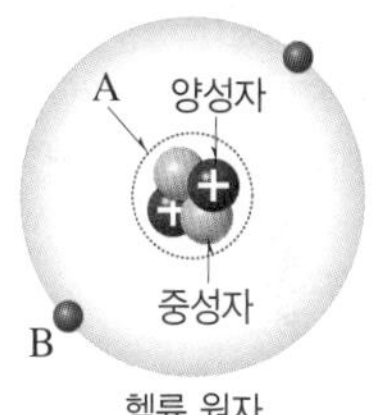

A, B 입자의 이름을 쓰시오.

6 빅뱅 후 약 ㉠( ) 년이 지나자 우주의 온도가 약 3000 K으로 낮아졌고, 전자가 원자핵에 붙잡혀 ㉡( )가 생성되었다. 이에 따라 ㉢( )이 우주 공간으로 퍼져 나가 우주가 투명해졌다.

7 우주 배경 복사에 대한 설명 중 ( ) 안에 알맞은 말을 고르시오.

(1) (가모프, 펜지어스와 윌슨)에 의해 최초로 관측되었다.
(2) 현재 우주의 온도가 약 (3, 3000) K임을 알게 되었다.
(3) (모든, 특정한) 방향에서 거의 같은 세기로 관측된다.
(4) (빅뱅 우주론, 정상 우주론)을 지지하는 증거이다.

C 스펙트럼과 우주의 원소 분포

◆스펙트럼
프리즘이나 분광기를 통과한 백색광은 파장에 따라 굴절되는 정도가 달라 여러 색의 띠로 분리되어 나타난다.

빨강에서 보라로 갈수록 빛의 파장이 짧고, 굴절이 크게 일어난다.

1. ◆스펙트럼 빛이 분광기를 통과할 때 파장에 따라 나누어져 나타나는 색의 띠

① **스펙트럼의 종류:** 물질을 구성하는 원자는 외부로부터 에너지를 받거나 외부로 에너지를 잃을 때 특정한 파장의 빛이 흡수되거나 방출되어 고유한 스펙트럼이 나타난다.

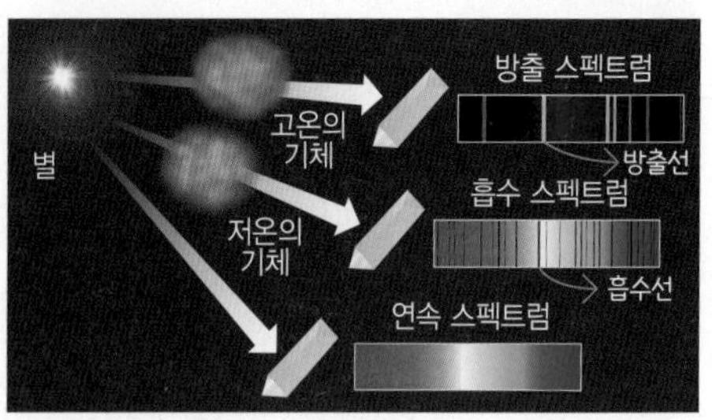

⊙ 스펙트럼의 종류

종류	특징
연속 스펙트럼	• 고온의 물체에서 나오는 빛의 스펙트럼 예 백열전구, 고온의 별에서 방출된 빛 • 무지개처럼 넓은 파장에 걸쳐 연속적으로 나누어진 색의 띠가 나타난다.
흡수 스펙트럼	• 빛이 저온의 기체를 통과하면서 특정한 파장의 빛이 흡수된 스펙트럼 • 연속 스펙트럼에 검은 선(흡수선)이 나타난다. 예 저온의 성운을 통과한 별빛
방출 스펙트럼	• 고온의 물체 주변에서 가열된 기체가 특정한 파장의 빛을 방출하여 나타나는 스펙트럼 • 검은 바탕에 몇 개의 밝은 선(방출선)이 나타난다. 예 별 주위에 있는 고온의 성운에서 내는 빛

주의해!

스펙트럼의 종류
• 미래엔, 천재, 동아 교과서에서는 방출 스펙트럼 대신 선 스펙트럼이라고 부른다. ➡ 종류: 연속 스펙트럼, 흡수 스펙트럼, 선 스펙트럼
• 비상, 금성 교과서에서는 선 스펙트럼의 종류로 방출 스펙트럼과 흡수 스펙트럼이 있다고 설명한다. ➡ 종류: 연속 스펙트럼, 선 스펙트럼 (흡수 스펙트럼, 방출 스펙트럼)

확대경 원자와 스펙트럼

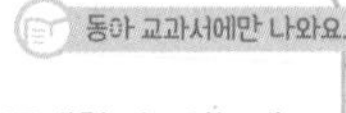

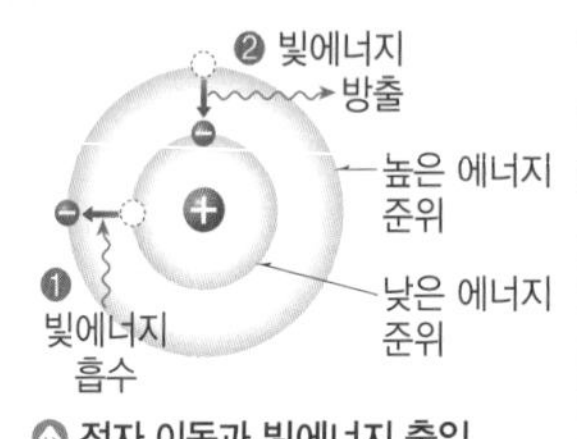

⊙ 전자 이동과 빛에너지 출입

원자 속에서 전자는 특정한 값의 에너지를 갖는 위치에 존재할 수 있는데 이를 에너지 준위라고 한다. 원자의 종류에 따라 에너지 준위와 그 간격이 다르며, 전자의 에너지 준위가 달라질 때 다음과 같은 스펙트럼이 나타난다.

전자의 이동	스펙트럼
❶ 낮은 에너지 준위 → 높은 에너지 준위	흡수 스펙트럼이 나타난다.
❷ 높은 에너지 준위 → 낮은 에너지 준위	방출 스펙트럼이 나타난다.

◆별빛의 스펙트럼 분석
원소의 종류와 질량비, 별의 표면 온도 등을 알 수 있으며, 흡수선의 파장 변화를 이용하면 별이 접근하는지, 후퇴하는지도 알 수 있다.

② **◆별빛의 스펙트럼 분석**
• 원소의 종류에 따라 스펙트럼에 나타나는 선의 위치(파장), 개수, 간격, 굵기 등이 다르다.
➡ 스펙트럼으로 원소를 구별할 수 있다.
• 동일한 원소의 스펙트럼에서는 나타나는 흡수선과 방출선의 위치(파장)가 같다.
• 별빛의 흡수 스펙트럼을 분석하여 구성 원소의 종류와 질량비를 알 수 있다.
흡수선의 세기는 원소의 밀도에 비례하기 때문에 흡수선의 선폭을 비교하여 질량비를 알아낼 수 있다.

원소의 종류와 스펙트럼

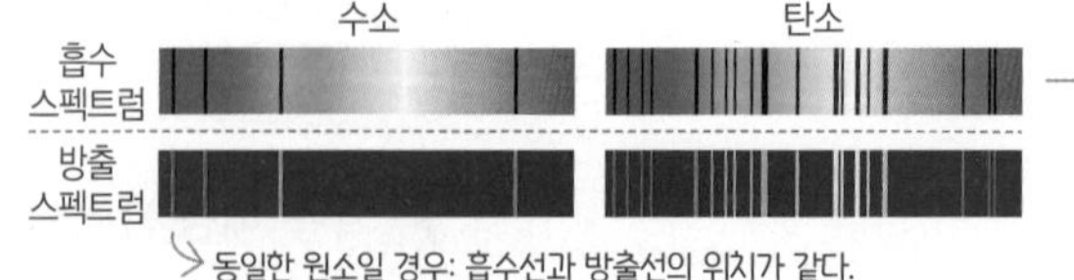

수소
탄소
흡수 스펙트럼
방출 스펙트럼
서로 다른 원소일 경우: 수소와 탄소의 흡수선과 방출선의 위치는 서로 다르다.
동일한 원소일 경우: 흡수선과 방출선의 위치가 같다.

궁금해?

태양의 스펙트럼에 흡수선이 나타나는 까닭은?
태양은 표면 온도가 약 5800 K인 고온의 물체이므로 방출되는 빛을 분광기로 관측하면 연속 스펙트럼이 나타난다. 그러나 태양 표면의 빛이 대기층을 통과하는 동안 저온의 대기 성분에 의해 특정한 파장의 빛이 흡수되므로 자세히 관측하여 확대해 보면 흡수선이 나타난다.

③ **태양의 스펙트럼 분석:** 과학자들은 태양의 스펙트럼에 나타나는 흡수선(프라운호퍼선)을 분석하여 태양의 대기가 다양한 원소로 구성되어 있음을 알아냈다. 프라운호퍼가 태양의 스펙트럼에서 발견한 수백 개의 흡수선

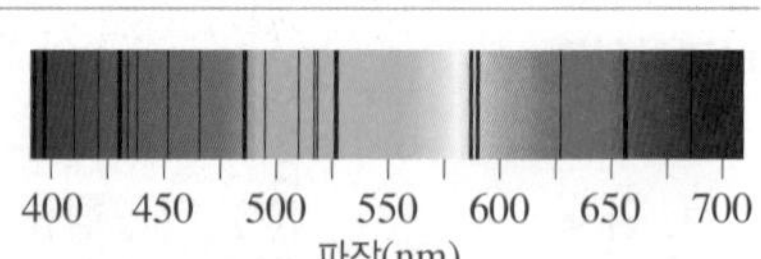

⊙ 태양의 스펙트럼

탐구 자료창 스펙트럼 관찰

그림은 햇빛, 백열전구, 기체 방전관(수소, 헬륨, 네온, 나트륨, 칼슘)을 관측한 스펙트럼과 태양, 미지의 별의 스펙트럼을 나타낸 것이다.

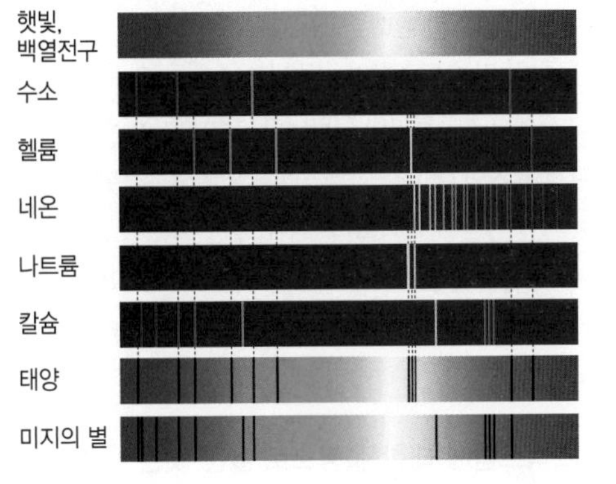

1. **햇빛, 백열전구 관측:** 연속적인 색의 띠가 나타난다. ➡ 연속 스펙트럼
2. **기체 방전관 관측**
   - 검은 바탕에 밝은 선(방출선)이 나타난다. ➡ 방출 스펙트럼(선 스펙트럼)
   - 원소마다 방출선의 위치가 다르다. ➡ 원소의 종류를 알아낼 수 있다.
3. **태양, 미지의 별의 흡수 스펙트럼과 원소의 스펙트럼 비교**
   - 태양: 흡수선의 위치가 수소, 헬륨, 나트륨의 방출선 위치와 같다. ➡ 태양은 수소, 헬륨, 나트륨 등으로 이루어져 있다.
   - 미지의 별: 흡수선의 위치가 수소, 칼슘의 방출선 위치와 같다. ➡ 미지의 별은 수소, 칼슘 등으로 이루어져 있다.
4. **결론:** 다양한 별빛의 스펙트럼을 분석하여 원소의 스펙트럼과 비교하면 우주 전역에 존재하는 원소를 알 수 있다.

2. 우주의 원소 분포 우주를 구성하는 원소의 대부분은 수소와 헬륨이다.

① **관측 방법:** 우주를 구성하고 있는 여러 천체의 스펙트럼 분석

② **수소와 헬륨 질량비의 예측과 관측:** 빅뱅 우주론에서 수소와 헬륨의 질량비를 약 3 : 1로 예측하였고, 이는 천체의 스펙트럼을 분석하여 알아낸 실제 질량비와 일치한다.

빅뱅 우주론의 예측		천체의 스펙트럼 관측
빅뱅 후 생성된 수소 원자핵과 헬륨 원자핵의 질량비가 약 3 : 1이 될 것으로 계산하였다.	➡	우주에는 수소가 약 74 %, 헬륨이 약 24 %의 질량비로 분포한다는 것을 알아냈다. =우주 전역에 분포하는 수소와 헬륨의 질량비는 약 3 : 1

③ **우주를 구성하는 수소와 헬륨의 질량비의 의미:** 빅뱅 우주론에서 예측한 값과 스펙트럼으로 관측한 값이 같으므로 빅뱅 우주론을 지지하는 증거이다. (완자쌤 비법 특강 20쪽)

우주를 구성하는 수소와 헬륨은 대부분 빅뱅 우주 초기에 우주가 팽창하는 과정에서 생성되었음을 알 수 있다.

확대경 빅뱅 우주론에서 예측한 수소와 헬륨의 질량비

비상 교과서에만 나와요.

1. **쿼크의 결합으로 양성자와 중성자가 생성된 시기:** 우주의 온도가 높았으므로 양성자와 중성자가 서로 변환되어 양성자와 중성자의 개수는 비슷했다.

● 양성자 ● 중성자

[개수비] 양성자 : 중성자=1 : 1

2. **헬륨 원자핵 생성 직전:** 우주의 온도가 낮아짐에 따라 중성자는 양성자로 변하였지만 양성자는 중성자로 변환되지 못하여 중성자에 비해 양성자의 개수가 많아졌다.
   - 양성자에서 중성자로 변하려면 중성자의 질량이 조금 더 커서 에너지를 흡수해야 하기 때문

[개수비] 양성자 : 중성자=14 : 2
=7 : 1

3. **헬륨 원자핵 생성 후:** 양성자는 그 자체로 수소 원자핵이 되었고, 양성자 2개와 중성자 2개가 결합하여 헬륨 원자핵이 생성되었다.

[개수비] 수소 원자핵 : 헬륨 원자핵 = 12 : 1
[질량비] 수소 원자핵 : 헬륨 원자핵 = 1×12개 : 4×1개 = 3 : 1
◆수소 원자 : 헬륨 원자 = 3 : 1
- 헬륨 원자핵 1개의 질량은 수소 원자핵 1개 질량의 약 4배이다.

◆ **양성자와 중성자의 비율**
양성자 : 중성자=7 : 1이 된 후, 양성자의 개수는 더 이상 증가하지 않게 되었다. 이는 우주의 온도가 더 낮아짐에 따라 양성자와 중성자가 결합하여 헬륨 원자핵을 형성하였기 때문이다.

◆ **원자의 질량**
전자의 질량은 매우 작으므로 원자의 질량은 원자핵의 질량과 거의 같다.

개념 확인 문제

정답친해 2쪽

핵심 체크

- (❶　　　　): 빛이 파장에 따라 나누어져 나타나는 색의 띠
  - (❷　　　　): 고온의 물체가 방출하는 빛의 스펙트럼
  - (❸　　　　): 빛이 저온의 기체를 통과하면서 특정한 파장의 빛이 흡수된 스펙트럼
  - (❹　　　　): 고온의 물체 주변에서 가열된 기체가 특정한 파장의 빛을 방출하여 나타나는 스펙트럼
- 원자와 스펙트럼: 전자가 높은 에너지 준위로 이동할 때 (❺　　　　) 스펙트럼이 나타난다.
- 별빛의 스펙트럼 분석
  - 흡수선을 원소의 스펙트럼과 비교하면 구성 원소의 (❻　　　　)를 알아낼 수 있다.
  - 흡수선의 선폭을 비교하면 원소의 (❼　　　　)를 알아낼 수 있다.
- 우주의 원소 분포: 스펙트럼 관측으로 알아낸 우주에 분포하는 수소와 헬륨의 질량비는 약 (❽　　　　)이다.

[1~2] 그림 (가)~(다)는 각각 다른 천체를 관측할 때 나타나는 스펙트럼의 모습이다.

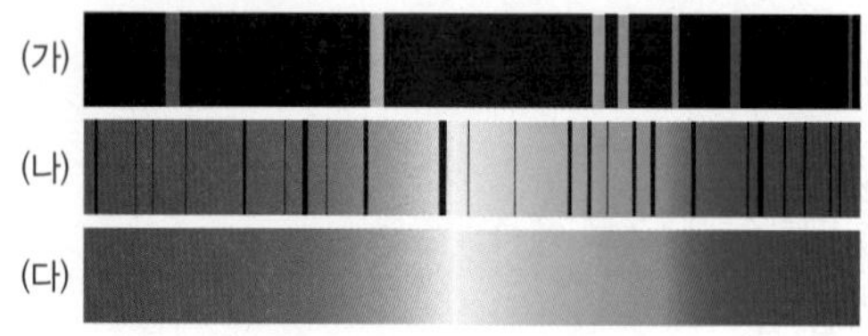

1 (가)~(다) 스펙트럼의 종류를 [보기]에서 각각 고르시오.

보기
ㄱ. 연속 스펙트럼　　ㄴ. 흡수 스펙트럼
ㄷ. 방출 스펙트럼

2 (가)~(다) 중 다음과 같은 천체를 관측할 때 각각 어떤 스펙트럼이 나타나는지 고르시오.

(1) 고온의 광원에서 방출되는 빛을 관측한다.
(2) 별빛이 저온의 성운을 통과하면서 특정한 파장이 흡수된 빛을 관측한다.
(3) 별 주위에서 가열된 성운이 방출하는 빛을 관측한다.

3 별빛의 스펙트럼을 관측하여 알아낼 수 있는 별의 특성을 [보기]에서 있는 대로 고르시오.

보기
ㄱ. 별의 질량　　ㄴ. 별의 구성 원소의 종류
ㄷ. 별의 구성 원소의 질량비

4 스펙트럼에 대한 설명으로 옳은 것은 ○, 옳지 않은 것은 ×로 표시하시오.

(1) 스펙트럼에서 수소 기체로 인해 나타나는 방출선과 흡수선의 위치는 서로 다르다. ………… (　　)
(2) 기체의 종류에 관계없이 방출선이 나타나는 위치는 모두 같다. ………… (　　)
(3) 스펙트럼을 관찰하면 원소를 구별할 수 있다. (　　)

5 그림은 가상의 세 원소의 스펙트럼을 나타낸 것이다.

A~E 중 (가)A와 같은 원소와 (나)B와 같은 원소를 각각 고르시오.

6 우주를 구성하는 원소에 대한 설명으로 옳은 것은 ○, 옳지 않은 것은 ×로 표시하시오.

(1) 우주 전역에 분포하는 수소와 헬륨의 질량비는 스펙트럼 관측을 통해 알아냈다. ………… (　　)
(2) 우주 전역에 분포하는 원소 중 헬륨이 약 74 %를 차지한다. ………… (　　)
(3) 우주를 구성하는 수소와 헬륨의 질량비는 빅뱅 우주론을 지지하는 증거이다. ………… (　　)

정답친해 3쪽

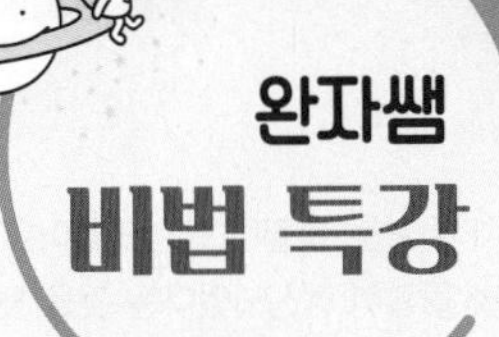

완자쌤 비법 특강

허블의 외부 은하 관측과 우주 팽창

허블은 수많은 외부 은하의 스펙트럼을 관측하여 '허블 법칙'을 발견하였어요. 허블 법칙은 우주가 팽창할 때 성립할 수 있기 때문에 이것으로 우주가 팽창한다는 것이 증명되었지요. 허블 법칙에 대해 자세히 알아볼까요?

1 외부 은하의 스펙트럼 관측 결과

- 대부분의 외부 은하의 스펙트럼에서 ◆적색 편이가 나타났다.
- 멀리 있는 은하일수록 파장 변화량이 더 크게 나타났다.

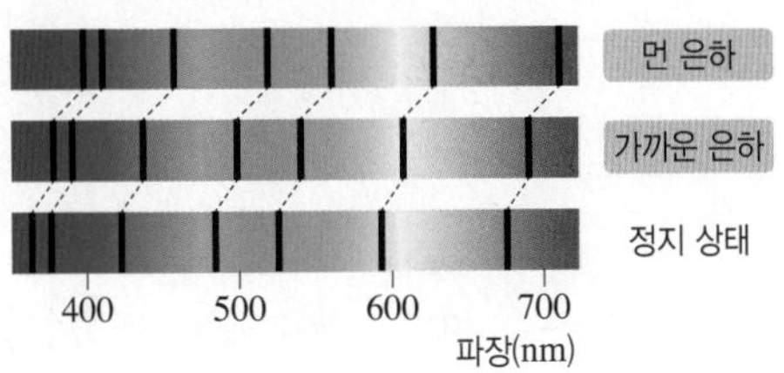

외부 은하의 스펙트럼

◆ **적색 편이:** 관측자로부터 천체가 멀어질 때, 빛의 파장이 길어져 스펙트럼에서 흡수선이 붉은색 쪽으로 이동하는 현상으로, 멀어지는 속도가 빠를수록 파장 변화량이 크다.

[알 수 있는 사실]

- 적색 편이는 천체가 멀어질 때 나타나므로 대부분의 외부 은하는 우리은하로부터 멀어지고 있다.
- 멀어지는 속도가 빠를수록 파장 변화량이 크게 나타나므로 멀리 있는 은하일수록 우리은하로부터 멀어지는 속도(후퇴 속도)가 빠르다.

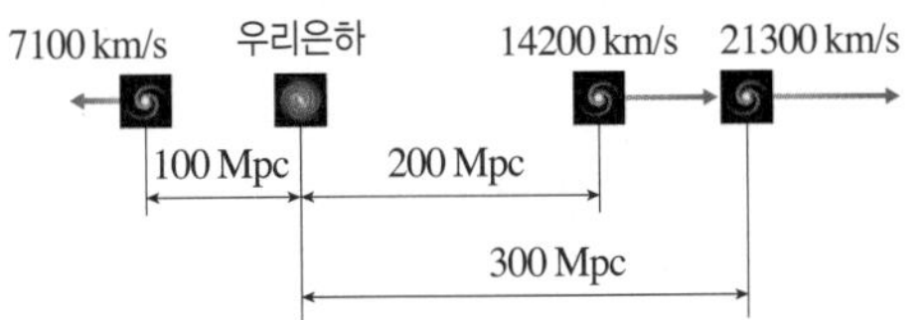

외부 은하의 스펙트럼 관측과 허블 법칙은 지구과학 I 내용이지만, 통합과학에서 심화 내용으로 시험 문제에 출제되기도 합니다.
학교 수업에서 허블 법칙을 배웠다면, 완자쌤 비법 특강으로 연습해 보아요.

2 허블 법칙

은하의 후퇴 속도는 은하까지의 거리에 비례한다. ➡ 우주가 팽창하기 때문에 나타난다.

$$V = H \cdot R$$

(V: 은하의 후퇴 속도, H: 허블 상수, R: 은하까지의 거리)

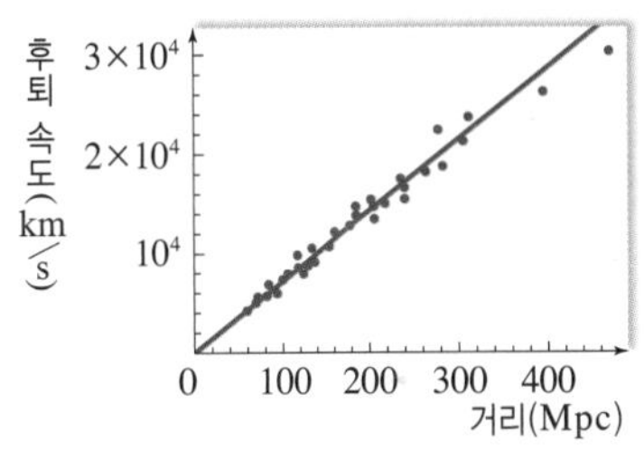

Q1 그림은 외부 은하 A, B의 스펙트럼을 정지 상태의 흡수선 파장과 비교하여 나타낸 것이다.

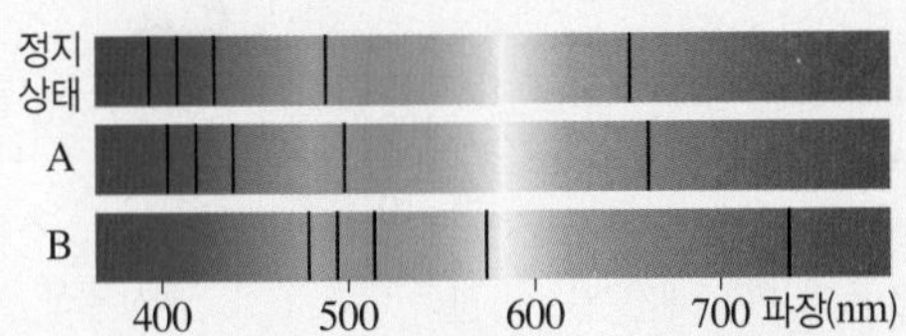

이에 대한 설명으로 옳은 것만을 [보기]에서 있는 대로 고른 것은?

보기
ㄱ. A, B 모두 스펙트럼에 적색 편이가 나타난다.
ㄴ. 후퇴 속도는 A가 B보다 빠르다.
ㄷ. 우리은하로부터의 거리는 A가 B보다 멀다.

① ㄱ ② ㄷ ③ ㄱ, ㄴ ④ ㄴ, ㄷ ⑤ ㄱ, ㄴ, ㄷ

Q2 그림은 우리은하로부터의 거리에 따른 외부 은하들의 후퇴 속도를 나타낸 것이다. 이에 대한 설명으로 옳은 것만을 [보기]에서 있는 대로 고른 것은?

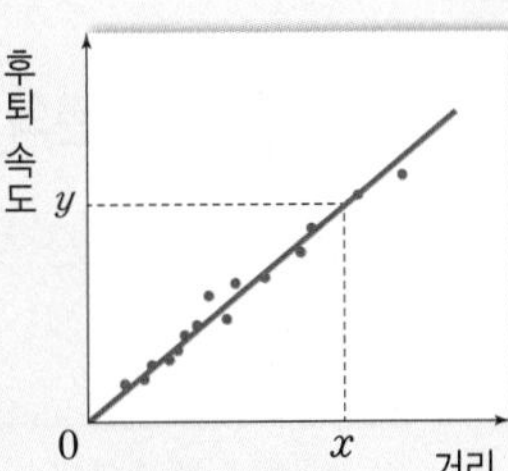

보기
ㄱ. 우리은하로부터의 거리가 멀수록 외부 은하의 후퇴 속도가 빠르다.
ㄴ. $\frac{y}{x}$는 허블 상수에 해당한다.
ㄷ. 이로부터 우주가 팽창하는 것을 알 수 있다.

① ㄱ ② ㄷ ③ ㄱ, ㄴ ④ ㄴ, ㄷ ⑤ ㄱ, ㄴ, ㄷ

완자쌤 비법 특강

빅뱅 우주론

빅뱅 이후 우주는 팽창하면서 온도가 점점 낮아졌고, 기본 입자가 생성된 후 점차 무거운 물질이 생성되었어요. 우주의 변화와 물질의 생성 과정을 한눈에 정리해 볼까요? 또, 빅뱅 우주론에 따라 물질이 생성되었다는 것을 뒷받침해 주는 증거도 함께 정리해 보아요.

1 시간에 따른 빅뱅 우주의 변화

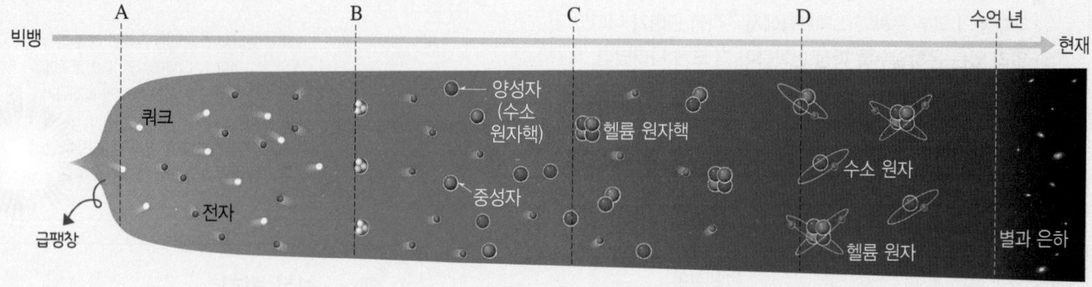

구분	우주의 나이	우주의 온도	생성된 입자	주요 특징
빅뱅	0 (약 138억 년 전)	초고온	—	현재 우주를 이루는 모든 물질과 에너지가 한 점에 모인 고온 고밀도의 상태에서 빅뱅(대폭발)이 일어났고 우주가 급격히 팽창하였다.
A	10^{-35}초	약 1000조 K	기본 입자	쿼크, 전자 등의 기본 입자가 생성되었고, 온도가 매우 높았기 때문에 물질과 에너지의 상호 변환이 자유롭게 일어났다.
B	10^{-6}초	약 100억 K	양성자와 중성자	쿼크가 결합하여 양성자와 중성자를 생성하였다. 초기에 생성된 양성자와 중성자의 개수비는 약 1 : 1이었으나 나중에는 약 7 : 1로 변하였다.
C	약 3분	약 10억 K	헬륨 원자핵	양성자와 중성자의 결합으로 헬륨 원자핵이 생성되었다. 수소 원자핵과 헬륨 원자핵의 질량비는 약 3 : 1이었다.
D	약 38만 년	약 3000 K	원자	원자핵과 전자가 결합하여 수소 원자와 헬륨 원자를 생성하였고, 빛은 자유롭게 퍼져 나가 우주가 투명해지기 시작하였다.

Q1 양성자가 생성된 시기와 원자가 생성된 시기 중 우주의 온도가 더 높은 시기를 쓰시오.

2 빅뱅 우주론의 증거

빅뱅 우주론에 따라 이론적으로 예측된 값이 실제로 관측되었으므로 이는 빅뱅 우주론을 지지하는 증거가 되었어요.

우주 배경 복사

- 빅뱅 우주론에 따르면, 원자가 생성되면서 우주로 퍼져 나간 빛은 우주의 팽창에 의해 점차 파장이 길어져 현재는 수 K의 우주 배경 복사가 되어 우주를 채우고 있을 것으로 예측되었다.
- 펜지어스와 윌슨은 최초로 마이크로파로 길어진 약 3 K의 우주 배경 복사를 관측하였고, 최근에는 인공위성으로 우주 배경 복사를 관측하였다.

펜지어스와 윌슨이 파장 약 7.3 cm의 마이크로파를 관측한 이후, 인공위성 관측으로 복사의 세기가 다양한 여러 파장이 감지되어 우주 배경 복사의 온도가 약 3 K임을 알아냈다.

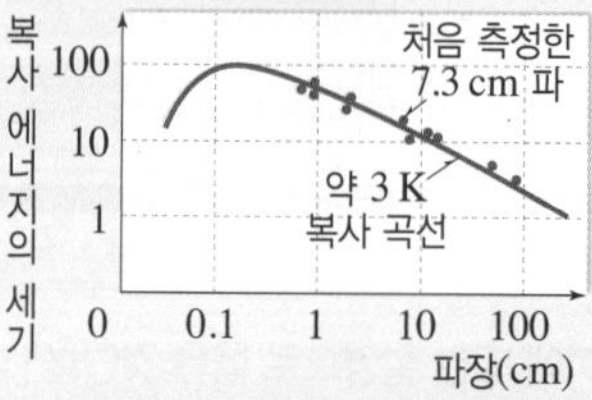

▲ 우주 배경 복사(코비 위성 관측)

수소와 헬륨의 질량비 약 3 : 1

- 빅뱅 우주론에 따르면, 우주가 팽창하면서 온도가 낮아져 생성된 수소와 헬륨의 질량비는 약 3 : 1로 예측되었다.
- 다양한 천체의 스펙트럼을 관측하고 이를 분석한 결과, 우주 전역에 분포하는 수소와 헬륨의 질량비가 약 3 : 1로 빅뱅 우주론에서 예측한 값과 거의 일치함을 알아내었다.

▲ 수소와 헬륨의 스펙트럼

Q2 우주를 구성하는 원소의 질량비를 알아낸 방법을 쓰시오.

내신 만점 문제

정답친해 3쪽

A 우주의 시작과 빅뱅 우주론

01 빅뱅 우주론에 대한 설명으로 옳지 않은 것은?

① 가모프 등이 주장하였다.
② 빅뱅 이후 우주는 계속 팽창하였다는 우주론이다.
③ 허블이 우주 팽창을 관측하는 계기를 제공하였다.
④ 우주 배경 복사는 빅뱅 우주론을 지지하는 증거이다.
⑤ 시간이 지남에 따라 은하들 사이의 거리가 멀어지는 까닭을 설명할 수 있다.

02 빅뱅 우주론과 정상 우주론을 옳게 비교한 것은?

	구분	빅뱅 우주론	정상 우주론
①	우주의 크기	팽창	일정
②	우주의 질량	일정	증가
③	우주의 밀도	일정	감소
④	우주의 온도	일정	감소
⑤	주장한 과학자	호일	가모프

중요 **03** 그림은 어느 우주론의 모형을 나타낸 것이다.

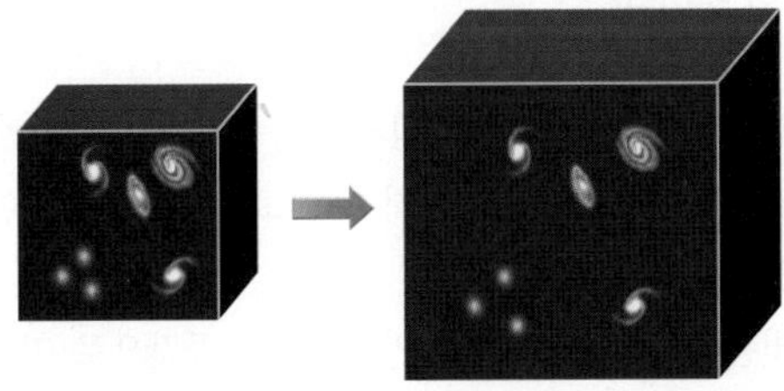

이에 대한 설명으로 옳은 것만을 [보기]에서 있는 대로 고른 것은?

보기
ㄱ. 호일 등의 과학자가 주장하였다.
ㄴ. 시간이 지남에 따라 우주의 온도가 낮아진다.
ㄷ. 멀리 있는 은하일수록 더 빠른 속도로 멀어진다.

① ㄱ ② ㄴ ③ ㄱ, ㄷ
④ ㄴ, ㄷ ⑤ ㄱ, ㄴ, ㄷ

B 빅뱅과 우주 초기 원소의 생성

중요 **04** 물질을 이루는 입자에 대한 설명으로 옳지 않은 것은?

① 쿼크는 기본 입자에 해당한다.
② 중성자는 3개의 쿼크로 이루어진다.
③ 양성자와 원자핵은 모두 양전하를 띤다.
④ 양성자는 2개의 쿼크와 1개의 전자로 이루어진다.
⑤ 원자는 원자핵 주위를 전자가 도는 구조이다.

05 그림은 물질을 이루는 입자들을 나타낸 것이다.

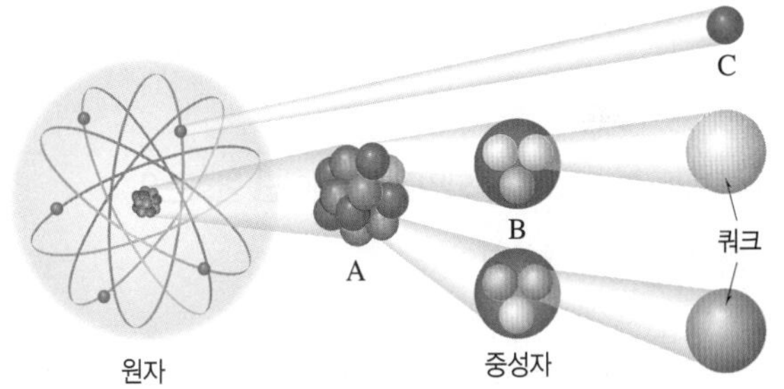

이에 대한 설명으로 옳은 것만을 [보기]에서 있는 대로 고른 것은?

보기
ㄱ. A는 양전하를 띠고, B는 음전하를 띤다.
ㄴ. B 입자 1개는 수소 원자핵이 된다.
ㄷ. C가 쪼개지면 쿼크가 된다.

① ㄱ ② ㄴ ③ ㄱ, ㄷ
④ ㄴ, ㄷ ⑤ ㄱ, ㄴ, ㄷ

06 빅뱅 우주론에서 입자의 생성에 대한 설명으로 옳은 것은?

① 양성자는 전자보다 나중에 생성되었다.
② 양성자는 물질을 이루는 기본 입자이다.
③ 헬륨 원자핵은 2개의 양성자만으로 이루어진다.
④ 수소 원자핵은 1개의 중성자만으로 이루어진다.
⑤ 중성자는 양성자와 전자가 결합하여 만들어진다.

07 그림은 빅뱅 우주에서 생성된 어떤 입자를 나타낸 것이다.

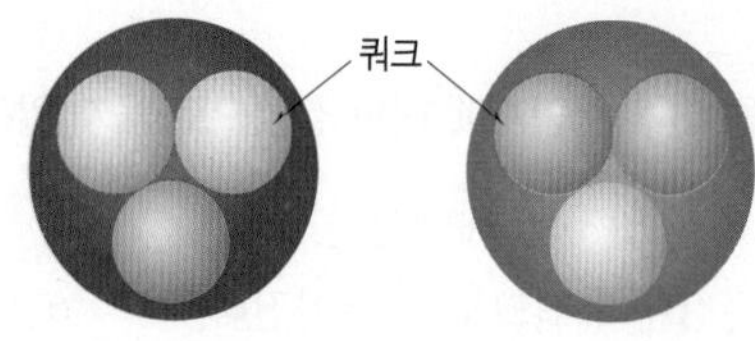

이에 대한 설명으로 옳은 것만을 [보기]에서 있는 대로 고른 것은?

보기
ㄱ. 쿼크 3개가 결합하여 생성되었다.
ㄴ. 원자핵을 이루는 입자이다.
ㄷ. 전자보다 먼저 생성되었다.

① ㄱ ② ㄷ ③ ㄱ, ㄴ
④ ㄴ, ㄷ ⑤ ㄱ, ㄴ, ㄷ

08 빅뱅 후 약 3분이 되었을 때 일어난 변화는?

① 기본 입자가 생성되었다.
② 헬륨 원자핵이 만들어졌다.
③ 양성자와 중성자가 생성되었다.
④ 빛이 자유롭게 이동할 수 있게 되었다.
⑤ 원자핵과 전자가 결합하여 원자가 생성되었다.

중요 **09** 다음은 빅뱅 우주의 어느 시기에 일어난 변화이다.

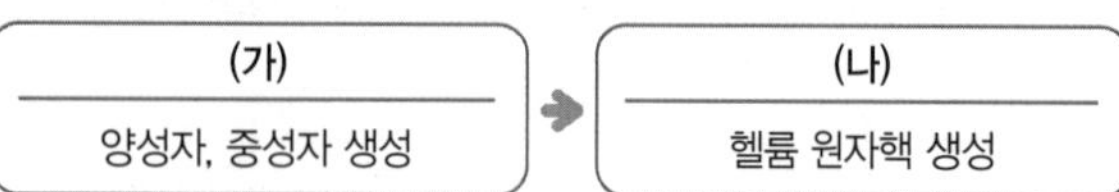

이에 대한 설명으로 옳은 것만을 [보기]에서 있는 대로 고른 것은?

보기
ㄱ. (가) → (나)의 변화는 우주의 온도가 낮아졌기 때문에 일어났다.
ㄴ. 중성자는 그 자체로 헬륨 원자핵이 되었다.
ㄷ. (나)에서 수소 원자핵과 헬륨 원자핵의 질량비는 약 12 : 1이었다.

① ㄱ ② ㄴ ③ ㄱ, ㄷ
④ ㄴ, ㄷ ⑤ ㄱ, ㄴ, ㄷ

10 그림은 빅뱅 이후 어느 시기에 빛의 진행이 (가)에서 (나)로 변한 모습을 나타낸 것이다.

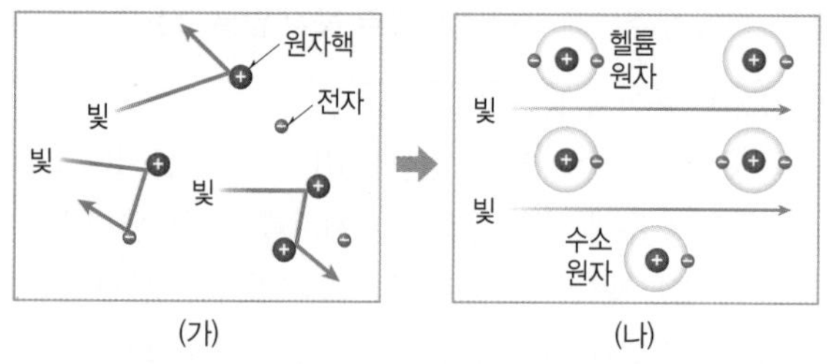

이에 대한 설명으로 옳은 것만을 [보기]에서 있는 대로 고른 것은?

보기
ㄱ. 빅뱅 후 약 3분이 지났을 때의 변화이다.
ㄴ. 우주의 온도가 낮아졌기 때문에 일어난 변화이다.
ㄷ. (나)의 빛은 우주로 퍼져 나가 현재는 모두 사라졌다.

① ㄱ ② ㄴ ③ ㄱ, ㄷ
④ ㄴ, ㄷ ⑤ ㄱ, ㄴ, ㄷ

11 다음은 빅뱅 이후 서로 다른 (가)~(다) 시기에 일어난 현상을 설명한 것이다.

(가) 쿼크의 결합에 의해 양성자와 중성자가 생성되었다.
(나) 전자가 원자핵에 붙잡히지 않고 서로 분리되어 있었다.
(다) 빛은 진행을 방해받지 않고, 우주 공간으로 퍼져 나가기 시작하였다.

이에 대한 설명으로 옳은 것은?

① 우주의 온도는 (가)가 가장 낮았다.
② (나)는 (다)보다 나중이다.
③ 전자는 (가)와 (나) 사이에 생성되었다.
④ (나)일 때의 우주는 투명하였다.
⑤ (다)는 빅뱅 후 약 38만 년이 지났을 때이다.

중요 **12** 그림은 빅뱅 이후 우주에서 일어난 변화를 시간에 따라 나타낸 것이다.

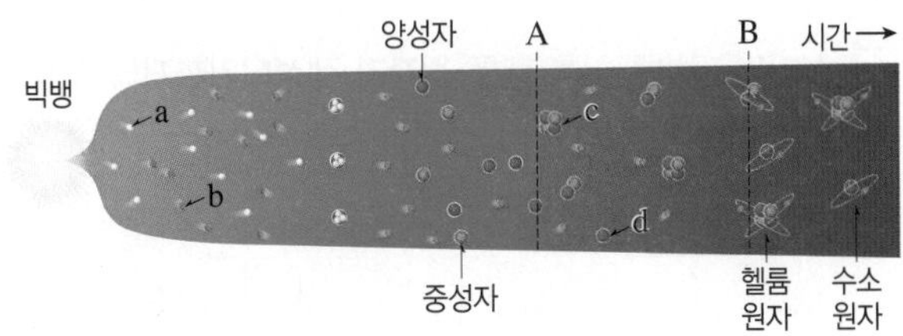

이에 대한 설명으로 옳지 않은 것은?

① a는 쿼크, b는 전자이다.
② 양성자는 쿼크가 결합한 것이다.
③ c와 d는 양전하를 띤다.
④ 우주의 온도는 A보다 B 시기에 낮았다.
⑤ B 시기 직전에 우주에 분포하는 c와 d의 질량비는 약 1 : 1이었다.

13 우주 배경 복사에 대한 설명으로 옳지 않은 것은?

① 가모프에 의해 예측되었다.
② 펜지어스와 윌슨이 발견하였다.
③ 빅뱅 우주론을 지지하는 증거이다.
④ 원자가 생성되면서 우주 공간으로 퍼져 나간 빛이다.
⑤ 현재 우주의 온도가 약 3000 K임을 알게 되었다.

14 그림은 인공위성 관측으로 작성한 우주 배경 복사 지도를 나타낸 것이다. 이로부터 알아낸 사실로 옳은 것만을 [보기]에서 있는 대로 고른 것은?

보기
ㄱ. 현재 우주의 온도는 약 3 K이다.
ㄴ. 우주에 미세한 온도 차이가 있다.
ㄷ. 우주 배경 복사는 우리은하의 중심 방향에서 온다.

① ㄱ ② ㄷ ③ ㄱ, ㄴ
④ ㄴ, ㄷ ⑤ ㄱ, ㄴ, ㄷ

C 스펙트럼과 우주의 원소 분포

15 스펙트럼에 대한 설명으로 옳지 않은 것은?

① 빛이 파장에 따라 나누어져 나타나는 것이다.
② 스펙트럼을 관찰하면 원소의 종류를 구별할 수 있다.
③ 스펙트럼에서 선의 위치는 기체의 종류에 관계없이 같다.
④ 기체 방전관에서 나오는 빛을 관측하면 스펙트럼에 방출선이 나타난다.
⑤ 별과 은하를 관측한 스펙트럼으로부터 우주에 존재하는 원소의 분포를 알 수 있다.

중요 **16** 그림 (가)~(다)는 서로 다른 스펙트럼을 나타낸 것이다.

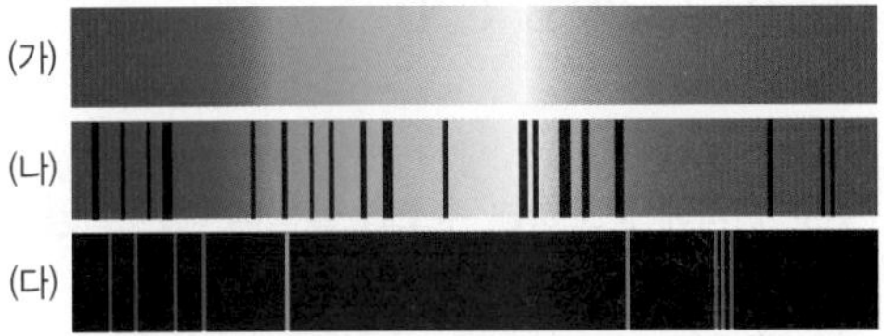

이에 대한 설명으로 옳은 것만을 [보기]에서 있는 대로 고른 것은?

보기
ㄱ. 백열전구에서 볼 수 있는 스펙트럼은 (가)이다.
ㄴ. (나)에서는 방출선이 나타난다.
ㄷ. (다)는 고온의 기체가 방출하는 빛을 관측한 것이다.
ㄹ. (나)와 (다)는 관측한 원소가 서로 같다.

① ㄱ, ㄷ ② ㄴ, ㄹ ③ ㄷ, ㄹ
④ ㄱ, ㄴ, ㄷ ⑤ ㄱ, ㄴ, ㄹ

17 그림 (가)와 (나)는 두 종류의 스펙트럼을 나타낸 것이다.

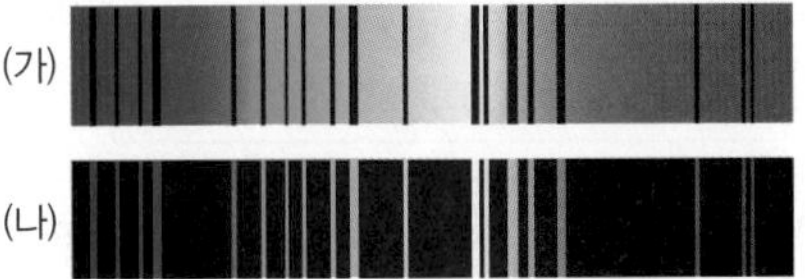

이에 대한 설명으로 옳은 것만을 [보기]에서 있는 대로 고른 것은?

보기
ㄱ. (가)는 흡수 스펙트럼이다.
ㄴ. (나)는 별빛이 저온의 기체를 통과할 때 관측된다.
ㄷ. (가)와 (나)는 동일한 원소로 인한 스펙트럼이다.

① ㄱ ② ㄴ ③ ㄱ, ㄷ
④ ㄴ, ㄷ ⑤ ㄱ, ㄴ, ㄷ

중요 **18** 그림은 가상의 원소 A~D와 어느 별빛의 스펙트럼을 나타낸 것이다.

A~D 중 이 별을 구성하는 원소를 있는 대로 고른 것은?

① A, B ② A, C ③ B, D
④ A, C, D ⑤ B, C, D

19 우주 전역에 분포하는 수소와 헬륨에 대한 설명으로 옳은 것은?

① 수소와 헬륨의 질량비는 약 7 : 1이다.
② 별의 중심부에서 생성된 후 우주 전역으로 퍼져 나갔다.
③ 수소와 헬륨의 비는 우주 배경 복사 관측으로 알아냈다.
④ 수소와 헬륨의 질량비는 빅뱅 우주론의 증거이다.
⑤ 빅뱅 이후 수소와 헬륨의 함량이 계속 증가하고 있다.

20 그림 (가)와 (나)는 헬륨 원자핵 생성 전후의 입자 개수 분포를 나타낸 것이다.

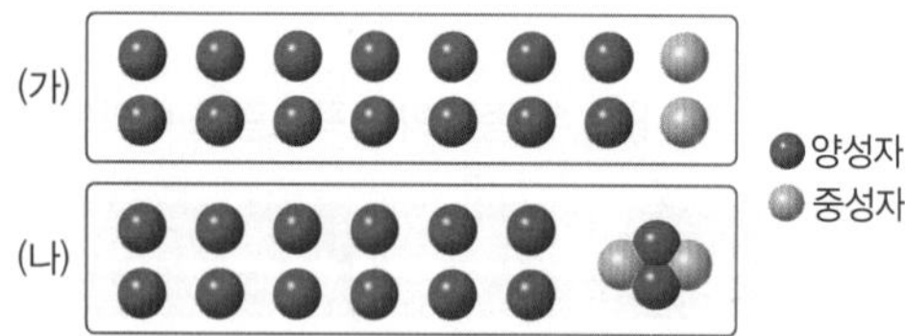

이에 대한 설명으로 옳은 것만을 [보기]에서 있는 대로 고른 것은?

보기
ㄱ. 우주의 크기는 (가)보다 (나)의 시기가 컸다.
ㄴ. (나)의 시기에 '수소 원자핵 개수 : 헬륨 원자핵 개수'는 12 : 1이었다.
ㄷ. (나)의 시기에 $\frac{\text{수소 원자핵의 총 질량}}{\text{헬륨 원자핵의 총 질량}}$은 약 3이었다.

① ㄱ ② ㄴ ③ ㄱ, ㄷ
④ ㄴ, ㄷ ⑤ ㄱ, ㄴ, ㄷ

서술형 문제

중요 **21** 그림은 빅뱅 이후 헬륨 원자가 생성되기까지의 과정을 나타낸 것이다.

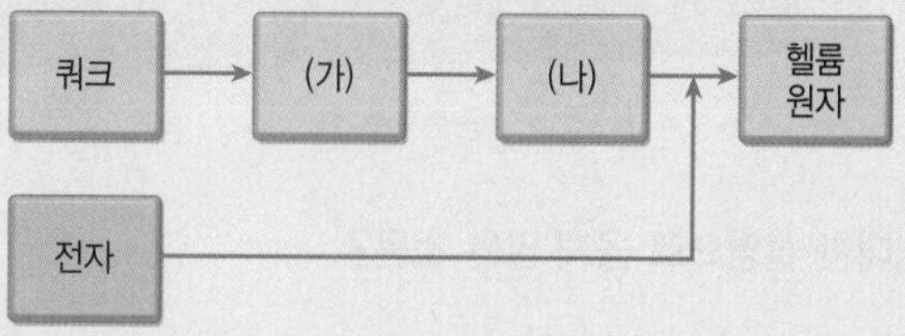

(1) (가)에서 생성된 입자 두 가지를 쓰시오.

(2) (나) 입자의 생성을 우주의 온도 변화와 구성 입자를 포함하여 서술하시오.

22 빅뱅 후 우주가 팽창하면서 우주 초기에 만들어진 원소 두 가지를 쓰고, 이보다 무거운 원소가 우주 초기에 생성되지 못한 까닭을 서술하시오.

23 빅뱅 우주론을 지지하는 대표적인 관측적 증거 두 가지를 서술하시오.

24 그림은 어느 성운의 모습과 이를 관측한 스펙트럼을 나타낸 것이다.

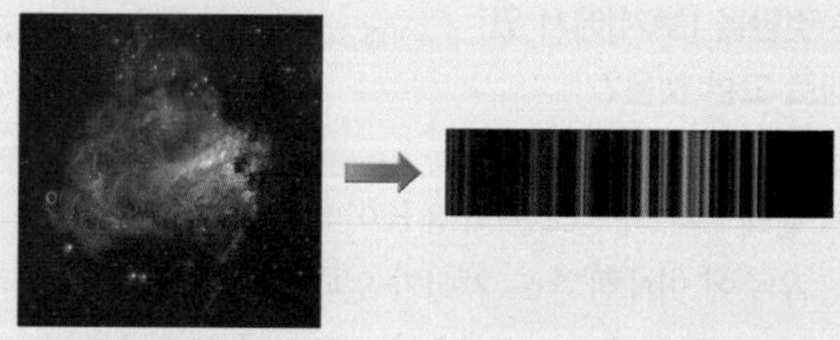

스펙트럼의 종류를 쓰고, 이와 같은 종류의 스펙트럼이 관측되는 까닭을 서술하시오.

실력 UP 문제

정답친해 6쪽

01 그림은 빅뱅 이후 같은 시기에 생성된 입자들을 묶어 (가)~(다)로 나타낸 것이다.

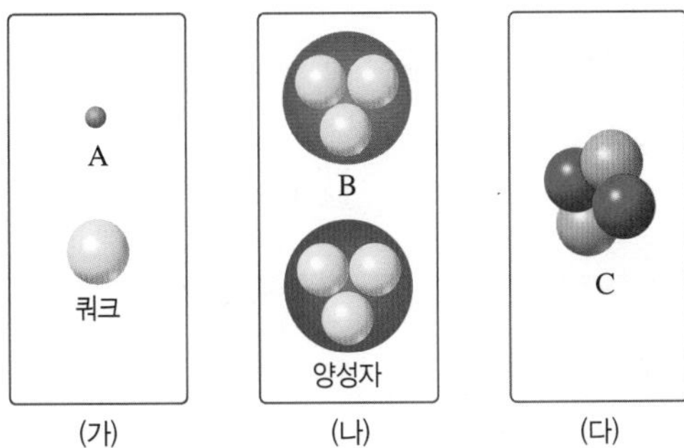

이에 대한 설명으로 옳은 것만을 [보기]에서 있는 대로 고른 것은?

보기
ㄱ. 우주의 온도는 (가)보다 (다) 시기에 낮았다.
ㄴ. B는 양전하를 띠고, C는 음전하를 띤다.
ㄷ. A가 C 주위에 붙잡힌 시기에 헬륨 원자가 생성되었다.

① ㄱ ② ㄴ ③ ㄱ, ㄷ
④ ㄴ, ㄷ ⑤ ㄱ, ㄴ, ㄷ

02 그림은 빅뱅 우주에서 생성된 물질의 변화를 나타낸 것이다.

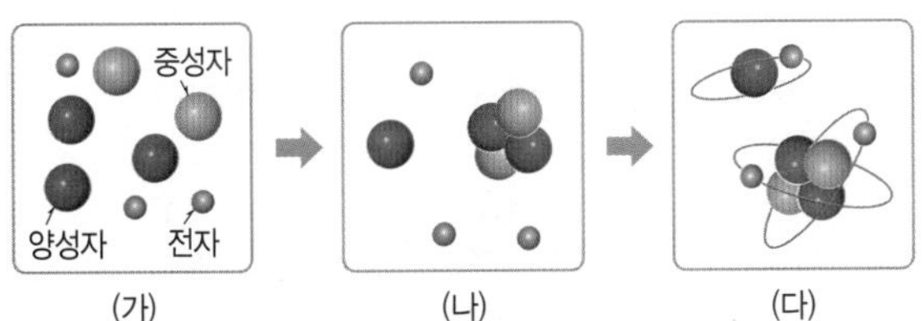

이에 대한 설명으로 옳은 것만을 [보기]에서 있는 대로 고른 것은?

보기
ㄱ. (가) → (나) → (다)로 갈수록 우주의 밀도는 감소하였다.
ㄴ. (가) → (나)의 변화는 빅뱅 후 약 3분이 되었을 때 일어났다.
ㄷ. (나) → (다)의 변화가 일어났을 때 우주의 온도는 약 3000 K이었다.

① ㄱ ② ㄷ ③ ㄱ, ㄴ
④ ㄴ, ㄷ ⑤ ㄱ, ㄴ, ㄷ

03 그림은 빅뱅 이후 우주의 팽창과 물질이 생성된 시기를 나타낸 것이다.

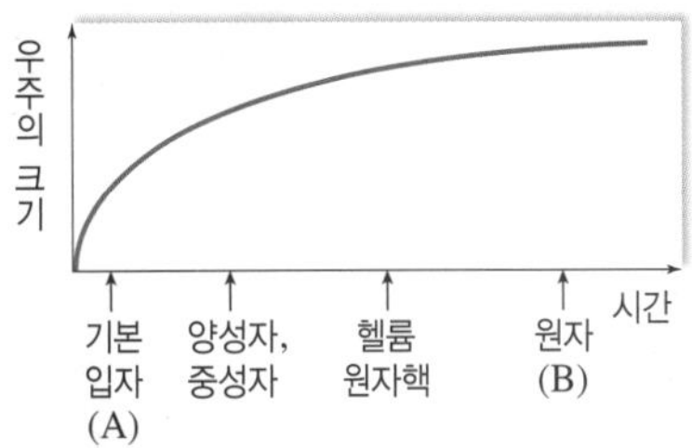

이에 대한 설명으로 옳은 것만을 [보기]에서 있는 대로 고른 것은?

보기
ㄱ. A에서 B로 갈수록 우주의 질량은 증가하였다.
ㄴ. B 시기에 수소 원자와 헬륨 원자의 질량비는 약 3 : 1이었다.
ㄷ. B 시기 이후로 현재까지 우주 배경 복사의 파장은 짧아졌다.

① ㄱ ② ㄴ ③ ㄱ, ㄷ
④ ㄴ, ㄷ ⑤ ㄱ, ㄴ, ㄷ

04 그림 (가)와 (나)는 서로 다른 종류의 스펙트럼을 나타낸 것이다.

이에 대한 설명으로 옳은 것은?

① 방출선이 나타나는 것은 (가)이다.
② 저온의 성운을 통과한 별빛의 스펙트럼은 (나)와 같다.
③ 전자가 높은 에너지 준위에서 낮은 에너지 준위로 이동할 때 (나)와 같은 스펙트럼이 나타난다.
④ (가) 스펙트럼이 나타나는 천체에는 (나)의 원소가 포함되어 있다.
⑤ 구성 원소의 질량비가 달라지면 스펙트럼에서 선의 위치가 달라진다.

05 빅뱅 우주에서 형성된 수소 원자핵과 헬륨 원자핵의 질량비가 약 3 : 1이었다. 이로부터 헬륨 원자핵이 생성되기 직전 양성자와 중성자의 개수비를 추론하여 서술하시오.

2 지구와 생명체를 구성하는 원소의 생성

핵심 포인트
1. 지구와 생명체를 구성하는 원소 ★★
2. 별의 탄생과 주계열성 ★★★
3. 별의 진화와 원소의 생성 ★★★
4. 태양계와 지구의 형성 ★★

A 지구와 생명체를 구성하는 원소의 생성

1. 우주, 지구, 생명체를 구성하는 주요 원소의 질량비

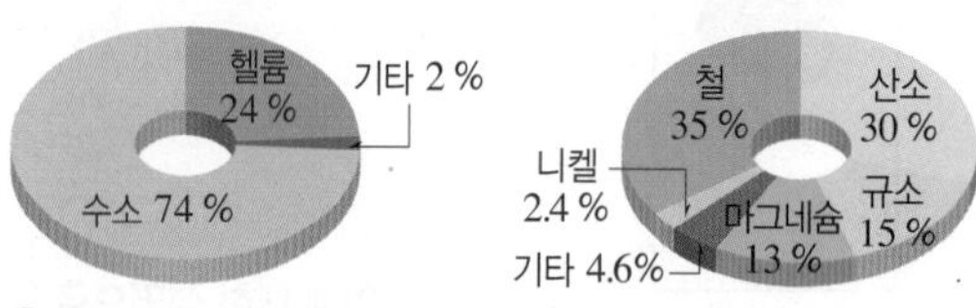

⬆ 우주 ─● 수소>헬륨>⋯ ⬆ 지구 ─● 철>산소>규소>⋯

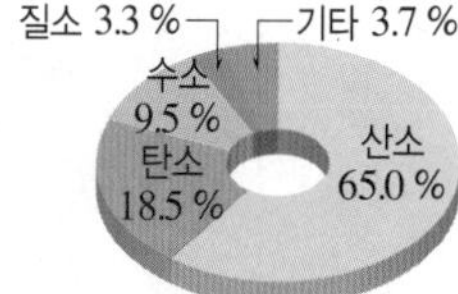

⬆ 사람 ─● 산소>탄소>수소>⋯

① **우주:** 전체 원소의 약 98 %는 수소와 헬륨이다. ➡ 대부분 우주 초기에 빅뱅으로 생성되었다.

② **지구와 생명체:** 수소와 헬륨보다 무거운 원소의 구성 비율이 높다. ➡ 무거운 원소들은 빅뱅 후 수억 년이 지나 별이 탄생한 후, 별의 진화 과정에서 생성되었다.

2. 별의 탄생

❶성운 내부의 밀도가 큰 영역에서 탄생한다. ➡ 성운이 수축하여 ◆원시별이 생성되고, 온도가 상승하여 별이 된다. └● 밀도가 큰 곳은 작은 곳에 비해 중력이 커서 더 많은 물질을 끌어당긴다.

성운의 형성

수소, 헬륨 등의 성간 물질이 모여 만들어진 밀도가 큰 가스 구름이 중력에 의해 수축하여 성운이 만들어진다.

➡ **원시별의 생성**

성운 내부의 밀도가 큰 곳에서 여러 개의 원시별이 생성되고, 원시별은 중력에 의해 수축하여 중심부의 온도가 상승한다.

➡ **별의 탄생**

원시별이 중력 수축하여 중심부의 온도가 1000만 K 이상이 되면 수소 핵융합 반응이 일어나는 별(주계열성)이 된다.

3. 주계열성

중심부에서 수소 핵융합 반응이 일어나 에너지를 방출하는 천체 ─● 빛의 형태로 방출

① **수소 핵융합 반응:** 별 중심부의 온도가 1000만 K 이상으로 높아지면 4개의 수소(H) 원자핵이 융합하여 1개의 헬륨(He) 원자핵을 만드는 반응이 일어나 에너지가 생성된다.

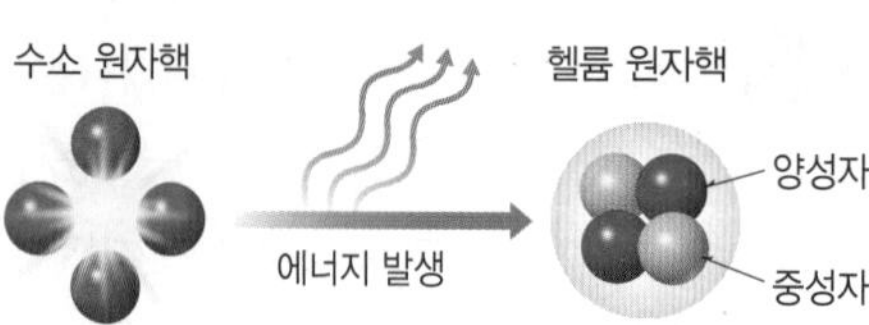

⬆ 수소 핵융합 반응

$4H \longrightarrow He + E$(에너지)

H 4개의 질량 > He 1개의 질량

- 생성 원소: 헬륨
- 반응 후 줄어든 질량이 ◆에너지로 방출된다.

② 별은 일생의 대부분을 ◆주계열성으로 보낸다.

③ **힘의 평형:** 주계열성은 내부 압력과 중력이 평형을 이루어 별의 크기가 일정하게 유지된다.

주계열성에서 힘의 평형과 별의 크기

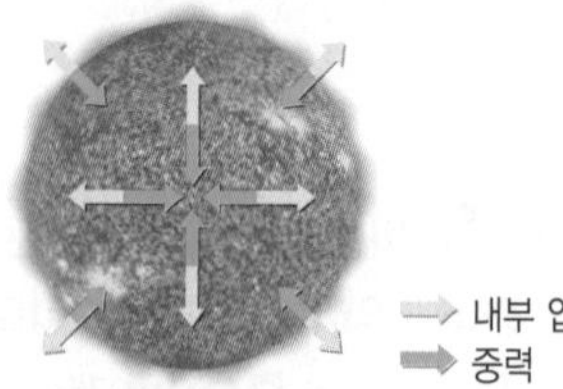

내부 압력: 핵융합 반응으로 발생한 기체 압력 = **중력:** 별의 질량에 의해 중심으로 작용하는 힘 ➡ 별의 크기가 일정하다.

└● 기체의 운동 에너지가 높아져 팽창하려고 한다.

└● 기체가 중력에 의해 중심 방향으로 수축하려고 한다.

◆ **원시별과 별**
- 원시별: 중력 수축으로 온도가 상승하여 빛을 내는 천체
- 별: ❷핵융합 반응으로 스스로 빛을 내는 천체

◆ **에너지 방출**
질량 에너지 등가 원리, 즉, $E = \Delta mc^2$(c: 광속)에 따르면, 물질은 질량의 크기에 해당하는 에너지를 가지고 있으므로 질량(Δm)은 에너지(E)로 전환된다.

◆ **주계열성의 수명**
별의 질량이 클수록 핵융합 반응이 활발하기 때문에 수명이 짧다. 태양은 현재 주계열성으로, 약 50억 년 후 중심부의 수소 핵융합 반응이 끝날 것이다.

용어
❶ **성운(星 별, 雲 구름)** 별과 별 사이의 공간에 분포하는 기체와 티끌 등의 물질을 성간 물질이라 하고, 성간 물질이 밀집되어 구름처럼 보이는 천체를 성운이라고 한다.
❷ **핵융합 반응** 가벼운 원자핵이 융합하여 무거운 원자핵이 생성되는 반응

4. 별의 진화와 원소의 생성

① **철보다 가벼운 원소와 철의 생성:** 별이 진화하면서 별의 내부에서 ◆핵융합 반응으로 생성된다.

• 질량이 태양 정도인 별: 별의 내부에서 핵융합 반응으로 탄소, 산소까지 생성된다.

주계열성	• 수소 핵융합 반응: 수소 원자핵이 융합하여 헬륨이 생성된다.
주계열성 이후	• 중력 수축: 중심부의 수소가 모두 헬륨으로 바뀌어 헬륨 핵이 되면, 핵융합 반응이 멈춘다. 이때 중심부는 수축하여 온도가 상승하고, 바깥층은 가열되어 수소 핵융합 반응이 일어나면서 별이 팽창하여 크기가 커진다.→ 적색 거성 • 헬륨 핵융합 반응: 중심부의 온도가 1억 K 이상이 되면, 헬륨 원자핵이 융합하여 탄소, 산소가 생성된다. • 핵융합 중단: 헬륨이 고갈되어 탄소핵이 생성되면, 탄소 핵융합 반응이 일어날 수 있을 만큼 온도가 상승하지 못하여 핵융합 반응이 멈춘다. ➡ 핵융합 중단 후 별의 바깥층은 팽창하다가 우주로 퍼져 나가 성운이 되고, 중심부는 수축하여 밀도가 커진다.→ 행성상 성운, 백색 왜성

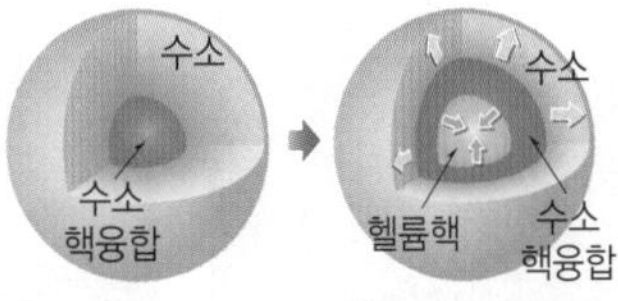

▲ 주계열성 ▲ 주계열성 이후

[질량이 태양 정도인 별 중심부에서 생성되는 원소]

중심부의 온도가 높아질수록 무거운 원소의 핵융합 반응이 일어날 수 있다. ➡ 헬륨, 탄소, 산소 생성

▲ 주계열성 ▲ 주계열성 이후

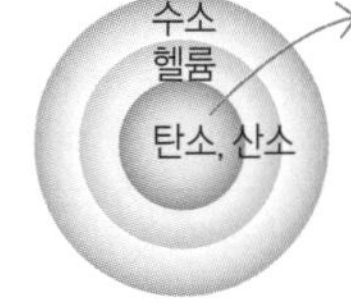

중심부로 갈수록 무거운 원소가 분포한다. (중심부로 갈수록 온도가 높다.)

▲ 핵융합 반응이 중단된 후 별의 내부 구조

• 질량이 태양의 10배 이상인 별: 별의 내부에서 핵융합 반응으로 철까지 생성된다.

주계열성	• 수소 핵융합 반응: 수소 원자핵이 융합하여 헬륨이 생성된다.
주계열성 이후	• 중력 수축 → 헬륨 핵융합 반응 → 중력 수축 → 탄소 핵융합 반응 → …: 중심부에 있던 헬륨이 고갈되어 탄소핵이 생성된 후에도 중심부의 온도가 상승하여 점차 무거운 원소의 핵융합 반응이 일어나 철까지 생성된다. ➡ 철까지만 생성되는 까닭: 철 원자핵이 매우 안정하기 때문→ 초거성 • 핵융합 중단: 중심부에서 철까지 생성되면, 더 이상 핵융합 반응이 일어나지 않는다.

[질량이 태양의 10배 이상인 별 중심부에서 생성되는 원소]

탄소보다 무거운 원소를 생성할 수 있을 만큼 ◆온도가 높아진다. ➡ 헬륨~철 생성

▲ 주계열성 ▲ 주계열성 이후 → 별의 질량이 클수록 중심부의 온도가 높아진다.

▲ 핵융합 반응이 중단된 후 별의 내부 구조

② **철보다 무거운 원소의 생성:** 초신성 폭발 과정에서 생성된다. 예 금, 구리, 우라늄 등

➡ 질량이 태양의 10배 이상인 별은 중심부에서 철까지 생성되면 급격히 수축하다 폭발하고, 폭발하면서 발생한 엄청난 에너지에 의해 철보다 무거운 원소가 생성된다.

에너지를 방출하는 것이 아니라 주변의 에너지를 흡수하는 과정이기 때문에 초신성 폭발 때 일시적으로 생성된다.

③ **별에서 생성된 원소의 방출:** 행성상 성운 및 초신성 폭발 과정에서 원소가 우주로 방출되어 새로운 별, 행성, 생명체의 재료가 된다.

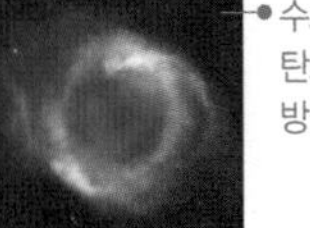
수소, 헬륨, 탄소, 산소 방출

▲ 행성상 성운

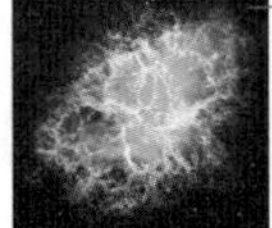
수소, 헬륨, 탄소, 산소, 규소, 철, 금, 구리 등 방출

▲ 초신성 잔해

◆ **별 중심부의 핵융합 반응**

별의 중심부에서는 아래와 같은 반응이 연쇄적으로 일어나 점차 무거운 원소가 생성된다.

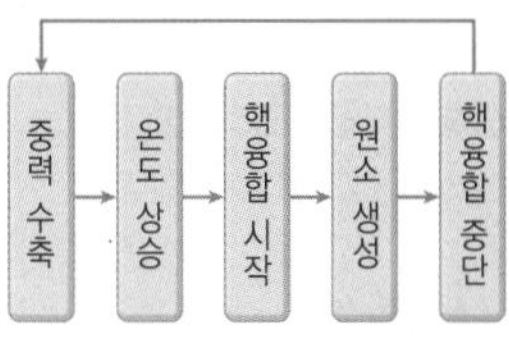

이것까지 나와요! 지구과학 I

질량이 태양 정도인 별의 진화

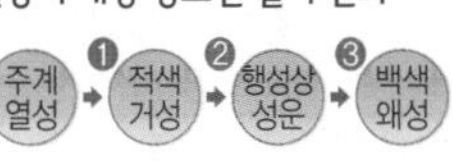

❶ 주계열성 이후 팽창하면서 크기가 커지고 표면 온도가 낮아져 붉게 보이는 별
❷ 적색 거성 바깥층이 팽창하여 형성된 행성 모양의 성운
❸ 적색 거성의 중심부가 수축하여 밀도가 커진 천체

질량이 태양의 10배 이상인 별의 진화

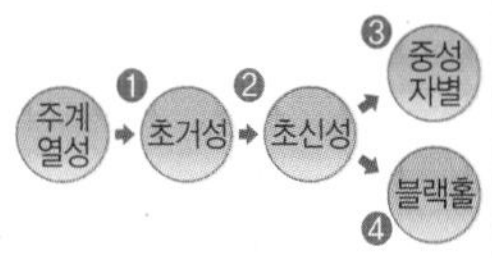

❶ 주계열성 이후 팽창하여 크기가 매우 커진 별
❷ 별이 폭발하여 밝아진 단계
❸ 초신성 폭발 후 남은 중심부가 수축하여 형성된 중성자로 이루어진 천체
❹ 빛조차 탈출하지 못할 정도로 중력이 매우 큰 천체

→ 별의 질량이 태양의 약 25배 이상인 경우는 초신성 폭발 후 남은 중심부가 수축하여 블랙홀이 된다.

◆ **핵융합 반응이 일어나는 온도**

핵융합 반응	온도(K)
수소 핵융합	1000만
헬륨 핵융합	1억~2억
탄소 핵융합	8억
산소 핵융합	20억
규소 핵융합	30억

B 태양계와 지구의 형성

1. 태양계의 형성

① **태양계의 형성:** 약 50억 년 전 우리은하의 나선팔에서 태양계 성운이 수축하여 형성되었다.

태양계 성운 형성 ❶ ▶ 원시 태양과 원반 형성 ❷ ▶ 고리와 미행성체 형성 ❸ ▶ 원시 태양계 형성 ❹

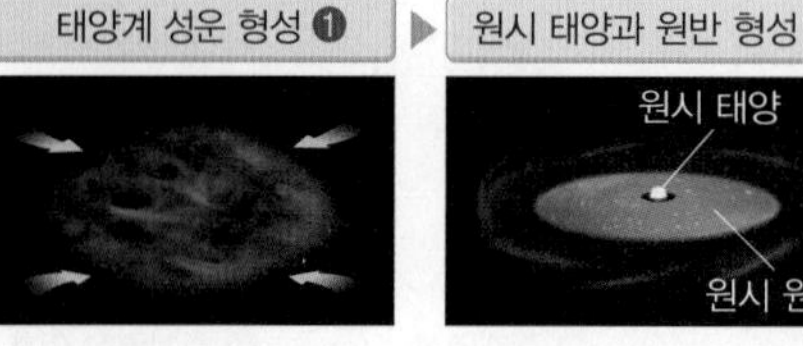
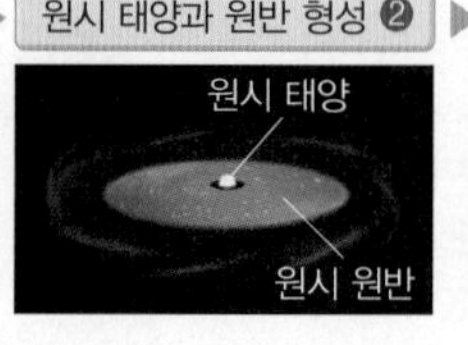

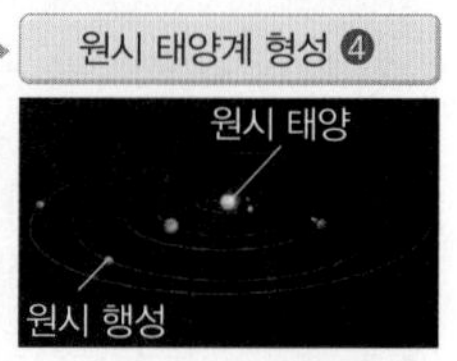

❶ 태양계 성운 형성	어느 초신성이 폭발하면서 생긴 충격으로 안정한 상태에 있던 거대한 성운의 밀도가 불균일해졌다. 이에 따라 밀도가 큰 부분이 수축하면서 회전하여 태양계 성운이 형성되었다.
❷ 원시 태양과 원반 형성	• 태양계 성운이 수축하면서 중심부에서는 온도와 밀도가 높아져 원시 태양이 형성되었다. • 태양계 성운이 수축함에 따라 회전 속도가 점차 빨라졌고, 원시 태양의 주변부에서는 물질이 퍼져 나가 납작한 원시 원반이 형성되었다. → 원시 태양과 같은 방향으로 회전한다.
❸ 고리와 미행성체 형성	• 원시 태양은 중력 수축에 의해 온도가 더욱 높아졌다. • 원시 원반은 회전하는 동안 여러 개의 큰 고리를 형성하였고, 각각의 고리에서는 기체와 티끌이 뭉쳐져 수많은 [1]미행성체가 형성되어 원시 태양 주위를 공전하였다.
❹ 원시 태양계 형성	• 원시 태양은 수소 핵융합 반응이 시작되면서 태양이 되었다. • 미행성체들은 서로 충돌하고 합쳐져 원시 행성이 되어 태양계를 형성하였다.

② **지구형 행성과 목성형 행성의 형성**

→ 원시 태양으로부터 거리에 따라 원시 원반을 이루는 물질의 종류가 달랐다.

지구형 행성 수성, 금성, 지구, 화성

태양과 가까운 곳은 온도가 높으므로 녹는점이 높은 철, 니켈, 규소 등 무거운 물질들이 남아 미행성체를 형성하였다. ➡ 무거운 물질들이 뭉쳐 지구형 행성이 되었다. 암석 성분 행성

목성형 행성 목성, 토성, 천왕성, 해왕성

태양에서 먼 곳은 온도가 낮으므로 녹는점이 낮은 얼음, 메테인 등 가벼운 물질들이 응축하여 미행성체를 형성하였다. ➡ 수소, 헬륨 등의 가벼운 기체를 끌어당겨 거대한 목성형 행성이 되었다. 기체 성분 행성

이것까지 나와요! 중등과학 **지구형 행성과 목성형 행성의 특징 비교**

지구형 행성과 목성형 행성은 행성의 물리적 특징이 다르다.

행성	질량	반지름	평균 밀도	고리	위성 수	표면 상태
지구형	작다.	작다.	크다.	없다.	적거나 없다.	단단한 암석
목성형	크다.	크다.	작다.	있다.	많다.	단단한 표면이 없다.
그래프	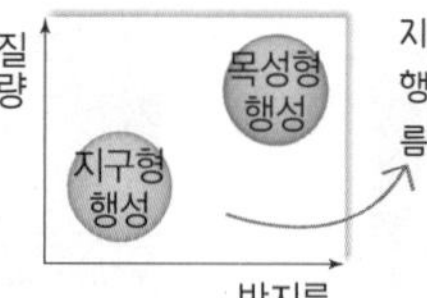 지구형 행성은 목성형 행성보다 질량과 반지름이 작다.			지구형 행성은 목성형 행성보다 평균 밀도가 크고, 반지름이 작다.		

◆ **태양계 물질의 기원**
빅뱅으로 생성된 원소들과 별의 진화 과정에서 생성되어 우주로 방출된 다양한 원소들이다.

◆ **태양계 성운**
태양계 성운의 구성 성분은 현재 태양과 같이 약 98 %의 가벼운 원소, 약 2 %의 무거운 원소로 이루어져 있을 것으로 추정된다. 태양계 성운의 지름은 7천 AU~2만 AU로 현재의 태양계보다 매우 컸고, 질량은 현재의 태양보다 미세하게 컸을 것으로 추정된다.

◆ **성운의 회전 속도**
피겨 스케이팅 선수가 회전하다가 팔을 오므리면 회전 속도가 빨라지는 것과 같이 성운이 수축하면서 회전하면 회전 속도가 빨라진다.

궁금해?
지구형 행성이 목성형 행성보다 크기가 작은 까닭은?
태양에 가까운 곳은 녹는점이 높은 무거운 원소가 주로 남았는데, 무거운 원소들은 태양계에서 적은 양만 존재하였기 때문에 이들이 뭉쳐져 생성된 지구형 행성의 크기는 작았다.

(용어)
❶ 미행성체(微 작다, 行星 행성 體 몸) 태양계 성운의 고리 내에서 원시 태양 주위를 도는 기체와 티끌이 서로 충돌하면서 성장하여 형성된 작은 천체들

2. 지구의 형성과 생명체 탄생 원시 지구에 미행성체가 충돌하면서 지구는 점차 성장하였다.

❶ 미행성체 충돌	미행성체들이 충돌하여 원시 행성이 형성되는 과정에서 원시 지구가 형성되었다.
❷ 마그마의 바다 형성	미행성체의 충돌로 발생한 열에 의해 지구 전체가 녹아 마그마의 바다가 형성되었다.
❸ 맨틀과 핵 형성	규소와 산소 등 상대적으로 가벼운 물질은 떠올라 맨틀을 형성하였고, 철과 니켈 등 상대적으로 무거운 물질은 중심부로 가라앉아 핵을 형성하였다.→ 지구 중심부의 밀도 증가
❹ 원시 지각과 바다 형성	미행성체의 충돌이 감소하면서 지표가 냉각되어 단단한 원시 지각이 형성되었다. ◆대기 중의 수증기가 비로 내리면서 원시 지각에 빗물이 모여 원시 바다가 형성되었다.
❺ 생명체 탄생	바다에서 최초의 생명체가 탄생하였고, 점차 오늘날과 같이 진화하였다.

◆ **대기 성분의 변화**
지구 탄생 초기에는 대기 중에 이산화 탄소, 질소, 수증기가 많았다. 이후 수증기는 비로 내리고, 이산화 탄소는 바다에 녹아 감소하였다. 광합성 생물이 출현한 후 대기 중에 산소가 증가하여 현재는 질소, 산소가 많은 비율을 차지한다.

개념 확인 문제

정답친해 7쪽

핵심 체크

- 별의 탄생: 원시별은 (❶) 으로, 별은 (❷) 반응으로 에너지가 생성된다.
- 주계열성: (❸) 핵융합 반응으로 에너지를 생성하고, 내부 압력과 중력이 평형을 이루어 크기가 일정하다.
- 철보다 가벼운 원소와 철의 생성: 별 내부의 (❹) 으로 생성된다.
  - 질량이 태양 정도인 별: 헬륨, (❺), 산소가 생성된다.
  - 질량이 태양의 10배 이상인 별: 헬륨부터 점점 무거운 원소가 생성되고, (❻)까지 생성된다.
- 철보다 무거운 원소의 생성: (❼) 과정에서 생성된다.
- 태양계의 형성: 태양계 성운이 수축하여 중심부에서 (❽)이, 원시 원반에서 원시 행성이 형성되었다.
- 지구의 형성: 미행성체 충돌 → (❾) 형성 → 맨틀과 핵 형성 → 원시 지각과 바다 형성 → 생명체 탄생

1 지구와 사람을 구성하는 주요 원소 중 질량비가 가장 높은 원소와 두 번째로 높은 원소를 각각 순서대로 쓰시오.

2 별에 대한 설명으로 옳은 것은 ○, 옳지 않은 것은 ×로 표시하시오.

(1) 별은 성운 내부의 밀도가 작은 영역에서 탄생한다. ( )
(2) 원시별에서 수소 핵융합 반응이 일어난다. ( )
(3) 원시별 중심부의 온도가 1000 K이 되면 주계열성이 된다. ( )
(4) 주계열성에서 수소 핵융합 반응이 일어나면 수소의 양은 감소하고, 헬륨의 양은 증가한다. ( )

3 별의 진화와 원소의 생성에 대한 설명으로 옳은 것은 ○, 옳지 않은 것은 ×로 표시하시오.

(1) 질량이 큰 별일수록 중심부에서 최종적으로 생성되는 원소가 무겁다. ( )
(2) 질량이 태양 정도인 별의 중심부에서 생성되는 가장 무거운 원소는 철이다. ( )
(3) 철보다 무거운 원소는 별이 탄생할 때 생성된다. ( )

4 태양계의 형성 과정을 순서대로 나열하시오.

(가) 원시 태양계 형성	(나) 고리와 미행성체 형성
(다) 태양계 성운 형성	(라) 원시 태양과 원반 형성

5 태양에서 먼 곳에서는 녹는점이 ㉠(낮은, 높은) 가벼운 물질들이 응축하여 미행성체를 형성하였고, 수소, 헬륨 등의 기체를 끌어당겨 ㉡(지구형, 목성형) 행성이 되었다.

6 지구의 형성 과정을 순서대로 나열하시오.

(가) 미행성체 충돌	(나) 맨틀과 핵 형성
(다) 마그마의 바다 형성	(라) 원시 지각과 바다 형성

내신 만점 문제

A 지구와 생명체를 구성하는 원소의 생성

01 우주, 지구, 사람을 구성하는 원소에 대한 설명으로 옳은 것만을 [보기]에서 있는 대로 고른 것은?

보기
ㄱ. 우주를 구성하는 원소의 대부분은 수소와 헬륨이다.
ㄴ. 지구와 사람을 구성하는 원소의 질량비는 거의 같다.
ㄷ. 지구와 사람을 구성하는 주요 원소는 빅뱅 우주 초기에 생성되었다.

① ㄱ ② ㄷ ③ ㄱ, ㄴ
④ ㄴ, ㄷ ⑤ ㄱ, ㄴ, ㄷ

02 그림 (가)와 (나)는 지구와 사람을 이루는 원소 중 질량비가 큰 세 가지 원소를 순서 없이 나타낸 것이다.

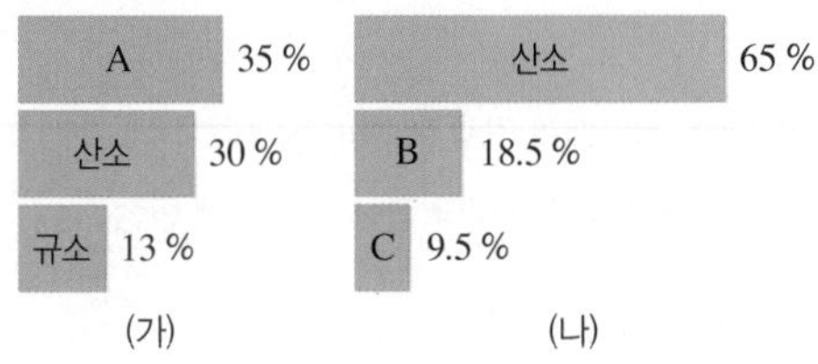

이에 대한 설명으로 옳은 것만을 [보기]에서 있는 대로 고른 것은?

보기
ㄱ. (가)는 지구, (나)는 사람에 해당한다.
ㄴ. A는 철, B는 탄소이다.
ㄷ. (가)와 (나)에서 C를 제외한 원소들은 모두 별의 내부에서 생성되었다.

① ㄱ ② ㄴ ③ ㄱ, ㄷ
④ ㄴ, ㄷ ⑤ ㄱ, ㄴ, ㄷ

03 별의 탄생에 대한 설명으로 옳지 않은 것은?

① 성운은 수소와 헬륨 등이 모여 형성된다.
② 원시별은 성운 내부의 밀도가 큰 영역에서 생성된다.
③ 원시별은 중력 수축하면서 점차 뜨거워진다.
④ 원시별 단계에서는 내부 압력이 중력보다 작다.
⑤ 원시별의 중심 온도가 100만 K이 되면 핵융합이 시작된다.

중요 **04** 그림은 별의 중심부에서 일어나는 핵융합 반응을 나타낸 것이다.

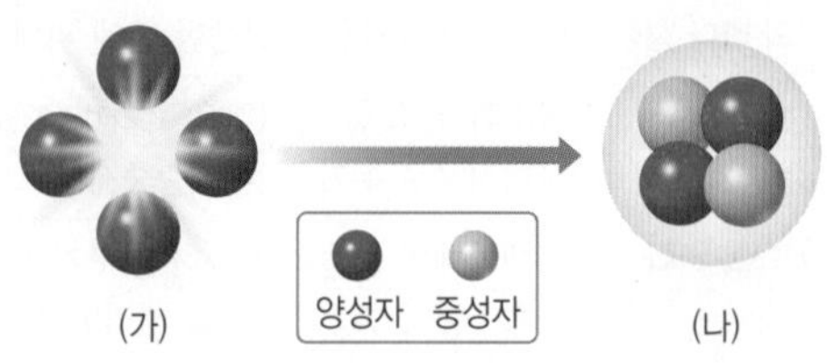

이에 대한 설명으로 옳은 것만을 [보기]에서 있는 대로 고른 것은?

보기
ㄱ. (가)는 수소 원자핵의 융합을 나타낸다.
ㄴ. (가) → (나)는 에너지를 흡수하는 과정이다.
ㄷ. 주계열성의 중심부에서 일어나는 핵융합 반응이다.

① ㄱ ② ㄴ ③ ㄱ, ㄷ
④ ㄴ, ㄷ ⑤ ㄱ, ㄴ, ㄷ

05 그림은 별의 내부에서 작용하는 힘을 나타낸 것이다. 이에 대한 설명으로 옳은 것은?

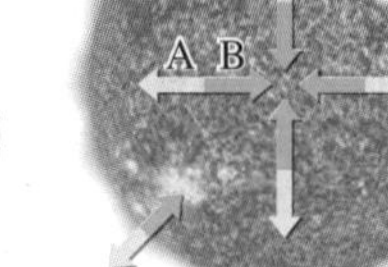

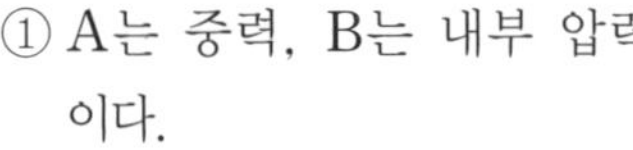

① A는 중력, B는 내부 압력이다.
② A는 별을 수축시키는 힘이다.
③ B는 핵융합 반응에 의해 발생한다.
④ 주계열성에서는 A와 B가 평형을 이룬다.
⑤ 중심부의 핵융합 반응이 멈추면 A가 B보다 커진다.

중요 **06** 주계열성에 대한 설명으로 옳지 않은 것은?

① 별의 크기가 일정하게 유지된다.
② 중심부의 온도는 1000만 K 이상이다.
③ 중심부에서 수소 핵융합 반응이 일어난다.
④ 별은 일생의 대부분을 주계열성으로 보낸다.
⑤ 별의 질량이 클수록 주계열 단계의 수명이 길다.

중요 **07** 그림은 질량이 태양 정도인 별의 진화 과정에서 핵융합 반응이 일어나는 과정을 나타낸 것이다.

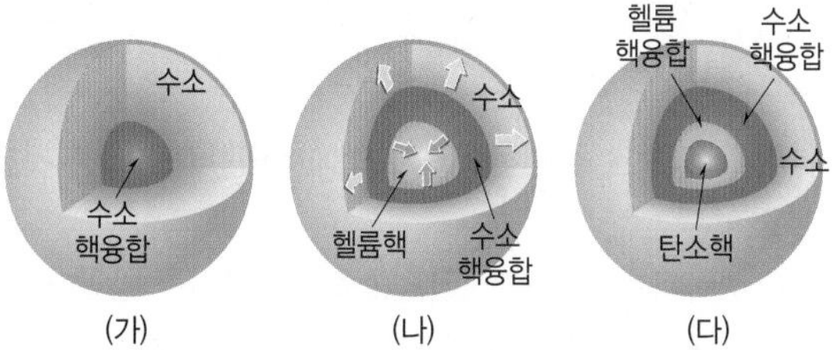

이에 대한 설명으로 옳은 것만을 [보기]에서 있는 대로 고른 것은?

보기
ㄱ. (가) 중심부에서는 헬륨의 양이 점차 증가한다.
ㄴ. 별의 크기는 (가)보다 (나)에서 크다.
ㄷ. (다) 이후에 중심부에서 생성되는 가장 무거운 원소는 철이다.

① ㄱ ② ㄷ ③ ㄱ, ㄴ
④ ㄴ, ㄷ ⑤ ㄱ, ㄴ, ㄷ

08 표는 어느 별의 중심부에서 핵융합 반응에 의해 새로운 원소가 생성되는 과정을 순서 없이 나타낸 것이다.

핵융합 반응	반응 원소 → 생성 원소
(가)	H → He
(나)	Si → Fe
(다)	He → C, O
(라)	O → S, Si

이에 대한 설명으로 옳은 것만을 [보기]에서 있는 대로 고른 것은?

보기
ㄱ. 가장 먼저 일어나는 반응은 (가)이다.
ㄴ. (나) 이후에 별의 중심부에서는 핵융합 반응으로 철보다 무거운 원소가 생성된다.
ㄷ. (다)와 (라)는 주계열성에서 일어난다.

① ㄱ ② ㄷ ③ ㄱ, ㄴ
④ ㄴ, ㄷ ⑤ ㄱ, ㄴ, ㄷ

중요 **09** 그림 (가)와 (나)는 질량이 다른 두 별의 중심부에서 더 이상 핵융합 반응이 일어나지 않을 때의 내부 구조이다.

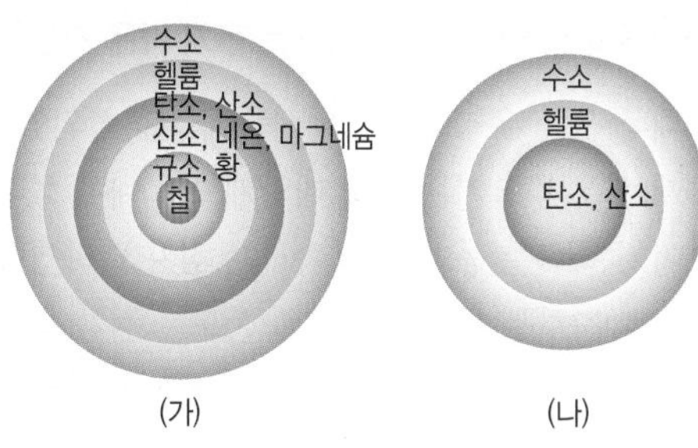

이에 대한 설명으로 옳은 것만을 [보기]에서 있는 대로 고른 것은?

보기
ㄱ. 중심부의 최대 온도는 (가)가 (나)보다 높다.
ㄴ. 별의 질량은 (가)가 (나)보다 크다.
ㄷ. 태양이 진화하면 (가)와 같은 구조가 될 것이다.

① ㄱ ② ㄷ ③ ㄱ, ㄴ
④ ㄴ, ㄷ ⑤ ㄱ, ㄴ, ㄷ

10 그림은 어느 초신성의 잔해로 이루어진 성운을 나타낸 것이다.
이에 대한 설명으로 옳은 것만을 [보기]에서 있는 대로 고른 것은?

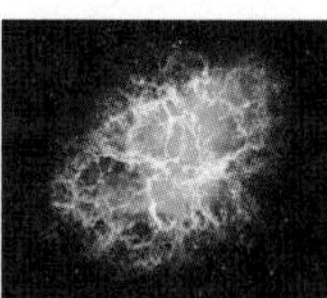

보기
ㄱ. 철보다 무거운 납, 우라늄 등이 포함되어 있다.
ㄴ. 질량이 태양의 10배 이상인 별이 폭발한 것이다.
ㄷ. 초신성 폭발 전 별의 중심핵에서 만들어진 가장 무거운 원소는 탄소였다.

① ㄱ ② ㄷ ③ ㄱ, ㄴ
④ ㄴ, ㄷ ⑤ ㄱ, ㄴ, ㄷ

11 원소의 생성에 대한 설명으로 옳은 것은?

① 철 – 별 내부에서 생성되는 가장 가벼운 원소이다.
② 수소 – 초신성 폭발 과정에서 생성된다.
③ 헬륨 – 빅뱅 우주 초기의 핵합성으로만 생성된다.
④ 탄소 – 헬륨 핵융합 반응에 의해 생성된다.
⑤ 구리 – 질량이 태양의 10배 이상인 별의 내부에서 생성된다.

B 태양계와 지구의 형성

12 태양계의 형성에 대한 설명으로 옳지 않은 것은?

① 태양계 성운은 우리은하의 나선팔에서 형성되었다.
② 태양계 성운의 크기는 현재 태양계보다 매우 컸다.
③ 성운이 수축하는 동안 회전 속도는 점차 빨라졌다.
④ 성운이 수축하는 동안 중심부의 온도는 점차 낮아졌다.
⑤ 미행성체의 충돌과 병합으로 원시 행성이 형성되었다.

13 다음은 태양계 형성 과정의 어느 단계를 설명한 것이다.

성운의 중심부에 ㉠원시 태양이 형성되었고, 그 주변부에는 ㉡회전하는 원시 원반이 만들어졌다.

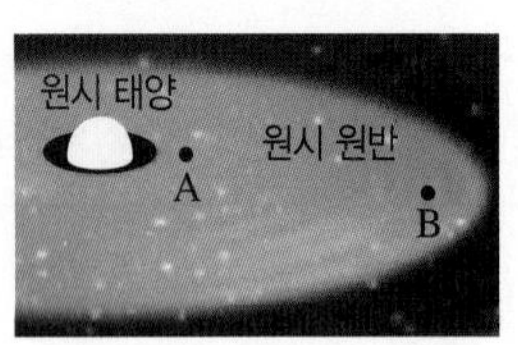

이에 대한 설명으로 옳은 것만을 [보기]에서 있는 대로 고른 것은?

보기
ㄱ. ㉠은 중력 수축에 의해 밀도가 증가하여 형성되었다.
ㄴ. ㉡에 의해 태양계 행성들의 자전 방향은 모두 같다.
ㄷ. 녹는점이 높은 물질은 A보다 B에 많았다.

① ㄱ ② ㄷ ③ ㄱ, ㄴ
④ ㄴ, ㄷ ⑤ ㄱ, ㄴ, ㄷ

14 그림은 태양계 행성을 지구형과 목성형으로 구분하여 A, B로 순서 없이 나타낸 것이다.

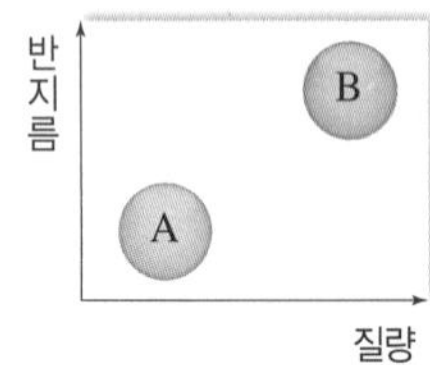

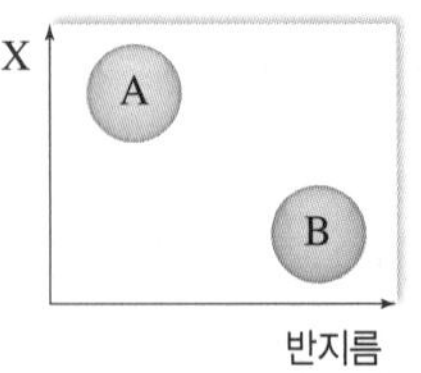

이에 대한 설명으로 옳은 것은?

① A는 목성형 행성이다.
② 평균 밀도는 X에 해당한다.
③ A의 행성은 모두 고리가 있다.
④ 위성 수는 A보다 B의 행성이 적다.
⑤ B의 행성은 모두 표면이 암석질이다.

중요 **15** 다음은 지구의 형성 과정을 나타낸 것이다.

이에 대한 설명으로 옳은 것만을 [보기]에서 있는 대로 고른 것은?

보기
ㄱ. (가)의 미행성체에는 철과 규소가 포함되어 있었다.
ㄴ. (가) → (나)에서 지구의 질량은 증가하였다.
ㄷ. 원시 바다는 (가)와 (나) 사이에 형성되었다.
ㄹ. 맨틀과 핵은 (다) 이후에 형성되었다.

① ㄱ, ㄴ ② ㄱ, ㄹ ③ ㄷ, ㄹ
④ ㄱ, ㄴ, ㄷ ⑤ ㄴ, ㄷ, ㄹ

서술형 문제

16 (가)주계열성의 크기가 일정하게 유지되는 까닭과 (나) 주계열성 이후에 별의 크기가 증가하는 까닭을 서술하시오.

중요 **17** 그림은 중심부에서 핵융합 반응이 더 이상 일어나지 않는 별의 내부 구조를 나타낸 것이다.
이 별의 질량을 태양과 비교하고, 별에서 생성된 원소가 어떻게 우주로 방출되는지 서술하시오.

18 별의 내부에서 핵융합 반응으로 생성되는 가장 무거운 원소를 쓰고, 그 까닭을 서술하시오.

19 그림은 지구 형성 과정의 일부를 나타낸 것이다.

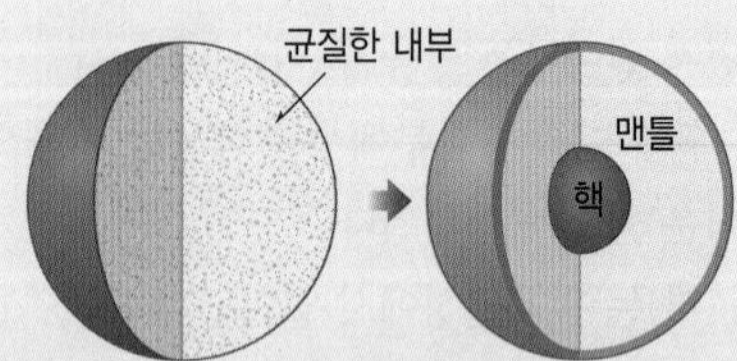

이러한 내부 구조의 변화가 일어난 까닭을 서술하시오.

실력 UP 문제

정답친해 11쪽

01 그림 (가)~(라)는 어느 별이 진화하면서 중심부에서 원소가 생성되는 과정을 순서 없이 나타낸 것이다.

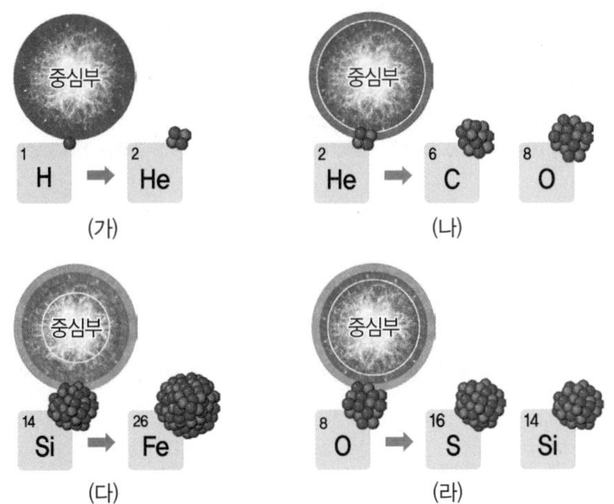

이에 대한 설명으로 옳은 것만을 [보기]에서 있는 대로 고른 것은?

보기
ㄱ. 질량이 태양과 비슷한 별에서 일어난다.
ㄴ. (가) → (나) → (다) → (라) 순으로 원소가 생성된다.
ㄷ. 별 중심부의 온도는 (다)가 (라)보다 높았다.

① ㄱ ② ㄷ ③ ㄱ, ㄴ
④ ㄴ, ㄷ ⑤ ㄱ, ㄴ, ㄷ

02 그림은 질량이 태양 정도인 주계열성의 진화 과정을 나타낸 것이다.

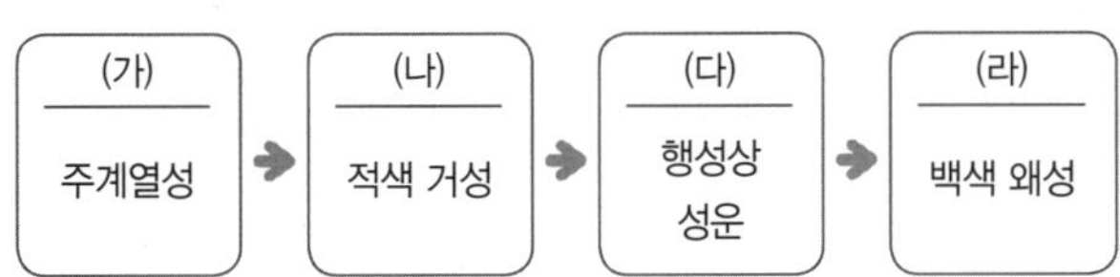

이에 대한 설명으로 옳은 것만을 [보기]에서 있는 대로 고른 것은?

보기
ㄱ. (가)일 때 별의 크기는 점차 커진다.
ㄴ. (나)의 중심부에서는 탄소가 생성된다.
ㄷ. (다)에서 원소가 우주 공간으로 방출된다.
ㄹ. (라)의 중심부에서는 철이 생성된다.

① ㄱ, ㄴ ② ㄱ, ㄹ ③ ㄴ, ㄷ
④ ㄱ, ㄷ, ㄹ ⑤ ㄴ, ㄷ, ㄹ

03 그림 (가)와 (나)는 어느 별이 진화하는 서로 다른 단계에서 수소 핵융합이 일어나는 영역을 나타낸 것이다.

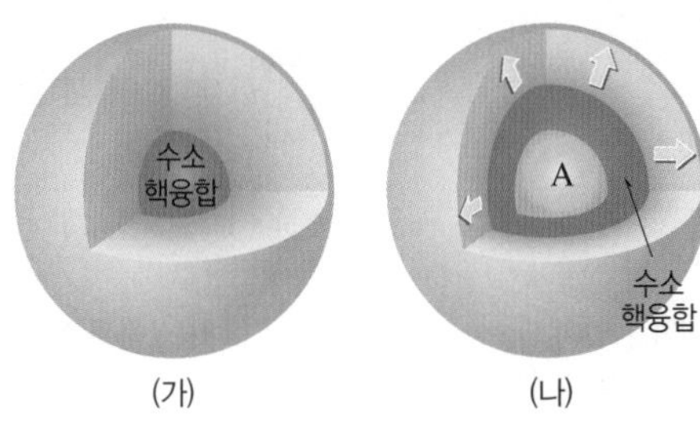

(가) (나)

이에 대한 설명으로 옳은 것만을 [보기]에서 있는 대로 고른 것은?

보기
ㄱ. 중심핵의 $\frac{\text{헬륨 함량}}{\text{수소 함량}}$은 (가)가 (나)보다 크다.
ㄴ. 별의 크기는 (가)가 (나)보다 작다.
ㄷ. (나)의 A에서 핵융합 반응이 시작되면 탄소와 산소가 생성된다.

① ㄱ ② ㄷ ③ ㄱ, ㄴ
④ ㄴ, ㄷ ⑤ ㄱ, ㄴ, ㄷ

04 그림 (가)와 (나)는 태양계 형성 과정의 서로 다른 단계를 나타낸 것이다.

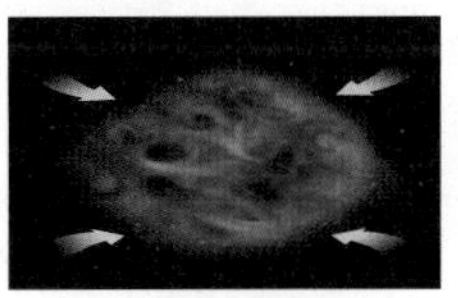
(가) 태양계 성운

(나) 고리와 미행성체

이에 대한 설명으로 옳은 것만을 [보기]에서 있는 대로 고른 것은?

보기
ㄱ. (가)의 형성은 초신성 폭발과 관련이 있다.
ㄴ. (가) → (나)에서 성운 중심부의 온도는 상승하였다.
ㄷ. (나)의 미행성체가 공전하는 방향은 원시 태양이 자전하는 방향과 같았다.

① ㄱ ② ㄴ ③ ㄱ, ㄷ
④ ㄴ, ㄷ ⑤ ㄱ, ㄴ, ㄷ

3 원소들의 주기성

핵심 포인트
1. 현대의 주기율표 ★★★
2. 알칼리 금속과 할로젠의 성질 ★★★
3. 원자의 전자 배치와 원자가 전자 ★★★

A 원소와 주기율표

원소의 존재가 밝혀진 이후 과학자들의 다양한 실험을 통해 많은 원소들이 발견되었어요. 과학자들은 이 원소들을 특정 기준에 따라 배열하여 원소들 사이의 규칙성을 찾고, 새로운 원소의 존재를 예측하려고 노력했죠. 과학자들이 어떻게 원소를 배열하여 정리하였는지 알아볼까요?

1. ◆원소 물질을 이루는 기본 성분 → 세상에 존재하는 모든 물질은 원소로 이루어져 있다.

① 더 이상 다른 물질로 분해되지 않는다.

② 현재까지 알려진 원소의 종류는 약 110가지이다.

③ 원소들이 모여 다양한 물질을 생성한다. ➡ 원소의 종류는 물질의 종류에 비해 매우 적다.

2. 원소의 주기율과 주기율표

① **주기율:** 성질이 비슷한 원소가 주기적으로 나타나는 현상

② **주기율표:** 성질이 비슷한 원소가 주기적으로 나타나도록 원소들을 배열한 표

③ **◆주기율 및 주기율표와 관련된 과학자**

되베라이너(1817년)

금성 교과서에만 나와요.

성질이 비슷한 세 쌍의 원소가 존재하며, 이 원소들의 ◆원자량 사이에는 일정한 관계가 있다는 사실을 알아내었다. ➡ 세 쌍 원소설

↓

멘델레예프(1869년)

- 당시까지 발견된 63종의 원소들을 **원자량** 순서로 배열하면 성질이 비슷한 원소가 주기적으로 나타나는 것을 발견하여 **주기율표**를 만들었다. ➡ 몇몇 원소들의 성질이 주기성을 벗어나는 문제점이 있었다.
- 발견되지 않은 원소의 자리는 비워두고, 그 자리에 들어갈 원소의 원자량, 밀도 등 여러 가지 성질을 예측하였다. ➡ 이후 예측한 원소들과 성질이 일치하는 새로운 원소들이 발견되었다.

↓

모즐리(1913년)

- 양성자의 수에 따라 원소마다 번호를 붙이고, 이를 ◆원자 번호라고 이름 붙였다.
- 원소들의 주기적 성질이 원자량이 아니라 원자를 이루는 양성자수, 즉 원자 번호와 관계 있음을 알아내었다.

→ 주기율표의 기틀을 마련한 과학자는 멘델레예프이지만, 우리가 사용하고 있는 주기율표는 모즐리가 발견한 원자 번호 순서로 원소를 배열한 것이다.

3. 현대의 주기율표 원소들을 원자 번호(양성자수) 순서로 나열하되, 화학적 성질이 비슷한 원소들이 같은 세로줄에 오도록 배열하였다.

① **족:** 주기율표의 세로줄, 1~18족으로 구성된다. → 같은 족 원소들은 화학적 성질이 비슷하다.

② **주기:** 주기율표의 가로줄, 1~7주기로 구성된다.

③ 주기율표의 왼쪽과 가운데에는 주로 금속 원소가 있고, 오른쪽에는 주로 비금속 원소가 있다.

동아 교과서에만 나와요.

◆원소의 정의
원소들이 발견되던 초기에는 원소를 더 이상 다른 물질로 분해되지 않는 기본 성분이라고 정의했다. 그러나 원자의 구조가 밝혀진 이후에는 원소를 양성자수가 같은 입자로 이루어진 물질이라고 정의한다.

◆주기율의 발견과 관련된 과학자

라부아지에 → 되베라이너 → 뉴랜즈 → 멘델레예프 → 모즐리

- 라부아지에: 당시까지 발견된 33종의 원소들을 성질에 따라 네 가지로 분류하였다.
- 뉴랜즈: 원소들을 원자량 순으로 나열했을 때 여덟 번째마다 성질이 비슷한 원소가 나타남을 발견하였다. ➡ 옥타브설

◆원자량
원자량은 원자의 질량을 상대적으로 나타낸 값으로, 원자량이 클수록 무거운 원소이다.

◆원자 번호
원자는 원자핵과 전자로 구성되어 있으며, 원자핵은 양성자와 중성자로 구성된다. 원자 번호는 원자를 구성하는 양성자수와 같다.

암기해!

멘델레예프의 주기율표와 현대 주기율표의 차이
- 멘델레예프: 원자량 순서로 배열
- 현대: 원자 번호 순서로 배열

주기율표의 족과 주기
- 족: 세로줄
- 주기: 가로줄

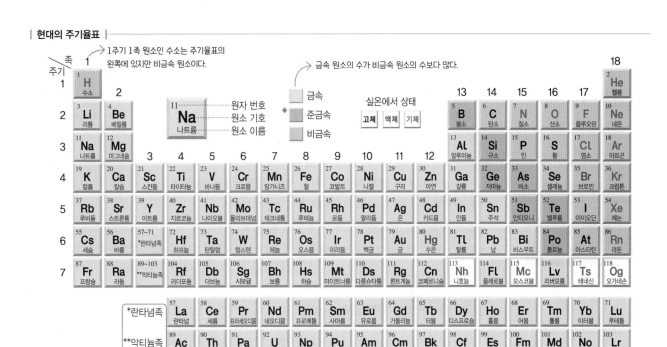

현대의 주기율표

1주기 1족 원소인 수소는 주기율표의 왼쪽에 있지만 비금속 원소이다.

금속 원소의 수가 비금속 원소의 수보다 많다.

11 Na 나트륨 — 원자 번호 / 원소 기호 / 원소 이름

금속 / ◆ 준금속 / 비금속

실온에서 상태: 고체 / 액체 / 기체

주기 \ 족	1	2	3	4	5	6	7	8	9	10	11	12	13	14	15	16	17	18
1	1 H 수소																	2 He 헬륨
2	3 Li 리튬	4 Be 베릴륨											5 B 붕소	6 C 탄소	7 N 질소	8 O 산소	9 F 플루오린	10 Ne 네온
3	11 Na 나트륨	12 Mg 마그네슘											13 Al 알루미늄	14 Si 규소	15 P 인	16 S 황	17 Cl 염소	18 Ar 아르곤
4	19 K 칼륨	20 Ca 칼슘	21 Sc 스칸듐	22 Ti 타이타늄	23 V 바나듐	24 Cr 크로뮴	25 Mn 망가니즈	26 Fe 철	27 Co 코발트	28 Ni 니켈	29 Cu 구리	30 Zn 아연	31 Ga 갈륨	32 Ge 저마늄	33 As 비소	34 Se 셀레늄	35 Br 브로민	36 Kr 크립톤
5	37 Rb 루비듐	38 Sr 스트론튬	39 Y 이트륨	40 Zr 지르코늄	41 Nb 나이오븀	42 Mo 몰리브데넘	43 Tc 테크네튬	44 Ru 루테늄	45 Rh 로듐	46 Pd 팔라듐	47 Ag 은	48 Cd 카드뮴	49 In 인듐	50 Sn 주석	51 Sb 안티모니	52 Te 텔루륨	53 I 아이오딘	54 Xe 제논
6	55 Cs 세슘	56 Ba 바륨	57~71 *란타넘족	72 Hf 하프늄	73 Ta 탄탈럼	74 W 텅스텐	75 Re 레늄	76 Os 오스뮴	77 Ir 이리듐	78 Pt 백금	79 Au 금	80 Hg 수은	81 Tl 탈륨	82 Pb 납	83 Bi 비스무트	84 Po 폴로늄	85 At 아스타틴	86 Rn 라돈
7	87 Fr 프랑슘	88 Ra 라듐	89~103 **악티늄족	104 Rf 러더포듐	105 Db 더브늄	106 Sg 시보귬	107 Bh 보륨	108 Hs 하슘	109 Mt 마이트너륨	110 Ds 다름슈타튬	111 Rg 뢴트게늄	112 Cn 코페르니슘	113 Nh 니호늄	114 Fl 플레로븀	115 Mc 모스코븀	116 Lv 리버모륨	117 Ts 테네신	118 Og 오가네손

*란타넘족	57 La 란타넘	58 Ce 세륨	59 Pr 프라세오디뮴	60 Nd 네오디뮴	61 Pm 프로메튬	62 Sm 사마륨	63 Eu 유로퓸	64 Gd 가돌리늄	65 Tb 터븀	66 Dy 디스프로슘	67 Ho 홀뮴	68 Er 어븀	69 Tm 툴륨	70 Yb 이터븀	71 Lu 루테튬
**악티늄족	89 Ac 악티늄	90 Th 토륨	91 Pa 프로트악티늄	92 U 우라늄	93 Np 넵투늄	94 Pu 플루토늄	95 Am 아메리슘	96 Cm 퀴륨	97 Bk 버클륨	98 Cf 캘리포늄	99 Es 아인슈타이늄	100 Fm 페르뮴	101 Md 멘델레븀	102 No 노벨륨	103 Lr 로렌슘

란타넘족과 악티늄족은 각각 6주기와 7주기에 있는 원소이지만 원소의 수가 많아 주기율표가 넓어지기 때문에 별도로 배열하여 나타낸다.

B 금속 원소와 비금속 원소

원소는 성질에 따라 크게 금속 원소와 비금속 원소로 구분할 수 있어요. 금속 원소와 비금속 원소의 일반적인 성질을 살펴보아요.

1. 금속 원소와 비금속 원소

구분	금속 원소	비금속 원소
주기율표에서의 위치	왼쪽과 가운데	오른쪽(단, 수소는 왼쪽)
실온에서의 상태	고체(단, 수은은 액체)	기체 또는 고체(단, 브로민은 액체)
특징	• 대부분 광택이 있다. • 열과 전기 ❶전도성이 크다. • 외부에서 힘을 가하면 부서지지 않고 길게 늘어나거나(뽑힘성) 얇게 펴진다.(펴짐성)	• 광택이 없다. • 열과 전기 전도성이 작다. (단, 흑연은 예외) 비금속 원소인 탄소 원자로 이루어져 있지만, 자유롭게 움직일 수 있는 전자가 있어 전기 전도성이 있다.

2. 금속 원소와 비금속 원소의 이용

금속 원소			비금속 원소		
알루미늄	구리	철	수소	질소	인
알루미늄 포일	전선	건축 자재	우주 왕복선의 연료	식품 포장용 충전 기체	성냥

암기해!

원자 번호 20까지의 원소 외우기

흐헤리베 (H−He−Li−Be)
비크니 (B−C−N)
오프네 (O−F−Ne)
나만알지 (Na−Mg−Al−Si)
펩시콜라 (P−S−Cl−Ar)
크~ 카~ (K−Ca)

동아 교과서에만 나와요.

◆ 준금속 원소
금속 원소와 비금속 원소의 중간 성질을 띠거나 금속 원소와 비금속 원소의 성질을 모두 띤다.
예 붕소(B), 규소(Si), 저마늄(Ge)

(용어)

❶ **전도성(傳 전하다, 道 통하게 하다, 性 성질)** 어떤 물질이 열이나 전기를 한 부분에서 다른 부분으로 옮기는 성질

주의해!

1족 원소와 알칼리 금속
1족 원소에는 알칼리 금속 외에도 수소(H)가 있다. 수소는 1족에 속하는 원소이지만 비금속 원소이므로 알칼리 금속과 화학적 성질이 다르다.

C 알칼리 금속과 할로젠

달력에서 같은 요일이 규칙적으로 나타나는 것처럼 주기율표에서도 성질이 비슷한 원소들이 주기적으로 나타나요. 주기율표의 1족 원소와 17족 원소의 공통적인 성질을 알아볼까요?

1. ◆알칼리 금속 주기율표의 1족에서 수소를 제외한 금속 원소

예 리튬(Li), 나트륨(Na), 칼륨(K), 루비듐(Rb) 등

① 실온에서 고체 상태로 존재하며, 은백색 광택을 띤다.

② 다른 금속에 비해 밀도가 작고, 칼로 쉽게 잘릴 정도로 무르다.

③ 반응성이 매우 커서 산소, 물과 빠르게 반응한다.

- 공기 중에 두면 산소와 반응하여 광택을 잃는다. → $4M + O_2 \longrightarrow 2M_2O$ (M: 알칼리 금속)
- 물과 격렬히 반응하여 수소 기체를 발생시키고, 이때 생성된 수용액은 염기성을 띤다. → $2M + 2H_2O \longrightarrow 2MOH + H_2\uparrow$
- 원자 번호가 클수록 반응성이 크다. ➡ 반응성: Li < Na < K

◆ **알칼리 금속의 이용**

리튬	나트륨	칼륨

휴대 전화의 배터리	조명, 비누, 소금	비료

탐구 자료창 알칼리 금속의 성질

(가)와 같이 리튬, 나트륨, 칼륨을 각각 칼로 자르면서 단단한 정도와 단면의 색 변화를 관찰한다. 좁쌀 크기로 자른 리튬, 나트륨, 칼륨을 (나)와 같이 ◆페놀프탈레인 용액을 1~2방울 떨어뜨린 물에 각각 넣고 반응하는 모습을 관찰한다. (알칼리 금속은 물과 폭발적으로 반응하므로 아주 적은 양을 사용하여 실험한다.)

(가) 알칼리 금속을 칼로 자르는 경우

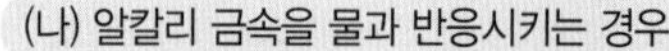
(나) 알칼리 금속을 물과 반응시키는 경우

구분		리튬	나트륨	칼륨
(가)	단단한 정도	쉽게 잘림		
	단면의 색 변화	광택이 서서히 사라짐	광택이 금방 사라짐	광택이 빠르게 사라짐
(나)	물과 반응 정도	잘 반응함	격렬히 반응함	매우 격렬히 반응함
	수용액의 색 변화	무색 → 붉은색		

궁금해?

알칼리 금속은 왜 석유에 넣어 보관할까?
알칼리 금속은 반응성이 커서 공기 중의 산소와 반응하여 쉽게 산화물을 생성하거나 물과 폭발적으로 반응한다. 따라서 알칼리 금속은 공기나 물과 접촉하지 않도록 석유나 액체 파라핀 속에 넣어 보관한다.

↑ 리튬 ↑ 나트륨

2. ◆할로젠 주기율표의 17족에 속하는 비금속 원소

예 플루오린(F), 염소(Cl), 브로민(Br), 아이오딘(I) 등

① 실온에서 원자 2개가 결합한 분자의 형태로 존재한다. (원자 2개가 결합한 분자 → 이원자 분자)

구분	플루오린(F_2)	염소(Cl_2)	브로민(Br_2)	아이오딘(I_2)
상태	기체	기체	액체	고체
색깔	옅은 노란색	노란색	적갈색	보라색

↑ 여러 가지 할로젠

② 반응성이 매우 커서 금속, 수소와 잘 반응한다.

- 나트륨과 격렬하게 반응하면서 열과 빛을 낸다. → $2Na + X_2 \longrightarrow 2NaX$ (X: 할로젠)
- 수소와 반응하여 생성된 할로젠화 수소(예 HF, HCl, HBr 등)를 물에 녹이면 산성을 띤다. → $X_2 + H_2 \longrightarrow 2HX$ (X: 할로젠)
- 원자 번호가 작을수록 반응성이 크다. ➡ 반응성: $F_2 > Cl_2 > Br_2 > I_2$

◆ **페놀프탈레인 용액**
용액의 액성을 구별하는 데 사용하는 지시약으로 산성과 중성에서는 무색, 염기성에서는 붉은색을 띤다.

◆ **할로젠의 이용**

플루오린	염소	아이오딘
충치 예방 치약	수영장 물의 소독	상처 소독약

개념 확인 문제

정답친해 12쪽

핵심 체크

- (❶): 물질을 이루는 기본 성분으로 더 이상 다른 물질로 분해되지 않는다.
- 현대의 주기율표: 원소들을 (❷) 순서로 나열하되, 화학적 성질이 비슷한 원소들이 같은 세로줄에 오도록 배열한 표
- (❸) 원소: 주기율표에서 왼쪽과 가운데에 있는 원소로, 대부분 열과 전기 전도성이 크다.
- (❹) 원소: 주기율표에서 주로 오른쪽에 있는 원소로, 대부분 열과 전기 전도성이 작다.
- (❺): 주기율표의 1족에서 수소를 제외한 금속 원소
  - 반응성이 매우 커서 산소, 물과 빠르게 반응한다.
  - 물과 반응하면 (❻) 기체를 발생시키고, 이때 생성된 수용액은 염기성을 띤다.
- (❼): 주기율표의 17족에 속하는 비금속 원소로, 반응성이 매우 커서 금속, 수소와 잘 반응한다.

1 원소와 주기율의 발견에 대한 설명으로 옳은 것은 ○, 옳지 않은 것은 ×로 표시하시오.

(1) 원소는 물질을 이루는 기본 성분이다. ( )

(2) 원소의 종류는 물질의 종류보다 많다. ( )

(3) 멘델레예프는 원소들을 원자량 순서로 배열하여 주기율표를 만들었다. ( )

(4) 모즐리는 성질이 비슷한 세 쌍의 원소들이 존재하는 것을 알아내었다. ( )

2 현대의 주기율표에 대한 설명이다. ( ) 안에 알맞은 말을 고르시오.

(1) 가로줄을 ㉠(족, 주기)(이)라 하고, 세로줄을 ㉡(족, 주기)(이)라고 한다.

(2) 원소들을 (원자량, 원자 번호) 순서로 나열한다.

(3) 화학적 성질이 비슷한 원소들이 같은 (가로줄, 세로줄)에 배열되어 있다.

(4) 주기율표의 왼쪽과 가운데에는 대부분 ㉠(금속, 비금속) 원소가 있고, 오른쪽에는 대부분 ㉡(금속, 비금속) 원소가 있다.

3 다음 원소들을 금속 원소와 비금속 원소로 구분하시오.

(가) 수소(H)	(나) 구리(Cu)	(다) 나트륨(Na)
(라) 헬륨(He)	(마) 칼슘(Ca)	(바) 브로민(Br)

[4~6] 그림은 주기율표의 일부를 간단히 나타낸 것이다.

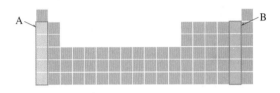

4 A 영역과 B 영역에 속하는 원소들을 각각 무엇이라고 하는지 쓰시오.

5 A 영역에 속하는 원소들에 대한 설명으로 옳은 것은 ○, 옳지 않은 것은 ×로 표시하시오.

(1) 공기 중에 보관한다. ( )

(2) 다른 금속에 비해 밀도가 크다. ( )

(3) 물과 반응하여 기체를 발생시킨다. ( )

(4) 칼로 자를 수 있을 정도로 무르다. ( )

6 B 영역에 속하는 원소들에 대한 설명으로 옳은 것은 ○, 옳지 않은 것은 ×로 표시하시오.

(1) 전기가 잘 통한다. ( )

(2) 각 분자마다 특유의 색을 띤다. ( )

(3) 실온에서 모두 고체 상태로 존재한다. ( )

(4) 반응성이 커서 금속과 반응하여 화합물을 생성한다. ( )

D 원자의 전자 배치

1. 원자의 구조 원자는 원자핵과 전자로, 원자핵은 양성자와 중성자로 이루어져 있다.

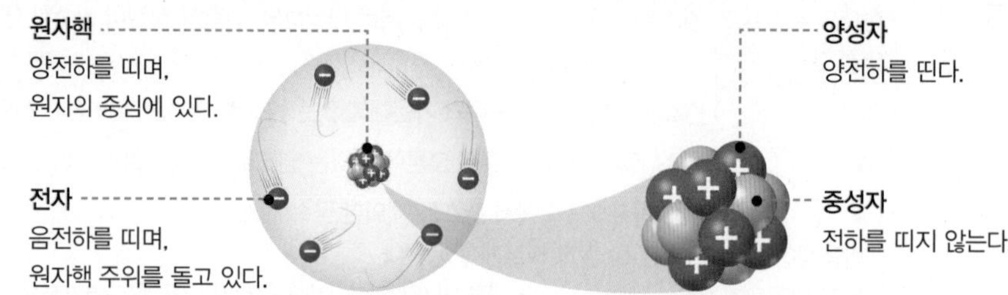

① 한 원자를 구성하는 양성자수와 전자 수는 같다. ➡ 원자는 전기적으로 중성이다.
└ 전하량의 합이 0이다.

② 양성자수는 원자의 종류에 따라 다르므로 양성자수로 원자 번호를 정한다.

> ◆원자의 양성자수 = 전자 수 = 원자 번호

◆ **탄소 원자의 구조와 원자 번호**

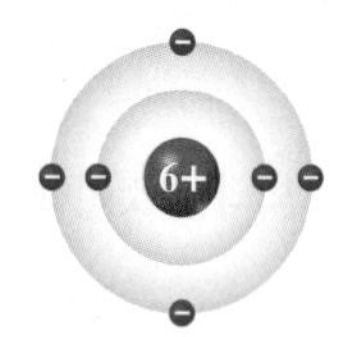

- 양성자수: 6
- 전자 수: 6
- 원자 번호: 6

확대경 원자 모형 (동아 교과서에만 나와요.)

원자 모형은 원자의 존재를 안 이후부터 현재까지 계속 변천되어 왔다. 현대의 원자 모형은 전자 구름 모형인데, 대부분의 통합과학 교과서에서는 원자의 전자 배치를 더 쉽게 설명하기 위해 1913년 보어가 제안한 원자 모형으로 원자의 전자 배치를 설명한다.

보어의 원자 모형	현대의 원자 모형
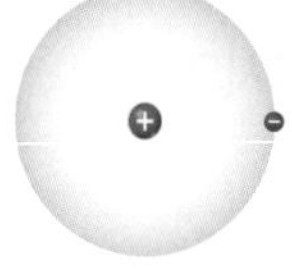 전자가 원자핵 주위의 정해진 궤도를 따라 돌고 있는 것으로 표현한다.	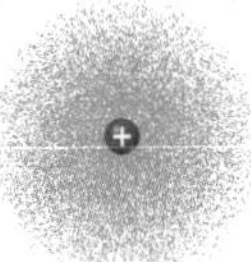 전자가 원자핵 주위에 존재할 수 있는 공간을 확률 분포로 나타낸다.

2. 원자의 전자 배치 완자쌤 비법 특강 41쪽

① ◆**에너지 준위:** 원자핵 주위를 돌고 있는 전자가 갖는 특정한 에너지 값

② **전자 껍질:** 원자핵 주위의 전자가 돌고 있는 특정한 에너지 준위의 궤도로, 원자핵에서 가까운 전자 껍질일수록 에너지 준위가 낮다.

③ ◆**원자의 전자 배치 원리**

- 전자는 원자핵에서 가까운 전자 껍질부터 차례대로 채워진다.
  └ 원자는 에너지 준위가 낮은 전자 껍질에 전자가 채워질 때 안정하기 때문이다.
- 각 전자 껍질에 채워지는 전자 수는 정해져 있다. ➡ 전자는 첫 번째 전자 껍질에 최대 2개, 두 번째와 세 번째 전자 껍질에 각각 최대 8개가 채워진다.

산소 원자의 전자 배치

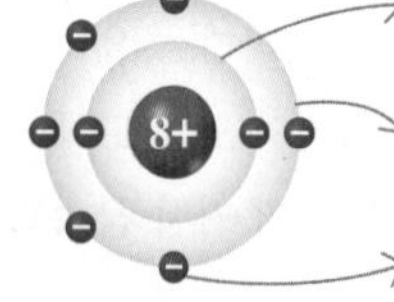

◆ **전자 배치와 에너지 준위**
전자는 특정한 에너지 준위를 갖는 전자 껍질에만 존재하며 전자 껍질 사이에는 존재하지 않는다.

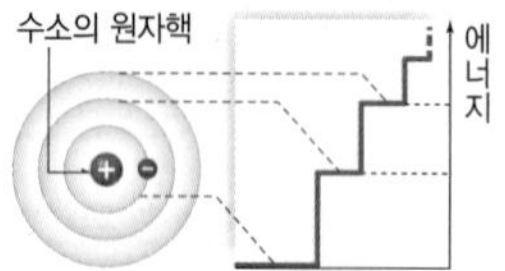

▲ 수소 원자의 전자 배치와 에너지 준위

◆ **전자의 이동과 에너지 출입**
전자는 에너지 준위가 다른 전자 껍질로 이동할 수 있다. 전자가 낮은 에너지 준위(바닥상태)에서 높은 에너지 준위(들뜬상태)로 이동할 때에는 그 차이만큼 에너지를 흡수하고, 높은 에너지 준위에서 낮은 에너지 준위로 이동할 때에는 그 차이만큼의 에너지를 빛의 형태로 방출한다.

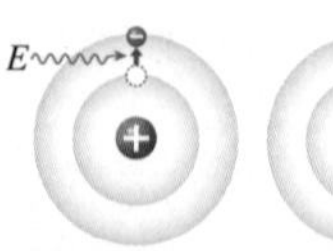

에너지(E) 흡수

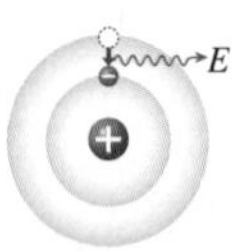

에너지(E) 방출

▲ 수소 원자의 전자 이동과 에너지 출입

④ **원자가 전자:** 원자의 전자 배치에서 가장 바깥 전자 껍질에 들어 있는 전자

- 화학 결합에 참여하므로 원소의 화학적 성질을 결정한다.
- 원자가 전자 수는 각 원소가 속한 족 번호의 일의 자리 수와 같다.(단, ◆18족 원소는 제외)

원소	수소(H)	탄소(C)	마그네슘(Mg)
원자 모형	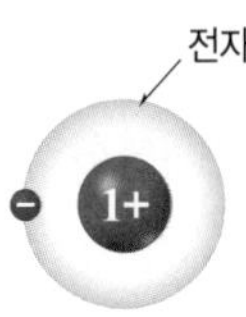 전자 껍질, 1+ 전자가 1개이므로 에너지 준위가 가장 낮은 첫 번째 전자 껍질에 들어 있다.	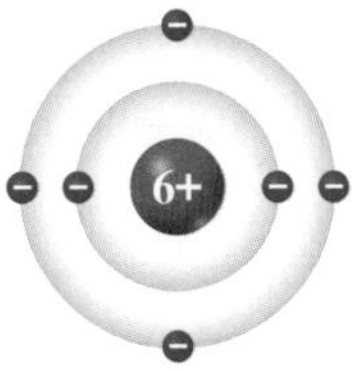 6+ 전자가 6개이므로 첫 번째 전자 껍질에 2개, 두 번째 전자 껍질에 나머지 4개가 들어 있다.	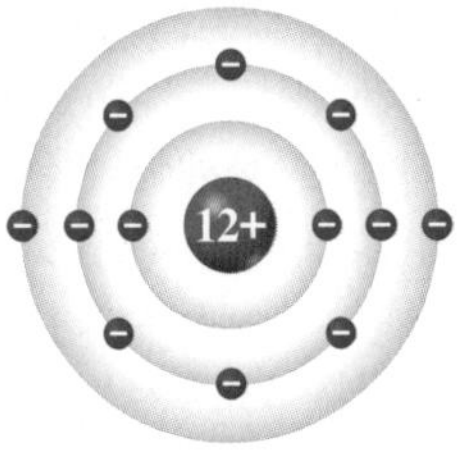 12+ 전자가 12개이므로 첫 번째 전자 껍질에 2개, 두 번째 전자 껍질에 8개, 세 번째 전자 껍질에 나머지 2개가 들어 있다.
원자가 전자 수	1	4	2

◆ **18족 원소의 원자가 전자 수**
18족 원소는 가장 바깥 전자 껍질에 전자가 모두 채워져 있으므로 다른 원소와 거의 반응하지 않는다. 따라서 18족 원소의 원자가 전자 수는 0이다.

암기해!
주기율표의 족과 주기
족이 같으면 원자가 전자 수가 같고,
주기가 같으면 전자 껍질 수가 같다.
➡ 발(족)로 원자 까! 주전자!

3. 주기율표와 전자 배치의 관계

① **같은 족 원소(❶동족 원소)의 전자 배치 공통점**

- 원자가 전자 수가 같다.
- 화학적 성질이 비슷하다.(단, 수소 및 3~12족 원소는 예외)

② **같은 주기 원소의 전자 배치 공통점:** 전자가 들어 있는 전자 껍질 수가 같다. ➡ 전자가 들어 있는 전자 껍질 수는 주기 번호와 같다.

③ **원소의 주기성이 나타나는 까닭:** 원자 번호가 증가함에 따라 원소의 화학적 성질을 결정하는 원자가 전자 수가 주기적으로 변하기 때문이다.

(용어)
❶ 동족(同 같다, 族 무리) 원소
같은 족에 속하며 비슷한 성질을 띠는 원소

| 원자 번호 1~18까지 원자의 전자 배치 |

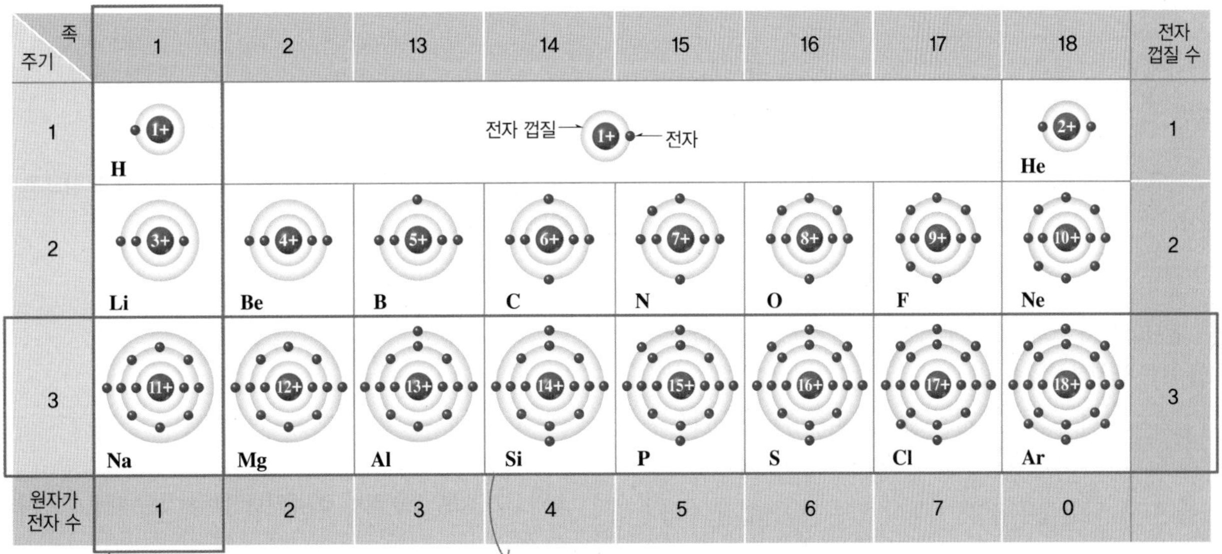

주기 \ 족	1	2	13	14	15	16	17	18	전자 껍질 수
1	1+ H			전자 껍질—1+—전자				2+ He	1
2	3+ Li	4+ Be	5+ B	6+ C	7+ N	8+ O	9+ F	10+ Ne	2
3	11+ Na	12+ Mg	13+ Al	14+ Si	15+ P	16+ S	17+ Cl	18+ Ar	3
원자가 전자 수	1	2	3	4	5	6	7	0	

- 같은 족 원소들은 원자가 전자 수가 같다.
- 원자가 전자 수는 족 번호의 일의 자리 수와 같다.

- 같은 주기 원소들은 전자가 들어 있는 전자 껍질 수가 같다.
- 전자가 들어 있는 전자 껍질 수는 주기 번호와 같다.
- 같은 주기에서 원자가 전자 수는 원자 번호가 증가함에 따라 점차 커지다가 18족 원소에서 0이 된다.

개념 확인 문제

정답친해 12쪽

핵심 체크

- 원자의 구조
  - 원자는 원자핵과 (❶)로 이루어져 있고, 원자핵은 (❷)와 중성자로 이루어져 있다.
  - 원자의 양성자수=전자 수=(❸)
- 원자의 전자 배치: 전자는 첫 번째 전자 껍질에 최대 (❹)개, 두 번째 전자 껍질에 최대 (❺)개, 세 번째 전자 껍질에 최대 (❻)개가 채워진다.
- (❼): 원자의 전자 배치에서 가장 바깥 전자 껍질에 들어 있는 전자로, 원소의 화학적 성질을 결정한다.
- 주기율표와 전자 배치
  - 같은 족 원소들은 (❽) 수가 같고, 같은 주기 원소들은 전자가 들어 있는 (❾) 수가 같다.
  - 같은 주기에서 원자가 전자 수는 원자 번호가 증가함에 따라 점차 커지다가 18족 원소에서 (❿)이 된다.
  - 원소들의 주기성이 나타나는 까닭: 원자 번호가 증가함에 따라 (⓫) 수가 주기적으로 변하기 때문이다.

1 원자의 구조에 대한 설명으로 옳은 것은 ○, 옳지 않은 것은 ×로 표시하시오.

(1) 원자는 원자핵과 전자로 구성된다. ( )

(2) 원자는 전기적으로 중성이므로 양성자수와 중성자수가 같다. ( )

(3) 원자의 종류마다 양성자수가 다르다. ( )

2 전자 배치에 대한 설명 중 ( ) 안에 알맞은 말을 쓰시오.

> 원자에서 전자는 특정한 ㉠( )의 궤도를 따라 돌고 있는데, 이 궤도를 ㉡( )이라고 한다.

3 원자의 전자 배치에 대한 설명으로 옳은 것은 ○, 옳지 않은 것은 ×로 표시하시오.

(1) 전자는 에너지 준위가 낮은 전자 껍질부터 채워진다. ( )

(2) 같은 족 원소들은 전자가 들어 있는 전자 껍질 수가 같다. ( )

(3) 같은 주기 원소들은 가장 바깥 전자 껍질에 들어 있는 전자 수가 같다. ( )

4 그림은 어떤 원자의 전자 배치를 모형으로 나타낸 것이다.

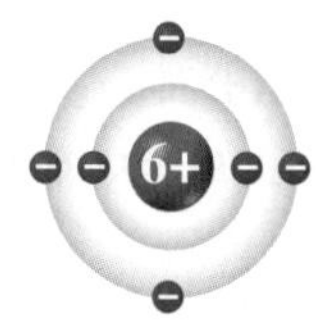

( ) 안에 알맞은 숫자를 쓰시오.

(1) 전자가 들어 있는 전자 껍질 수는 ( )이다.

(2) 원자가 전자 수는 ( )이다.

(3) 원자 번호는 ( )이다.

(4) ㉠( )주기 ㉡( )족 원소이다.

5 그림은 두 가지 원자 A와 B의 전자 배치를 모형으로 나타낸 것이다.

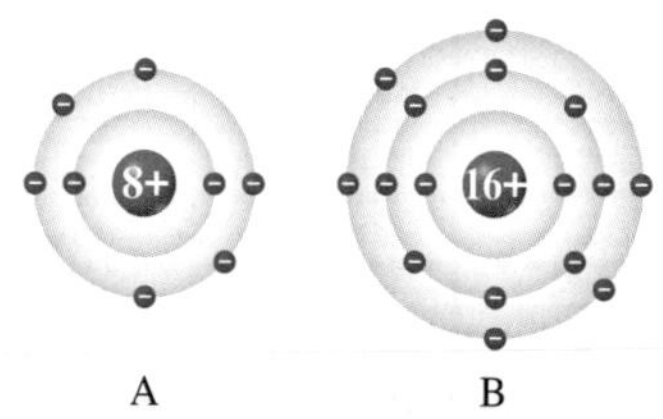

A와 B가 같은 값을 갖는 것만을 [보기]에서 있는 대로 고르시오.

> 보기
> ㄱ. 전자 수 ㄴ. 양성자수
> ㄷ. 전자가 들어 있는 전자 껍질 수 ㄹ. 원자가 전자 수

알칼리 금속과 할로젠의 전자 배치

원소의 화학적 성질을 결정하는 것은 원자가 전자이므로 각 원자의 전자 배치를 알면 원소의 성질을 예측할 수 있어요. 알칼리 금속과 할로젠의 전자를 직접 배치해 보고, 원소의 성질에 대해 더 알아볼까요?

알칼리 금속과 할로젠이 다른 원소와 반응할 때 전자를 잃거나 얻는 까닭은 46쪽에서 공부할 수 있어요.

1 알칼리 금속의 전자 배치

Q1 표의 원자 모형에 리튬, 나트륨, 칼륨의 전자를 배치하고, 빈칸을 채워 보자.

원소	리튬(Li)	나트륨(Na)	칼륨(K)
원자 번호	3	11	19
양성자수			
전자 수			
전자 배치	3+	11+	19+
전자가 들어 있는 전자 껍질 수			
원자가 전자 수			

빈칸을 채워 보면 알 수 있듯이 알칼리 금속은 원자가 전자 수가 모두 1이에요. 그래서 다른 원소와 반응할 때 전자 1개를 잃기 쉬워요!
전자가 들어 있는 전자 껍질 수가 클수록 원자핵과 원자가 전자 사이의 인력이 작아서 전자를 잃기 쉬워요. 그래서 알칼리 금속은 전자가 들어 있는 전자 껍질 수가 커질수록, 즉 원자 번호가 증가할수록 반응성이 커지지요.

2 할로젠의 전자 배치

Q2 표의 원자 모형에 플루오린과 염소의 전자를 배치하고, 빈칸을 채워 보자.

원소	플루오린(F)	염소(Cl)
원자 번호	9	17
양성자수		
전자 수		
전자 배치	9+	17+
전자가 들어 있는 전자 껍질 수		
원자가 전자 수		

할로젠은 원자가 전자 수가 모두 7이에요. 그래서 다른 원소와 반응할 때 전자를 잃기보다 얻기 쉬워요!
전자가 들어 있는 전자 껍질 수가 클수록 원자핵과 원자가 전자 사이의 인력이 작아서 전자를 얻기 어려워요. 그래서 할로젠은 전자가 들어 있는 전자 껍질 수가 커질수록, 즉 원자 번호가 증가할수록 반응성이 작아지지요.

내신 만점 문제

A 원소와 주기율표

01 주기율의 발견과 관련된 과학자에 대한 설명으로 옳지 <u>않은</u> 것은?

① 라부아지에는 당시 발견된 33종의 원소를 성질에 따라 네 가지로 분류하였다.
② 되베라이너는 세 쌍 원소설을 제안하였다.
③ 멘델레예프는 원소를 원자량 순서대로 배열하여 주기율표의 기틀을 마련하였다.
④ 모즐리는 원소의 주기성이 양성자수와 관계 있음을 발견하였다.
⑤ 주기율의 발견과 관련된 과학자들을 시대 순으로 나열하면 멘델레예프 – 되베라이너 – 모즐리이다.

중요 **02** 현대의 주기율표에 대한 설명으로 옳은 것만을 [보기]에서 있는 대로 고른 것은?

보기
ㄱ. 원소들을 원자 번호 순서대로 배열하였다.
ㄴ. 같은 주기에 속한 원소들은 화학적 성질이 비슷하다.
ㄷ. 주기가 바뀔 때마다 화학적 성질이 비슷한 원소가 나타난다.

① ㄱ ② ㄴ ③ ㄱ, ㄷ
④ ㄴ, ㄷ ⑤ ㄱ, ㄴ, ㄷ

03 그림은 주기율표의 원소를 3개씩 묶어 영역 (가)~(다)로 나타낸 것이다.

(가)~(다) 중 화학적 성질이 비슷한 것끼리 묶인 것만을 있는 대로 고른 것은?

① (가) ② (나) ③ (가), (다)
④ (나), (다) ⑤ (가), (나), (다)

B 금속 원소와 비금속 원소

중요 **04** 금속 원소와 비금속 원소에 대한 설명으로 옳지 <u>않은</u> 것은?

① 비금속 원소는 대부분 특유의 광택이 있다.
② 비금속 원소는 대부분 주기율표의 오른쪽에 있다.
③ 금속 원소는 비금속 원소에 비해 전기 전도성이 크다.
④ 금속 원소는 실온에서 대부분 고체 상태로 존재한다.
⑤ 금속 원소는 대부분 주기율표의 왼쪽과 가운데에 있다.

05 그림은 주기율표의 일부를 세 부분으로 분류한 것이다.

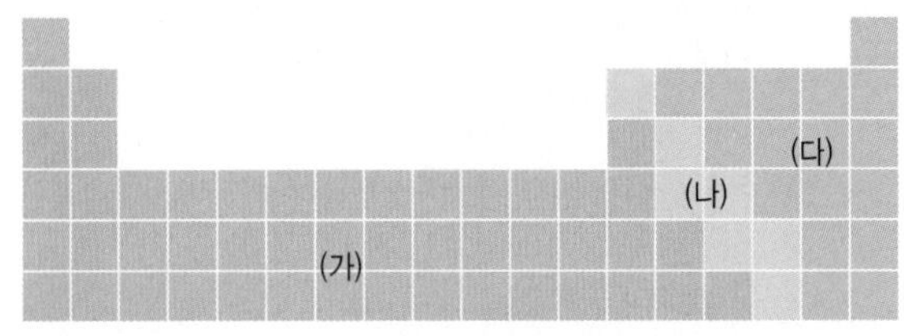

이에 대한 설명으로 옳은 것만을 [보기]에서 있는 대로 고른 것은?

보기
ㄱ. 나트륨은 (가)에 속한다.
ㄴ. (나)는 (가)와 (다)의 성질을 모두 띠거나 중간 성질을 띤다.
ㄷ. (다)에 속하는 원소는 열 전도성과 전기 전도성이 크다.

① ㄱ ② ㄷ ③ ㄱ, ㄴ
④ ㄴ, ㄷ ⑤ ㄱ, ㄴ, ㄷ

C 알칼리 금속과 할로젠

06 표는 몇 가지 원소를 (가)와 (나)로 분류한 것이다.

(가) Li, Na, K	(나) Cl, Br, I

이에 대한 설명으로 옳은 것만을 [보기]에서 있는 대로 고르시오.

보기
ㄱ. (가)는 실온에서 고체 상태로 존재한다.
ㄴ. (나)는 실온에서 분자 형태로 존재한다.
ㄷ. (가)와 (나)는 안정하여 다른 원소와 잘 반응하지 않는다.

07 다음은 알칼리 금속의 성질을 알아보기 위한 실험이다.

[실험 과정]
(가) 리튬을 칼로 잘라 단면의 색 변화를 관찰한다.
(나) 쌀알 크기의 리튬 조각을 물이 들어 있는 비커에 넣은 후 변화를 관찰한다.
(다) (나)의 비커에 페놀프탈레인 용액을 2~3방울 넣은 후 수용액의 색 변화를 관찰한다.
(라) 리튬 대신 금속 A와 B를 사용하여 과정 (가)~(다)를 반복한다.
[실험 결과]
• 칼로 자른 금속의 단면은 모두 광택을 잃었다.
• 물과 반응하여 모두 (㉠) 기체를 발생시켰다.
• 수용액의 색은 모두 (㉡)으로 변했다.

이에 대한 설명으로 옳은 것만을 [보기]에서 있는 대로 고른 것은?(단, A와 B는 임의의 원소 기호이다.)

보기
ㄱ. ㉠으로 '수소'가 적절하다.
ㄴ. ㉡으로 '붉은색'이 적절하다.
ㄷ. A와 B는 리튬과 같은 주기에 속한다.

① ㄱ ② ㄷ ③ ㄱ, ㄴ
④ ㄴ, ㄷ ⑤ ㄱ, ㄴ, ㄷ

중요 **08** 그림은 주기율표의 일부를 나타낸 것이다.

주기 \ 족	1	2	13	14	15	16	17	18
1								
2							A	
3	B						C	
4	D						E	

이에 대한 설명으로 옳지 않은 것은?(단, A~E는 임의의 원소 기호이다.)

① A는 수소와 반응하여 할로젠화 수소를 생성한다.
② B와 C는 서로 격렬하게 반응한다.
③ B와 D를 공기 중에 두면 모두 산소와 반응한다.
④ D와 E는 화학적 성질이 비슷하다.
⑤ 비금속 원소는 세 가지이다.

D 원자의 전자 배치

09 원자의 구조에 대한 설명으로 옳은 것만을 [보기]에서 있는 대로 고른 것은?

보기
ㄱ. 원자핵은 양성자와 전자로 이루어져 있다.
ㄴ. 한 원자를 구성하는 양성자수와 전자 수는 같다.
ㄷ. 양성자는 양전하를 띠고, 중성자는 음전하를 띤다.

① ㄱ ② ㄴ ③ ㄱ, ㄷ
④ ㄴ, ㄷ ⑤ ㄱ, ㄴ, ㄷ

10 원자의 전자 배치에 대한 설명으로 옳지 않은 것은?
① 같은 족 원소들은 원자가 전자 수가 같다.
② 같은 주기 원소들은 전자가 들어 있는 전자 껍질 수가 같다.
③ 원자핵에서 가까운 전자 껍질일수록 에너지 준위가 높다.
④ 원자에서 전자는 특정한 에너지 준위의 궤도에 존재한다.
⑤ 원자핵에서 가장 가까운 전자 껍질에는 전자가 최대 2개 채워진다.

중요 **11** 그림은 어떤 원자의 전자 배치를 모형으로 나타낸 것이다.

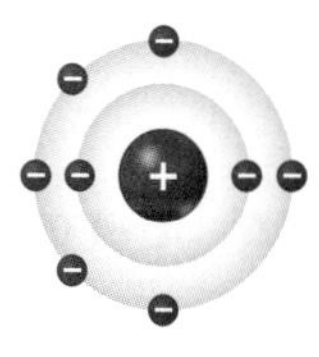

이에 대한 설명으로 옳지 않은 것은?
① 2주기 원소이다.
② 16족 원소이다.
③ 원자 번호는 8이다.
④ 원자가 전자 수는 8이다.
⑤ 비금속 원소이다.

12 그림은 두 가지 원자 A와 B의 전자 배치를 모형으로 나타낸 것이다.

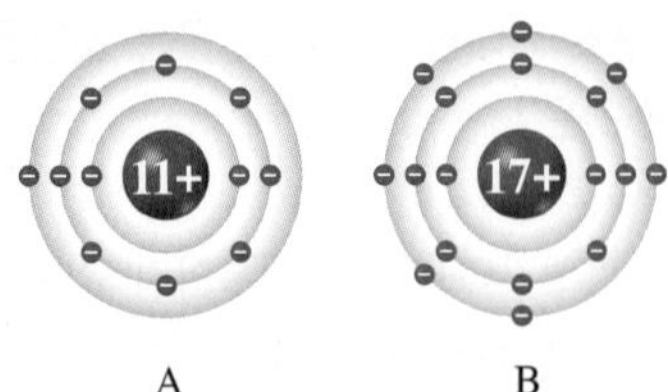

A와 B의 공통점으로 옳은 것만을 [보기]에서 있는 대로 고른 것은?(단, A와 B는 임의의 원소 기호이다.)

보기
ㄱ. 원자의 전하량은 0이다.
ㄴ. 3주기 원소이다.
ㄷ. 실온에서 이원자 분자로 존재한다.

① ㄱ ② ㄷ ③ ㄱ, ㄴ
④ ㄴ, ㄷ ⑤ ㄱ, ㄴ, ㄷ

[13~14] 그림은 주기율표의 일부를 나타낸 것이다.(단, A~F는 임의의 원소 기호이다.)

주기 \ 족	1	2	13	14	15	16	17	18
1								A
2		B			C			
3	D	E				F		

13 A~F 중 다음과 같은 특성이 있는 원소를 있는 대로 고르시오.

• 전자가 들어 있는 전자 껍질 수는 2이다.
• 비금속 원소이다.

중요 14 A~F에 대한 설명으로 옳은 것은?

① A의 원자가 전자 수는 2이다.
② 전자가 들어 있는 전자 껍질 수는 B와 C가 같다.
③ C의 전자 수는 15이다.
④ 원자가 전자 수가 가장 많은 것은 D이다.
⑤ E와 F는 금속 원소이다.

중요 15 그림은 네 가지 원자 A~D의 전자 배치를 모형으로 나타낸 것이다.

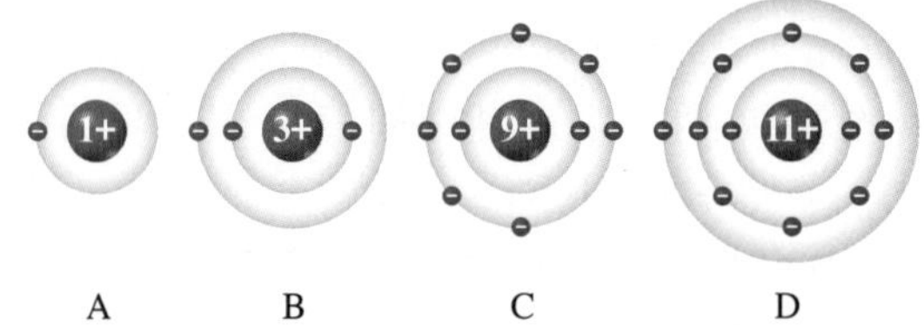

이에 대한 설명으로 옳은 것만을 [보기]에서 있는 대로 고른 것은?(단, A~D는 임의의 원소 기호이다.)

보기
ㄱ. A, B, D는 화학적 성질이 비슷하다.
ㄴ. 원자가 전자 수가 가장 많은 것은 C이다.
ㄷ. B와 C의 원자가 전자는 모두 첫 번째 전자 껍질에 들어 있다.

① ㄱ ② ㄴ ③ ㄱ, ㄷ
④ ㄴ, ㄷ ⑤ ㄱ, ㄴ, ㄷ

16 그림과 같이 알칼리 금속은 석유나 액체 파라핀 속에 넣어 보관한다.

그 까닭을 알칼리 금속의 성질을 이용하여 서술하시오.

17 주기율표에서 원소들의 주기성이 나타나는 까닭을 원자가 전자 수를 언급하여 서술하시오.

실력 UP 문제

정답친해 15쪽

01 그림은 세 가지 원소를 분류하는 과정을 나타낸 것이다.

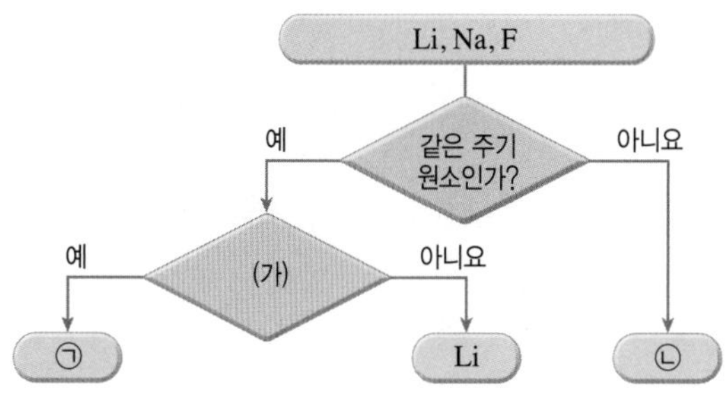

이에 대한 설명으로 옳은 것만을 [보기]에서 있는 대로 고른 것은?

보기

ㄱ. (가)에는 '할로젠인가?'를 적용할 수 있다.
ㄴ. ㉠은 실온에서 옅은 노란색 기체로 존재한다.
ㄷ. ㉡은 물과 반응하여 수소 기체를 발생시킨다.

① ㄱ ② ㄷ ③ ㄱ, ㄴ
④ ㄴ, ㄷ ⑤ ㄱ, ㄴ, ㄷ

02 그림은 주기율표의 일부를 나타낸 것이고, 자료는 주기율표의 빗금 친 부분에 위치하는 원소 A～E에 대한 것이다.

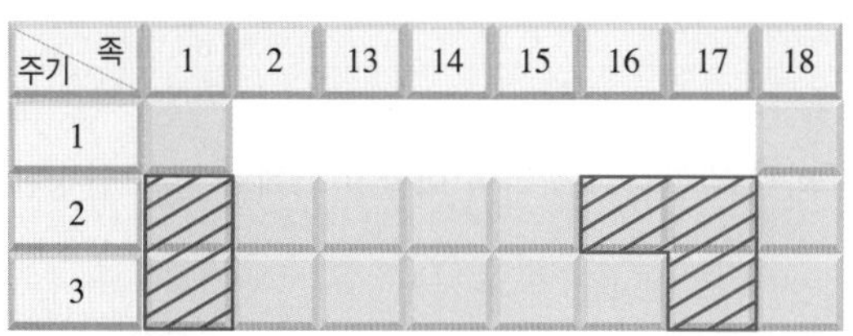

- A와 B는 알칼리 금속이다.
- A와 D는 같은 주기 원소이다.
- 원자가 전자 수는 D가 C보다 크다.
- 전자가 들어 있는 전자 껍질 수는 E가 A보다 크다.

이에 대한 설명으로 옳은 것만을 [보기]에서 있는 대로 고르시오.(단, A～E는 임의의 원소 기호이다.)

ㄱ. E는 할로젠이다.
ㄴ. 전자가 들어 있는 전자 껍질 수는 A가 C보다 크다.
ㄷ. 원자가 전자 수는 D가 B보다 크다.

03 표는 알칼리 금속 또는 할로젠의 원소 A～D에 대한 자료이다.

원소	A	B	C	D
원자가 전자 수	x	1	y	7
전기 전도성	있음	㉠	없음	㉡

이에 대한 설명으로 옳은 것은?(단, A～D는 임의의 원소 기호이다.)

① $\frac{y}{x}$는 $\frac{1}{7}$이다.
② A와 B는 같은 족 원소이다.
③ C와 D는 같은 주기 원소이다.
④ ㉠에는 '없음'이 적절하다.
⑤ ㉡에는 '있음'이 적절하다.

04 그림은 원자 A의 전자 배치를 모형으로 나타낸 것이다.
이에 대한 설명으로 옳은 것만을 [보기]에서 있는 대로 고른 것은?(단, A는 임의의 원소 기호이다.)

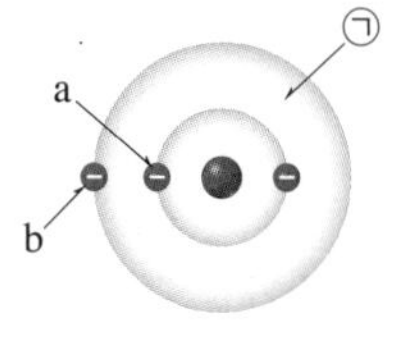

보기

ㄱ. A의 원자 번호는 3이다.
ㄴ. 전자의 에너지 준위는 a가 b보다 높다.
ㄷ. a가 에너지를 흡수하면 ㉠ 영역에 존재할 수 있다.

① ㄱ ② ㄴ ③ ㄱ, ㄷ
④ ㄴ, ㄷ ⑤ ㄱ, ㄴ, ㄷ

05 다음은 두 가지 원자 A와 B에 대한 자료이다.

- A와 B는 각각 2주기 원소와 3주기 원소 중 하나이다.
- 전자 수는 A가 B의 2배이다.
- 원자가 전자 수는 B가 A의 2배이다.

A와 B의 전자 수의 합은?(단, A와 B는 임의의 원소 기호이다.)

① 15 ② 16 ③ 17
④ 18 ⑤ 19

4 원소들의 화학 결합과 다양한 물질

핵심 포인트
1. 화학 결합이 형성되는 까닭 ★★
2. 이온 결합의 형성 ★★★
3. 공유 결합의 형성 ★★★
4. 이온 결합 물질과 공유 결합 물질의 성질 ★★★

A 화학 결합의 원리

1. ❶비활성 기체 ◆주기율표의 18족에 속하는 원소 예 헬륨(He), 네온(Ne), 아르곤(Ar) 등

① 반응성이 작고 화학적으로 안정하다.

② 다른 원소와 화학 결합을 형성하지 않고, 원자 상태로 존재한다. (원자 상태 → 일원자 분자)

③ **비활성 기체의 이용**

원소	헬륨	네온	아르곤
이용			
	광고용 기구의 충전 기체	광고판의 충전 기체	형광등의 충전 기체

◆ 주기율표에서 비활성 기체의 위치

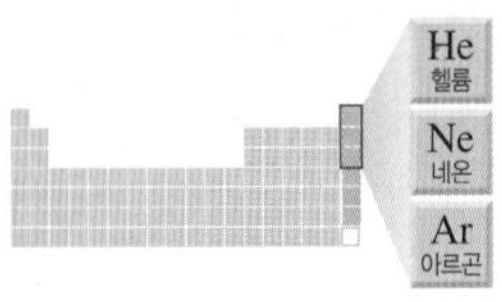

2. 비활성 기체의 전자 배치 가장 바깥 전자 껍질에 전자가 8개 채워진 안정한 전자 배치를 이룬다.(단, 헬륨(He)은 2개) → 매우 안정한 전자 배치이므로 다른 원소와 화학 결합을 형성하지 않는다. ➡ 원자가 전자 수=0

| 비활성 기체의 전자 배치 |

- 헬륨 (2+): 첫 번째 전자 껍질에 전자가 2개 채워진 안정한 전자 배치를 이루고 있다.
- 네온 (10+): 가장 바깥 전자 껍질인 두 번째 전자 껍질에 전자가 8개 채워진 안정한 전자 배치를 이루고 있다.
- 아르곤 (18+): 가장 바깥 전자 껍질인 세 번째 전자 껍질에 전자가 8개 채워진 안정한 전자 배치를 이루고 있다.

주의해!

헬륨(He)의 전자 배치
첫 번째 전자 껍질에는 전자가 최대 2개까지만 채워질 수 있다. 따라서 헬륨은 다른 비활성 기체와 달리 전자 껍질에 전자가 2개 채워져 안정한 전자 배치를 이룬다.

3. 화학 결합이 형성되는 까닭 원소들은 화학 결합을 형성하여 비활성 기체와 같은 안정한 전자 배치를 이루려고 하기 때문이다.

| ❷옥텟 규칙 → '여덟 전자 규칙'이라고도 한다. **|** 금성 교과서에만 나와요.

원소들은 전자를 잃거나 얻어서 비활성 기체와 같이 가장 바깥 전자 껍질에 전자 8개를 채워 안정해지려는 경향이 있는데, 이러한 경향을 옥텟 규칙이라고 한다.

주기 \ 족	1	2	13	14	15	16	17	18
2	Li (3+)	Be (4+)			N (7+)	O (8+)	F (9+)	Ne (10+)
3	Na (11+)	Mg (12+)	Al (13+)		P (15+)	S (16+)	Cl (17+)	Ar (18+)

- 1족 원소는 원자가 전자 1개를, 2족 원소는 원자가 전자 2개를, 13족 원소는 원자가 전자 3개를 잃어 옥텟 규칙을 만족한다.
- 15족 원소는 전자 3개를, 16족 원소는 전자 2개를, 17족 원소는 전자 1개를 얻거나 다른 원자와 전자쌍을 공유하여 옥텟 규칙을 만족한다.

(용어)

❶ 비활성(非 아니다, 活 생기가 있다, 性 성질) 화학적으로 안정하여 화학 반응을 하지 않는 성질

❷ 옥텟(octet) 숫자 '8'을 의미하는 '옥타(octa)'에서 유래된 말로, 전자 8개를 의미한다.

B 화학 결합의 종류

화학 결합의 종류로는 이온 결합과 공유 결합이 있어요. 이온 결합과 공유 결합이 형성되는 원리를 살펴보고, 이 화학 결합들이 지구 시스템과 생명 시스템에 어떻게 영향을 미치는지 알아볼까요?

1. 이온 결합 양이온과 음이온 사이의 ❶정전기적 인력으로 형성되는 화학 결합 (완자쌤 비법 특강 50쪽)

① ◆이온의 생성

구분	양이온	음이온
정의	원자가 전자를 잃어 양전하를 띤 입자 ➡ 양성자수 > 전자 수	원자가 전자를 얻어 음전하를 띤 입자 ➡ 양성자수 < 전자 수
생성 원리	금속 원소는 대체로 원자가 전자가 1~2개이므로 가장 바깥 전자 껍질의 전자를 잃어서 비활성 기체와 같은 전자 배치를 이루려고 한다.	비금속 원소는 대체로 원자가 전자가 6~7개이므로 가장 바깥 전자 껍질에 전자를 얻어서 비활성 기체와 같은 전자 배치를 이루려고 한다.
모형	12+ 전자 2개를 잃는다. ➡ [12+]2+ 마그네슘 원자 마그네슘 이온 마그네슘 이온은 앞 주기의 비활성 기체인 네온(Ne)과 같은 전자 배치를 이룬다.	8+ 전자 2개를 얻는다. ➡ [8+]2− 산소 원자 산화 이온 산화 이온은 같은 주기의 비활성 기체인 네온(Ne)과 같은 전자 배치를 이룬다.

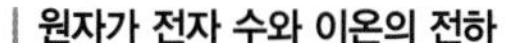
원자가 전자 수와 이온의 전하

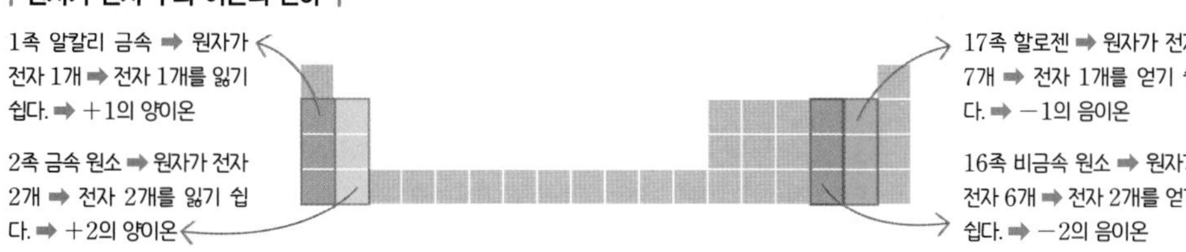
1족 알칼리 금속 ➡ 원자가 전자 1개 ➡ 전자 1개를 잃기 쉽다. ➡ +1의 양이온
2족 금속 원소 ➡ 원자가 전자 2개 ➡ 전자 2개를 잃기 쉽다. ➡ +2의 양이온
17족 할로젠 ➡ 원자가 전자 7개 ➡ 전자 1개를 얻기 쉽다. ➡ −1의 음이온
16족 비금속 원소 ➡ 원자가 전자 6개 ➡ 전자 2개를 얻기 쉽다. ➡ −2의 음이온

② 이온 결합의 형성: 금속 원소의 원자와 비금속 원소의 원자가 서로 전자를 주고받아 양이온과 음이온을 생성한 후, 이 이온들 사이에 정전기적 인력이 작용하여 결합이 형성된다.

염화 나트륨의 이온 결합 형성 과정

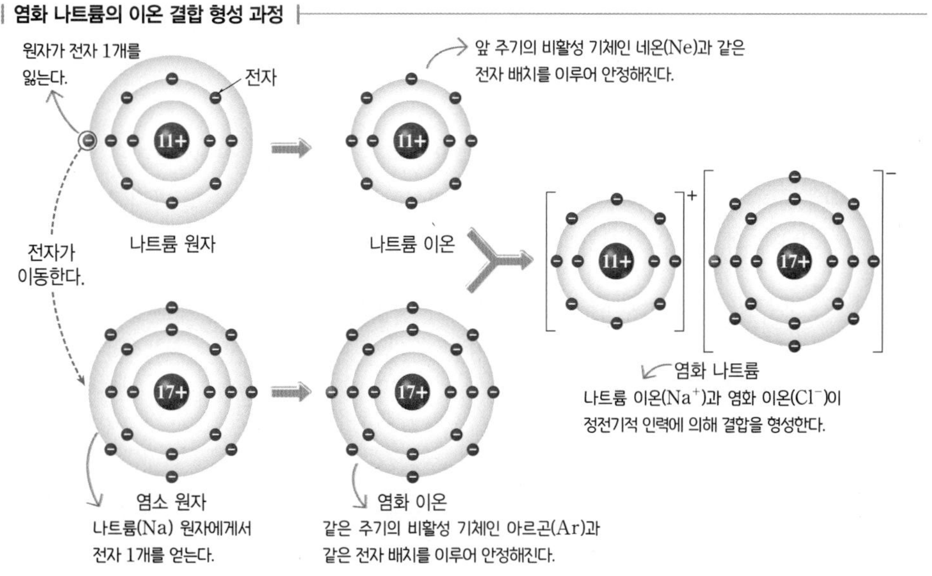
원자가 전자 1개를 잃는다.
전자
11+
나트륨 원자
앞 주기의 비활성 기체인 네온(Ne)과 같은 전자 배치를 이루어 안정해진다.
나트륨 이온
전자가 이동한다.
17+
염소 원자
나트륨(Na) 원자에게서 전자 1개를 얻는다.
염화 이온
같은 주기의 비활성 기체인 아르곤(Ar)과 같은 전자 배치를 이루어 안정해진다.
염화 나트륨
나트륨 이온(Na^+)과 염화 이온(Cl^-)이 정전기적 인력에 의해 결합을 형성한다.

동아 교과서에만 나와요.

◆ 이온의 표시

① 이온식: 원소 기호의 오른쪽 위에 전하의 종류, 잃거나 얻은 전자의 수를 표시한다.

② 이온의 이름

- 양이온: 원소의 이름에 '이온'을 붙인다.
- 음이온: 원소의 이름에 '~화 이온'을 붙인다. 이때 원소의 이름이 '~소'인 경우 '소'를 빼고 '~화 이온'을 붙인다.

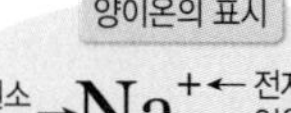
양이온의 표시
원소 기호
Na^+
전자 1개를 잃음(단, 1은 생략)
나트륨 이온

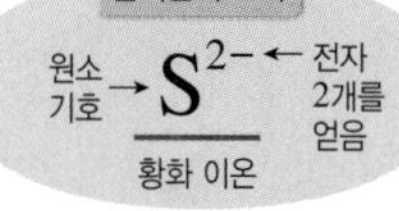
음이온의 표시
원소 기호
S^{2-}
전자 2개를 얻음
황화 이온

알기해!

양이온과 음이온이 되기 쉬운 원소

양이온이 되기 쉬운 원소	음이온이 되기 쉬운 원소
원자가 전자가 1~2개인 원소	원자가 전자가 6~7개인 원소
금속 원소	비금속 원소

궁금해?

수소(H)는 언제 음이온으로 존재할까?

수소는 금속 원소보다 전자를 얻기 쉬우므로 금속 원소의 원자와 결합할 때 −1의 음이온으로 존재한다.

(용어)

❶ 정전기적 인력(引 끌어당기다, 力 힘) 전기적으로 서로 반대의 전하를 띠는 입자 사이에 끌어당기는 힘

궁금해?

비금속 원소의 원자들이 전자쌍을 만드는 까닭은 무엇일까?
비금속 원소의 원자들은 전자를 내놓으려는 경향이 비슷하여 전자를 주고받아 이온을 생성하기 어렵기 때문이다.

암기해!

이온 결합과 공유 결합 비교
- 이온 결합: 금속 원소의 원자가 비금속 원소의 원자에게 전자를 준다.
- 공유 결합: 비금속 원소의 원자들이 전자쌍을 공유한다.

주의해!

물 분자를 이루는 공유 결합의 종류
물 분자를 생성할 때 수소와 산소는 전자쌍 2개를 공유하지만 2중 결합을 형성한 것이 아니라, 단일 결합 2개를 형성한 것이다.

2. [1]공유 결합 비금속 원소의 원자들이 전자쌍을 공유하여 형성되는 결합 (완자쌤 비법 특강 51쪽)

① **공유 전자쌍:** 두 원자에 서로 공유되어 결합에 참여하는 전자쌍

② **공유 결합의 형성:** 비금속 원소의 원자들이 서로의 전자를 내놓아 전자쌍을 만들고, 이 전자쌍을 공유하여 결합이 형성된다. ➡ 공유 결합을 형성하는 각 원자는 비활성 기체와 같은 안정한 전자 배치를 이룬다.

물 분자의 공유 결합 형성 과정

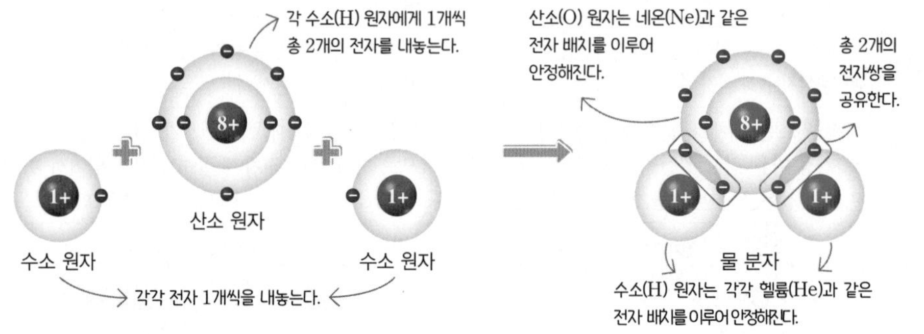

각 수소(H) 원자에게 1개씩 총 2개의 전자를 내놓는다.
8+
1+
산소 원자
수소 원자
수소 원자
각각 전자 1개씩을 내놓는다.
산소(O) 원자는 네온(Ne)과 같은 전자 배치를 이루어 안정해진다.
총 2개의 전자쌍을 공유한다.
물 분자
수소(H) 원자는 각각 헬륨(He)과 같은 전자 배치를 이루어 안정해진다.

③ **공유 결합의 종류**

비상, 미래엔 교과서에만 나와요.

구분	단일 결합	2중 결합	3중 결합
정의	이웃한 두 원자 사이에 1개의 전자쌍을 공유하는 결합 예 H_2, F_2, Cl_2, HCl 등	이웃한 두 원자 사이에 2개의 전자쌍을 공유하는 결합 예 O_2, CO_2 등	이웃한 두 원자 사이에 3개의 전자쌍을 공유하는 결합 예 N_2 등
모형	공유 전자쌍 (9+, 9+) 플루오린 분자 ─● F_2 플루오린(F) 원자 2개가 각각 전자 1개씩을 내놓아 전자쌍 1개를 만들어 공유한다.	공유 전자쌍 (8+, 8+) 산소 분자 ─● O_2 산소(O) 원자 2개가 각각 전자 2개씩을 내놓아 전자쌍 2개를 만들어 공유한다.	공유 전자쌍 (7+, 7+) 질소 분자 ─● N_2 질소(N) 원자 2개가 각각 전자 3개씩을 내놓아 전자쌍 3개를 만들어 공유한다.

3. 지구 시스템과 생명 시스템을 형성하는 화학 결합 지구 시스템과 생명 시스템을 구성하며, 생명체에서 일어나는 여러 가지 생명 현상(광합성과 소화 등)에 관여하는 수많은 물질은 몇 가지 원소들이 이온 결합이나 공유 결합을 형성하여 만들어진 것이다.

지구 시스템을 형성하는 화학 결합

물질	구성 원소	화학 결합
물	H, O	공유 결합
이산화 탄소	C, O	공유 결합
염화 나트륨	Na, Cl	이온 결합
산화 철	Fe, O	이온 결합

생명 시스템을 형성하는 화학 결합

물질	구성 원소	화학 결합
물	H, O	공유 결합
탄수화물	C, H, O	공유 결합
단백질	C, H, O, N, S	공유 결합
지방	C, H, O	공유 결합

(용어)

[1] 공유(共 함께, 有 있다) 두 사람 이상이 한 물건을 공동으로 소유하는 것

개념 확인 문제

정답친해 16쪽

핵심 체크

- (❶): 주기율표의 18족 원소, 가장 바깥 전자 껍질에 전자가 (❷)개(단, 헬륨 제외) 채워진 안정한 전자 배치를 이룬다.
- 원소들이 화학 결합을 형성하는 까닭: (❸)와 같이 안정한 전자 배치를 이루려고 하기 때문이다.
- 화학 결합
  - (❹) 결합: 금속 원소의 원자와 비금속 원소의 원자가 서로 전자를 주고받아 양이온과 음이온을 생성한 후, 이 이온들 사이에 정전기적 (❺)이 작용하여 형성되는 결합
  - (❻) 결합: 비금속 원소의 원자들이 서로의 전자를 내놓아 (❼)을 만들고, 이를 공유하여 형성되는 결합
  - 지구 시스템과 생명 시스템을 형성하는 화학 결합: 지구 시스템과 생명 시스템을 구성하는 수많은 물질은 몇 가지 원소들이 이온 결합이나 공유 결합을 형성하여 만들어진 것이다.

1 원소들의 화학 결합에 대한 설명으로 옳은 것은 ○, 옳지 않은 것은 ×로 표시하시오.

(1) 모든 원소들은 화학 결합을 형성하여 안정해지려고 한다. ( )

(2) 원소들은 화학 결합을 형성하여 비활성 기체와 같은 전자 배치를 이룬다. ( )

(3) 화학 결합이 형성될 때 원자들 사이에 전자가 이동하거나 전자를 공유한다. ( )

2 비활성 기체에 대한 설명으로 옳은 것만을 [보기]에서 있는 대로 고르시오.

보기

ㄱ. 화학적으로 안정하다.

ㄴ. 실온에서 원자 상태로 존재한다.

ㄷ. 가장 바깥 전자 껍질에 전자가 모두 8개 채워진다.

3 표의 각 원자들이 가장 안정한 이온이 될 때 얻거나 잃는 전자의 수를 ( ) 안에 쓰시오.

구분	(가)	(나)
전자 배치 모형	O (전자)	Na
전자	( )개 얻음	( )개 잃음

4 이온 결합에 대한 설명에는 '이온', 공유 결합에 대한 설명에는 '공유', 공통적인 설명에는 '공통'을 쓰시오.

(1) 비금속 원소의 원자들이 전자쌍을 공유하여 형성되는 결합이다. ( )

(2) 결합이 형성될 때 금속 원소의 원자는 전자를 잃고, 비금속 원소의 원자는 전자를 얻는다. ( )

(3) 결합을 형성한 각 원소의 원자들은 비활성 기체와 같은 전자 배치를 이룬다. ( )

5 그림은 물질 (가)와 (나)의 화학 결합 모형을 각각 나타낸 것이다.

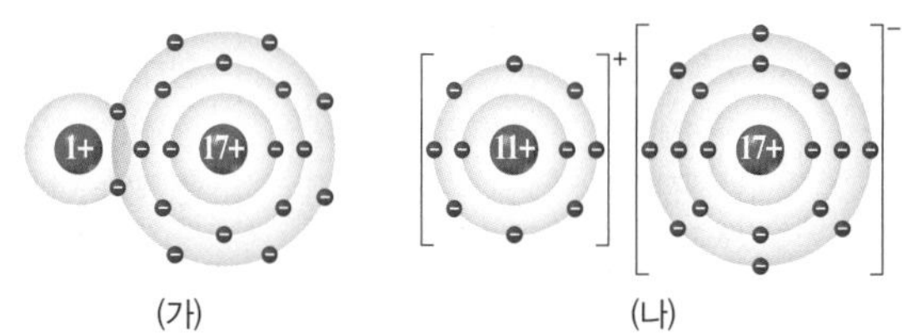

(가) (나)

(가)와 (나)를 생성하는 화학 결합의 종류를 각각 쓰시오.

6 다음은 지구 시스템과 생명 시스템을 구성하는 물질의 일부와 그 구성 원소를 나타낸 것이다.

(가) 물(H, O)	(나) 지방(C, H, O)
(다) 산화 철(Fe, O)	(라) 염화 나트륨(Na, Cl)

이온 결합으로 만들어진 물질을 있는 대로 고르시오.

정답친해 17쪽

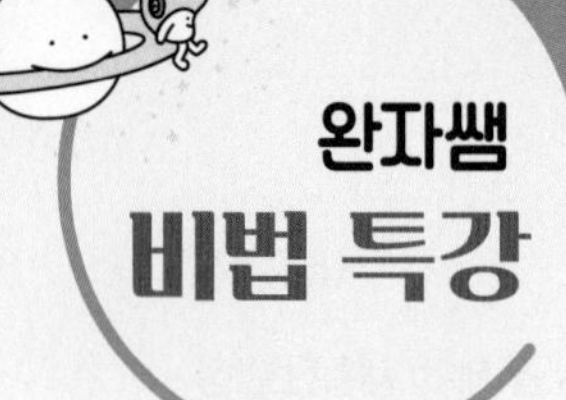

원자의 전자 배치와 화학 결합의 형성

금속 원소와 비금속 원소의 원자들의 전자 배치를 이용하여 금속 원소와 비금속 원소가 반응할 때와 비금속 원소들끼리 반응할 때 형성되는 화학 결합을 알아볼까요?

1 금속 원소와 비금속 원소의 결합

다음은 리튬 원자와 염소 원자의 전자 배치와 리튬과 염소의 화학 결합으로 생성된 염화 리튬의 전자 배치를 나타낸 것이다. 이를 통해 금속 원소와 비금속 원소가 반응할 때 형성되는 화학 결합에 대해 알아보자.

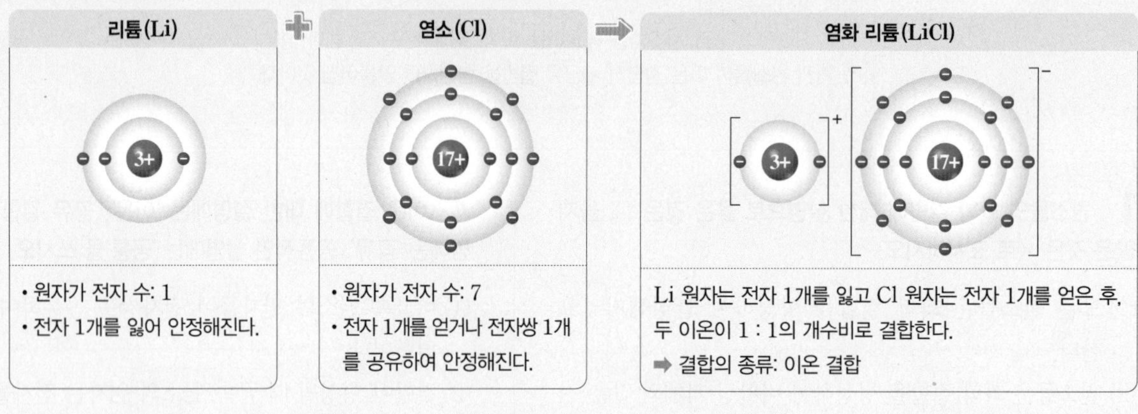

리튬(Li)	염소(Cl)	염화 리튬(LiCl)
• 원자가 전자 수: 1 • 전자 1개를 잃어 안정해진다.	• 원자가 전자 수: 7 • 전자 1개를 얻거나 전자쌍 1개를 공유하여 안정해진다.	Li 원자는 전자 1개를 잃고 Cl 원자는 전자 1개를 얻은 후, 두 이온이 1 : 1의 개수비로 결합한다. ➡ 결합의 종류: 이온 결합

Q1 나트륨 원자와 염소 원자의 전자 배치를 이용하여 염화 나트륨의 전자 배치를 그려 보고, (   ) 안을 채워 보자.

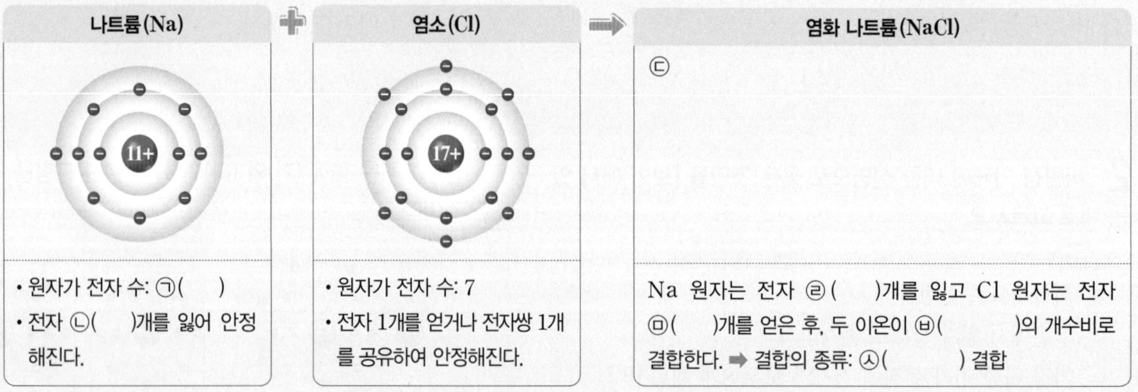

나트륨(Na)	염소(Cl)	염화 나트륨(NaCl)
• 원자가 전자 수: ㉠( ) • 전자 ㉡( )개를 잃어 안정해진다.	• 원자가 전자 수: 7 • 전자 1개를 얻거나 전자쌍 1개를 공유하여 안정해진다.	Na 원자는 전자 ㉣( )개를 잃고 Cl 원자는 전자 ㉤( )개를 얻은 후, 두 이온이 ㉥( )의 개수비로 결합한다. ➡ 결합의 종류: ㉦( ) 결합

Q2 마그네슘 원자와 염소 원자의 전자 배치를 이용하여 염화 마그네슘의 전자 배치를 그려 보고, (   ) 안을 채워 보자.

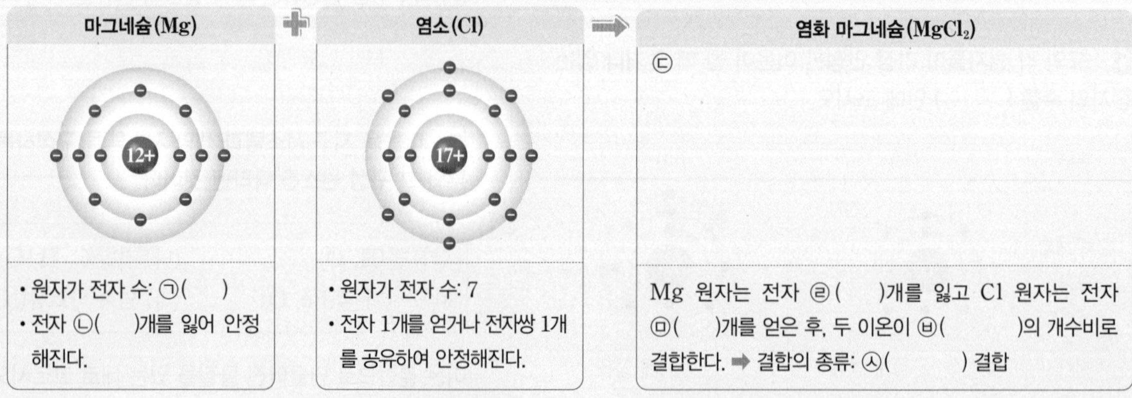

마그네슘(Mg)	염소(Cl)	염화 마그네슘($MgCl_2$)
• 원자가 전자 수: ㉠( ) • 전자 ㉡( )개를 잃어 안정해진다.	• 원자가 전자 수: 7 • 전자 1개를 얻거나 전자쌍 1개를 공유하여 안정해진다.	Mg 원자는 전자 ㉣( )개를 잃고 Cl 원자는 전자 ㉤( )개를 얻은 후, 두 이온이 ㉥( )의 개수비로 결합한다. ➡ 결합의 종류: ㉦( ) 결합

2 비금속 원소들 사이의 결합

다음은 탄소 원자와 수소 원자의 전자 배치와 탄소와 수소의 화학 결합으로 생성된 메테인의 전자 배치를 나타낸 것이다. 이를 통해 비금속 원소들이 반응할 때 형성되는 화학 결합에 대해 알아보자.

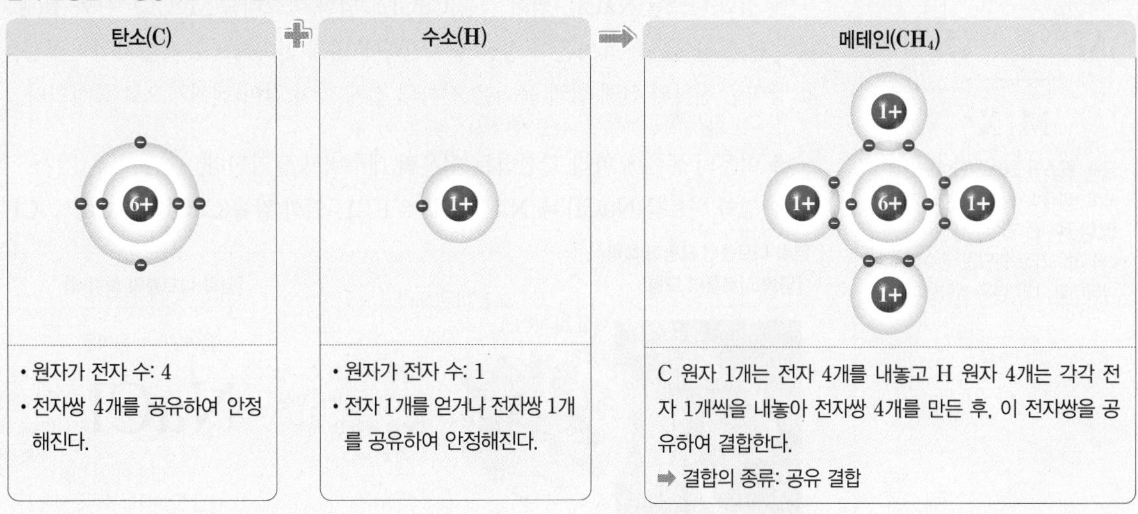

탄소(C)
6+
• 원자가 전자 수: 4
• 전자쌍 4개를 공유하여 안정해진다.
수소(H)
1+
• 원자가 전자 수: 1
• 전자 1개를 얻거나 전자쌍 1개를 공유하여 안정해진다.
메테인(CH_4)
1+
6+
C 원자 1개는 전자 4개를 내놓고 H 원자 4개는 각각 전자 1개씩을 내놓아 전자쌍 4개를 만든 후, 이 전자쌍을 공유하여 결합한다.
➡ 결합의 종류: 공유 결합

Q3 질소 원자와 수소 원자의 전자 배치를 이용하여 암모니아의 전자 배치를 그려 보고, (   ) 안을 채워 보자.

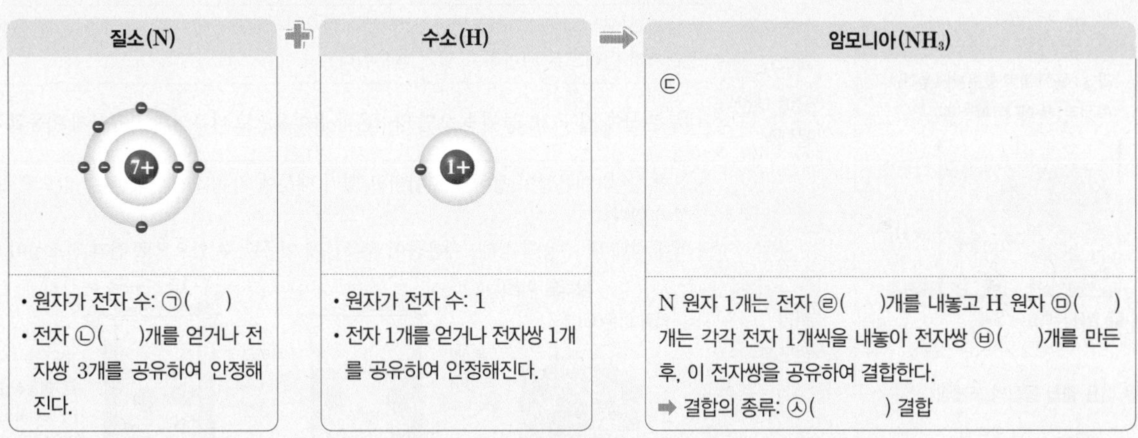

질소(N)
7+
• 원자가 전자 수: ㉠(   )
• 전자 ㉡(   )개를 얻거나 전자쌍 3개를 공유하여 안정해진다.
수소(H)
1+
• 원자가 전자 수: 1
• 전자 1개를 얻거나 전자쌍 1개를 공유하여 안정해진다.
암모니아(NH_3)
㉢
N 원자 1개는 전자 ㉣(   )개를 내놓고 H 원자 ㉤(   )개는 각각 전자 1개씩을 내놓아 전자쌍 ㉥(   )개를 만든 후, 이 전자쌍을 공유하여 결합한다.
➡ 결합의 종류: ㉦(   ) 결합

Q4 산소 원자와 수소 원자의 전자 배치를 이용하여 물의 전자 배치를 그려 보고, (   ) 안을 채워 보자.

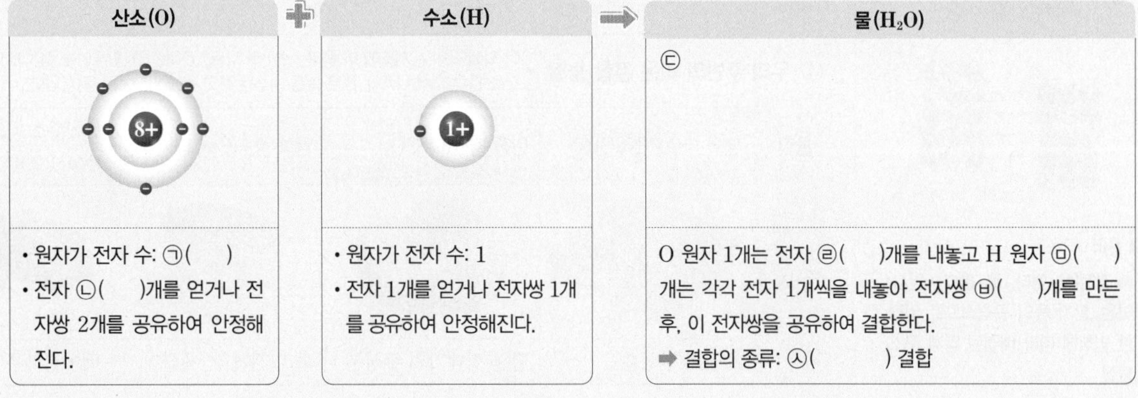

산소(O)
8+
• 원자가 전자 수: ㉠(   )
• 전자 ㉡(   )개를 얻거나 전자쌍 2개를 공유하여 안정해진다.
수소(H)
1+
• 원자가 전자 수: 1
• 전자 1개를 얻거나 전자쌍 1개를 공유하여 안정해진다.
물(H_2O)
㉢
O 원자 1개는 전자 ㉣(   )개를 내놓고 H 원자 ㉤(   )개는 각각 전자 1개씩을 내놓아 전자쌍 ㉥(   )개를 만든 후, 이 전자쌍을 공유하여 결합한다.
➡ 결합의 종류: ㉦(   ) 결합

C 우리 주변의 다양한 물질

1. ◆이온 결합 물질 이온 결합으로 생성된 물질

예 염화 나트륨(NaCl), 염화 칼슘($CaCl_2$), 염화 마그네슘($MgCl_2$), 산화 철(Ⅲ)(Fe_2O_3) 등

① 수많은 양이온과 음이온이 정전기적 인력에 의해 연속적으로 결합하여 ❶결정을 이룬다.

② 양이온 전하의 전체 합과 음이온 전하의 전체 합이 같아 전기적으로 중성이다.
└● (양이온 전하×양이온 수)+(음이온 전하×음이온 수)=0

➡ 이온의 종류에 따라 결합하는 이온의 개수비가 달라진다.

예 염화 나트륨(NaCl) ➡ $Na^+ : Cl^- = 1 : 1$, 염화 칼슘($CaCl_2$) ➡ $Ca^{2+} : Cl^- = 1 : 2$

염화 나트륨의 모형과 화학식

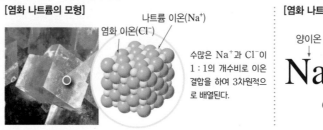

[염화 나트륨의 모형]

수많은 Na^+과 Cl^-이 1 : 1의 개수비로 이온 결합을 하여 3차원적으로 배열된다.

[염화 나트륨의 화학식]

양이온과 음이온의 개수비를 원소 기호 뒤에 가장 간단한 정수로 나타낸다.

③ **이온 결합 물질의 성질**

녹는점과 끓는점	녹는점과 끓는점이 비교적 높아 실온에서 대부분 고체 상태이다. ➡ 양이온과 음이온이 강한 정전기적 인력으로 결합하고 있기 때문이다.
물에 대한 용해성	대부분 물에 잘 녹고, 물에 녹으면 양이온과 음이온으로 나누어져 자유롭게 이동할 수 있다.
전기 전도성	• 고체 상태: 이온들이 강하게 결합하고 있기 때문에 자유롭게 이동할 수 없으므로 전기 전도성이 없다. • 액체 상태 및 수용액 상태: 이온들이 자유롭게 이동할 수 있으므로 전기 전도성이 있다. 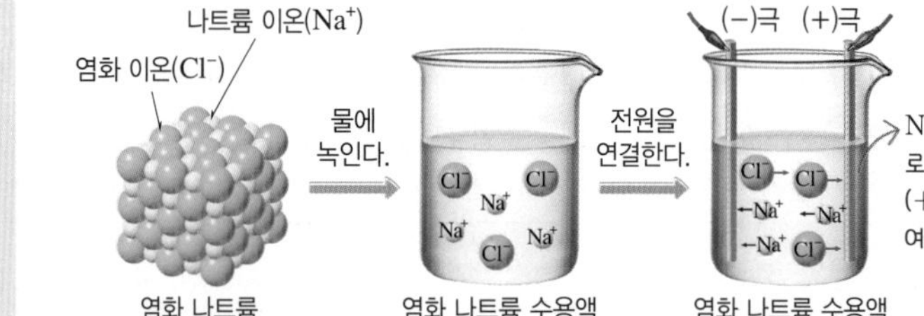 Na^+은 (−)극 쪽으로 이동하고, Cl^-은 (+)극 쪽으로 이동하여 전류가 흐른다.
결정의 변형	◆외부에서 힘을 가하면 쉽게 쪼개지거나 부서진다. ➡ 이온층이 밀리면서 같은 전하를 띤 이온들이 만나게 되어 반발력이 작용하기 때문이다.

④ **우리 주변의 이온 결합 물질** → 이 외에도 비누 제조에 이용되는 수산화 나트륨(NaOH), 알루미늄 접시에 이용되는 산화 알루미늄(Al_2O_3), 붉은 녹을 이루는 산화 철(Ⅲ)(Fe_2O_3) 등이 있다.

물질	염화 나트륨(NaCl)	탄산 칼슘($CaCO_3$) └● 물에 잘 녹지 않는다.	염화 칼슘($CaCl_2$)	탄산수소 나트륨($NaHCO_3$)
이용	소금의 주성분	달걀 껍데기의 주성분	습기 제거제, 제설제	베이킹파우더

◆ **이온 결합 물질의 화학식 표현**

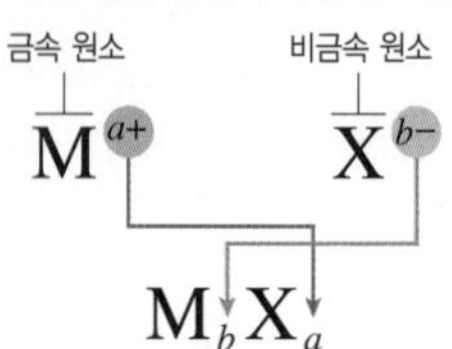

• 금속 원소의 원소 기호를 먼저 쓰고, 비금속 원소의 원소 기호를 나중에 쓴다.
• a와 b는 가장 간단한 정수비로 나타내고, 1인 경우 생략한다.

미래엔 교과서에만 나와요. **궁금해?**

이온 결합 물질이 물에 잘 녹는 까닭은 무엇일까?

이온 결합 물질을 물에 녹이면 양이온과 음이온이 각각 물 분자에 둘러싸여 쉽게 나누어지기 때문이다.

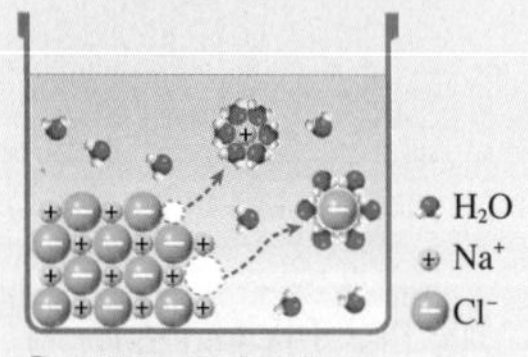

▲ 염화 나트륨의 용해

◆ **이온 결합 물질의 쪼개짐**

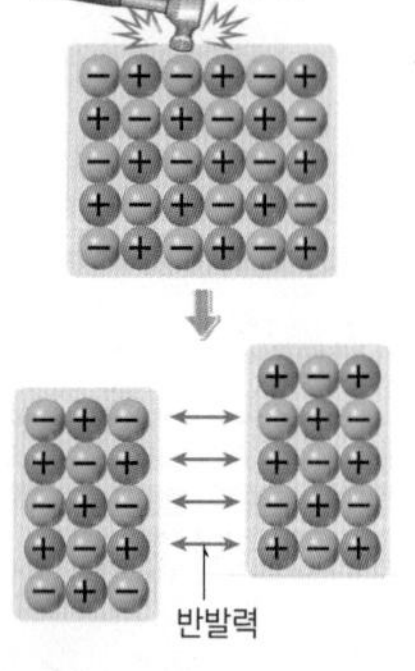

용어

❶ **결정(結 맺다, 晶 맑다)** 원자, 이온, 분자 등이 규칙적으로 일정한 법칙에 따라 배열된 입체 구조 물질

탐구 자료창 염화 칼슘($CaCl_2$)을 대체할 친환경 제설제 찾기

눈이 오면 도로에 제설제를 뿌려 눈을 녹인다. 제설제의 주성분인 염화 칼슘의 제설 원리와 부작용을 알아보고, 염화 칼슘을 대체할 친환경 제설제를 조사해 보자.

제설차가 도로에 염화 칼슘을 뿌리는 모습

1. **염화 칼슘의 제설 원리:** 염화 칼슘은 공기 중에서 수분을 흡수해서 스스로 녹는 성질이 있다. 눈 위에 염화 칼슘을 뿌리면 염화 칼슘이 수분을 흡수해서 녹고, 이때 발생한 열이 눈을 녹인다. 또한 염화 칼슘은 물 분자들의 규칙적인 배열을 방해하여 녹은 눈이 얼지 못하게 한다.
2. **◆염화 칼슘 제설제의 부작용과 친환경 제설제로 사용할 수 있는 물질의 조건**

염화 칼슘 제설제의 부작용		친환경 제설제로 사용할 수 있는 물질의 조건
• 하천을 오염시킨다. • 도로의 나무를 말라죽게 한다. • 시멘트와 차량, 철제 구조물을 부식시킨다. • 호흡기나 피부 등에 질환을 일으켜 인체에 해롭다.	➡	• 생명체에 해롭지 않아야 한다. • 환경 오염을 일으키지 않아야 한다. • 제설 작업이 쉽고, 제설 효과가 좋아야 한다. • 시멘트와 차량, 철제 구조물을 부식시키지 않아야 한다.

3. **친환경 제설제로 사용되고 있는 물질:** 소금, 바닷물, 돌가루

미래엔 교과서에만 나와요.

◆ 염화 칼슘의 제설 효과와 부작용 확인

• 제설 효과: 같은 크기의 얼음 조각에 같은 양의 설탕, 소금, 염화 칼슘을 뿌려 두면 염화 칼슘을 뿌린 얼음이 가장 빨리 녹는다.

• 부작용: 식물에 염화 칼슘 수용액을 뿌리면 식물의 잎이 누렇게 변하고, 염화 칼슘 수용액에 쇠못을 넣어 두면 빨리 녹슨다.

2. 공유 결합 물질 공유 결합으로 생성된 물질

예 산소(O_2), 질소(N_2), 물(H_2O), 메테인(CH_4), 암모니아(NH_3), 포도당($C_6H_{12}O_6$) 등

① ◆일반적으로 일정한 수의 원자들이 전자쌍을 공유하여 분자를 이룬다.

◆ 분자를 이루는 원자 수와 분자의 종류
같은 종류의 원자가 공유 결합을 형성하더라도 결합한 원자의 수가 다르면 서로 다른 분자가 생성된다.
예 물(H_2O)과 과산화 수소(H_2O_2)

| 분자 모형과 분자식 | 비상 교과서에만 나와요.

[분자 모형]

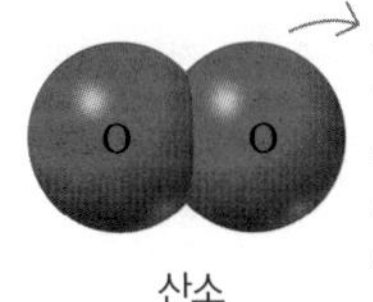

산소

산소(O) 원자 2개가 각각 전자 2개씩을 내놓아 전자쌍 2개를 공유하여 생성된다.

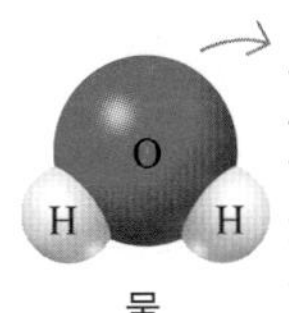

물

수소(H) 원자 2개와 산소(O) 원자 1개가 각각 전자쌍 1개씩 총 2개를 공유하여 생성된다.

[물의 분자식]

원자의 종류

H_2O

원자의 수 (1은 생략)

분자를 이루는 원자의 수를 원소 기호 뒤에 정수로 나타낸다.

② 공유 결합 물질의 성질

녹는점과 끓는점	녹는점과 끓는점이 비교적 낮아 실온에서 대부분 액체나 기체 상태이다. ➡ 분자 사이의 인력이 약하기 때문이다.
물에 대한 용해성	분자의 성질에 따라 물에 녹는 것도 있고(설탕, 포도당, 염화 수소, 암모니아 등), 물에 녹지 않는 것도 있다(메테인, 질소 등).
◆전기 전도성	대부분 전기 전도성이 없다. ➡ 대부분 전하를 운반할 수 있는 이온이 아닌 전기적으로 중성인 분자 상태로 존재하기 때문이다.  설탕 물에 녹인다. 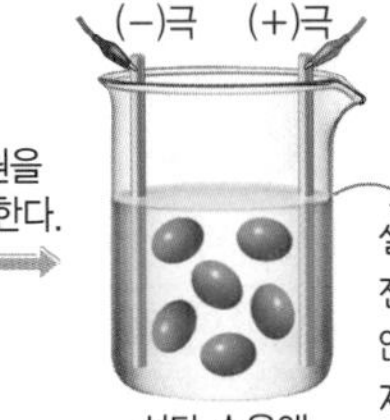 설탕 수용액 전원을 연결한다. (−)극 (+)극 설탕 수용액 설탕 분자는 어느 쪽 전극으로도 이동하지 않으므로 전류가 흐르지 않는다.

이것까지 나와요! 화학Ⅰ
화학 결합의 세기
일반적으로 고체 물질에서 화학 결합의 세기가 셀수록 물질의 녹는점이 높다.

◆ 전기 전도성이 있는 공유 결합 물질
흑연은 고체 상태에서 자유롭게 이동할 수 있는 전자가 있어 전기 전도성이 있다. 또한 염화 수소, 암모니아 등과 같이 물에 녹아 이온을 내놓는 물질은 수용액 상태에서 전기 전도성이 있다.

궁금해?

준금속 원소인 규소를 포함하고 있는 유리는 이온 결합 물질일까, 공유 결합 물질일까?

창문, 식기 등에 다양하게 이용되는 유리는 규소(Si), 나트륨(Na), 산소(O)로 이루어져 있다. 규소는 준금속 원소로 다른 원소와 공유 결합을 형성하는지, 이온 결합을 형성하는지 명확하게 설명하기 어렵다. 그런데 유리를 생성할 때 규소는 산소와 결합하여 규산 이온을 생성하고, 규산 이온은 나트륨 이온과 이온 결합을 형성하여 유리를 생성하므로 유리는 이온 결합 물질이다.

③ 우리 주변의 공유 결합 물질

물질	에탄올(C_2H_6O)	뷰테인(C_4H_{10})	설탕($C_{12}H_{22}O_{11}$)	아세틸 살리실산($C_9H_8O_4$)
이용	소독용 알코올, 술	휴대용 버너의 연료	음식의 조미료	아스피린(해열 진통제)

탐구 자료창 결합의 종류에 따른 물질의 전기 전도성 비교

염화 나트륨, 염화 구리(Ⅱ), 질산 칼륨, 질산 나트륨, 설탕, 포도당, 녹말의 고체 상태와 수용액 상태의 전기 전도성을 확인하고, 이 물질들을 이온 결합 물질과 공유 결합 물질로 구분한다.

증류수는 전기 전도성이 없으므로 물질을 증류수에 녹여 수용액 상태의 전기 전도성을 확인한다.

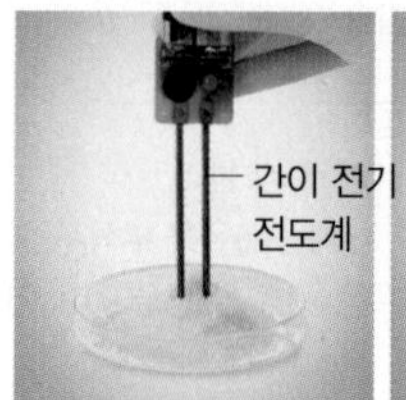

고체 상태의 전기 전도성 확인

수용액 상태의 전기 전도성 확인

1. 물질의 전기 전도성

물질	염화 나트륨	염화 구리(Ⅱ)	질산 칼륨	질산 나트륨	설탕	포도당	녹말
고체 상태의 전기 전도성	없음	없음	없음	없음	없음	없음	없음
수용액 상태의 전기 전도성	있음	있음	있음	있음	없음	없음	없음

2. 이온 결합 물질과 공유 결합 물질의 구분
- 이온 결합 물질: 염화 나트륨, 염화 구리(Ⅱ), 질산 칼륨, 질산 나트륨 ➡ 고체 상태에서는 전기 전도성이 없지만, 수용액 상태에서는 전기 전도성이 있기 때문이다.
- 공유 결합 물질: 설탕, 포도당, 녹말 ➡ 고체 상태와 수용액 상태에서 모두 전기 전도성이 없기 때문이다.

암기해!

이온 결합 물질과 공유 결합 물질의 전기 전도성

물질	이온 결합 물질	공유 결합 물질
고체	없음	없음
액체	있음	없음
수용액	있음	없음

➡ 이온 결합 물질과 공유 결합 물질은 액체 상태나 수용액 상태의 전기 전도성으로 구분할 수 있다.

3. 지구 시스템과 생명 시스템을 구성하는 물질 우리 주변의 수많은 이온 결합 물질과 공유 결합 물질은 우리가 살고 있는 지구 시스템과 생명 시스템을 유지하게 한다.

물질	특징
물(H_2O)	• 사람 몸의 약 70 %를 구성한다. • 생명체 내에서 다양한 화학 반응이 일어나도록 돕는다. — 생명체에 필요한 물질을 녹이거나 필요한 기관으로 이동시킨다. • 다양한 기상 현상을 일으킨다.
산소(O_2)	• 광합성으로 생성되고, 생명체의 호흡에 이용된다. — 실온에서 기체 상태로 존재하기 때문에 생명체가 호흡에 쉽게 이용할 수 있다. • 대기의 약 21 %를 구성한다.
이산화 탄소(CO_2)	• 생명체의 호흡으로 생성되고, 광합성에 이용된다.
질소(N_2)	• 대기의 약 78 %를 구성한다.
◆규산염 광물	• 규산 이온(SiO_4^{4-})이 금속 양이온과 결합한 물질이다. • 지각을 구성한다. — 지각이 단단한 고체 상태인 까닭은 지각을 구성하는 물질의 대부분이 녹는점이 높은 규산염 광물이기 때문이다.

규산염 광물은 Ⅰ-2-01. 지각과 생명체 구성 물질의 결합 규칙성에서 더 자세히 배워요.

◆ 규산염 광물

규산염 광물 중 하나인 감람석은 마그네슘 이온, 철 이온이 규산 이온과 결합하여 생성된 물질(이온 결합 물질)이고, 석영은 규산 이온들이 서로의 산소를 공유하여 생성된 물질(공유 결합 물질)이다.

감람석

석영

개념 확인 문제

정답친해 17쪽

핵심 체크

• 이온 결합 물질과 공유 결합 물질

물질	이온 결합 물질	공유 결합 물질
구조	수많은 양이온과 음이온이 (❶)에 의해 연속적으로 결합하여 결정을 이룬다.	일반적으로 일정한 수의 원자들이 전자쌍을 공유하여 (❷)를 이룬다.
물에 대한 용해성	대부분 물에 잘 녹고, 물에 녹으면 (❸)과 (❹)으로 나누어진다.	분자의 성질에 따라 물에 녹는 것도 있고, 물에 녹지 않는 것도 있다.
전기 전도성	• (❺) 상태: 전기 전도성이 없다. • (❻) 상태와 (❼) 상태: 전기 전도성이 있다.	대부분 전기 전도성이 (❽).

1 이온 결합 물질에 대한 설명으로 옳은 것은 ○, 옳지 않은 것은 ×로 표시하시오.

(1) 양이온과 음이온이 한 쌍을 이룬 상태로 존재한다. ( )

(2) 물에 녹으면 양이온과 음이온으로 나누어진다. ( )

(3) 고체, 액체, 수용액 상태에서 모두 전류가 흐른다. ( )

2 공유 결합 물질에 대한 설명으로 옳은 것은 ○, 옳지 않은 것은 ×로 표시하시오.

(1) 2개 이상의 원자가 결합하여 분자 상태로 존재한다. ( )

(2) 분자의 성질에 따라 물에 대한 용해성이 다르다. ( )

(3) 대부분 고체 상태에서는 전류가 흐르지 않지만, 액체나 수용액 상태에서는 전류가 흐른다. ( )

3 [보기]에서 (가)이온 결합 물질과 (나)공유 결합 물질을 각각 고르시오.

보기

ㄱ. 물	ㄴ. 에탄올	ㄷ. 염화 칼슘
ㄹ. 산소	ㅁ. 탄산 칼슘	ㅂ. 수산화 나트륨

4 그림은 고체 상태의 이온 결합 물질과 공유 결합 물질의 모형을 순서없이 나타낸 것이다.

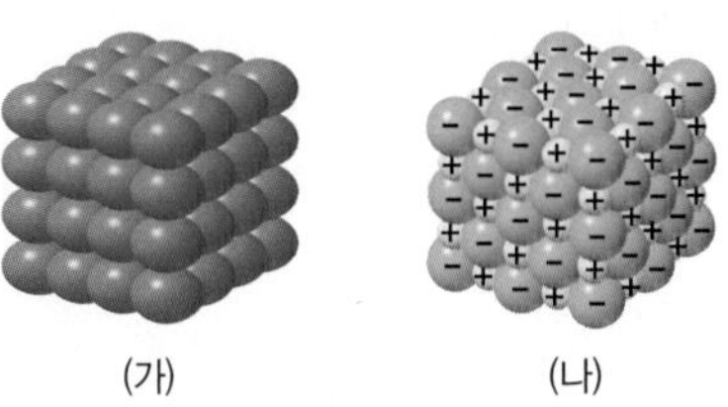
(가) (나)

( ) 안에 알맞은 말을 쓰시오.

(1) (가)는 ㉠( ) 결합 물질이고, (나)는 ㉡( ) 결합 물질이다.

(2) (가)는 전기적으로 중성인 ㉠( )로 이루어져 있고, (나)는 전하를 띠는 ㉡( )으로 이루어져 있다.

(3) 액체 상태의 (가)와 (나)에 각각 전원을 연결하면 ㉠( )는 전류가 흐르고, ㉡( )는 전류가 흐르지 않는다.

5 지구 시스템과 생명 시스템을 구성하는 물질과 그에 대한 설명을 옳게 연결하시오.

(1) 물 • • ㉠ 지각을 구성

(2) 질소 • • ㉡ 대기의 약 78 %를 구성

(3) 규산염 광물 • • ㉢ 사람 몸의 약 70 %를 구성

내신 안정 문제

A 화학 결합의 원리 B 화학 결합의 종류

01 다음은 원소 A~C의 이용을 나타낸 것이다.

A	B	C
광고용 기구의 충전 기체	광고판의 충전 기체	형광등의 충전 기체

A~C의 공통점에 대한 설명으로 옳지 않은 것은?

① 비금속 원소이다.
② 이원자 분자로 존재한다.
③ 주기율표의 18족에 속한다.
④ 반응성이 작고, 화학적으로 안정하다.
⑤ 가장 바깥 전자 껍질에 전자를 최대로 채운다.

중요 **02** 그림은 주기율표의 일부를 나타낸 것이다.

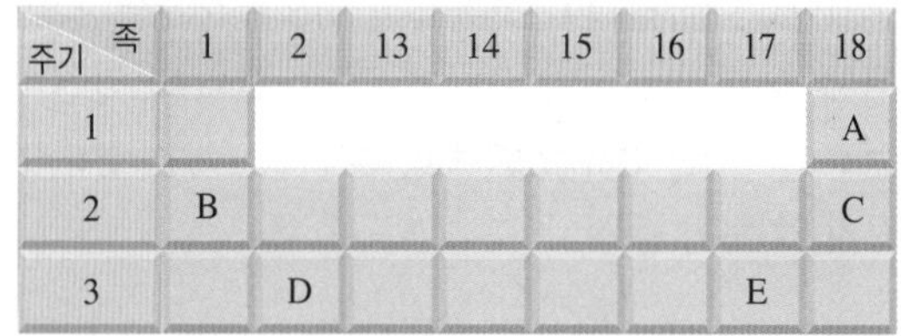

주기 \ 족	1	2	13	14	15	16	17	18
1								A
2	B							C
3		D					E	

이에 대한 설명으로 옳은 것만을 [보기]에서 있는 대로 고른 것은?(단, A~E는 임의의 원소 기호이다.)

보기
ㄱ. A와 C는 비활성 기체이다.
ㄴ. B가 가장 안정한 이온이 되면 A와 같은 전자 배치를 이룬다.
ㄷ. D와 E가 가장 안정한 이온이 되면 같은 비활성 기체의 전자 배치를 이룬다.

① ㄱ ② ㄷ ③ ㄱ, ㄴ
④ ㄴ, ㄷ ⑤ ㄱ, ㄴ, ㄷ

중요 **03** 표는 네 가지 원자 A~D의 전자 배치에 대한 자료이다.

원자	A	B	C	D
전자 껍질 수	2	2	3	3
원자가 전자 수	1	7	0	2

이에 대한 설명으로 옳은 것만을 [보기]에서 있는 대로 고른 것은?(단, A~D는 임의의 원소 기호이다.)

보기
ㄱ. A는 양이온이 되기 쉽고, B는 음이온이 되기 쉽다.
ㄴ. C는 안정하여 원자 상태로 존재한다.
ㄷ. B와 D가 비활성 기체의 전자 배치를 갖는 이온이 될 때 C와 같은 전자 배치를 이룬다.

① ㄴ ② ㄷ ③ ㄱ, ㄴ
④ ㄱ, ㄷ ⑤ ㄱ, ㄴ, ㄷ

중요 **04** 그림은 세 가지 원자 A~C의 전자 배치를 모형으로 나타낸 것이다.

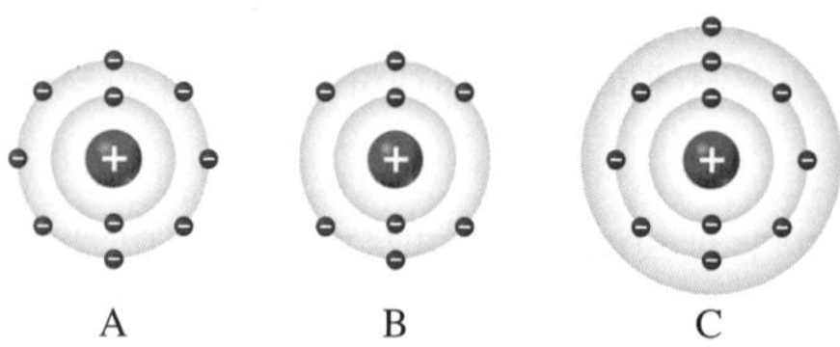

이에 대한 설명으로 옳은 것만을 [보기]에서 있는 대로 고른 것은?(단, A~C는 임의의 원소 기호이다.)

보기
ㄱ. A는 화학 결합을 형성하지 않는다.
ㄴ. B와 C가 결합할 때 B는 음이온이 된다.
ㄷ. C는 화학 결합을 할 때 A와 같은 전자 배치를 이룬다.

① ㄱ ② ㄴ ③ ㄱ, ㄷ
④ ㄴ, ㄷ ⑤ ㄱ, ㄴ, ㄷ

05 그림은 두 가지 원자 A와 B가 반응하여 화합물 (가)를 형성하는 반응에서 반응물의 전자 배치 모형만을 나타낸 것이다.

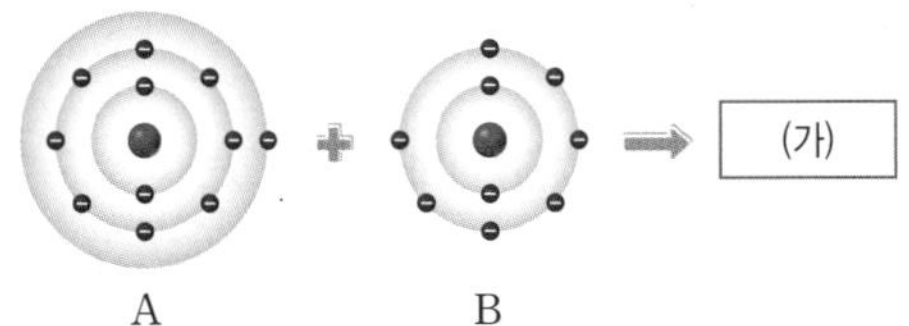

(가)에 대한 설명으로 옳지 않은 것은?

① A는 양이온으로 존재한다.
② B는 음전하를 띤다.
③ A는 네온(Ne)의 전자 배치를 갖는다.
④ B는 아르곤(Ar)의 전자 배치를 갖는다.
⑤ 화학식은 AB이다.

06 그림은 세 가지 분자의 화학 결합 모형을 나타낸 것이다.

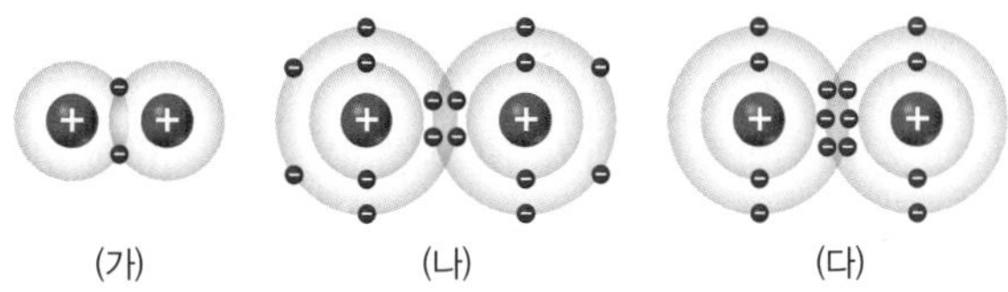

분자에 들어 있는 공유 전자쌍의 수를 부등호로 비교하시오.

중요 **07** 그림은 두 가지 원자 A와 B가 반응하여 분자 (가)를 생성하는 화학 결합 모형을 나타낸 것이다.

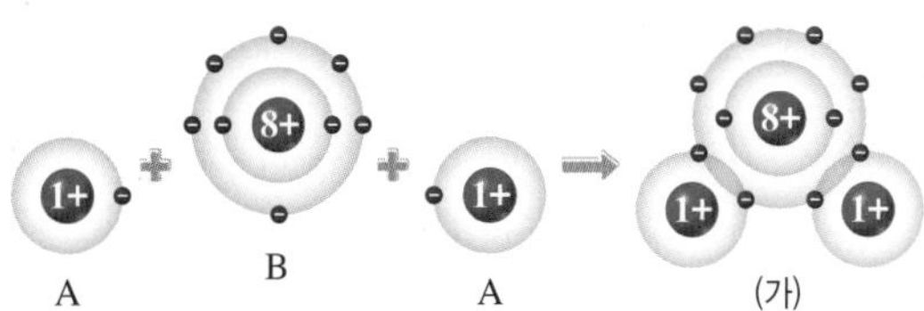

이에 대한 설명으로 옳은 것만을 [보기]에서 있는 대로 고른 것은?(단, A와 B는 임의의 원소 기호이다.)

보기
ㄱ. A와 B는 이온 결합을 한다.
ㄴ. (가)에는 2중 결합이 존재한다.
ㄷ. (가)에서 B는 네온(Ne)과 같은 전자 배치를 이룬다.

① ㄱ ② ㄷ ③ ㄱ, ㄴ
④ ㄴ, ㄷ ⑤ ㄱ, ㄴ, ㄷ

C 우리 주변의 다양한 물질

08 이온 결합 물질과 공유 결합 물질에 대한 설명으로 옳지 않은 것은?

① 이온 결합 물질은 끓는점과 녹는점이 비교적 높다.
② 이온 결합 물질은 외부에서 힘을 가하면 쉽게 부스러진다.
③ 고체 상태의 이온 결합 물질에는 이온이 존재하지 않는다.
④ 공유 결합 물질은 일반적으로 분자로 이루어져 있다.
⑤ 설탕, 에탄올, 아스피린은 공유 결합 물질이다.

09 그림은 두 가지 원자 A와 B가 반응하여 화합물 AB를 생성하는 화학 결합 모형을 나타낸 것이다.

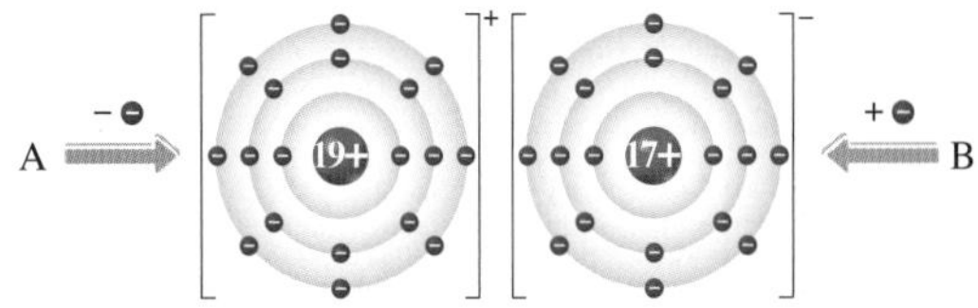

이에 대한 설명으로 옳은 것만을 [보기]에서 있는 대로 고른 것은?(단, A와 B는 임의의 원소 기호이다.)

보기
ㄱ. A와 B는 같은 주기 원소이다.
ㄴ. B는 비금속 원소이다.
ㄷ. AB는 고체 상태에서 전기 전도성이 있다.

① ㄱ ② ㄴ ③ ㄱ, ㄴ
④ ㄱ, ㄷ ⑤ ㄴ, ㄷ

중요 **10** 표는 X 수용액과 Y 수용액의 전기 전도성을 확인하는 실험 장치와 실험 결과를 나타낸 것이다. X와 Y는 각각 염화 나트륨, 설탕 중 하나이다.

구분	X 수용액	Y 수용액
실험 장치		
실험 결과	불이 안 켜짐	불이 켜짐

이에 대한 설명으로 옳은 것만을 [보기]에서 있는 대로 고른 것은?

보기
ㄱ. X의 구성 원소는 모두 비금속 원소이다.
ㄴ. Y 수용액에는 이온이 존재한다.
ㄷ. Y는 액체 상태에서 전기 전도성이 있다.

① ㄴ ② ㄱ, ㄴ ③ ㄱ, ㄷ
④ ㄴ, ㄷ ⑤ ㄱ, ㄴ, ㄷ

중요 **11** 그림은 주기율표의 일부를 나타낸 것이다.

주기 \ 족	1	2	13	14	15	16	17	18
1								A
2	B					C	D	
3	E						F	

이에 대한 설명으로 옳지 않은 것은?(단, A~F는 임의의 원소 기호이다.)

① B와 D로 이루어진 물질에서 B의 전자 배치는 A와 같다.
② 공유 전자쌍 수는 C_2가 D_2의 2배이다.
③ BF는 액체 상태에서 전기 전도성이 있다.
④ E_2C는 공유 결합 물질이다.
⑤ E와 F는 1 : 1의 개수비로 결합하여 화합물을 생성한다.

12 표는 세 가지 물질과 그 주성분을 나타낸 것이다.

물질	제습제	소독용 알코올	베이킹파우더
주성분	$CaCl_2$	C_2H_6O	$NaHCO_3$

이에 대한 설명으로 옳은 것만을 [보기]에서 있는 대로 고른 것은?

보기
ㄱ. 제습제의 수용액은 전기 전도성이 있다.
ㄴ. 소독용 알코올은 이온 결합 물질이다.
ㄷ. 베이킹파우더는 물에 잘 녹지 않는다.

① ㄱ ② ㄴ ③ ㄱ, ㄷ
④ ㄴ, ㄷ ⑤ ㄱ, ㄴ, ㄷ

서술형 문제

중요 **13** 그림은 두 가지 원자 A, C가 각각 원자 B와 결합하여 가장 안정한 화합물 (가)와 (나)를 생성하는 것을 나타낸 것이다.(단, A~C는 임의의 원소 기호이고, 화합물 (가)는 사람 몸의 약 70 %를 구성한다.)

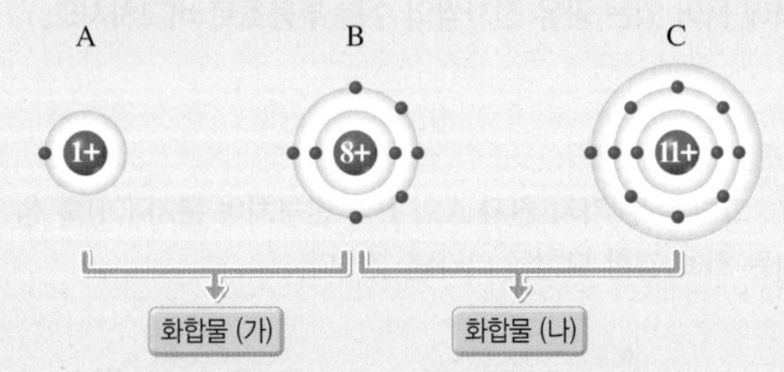

(1) (가)의 생성 과정에 대해 서술하시오.

(2) (나)의 생성 과정에 대해 서술하시오.

(3) (가)와 (나)가 액체 상태일 때 전기 전도성을 결합의 종류를 언급하여 각각 서술하시오.

14 염화 칼슘으로 만든 제설제는 눈을 잘 녹이지만 부작용이 많다. 염화 칼슘을 대체하여 친환경 제설제로 사용할 수 있는 물질의 조건을 두 가지 이상 서술하시오.

실력 UP 문제

정답친해 20쪽

01 그림은 화합물 AB와 CB를 화학 결합 모형으로 나타낸 것이다.

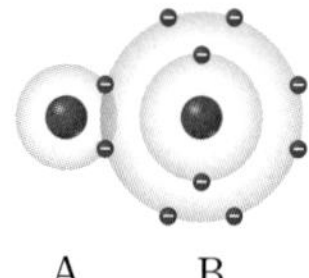

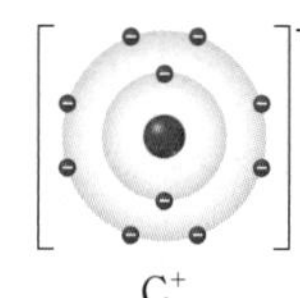

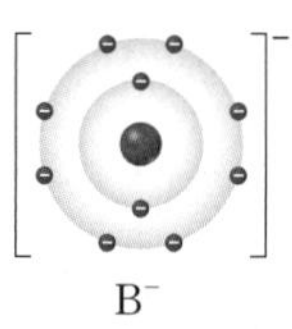

이에 대한 설명으로 옳은 것만을 [보기]에서 있는 대로 고른 것은?(단, A~C는 임의의 원소 기호이다.)

보기
ㄱ. B와 C는 같은 주기 원소이다.
ㄴ. AB에서 공유 전자쌍 수는 1이다.
ㄷ. 화합물 CA는 이온 결합 물질이다.

① ㄱ ② ㄴ ③ ㄱ, ㄷ
④ ㄴ, ㄷ ⑤ ㄱ, ㄴ, ㄷ

02 다음은 원소 A~D에 대한 설명이고, 그림은 주기율표의 일부를 나타낸 것이다.

- A의 원자가 전자 수는 4이다.
- B는 금속 원소이다.
- C는 D보다 원자가 전자가 6개 더 많다.

주기 \ 족	1	2	13	14	15	16	17	18
1	(가)							
2	(나)			(다)				
3							(라)	

A~D로 이루어진 물질 중 액체 상태에서 전기 전도성이 있는 것은?(단, A~D는 임의의 원소 기호이고, 각각 (가)~(라) 중 하나이다.)

① AC_4 ② AD_4 ③ BC
④ C_2 ⑤ D_2

03 그림은 화합물 XY_2와 ZX_2를 화학 결합 모형으로 나타낸 것이다.

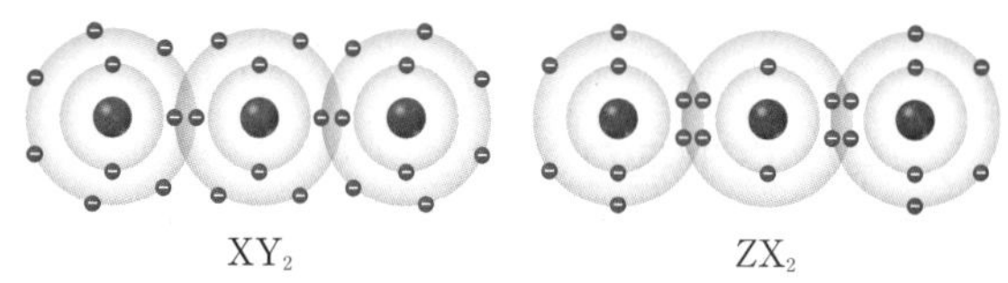

이에 대한 설명으로 옳은 것만을 [보기]에서 있는 대로 고른 것은?(단, X~Z는 임의의 원소 기호이다.)

보기
ㄱ. 원자가 전자 수는 Y가 X보다 작다.
ㄴ. ZX_2에는 2중 결합이 존재한다.
ㄷ. 공유 전자쌍 수는 ZX_2와 ZY_4가 같다.

① ㄱ ② ㄴ ③ ㄱ, ㄷ
④ ㄴ, ㄷ ⑤ ㄱ, ㄴ, ㄷ

04 표는 세 가지 원자 A~C가 가장 안정한 상태일 때 각 전자 껍질에 들어 있는 전자 수를 나타낸 것이다.

원자	A	B	C
첫 번째 전자 껍질의 전자 수	x	2	2
두 번째 전자 껍질의 전자 수	6	y	z
세 번째 전자 껍질의 전자 수	0	2	7

이에 대한 설명으로 옳은 것만을 [보기]에서 있는 대로 고른 것은?(단, A~C는 임의의 원소 기호이다.)

보기
ㄱ. $\frac{y+z}{x}$는 8이다.
ㄴ. 액체 상태의 BA는 전기 전도성이 있다.
ㄷ. BC_2에서 B 원자와 C 원자 사이에는 전자쌍 2개를 공유한다.

① ㄱ ② ㄷ ③ ㄱ, ㄴ
④ ㄴ, ㄷ ⑤ ㄱ, ㄴ, ㄷ

1 우주 초기 원소의 생성

1. 빅뱅 우주론 고온 고밀도의 한 점에서 빅뱅(대폭발)이 일어나 우주가 시작된 후 계속 팽창하고 있다는 우주론
➡ 우주 팽창에 대한 빅뱅 우주론과 정상 우주론이 등장하였고, 현재는 빅뱅 우주론이 인정받고 있다.

빅뱅 우주론	우주의 크기 증가, 질량 일정, 온도와 밀도 (❶)
정상 우주론	우주의 크기 증가, 질량 증가, 온도와 밀도 일정

2. 빅뱅 우주 초기에 생성된 원소 수소, 헬륨

(1) **입자의 생성:** 우주의 팽창으로 온도가 낮아지면서 점차 무거운 입자가 생성되었다. ➡ 쿼크, 전자(기본 입자) → 양성자(수소 원자핵), (❷) → 헬륨 원자핵 → 원자

쿼크, 전자	더 이상 분해되지 않는 기본 입자 생성
양성자, 중성자	쿼크 3개가 결합하여 양성자와 중성자 생성
헬륨 원자핵	양성자 2개와 중성자 2개가 결합하여 헬륨 원자핵 생성
원자	(❸)과 전자가 결합하여 원자 생성 (빅뱅 후 약 38만 년, 우주의 온도 약 3000 K일 때)

(2) (❹): 원자가 생성되면서 우주 공간으로 퍼져 나간 빛으로, 현재 약 3 K에 해당하는 복사로 관측된다. ➡ 빅뱅 우주론을 지지하는 증거

3. 스펙트럼

종류	• 연속 스펙트럼: 고온의 물체에서 나오는 빛을 관측할 때 • (❺): 저온의 성운을 통과한 별빛을 관측할 때 • 방출 스펙트럼: 별 주위의 가열된 성운을 관측할 때
별빛의 스펙트럼 분석	• 원소마다 고유의 스펙트럼이 나타난다. ➡ 구성 원소의 (❻)를 알아낼 수 있다. • 원소의 밀도에 따라 흡수선의 선폭이 다르다. ➡ 구성 원소의 질량비를 알아낼 수 있다.

4. 우주의 원소 분포 수소와 헬륨이 대부분을 차지한다.

(1) **관측 방법:** 여러 천체의 스펙트럼 분석

(2) **수소와 헬륨의 질량비:** 약 3 : 1 ➡ (❼)을 지지하는 증거

2 지구와 생명체를 구성하는 원소의 생성

1. 지구와 생명체를 구성하는 원소

우주의 주요 원소	지구의 주요 원소	사람의 주요 원소
수소, 헬륨 ➡ 빅뱅 우주 초기에 생성	(❽), 산소 등 ➡ 별의 진화 과정에서 생성	산소, 탄소 등 ➡ 별의 진화 과정에서 생성

2. 별의 진화와 원소의 생성

(1) **별의 탄생:** 성간 물질이 모여 성운 형성 → 성운의 밀도가 큰 영역에서 원시별 탄생 → 원시별이 (❾)하여 온도가 높아짐 → 별(주계열성) 탄생

(2) **주계열성:** (❿) 반응으로 에너지를 방출하는 천체

수소 핵융합 반응	4개의 수소가 융합하여 1개의 헬륨을 생성하는 반응
힘의 평형	내부 압력=(⓫) ➡ 별의 크기 일정

(3) **별의 진화와 원소의 생성**

철보다 가벼운 원소, 철	질량이 태양 정도인 별	별 내부의 핵융합 반응으로 헬륨, 탄소, 산소 생성
	질량이 태양의 10배 이상인 별	별 내부의 핵융합 반응으로 헬륨부터 무거운 원소들이 차례로 생성되고 (⓬)까지 생성
철보다 무거운 원소	질량이 태양의 10배 이상인 별	(⓭) 과정에서 방출되는 폭발적인 에너지에 의해 철보다 무거운 원소 생성

(4) **별에서 생성된 원소의 방출:** 행성상 성운이 되는 과정이나 초신성 폭발 과정에서 원소가 우주로 방출되어 새로운 별, 행성, 생명체의 재료가 된다.

3. 태양계와 지구의 형성

(1) **태양계의 형성:** 태양계 성운 형성 → 원시 태양과 원반 형성 → 고리와 (⓮) 형성 → 원시 태양계 형성

(2) **지구형 행성과 목성형 행성의 형성**

지구형 행성	목성형 행성
녹는점이 높은 철, 규소, 니켈 등의 무거운 물질이 미행성체를 이루고, 지구형 행성 형성	녹는점이 낮은 가벼운 물질이 미행성체를 이루고, 수소, 헬륨 등의 기체를 끌어당겨 목성형 행성 형성

(3) **지구의 형성:** 미행성체 충돌 → (⓯)의 바다 형성 → 맨틀과 핵 형성 → 원시 지각과 바다 형성 → 생명체 탄생

03 원소들의 주기성

1. 원소와 주기율표

(1) **원소:** 물질을 이루는 기본 성분으로, 약 110가지이다.

(2) **현대의 주기율표:** 원소들을 (⑯) 순서로 나열하며, 18개의 족(세로줄)과 7개의 주기(가로줄)로 구성되어 있다.

2. 금속 원소와 비금속 원소

구분	(⑰) 원소	(⑱) 원소
주기율표에서 위치	왼쪽과 가운데	오른쪽(단, 수소는 왼쪽)
실온에서 상태	고체 (단, 수은은 액체)	기체 또는 고체 (단, 브로민은 액체)
광택	있다.	없다.
열, 전기 전도성	크다.	작다.(단, 흑연은 예외)

3. 알칼리 금속과 할로젠

구분	알칼리 금속	할로젠
정의	주기율표의 (⑲)족에 속하는 금속 원소 예 Li, Na, K 등	주기율표의 (⑳)족에 속하는 비금속 원소 예 F, Cl, Br, I 등
성질	• 다른 금속에 비해 밀도가 작고, 무르다. • 반응성이 커서 공기 중의 산소, 물과 빠르게 반응한다.	• 실온에서 원자 2개가 결합한 분자의 형태로 존재하고, 각 분자마다 특유의 색을 띤다. • 반응성이 커서 금속, 수소와 잘 반응한다.

4. 원자의 전자 배치

(1) **원자의 전자 배치**

전자는 원자핵에서 가까운 전자 껍질부터 차례대로 채워진다. → 전자는 첫 번째 전자 껍질에 최대 (㉑)개, 두 번째와 세 번째 전자 껍질에 최대 (㉒)개가 채워진다.

(2) (㉓): 원자의 전자 배치에서 가장 바깥 전자 껍질에 들어 있는 전자로, 원소의 화학적 성질을 결정한다.

(3) **주기율표와 전자 배치의 관계**

같은 족	원자가 전자 수가 같아 원소들의 화학적 성질이 비슷하다.
같은 주기	전자가 들어 있는 전자 껍질 수가 같다.
주기성이 나타나는 까닭	원자 번호가 증가함에 따라 (㉔) 수가 주기적으로 변하기 때문이다.

04 원소들의 화학 결합과 다양한 물질

1. 화학 결합의 원리

(1) **비활성 기체:** 주기율표의 (㉕)족에 속하는 원소

(2) **화학 결합이 형성되는 까닭:** 원소들은 화학 결합을 형성하여 비활성 기체와 같이 가장 바깥 전자 껍질에 전자를 모두 채운 안정한 전자 배치를 이루려고 하기 때문이다.

2. 이온 결합 물질

이온 결합의 형성	금속 원소의 원자와 비금속 원소의 원자가 서로 전자를 주고받아 양이온과 음이온을 생성한 후, 이 이온들 사이에 정전기적 인력이 작용하여 결합이 형성된다. 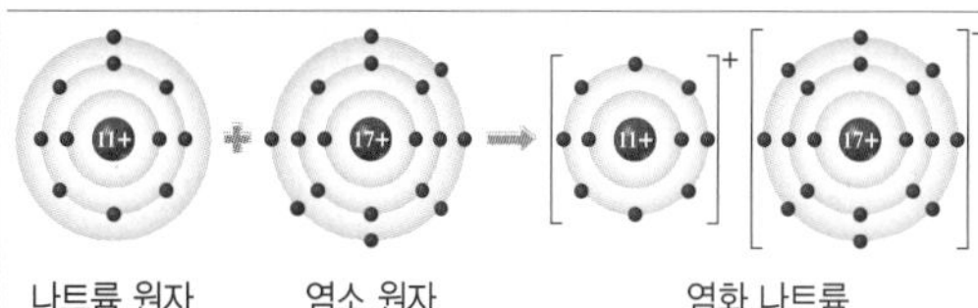 나트륨 원자 염소 원자 염화 나트륨
이온 결합 물질의 성질	• 수많은 양이온과 음이온이 정전기적 인력에 의해 연속적으로 결합하여 결정을 이룬다. • 물에 대한 용해성: 대부분 물에 잘 녹는다. • 전기 전도성 ─ 고체 상태: (㉖). / 액체, 수용액 상태: (㉗).

3. 공유 결합 물질

공유 결합의 형성	비금속 원소의 원자들이 서로의 전자를 내놓아 전자쌍을 만들고, 이 전자쌍을 공유하여 결합이 형성된다. 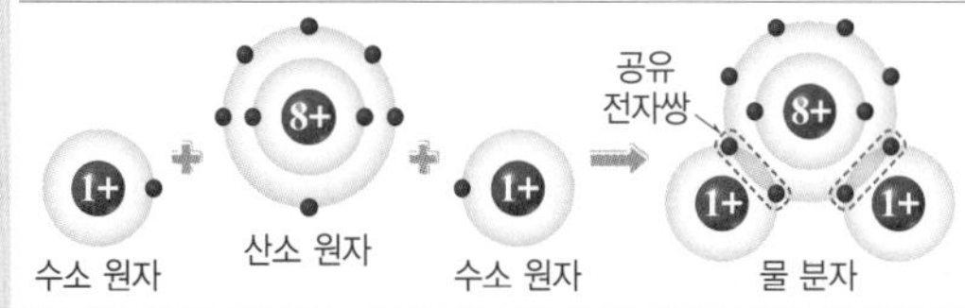 수소 원자 산소 원자 수소 원자 물 분자
공유 결합 물질의 성질	• 일정한 수의 원자들이 전자쌍을 공유하여 분자를 이룬다. • 물에 대한 용해성: 분자의 성질에 따라 물에 녹는 것도 있고, 녹지 않는 것도 있다. • 전기 전도성: 대부분 (㉘).

4. 지구 시스템과 생명 시스템을 구성하는 물질

물(H_2O)	사람 몸의 약 70 % 구성, 다양한 기상 현상 일으킴
산소(O_2)	광합성으로 생성, 호흡에 이용, 대기의 약 21 % 구성
이산화 탄소(CO_2)	호흡으로 생성, 광합성에 이용
질소(N_2)	대기의 약 78 % 구성
규산염 광물	지각 구성

중단원 마무리 문제

난이도 ●●●

●●○

01 다음은 빅뱅 우주론이 확립되기까지 여러 과학자들의 역할을 정리한 것이다.

과학자	역할
(가)	외부 은하를 관측하여 우주가 팽창하고 있음을 밝혀냈다.
(나)	우주는 고온 고밀도의 한 점에서 대폭발이 일어나 현재까지 팽창하고 있다고 주장하였다.
(다)	우주는 과거에도 현재와 같은 밀도를 유지하며 팽창하였다고 주장하였다.
(라)	통신 실험을 하던 중 우주 배경 복사를 발견하였다.

이에 대한 설명으로 옳은 것만을 [보기]에서 있는 대로 고른 것은?

보기
ㄱ. (가)의 관측으로 (다)의 우주론이 부정되었다.
ㄴ. (나)의 우주론에서 우주의 질량은 점점 감소하였다.
ㄷ. (라)의 우주 배경 복사 발견은 (나)의 우주론을 지지하는 증거이다.

① ㄱ ② ㄷ ③ ㄱ, ㄴ
④ ㄴ, ㄷ ⑤ ㄱ, ㄴ, ㄷ

서술형 ●○○

02 빅뱅 우주론과 정상 우주론에서 시간에 따른 우주의 밀도 분포는 어떤 차이를 보이는지 서술하시오.

●○○

03 빅뱅 후 입자의 생성 순서를 옳게 나열한 것은?

① 원자 → 헬륨 원자핵 → 쿼크 → 양성자와 중성자
② 쿼크 → 헬륨 원자핵 → 양성자와 중성자 → 원자
③ 쿼크 → 양성자와 중성자 → 헬륨 원자핵 → 원자
④ 양성자와 중성자 → 쿼크 → 원자 → 헬륨 원자핵
⑤ 양성자와 중성자 → 쿼크 → 헬륨 원자핵 → 원자

●●○

04 그림 (가)와 (나)는 빅뱅 이후 서로 다른 시기에 우주에서 생성된 입자를 나타낸 것이다.

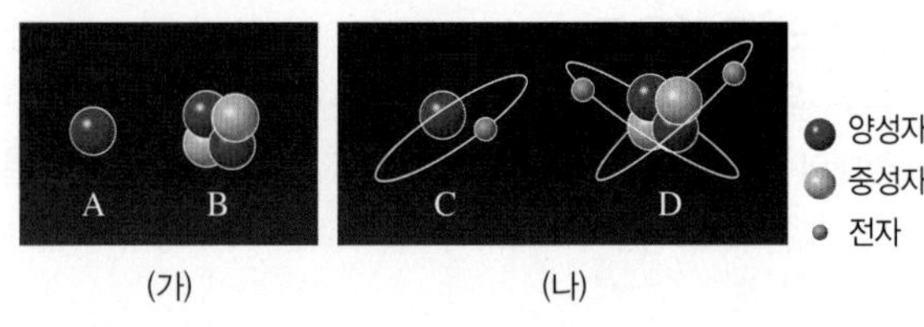

이에 대한 설명으로 옳은 것만을 [보기]에서 있는 대로 고른 것은?

보기
ㄱ. A와 B는 양전하를 띤다.
ㄴ. (가) → (나)의 변화가 일어난 시기는 빅뱅 후 약 38만 년이었다.
ㄷ. 현재 우주를 이루는 원소의 질량비는 C : D=12 : 1이다.

① ㄱ ② ㄷ ③ ㄱ, ㄴ
④ ㄴ, ㄷ ⑤ ㄱ, ㄴ, ㄷ

●●●

05 그림 (가)와 (나)는 빅뱅 우주 초기에 만들어진 서로 다른 원자를 순서 없이 나타낸 것이다.

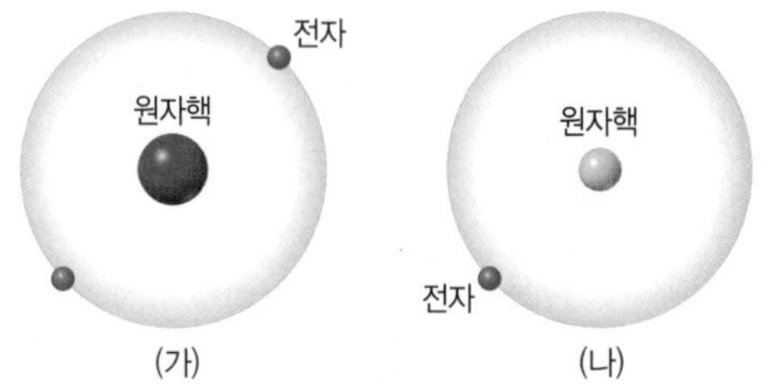

이에 대한 설명으로 옳은 것만을 [보기]에서 있는 대로 고른 것은?

보기
ㄱ. (가)와 (나)의 원자핵을 이루는 양성자수는 같다.
ㄴ. (가)와 (나)가 생성되면서 빛은 직진하기 시작하였다.
ㄷ. 원자핵과 전자의 결합으로 (가)와 (나)가 생성된 것은 우주의 온도가 낮아졌기 때문이다.

① ㄱ ② ㄴ ③ ㄱ, ㄷ
④ ㄴ, ㄷ ⑤ ㄱ, ㄴ, ㄷ

정답친해 21쪽

●●○

06 그림 (가)와 (나)는 우주 배경 복사의 파장 변화를 나타낸 것이다.

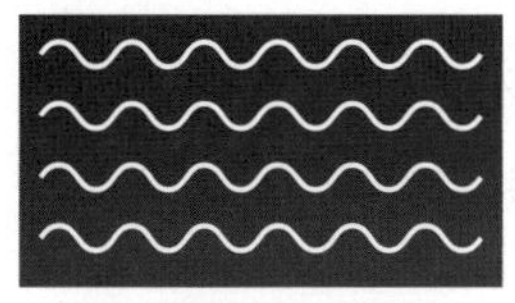
(가) 빅뱅 후 약 38만 년

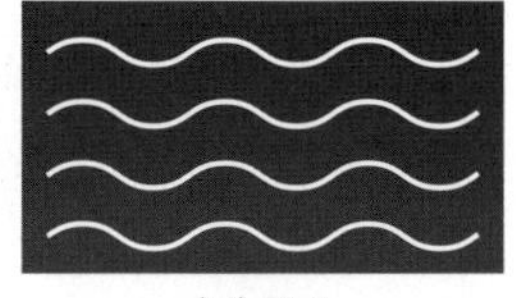
(나) 현재

우주 배경 복사에 대한 설명으로 옳은 것만을 [보기]에서 있는 대로 고른 것은?

보기
ㄱ. 우리은하의 중심 방향에서 가장 강하게 관측된다.
ㄴ. 파장 변화가 생긴 까닭은 우주가 팽창하였기 때문이다.
ㄷ. 원자가 생성되는 과정에서 우주 공간으로 퍼져 나간 빛이다.

① ㄱ ② ㄷ ③ ㄱ, ㄴ
④ ㄴ, ㄷ ⑤ ㄱ, ㄴ, ㄷ

●●○

07 그림 (가)~(다)는 서로 다른 종류의 스펙트럼을 나타낸 것이다.

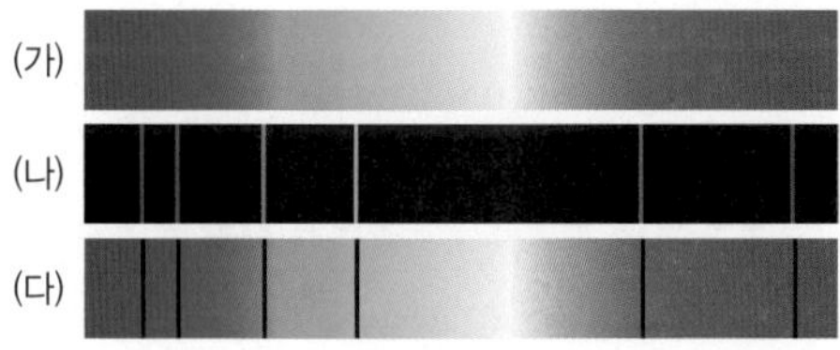

이에 대한 설명으로 옳은 것만을 [보기]에서 있는 대로 고른 것은?

보기
ㄱ. 고온의 물체에서 방출되는 빛의 스펙트럼은 (가)이다.
ㄴ. (나)는 특정한 파장의 빛이 흡수되어 생기는 스펙트럼이다.
ㄷ. (나)와 (다)의 스펙트럼이 다른 것은 물체를 이루는 구성 원소가 다르기 때문이다.

① ㄱ ② ㄴ ③ ㄱ, ㄷ
④ ㄴ, ㄷ ⑤ ㄱ, ㄴ, ㄷ

●●○

08 그림은 어느 별의 내부에서 힘 A와 B가 평형을 이루는 모습을 나타낸 것이다.
이에 대한 설명으로 옳은 것만을 [보기]에서 있는 대로 고른 것은?

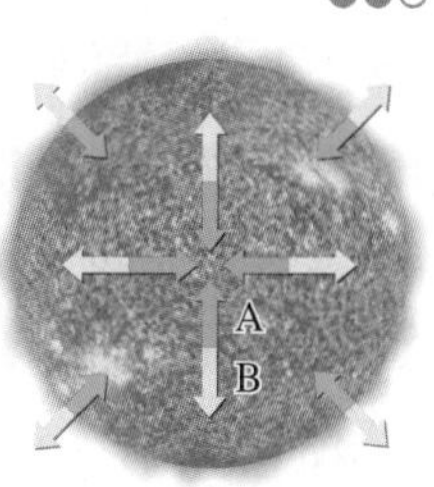

보기
ㄱ. A는 중력이고, B는 내부 압력이다.
ㄴ. 별 중심부의 온도는 1000만 K 이상이다.
ㄷ. 수소 핵융합 반응에 의해 별이 점차 팽창하고 있다.

① ㄱ ② ㄷ ③ ㄱ, ㄴ
④ ㄴ, ㄷ ⑤ ㄱ, ㄴ, ㄷ

●●○

09 그림은 어느 별의 내부 구조를 나타낸 것이다.
이에 대한 설명으로 옳은 것만을 [보기]에서 있는 대로 고른 것은?

보기
ㄱ. 질량이 태양 정도인 별의 내부 구조이다.
ㄴ. 중심부에서 철이 핵융합하여 더 무거운 원소가 생성되고 있다.
ㄷ. 별 내부의 원소들은 초신성 폭발이 일어나면서 우주로 방출된다.

① ㄱ ② ㄷ ③ ㄱ, ㄴ
④ ㄴ, ㄷ ⑤ ㄱ, ㄴ, ㄷ

서술형 ●●●

10 그림은 초신성 폭발의 잔해로 형성된 성운을 나타낸 것이다.
이 성운에 철보다 무거운 원소가 분포할 수 있는지 판단하고, 그 까닭을 원소의 생성을 근거로 서술하시오.

●●○

11 그림은 태양계 형성 과정의 일부를 나타낸 것이다.

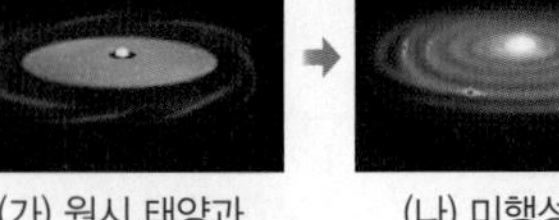
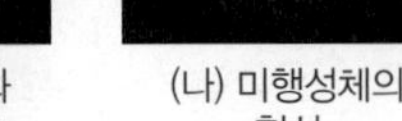

(가) 원시 태양과 원시 원반 형성 → (나) 미행성체의 형성 → (다) 원시 행성의 형성

이에 대한 설명으로 옳은 것만을 [보기]에서 있는 대로 고른 것은?

보기
ㄱ. (가)에서 원시 원반은 태양계 성운이 회전하였기 때문에 형성되었다.
ㄴ. (나)에서 원시 태양에 가까운 미행성체일수록 구성 물질의 녹는점이 낮았다.
ㄷ. (가) → (나) → (다)에서 원시 태양의 온도는 상승하였다.

① ㄱ ② ㄴ ③ ㄱ, ㄷ
④ ㄴ, ㄷ ⑤ ㄱ, ㄴ, ㄷ

서술형 ●●●

12 지구형 행성과 목성형 행성의 구성 물질 차이와 이러한 차이가 나는 까닭을 태양계 형성 과정을 근거로 서술하시오.

●●○

13 다음은 지구의 형성 과정의 일부를 설명한 것이다.

(가) 미행성체의 충돌열에 의해 지구는 점차 뜨거워져 마그마의 바다가 형성되었다.
(나) 미행성체의 충돌이 감소하면서 지구의 표면이 식어 원시 지각이 형성되었다.

이에 대한 설명으로 옳은 것만을 [보기]에서 있는 대로 고른 것은?

보기
ㄱ. 지구 내부에 맨틀과 핵이 형성된 것은 (가) 단계를 거쳤기 때문이다.
ㄴ. 원시 바다가 형성된 것은 (가)와 (나) 단계 사이이다.
ㄷ. (나) 단계 이후에 대기 중의 수증기량은 크게 증가하였다.

① ㄱ ② ㄷ ③ ㄱ, ㄴ
④ ㄴ, ㄷ ⑤ ㄱ, ㄴ, ㄷ

●○○

14 현대의 주기율표에 대한 설명으로 옳은 것만을 [보기]에서 있는 대로 고르시오.

보기
ㄱ. 7개의 주기와 18개의 족으로 이루어져 있다.
ㄴ. 같은 주기에 속한 원소들은 전자가 들어 있는 전자 껍질 수가 같다.
ㄷ. 1족에 속한 원소들은 모두 화학적 성질이 비슷하다.

●●○

15 표는 세 가지 금속을 페놀프탈레인 용액을 떨어뜨린 물과 반응시킬 때의 결과와 수용액의 색 변화를 나타낸 것이다.

금속	칼륨	나트륨	리튬
물과의 반응	격렬하게 기체 발생	빠르게 기체 발생	느리게 기체 발생
수용액의 색 변화	(가)	(나)	무색 → 붉은색

이에 대한 설명으로 옳은 것은?

① 할로젠의 반응성을 알아보는 실험이다.
② 세 가지 금속 중 리튬의 반응성이 가장 크다.
③ (가)와 (나)는 '변화 없음'이 적절하다.
④ 물과 반응할 때 발생하는 기체는 모두 수소 기체이다.
⑤ 리튬이 물과 반응하여 생성된 수용액은 산성을 띤다.

●●○

16 그림은 두 가지 원자 A와 B의 전자 배치를 모형으로 나타낸 것이다.

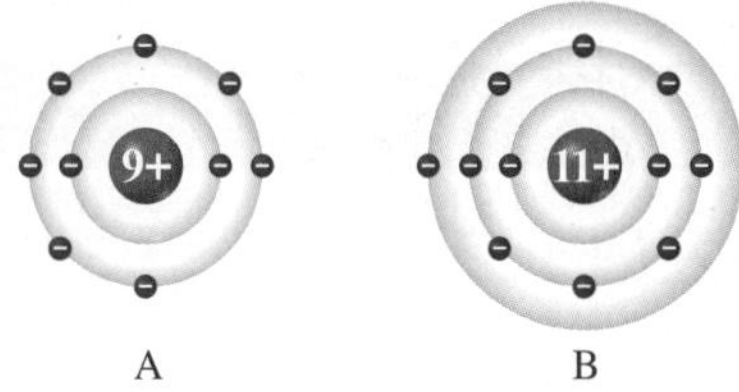

이에 대한 설명으로 옳은 것만을 [보기]에서 있는 대로 고른 것은?(단, A와 B는 임의의 원소 기호이다.)

보기
ㄱ. A와 B는 같은 주기 원소이다.
ㄴ. B는 물과 반응하여 수소 기체를 발생시킨다.
ㄷ. A와 B가 결합할 때 A는 전자를 잃는다.

① ㄱ ② ㄴ ③ ㄱ, ㄷ
④ ㄴ, ㄷ ⑤ ㄱ, ㄴ, ㄷ

[17~18] 그림은 주기율표의 일부를 나타낸 것이다.(단, A~E는 임의의 원소 기호이다.)

주기＼족	1	2	13	14	15	16	17	18
1	A							
2				B			C	
3		D			E			

●○○

17 A~E 중 다음 특성이 있는 원소를 있는 대로 고르시오.

- 광택이 있다.
- 열 전도성과 전기 전도성이 크다.

●●○

18 A~E에 대한 설명으로 옳은 것만을 [보기]에서 있는 대로 고른 것은?

보기
ㄱ. 원자가 전자 수는 A가 가장 크다.
ㄴ. B와 C는 화학적 성질이 비슷하다.
ㄷ. 전자가 들어 있는 전자 껍질 수는 D와 E가 같다.

① ㄱ ② ㄴ ③ ㄷ
④ ㄱ, ㄴ ⑤ ㄴ, ㄷ

●●●

19 다음은 원소 X에 대한 설명이다.

- 전자가 들어 있는 전자 껍질 수는 3이다.
- 가장 바깥 전자 껍질에 들어 있는 전자 수는 7이다.

X를 포함한 물질에 대한 설명으로 옳은 것만을 [보기]에서 있는 대로 고른 것은?(단, X는 임의의 원소 기호이다.)

보기
ㄱ. HX는 공유 결합 물질이다.
ㄴ. X_2에서 공유 전자쌍 수는 1이다.
ㄷ. NaX는 분자 상태로 존재한다.

① ㄱ ② ㄴ ③ ㄱ, ㄴ
④ ㄴ, ㄷ ⑤ ㄱ, ㄴ, ㄷ

●●○

20 그림은 주기율표의 일부를 나타낸 것이다.

주기＼족	1	2	15	16	17	18
1	A					
2				B		
3	C				D	

이에 대한 설명으로 옳은 것만을 [보기]에서 있는 대로 고른 것은?(단, A~D는 임의의 원소 기호이다.)

보기
ㄱ. A와 C의 화학적 성질은 비슷하다.
ㄴ. B가 네온(Ne)과 같은 전자 배치를 갖는 이온이 될 때 B^{2+}이 된다.
ㄷ. C와 D로 이루어진 화합물은 액체 상태에서 전기 전도성이 있다.

① ㄱ ② ㄷ ③ ㄱ, ㄴ
④ ㄴ, ㄷ ⑤ ㄱ, ㄴ, ㄷ

●●○

21 그림은 물(H_2O)과 산화 마그네슘(MgO)의 화학 결합 모형을 나타낸 것이다.

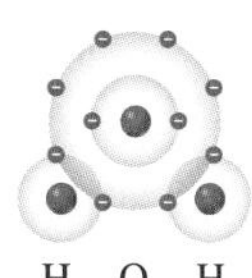

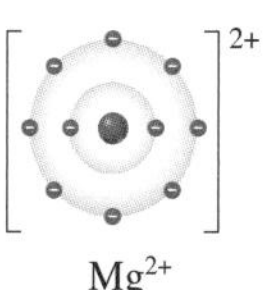

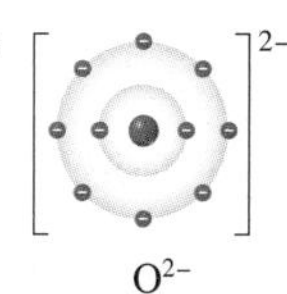

이에 대한 설명으로 옳은 것만을 [보기]에서 있는 대로 고른 것은?

보기
ㄱ. 물(H_2O)에서 산소(O) 원자는 옥텟 규칙을 만족한다.
ㄴ. 산화 마그네슘(MgO)에서 마그네슘 이온(Mg^{2+})은 네온(Ne)과 같은 전자 배치를 갖는다.
ㄷ. 물(H_2O)과 산화 마그네슘(MgO)은 모두 액체 상태에서 전기 전도성이 있다.

① ㄱ ② ㄷ ③ ㄱ, ㄴ
④ ㄴ, ㄷ ⑤ ㄱ, ㄴ, ㄷ

●●●

22 그림은 에너지가 가장 낮은 상태에 있는 원자 A~D의 원자가 전자 수와 전자가 들어 있는 전자 껍질 수를 나타낸 것이다.

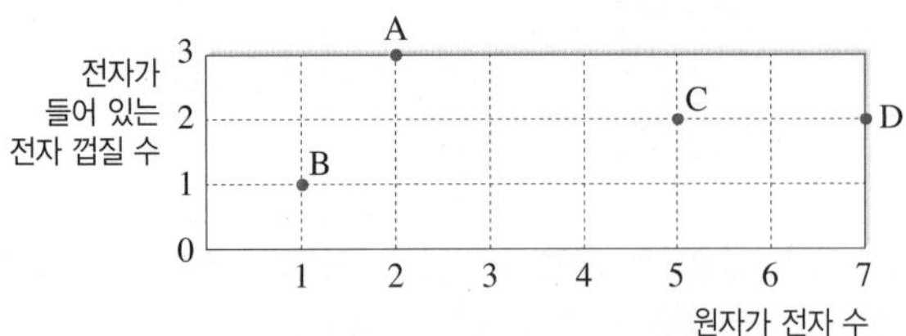

이에 대한 설명으로 옳은 것만을 [보기]에서 있는 대로 고른 것은?(단, A~D는 임의의 원소 기호이다.)

보기
ㄱ. A는 금속 원소이다.
ㄴ. B는 물과 반응하여 수소 기체를 발생시킨다.
ㄷ. 화합물 CD_3의 공유 전자쌍 수는 3이다.

① ㄱ ② ㄴ ③ ㄱ, ㄷ
④ ㄴ, ㄷ ⑤ ㄱ, ㄴ, ㄷ

●●●

23 그림은 세 가지 물질을 기준에 따라 분류하는 과정을 나타낸 것이다.

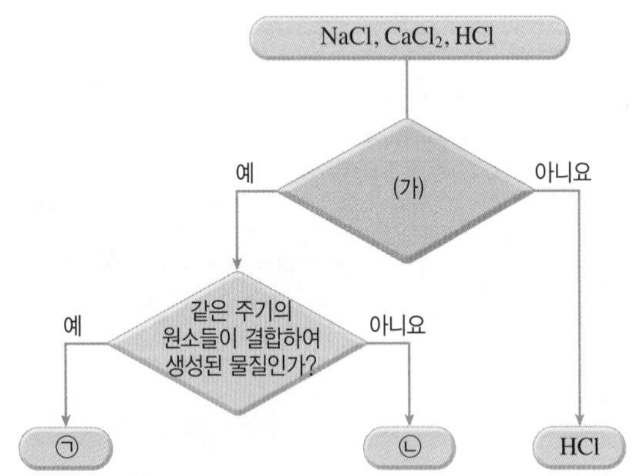

이에 대한 설명으로 옳은 것만을 [보기]에서 있는 대로 고른 것은?

보기
ㄱ. (가)에는 '공유 결합 물질인가?'가 적절하다.
ㄴ. ㉠은 습기 제거제의 주성분이다.
ㄷ. ㉡은 양이온과 음이온의 개수비가 1 : 2이다.

① ㄱ ② ㄷ ③ ㄱ, ㄴ
④ ㄴ, ㄷ ⑤ ㄱ, ㄴ, ㄷ

서술형 ●●○

24 그림 (가)와 (나)는 설탕과 염화 칼륨을 각각 물에 녹인 수용액에 전류를 흘려 주었을 때의 결과를 순서에 관계없이 모형으로 나타낸 것이다.

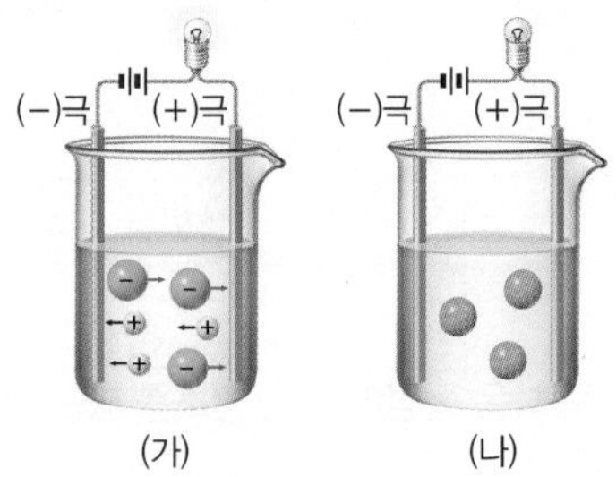

(1) (가)에 녹인 물질을 쓰고, 그 까닭을 서술하시오.

(2) (나)에 녹인 물질을 쓰고, 그 까닭을 서술하시오.

●○○

25 다음은 현재 제설제로 사용되는 염화 칼슘($CaCl_2$), 염화 마그네슘($MgCl_2$)에 대한 학생 A~C의 대화이다.

A: 제설제는 물에 잘 녹아야 돼.
B: 염화 칼슘과 염화 마그네슘은 모두 공유 결합 물질이야.
C: 제설제는 차량을 부식시키고 식물의 생장을 방해할 수 있어.

대화 내용이 옳은 학생만을 있는 대로 고른 것은?

① A ② B ③ A, C
④ B, C ⑤ A, B, C

●●○

26 그림은 지구 시스템과 생명 시스템의 구성 물질 중 두 가지 물질의 분자 모형을 나타낸 것이다.

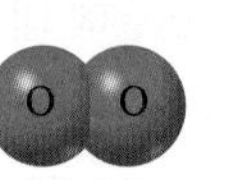

(가)

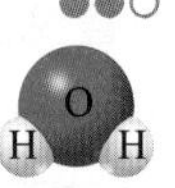

(나)

이에 대한 설명으로 옳은 것만을 [보기]에서 있는 대로 고르시오.

보기
ㄱ. (가)는 대기의 약 21 %를 구성한다.
ㄴ. (나)는 생명체 내의 다양한 화학 반응을 돕는다.
ㄷ. (가)와 (나)는 공유 전자쌍 수가 같다.

고난도 문제

정답친해 25쪽

01 그림은 빅뱅 이후 어느 시기에 일어난 변화를 나타낸 것이다.

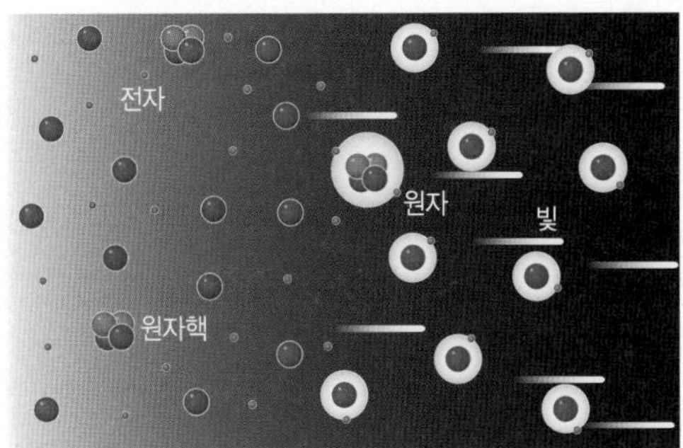

이에 대한 설명으로 옳은 것만을 [보기]에서 있는 대로 고른 것은?

보기
ㄱ. 빅뱅 이후 1초가 지나지 않아 일어난 변화이다.
ㄴ. 우주의 온도가 낮아지면서 일어난 변화이다.
ㄷ. 빛의 파장은 시간이 경과할수록 짧아졌다.

① ㄱ ② ㄴ ③ ㄱ, ㄷ
④ ㄴ, ㄷ ⑤ ㄱ, ㄴ, ㄷ

02 그림은 질량이 서로 다른 두 별 (가), (나)에서 핵융합 반응이 더 이상 진행되지 않을 때의 내부 구조를 나타낸 것이다.

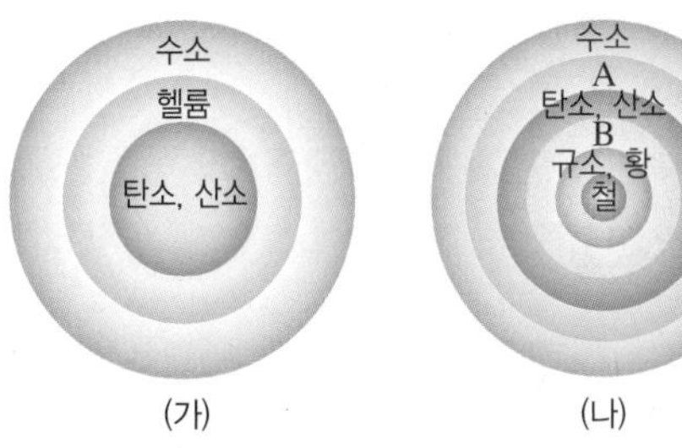

(가) (나)

이에 대한 설명으로 옳은 것만을 [보기]에서 있는 대로 고른 것은?(단, (가)와 (나)는 별의 크기를 고려하지 않은 것이다.)

보기
ㄱ. B는 A보다 양성자수가 많다.
ㄴ. 별의 질량은 (가)가 (나)보다 크다.
ㄷ. (나)보다 질량이 큰 별의 중심부에서는 핵융합 반응으로 우라늄이 생성된다.

① ㄱ ② ㄷ ③ ㄱ, ㄴ
④ ㄴ, ㄷ ⑤ ㄱ, ㄴ, ㄷ

03 다음은 원소 A～E에 대한 설명이고, 그림은 주기율표의 일부를 나타낸 것이다.

- A와 B는 같은 족 원소이다.
- 전자가 들어 있는 전자 껍질 수는 B=E>A이다.
- 원자 번호는 A가 D보다 크다.
- 원자가 전자 수는 C가 D보다 크다.

주기 \ 족	1	2	13	14	15	16	17	18
2	㉠					㉡	㉢	
3	㉣						㉤	

이에 대한 설명으로 옳은 것만을 [보기]에서 있는 대로 고른 것은?(단, A～E는 임의의 원소 기호이고, 각각 ㉠～㉤ 중 하나이다.)

보기
ㄱ. A는 알칼리 금속이다.
ㄴ. D와 E는 화학적 성질이 비슷하다.
ㄷ. B와 C로 이루어진 물질은 이온 결합 물질이다.

① ㄱ ② ㄴ ③ ㄱ, ㄷ
④ ㄴ, ㄷ ⑤ ㄱ, ㄴ, ㄷ

04 표는 세 가지 화합물에 대한 자료이다.

화합물	녹는점(°C)	끓는점(°C)	전기 전도성	
			고체	액체
(가)	685	1324	없음	있음
(나)	−183	−162	없음	없음
(다)	993	1704	없음	있음

이에 대한 설명으로 옳은 것만을 [보기]에서 있는 대로 고른 것은?

보기
ㄱ. (가)와 (다)의 화학 결합의 종류는 같다.
ㄴ. (나)는 분자 상태로 존재한다.
ㄷ. 화학 결합의 세기는 (가)<(다)이다.

① ㄱ ② ㄴ ③ ㄱ, ㄷ
④ ㄴ, ㄷ ⑤ ㄱ, ㄴ, ㄷ

배운 내용
- 지각의 구성 물질
- 광물의 성질
- 영양소
- 나노 기술

2 자연의 구성 물질

배울 내용
- 규산염 광물
- 탄소 화합물
- 생명체 구성 물질과 단위체
- 단백질과 핵산의 형성
- 물질의 전자기적 성질
- 신소재의 활용

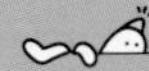

지각은 규산염 광물로, 생명체는 탄소 화합물로 구성되며, 단위체의 종류와 연결 방식에 따라 다양한 탄소 화합물이 생성되어 다양한 기능을 수행한다는 것을 이해한다. 또한, 기존 물질의 성질을 변화시켜 개발한 신소재를 배운다.

01 지각과 생명체 구성 물질의 결합 규칙성

핵심 포인트
- ❶ 지각과 생명체를 구성하는 물질 ★★
- ❷ 규산염 광물의 결합 규칙성 ★★★
- ❸ 탄소 화합물의 결합 규칙성 ★★★

A 지각과 생명체를 구성하는 물질

1. 지각과 생명체를 구성하는 원소

① **주요 원소:** 지각에는 산소와 규소가 많고, 생명체에는 산소와 탄소가 많다.

② **지각과 생명체에 공통적으로 많은 원소:** 산소 ➡ 산소는 수소, 탄소, 규소 등 다른 원소와 쉽게 결합하여 다양한 물질을 만들 수 있기 때문에 지각과 생명체에 가장 많다.

③ **지각과 생명체를 구성하는 ◆원소의 기원:** 대부분 별의 진화 과정에서 생성되었다.

◆ **원소의 기원**
- 수소, 헬륨: 빅뱅 우주 탄생 초기에 생성
- 헬륨~철: 별 내부의 핵융합 반응으로 생성
  예 탄소, 산소, 마그네슘, 규소, 철 등
- 철보다 무거운 원소: 초신성 폭발 과정에서 생성
  예 니켈, 구리, 아연, 아이오딘 등

탐구 자료창 지구와 생명체를 구성하는 원소

그림은 지구(지각, 대기, 해양)와 생명체(사람)를 구성하는 원소의 성분비를 나타낸 것이다.

지각(질량비): 산소 46.6, 규소 27.7, 알루미늄 8.1, 철 5.0, 칼슘 3.6, 나트륨 2.8, 칼륨 2.6, 마그네슘 2.1, 기타 1.5

대기(부피비): 질소 78.0, 산소 21.0, 아르곤 0.93, 기타 0.07

해양(질량비): 산소 85.0, 수소 10.0, 염소 2.0, 나트륨 1.0, 기타 2.0

사람(질량비): 산소 65.0, 탄소 18.5, 수소 9.5, 질소 3.3, 칼슘 1.5, 인 1.0, 칼륨 0.4, 기타 0.8

(단위: %)

구분	주요 원소	주요 원소의 기원
지각	**산소**>**규소**>알루미늄>철>칼슘>나트륨>칼륨>마그네슘 (지각을 구성하는 8대 원소)	• 산소, 규소, 질소, 탄소: 별 내부의 핵융합 반응 • 수소: 빅뱅 우주 탄생 초기
대기	**질소**>**산소**>아르곤	
해양	**산소**>**수소**>염소	
사람	**산소**>**탄소**>수소>질소	

지구 전체를 구성하는 원소의 성분비는 I-1-02. 지구와 생명체를 구성하는 원소의 생성에서 배웠어요.

2. 지각과 생명체를 구성하는 물질

지각을 구성하는 물질	생명체를 구성하는 물질
• 지각은 암석으로, 암석은 광물로, 광물은 원소의 화학 결합으로 이루어져 있다. • ◆지각을 이루는 광물의 대부분은 산소와 규소로 이루어진 규산염 광물이다.	• 생명체는 물, 소량의 무기물을 제외하면 탄수화물, 단백질 등 유기물로 구성되어 있다. • 유기물은 모두 탄소로 이루어진 탄소 화합물이다.

◆ **지각을 이루는 광물**

규산염 광물	산소와 규소로 이루어진 광물 예 감람석, 휘석, 각섬석, 흑운모, 석영, 장석
비규산염 광물	규산염 광물이 아닌 광물(원소 광물, 황화 광물, 탄산염 광물, 황산염 광물 등) 예 방해석, 흑연

B 지각을 구성하는 물질의 결합 규칙성

1. 규산염 광물 산소와 규소로 이루어진 규산염 사면체를 기본 골격으로 하여 규산염 사면체들이 일정한 규칙에 따라 화학적으로 결합하여 만들어진 광물 (다양한 구조를 이루어 규산염 광물의 종류가 다양하다.)

① **규소의 화학적 성질:** 규소(Si)는 주기율표의 14족 원소이므로 원자가 전자가 4개이다. ➡ 최대 4개의 원자와 결합을 할 수 있다.

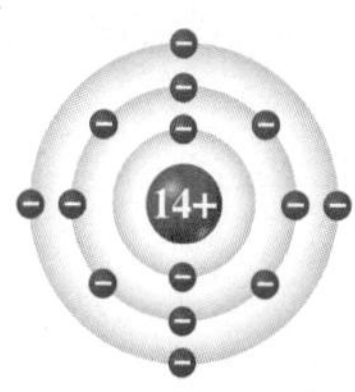

▲ 규소의 전자 배치

② **규산염 사면체:** 규소 1개를 중심으로 산소 4개가 공유 결합하여 정사면체 모양을 이룬다.

규산염 사면체(Si−O 사면체)

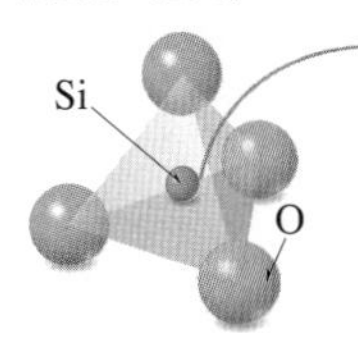

Si
O

규소는 원자가 전자가 4개이므로 4개의 산소와 전자쌍을 공유하여 공유 결합한다.

- 구조: 1개의 규소와 4개의 산소가 공유 결합을 한 구조이다.
- 전하: −4의 전하를 띤다.(SiO_4^{4-})

2. 규산염 광물의 결합 규칙성

① **규산염 광물의 결합:** 규산염 사면체는 음전하를 띠고 있어 인접한 양이온과 결합하거나 각 사면체의 산소를 다른 규산염 사면체와 공유하여 전기적으로 중성이 된다.

② **규산염 광물의 결합 구조:** 규산염 사면체는 다양하게 결합하여 광물을 만든다.

독립형 구조	단사슬 구조	복사슬 구조	판상 구조	망상 구조
산소 규소				
규산염 사면체 1개가 철이나 마그네슘 등의 양이온과 결합	규산염 사면체가 양쪽의 산소를 공유하여 단일 사슬 모양으로 결합	단사슬이 서로 엇갈려 2개의 사슬 모양으로 결합	규산염 사면체가 산소 3개를 공유하여 얇은 판 모양으로 결합	규산염 사면체가 산소 4개를 모두 공유하여 입체 모양으로 결합
예 감람석	예 휘석	예 각섬석	예 흑운모	예 ◆석영, 장석

공유 산소 수 적음(풍화에 약하다) ⟷ 공유 산소 수 많음(풍화에 강하다)

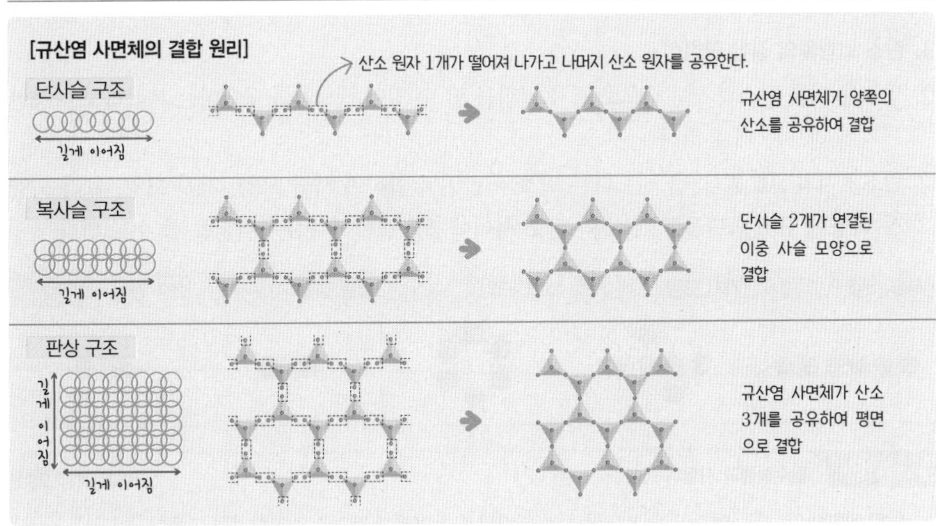

[규산염 사면체의 결합 원리]
산소 원자 1개가 떨어져 나가고 나머지 산소 원자를 공유한다.
단사슬 구조
길게 이어짐
규산염 사면체가 양쪽의 산소를 공유하여 결합
복사슬 구조
길게 이어짐
단사슬 2개가 연결된 이중 사슬 모양으로 결합
판상 구조
길게 이어짐
길게 이어짐
규산염 사면체가 산소 3개를 공유하여 평면으로 결합

③ **규산염 광물의 성질:** 규산염 광물의 결합 구조는 광물의 성질에 영향을 준다.

이것까지 나와요! 중등과학

규산염 광물의 성질

규산염 광물의 결합 구조는 쪼개짐, 깨짐 등의 성질에 영향을 준다.

감람석	휘석	각섬석	◆흑운모	◆석영	장석
없음(깨짐)	쪼개짐(2방향)	쪼개짐(2방향)	쪼개짐(1방향)	없음(깨짐)	쪼개짐(2방향)

비상 교과서에만 나와요.

◆ **석영과 장석**

- 석영: 규산염 사면체를 이루는 모든 산소를 다른 규산염 사면체와 공유하여 규소와 산소만으로 이루어져 있다.
- 장석: 규산염 사면체의 규소 일부를 알루미늄 등의 양이온이 대신하여 이루어져 있다.

궁금해?

석영과 장석은 왜 풍화에 강할까?

규산염 사면체 간 공유 결합이 복잡할수록 결합을 끊는 데 필요한 에너지가 많아지기 때문에 망상 구조인 석영과 장석은 풍화에 강하다.

◆ **흑운모의 쪼개짐과 석영의 깨짐**

광물에 강한 충격을 가할 때 판상 구조인 흑운모는 규산염 사면체의 결합력이 약한 면을 따라 쪼개진다. 망상 구조인 석영은 규산염 사면체의 결합력이 모든 방향에서 비슷하기 때문에 방향성 없이 깨진다.

흑운모

석영

C 생명체를 구성하는 물질의 결합 규칙성

1. ◆탄소 화합물 탄소로 이루어진 기본 골격에 수소, 산소, 질소 등 여러 원소가 공유 결합하여 만들어진 물질

① 탄소 화합물은 생명체를 구성하고, 에너지원으로 사용되므로 생명 활동을 하는 데 중요하다.

② **◆생명체를 구성하는 탄소 화합물의 종류:** 탄수화물, 단백질, 포도당, ❶지질, ❷핵산 등
(탄수화물: 여러 개의 단당류가 결합하여 형성 / 단백질: 여러 개의 아미노산이 결합하여 형성)

◆**탄소 화합물**
과거에는 생명체 내에서 합성되는 것을 유기 화합물이라고 하였으나 현재는 탄소 화합물이라고 한다.

◆**생명체를 구성하는 탄소 화합물**

• 탄수화물

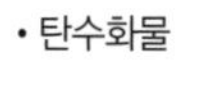

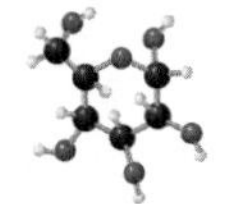

• 단백질

• 지질

2. 탄소의 화학적 성질

① 탄소(C)는 주기율표의 14족 원소이므로 원자가 전자가 4개이다.
➡ 최대 4개의 원자와 결합을 할 수 있다.

② ◆탄소는 여러 종류의 원소와 결합하여 다양한 화합물을 만든다.

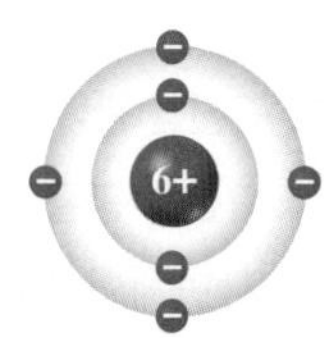

⬆ 탄소의 전자 배치

탄소 화합물의 다양성

• 메테인(CH_4) 분자: 탄소 원자 1개와 수소 원자 4개가 공유 결합을 하여 만들어진다.

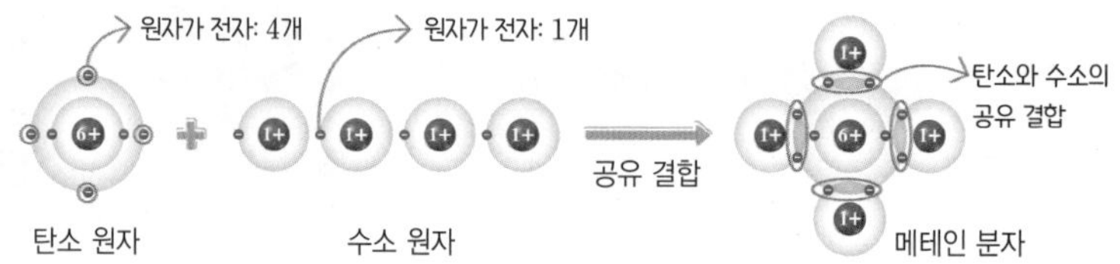

• 메테인 분자의 수소 원자가 염소 원자로 바뀌면 다른 화합물이 된다.

◆**탄소의 다양한 화합물 형성**
탄소는 산소나 질소보다 다양한 화합물을 만든다.
• 산소: 원자가 전자가 6개로, 최대 2개의 원자와 결합할 수 있다.
• 질소: 원자가 전자가 5개로, 최대 3개의 원자와 결합할 수 있다.

3. 탄소 화합물의 결합 규칙성

① 탄소는 다른 탄소와 연속적으로 공유 결합을 할 수 있어 생명체를 구성하는 복잡하고 다양한 분자를 만드는 데 유리하다.

② **탄소 원자의 결합 방식:** 탄소는 다른 탄소와 단일 결합하여 사슬 모양, 가지 모양(가지 달린 사슬 모양이라고도 한다.), 고리 모양 등 다양한 구조를 만들고, 탄소와 탄소 사이에 2중 결합이나 3중 결합을 할 수도 있다.

사슬 모양	가지 모양	고리 모양	2중 결합	3중 결합

암기해!
탄소와 규소의 공통점
• 주기율표의 14족 원소이다.
• 원자가 전자가 4개이다.
• 최대 4개의 원자와 결합을 할 수 있다.

확대경 탄수화물과 지질의 형성 (금성 교과서에만 나와요.)

1. **탄수화물:** 탄수화물인 녹말은 포도당과 같은 단당류가 일정한 간격으로 결합하여 만들어진다.
2. **지질:** 지질 중 인지질과 중성 지방은 단위체인 글리세롤과 지방산이 서로 다른 방식으로 결합하여 만들어진다. 인지질은 세포막의 구성 성분이 되고, 중성 지방은 체내 에너지원의 기능을 한다.

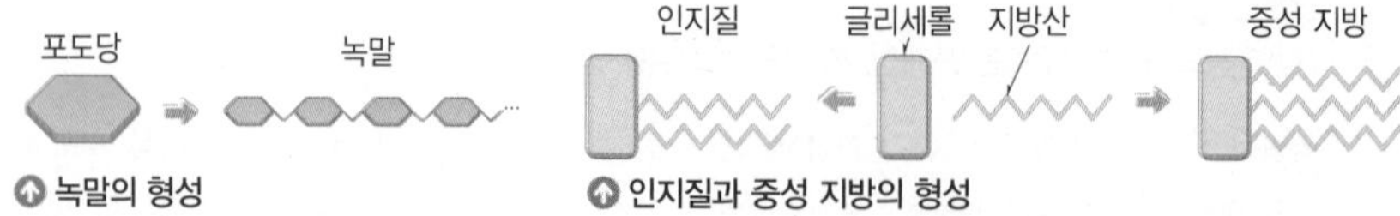

⬆ 녹말의 형성 ⬆ 인지질과 중성 지방의 형성

용어
❶ **지질(脂 기름, 質 성질)** 탄소, 수소, 산소로 구성된 화합물로, 물에 잘 녹지 않고 알코올, 에테르 등의 유기 용매에 잘 녹는 물질
❷ **핵산(核 씨, 酸 시다)** DNA와 RNA 등 유전 정보를 저장하고 전달하는 물질

개념 확인 문제

정답친해 27쪽

핵심 체크

- 지각과 생명체의 구성 원소: 지각에는 산소, (❶)가 많고, 생명체에는 산소, (❷)가 많다.
- 지각과 생명체를 구성하는 물질: 지각은 대부분 규산염 광물로 이루어져 있고, 생명체는 탄소 화합물로 이루어져 있다.
- 규산염 광물: 규산염 사면체를 기본 골격으로 하여 규산염 사면체 간의 화학적 결합에 의해 만들어진 광물
  - 규소의 화학적 성질: 원자가 전자가 (❸)개이다. ➡ 최대 (❹)개의 원자와 결합을 할 수 있다.
  - (❺): 규소 1개를 중심으로 산소 4개가 공유 결합하여 정사면체 모양을 이룬다.
  - 규산염 광물의 결합 구조: 독립형 구조, 단사슬 구조, 복사슬 구조, (❻), 망상 구조
- (❼): 탄소로 이루어진 기본 골격에 여러 원소가 공유 결합하여 만들어진 물질
  - 탄소의 화학적 성질: 원자가 전자가 (❽)개이다. ➡ 최대 (❾)개의 원자와 결합을 할 수 있다.
  - 탄소 원자의 결합 방식: 사슬 모양, 가지 모양(가지 달린 사슬 모양), (❿), 2중 결합, 3중 결합

1 지구와 생명체를 구성하는 물질에 대한 설명으로 옳은 것은 ○, 옳지 않은 것은 ×로 표시하시오.

(1) 지각과 생명체에 산소가 가장 많은 까닭은 산소가 빅뱅 우주 탄생 초기에 생성되었기 때문이다. ( )

(2) 대기와 해양을 구성하는 원소의 성분비는 서로 같다. ( )

(3) 생명체를 구성하는 원소 중 두 번째로 많은 것은 별의 내부에서 생성되었다. ( )

(4) 생명체는 물과 소량의 무기물을 제외하면 유기물로 이루어져 있다. ( )

2 그림은 규산염 사면체를 나타낸 것이다. A, B에 해당하는 원소의 이름을 각각 쓰시오.

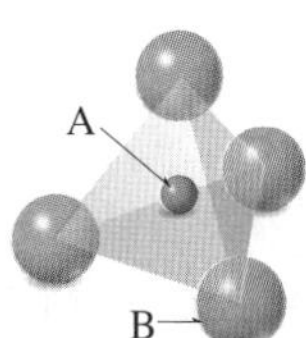

3 그림 (가)~(다)는 규산염 광물의 결합 구조를 나타낸 것이다.

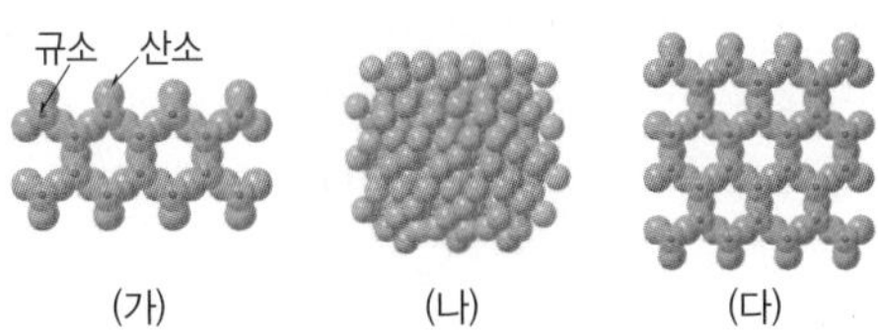

(가)~(다) 결합 구조의 이름을 각각 쓰시오.

4 지각의 구성 물질 중 규산염 광물이 아닌 것은?

① 장석 ② 휘석 ③ 감람석
④ 방해석 ⑤ 흑운모

5 탄소 화합물에 대한 설명으로 옳은 것은 ○, 옳지 않은 것은 ×로 표시하시오.

(1) 탄소 화합물은 생명체를 구성하는 물질이지만, 에너지원으로 사용되지는 않는다. ( )

(2) 탄소는 산소보다 결합할 수 있는 전자가 많다. ( )

(3) 탄소와 탄소 사이에 2중 결합이나 3중 결합은 할 수 없다. ( )

6 생명체의 구성 물질 중 탄소 화합물이 아닌 것은?

① 물 ② 지질 ③ 핵산
④ 단백질 ⑤ 탄수화물

7 그림 (가)~(다)는 탄소 원자의 결합 방식을 나타낸 것이다.

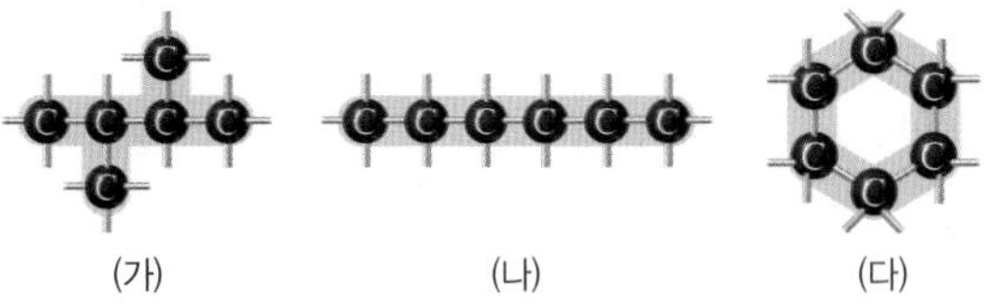

(가)~(다) 결합 방식의 이름을 각각 쓰시오.

내신 만점 문제

A 지각과 생명체를 구성하는 물질

01 지각과 생명체를 구성하는 물질에 대한 설명으로 옳지 않은 것은?

① 지각과 생명체에 공통적으로 산소가 가장 많다.
② 지각과 생명체를 구성하는 원소의 대부분은 별의 진화 과정에서 생성되었다.
③ 지각의 암석은 광물로 이루어져 있다.
④ 생명체는 물을 제외하면 대부분 무기물로 구성되어 있다.
⑤ 생명체를 구성하는 유기물은 탄소를 기본 골격으로 한다.

02 그림은 지각을 구성하는 원소 중 질량비가 3 % 이상인 원소를 함량비로 나타낸 것이다.
이에 대한 설명으로 옳은 것만을 [보기]에서 있는 대로 고른 것은?

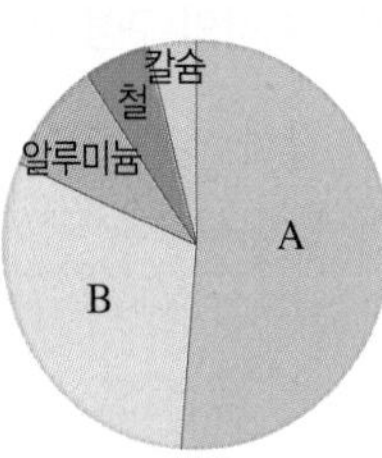

보기
ㄱ. A는 산소이다.
ㄴ. A와 B는 규산염 광물을 이루는 원소이다.
ㄷ. A와 B는 별의 중심부에서 생성되었다.

① ㄱ　② ㄴ　③ ㄱ, ㄷ
④ ㄴ, ㄷ　⑤ ㄱ, ㄴ, ㄷ

중요 **03** 표는 지각, 대기, 해양, 사람을 구성하는 주요 원소를 성분비가 큰 것부터 순서대로 나타낸 것이다.

구분	주요 원소
지각(질량비)	(A)>규소>알루미늄>철>칼슘 등
대기(부피비)	(B)>산소>아르곤 등
해양(질량비)	산소>(C)>염소 등
사람(질량비)	산소>(D)>수소 등

이에 대한 설명으로 옳은 것은?

① A는 탄소이다.
② B와 C는 동일한 원소이다.
③ C는 빅뱅 우주의 탄생 초기에 생성되었다.
④ 지각을 이루는 광물은 D를 주요 원소로 구성된다.
⑤ D는 주로 초신성 폭발 과정에서 일시적으로 생성된다.

04 지구와 생명체를 구성하는 원소와 원소의 기원에 대한 설명으로 옳은 것만을 [보기]에서 있는 대로 고른 것은?

보기
ㄱ. 규소는 지각에 가장 많은 원소로, 별 내부의 핵융합 반응으로 생성되었다.
ㄴ. 수소는 해양에 두 번째로 많은 원소로, 빅뱅 우주의 탄생 초기에 생성되었다.
ㄷ. 질소는 대기에 가장 많은 원소로, 별 내부의 핵융합 반응으로 생성되었다.

① ㄱ　② ㄴ　③ ㄱ, ㄷ
④ ㄴ, ㄷ　⑤ ㄱ, ㄴ, ㄷ

B 지각을 구성하는 물질의 결합 규칙성

05 규산염 광물에 대한 설명으로 옳은 것만을 [보기]에서 있는 대로 고른 것은?

보기
ㄱ. 산소와 규소가 화학적으로 결합하여 만들어진다.
ㄴ. 규산염 광물을 이루는 기본 골격은 규산염 사면체이다.
ㄷ. 지각을 이루는 광물은 규산염 광물과 비규산염 광물이 거의 같은 비율로 존재한다.

① ㄱ　② ㄷ　③ ㄱ, ㄴ
④ ㄴ, ㄷ　⑤ ㄱ, ㄴ, ㄷ

06 그림은 어떤 원자의 전자 배치를 모형으로 나타낸 것이다.
이 원자에 대한 설명으로 옳은 것만을 [보기]에서 있는 대로 고른 것은?

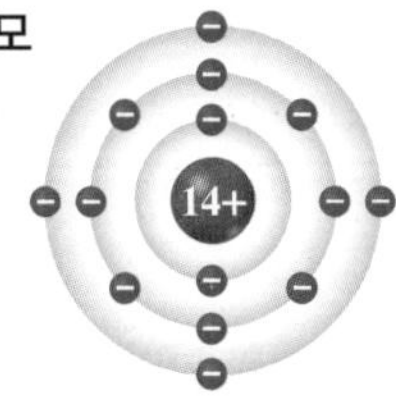

보기
ㄱ. 규소에 해당한다.
ㄴ. 최대 2개의 공유 결합을 할 수 있다.
ㄷ. 광물에서 주로 산소와 결합한다.

① ㄱ　② ㄴ　③ ㄱ, ㄷ
④ ㄴ, ㄷ　⑤ ㄱ, ㄴ, ㄷ

07 다음은 광물에 대한 설명이다.

> 지각을 이루는 석영, 장석, 운모, 휘석 등의 광물을 (㉠) 광물이라고 한다. (㉠) 광물은 규소와 산소가 (㉡) 결합을 한 사면체가 다양하게 결합한 것이다. 그 중 (㉢)은(는) 규산염 사면체가 단사슬 구조를 이룬다.

( ) 안에 들어갈 말을 옳게 짝 지은 것은?

	㉠	㉡	㉢
①	규산염	공유	석영
②	규산염	공유	휘석
③	규산염	이온	휘석
④	탄산염	공유	석영
⑤	탄산염	이온	운모

중요 **08** 그림은 규산염 사면체를 나타낸 것이다.
이에 대한 설명으로 옳지 않은 것은?

A
B

① A는 산소이다.
② B는 원자가 전자가 4개이다.
③ A와 B는 공유 결합을 한다.
④ 규산염 사면체는 전기적으로 음전하를 띤다.
⑤ B는 지각을 구성하는 원소 중 질량비가 가장 크다.

09 그림은 규산염 사면체에 2개의 마그네슘 이온(Mg^{2+})이 결합하는 모습을 나타낸 것이다.

이에 대한 설명으로 옳은 것만을 [보기]에서 있는 대로 고른 것은?

> 보기
> ㄱ. 전기적으로 중성이 된다.
> ㄴ. 독립형 구조의 광물이 된다.
> ㄷ. 결합 후 생성되는 광물의 예로 석영이 있다.

① ㄱ ② ㄷ ③ ㄱ, ㄴ
④ ㄴ, ㄷ ⑤ ㄱ, ㄴ, ㄷ

중요 **10** 그림은 규산염 사면체의 결합으로 만들어진 광물의 결합 구조를 나타낸 것이다.

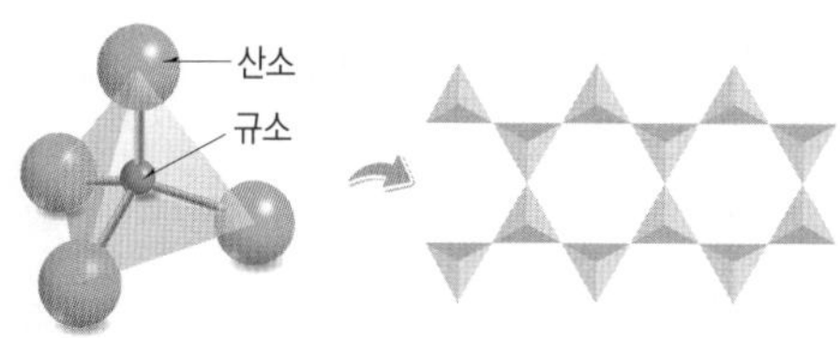

이에 대한 설명으로 옳은 것만을 [보기]에서 있는 대로 고른 것은?

> 보기
> ㄱ. 복사슬 구조이다.
> ㄴ. 대표적인 광물로 장석이 있다.
> ㄷ. 이 구조가 나타나는 광물은 석영보다 풍화에 강하다.

① ㄱ ② ㄷ ③ ㄱ, ㄴ
④ ㄴ, ㄷ ⑤ ㄱ, ㄴ, ㄷ

중요 **11** 그림과 같은 규산염 광물의 결합 구조에 대한 설명으로 옳지 않은 것은?

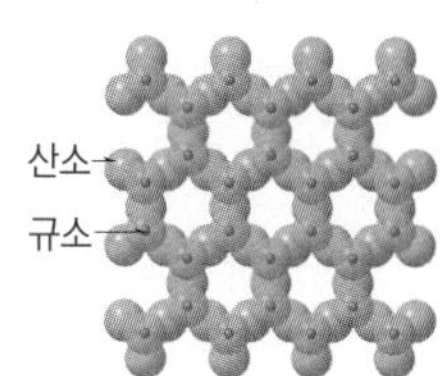

① 판상 구조이다.
② 얇은 판 모양으로 결합한다.
③ 힘을 주면 쪼개짐이 나타난다.
④ 대표적인 광물로 흑운모가 있다.
⑤ 규산염 사면체가 산소 4개를 공유한다.

12 그림 (가)와 (나)는 서로 다른 규산염 광물의 결합 구조를 나타낸 것이다.

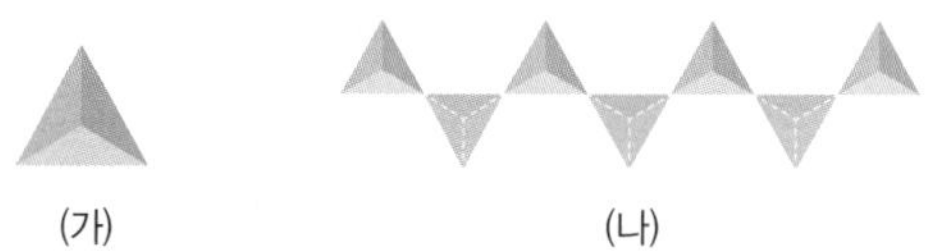
(가) (나)

이에 대한 설명으로 옳지 않은 것은?

① (가)는 독립형 구조이다.
② (나)는 단사슬 구조이다.
③ (가)의 예로 감람석이 있다.
④ (나)의 예로 휘석이 있다.
⑤ (나)는 사면체 간에 규소 원자가 공유된다.

C 생명체를 구성하는 물질의 결합 규칙성

13 그림은 어느 원자의 전자 배치를 모형으로 나타낸 것이다.
이에 대한 설명으로 옳지 않은 것은?

① 원자가 전자가 4개이다.
② 별의 중심부에서 생성된다.
③ 수소 원자와 공유 결합을 한다.
④ 생명체를 구성하는 유기물의 골격을 형성한다.
⑤ 원자 1개당 최대 2개의 수소 원자와 결합할 수 있다.

14 그림은 어느 분자의 모형을 나타낸 것이다.
이에 대한 설명으로 옳은 것만을 [보기]에서 있는 대로 고른 것은?

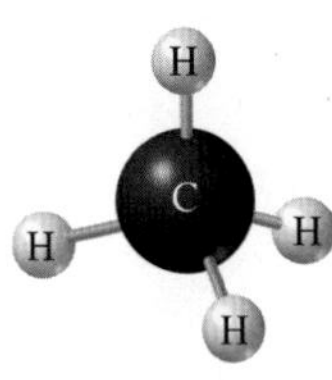

보기
ㄱ. 메테인 분자이다.
ㄴ. 탄소 원자와 수소 원자가 금속 결합하여 만들어진다.
ㄷ. 수소 원자 대신에 다른 원자가 결합하면 새로운 화합물이 만들어진다.

① ㄱ ② ㄴ ③ ㄱ, ㄷ
④ ㄴ, ㄷ ⑤ ㄱ, ㄴ, ㄷ

중요 **15** 그림 (가)~(다)는 탄소 원자의 여러 가지 결합 방식을 나타낸 것이다.

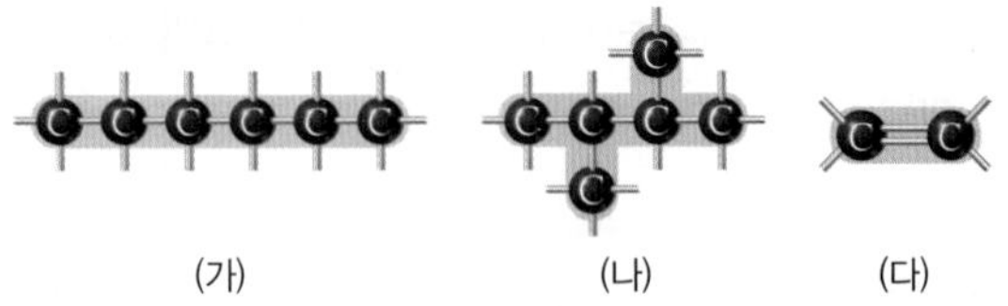

(가) (나) (다)

이에 대한 설명으로 옳은 것만을 [보기]에서 있는 대로 고른 것은?

보기
ㄱ. (가)는 가지 모양이다.
ㄴ. 탄소는 연속적으로 결합할 수 있다.
ㄷ. 탄소와 탄소 사이에 2중 결합을 하기도 한다.

① ㄱ ② ㄴ ③ ㄱ, ㄷ
④ ㄴ, ㄷ ⑤ ㄱ, ㄴ, ㄷ

서술형 문제

16 표는 지구의 구성 물질 중 질량비가 2 % 이상인 금속 원소를 나타낸 것이다.

금속 원소	철	마그네슘	니켈
질량비	35.0 %	13.0 %	2.4 %

이 원소들의 기원을 두 가지로 구분하여 서술하시오.

17 규산염 사면체를 이루는 원소 두 가지를 쓰고, 지각에서 규산염 광물의 종류가 다양한 까닭을 서술하시오.

중요 **18** 그림 (가)와 (나)는 서로 다른 규산염 광물의 결합 구조를 나타낸 것이다.

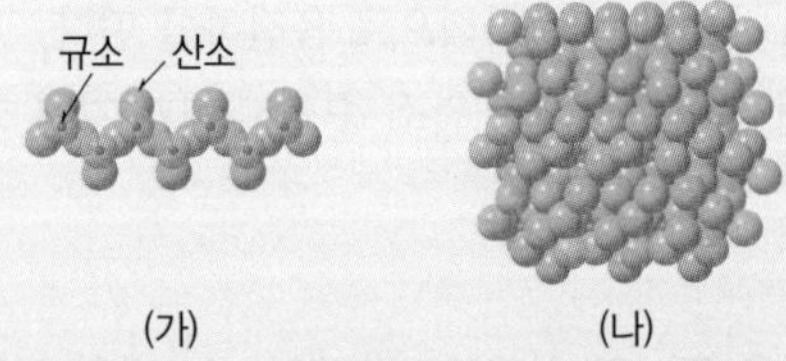

(가) (나)

(가)와 (나) 중 풍화에 더 강한 것을 고르고, 그 까닭을 서술하시오.

19 생명체를 구성하는 지질, 단백질, 탄수화물 등의 물질은 모두 탄소로 이루어진 기본 골격에 다른 원자가 결합한 탄소 화합물이다. 이와 같이 탄소가 생명체의 주요 구성 성분이 되는 까닭은 무엇인지 원자가 전자, 탄소 화합물의 결합 규칙성과 관련지어 서술하시오.

실력 UP 문제

정답친해 30쪽

01 그림은 지구를 구성하는 원소의 질량비를 나타낸 것이다.
이에 대한 설명으로 옳은 것만을 [보기]에서 있는 대로 고른 것은?

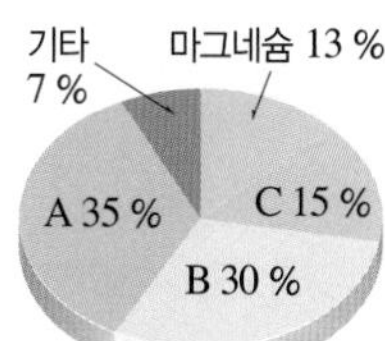

보기
ㄱ. A는 지각에도 가장 많은 원소이다.
ㄴ. B와 C는 규산염 광물의 주요 원소이다.
ㄷ. 원소 A~C는 모두 별의 내부에서 생성되었다.

① ㄱ ② ㄴ ③ ㄱ, ㄷ
④ ㄴ, ㄷ ⑤ ㄱ, ㄴ, ㄷ

02 그림 (가)와 (나)는 서로 다른 규산염 광물의 결합 구조를 나타낸 것이다.

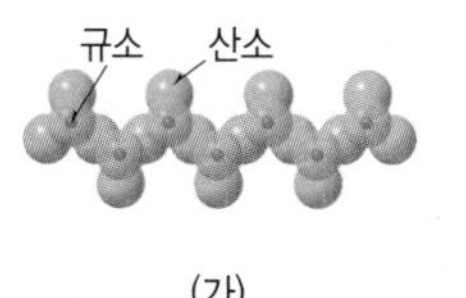

(가)

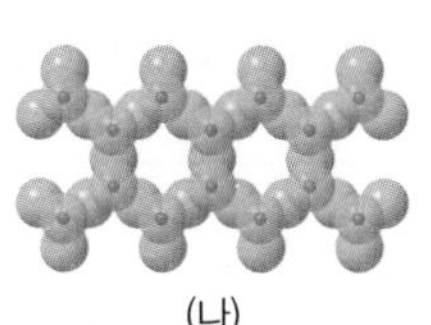
(나)

이에 대한 설명으로 옳은 것만을 [보기]에서 있는 대로 고른 것은?

보기
ㄱ. (가)는 복사슬 구조이다.
ㄴ. (나)는 감람석의 결합 구조에 해당한다.
ㄷ. 공유하는 산소의 수는 (나)가 (가)보다 많다.

① ㄱ ② ㄷ ③ ㄱ, ㄴ
④ ㄴ, ㄷ ⑤ ㄱ, ㄴ, ㄷ

03 탄소 화합물에 대한 설명으로 옳은 것은?

① 탄수화물, 단백질, 지질, 물 등이 있다.
② 녹말은 아미노산이 결합하여 형성된다.
③ 단백질은 단당류가 결합하여 형성된다.
④ 인지질은 체내 에너지원의 기능을 한다.
⑤ 중성 지방은 글리세롤과 지방산이 결합하여 형성된다.

04 그림 (가)와 (나)는 규산염 사면체와 메테인 분자를 모형으로 나타낸 것이다.

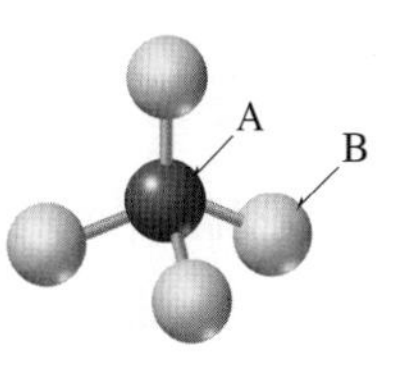

(가) 규산염 사면체

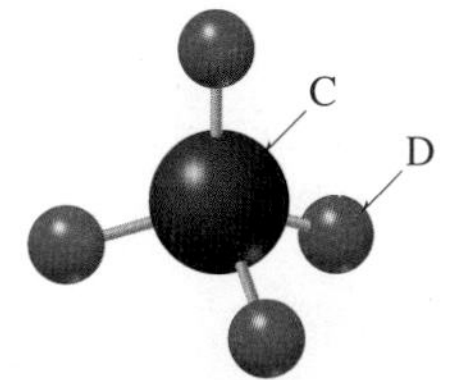

(나) 메테인 분자

이에 대한 설명으로 옳은 것만을 [보기]에서 있는 대로 고른 것은?

보기
ㄱ. A는 규소, C는 탄소이다.
ㄴ. $\frac{\text{B의 개수}}{\text{A의 개수}}$는 석영이 감람석보다 작다.
ㄷ. A와 B, C와 D는 모두 공유 결합을 한다.

① ㄱ ② ㄴ ③ ㄱ, ㄷ
④ ㄴ, ㄷ ⑤ ㄱ, ㄴ, ㄷ

05 그림 (가)와 (나)는 탄수화물과 단백질의 일부를 모형으로 나타낸 것이다.

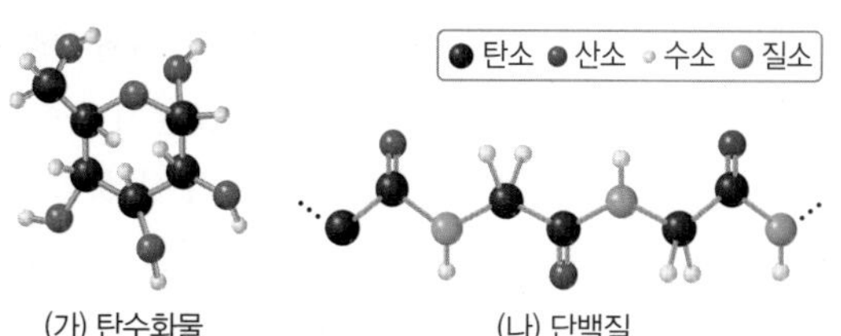

(가) 탄수화물 (나) 단백질

이에 대한 설명으로 옳은 것만을 [보기]에서 있는 대로 고른 것은?

보기
ㄱ. (가)와 (나)는 탄소 화합물이다.
ㄴ. (가)와 (나)는 생명체 내에서 에너지원으로 사용된다.
ㄷ. 탄소는 수소 외에도 여러 종류의 원소들과 결합할 수 있다.

① ㄱ ② ㄷ ③ ㄱ, ㄴ
④ ㄴ, ㄷ ⑤ ㄱ, ㄴ, ㄷ

2 생명체 구성 물질의 형성

핵심 포인트
❶ 생명체의 구성 물질 ★★★
❷ 단백질의 형성 ★★★
❸ DNA의 구조 ★★★

A 생명체 구성 물질과 단위체

1. ◆생명체를 구성하는 물질

① ❶**탄소 화합물**: 탄수화물, 단백질, 지질, 핵산 등이 있다.

구분	내용
탄수화물	• 구성 원소: 탄소(C), 수소(H), 산소(O) • 주요 에너지원이다. • ◆종류: 포도당, 녹말, 글리코젠, 셀룰로스 등
단백질	• 구성 원소: 탄소(C), 수소(H), 산소(O), 질소(N) ⟶ 황(S)을 포함하기도 한다. • 에너지원이다. • 생명체의 주요 구성 물질로, 근육, 뼈, 머리카락 등을 구성한다. • 효소, 호르몬, 항체의 주성분으로, 각종 화학 반응과 생리 작용을 조절한다. • 종류: 헤모글로빈, 콜라젠 등
지질	• 구성 원소: 탄소(C), 수소(H), 산소(O) ⟶ 인지질은 인(P)을 포함한다. • 에너지원이며, 세포막의 주성분이다. • 종류: 중성 지방, 인지질 등
핵산	• 구성 원소: 탄소(C), 수소(H), 산소(O), 질소(N), 인(P) • 유전 정보를 저장하거나 유전 정보의 전달 및 단백질 합성에 관여한다. • 종류: DNA, RNA

② **비탄소 화합물**: 물, 무기염류 등이 있다.

구분	내용
물	• 생명체를 구성하는 물질 중 가장 많은 양을 차지한다. • 비열이 커서 체온을 일정하게 유지하는 데 도움이 된다.
무기염류	• 다양한 생리 작용을 조절하는 데 관여한다. • 종류: 칼슘, 나트륨, 칼륨, 마그네슘, 철, 인, 염소, 아이오딘 등

2. 단위체로 구성된 생명체 구성 물질

① **단위체**: 고분자 화합물을 구성하는 기본 단위가 되는 저분자 물질이다.

② 생명체 구성 물질 중 탄수화물, 단백질, 핵산은 단위체가 일정한 규칙에 따라 결합하여 형성된 탄소 화합물이다. ➡ 탄수화물의 단위체는 포도당, 단백질의 단위체는 아미노산, 핵산의 단위체는 뉴클레오타이드이다.

③ 단위체의 종류와 연결 방식에 따라 구조와 기능이 다양한 탄소 화합물이 형성되어 생명체에서 다양한 기능을 수행하므로, 생명체가 복잡한 생명 현상을 나타낼 수 있다.

| 단위체로 구성된 탄수화물 | 동아 교과서에만 나와요.

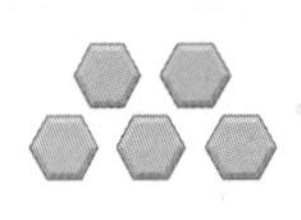

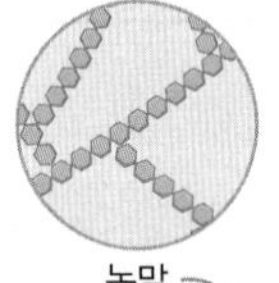

단위체(포도당)
동일한 단위체인 포도당이 연결되는 방식에 따라 녹말, 글리코젠, 셀룰로스가 형성된다.

녹말 / 글리코젠
가지 모양으로 이어져 있으며, 포도당을 저장하는 기능을 한다.

셀룰로스
여러 층의 선 모양으로 이어져 있으며, 식물 세포의 세포벽을 이루는 구성 성분이 된다.

◆ **사람을 구성하는 물질**

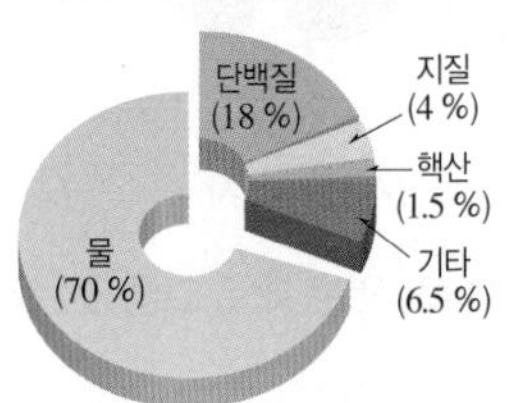

• 가장 많은 양을 차지하는 것은 물이다.
• 탄소 화합물 중 가장 많은 양을 차지하는 것은 단백질이다.

◆ **탄수화물의 종류**
구성하는 단위체의 개수에 따라 단당류, 이당류, 다당류로 구분한다.
• 단당류: 포도당, 과당 등
• 이당류: 엿당(포도당+포도당), 설탕(포도당+과당) 등
• 다당류: 녹말, 글리코젠, 셀룰로스 등

(용어)
❶ **탄소 화합물** 탄소(C)가 수소(H), 산소(O), 질소(N) 등과 공유 결합하여 이루어진 화합물

B 단백질

1. 단백질의 단위체 아미노산으로, 20종류가 있다.

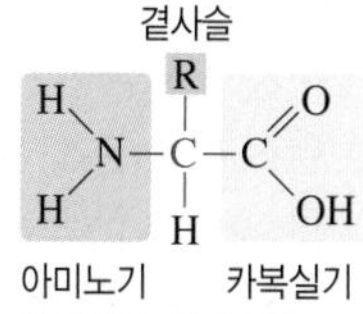

⊙ 아미노산의 구조

① 아미노산은 탄소를 중심으로 아미노기, 카복실기, 수소 원자, 곁사슬(R)이 결합되어 있다.

② 곁사슬의 종류에 따라 아미노산의 종류가 달라진다.
└• 20가지

2. 펩타이드 결합 2개의 아미노산이 결합할 때 두 아미노산 사이에서 물 분자 1개가 빠져나오면서 형성되는 결합이다. —• 10개의 아미노산이 결합할 때는 9개의 펩타이드 결합이 형성되고, 물 분자 9개가 빠져나온다.

3. 단백질의 형성

① 많은 수의 아미노산이 펩타이드 결합으로 연결되어 긴 사슬 모양의 ◆폴리펩타이드를 형성한다.

② 폴리펩타이드는 아미노산의 배열 순서에 따라 구부러지고 접혀서 독특한 입체 구조를 갖는 단백질이 되며, ◆단백질의 기능은 이 입체 구조에 의해 결정된다.

| 단백질의 형성 |

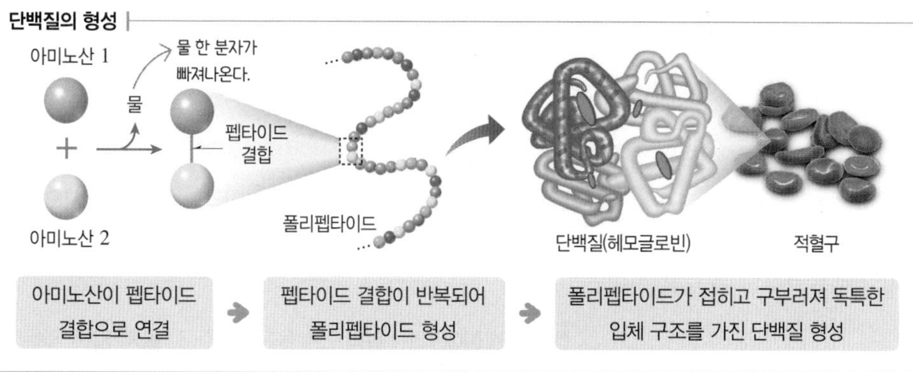

아미노산이 펩타이드 결합으로 연결 ➔ 펩타이드 결합이 반복되어 폴리펩타이드 형성 ➔ 폴리펩타이드가 접히고 구부러져 독특한 입체 구조를 가진 단백질 형성

4. 다양한 종류의 단백질 형성

① 아미노산의 종류와 수, 배열 순서에 따라 단백질의 입체 구조가 달라지며, 단백질의 입체 구조에 따라 단백질의 기능이 결정되어 다양한 종류의 단백질이 형성된다.

② **단백질의 종류:** 헤모글로빈(적혈구), 콜라젠(피부), 케라틴 단백질(공작의 깃털, 양의 뿔), 마이오글로빈(근육), 실크 단백질(거미줄) 등

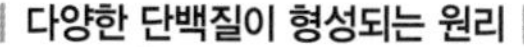
| 다양한 단백질이 형성되는 원리 |

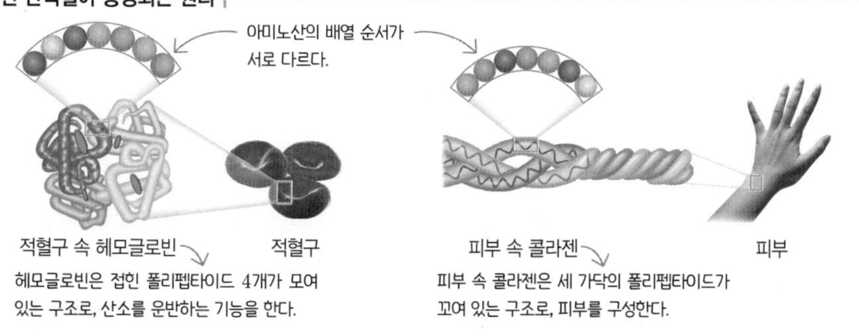

헤모글로빈은 접힌 폴리펩타이드 4개가 모여 있는 구조로, 산소를 운반하는 기능을 한다.

피부 속 콜라젠은 세 가닥의 폴리펩타이드가 꼬여 있는 구조로, 피부를 구성한다.

단백질인 헤모글로빈과 콜라젠은 단위체가 아미노산으로 같지만, 입체 구조와 기능이 서로 다르다.
➡ 헤모글로빈과 콜라젠을 구성하는 아미노산의 종류와 수, 배열 순서가 서로 다르기 때문이다.

암기해!
단백질의 단위체
- 아미노산
- 20종류

◆ **펩타이드**
펩타이드는 펩타이드 결합으로 이루어진 물질을 뜻한다. 아미노산 두 분자가 결합된 것은 다이펩타이드, 세 분자가 결합된 것은 트라이펩타이드, 여러 분자가 결합된 것은 폴리펩타이드라고 한다. 다이(di-)는 둘, 트라이(tri-)는 셋, 폴리(poly-)는 다수를 뜻한다.

◆ **단백질의 기능과 변성**
단백질은 열과 산 등에 의해 입체 구조가 바뀔 수 있는데, 이를 단백질의 변성이라고 한다. 단백질이 변성되면 독특한 입체 구조가 변하므로 고유의 기능을 잃게 된다.

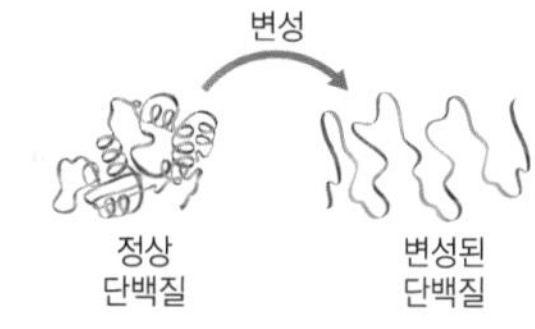

암기해!
단백질의 종류와 기능
아미노산 배열 순서 ➡ 단백질의 입체 구조 결정 ➡ 단백질의 기능 결정

궁금해?
단백질의 아미노산 배열 순서는 어떻게 결정될까?
다양한 생명 활동에 필요한 여러 가지 단백질의 아미노산 배열 순서는 DNA에 저장되어 있는 유전 정보에 의해 결정된다.

개념 확인 문제

정답친해 31쪽

핵심 체크

- 생명체를 구성하는 물질
  - (❶): 탄소, 수소, 산소로 구성되며, 주요 에너지원이다.
  - (❷): 탄소, 수소, 산소, 질소 등으로 구성된다. 몸을 구성하는 주요 물질이며, 생리 작용을 조절한다.
  - (❸): 탄소, 수소, 산소, 질소, 인으로 구성된다. 유전 정보의 저장·전달 및 단백질 합성에 관여한다.
- (❹): 탄수화물, 단백질, 핵산과 같은 고분자 화합물을 구성하는 기본 단위가 되는 저분자 물질이다.
- 단백질의 형성

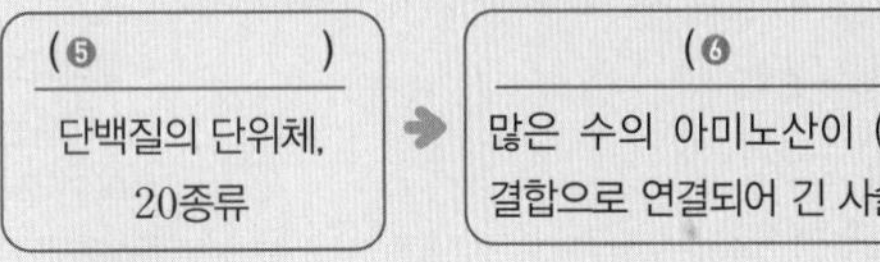

(❺)		(❻)		단백질
단백질의 단위체, 20종류	➔	많은 수의 아미노산이 (❼) 결합으로 연결되어 긴 사슬 모양으로 된 것	➔	폴리펩타이드가 구부러지고 접혀 독특한 입체 구조를 가진 것

- 단백질의 종류: (❽)의 종류와 수, 배열 순서에 의해 결정된다.

1 생명체를 구성하는 물질에 대한 설명으로 옳은 것은 ○, 옳지 않은 것은 ×로 표시하시오.

(1) 탄수화물의 구성 원소는 탄소, 수소, 산소, 질소이다. ( )

(2) 단백질은 생명체를 구성하는 물질 중 가장 많은 양을 차지한다. ( )

(3) 지질은 에너지원이며, 세포막의 주성분이다. ( )

(4) 물은 비열이 작아서 체온을 일정하게 유지하는 데 도움이 된다. ( )

(5) 무기염류는 에너지원이며, 다양한 생리 작용을 조절한다. ( )

2 생명체를 구성하는 물질 중 탄소 화합물만을 [보기]에서 있는 대로 고르시오.

> 보기
> ㄱ. 물　ㄴ. 지질　ㄷ. 핵산
> ㄹ. 단백질　ㅁ. 탄수화물　ㅂ. 무기염류

3 탄수화물, 단백질, 핵산의 단위체를 옳게 연결하시오.

(1) 탄수화물 • 　　• ㉠ 아미노산
(2) 단백질 • 　　• ㉡ 포도당
(3) 핵산 • 　　• ㉢ 뉴클레오타이드

4 그림은 단백질의 일부 구조를 나타낸 것이다.

(가)
㉠

단위체 ㉠과 결합 (가)를 각각 무엇이라고 하는지 쓰시오.

5 단백질에 대한 설명으로 옳은 것은 ○, 옳지 않은 것은 ×로 표시하시오.

(1) 구성 원소로 질소(N)를 가진다. ( )

(2) 효소와 항체의 주성분이다. ( )

(3) 화학 반응과 생리 작용을 조절한다. ( )

(4) 유전 정보를 저장하거나 전달한다. ( )

(5) 단위체가 일정한 규칙에 따라 결합하여 형성된다. ( )

(6) 단백질의 종류에 관계없이 단위체의 수가 같다. ( )

6 다음은 단백질의 종류와 기능이 결정되는 과정을 나타낸 것이다. ( ) 안에 알맞은 말을 쓰시오.

> 아미노산의 종류와 수 및 ㉠( ) ➡ 단백질의 ㉡( ) 결정 ➡ 단백질의 종류와 기능 결정

C 핵산

핵산은 핵 속의 산성 물질이라는 의미에서 붙은 이름이지만, 핵뿐 아니라 세포질에도 있어요.

1. 핵산 유전 정보를 저장하거나 유전 정보의 전달 및 단백질 합성에 관여하는 물질로, ◆DNA와 RNA가 있다.

2. 핵산의 단위체 뉴클레오타이드로, 인산, 당, 염기가 1 : 1 : 1로 결합되어 있다.

• DNA와 RNA를 구성하는 뉴클레오타이드는 ◆당과 염기의 종류가 다르다.

DNA를 구성하는 뉴클레오타이드	RNA를 구성하는 뉴클레오타이드
인산 / 당 / 염기 (디옥시리보스) — A 아데닌, G 구아닌, C 사이토신, T 타이민	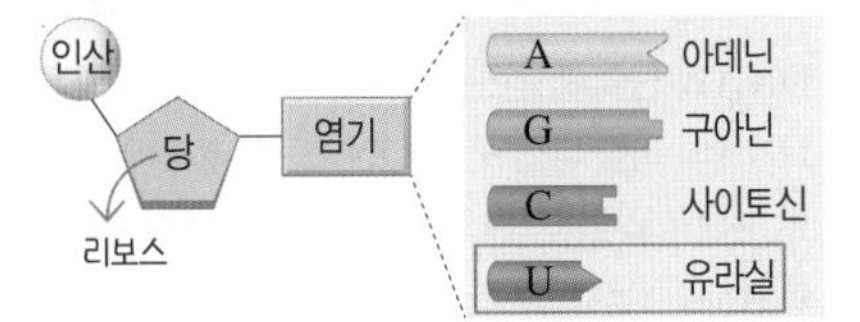
• 당은 디옥시리보스이다. • 염기는 아데닌(A), 구아닌(G), 사이토신(C), 타이민(T)이 있다. ➡ DNA는 염기가 다른 4종류의 뉴클레오타이드로 구성된다.	• 당은 리보스이다. • 염기는 아데닌(A), 구아닌(G), 사이토신(C), 유라실(U)이 있다. ➡ RNA는 염기가 다른 4종류의 뉴클레오타이드로 구성된다.

3. 핵산의 형성 한 뉴클레오타이드의 인산이 다른 뉴클레오타이드의 당과 결합하며, 이 결합이 반복되어 긴 사슬 모양의 폴리뉴클레오타이드를 형성한다.

| 폴리뉴클레오타이드의 형성 |

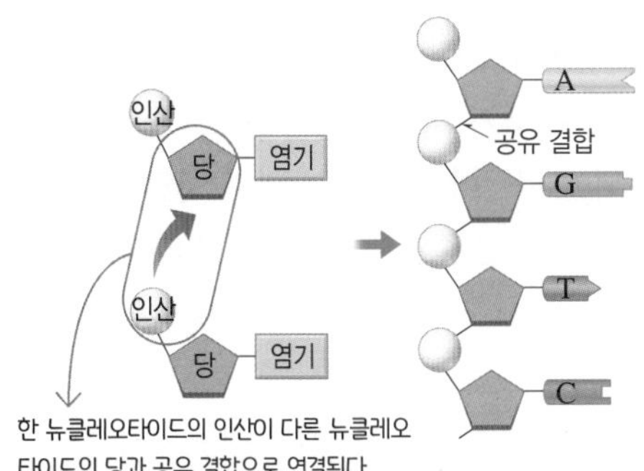

• 디옥시리보스를 가진 뉴클레오타이드끼리 연결된 경우 ➡ DNA의 폴리뉴클레오타이드 형성
• 리보스를 가진 뉴클레오타이드끼리 연결된 경우 ➡ RNA의 폴리뉴클레오타이드 형성
• 어떤 염기를 가진 뉴클레오타이드가 결합되는가에 따라 폴리뉴클레오타이드의 염기 서열이 결정된다. ➡ 다양한 염기 서열을 가진 폴리뉴클레오타이드가 형성된다.

4. 핵산의 종류 핵산의 종류에는 DNA와 RNA가 있다.

DNA	구분	RNA
두 가닥의 폴리뉴클레오타이드가 꼬여 있는 이중 나선 구조	분자 구조	한 가닥의 폴리뉴클레오타이드로 이루어진 단일 가닥 구조
디옥시리보스	당	리보스
아데닌(A), 구아닌(G), 사이토신(C), 타이민(T) 타이민(T)은 RNA에는 없고 DNA에만 있는 염기이다.	염기	아데닌(A), 구아닌(G), 사이토신(C), 유라실(U) 유라실(U)은 DNA에는 없고 RNA에만 있는 염기이다.
유전 정보 저장 └● DNA에는 생물의 형질을 결정하는 유전자가 있다.	기능	유전 정보 전달 및 단백질 합성 과정에 관여

⊙ DNA 구조 ⊙ RNA 구조

◆ **DNA와 RNA**
DNA(deoxyribonucleic acid)는 디옥시리보핵산이고, RNA(ribonucleic acid)는 리보핵산이다.

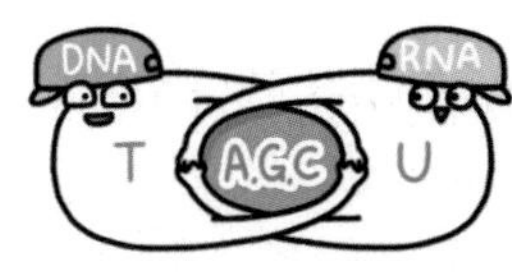

◆ **핵산을 구성하는 당**
핵산을 구성하는 당은 5개의 탄소를 포함하는 5탄당이다. DNA를 구성하는 당인 디옥시리보스는 RNA를 구성하는 당인 리보스와 비교하여 산소(oxygen)가 하나 없기(de-) 때문에 붙여진 이름이다.

암기해!
핵산의 단위체
• 뉴클레오타이드
• DNA 4종류, RNA 4종류
➡ 핵산의 단위체는 총 8종류

주의해!
뉴클레오타이드의 종류
뉴클레오타이드의 종류를 염기의 종류(A, G, C, T, U)만 생각하여 5종류라고 하는 경우가 있다. 그런데 DNA와 RNA를 구성하는 뉴클레오타이드는 당의 종류가 다르므로 공통적으로 염기 A, G, C을 가지더라도 모두 다른 종류이다. 따라서 DNA와 RNA를 구성하는 뉴클레오타이드는 각각 4종류로, 핵산을 구성하는 뉴클레오타이드는 총 8종류이다.

주의해!

DNA 이중 나선을 형성하는 결합

- 뉴클레오타이드의 당 – 인산 결합: 공유 결합
- 염기 사이의 결합: 아데닌(A)은 타이민(T)과, 구아닌(G)은 사이토신(C)과 수소 결합

| DNA의 구조 |

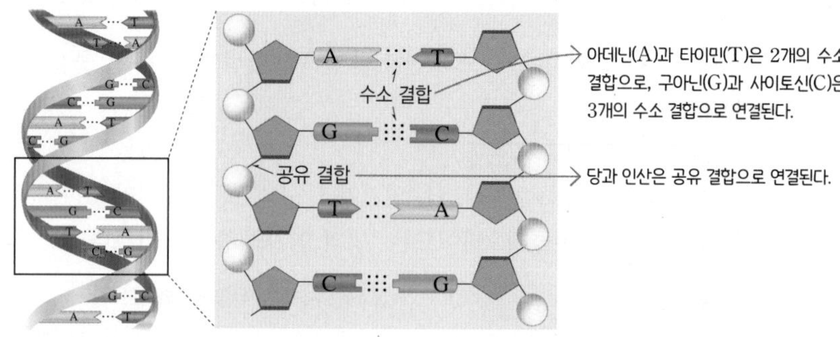

- DNA의 단위체: 인산, 당(디옥시리보스), 염기로 구성된 뉴클레오타이드이다. ➡ 염기가 다른 4종류가 있다.
- DNA의 이중 나선 구조: DNA는 두 가닥의 폴리뉴클레오타이드가 나선형으로 꼬여 있는 이중 나선 구조이다. 한 뉴클레오타이드의 인산이 다른 뉴클레오타이드의 당과 결합하여 나선 바깥쪽의 골격을 이루며, 두 가닥의 폴리뉴클레오타이드는 나선 안쪽을 향해 있는 염기 사이의 결합으로 연결된다.
- DNA 염기의 ❶상보결합: 두 가닥의 폴리뉴클레오타이드에서 각 가닥의 염기들은 특정 염기하고만 상보적으로 결합한다. 이때 아데닌(A)은 항상 타이민(T)과, 구아닌(G)은 항상 사이토신(C)과 결합한다.

이것까지 나와요! 생명과학Ⅱ

DNA 염기의 상보결합

- DNA 염기는 상보결합하므로 DNA 이중 나선을 이루는 두 가닥의 폴리뉴클레오타이드 중 한 가닥의 염기 서열을 알면 나머지 한 가닥의 염기 서열을 알 수 있다.

  예 ··· A G C T A T C G G ···

  ··· T C G A T A G C C ···

- DNA 이중 나선에서 아데닌(A)과 타이민(T), 구아닌(G)과 사이토신(C)의 염기 조성 비율은 각각 같다. (A=T, G=C)

  예 이중 나선 DNA를 구성하는 염기 중에서 아데닌(A)의 비율이 16 %이면 타이민(T)의 비율도 16 %이고, 구아닌(G)과 사이토신(C)의 비율은 각각 34 %이다.

5. DNA의 다양한 유전 정보 저장 아데닌(A), 구아닌(G), 사이토신(C), 타이민(T)을 갖는 4종류의 뉴클레오타이드가 다양한 순서로 결합하여 염기 서열이 다양한 DNA가 만들어진다. 유전 정보는 DNA의 염기 서열에 저장되어 있는데, DNA의 염기 서열이 다르면 저장되는 유전 정보도 다르다. ➡ 뉴클레오타이드의 결합 순서에 따라 DNA의 염기 서열이 달라져 다양한 유전 정보가 저장된다.

궁금해?

DNA가 이중 나선으로 되어 있는 것의 장점은?

DNA는 염기 서열에 유전 정보를 저장하는데, 만일 염기가 1개라도 바뀌면 유전 정보가 달라지게 된다. DNA는 이중 나선 구조의 안쪽에 염기가 상보적으로 결합한 상태로 있어 염기 서열이 안정적으로 보존될 수 있다.

확대경 **단백질과 핵산(DNA)의 비교**

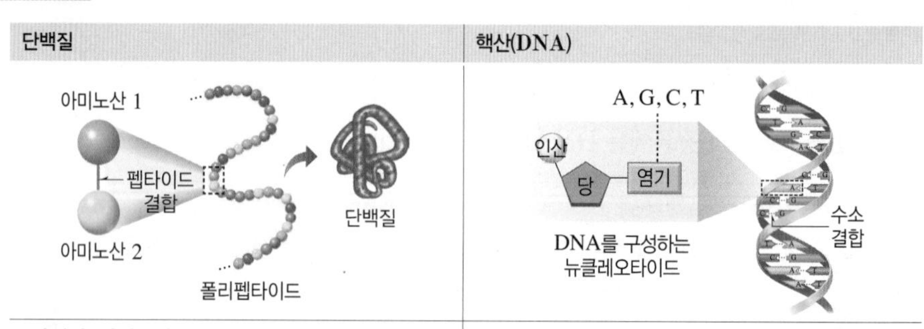

단백질	핵산(DNA)
• 단위체: 아미노산 20종류 • 단백질의 형성: 아미노산이 펩타이드 결합으로 연결 → 폴리펩타이드 형성 → 폴리펩타이드가 접히고 구부러져 입체 구조의 단백질 형성 • 다양한 단백질 형성: 20종류의 아미노산이 다양한 순서로 결합 ➡ 다양한 입체 구조의 단백질 형성 ➡ 서로 다른 기능을 하는 다양한 종류의 단백질 형성	• 단위체: 뉴클레오타이드 4종류 • DNA의 형성: 뉴클레오타이드가 연결 → 폴리뉴클레오타이드 형성 → 두 가닥의 폴리뉴클레오타이드가 결합하여 이중 나선 구조 형성 • 다양한 유전 정보 저장: 4종류의 뉴클레오타이드가 다양한 순서로 결합 ➡ 다양한 염기 서열을 가진 DNA 형성 ➡ 다양한 유전 정보 저장

(용어)

❶ 상보(相 서로, 補 돕다)결합 항상 정해진 염기하고만 짝을 이루는 결합. DNA에서 아데닌(A)은 타이민(T)과, 구아닌(G)은 사이토신(C)과 상보적으로 결합한다.

개념 확인 문제

정답친해 31쪽

핵심 체크

- (❶): 핵산의 단위체로, 인산, 당, 염기가 1 : 1 : 1로 결합되어 있다.
- DNA와 RNA의 비교

구분	분자 구조	당	염기	기능
DNA	이중 나선 구조	(❷)	A, G, C, (❸)	유전 정보 저장
RNA	단일 가닥 구조	(❹)	A, G, C, (❺)	유전 정보 전달, 단백질 합성에 관여

- DNA의 구조
  - 바깥쪽 골격: 뉴클레오타이드들이 당－(❻)－당－…의 결합으로 연결되어 형성된다.
  - 염기의 결합: 두 가닥의 폴리뉴클레오타이드는 안쪽을 향해 있는 염기들의 (❼)적인 결합에 의해 연결되며, 이때 아데닌(A)은 항상 (❽)과 결합하고, 구아닌(G)은 항상 (❾)과 결합한다.
- DNA의 유전 정보 저장: 4종류 뉴클레오타이드의 다양한 조합 ➡ 다양한 (❿) ➡ 다양한 유전 정보 저장

1 그림은 핵산을 구성하는 단위체를 나타낸 것이다. 이 단위체의 이름과 단위체를 구성하는 물질 ㉠은 무엇인지 쓰시오.

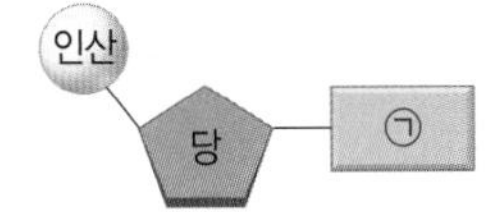

2 핵산에 대한 설명으로 옳은 것은 ○, 옳지 않은 것은 ×로 표시하시오.

(1) 핵산의 단위체는 인산, 당, 염기가 1 : 1 : 4로 결합되어 있다. ( )

(2) 핵산의 단위체는 20종류이다. ( )

(3) DNA는 유전 정보를 저장하고, RNA는 유전 정보 전달 및 단백질 합성에 관여한다. ( )

3 DNA에 해당하는 특징을 [보기]에서 있는 대로 고르시오.

보기
ㄱ. 리보스　ㄴ. 유라실　ㄷ. 이중 나선
ㄹ. 디옥시리보스　ㅁ. 타이민　ㅂ. 단일 가닥

4 그림은 어떤 핵산의 구조를 나타낸 것이다.

A G U C

(1) 이 핵산은 DNA와 RNA 중 어떤 것인지 쓰시오.

(2) 이 핵산은 몇 개의 단위체로 구성되어 있는지 쓰시오.

5 그림은 어떤 핵산의 구조를 나타낸 것이다. ( ) 안에 알맞은 말을 쓰시오.

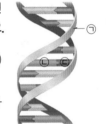

㉠ ㉡ ㉢

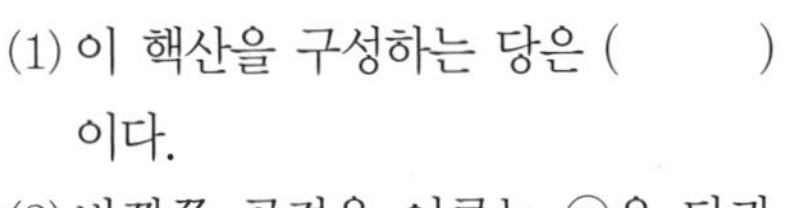

(1) 이 핵산을 구성하는 당은 ( )이다.

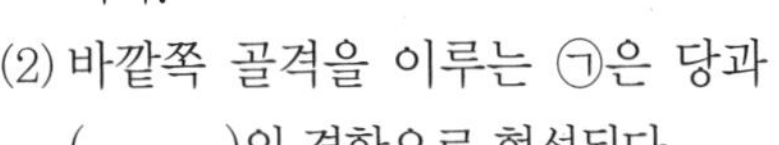

(2) 바깥쪽 골격을 이루는 ㉠은 당과 ( )의 결합으로 형성된다.

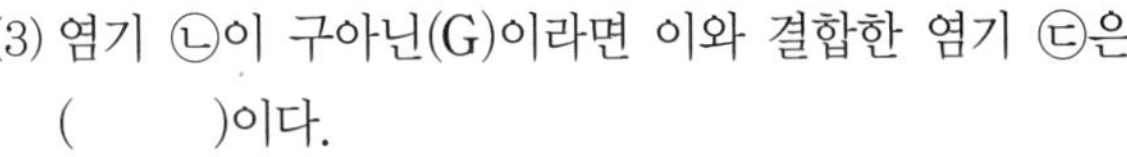

(3) 염기 ㉡이 구아닌(G)이라면 이와 결합한 염기 ㉢은 ( )이다.

6 DNA 이중 나선에서 한쪽 가닥의 염기 서열이 다음과 같을 때, 다른 쪽 가닥의 염기 서열을 쓰시오.

T A C C A C G T G C A T

7 DNA 이중 나선에서 구아닌(G)의 비율이 30 %일 때 사이토신(C)의 비율은 얼마인지 쓰시오.

8 단백질과 DNA의 공통점에 대한 설명으로 옳은 것은 ○, 옳지 않은 것은 ×로 표시하시오.

(1) 탄소 화합물이다. ( )

(2) 단위체의 조합으로 형성된 고분자 화합물이다. ( )

(3) 입체 구조에 따라 다양한 기능을 나타낸다. ( )

내신 만점 문제

A 생명체 구성 물질과 단위체

중요 **01** 그림은 사람을 구성하는 물질과 그 비율을 나타낸 것이다. 이에 대한 설명으로 옳은 것은?

B (18 %), 지질 (4 %), 핵산 (1.5 %), A (70 %), 기타 (6.5 %)

① A는 탄소 화합물이다.
② A는 주요 에너지원이다.
③ B는 아미노산의 결합으로 형성된다.
④ B는 체온 조절에 중요한 기능을 한다.
⑤ 유전 정보를 저장 및 전달하는 물질의 비율은 4 %이다.

02 표는 생명체를 구성하는 물질 A~C의 특징을 나타낸 것이다. A~C는 각각 물, 핵산, 단백질 중 하나이다.

물질	특징
A	유전 정보를 저장한다.
B	효소와 항체의 주성분이다.
C	비열이 커서 체온 유지에 도움이 된다.

이에 대한 설명으로 옳은 것만을 [보기]에서 있는 대로 고른 것은?

보기
ㄱ. A의 단위체는 뉴클레오타이드이다.
ㄴ. B에는 펩타이드 결합이 존재한다.
ㄷ. C는 생명체를 구성하는 탄소 화합물 중 가장 많다.

① ㄱ ② ㄴ ③ ㄷ ④ ㄱ, ㄴ ⑤ ㄴ, ㄷ

03 다음은 생명체를 구성하는 물질에 대한 학생 A~C의 발표 내용이다.

인지질은 세포막을 구성하는 성분이야.
녹말을 구성하는 단위체는 4종류가 있어.
단위체의 종류는 핵산보다 단백질이 더 많아.
A
B
C

발표 내용이 옳은 학생만을 있는 대로 고른 것은?

① A ② B ③ A, C ④ B, C ⑤ A, B, C

04 표 (가)는 생명체를 구성하는 물질 A~C의 특징을 나타낸 것이고, (나)는 특징 ㉠~㉢을 순서 없이 나타낸 것이다. A~C는 각각 핵산, 단백질, 탄수화물 중 하나이다.

구분	㉠	㉡	㉢
A	○	○	○
B	×	ⓐ	○
C	○	×	○

(○: 있음, ×: 없음)

(가)

특징(㉠~㉢)
• 항체의 주성분이다. • 구성 원소에 수소(H)가 있다. • 생명체에서 에너지원으로 사용된다.

(나)

이에 대한 설명으로 옳은 것만을 [보기]에서 있는 대로 고른 것은?

보기
ㄱ. A의 단위체는 아미노산이다.
ㄴ. ⓐ는 '○'이다.
ㄷ. ㉢은 '구성 원소에 수소(H)가 있다.'이다.

① ㄱ ② ㄴ ③ ㄷ ④ ㄱ, ㄴ ⑤ ㄱ, ㄷ

05 생명체를 구성하는 물질 중 단위체가 결합하여 형성되는 물질만을 [보기]에서 있는 대로 고르시오.

보기
ㄱ. 글리코젠 ㄴ. 단백질 ㄷ. DNA

06 그림 (가)~(다)는 녹말, 셀룰로스, 글리코젠을 순서 없이 나타낸 것이다. (가)는 동물 세포의 에너지 저장 물질이다.

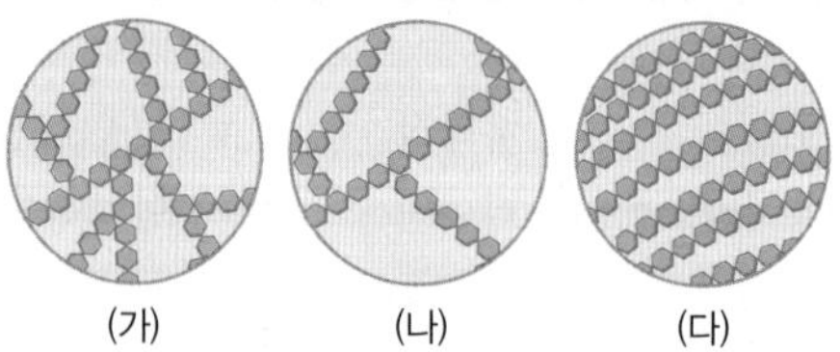

(가) (나) (다)

이에 대한 설명으로 옳은 것만을 [보기]에서 있는 대로 고른 것은?

보기
ㄱ. (가)~(다) 모두 단위체는 포도당이다.
ㄴ. (나)는 녹말이다.
ㄷ. (다)는 식물 세포의 세포벽을 이루는 성분이다.

① ㄱ ② ㄴ ③ ㄱ, ㄷ ④ ㄴ, ㄷ ⑤ ㄱ, ㄴ, ㄷ

B 단백질

중요 **07** 생명체를 구성하는 단백질의 특성에 대한 설명으로 옳지 않은 것은?

① 효소, 호르몬, 항체의 주성분이다.
② 다양한 아미노산이 결합되어 형성된다.
③ 인체를 구성하는 단백질은 20종류이다.
④ 단백질의 종류마다 아미노산의 배열 순서가 다르다.
⑤ 고온에서 입체 구조가 변하면 그 기능을 잃을 수 있다.

08 그림은 아미노산의 구조를 나타낸 것이다.
이에 대한 설명으로 옳은 것만을 [보기]에서 있는 대로 고른 것은?

결사슬
R
H_2N — C — COOH
H
㉠ ㉡

보기
ㄱ. ㉠은 카복실기이다.
ㄴ. ㉡은 모든 아미노산에 공통적이다.
ㄷ. 아미노산은 결사슬이 다른 20종류가 있다.

① ㄱ ② ㄴ ③ ㄷ
④ ㄱ, ㄷ ⑤ ㄴ, ㄷ

중요 **09** 그림은 생명체를 구성하는 탄소 화합물 X가 형성되는 과정을 나타낸 것이다.

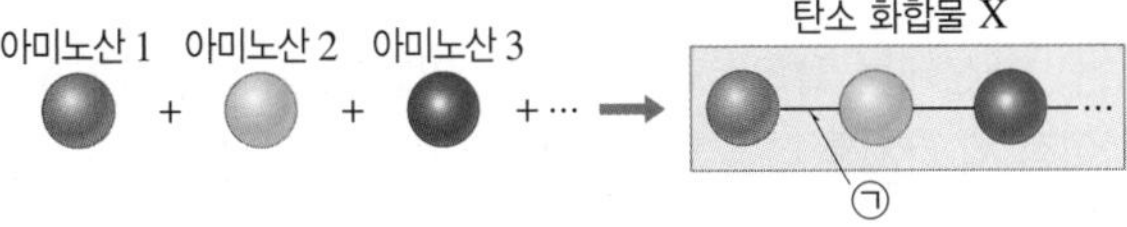

이에 대한 설명으로 옳은 것만을 [보기]에서 있는 대로 고른 것은?

보기
ㄱ. ㉠은 펩타이드 결합이다.
ㄴ. ㉠이 형성될 때 물이 한 분자 첨가된다.
ㄷ. X는 단백질이며, 에너지원으로 이용되기도 한다.

① ㄱ ② ㄴ ③ ㄱ, ㄴ
④ ㄱ, ㄷ ⑤ ㄴ, ㄷ

중요 **10** 그림은 단백질의 형성 과정을 나타낸 것이다.

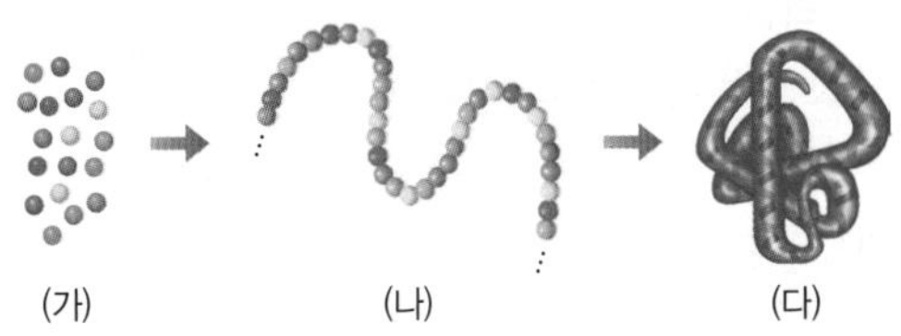

이에 대한 설명으로 옳지 않은 것을 모두 고르면?

① (가)는 아미노산이다.
② (나)는 폴리뉴클레오타이드이다.
③ (가)가 (나)로 될 때 물이 빠져나온다.
④ (나)가 (다)로 될 때 펩타이드 결합이 형성된다.
⑤ (다)의 구조와 기능은 (가)의 배열 순서에 따라 달라진다.

11 그림 (가)는 적혈구 속 헤모글로빈을, (나)는 피부 속 콜라젠을 나타낸 것이다.

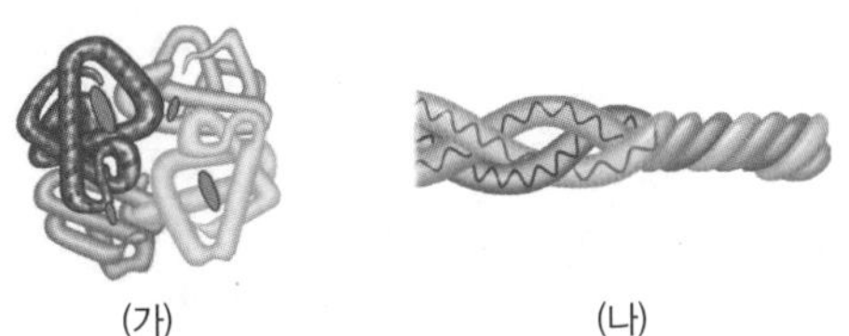

이에 대한 설명으로 옳은 것만을 [보기]에서 있는 대로 고른 것은?

보기
ㄱ. (가)와 (나)는 아미노산으로 구성된다.
ㄴ. (가)와 (나)는 단위체의 수와 배열 순서가 다르다.
ㄷ. (가)와 (나)는 입체 구조는 다르지만 기능은 같다.

① ㄱ ② ㄷ ③ ㄱ, ㄴ
④ ㄴ, ㄷ ⑤ ㄱ, ㄴ, ㄷ

C 핵산

중요 **12** 핵산에 대한 설명으로 옳은 것은?

① 핵 속에만 있다.
② 구성 원소로 인(P)을 갖는다.
③ 당과 염기의 비율은 1 : 4이다.
④ 생명체를 구성하는 탄소 화합물 중 양이 가장 많다.
⑤ 핵산의 종류에 관계없이 구성하는 단위체의 종류는 같다.

13 그림은 DNA의 단위체를 모식도로 나타낸 것이다.
이에 대한 설명으로 옳은 것만을 [보기]에서 있는 대로 고른 것은?

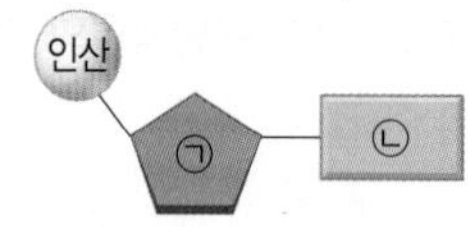

ㄱ. ㉠을 구성하는 원소에 탄소(C)가 있다.
ㄴ. ㉡은 모두 4종류가 있다.
ㄷ. ㉡의 배열 순서에 유전 정보가 저장된다.

① ㄱ ② ㄴ ③ ㄱ, ㄷ
④ ㄴ, ㄷ ⑤ ㄱ, ㄴ, ㄷ

중요 **14** 그림은 두 종류의 핵산 (가)와 (나)의 구조를 나타낸 것이다.

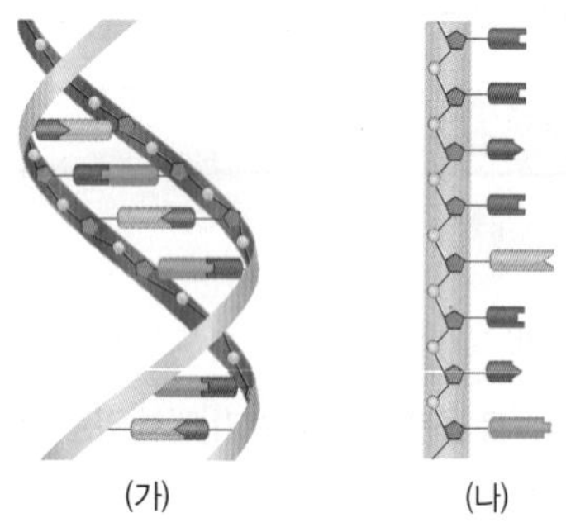

이에 대한 설명으로 옳지 않은 것은?

① (가)는 DNA, (나)는 RNA이다.
② (가)의 단위체에는 리보스가 있다.
③ (나)의 염기 중에는 유라실(U)이 있다.
④ (가)는 유전 정보를 저장하고, (나)는 단백질 합성에 관여한다.
⑤ (가)와 (나)의 단위체는 인산, 당, 염기가 1 : 1 : 1로 결합되어 있다.

15 어떤 동물 세포의 이중 나선 DNA를 구성하는 염기 중에서 구아닌(G)의 비율이 30 %라면, 아데닌(A)의 비율은 얼마인가?

① 10 % ② 20 % ③ 30 %
④ 40 % ⑤ 50 %

서술형 문제

16 그림 (가)와 (나)는 생명체를 구성하는 물질 중 단백질과 DNA를 순서 없이 나타낸 것이다.

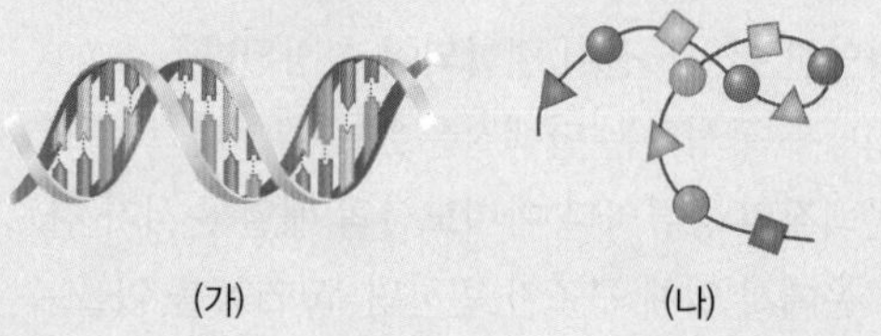

(가)와 (나)의 단위체의 이름을 쓰고 각 단위체는 몇 종류가 있는지 쓰시오.

중요 **17** 그림은 단백질의 형성 과정을 나타낸 것이다.

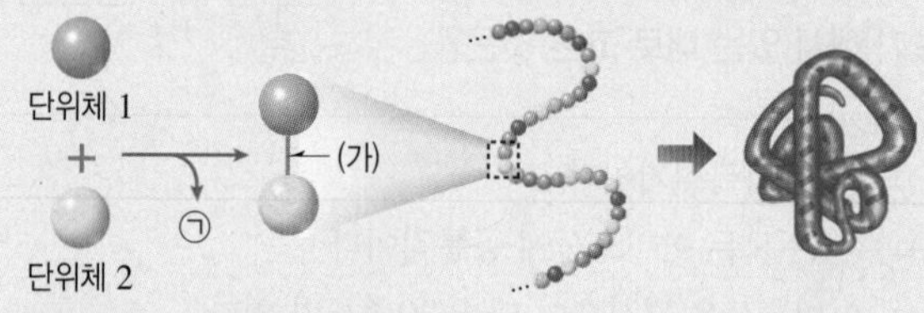

(1) 물질 ㉠은 무엇인지 쓰시오.

(2) 결합 (가)를 무엇이라고 하는지 쓰고, 120개의 단위체로 구성된 단백질에서 결합 (가)는 몇 개 있는지 쓰시오.

(3) 단백질의 단위체는 몇 종류밖에 되지 않지만, 이들 단위체가 결합하여 생명 활동에 필요한 많은 종류의 단백질이 형성될 수 있는 원리를 서술하시오.

18 핵산에는 DNA와 RNA가 있다. DNA와 RNA의 차이점 세 가지를 다음 요소와 관련지어 서술하시오.

당	염기	기능

19 DNA의 단위체는 종류가 적지만, 이들 단위체가 결합하여 형성되는 DNA에 다양한 유전 정보가 저장될 수 있는 원리를 서술하시오.

실력 UP 문제

정답친해 35쪽

01 그림은 생명체를 구성하는 물질 A~C의 공통점과 차이점을, 표는 특징 ㉠~㉢을 순서 없이 나타낸 것이다. A~C는 각각 단백질, 핵산, 글리코젠 중 하나이다.

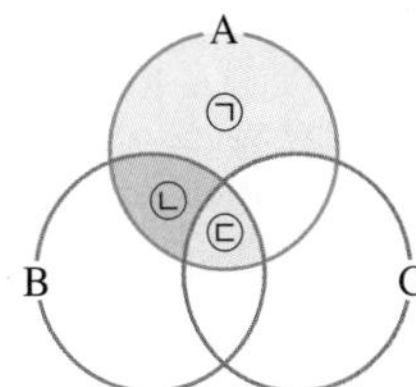

특징(㉠~㉢)
• 탄소 화합물이다. • 단위체가 뉴클레오타이드이다. • 구성 원소로 질소(N)를 포함한다.

이에 대한 설명으로 옳은 것만을 [보기]에서 있는 대로 고른 것은?

보기
ㄱ. A는 단위체의 배열 순서에 따라 입체 구조가 달라진다.
ㄴ. B의 종류에는 헤모글로빈이 있다.
ㄷ. C는 에너지원으로 사용된다.

① ㄱ ② ㄴ ③ ㄱ, ㄷ
④ ㄴ, ㄷ ⑤ ㄱ, ㄴ, ㄷ

02 그림은 생명체를 구성하는 녹말, RNA, 단백질을 구분하는 과정을 나타낸 것이다.

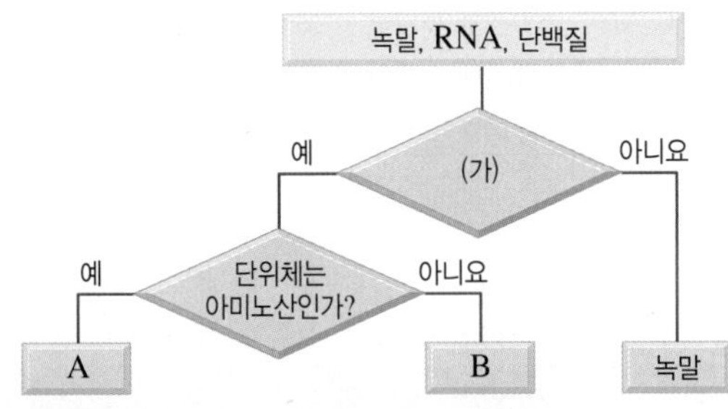

이에 대한 설명으로 옳은 것만을 [보기]에서 있는 대로 고른 것은?

보기
ㄱ. (가)는 '단위체로 구성되어 있는가?'가 될 수 있다.
ㄴ. A는 B보다 단위체의 종류가 다양하다.
ㄷ. B는 타이민(T)이 포함된 뉴클레오타이드를 가진다.

① ㄴ ② ㄷ ③ ㄱ, ㄴ
④ ㄱ, ㄷ ⑤ ㄴ, ㄷ

03 그림 (가)~(다)는 DNA, 뉴클레오타이드, 아미노산을 순서 없이 나타낸 것이다.

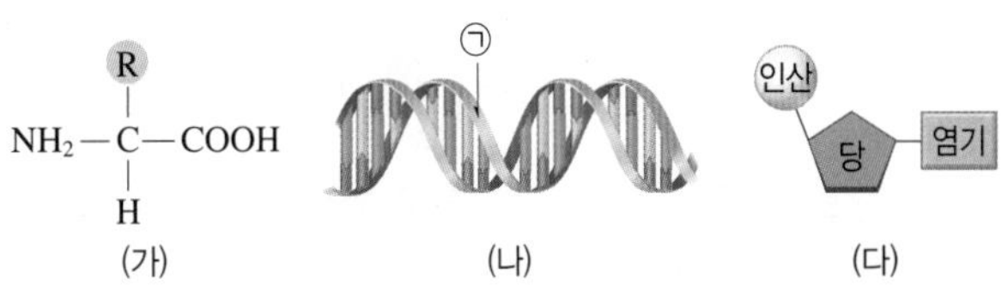

이에 대한 설명으로 옳은 것만을 [보기]에서 있는 대로 고른 것은?

보기
ㄱ. (가)는 효소의 주성분인 물질의 단위체이다.
ㄴ. (나)의 ㉠에는 인산과 당의 공유 결합이 있다.
ㄷ. 당과 인산의 비율이 (나)에서는 1 : 4이고 (다)에서는 1 : 1이다.

① ㄱ ② ㄴ ③ ㄱ, ㄴ
④ ㄴ, ㄷ ⑤ ㄱ, ㄴ, ㄷ

04 그림은 세포의 핵 속에서 발견되는 어떤 물질 X의 일부 구조를 나타낸 것이다.

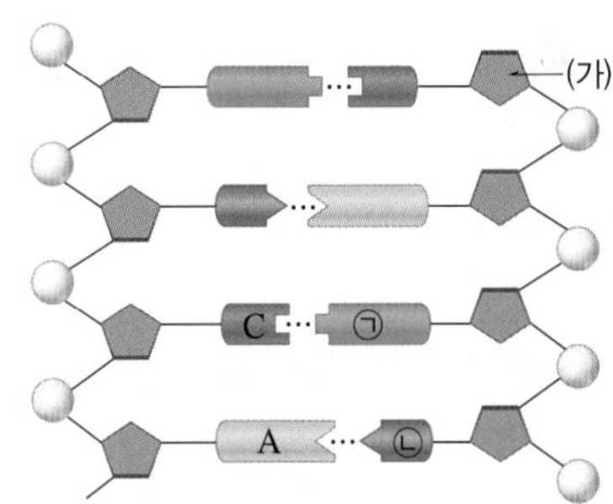

이에 대한 설명으로 옳은 것만을 [보기]에서 있는 대로 고른 것은?

보기
ㄱ. (가)는 디옥시리보스이다.
ㄴ. C과 ㉠은 수소 결합으로 연결된다.
ㄷ. 물질 X에서 ㉠의 비율이 35 %이면 ㉡의 비율도 35 %이다.

① ㄱ ② ㄷ ③ ㄱ, ㄴ
④ ㄴ, ㄷ ⑤ ㄱ, ㄴ, ㄷ

3 신소재의 개발과 이용

핵심 포인트
- ❶ 전기적 성질을 이용한 신소재 ★★★
- ❷ 자기적 성질을 이용한 신소재 ★★★
- ❸ 자연을 모방한 신소재 ★★

A 전기적 ◆성질을 이용한 ◆신소재

◆ **물리적 성질**
측정할 수 있는 물질의 성질로, 전기 전도성, 자성, 강도, 밀도, 비열, 녹는점, 끓는점 등이 있다.

◆ **신소재**
기존 소재의 화합물 조성이나 결합 구조를 변화시켜 새로운 성질을 띠게 만든 물질

1. 전기적 성질에 따른 물질 분류 전기 저항에 따라 도체, ❶절연체, 반도체로 분류할 수 있다.

구분	도체	절연체	반도체
성질	전기 저항이 작아 전류가 잘 흐르는 물질	전기 저항이 매우 커서 전류가 거의 흐르지 않는 물질	온도나 압력 등 조건에 따라 전기 저항이 변하는 물질 (극저온에서는 전기 저항이 매우 크지만 실온에서는 전기 저항이 작아진다.)
물질	철, 구리, 알루미늄 등	고무, 유리, 플라스틱 등	규소, 저마늄 등
이용	전류가 흘러야 하는 곳에 사용 예 전선, 반도체 회로선 등 (그림: 도체, 절연체)	전류가 흐르지 않아야 하는 곳에 사용 예 전선의 피복 등	반도체 소자의 원료

2. 전기적 성질을 이용한 신소재

① **액정:** 가늘고 긴 분자가 규칙적인 배열을 하고 있어, 고체 결정의 성질을 가지면서도 액체처럼 흐르는 성질이 있는 물질 (전압에 따라 분자 배열이 바뀐다.)

- 액정 디스플레이(LCD, Liquid Crystal Display): 액정을 이용한 영상 표시 장치
- LCD의 이용: 텔레비전, 휴대 전화, 전자계산기, 온도계의 정보 표시 장치 등

액정에 전압을 가하지 않으면 빛이 통과하고, 전압을 가하면 빛이 차단되는 성질을 이용하여 화면을 표시한다. — LCD는 스스로 빛을 내지 못하므로 여러 개의 형광등이나 LED를 광원으로 사용한다.

확대경 LCD의 원리

구분	액정에 전압을 가하지 않았을 때	액정에 전압을 가했을 때
원리	(그림: 빛, 수직 편광판, 수평 편광판, 빛 통과) 수직으로 ◆편광된 빛이 액정을 통과하면서 진동 방향이 뒤틀려 수평 편광판을 통과할 수 있다.	(그림: 빛, 수직 편광판, 수평 편광판, 빛 차단, 액정 분자 배열이 정렬된다.) 수직으로 편광된 빛의 진동 방향이 뒤틀리지 않아 수평 편광판을 통과할 수 없다.
	액정에 가하는 전압의 세기를 변화시켜 빛의 투과량을 조절한다.	

◆ **편광**
특정한 방향으로만 진동하며 나아가는 빛이다.

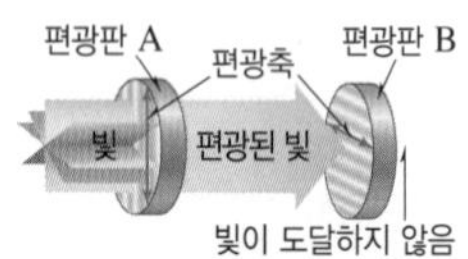

편광판 A와 편광판 B의 편광축이 서로 수직일 때, A를 통과하여 A의 편광축과 나란한 방향으로 편광된 빛은 B를 통과하지 못한다.

② **반도체 소자와 발광 다이오드**

구분	다이오드 (p-n 접합 다이오드라고도 한다.)	트랜지스터	발광 다이오드(LED)	유기 발광 다이오드(OLED)
특징	한쪽 방향으로만 전류가 흐른다.	증폭 작용, 스위치 작용을 한다. (증폭: 약한 신호를 크게 만든다. 스위치: 전류를 흐르게 하거나 흐르지 않게 한다.)	전류가 흐를 때 빛을 방출하는 성질이 있다. 결합하는 원소의 종류에 따라 방출하는 빛의 색이 다르다.	유기물의 얇은 필름으로 만든 발광 다이오드이다. 자체에서 빛을 내므로 얇고 가벼우며 휘어지게 만들 수 있다.
이용	◆교류를 직류로 바꾸는 전기 부품 등	전자 장치의 성능 향상과 소형화 등	각종 영상 표시 장치, 조명 장치 등	휘어지는 디스플레이, 휘어지는 조명 등

◆ **교류와 직류**
- 교류: 시간에 따라 세기와 방향이 주기적으로 바뀌는 전류
- 직류: 한쪽 방향으로만 흐르는 전류

(용어)
❶ 절연체(絶 끊다, 緣 가장자리, 體 몸) 전기나 열을 잘 전하지 못하는 물체, 부도체라고도 한다.

• *반도체의 전기적 성질을 이용하는 예

구분	압력 감지기	레이저의 광원	컴퓨터의 중앙 처리 장치	태양 전지
이용				
	압력에 따라 전기 저항이 변하는 성질의 반도체	전류가 흐르면 빛을 방출하는 성질의 반도체	전기 전도성을 증가시키는 성질의 반도체	빛을 받으면 전류가 흐르는 성질의 반도체

이것까지 나와요! 물리학I

반도체와 다이오드

1. **고유(순수) 반도체:** 불순물 없이 완벽한 결정 구조를 갖는 반도체로, 낮은 온도에서 양공이나 자유 전자의 수가 매우 적어 절연체에 가깝다. 예 규소(Si), 저마늄(Ge)
2. **비고유(불순물) 반도체:** 고유 반도체에 특정한 불순물을 넣어 전기 전도성을 증가시킨 것으로 불순물의 종류에 따라 p형 반도체와 n형 반도체로 나뉜다. (이 과정을 '도핑'이라고 한다.)

구분	p형 반도체 (positive)	n형 반도체 (negative)
불순물 종류	*원자가 전자가 3개인 원소 (13족 원소) 예 붕소(B), 알루미늄(Al), 갈륨(Ga), 인듐(In) 등	원자가 전자가 5개인 원소 (15족 원소) 예 인(P), 질소(N), 비소(As), 안티모니(Sb) 등
원리	양공 / Si Si Si Si / Si B Si Si / Si Si Si Si	Si Si Si Si / Si P Si Si / Si Si Si Si
	원자가 전자가 4개인 규소(Si)에 원자가 전자가 3개인 붕소(B)를 첨가하면 3개의 전자는 공유 결합을 하지만 전자 1개가 부족하여 빈자리인 양공이 생긴다. ➡ 양공이 전하 나르개 역할을 한다.	원자가 전자가 4개인 규소(Si)에 원자가 전자가 5개인 인(P)을 첨가하면 4개의 전자가 공유 결합을 하고 전자 1개가 남는다. ➡ 전자가 전하 나르개 역할을 한다.

3. **p-n 접합 다이오드:** p형 반도체와 n형 반도체를 접합하여 양 끝에 전극을 붙인 것으로, 전류를 한쪽 방향으로만 흐르게 하는 특성이 있다. ➡ *정류 작용 (다이오드: diode, 극이 2개인 전기 소자)

구분	순방향 전압	역방향 전압
전원의 연결	p형 반도체에 전원의 (+)극을, n형 반도체에 전원의 (−)극을 연결한다.	p형 반도체에 전원의 (−)극을, n형 반도체에 전원의 (+)극을 연결한다.
원리	(+) (−) / p형 반도체 / n형 반도체 / 양공 / 전자 / 전자가 접합면을 통과한다.	(−) (+) / p형 반도체 / n형 반도체 / 양공이 (−)극 쪽으로 모인다. / 양공과 전자가 접합면을 통과할 수 없다. / 전자가 (+)극 쪽으로 모인다.
	양공이 n형 반도체 쪽으로 이동하고, 전자는 p형 반도체 쪽으로 이동하여 접합면을 통과한다. ➡ 양공과 전자가 접합면을 쉽게 통과하므로 전류가 흐른다.	양공은 (−)극 쪽으로 이동하고, 전자는 (+)극 쪽으로 이동한다. ➡ 양공과 전자가 접합면을 통해 이동할 수 없어 전류가 흐르지 않는다.

◆ **반도체의 성질과 이용**
- 온도에 따라 전기 저항이 변하는 성질: 냉장고, 에어컨, 화재 감지기 등
- 빛의 밝기에 따라 전기 저항이 변하는 성질: 자동 조명, 조도계 등

◆ **원자가 전자**
원자의 에너지 준위를 전자껍질로 나타낼 때, 가장 바깥쪽 전자껍질에 존재하여 화학 결합에 관여하는 전자

◆ **정류 작용**
전류를 한쪽 방향으로만 흐르게 하는 작용이다. 정류 작용을 이용하여 교류를 직류로 변환할 수 있다.

B 자기적 성질을 이용한 신소재

1. 자기적 성질에 따른 물질 분류 자석에 반응하는 정도에 따라 구분

구분	자석이 될 수 있는 물질	자석이 될 수 없는 물질
성질	강한 자기장 속에 놓아두면 외부 자기장을 제거해도 오랫동안 자석의 성질을 유지한다.	외부 자기장을 제거하면 자석의 성질을 유지할 수 없다.
물질	철, 니켈, 코발트 등	종이, 알루미늄 등

2. 자기적 성질을 이용한 신소재

① **초전도체:** ◆초전도 현상을 나타내는 물질 ➡ 특정한 온도 이하에서 전기 저항이 0이 되며, 외부 자기장을 밀어내는 성질이 있다.
- 전기적 특성 (특정한 온도 이하에서 전기 저항이 0이 되며)
- 자기적 특성 (자기장을 밀어내는 성질)

• 초전도 현상: 특정한 온도 이하에서 전기 저항이 0이 되는 현상

◆ 초전도 현상의 발견
1911년에 오너스가 액체 헬륨을 이용하여 극저온에서 금속의 전기 저항을 측정하는 실험을 하던 중 약 4 K에서 수은의 전기 저항이 0이 되는 현상을 발견하였다.

| 임계 온도와 마이스너 효과 |

• **임계 온도:** 초전도 현상이 나타나기 시작하는 온도

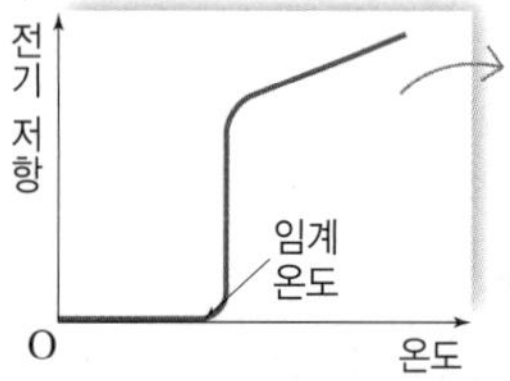

임계 온도 이하에서 초전도체는 전기 저항이 0이 되어 전류가 흐르더라도 열이 발생하지 않아 전력 손실이 없다.

• **마이스너 효과:** 자석 위에 초전도체를 놓으면 초전도체가 자석 위에 떠 있는 현상 — 또는 자석이 초전도체 위에 떠 있는 현상

초전도체가 자석이 만드는 자기장을 밀어낸다.

미래엔, 동아 교과서에만 나와요.

◆ 초전도체의 이용
인공 핵융합 장치, 에너지 저장 장치, 입자 가속기, 초전도 슈퍼컴퓨터 등

⬆ 인공 핵융합 장치

• ◆초전도체의 이용

- 자기 공명 영상 장치(MRI): 초전도체로 만든 전자석에서 발생하는 강한 자기장으로 인체 내부의 영상을 얻는다.
- 자기 부상 열차: 초전도체로 만든 강한 전자석끼리 서로 밀어내는 힘을 이용하여 레일 위에 떠서 달린다.

구분	전력 손실이 없는 송전선	자기 공명 영상 장치(MRI)	자기 부상 열차
특징	 ⬅ 초전도 전력 케이블	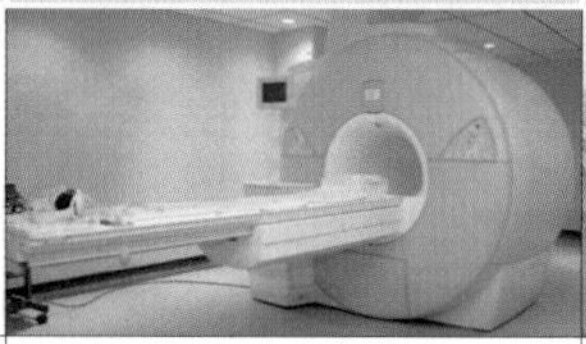	
	전류가 흘러도 열이 발생하지 않으므로 전력 손실이 없다.	센 전류를 흘릴 수 있으므로 강한 자기장을 만들 수 있다.	자석 위에 떠 있을 수 있다.

확대경 임계 온도의 변화 비상 교과서에만 나와요.

1980년대 후반에 끓는점이 77 K인 액체 질소를 이용하여 초전도 상태를 만들 수 있는 물질을 개발하였고, 2000년 이후에는 철을 기반으로 고온 초전도체를 활발히 연구하고 있다.
➡ 초전도체의 임계 온도가 계속 높아지고 있다.

고온 초전도체: 임계 온도가 액체 질소의 끓는점인 77 K보다 높은 초전도체

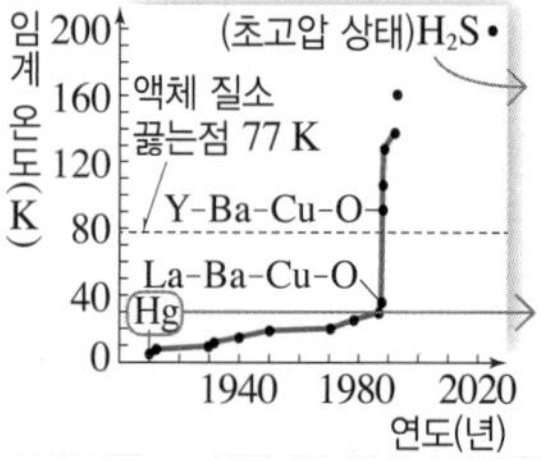

최근에는 초고압 상태에서 임계 온도가 203 K (−70 °C)인 물질이 발견되었다.

처음으로 수은에서 초전도 현상이 발견되었다.

궁금해?
고온 초전도체가 필요한 까닭은?
초전도체를 활용하려면 매우 낮은 온도를 유지해야 하므로 냉각 비용이 많이 든다. 따라서 초전도체를 실용적으로 활용하기 위해서는 임계 온도가 높은 초전도체가 필요하다.
• 극저온 상태를 유지하는 데 많은 비용이 들어 초전도체를 활용한 대부분의 기술은 아직 상용화되지 못하고 있다.

② **네오디뮴 자석:** 철 원자 사이에 네오디뮴과 붕소를 첨가하여 철 원자의 자기장 방향이 흐트러지지 않도록 만든 강한 자석

• 이용: 하드 디스크의 헤드를 움직이는 장치, 고출력 소형 스피커, 강력 모터 등

하드 디스크 ➡

C 여러 가지 신소재

1. [1]나노 기술을 이용한 신소재 나노 단위 수준으로 원자의 결합 구조나 배열을 변화시킨 신소재

└● 나노미터 범위 내에서 원자나 분자를 조작하여 특유의 기능을 갖도록 구조를 만들고 이를 응용하는 기술

구분	그래핀 (흑연의 한 층에 해당한다.)	탄소 나노 튜브
구조	◆탄소 원자가 공유 결합하여 육각형 벌집 모양으로 연결된 평면적인 구조를 이루고 있는 물질	그래핀이 나선형으로 말려 있는 구조를 이루고 있는 물질
특징	열을 잘 전달하고, 투명하며, 전기 전도성이 좋다. 강도가 매우 높고 잘 휘어진다.	열을 잘 전달하고, 전기 전도성이 좋다.
단점	• 대량 생산이 어렵고 생산 비용이 많이 들며, 제품의 수송과 저장이 어렵다. • 반도체처럼 전기적 성질을 변화시키기 어렵다.	
이용	휘어지는 디스플레이, 의복형 컴퓨터, 야간 투시용 콘택트렌즈, 차세대 반도체 소재, 초경량 고강도 소재, 해수를 담수로 바꾸는 필터, 에너지 전극 소재, 배터리 소재, 생체 조직 등	첨단 현미경의 탐침, 나노 핀셋, 금속이나 세라믹과 섞어 강도를 높인 복합 재료 등

◆ 풀러렌
탄소 60개가 축구공처럼 결합한 탄소 구조를 말하며, 내부에 빈 공간이 있어 금속 원자를 넣거나 의약품을 넣어 운반하는 역할을 한다.

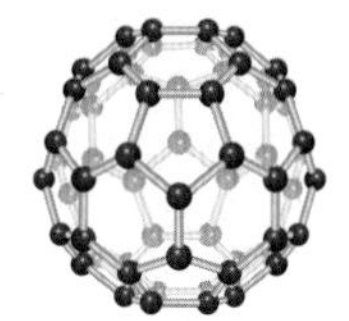

궁금해?

그래핀과 탄소 나노 튜브는 왜 전기 전도성이 좋을까?

그래핀이나 탄소 나노 튜브를 이루고 있는 탄소 원자는 원자가 전자 4개 중 3개가 공유 결합에 참여한다. 공유 결합에 참여하지 않는 1개의 전자는 자유롭게 이동할 수 있으므로 전기 전도성이 좋다.

2. 자연을 모방한 신소재 생명체의 행동이나 구조, 특성을 모방하는 방법을 생체 모방이라 한다.

(도마뱀붙이: 게코도마뱀이라고도 한다.)

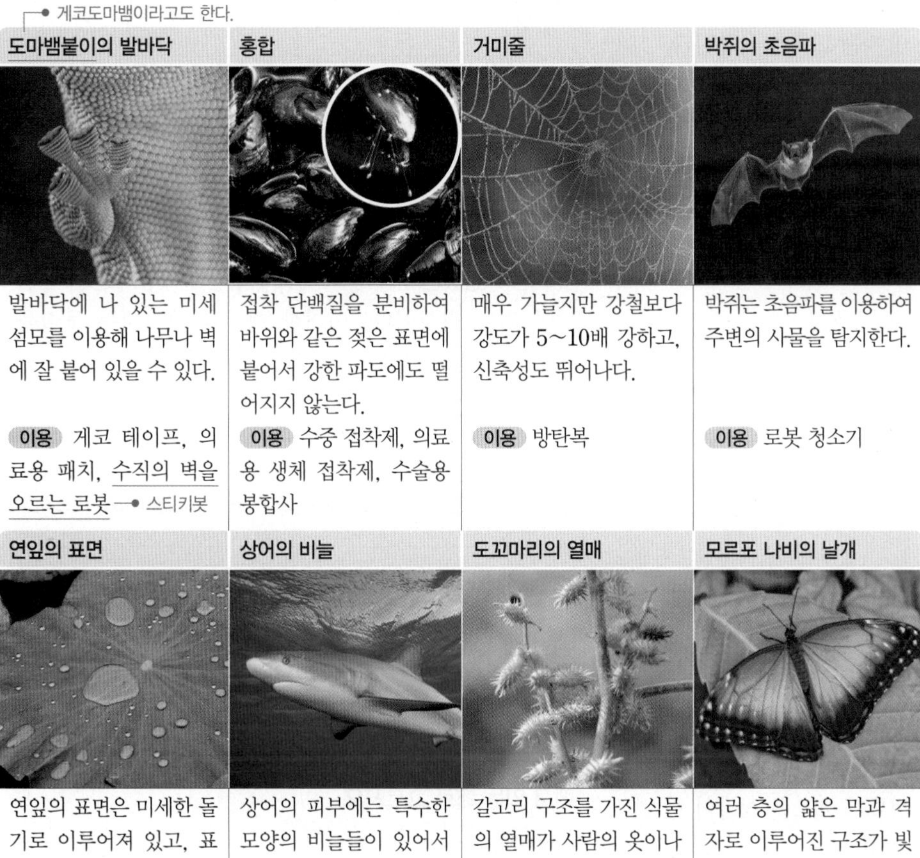

도마뱀붙이의 발바닥	홍합	거미줄	박쥐의 초음파
발바닥에 나 있는 미세 섬모를 이용해 나무나 벽에 잘 붙어 있을 수 있다. 이용 게코 테이프, 의료용 패치, 수직의 벽을 오르는 로봇(스티키봇)	접착 단백질을 분비하여 바위와 같은 젖은 표면에 붙어서 강한 파도에도 떨어지지 않는다. 이용 수중 접착제, 의료용 생체 접착제, 수술용 봉합사	매우 가늘지만 강철보다 강도가 5~10배 강하고, 신축성도 뛰어나다. 이용 방탄복	박쥐는 초음파를 이용하여 주변의 사물을 탐지한다. 이용 로봇 청소기

연잎의 표면	상어의 비늘	도꼬마리의 열매	모르포 나비의 날개
연잎의 표면은 미세한 돌기로 이루어져 있고, 표면에 기름 성분이 있어서 물방울이 흘러내린다. 이용 방수 코팅제, 오염 방지 페인트	상어의 피부에는 특수한 모양의 비늘들이 있어서 물과의 저항력을 줄인다. 이용 전신 수영복	갈고리 구조를 가진 식물의 열매가 사람의 옷이나 동물의 털에 잘 달라붙는다. 이용 벨크로 테이프	여러 층의 얇은 막과 격자로 이루어진 구조가 빛의 간섭을 일으켜 색소 없이 색을 낸다. 이용 모르포텍스 섬유

비상, 미래엔 교과서에만 나와요.

◆ 우리 주변의 신소재
- 형상 기억 합금: 모양을 변형해도 가열하면 원래 모양으로 되돌아오는 특성이 있어 안경테, 치아 교정용 보철기 등에 이용된다.
- 자연 분해 비닐: 자연 분해되므로 소각 시 유해 물질이 발생하지 않는다.
- 유기 태양 전지: 유기물을 이용한 태양 전지로, 효율은 낮지만 친환경적이고 응용 분야가 넓다.

용어

[1] 나노(nano) 10^{-9}을 나타내는 접두어, 1 나노미터(nm)는 머리카락 두께의 10만분의 1 정도이며 원자 몇 개 정도의 크기이다.

개념 확인 문제

정답친해 36쪽

핵심 체크

- (❶): 가늘고 긴 분자로 이루어져 있고, 액체와 고체의 성질을 함께 가진 물질이다.
- (❷): 한쪽 방향으로만 전류가 흐르는 특성이 있으며, 교류를 직류로 바꾸는 전기 부품에 이용된다.
- (❸): 고유 반도체에 원자가 전자가 3개인 원소를 도핑한 것이다.
- (❹): 고유 반도체에 원자가 전자가 5개인 원소를 도핑한 것이다.
- (❺) 현상: 특정한 온도 이하에서 전기 저항이 0이 되는 현상이다.
- (❻): 철 원자 사이에 네오디뮴과 붕소를 첨가하여 만든 강한 자석이다.
- (❼): 탄소 원자가 육각형 벌집 모양의 구조를 이루고 있는 물질로, 전기 전도성이 좋고 잘 휘어진다.
- (❽): 생명체의 행동이나 구조, 특성을 모방하는 방법이다.

1 물질의 전기적 특성에 대한 설명으로 옳은 것은 ○, 옳지 않은 것은 ×로 표시하시오.

(1) 절연체는 전기 저항이 매우 큰 물질이다. ( )
(2) 반도체는 조건에 따라 전기 저항이 변하는 물질이다. ( )
(3) 전류의 흐름을 차단해야 하는 곳에는 도체를 사용한다. ( )

2 액정에 대한 설명으로 옳은 것만을 [보기]에서 있는 대로 고르시오.

보기
ㄱ. 액체와 기체의 성질을 함께 가진 물질이다.
ㄴ. LCD는 액정을 이용한 영상 표시 장치이다.
ㄷ. 액정은 가늘고 긴 분자가 규칙적인 배열을 하고 있다.

3 반도체에 대한 설명으로 옳은 것은 ○, 옳지 않은 것은 ×로 표시하시오.

(1) 발광 다이오드(LED)는 전류가 흐르면 빛을 내는 성질이 있다. ( )
(2) 다이오드는 한쪽 방향으로만 전류가 흐르는 성질이 있어 직류를 교류로 바꾸는 데 사용된다. ( )
(3) 반도체는 온도나 압력 등의 조건에 따라 전기 저항이 변하는 성질이 있어 여러 가지 감지기에 이용된다. ( )

4 다음은 반도체에서 전기 전도성을 증가시키는 원리에 대한 설명이다. ( ) 안에 알맞은 말을 쓰시오.

p형 반도체에서는 ㉠( )이 전하 나르개 역할을 하고, n형 반도체에서는 ㉡( )가 전하 나르개 역할을 한다.

5 다음은 어떤 신소재에 대한 설명이다. ( ) 안에 알맞은 말을 쓰시오.

초전도 현상은 임계 온도 이하에서 전기 저항이 ㉠( )이 되는 현상이다. 이러한 현상을 나타내는 물질을 ㉡( )라고 한다.

6 초전도체의 이용 분야를 [보기]에서 있는 대로 고르시오.

보기
ㄱ. 자기 공명 영상 장치　　ㄴ. 인공 핵융합 장치
ㄷ. 네오디뮴 자석　　ㄹ. 슈퍼컴퓨터

7 그래핀과 탄소 나노 튜브의 특징으로 옳은 것만을 [보기]에서 있는 대로 고르시오.

보기
ㄱ. 열을 잘 전달한다.
ㄴ. 전기 전도성이 좋다.
ㄷ. 대량 생산에 적합하다.

내신 만점 문제

정답친해 36쪽

A 전기적 성질을 이용한 신소재

01 도체, 절연체, 반도체인 물질의 예와 이용 분야를 옳게 짝 지은 것은?

	도체	절연체	반도체
①	철 – 전선	유리 – 다이오드	저마늄 – 액정
②	구리 – 전선	고무 – 전선 피복	규소 – 다이오드
③	구리 – 전선	저마늄 – 전선 피복	규소 – 액정
④	알루미늄 – 전선	유리 – 액정	저마늄 – LCD
⑤	구리 – 다이오드	고무 – 전선 피복	규소 – 다이오드

02 액정에 대한 설명으로 옳은 것만을 [보기]에서 있는 대로 고른 것은?

보기
ㄱ. 액정에 전압을 가하면 액정 분자의 배열 상태가 바뀐다.
ㄴ. 액정은 고체 결정의 성질을 가지면서도 액체처럼 흐르는 성질이 있다.
ㄷ. 액정을 이용한 영상 표시 장치(LCD)는 자체에서 빛을 내므로 별도의 배경 광원이 필요 없다.

① ㄱ ② ㄴ ③ ㄱ, ㄴ
④ ㄱ, ㄷ ⑤ ㄴ, ㄷ

03 발광 다이오드(LED)에 대한 설명으로 옳은 것만을 [보기]에서 있는 대로 고른 것은?

보기
ㄱ. 각종 영상 표시 장치에 이용된다.
ㄴ. 약한 전류 신호를 크게 하는 증폭 작용을 한다.
ㄷ. 결합하는 원소의 종류에 따라 방출하는 빛의 색이 다르다.

① ㄱ ② ㄴ ③ ㄱ, ㄴ
④ ㄱ, ㄷ ⑤ ㄴ, ㄷ

중요 **04** 그림 (가)는 유기 발광 다이오드(OLED)를, (나)는 다이오드를, (다)는 트랜지스터를 나타낸 것이다.

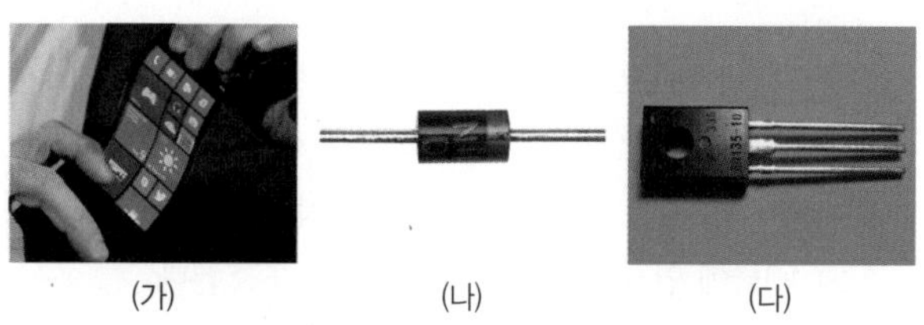
(가) (나) (다)

이에 대한 설명으로 옳은 것만을 [보기]에서 있는 대로 고른 것은?

보기
ㄱ. (가)는 휘어지는 디스플레이에 이용된다.
ㄴ. (나)는 원자가 전자가 각각 3개인 원소와 5개인 원소를 도핑한 반도체를 결합하여 만든 전기 소자이다.
ㄷ. (다)는 증폭 작용이나 스위치 작용을 하는 반도체 소자이다.

① ㄴ ② ㄷ ③ ㄱ, ㄴ
④ ㄱ, ㄷ ⑤ ㄱ, ㄴ, ㄷ

05 그림 (가)와 (나)는 고유(순수) 반도체 저마늄(Ge)에 각각 서로 다른 불순물을 첨가하여 만든 반도체를 나타낸 것이다.

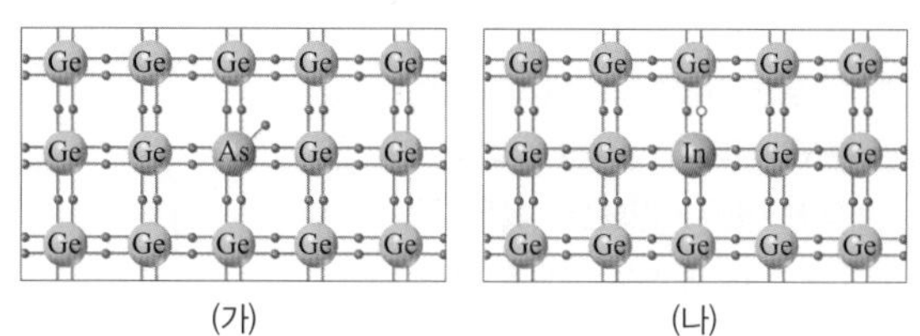

(가) (나)

이에 대한 설명으로 옳은 것만을 [보기]에서 있는 대로 고른 것은?

보기
ㄱ. (가)의 비소(As)는 원자가 전자가 5개이다.
ㄴ. (나)는 p형 반도체로 전자가 전하 나르개 역할을 한다.
ㄷ. (가)와 (나)를 접합하면 전류를 한 방향으로만 흐르게 할 수 있다.

① ㄱ ② ㄴ ③ ㄱ, ㄴ
④ ㄱ, ㄷ ⑤ ㄴ, ㄷ

06 p-n 접합 다이오드에 대한 설명으로 옳은 것만을 [보기]에서 있는 대로 고른 것은?

보기
ㄱ. 한쪽 방향으로만 전류가 흐르는 특성이 있다.
ㄴ. 교류를 직류로 바꾸는 정류 작용에 이용된다.
ㄷ. p형 반도체를 전원의 (−)극에, n형 반도체를 전원의 (+)극에 연결하면 다이오드에 전류가 흐른다.

① ㄱ ② ㄷ ③ ㄱ, ㄴ
④ ㄴ, ㄷ ⑤ ㄱ, ㄴ, ㄷ

B 자기적 성질을 이용한 신소재

07 물질의 전기적 성질과 자기적 성질에 관한 설명으로 옳지 않은 것은?

① 철, 니켈, 코발트는 자석이 될 수 있는 물질이다.
② 전기 저항이 작아 전류가 잘 흐르는 물질은 도체이다.
③ 모든 물질은 임계 온도 이하에서 초전도 현상이 나타난다.
④ 종이는 외부 자기장을 제거하면 자석의 성질이 사라지므로 자석이 될 수 없다.
⑤ 압력 감지기는 압력에 따라 전기 저항이 변하는 성질을 가진 반도체 물질을 이용한다.

중요 **08** 그림은 어떤 물질의 전기 저항을 온도에 따라 나타낸 것이다. 이 물질에 대한 설명으로 옳은 것만을 [보기]에서 있는 대로 고른 것은?

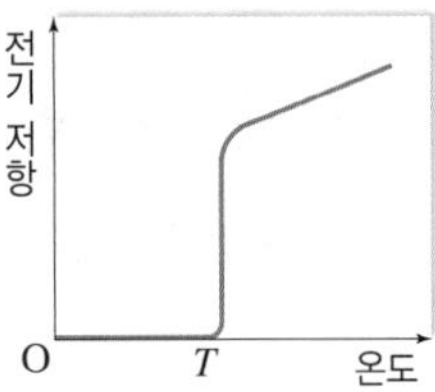

보기
ㄱ. T 이하의 온도에서 초전도 현상이 나타난다.
ㄴ. T 이하의 온도에서는 전류가 흘러도 열이 발생하지 않는다.
ㄷ. T 이하의 온도에서 이 물질을 이용하여 매우 강한 자기장을 만들 수 있다.

① ㄱ ② ㄴ ③ ㄷ
④ ㄱ, ㄷ ⑤ ㄱ, ㄴ, ㄷ

중요 **09** 그림은 초전도체 위에 떠 있는 자석의 모습을 나타낸 것이다.

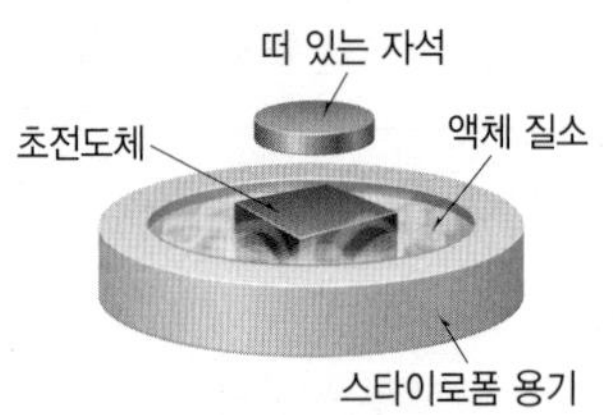

이에 대한 설명으로 옳은 것만을 [보기]에서 있는 대로 고른 것은?

보기
ㄱ. 이 현상을 마이스너 효과라고 한다.
ㄴ. 이 현상은 자기 부상 열차에 이용된다.
ㄷ. 이 현상이 나타날 때 초전도체의 전기 저항은 최댓값을 갖는다.

① ㄱ ② ㄴ ③ ㄷ
④ ㄱ, ㄴ ⑤ ㄴ, ㄷ

10 그림은 연도에 따라 발견된 여러 가지 초전도체의 임계 온도 변화를 나타낸 것이다. 이에 대한 설명으로 옳은 것만을 [보기]에서 있는 대로 고른 것은?

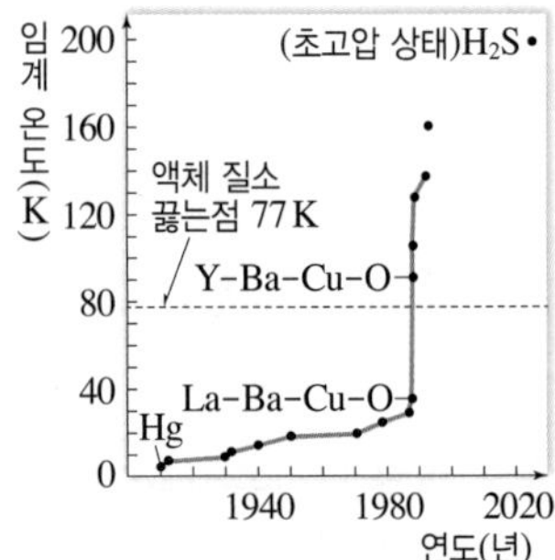

보기
ㄱ. 처음 초전도 현상이 발견된 원소는 수은(Hg)이다.
ㄴ. Y-Ba-Cu-O 화합물은 고온 초전도체에 해당한다.
ㄷ. La-Ba-Cu-O 화합물은 77 K의 액체 질소 속에서 초전도 현상을 나타낸다.

① ㄱ ② ㄷ ③ ㄱ, ㄴ
④ ㄴ, ㄷ ⑤ ㄱ, ㄴ, ㄷ

11 그림은 초전도체 A~D를 온도가 77 K인 액체 질소 속에 담가 둔 모습을, 표는 물질 A~D의 임계 온도를 나타낸 것이다.

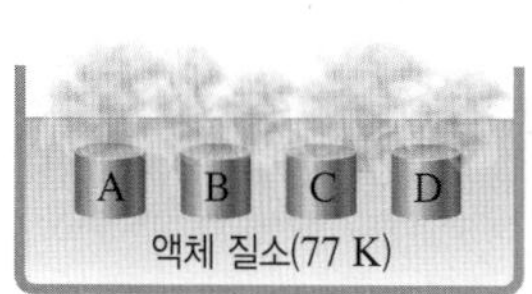

물질	임계 온도
A	50 K
B	90 K
C	60 K
D	100 K

A~D 중 충분한 시간 동안 담가 두었을 때, 마이스너 효과를 나타낼 수 있는 물질만을 있는 대로 쓰시오.

12 그림은 컴퓨터의 하드 디스크를 나타낸 것이다.
하드 디스크의 헤드를 움직이는 장치에 사용하는 물질로, 다음과 같은 특징을 가지고 있는 신소재는?

> 철 원자 사이에 다른 원소를 첨가하여 철 원자의 자기장 방향이 흐트러지지 않도록 만든 물질로, 고출력 소형 스피커나 강력 모터 등에 이용된다.

① 액정 ② 다이오드 ③ 초전도체
④ 트랜지스터 ⑤ 네오디뮴 자석

C 여러 가지 신소재

13 나노 기술에 대한 설명으로 옳은 것만을 [보기]에서 있는 대로 고른 것은?

보기
ㄱ. 1 nm는 10^{-9} m를 나타낸다.
ㄴ. 나노미터 단위에서 물질을 합성, 조립, 제어하는 기술이다.
ㄷ. 그래핀, 탄소 나노 튜브는 나노 기술을 이용한 신소재이다.

① ㄱ ② ㄴ ③ ㄱ, ㄷ
④ ㄴ, ㄷ ⑤ ㄱ, ㄴ, ㄷ

중요 **14** 그래핀에 대한 설명으로 옳은 것만을 [보기]에서 있는 대로 고른 것은?

보기
ㄱ. 열을 잘 전달하고 전기 전도성이 좋다.
ㄴ. 생산 비용이 적게 들고 제품의 수송과 저장이 쉽다.
ㄷ. 휘어지는 디스플레이, 야간 투시용 콘택트렌즈 등에 이용된다.

① ㄱ ② ㄴ ③ ㄱ, ㄷ
④ ㄴ, ㄷ ⑤ ㄱ, ㄴ, ㄷ

15 그림 (가)~(다)는 각각 그래핀, 탄소 나노 튜브, 풀러렌의 구조를 순서 없이 나타낸 것이다.

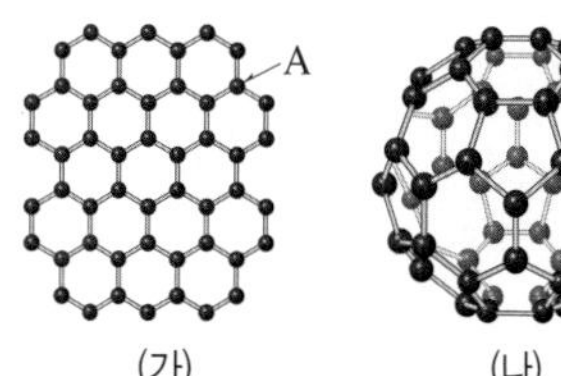

(가)

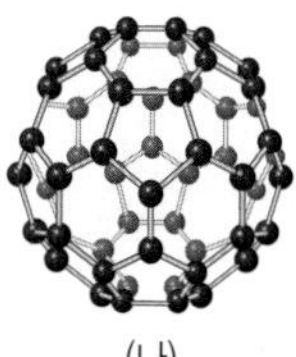
(나)

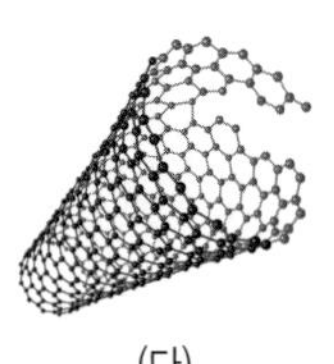
(다)

이에 대한 설명으로 옳은 것만을 [보기]에서 있는 대로 고른 것은?

보기
ㄱ. (가)에서 공유 결합을 이루고 있는 A는 탄소이다.
ㄴ. (나)는 풀러렌, (다)는 탄소 나노 튜브이다.
ㄷ. (다)는 첨단 현미경의 탐침, 나노 핀셋 등에 이용된다.

① ㄱ ② ㄴ ③ ㄱ, ㄷ
④ ㄴ, ㄷ ⑤ ㄱ, ㄴ, ㄷ

중요 **16** 자연을 모방한 기술을 생체 모방이라고 한다. 자연의 생명체와 이를 모방한 신소재 또는 제품을 옳게 짝 지은 것은?

① 연잎의 표면 – 방탄복
② 상어의 비늘 – 수중 접착제
③ 도꼬마리의 열매 – 벨크로 테이프
④ 모르포 나비의 날개 – 로봇 청소기
⑤ 박쥐의 초음파 – 의료용 생체 접착제

17 그림 (가)는 나무나 벽을 잘 오를 수 있는 도마뱀붙이의 발바닥을, (나)는 강한 파도에도 떨어지지 않고 바위에 붙어 있는 홍합의 족사를 나타낸 것이다.

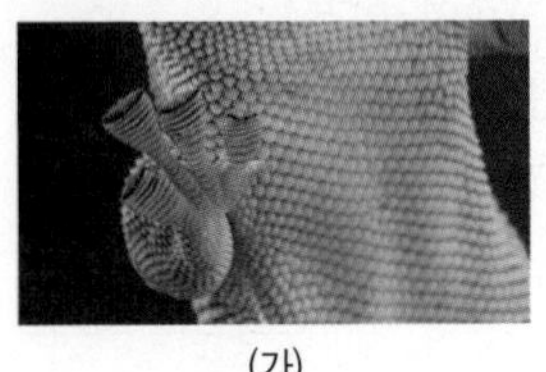
(가)

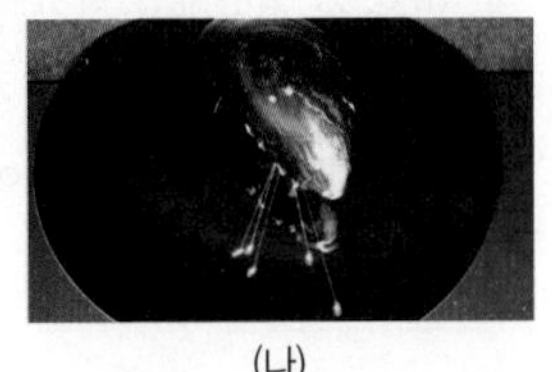
(나)

이에 대한 설명으로 옳은 것만을 [보기]에서 있는 대로 고른 것은?

보기
ㄱ. (가)를 모방하여 붙였다 떼어내기를 반복하는 테이프를 개발하였다.
ㄴ. (나)를 모방하여 물속에서도 사용할 수 있는 접착제를 개발하였다.
ㄷ. (가), (나)의 구조를 모방하여 물속에서도 붙였다 떼어내기를 반복할 수 있는 접착테이프를 만들 수 있다.

① ㄱ ② ㄷ ③ ㄱ, ㄴ
④ ㄴ, ㄷ ⑤ ㄱ, ㄴ, ㄷ

중요 **18** 다음은 우리 주변에서 이용되는 여러 신소재에 대한 설명이다.

(가) 그래핀이 나선형으로 말려 있는 구조를 이루고 있는 물질이다.
(나) 모양을 변형해도 가열하면 원래의 모양으로 되돌아오는 특성이 있다.
(다) 특정 온도 이하에서 전기 저항이 0이 되는 특징이 있어 전력 손실 없이 전류가 흐르게 할 수 있다.

(가), (나), (다)에 해당하는 신소재를 옳게 짝 지은 것은?

	(가)	(나)	(다)
①	풀러렌	유기 태양 전지	다이오드
②	풀러렌	형상 기억 합금	초전도체
③	탄소 나노 튜브	유기 태양 전지	액정
④	탄소 나노 튜브	형상 기억 합금	초전도체
⑤	탄소 나노 튜브	모르포텍스 섬유	액정

서술형 문제

중요 **19** 그림 (가)는 초전도체의 온도에 따른 전기 저항을, (나)는 자석 위에 떠 있는 초전도체의 모습을 나타낸 것이다.

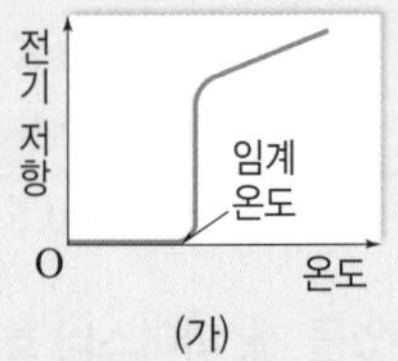

(가)

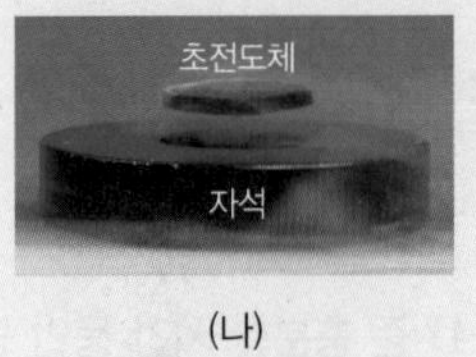

(나)

초전도체가 가지는 전기적 특성과 자기적 특성을 (가), (나)와 관련지어 서술하시오.

20 그림은 육각형 벌집 모양으로 연결된 평면적인 구조를 이루고 있는 신소재를 나타낸 것이다. 이 신소재는 흑연에서 한 층을 분리하여 얻어낼 수 있고, 전기 전도성이 매우 좋다.

(1) 이 신소재의 이름을 쓰시오.

(2) 이 신소재를 이루고 있는 원소를 쓰시오.

(3) 이 신소재의 장점을 두 가지만 서술하시오.(단, 전기 전도성이 좋은 것은 제외한다.)

21 생명체의 특성을 모방하여 공학적으로 활용하는 기술을 생체 모방 기술이라고 한다. 예시와 같이 생체 모방 기술로 개발된 신소재를 한 가지만 서술하시오.(단, 도마뱀붙이는 제외한다.)

구분	생물	특성	신소재
예시	도마뱀붙이	발바닥에 나 있는 미세 섬모를 이용해 나무나 벽에 잘 붙어 있다.	게코 테이프
답안			

실력 UP 문제

정답친해 39쪽

01 그림과 같이 p-n 접합 다이오드, 저항, 전지, 스위치를 이용하여 회로를 구성하였다.

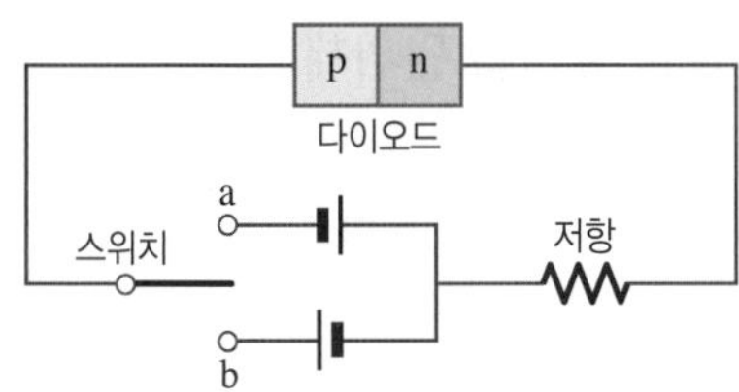

이에 대한 설명으로 옳은 것만을 [보기]에서 있는 대로 고른 것은?

보기
ㄱ. 스위치를 a에 연결하면 저항에 전류가 흐른다.
ㄴ. 스위치를 b에 연결하면 다이오드에 역방향 전압이 걸린다.
ㄷ. 다이오드의 p형 반도체는 규소(Si)에 갈륨(Ga)을 도핑하여 만들 수 있다.

① ㄱ ② ㄷ ③ ㄱ, ㄴ
④ ㄴ, ㄷ ⑤ ㄱ, ㄴ, ㄷ

02 그림은 액정 디스플레이(LCD)에서 화면을 표시하는 원리를 나타낸 것이다.

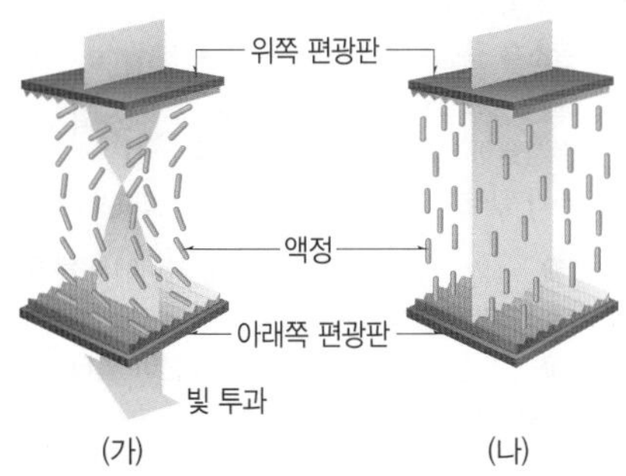

이에 대한 설명으로 옳은 것만을 [보기]에서 있는 대로 고른 것은?

보기
ㄱ. (가)는 액정에 전압을 가하지 않은 상황이다.
ㄴ. (나)에서는 편광판 사이에서 빛의 진동 방향이 뒤틀린다.
ㄷ. LCD는 액정에 가하는 전압의 세기를 변화시켜 빛의 투과량을 조절한다.

① ㄱ ② ㄴ ③ ㄷ
④ ㄱ, ㄷ ⑤ ㄴ, ㄷ

03 [보기]는 여러 가지 물질들의 온도(T)에 따른 전기 저항(R)의 변화를 나타낸 것이다.

보기

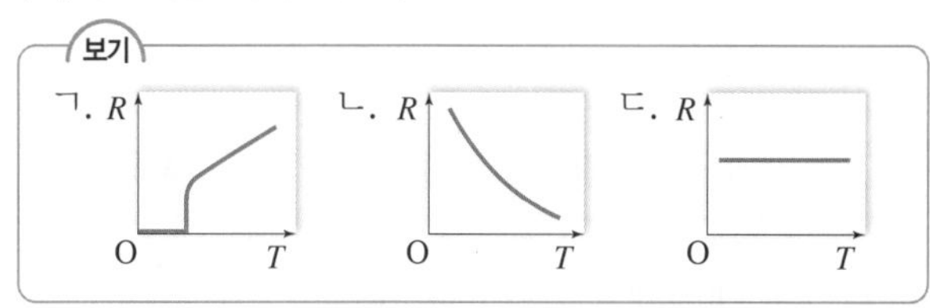

반도체와 초전도체 물질의 전기 저항(R) 변화로 가장 적절한 것을 [보기]에서 골라 옳게 짝 지은 것은?

	반도체	초전도체		반도체	초전도체
①	ㄱ	ㄴ	②	ㄱ	ㄷ
③	ㄴ	ㄱ	④	ㄴ	ㄷ
⑤	ㄷ	ㄴ			

04 그림 (가)는 어떤 신소재 위에 자석이 떠 있는 모습을, (나)는 (가)의 신소재로 만든 코일로 강한 자기장을 발생시켜 인체 내부의 영상을 얻는 장치를 나타낸 것이다.

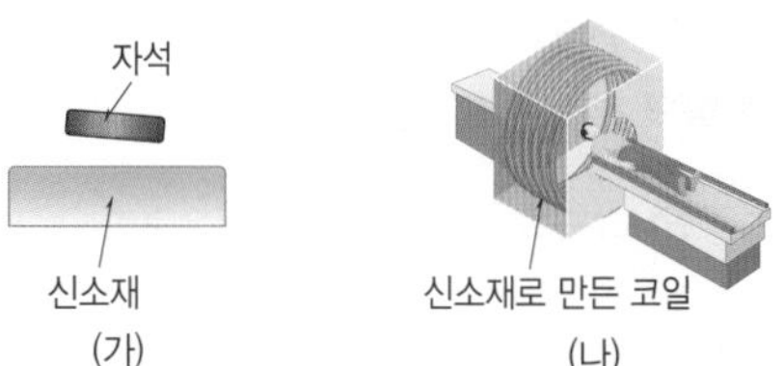

이 신소재에 대한 설명으로 옳은 것만을 [보기]에서 있는 대로 고른 것은?

보기
ㄱ. 임계 온도 이하의 온도에서 초전도 현상을 나타낸다.
ㄴ. (가)에서 신소재의 온도는 임계 온도보다 높다.
ㄷ. (나)에서 코일의 온도가 임계 온도보다 낮을 때, 코일에 전류가 흘러도 열이 발생하지 않는다.

① ㄱ ② ㄴ ③ ㄱ, ㄷ
④ ㄴ, ㄷ ⑤ ㄱ, ㄴ, ㄷ

1 지각과 생명체 구성 물질의 결합 규칙성

1. 지각과 생명체를 구성하는 물질

(1) 지각과 생명체를 구성하는 물질

지각	• 지각은 대부분 규산염 광물로 이루어져 있다. • 주요 구성 원소: (❶), 규소
생명체	• 생명체는 물, 무기물을 제외하면 탄소 화합물로 이루어져 있다. • 주요 구성 원소: (❷), 탄소

(2) 지각과 생명체를 구성하는 원소의 기원

원소	원소의 기원
수소, 헬륨	빅뱅 우주 탄생 초기
헬륨 ~ (❸)	별 내부의 핵융합 반응
(❸)보다 무거운 원소	초신성 폭발 과정

2. 지각을 구성하는 물질의 결합 규칙성

(1) **규산염 광물:** 규산염 사면체를 기본 골격으로 하여 규산염 사면체들이 규칙에 따라 화학적으로 결합하여 만들어진 광물

① **규소의 화학적 성질:** 규소는 원자가 전자가 4개이므로 최대 4개의 원자와 결합을 할 수 있다.

② (❹): 규소 1개를 중심으로 산소 4개가 공유 결합을 한 사면체 구조

(2) 규산염 광물의 결합 구조와 광물의 예

독립형 구조	단사슬 구조	복사슬 구조	판상 구조	망상 구조
감람석	휘석	각섬석	흑운모	석영, 장석

3. 생명체를 구성하는 물질의 결합 규칙성

(1) (❺): 탄소로 이루어진 기본 골격에 수소, 산소, 질소 등 여러 원소가 공유 결합하여 만들어진 물질

① **탄소의 화학적 성질:** 탄소는 원자가 전자가 4개이므로 최대 4개의 원자와 결합을 할 수 있다.

② 탄소는 다른 탄소와 연속적으로 공유 결합하여 생명체를 구성하는 복잡하고 다양한 분자를 만드는 데 유리하다.

(2) **탄소 원자의 결합 방식:** 사슬 모양, 가지 모양(가지 달린 사슬 모양), 고리 모양, 2중 결합, 3중 결합

2 생명체 구성 물질의 형성

1. 생명체 구성 물질과 단위체

(1) **생명체 구성 물질:** 생명체 구성 물질 중 탄수화물, 단백질, 지질, 핵산은 탄소 화합물이다.

탄수화물	주요 에너지원
(❻)	몸의 주요 구성 물질, 효소와 항체의 주성분, 화학 반응과 생리 작용 조절
지질	에너지원, 세포막의 주성분
(❼)	유전 정보의 저장과 전달
물	생명체 구성 물질 중 가장 많은 양을 차지, 체온 유지에 도움을 줌
무기염류	생리 작용 조절에 관여

(2) **단위체로 구성된 생명체 구성 물질:** 탄수화물, 단백질, 핵산

① 단위체: 고분자 화합물을 구성하는 기본 단위가 되는 저분자 물질

② 단위체의 조합에 따라 다양한 종류의 탄소 화합물이 형성된다. 예 단위체인 (❽)의 연결 방식에 따라 녹말, 글리코젠, 셀룰로스가 형성된다.

2. 단백질

아미노산	• 단백질의 단위체 • 탄소를 중심으로 아미노기, 카복실기, 수소 원자, 곁사슬이 결합 • 곁사슬이 다른 (❾)종류가 있다.	곁사슬 R, H, H, N, C, C, O, OH, H, 아미노기, 카복실기
단백질의 형성	• (❿) 결합: 두 아미노산 사이에서 물 한 분자가 빠져나오면서 형성되는 결합 • (⓫): 많은 수의 아미노산이 펩타이드 결합으로 연결되어 긴 사슬 모양으로 된 것 • 단백질: 폴리펩타이드가 접히고 구부러져 독특한 입체 구조를 형성하고, 특정한 기능을 갖는 단백질이 된다. 아미노산 1, 물, 펩타이드 결합, 아미노산 2, 폴리펩타이드, 단백질 (헤모글로빈)	
다양한 단백질 형성	• 아미노산의 종류와 수, 배열 순서 → 단백질의 (⓬) 결정 → 단백질의 기능 결정 • 아미노산의 종류와 수, (⓭)에 따라 다양한 종류의 단백질이 형성된다.	

정답친해 40쪽

3. 핵산

(1) 핵산의 형성

뉴클레오타이드	• 핵산의 단위체 • 인산 : 당 : 염기=(⑭) • DNA와 RNA는 각각 4종류의 뉴클레오타이드로 구성	인산 / 당 / 염기
폴리뉴클레오타이드	한 뉴클레오타이드의 (⑮)이 다른 뉴클레오타이드의 당과 결합하여 긴 사슬 모양으로 된 것	

(2) 핵산의 종류

구분	DNA	RNA
분자 구조	이중 나선	단일 가닥
당	(⑯)	리보스
염기	A, G, C, (⑰)	A, G, C, (⑱)
기능	유전 정보 저장	유전 정보 전달, 단백질 합성에 관여

(3) DNA의 구조

- 전체 모양: 두 가닥의 폴리뉴클레오타이드가 나선 모양으로 꼬여 있는 (⑲) 구조
- 뉴클레오타이드의 당-인산 결합으로 이중 나선의 바깥쪽 골격 형성
- 두 가닥의 폴리뉴클레오타이드는 염기 사이의 수소 결합으로 연결
- 염기 중 아데닌(A)은 (⑳)과, 구아닌(G)은 (㉑)과 결합 ➡ 염기의 (㉒)결합
- 뉴클레오타이드의 결합 순서에 따라 DNA의 염기 서열이 달라져 다양한 유전 정보가 저장

신소재의 개발과 이용

1. 전기적 성질을 이용한 신소재

액정	• 액체와 고체의 성질을 함께 가진 물질 • (㉓): 액정을 이용한 영상 표시 장치
반도체 소자	• 다이오드: 한쪽 방향으로만 전류가 흐르게 한다. • 트랜지스터: 증폭 작용이나 스위치 작용을 한다. • (㉔): 전류가 흐를 때 빛을 방출한다. • 유기 발광 다이오드: 유기물의 얇은 필름으로 만든 발광 다이오드이다.
반도체의 이용	• 압력에 따라 전기 저항이 변하는 성질을 이용한 압력 감지기 • 빛을 받으면 전류가 흐르는 성질을 이용한 (㉕) • 컴퓨터의 중앙 처리 장치, 레이저의 광원 등

2. 자기적 성질을 이용한 신소재

초전도체	초전도 현상을 나타내는 물질 ➡ (㉖) 이하에서 전기 저항이 0이 되며, 자기장을 밀어내는 성질이 있다. 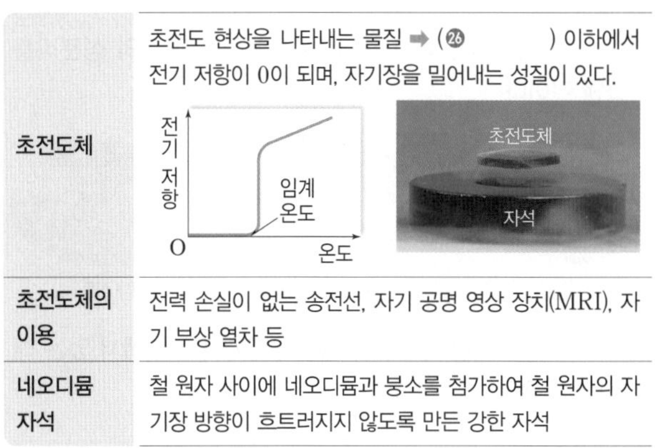
초전도체의 이용	전력 손실이 없는 송전선, 자기 공명 영상 장치(MRI), 자기 부상 열차 등
네오디뮴 자석	철 원자 사이에 네오디뮴과 붕소를 첨가하여 철 원자의 자기장 방향이 흐트러지지 않도록 만든 강한 자석

3. 여러 가지 신소재

(1) 나노 기술을 이용한 신소재: 나노 단위 수준으로 원자의 결합 구조나 배열을 변화시킨 신소재

구분	그래핀	탄소 나노 튜브
구조	(㉗) 원자가 공유 결합하여 육각형 벌집 모양으로 연결된 평면적인 구조	그래핀이 나선형으로 말려 있는 구조
특징	열을 잘 전달하고, 투명하며, 전기 전도성이 좋다. 강도가 매우 높고 잘 휘어진다.	열을 잘 전달하고, 전기 전도성이 좋다.
단점	• 대량 생산이 어렵고 생산 비용이 많이 들며, 제품의 수송과 저장이 어렵다. • 반도체처럼 전기적 성질을 변화시키기 어렵다.	
이용	휘어지는 디스플레이, 의복형 컴퓨터, 차세대 반도체 소재 등	첨단 현미경의 탐침, 나노 핀셋, 고강도 복합 재료 등

(2) 자연을 모방한 신소재: 생명체의 행동이나 구조, 특성을 모방하는 것을 (㉘)이라고 한다.

도마뱀붙이의 발바닥	게코 테이프, 의료용 패치, 스티키봇
(㉙)	수중 접착제, 의료용 생체 접착제, 수술용 봉합사
거미줄	방탄복
박쥐의 초음파	로봇 청소기
연잎의 표면	방수 코팅제, 오염 방지 페인트
상어의 비늘	전신 수영복
도꼬마리의 열매	벨크로 테이프
모르포 나비의 날개	모르포텍스 섬유

중단원 마무리 문제

난이도 ●●●

●●○

01 그림은 지각, 대기, 해양을 구성하는 원소의 성분비를 나타낸 것이다.

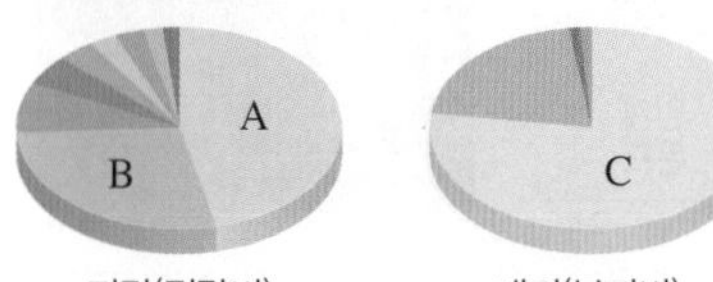

원소 A~D에 대한 설명으로 옳은 것만을 [보기]에서 있는 대로 고른 것은?

보기
ㄱ. A는 생명체에서도 가장 많은 양을 차지한다.
ㄴ. 지각을 이루는 광물의 대부분은 A와 B가 결합한 광물이다.
ㄷ. C는 빅뱅 우주 탄생 초기에 생성되었다.
ㄹ. A와 D는 같은 원소이다.

① ㄱ, ㄴ ② ㄱ, ㄷ ③ ㄷ, ㄹ
④ ㄱ, ㄴ, ㄹ ⑤ ㄴ, ㄷ, ㄹ

●●●

02 그림은 지각과 사람을 이루는 세 원소를 특징에 따라 구분하는 과정을 나타낸 것이다.

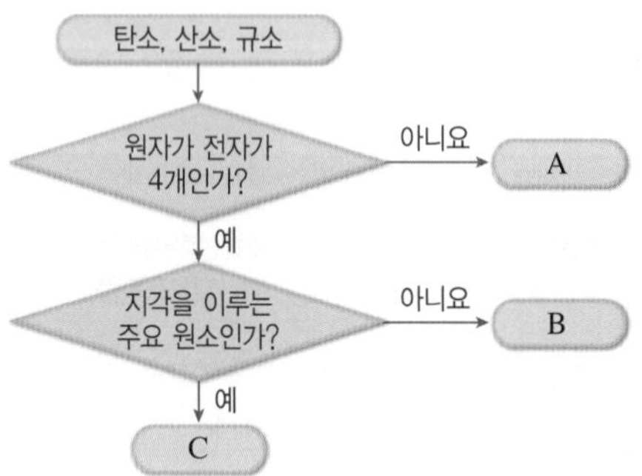

이에 대한 설명으로 옳은 것만을 [보기]에서 있는 대로 고른 것은?

보기
ㄱ. 사람을 이루는 원소 중 가장 많은 것은 A이다.
ㄴ. B는 가지 모양이나 고리 모양으로 결합할 수 있다.
ㄷ. B와 C는 주기율표에서 같은 족 원소이다.
ㄹ. A와 C가 결합하여 만들어진 사면체는 양전하를 띤다.

① ㄱ, ㄴ ② ㄱ, ㄹ ③ ㄷ, ㄹ
④ ㄱ, ㄴ, ㄷ ⑤ ㄴ, ㄷ, ㄹ

서술형 ●●○

03 지구 전체에는 철이 35 %로 가장 많지만 지각에는 산소와 규소가 각각 46.6 %, 27.7 %로 많은 비율을 차지한다. 지각에 산소와 규소가 많은 까닭을 서술하시오.

●●○

04 그림은 규산염 사면체를 나타낸 것이다.

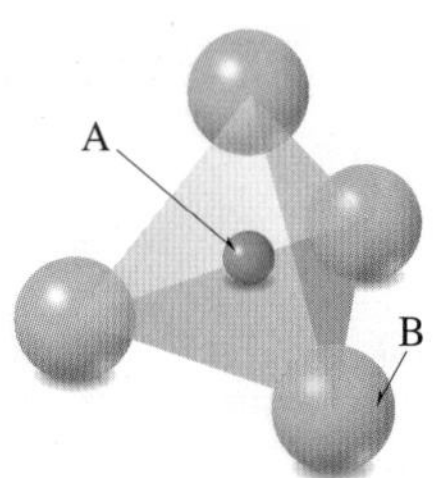

이에 대한 설명으로 옳은 것만을 [보기]에서 있는 대로 고른 것은?

보기
ㄱ. A는 원자가 전자가 6개이다.
ㄴ. 규산염 사면체는 A와 B의 공유 결합으로 이루어진다.
ㄷ. 생명체를 이루는 기본 골격이 된다.

① ㄱ ② ㄴ ③ ㄱ, ㄷ
④ ㄴ, ㄷ ⑤ ㄱ, ㄴ, ㄷ

서술형 ●●○

05 그림은 서로 다른 두 원자 A와 B의 전자 배치를 모형으로 나타낸 것이다.

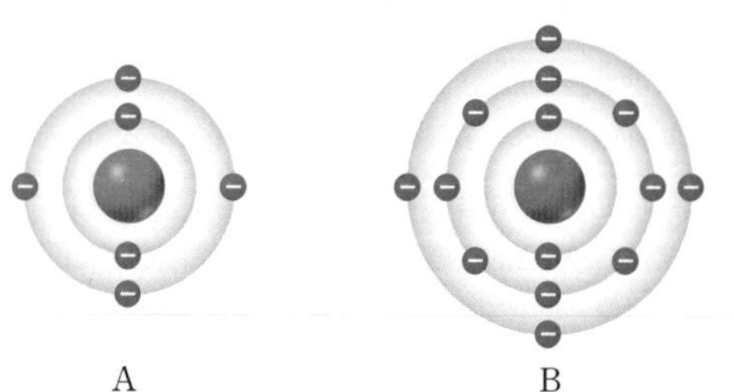

(1) A와 B에 해당하는 원소를 쓰시오.

(2) A와 B에서 최대로 결합할 수 있는 공유 결합의 수를 원자가 전자 수와 관련지어 서술하시오.

●○○
06 다음 설명에 해당하는 광물은 무엇인가?

- 힘을 주면 쪼개짐이 나타난다.
- 규산염 사면체가 한 방향으로 길게 연결되어 단일 사슬 모양을 이룬다.

① 석영 ② 감람석 ③ 휘석
④ 각섬석 ⑤ 흑운모

●●○
07 그림은 흑운모와 석영의 결합 구조를 나타낸 것이다.

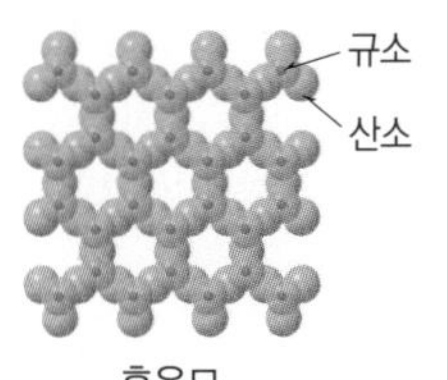

흑운모

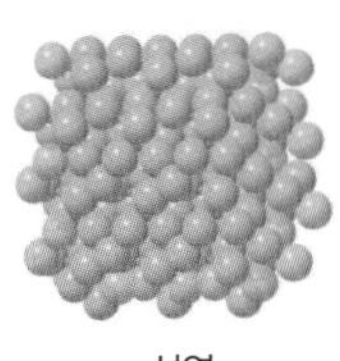
석영

이에 대한 설명으로 옳은 것만을 [보기]에서 있는 대로 고른 것은?

보기
ㄱ. 석영은 쪼개짐, 흑운모는 깨짐이 발달한다.
ㄴ. 석영은 흑운모보다 풍화 작용에 강하다.
ㄷ. 석영은 산소와 규소만으로 이루어져 있다.

① ㄱ ② ㄴ ③ ㄱ, ㄷ
④ ㄴ, ㄷ ⑤ ㄱ, ㄴ, ㄷ

●●○
08 그림 (가)와 (나)는 서로 다른 규산염 광물의 결합 구조를 나타낸 것이다.

(가)

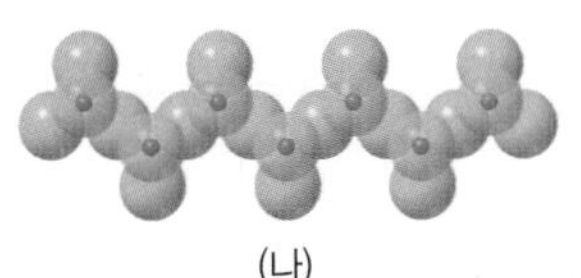
(나)

이에 대한 설명으로 옳은 것만을 [보기]에서 있는 대로 고른 것은?

보기
ㄱ. (가)는 독립형 구조, (나)는 단사슬 구조이다.
ㄴ. 휘석은 (가)의 구조, 감람석은 (나)의 구조로 결합된 광물이다.
ㄷ. 공유하는 산소의 수는 (가)가 (나)보다 많다.

① ㄱ ② ㄴ ③ ㄱ, ㄷ
④ ㄴ, ㄷ ⑤ ㄱ, ㄴ, ㄷ

●○○
09 탄소의 화학적 성질에 대한 설명으로 옳은 것만을 [보기]에서 있는 대로 고른 것은?

보기
ㄱ. 탄소는 원자가 전자가 4개이다.
ㄴ. 1개의 탄소 원자에 4개의 수소 원자가 결합할 수 있다.
ㄷ. 탄소는 여러 종류의 원소와 결합하여 다양한 화합물을 만들 수 있다.

① ㄱ ② ㄴ ③ ㄱ, ㄷ
④ ㄴ, ㄷ ⑤ ㄱ, ㄴ, ㄷ

서술형 ●●○
10 그림 (가)와 (나)는 탄소의 결합 방식을 나타낸 것이다.

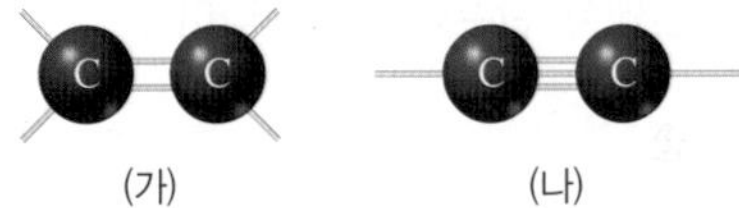

(가) (나)

(가)와 (나)에서 탄소 원자 사이의 결합 방식을 각각 쓰고, 다양한 탄소 화합물이 만들어질 수 있는 까닭을 서술하시오.

●●○
11 그림 (가)~(다)는 생명체를 구성하는 탄소 화합물을 나타낸 것이다.

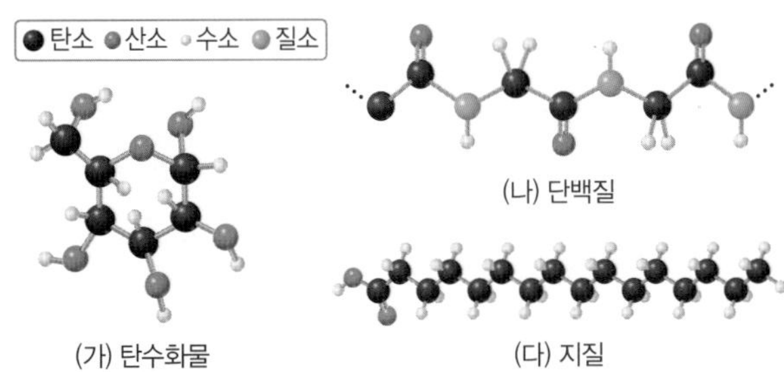

이에 대한 설명으로 옳은 것만을 [보기]에서 있는 대로 고른 것은?

보기
ㄱ. 탄소는 단일 결합만 할 수 있다.
ㄴ. 탄소 화합물의 종류는 (가)~(다)로 한정된다.
ㄷ. (가)~(다)는 탄소를 기본 골격으로 여러 원소가 결합하여 만들어진다.

① ㄱ ② ㄷ ③ ㄱ, ㄴ
④ ㄴ, ㄷ ⑤ ㄱ, ㄴ, ㄷ

●●○

12 그림은 사람을 구성하는 물질과 그 비율을 나타낸 것이다. 이에 대한 설명으로 옳은 것은?

B (18 %), C (4 %), 핵산 (1.5 %), 기타 (6.5 %), A (70 %)

① A와 B는 구성 원소로 탄소(C)를 갖는다.
② A는 비열이 작아서 체온 유지에 도움이 된다.
③ B는 효소와 항체의 주성분이다.
④ B는 유전 정보를 저장하고 전달하는 데 관여한다.
⑤ C는 생명체의 주요 에너지원으로 사용된다.

●●●

13 표 (가)는 생명체 구성 물질 A～C의 특징을 나타낸 것이고, (나)는 특징 ㉠～㉢을 순서 없이 나타낸 것이다. A～C는 각각 핵산, 단백질, 탄수화물 중 하나이다.

구분	㉠	㉡	㉢
A	×	○	○
B	×	×	○
C	○	○	○

(○: 있음, ×: 없음)

(가)

특징(㉠～㉢)
• 단위체로 구성되어 있다. • 구성 원소로 질소(N)를 포함한다. • 펩타이드 결합이 있다.

(나)

이에 대한 설명으로 옳은 것만을 [보기]에서 있는 대로 고른 것은?

보기
ㄱ. A에서 당과 염기의 비는 1 : 1이다.
ㄴ. B는 헤모글로빈을 구성하는 성분이다.
ㄷ. C가 분해되면 아미노산이 생성된다.

① ㄴ ② ㄷ ③ ㄱ, ㄴ ④ ㄱ, ㄷ ⑤ ㄴ, ㄷ

서술형 ●●○

14 그림은 생명체를 구성하는 DNA, RNA, 단백질을 구분하는 과정을 나타낸 것이다.

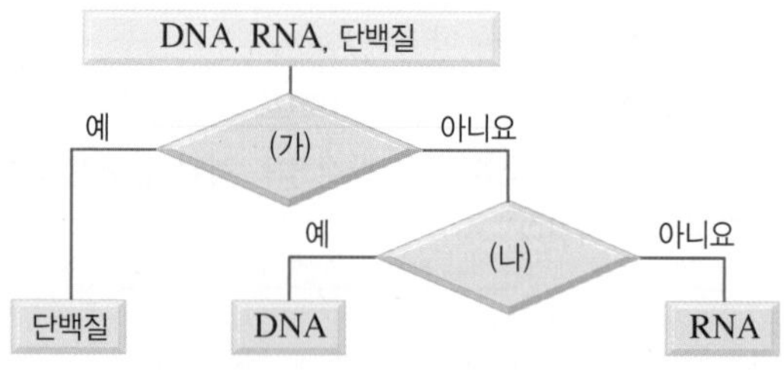

(가)와 (나)에 해당하는 분류 기준을 각각 한 가지씩 서술하시오.

●●○

15 다음은 생명체를 구성하는 물질 X에 대한 설명이다.

• 단위체와 단위체는 펩타이드 결합으로 연결된다.
• ㉠단위체의 조합에 따라 다양한 입체 구조를 형성한다.

이에 대한 설명으로 옳은 것만을 [보기]에서 있는 대로 고른 것은?

보기
ㄱ. 물질 X는 핵산이다.
ㄴ. ㉠은 20종류가 있다.
ㄷ. 물질 X는 근육, 뼈, 머리카락 등을 구성한다.

① ㄴ ② ㄷ ③ ㄱ, ㄴ
④ ㄴ, ㄷ ⑤ ㄱ, ㄴ, ㄷ

●●○

16 그림은 아미노산의 결합 과정을 나타낸 것이다.

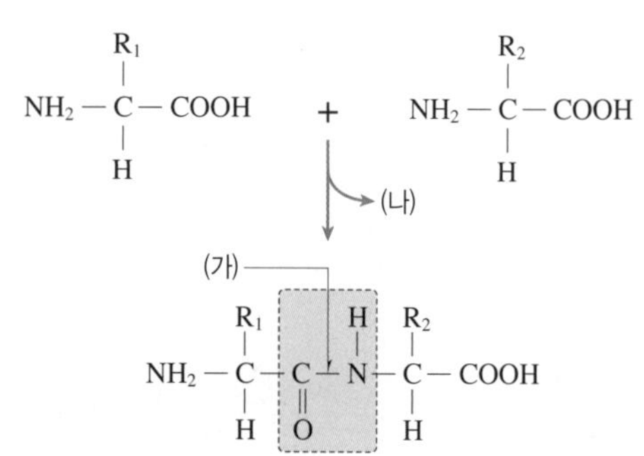

이에 대한 설명으로 옳은 것만을 [보기]에서 있는 대로 고른 것은?

보기
ㄱ. (가)는 한 아미노산의 아미노기와 다른 아미노산의 카복실기가 관여하여 형성된다.
ㄴ. (나)에서 한 분자의 물이 빠져나온다.
ㄷ. 20개의 아미노산이 폴리펩타이드를 형성할 때 20개의 펩타이드 결합이 만들어진다.

① ㄱ ② ㄷ ③ ㄱ, ㄴ
④ ㄱ, ㄷ ⑤ ㄴ, ㄷ

17 그림은 생명체를 구성하는 어떤 물질 X의 형성을 나타낸 것이다.

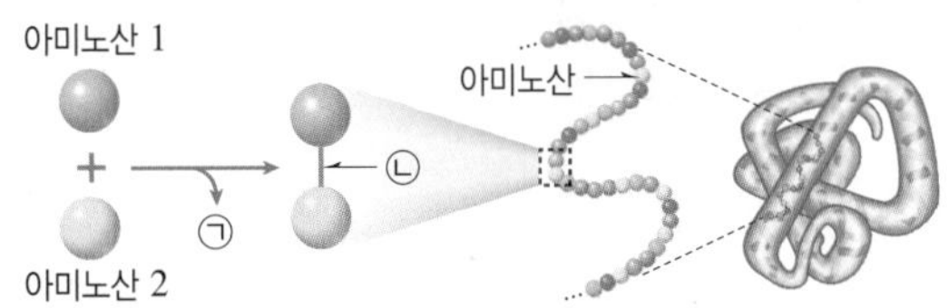

이에 대한 설명으로 옳지 <u>않은</u> 것은?

① ㉠은 물이다.
② ㉡은 수소 결합이다.
③ ㉡이 반복되어 폴리펩타이드가 형성된다.
④ 물질 X의 기능은 입체 구조에 의해 결정된다.
⑤ 물질 X는 종류에 따라 아미노산의 배열 순서가 다르다.

18 그림은 DNA의 일부 구조를 나타낸 것이다.

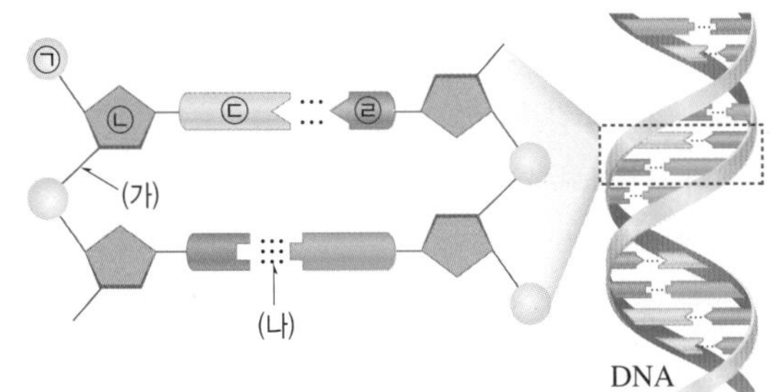

이에 대한 설명으로 옳지 <u>않은</u> 것은?

① ㉠+㉡+㉢은 뉴클레오타이드이다.
② ㉡은 당의 일종인 디옥시리보스이다.
③ ㉢이 아데닌(A)이면 ㉣은 타이민(T)이다.
④ (가)는 수소 결합, (나)는 공유 결합이다.
⑤ DNA 이중 나선에서 ㉢과 ㉣의 수는 같다.

19 표는 DNA 이중 나선을 이루고 있는 염기의 비율을 나타낸 것이다.

염기	아데닌(A)	구아닌(G)	사이토신(C)	타이민(T)
비율(%)	23	㉠	㉡	㉢

㉠~㉢에 알맞은 수를 각각 쓰시오.

20 표는 DNA와 RNA를 비교한 것이다.

구분	DNA	RNA
당	㉠	리보스
염기	A, G, C, T	㉡
구조	이중 나선	단일 가닥
기능	㉢	유전 정보 전달

㉠~㉢에 들어갈 알맞은 말을 각각 쓰시오.

서술형

21 DNA는 두 가닥의 폴리뉴클레오타이드가 연결되어 이중 나선 구조를 이룬다. 어떤 이중 나선 DNA의 가닥 Ⅰ의 염기 서열은 다음과 같다.

Ⅰ	T	A	C	G	A	A	G	C
Ⅱ								

(1) 가닥 Ⅰ과 결합하는 가닥 Ⅱ의 염기 서열을 쓰시오.

(2) DNA를 구성하는 두 가닥의 폴리뉴클레오타이드가 연결되는 원리를 서술하시오.

22 DNA와 단백질에 대한 설명으로 옳은 것만을 [보기]에서 있는 대로 고른 것은?

보기
ㄱ. 단위체의 종류는 단백질이 DNA보다 많다.
ㄴ. 단위체의 배열 순서가 다르면 DNA의 입체 구조도 달라진다.
ㄷ. 단위체의 배열 순서는 단백질의 기능을 결정하는 데 중요한 역할을 한다.

① ㄱ ② ㄴ ③ ㄷ
④ ㄱ, ㄷ ⑤ ㄴ, ㄷ

●○○

23 다음은 어떤 영상 표시 장치 (가)와 (나)에 대한 설명이다.

(가) 액정 분자의 배열을 조절하여 빛의 투과량을 조절하고, 전자계산기나 온도계 등과 같은 정보 표시 장치에 사용된다.
(나) 전류가 흐를 때 빛을 방출하는 유기물의 얇은 필름으로 만들어진 다이오드로, 고화질 디스플레이나 휘어지는 디스플레이에 이용된다.

(가)와 (나)에 해당하는 장치를 옳게 짝 지은 것은?

	(가)	(나)
①	LCD	LED
②	LCD	OLED
③	LED	OLED
④	LED	트랜지스터
⑤	OLED	다이오드

●●●

24 그림은 p-n 접합 다이오드와 발광 다이오드(LED)를 직류 전원과 저항에 연결하였을 때 LED에서 빛이 방출되고 있는 모습을 나타낸 것이다.

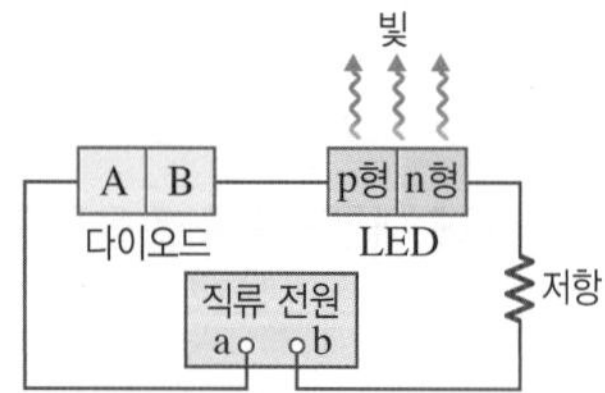

이에 대한 설명으로 옳은 것만을 [보기]에서 있는 대로 고른 것은?

보기
ㄱ. A는 n형 반도체이다.
ㄴ. 직류 전원의 a가 (+)극이다.
ㄷ. LED의 좌우를 바꾸어 연결하여도 빛이 방출된다.

① ㄱ ② ㄴ ③ ㄱ, ㄷ
④ ㄴ, ㄷ ⑤ ㄱ, ㄴ, ㄷ

서술형 ●●○

25 그림은 어떤 물질의 전기 저항을 온도에 따라 나타낸 것이다. 이 물질이 초전도 현상을 나타낼 수 있는 조건을 서술하시오.

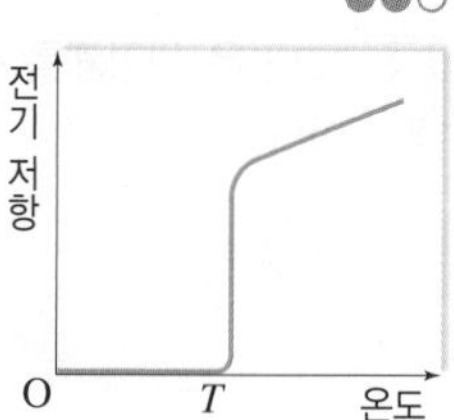

●●○

26 그림 (가)와 (나)는 신소재 물질의 구조를 나타낸 것이다.

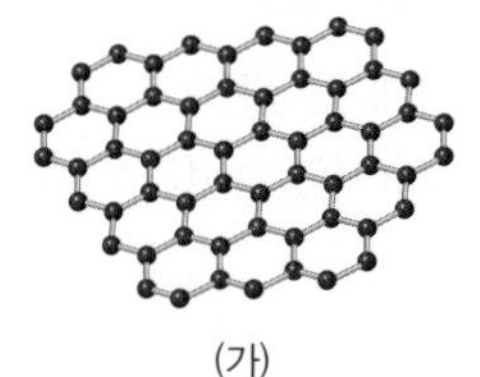
(가)

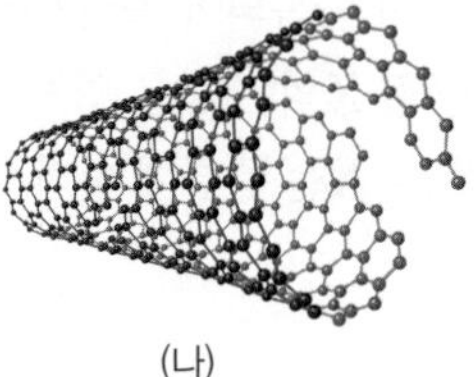
(나)

이에 대한 설명으로 옳지 않은 것은?

① (가)는 그래핀이다.
② (나)는 탄소 나노 튜브이다.
③ (가)는 의복형 컴퓨터에 이용된다.
④ (가)와 (나) 모두 전기 전도성은 좋지만 열을 잘 전달하지 못한다.
⑤ (나)는 금속이나 세라믹과 섞어 강도를 높인 복합 재료의 제조에 이용된다.

●●○

27 생체 모방 기술을 이용한 신소재에 대한 설명으로 옳은 것만을 [보기]에서 있는 대로 고른 것은?

보기
ㄱ. 벨크로 테이프는 도꼬마리의 열매를 모방한 것이다.
ㄴ. 의료용 생체 접착제는 상어의 표피 구조를 모방한 것이다.
ㄷ. 모르포텍스 섬유는 모르포 나비의 날개가 색깔을 내는 원리를 모방한 것이다.

① ㄱ ② ㄴ ③ ㄱ, ㄷ
④ ㄴ, ㄷ ⑤ ㄱ, ㄴ, ㄷ

중단원 고난도 문제

01 그림 (가)와 (나)는 서로 다른 규산염 광물의 결합 구조와 표본을 나타낸 것이다.

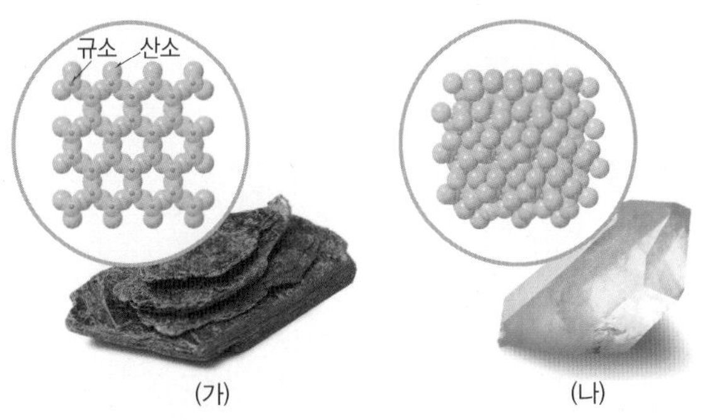

(가) (나)

이에 대한 설명으로 옳은 것만을 [보기]에서 있는 대로 고른 것은?

보기
ㄱ. (가)의 결합 구조는 판상 구조, (나)의 결합 구조는 망상 구조이다.
ㄴ. 규산염 사면체 간에 공유되는 산소의 수는 (가)가 (나)보다 많다.
ㄷ. (가)와 (나)는 모두 쪼개짐이 발달한다.

① ㄱ ② ㄴ ③ ㄱ, ㄷ
④ ㄴ, ㄷ ⑤ ㄱ, ㄴ, ㄷ

02 그림은 DNA의 구조를 나타낸 것이고, 표는 이중 나선 DNA (가)와 (나)에 대한 설명이다.

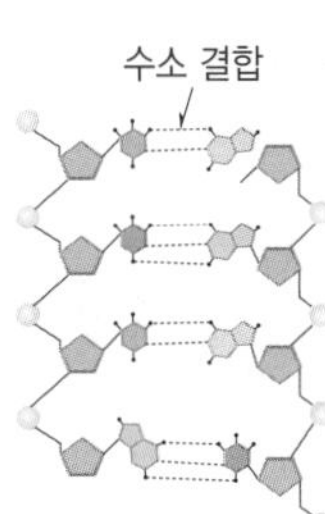

- (가)와 (나)는 각각 180개의 뉴클레오타이드로 구성되어 있다.
- (가)에서 염기 수의 비는 $\frac{A+T}{G+C}=2$ 이다.
- (나)에서 A의 수는 50이다.

이에 대한 설명으로 옳은 것만을 [보기]에서 있는 대로 고른 것은?

보기
ㄱ. $\frac{A+G}{T+C}$의 값은 (가)와 (나)에서 같다.
ㄴ. (가)의 T의 수와 (나)의 G의 수를 합한 값은 100이다.
ㄷ. 염기 사이의 수소 결합의 수는 (가)보다 (나)에서 더 많다.

① ㄱ ② ㄴ ③ ㄱ, ㄷ
④ ㄴ, ㄷ ⑤ ㄱ, ㄴ, ㄷ

03 다음은 어떤 물체 A의 특성을 알아보는 실험 과정과 결과이다.

[실험 과정]
(가) 실온에서 A 위에 자석을 가만히 놓고 자석의 상태를 관찰한다.
(나) 자석을 치운 후, 액체 질소를 부어 A의 온도를 관찰한다.
(다) A 위에 자석을 가만히 놓고 자석의 상태를 관찰한다.
(라) A의 온도가 높아져 다시 실온이 되었을 때 자석의 상태를 관찰한다.

[실험 결과]

(가)에서 자석의 상태	(다)에서 자석의 상태
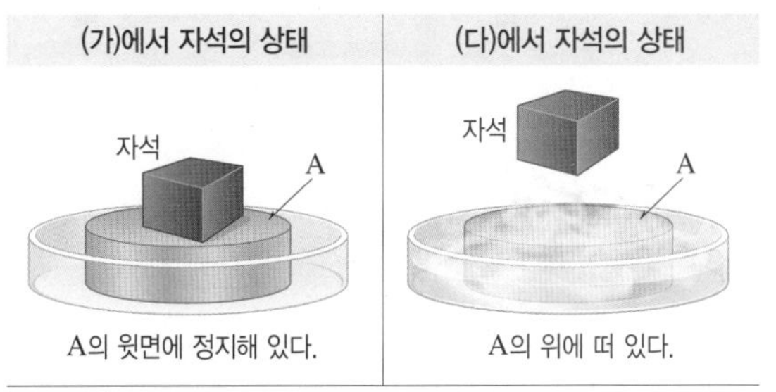	
A의 윗면에 정지해 있다.	A의 위에 떠 있다.

이에 대한 설명으로 옳은 것만을 [보기]에서 있는 대로 고른 것은?

보기
ㄱ. (다)에서 A는 초전도체이다.
ㄴ. (다)에서 A의 전기 저항은 0이다.
ㄷ. (라)에서 자석은 더 높이 올라간다.

① ㄱ ② ㄷ ③ ㄱ, ㄴ
④ ㄴ, ㄷ ⑤ ㄱ, ㄴ, ㄷ

시스템과 상호 작용

배운 내용

- 중력
- 마찰력
- 탄성력
- 전기력
- 등속 운동
- 자유 낙하 운동

1 역학적 시스템

배울 내용

- 중력
- 자유 낙하
- 중력과 자연 현상
- 관성
- 운동량
- 충격량

중력이 역학적 시스템 유지에 필수적인 힘임을 알고, 중력을 받는 물체의 운동에 대해 배운다. 충돌과 관련된 안전장치의 효과성이 충격량, 운동량과 관련되어 있다는 것을 이해한다.

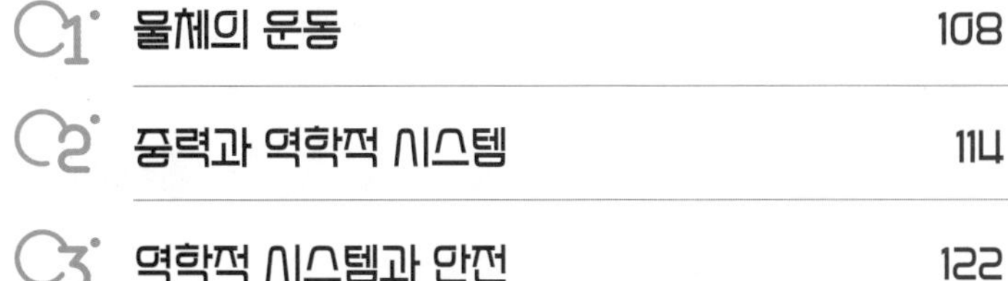

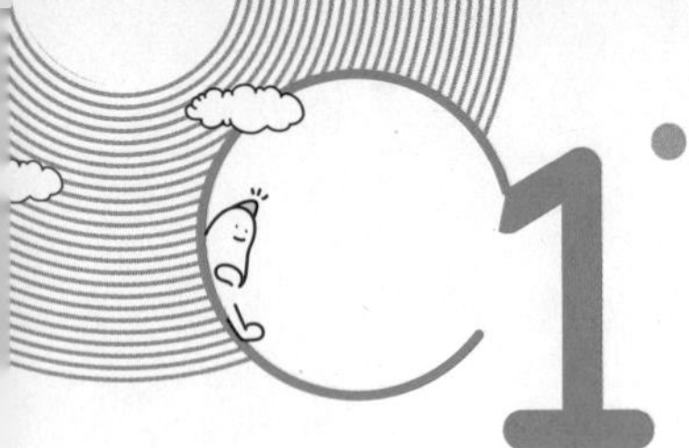

1 물체의 운동

핵심 포인트
- ❶ 속력과 속도, 가속도 ★★★
- ❷ 가속도 법칙 ★★
- ❸ 등속 직선 운동 ★★★
- ❹ 등가속도 직선 운동 ★★

이것까지 나와요! 중등과학 물리학Ⅰ

이 단원에서는 역학적 시스템을 배우기 전 중학교에서 배운 내용인 속력과 등속 운동, 힘에 대해 다시 한번 확인하고, 실제 시험에 연계되어 나오는 물리학Ⅰ 내용도 함께 알아볼 것입니다. 배운 내용을 다시 떠올리며 시작해 볼까요?

A 속력과 속도

1. ◆이동 거리와 ❶변위

① **이동 거리:** 물체가 움직인 경로를 따라 측정한 길이 ➡ 물체가 실제로 움직인 총 거리

② **변위:** 물체의 위치 변화량 ➡ 처음 위치에서 나중 위치까지의 직선거리와 방향

곡선 궤도를 따라 운동할 때	원 궤도를 따라 운동할 때	직선상에서 운동 방향이 바뀔 때
나중 위치 / 처음 위치		5 m / 3 m
• 이동 거리: 곡선 경로의 길이 • 변위: 직선거리와 방향	• 이동 거리: 원 둘레 • 변위: 0 처음 위치와 나중 위치가 같다.	• 이동 거리: 5 m+3 m=8 m • 변위: 오른쪽으로 2 m

2. ◆속력과 속도

① **속력:** 물체의 빠르기를 나타내는 물리량 ➡ ◆단위시간 동안 물체의 이동 거리

$$속력=\frac{이동\ 거리}{걸린\ 시간}\quad [단위:\ m/s,\ km/h]$$

② **속도:** 물체의 운동 방향과 빠르기를 함께 나타내는 물리량 ➡ 단위시간 동안 물체의 변위

└● 한쪽 방향을 (+)로 표시하면 반대 방향은 (−)로 표시한다.

$$속도=\frac{변위}{걸린\ 시간}\quad [단위:\ m/s,\ km/h]$$

3. ❷가속도

물체의 속도가 시간에 따라 변하는 정도를 나타내는 물리량 ➡ 단위시간 동안 속도 변화량 —● 물체의 속도가 얼마나 빨리 변하는지를 나타내는 물리량

$$가속도=\frac{속도\ 변화량}{걸린\ 시간}=\frac{나중\ 속도-처음\ 속도}{걸린\ 시간}\quad [단위:\ m/s^2]$$

① **가속도의 크기:** 단위시간 동안 속도 변화량의 크기

② **가속도의 방향:** 속도 변화량의 방향과 같다.

4. 속도와 가속도의 방향 관계

속도와 가속도의 방향이 같으면 속도의 크기가 증가하고, 속도와 가속도의 방향이 반대이면 속도의 크기가 감소한다.

| 속도와 가속도의 방향 관계 |

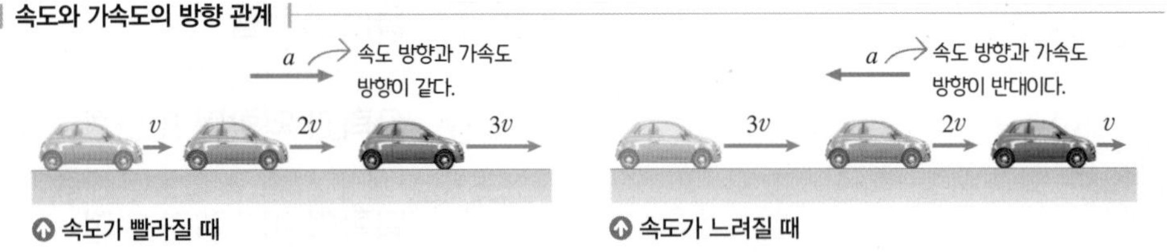

⬆ 속도가 빨라질 때 ⬆ 속도가 느려질 때

◆ **이동 거리와 변위**
- 경로가 달라도 출발점과 도착점이 같으면 변위는 같다.
- 물체가 출발했다가 제자리로 돌아온 경우 변위는 0이다.
- 직선 운동이 아닌 경우 변위의 크기는 이동 거리보다 항상 작다.

궁금해?

위치와 변위의 차이는?

한 지점의 위치는 기준점에 대한 직선거리와 방향이고, 변위는 출발 위치에서 도착 위치까지의 직선거리와 방향이다. 출발 위치를 기준점으로 하면 변위와 위치가 같다.

◆ **평균 속력과 평균 속도**
- 평균 속력: 전체 이동 거리를 걸린 시간으로 나눈 값
- 평균 속도: 전체 변위를 걸린 시간으로 나눈 값

◆ **단위시간**

물리량을 측정할 때 기준이 되는 시간이다. —● 1초, 1분, 1시간 등

주의해!

방향이 있는 물리량

변위, 속도, 가속도 등은 방향이 있는 물리량이다. 운동 방향의 한쪽 방향을 (+)로 나타내면 반대 방향은 (−)로 나타낸다.

(용어)

❶ 변위(變 변하다, 位 위치) 위치의 변화

❷ 가속도(加 더하다, 速 빠르다, 度 법도) 한자 뜻 그대로는 속도가 증가하는 것을 말하지만, 과학에서는 단위시간 동안 속도가 변화하는 비율을 의미한다.

B 힘과 운동

1. ◆**힘** 물체의 모양이나 운동 상태를 변화시키는 원인으로, 힘의 단위는 N(뉴턴)이다.

① **알짜힘:** 물체에 여러 힘이 작용할 때 모든 힘을 합한 것 ⟶ 물체의 운동 상태는 알짜힘에 의해 결정된다.

② **두 힘의 합성과 알짜힘**

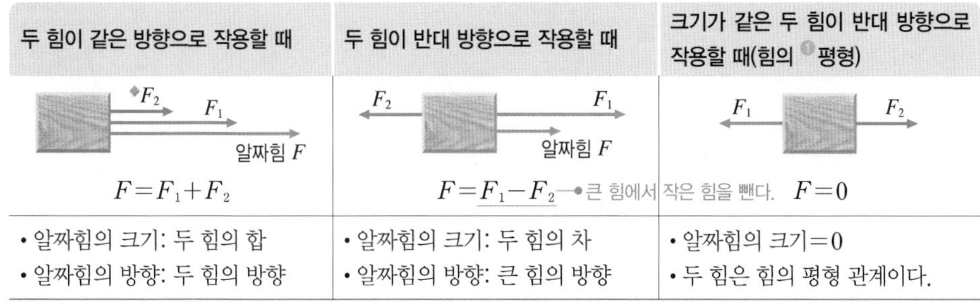

두 힘이 같은 방향으로 작용할 때	두 힘이 반대 방향으로 작용할 때	크기가 같은 두 힘이 반대 방향으로 작용할 때(힘의 ❶평형)
◆F_2, F_1, 알짜힘 F	F_2, F_1, 알짜힘 F	F_1, F_2
$F=F_1+F_2$	$F=F_1-F_2$ ⟶ 큰 힘에서 작은 힘을 뺀다.	$F=0$
• 알짜힘의 크기: 두 힘의 합 • 알짜힘의 방향: 두 힘의 방향	• 알짜힘의 크기: 두 힘의 차 • 알짜힘의 방향: 큰 힘의 방향	• 알짜힘의 크기=0 • 두 힘은 힘의 평형 관계이다.

2. 힘과 가속도

① ◆**가속도 법칙(뉴턴 운동 제2법칙):** 물체의 가속도 $a(\text{m/s}^2)$는 물체에 작용한 알짜힘 $F(\text{N})$에 비례하고, 물체의 질량 $m(\text{kg})$에 반비례한다.

$$\text{가속도}=\frac{\text{알짜힘}}{\text{질량}},\ a=\frac{F}{m} \Rightarrow F=ma$$

② **힘과 가속도의 방향 관계:** 가속도의 방향은 알짜힘의 방향과 같다.

3. 등속 직선 운동 속도가 일정한 운동, 즉 속력과 운동 방향이 모두 일정한 운동 ⟶ 가속도가 0이다.
예 에스컬레이터, 무빙워크, 컨베이어 벨트 등

① **등속 직선 운동의 조건:** 물체에 작용하는 알짜힘이 0이어야 한다.

② **등속 직선 운동의 식과 그래프**

$$\text{이동 거리}=\text{속력}\times\text{시간},\ s=vt \Rightarrow v=\frac{s}{t}=\text{일정}$$

| 등속 직선 운동 그래프 |

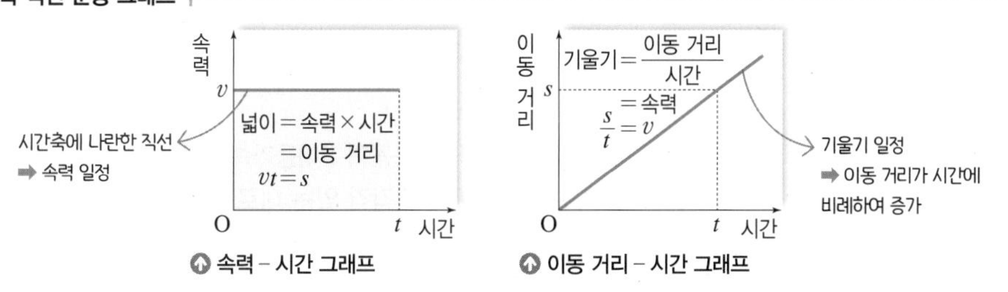

⊙ 속력 – 시간 그래프 ⊙ 이동 거리 – 시간 그래프

4. 등가속도 직선 운동 가속도의 크기와 운동 방향이 일정한 직선 운동, 즉 속도가 일정하게 증가하거나 감소하는 직선 운동 예 자유 낙하 운동, 기울기가 일정한 빗면을 미끄러져 내려오는 물체의 운동, 연직 위로 던져 올린 물체의 운동 등

① **등가속도 직선 운동의 조건:** 물체의 운동 방향과 나란한 방향으로 알짜힘이 일정하게 작용해야 한다.

◆ **여러 가지 힘**
힘은 두 물체 사이의 상호 작용으로 중력, 전기력, 자기력, 탄성력, 마찰력, 부력 등이 있다.

◆ **힘의 표시**
힘은 힘의 크기, 힘의 방향, 힘의 작용점을 화살표로 나타낸다.

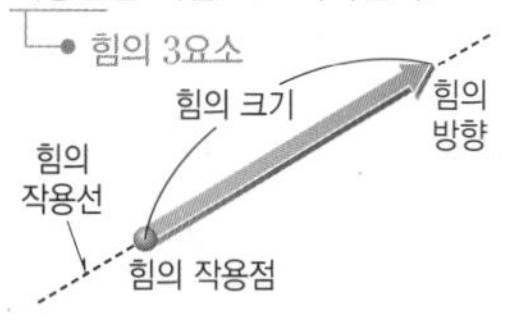

◆ **가속도 법칙과 N(뉴턴)**
$F=ma$에서 질량 m의 단위는 kg, 가속도 a의 단위는 m/s^2이므로 힘 F의 단위는 $\text{kg}\cdot\text{m/s}^2$이다. 이것을 N(뉴턴)으로 이름지었다.
$1\ \text{N}=1\ \text{kg}\cdot\text{m/s}^2$으로 질량이 1 kg인 물체를 $1\ \text{m/s}^2$으로 가속시키는 힘이다.

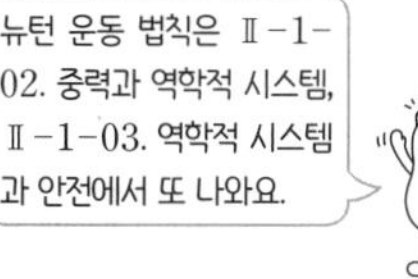

뉴턴 운동 법칙은 Ⅱ-1-02. 중력과 역학적 시스템, Ⅱ-1-03. 역학적 시스템과 안전에서 또 나와요.

(용어)
❶ **평형(平 평평하다, 衡 저울대)** 어떤 물체에 두 힘이 동시에 작용해서, 그 효과가 서로 상쇄되어 있는 상태

◆등가속도 직선 운동하는 물체의 평균 속도
처음 속도와 나중 속도의 중간 값과 같다.

평균 속도 $= \frac{\text{처음 속도}+\text{나중 속도}}{2}$

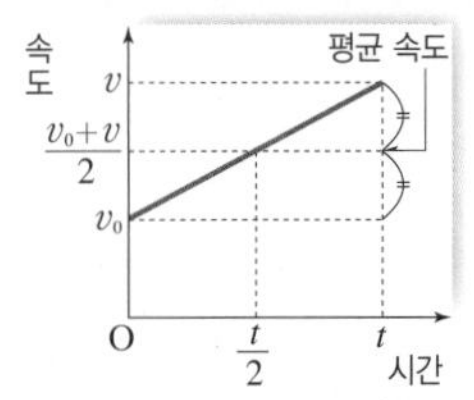

② ◆등가속도 직선 운동의 식과 그래프

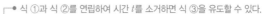

식 ①과 식 ②를 연립하여 시간 t를 소거하면 식 ③을 유도할 수 있다.

① $v=v_0+at$, ② $s=v_0t+\frac{1}{2}at^2$, ③ $2as=v^2-v_0^2$
(v: 나중 속도, v_0: 처음 속도, a: 가속도, t: 시간, s: 변위)

| 등가속도 직선 운동 그래프 |

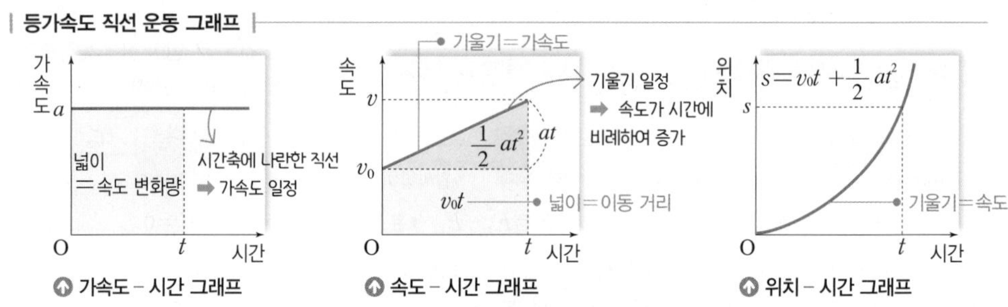

가속도 - 시간 그래프 속도 - 시간 그래프 위치 - 시간 그래프

개념 확인 문제

정답친해 45쪽

핵심 체크

- (❶)는 물체가 실제로 움직인 총 거리이고, (❷)는 처음 위치에서 나중 위치까지의 직선거리와 방향이다.
- (❸)은 이동 거리를 걸린 시간으로 나누어 구하고, (❹)는 변위를 걸린 시간으로 나누어 구한다.
- (❺)는 단위시간 동안의 속도 변화량이다.
- (❻)은 물체에 여러 힘이 작용할 때 모든 힘을 합한 것이다.
- 물체의 가속도의 크기는 (❼)의 크기에 비례하고 (❽)에 반비례한다.

1 속력과 속도에 대한 설명으로 옳은 것은 ○, 옳지 않은 것은 ×로 표시하시오.

(1) 변위는 물체가 움직여 지나간 총 길이이다. ( )
(2) 속력은 단위시간 동안의 이동 거리이다. ( )
(3) 속도는 단위시간 동안의 변위이다. ( )
(4) 물체가 직선상을 운동할 때 이동 거리와 변위의 크기는 항상 같다. ( )

2 그림은 A에서 출발한 물체가 직선상에서 오른쪽으로 5 m 이동한 후 왼쪽으로 3 m 이동하여 4초 후 B에 도착한 모습을 나타낸 것이다. A에서 B까지의 운동에 대한 다음 값을 각각 구하시오.

(1) 이동 거리 (2) 변위의 크기
(3) 평균 속력 (4) 평균 속도의 크기

3 그림은 질량이 2 kg인 물체에 작용하는 모든 힘을 나타낸 것이다. 물체에 작용하는 (가)알짜힘의 크기와 물체의 (나)가속도의 크기를 구하시오.

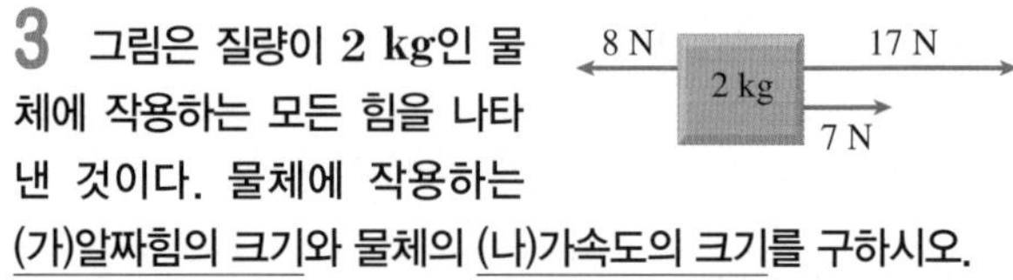

4 (가)등속 직선 운동과 (나)등가속도 직선 운동을 나타내는 그래프를 [보기]에서 각각 있는 대로 고르시오.

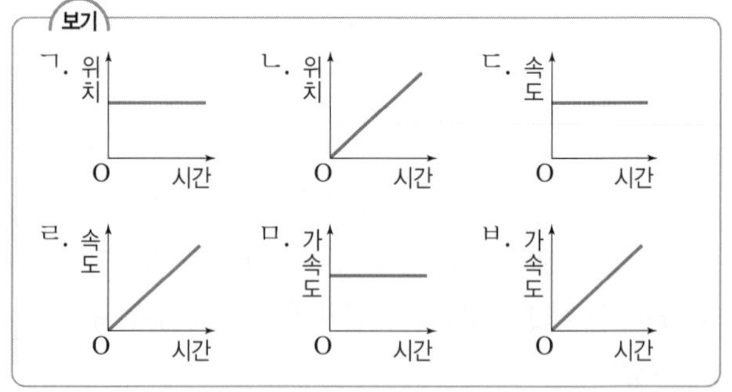

내신 만점 문제

정답친해 45쪽

A 속력과 속도

01 그림은 다트가 점 P, Q를 지나는 경로를 따라 곡선을 그리며 운동하는 모습을 나타낸 것이다.

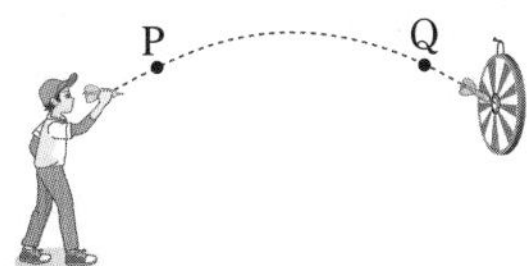

P에서 Q까지 다트의 운동에 대한 설명으로 옳은 것만을 [보기]에서 있는 대로 고른 것은?

보기
ㄱ. 운동 방향이 일정한 운동이다.
ㄴ. 이동 거리는 변위의 크기보다 크다.
ㄷ. 평균 속력은 평균 속도의 크기보다 크다.

① ㄱ ② ㄴ ③ ㄱ, ㄷ
④ ㄴ, ㄷ ⑤ ㄱ, ㄴ, ㄷ

중요 **02** 그림은 상호가 P점을 출발하여 직선상에서 동쪽으로 200 m 이동한 후 서쪽으로 80 m 이동하여 40초 후 Q점에 도착한 모습을 나타낸 것이다.

P에서 Q까지 상호의 운동에 대한 설명으로 옳은 것만을 [보기]에서 있는 대로 고른 것은?

보기
ㄱ. 이동 거리는 변위의 크기보다 크다.
ㄴ. 변위의 크기는 280 m이다.
ㄷ. 평균 속도의 크기는 3 m/s이다.

① ㄱ ② ㄴ ③ ㄱ, ㄷ
④ ㄴ, ㄷ ⑤ ㄱ, ㄴ, ㄷ

B 힘과 운동

03 힘과 운동에 대한 설명으로 옳지 않은 것은?

① 힘은 두 물체 사이의 상호 작용이다.
② 힘은 물체의 운동 상태를 변화시키는 원인이다.
③ 알짜힘은 물체에 작용하는 모든 힘을 합한 것이다.
④ 등속 직선 운동하는 물체에 작용하는 알짜힘은 0이다.
⑤ 물체의 가속도는 질량에 비례하고 알짜힘에 반비례한다.

중요 **04** 그림은 직선상에서 운동하는 물체의 속도를 시간에 따라 나타낸 것이다.

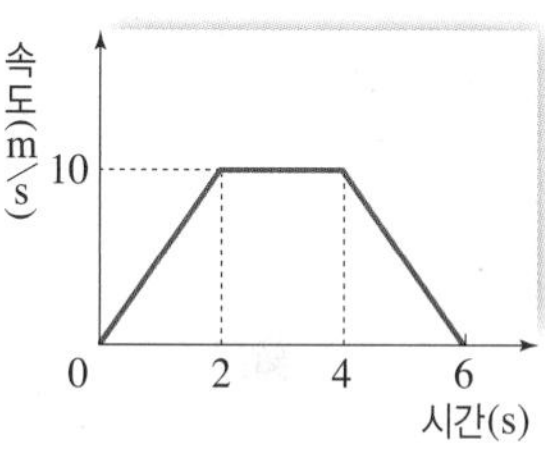

이에 대한 설명으로 옳은 것만을 [보기]에서 있는 대로 고른 것은?

보기
ㄱ. 0~2초 동안 이동 거리는 20 m이다.
ㄴ. 0~2초 동안 가속도의 크기는 5 m/s^2이다.
ㄷ. 4~6초 동안 가속도의 방향은 운동 방향과 반대이다.

① ㄱ ② ㄴ ③ ㄱ, ㄷ
④ ㄴ, ㄷ ⑤ ㄱ, ㄴ, ㄷ

05 다음은 어떤 물체의 운동을 관찰하여 정리한 것이다.

- 물체는 직선 운동을 한다.
- 0초일 때 속도는 10 m/s이다.
- 물체의 가속도는 -2 m/s^2이다.

이에 대한 설명으로 옳은 것만을 [보기]에서 있는 대로 고른 것은?

보기
ㄱ. 2초일 때 속력은 6 m/s이다.
ㄴ. 5초일 때 물체의 운동 방향이 바뀐다.
ㄷ. 0초일 때와 10초일 때의 속력이 같다.

① ㄱ ② ㄷ ③ ㄱ, ㄴ
④ ㄴ, ㄷ ⑤ ㄱ, ㄴ, ㄷ

06 그림은 등가속도 직선 운동하는 장난감 자동차를 2초 간격으로 촬영한 모습이다.

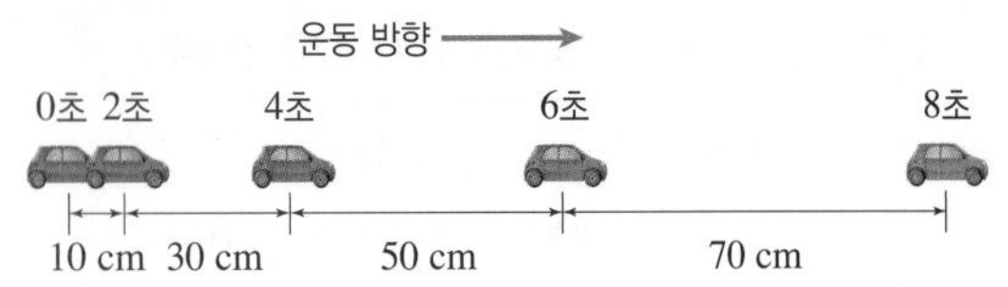

이에 대한 설명으로 옳지 <u>않은</u> 것은?

① 0～2초 동안 평균 속력은 5 cm/s이다.
② 2～4초 구간과 4～6초 구간 사이의 속력 변화량은 10 cm/s이다.
③ 3초인 순간의 속력은 15 cm/s이다.
④ 가속도의 방향은 운동 방향과 같다.
⑤ 자동차의 가속도의 크기는 10 cm/s^2이다.

07 그림은 직선상에서 운동하는 물체 A와 B의 속도를 시간에 따라 나타낸 것이다. 0초부터 4초까지 A, B의 운동에 대한 설명으로 옳은 것만을 [보기]에서 있는 대로 고른 것은?

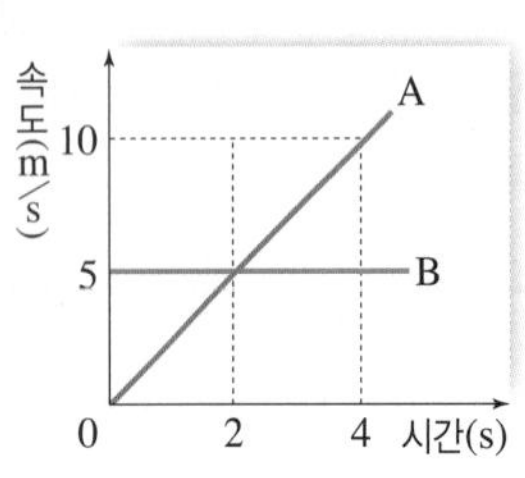

보기
ㄱ. A는 등가속도 직선 운동을 한다.
ㄴ. 0초부터 2초까지 평균 속력은 B가 A의 두 배이다.
ㄷ. 0초부터 4초까지 이동 거리는 A가 B보다 크다.

① ㄴ ② ㄷ ③ ㄱ, ㄴ
④ ㄱ, ㄷ ⑤ ㄴ, ㄷ

08 수평면에 정지해 있는 질량이 2 kg인 물체에 수평 방향으로 일정한 힘 4 N을 5초 동안 작용하였다. 5초 동안 물체의 운동에 대한 설명으로 옳은 것만을 [보기]에서 있는 대로 고른 것은?(단, 모든 마찰은 무시한다.)

보기
ㄱ. 가속도의 크기는 2 m/s^2이다.
ㄴ. 3초일 때 속력은 6 m/s이다.
ㄷ. 0～5초 동안 이동 거리는 50 m이다.

① ㄱ ② ㄷ ③ ㄱ, ㄴ
④ ㄴ, ㄷ ⑤ ㄱ, ㄴ, ㄷ

09 그림은 직선 운동하는 어떤 물체의 속도를 시간에 따라 나타낸 것이다. 이 물체에 작용하는 알짜힘을 시간에 따라 나타낸 그래프로 가장 적절한 것은?

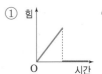

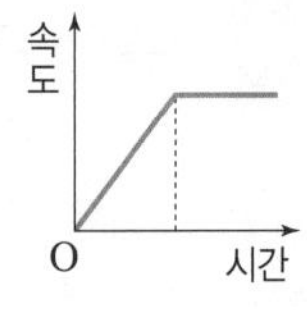

① 힘 O 시간
② 힘 O 시간
③
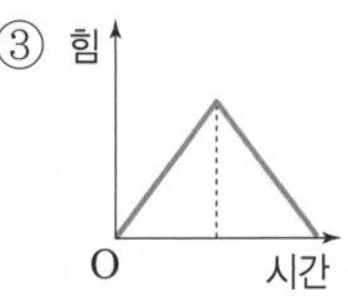

④ 힘 O 시간
⑤
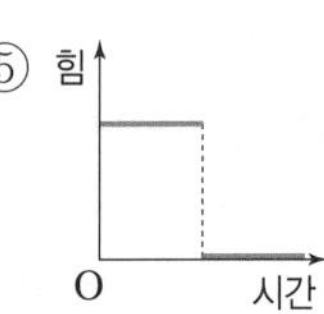

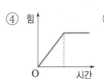

서술형 문제

중요 **10** 표는 직선 운동하는 어떤 물체의 시간에 따른 위치를 나타낸 것이다.

<table>
<tr><td>시간(s)</td><td colspan="2">0</td><td colspan="2">1</td><td colspan="2">2</td><td colspan="2">3</td><td colspan="2">4</td></tr>
<tr><td>위치(m)</td><td colspan="2">0</td><td colspan="2">5</td><td colspan="2">20</td><td colspan="2">45</td><td colspan="2">80</td></tr>
<tr><td>구간 거리(m)</td><td></td><td colspan="2">5</td><td colspan="2">15</td><td colspan="2">25</td><td colspan="2">35</td><td></td></tr>
<tr><td>평균 속도(m/s)</td><td></td><td colspan="2"></td><td colspan="2">㉠</td><td colspan="2"></td><td colspan="2"></td><td></td></tr>
<tr><td>속도 변화량(m/s)</td><td colspan="2"></td><td colspan="2">10</td><td colspan="2">10</td><td colspan="2">10</td><td colspan="2"></td></tr>
<tr><td>가속도(m/s²)</td><td colspan="2"></td><td colspan="2"></td><td colspan="2">㉡</td><td colspan="2"></td><td colspan="2"></td></tr>
</table>

(1) ㉠, ㉡에 해당하는 값을 구하시오.

(2) 물체가 어떤 운동을 하는지 다음 단어를 모두 포함하여 서술하시오.

알짜힘 가속도 운동

11 그림과 같이 질량이 2 kg인 물체에 세 힘이 작용하고 있다.(단, 물체는 처음에 정지해 있었다.)

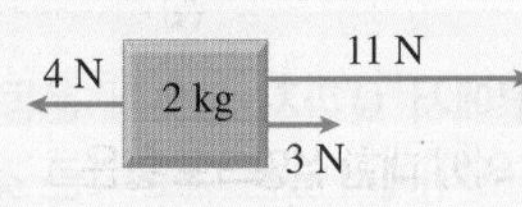

(1) 물체에 작용하는 알짜힘의 크기를 구하시오.

(2) 물체의 가속도의 크기를 계산 과정과 함께 서술하시오.

(3) 2초일 때 물체의 속력을 계산 과정과 함께 서술하시오.

실력 UP 문제

정답친해 47쪽

01 그림은 반지름이 100 m인 자동차 경주용 원형 트랙의 모습을 나타낸 것이다. 자동차가 P점을 통과하여 화살표 방향으로 일정한 빠르기로 한 바퀴 도는 데 10초 걸렸다.

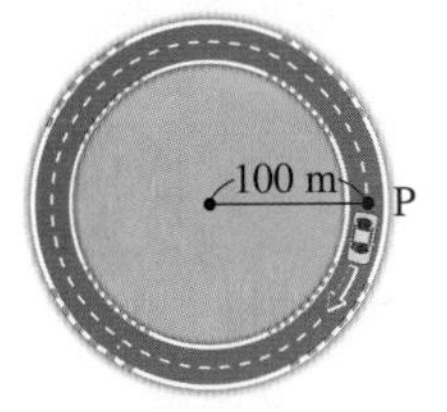

이에 대한 설명으로 옳은 것만을 [보기]에서 있는 대로 고른 것은?

보기
ㄱ. 5초 동안 자동차의 변위의 크기는 200 m이다.
ㄴ. 10초 동안 자동차의 평균 속력은 20π m/s이다.
ㄷ. P점을 통과한 후 5초 동안 자동차의 평균 속도는 서쪽으로 20π m/s이다.

① ㄴ ② ㄷ ③ ㄱ, ㄴ
④ ㄱ, ㄷ ⑤ ㄱ, ㄴ, ㄷ

02 그림은 자동차가 등가속도 직선 운동을 하면서 길이가 L인 직선 터널을 통과하는 모습을 나타낸 것이다. 자동차가 터널에 들어가는 순간의 속력은 10 m/s이고, 터널을 빠져나오는 순간의 속력은 30 m/s이다. 자동차가 터널을 통과하는 데 걸린 시간은 5초이다.

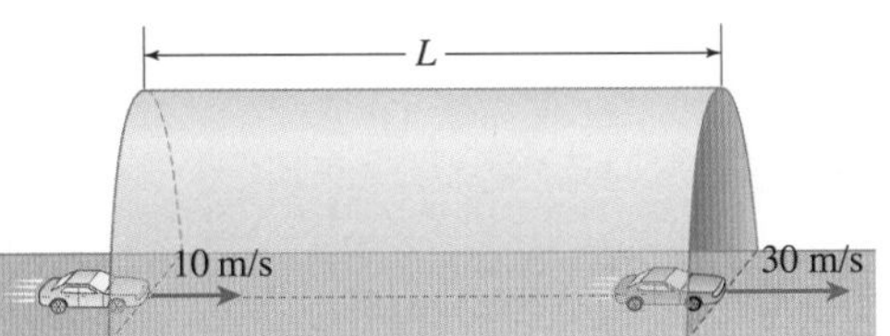

이에 대한 설명으로 옳은 것만을 [보기]에서 있는 대로 고른 것은?

보기
ㄱ. 평균 속력은 20 m/s이다.
ㄴ. 터널의 길이 L=100 m이다.
ㄷ. 가속도의 크기는 4 m/s^{2}이다.

① ㄱ ② ㄴ ③ ㄱ, ㄷ
④ ㄴ, ㄷ ⑤ ㄱ, ㄴ, ㄷ

03 그림은 직선상에서 운동하는 질량이 2 kg인 물체의 속도를 시간에 따라 나타낸 것이다.
이에 대한 설명으로 옳은 것만을 [보기]에서 있는 대로 고른 것은?

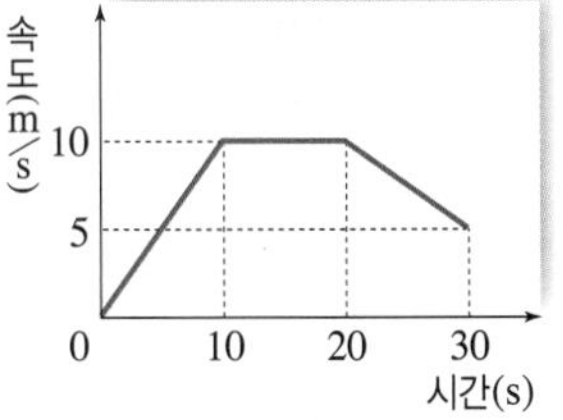

보기
ㄱ. 0초부터 10초까지 물체가 받은 알짜힘의 크기는 2 N이다.
ㄴ. 20초부터 30초까지 이동 거리는 80 m이다.
ㄷ. 알짜힘의 크기는 5초일 때가 25초일 때의 2배이다.

① ㄱ ② ㄴ ③ ㄱ, ㄴ
④ ㄱ, ㄷ ⑤ ㄴ, ㄷ

04 그림은 질량이 각각 2 kg, 3 kg인 두 물체 A, B를 마찰이 없는 수평면에 접촉시켜 놓고, 수평 방향으로 10 N의 일정한 힘을 작용하고 있는 모습을 나타낸 것이다.

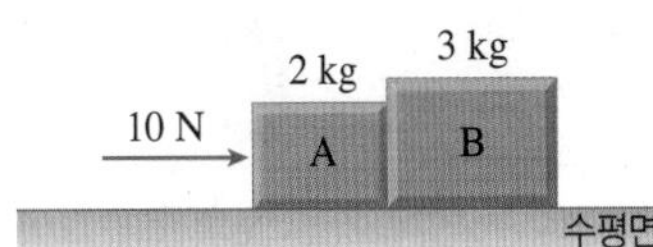

이에 대한 설명으로 옳은 것만을 [보기]에서 있는 대로 고른 것은?

보기
ㄱ. 물체 A는 등가속도 직선 운동을 한다.
ㄴ. 물체 B의 가속도의 크기는 2 m/s^{2}이다.
ㄷ. 물체 A에 작용하는 알짜힘은 10 N이다.

① ㄱ ② ㄷ ③ ㄱ, ㄴ
④ ㄴ, ㄷ ⑤ ㄱ, ㄴ, ㄷ

중력과 역학적 시스템

핵심 포인트
1. 중력 ★★
2. 자유 낙하 운동과 수평 방향으로 던진 물체의 운동 ★★★
3. 지구의 역학적 시스템 ★

A 중력

1. 중력 지구와 물체 사이에 ◆상호 작용 하는 힘으로, 일반적으로는 질량이 있는 모든 물체 사이에 상호 작용 하는 힘이다. → 서로 당기는 힘이다.

① **중력의 크기:** 질량이 클수록, 두 물체 사이의 거리가 가까울수록 크다.

| 두 물체 사이에 작용하는 중력 |

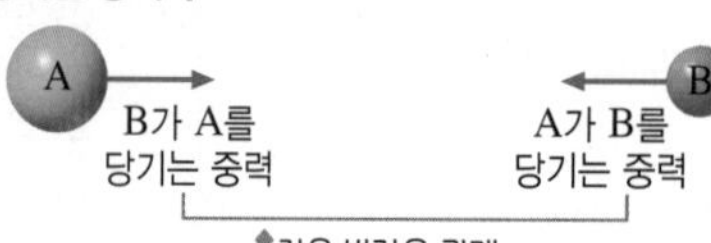

A가 B를 당기는 중력과 B가 A를 당기는 중력은 서로 크기가 같고 방향은 반대이다.

② **중력의 특징**
- 물체가 서로 접촉해 있거나 떨어져 있어도 작용한다.
- 지구 중력의 방향은 지구 중심 방향이다.

③ **무게:** 물체에 작용하는 중력의 크기로, 무게의 단위는 N(뉴턴)이다. → 힘의 단위와 같다.
- 무게는 장소에 따라 측정값이 달라진다. → 달에서 중력의 크기는 지구에서의 $\frac{1}{6}$ 정도이므로 달에서 물체의 무게를 측정하면 지구에서의 $\frac{1}{6}$ 정도가 되어 가벼워진다.
- ◆질량이 m인 물체의 무게는 mg이다. (→ ◆중력 가속도) ➡ 지표면 근처에서 질량 1 kg인 물체의 무게는 9.8 N이다. ($1\ \text{kg} \times 9.8\ \text{m/s}^2 = 9.8\ \text{N}$)

2. 중력의 역할

① 지구상의 모든 물체와 생명체에 중력이 작용한다.

② 행성은 태양의 중력을 받으며 운동하고, 달은 지구의 중력을 받으며 운동한다.

③ 중력에 의해 강물은 높은 곳에서 낮은 곳으로 흐르고, 사과는 아래로 떨어진다.

B 중력을 받는 물체의 운동

1. 자유 낙하 운동 공기 저항을 무시할 때 물체가 중력만 받아 낙하하는 운동

① 자유 낙하 하는 물체에는 운동 방향으로 지구의 중력이 계속 작용한다.

② 자유 낙하 하는 공의 운동을 일정한 시간 간격으로 촬영한 사진을 분석해 보면 시간에 따라 공의 이동 거리가 점점 증가하면서 속도가 일정하게 증가한다는 것을 알 수 있다. ➡ 등가속도 운동

자유 낙하 하는 물체는 1초에 약 9.8 m/s씩 속도가 증가한다. → 자유 낙하 하는 물체 ➲

③ ◆**무게가 다른 물체의 낙하:** 공기 저항을 무시할 때, 중력을 받아 낙하하는 물체의 가속도는 무게에 관계없이 같다. ➡ 같은 높이에서 자유 낙하 하는 물체는 무게에 관계없이 동시에 바닥에 떨어진다. → 가속도 법칙 $a=\frac{F}{m}$에서 $a=\frac{mg}{m}=g$이므로 중력 가속도는 무게에 관계없이 일정하다.

◆ **역학적 시스템과 힘**
역학적 시스템은 자연에 존재하는 여러 가지 힘이 물체들 사이에 상호 작용 하면서 전체적으로 일정한 운동 체계를 유지하는 것이다.

◆ **작용 반작용 법칙(뉴턴 운동 제3법칙)**
한 물체가 다른 물체에 힘을 작용하면 힘을 받은 물체도 힘을 작용한 물체에 크기가 같고 방향이 반대인 힘을 동시에 작용한다.
예 수영 선수가 발로 벽을 밀면 벽도 발을 밀어주므로 선수가 앞으로 나아간다.

◆ **질량**
물체의 고유한 양으로 측정 장소가 달라져도 변하지 않는다. 질량의 단위는 g, kg을 사용한다.

◆ **중력 가속도(g)**
지표면 근처에서 공기 저항 없이 중력만을 받아 운동하는 물체의 가속도로, 크기는 약 $9.8\ \text{m/s}^2$이다.

◆ **무게가 다른 물체의 낙하**
공기 저항을 무시할 때 무게가 다른 깃털과 구슬을 동시에 낙하시키면 두 물체는 동시에 바닥에 떨어진다. 그러나 공기 중에서는 공기 저항력이 작용하므로 구슬이 깃털보다 빨리 떨어진다.

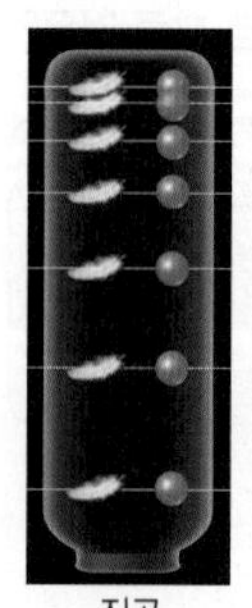
진공

공기 중

2. 수평 방향으로 던진 물체의 운동

① 공기 저항을 무시할 때 지표면 근처에서 수평 방향으로 던진 물체의 경우 수평 방향으로는 힘이 작용하지 않으므로 등속 직선 운동을 하고, ❶연직 방향으로는 지구에 의한 중력만 작용하므로 자유 낙하 하는 물체와 같이 등가속도 운동을 한다.
(지구에 의한 중력: 물체에 작용하는 알짜힘)

② 물체의 운동 방향과 중력의 방향이 나란하지 않으므로 물체는 ❷포물선을 그리며 운동한다.

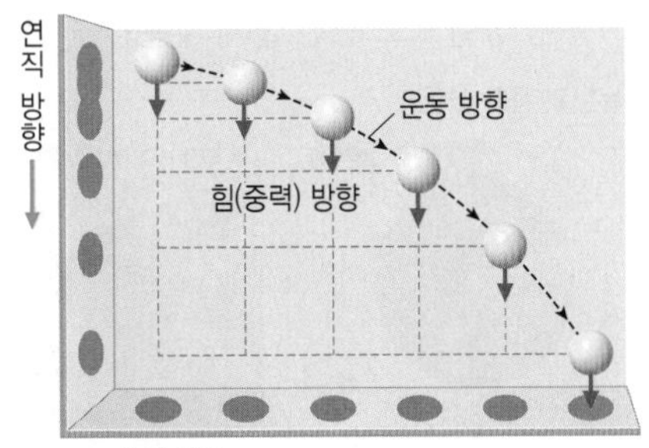

⬆ 수평 방향으로 던진 물체의 운동

| 자유 낙하 운동과 수평 방향으로 던진 물체의 운동 분석 |

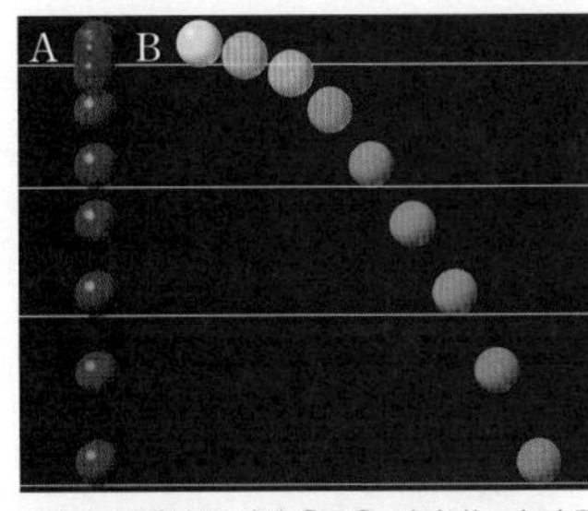

같은 높이에서 동시에 운동을 시작하는 A와 B는 동시에 바닥에 도달한다.

구분	자유 낙하 운동(A)	수평 방향으로 던진 물체의 운동(B)	
		수평 방향	연직 방향
힘	중력	없음	중력
운동	등가속도 운동	등속 직선 운동	등가속도 운동
운동 그래프	속도-시간 그래프: 일정하게 증가	속도-시간 그래프: 일정	속도-시간 그래프: 일정하게 증가

탐구 자료창 중력을 받는 물체의 운동

그림은 ◆쇠구슬 발사 장치를 작동시켜 두 쇠구슬 A, B가 동시에 운동을 시작하도록 한 후, 운동 모습을 동영상으로 촬영하고, 0.1초마다 두 쇠구슬의 위치를 나타낸 것이다.

1. 실험 결과

• 자유 낙하 하는 쇠구슬 A의 속도가 일정하게 증가한다.

시간(s)	0~0.1	0.1~0.2	0.2~0.3	0.3~0.4	0.4~0.5
구간 거리(m)	0.05	0.15	0.25	0.35	0.45
◆구간 평균 속도(m/s)	0.5	1.5	2.5	3.5	4.5

→ 속도가 일정하게 증가, 가속도 $=\frac{1.0\ \mathrm{m/s}}{0.1\ \mathrm{s}}=10\ \mathrm{m/s^2}$

• 수평 방향으로 던진 쇠구슬 B의 연직 방향 속도는 일정하게 증가하며, 쇠구슬 A의 속도와 동일하게 증가한다. 수평 방향 속도는 일정하다.

시간(s)		0~0.1	0.1~0.2	0.2~0.3	0.3~0.4	0.4~0.5
연직 방향	구간 거리(m)	0.05	0.15	0.25	0.35	0.45
	구간 평균 속도(m/s)	0.5	1.5	2.5	3.5	4.5
수평 방향	구간 거리(m)	0.25	0.25	0.25	0.25	0.25
	구간 평균 속도(m/s)	2.5	2.5	2.5	2.5	2.5

(연직 방향 구간 평균 속도: 속도가 일정하게 증가, 가속도 $=10\ \mathrm{m/s^2}$; 수평 방향 구간 평균 속도: 속도가 일정)

2. 결론: 자유 낙하 하는 물체는 등가속도 운동을 한다. 수평 방향으로 던진 물체는 수평 방향으로는 등속 직선 운동을 하고, 연직 방향으로는 자유 낙하 운동과 같이 등가속도 운동을 한다.

궁금해?

수평 방향으로 세게 던지면 바닥에 더 늦게 도달할까?

수평 방향으로 던진 물체의 속력이 빠를수록 더 멀리 날아가서 떨어진다. 그러나 연직 방향의 가속도는 같으므로 처음 높이가 같으면 바닥에 도달할 때까지 걸린 시간은 같다.

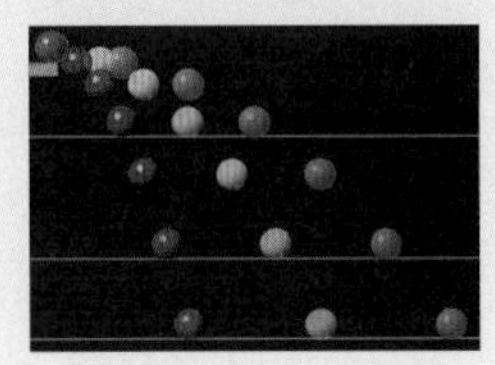

◆ 쇠구슬 발사 장치

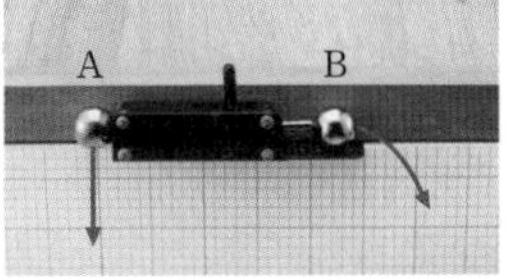

쇠구슬 A는 자유 낙하 하고, 쇠구슬 B는 수평 방향으로 운동하도록 발사하는 장치이다.

◆ 구간 평균 속도

구간 평균 속도 $=\frac{\text{구간 거리}}{\text{구간 시간}}$

용어

❶ **연직(鉛 납, 直 곧다)** 지표면에서 실에 납으로 만든 추를 달아 늘어뜨릴 때 실이 가리키는 방향으로 중력의 방향을 의미한다.

❷ **포물선(抛 던지다, 物 만물, 線 줄)** 수평 방향으로 던진 물체 또는 비스듬히 위로 던진 물체가 그리는 궤적

3. **뉴턴의 [1]사고 실험** 뉴턴은 지구 주위를 원운동 하는 달이 지구로 떨어지지 않는 까닭을 수평 방향으로 던진 물체의 운동을 통해 설명하였다.

뉴턴의 사고 실험

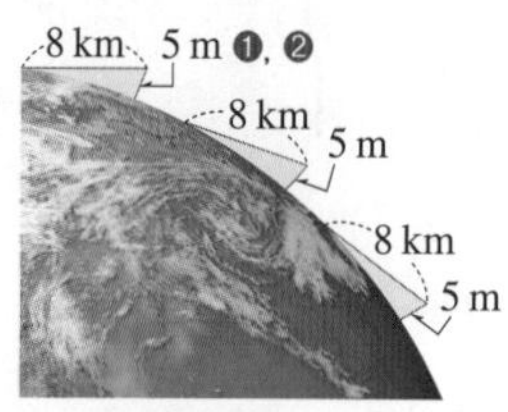

❶ 자유 낙하 하는 물체가 5 m 낙하하는 데 걸리는 시간은 1초이다.
❷ 지구의 곡률은 수평 방향으로 약 8 km 이동하였을 때 아래로 5 m 떨어진 정도이다.
❸ 공기 저항을 무시할 때 수평 방향으로 8 km/s의 속력으로 포탄을 쏘면 지구 주위를 돌 수 있을 것이다.

➡ 빠르게 수평 방향으로 던져진 물체는 지구로 떨어지지 않고 지구 주위를 돌 수 있는 것처럼 달도 지구로 떨어지지 않고 지구 주위를 돌 수 있을 것이다.

◆ **지구 대기의 구성**
수소와 헬륨과 같은 가벼운 기체는 속력이 빨라 지구 중력을 벗어나 우주로 날아가 버리고, 무겁고 속력이 느린 산소나 질소와 같은 기체가 지구에 남아 지구 대기를 구성하고 있다.

궁금해?
달에 대기가 존재하지 않는 까닭은?
달은 지구에 비해 중력이 훨씬 작으므로 기체가 우주로 날아가 버려 대기가 존재하지 않는다.

◆ **대류**
중력이 작용하는 공간에서 액체나 기체가 밀도 차에 의해 직접 이동하여 열을 전달하는 현상 차가운 공기는 밀도가 커서 아래쪽으로 이동하고 따뜻한 공기는 밀도가 작아 위쪽으로 이동한다.

◆ **무중력 상태에서의 현상**
- 동물의 혈압이 낮아지고, 근육과 골격이 약해진다.
- 전정 기관이 중력을 감지하지 못해 방향 감각이 둔해진다.
- 대류가 일어나지 않는다.
  - 양초의 불꽃 모양이 둥근 모양이 된다.

용어
❶ **사고(思 생각하다, 考 곰곰이 생각하다) 실험** 논리적인 생각에 의해 결론을 내리는 실험
❷ **전정(前 앞, 庭 뜰) 기관** 대부분의 포유류에서 평형 감각을 주관하는 감각 기관

C 중력과 자연 현상

1. **중력과 지구 시스템** 중력은 물체의 운동에 영향을 줄 뿐만 아니라 지구 시스템에서 일어나는 여러 가지 자연 현상에도 매우 중요하게 작용하고 있다.

❶ 태양의 중력에 의해 여러 행성들이 태양 주위를 공전하고, 지구 중력에 의해 달과 인공위성은 지구 주위를 공전한다.

❷ 밀물과 썰물의 주된 원인은 달과 태양이 지구에 작용하는 중력이다. 태양은 달에 비해 지구와의 거리가 멀어 영향력이 작다.

❸ 높은 곳으로 올라갈수록 중력에 의해 낮은 곳보다 ◆공기가 희박하다. 따라서 높은 산에 올라갈 때는 산소통이 필요하다. (지표면에 가까울수록 대기의 밀도가 크고, 위로 올라갈수록 대기의 밀도가 작아진다.)

❹ 지표 변화: 중력에 의해 물이 위에서 아래로 흐르면서 침식 작용에 의해 지표를 변화시키고, 산사태를 일으키기도 하며, 빙하에 의해 U자곡을 형성하기도 한다.
❺ ◆대류 현상: 물질의 밀도에 따라 상대적으로 중력의 차이가 발생하기 때문에 일어난다.
❻ 기상 현상의 원인: 공기의 대류에 의해 상승하는 공기 속에서 구름이 만들어지고, 구름 속에서 성장한 물방울은 중력에 의해 비나 눈이 되어 떨어진다.

2. **중력과 생명 시스템** 중력은 생명 시스템에서 일어나는 여러 가지 자연 현상에도 매우 중요하게 작용하고 있다. 생명 시스템에서는 중력에 적응하기 위한 진화의 흔적이 보인다.

❶ 목이 매우 긴 기린은 중력을 극복하기 위해 심장이 크고 혈압이 높다.

❷ 민들레씨의 갓털은 중력을 이겨내고 바람에 날려 멀리 씨앗을 퍼트리는 역할을 한다.

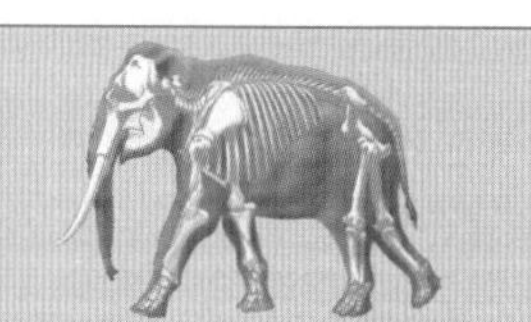

❸ 몸무게가 무거운 코끼리나 하마는 단단한 골격으로 중력을 지탱한다.

❹ 사람 귓속의 [2]전정 기관에서는 중력을 감지하여 몸의 균형을 유지한다.
❺ 조류는 뼛속이 비어 있어 중력을 덜 받아 몸이 가볍기 때문에 하늘을 날 수 있다.
❻ 육상 동물은 다리로 몸을 지탱하고, 식물은 뿌리를 땅속으로 뻗어 몸을 지지한다.

개념 확인 문제

정답친해 48쪽

핵심 체크

- (❶): 질량이 있는 모든 물체 사이에 상호 작용 하는 서로 끌어당기는 힘이다.
- 중력은 물체의 질량이 (❷), 물체 사이의 거리가 가까울수록 크다.
- (❸) 운동: 공기의 저항 없이 물체가 중력만을 받아 낙하하는 운동이다.
- 수평 방향으로 던진 물체는 수평 방향으로는 (❹) 운동을 하고, 연직 방향으로는 (❺) 운동을 한다.
- 중력과 자연 현상: (❻)은 지구상의 모든 물체에 끊임없이 작용하여 자연 현상을 일으키고 생명체의 생명 활동에도 중요한 역할을 하므로, 지구 시스템과 (❼) 시스템을 유지하는 데 필수적이다.

1 중력에 대한 설명으로 옳은 것은 ○, 옳지 않은 것은 ×로 표시하시오.

(1) 중력은 물체의 질량이 클수록 크다. ( )

(2) 물체가 서로 떨어져 있으면 중력이 작용하지 않는다. ( )

(3) 지표면에 놓인 무게가 1 N인 사과가 지구를 당기는 중력의 크기는 1 N이다. ( )

2 자유 낙하 운동에 대한 설명으로 옳은 것만을 [보기]에서 있는 대로 고르시오.

보기

ㄱ. 공기의 저항 없이 중력만 받아 낙하하는 운동이다.

ㄴ. 지표면에서 자유 낙하 하는 물체는 등가속도 운동을 한다.

ㄷ. 자유 낙하 하는 물체의 질량이 클수록 바닥에 먼저 떨어진다.

3 지표면 근처에서 수평 방향으로 던진 물체의 운동에 대한 설명으로 옳은 것은 ○, 옳지 않은 것은 ×로 표시하시오.(단, 공기 저항은 무시한다.)

(1) 수평 방향으로는 힘을 받지 않으므로 등속 직선 운동을 한다. ( )

(2) 연직 방향으로는 일정한 중력이 작용하므로 등속 직선 운동을 한다. ( )

(3) 물체에는 운동 방향과 나란한 방향의 중력이 작용한다. ( )

4 표는 자유 낙하 운동과 수평 방향으로 던진 물체의 운동을 비교한 것이다. ( ) 안에 알맞은 말을 쓰시오.

구분	자유 낙하 운동	수평 방향으로 던진 물체의 운동	
		수평 방향	연직 방향
힘	중력	없음	(㉠)
속도	일정하게 증가	(㉡)	일정하게 증가
운동	(㉢) 운동	등속 직선 운동	등가속도 운동

5 다음은 중력과 자연 현상에 대한 설명이다. ( ) 안에 알맞은 말을 고르시오.

중력에 의해 지표면과 ㉠(가까울수록, 멀수록) 공기의 밀도가 크므로, 높이 올라갈수록 공기가 ㉡(희박, 풍부) 하다.

6 중력과 자연 현상에 대한 설명으로 옳은 것은 ○, 옳지 않은 것은 ×로 표시하시오.

(1) 행성들이 태양 주위를 공전하는 것은 태양이 행성들에 작용하는 중력 때문이다. ( )

(2) 지구에서 일어나는 밀물과 썰물 현상은 달과 태양이 지구에 작용하는 중력 때문이다. ( )

(3) 대류 현상은 온도에 따라 물질의 질량이 달라서 상대적으로 중력의 차이가 발생하기 때문에 일어난다. ( )

(4) 사람 귓속의 전정 기관에서는 중력을 감지하여 몸의 평형 상태를 인식한다. ( )

내신 만점 문제

A 중력

01 중력에 대한 설명으로 옳지 않은 것은?

① 지구와 물체 사이에 상호 작용 하는 힘이다.
② 중력은 역학적 시스템에서 중요한 역할을 한다.
③ 지구 중력의 방향은 지구의 중심을 향하는 방향이다.
④ 지표면에서 멀리 떨어져 있는 물체에는 작용하지 않는다.
⑤ 지구의 모든 물체에 지속적으로 작용하여 영향을 주는 힘이다.

02 중력의 크기에 대한 설명으로 옳은 것만을 [보기]에서 있는 대로 고른 것은?(단, 중력 가속도는 9.8 m/s²이다.)

보기
ㄱ. 물체의 질량이 클수록 크다.
ㄴ. 지표면에서 높은 곳으로 갈수록 커진다.
ㄷ. 지표면에 놓인 질량 5 kg인 물체에 작용하는 중력의 크기는 49 N이다.

① ㄱ ② ㄴ ③ ㄱ, ㄷ
④ ㄴ, ㄷ ⑤ ㄱ, ㄴ, ㄷ

중요 **03** 그림과 같이 질량이 각각 m_1, m_2인 물체 A, B가 거리 r만큼 떨어져 있다. 이때 두 물체에 작용하는 중력은 각각 F_1, F_2이다.

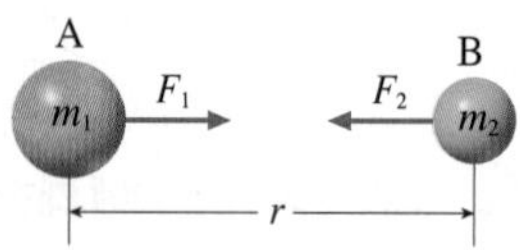

이에 대한 설명으로 옳은 것만을 [보기]에서 있는 대로 고른 것은?

보기
ㄱ. F_1과 F_2의 크기는 같다.
ㄴ. F_1은 A가 B를 당기는 힘이다.
ㄷ. m_1이 커지면 F_2도 커진다.

① ㄱ ② ㄴ ③ ㄱ, ㄷ
④ ㄴ, ㄷ ⑤ ㄱ, ㄴ, ㄷ

B 중력을 받는 물체의 운동

04 그림은 가만히 놓은 공의 위치를 일정한 시간 간격으로 나타낸 것이다.
이에 대한 설명으로 옳은 것만을 [보기]에서 있는 대로 고른 것은?(단, 공기 저항은 무시한다.)

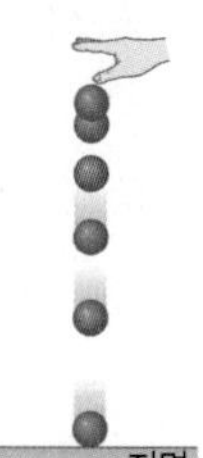

보기
ㄱ. 공은 등가속도 운동을 한다.
ㄴ. 공이 지면에 도달하는 순간 공에 작용하는 중력은 0이 된다.
ㄷ. 공이 손을 떠난 순간과 지면에 도달하기 직전 공에 작용하는 힘의 방향은 서로 반대이다.

① ㄱ ② ㄴ ③ ㄷ
④ ㄱ, ㄷ ⑤ ㄴ, ㄷ

중요 **05** 그림과 같이 질량이 다른 두 물체 A, B를 지면으로부터 같은 높이 h인 곳에서 가만히 놓았다. A의 질량은 2 kg, B의 질량은 4 kg이다.

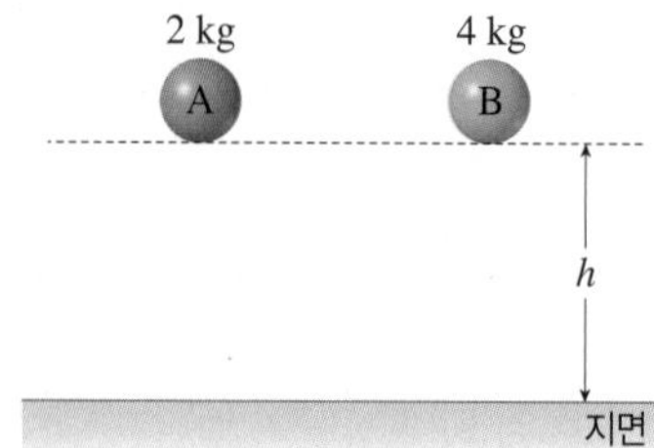

이에 대한 설명으로 옳은 것만을 [보기]에서 있는 대로 고른 것은?(단, 물체의 크기와 공기 저항은 무시한다.)

보기
ㄱ. 가속도의 크기는 A와 B가 같다.
ㄴ. 두 물체는 동시에 지면에 도달한다.
ㄷ. 물체에 작용하는 중력의 크기는 A와 B가 같다.

① ㄱ ② ㄷ ③ ㄱ, ㄴ
④ ㄴ, ㄷ ⑤ ㄱ, ㄴ, ㄷ

06 그림은 지면으로부터 20 m 높이에서 수평 방향으로 5 m/s의 속도로 던진 공의 위치를 일정한 시간 간격으로 나타낸 것이다.

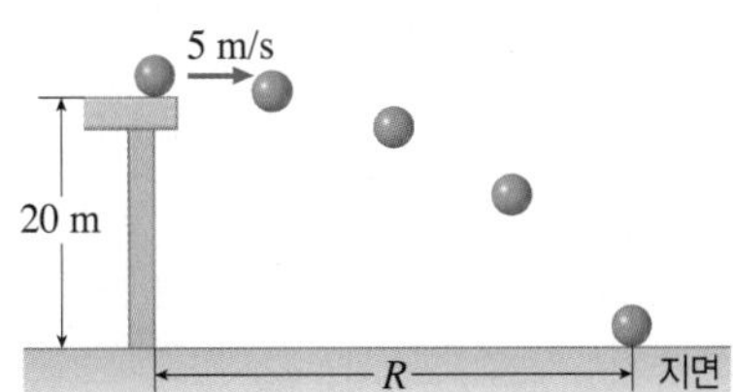

이에 대한 설명으로 옳은 것만을 [보기]에서 있는 대로 고른 것은?(단, 중력 가속도는 $10 m/s^2$이고 공기 저항은 무시한다.)

보기
ㄱ. 연직 방향으로 일정한 크기의 중력이 작용한다.
ㄴ. 수평 방향으로 힘을 받아 등가속도 운동을 한다.
ㄷ. 공이 지면에 도달할 때까지 걸린 시간은 2초이다.
ㄹ. 공이 지면에 도달할 때까지 수평 방향으로 이동한 거리 R는 15 m이다.

① ㄱ, ㄴ ② ㄱ, ㄷ ③ ㄴ, ㄹ
④ ㄱ, ㄷ, ㄹ ⑤ ㄴ, ㄷ, ㄹ

중요 **07** 다음은 두 동전의 운동을 비교하는 실험이다.

(가) 자의 한쪽 끝에 동전 A를 올려놓고, 다른 쪽 끝에는 자의 옆에 동전 B를 놓는다.
(나) 자를 ㉠ 방향으로 빠르게 쳐서 동전 A, B를 동시에 낙하시킨다.
(다) 동전 A와 B의 운동을 관찰한다.

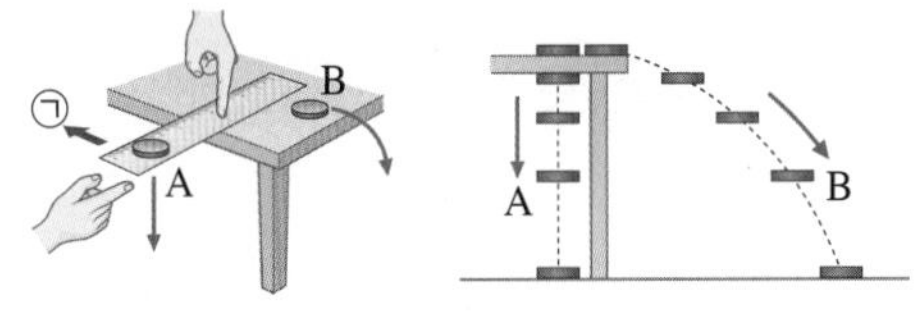

이에 대한 설명으로 옳은 것만을 [보기]에서 있는 대로 고른 것은?(단, 모든 저항과 동전의 크기, 자의 두께는 무시한다.)

보기
ㄱ. A와 B는 동시에 바닥에 닿는다.
ㄴ. A의 연직 방향 속력은 일정하게 증가한다.
ㄷ. B가 받는 알짜힘의 방향은 운동 방향과 같다.

① ㄱ ② ㄷ ③ ㄱ, ㄴ ④ ㄴ, ㄷ ⑤ ㄱ, ㄴ, ㄷ

중요 **08** 그림은 같은 높이에서 각각 수평 방향으로 동시에 던진 세 공의 위치를 일정한 시간 간격으로 나타낸 것이다.

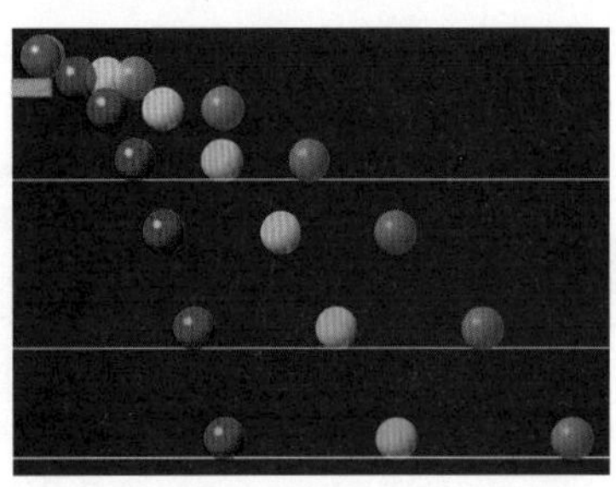

이에 대한 설명으로 옳은 것만을 [보기]에서 있는 대로 고른 것은?(단, 공의 크기와 공기 저항은 무시한다.)

보기
ㄱ. 연직 방향의 가속도는 수평 방향 속도에 관계없이 같다.
ㄴ. 공의 수평 방향 속도가 빠를수록 더 멀리 날아가서 떨어진다.
ㄷ. 공의 질량이 작을수록 바닥에 닿을 때까지 시간이 오래 걸린다.

① ㄱ ② ㄴ ③ ㄷ
④ ㄱ, ㄴ ⑤ ㄴ, ㄷ

09 그림과 같이 건물의 서로 다른 층에서 질량이 같은 두 물체 A, B를 각각 수평 방향으로 던졌더니 지면상의 같은 지점에 떨어졌다. 이에 대한 설명으로 옳은 것만을 [보기]에서 있는 대로 고른 것은?(단, 물체의 크기와 공기 저항은 무시한다.)

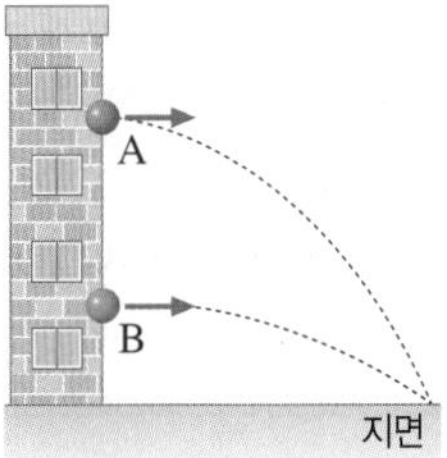

보기
ㄱ. 지면에 도달할 때까지 걸린 시간은 A가 B보다 길다.
ㄴ. 수평 방향으로 던진 순간의 속력은 A가 B보다 크다.
ㄷ. 운동하는 동안 B의 가속도의 방향은 운동 방향과 같다.

① ㄱ ② ㄴ ③ ㄷ
④ ㄱ, ㄷ ⑤ ㄴ, ㄷ

C 중력과 자연 현상

10 그림 (가)~(다)는 여러 가지 자연 현상을 나타낸 것이다.

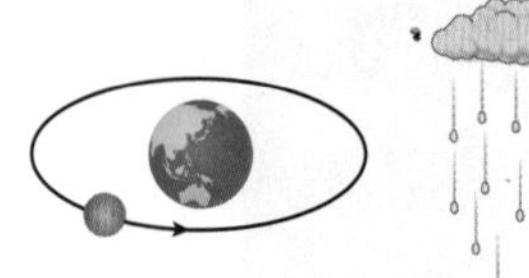

달이 지구 주위를 공전한다.

(가)

빗방울이 아래로 떨어진다.

(나)

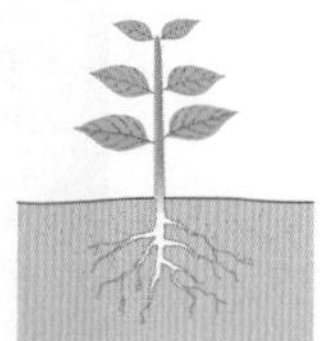

식물의 뿌리가 땅속을 향해 자란다.

(다)

이에 대한 설명으로 옳은 것만을 [보기]에서 있는 대로 고른 것은?

보기
ㄱ. 달은 지구의 중력에 의해 지구 주위를 공전한다.
ㄴ. 빗방울이 아래로 떨어지는 것은 중력 때문이다.
ㄷ. 식물의 뿌리는 중력과 상관없이 땅속으로 자란다.

① ㄴ ② ㄷ ③ ㄱ, ㄴ
④ ㄱ, ㄷ ⑤ ㄱ, ㄴ, ㄷ

11 다음은 중력의 영향을 받아 나타나는 현상이다.

- 물이 순환하여 다양한 기상 현상이 일어난다.
- 코끼리와 같이 몸무게가 무거운 동물은 단단한 골격을 이루고 있다.
- 온도가 높아진 기체가 위로 상승하므로 양초의 불꽃은 길쭉한 모양이 된다.

무중력 상태에서 나타날 수 있는 현상으로 옳은 것만을 [보기]에서 있는 대로 고른 것은?

보기
ㄱ. 기상 현상이 일어나기 어렵다.
ㄴ. 동물의 근육과 골격이 더 단단해진다.
ㄷ. 양초의 불꽃 모양이 더욱 길어진다.

① ㄱ ② ㄴ ③ ㄱ, ㄷ
④ ㄴ, ㄷ ⑤ ㄱ, ㄴ, ㄷ

서술형 문제

12 그림은 질량이 있는 두 물체 사이에 작용하는 중력을 나타낸 것이다.

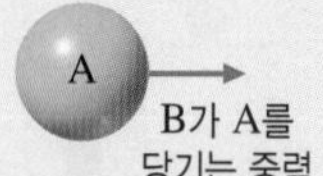

A가 B를 당기는 중력 B

두 물체 사이의 중력의 크기를 크게 하는 방법을 두 가지 서술하시오.

중요 **13** 그림은 자유 낙하 하는 물체 A와 동시에 수평 방향으로 던진 물체 B의 운동을 나타낸 것이다.

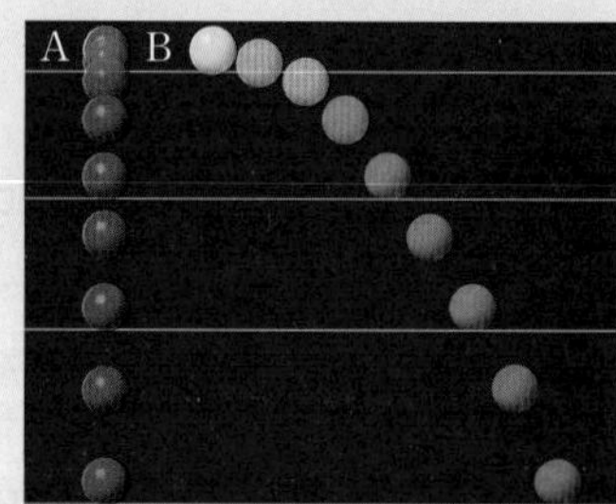

A와 B의 운동을 연직 방향과 수평 방향으로 나누어 다음 단어를 모두 포함하여 서술하시오.(단, 공기 저항은 무시한다.)

등속 직선 운동 등가속도 운동

14 지구 대기의 구성 성분 중 수소, 헬륨과 같이 가벼운 기체가 거의 없는 까닭을 서술하시오.

실력 UP 문제

정답친해 50쪽

01 그림과 같이 쇠구슬 발사 장치를 고정한 다음, 쇠구슬 A는 자유 낙하 하고 동시에 쇠구슬 B는 수평 방향으로 운동하도록 하였다.

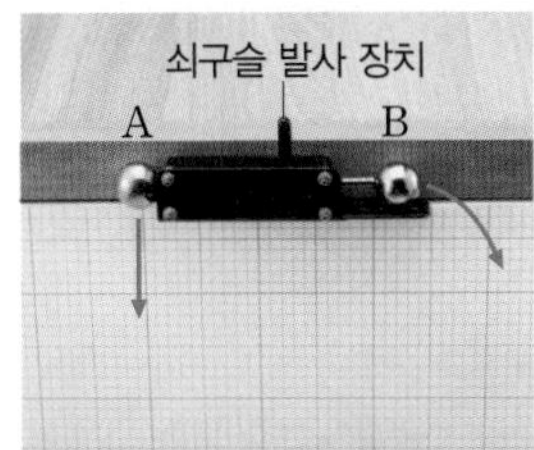

A와 B의 운동에 대한 설명으로 옳은 것만을 [보기]에서 있는 대로 고른 것은?(단, 쇠구슬의 크기와 공기 저항은 무시한다.)

보기
ㄱ. A와 B에 작용하는 중력의 크기는 각각 일정하다.
ㄴ. A와 B가 운동하는 동안의 연직 방향 가속도는 서로 같다.
ㄷ. B의 수평 방향 속도가 커지면 A보다 먼저 지면에 도달한다.

① ㄱ ② ㄴ ③ ㄱ, ㄴ
④ ㄱ, ㄷ ⑤ ㄴ, ㄷ

02 그림은 지표면 근처의 같은 높이에서 질량이 같은 포탄 A, B, C를 수평 방향으로 발사하였을 때 세 포탄의 운동 경로를 나타낸 것이다. C는 지구를 중심으로 원 궤도를 따라 운동한다.

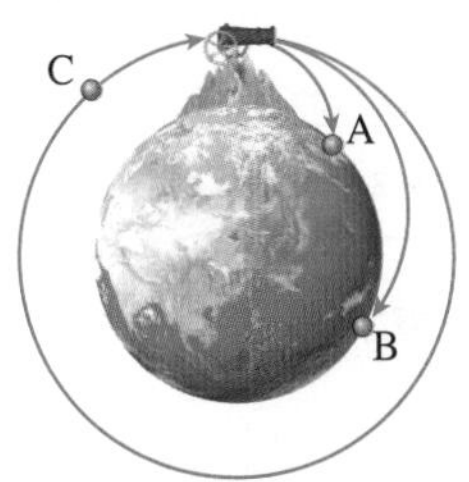

이에 대한 설명으로 옳은 것만을 [보기]에서 있는 대로 고른 것은?(단, 공기 저항은 무시한다.)

보기
ㄱ. 포탄을 쏜 속력은 B가 A보다 크다.
ㄴ. 운동하는 동안 C에는 중력이 작용하지 않는다.
ㄷ. 운동하는 동안 가속도의 크기는 세 포탄 모두 같다.

① ㄱ ② ㄴ ③ ㄱ, ㄷ
④ ㄴ, ㄷ ⑤ ㄱ, ㄴ, ㄷ

03 그림과 같이 높이가 같은 두 탑 위에서 물체 A를 수평 방향으로 20 m/s의 속력으로 던지는 동시에 물체 B를 가만히 떨어뜨렸더니 1초 후에 점 P에서 충돌하였다.

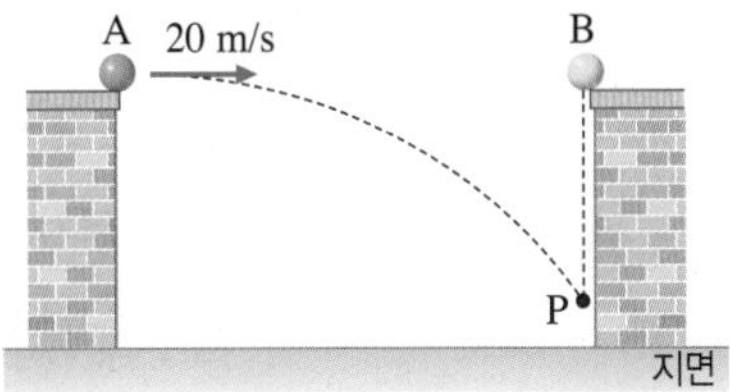

이에 대한 설명으로 옳은 것만을 [보기]에서 있는 대로 고른 것은?(단, 중력 가속도는 10 m/s^2이고, 물체의 크기와 공기 저항은 무시한다.)

보기
ㄱ. 두 탑 사이의 수평 거리는 20 m이다.
ㄴ. 충돌 직전 B의 속력은 10 m/s이다.
ㄷ. B의 처음 위치에서 점 P까지의 거리는 5 m이다.
ㄹ. A를 던지는 속력을 더 크게 하면 두 물체는 충돌하지 않는다.

① ㄱ, ㄴ ② ㄱ, ㄹ ③ ㄷ, ㄹ
④ ㄱ, ㄴ, ㄷ ⑤ ㄴ, ㄷ, ㄹ

04 그림 (가)는 자연 현상을, (나)는 생명 현상을 나타낸 것이다.

(가)

(나)

이에 대한 설명으로 옳은 것만을 [보기]에서 있는 대로 고른 것은?

보기
ㄱ. (가)는 태양과 달 사이에 작용하는 중력이 원인이다.
ㄴ. (나)의 기린이 다른 동물에 비해 심장이 크고 혈압이 높은 까닭은 중력과 관련이 있다.
ㄷ. (가)와 (나)의 경우로 보아 중력은 지구 시스템에는 영향을 미치지 않고, 생명 시스템에만 영향을 미친다.

① ㄱ ② ㄴ ③ ㄷ
④ ㄱ, ㄴ ⑤ ㄱ, ㄴ, ㄷ

3 역학적 시스템과 안전

핵심 포인트
1. 관성 법칙 ★★
2. 운동량과 충격량의 관계 ★★★
3. 충돌과 안전장치 ★★

A 관성과 관성 법칙

1. 관성[1] 물체가 현재의 운동 상태를 유지하려는 성질

① **관성의 크기:** 물체의 질량이 클수록 관성이 크다. → 질량이 클수록 운동 상태를 변화시키기 어렵다.

② **관성에 의한 현상**

: 관성을 나타내는 물체

정지 관성: 정지해 있던 물체가 계속 정지해 있으려는 성질		운동 관성: 운동하던 물체가 계속 등속 직선 운동을 하려는 성질	
	동전 / 컵		
버스가 갑자기 출발하면 승객이 뒤로 넘어진다. ➡ 버스는 이동하는데 승객은 제자리에 있으려 하므로	종이만 튕겨 나가고 동전은 컵 속으로 떨어진다. ➡ 종이는 움직이는데 동전은 제자리에 있으려 하므로	버스가 갑자기 정지하면 승객이 앞으로 넘어진다. ➡ 버스는 정지하는데 승객은 나아가던 방향으로 계속 움직이려 하므로	달리던 사람이 돌부리에 걸려 넘어진다. ➡ 사람은 운동 방향으로 계속 움직이려고 하는데 발이 걸리므로

2. 관성 법칙(뉴턴 운동 제1법칙) 한 물체에 작용하는 ◆알짜힘이 0이면 운동 상태가 변하지 않는다. 즉, 정지해 있던 물체는 계속 정지해 있고, 운동하던 물체는 계속 등속 직선 운동을 한다.

◆ **갈릴레이 사고 실험**
갈릴레이는 사고 실험으로 운동하는 물체의 관성을 유추하였다.

마찰이나 공기 저항이 없을 때, 운동하는 물체에 힘이 작용하지 않으면 물체는 등속 직선 운동을 계속할 것이다.

비상, 천재 교과서에만 나와요.

◆ **알짜힘**
물체에 작용하는 모든 힘의 합력을 말한다. 물체의 운동 상태 변화는 알짜힘에 의해 결정된다.
→ Ⅱ-1-01. 물체의 운동에서 설명하였다.

뉴턴 운동 제1법칙과 운동 제2법칙은 힘의 효과에 대한 설명이고, 운동 제3법칙은 힘의 본질적 특성에 대한 설명이에요.

B 운동량과 충격량

1. 운동량 물체의 질량과 속도를 곱한 물리량 → 운동하는 물체의 운동 효과를 나타내는 양

운동량=질량×속도, $p=mv$ [단위: kg·m/s]

① **운동량의 크기:** 질량이 클수록, 속도가 빠를수록 운동량이 크다.

② **운동량의 방향:** 속도의 방향과 같다.

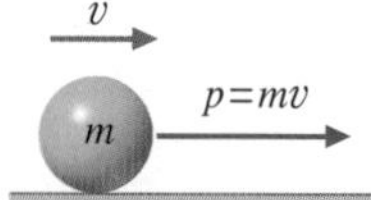

▲ **운동량** 질량이 m인 물체가 v의 속도로 운동할 때 운동량 $p=mv$이다.

이것까지 나와요! 물리학Ⅰ

운동량 보존 법칙

운동량 보존 법칙: 외부에서 힘이 작용하지 않으면 물체들의 운동량의 총합은 항상 일정하게 보존된다. → 물체가 충돌할 때 충돌 전과 충돌 후 운동량의 합은 같다.

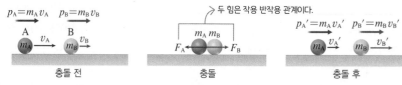

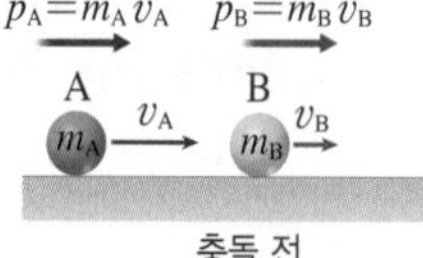

충돌 전

두 힘은 작용 반작용 관계이다.
m_A m_B
F_A F_B

충돌

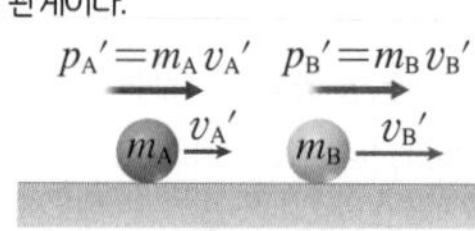

충돌 후

충돌 전 운동량의 합=충돌 후 운동량의 합 ➡ $m_Av_A+m_Bv_B=m_Av_A'+m_Bv_B'$

(용어)
[1] 관성(慣 버릇, 性 성질) 물체가 외부의 힘을 받지 않는 한 정지 또는 운동 상태를 계속 유지하려고 하는 성질

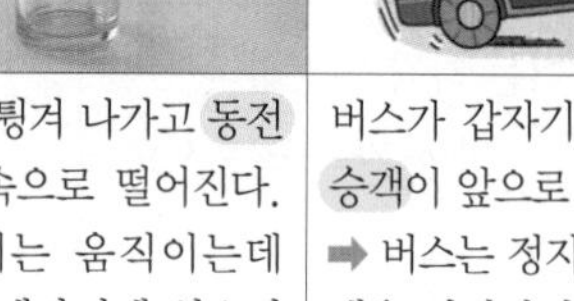

2. 충격량 물체에 작용한 힘과 힘이 작용한 시간의 곱 ─● 물체가 받은 충격의 정도를 나타내는 양

충격량=힘×시간, $I=F\Delta t$ [단위: ◆N·s]

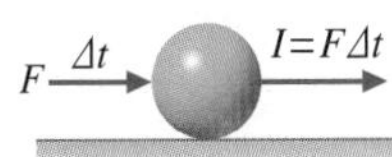

▲ 충격량 물체가 F의 힘을 시간 Δt 동안 받을 때 충격량 $I=F\Delta t$이다.

① **충격량의 크기:** 힘이 클수록, 힘이 작용한 시간이 길수록 크다.

② ◆**충격량의 방향:** 힘의 방향과 같다.

| 힘-시간 그래프와 충격량 |

• 물체에 작용한 힘의 변화를 시간에 따라 나타낸 그래프에서 그래프 아랫부분의 넓이는 충격량을 나타낸다.

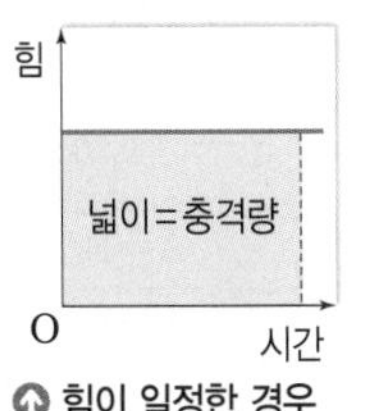

▲ 힘이 일정한 경우

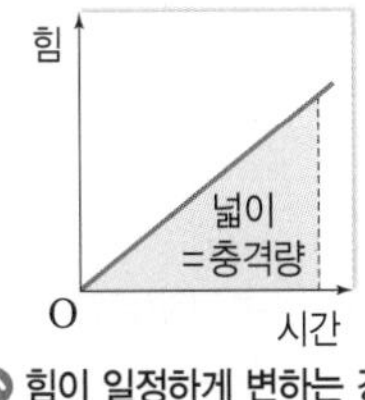

▲ 힘이 일정하게 변하는 경우

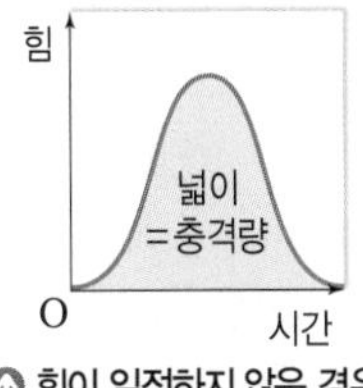

▲ 힘이 일정하지 않은 경우

• 힘이 일정하지 않은 경우 충격량을 걸린 시간으로 나누어 평균 힘을 구할 수 있다.
└● 충격력이라고도 한다.

평균 힘($\overline{F}$)$=\dfrac{\text{충격량}}{\text{시간}}$ [단위: N]

3. 운동량과 충격량의 관계

① **운동량과 충격량의 관계:** 물체가 힘을 받으면 속도가 변하므로 운동량이 변한다.

충격량=운동량의 변화량=나중 운동량−처음 운동량

| 운동량과 충격량의 관계 |

물체가 운동 방향으로 충격량을 받으면 그만큼 운동량이 증가한다. 반대로 물체가 운동 방향과 반대 방향으로 충격량을 받으면 그만큼 운동량이 감소한다.

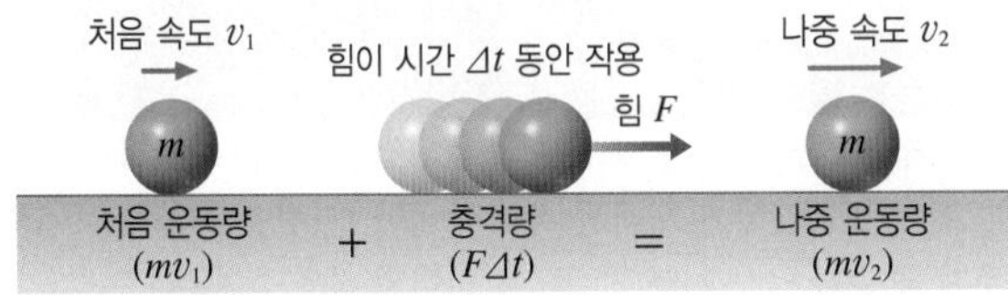

충돌 시 작용한 힘이 클수록, 힘이 작용한 시간이 길수록 충격량이 커지므로 운동량의 변화량이 커진다.

② **운동량의 변화량을 크게 하는 방법:** 큰 힘을 주거나 충돌 시간을 길게 하여 충격량을 크게 한다.

예 • 대포의 포신이 길수록 포탄을 더 멀리까지 날려 보낼 수 있다.
└● 포탄이 힘을 받는 시간이 길어져 포신을 벗어날 때의 운동량이 크다.

• 테니스 경기에서 라켓을 끝까지 휘두를수록 공이 더 빠르게 날아간다.
└● 공이 힘을 받는 시간이 길어져 라켓을 벗어날 때의 운동량이 크다.

⊕ 확대경 충격량과 운동량의 관계 유도

비상 교과서에만 나와요.

그림과 같이 질량이 m이고 처음 속도가 v_1인 물체에 시간 Δt 동안 일정한 힘 F가 작용하여 나중 속도가 v_2가 되었다.

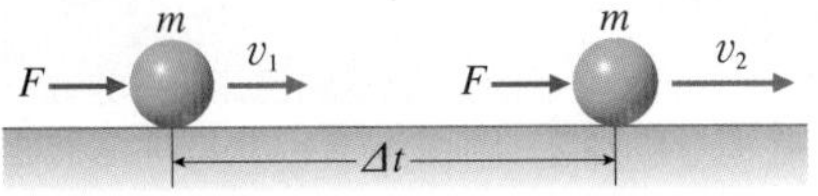

충격량($F\Delta t$)+처음 운동량(mv_1)=나중 운동량(mv_2)

가속도 법칙에 따라 $F=ma=m\dfrac{\Delta v}{\Delta t}=m\left(\dfrac{v_2-v_1}{\Delta t}\right)$이므로 양변에 Δt를 곱하면 $F\Delta t=mv_2-mv_1=\Delta p$로 나타낼 수 있다. 즉, 물체가 받은 충격량($F\Delta t$)은 물체의 운동량의 변화량(Δp)과 같다.

◆ **충격량과 운동량의 단위**
충격량의 단위는 N·s이고, 운동량의 단위는 kg·m/s이므로 단위가 서로 다른 것처럼 보인다. 그러나 N·s=kg·m/s²·s=kg·m/s가 되므로 두 물리량의 단위는 같다.

◆ **충격량과 운동량의 방향**
충격량과 운동량은 모두 방향이 있는 물리량이다. 직선상에서 충격량과 운동량의 방향은 한쪽 방향을 (+)로 하고, 반대 방향을 (−)로 하여 표현할 수 있다.

동아 교과서에만 나와요.

◆ **충돌과 작용 반작용 법칙**
물체의 충돌 과정에서 두 물체는 같은 크기의 힘을 서로 반대 방향으로 받는다. 두 물체가 충돌할 때 서로에게 작용하는 힘은 작용 반작용 관계이므로 두 물체가 받는 충격량의 크기는 같다.

암기해!
충격량과 운동량 관계 식
충격량=운동량의 변화량
=나중 운동량−처음 운동량
➡ 처음 운동량+충격량
=나중 운동량

◆ **충격력**
물체가 충돌할 때 받는 힘으로 충돌이 매우 짧은 시간에 일어나는 경우에는 매 순간 변하기 때문에 측정하기 어렵다. 충격력은 충격을 가하는 동안의 평균적인 힘인 평균 힘이라고 부르기도 한다.

4. 충격량이 같을 때 ◆충격력과 충돌 시간의 관계 충격량은 충격력×충돌 시간이므로 충격량이 같을 때 충격력과 충돌 시간은 반비례한다. 즉, 충돌 시간이 길수록 충격력이 작아진다.

탐구 자료창 충격력과 충돌 시간의 관계

같은 높이에서 같은 종류의 달걀을 단단한 바닥(A)과 푹신한 방석(B) 위에 떨어뜨렸다.

1. **충돌 전후 두 달걀의 운동량:** 충돌 직전 두 달걀의 질량과 속도가 같으므로 운동량은 같고, 충돌 후 두 달걀의 속도가 0이므로 운동량은 0으로 같다.
2. **결론:** 충격량이 같을 때 충돌 시간이 길어지면 달걀이 받은 힘(충격력)의 크기는 작아진다. ➡ 단단한 바닥에 떨어진 달걀은 깨지고 방석 위에 떨어진 달걀은 깨지지 않는다.

그래프 아랫부분의 넓이	A=B($S_A=S_B$)
충격량(운동량의 변화량)	A=B
힘(충격력)을 받는 시간	A<B($t_A<t_B$)
충격력(평균 힘)	A>B($F_A>F_B$)

C 충돌과 안전장치

1. 안전장치의 원리 안전장치는 대부분 충돌이 일어났을 때 힘이 작용하는 시간을 길게 하여 사람이 받는 힘의 크기가 작아지도록 한다.

2. ◆안전장치의 예

교통 수단	 자동차의 에어백은 충돌 시간을 길게 하여 탑승자가 받는 힘을 줄여준다.	자동차의 범퍼는 충돌 시간을 길게 하여 자동차가 서서히 멈추게 해 준다.	자전거 안장에는 용수철이 부착되어 있어 충돌 시간을 길게 하여 충격을 줄여준다.
운동 경기	 태권도나 권투 경기에서 선수의 보호대는 몸이 받는 힘을 작게 하여 충격을 줄여준다.	 멀리뛰기 선수가 착지할 때 무릎을 살짝 구부리면 몸이 받는 힘이 작아져 충격을 줄여준다.	 야구공을 받을 때 손을 뒤로 빼면서 받으면 손이 받는 힘이 작아져 충격을 줄여준다.
일상 생활	 공기가 충전된 포장재는 상품이 충돌에 의해 힘을 받는 시간을 길게 하여 충격을 줄여준다.	 몸이 부딪쳤을 때 푹신한 재질의 보호대가 충돌 시간을 길게 하여 충격을 줄여준다.	 놀이 매트는 바닥에 넘어졌을 때 몸과 바닥과의 충돌 시간을 길게 하여 충격을 줄여준다.

◆ **여러 가지 안전장치**
- 자동차의 안전띠: 충돌할 때 사람이 관성에 의해 튀어 나가는 것을 방지하고, 자동차가 뒤집히는 사고가 발생하였을 때 몸을 붙잡아주는 역할을 한다.
- 체조 경기에서의 매트: 체조 경기를 할 때 푹신한 매트를 깔아, 착지하는 시간을 길게 하여 충격력을 줄인다.
- 도로의 가드레일: 자동차가 충돌할 때 찌그러지며 멈추는 시간을 길게 하여 탑승자가 받는 힘을 줄여준다.
- 번지점프: 떨어지는 동안 고무줄이 서서히 늘어나므로 사람이 받는 힘을 줄여준다.
- 안전모: 외부에서 가해지는 충격을 흡수하고, 충돌 시간을 길게 한다.
- 과속 금지: 자동차의 속도가 빠를수록 운동량이 크므로 충돌 시 운동량의 변화량이 커서 더 큰 충격량을 받는다. 따라서 과속 하지 않아야 한다. ● 충격량을 줄이는 경우

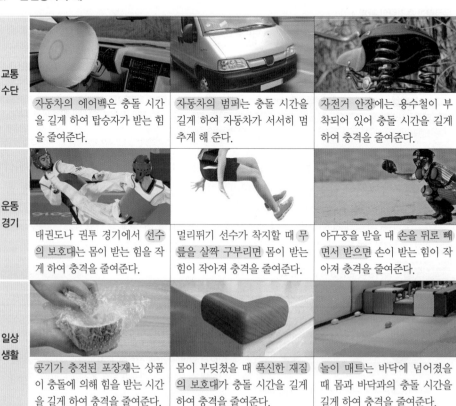

개념 확인 문제

정답친해 51쪽

핵심 체크

- (❶): 물체가 현재의 운동 상태를 유지하려는 성질로, 물체의 (❷)이 클수록 크다.
- (❸): 운동하는 물체의 질량과 속도를 곱한 물리량
- (❹): 물체에 작용한 힘과 힘이 작용한 시간을 곱한 물리량
- 물체가 받은 충격량은 물체의 (❺)과 같다.
- 충격량이 같을 때, 충격력과 충돌 시간은 (❻)한다.
- 우리 주변에서 볼 수 있는 안전장치는 대부분 (❼)을 줄이기 위한 원리로 구성되어 있다. 충격력을 줄이기 위해서는 충돌 시간을 (❽) 하거나 충격량을 줄인다.

1 관성에 대한 설명으로 옳은 것은 ○, 옳지 않은 것은 ×로 표시하시오.

(1) 정지하고 있는 물체는 관성이 없다. ( )

(2) 물체에 작용하는 힘이 0이면, 관성이 없다. ( )

(3) 물체의 질량이 클수록 관성의 크기도 크다. ( )

(4) 물체에 작용하는 알짜힘이 0이면 정지해 있던 물체는 계속 정지해 있고, 운동하던 물체는 계속 등속 직선 운동을 한다. ( )

2 질량이 20 g인 탄환이 200 m/s의 속도로 날아갈 때, 이 탄환의 운동량의 크기는 몇 kg·m/s 인지 쓰시오.

3 운동량과 충격량에 대한 설명으로 옳은 것은 ○, 옳지 않은 것은 ×로 표시하시오.

(1) 운동량과 충격량의 단위는 서로 다르다. ( )

(2) 물체가 받는 충격량은 물체의 운동량의 변화량과 같다. ( )

(3) 물체의 속도를 크게 변화시키려면 물체에 큰 힘을 오랫동안 작용해야 한다. ( )

(4) 대포의 포신이 길수록 힘을 받는 시간이 길어져 충격량이 커지기 때문에 포탄이 멀리 날아간다. ( )

4 운동량이 20 kg·m/s인 물체에 운동 방향으로 40 N·s의 충격량을 주었을 때, 물체의 나중 운동량의 크기는 몇 kg·m/s인지 쓰시오.

5 그림은 같은 종류의 달걀을 같은 높이에서 떨어뜨려 시멘트 바닥과 푹신한 방석에 충돌시켰을 때 달걀이 받는 힘을 시간에 따라 나타낸 것이다. S_1과 S_2는 그래프 아랫부분의 넓이를 각각 나타낸다. ( ) 안에 알맞은 말을 고르시오.

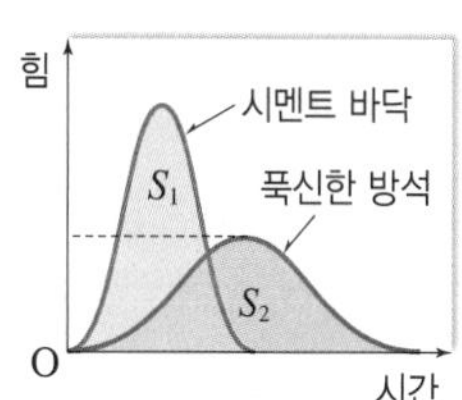

(1) 두 달걀의 운동량의 변화량은 (같다, 다르다).

(2) S_1과 S_2의 크기는 (같다, 다르다).

(3) 충격량이 같을 때 충돌 시간이 짧을수록 더 큰 (운동량, 충격력)을 받는다.

(4) (시멘트 바닥, 푹신한 방석)에 떨어진 달걀이 더 큰 충격력을 받아 깨지기 쉽다.

6 우리 주변에서 충돌 시간을 길게 하여 충돌할 때 받는 힘의 크기를 줄인 장치를 [보기]에서 있는 대로 고르시오.

보기

ㄱ. 에어백	ㄴ. 헬멧	ㄷ. 자동차 범퍼
ㄹ. 대포의 긴 포신	ㅁ. 병따개	ㅂ. 푹신한 매트

내신 만점 문제

A 관성과 관성 법칙

01 관성에 대한 설명으로 옳은 것만을 [보기]에서 있는 대로 고른 것은?

보기
ㄱ. 물체가 현재의 운동 상태를 유지하려는 성질이다.
ㄴ. 물체의 질량이 클수록 관성이 크다.
ㄷ. 운동하던 물체에 작용하는 알짜힘이 0이면 물체는 등가속도 직선 운동을 한다.

① ㄱ ② ㄷ ③ ㄱ, ㄴ
④ ㄴ, ㄷ ⑤ ㄱ, ㄴ, ㄷ

02 물체의 관성과 관련이 있는 현상을 [보기]에서 있는 대로 고른 것은?

보기
ㄱ. 노를 저으면 배가 앞으로 나아간다.
ㄴ. 달리던 사람이 돌부리에 걸려 넘어진다.
ㄷ. 물로켓이 물을 분사하며 앞으로 나아간다.
ㄹ. 버스가 갑자기 출발하면 승객이 뒤로 쏠린다.

① ㄱ, ㄴ ② ㄱ, ㄷ ③ ㄴ, ㄷ
④ ㄴ, ㄹ ⑤ ㄷ, ㄹ

B 운동량과 충격량

중요 **03** 그림과 같이 마찰이 없는 수평면에서 세 물체 A, B, C가 일정한 속력으로 운동하고 있다.

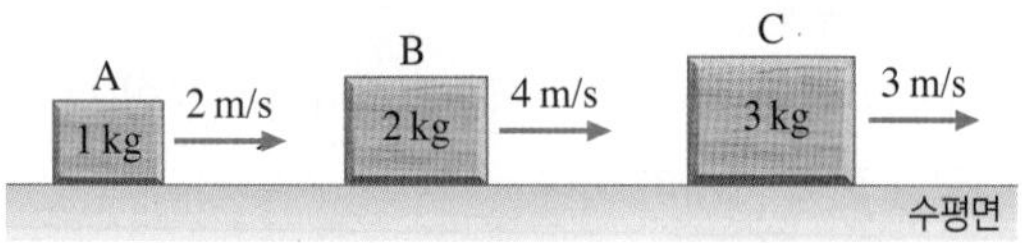

이에 대한 설명으로 옳은 것만을 [보기]에서 있는 대로 고른 것은?

보기
ㄱ. 관성이 가장 큰 것은 C이다.
ㄴ. 운동량의 크기는 B가 C보다 크다.
ㄷ. 세 물체 중 수평 방향으로 가장 큰 힘을 받는 것은 B이다.

① ㄱ ② ㄷ ③ ㄱ, ㄴ
④ ㄴ, ㄷ ⑤ ㄱ, ㄴ, ㄷ

04 그림은 직선상에서 운동하는 물체 A, B가 충돌하였을 때, 충돌 전과 충돌 후의 질량과 속도를 나타낸 것이다.

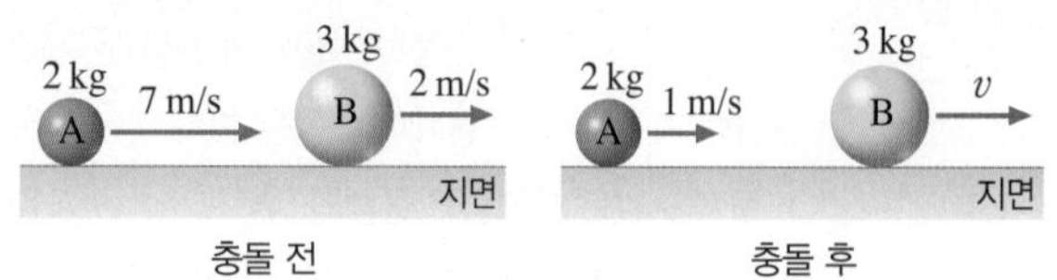

충돌 후 B의 속력 v는?(단, 모든 마찰과 공기 저항은 무시한다.)

① 2 m/s ② 4 m/s ③ 6 m/s
④ 8 m/s ⑤ 10 m/s

05 운동량과 충격량에 대한 설명으로 옳지 <u>않은</u> 것은?

① 물체가 힘을 받아 속도가 변하면 운동량이 변한다.
② 충격량은 힘이 클수록, 힘이 작용한 시간이 길수록 크다.
③ 물체가 충격량을 받으면 충격량의 크기만큼 운동량이 변한다.
④ 충격량의 방향이 물체의 운동 방향과 같으면 운동량의 크기가 작아진다.
⑤ 물체가 받은 충격량이 일정할 때, 충돌 시간이 길수록 충격력이 작아진다.

중요 **06** 그림은 10 m/s의 속력으로 날아오는 질량이 0.1 kg인 야구공이 방망이에 충돌한 후, 날아오던 방향의 반대 방향으로 30 m/s의 속력으로 날아가는 모습을 나타낸 것이다.

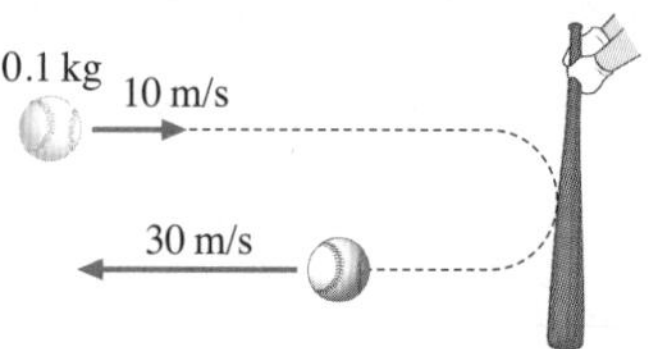

이때 공이 받은 충격량의 크기는?(단, 모든 마찰과 공기 저항은 무시한다.)

① 1 N·s ② 2 N·s ③ 3 N·s
④ 4 N·s ⑤ 5 N·s

중요 07 마찰이 없는 수평면에서 20 m/s의 속도로 운동하는 질량 5 kg인 물체에 50 N·s의 충격량을 운동 방향의 반대 방향으로 작용하였다. 이 물체의 나중 속도의 크기는 몇 m/s인지 쓰시오.

08 그림은 마찰이 없는 수평면 위에서 5 m/s의 속력으로 운동하고 있는 질량 2 kg인 물체에 운동 방향으로 작용한 힘을 시간에 따라 나타낸 것이다.

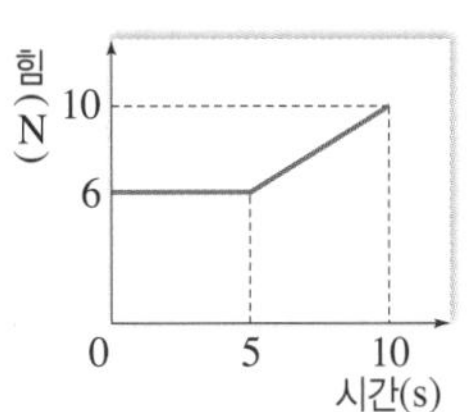

10초 후 이 물체의 속력은?

① 7 m/s ② 15 m/s ③ 35 m/s
④ 40 m/s ⑤ 50 m/s

중요 09 그림 (가)는 마찰이 없는 수평면 위에서 질량 4 kg인 물체 A가 정지해 있는 질량 2 kg인 물체 B를 향해 10 m/s의 일정한 속력으로 운동하는 모습을, (나)는 두 물체가 충돌하는 동안 B가 받은 힘의 크기를 시간에 따라 나타낸 것이다. 충돌 후 A와 B는 동일 직선상에서 운동하고 그래프 아랫부분의 넓이는 20 N·s이다.

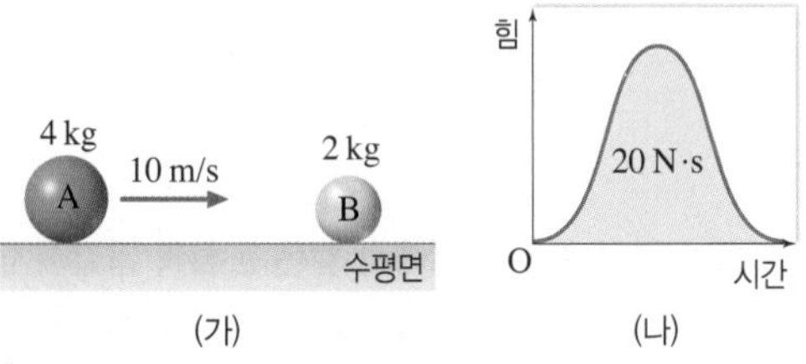

(가) (나)

이에 대한 설명으로 옳은 것만을 [보기]에서 있는 대로 고른 것은?

보기
ㄱ. 충돌 전 A의 운동량의 크기는 40 kg·m/s이다.
ㄴ. 충돌 과정에서 A가 받은 충격량의 크기는 40 N·s이다.
ㄷ. 충돌 후 B의 속력은 10 m/s이다.

① ㄱ ② ㄴ ③ ㄱ, ㄷ
④ ㄴ, ㄷ ⑤ ㄱ, ㄴ, ㄷ

10 그림은 마찰이 없는 수평면에 정지해 있던 질량 5 kg인 물체에 일정한 힘이 수평 방향으로 작용하는 동안 시간에 따른 운동량을 나타낸 것이다.

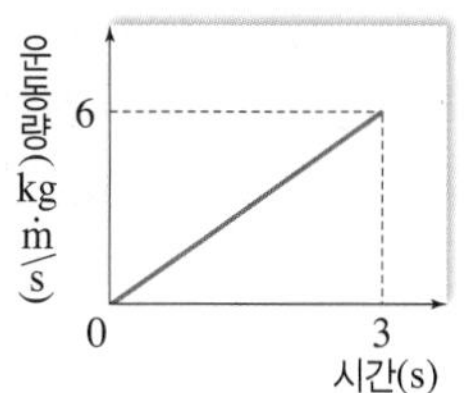

이에 대한 설명으로 옳은 것만을 [보기]에서 있는 대로 고른 것은?

보기
ㄱ. 0~3초 동안 물체에 작용한 힘의 크기는 2 N이다.
ㄴ. 0~3초 동안 물체의 운동량의 변화량은 6 kg·m/s이다.
ㄷ. 0~3초 동안 물체가 받은 충격량의 크기는 9 N·s이다.

① ㄱ ② ㄷ ③ ㄱ, ㄴ
④ ㄴ, ㄷ ⑤ ㄱ, ㄴ, ㄷ

11 그림 (가)는 동일한 발사체를 빨대에 넣고 입으로 불어 수평 방향으로 발사하는 모습을 나타낸 것으로 A는 발사체를 빨대의 입구에, B는 빨대의 출구에 넣은 경우이다. (나)는 (가)의 A, B에서 발사체가 빨대를 통과하는 동안 발사체가 받은 힘의 크기를 시간에 따라 나타낸 것이다.

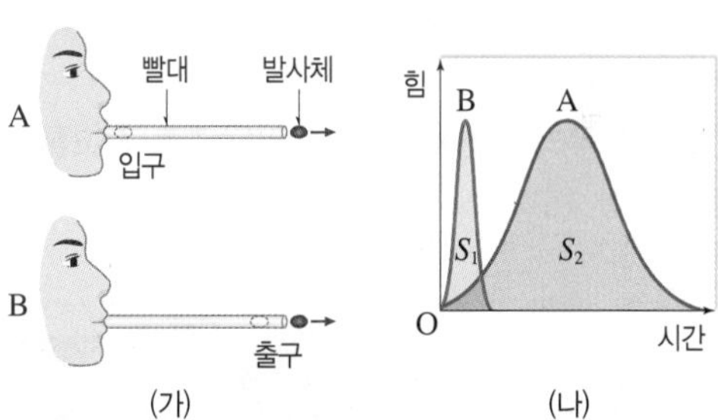

(가) (나)

이에 대한 설명으로 옳은 것만을 [보기]에서 있는 대로 고른 것은?(단, 모든 마찰과 공기 저항은 무시한다.)

보기
ㄱ. 같은 세기로 불 때 발사체가 힘을 받는 시간은 A에서가 B에서보다 길다.
ㄴ. (나)에서 S_1과 S_2는 각각 B와 A가 받은 충격량이다.
ㄷ. 빨대를 빠져나오는 순간 발사체의 운동량은 A에서가 B에서보다 크다.

① ㄱ ② ㄴ ③ ㄱ, ㄷ
④ ㄴ, ㄷ ⑤ ㄱ, ㄴ, ㄷ

중요 12 그림은 같은 높이에 있는 질량이 같은 두 유리컵이 각각 시멘트 바닥과 푹신한 이불 위에 떨어졌을 때, 유리컵에 작용한 힘의 크기를 시간에 따라 나타낸 것이다.

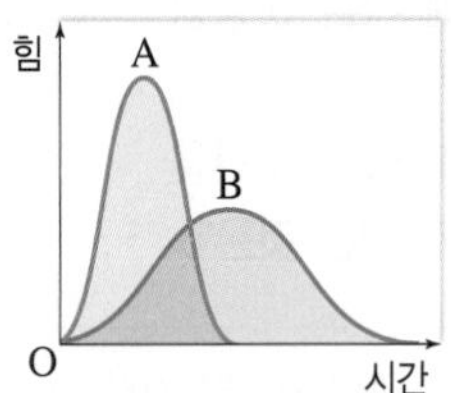

이에 대한 설명으로 옳은 것만을 [보기]에서 있는 대로 고른 것은?

보기
ㄱ. A는 이불 위에 떨어진 유리컵이다.
ㄴ. 두 유리컵이 받은 충격량의 크기는 같다.
ㄷ. 유리컵이 받은 평균 힘은 A에서가 B에서보다 크다.

① ㄱ ② ㄴ ③ ㄱ, ㄷ
④ ㄴ, ㄷ ⑤ ㄱ, ㄴ, ㄷ

C 충돌과 안전장치

중요 13 그림은 우리 주변에서 볼 수 있는 충돌 사고를 대비한 안전장치이다.

(가) 안전모

(나) 자동차 범퍼

이에 대한 설명으로 옳은 것만을 [보기]에서 있는 대로 고른 것은?

보기
ㄱ. 충돌할 때 충격량을 감소시키는 장치이다.
ㄴ. 충격이 가해지는 시간을 길게 하여 충격력을 줄인다.
ㄷ. 멀리뛰기 선수가 착지할 때 무릎을 살짝 구부리는 것과 같은 원리이다.

① ㄱ ② ㄷ ③ ㄱ, ㄴ
④ ㄱ, ㄷ ⑤ ㄴ, ㄷ

14 번지 점프를 할 때 사람이 떨어지는 동안 고무줄이 서서히 늘어난다. 이와 같은 원리를 이용한 예로 옳지 않은 것은?

① 자동차에 에어백을 장착한다.
② 공기가 충전된 포장재를 사용한다.
③ 자동차를 탈 때 안전띠를 착용한다.
④ 자전거의 안장에 용수철을 부착한다.
⑤ 야구공을 받을 때 손을 뒤로 빼면서 받는다.

15 오른쪽으로 20 m/s의 속력으로 운동하는 질량 2 kg인 물체에 10 N의 힘을 왼쪽으로 2초 동안 작용하였다. 오른쪽 방향을 (+)로 하여 다음 물음에 답하시오.

(1) 물체에 작용한 충격량을 구하시오.

(2) 물체의 운동량의 변화량을 구하시오.

(3) 2초 후 물체의 속도를 계산 과정과 함께 서술하시오.

16 그림과 같이 같은 높이에서 같은 종류의 달걀이 단단한 바닥과 푹신한 방석에 떨어졌을 때 단단한 바닥의 달걀만 깨졌다.

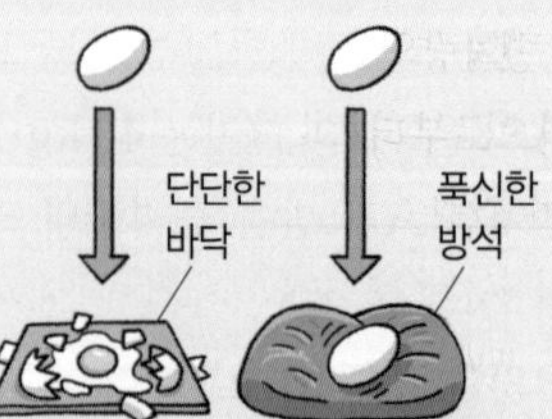

그 까닭을 충격량과 관련지어 서술하시오.

실력 UP 문제

정답친해 54쪽

01 다음은 갈릴레이가 물체의 운동에 대해 설명한 것이다.

"마찰이 없는 빗면에 가만히 놓은 물체는 빗면에서 속력이 증가하는 직선 운동을 하지만 마찰이 없는 수평면에서는 ㉠등속 직선 운동을 합니다. 그 까닭은 ㉡물체가 운동 상태를 유지하려는 성질이 있기 때문입니다."

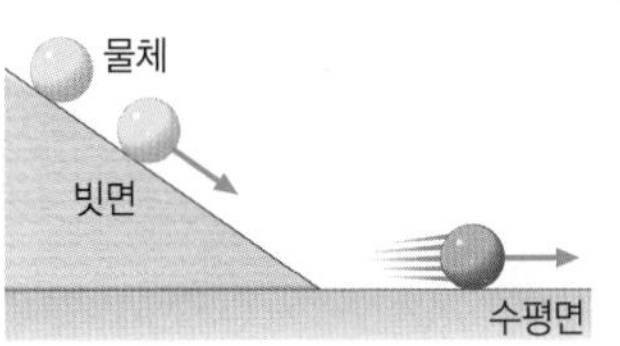

이에 대한 설명으로 옳은 것만을 [보기]에서 있는 대로 고른 것은?

보기

ㄱ. ㉠에서 물체에 작용하는 알짜힘의 크기는 일정하지 않다.
ㄴ. ㉡은 관성 법칙으로 설명할 수 있다.
ㄷ. 버스가 급정거할 때 승객들이 앞으로 넘어지는 것은 ㉡과 관련이 있다.

① ㄱ ② ㄴ ③ ㄱ, ㄷ
④ ㄴ, ㄷ ⑤ ㄱ, ㄴ, ㄷ

02 그림 (가), (나)는 수평면에서 일정한 속력 v로 직선 운동하던 질량 m인 물체가 벽돌과 충돌한 후 정지한 모습을 나타낸 것이다. 물체가 벽돌과 충돌한 순간부터 정지할 때까지 걸린 시간은 (가)에서가 (나)에서보다 크다.

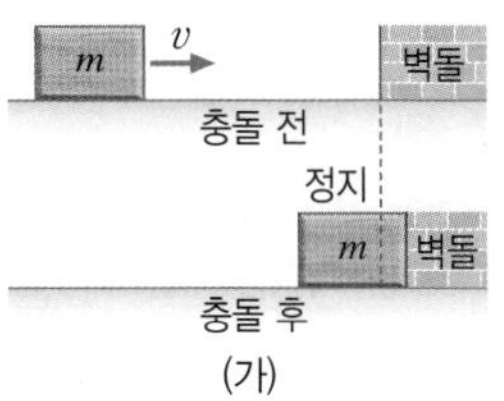

(가)

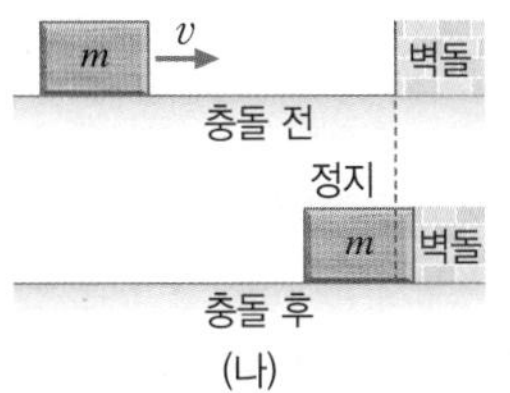

(나)

이에 대한 설명으로 옳은 것만을 [보기]에서 있는 대로 고른 것은?(단, 모든 마찰과 공기 저항은 무시한다.)

보기

ㄱ. 운동량의 변화량의 크기는 (가)와 (나)에서 mv로 같다.
ㄴ. 물체가 벽으로부터 받은 충격량의 크기는 (가)에서와 (나)에서가 같다.
ㄷ. 물체가 벽으로부터 받은 충격력의 크기는 (가)에서가 (나)에서보다 크다.

① ㄱ ② ㄷ ③ ㄱ, ㄴ
④ ㄴ, ㄷ ⑤ ㄱ, ㄴ, ㄷ

03 그림과 같이 질량이 m인 야구공이 v의 속력으로 방망이에 충돌한 후 반대 방향으로 $2v$의 속력으로 운동하였다. 공과 방망이는 시간 t 동안 접촉하였다.

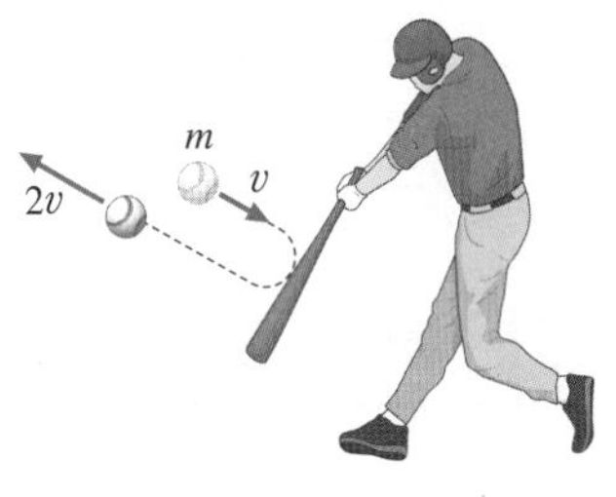

이 충돌에 대한 설명으로 옳은 것만을 [보기]에서 있는 대로 고른 것은?(단, 모든 마찰과 공기 저항은 무시한다.)

보기

ㄱ. 충돌 후 공의 운동량의 크기는 $2mv$이다.
ㄴ. 공이 방망이로부터 받은 충격량의 크기는 $3mv$이다.
ㄷ. 방망이가 공에 작용한 평균 힘의 크기는 $\frac{mv}{t}$이다.

① ㄱ ② ㄴ ③ ㄷ
④ ㄱ, ㄴ ⑤ ㄴ, ㄷ

04 그림 (가)는 마찰이 없는 수평면에 물체 B, C가 정지해 있고, 물체 A가 B를 향해 운동하는 모습을 나타낸 것이다. A와 B가 충돌한 후, B는 C와 충돌하여 한 덩어리가 되어 운동한다. 그림 (나)는 B가 C와 충돌하기 직전까지 A, B의 위치를 시간에 따라 나타낸 것이다. A와 C의 질량은 각각 3 kg, 2 kg이다.

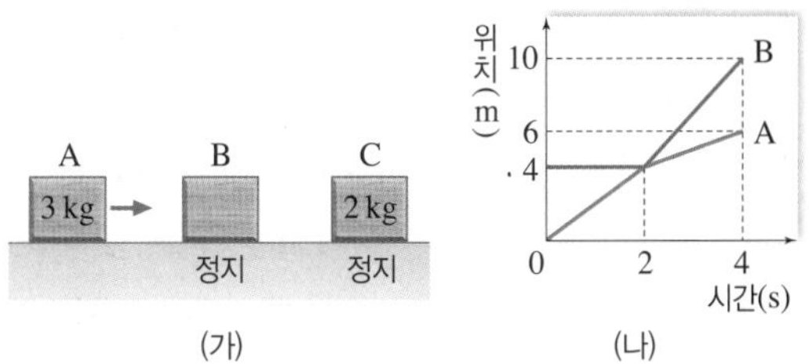

(가) (나)

이에 대한 설명으로 옳은 것만을 [보기]에서 있는 대로 고른 것은?

보기

ㄱ. B의 질량은 1 kg이다.
ㄴ. A와 B가 충돌하는 동안 B가 A로부터 받은 충격량의 크기는 충돌 전후 A의 운동량의 변화량의 크기와 같다.
ㄷ. 한 덩어리가 된 B와 C의 속력은 2 m/s이다.

① ㄴ ② ㄷ ③ ㄱ, ㄴ
④ ㄱ, ㄷ ⑤ ㄱ, ㄴ, ㄷ

정답친해 55쪽

01 물체의 운동

1. 속력과 속도

(1) **속력:** 단위시간 동안 물체의 (❶)

(2) **속도:** 단위시간 동안 물체의 (❷)

(3) (❸): 단위시간 동안 물체의 속도 변화량

2. 힘과 운동

(1) **힘:** 물체의 모양이나 (❹)를 변화시키는 원인

① 힘의 단위: N(뉴턴)

② (❺): 물체에 여러 힘이 작용할 때 모든 힘을 합한 것

(2) **가속도 법칙:** 물체의 가속도는 물체에 작용한 알짜힘에 (❻)하고, 물체의 질량에 (❼)한다.

$$\text{가속도}=\frac{\text{알짜힘}}{\text{질량}},\ a=\frac{F}{m} \Rightarrow F=ma$$

(3) **등속 직선 운동:** (❽)가 일정한 운동

(4) **등가속도 직선 운동:** 가속도의 크기와 운동 방향이 일정한 직선 운동

$$v=v_0+at,\ s=v_0t+\frac{1}{2}at^2,\ 2as=v^2-v_0^2$$

(v: 나중 속도, v_0: 처음 속도, a: 가속도, t: 시간, s: 변위)

02 중력과 역학적 시스템

1. 중력

(1) **중력:** 질량이 있는 모든 물체 사이에 상호 작용 하고, 질량이 (❾), 두 물체 사이의 거리가 가까울수록 크다.

(2) **중력의 특징**

① 물체가 서로 접촉해 있거나 떨어져 있어도 작용한다.

② 지구 중력의 방향은 (❿) 방향이다.

③ 무게는 물체에 작용하는 중력의 크기로, 장소에 따라 측정값이 달라진다.

2. 중력을 받는 물체의 운동

(1) **자유 낙하 운동:** 물체의 가속도가 중력 가속도로 일정한 (⓫) 운동을 한다.

(2) 수평 방향으로 던진 물체의 운동

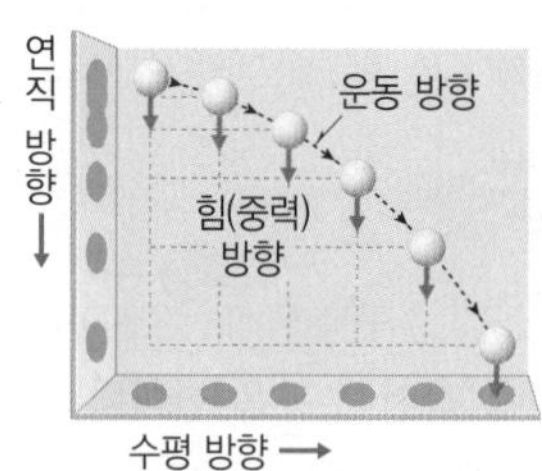

구분	수평 방향	연직 방향
힘	(⓬)	중력
속도	일정	일정하게 증가
가속도	0	일정
운동	등속 직선 운동	(⓭) 운동

3. 중력과 자연 현상

중력에 의해 지구 시스템에서 나타나는 현상	중력에 의해 생명 시스템에서 나타나는 현상
행성의 공전, 밀물과 썰물, 지표 변화, 대류 현상, 기상 현상 등	동물의 단단한 골격, 땅속으로 뻗는 식물의 뿌리 등

03 역학적 시스템과 안전

1. 관성과 관성 법칙

(1) **관성:** 물체가 현재의 운동 상태를 유지하려는 성질

(2) **관성 법칙:** 물체에 작용하는 알짜힘이 0이면 물체의 운동 상태가 변하지 않는다.

2. 운동량과 충격량

(1) **운동량과 충격량**

구분	운동량	충격량
정의	운동량=질량×(⓮)	충격량=힘×충돌 시간
관계	물체가 받은 충격량은 운동량의 (⓯)과 같다. 충격량=운동량의 변화량=나중 운동량−처음 운동량	

(2) **힘－시간 그래프:** 힘－시간 그래프 아랫부분의 넓이는 (⓰)을 의미한다.

(3) **충격량이 같을 때 충격력과 충돌 시간의 관계:** 충돌 시간이 길수록 (⓱)이 작다.

3. 충돌과 안전장치

(1) 충격량이 같을 때 충돌 시간을 (⓲) 하여 충격력을 줄인다. 예 자동차의 에어백, 안전 매트, 선수의 보호대 등

(2) 운동량을 줄여서 충돌 시 물체가 받는 충격량을 작게 한다. 예 과적 금지, 과속 금지 등

(3) 충돌 시 관성에 의해 튀어 나가는 것을 막는다. 예 안전띠

중단원 마무리 문제

난이도 ●●●

●○○

01 반지름이 10 m인 원형 트랙을 상호가 일정한 빠르기로 한 바퀴 도는 데 20초 걸렸다. 이에 대한 설명으로 옳은 것만을 [보기]에서 있는 대로 고른 것은?

보기

ㄱ. 20초 동안 이동 거리는 20π m이다.
ㄴ. 20초 동안 평균 속력은 π m/s이다.
ㄷ. 20초 동안 평균 속도는 0이다.

① ㄱ ② ㄴ ③ ㄱ, ㄷ
④ ㄴ, ㄷ ⑤ ㄱ, ㄴ, ㄷ

●●○

02 표는 진공 상태에서 자유 낙하 하는 쇠구슬의 위치를 0.1초 간격으로 기록한 것이다.

시간(s)	0	0.1	0.2	0.3	0.4	0.5
위치(cm)	0	4.9	19.6	44.1	78.4	122.5
구간 거리(cm)	4.9	14.7	24.5	34.3	44.1	
평균 속도 (cm/s)	49	(가)	245	343	441	

이에 대한 설명으로 옳은 것만을 [보기]에서 있는 대로 고른 것은?

보기

ㄱ. (가)는 147이다.
ㄴ. 쇠구슬의 속도는 일정하게 증가하였다.
ㄷ. 쇠구슬의 가속도는 일정하다.

① ㄴ ② ㄷ ③ ㄱ, ㄴ
④ ㄱ, ㄷ ⑤ ㄱ, ㄴ, ㄷ

●●○

03 그림은 직선 운동하는 자동차 A와 B의 속도를 시간에 따라 나타낸 것이다.
이에 대한 설명으로 옳은 것만을 [보기]에서 있는 대로 고른 것은?

보기

ㄱ. A의 가속도는 B의 2배이다.
ㄴ. 0~10초 동안 A의 이동 거리는 200 m이다.
ㄷ. 0~10초 동안 B의 평균 속도의 크기는 5 m/s이다.

① ㄴ ② ㄷ ③ ㄱ, ㄴ
④ ㄱ, ㄷ ⑤ ㄱ, ㄴ, ㄷ

서술형 ●●●

04 그림 (가)는 출발점에 정지해 있는 자동차의 모습을, (나)는 자동차가 출발한 순간부터 직선 도로를 따라 운동하는 동안 자동차의 가속도를 시간에 따라 나타낸 것이다.

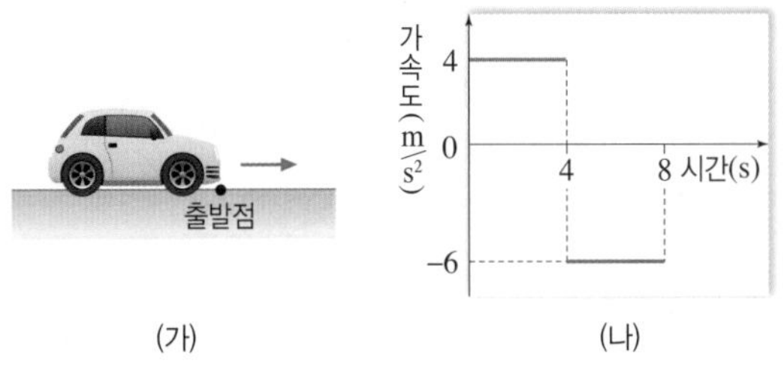

(가) (나)

자동차의 속력은 4초일 때가 8초일 때의 몇 배인지 계산 과정과 함께 서술하시오.

●●○

05 그림과 같이 질량이 다른 두 물체 A, B가 거리 r만큼 떨어져 있다.

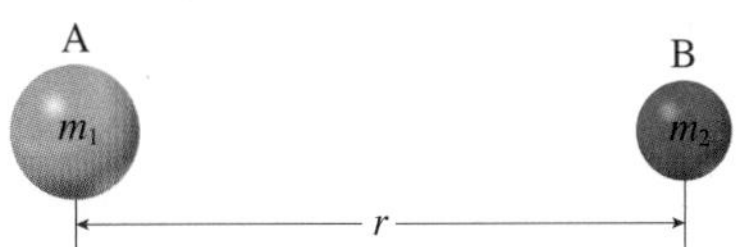

물체 A의 질량이 B보다 크다고 할 때 두 물체 사이에 작용하는 중력에 대한 설명으로 옳은 것만을 [보기]에서 있는 대로 고른 것은?

보기

ㄱ. 두 물체의 질량 m_1, m_2가 클수록 중력의 크기는 커진다.
ㄴ. 두 물체 사이의 거리 r가 클수록 중력의 크기는 작아진다.
ㄷ. A가 B에 작용하는 중력이 B가 A에 작용하는 중력보다 크다.

① ㄱ ② ㄴ ③ ㄱ, ㄴ
④ ㄱ, ㄷ ⑤ ㄴ, ㄷ

중단원 마무리 문제

06 그림은 지표면 근처에서 자유 낙하 하는 공의 위치를 일정한 시간 간격으로 나타낸 것이다. 낙하하는 동안 공의 운동에 대한 설명으로 옳은 것은?

운동 방향

① 공의 가속도는 점점 감소한다.
② 공의 속도는 일정하게 감소한다.
③ 공의 운동 방향과 중력의 방향은 같다.
④ 공은 지구에 아무 힘도 작용하지 않는다.
⑤ 공에 작용하는 중력의 크기는 점점 감소한다.

07 그림은 사과나무에 매달려 정지해 있는 사과 A와 떨어지고 있는 사과 B를 나타낸 것이다. 사과 A의 질량은 B의 1.5배이다.

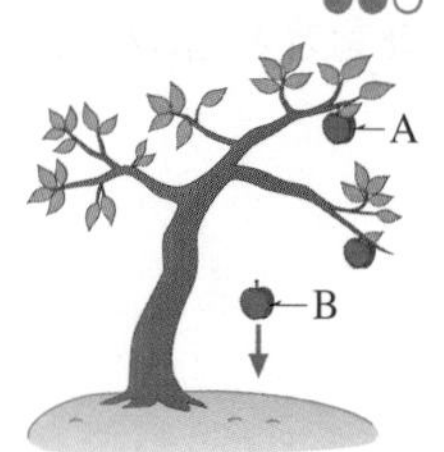

사과가 땅에 닿기 전까지, 이에 대한 설명으로 옳은 것만을 [보기]에서 있는 대로 고른 것은?(단, 공기 저항은 무시한다.)

보기
ㄱ. A에 작용하는 알짜힘은 0이다.
ㄴ. B는 등가속도 운동을 한다.
ㄷ. A가 떨어진다면 가속도는 B의 가속도보다 크다.

① ㄱ ② ㄷ ③ ㄱ, ㄴ
④ ㄴ, ㄷ ⑤ ㄱ, ㄴ, ㄷ

08 그림은 수평 방향으로 v의 속력으로 던진 공이 지면에 도달할 때까지의 경로를 나타낸 것이다. 이에 대한 설명으로 옳은 것만을 [보기]에서 있는 대로 고른 것은? (단, R는 처음 위치에서 지면에 닿을 때까지 수평으로 이동한 거리이고, 공기 저항은 무시한다.)

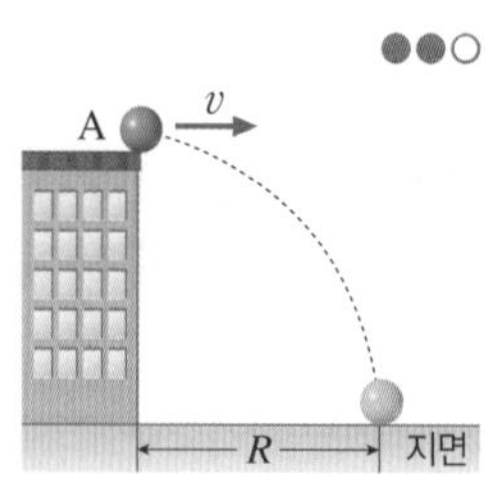

보기
ㄱ. R는 v에 반비례한다.
ㄴ. 공은 수평 방향으로 등속 직선 운동을 한다.
ㄷ. 공은 연직 방향으로 등가속도 운동을 한다.

① ㄱ ② ㄴ ③ ㄱ, ㄷ
④ ㄴ, ㄷ ⑤ ㄱ, ㄴ, ㄷ

09 그림과 같이 건물 옥상에서 수평 방향으로 동시에 던진 물체 A, B가 포물선 운동을 한 후 지면에 떨어졌다.

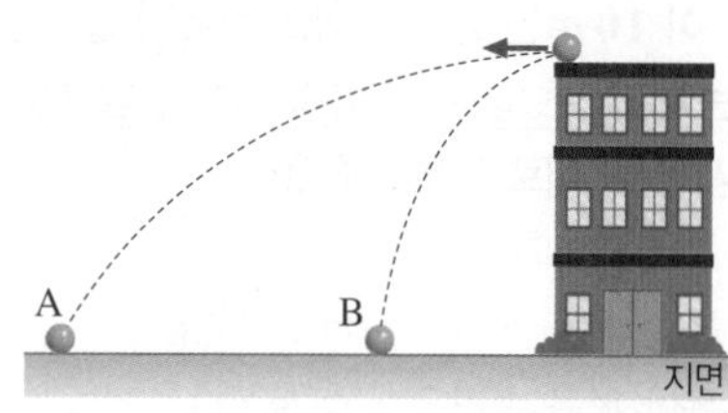

이에 대한 설명으로 옳은 것만을 [보기]에서 있는 대로 고른 것은?(단, 물체의 크기와 공기 저항은 무시한다.)

보기
ㄱ. 옥상에서 수평 방향 속도의 크기는 A가 B보다 크다.
ㄴ. A가 B보다 먼저 지면에 도달한다.
ㄷ. 두 물체가 운동하는 동안 연직 방향의 가속도는 같다.

① ㄴ ② ㄷ ③ ㄱ, ㄴ
④ ㄱ, ㄷ ⑤ ㄱ, ㄴ, ㄷ

10 그림과 같이 지면으로부터의 높이가 같은 두 지점에서 공 A, B를 수평 방향으로 각각 10 m/s, v의 속력으로 던졌다. A, B의 수평 방향 도달 거리는 각각 20 m, 40 m이다.

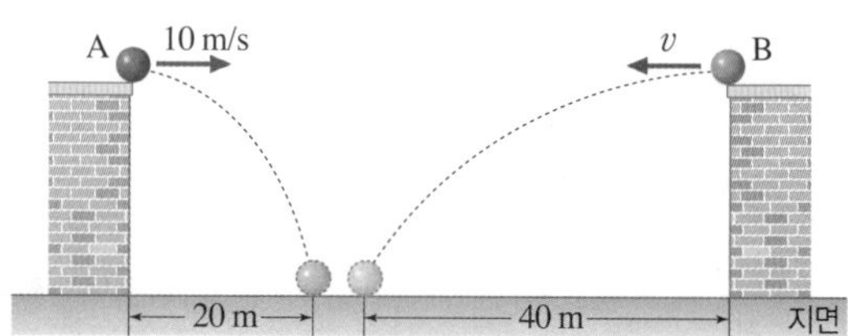

이에 대한 설명으로 옳은 것만을 [보기]에서 있는 대로 고른 것은?(단, 중력 가속도는 10 m/s^{2}이고, 공기 저항은 무시한다.)

보기
ㄱ. A, B가 운동하는 동안 작용하는 힘의 크기는 각각 일정하다.
ㄴ. v는 20 m/s이다.
ㄷ. 지면에 도달하는 순간의 연직 방향의 속도는 B가 A보다 크다.

① ㄴ ② ㄷ ③ ㄱ, ㄴ
④ ㄱ, ㄷ ⑤ ㄴ, ㄷ

서술형 ●●○

11 그림은 같은 높이에서 동시에 운동을 시작한 두 공 A, B의 위치를 일정한 시간 간격으로 나타낸 것이다. A는 자유 낙하 운동이고, B는 수평 방향으로 던진 물체의 운동이다.

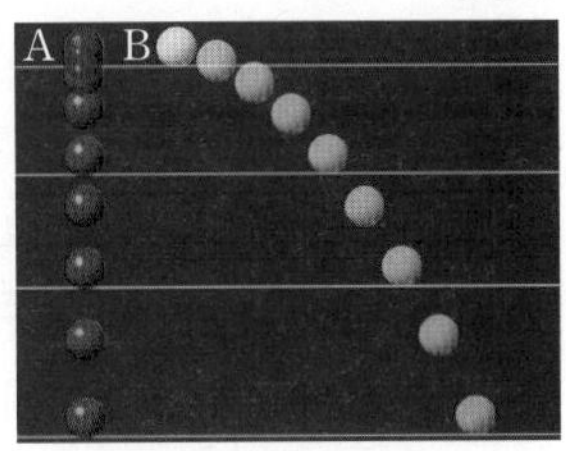

(1) 두 공의 운동에서 같은 값을 가지는 물리량을 두 가지 쓰시오.

(2) B의 운동을 연직 방향과 수평 방향으로 나누어 각각 속력이 어떻게 변하는지 서술하시오.

●○○

12 중력과 역학적 시스템에 대한 설명으로 옳은 것만을 [보기]에서 있는 대로 고른 것은?

ㄱ. 행성은 태양의 중력에 의해 태양 주위를 공전한다.
ㄴ. 지구에서 일어나는 밀물과 썰물은 달과 태양이 지구에 작용하는 중력 때문이다.
ㄷ. 대류 현상은 물질의 밀도에 따라 상대적으로 중력의 차이가 발생하기 때문에 일어난다.

① ㄱ ② ㄴ ③ ㄱ, ㄷ
④ ㄴ, ㄷ ⑤ ㄱ, ㄴ, ㄷ

서술형 ●●○

13 망치가 헐거워졌을 때 그림과 같이 망치 자루를 아래쪽으로 하여 바닥에 빠르게 부딪히면 망치 머리가 단단히 박힌다.
망치 머리가 망치 자루에 단단히 박히는 까닭을 서술하시오.

●●○

14 운동량과 충격량에 관한 설명으로 옳지 않은 것은?

① 운동량과 충격량의 단위는 같다.
② 충격량의 방향은 힘의 방향과 같은 방향이다.
③ 운동량의 방향은 물체의 속도와 같은 방향이다.
④ 물체가 받은 충격량은 물체의 운동량의 변화량과 같다.
⑤ 질량이 같은 두 물체가 서로 반대 방향으로 같은 속력으로 운동할 때 두 물체의 운동량은 같다.

●●○

15 그림은 정지해 있는 물체에 작용한 힘을 시간에 따라 나타낸 것이다.

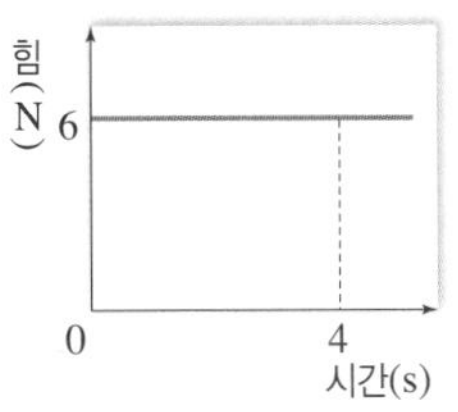

4초 동안 이 물체가 받은 충격량의 크기는 몇 N·s인지 쓰시오.

●●○

16 그림과 같이 수평면 위에서 일정한 속력 10 m/s로 운동하던 질량 2 kg인 물체에 운동 방향과 같은 방향으로 크기가 10 N인 힘을 수평 방향으로 2초 동안 작용하였다.
2초 후 이 물체의 속력은?(단, 모든 마찰과 공기 저항은 무시한다.)

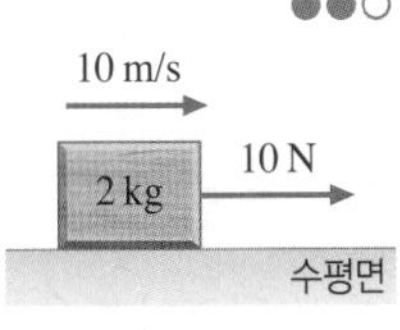

① 5 m/s ② 10 m/s ③ 15 m/s
④ 20 m/s ⑤ 30 m/s

●●○

17 그림은 질량이 m인 공이 v의 속력으로 벽에 수직으로 충돌한 후, $0.5v$의 속력으로 반대 방향으로 튀어 나오는 모습을 나타낸 것이다.

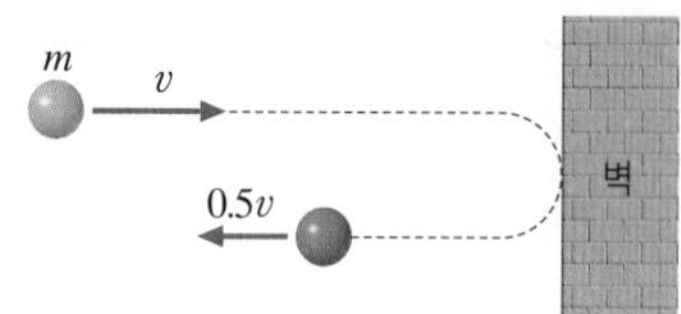

이에 대한 설명으로 옳은 것만을 [보기]에서 있는 대로 고른 것은?(단, 모든 마찰과 공기 저항은 무시한다.)

보기
ㄱ. 벽에 충돌한 후 공의 운동량의 크기는 증가하였다.
ㄴ. 벽과 충돌 전후 공의 운동량의 변화량의 크기는 $0.5mv$이다.
ㄷ. 충돌하는 과정에서 공이 벽으로부터 받은 충격량의 크기는 $1.5mv$이다.

① ㄱ ② ㄷ ③ ㄱ, ㄴ
④ ㄱ, ㄷ ⑤ ㄴ, ㄷ

[18~19] 그림은 같은 높이에서 종류가 같은 두 개의 달걀 중 하나는 딱딱한 시멘트 바닥 위에, 다른 하나는 푹신한 솜 위에 떨어뜨렸을 때, 각 달걀이 받은 힘(충격력)을 시간에 따라 나타낸 것이다.

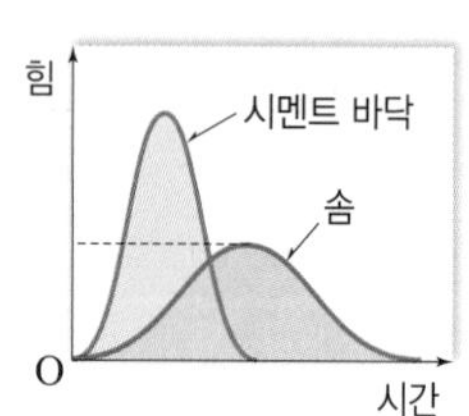

●●○

18 두 달걀의 운동에 대한 설명으로 옳지 않은 것은?

① 두 달걀이 받은 충격량은 같다.
② 솜에 떨어진 달걀의 충돌 시간이 더 길다.
③ 바닥에 충돌하기 직전 두 달걀의 운동량은 같다.
④ 솜에 떨어진 달걀의 운동량의 변화량이 더 크다.
⑤ 충돌하는 동안 달걀이 받은 힘은 시멘트 바닥에 떨어진 달걀이 더 크다.

●○○

19 시멘트 바닥 위에 떨어진 달걀만 깨졌다. 그 까닭에 대한 설명으로 옳은 것은?

① 운동량의 변화량이 더 크기 때문이다.
② 충돌 직전 운동량이 더 크기 때문이다.
③ 충돌할 때 받은 충격량이 더 크기 때문이다.
④ 낙하하는 데 걸린 시간이 더 길기 때문이다.
⑤ 충돌 시간이 짧아 충격력의 크기가 더 크기 때문이다.

서술형 ●●○

20 대포의 포신이 길수록 포탄이 멀리 날아간다. 그 까닭을 서술하시오.

●●○

21 그림은 세 가지 안전장치를 나타낸 것이다.

에어백

태권도 선수의 보호대

높이뛰기 경기장의 매트

이에 대한 설명으로 옳은 것만을 [보기]에서 있는 대로 고른 것은?

보기
ㄱ. 충돌 시 충격량을 감소시킨다.
ㄴ. 충돌 시 운동량의 변화량을 감소시킨다.
ㄷ. 충돌 시 충격력의 크기를 감소시킨다.

① ㄱ ② ㄷ ③ ㄱ, ㄴ
④ ㄴ, ㄷ ⑤ ㄱ, ㄴ, ㄷ

정답친해 57쪽

중단원 고난도 문제

01 그림은 물체 A를 낙하시켜 속력이 2 m/s가 되었을 때 정지 상태의 B를 낙하시키는 모습을 나타낸 것이다.

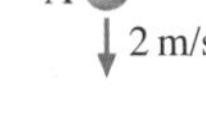

A가 지면에 닿기 전까지, 두 물체의 운동에 대한 설명으로 옳은 것만을 [보기]에서 있는 대로 고른 것은?(단, 공기 저항은 무시한다.)

지면

보기
ㄱ. 두 물체의 가속도는 같다.
ㄴ. 두 물체 사이의 거리는 일정하게 유지된다.
ㄷ. A의 속력이 4 m/s가 되는 순간 B의 속력은 2 m/s이다.

① ㄱ ② ㄴ ③ ㄱ, ㄷ
④ ㄴ, ㄷ ⑤ ㄱ, ㄴ, ㄷ

02 그림은 물체 A를 가만히 놓는 순간 동시에 같은 높이에서 물체 B를 수평 방향으로 v의 속력으로 던졌을 때 두 물체가 지면에 도달할 때까지의 운동을 나타낸 것이다. L은 B를 던진 순간부터 지면에 도달할 때까지 수평 방향으로 이동한 거리이다.

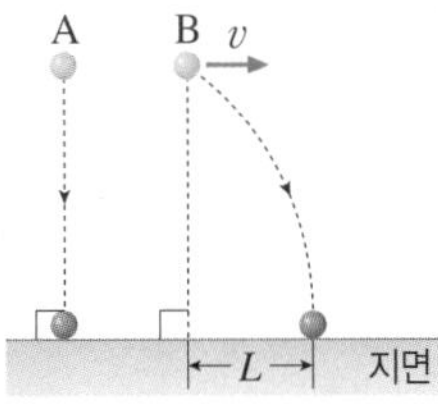

이에 대한 설명으로 옳은 것만을 [보기]에서 있는 대로 고른 것은?(단, 물체의 크기, 공기 저항은 무시한다.)

보기
ㄱ. 가속도의 크기는 A가 B보다 크다.
ㄴ. 운동하는 동안 A와 B에 작용하는 중력의 방향은 같다.
ㄷ. A가 처음 위치에서 지면에 도달할 때까지 걸린 시간은 $\frac{L}{v}$이다.

① ㄱ ② ㄴ ③ ㄱ, ㄷ
④ ㄴ, ㄷ ⑤ ㄱ, ㄴ, ㄷ

03 그림 (가)는 마찰이 없는 수평면 위에 정지해 있던 질량이 2 kg인 물체에 수평 방향으로 힘이 작용하는 모습을, (나)는 이 물체가 받은 힘을 시간에 따라 나타낸 것이다.

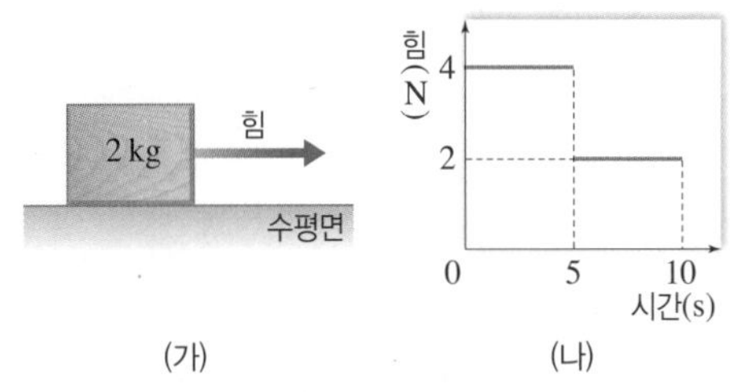

(가) (나)

이에 대한 설명으로 옳은 것만을 [보기]에서 있는 대로 고른 것은?

보기
ㄱ. 5초일 때 물체의 운동량의 크기는 20 kg·m/s이다.
ㄴ. 0초부터 10초까지 물체가 받은 충격량의 크기는 30 N·s이다.
ㄷ. 10초일 때 물체의 속력은 30 m/s이다.

① ㄱ ② ㄷ ③ ㄱ, ㄴ
④ ㄴ, ㄷ ⑤ ㄱ, ㄴ, ㄷ

04 그림 (가)는 마찰이 없는 수평면 위에서 물체 A가 정지해 있는 물체 B를 향해 일정한 속력 v_0으로 운동하는 모습을 나타낸 것이다. A, B는 질량이 m으로 같고, 충돌 후 직선상에서 등속 직선 운동을 한다. (나)는 충돌하는 동안 A가 B로부터 받는 힘의 크기를 시간에 따라 나타낸 것이며, 그래프 아랫부분의 넓이는 $\frac{1}{2}mv_0$이다.

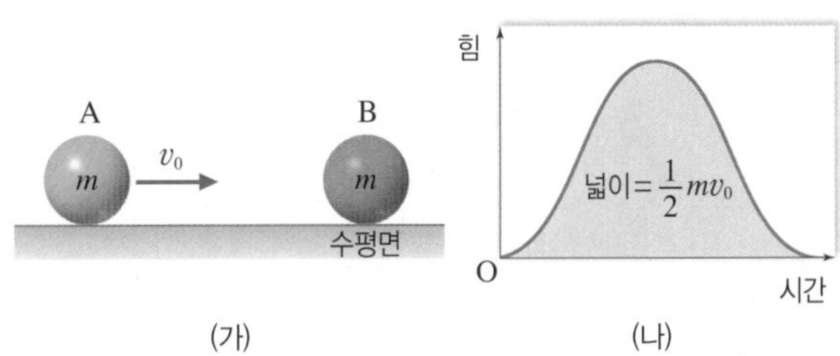

(가) (나)

충돌 후 B의 속력은?(단, 물체의 크기와 공기 저항은 무시한다.)

① $\frac{1}{2}v_0$ ② v_0 ③ $\frac{3}{2}v_0$
④ $2v_0$ ⑤ $3v_0$

배운 내용

- 지구계(지구 시스템)
- 기권
- 지권
- 수권
- 물의 순환
- 탄소의 순환
- 판 구조론
- 판 경계

2 지구 시스템

배울 내용

- 지구 시스템 각 권의 층상 구조
- 지구 시스템의 에너지원
- 암석권과 연약권
- 판 경계의 지각 변동
- 화산 활동과 지진의 영향

중학교 때 학년에 따라 따로 배웠던 지구 시스템 각 권의 특징을 모아 자세히 배운다. 나아가 지구 시스템에서 물질이 순환하면서 에너지 흐름이 함께 일어남을 알고, 그 과정에서 일어나는 지권의 변화를 판 구조론적 관점에서 이해한다.

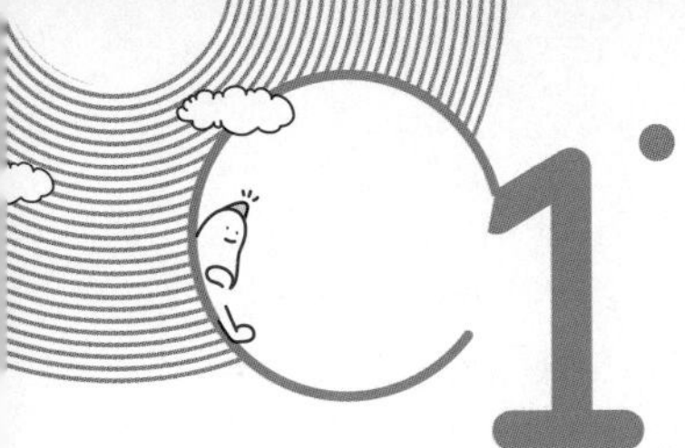

1. 지구 시스템의 에너지와 물질 순환

핵심 포인트
- ❶ 지구 시스템의 구성 요소 ★★★
- ❷ 지구 시스템 구성 요소의 상호 작용 ★★★
- ❸ 지구 시스템의 에너지원 ★★
- ❹ 물의 순환과 탄소의 순환 ★★

A 지구 시스템의 구성 요소

1. 지구 시스템

① **태양계:** 태양, 행성, 위성, 소행성, 혜성 등 여러 천체들의 중력으로 유지되는 역학적 시스템

② **태양계에 미치는 중력의 영향** ─• 가스 구름이 중력의 작용으로 수축하여 성운이 형성되었고, 성운의 중심부에서 태양이 탄생하였다.

- 태양계 성운에서 태양이 탄생하고, 미행성체들이 서로 충돌하여 지구가 만들어졌다.
- 지구가 태양으로부터 떨어져 나가지 않고 일정한 거리를 유지하게 되었다.
- 다양한 대기 성분들이 지구에 붙잡혀 있다.
- 지권이 여러 개의 층으로 나누어졌다. ─• 철과 니켈 등 무거운 물질은 지구 중심부로 가라앉아 핵을 형성하였고, 가벼운 규산염 물질은 지구 표면 쪽으로 이동하여 맨틀을 형성하였다.

③ **지구 시스템:** 태양계의 역학적 시스템 안에 존재하는 한 구성 요소로, 지구를 구성하는 요소들이 서로 영향을 주고받으면서 이루어진 하나의 시스템

④ **지구 시스템의 구성 요소:** 기권, 지권, 수권, 생물권, 외권

| 지구 시스템의 구성 요소 |

- 생물권: 지구에 살고 있는 모든 생물 예 동물, 식물, 미생물 등 └• 분해되지 않은 유기물을 포함한다.
- 지권: 지구의 단단한 표면과 지구 내부 예 암석, 토양 등
- 외권: 지구를 둘러싸고 있는 기권 밖의 우주 공간 예 태양계 천체(태양, 달, 행성), 별, 은하 등
- 기권: 지구를 둘러싸고 있는 공기층 예 질소, 산소, 수증기 등
- 수권: 지구에 분포하는 물 예 해수, 빙하, 지하수, 강과 호수 등

(그림 표시: 외권, 기권, 생물권, 수권, 해수면, 지권)

2. 기권

지구를 둘러싸고 있는 약 1000 km 두께의 공기층 ➡ 중력의 영향으로 대기의 약 99 %가 높이 약 30 km 이내에 분포한다. ─• 높이 올라갈수록 기압이 낮아진다.

① ◆**기권의 성분:** 질소가 약 78 %, 산소가 약 21 %를 차지한다.

② **기권의 층상 구조:** 높이에 따른 기온 분포를 기준으로 대류권, 성층권, 중간권, 열권으로 구분

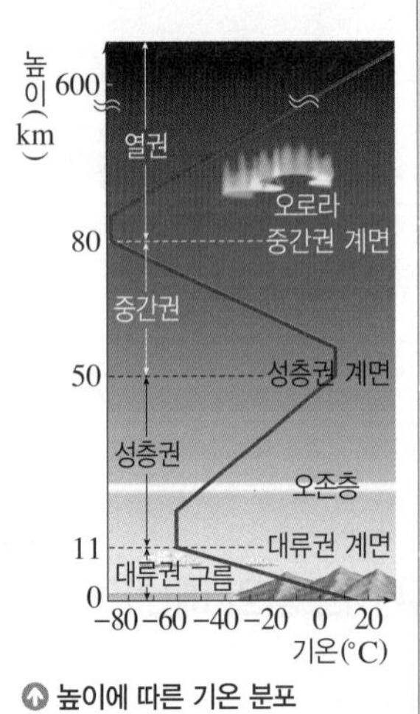

⬆ 높이에 따른 기온 분포

열권	• 높이 올라갈수록 기온 상승 ➡ 대류가 일어나지 않는다. └• 태양 복사 에너지를 직접 흡수하기 때문 / └• 찬 공기가 아래쪽에 분포할 때 안정하여 대류가 잘 일어나지 않는다. • 공기가 매우 희박하고, 낮과 밤의 기온 차가 매우 크다. • 고위도 지역의 상공에서 ◆오로라가 관측된다.
중간권	• 높이 올라갈수록 기온 하강 ➡ 대류가 일어난다. • 수증기가 거의 없어 기상 현상이 나타나지 않는다. • ❶유성이 나타난다.
성층권	• 높이 올라갈수록 기온 상승 ➡ 대류가 일어나지 않는다. └• 오존이 태양의 자외선을 흡수하기 때문 • 높이 약 20 km~30 km에 ◆오존층이 존재한다.
대류권	• 높이 올라갈수록 기온 하강 ➡ 대류가 일어난다. └• 높이 올라갈수록 지표가 방출하는 복사 에너지가 적게 도달하기 때문 • 수증기가 존재하고 대류가 일어나므로 구름, 비, 눈 등의 기상 현상이 나타난다.

◆ **지구 대기의 구성 성분(부피비)**
지구의 대기는 대부분 질소와 산소로 이루어져 있다.

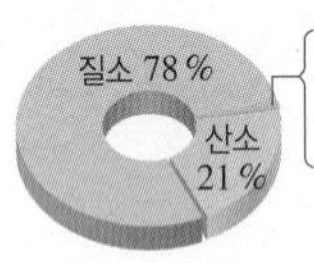

◆ **오로라**
태양에서 방출된 전기를 띤 입자가 지구 대기로 들어오면서 공기 입자와 충돌하여 빛을 내는 현상이다.

◆ **오존층**
대기 중 산소 분자(O_2)는 자외선을 흡수하여 산소 원자(O)로 분해되고, 산소 분자와 산소 원자가 결합하여 오존(O_3)이 생성된다. 이러한 과정이 반복되면서 높이 약 20 km~30 km에 오존이 많이 분포하는데, 이를 오존층이라고 한다.

궁금해?
지구에서 오존층이 없어진다면?
기권은 지표에서 높이 올라갈수록 기온이 계속 낮아지다가 높아져 두 층으로만 구분될 것이다.

(용어)
❶ 유성(流 흐르다, 星 별) 태양계 내를 떠돌고 있는 천체 조각인 유성체가 지구 대기로 들어올 때 공기와의 마찰로 타면서 빛을 내는 것

③ **기권의 역할**

- 이산화 탄소와 수증기가 온실 효과를 일으켜 지구를 보온해 준다.
- 오존층이 지표에 도달하는 유해한 자외선을 차단한다.
- 유성체가 지표면에 직접 충돌하는 것을 막아 준다.

  → 지상의 생물을 보호한다.
- 호흡과 광합성에 필요한 산소와 이산화 탄소를 제공하여 생명 활동을 유지할 수 있게 한다.

3. 지권 지각과 지구 내부를 포함하는 지표면~깊이 약 6400 km까지의 영역

① **지권의 성분:** 지각에는 산소와 규소가 많고, 지구 전체에는 철과 산소가 많다.

② **지권의 층상 구조:** 깊이에 따른 지진파의 속도를 기준으로 지각, 맨틀, 외핵, 내핵으로 구분

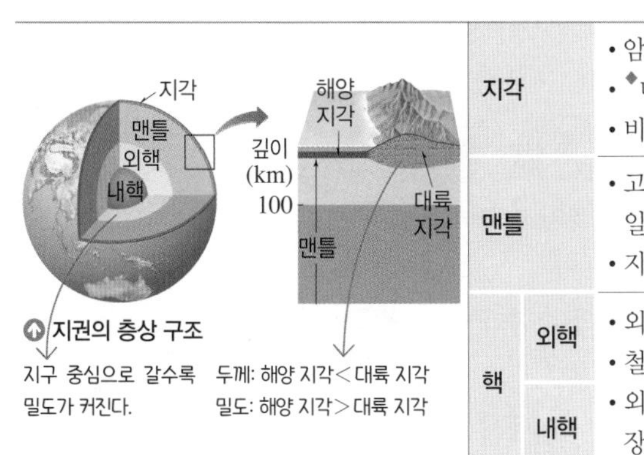

지권의 층상 구조

구분		특징
지각		• 암석으로 된 지구의 겉 부분으로, 고체 상태이다. • ◆대륙 지각과 해양 지각으로 구분한다. • 비교적 가벼운 규산염 물질로 이루어져 있다.
맨틀		• 고체 상태이지만 일부는 유동성이 있어 대류가 일어난다. • 지권 전체 부피의 약 80 %를 차지한다.
핵	외핵	• 외핵은 액체 상태, 내핵은 고체 상태이다. • 철과 니켈로 이루어져 있어 밀도가 크다.
	내핵	• 외핵에서 철과 니켈의 대류가 일어나 지구 자기장을 형성한다.

③ **지권의 역할**

- 생물이 살아가는 데 필요한 물질을 공급하고, 서식처를 제공한다.
- 지형 및 대륙과 해양의 분포는 해수의 흐름과 대기의 순환에 영향을 준다.
- 화산 활동으로 방출된 물질은 기후 변화를 일으킨다.
- 지표의 풍화·침식 작용 및 해저의 화산 활동으로 수권에 공급된 물질은 염류의 근원이 된다.

4. 수권 지구에 분포하는 물 ➡ 지표면의 약 70 %를 차지한다.

① ◆**수권의 분포:** 대부분 해수로 이루어져 있고, 육수 중에서는 빙하가 가장 많다.

→ 빙하: 극지방과 고산 지대에 분포한다.

② **해수의 층상 구조:** 깊이에 따른 수온 분포를 기준으로 혼합층, 수온 약층, 심해층으로 구분

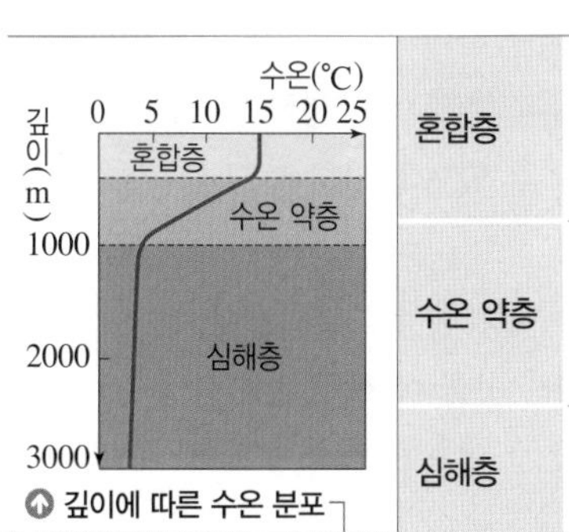

깊이에 따른 수온 분포

구분	특징
혼합층	• 태양 복사 에너지를 흡수하여 수온이 높다. • 바람의 혼합 작용으로 깊이에 따른 수온이 거의 일정하다. ➡ 바람이 강할수록 혼합층의 두께가 두꺼워진다.
수온 약층	• 깊이가 깊어질수록 수온이 급격히 낮아진다. • 매우 안정한 층으로, 해수의 연직 운동이 일어나기 어렵다. ➡ 혼합층과 심해층 사이의 물질과 에너지 교환을 차단한다.
심해층	• 태양 복사 에너지가 거의 도달하지 못하여 수온이 매우 낮다. • 계절이나 깊이에 따른 수온 변화가 거의 없다.

→ 수심이 깊어질수록 태양 복사 에너지가 적게 도달하여 수온이 낮아지는데, 혼합층은 바람의 혼합 작용으로 수온이 일정하고, 심해층은 태양 복사 에너지가 거의 도달하지 않아 수온이 일정하다.

③ ◆**수권의 역할**

- 태양 에너지를 저장하여 지구의 온도를 일정하게 유지한다.
- 해수의 순환을 통해 지형을 변화시키고, 흡수한 태양 에너지를 지구 전체에 고르게 분산한다.
- 생물이 살아가는 데 필요한 물질을 공급하고, 서식처를 제공한다.

◆ **대륙 지각과 해양 지각 비교**

구분	대륙 지각	해양 지각
평균 두께	약 35 km	약 5 km
평균 밀도	약 2.7 g/cm^3	약 3.0 g/cm^3
구성 암석	화강암질 암석	현무암질 암석

◆ **수권의 분포**

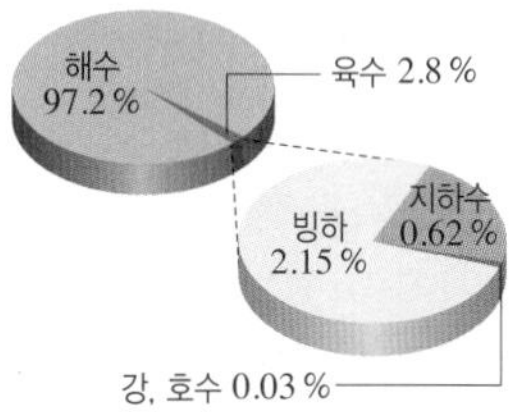

➡ 해수>육수(빙하>지하수>강, 호수 등)

이것까지 나와요! 지구과학Ⅰ

위도별 해수의 층상 구조

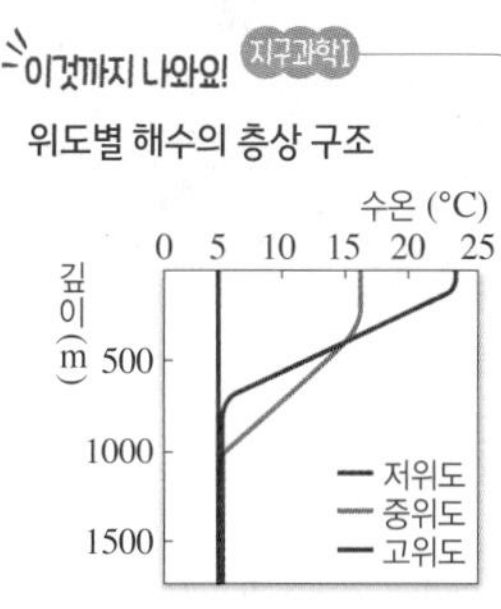

1. **저위도:** 표층 수온이 높아 수온 약층이 뚜렷하게 발달하고, 혼합층의 두께가 얇다.
2. **중위도:** 바람이 강해 혼합층의 두께가 두껍고, 수온 약층이 깊게 발달한다.
3. **고위도:** 표층과 심층의 수온 차가 거의 없어 해수의 층상 구조가 나타나지 않는다.

◆ **물의 특징**

- 비열이 크다. ➡ 생명체가 체온을 거의 일정하게 유지한다.
- 액체에서 고체로 변할 때 밀도가 작아진다. ➡ 호수나 강물은 표면부터 언다.
- 다른 물질을 잘 녹인다. ➡ 생명체가 영양소를 공급받고, 체내의 독성 물질을 배출할 수 있다.
- 기화열이 크다. ➡ 생명체 안에서 액체 상태로 지속되어 생명 현상 유지에 큰 역할을 한다.

5. 생물권 지구에 살고 있는 모든 생물로, 태양계 행성 중 ◆지구에만 있는 특징이다.

① 생물권은 기권, 지권, 수권에 걸쳐 분포한다. ➡ 지구 시스템의 구성 요소 중 ◆생물권이 가장 나중에 형성되었다.

② 토양 속 미생물이 생물의 사체나 배설물을 분해하는 과정에서 토양의 성분을 변화시킨다.

6. 외권 지구를 둘러싸고 있는 기권 밖의 우주 공간 → 지상 1000 km 이상

① 지구는 우주 공간과 끊임없이 에너지를 교환하지만, ❶운석 외에는 물질의 이동이 거의 없다.

② 외권에서 오는 태양 에너지는 식물의 광합성에 이용되며, 대기와 해수를 순환시킨다.

③ 지구에는 철과 니켈로 구성된 액체 상태인 외핵의 운동으로 자기장이 형성되며, ◆지구 자기장은 ❷우주선이나 ❸태양풍의 고에너지 입자를 차단하여 지구상의 생명체를 보호한다.

미래엔 교과서에만 나와요.

◆ **지구에만 생명체가 존재하는 까닭**

지구는 태양으로부터 적당한 거리만큼 떨어져 있어 지구 표면에 액체 상태의 물이 존재하고, 대기의 두께가 적절하며, 지구 자기장이 존재하기 때문이다. 반면에, 금성은 태양 가까이에 있어 물이 증발하고, 화성은 태양으로부터 멀리 떨어져 있어 행성 표면에 액체 상태의 물이 존재하기 어렵다.

◆ **생물권 형성**

원시 지구가 형성된 후 원시 지각과 원시 바다가 형성되었고, 바다에서 최초의 생명체가 탄생하였다.

◆ **지구 자기장**

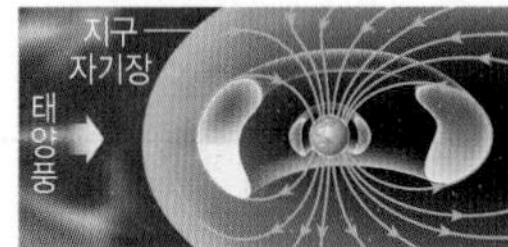

지구 자기력이 미치는 공간을 지구 자기장이라고 한다.

B 지구 시스템 구성 요소의 상호 작용

지구 시스템의 구성 요소는 서로 영향을 주고받으며 자연 현상을 일으키고 있어요.

1. 지구 시스템의 상호 작용

① 지구 시스템의 상호 작용 과정에서 물질의 순환과 에너지 교환이 일어나며, 각 권은 균형을 이룬다.

② 지구 시스템의 상호 작용은 서로 다른 권 사이에서 일어나고, 각 권 자체에서 일어나기도 한다.

③ 지구 시스템의 어느 한 권에서 변화가 생기면 그 변화는 다른 권에 연쇄적으로 영향을 준다.

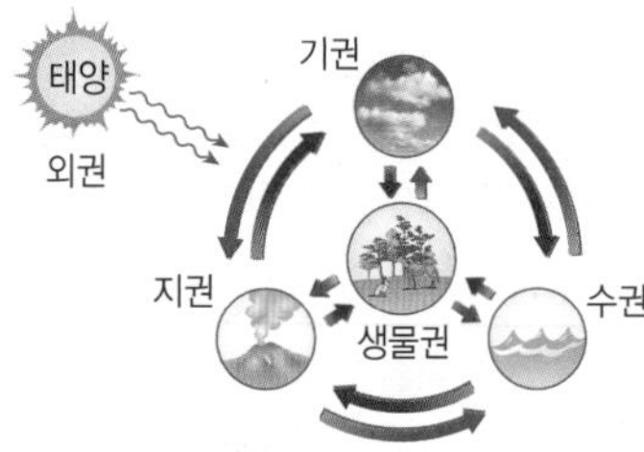

⊙ 지구 시스템 구성 요소의 상호 작용

2. ◆각 권의 상호 작용으로 일어나는 자연 현상의 예

① **기권과 다른 구성 요소의 상호 작용**

- 기권 ↔ 지권: 사막에서 바람의 침식 작용으로 버섯바위가 형성된다.
- 기권 ↔ 수권: 해수면 위에서 부는 바람의 영향으로 표층 해류가 발생한다.
- 기권 ↔ 생물권: 이산화 탄소를 제공하여 식물이 광합성을 할 수 있도록 한다.

② **지권과 다른 구성 요소의 상호 작용**

- 지권 ↔ 기권: 화산 활동으로 화산재와 화산 가스가 분출하여 지구의 기온이 변한다.
- 지권 ↔ 수권: 해저에서 급격한 지각 변동에 의해 지진 해일이 발생한다.
- 지권 ↔ 생물권: 서식처를 제공하여 생물이 살아갈 수 있도록 한다.

③ **수권과 다른 구성 요소의 상호 작용**

- 수권 ↔ 기권: 바다와 대기의 상호 작용으로 다양한 기상 현상을 일으킨다.
- 수권 ↔ 지권: 파도의 침식 작용으로 해안 절벽과 해식 동굴이 형성된다.
- 수권 ↔ 생물권: 서식처를 제공하여 생물이 살아갈 수 있도록 한다.

④ **생물권과 다른 구성 요소의 상호 작용**

- 생물권 ↔ 기권: 생물의 호흡으로 인해 대기 조성이 변화된다.
- 생물권 ↔ 지권: 바위에 뿌리를 내린 식물이 자라면서 암석의 틈을 넓혀 풍화를 일으킨다.
- 생물권 ↔ 수권: 수중 생물이 부패하면서 강물의 용존 산소량이 변한다.

◆ **최근 급격한 환경 변화로 인한 지구 시스템 상호 작용의 예**

- 지구 온난화로 인한 식생과 어종 변화: 기권 ↔ 생물권
- 오존층 파괴로 인한 생태계 변화: 기권 ↔ 생물권
- 대기 순환 변화로 인한 사막 면적 증가: 기권 ↔ 지권

(용어)

❶ **운석(隕 떨어지다, 石 돌)** 대기 중으로 들어온 유성체가 다 타버리지 않고 땅에 떨어진 것

❷ **우주선(cosmic ray)** 우주에서 지구로 쏟아지는 매우 높은 에너지의 입자와 방사선 등을 통틀어 이르는 말

❸ **태양풍(太陽 태양, 風 바람)** 태양의 표면과 대기에서 우주로 방출되는 양성자, 전자 등 대전 입자의 흐름

각 권의 상호 작용의 예를 한눈에 정리해 보아요.

근원 \ 영향	기권	지권	수권	생물권
기권	• 전선 형성 • 일기 변화 • 기단의 상호 작용 • 대기 대순환	• 풍화·침식 작용으로 인한 지형 변화(사구, 버섯바위 형성)	• 표층 해류 발생 • ❶엘니뇨 발생 • 이산화 탄소의 용해	• 생물의 호흡 및 광합성에 필요한 산소와 이산화 탄소 공급 • 종자와 포자 운반
지권	• 화산 활동으로 인한 대기 조성 변화와 기온 변화 • 황사 발생	• 판과 판의 상호 작용으로 지각 변동 발생 • 용암 동굴 형성	• 염류 공급 • 지진 해일 발생	• 생물의 서식처 제공 • 생물에 영양분 공급
수권	• 증발 • 태풍 발생	• 풍화·침식 작용(◆석회 동굴, 해식 동굴, 해안 절벽, ◆V자곡, ◆U자곡 형성)	• 해수의 혼합 • 해수의 심층 순환 발생	• 세포 내의 물 공급 • 수중 생물의 서식처 제공
생물권	• 광합성과 호흡에 의한 대기 조성 변화	• 생물에 의한 풍화·침식 작용 • 토양 생성 • 화석 연료 생성	• 생물체에 의한 용해 • 부패 물질의 이동	• 먹이 사슬 형성

⑤ **외권과 다른 구성 요소의 상호 작용**

• 외권 ↔ 기권
- 태양에서 방출된 대전 입자의 일부가 지구 자기장에 이끌려 대기로 들어오면서 공기 입자와 충돌하여 빛을 내는 오로라가 발생한다.
- 태양계를 떠도는 유성체가 지구 대기로 들어올 때 공기와의 마찰로 타면서 빛을 내는 유성이 나타난다.
- 태양의 유해한 자외선을 성층권에 분포하는 오존층이 흡수하고 차단한다.

• 외권 ↔ 지권: 지구 자기장은 지권의 외핵에서 철과 니켈의 대류가 일어나 형성된다.

• 외권 ↔ 생물권 : 태양 복사 에너지를 흡수하여 식물이 광합성을 한다.

3. 지구 시스템의 구성 요소가 생명 유지에 기여하는 원리

구성 요소	생명 유지에 기여하는 원리
기권	• 오존층을 형성하여 생명체에 유해한 태양 복사의 자외선을 차단한다. • 강수 현상을 통해 물을 공급하여 생물의 성장을 촉진한다. • 우주로부터 날아오는 유성체를 차단한다. → 생명체의 생명 활동을 가능하게 한다.
지권	과거에 하나로 모여 있던 커다란 대륙(판게아)이 여러 대륙으로 분리되어 해류가 복잡해지고 기후가 다양해지면서 다양한 생물이 출현하게 되었다.
수권	원시 바다가 생성된 이후 대기 중 이산화 탄소가 바다에 녹으면서 과도한 온실 효과를 방지하여 생명체가 생명 활동을 유지할 수 있도록 하였다.
생물권	식물이 태양 에너지와 대기 중 이산화 탄소를 이용하여 광합성을 하고, 대기 중으로 산소를 내보내어 생물이 호흡할 수 있도록 한다.
외권	• 태양과의 거리가 적당하여 지구가 태양 에너지를 흡수하여 생명체가 살기에 알맞은 온도를 유지하게 하였다. • 지구 자기장은 우주선이나 태양풍의 고에너지 입자를 차단하여 지구상의 생명체가 생명 활동을 유지할 수 있도록 한다.

◆ **석회 동굴**
지하수에 의해 석회암 지대가 용해되어 석회 동굴이 형성된다.

◆ **V자곡**
강의 상류 지역에서는 경사가 급해 강바닥이 물에 깎이면서 폭이 좁은 V자 모양의 계곡이 만들어진다.

◆ **U자곡**
빙하가 흘러내리며 침식 작용을 일으켜 형성된 계곡으로, U자 모양을 이룬다.

(용어)

❶ **엘니뇨(El Niño)** 무역풍의 약화로 적도 부근 동태평양 해역의 표층 수온이 평상시보다 높게 유지되는 현상

개념 확인 문제

정답친해 59쪽

핵심 체크

- (❶): 지구를 구성하는 요소들이 서로 영향을 주고받으면서 이루어진 하나의 시스템
- 지구 시스템의 구성 요소
  - 기권: 높이에 따른 기온 분포를 기준으로 (❷), 성층권, 중간권, 열권으로 구분
  - 지권: 깊이에 따른 지진파의 속도를 기준으로 지각, (❸), 외핵, 내핵으로 구분
  - 수권: 깊이에 따른 수온 분포를 기준으로 혼합층, (❹), 심해층으로 구분
  - (❺): 동물, 식물, 미생물을 포함한 지구에 살고 있는 모든 생물
  - (❻): 지구를 둘러싸고 있는 기권 밖의 우주 공간
- 지구 시스템 구성 요소의 상호 작용: 지구 시스템의 각 권은 상호 작용을 하고 있으며, 물질의 순환과 에너지 교환이 함께 일어난다.

1 태양계와 지구 시스템에서 ( )의 영향으로 태양계 성운에서 태양이 탄생하였고, 미행성체들이 서로 충돌하여 지구가 형성되었다.

2 지구 시스템의 구성 요소와 그 예를 옳게 연결하시오.

(1) 기권 • • ㉠ 토양
(2) 지권 • • ㉡ 오존층
(3) 수권 • • ㉢ 태양
(4) 생물권 • • ㉣ 미생물
(5) 외권 • • ㉤ 빙하

3 그림은 기권의 층상 구조를 나타낸 것이다.

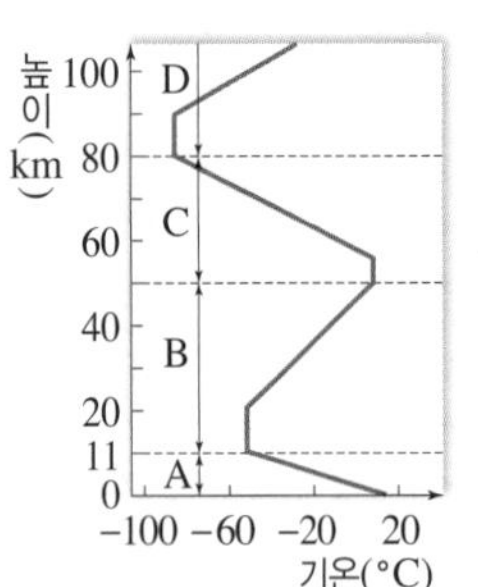

(1) A~D층의 이름을 각각 쓰시오.
(2) 기권을 A~D층으로 구분한 기준은 무엇인지 쓰시오.

4 지권의 층상 구조에 대한 설명으로 옳은 것은 ○, 옳지 않은 것은 ×로 표시하시오.

(1) 지각은 대부분 규산염 물질로 이루어져 있다. ( )
(2) 맨틀은 고체 상태이므로 유동성이 없다. ( )
(3) 외핵은 액체 상태, 내핵은 고체 상태이다. ( )
(4) 지구 중심으로 갈수록 밀도가 커진다. ( )

5 그림은 해수의 층상 구조를 나타낸 것이다. A~C 중 각 설명에 해당하는 층을 기호로 쓰시오.

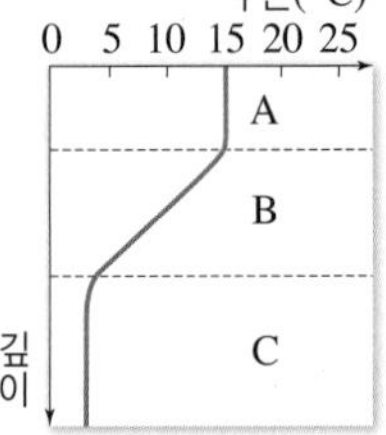

(1) 매우 안정한 층 ( )
(2) 바람의 세기에 따라 두께가 변하는 층 ( )
(3) 계절에 따른 수온 변화가 거의 없는 층 ( )

6 지구 시스템의 구성 요소에 대한 설명으로 옳은 것은 ○, 옳지 않은 것은 ×로 표시하시오.

(1) 수권 중 가장 많은 양을 차지하는 것은 해수이다. ( )
(2) 생물권이 분포하는 공간은 지표면과 지하 얕은 곳으로 한정된다. ( )
(3) 지구 자기장은 태양 복사의 유해 자외선을 차단하여 지상의 생명체를 보호한다. ( )

7 다음은 지구 시스템 구성 요소의 상호 작용에 대한 예이다. 각 현상들이 어느 권 사이에서 일어나는 작용인지 쓰시오.

(1) 호흡과 광합성 – 기권과 ( )의 상호 작용
(2) 지진 해일의 발생 – ( )과 수권의 상호 작용
(3) 화산 가스 방출 – ( )과 기권의 상호 작용
(4) 태풍의 발생 – ( )과 수권의 상호 작용
(5) 석회 동굴의 형성 – 수권과 ( )의 상호 작용
(6) 오로라의 발생 – ( )과 기권의 상호 작용

C 지구 시스템의 에너지원과 에너지 흐름

1. 지구 시스템의 에너지원

① **태양 에너지:** 태양에서 수소 핵융합 반응에 의해 발생한 에너지
- 지구 시스템의 에너지원 중 가장 많은 양을 차지한다.
- 기상 현상과 해류를 발생시키며, 풍화와 침식 작용을 일으킨다.
- 식물의 광합성에 이용되어 생명 활동에 필요한 에너지원으로 이용된다.

② ◆**지구 내부 에너지:** 지구 내부의 ◆방사성 원소의 붕괴열
- 맨틀 대류를 일으켜 대륙이 움직이고, 지진, 화산 활동과 같은 지각 변동을 일으킨다.
- 외핵의 운동을 일으켜 지구 자기장이 형성된다.

③ **조력 에너지:** 달과 태양이 지구에 작용하는 인력에 의해 생기는 에너지
- 밀물과 썰물을 일으켜 해안 지형을 변하게 한다.
- 해수면의 높이를 주기적으로 변하게 하여 해안 주변의 생태계에 영향을 준다.

지구 시스템의 에너지원과 에너지양의 비율

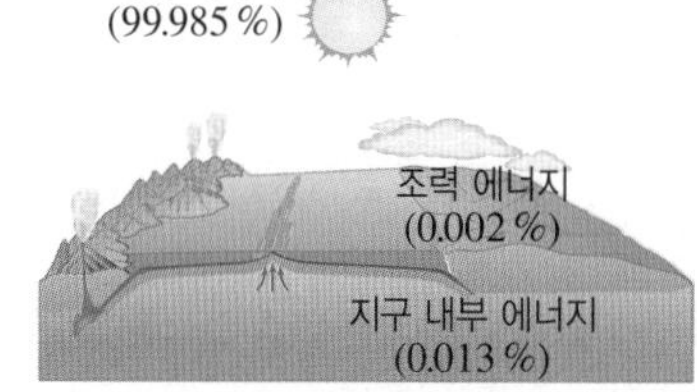

- 태양 에너지: 지구 시스템의 에너지원 중 지구 환경에 가장 큰 영향을 주고 있다. ➡ 지구 생명체의 근원적인 에너지이다.
- 태양 에너지, 지구 내부 에너지, 조력 에너지는 상호 전환되지 않는다.

에너지양 비교: 태양 에너지≫지구 내부 에너지 > 조력 에너지

2. 지구 시스템의 에너지 흐름

에너지는 각 권 사이를 이동하면서 다양한 자연 현상을 일으킨다.

① 지구는 구형이기 때문에 위도별로 에너지 불균형이 나타난다. ➡ 대기와 해수의 순환으로 저위도의 남는 에너지가 고위도로 이동하여 전체적으로는 에너지 평형을 이룬다.

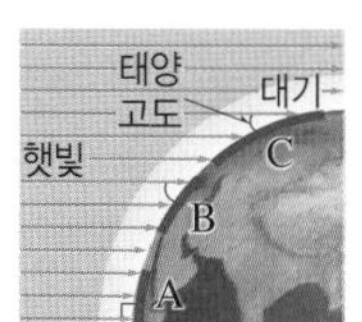

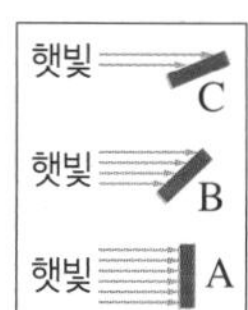

위도에 따른 태양 복사 에너지

저위도(A)에서 고위도(C)로 갈수록 태양 고도가 낮아져 단위 면적당 받는 태양 복사 에너지양이 적어진다.
- A: 태양 복사 에너지 흡수량 > 지구 복사 에너지 방출량 ➡ 에너지 과잉
- C: 태양 복사 에너지 흡수량 < 지구 복사 에너지 방출량 ➡ 에너지 부족

② 에너지 흐름으로 나타나는 자연 현상에는 ◆태풍이 있다. ➡ 태풍을 발생시키는 근원적인 에너지는 태양 에너지로, 태풍이 이동하면서 저위도의 남는 에너지를 고위도로 운반한다.

D 지구 시스템의 물질 순환

1. 물의 순환

① **물을 순환시키는 주요 에너지원:** 태양 에너지

② **물의 순환 과정:** 물이 고체, 액체, 기체로 상태가 변할 때 ◆숨은열(잠열)이 출입하면서 에너지가 이동하고, 지구 시스템을 순환하면서 기권, 지권, 수권에 영향을 준다.

(지권 → 물의 순환 과정에서 지형이 변한다.)

동아 교과서에만 나와요.

◆ 지구 내부 에너지의 구성
방사성 원소의 붕괴열 이외에도 지구 형성 초기에 발생했던 운석 충돌에 의한 열에너지의 영향도 받는다.

◆ 방사성 원소의 붕괴열
- 방사성 원소는 불안정한 원자핵이 스스로 붕괴하면서 방사선을 방출하는 원소이다.
- 지구의 지각이나 맨틀에서 발생하는 방사성 원소의 붕괴열은 맨틀 상부와 하부의 온도 차를 발생시키므로 맨틀 대류의 원동력이 된다.
- 철이나 니켈 같은 안정된 원소로 구성되어 있는 핵에서는 방사성 원소의 붕괴가 거의 일어나지 않는다.

◆ 태풍의 발생과 소멸
수온이 26 ℃~27 ℃인 저위도의 바다에서 증발한 수증기가 강한 상승 기류를 받아 구름을 형성하면서 태풍으로 성장한다. 태풍은 강한 바람과 많은 비를 동반하고 포물선을 그리면서 북상한다. 육지에 상륙한 태풍은 수증기의 응결에 의한 에너지를 공급받지 못하고, 육지와의 마찰로 인해 소멸한다.

◆ 숨은열(잠열)
물질이 온도 변화 없이 물리적 상태가 변할 때 흡수하거나 방출하는 열이다. 물은 증발할 때 숨은열을 흡수하고, 응결할 때 숨은열을 방출한다.

주의해!

바다와 육지의 증발량과 강수량 비교
바다와 육지에서 물을 얻은 양과 잃은 양은 각각 같지만, 바다에서는 증발량이 강수량보다 많고, 육지에서는 강수량이 증발량보다 많다.

③ **물의 평형:** 물의 순환에 의해 물이 각 권 사이를 이동하지만, 각 권에서 물의 양은 일정하게 유지되어 평형을 이루고 있다. ➡ 각 권에서 물을 얻은 양과 잃은 양이 같기 때문

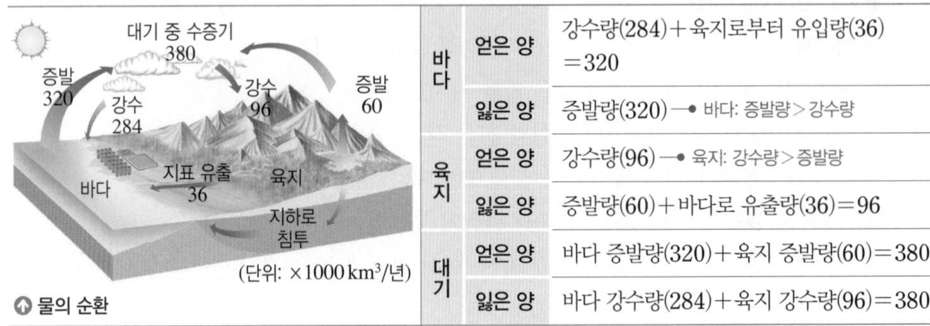

물의 순환

바다	얻은 양	강수량(284)+육지로부터 유입량(36)=320
	잃은 양	증발량(320) → 바다: 증발량>강수량
육지	얻은 양	강수량(96) → 육지: 강수량>증발량
	잃은 양	증발량(60)+바다로 유출량(36)=96
대기	얻은 양	바다 증발량(320)+육지 증발량(60)=380
	잃은 양	바다 강수량(284)+육지 강수량(96)=380

2. 탄소의 순환

◆ 탄소의 분포

구분	탄소의 양 ($\times 10^{12}$ kg)
대기 기권	720
생물 생물권	2000
화석 연료 지권	4130
해양 수권	37400
퇴적암(석회암) → 지권	60000000

탄소의 대부분(약 99.9 %)은 지권에 분포한다.

① ◆**탄소의 존재 형태:** 탄소는 기권, 지권, 수권, 생물권에 다양한 형태로 분포하고 있다.

기권	지권	수권	생물권
이산화 탄소(CO_2), 메테인(CH_4)	탄산 칼슘(석회암) → $CaCO_3$, ❶화석 연료	탄산 이온 (CO_3^{2-} 또는 HCO_3^-)	유기물 → 이산화 탄소나 탄산 이온이 생물체에 흡수

② **탄소의 순환 과정:** 탄소는 지구 시스템의 각 권 사이를 순환하며 에너지 흐름이 함께 일어난다.

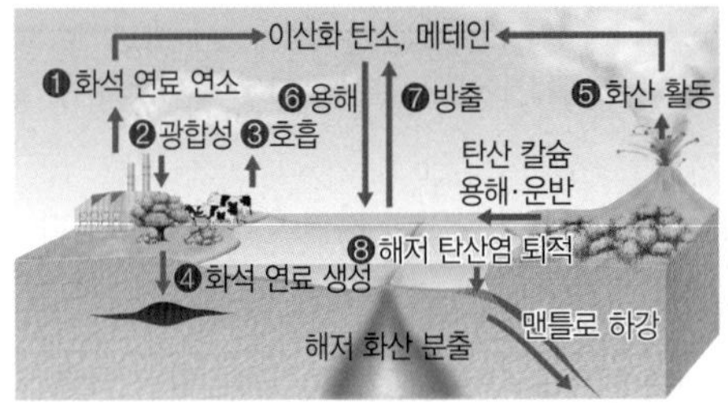

탄소의 순환

- 대기 중 탄소 증가 요인: 화석 연료 연소(❶), 호흡(❸), 화산 활동(❺), 방출(❼)
- 대기 중 탄소 감소 요인: 광합성(❷), 용해(❻)
- 지구 시스템 전체 탄소량은 일정하게 유지된다.

탄소의 이동	탄소의 순환
지권 → 기권	❶ 화석 연료의 연소 과정에서 이산화 탄소가 기권으로 배출된다. (연소 과정 → 내부에 저장된 에너지를 열에너지나 빛에너지 형태로 방출한다.)
기권 → 생물권	❷ 식물이 광합성 과정에서 이산화 탄소를 흡수하여 포도당을 만든다. → 태양 에너지가 화학 에너지로 저장된다.
생물권 → 기권	❸ 생물은 호흡 과정에서 이산화 탄소를 기권으로 방출한다.
생물권 → 지권	❹ 생물의 사체가 오랜 시간이 지나 화석 연료가 된다.
지권 → 기권	❺ 화산 활동이 일어날 때 이산화 탄소 등의 기체가 기권으로 방출된다. → 지구 내부 에너지가 방출된다.
기권 → 수권	❻ 기권의 이산화 탄소가 해수에 녹아 탄산 이온이 된다.
수권 → 기권	❼ ◆수온이 상승하면 이산화 탄소가 기권으로 방출된다. → 태양 에너지를 흡수한다.
수권 → 지권	❽ 수권의 탄산 이온이 침전되어 석회암으로 저장된다.

◆ **수온과 기체의 용해도**
수온이 상승하면 기체의 용해도가 감소하여 수권에서 기권으로 이산화 탄소가 방출된다.

미래엔 교과서에만 나와요.

◆ **그 밖의 물질 순환**
지권에서는 지구 내부 에너지에 의해 맨틀 대류가 일어나면서 지각의 생성이나 소멸, 암석의 순환 등이 일어난다.

3. ◆질소의 순환

대기 중 질소는 토양 속 세균을 통해 질산 이온으로 바뀌어 식물에 흡수되고, 동물의 단백질 구성 성분이 된다. 동식물의 배설물이나 사체는 분해자를 통해 분해되어 질소가 다시 기권으로 이동한다.

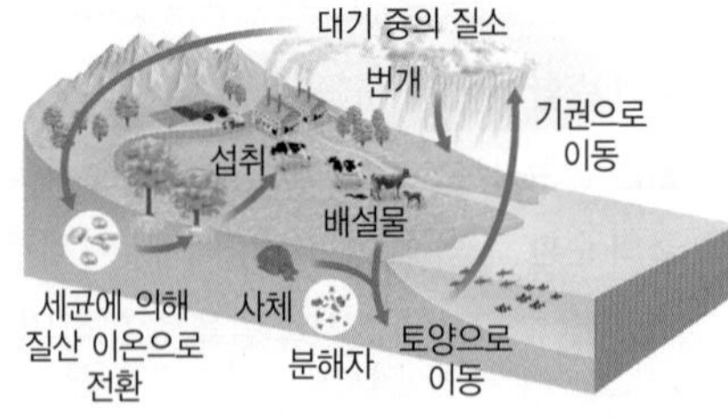

질소의 순환

(용어)

❶ **화석 연료(化 되다, 石 돌, 燃 타다, 料 재료)** 생물의 유해가 지층 속에 묻힌 후 고온·고압에서 만들어진 연료로, 석탄, 석유, 천연가스 등이 있다.

4. 지구 시스템의 균형과 인류의 미래

① 지진이나 화산 폭발과 같은 급격한 변화는 일시적으로 지구 시스템의 균형을 무너뜨린다.

② 최근에는 인간 활동으로 환경 오염이 발생하여 지구 시스템의 균형이 깨지고 있다.

예 지구 온난화, ❶미세 먼지, 산성비, 해양의 적조 현상 등

③ 인간 활동으로 발생한 환경 문제는 인간의 합리적인 활동으로 회복될 수 있다.

(용어)

❶ **미세(微 작다, 細 작다) 먼지** 지름이 10 μm 이하인 오염 물질로, 미세 먼지 중에서 지름이 2.5 μm 이하인 것을 초미세 먼지라고 한다.

개념 확인 문제

정답친해 59쪽

핵심 체크

- 지구 시스템의 에너지원: 태양 에너지, 지구 내부 에너지, 조력 에너지 ➡ (❶)가 가장 많은 양을 차지한다.
- 지구 시스템의 에너지 흐름: 지구는 위도별로 에너지 불균형이 나타나지만, 대기와 해수의 순환을 통해 저위도의 남는 에너지가 고위도로 이동하여 전체적으로 (❷)을 이룬다.
- 물의 순환: 물의 순환을 일으키는 근원 에너지는 (❸)이다.
- 탄소의 존재 형태: 이산화 탄소(기권), 석회암(지권), (❹)(수권), 유기물(생물권)
- 탄소의 순환: 기권의 탄소량이 증가해도 지구 시스템에서 전체 탄소량은 (❺).

1 맨틀 대류에 의해 대륙을 이동시키고 지진과 화산 활동을 일으키는 에너지원은 무엇인지 쓰시오.

2 위도별 에너지 불균형과 에너지 흐름에 대한 설명으로 옳은 것은 ○, 옳지 않은 것은 ×로 표시하시오.

(1) 지구는 구형이므로 고위도로 갈수록 단위 면적당 받는 태양 복사 에너지양이 많아진다. ……… ( )

(2) 대기와 해수의 순환을 통해 저위도의 남는 에너지가 고위도로 이동한다. ……… ( )

3 그림은 물의 순환 과정을 연간 이동량으로 나타낸 것이다.

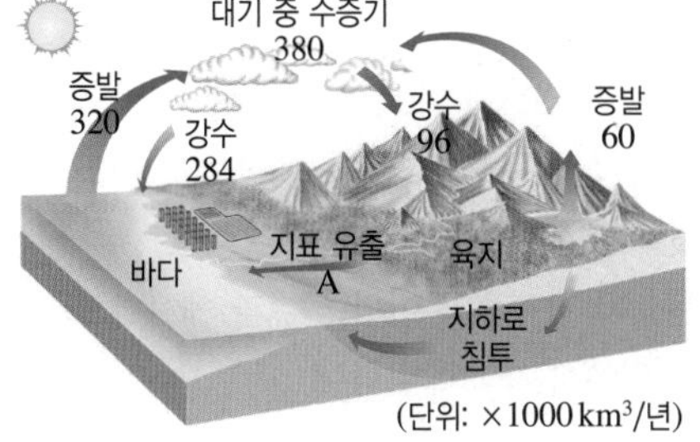

(단위: $\times 1000\,km^3$/년)

(1) 물의 순환을 일으키는 에너지원을 쓰시오.

(2) A는 몇 단위인지 구하시오.

4 지구 시스템의 각 권에서 탄소의 존재 형태를 옳게 연결하시오.

(1) 기권 • • ㉠ 탄산 이온

(2) 지권 • • ㉡ 이산화 탄소

(3) 수권 • • ㉢ 석회암

(4) 생물권 • • ㉣ 유기물

5 대기 중 탄소가 증가하는 요인만을 [보기]에서 있는 대로 고르시오.

보기

ㄱ. 화석 연료의 연소 ㄴ. 광합성

ㄷ. 호흡 ㄹ. 화산 활동

6 지구 시스템의 균형과 인류의 미래에 대한 설명으로 옳은 것은 ○, 옳지 않은 것은 ×로 표시하시오.

(1) 최근에는 인간 활동으로 환경 오염이 발생하여 지구 시스템의 균형이 깨지고 있다. ……… ( )

(2) 인간 활동으로 발생한 환경 문제는 회복될 수 없다. ……… ( )

내신 만점 문제

A 지구 시스템의 구성 요소

01 태양계와 지구 시스템에 대한 설명으로 옳지 않은 것은?

① 지권은 지각과 지구 내부의 영역을 포함한다.
② 수권은 중력에 의해 여러 개의 층으로 나누어졌다.
③ 기권은 온실 효과를 일으켜 지구를 보온해 준다.
④ 태양계는 여러 천체들의 중력으로 유지되는 역학적 시스템이다.
⑤ 중력은 지구가 태양으로부터 일정한 거리를 유지할 수 있게 하였다.

중요 **02** 그림은 기권의 층상 구조를 나타낸 것이다.
이에 대한 설명으로 옳지 않은 것은?

① A에서는 대류와 기상 현상이 모두 나타난다.
② B에는 오존층이 존재하여 자외선을 흡수한다.
③ B는 C보다 기층이 불안정하다.
④ 낮과 밤의 기온 차가 가장 큰 층은 D이다.
⑤ 극지방 상공의 D에서는 오로라가 관측된다.

중요 **03** 그림은 지권의 층상 구조를 나타낸 것이다.

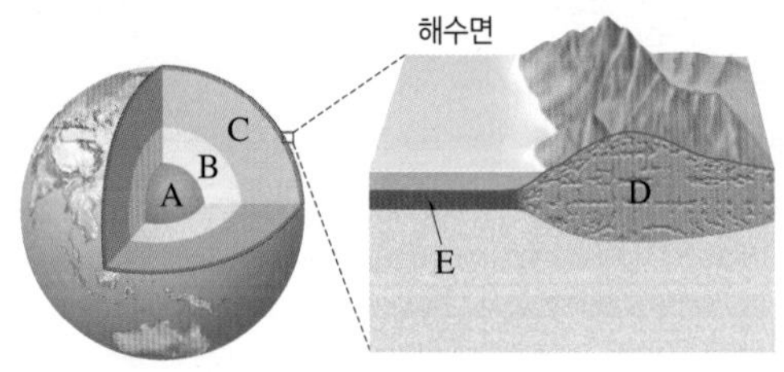

이에 대한 설명으로 옳은 것만을 [보기]에서 있는 대로 고른 것은?

> 보기
> ㄱ. A는 고체 상태이고, B는 액체 상태이다.
> ㄴ. A와 B를 합한 부피는 C의 부피보다 크다.
> ㄷ. D는 E보다 평균 밀도가 크다.

① ㄱ ② ㄴ ③ ㄱ, ㄷ
④ ㄴ, ㄷ ⑤ ㄱ, ㄴ, ㄷ

04 그림은 수권의 분포를 나타낸 것이다.
이에 대한 설명으로 옳지 않은 것은?

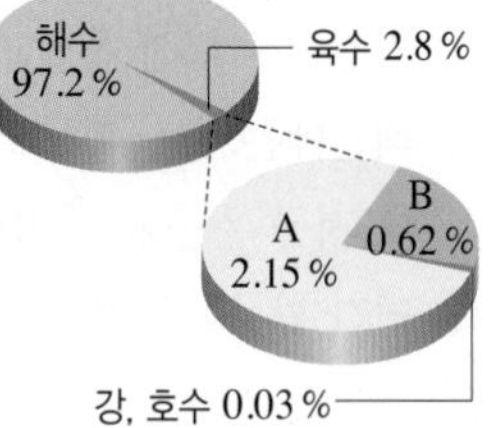

① 수권의 대부분은 해수이다.
② A는 빙하, B는 지하수이다.
③ 지구 온난화가 진행될수록 A의 비율은 낮아진다.
④ B는 주로 극지방과 고산 지대에 분포한다.
⑤ 육수는 주로 고체 상태로 존재한다.

중요 **05** 그림은 해수의 층상 구조를 나타낸 것이다.
이에 대한 설명으로 옳은 것은?

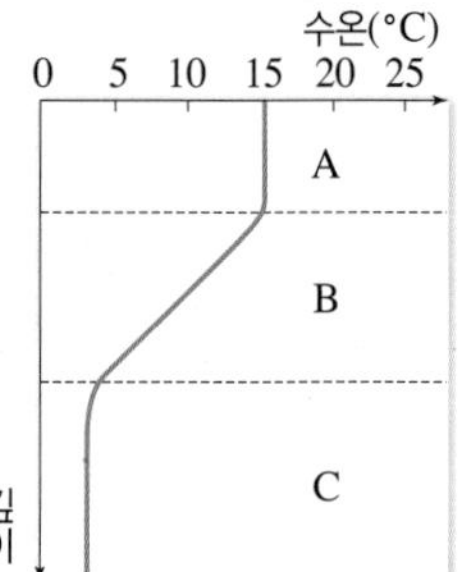

① A는 심해층이다.
② B에서는 바람에 의해 혼합 작용이 일어난다.
③ B에서는 해수의 연직 운동이 잘 일어난다.
④ B는 A와 C 사이의 물질과 에너지 교환을 촉진한다.
⑤ C에는 태양 에너지가 거의 도달하지 못한다.

06 그림은 위도에 따른 해수의 층상 구조와 연직 수온 분포를 나타낸 것이다.

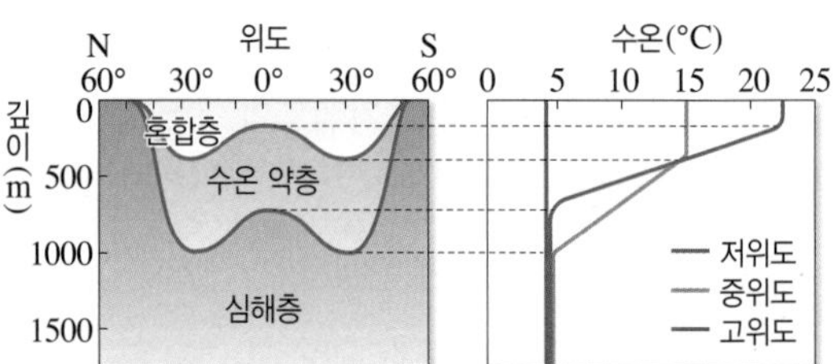

이에 대한 설명으로 옳은 것만을 [보기]에서 있는 대로 고른 것은?

> 보기
> ㄱ. 바람은 저위도 해역보다 중위도 해역에서 강하게 분다.
> ㄴ. 해수의 층상 구조는 고위도 해역보다 중위도 해역에서 뚜렷하게 나타난다.
> ㄷ. 혼합층과 심해층 사이의 물질과 에너지 교환은 저위도 해역에서 가장 활발하다.

① ㄱ ② ㄷ ③ ㄱ, ㄴ
④ ㄴ, ㄷ ⑤ ㄱ, ㄴ, ㄷ

07 다음 설명과 같은 특징을 지닌 지구 시스템의 구성 요소는?

- 태양계 행성 중 지구에만 있는 특징이다.
- 지구 시스템의 구성 요소 중 가장 나중에 형성되었다.
- 지표의 변화와 대기 조성 변화에 영향을 준다.

① 기권　② 지권　③ 수권
④ 생물권　⑤ 외권

08 외권에 대한 설명으로 옳은 것만을 [보기]에서 있는 대로 고른 것은?

보기
ㄱ. 우주선과 태양풍을 차단한다.
ㄴ. 태양 복사의 자외선을 차단한다.
ㄷ. 지구 시스템의 다른 구성 요소와 물질 및 에너지 교환을 하지 않는다.

① ㄱ　② ㄷ　③ ㄱ, ㄴ
④ ㄴ, ㄷ　⑤ ㄱ, ㄴ, ㄷ

B 지구 시스템 구성 요소의 상호 작용

중요 **09** 그림은 지구 시스템의 상호 작용을 나타낸 것이다.
A~E에 해당하는 자연 현상의 예로 옳은 것은?

① A: 화산 폭발에 의한 이산화 탄소 방출
② B: 식물의 매몰에 의한 석탄 형성
③ C: 파도에 의한 암석의 침식
④ D: 지하수에 의한 석회 동굴 형성
⑤ E: 해수의 증발에 의한 구름 형성

10 다음은 지구 시스템을 구성하는 요소들의 상호 작용과 그 예를 나타낸 것이다.

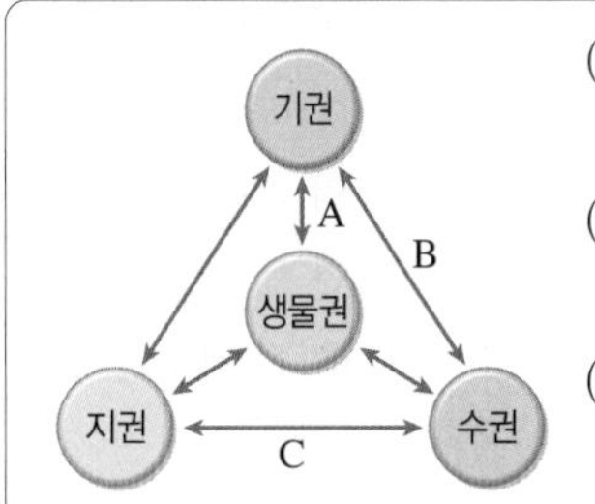

(가) 열대 해상에서 태풍이 발생한다.
(나) 육상 식물의 광합성으로 산소가 발생한다.
(다) 강물에 의해 V자 모양의 계곡이 만들어진다.

A~C 중 (가)~(다)에 해당하는 지구 시스템의 상호 작용을 옳게 짝 지은 것은?

	(가)	(나)	(다)		(가)	(나)	(다)
①	A	B	C	②	B	A	C
③	B	C	A	④	C	A	B
⑤	C	B	A				

11 지구 시스템에서 외권과 다른 권역과의 상호 작용으로 나타나는 것만을 [보기]에서 있는 대로 고른 것은?

보기
ㄱ. 오로라　ㄴ. 유성　ㄷ. 버섯바위

① ㄱ　② ㄷ　③ ㄱ, ㄴ
④ ㄴ, ㄷ　⑤ ㄱ, ㄴ, ㄷ

12 지구 시스템의 구성 요소가 생명 유지에 기여하는 원리로 옳지 않은 것은?

① 지권: 판게아가 분리되면서 각 대륙에서 다양한 생물이 출현하게 되었다.
② 기권: 태양 복사의 유해한 자외선을 차단하여 지상의 생물을 보호해 준다.
③ 수권: 대기 중 이산화 탄소가 바다에 녹으면서 과도한 온실 효과를 방지한다.
④ 외권: 지구 자기장은 지구로 들어오는 유성체를 대부분 차단하여 생물을 보호해 준다.
⑤ 생물권: 식물이 광합성을 하면서 대기 중으로 산소를 내보내어 생물이 호흡할 수 있도록 한다.

C 지구 시스템의 에너지원과 에너지 흐름

중요 **13** 지구 시스템의 에너지원에 대한 설명으로 옳은 것은?

① 판의 운동은 조력 에너지에 의해 일어난다.
② 방사성 원소의 붕괴열은 조력 에너지의 근원이다.
③ 태양 에너지는 지구 생명체의 근원적인 에너지이다.
④ 달과 태양의 인력으로 지구 내부 에너지가 발생한다.
⑤ 태양 에너지의 일부는 지구 내부 에너지로 전환된다.

14 그림 (가)~(다)는 지구 시스템에서 일어나는 다양한 자연 현상을 나타낸 것이다.

(가) 화산 폭발

(나) 태풍의 발생

(다) 썰물

(가)~(다)를 일으키는 지구 시스템의 주요 에너지원을 각각 쓰시오.

15 그림은 위도에 따른 지표면에 도달하는 태양 복사 에너지를 나타낸 것이다.

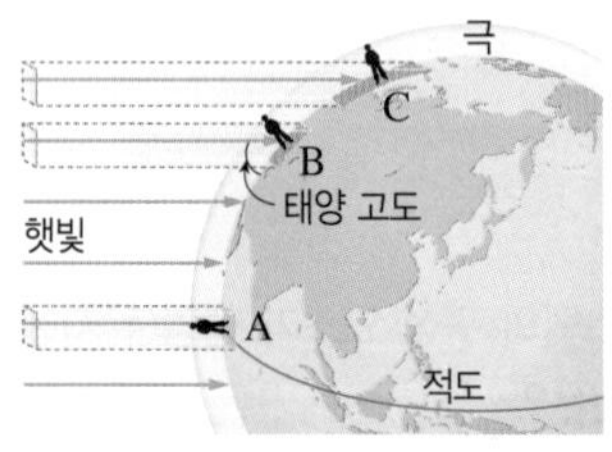

이에 대한 설명으로 옳은 것만을 [보기]에서 있는 대로 고른 것은?

보기
ㄱ. 태양의 고도는 A에서 가장 높다.
ㄴ. 단위 면적당 지표면이 받는 태양 복사 에너지양은 A, B, C에서 모두 같다.
ㄷ. 대기와 해수의 순환을 통해 에너지는 C에서 A 방향으로 이동한다.

① ㄱ ② ㄷ ③ ㄱ, ㄴ
④ ㄴ, ㄷ ⑤ ㄱ, ㄴ, ㄷ

D 지구 시스템의 물질 순환

중요 **16** 그림은 지구 시스템에서 물의 순환을 나타낸 것이다.

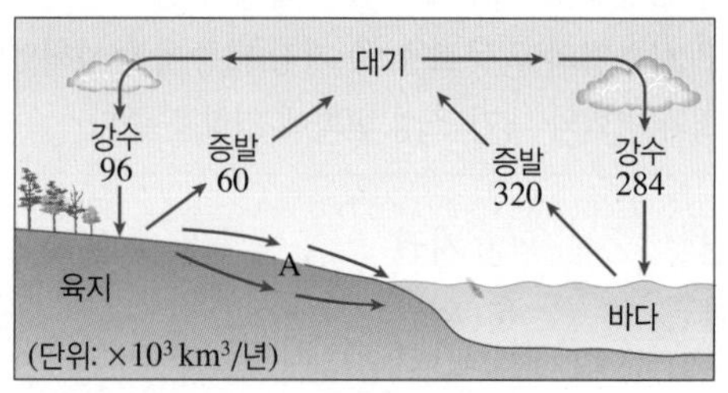

이에 대한 설명으로 옳은 것만을 [보기]에서 있는 대로 고른 것은?

보기
ㄱ. 강수량은 바다보다 육지에서 많다.
ㄴ. A 과정에 의한 물의 이동량은 16 단위이다.
ㄷ. A 과정은 지형을 다양하게 변화시킨다.
ㄹ. 지구 전체로 볼 때 총 강수량과 총 증발량은 같다.

① ㄱ, ㄴ ② ㄱ, ㄷ ③ ㄴ, ㄷ
④ ㄴ, ㄹ ⑤ ㄷ, ㄹ

중요 **17** 그림은 지구 시스템에서 탄소의 순환 과정을 나타낸 것이다.

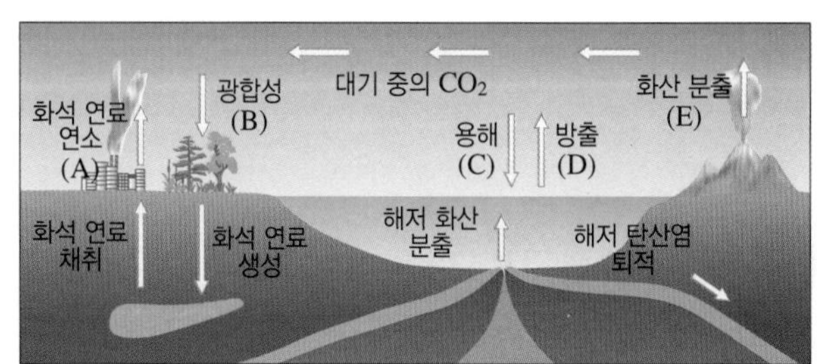

이에 대한 설명으로 옳은 것은?

① 생물권에서 탄소는 주로 이산화 탄소 형태로 존재한다.
② A 과정의 탄소 이동은 지권과 생물권의 상호 작용에 해당한다.
③ A와 E 과정은 지구 내부 에너지가 관여하여 일어난다.
④ 탄소는 B 과정에서 탄산 이온으로, C 과정에서 탄산염으로 저장된다.
⑤ A, D, E 과정은 대기 중의 탄소량을 증가시켜 지구 온난화를 촉진한다.

18 그림은 지구 시스템의 각 권 사이에서 탄소가 순환하는 과정의 일부를 나타낸 것이다.

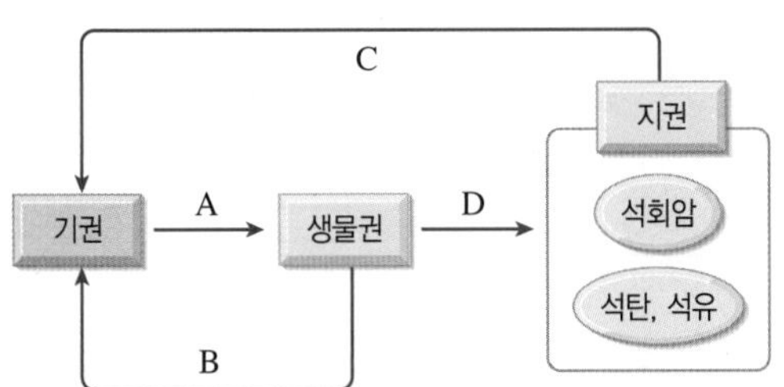

이에 대한 설명으로 옳은 것만을 [보기]에서 있는 대로 고른 것은?

보기
ㄱ. A 과정에서 태양 에너지가 이용된다.
ㄴ. 생물의 호흡은 B 과정의 예에 해당한다.
ㄷ. C 과정을 거치면서 탄소의 존재 형태는 탄산 이온이 된다.
ㄹ. D 과정에 의해 지구 시스템의 전체 탄소량은 증가한다.

① ㄱ, ㄴ ② ㄴ, ㄹ ③ ㄷ, ㄹ
④ ㄱ, ㄴ, ㄷ ⑤ ㄱ, ㄷ, ㄹ

19 그림은 질소가 순환하는 과정의 일부를 나타낸 것이다.

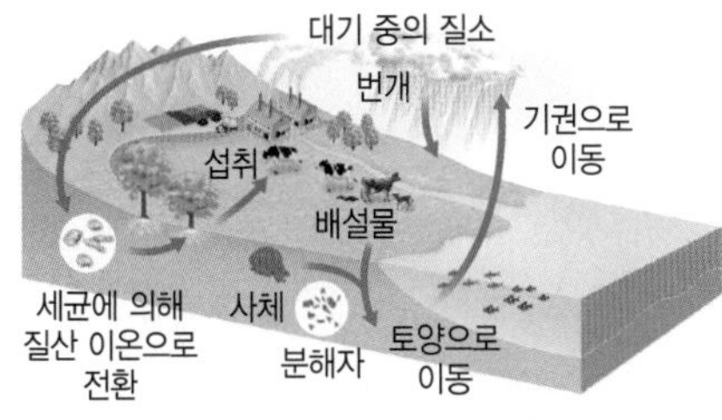

이에 대한 설명으로 옳은 것만을 [보기]에서 있는 대로 고른 것은?

보기
ㄱ. 질소는 기권의 성분 중 가장 많은 부피비를 차지한다.
ㄴ. 동물에 전달된 질소는 질산 이온 형태로 흡수된다.
ㄷ. 동식물의 배설물이나 사체는 분해자를 통해 분해되어 질소가 다시 기권으로 이동한다.

① ㄱ ② ㄴ ③ ㄱ, ㄷ
④ ㄴ, ㄷ ⑤ ㄱ, ㄴ, ㄷ

서술형 문제

20 그림은 기권의 층상 구조를 나타낸 것이다.

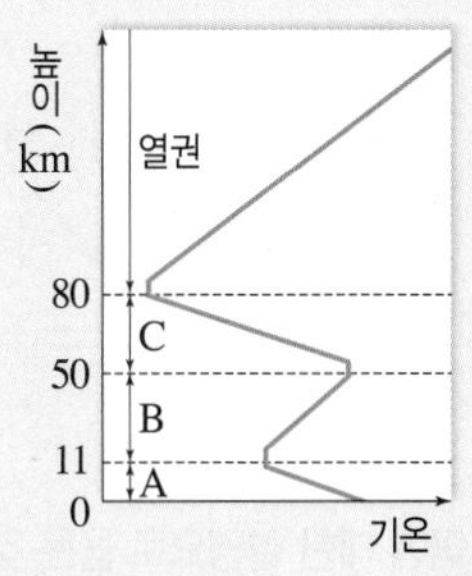

(1) B층의 이름을 쓰고, B층에서 높이 올라갈수록 기온이 높아지는 까닭을 서술하시오.

(2) A~C 중 대류가 활발한 층을 모두 고르고, 그 까닭을 서술하시오.

(3) A~C 중 기상 현상이 나타나는 층을 고르고, 그 까닭을 서술하시오.

21 지구 내부 에너지와 조력 에너지가 일으키는 자연 현상을 각각 한 가지씩 서술하시오.

22 그림은 물의 순환 과정을 나타낸 것이다.

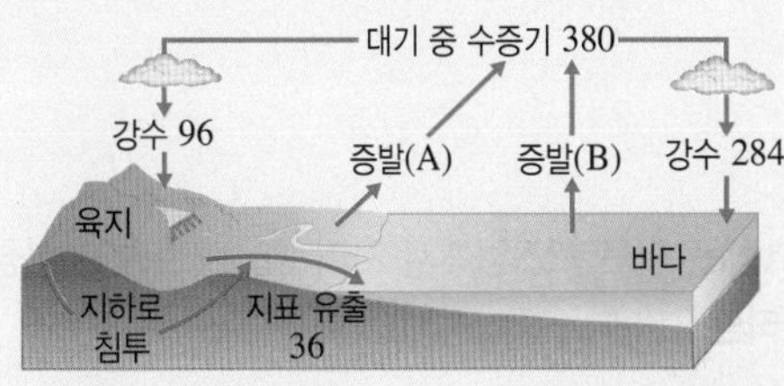

육지와 바다에서의 증발량 A, B의 값을 계산 과정을 포함하여 구하시오.

23 다음은 지구 시스템에서 탄소의 순환 과정과 그 예를 나타낸 것이다.

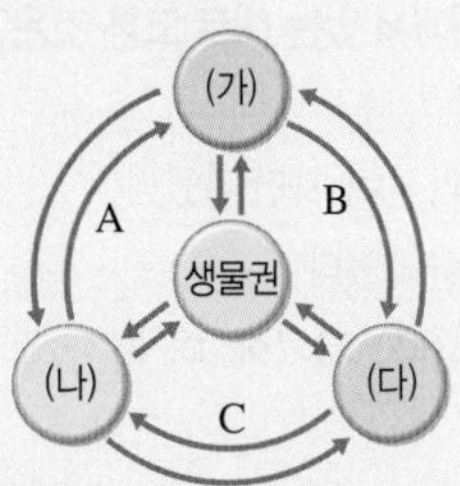

A: 화산 가스 분출
B: 이산화 탄소 용해
C: 석회암 생성

(가)~(다)에 해당하는 지구 시스템의 구성 요소를 서술하시오.

실력 UP 문제

01 그림은 북반구 어느 해역에서 1년 동안 측정한 수심별 수온을 나타낸 것이다.

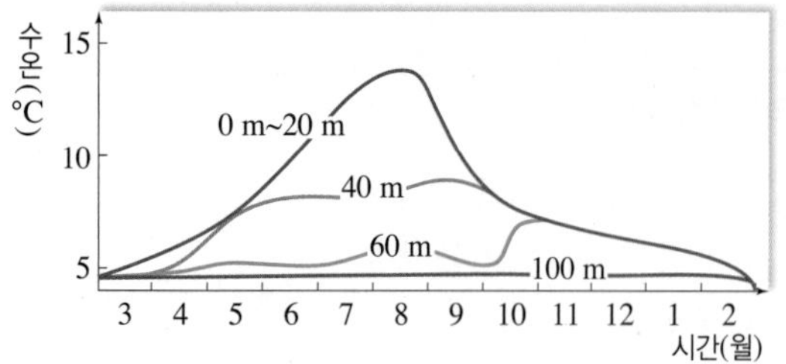

이에 대한 설명으로 옳은 것만을 [보기]에서 있는 대로 고른 것은?

보기

ㄱ. 바람은 5월보다 7월에 더 강하게 불었다.
ㄴ. 해수면과 수심 100 m 사이의 해수 연직 혼합은 8월에 가장 활발하였다.
ㄷ. 수심이 깊어질수록 수온의 연교차는 작아진다.

① ㄱ ② ㄷ ③ ㄱ, ㄴ
④ ㄴ, ㄷ ⑤ ㄱ, ㄴ, ㄷ

02 그림은 지구 시스템에서 자기권과 오존층이 형성된 과정을 나타낸 것이다.

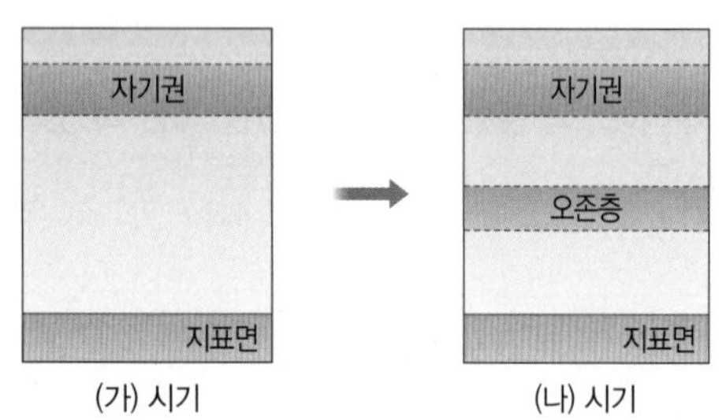

이에 대한 설명으로 옳은 것만을 [보기]에서 있는 대로 고른 것은?

보기

ㄱ. (가) 시기에는 태양 복사의 자외선이 차단되었다.
ㄴ. 생물권은 (나) 시기 이후에 형성되었다.
ㄷ. 기권의 층상 구조는 (가)보다 (나) 시기에 더 복잡해졌다.

① ㄱ ② ㄷ ③ ㄱ, ㄴ
④ ㄴ, ㄷ ⑤ ㄱ, ㄴ, ㄷ

03 그림 (가)는 암석 변화 과정의 일부를, (나)는 지권과 다른 지구 시스템 구성 요소의 상호 작용을 나타낸 것이다.

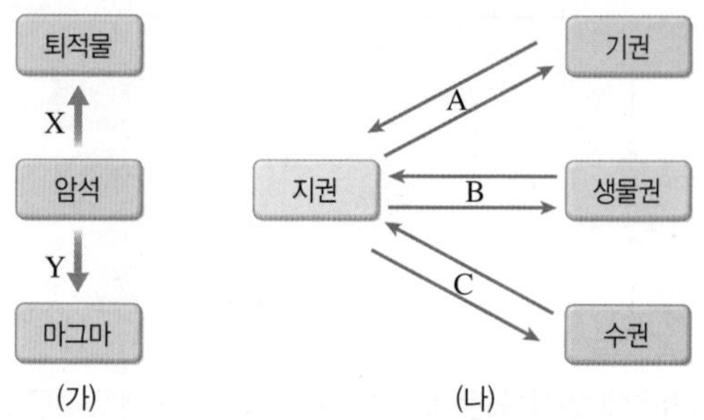

이에 대한 설명으로 옳은 것만을 [보기]에서 있는 대로 고른 것은?

보기

ㄱ. (가)의 X 과정에 가장 큰 영향을 미치는 것은 (나)의 B이다.
ㄴ. (가)의 Y 과정에는 태양 에너지가 주로 이용된다.
ㄷ. 석회암은 (나)의 B나 C 과정으로 생성된다.

① ㄱ ② ㄷ ③ ㄱ, ㄴ
④ ㄴ, ㄷ ⑤ ㄱ, ㄴ, ㄷ

04 그림은 지구 시스템에서 구성 요소의 상호 작용을, 표는 상호 작용 ㉠, ㉡, ㉢의 예를 나타낸 것이다. A, B, C는 각각 기권, 지권, 수권 중 하나이다.

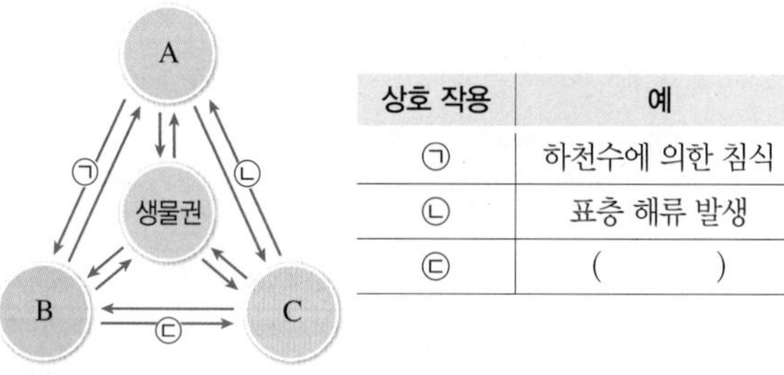

상호 작용	예
㉠	하천수에 의한 침식
㉡	표층 해류 발생
㉢	( )

이에 대한 설명으로 옳은 것만을 [보기]에서 있는 대로 고른 것은?

보기

ㄱ. 빙하는 A에 속한다.
ㄴ. 지구 시스템 내에서 탄소는 B에 가장 많이 분포한다.
ㄷ. 화산 가스 분출은 ㉢의 예에 해당한다.

① ㄱ ② ㄷ ③ ㄱ, ㄴ
④ ㄴ, ㄷ ⑤ ㄱ, ㄴ, ㄷ

정답친해 63쪽

05 그림은 지구 시스템의 주요 에너지원을 나타낸 것이다.

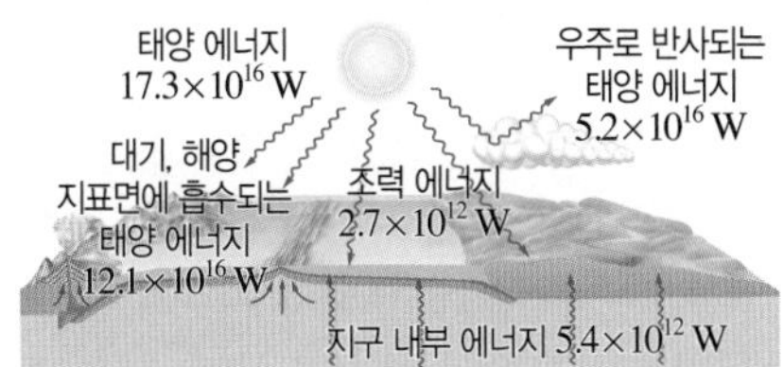

이에 대한 설명으로 옳은 것만을 [보기]에서 있는 대로 고른 것은?

보기

ㄱ. 지구에 입사하는 태양 에너지 중 지구 환경에서 사용되는 양은 약 70 %이다.

ㄴ. 태양 에너지의 영향으로 습곡 산맥이 형성된다.

ㄷ. 지구 내부 에너지의 일부는 조력 에너지로 전환된다.

① ㄱ ② ㄷ ③ ㄱ, ㄴ
④ ㄴ, ㄷ ⑤ ㄱ, ㄴ, ㄷ

06 그림은 지구 시스템에서 일어나는 물의 순환 과정 중 일부를 나타낸 것이다.

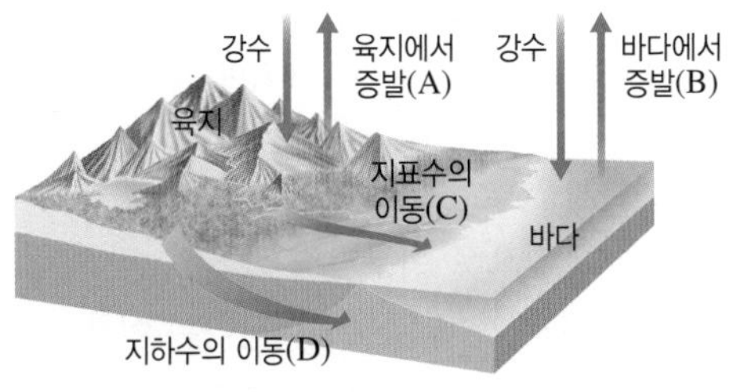

이에 대한 설명으로 옳은 것만을 [보기]에서 있는 대로 고른 것은?

보기

ㄱ. A 과정은 주로 지구 내부 에너지에 의해, B 과정은 주로 태양 에너지에 의해 일어난다.

ㄴ. 연간 이동하는 물의 양을 비교하면 B=C+D이다.

ㄷ. A와 B 과정으로 증발한 물은 기권에서 응결하면서 에너지를 방출한다.

① ㄱ ② ㄷ ③ ㄱ, ㄴ
④ ㄴ, ㄷ ⑤ ㄱ, ㄴ, ㄷ

07 그림은 탄소가 순환하는 과정의 일부를, 표는 지구 전체의 탄소 분포비를 나타낸 것이다.

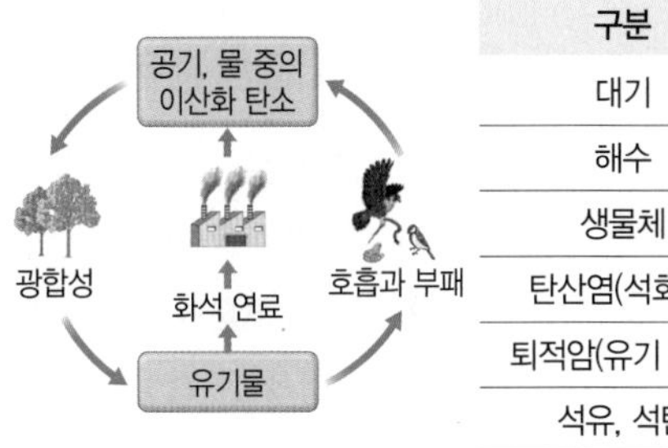

구분	분포비(%)
대기	0.001
해수	0.07
생물체	0.007
탄산염(석회암)	86.41
퇴적암(유기 탄소)	13.5
석유, 석탄	0.012

이에 대한 설명으로 옳은 것만을 [보기]에서 있는 대로 고른 것은?

보기

ㄱ. 기권과 생물권에서 탄소는 동일한 형태로 존재한다.

ㄴ. 지권에 분포하는 탄소의 양은 전체의 99 % 이상을 차지한다.

ㄷ. 화석 연료의 사용량이 증가하면 지구 전체의 탄소량은 감소한다.

① ㄱ ② ㄴ ③ ㄷ
④ ㄱ, ㄴ ⑤ ㄴ, ㄷ

08 그림은 지구 시스템에서 기권과 다른 권역 사이의 연간 탄소 이동량과 각 권에 존재하는 탄소량을 나타낸 것이다.

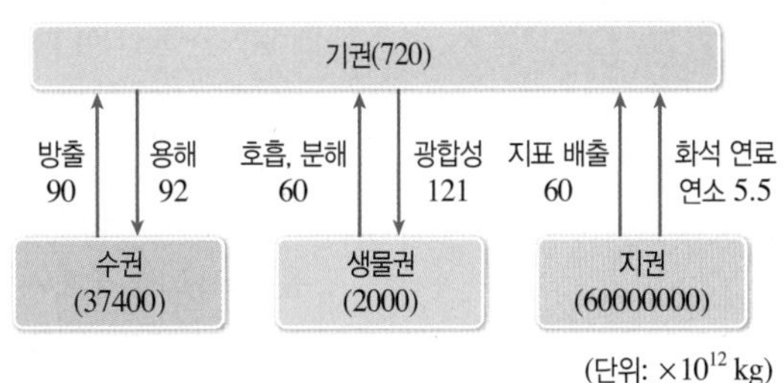

(단위: $\times10^{12}$ kg)

이에 대한 설명으로 옳은 것만을 [보기]에서 있는 대로 고른 것은?

보기

ㄱ. 지구 시스템에서 탄소는 대부분 고체 상태의 물질로 존재한다.

ㄴ. 기권에 존재하는 탄소량은 매년 일정하게 유지된다.

ㄷ. 사막화는 기권의 탄소량을 감소시키는 역할을 한다.

① ㄱ ② ㄷ ③ ㄱ, ㄴ
④ ㄴ, ㄷ ⑤ ㄱ, ㄴ, ㄷ

지권의 변화

핵심 포인트
1. 변동대와 판 경계 ★★
2. 판의 구조 ★★★
3. 판 경계의 지각 변동 ★★★
4. 지권의 변화가 지구 시스템에 미치는 영향 ★★

A 지권의 변화와 판 구조론

1. 지각 변동 화산 활동, 지진, 습곡 산맥의 형성, 대륙 이동 등의 현상

① **지각 변동을 일으키는 에너지원:** 지구 내부 에너지

② **에너지 흐름과 지권의 변화:** 지구 내부 에너지가 지표로 전달되어 축적되었다가 급격히 방출될 때 화산 활동, 지진 등이 발생하여 지형이 변한다.

2. 변동대 지각 변동이 자주 일어나는 지역

① **화산대:** 화산 활동이 활발하게 일어나는 좁고 긴 띠 모양의 지역

② **지진대:** 지진이 활발하게 일어나는 좁고 긴 띠 모양의 지역

③ **화산대와 지진대의 특징**

- 화산대와 지진대는 거의 일치한다.
- 주로 대륙 주변부에서 띠 모양으로 나타난다.
- 지진대는 화산대보다 광범위한 지역에서 나타난다.
  ➡ 지진이 발생하는 곳에서 반드시 화산 활동이 일어나지는 않는다.
- 태평양 주변에서 화산 활동과 지진이 가장 많이 발생하고, 대서양에서는 대양의 가운데에서 화산 활동과 지진이 발생한다.

ⓘ 화산과 지진의 분포

궁금해?
왜 지진대가 화산대보다 광범위한 지역에서 나타날까?
화산 활동은 지하의 마그마가 높은 압력에 의해 지상으로 분출하는 현상이므로 화산 활동이 일어나면 지반의 진동을 수반하여 지진이 발생한다. 하지만 지진이 발생한다고 해서 반드시 화산 활동이 일어나지는 않는다. 따라서 지진대가 화산대보다 광범위한 지역에서 나타난다.

확대경 전 세계 주요 화산대와 지진대

1. **환태평양 화산대·지진대:** 태평양 주변을 따라 고리 모양으로 분포하며, 지구 전체 화산 활동의 약 80 %가 이곳에서 일어나 '불의 고리'라고도 부른다.
2. **해령 화산대·지진대:** 태평양, 대서양, 인도양의 해저에 발달한 해령을 따라 분포한다.
3. **알프스-히말라야 화산대·지진대:** 인도네시아-히말라야-지중해를 따라 분포하며, 대규모 습곡 산맥이 발달해 있다.

3. 판 구조론 지구의 표면은 크고 작은 여러 개의 판으로 이루어져 있으며, 판의 상대적인 운동으로 판 경계에서 화산 활동이나 지진과 같은 지각 변동이 일어난다는 이론

① **변동대와 판 경계:** 화산대, 지진대 등의 변동대는 대체로 판 경계에 분포한다.
➡ 화산 활동과 지진은 주로 판 경계에서 판의 상대적인 운동에 의해 발생하기 때문이다.

② **판의 분포:** 지구 표면은 10여 개의 크고 작은 판으로 구성되어 있다.

③ **판의 이동:** 판은 약 1 cm/년~10 cm/년의 속력으로 이동하고, 판마다 이동 속력과 이동 방향이 다르다.

④ **판 경계의 종류:** 판의 상대적인 이동 방향에 따라 발산형 경계, 수렴형 경계, 보존형 경계로 구분한다.

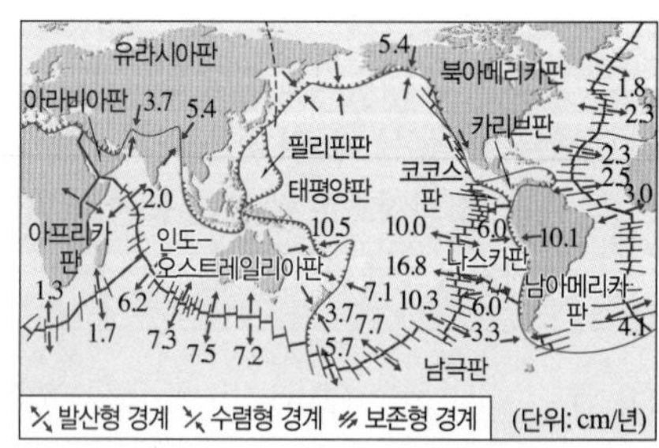

ⓘ 전 세계 판의 분포, 이동 속력, 이동 방향

암기해!
변동대와 판 경계의 분포 비교
- 변동대와 판 경계: 화산대, 지진대는 판 경계와 대체로 일치한다.
- 화산대와 지진대가 일치하는 까닭: 화산 활동과 지진은 대부분 판 경계에서 판의 상대적인 운동에 의해 발생하기 때문

4. 판의 구조

① **암석권(판):** 지표에서부터 깊이 약 100 km까지의 단단한 부분
- 지각과 상부 맨틀의 일부를 포함한다.
- 여러 조각으로 갈라져 있으며, 각 암석권의 조각을 판이라고 한다.

② **연약권:** 암석권 아래의 깊이 약 100 km~400 km 부분
- 고체이지만 맨틀 물질이 부분 용융되어 유동성이 있다. ➡ 상부와 하부의 온도 차이로 인해 대류가 일어난다.
- 연약권은 암석권보다 밀도가 크다. ➡ 연약권 위에 암석권이 떠 있는 모습이다.
  - 밀도 약 3.3 g/cm³~5.5 g/cm³의 감람암질 암석

판의 구조

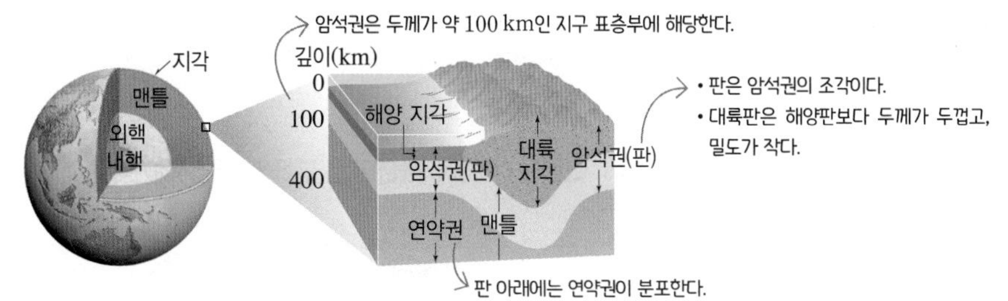

③ **판의 종류:** 판을 구성하는 지각의 종류에 따라 크게 대륙판과 해양판으로 구분한다.

구분	구성	두께	밀도	대표적인 판
대륙판	대륙 지각과 상부 맨틀 일부를 포함하는 판	두껍다.	작다. 대륙 지각은 화강암질 암석(약 2.7 g/cm³)으로 되어 있기 때문	유라시아판, 북아메리카판, 아프리카판 등
해양판	해양 지각과 상부 맨틀 일부를 포함하는 판	얇다.	크다. 해양 지각은 현무암질 암석(약 3.0 g/cm³)으로 되어 있기 때문	태평양판, 필리핀판, 나스카판 등

5. ◆판 이동의 원동력 맨틀 대류(연약권의 대류)

① 맨틀은 아래쪽부터 가열되어 온도가 높은 부분은 밀도가 작아져 상승한다.
- 지구 내부 에너지로 인해 지구 중심으로 갈수록 온도가 높아진다.

② 상승한 맨틀은 양옆으로 이동하다가 점차 식으면서 밀도가 커지면 하강하여 대류가 일어난다. ➡ 이 과정에서 판이 이동한다.

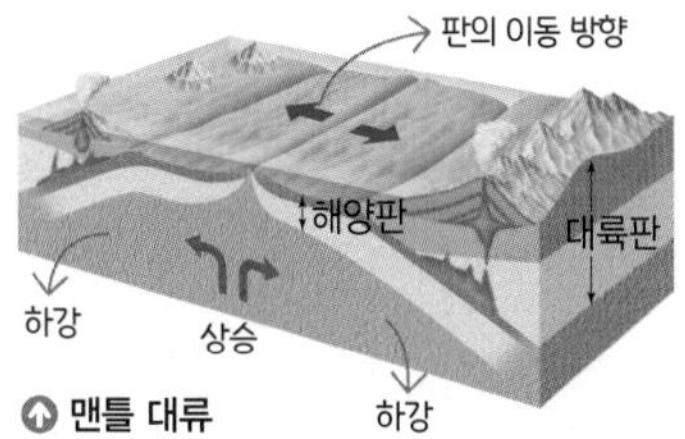

▲ 맨틀 대류

확대경 판 이동의 원동력 금성 교과서에만 나와요.

그림은 판 이동의 원동력을 알아보기 위한 실험으로, 우유 표면에 코코아 가루를 뿌리고 아래쪽을 가열하였다.

1. **실험 결과:** 가열된 우유가 상승하면서 대류가 일어나고, 코코아 가루로 덮인 표면은 갈라져 여러 조각으로 나뉘어 이동한다.
2. **실험 내용과 실제 지구에서 일어나는 맨틀 대류 비교**

실험	코코아 가루	우유	열원	상승하는 우유	갈라진 경계
지구	판	맨틀	지구 내부 에너지	상승하는 맨틀 물질	판 경계

3. **결론:** 암석권은 지구 내부 에너지로 인해 일어나는 맨틀 대류에 의해 서서히 여러 조각의 판으로 분리되고 이동한다.

주의해!

암석권과 지각
암석권은 지각과 상부 맨틀의 일부를 포함하기 때문에 지각보다 넓은 범위이다. 따라서 암석권을 지각과 같은 개념으로 착각하지 않도록 한다.

◆ 판 이동의 원동력
맨틀 대류가 판 이동의 유일한 원동력은 아니다. 판 이동의 원동력으로는 맨틀 대류 이외에 판 자체에서 발생하는 힘, 플룸 구조론에 따른 대규모 운동 등도 있다.
- 지구과학Ⅰ에서 자세히 배운다.

개념 확인 문제

정답친해 65쪽

핵심 체크

- (❶): 화산 활동, 지진 등의 지각 변동이 자주 일어나는 지역 ➡ 판 경계와 대체로 (❷)한다.
  - (❸): 화산 활동이 활발하게 일어나는 좁고 긴 띠 모양의 지역
  - (❹): 지진이 활발하게 일어나는 좁고 긴 띠 모양의 지역
- (❺): 지구의 표면은 여러 개의 판으로 이루어져 있으며, 판의 상대적인 운동으로 판 경계에서 지각 변동이 일어난다는 이론
- 판의 구조
  - (❻): 지각과 상부 맨틀의 일부를 포함한 두께 약 100 km의 단단한 부분으로, 이 조각을 판이라고 한다. ➡ 대륙판과 해양판으로 구분한다.
  - (❼): 깊이 약 100 km~400 km의 부분으로, 유동성이 있는 고체 상태이다.
- 판 이동의 원동력: (❽) 대류

1 화산 활동, 지진 등의 지각 변동을 일으키는 에너지원은 무엇인지 쓰시오.

2 변동대에 대한 설명으로 옳은 것은 ○, 옳지 않은 것은 ×로 표시하시오.

(1) 변동대에서는 화산 활동과 지진이 활발하다. ( )

(2) 화산대와 지진대의 분포는 서로 연관이 없다. ( )

(3) 지진이 발생하는 곳에서 반드시 화산 활동이 일어난다. ( )

(4) 대륙의 중앙부에는 지진대나 화산대가 거의 분포하지 않는다. ( )

(5) 화산 활동은 알프스-히말라야 화산대에서 가장 많이 발생한다. ( )

(6) 변동대는 대부분 판 경계를 따라 분포한다. ( )

3 판 구조론에 대한 설명으로 옳은 것은 ○, 옳지 않은 것은 ×로 표시하시오.

(1) 지구의 표면은 하나의 거대한 판으로 이루어져 있다. ( )

(2) 판은 1년에 약 1 cm~10 cm의 속력으로 이동한다. ( )

(3) 판은 지각을 포함한다. ( )

(4) 지각과 상부 맨틀의 일부를 포함한 단단한 부분을 연약권이라고 한다. ( )

(5) 판은 맨틀의 대류에 의해 이동한다. ( )

4 그림은 지각과 맨틀의 일부를 나타낸 것이다.

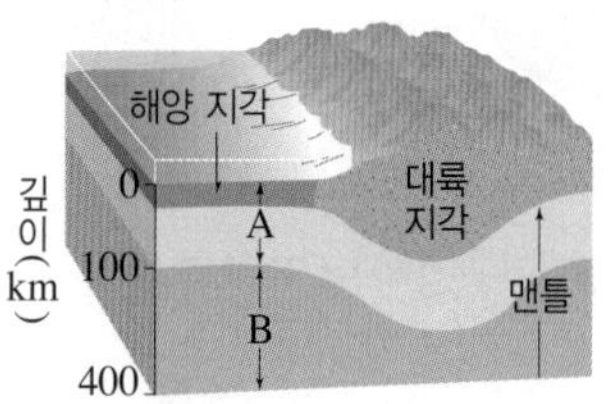

A와 B의 이름을 쓰시오.

5 해양판과 대륙판에 대한 설명 중 ( ) 안에 알맞은 말을 고르시오.

(1) 대륙판은 해양판보다 두께가 (두껍다, 얇다).

(2) 대륙판은 해양판보다 밀도가 (크다, 작다).

(3) 해양판의 대표적인 예로는 (유라시아판, 태평양판)이 있다.

6 다음은 맨틀 대류가 일어나는 과정을 설명한 것이다. ( ) 안에 알맞은 말을 쓰시오.

> 맨틀의 연약권에서는 상부와 하부의 ㉠( ) 차이로 대류가 일어난다. 온도가 높은 부분은 밀도가 ㉡( )져 상승하고, 옆으로 이동하다가 식어서 밀도가 ㉢( )지면 하강한다. 이때 연약권 위에 떠 있는 판이 함께 이동한다.

B 판 경계에서 나타나는 지형

판 경계에서 판이 운동하면서 지각 변동이 일어나고 다양한 지형이 발달해요. 어떤 지형들이 발달하는지 알아보아요.

1. 판 경계의 종류와 지형 판의 상대적인 이동 방향에 따라 판과 판이 서로 멀어지는 발산형 경계, 판과 판이 서로 모여드는 수렴형 경계, 판과 판이 서로 어긋나면서 이동하는 보존형 경계로 구분한다. (완자쌤 비법 특강 160쪽)

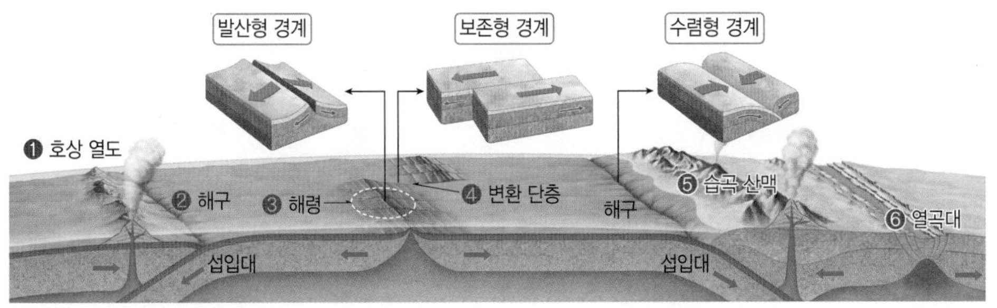

| 판 경계에서 발달하는 지형 |

❶ 호상 열도: 섬들이 해구와 나란하게 활 모양으로 길게 배열되어 있는 지형 예 일본 열도
❷ 해구: 깊은 해저 골짜기 예 일본 해구, 마리아나 해구
❸ 해령: 각 대양의 해저에 위치한 거대한 해저 산맥 예 동태평양 해령, 대서양 중앙 해령
❹ 변환 단층: 해령과 해령 사이에서 판의 이동 속력 차이로 지층이 어긋나면서 끊어진 지형 예 산안드레아스 단층
❺ 습곡 산맥: 양쪽에서 미는 힘에 의해 지층이 융기하여 형성된 산맥 예 안데스산맥, 히말라야산맥
❻ 열곡대: 폭이 좁고 긴 V자 모양의 골짜기인 열곡이 길게 이어져 있는 지형 예 동아프리카 열곡대

2. 발산형 경계 두 판이 서로 멀어지는 경계

① **맨틀 대류:** 맨틀 대류가 상승하는 곳에서 판이 양쪽으로 멀어진다.

② **판 생성:** 맨틀 물질이 상승하면서 마그마가 생성되어 새로운 판이 생성된다.

③ **지각 변동:** 화산 활동이 활발하고, 판이 멀어지면서 ◆천발 지진이 활발하게 발생한다.

| 발산형 경계의 지각 변동 |

열곡
두 판이 멀어지면서 장력 작용, 천발 지진 발생
양쪽에서 잡아 당기는 힘
맨틀 물질 상승, 마그마 생성 ➡ 새로운 판 생성

※ 장력이 작용하여 지층이 끊어지면서 정단층이 나타날 수 있다.

하반
상반
장력
단층면
G 정단층 — 단층면을 경계로 상대적으로 상반이 아래로 내려가는 단층

④ **발산형 경계에서 발달하는 지형:** 해령, 열곡대

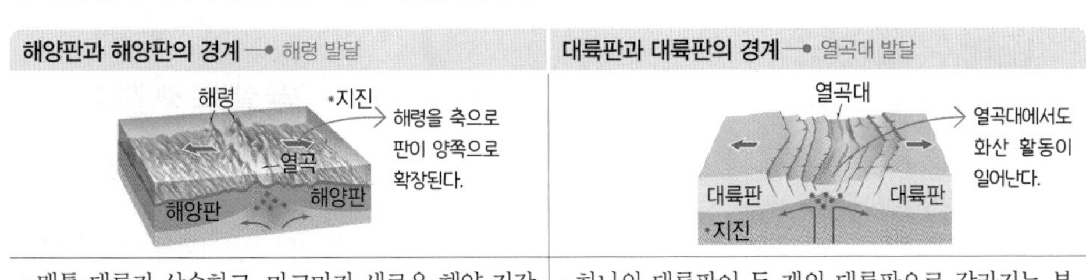

해양판과 해양판의 경계 ➝ 해령 발달	대륙판과 대륙판의 경계 ➝ 열곡대 발달
• 맨틀 대류가 상승하고, 마그마가 새로운 해양 지각을 생성하면서 해저 산맥인 해령이 발달한다. 예 대서양 중앙 해령, 동태평양 해령 • 해령에는 V자 모양의 열곡이 발달한다. • 해령에서 멀어질수록 ◆해양 지각의 나이가 많다.	• 하나의 대륙판이 두 개의 대륙판으로 갈라지는 부분에 V자 모양의 열곡이 길게 이어져 열곡대가 발달한다. 예 ◆동아프리카 열곡대 • 열곡대의 폭이 점점 넓어지다가 결국 바닷물이 들어오면 새로운 바다가 만들어진다. 예 홍해

◆ **발생 깊이에 따른 지진 구분**
• 천발 지진: 지진 발생 지점의 깊이가 70 km 이내
• 중발 지진: 지진 발생 지점의 깊이가 70 km~300 km
• 심발 지진: 지진 발생 지점의 깊이가 300 km 이상

◆ **해양 지각의 나이**
해령에서 해양 지각의 나이가 가장 적고, 해령에서 양쪽으로 멀어질수록 대칭적으로 해양 지각의 나이가 증가한다.

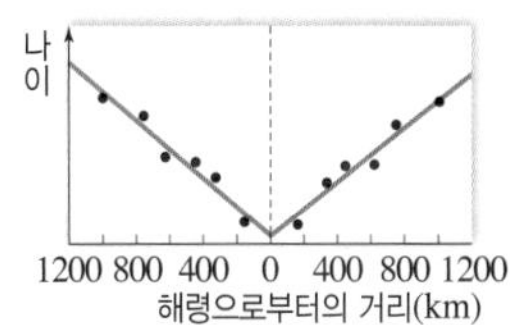

◆ **동아프리카 열곡대**
아프리카 대륙의 동쪽을 따라 발달한 열곡대로, 장력에 의해 정단층이 발달해 있다.

암기해!
발산형 경계의 특징
• 맨틀 대류 상승
• 새로운 판 생성
• 화산 활동, 천발 지진
• 해령, 열곡대 형성

◆산안드레아스 단층
육지에서 나타나는 변환 단층으로, 태평양판과 북아메리카판이 어긋나는 곳이다.

3. 보존형 경계 두 판이 서로 어긋나는 방향으로 스쳐 지나가는 경계

① **맨틀 대류:** 맨틀 대류가 상승하거나 하강하는 곳이 아니다.

② **판 보존:** 판이 생성되거나 소멸되지 않는다.

③ **지각 변동:** 천발 지진이 자주 발생하지만, 심발 지진이나 화산 활동은 일어나지 않는다. —● 보존형 경계에서는 마그마가 생성되지 않기 때문이다.

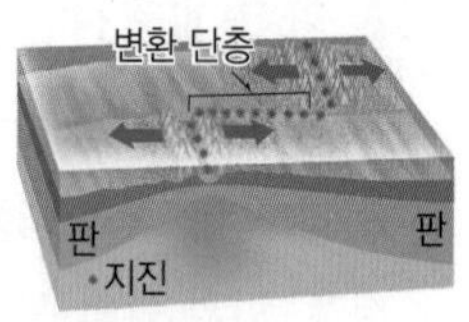

◐ 보존형 경계

| 보존형 경계의 지각 변동 |

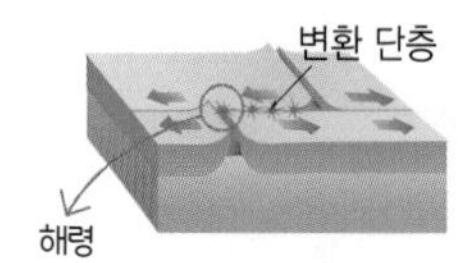

변환 단층은 해령을 거의 수직으로 절단한다.

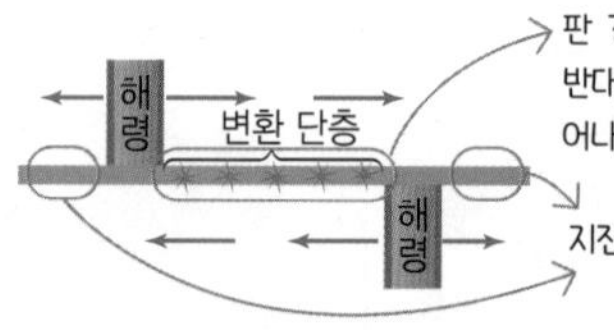

판 경계를 기준으로 양쪽의 판이 반대 방향으로 어긋나며 마찰이 일어나 천발 지진이 발생하는 지역

지진이 일어나지 않는 지역

④ **보존형 경계에서 발달하는 지형:** 변환 단층 예 ◆산안드레아스 단층

암기해!

보존형 경계의 특징
- 맨틀 대류의 상승이나 하강 없음
- 판의 생성이나 소멸이 없음
- 천발 지진
- 변환 단층 형성

4. 수렴형 경계 두 판이 서로 가까워지는 경계로, 섭입형 경계와 충돌형 경계로 구분한다.

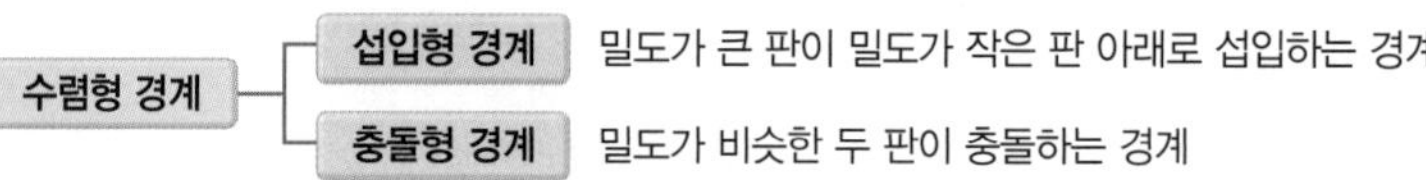

① **맨틀 대류:** 맨틀 대류가 하강하는 곳에서 판이 모여든다.

② **판 소멸:** 판과 판이 충돌하거나 밀도가 큰 판이 밀도가 작은 판 아래로 들어가 소멸한다.

③ **화산 활동:** 섭입형 경계에서는 활발하지만, 충돌형 경계에서는 거의 일어나지 않는다.

④ **지진:** 섭입형 경계에서는 천발~심발 지진, 충돌형 경계에서는 천발~중발 지진이 활발하다.

◆섭입대(攝 당기다, 入 들어가다, 帶 띠)
밀도가 큰 판이 밀도가 작은 판 아래로 비스듬하게 밀려들어가는 부분이다. 이 과정에서 마찰에 의해 지진이 발생한다.

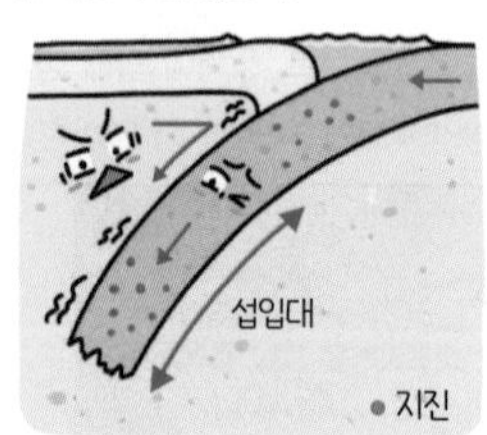

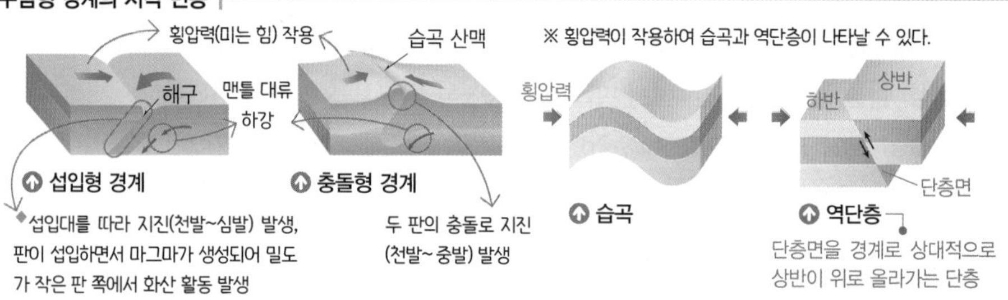

◐ 섭입형 경계
◆섭입대를 따라 지진(천발~심발) 발생, 판이 섭입하면서 마그마가 생성되어 밀도가 작은 판 쪽에서 화산 활동 발생

◐ 충돌형 경계
두 판의 충돌로 지진(천발~중발) 발생

◐ 습곡

◐ 역단층
단층면을 경계로 상대적으로 상반이 위로 올라가는 단층

⑤ **수렴형 경계에서 발달하는 지형:** 해구, 호상 열도, 습곡 산맥

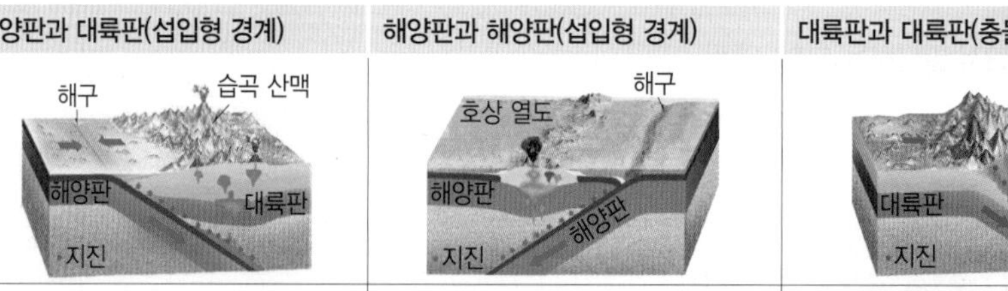

해양판과 대륙판(섭입형 경계)	해양판과 해양판(섭입형 경계)	대륙판과 대륙판(충돌형 경계)
• 해구: 밀도가 큰 해양판이 대륙판 아래로 섭입하면서 해구 발달 • 호상 열도: 섭입대에서 마그마가 생성되어 호상 열도 발달 • 습곡 산맥: 판이 모이면서 지각이 융기하여 습곡 산맥 발달 예 안데스산맥	• 해구: 밀도가 큰 해양판이 밀도가 작은 해양판 아래로 섭입하면서 해구 발달 • 호상 열도: 섭입대에서 마그마가 생성되어 밀도가 작은 판 쪽에서 화산 활동이 일어나 해구와 나란하게 호상 열도 발달	• 습곡 산맥: 밀도가 비슷한 두 대륙판이 충돌하면서 양쪽에서 미는 힘(횡압력)에 의해 두 대륙 사이에 있던 해저 퇴적층이 융기하여 거대한 습곡 산맥 발달 예 히말라야산맥

암기해!

수렴형 경계의 특징
- 맨틀 대류 하강
- 밀도가 큰 판이 소멸
- 섭입형 경계(천발~심발 지진, 화산 활동), 충돌형 경계(천발~중발 지진)
- 해구, 호상 열도, 습곡 산맥 형성

확대경 우리나라 주변의 지각 변동

1. **판 운동:** 태평양판과 필리핀판이 유라시아판 아래로 섭입하고, 태평양판이 필리핀판 아래로 섭입한다. ➡ 수렴형 경계(섭입형)
   판의 평균 밀도: 유라시아판 < 필리핀판 < 태평양판
2. **지각 변동:** 유라시아판 쪽에서 화산 활동이 일어나며, 해구 부근에서 주로 천발 지진이 발생하고 동해 쪽으로 올수록 진원의 깊이가 깊어져 심발 지진이 발생한다. ➡ 일본은 화산 활동으로 형성된 호상 열도이다.

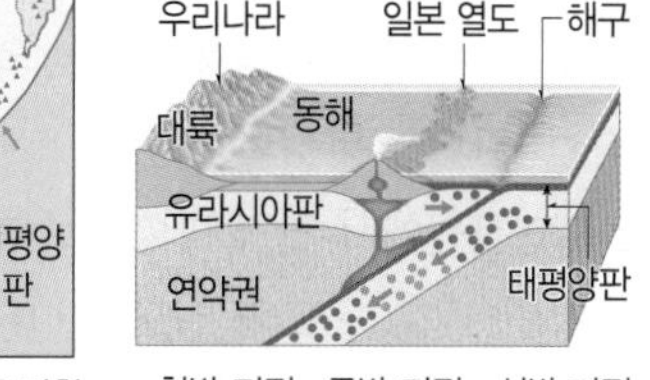

▲화산 →판의 이동 방향 •천발 지진 •중발 지진 •심발 지진

우리나라 주변의 판의 분포와 지각 변동

◆ 판 경계의 지각 변동 비교

구분	천발 지진	심발 지진	화산 활동
발산형	○	×	○
보존형	○	×	×
섭입형	○	○	○
충돌형	○	중발 지진	거의 없음

C 지권의 변화가 지구 시스템에 미치는 영향

1. 화산 활동 마그마가 지각을 뚫고 상승하면서 화산 분출물이 방출된다.

① **화산 분출물**

- 화산 가스: 대부분 수증기(약 70 %~90 %)로 이루어져 있고, 이산화 탄소, 이산화 황, 황화 수소 등을 포함하는 기체
- 용암: 마그마에서 화산 가스가 빠져 나가고 남은 고온의 액체
- 화산 쇄설물: 화산암괴, 화산력, 화산재, 화산진 등의 고체 물질
  - 쇄설물의 크기에 따라 구분: 화산암괴 > 화산력 > 화산재 > 화산진

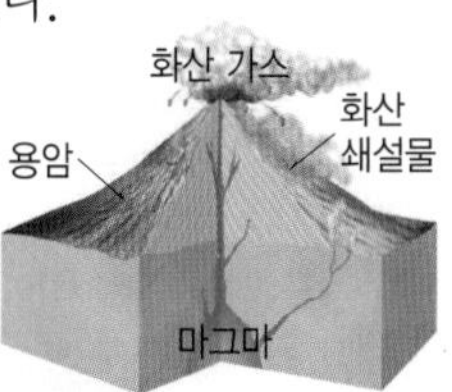

화산 분출물

② **화산 활동의 영향:** 환경적, 사회적, 경제적으로 부정적인 영향과 긍정적인 영향을 미친다.

구분	내용
부정적인 영향 (피해)	• 화산 가스에 포함된 이산화 탄소, 이산화 황이 녹아 있는 산성비가 내려 생태계에 피해를 준다. (유독 가스는 가축의 질식사를 일으키기도 한다.) • 용암이 지표를 따라 흐르면서 마을이나 농경지를 뒤덮어 인명과 재산 피해가 발생한다. • 화산 쇄설물 ─ [1]화산 쇄설류가 흐르면서 산불 및 산사태가 발생한다. ─ 화산재가 항공기의 시야를 막고, 엔진 고장을 일으켜 항공기 운항에 방해가 된다. ─ 대기로 분출된 다량의 화산재는 햇빛을 가려 일시적으로 기온을 낮춘다. (농작물의 생장이 저해될 수 있다.) ─ 화산탄 등이 날아와 인명과 재산 피해가 발생한다.
긍정적인 영향 (이용)	• 광상: 화성 광상으로 유용한 금속 광물이 만들어진다. • 난방 및 지열 발전: 지열을 난방에 이용하거나 지열 발전소에서 전기를 생산한다. • 비옥한 토양: 무기질이 풍부한 화산재가 쌓인 후 오랜 시간이 지나면 토양이 비옥해진다. • 관광 자원: 가열된 지하수로 인해 온천이 만들어지고, 온천 및 화산 활동으로 형성된 독특한 지형은 관광 자원으로 활용된다.

③ **대처 방법**

- 화산 주변에 제방을 쌓는다. ─ 화산재에 의한 피해를 줄이기 위한 방법으로, 화산 쇄설류의 경로를 조절하여 피해를 줄인다.
- 화산 분출구 주변에 댐과 수로를 건설하여 용암을 굳게 하거나 이동 경로를 조절한다.
- [2]용암류에 바닷물을 뿌려 용암을 식히고 이동 속력을 줄이거나 방향을 바꾼다.
- 화산 분출의 전조 현상에 대한 감시 체계, 경고 체계, 대피 체계를 강화한다.

이것까지 나와요! 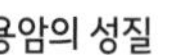

용암의 성질

SiO_2 함량에 따라 현무암질 용암과 유문암질 용암으로 구분한다.

구분	현무암질 용암	유문암질 용암
SiO_2 함량	52 % 이하	63 % 이상
온도	높다.	낮다.
점성	작다.	크다.
유동성	크다.	작다.
화산 가스	적다.	많다.
분출 형태	조용히 분출	격렬히 폭발
화산체	순상 화산 (경사가 완만하다.)	종상 화산 (경사가 급하다.)

용어

[1] **화산 쇄설류(碎 부수다, 屑 가루, 流 흐르다)** 화산이 폭발할 때 분출되는 화산 가스와 화산재 등이 뒤섞여 매우 빠른 속도로 흘러내리는 현상

[2] **용암류(鎔 녹이다, 岩 바위, 流 흐르다)** 용암이 중력의 영향을 받아 지표면의 경사를 따라 흐르는 현상

궁금해?

지진이 발생하면 어떻게 대처해야 할까?
- 책상 밑으로 피하여 낙하물로부터 머리를 보호한다.
- 가스 밸브를 잠근다.
- 문을 열어 출구를 확보한다.
- 지진은 수초~수십 초 정도 지속되며, 수차례 반복되므로 지진이 멈추면 신속하게 밖으로 대피한다.
- 엘리베이터를 이용하지 않고 계단을 이용한다.
- 실외에서는 건물이나 벽 등에서 멀리 떨어진다.

확대경

지진파

1. **지진파:** 지진이 발생할 때 방출된 에너지가 전파되는 파동

구분	P파	S파
파동	종파	횡파
전파 속도 (km/s)	5~8	3~4
통과 매질	고체, 액체, 기체	고체
진폭	작다.	크다.
피해	작다.	크다.

2. **지진 기록:** P파는 외핵과 내핵을 모두 통과하며, S파는 액체 상태인 외핵을 통과하지 못하므로 지진 기록을 분석하여 지구 내부 구조를 연구할 수 있다.

- 종파: 파동의 진행 방향과 매질의 진동 방향이 나란하다.
- 횡파: 파동의 진행 방향과 매질의 진동 방향이 수직이다.

(용어)

❶ **활성 단층(活 활발하다, 性 성질, 斷 끊다, 層 층)** 현재도 계속 운동하고 있는 단층

2. 지진 지층에 축적된 에너지가 방출되면서 진동이 일어난다.

① **지진의 발생:** 단층 형성, 화산 활동, 지하 공동의 붕괴 등에 의해 발생하며, 파동의 형태로 사방으로 전달된다.
- 진원: 지진이 발생한 지점
- 진앙: 진원에서 연직 방향으로 지표면과 만나는 지점
- 지진의 세기: 규모와 진도로 나타낸다.

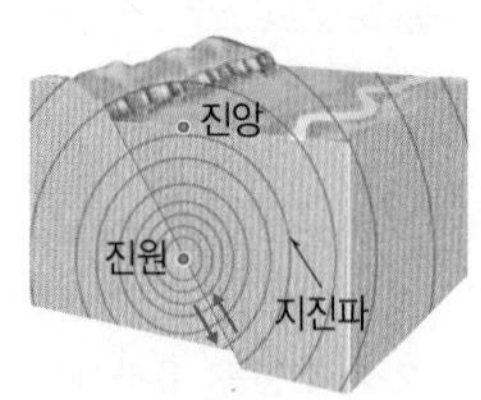

진원과 진앙

구분	규모	진도
기준	진원으로부터 방출된 에너지를 기준으로 나타낸 지진의 세기 → 아라비아 숫자로 소수 첫째 자리까지 표시하며, 숫자가 클수록 방출된 에너지양이 많다.	지진에 의한 피해 정도를 기준으로 나타낸 지진의 세기 → 로마자(Ⅰ~Ⅻ)로 등급을 나타내며, 숫자가 클수록 피해가 크다.
특징	동일한 지진이라면 진앙으로부터의 거리에 관계없이 규모가 같다.	진앙에 가까울수록 대체로 진도가 크다. → 진앙으로부터 거리가 같아도 지하 구성 물질, 구조물의 특성 등에 따라 진도가 다를 수 있다.

② **지진의 영향:** 환경적, 사회적, 경제적으로 부정적인 영향과 긍정적인 영향을 미친다.

부정적인 영향 (피해)	• 땅의 진동으로 지표면이 갈라지고, 건물과 교량이 붕괴된다. • 가스관이 파괴되고, 전선이 끊기면서 합선이나 누전으로 인한 화재가 발생한다. • 산사태나 낙석 및 구조물의 낙하 등으로 인해 피해가 발생한다. • 해저에서 발생한 지진에 의해 지진 해일(쓰나미)이 발생하기도 한다. 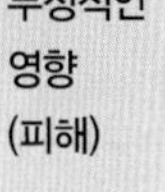  건물 붕괴  도로 및 전선 파괴  지진 해일
긍정적인 영향 (이용)	• 지진 기록을 분석하여 지구 내부 구조를 연구한다. • 인공 지진에 의한 지진파의 분석으로 지하의 구조를 파악하여 지하자원을 찾는다. • 인공 지진을 통해 지질 구조를 파악하여 도로, 건물, 댐 등의 건설에 적합한 장소를 찾는다.

③ **대처 방법**
- 토지 이용: ❶활성 단층 지역이나 지반이 약한 곳에는 건물을 짓지 않도록 한다.
- 내진 설계: 지진 발생 시 일어날 수 있는 진동이나 지표 파열에 견디도록 건물을 설계한다.
- 실시간 지진 예보: 지진 측정 시스템에서 지진파보다 빠르게 전파되는 라디오파(전파)를 이용한다.
- 지진 해일 경보: 해저에서 지진이 발생하면 발생 지점을 확인하고, 지진 해일 발생 예상 지역에 경보를 발령한다. (→ 지진 해일: 지진파에 비해 전파 속도가 열 배 정도 느리다.)
- 안전 교육 시행, 인공위성을 통한 지형 변화 관측 등

3. 화산 활동과 지진이 지구 시스템의 각 권에 미친 영향의 예 화산 활동과 지진은 지구 내부 에너지와 물질이 방출되는 과정에서 일어나는 지권의 변화로, 이 과정에서 지구 시스템의 다른 권에도 영향을 준다.

① **지권 → 지권:** 용암, 화산 쇄설류의 흐름, 지진 등에 의한 지형 변화

② **지권 → 수권:** 해저 화산 폭발, 해저 지진 등에 의한 지진 해일 발생

③ **지권 → 기권:** 화산 분출로 인한 기후 변화

④ **지권 → 생물권:** 생물의 서식지 파괴, 화산 가스로 인해 내린 산성비에 의한 생태계 파괴

개념 확인 문제

정답친해 66쪽

핵심 체크

- 판 경계 ┌ (❶)형 경계: 두 판이 서로 멀어지는 경계, 맨틀 대류 (❷)
  ├ (❸)형 경계: 두 판이 서로 가까워지는 경계, 맨틀 대류 (❹)
  └ (❺)형 경계: 인접한 두 판이 서로 어긋나면서 스쳐 지나가는 경계
- 판 경계에서 발생하는 지각 변동과 발달하는 지형
  - 발산형 경계: 화산 활동 활발, 천발 지진 발생 ➡ 지형: (❻), 열곡대 발달
  - 보존형 경계: (❼) 발생 ➡ 지형: (❽) 발달
  - 수렴형 경계 ┌ 섭입형: 화산 활동 활발, 천발~심발 지진 발생 ➡ 지형: (❾), 호상 열도, 습곡 산맥 발달
    └ 충돌형: 천발~중발 지진 발생 ➡ 지형: (❿) 발달
- 지권의 변화는 지구 시스템의 각 권에 환경적, 사회적, 경제적으로 영향을 미친다.
  - (⓫): 마그마가 지각을 뚫고 상승하면서 화산 가스, 용암, (⓬) 등의 화산 분출물이 방출된다.
  - (⓭): 지층에 축적된 에너지가 방출되면서 진동이 일어난다.

1 그림은 전 세계의 판 경계와 이동 방향을 나타낸 것이다.

A~E 중 각 경계에 해당하는 것을 있는 대로 고르시오.

(1) 발산형 경계: ________ (2) 수렴형 경계: ________
(3) 보존형 경계: ________

2 다음 판 경계에서 형성되는 지형들을 [보기]에서 있는 대로 고르시오.

보기		
ㄱ. 해구	ㄴ. 열곡대	ㄷ. 해령
ㄹ. 습곡 산맥	ㅁ. 변환 단층	ㅂ. 호상 열도

(1) 두 판이 서로 멀어지는 경계에서 형성되는 지형
(2) 두 판이 서로 가까워지는 경계에서 형성되는 지형

3 발산형 경계에 대한 설명으로 옳은 것은 ○, 옳지 않은 것은 ×로 표시하시오.

(1) 새로운 판이 생성되는 곳이다. ( )
(2) 천발 지진과 화산 활동이 활발하게 일어난다. ( )
(3) 맨틀 대류가 하강하는 곳에서 열곡이 형성된다. ( )

4 보존형 경계에 대한 설명으로 옳은 것은 ○, 옳지 않은 것은 ×로 표시하시오.

(1) 화산 활동이 활발하게 일어난다. ( )
(2) 판이 생성되거나 소멸되지 않는다. ( )
(3) 해령과 나란하게 변환 단층이 발달한다. ( )
(4) 변환 단층을 따라 천발 지진이 발생한다. ( )

5 그림은 ㉠(충돌형, 섭입형) 수렴 경계로, 판 경계에서 밀도가 큰 ㉡(해양판, 대륙판)이 밀도가 작은 ㉢(해양판, 대륙판) 아래로 비스듬히 섭입한다.

6 화산 활동이 지구 시스템에 미치는 영향에 대한 설명으로 옳은 것은 ○, 옳지 않은 것은 ×로 표시하시오.

(1) 화산 지대는 관광 자원으로 이용되기도 한다. ( )
(2) 화산 활동으로 유용한 광물이 생성되기도 한다. ( )
(3) 대기로 방출된 화산재는 지구의 평균 기온을 상승시키는 작용을 한다. ( )

7 지진으로 인해 발생할 수 있는 피해가 아닌 것은?

① 화재 ② 산사태 ③ 기온 하강
④ 지반 붕괴 ⑤ 지진 해일(쓰나미)

판 경계에서 나타나는 지형

전 세계의 판 경계를 나타내는 그림에서 특정 지역을 표시하고 그곳에서 형성된 지형과 지각 변동에 대해 묻는 문제가 자주 출제됩니다. 이러한 문제를 자신 있게 풀기 위해서는 어느 지역에 어떤 판 경계가 있는지 정확하게 알아야 해요. 자, 주요 지점의 판 경계에 대해 꼼꼼히 살펴볼까요?

수렴형 경계

• 습곡 산맥(A)

습곡 산맥 / 대륙판 / 대륙판 / 지진

• 해구와 호상 열도(B, E), 해구와 습곡 산맥(F)

해구 / 습곡 산맥 / 해양판 / 대륙판 / 지진

• 해구와 호상 열도(C)

호상 열도 / 해구 / 해양판 / 해양판 / 지진

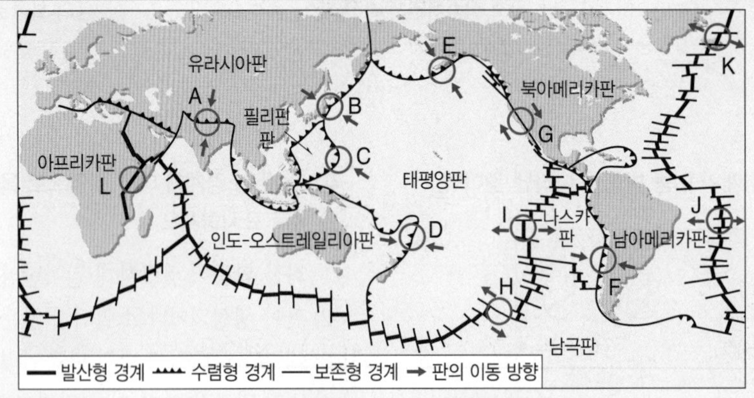

보존형 경계

• 변환 단층(G, H)

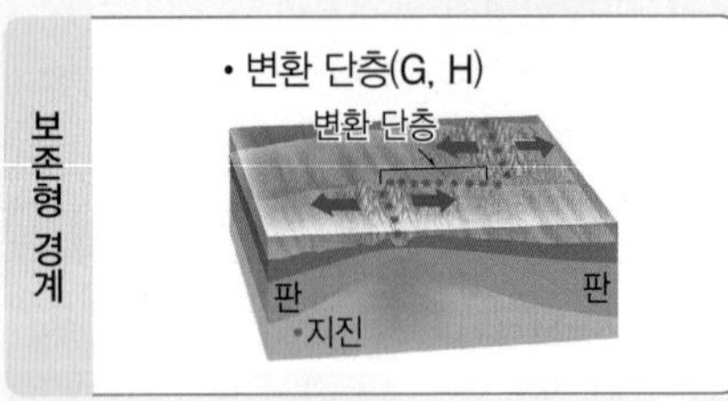

발산형 경계

• 해령(I, J)　　• 열곡대(L)

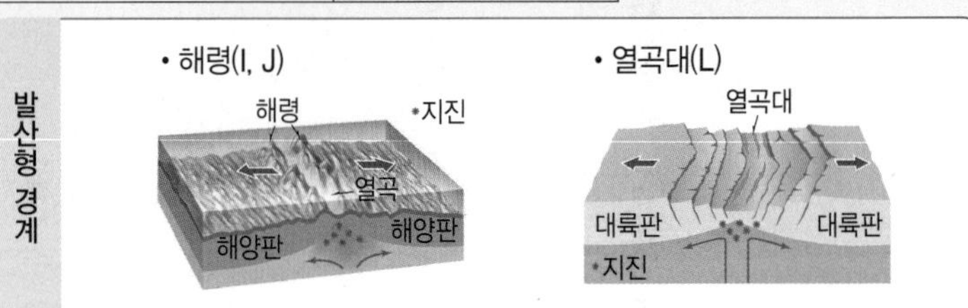

판 경계	지형			관련된 판	지각 변동
수렴형 경계	습곡 산맥	A	히말라야산맥	유라시아판과 인도-오스트레일리아판의 충돌	천발~중발 지진
	해구, 호상 열도	B	일본 해구, 일본 열도	유라시아판 아래로 태평양판이 섭입	천발~심발 지진, 화산 활동
		C	마리아나 해구, 마리아나 제도	필리핀판 아래로 태평양판이 섭입	
		D	통가 해구, 통가 제도	인도-오스트레일리아판 아래로 태평양판이 섭입	
		E	알류샨 해구, 알류샨 열도	북아메리카판 아래로 태평양판이 섭입	
	해구, 습곡 산맥	F	페루-칠레 해구, 안데스산맥	남아메리카판 아래로 나스카판이 섭입	
보존형 경계	변환 단층	G	산안드레아스 단층	태평양판과 북아메리카판이 서로 스쳐 지나가며 이동	천발 지진
		H	해령 부근의 변환 단층	태평양판과 남극판이 서로 스쳐 지나가며 이동	
발산형 경계	해령, 열곡대	I	동태평양 해령	태평양판과 나스카판이 양쪽으로 갈라짐	천발 지진, 화산 활동
		J	대서양 중앙 해령	북아메리카판, 남아메리카판이 아프리카판과 양쪽으로 갈라짐	
		K	아이슬란드 열곡대	대서양 중앙 해령이 지나는 곳에 위치	
		L	동아프리카 열곡대	아프리카판이 둘로 갈라져 양쪽으로 확장됨	

Q1 A~L 중 판이 생성되는 곳을 모두 고르시오.

Q2 A~L 중 맨틀 대류가 하강하는 곳을 모두 고르시오.

내신 만점 문제

정답친해 66쪽

A 지권의 변화와 판 구조론

01 그림 (가)는 지진이 발생한 지역을, (나)는 화산의 분포를 나타낸 것이다.

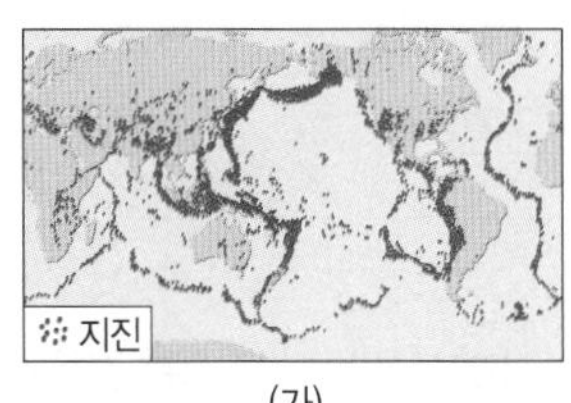

(가)

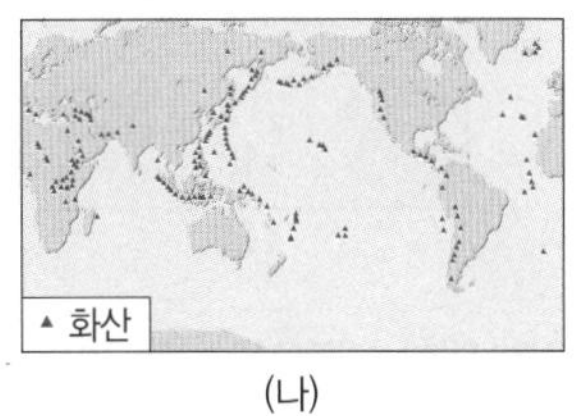

(나)

이에 대한 설명으로 옳은 것만을 [보기]에서 있는 대로 고른 것은?

ㄱ. 지진과 화산 활동이 일어나는 지역은 대체로 일치한다.
ㄴ. 대서양 연안보다 태평양 연안에서 지진과 화산 활동이 활발하게 일어난다.
ㄷ. 지진은 일어나지만 화산 활동은 일어나지 않는 지역도 있다.

① ㄱ ② ㄷ ③ ㄱ, ㄴ
④ ㄴ, ㄷ ⑤ ㄱ, ㄴ, ㄷ

중요 **02** 화산대와 지진대가 대체로 일치하는 까닭은?

① 지진의 충격으로 항상 화산이 폭발하기 때문이다.
② 마그마의 활동이 있어야만 지진이 발생하기 때문이다.
③ 화산 활동과 지진은 대륙의 중앙부에서 발생하기 때문이다.
④ 화산 활동과 지진은 대부분 판 경계에서 발생하기 때문이다.
⑤ 화산 활동과 지진은 판이 충돌하는 곳에서만 발생하기 때문이다.

중요 **03** 판 구조론에 대한 설명으로 옳은 것은?

① 판들은 같은 방향으로 이동한다.
② 판의 두께는 지각의 두께와 같다.
③ 판은 맨틀에서 일어나는 대류를 따라 이동한다.
④ 판의 중앙부에서 지각 변동이 활발하게 일어난다.
⑤ 지구의 표면은 하나의 거대한 판으로 이루어져 있다.

04 그림은 판의 구조를 모식적으로 나타낸 것이다.
이에 대한 설명으로 옳은 것은?

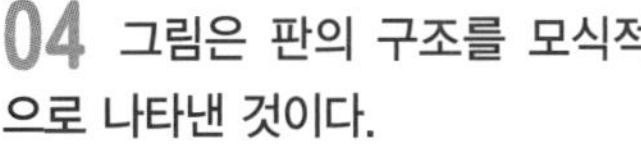

① 판은 A와 B를 합친 부분이다.
② B에서는 맨틀 대류가 일어난다.
③ C는 액체 상태이다.
④ C는 A와 B에 비해서 밀도가 작다.
⑤ 대륙판은 해양판에 비해서 밀도가 크다.

B 판 경계에서 나타나는 지형

05 맨틀 대류의 (가)하강부와 (나)상승부에서 형성되는 지형을 옳게 짝 지은 것은?

	(가)	(나)
①	해령	호상 열도, 습곡 산맥
②	해구, 호상 열도	해령
③	습곡 산맥, 해령	열곡대
④	해구	습곡 산맥, 해령
⑤	호상 열도, 해령	해구, 습곡 산맥

06 그림 (가)~(다)는 판의 상대적인 이동 방향에 따라 판 경계를 구분한 모식도이다.(단, 화살표는 판의 이동 방향을 나타낸다.)

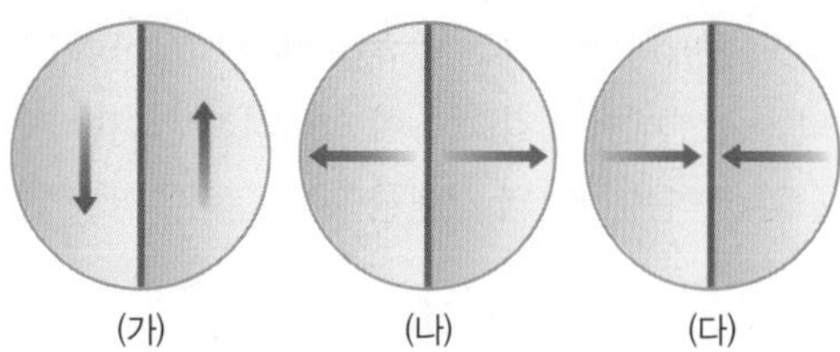

이에 대한 설명으로 옳은 것만을 [보기]에서 있는 대로 고른 것은?

보기
ㄱ. (가) 경계에서는 심발 지진과 화산 활동이 활발하다.
ㄴ. (나) 경계에서는 맨틀 물질의 하강이 일어난다.
ㄷ. (다) 경계에서는 해구나 습곡 산맥이 형성될 수 있다.
ㄹ. (가)~(다) 경계에서는 공통적으로 지진이 발생한다.

① ㄱ, ㄴ ② ㄱ, ㄷ ③ ㄴ, ㄷ
④ ㄴ, ㄹ ⑤ ㄷ, ㄹ

[07~08] 그림은 판 경계를 모식적으로 나타낸 것이다.

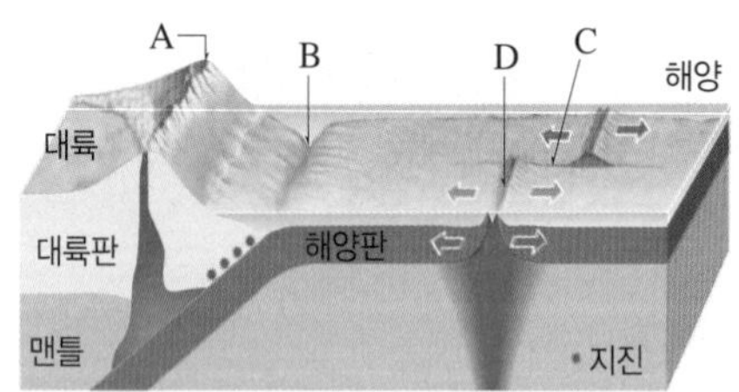

07 판 경계 지역 A~D에서 형성되는 지형의 이름을 각각 쓰시오.

중요 **08** 이에 대한 설명으로 옳은 것만을 [보기]에서 있는 대로 고른 것은?

보기
ㄱ. A에서는 안데스산맥과 같은 습곡 산맥이 형성된다.
ㄴ. C에서는 지진은 활발하지만 화산 활동은 일어나지 않는다.
ㄷ. D에서는 오래된 해양 지각이 소멸한다.
ㄹ. B, C, D에서는 모두 심발 지진이 발생한다.

① ㄱ, ㄴ ② ㄱ, ㄹ ③ ㄴ, ㄷ
④ ㄱ, ㄷ, ㄹ ⑤ ㄴ, ㄷ, ㄹ

09 그림 (가)는 아프리카 동부 지역에서, (나)는 북아메리카 서부 지역에서 판의 이동 방향을 나타낸 것이다.

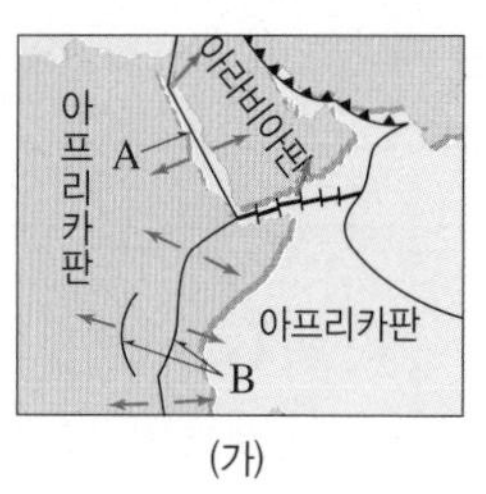

(가)

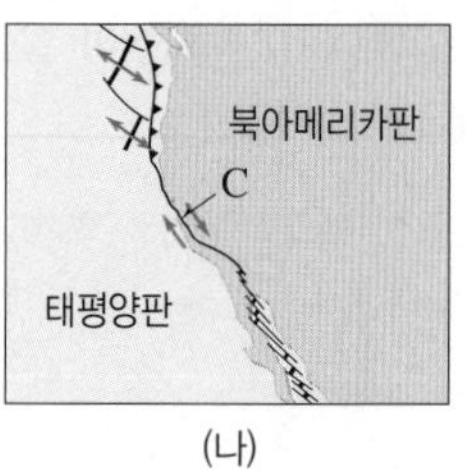

(나)

이에 대한 설명으로 옳은 것만을 [보기]에서 있는 대로 고른 것은?

보기
ㄱ. A는 발산형 경계, C는 보존형 경계이다.
ㄴ. A~C에서는 모두 화산 활동이 활발하게 일어난다.
ㄷ. B는 시간이 지나면 A와 같은 지형으로 변할 것이다.

① ㄱ ② ㄴ ③ ㄱ, ㄷ
④ ㄴ, ㄷ ⑤ ㄱ, ㄴ, ㄷ

중요 **10** 그림 (가)와 (나)는 판 경계를 나타낸 것이다.

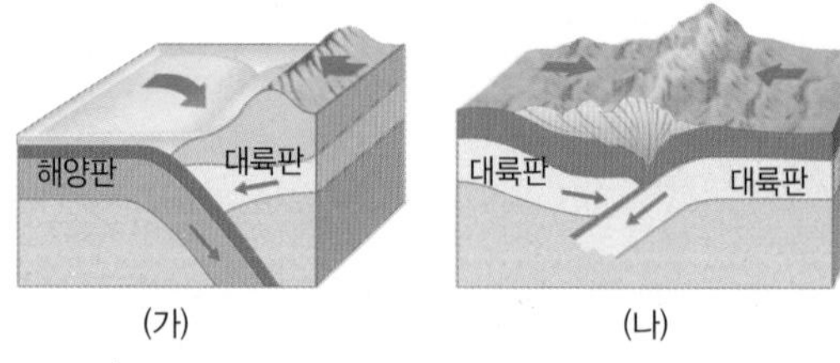

이에 대한 설명으로 옳은 것만을 [보기]에서 있는 대로 고른 것은?

보기
ㄱ. (가)는 수렴형 경계, (나)는 보존형 경계이다.
ㄴ. (나)는 맨틀 물질이 하강하는 곳이다.
ㄷ. 심발 지진은 (가)보다 (나)에서 자주 발생한다.
ㄹ. 화산 활동은 (나)보다 (가)에서 활발하다.

① ㄱ, ㄴ ② ㄱ, ㄷ ③ ㄴ, ㄹ
④ ㄱ, ㄷ, ㄹ ⑤ ㄴ, ㄷ, ㄹ

11 그림은 우리나라 주변에 분포하는 판 A~C의 운동과 화산의 분포를 나타낸 것이다.

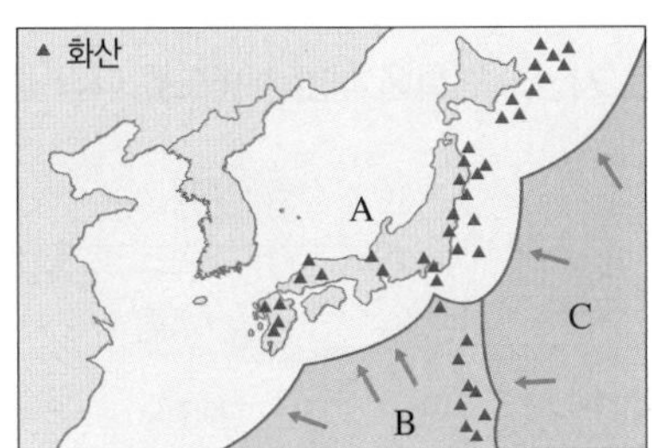

이에 대한 설명으로 옳은 것만을 [보기]에서 있는 대로 고른 것은?

보기
ㄱ. A와 B의 경계는 수렴형 경계이다.
ㄴ. 판의 평균 밀도는 A가 C보다 크다.
ㄷ. B와 C의 경계를 따라 해구가 발달한다.

① ㄱ ② ㄴ ③ ㄱ, ㄷ
④ ㄴ, ㄷ ⑤ ㄱ, ㄴ, ㄷ

[12~13] 표는 판 경계에서 형성되는 지형을 정리한 것이다.

경계부의 두 판	발산형 경계	수렴형 경계	보존형 경계
대륙판과 대륙판	A	B	
대륙판과 해양판		C	
해양판과 해양판	D		E

12 A~E에 해당하는 지형의 예로 옳지 않은 것은?

① A – 동아프리카 열곡대 ② B – 히말라야산맥
③ C – 일본 해구 ④ D – 동태평양 해령
⑤ E – 마리아나 제도

13 이에 대한 설명으로 옳은 것만을 [보기]에서 있는 대로 고른 것은?

보기
ㄱ. A, D, E에서는 심발 지진이 발생하지 않는다.
ㄴ. 태평양 주변부에는 B와 C가 발달되어 있다.
ㄷ. E에서 새로운 판이 생성된다.

① ㄱ ② ㄴ ③ ㄷ
④ ㄱ, ㄴ ⑤ ㄴ, ㄷ

C 지권의 변화가 지구 시스템에 미치는 영향

14 그림은 화산 활동으로 분출되는 물질을 나타낸 것이다. A, B, C는 각각 화산 가스, 용암, 화산 쇄설물 중 하나이다.

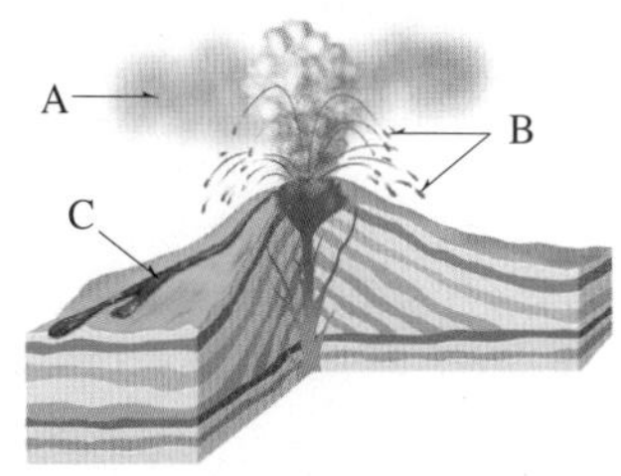

이에 대한 설명으로 옳은 것만을 [보기]에서 있는 대로 고른 것은?

보기
ㄱ. A는 산성비의 원인이 될 수 있다.
ㄴ. B의 분출량이 많을수록 지표 부근의 기온이 상승한다.
ㄷ. C의 점성이 클수록 경사가 급한 화산체를 형성한다.

① ㄱ ② ㄴ ③ ㄱ, ㄷ
④ ㄴ, ㄷ ⑤ ㄱ, ㄴ, ㄷ

중요 **15** 그림 (가)~(다)는 활동 중인 화산의 여러 가지 분출물을 나타낸 것이다.

(가) 화산 가스

(나) 용암

(다) 화산재

이에 대한 설명으로 옳은 것만을 [보기]에서 있는 대로 고른 것은?

보기
ㄱ. (가)에 포함된 성분이 사람과 가축의 질식사를 일으킬 수 있다.
ㄴ. (나)는 지표를 따라 흐르면서 재산 피해를 입힌다.
ㄷ. (다)는 주변 지역을 황폐화시켜 영구적으로 농사를 지을 수 없게 한다.

① ㄱ ② ㄷ ③ ㄱ, ㄴ
④ ㄴ, ㄷ ⑤ ㄱ, ㄴ, ㄷ

16 그림은 과거에 우리나라에서 발생한 어느 지진의 진도 분포를 나타낸 것이다.
이에 대한 해석으로 옳은 것만을 [보기]에서 있는 대로 고른 것은?

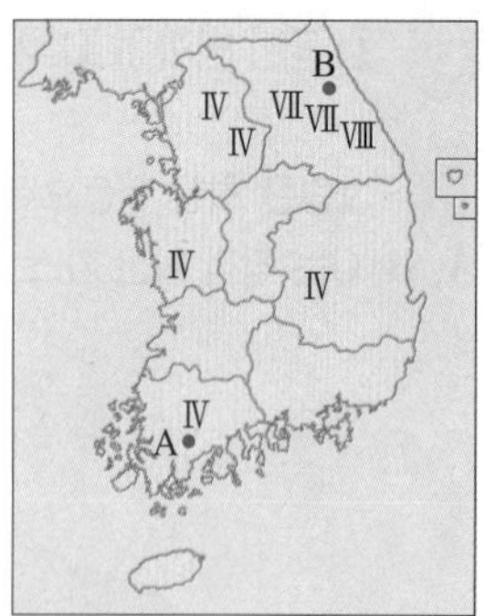

보기
ㄱ. 지진에서 방출된 에너지를 기준으로 진도를 구분한다.
ㄴ. 지진의 규모는 A 지역이 B 지역보다 크다.
ㄷ. 지진에 의한 피해는 B 지역이 A 지역보다 크다.

① ㄱ ② ㄷ ③ ㄱ, ㄴ
④ ㄴ, ㄷ ⑤ ㄱ, ㄴ, ㄷ

17 지진이 우리 주변에 미치는 영향으로 옳지 않은 것은?

① 산성비가 내려 생태계에 피해를 준다.
② 지진파를 이용하여 지구 내부 구조를 파악할 수 있다.
③ 가스 누출, 전기 누전 등으로 화재가 발생하기도 한다.
④ 해저에서 발생한 지진으로 해안 지역에 피해를 입힌다.
⑤ 인공 지진을 이용하여 천연가스가 매장된 지역을 찾을 수 있다.

18 화산 활동과 지진에 대처하는 방법으로 옳은 것만을 [보기]에서 있는 대로 고른 것은?

보기
ㄱ. 화산 주변에 제방을 쌓는다.
ㄴ. 활성 단층 지역에 건물을 짓는다.
ㄷ. 인공위성을 이용하여 지형 변화를 감시한다.
ㄹ. 진동을 견딜 수 있도록 건물에 내진 설계를 한다.

① ㄱ, ㄴ ② ㄱ, ㄹ ③ ㄴ, ㄷ
④ ㄱ, ㄷ, ㄹ ⑤ ㄴ, ㄷ, ㄹ

서술형 문제

19 그림은 지권의 변화에 대한 개념도를 나타낸 것이다.

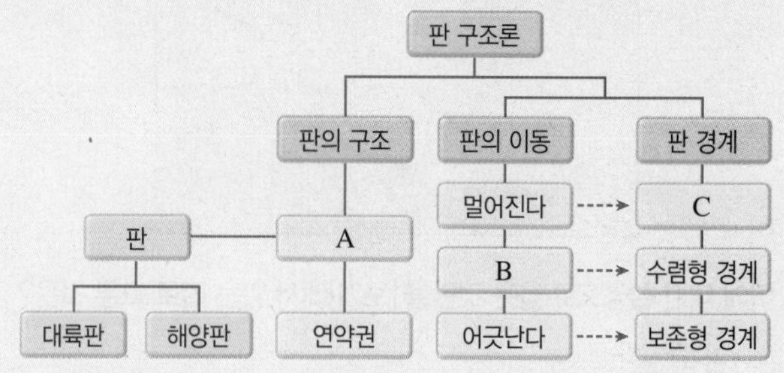

(1) A~C에 들어갈 알맞은 개념을 쓰시오.

(2) 판이 이동하는 원동력을 판의 구조로 서술하시오.

20 그림은 태평양 주변 해양판과 대륙판의 단면을 나타낸 것이다.

(1) A와 B에서 발달하는 지형을 쓰고, A와 B 부근에서 일어나는 지각 변동을 각각 서술하시오.

(2) A에서 B로 갈수록 해양 지각의 나이가 어떻게 변하는지 서술하시오.

21 그림은 2010년 4월, 아이슬란드에서 화산 폭발로 분출된 화산재가 확산되는 모습을 나타낸 것이다.
화산재가 퍼져 나가는 것은 어떤 권역 간의 상호 작용인지 쓰고, 화산재로 발생할 수 있는 피해를 두 가지만 서술하시오.

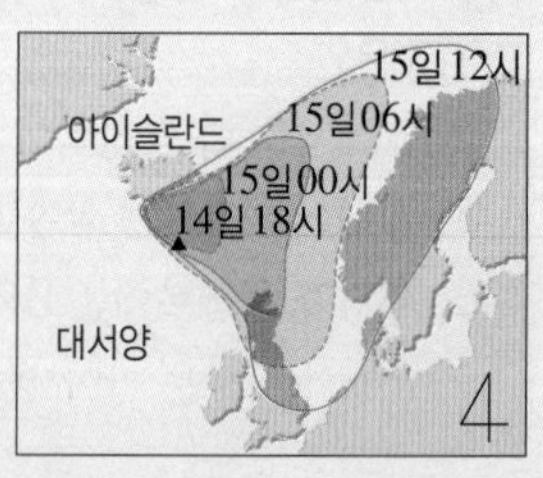

실력 UP 문제

정답친해 69쪽

01 그림 (가)는 전 세계 화산대와 지진대의 분포를, (나)는 판 경계를 나타낸 것이다.

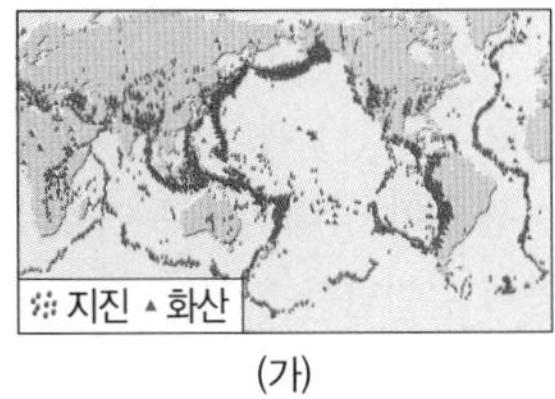

(가)

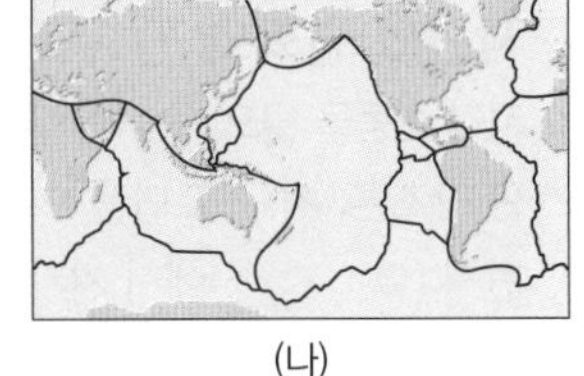
(나)

이에 대한 설명으로 옳지 않은 것은?

① 화산대와 지진대는 특정 지역에 좁고 긴 띠 모양으로 분포한다.
② 환태평양 연안의 화산대와 지진대는 거의 일치한다.
③ 화산 활동과 지진은 주로 판 경계에서 발생한다.
④ 대서양은 연안보다 중앙부에서 지각 변동이 활발하다.
⑤ 판 경계를 추정하기 위해서는 지진대보다 화산대의 분포 자료가 더 유용하다.

02 그림은 전 세계의 주요 판 경계를 나타낸 것이다.

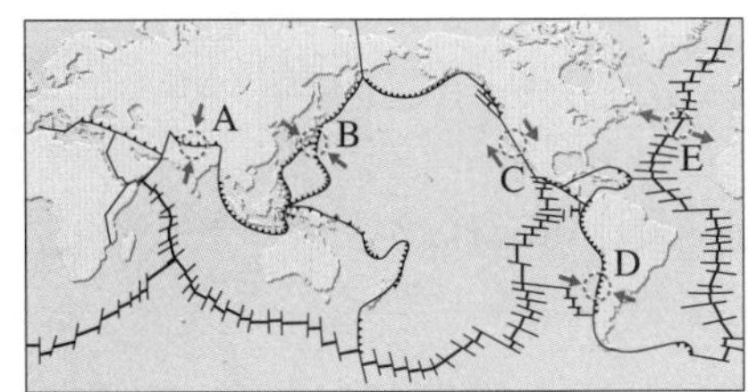

이에 대한 설명으로 옳은 것만을 [보기]에서 있는 대로 고른 것은?

보기
ㄱ. A에서는 습곡 산맥이, B에서는 해구가 발달한다.
ㄴ. 진원의 평균 깊이는 B가 C보다 깊다.
ㄷ. 인접한 두 판의 밀도 차는 E가 D보다 크다.
ㄹ. A에서는 정단층, E에서는 역단층이 주로 나타난다.

① ㄱ, ㄴ ② ㄱ, ㄷ ③ ㄴ, ㄹ
④ ㄱ, ㄷ, ㄹ ⑤ ㄴ, ㄷ, ㄹ

03 그림 (가)~(다)는 화산 활동으로 분출되는 여러 가지 물질들을 나타낸 것이다.

(가) 화산 가스

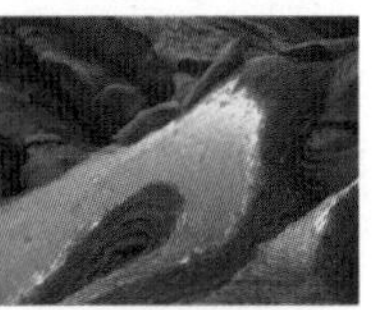
(나) 용암

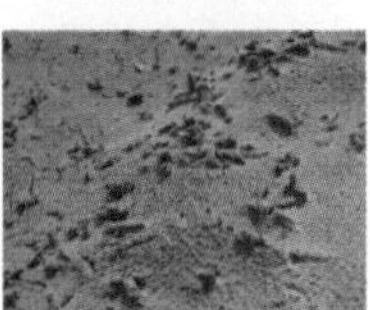
(다) 화산재

이에 대한 설명으로 옳은 것만을 [보기]에서 있는 대로 고른 것은?

보기
ㄱ. (가)에서 가장 많은 성분은 수증기이다.
ㄴ. (나)의 온도가 높을수록 화산체의 경사가 완만하다.
ㄷ. (가)~(다) 중에서 (나)는 토양의 성질과 기후 변화에 가장 큰 영향을 미친다.

① ㄱ ② ㄴ ③ ㄷ ④ ㄱ, ㄴ ⑤ ㄴ, ㄷ

04 그림 (가)와 (나)는 해양판과 대륙판이 수렴하여 해양판이 섭입하는 두 지역에서 일정 기간 동안 지진이 발생한 깊이를 나타낸 것으로, 판 경계 지역을 수직으로 자른 단면이다.

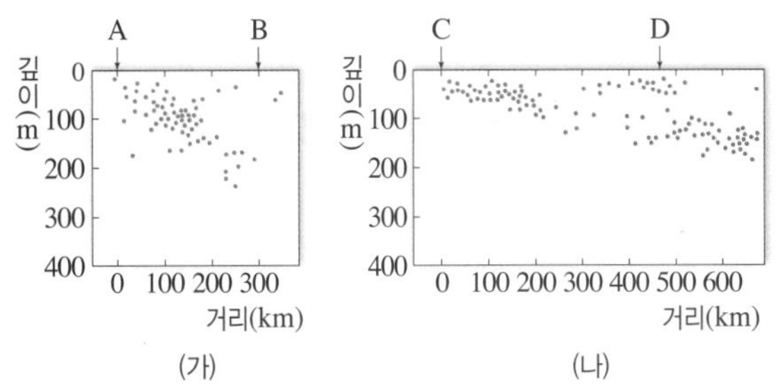

이에 대한 설명으로 옳은 것만을 [보기]에서 있는 대로 고른 것은?

보기
ㄱ. 해구는 B보다 A에 가까운 곳에 있다.
ㄴ. 화산 활동은 D보다 C에서 활발하게 일어난다.
ㄷ. 두 판의 경계면의 평균 기울기는 (가)보다 (나)가 크다.

① ㄱ ② ㄴ ③ ㄱ, ㄷ ④ ㄴ, ㄷ ⑤ ㄱ, ㄴ, ㄷ

정답친해 70쪽

1 지구 시스템의 에너지와 물질 순환

1. 지구 시스템의 구성 요소

(1) **기권:** 지구를 둘러싸고 있는 약 1000 km 두께의 공기층 ➡ 높이에 따른 기온 분포를 기준으로 대류권, 성층권, (❶), 열권으로 구분

(2) **지권:** 지각과 지구 내부 ➡ 깊이에 따른 (❷)의 속도를 기준으로 지각, 맨틀, 외핵, 내핵으로 구분

(3) (❸): 지구에 분포하는 물 ➡ 깊이에 따른 수온 분포를 기준으로 혼합층, (❹), 심해층으로 구분

(4) **생물권:** 지구상의 모든 생물 ➡ 기권, 지권, 수권에 분포

(5) **외권:** 기권 밖의 우주 공간 ➡ (❺)은 우주선이나 태양풍을 차단하여 생명체를 보호함

2. 지구 시스템 구성 요소의 상호 작용

근원 \ 영향	기권	지권	수권	생물권
기권	기단의 상호 작용	풍화, 침식, 운반, 퇴적	해류 발생, 강수, 엘니뇨	호흡, (❻)
지권	화산 폭발	판 운동	지진 해일	서식처 제공
수권	증발, 태풍 발생	석회 동굴 형성	해수의 혼합	서식처 제공
생물권	호흡, 광합성	화석 연료 생성	부패 물질의 이동	먹이 사슬 형성

3. 지구 시스템의 에너지원과 에너지 흐름

(1) **에너지원:** 태양 에너지, (❼), 조력 에너지

(2) **에너지 흐름:** 저위도의 남는 에너지가 고위도로 이동하여 지구는 전체적으로 에너지 평형을 이룬다.

4. 지구 시스템의 물질 순환

물의 순환	• 근원 에너지: (❽) • 물의 평형: 물은 각 권 사이를 이동하지만, 각 권에서 물을 얻은 양과 잃은 양은 같다.
탄소의 순환	• 탄소의 존재 형태: 기권(이산화 탄소), 지권(탄산 칼슘(석회암), 화석 연료), 수권(탄산 이온), 생물권(유기물) • 탄소는 다양한 형태로 각 권을 이동하면서 순환한다.

2 지권의 변화

1. 지권의 변화와 판 구조론

(1) **지각 변동을 일으키는 에너지원:** (❾) 에너지

(2) **판 구조론:** 지구 표면을 이루는 판들이 상대적으로 이동하면서 (❿)에서 지각 변동이 일어난다는 이론

판의 구조	암석권(판)	지각과 상부 맨틀의 일부인 두께 약 100 km의 단단한 부분, 암석권의 조각을 (⓫)이라고 한다.
	연약권	암석권 아래의 깊이 약 100 km~400 km 부분
판의 이동		판은 서로 다른 방향과 속력으로 이동한다.
판 이동의 원동력		(⓬) 대류

2. 판 경계에서 나타나는 지형

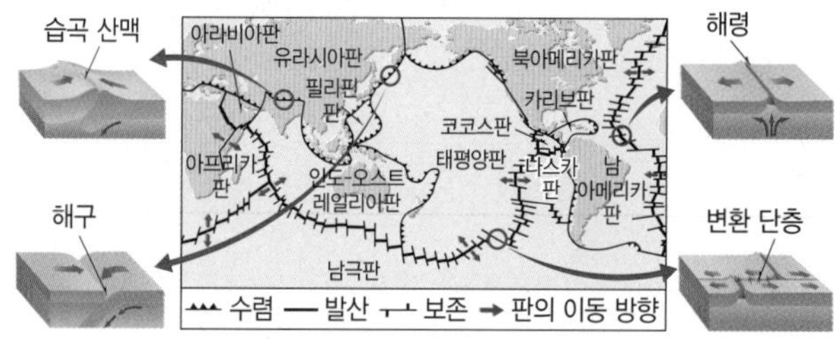

구분	(⓭) 경계	보존형 경계	수렴형 경계	
			섭입형	충돌형
판의 이동	판과 판이 멀어지면서 판이 생성되는 곳	판과 판이 어긋나는 곳	밀도가 큰 판이 작은 판 아래로 들어가는 곳	대륙판과 대륙판이 충돌하는 곳
지각 변동	화산 활동, 천발 지진	(⓮)	화산 활동, 천발~심발 지진	천발~중발 지진
지형	해령, 열곡대	변환 단층	해구, 호상 열도, 습곡 산맥	(⓯)

3. 지권의 변화가 지구 시스템에 미치는 영향

구분	화산 활동	지진
부정적 영향 (피해)	용암, 화산 쇄설류에 의한 재산과 인명 피해, 화산 가스에 의한 산성비, 화산재에 의한 기후 변화	지형 변화, 진동에 의한 건물과 도로 파괴, 합선이나 누전에 의한 화재 발생, 인명 및 재산 피해, 지진 해일 발생
긍정적 영향 (이용)	유용한 광물 형성, 관광 산업(온천, 화산 지형), 난방 및 지열 발전, 비옥한 토양 형성	지구 내부 구조 파악, 지하자원의 위치 탐사, 건설에 적합한 장소 탐색

중단원 마무리 문제

난이도 ●●●

●●○

01 그림은 기권과 지권의 층상 구조를 나타낸 것이다.

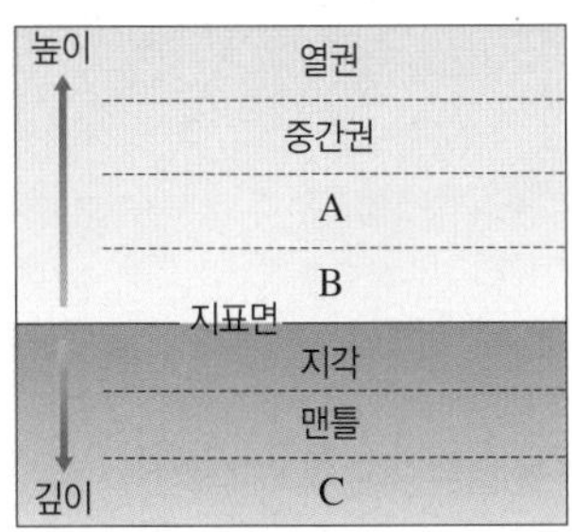

이에 대한 설명으로 옳은 것만을 [보기]에서 있는 대로 고른 것은?

보기

ㄱ. 기권과 지권은 모두 온도 변화를 기준으로 구분한다.
ㄴ. A층은 성층권, B층은 대류권이다.
ㄷ. C층은 구성 물질의 상태에 따라 내핵과 외핵으로 구분된다.

① ㄱ ② ㄷ ③ ㄱ, ㄴ
④ ㄴ, ㄷ ⑤ ㄱ, ㄴ, ㄷ

●●●

02 그림 (가)는 기권의 층상 구조를, (나)는 수권의 층상 구조를 나타낸 것이다.

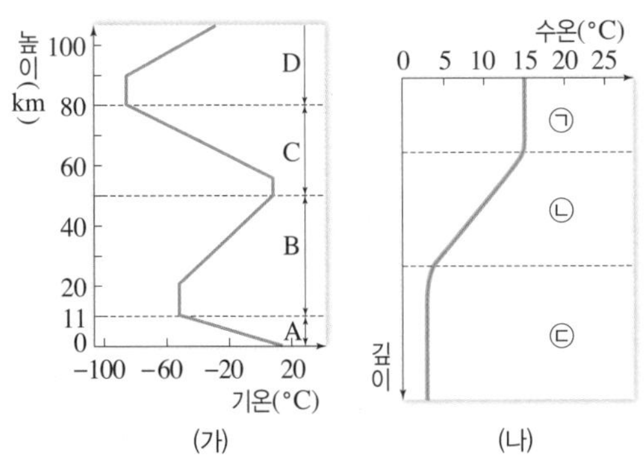

이에 대한 설명으로 옳지 않은 것은?

① (가)의 A층과 C층에서 기상 현상이 나타난다.
② 낮과 밤의 온도 차는 (가)의 C층보다 D층에서 더 크게 나타난다.
③ (나)에서 ㉢층의 온도는 계절에 따른 변화가 거의 없다.
④ (가)의 B층과 (나)의 ㉡층은 모두 안정한 층이다.
⑤ (나)의 ㉠층의 두께에 가장 큰 영향을 주는 곳은 (가)의 A층이다.

●●○

03 그림은 지구가 탄생한 이후 지구 시스템의 변화 과정을 나타낸 것이다. A와 B는 오존층과 자기권 중 하나이다.

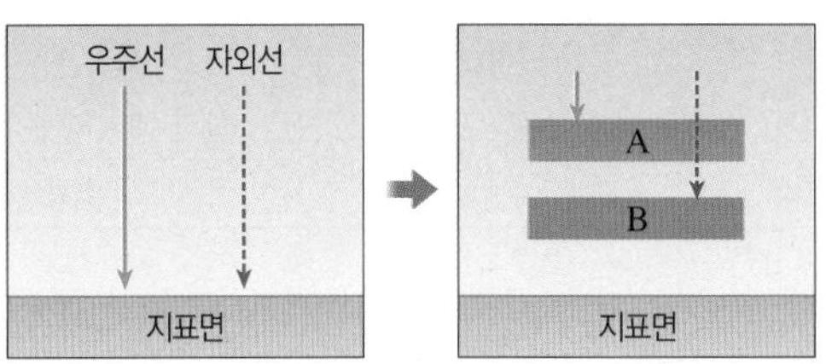

이에 대한 설명으로 옳은 것만을 [보기]에서 있는 대로 고른 것은?

보기

ㄱ. A는 외권에, B는 기권에 속한다.
ㄴ. A는 광합성을 하는 생물에 의해 형성되었다.
ㄷ. B가 형성되면서 생물이 육상으로 진출할 수 있었다.

① ㄱ ② ㄴ ③ ㄱ, ㄷ
④ ㄴ, ㄷ ⑤ ㄱ, ㄴ, ㄷ

●●○

04 그림은 지구 시스템 구성 요소의 상호 작용을 나타낸 것이다.

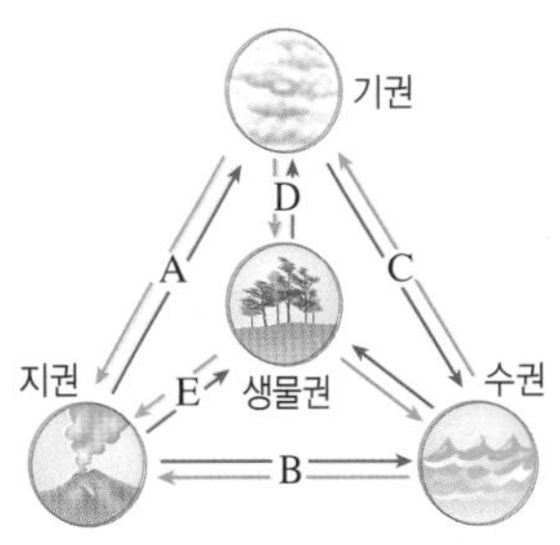

A~E에 해당하는 상호 작용의 예로 옳지 않은 것은?

① A: 화산 폭발로 발생한 먼지에 의해 기온이 낮아진다.
② B: 물속에 녹아 있던 탄산 이온이 침전되어 석회암이 형성된다.
③ C: 저위도 해상에서 태풍이 발생한다.
④ D: 식물의 광합성 작용으로 대기 중으로 산소가 방출된다.
⑤ E: 해저 지진으로 인해 해일이 발생한다.

서술형 ●●●

05 표는 지구 시스템의 주요 에너지원의 양과 각 에너지원에 의해 발생하는 대표적인 현상을 나타낸 것이다.

에너지원	에너지양(W)	현상
(가)	1.7×10^{17}	물과 대기의 순환
(나)	5.4×10^{12}	지각 변동
(다)	2.7×10^{12}	㉠

(1) (가)~(다)에 해당하는 지구 시스템의 에너지원을 각각 쓰고, 가장 많은 양을 차지하는 에너지원은 무엇인지 서술하시오.

(2) ㉠에 해당하는 현상을 한 가지만 서술하시오.

(3) (가)~(다) 에너지원을 발생시키는 근원을 각각 서술하시오.

●●○

06 그림은 지구 시스템의 에너지원과 각 권의 상호 작용을 나타낸 것이다.

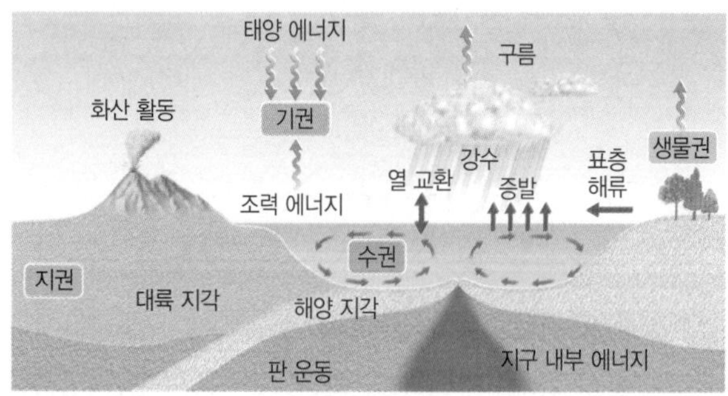

이에 대한 설명으로 옳지 않은 것은?

① 태양 에너지와 조력 에너지는 상호 전환된다.
② 표층 해류는 기권과 수권의 상호 작용으로 발생한다.
③ 생물권에 공급되는 주된 에너지원은 태양 에너지이다.
④ 탄소는 화산 활동에 의해 지권에서 기권으로 이동한다.
⑤ 판 운동을 일으키는 에너지원은 지구 내부 에너지이다.

●●○

07 그림은 물 수지 평형 상태에 있는 물의 순환 과정을 나타낸 것이다.

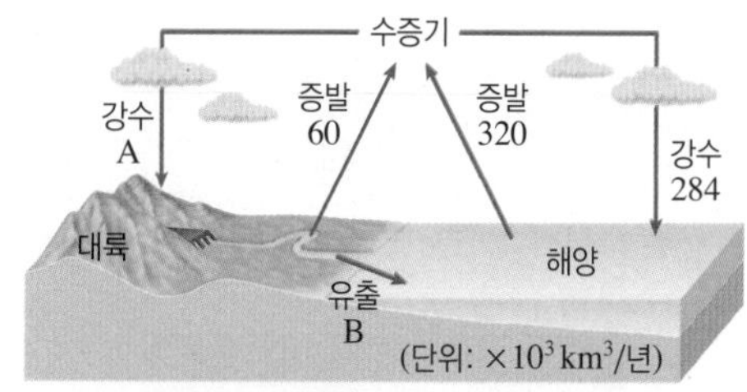

이에 대한 설명으로 옳은 것만을 [보기]에서 있는 대로 고른 것은?

보기
ㄱ. A−B=60이다.
ㄴ. 숨은열의 형태로 대기 중으로 이동하는 열에너지의 양은 대륙보다 해양에서 많다.
ㄷ. 해양에서는 증발량이 강수량보다 많으므로 시간이 지날수록 해수의 양이 감소한다.

① ㄱ ② ㄷ ③ ㄱ, ㄴ
④ ㄴ, ㄷ ⑤ ㄱ, ㄴ, ㄷ

●●○

08 그림은 지구 시스템에서 탄소의 순환 과정을 나타낸 것이다.

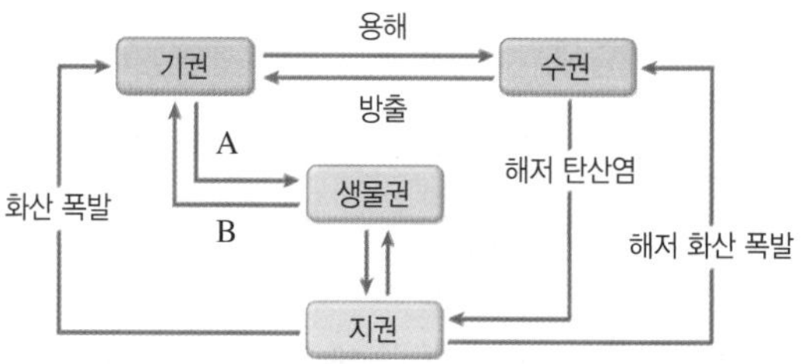

이에 대한 설명으로 옳은 것만을 [보기]에서 있는 대로 고른 것은?

보기
ㄱ. 지권에서 탄소는 이산화 탄소의 형태로 저장된다.
ㄴ. A의 예로 식물의 광합성, B의 예로 생물의 호흡이 있다.
ㄷ. 해수의 수온이 높을수록 이산화 탄소의 용해가 방출보다 활발하게 일어난다.

① ㄱ ② ㄴ ③ ㄷ
④ ㄱ, ㄷ ⑤ ㄴ, ㄷ

●●○

09 나래는 판의 구조와 운동을 이해하기 위해 다음과 같은 모형 실험을 하였다.

[과정]
(가) 냄비에 우유를 담고 표면을 코코아 가루로 덮는다.
(나) 냄비 아래의 중앙 부분을 가열한다.

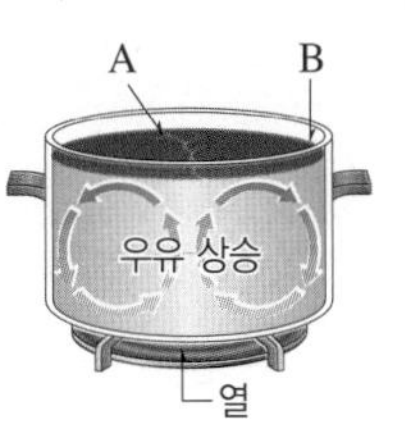

[결과]
코코아 가루로 덮인 표면이 서서히 갈라졌다.

이에 대한 설명으로 옳은 것만을 [보기]에서 있는 대로 고른 것은?

보기
ㄱ. 코코아 가루로 덮인 표면은 지각, 우유는 맨틀에 해당한다.
ㄴ. 우유의 움직임은 맨틀 대류에 해당한다.
ㄷ. A와 같은 경계에서는 해령이나 열곡대가 발달한다.
ㄹ. B는 판의 운동에서 수렴형 경계에 해당한다.

① ㄱ, ㄴ ② ㄱ, ㄹ ③ ㄴ, ㄷ
④ ㄱ, ㄷ, ㄹ ⑤ ㄴ, ㄷ, ㄹ

●●●

10 다음은 판 경계를 구분하는 과정을 나타낸 것이다.

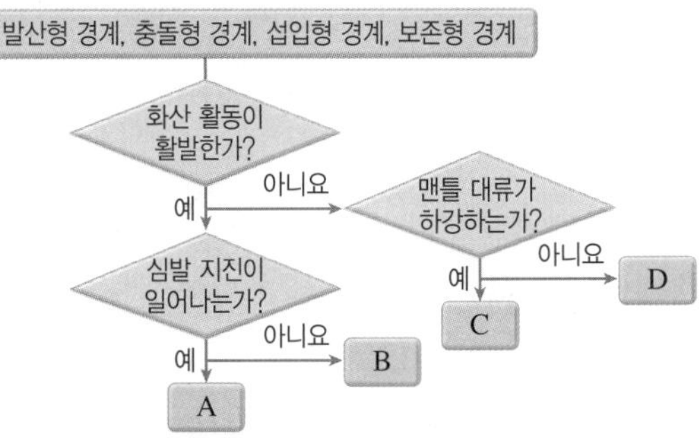

A~D에 대한 설명으로 옳은 것만을 [보기]에서 있는 대로 고른 것은?

보기
ㄱ. A는 대륙판과 대륙판의 수렴형 경계이다.
ㄴ. B에는 해령이, D에는 변환 단층이 발달한다.
ㄷ. 히말라야산맥은 C에 해당된다.

① ㄱ ② ㄴ ③ ㄷ
④ ㄱ, ㄷ ⑤ ㄴ, ㄷ

●●○

11 그림은 1990년~2006년에 아프리카와 아라비아 반도에서 지진이 발생한 지점과 판의 이동 방향을 나타낸 것이다. 이에 대한 설명으로 옳은 것은?

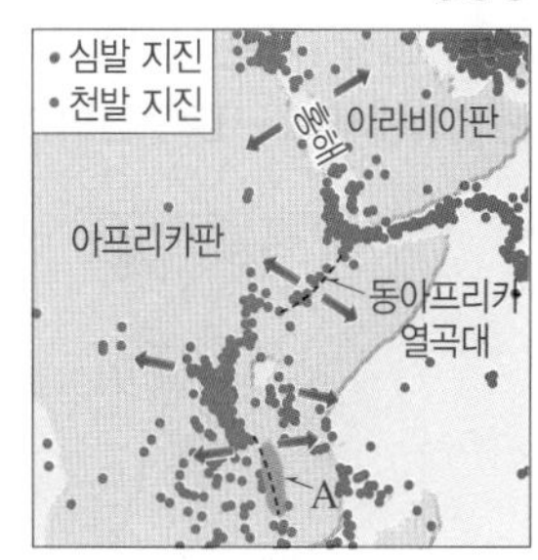

① 홍해에는 수렴형 경계가 발달한다.
② 이 지역에서는 화산 활동이 활발할 것이다.
③ 동아프리카 열곡대에는 주로 역단층이 발달할 것이다.
④ 동아프리카 열곡대 하부에서는 맨틀 물질이 하강한다.
⑤ A 지역에 생성된 호수의 폭은 점차 좁아질 것이다.

서술형 ●●○

12 그림은 해령 부근의 판 운동을 나타낸 것이다.

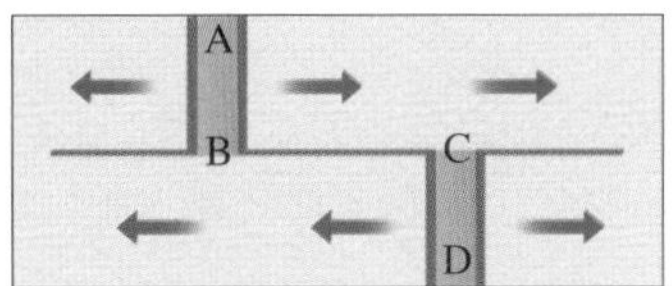

A−B, B−C, C−D 구간 중 (가)판의 생성과 소멸이 없는 구간을 모두 고르고, (나)이 구간에서 일어나는 지각 변동과 형성되는 지형을 서술하시오.

●●○

13 그림은 남아메리카 주변 판의 분포를 나타낸 것이다.

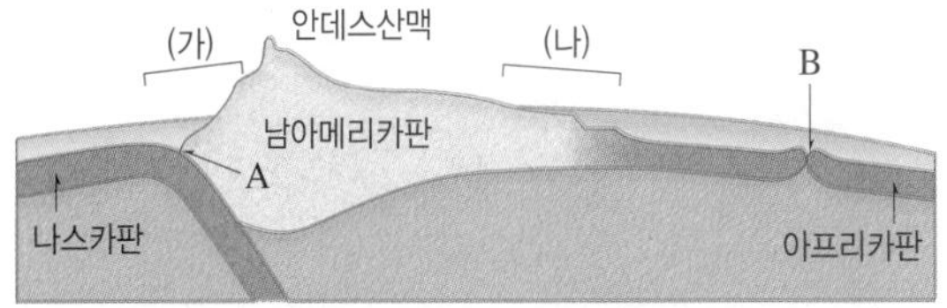

이에 대한 설명으로 옳은 것만을 [보기]에서 있는 대로 고른 것은?

보기
ㄱ. (가)에서 나스카판은 남아메리카판보다 밀도가 크다.
ㄴ. (가)와 (나) 지역은 모두 지진과 화산 활동이 활발하다.
ㄷ. A에서는 해구가 발달한다.
ㄹ. B에서는 새로운 해양 지각이 생성된다.

① ㄱ, ㄴ ② ㄴ, ㄷ ③ ㄷ, ㄹ
④ ㄱ, ㄴ, ㄹ ⑤ ㄱ, ㄷ, ㄹ

●●○

14 그림 (가)는 우리나라와 일본 주변의 진앙 분포를, (나)는 (가)에서 A－B 구간의 단면을 나타낸 것이다.

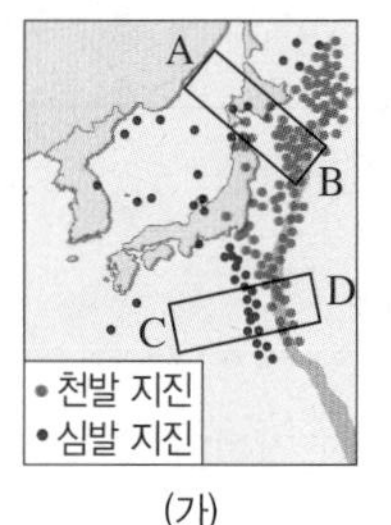

(가)

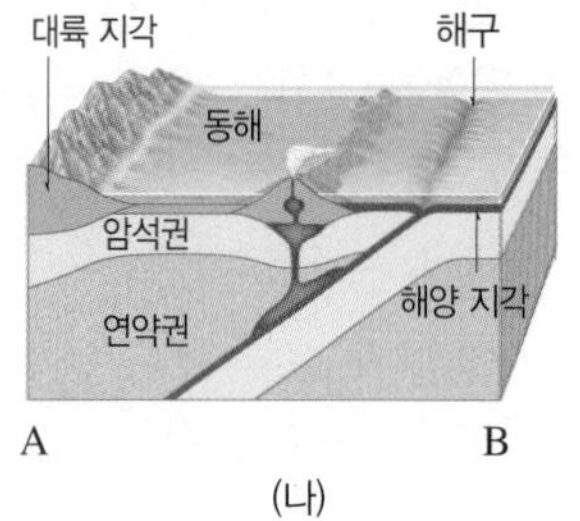

(나)

이에 대한 설명으로 옳은 것만을 [보기]에서 있는 대로 고른 것은?

보기

ㄱ. A에서 B로 갈수록 진원의 깊이는 깊어진다.
ㄴ. 해구에서 섭입하는 판의 경사는 A－B 구간보다 C－D 구간에서 더 급하다.
ㄷ. 일본은 판의 수렴형 경계에서 형성된 습곡 산맥이다.

① ㄱ ② ㄴ ③ ㄱ, ㄷ
④ ㄴ, ㄷ ⑤ ㄱ, ㄴ, ㄷ

서술형 ●●○

15 그림은 전 세계의 주요 판 경계를 나타낸 것이다.

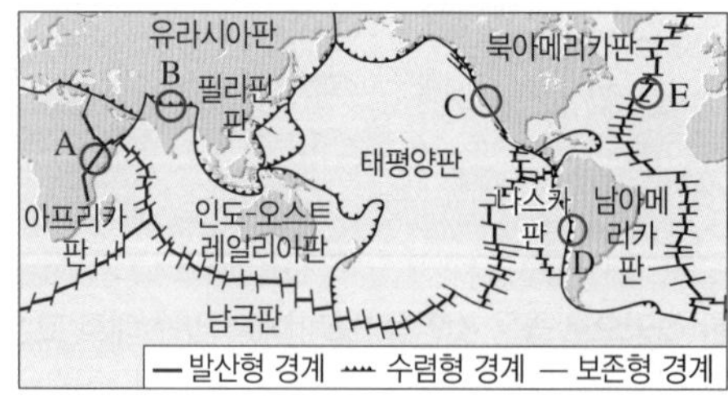

(1) A~E 중 맨틀 물질이 상승하여 새로운 판이 생성되는 경계를 모두 고르고, 그 지역의 지각 변동을 서술하시오.

(2) C와 D 지역의 판의 생성과 소멸, 지각 변동을 서술하시오.

(3) A~E 중 주로 역단층이 나타나는 지역을 모두 고르고, 역단층이 형성될 때 작용하는 힘을 서술하시오.

●●○

16 그림은 화산 분출물에 의한 피해 사례를 나타낸 것이다.

(가) 용암류

(나) 화산재

이에 대한 설명으로 옳은 것만을 [보기]에서 있는 대로 고른 것은?

보기

ㄱ. 기온 변화에 미치는 영향은 (가)보다 (나)가 크다.
ㄴ. 피해 면적은 일반적으로 (가)보다 (나)가 넓다.
ㄷ. (가)에 물을 뿌려주면 피해를 줄일 수 있다.

① ㄱ ② ㄷ ③ ㄱ, ㄴ
④ ㄴ, ㄷ ⑤ ㄱ, ㄴ, ㄷ

●●●

17 그림은 전 세계 지진의 진앙 분포를, 표는 최근에 발생한 규모가 큰 세 지진 A~C의 자료를 나타낸 것이다.

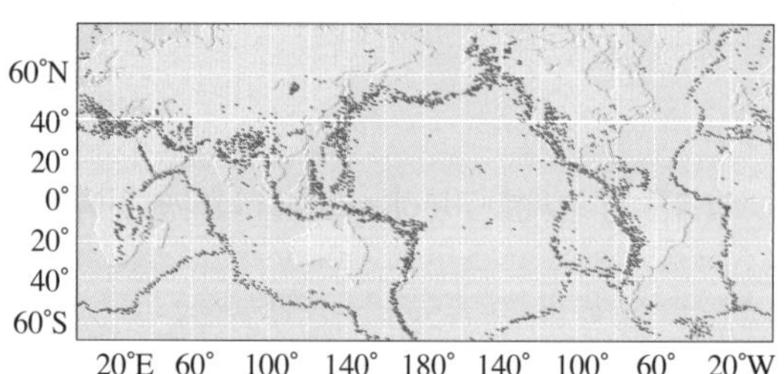

지진	진앙의 위치		규모
A	3.3°N	95.8°E	9.1
B	35.9°S	72.7°W	8.8
C	38.3°N	142.4°E	9.0

이에 대한 해석으로 옳은 것만을 [보기]에서 있는 대로 고른 것은?

보기

ㄱ. A는 판의 발산형 경계 부근에서 발생하였다.
ㄴ. B의 발생 지역은 환태평양 지진대에 속한다.
ㄷ. C의 발생 지역 부근은 화산 활동이 활발하다.
ㄹ. 지진에 의해 방출된 에너지양이 가장 많은 것은 A이다.

① ㄱ, ㄴ ② ㄱ, ㄹ ③ ㄴ, ㄷ
④ ㄱ, ㄷ, ㄹ ⑤ ㄴ, ㄷ, ㄹ

고난도 문제

정답친해 73쪽

01 그림 (가)는 원시 지구 기권의 구조를, (나)는 현재 지구 기권의 구조를 나타낸 것이다.

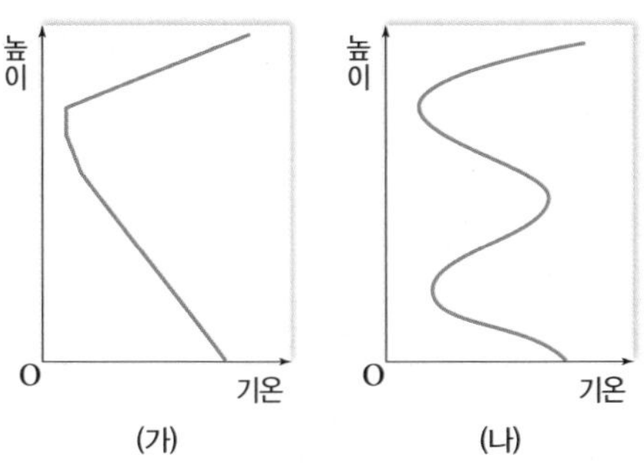

이에 대한 설명으로 옳은 것만을 [보기]에서 있는 대로 고른 것은?

보기
ㄱ. (가)에는 오존층이 존재하지 않았을 것이다.
ㄴ. 기권의 구조가 (가) → (나)로 변한 것은 생물의 광합성 작용과 관련이 있다.
ㄷ. (나)에서 오존층이 사라지면 지구에는 어떠한 생물도 살 수 없을 것이다.

① ㄱ ② ㄷ ③ ㄱ, ㄴ
④ ㄱ, ㄷ ⑤ ㄴ, ㄷ

02 그림은 지구 시스템의 탄소 순환 과정을 나타낸 것이다.

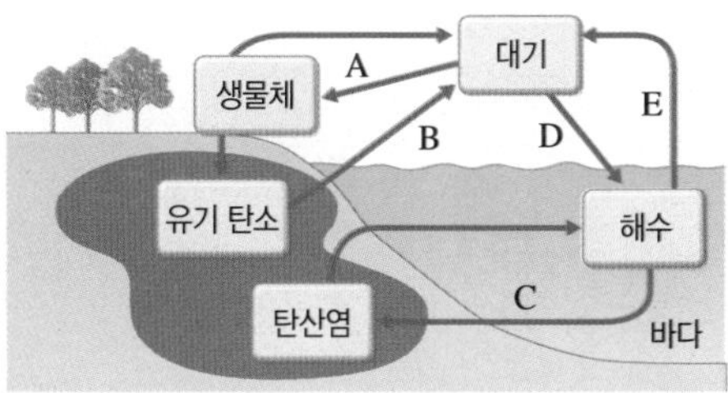

이에 대한 설명으로 옳은 것만을 [보기]에서 있는 대로 고른 것은?

보기
ㄱ. 광합성에 의한 유기물의 생성은 A 과정에 해당한다.
ㄴ. B 과정이 활발해지면 지구 전체 탄소량은 증가한다.
ㄷ. 석회암은 주로 C 과정을 통해 형성된다.
ㄹ. 수온이 상승하면 D 과정이 E 과정보다 더 활발하다.

① ㄱ, ㄷ ② ㄱ, ㄹ ③ ㄴ, ㄷ
④ ㄱ, ㄴ, ㄹ ⑤ ㄴ, ㄷ, ㄹ

03 그림은 서로 다른 세 판의 이동 방향을 모식적으로 나타낸 것이다.

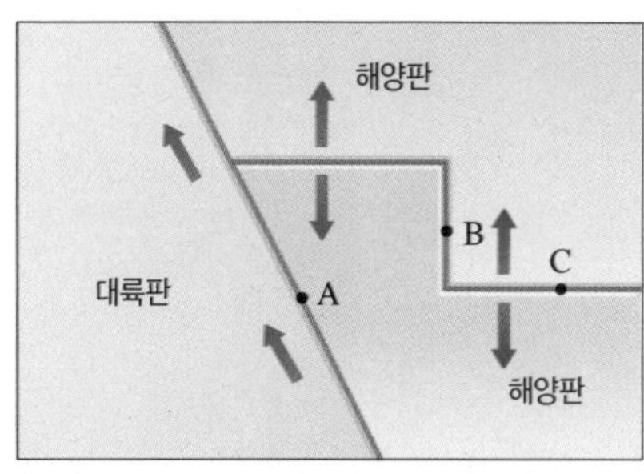

이에 대한 설명으로 옳은 것만을 [보기]에서 있는 대로 고른 것은?

보기
ㄱ. A에서는 해구가 형성될 수 있다.
ㄴ. B와 C에서는 심발 지진이 발생한다.
ㄷ. C의 하부에서는 맨틀 물질이 하강하여 판이 소멸한다.

① ㄱ ② ㄴ ③ ㄱ, ㄷ
④ ㄴ, ㄷ ⑤ ㄱ, ㄴ, ㄷ

04 그림은 같은 방향으로 이동하는 두 해양판 A와 B의 경계 부근에서 발생한 지진의 진앙 분포를, 표는 두 판의 이동 방향과 이동 속력을 나타낸 것이다.

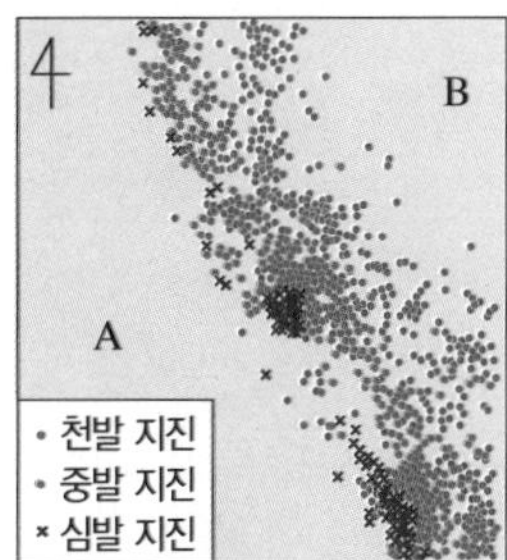

구분	A	B
이동 방향	남서쪽	남서쪽
이동 속력 (cm/년)	6	㉠

이에 대한 설명으로 옳은 것만을 [보기]에서 있는 대로 고른 것은?

보기
ㄱ. ㉠은 6보다 크다.
ㄴ. 판의 밀도는 A가 B보다 작다.
ㄷ. 판의 경계를 따라 습곡 산맥이 발달한다.

① ㄱ ② ㄷ ③ ㄱ, ㄴ
④ ㄴ, ㄷ ⑤ ㄱ, ㄴ, ㄷ

배운 내용

- 세포
- 생물의 구성 단계
- 소화 효소
- 염색체와 유전자

3 생명 시스템

배울 내용

- 세포의 구조와 기능
- 세포막의 구조
- 물질대사
- 효소
- 유전자(DNA)와 단백질
- 유전 정보의 흐름

생명체를 구성하는 기본 단위인 세포가 세포막을 통해 외부와 상호 작용을 하면서 물질대사를 통해 생명 활동을 유지한다는 것을 배운다. 유전자를 중심으로 생명 시스템이 유지되는 원리를 이해한다.

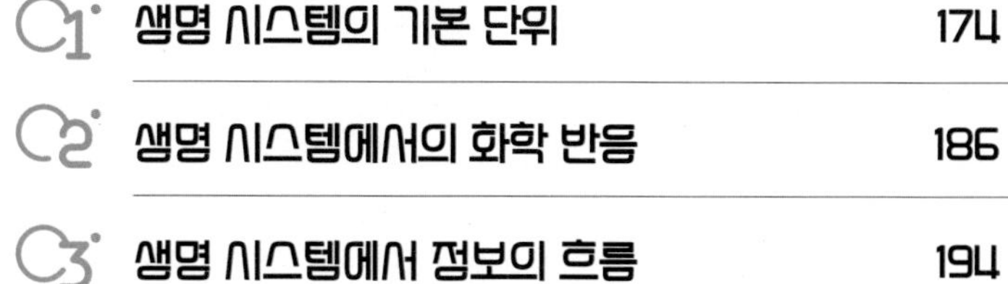

01 생명 시스템의 기본 단위

핵심 포인트
❶ 세포 소기관의 구조와 기능 ★★★
❷ 세포막의 구조와 특성 ★★
❸ 세포막을 통한 확산과 삼투 ★★★

A 생명 시스템의 유기적 구성

1. 생명 시스템

① 생물은 지구 시스템의 생물권을 구성하고, 각각의 생물은 몸을 구성하는 여러 요소가 상호 작용 하며 다양한 생명 활동을 수행하는 하나의 생명 시스템이다.

② ◆생명 시스템은 하나의 생물 개체일 수도 있고, 하나의 세포일 수도 있다.

2. 생명 시스템의 구성 단계 — 다세포 생물

개체는 세포들이 단순히 모인 집단이 아니라 수많은 세포가 유기적으로 조직되어 정교한 체제를 이룬다.

세포	→	◆조직	→	기관	→	개체
생명 시스템을 구성하는 구조적 · 기능적 단위		모양과 기능이 비슷한 세포들의 모임		여러 조직이 모여 고유한 형태와 기능을 가진 것		여러 기관이 모여 독립적으로 생명 활동을 하는 하나의 생명체

이것까지 나와요! 생명과학Ⅱ

동물체와 식물체의 구성 단계

동물체에는 여러 기관이 모여 공통의 기능을 담당하는 ◆기관계가 있고, 식물체에는 여러 조직이 모여 통합적으로 기능을 수행하는 조직계가 있다.

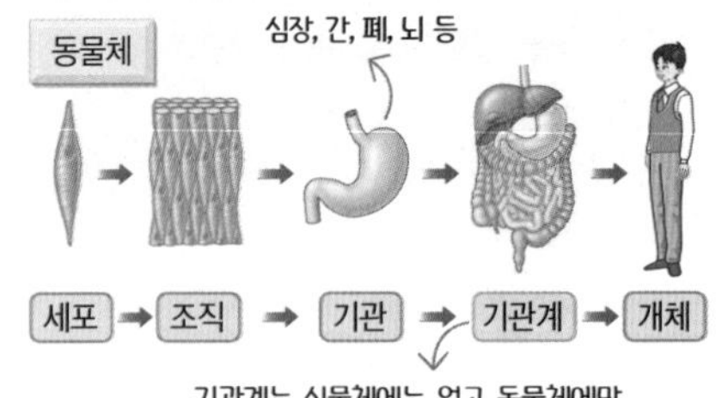

기관계는 식물체에는 없고 동물체에만 있는 구성 단계이다.

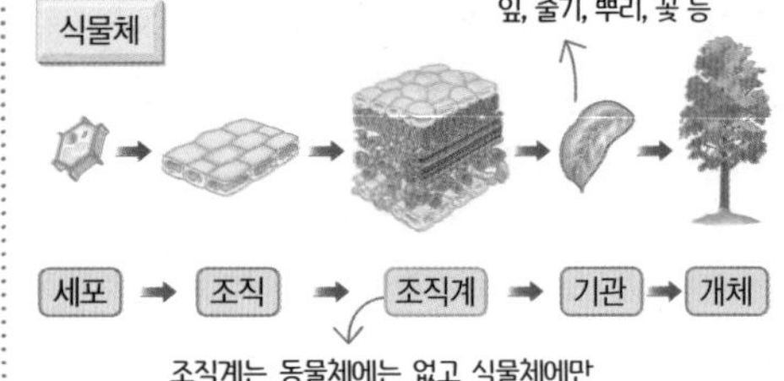

조직계는 동물체에는 없고 식물체에만 있는 구성 단계이다.

◆ **생명 시스템**
- 하나의 생물 개체는 수많은 세포가 서로 유기적으로 조직되어 정교한 체제를 이루고 상호 작용 함으로써 생명 현상을 나타낸다. 또 외부 환경 요소와도 끊임없이 상호 작용 한다.
- 세포는 여러 세포 소기관이 상호 작용 하여 생명 현상을 나타내며, 세포막을 통해 외부와 끊임없이 상호 작용 한다.

◆ **조직**
동물체의 조직에는 상피 조직, 근육 조직, 신경 조직, 결합 조직이 있고, 식물체의 조직에는 분열 조직(생장점, 형성층)과 영구 조직(표피 조직, 유조직, 통도 조직)이 있다.

◆ **기관계**
동물체의 기관계에는 소화계, 순환계, 호흡계, 배설계, 신경계 등이 있다.

암기해!
- 동물체에만 있는 단계: 기관계
- 식물체에만 있는 단계: 조직계

B 세포의 구조와 기능

1. 세포의 구조 세포는 세포막으로 둘러싸여 있으며, 내부는 핵과 ❶세포질로 구분된다. 세포질에는 다양한 세포 소기관이 있다.

| 동물 세포와 식물 세포의 구조 |

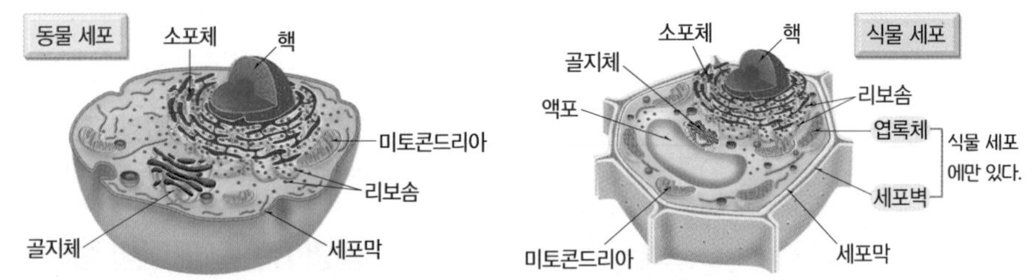

- 핵, 세포막, 미토콘드리아, 리보솜, 소포체 등은 동물 세포와 식물 세포에 공통적으로 존재한다.
- 동물 세포와 달리 식물 세포에는 엽록체와 세포벽이 있고, 액포가 발달되어 있다.

암기해!
동물 세포에는 없고 식물 세포에만 있는 세포 소기관
엽록체, 세포벽

(용어)
❶ **세포질(細 가늘다, 胞 세포, 質 바탕)** 세포에서 세포막 안쪽의 핵을 제외한 나머지 부분이다. 세포질에는 여러 세포 소기관이 있다.

2. ◆세포 소기관의 기능

① **핵:** 세포에서 가장 큰 세포 소기관으로, 뚜렷하게 관찰된다. 핵막으로 둘러싸여 있으며, 유전 정보를 저장하고 있는 DNA가 있어 세포의 생명 활동을 조절한다.
└● 핵 속의 DNA에 저장되어 있는 유전 정보가 세포질로 전달되어 단백질이 합성됨으로써 다양한 생명 활동이 나타난다.

② **리보솜:** 막으로 둘러싸여 있지 않으며, 작은 알갱이 모양이다. DNA의 유전 정보에 따라 아미노산을 결합하여 단백질을 합성한다.

③ **소포체:** 막으로 둘러싸인 납작한 주머니와 관으로 되어 있으며, 핵막과 연결되어 있다. 리보솜에서 합성된 단백질을 골지체나 세포의 다른 곳으로 운반하거나 지질을 합성한다.

④ **골지체:** 막으로 둘러싸인 납작한 주머니가 여러 층으로 포개져 있는 모양이다. 소포체에서 운반된 단백질, 지질 등을 막으로 싸서 세포 밖으로 분비한다. ─● 골지체에서는 단백질의 변형이 일어나기도 하며, 단백질을 막으로 싸서 세포 내 다른 곳으로 이동시키거나 세포 밖으로 분비한다.

단백질의 합성과 이동에 관여하는 세포 소기관

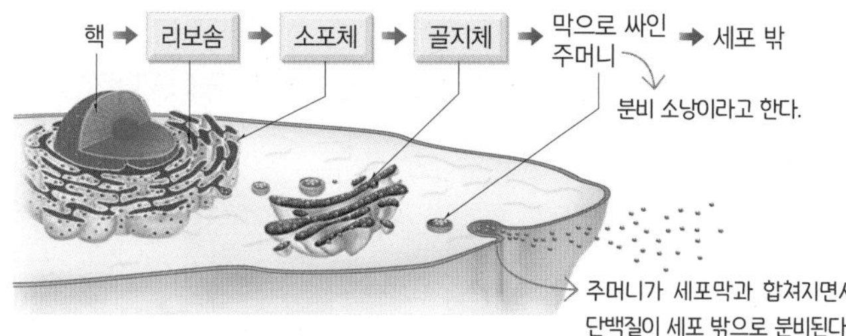

핵 속에 있는 DNA의 유전 정보에 따라 리보솜에서 단백질이 합성된다. 합성된 단백질은 소포체를 통해 골지체로 이동하여 저장되었다가 막으로 싸인 주머니에 담겨 세포막 쪽으로 이동하여 세포 밖으로 분비된다. ➡ 단백질의 합성과 이동에는 핵, 리보솜, 소포체, 골지체와 같은 여러 세포 소기관이 관여한다.

⑤ **엽록체:** 초록색 알갱이 모양으로, 막으로 둘러싸여 있다. 광합성이 일어나는 장소로, 이산화 탄소와 물을 원료로 포도당을 합성한다. ─● 광합성 과정에서 이산화 탄소를 흡수하고, 산소를 방출한다.

⑥ **미토콘드리아:** 둥근 막대 모양으로, 막으로 둘러싸여 있다. 세포 호흡이 일어나는 장소로, 산소를 이용해 유기물을 분해하여 세포가 ◆생명 활동을 하는 데 필요한 에너지를 생산한다. ─● 세포 호흡 과정에서 산소를 흡수하고, 이산화 탄소를 방출한다.

에너지 전환에 관여하는 세포 소기관

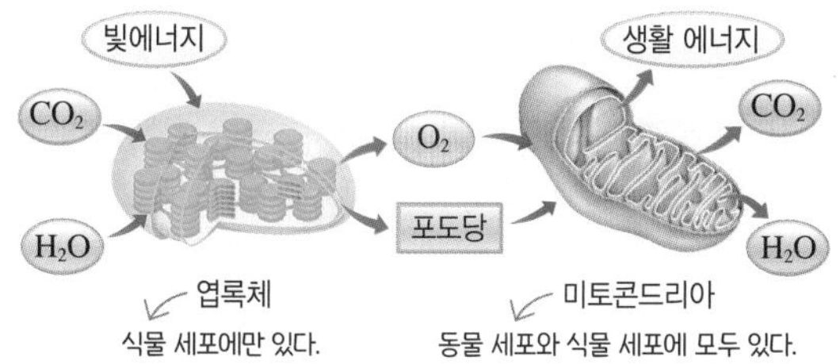

- 엽록체는 빛에너지를 포도당의 화학 에너지로 전환한다. ➡ 광합성
- 미토콘드리아는 포도당의 화학 에너지를 생명 활동에 사용하는 형태의 화학 에너지로 전환한다. ➡ 세포 호흡

⑦ ◆**액포(중심 액포):** 물, 색소, 노폐물 등을 저장하며, 식물 세포에 크게 발달해 있다. ─● 성숙한 식물 세포일수록 크기가 크다.

⑧ **세포막:** 세포를 둘러싸고 있는 얇은 막으로, 세포 내부를 외부와 독립된 공간으로 만든다. 세포 안팎으로 물질이 출입하는 것을 조절한다.

⑨ **세포벽:** 식물 세포의 세포막 바깥에 있는 단단한 벽으로, 세포를 보호하고 세포의 형태를 유지한다. ─● 포도당이 단위체인 셀룰로스가 주성분이다.

비상, 동아 교과서에만 나와요.

◆ **세포와 공장 비교**
세포를 공장에 비유하여 유사한 기능을 하는 부분을 비교해 보면 다음과 같다.

세포	공장
핵	중앙 통제소
세포막	담과 출입구
미토콘드리아	자가 발전소
리보솜	제품 생산 기계
소포체	제품 운반 장치
골지체	제품 포장 장치

◆ **세포 소기관의 막 구조**
- 이중막 구조: 핵, 엽록체, 미토콘드리아
- 단일막 구조: 소포체, 골지체, 액포
- 막이 없음: 리보솜

◆ **생명 활동을 하는 데 사용하는 에너지**
생물이 생명 활동을 하는 데 직접 사용하는 에너지는 ATP를 분해하여 얻는다. ATP(adenosine triphosphate)는 아데닌, 당(리보스), 인산 세 분자가 결합한 물질로, 에너지 저장 물질이다.

◆ **액포**
액포는 세포액이 들어 있는 주머니로, 일반적으로 식물 세포에 있는 것을 말한다. 골지체 등에서 만들어지는 작은 주머니도 액포라고 하므로, 식물 세포에 있는 액포를 이러한 액포들과 구별하여 '중심 액포'라고 부르기도 한다.

개념 확인 문제

정답친해 75쪽

핵심 체크

- 생명 시스템: 생물 개체는 수많은 세포들이, 세포는 여러 (❶)이 상호 작용 하는 생명 시스템이다.
- 생명 시스템의 구성 단계: 세포 → 조직 → (❷) → 개체
- 세포의 구조와 기능
  - (❸): 유전 정보를 저장하고 있는 DNA가 있어 세포의 생명 활동을 조절한다.
  - (❹): 단백질을 합성한다.
  - 소포체: 리보솜에서 합성한 단백질을 골지체나 세포의 다른 곳으로 운반한다.
  - (❺): 운반된 단백질을 막으로 싸서 세포 밖으로 분비한다.
  - (❻): 광합성이 일어나는 장소로, 빛에너지를 흡수하여 이산화 탄소와 물을 원료로 포도당을 합성한다.
  - (❼): 세포 호흡이 일어나는 장소로, 세포의 생명 활동에 필요한 에너지를 생산한다.
  - (❽): 세포를 둘러싸고 있는 얇은 막으로, 세포 안팎으로의 물질 출입을 조절한다.

1 생명 시스템에 대한 설명으로 옳은 것은 ○, 옳지 않은 것은 ×로 표시하시오.

(1) 생명 시스템은 생물 개체만을 의미한다. ( )

(2) 생물 개체는 외부 환경 요소와 관계없이 독립적으로 살아가는 생명 시스템이다. ( )

(3) 생물은 지구 시스템의 생물권에 속한다. ( )

(4) 세포는 세포막을 통해 물질이 출입하고 외부와 상호 작용한다. ( )

2 생명 시스템에서 생명체를 구성하는 기본 단위는 무엇인지 쓰시오.

3 다음은 생명 시스템의 구성 단계를 나타낸 것이다. ( ) 안에 알맞은 말을 쓰시오.

> 세포 → ㉠( ) → ㉡( ) → 개체

4 다음은 동물체와 식물체의 구성 단계를 순서 없이 나타낸 것이다.

> (가) 세포 → 조직 → 기관 → ㉠( ) → 개체
> (나) 세포 → 조직 → ㉡( ) → 기관 → 개체

(1) (가)와 (나) 중 동물체의 구성 단계는 어느 것인지 쓰시오.

(2) ㉠과 ㉡에 해당하는 구성 단계를 쓰시오.

[5~7] 그림은 식물 세포의 구조를 나타낸 것이다.

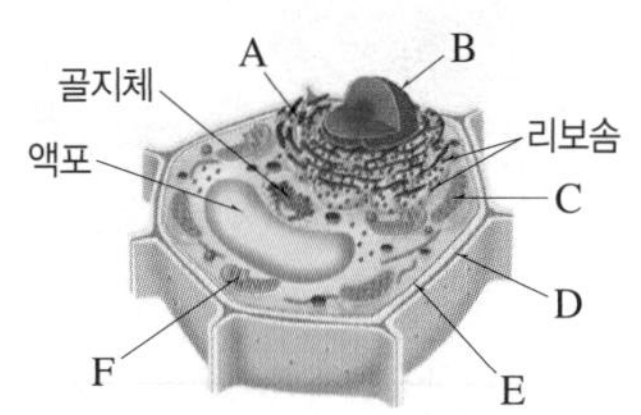

5 세포 소기관 A~F의 이름을 쓰시오.

6 A~F 중 동물 세포에는 없고 식물 세포에만 있는 세포 소기관의 기호를 모두 쓰시오.

7 세포의 생명 활동에 필요한 에너지를 생산하는 세포 소기관의 기호를 쓰시오.

8 다음은 동물 세포에서 일어나는 단백질의 합성과 이동 과정을 나타낸 것이다.

유전 정보	→	단백질 합성	→	이동	→	분비
(㉠)		(㉡)		(㉢)		골지체

( ) 안에 해당하는 세포 소기관의 이름을 쓰시오.

C 세포막의 구조와 선택적 투과성

1. 세포막의 구조

① **세포막의 주성분:** ◆인지질과 ◆단백질이다. ─● 비상, 천재, 동아 교과서에서는 단백질로, 미래엔, 금성 교과서에서는 막단백질로 표현하였다.

② **세포막의 구조:** 인지질 2중층에 단백질(막단백질)이 파묻혀 있거나 관통하고 있는 구조로, 인지질은 유동성이 있어 단백질이 고정되어 있지 않고 움직일 수 있다.

| 세포막의 구조 |

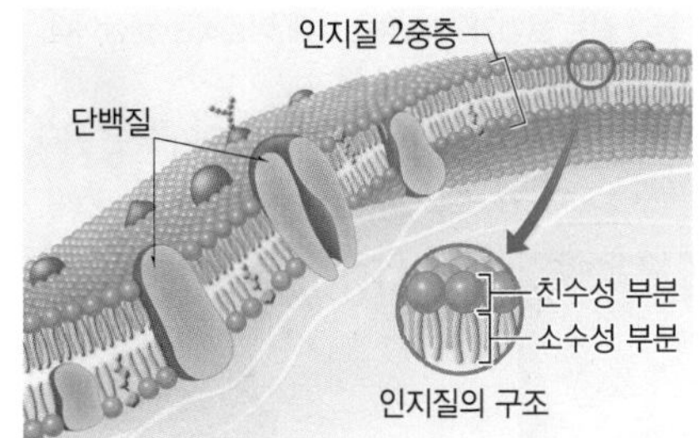

인지질은 유동성이 있어 단백질의 위치가 고정되어 있지 않고 바뀐다.

- 인지질은 지질에 인산이 결합되어 있는 물질이다. 머리 부분은 ❶친수성이고, 꼬리 부분은 ❷소수성이다.
- 인지질은 친수성인 머리 부분이 물과 접한 바깥쪽을 향하고, 소수성인 꼬리 부분이 서로 마주 보며 배열한다. ➡ 인지질 2중층을 이룬다.
- 단백질은 인지질 2중층에 파묻혀 있거나 관통하거나 표면에 붙어 있다. 인지질 2중층을 관통하고 있는 단백질 중에는 물질 이동에 관여하는 것이 있다.

2. 세포막의 선택적 투과성

2. 세포막의 선택적 투과성 세포막은 물질의 종류에 따라 어떤 물질은 잘 투과시키고 어떤 물질은 잘 투과시키지 않는 특성이 있어 세포 안팎으로의 물질 출입을 조절한다. 세포막을 통과하는 물질은 특성에 따라 각각 다른 방식으로 이동한다.

① **분자의 크기:** 일반적으로 분자의 크기가 작은 물질일수록 인지질 2중층을 잘 통과한다.

② **지질에 대한 용해도:** 일반적으로 지질에 잘 녹아 인지질의 소수성 부분에 잘 섞이는 물질은 인지질 2중층을 잘 통과한다. ─● 성호르몬은 지질 성분으로 되어 있어 인지질 2중층을 통해 확산할 수 있다.

③ **전하:** 전하를 띠는 물질은 인지질 2중층을 통과하기 어려워 막단백질을 통해 이동한다.

D 세포막을 통한 물질 이동

1. 확산 분자가 스스로 운동하여 농도가 높은 곳에서 낮은 곳으로 이동하는 현상이다. 세포막을 통한 확산은 인지질 2중층과 막단백질을 통해 일어난다.
(● 확산은 분자 운동으로 일어나므로 세포가 에너지를 사용하지 않는다.)

구분	인지질 2중층을 통한 확산(단순 확산)	막단백질을 통한 확산(촉진 확산)
확산 방식	산소(O_2) / 세포 밖 / 세포 안 — 물질이 인지질 2중층을 직접 통과하여 확산한다.	포도당 / 세포 밖 / 단백질 / 세포 안 — 물질이 막단백질을 통해 확산한다. (● 특정 막단백질은 특정 물질만을 이동시킨다.)
◆확산 속도	분자의 크기가 작을수록, 온도가 높을수록, 세포 안팎의 농도 차가 클수록, 지질에 대한 용해도가 클수록 빠르게 확산한다.	세포 안팎의 농도 차가 클수록 빠르게 확산하지만, 일정 농도 차 이상에서는 확산 속도가 더 이상 증가하지 않는다.
이동 물질	기체 분자(산소, 이산화 탄소 등), 지용성 물질(지방산, 글리세롤 등)	수용성 물질(포도당, 아미노산 등), 전하를 띠는 물질(이온 등)
예	폐포와 모세 혈관 사이의 O_2와 CO_2 교환	혈액 속의 포도당이 조직 세포로 확산

포도당, 아미노산과 같은 비교적 분자 크기가 작은 수용성 물질은 막단백질을 통해 이동하지만, 단백질과 같은 고분자 물질은 세포막을 통해 확산하지 못하고 막으로 싸여 이동한다.

◆ 인지질
인지질은 글리세롤에 인산을 포함한 성분이 결합한 머리 부분과, 지방산 두 분자로 된 꼬리 부분으로 구성된다. 인산을 포함한 머리 부분은 친수성이고, 지방산으로 된 꼬리 부분은 소수성이다.

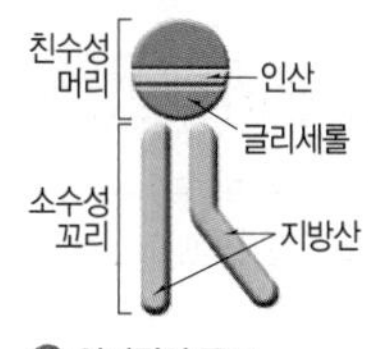

▲ 인지질의 구조

◆ 막단백질의 종류와 기능
세포막에는 물질 이동에 관여하는 단백질 외에도 다른 세포 인식, 신호 전달, 효소 작용 등의 기능을 담당하는 다양한 종류의 단백질이 있다.

◆ 확산 속도의 비교

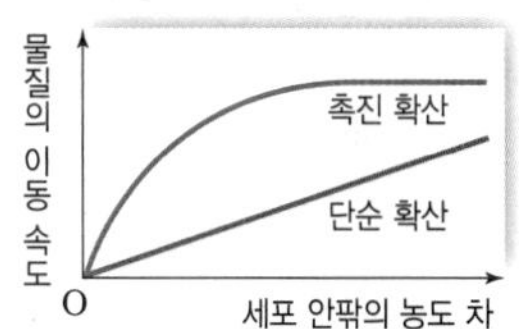

인지질 2중층을 통한 단순 확산은 세포 안팎의 물질 농도 차에 비례하여 물질의 이동 속도가 계속 증가하지만, 막단백질을 통한 촉진 확산은 일정 농도 차 이상에서는 물질의 이동 속도가 더 이상 증가하지 않는다. ─● 물질 이동에 관여하는 막단백질이 모두 물질을 이동시키고 있기 때문이다.

(용어)
❶ **친수성(親 친하다, 水 물, 性 성질)** 물과 친한 성질로, 물 분자와 쉽게 결합하는 성질
❷ **소수성(疏 친하지 않다, 水 물, 性 성질)** 물과 친하지 않은 성질로, 물 분자와 쉽게 결합하지 않는 성질

암기해!

- **확산**: 고농도 $\xrightarrow{\text{용질}}$ 저농도
- **삼투**: 저농도 $\xrightarrow{\text{용매(물)}}$ 고농도

◆ **반투과성 막과 삼투압**

- 반투과성 막: 미세한 구멍이 뚫려 있어 구멍보다 크기가 작은 용매나 용질은 통과할 수 있고, 크기가 큰 물질은 통과할 수 없는 막이다. 세포막, 달걀 속껍질, 셀로판 막 등이 있다.
- 삼투압: 반투과성 막을 경계로 용질의 농도가 낮은 용액에서 높은 용액으로 물이 이동하는 삼투가 일어날 때, 반투과성 막이 받는 압력을 삼투압이라고 한다. 삼투압은 용액의 농도가 높을수록 커진다.

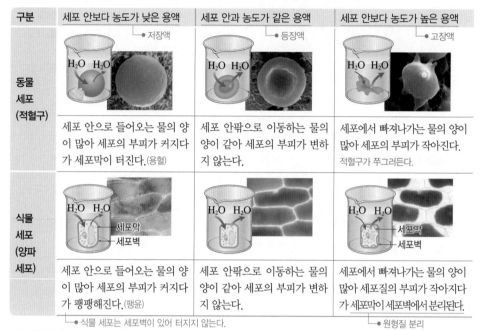

◆ **삼투가 일어날 때 물 분자의 이동 방향**

세포막을 경계로 삼투에 의해 물이 이동할 때, 물 분자는 양방향으로 이동한다. 그러나 용질의 농도가 낮은 곳에서 높은 곳으로 이동하는 물의 양이 반대쪽으로 이동하는 물의 양보다 많아서 세포의 부피와 모양이 변하게 된다.

궁금해?

물은 세포막의 인지질층을 통해 이동할까, 단백질을 통해 이동할까?

물 분자는 크기가 매우 작아서 인지질 2중층을 직접 통과할 수 있지만, 인지질의 소수성 부분 때문에 이동 속도가 매우 느리다. 세포막에는 물이 이동하는 단백질이 있어 물이 빠르게 확산할 수 있다.

2. 삼투 세포막을 경계로 용질의 농도가 낮은 용액에서 높은 용액으로 물이 이동하는 현상이다. → 삼투는 물 분자가 많은 곳에서 적은 곳으로 이동하는 확산의 일종으로, 세포가 에너지를 사용하지 않는다.

① **세포에서의 삼투**: 세포를 세포 안과 농도가 다른 용액에 넣으면 삼투에 의해 ◆물이 세포막을 통해 이동하여 세포의 모양이 달라지기도 한다.

동아 교과서에만 나와요.

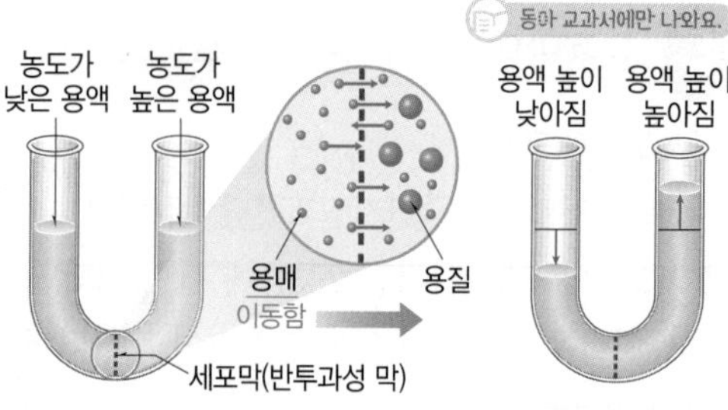

⊙ **삼투** 용질이 입자의 크기가 커서 세포막을 통과하지 못할 때 물과 같은 용매가 세포막을 통해 이동하는 현상이다.

구분	세포 안보다 농도가 낮은 용액 (저장액)	세포 안과 농도가 같은 용액 (등장액)	세포 안보다 농도가 높은 용액 (고장액)
동물 세포 (적혈구)	H_2O H_2O	H_2O H_2O	H_2O H_2O
	세포 안으로 들어오는 물의 양이 많아 세포의 부피가 커지다가 세포막이 터진다.(용혈)	세포 안팎으로 이동하는 물의 양이 같아 세포의 부피가 변하지 않는다.	세포에서 빠져나가는 물의 양이 많아 세포의 부피가 작아진다. 적혈구가 쭈그러든다.
식물 세포 (양파 세포)	H_2O H_2O 세포막, 세포벽	H_2O H_2O	H_2O H_2O 세포막, 세포벽
	세포 안으로 들어오는 물의 양이 많아 세포의 부피가 커지다가 팽팽해진다.(팽윤) → 식물 세포는 세포벽이 있어 터지지 않는다.	세포 안팎으로 이동하는 물의 양이 같아 세포의 부피가 변하지 않는다.	세포에서 빠져나가는 물의 양이 많아 세포질의 부피가 작아지다가 세포막이 세포벽에서 분리된다. → 원형질 분리

② **삼투의 예**

- 콩팥의 세뇨관에서 모세 혈관으로 물이 재흡수된다.
- 식물에 비료를 많이 주면 식물이 말라 죽는다. → 흙 속의 농도가 식물의 뿌리 세포 안보다 높아져 뿌리에서 흙으로 물이 빠져나가기 때문이다.
- 시든 식물에 물을 주면 싱싱해진다. → 시든 식물이 물을 흡수하면서 세포 부피가 커져 팽팽해지기 때문이다.

탐구 자료창 세포막을 통한 물질 이동 실험

양파의 표피 조각을 농도가 서로 다른 설탕 용액에 넣어 두었다가 현미경으로 관찰한다.

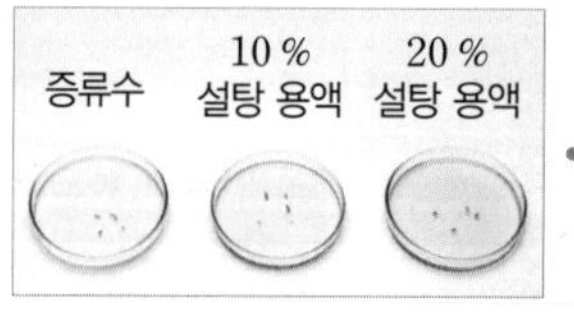

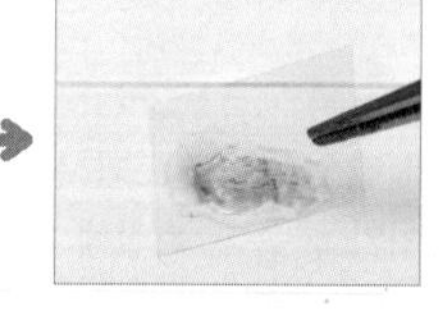

붉은 양파의 비늘잎 바깥쪽 표피 조직은 벗겨 내기 어렵지만 세포의 모습을 관찰하기 좋다.

1. **증류수에 넣은 양파 세포**: 팽팽해졌다. ➡ 물이 양파 세포 안으로 많이 들어왔다.
2. **10 % 설탕 용액에 넣은 양파 세포**: 거의 변하지 않았다. ➡ 세포 안팎으로 이동하는 물의 양이 같았다.
3. **20 % 설탕 용액에 넣은 양파 세포**: 세포막이 세포벽에서 분리되었다. ➡ 물이 양파 세포 밖으로 많이 빠져나갔다.
4. **결론**: 물은 세포막을 경계로 용질의 농도가 낮은 곳에서 높은 곳으로 삼투에 의해 이동한다.

개념 확인 문제

정답친해 75쪽

핵심 체크

- 세포막의 구조: (❶) 2중층에 단백질이 파묻혀 있거나 관통하고 있다.
- 세포막의 (❷): 세포막은 물질의 종류에 따라 물질을 투과시키는 정도가 다르다.
- 세포막을 통한 (❸): 세포막을 경계로 물질이 농도가 높은 곳에서 낮은 곳으로 이동하는 현상
  - 인지질 2중층을 통한 확산: 산소와 이산화 탄소 같은 기체 분자, 지방산과 같은 (❹)성 물질이 이동
  - (❺)을 통한 확산: 포도당, 아미노산과 같은 수용성 물질, 이온이 이동
- 세포막을 통한 (❻): 세포막을 경계로 용질의 농도가 낮은 용액에서 높은 용액으로 물이 이동하는 현상
  - 세포를 농도가 낮은 용액에 넣었을 때: 세포 안으로 들어오는 물의 양이 많아 세포의 부피가 (❼)진다.
  - 세포를 농도가 같은 용액에 넣었을 때: 세포 안팎으로 이동하는 물의 양이 같아 세포의 부피가 변하지 않는다.
  - 세포를 농도가 높은 용액에 넣었을 때: 세포 밖으로 빠져나가는 물의 양이 많아 세포의 부피가 (❽)진다.

[1~2] 그림은 세포막의 구조를 나타낸 것이다.

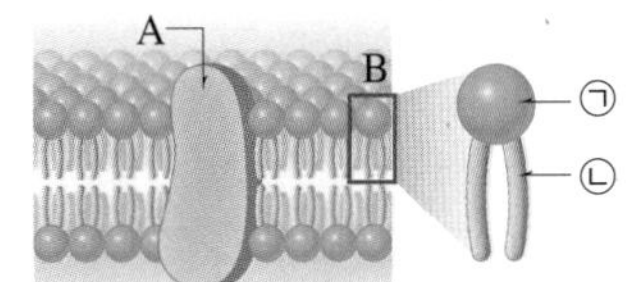

1 세포막을 구성하는 성분 A와 B를 각각 쓰시오.

2 B에 대한 설명으로 옳은 것은 ○, 옳지 않은 것은 ×로 표시하시오.

(1) ㉠은 소수성이고, ㉡은 친수성이다. ( )
(2) 세포막에서 2중층을 이루고 있다. ( )
(3) 세포막의 특정 위치에 고정되어 있다. ( )

3 다음에서 설명하는 세포막의 특성을 쓰시오.

> 세포막은 일반적으로 분자 크기가 작은 물질은 잘 통과시키지만, 전하를 띠는 물질은 잘 통과시키지 않는다. 또 세포막은 수용성 물질보다 지용성 물질을 잘 통과시킨다.

[4~5] 그림은 세포막을 통해 물질이 이동하는 두 가지 방식을 나타낸 것이다.

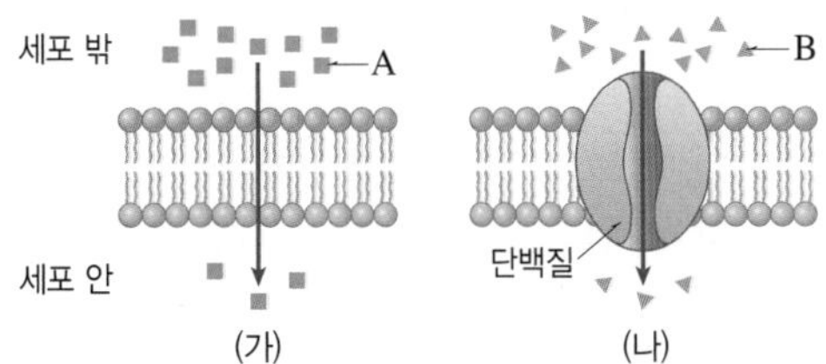

4 물질 이동 방식 (가)와 (나)의 이름을 각각 쓰시오.

5 다음은 세포막을 통해 이동하는 물질을 나열한 것이다.

> 산소 포도당 K^+

(1) 물질 A와 같은 방식으로 이동하는 물질을 모두 쓰시오.
(2) 물질 B와 같은 방식으로 이동하는 물질을 모두 쓰시오.

6 그림은 사람의 적혈구를 용액 X에 넣었을 때의 변화를 나타낸 것이다.

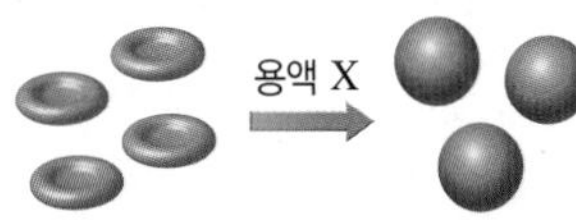

이에 대한 설명으로 옳은 것은 ○, 옳지 않은 것은 ×로 표시하시오.

(1) 적혈구 막을 통한 물의 이동 원리는 삼투이다. ( )
(2) 적혈구 막을 경계로 이동한 물의 양을 비교하면 '들어온 물의 양 < 빠져나간 물의 양'이다. ( )
(3) 용액의 농도는 적혈구 안 > 용액 X이다. ( )

7 식물 세포를 세포 안보다 농도가 높은 설탕 용액에 넣었을 때의 변화로 옳은 것은 ○, 옳지 않은 것은 ×로 표시하시오.

(1) 세포 안으로 들어오는 물의 양이 세포 밖으로 빠져나가는 물의 양보다 많다. ( )
(2) 처음보다 세포의 부피가 커진다. ( )
(3) 세포막이 세포벽에서 분리되는 현상이 나타난다. ( )

내신 만점 문제

A 생명 시스템의 유기적 구성

01 생명 시스템에 대한 설명으로 옳지 않은 것은?

① 생명체는 외부 환경과 상호 작용 하며 살아간다.
② 세포는 생명체를 구성하는 기본 단위이다.
③ 세포는 생명 현상을 나타내는 기본 단위이다.
④ 단세포 생물은 하나의 세포로 생명 활동을 유지하고 번식한다.
⑤ 다세포 생물은 모양과 기능이 비슷한 조직이 모여 기관을 형성한다.

02 다음은 생명 시스템의 구성 단계를 나타낸 것이다.

(A) → 조직 → (B) → 개체

이에 대한 설명으로 옳은 것만을 [보기]에서 있는 대로 고른 것은?

보기
ㄱ. A는 그 자체로도 하나의 생명 시스템이다.
ㄴ. B는 한 가지 조직으로 구성되며, 일정한 형태를 갖는다.
ㄷ. 심장은 B의 예에 해당한다.

① ㄱ ② ㄴ ③ ㄷ
④ ㄱ, ㄷ ⑤ ㄴ, ㄷ

중요 **03** 그림은 사람의 구성 단계를 나타낸 것이다.

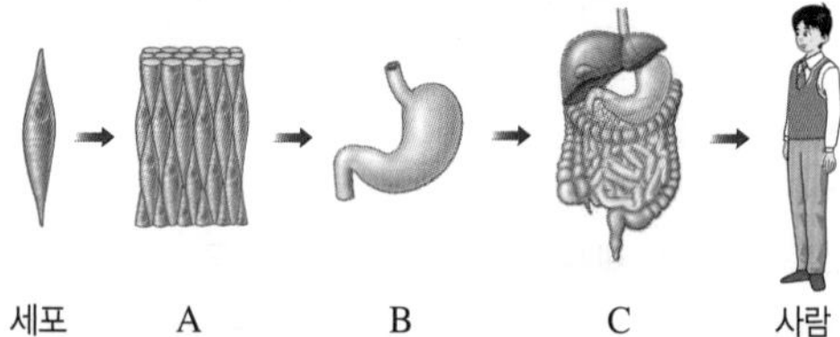

이에 대한 설명으로 옳지 않은 것은?

① A를 구성하는 각 세포에서 생명 활동이 일어난다.
② A는 모양은 같고 기능이 다른 세포들의 모임이다.
③ B를 구성하는 세포들은 모양과 기능이 다양하다.
④ C는 여러 기관으로 구성된다.
⑤ A에서 C로 갈수록 체제가 복잡해진다.

04 그림은 생명 시스템의 구성 단계를 나타낸 것이다. (가)와 (나)는 각각 동물체와 식물체의 구성 단계 중 하나이다.

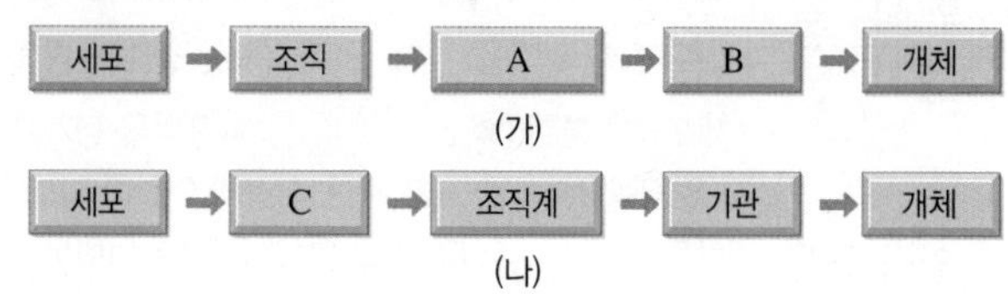

이에 대한 설명으로 옳은 것만을 [보기]에서 있는 대로 고른 것은?

보기
ㄱ. A는 식물체에는 없고 동물체에만 있는 구성 단계이다.
ㄴ. B는 모양과 기능이 같은 세포들로 구성되어 있다.
ㄷ. 식물의 생장점은 C에 해당한다.

① ㄱ ② ㄴ ③ ㄷ
④ ㄱ, ㄴ ⑤ ㄴ, ㄷ

B 세포의 구조와 기능

05 동물 세포에는 없고 식물 세포에만 있는 세포 소기관을 [보기]에서 있는 대로 고른 것은?

보기
ㄱ. 리보솜 ㄴ. 세포막 ㄷ. 세포벽
ㄹ. 엽록체 ㅁ. 미토콘드리아

① ㄱ, ㄹ ② ㄴ, ㅁ ③ ㄷ, ㄹ
④ ㄱ, ㄷ, ㅁ ⑤ ㄷ, ㄹ, ㅁ

06 세포 소기관에 대한 설명으로 옳은 것만을 [보기]에서 있는 대로 고른 것은?

보기
ㄱ. 리보솜은 단백질을 합성하는 장소이다.
ㄴ. 세포벽은 식물 세포의 형태를 유지한다.
ㄷ. 미토콘드리아는 세포 호흡이 일어나는 장소이다.

① ㄱ ② ㄴ ③ ㄱ, ㄷ
④ ㄴ, ㄷ ⑤ ㄱ, ㄴ, ㄷ

중요 **07** 그림은 식물 세포의 구조를 나타낸 것이다. 이에 대한 설명으로 옳은 것은?

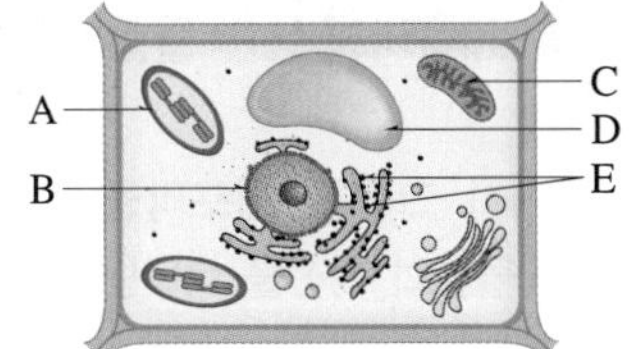

① A에서 세포 호흡이 일어난다.
② B에는 유전 물질이 들어 있다.
③ C에서 빛에너지를 화학 에너지로 전환한다.
④ D는 어린 세포일수록 크게 발달되어 있다.
⑤ E는 막으로 둘러싸여 있다.

중요 **08** 그림은 동물 세포의 구조를 나타낸 것이다. 이에 대한 설명으로 옳은 것만을 [보기]에서 있는 대로 고른 것은?

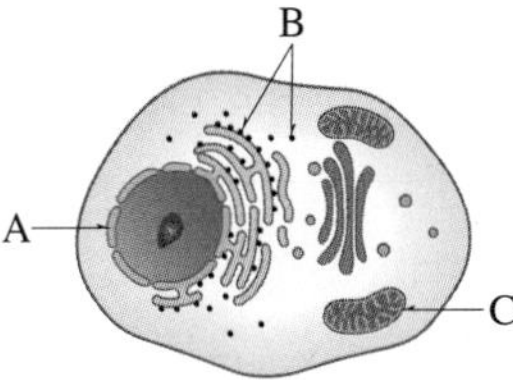

보기
ㄱ. A에는 DNA가 있다.
ㄴ. B는 녹말을 합성한다.
ㄷ. C는 산소를 흡수하고 이산화 탄소를 방출한다.

① ㄱ ② ㄴ ③ ㄱ, ㄷ
④ ㄴ, ㄷ ⑤ ㄱ, ㄴ, ㄷ

09 그림은 엽록체와 미토콘드리아를 순서 없이 나타낸 것이다.

(가)

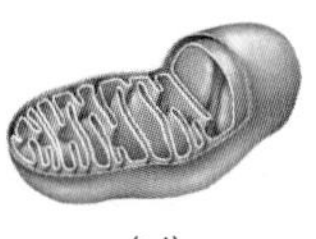
(나)

이에 대한 설명으로 옳은 것만을 [보기]에서 있는 대로 고른 것은?

보기
ㄱ. (가)는 식물 세포에만 있고, (나)는 동물 세포에만 있다.
ㄴ. (가)는 빛에너지를 이용하여 유기물을 합성한다.
ㄷ. (나)는 근육 세포 같이 에너지가 많이 필요한 세포에 많다.

① ㄱ ② ㄴ ③ ㄱ, ㄷ
④ ㄴ, ㄷ ⑤ ㄱ, ㄴ, ㄷ

10 그림은 동물 세포에서의 단백질 분비 과정을 나타낸 것이다.

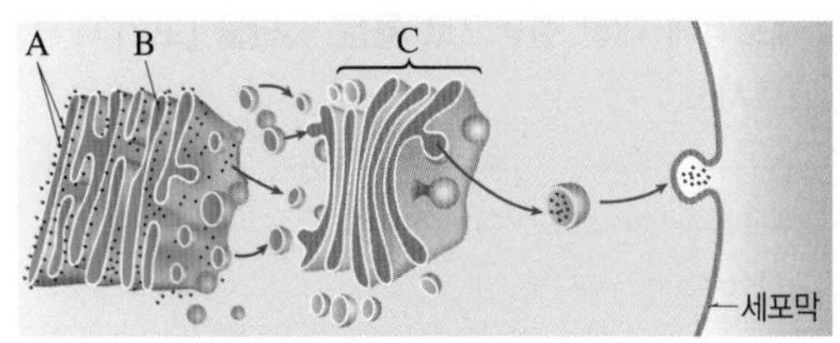

이에 대한 설명으로 옳지 않은 것은?

① A에서 아미노산이 합성된다.
② B는 소포체이고, C는 골지체이다.
③ B는 식물 세포에도 있다.
④ B와 C는 막으로 둘러싸인 세포 소기관이다.
⑤ 단백질은 막으로 싸여 이동한 후 세포 밖으로 분비된다.

11 표는 세포 소기관 A~E의 3가지 특징의 유무를 나타낸 것이다. A~E는 각각 소포체, 세포막, 리보솜, 엽록체, 미토콘드리아 중 하나이다.

구분	동물 세포에 존재	세포 호흡 장소	인지질 성분의 막
A	○	×	○
B	×	×	㉠
C	○	㉡	○
D	?	×	○
E	?	×	×

(○: 있음, ×: 없음)

이에 대한 설명으로 옳은 것만을 [보기]에서 있는 대로 고른 것은?

보기
ㄱ. ㉠과 ㉡은 모두 '○'이다.
ㄴ. D는 이산화 탄소와 물로부터 포도당을 합성한다.
ㄷ. E는 단백질 합성 장소이다.

① ㄱ ② ㄴ ③ ㄱ, ㄷ
④ ㄴ, ㄷ ⑤ ㄱ, ㄴ, ㄷ

C 세포막의 구조와 선택적 투과성

12 세포막에 대한 설명으로 옳은 것만을 [보기]에서 있는 대로 고르시오.

보기
ㄱ. 주성분은 인지질과 단백질이다.
ㄴ. 이중막으로 되어 있다.
ㄷ. 물질의 종류에 따라 선택적 투과성을 나타낸다.

중요 **13** 그림은 세포막의 구조를 나타낸 것이다.
이에 대한 설명으로 옳은 것만을 [보기]에서 있는 대로 고른 것은?

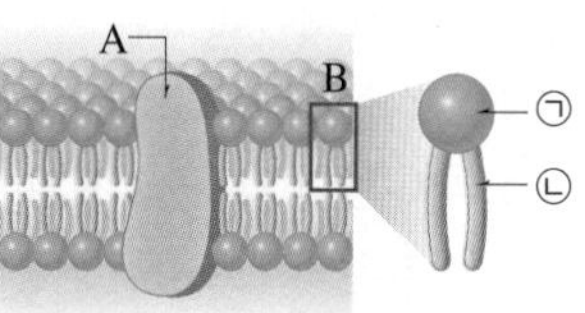

보기
ㄱ. A는 펩타이드 결합을 포함한다.
ㄴ. A는 세포막에서 위치가 바뀔 수 있다.
ㄷ. B의 ㉠은 소수성이고, ㉡은 친수성이다.

① ㄱ ② ㄷ ③ ㄱ, ㄴ
④ ㄴ, ㄷ ⑤ ㄱ, ㄴ, ㄷ

14 그림 (가)는 세포막의 구조를, (나)는 물질 ㉠과 ㉡의 지질에 대한 용해도와 세포막에 대한 투과성을 나타낸 것이다. ㉠과 ㉡은 각각 수용성 물질과 지용성 물질 중 하나이다.

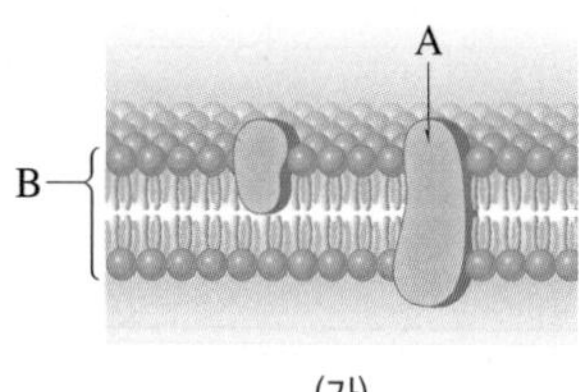

(가)

투과성
㉠
㉡
O
지질에 대한 용해도

(나)

이에 대한 설명으로 옳은 것만을 [보기]에서 있는 대로 고른 것은?

보기
ㄱ. A는 리보솜에서 합성된다.
ㄴ. ㉠은 ㉡보다 B를 통해 이동하기 어렵다.
ㄷ. ㉡은 ㉠보다 물에 대한 친화력이 크다.

① ㄱ ② ㄷ ③ ㄱ, ㄴ
④ ㄴ, ㄷ ⑤ ㄱ, ㄴ, ㄷ

D 세포막을 통한 물질 이동

[15~16] 그림은 세포막을 통한 물질의 확산을 나타낸 것이다.

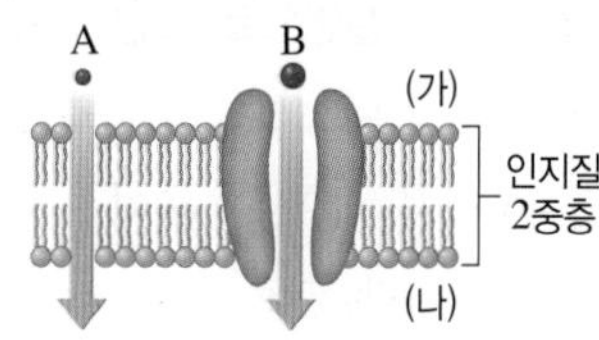

중요 **15** 이에 대한 설명으로 옳은 것만을 [보기]에서 있는 대로 고른 것은?

보기
ㄱ. A의 농도는 (가)에서가 (나)에서보다 높다.
ㄴ. A의 이동 속도는 (가), (나)의 농도 차가 클수록 느리다.
ㄷ. B와 같은 방식으로 이동하는 물질은 종류에 관계없이 모두 같은 단백질을 통해 확산한다.

① ㄱ ② ㄴ ③ ㄱ, ㄴ ④ ㄱ, ㄷ ⑤ ㄴ, ㄷ

중요 **16** A와 B에 해당하는 물질을 옳게 짝 지은 것은?

	A	B
①	산소, 포도당	나트륨 이온, 지용성 물질
②	산소, 지용성 물질	포도당, 나트륨 이온
③	산소, 나트륨 이온	아미노산, 지용성 물질
④	포도당, 지용성 물질	이산화 탄소, 나트륨 이온
⑤	아미노산, 나트륨 이온	이산화 탄소, 지용성 물질

17 표는 세포막을 통한 물질의 이동 방식 (가)와 (나)의 특징을 나타낸 것이다.

구분	물질의 이동 방향	통로 단백질
(가)	고농도 → 저농도	이용함
(나)	고농도 → 저농도	이용 안 함

이에 대한 설명으로 옳은 것만을 [보기]에서 있는 대로 고른 것은?

보기
ㄱ. (가)에는 세포의 에너지가 사용된다.
ㄴ. (나)는 인지질 2중층을 통한 단순 확산이다.
ㄷ. 폐포에서 모세 혈관으로 산소가 이동하는 방식은 (가)와 같다.

① ㄱ ② ㄴ ③ ㄱ, ㄴ ④ ㄱ, ㄷ ⑤ ㄴ, ㄷ

18 세포막을 통한 물질의 이동 방식이 다른 하나는?

① 시든 식물에 물을 주면 싱싱해진다.
② 배추에 소금을 뿌리면 숨이 죽는다.
③ 식물에 비료를 많이 주면 식물이 말라 죽는다.
④ 폐포와 모세 혈관 사이에 기체 교환이 일어난다.
⑤ 콩팥의 세뇨관에서 모세 혈관으로 물이 재흡수된다.

중요 **19** 그림은 어떤 식물 세포를 용액 X에 넣었을 때의 상태 변화를 나타낸 것이다.

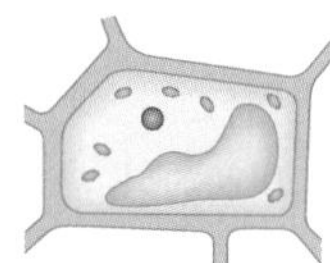
용액 X에 넣음
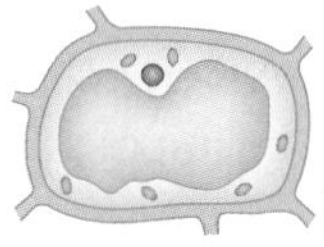

이에 대한 설명으로 옳은 것만을 [보기]에서 있는 대로 고른 것은?

보기
ㄱ. 용액 X의 농도는 세포 안보다 낮다.
ㄴ. 세포질에서 액포로 이동하는 물의 양이 증가한다.
ㄷ. 세포 안으로 들어오는 물의 양이 세포 밖으로 빠져나가는 물의 양보다 많다.

① ㄱ ② ㄴ ③ ㄱ, ㄷ
④ ㄴ, ㄷ ⑤ ㄱ, ㄴ, ㄷ

20 그림은 사람의 적혈구를 농도가 다른 소금 용액 (가)~(다)에 넣었을 때의 모양 변화를 나타낸 것이다.

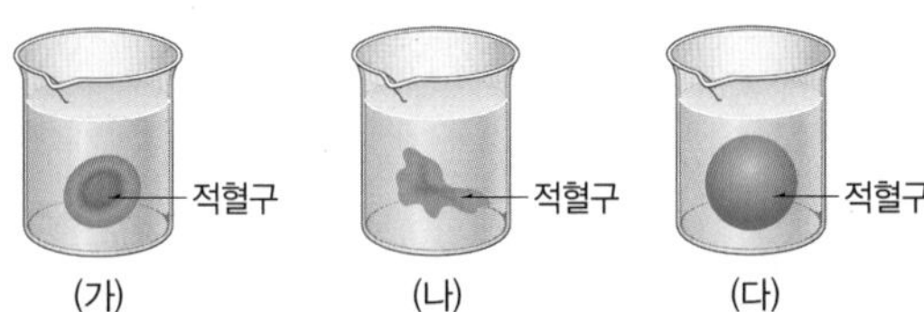

이에 대한 설명으로 옳은 것만을 [보기]에서 있는 대로 고른 것은?

보기
ㄱ. 소금 용액의 농도는 (다)<(가)<(나)이다.
ㄴ. (가)의 적혈구에서는 세포막을 통한 물의 이동이 없다.
ㄷ. (다)보다 농도가 높은 소금 용액에 적혈구를 넣으면 세포막이 터질 수 있다.

① ㄱ ② ㄴ ③ ㄷ
④ ㄱ, ㄷ ⑤ ㄴ, ㄷ

서술형 문제

21 표는 세포 소기관과 그 기능을 나타낸 것이다.

세포 소기관	기능
리보솜	(가)
㉠	광합성으로 포도당 합성
㉡	세포 호흡을 통해 에너지 생산
세포벽	(나)

세포 소기관 ㉠, ㉡의 이름을 쓰고, (가)와 (나)에 해당하는 기능을 서술하시오.

22 세포 내에서 단백질이 합성되어 세포 밖으로 분비되는 과정을 다음 세포 소기관을 모두 들어 서술하시오.

핵 소포체 리보솜 골지체

23 그림은 세포막을 통해 물질이 이동하는 두 가지 확산 방식 (가)와 (나)를 나타낸 것이다.

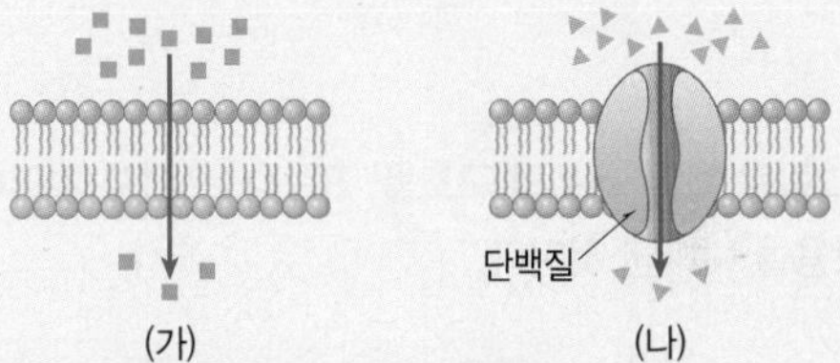

(가)와 (나)의 공통점을 두 가지 서술하시오.

24 그림은 양파 표피 조각을 농도가 다른 설탕 용액 (가)와 (나)에 넣어 두었다가 현미경으로 관찰한 결과이다.

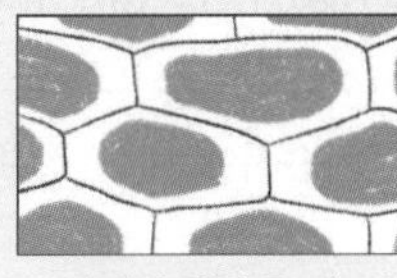
(가)에 넣어 둔 것

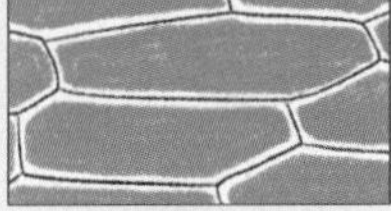
(나)에 넣어 둔 것

(1) (가), (나)의 농도를 근거를 들어 비교하시오.

(2) (가)에 넣어 둔 양파 표피 세포에서 일어난 현상을 세포막을 통한 물질의 이동과 함께 서술하시오.

실력 UP 문제

01 표는 생물 (가)와 (나)에서 구성 단계 A~C의 유무를 나타낸 것이다. (가)와 (나)는 각각 사람과 소나무 중 하나이고 A~C는 각각 조직, 기관, 조직계 중 하나이다.

구분	(가)	(나)
A	있음	㉠
B	있음	없음
C	㉡	?

이에 대한 설명으로 옳은 것만을 [보기]에서 있는 대로 고른 것은?

보기
ㄱ. 잎, 줄기는 B에 해당한다.
ㄴ. (나)에는 기관계가 존재한다.
ㄷ. ㉠과 ㉡은 모두 '있음'이다.

① ㄱ ② ㄷ ③ ㄱ, ㄴ
④ ㄴ, ㄷ ⑤ ㄱ, ㄴ, ㄷ

02 그림은 동물 세포의 구조를, 표는 세포에서 일어나는 두 가지 반응을 나타낸 것이다.

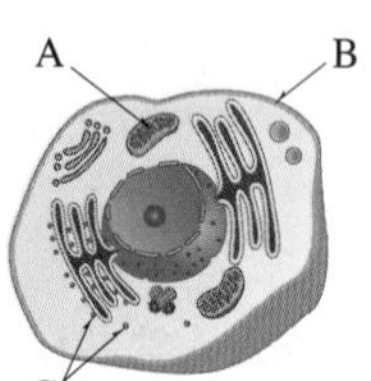

구분	반응
(가)	●+●+●… → ●-●-●… (펩타이드 결합)
(나)	포도당 + 산소 ⟶ 이산화 탄소 + 물

이에 대한 설명으로 옳은 것만을 [보기]에서 있는 대로 고른 것은?

보기
ㄱ. (가) 반응에서 아미노산 배열 순서에 대한 정보는 C에 저장되어 있다.
ㄴ. (나) 반응은 주로 A에서 일어난다.
ㄷ. (나) 반응으로 생성된 이산화 탄소는 B를 통해 세포 밖으로 확산한다.

① ㄱ ② ㄴ ③ ㄱ, ㄷ
④ ㄴ, ㄷ ⑤ ㄱ, ㄴ, ㄷ

03 표 (가)는 세포 소기관 A~C에서 특징 ㉠~㉢의 유무를, (나)는 특징 ㉠~㉢을 순서 없이 나타낸 것이다. A~C는 각각 소포체, 엽록체, 리보솜 중 하나이다.

구분	㉠	㉡	㉢
A	×	○	○
B	×	○	×
C	○	×	×

(○: 있음, ×: 없음)
(가)

특징(㉠~㉢)
• 포도당을 합성한다. • 동물 세포에 존재한다. • 단일막 구조이다.

(나)

이에 대한 설명으로 옳은 것만을 [보기]에서 있는 대로 고른 것은?

보기
ㄱ. A에서 합성된 물질은 B를 통해 운반된다.
ㄴ. C는 이산화 탄소를 흡수하고 산소를 방출한다.
ㄷ. ㉢은 '포도당을 합성한다.'이다.

① ㄴ ② ㄷ ③ ㄱ, ㄴ ④ ㄱ, ㄷ ⑤ ㄴ, ㄷ

04 표는 정상 세포와 단백질의 운반에 이상이 생긴 돌연변이 세포 Ⅰ~Ⅲ을 배양하는 배지에 방사성 동위 원소로 표지된 아미노산을 일정량 첨가하여 일정 시간이 경과한 후, 세포 소기관 A~C와 세포 밖에서 방사선의 검출 여부를 나타낸 것이다. A~C는 각각 소포체, 골지체, 분비 소낭(골지체에서 떨어져 나온 막으로 싸인 작은 주머니)이다.

구분	방사선이 검출된 장소			
	A	B	C	세포 밖
정상 세포	○	○	○	○
돌연변이 세포 Ⅰ	○	○	○	×
돌연변이 세포 Ⅱ	○	×	○	×
돌연변이 세포 Ⅲ	×	×	○	×

이에 대한 설명으로 옳은 것만을 [보기]에서 있는 대로 고른 것은?

보기
ㄱ. A~C는 모두 인지질 2중층으로 된 막이 있다.
ㄴ. 단백질이 합성되어 이동하는 경로는 'C → A → B → 세포 밖'이다.
ㄷ. Ⅱ는 소포체에서 골지체로의 단백질 운반에 이상이 생긴 세포이다.

① ㄱ ② ㄷ ③ ㄱ, ㄴ
④ ㄴ, ㄷ ⑤ ㄱ, ㄴ, ㄷ

05 그림은 물질 A와 B가 세포 안팎의 농도 차에 따라 확산하는 속도를 나타낸 것이다.

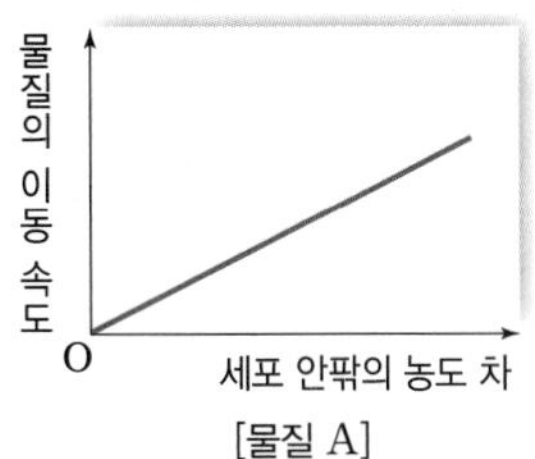

[물질 A]

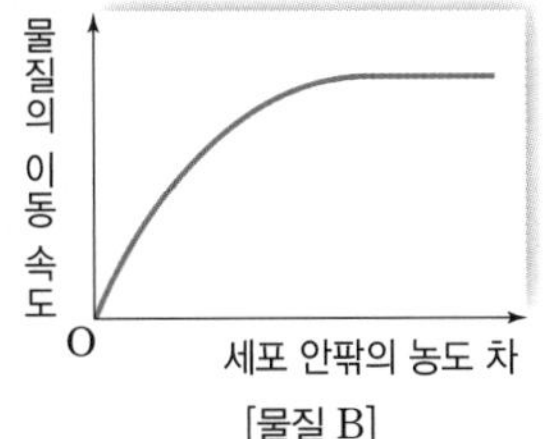

[물질 B]

이에 대한 설명으로 옳은 것만을 [보기]에서 있는 대로 고른 것은?

보기
ㄱ. A는 인지질 2중층을 통해 확산한다.
ㄴ. B의 확산에는 막단백질이 관여한다.
ㄷ. A는 세포 안팎의 농도 차가 클수록 단위시간 동안 세포막을 통해 이동하는 양이 많다.

① ㄱ ② ㄷ ③ ㄱ, ㄴ
④ ㄴ, ㄷ ⑤ ㄱ, ㄴ, ㄷ

06 그림 (가)는 U자관에 세포막을 설치하고 A와 B 양쪽에 농도가 다른 설탕 용액을 같은 양씩 넣은 모습을, (나)는 충분한 시간이 지나 더 이상 수면 높이의 변화가 없을 때의 모습을 나타낸 것이다. 단, 설탕 분자는 세포막을 통과하지 못한다.

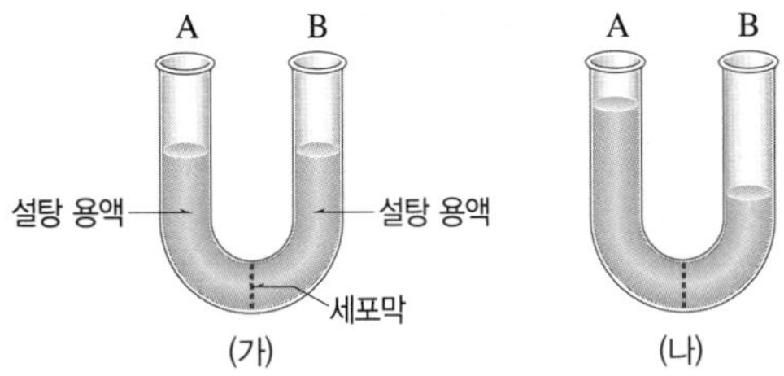

이에 대한 설명으로 옳은 것만을 [보기]에서 있는 대로 고른 것은?

보기
ㄱ. (가)에서 설탕 용액의 농도는 A 쪽이 B 쪽보다 높다.
ㄴ. (나)에서 A와 B 사이에 세포막을 통한 물의 이동은 없다.
ㄷ. B 쪽의 설탕 용액의 농도는 (가)일 때보다 (나)일 때가 높다.

① ㄱ ② ㄴ ③ ㄱ, ㄷ
④ ㄴ, ㄷ ⑤ ㄱ, ㄴ, ㄷ

07 표는 생리식염수와 용액 (가), (나)의 NaCl 농도를, 그림은 사람의 적혈구를 표의 각 용액에 일정 시간 동안 넣어 두었을 때의 변화를 나타낸 것이다. 생리식염수는 사람의 체액과 농도가 같으며, A와 B는 각각 용액 (가)와 (나) 중 하나이다.

구분	생리식염수	용액 (가)	용액 (나)
NaCl 농도(%)	0.9	2.0	0.5

[생리식염수에 넣었을 때]

[A에 넣었을 때]

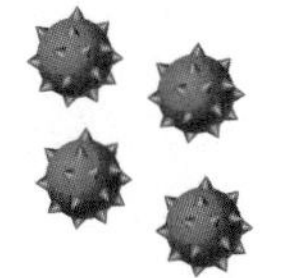

[B에 넣었을 때]

이에 대한 설명으로 옳은 것만을 [보기]에서 있는 대로 고른 것은?

보기
ㄱ. B는 용액 (가)이다.
ㄴ. A에 넣었을 때는 적혈구 내 용액의 농도가 증가한다.
ㄷ. 생리식염수에 넣은 적혈구에서는 세포막을 통해 물이 이동하지 않는다.

① ㄱ ② ㄴ ③ ㄷ
④ ㄱ, ㄴ ⑤ ㄱ, ㄷ

08 그림은 식물 세포 (가)를 농도가 다른 설탕 용액 X와 Y에 넣고 일정 시간 동안 두었을 때의 변화를 나타낸 것이다.

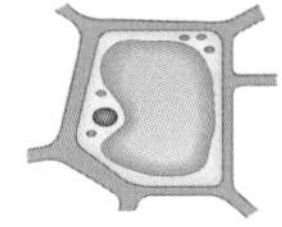

(가)

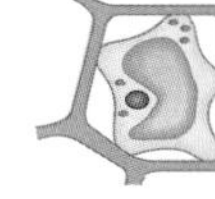

X에 넣었을 때

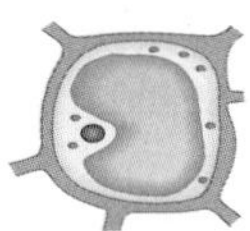

Y에 넣었을 때

이에 대한 설명으로 옳은 것만을 [보기]에서 있는 대로 고른 것은?

보기
ㄱ. X는 Y보다 설탕 농도가 높다.
ㄴ. (가)를 X에 넣었을 때 원형질 분리 현상이 나타났다.
ㄷ. (가)를 X에 넣었을 때보다 Y에 넣었을 때 액포 안으로 이동하는 설탕의 양이 많다.

① ㄱ ② ㄷ ③ ㄱ, ㄴ
④ ㄴ, ㄷ ⑤ ㄱ, ㄴ, ㄷ

02 생명 시스템에서의 화학 반응

핵심 포인트
- ❶ 물질대사의 특성 ★★★
- ❷ 효소와 활성화 에너지 ★★
- ❸ 효소의 작용과 특성 ★★★

A 물질대사

1. 물질대사 생명체 내에서 일어나는 모든 화학 반응 ➡ 생명체는 물질대사를 통해 물질을 분해하여 에너지를 얻고, 몸의 구성 물질을 합성한다.

① 물질대사가 일어날 때는 반드시 에너지가 출입하며, 효소(생체 ❶촉매)가 관여한다.

② 물질대사는 동화 작용과 이화 작용으로 구분한다.

동화 작용	이화 작용
• 작은 분자로부터 큰 분자를 합성하는 과정 예 ◆광합성, 단백질 합성 • 에너지를 흡수하여 반응이 일어남(흡열 반응)	• 큰 분자를 작은 분자로 분해하는 과정 예 ◆세포 호흡, 소화 • 에너지를 방출하며 반응이 일어남(발열 반응)

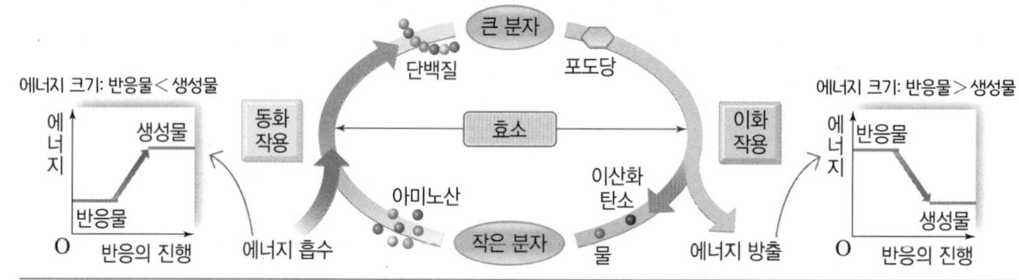

2. 물질대사와 생명체 밖 화학 반응의 비교

구분	물질대사(세포 호흡)	생명체 밖 화학 반응(연소)
반응 온도	37 °C(체온 범위의 낮은 온도)	400 °C(높은 온도)
효소	효소가 관여함	효소가 관여하지 않음
반응과 에너지 출입	단계적으로 반응이 일어나 에너지가 단계적으로 소량씩 방출 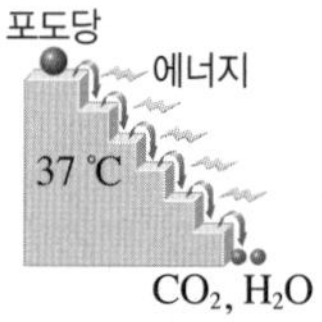 (그림: 포도당, 에너지, 37 °C, CO_2, H_2O)	반응이 한 번에 일어나 에너지가 한꺼번에 방출 세포 호흡과 연소에서 포도당 1분자로부터 방출되는 에너지의 총량은 같다. (그림: 포도당, 400 °C, 에너지, CO_2, H_2O) 

◆광합성과 세포 호흡

(그림: 빛 에너지 → 광합성 → 포도당 + O_2 → 호흡 → ATP + 열에너지, CO_2 + H_2O)

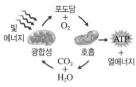

광합성	세포 호흡
엽록체	미토콘드리아
동화 작용	이화 작용
에너지 흡수	에너지 방출

ATP(아데노신 삼인산)는 세포의 생명 활동에 사용되는 에너지를 공급하는 물질이다. 세포 호흡 과정에서 포도당의 에너지 중 일부는 ATP에 저장되고 나머지는 열로 방출된다.

◆흡열 반응에서의 활성화 에너지
흡열 반응에서의 활성화 에너지는 반응열보다 크다.

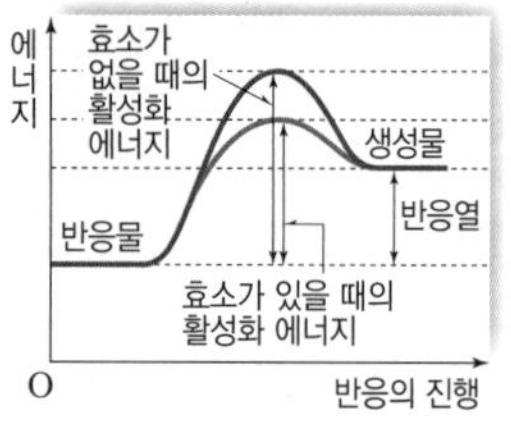

B 효소 ─● 생명체에서 화학 반응을 촉진하는 생체 촉매

1. 효소 활성화 에너지를 낮추어 낮은 온도에서도 화학 반응이 빠르게 일어나도록 한다.
└● 반응할 수 있는 분자의 수가 많아진다.

| 효소와 활성화 에너지 |

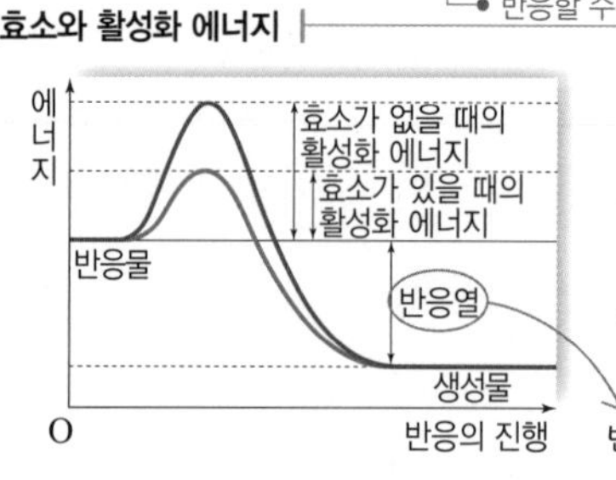

- 활성화 에너지는 화학 반응이 일어나는 데 필요한 최소한의 에너지로, 활성화 에너지가 클수록 반응이 일어나기 어렵다.
- 효소가 없을 때보다 효소가 있을 때 활성화 에너지가 작으므로 반응이 빠르게 일어난다.
- 반응물의 에너지가 생성물의 에너지보다 크므로 반응이 진행되면 반응열이 방출된다. ➡ ◆발열 반응(이화 작용)

반응물의 에너지와 생성물의 에너지 차이로 효소의 유무에 관계없이 일정하다.

(용어)

❶ **촉매(觸 닿다, 媒 중매하다)** 화학 반응이 일어날 때 활성화 에너지를 변화시켜 반응 속도를 변화시키는 물질로, 그 자신은 반응 후에도 그대로 남아 있다.

2. 효소의 작용 효소는 주성분이 단백질이므로 효소마다 고유한 입체 구조를 가진다. 효소는 입체 구조에 들어맞는 반응물(기질)과 결합하여 활성화 에너지를 낮추어 반응을 촉진한다.
→ 효소는 DNA의 유전 정보에 따라 리보솜에서 합성된다.

완자쌤 비법 특강 189쪽

| 효소의 작용 원리 |

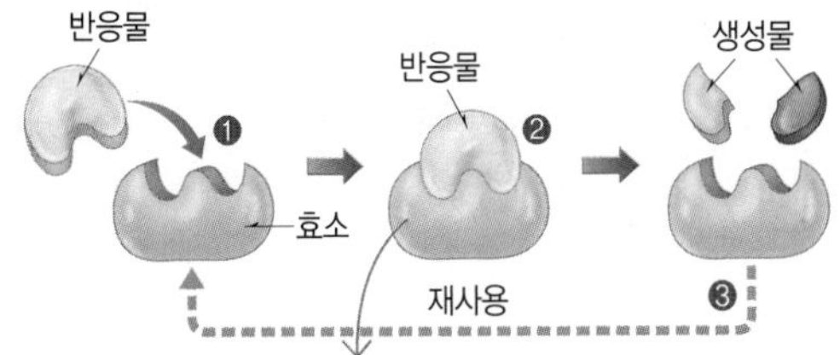

효소가 기질과 결합한 상태를 효소·기질 복합체라고 하며, 효소·기질 복합체가 형성되어야 활성화 에너지를 낮출 수 있다.

❶ 효소는 입체 구조에 들어맞는 특정한 반응물(기질)하고만 결합한다. ➡ 기질 특이성
❷ 반응물과 결합한 효소는 활성화 에너지를 낮춘다.
❸ 반응이 끝나면 효소는 생성물과 분리되고, 다른 반응물과 다시 결합하여 재사용된다.

3. 효소의 특성

① ◆**기질 특이성:** 한 종류의 효소는 한 종류의 반응물(기질)에만 작용한다. 예 아밀레이스는 녹말이 엿당으로 되는 반응은 촉진하지만 단백질에는 작용하지 못한다. ➡ 효소의 종류가 많아야 한다.

② **효소의 재사용:** 효소는 촉매로서 반응 후에도 구조와 성질이 변하지 않으므로 생성물과 분리된 후 새로운 반응물과 결합하여 다시 반응을 촉진할 수 있다. ➡ 효소의 양은 많지 않아도 된다.

4. 효소와 생명 현상 효소는 생명체에서 일어나는 대부분의 생명 현상에 관여한다. 예 식물의 광합성, 세포 호흡, 출혈 시 혈액 응고, 간에서의 독성 물질 분해, 생장에 필요한 물질 합성, 소화 기관에서의 영양소 소화 등

탐구 자료창 카탈레이스로 과산화 수소 분해

카탈레이스는 대부분의 세포에 들어 있으며, 상처 부위에 과산화 수소수를 바르면 기포가 발생하는 것도 카탈레이스의 작용으로 나타나는 현상이다.

시험관 A~C에 3 % 과산화 수소수를 넣은 후 A는 그대로 두고, B에는 감자 조각, C에는 생간 조각을 넣는다. → 과산화 수소는 물과 산소로 분해된다.

1. **시험관 A:** 기포가 발생하지 않음 ➡ 과산화 수소는 자연적으로 분해되나 반응 속도가 매우 느리기 때문
2. **시험관 B와 C:** 기포가 발생함 ➡ 감자 조각과 생간 조각에는 과산화 수소의 분해를 촉진하는 효소인 카탈레이스가 들어 있기 때문
3. 꺼져 가는 불씨를 시험관 B와 C에 넣으면 불씨가 다시 타오른다. ➡ 발생하는 기포는 산소라는 것을 알 수 있다.
4. 기포 발생이 끝난 시험관 B와 C에 과산화 수소수를 추가로 넣으면 다시 기포가 발생한다. ➡ 효소는 반응 후에도 변하지 않아 재사용되기 때문
5. **결론:** 효소는 생체 촉매로서 활성화 에너지를 낮추어 반응이 빠르게 일어나도록 한다.

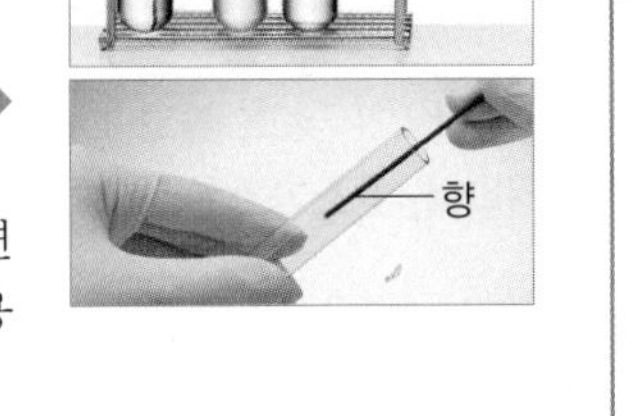

5. 효소의 활용 효소는 생명체 밖에서도 작용할 수 있어 다양한 분야에 활용되고 있다.

분야	내용
일상생활	발효 식품(김치, 된장, 치즈, 포도주), 생활용품(효소를 첨가한 치약, 세제, 화장품), 천연 연육제(키위), 식혜(엿기름 속의 아밀레이스) 등 (세제 → 단백질 분해 효소, 지방 분해 효소)
의학 분야	의약품(소화제, 혈전 용해제), 의료 기기(요 검사지, 혈당 측정기)
산업 분야	섬유, 의류, 가죽 등의 화학제품 생산 → 효소를 이용한 청바지 탈색
환경 분야	생활 하수와 공장 폐수의 정화, 바이오 에너지 생산

◆ **기질 특이성**
입체 구조가 들어맞지 않아 효소와 결합하지 못하는 물질에는 효소가 작용할 수 없다.

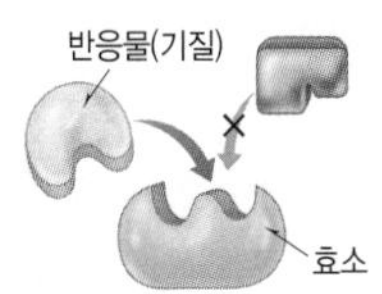

암기해!
효소의 작용과 특성
- 활성화 에너지 감소로 반응 촉진
- 기질 특이성
- 재사용 가능

비상 교과서에만 나와요.

◆ **효소의 작용과 온도**
익힌 간은 촉매 기능을 잃어 과산화 수소를 분해하지 못한다.
➡ 효소의 주성분은 단백질이므로 열에 의해 입체 구조가 변하여 그 기능을 잃는다.

미래엔 교과서에만 나와요.

[또 다른 실험]

A보다 B에서 반응이 더 빨리 일어나 산소가 더 많이 발생한 결과, B의 풍선이 A보다 크게 부풀어 오른다. ➡ B에서 풍선의 두 점 사이의 거리가 멀어진다.

개념 확인 문제

정답친해 81쪽

핵심 체크

- (❶): 생명체 내에서 일어나는 모든 화학 반응으로, 작은 분자를 큰 분자로 합성하는 (❷) 작용과 큰 분자를 작은 분자로 분해하는 (❸) 작용으로 구분한다.
- (❹): 물질대사에 관여하여 화학 반응을 촉진하는 생체 촉매
- 효소의 기능: 화학 반응이 일어나는 데 필요한 최소한의 에너지인 (❺)를 낮추어 반응을 촉진한다.
- 효소의 작용: 효소는 입체 구조에 들어맞는 (❻)과 결합하여 활성화 에너지를 낮춘다.
- 효소의 특성
  - (❼): 한 종류의 효소는 한 종류의 반응물(기질)에만 작용한다.
  - 재사용: 효소는 반응 후에도 변하지 않으므로 생성물과 분리된 후 새로운 반응물과 결합할 수 있다.
- 효소와 생명 현상: 효소는 혈액 응고, 해독 작용, 물질 합성, 영양소 소화 등 대부분의 생명 현상에 관여한다.
- 효소의 활용: 효소는 일상생활, 의학·산업·환경 분야에서 다양하게 활용된다.

1 물질대사에 대한 설명으로 옳은 것은 ○, 옳지 않은 것은 ×로 표시하시오.

(1) 생명체 내에서 일어나는 화학 반응이다. ( )

(2) 반드시 에너지 출입이 함께 일어난다. ( )

(3) 대부분 효소가 없어도 일어난다. ( )

2 동화 작용과 이화 작용에 해당하는 것을 [보기]에서 있는 대로 고르시오.

보기

ㄱ. 물질 분해　ㄴ. 물질 합성　ㄷ. 에너지 흡수
ㄹ. 에너지 방출　ㅁ. 광합성　ㅂ. 세포 호흡

(1) 동화 작용　(2) 이화 작용

3 세포 호흡은 연소에 비해 반응 온도가 ㉠(낮고, 높고), 반응이 ㉡(한 번에, 단계적으로) 일어나며, 효소가 ㉢(필요하다, 필요하지 않다).

4 그림은 효소가 있을 때와 없을 때 화학 반응의 진행에 따른 에너지 변화를 나타낸 것이다.

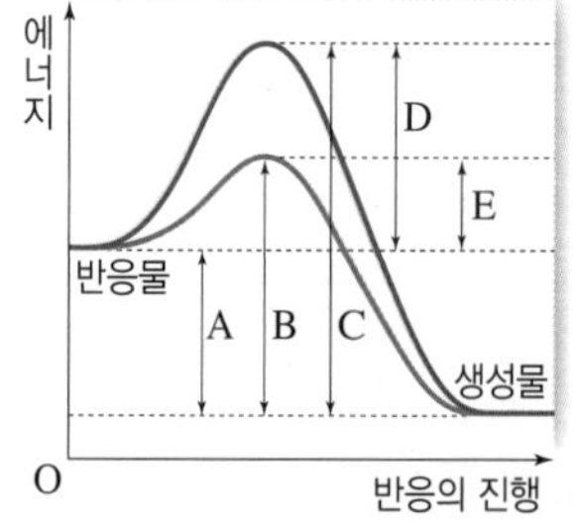

(1) A~E 중 효소가 있을 때의 활성화 에너지에 해당하는 것을 쓰시오.

(2) A~E 중 효소의 유무에 관계없이 크기가 변하지 않는 것을 쓰시오.

5 그림은 효소의 작용을 나타낸 것이다.

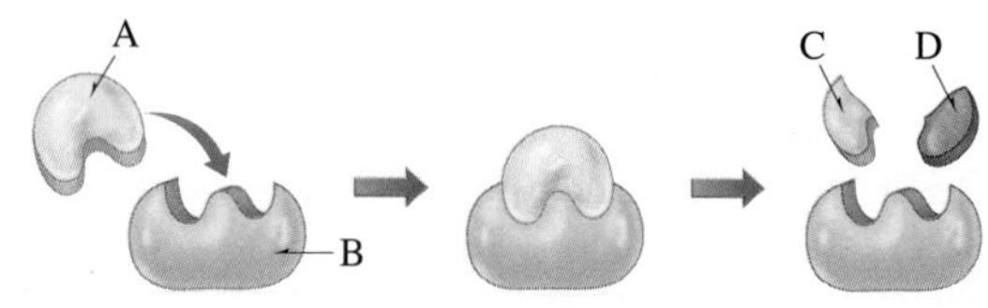

(1) A~D 중 효소를 나타낸 것을 쓰시오.

(2) A~D 중 반응물과 생성물은 각각 어느 것인지 쓰시오.

6 다음 현상과 관련 있는 효소의 특성을 쓰시오.

> 시험관에 녹말, 단백질, 지방을 넣고 아밀레이스를 첨가하였더니 녹말이 분해되어 엿당이 생겼다. 그러나 단백질과 지방은 변하지 않고 그대로 남아 있었다.

7 효소에 대한 설명으로 옳은 것은 ○, 옳지 않은 것은 ×로 표시하시오.

(1) 생명체 내에서만 작용한다. ( )

(2) 한 종류의 효소는 여러 종류의 반응물에 작용할 수 있다. ( )

(3) 효소는 화학 반응에 한 번 사용되면 구조가 변하여 재사용할 수 없다. ( )

(4) 반응물과 결합하여 활성화 에너지를 낮춘다. ( )

효소의 작용에 영향을 주는 요인

효소의 주성분은 단백질입니다. 앞 단원에서 학습했듯이 단백질은 아미노산 배열 순서에 의해 독특한 입체 구조가 결정되고, 이 입체 구조가 단백질의 기능을 결정합니다. 효소도 주성분이 단백질이므로 종류에 따라 독특한 입체 구조를 가지게 됩니다. 효소의 입체 구조는 몇 가지 요인에 의해 변할 수 있는데, 그에 따라 효소의 작용도 달라진답니다. 효소의 작용에 영향을 주는 요인에는 어떤 것이 있는지 알아보기로 해요.

1

효소와 반응물(기질)의 농도 효소의 농도가 일정할 때 반응물의 농도가 증가할수록 초기 반응 속도는 증가하지만, 어느 수준에 이르면 더 이상 증가하지 않는다.

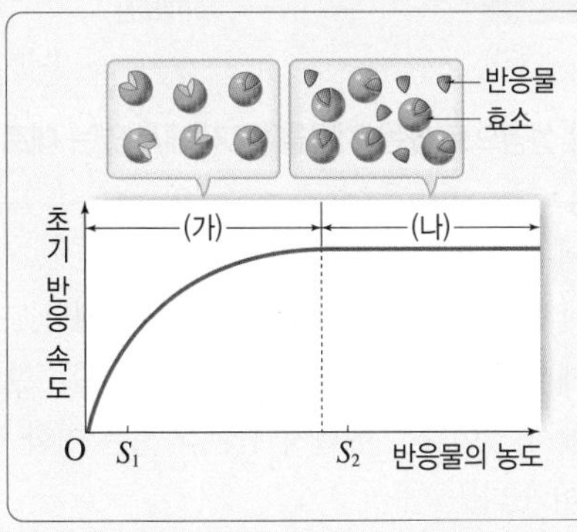

- (가): 반응물의 농도가 증가할수록 초기 반응 속도가 빨라진다. ➡ 반응물이 효소와 결합하는 빈도가 높아지기 때문이다.
- (나): 반응물의 농도가 증가해도 초기 반응 속도는 더 이상 빨라지지 않고 일정하다. ➡ 모든 효소가 반응물과 결합한 포화 상태이기 때문이다.
- 초기 반응 속도는 S_1일 때보다 S_2일 때 더 빠르다. ➡ 생성물의 생성 속도도 S_1일 때보다 S_2일 때 더 빠르다.

Q1 (나)에서 초기 반응 속도를 빠르게 하는 방법은 무엇인가?

◆ **효소의 반응 속도**
효소는 반응물(기질)과 결합하여 활성화 에너지를 낮추므로 효소의 반응 속도는 효소·기질 복합체의 형성 속도에 비례한다.

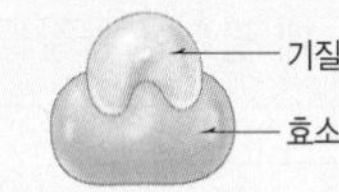

2

효소와 온도 효소에 의한 반응은 온도가 높아질수록 반응 속도가 증가하다가 최적 온도보다 높은 온도에서는 반응 속도가 급격하게 감소한다.

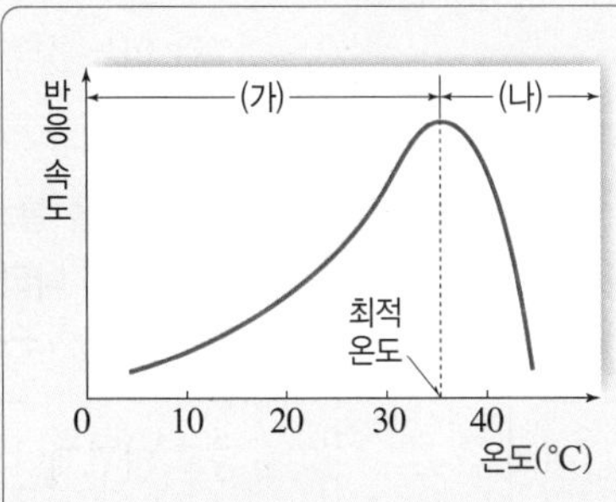

- (가): 온도가 높아질수록 반응 속도가 증가한다. ➡ 효소와 반응물의 분자 운동이 활발해져서 효소와 반응물의 결합이 잘 일어나기 때문이다.
- 최적 온도: 반응 속도가 최대일 때의 온도로, 사람의 효소는 대부분 체온 범위가 최적 온도이다.
- (나): 최적 온도 이상에서는 반응 속도가 급격히 감소한다. ➡ 열에 의해 효소의 주성분인 단백질의 입체 구조가 변하기(변성) 때문이다.

Q2 최적 온도 이상에서 효소의 반응 속도가 급격하게 감소하는 까닭은 무엇인가?

◆ **열에 의한 효소의 변성**
효소는 주성분이 단백질이므로 열에 의해 입체 구조가 변하면 반응물과 결합하지 못하여 반응이 일어나지 않는다.

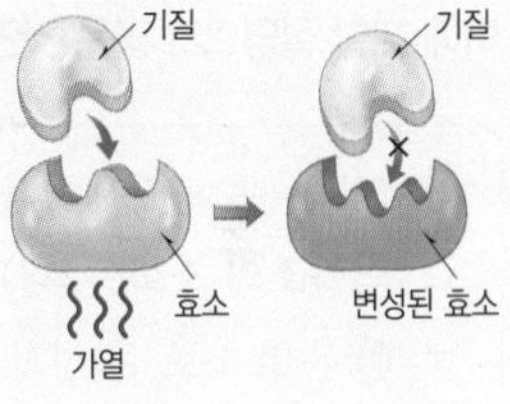

3

효소와 pH 효소에 의한 반응은 최적 pH에서 반응 속도가 최대가 되고, 이를 벗어난 pH에서는 반응 속도가 급격하게 감소한다.

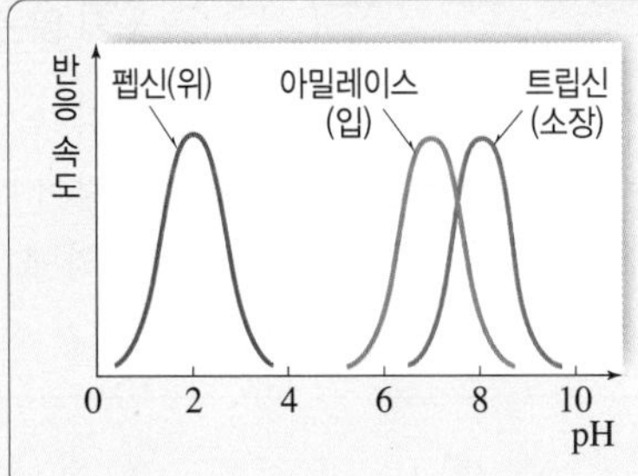

- 사람의 체내에서 작용하는 효소는 최적 pH가 중성(pH 7)인 경우가 많다. 그러나 소화 효소 중에는 효소가 작용하는 장소에 따라 최적 pH가 다른 것이 있다.
- 최적 pH를 벗어나면 효소의 주성분인 단백질의 입체 구조가 변하여 반응 속도가 급격히 감소한다.

Q3 입에서 작용하던 침 아밀레이스가 위에서는 작용하지 못하는 까닭은 무엇인가?

◆ **pH**
용액의 수소 이온(H^+) 농도를 나타내는 수치이다. pH 1부터 14까지 있고, pH 7은 중성, pH 7보다 작으면 산성, pH 7보다 크면 염기성이다.

내신 만점 문제

A 물질대사

01 물질대사에 대한 설명으로 옳은 것만을 [보기]에서 있는 대로 고른 것은?

보기
ㄱ. 생명체 내에서 일어나는 물리적·화학적 반응이다.
ㄴ. 물질대사 과정에는 반드시 에너지 출입이 따른다.
ㄷ. 생명체는 물질대사를 통해 생명 시스템을 유지하는 데 필요한 물질을 합성하고 에너지를 얻는다.

① ㄱ ② ㄷ ③ ㄱ, ㄴ
④ ㄴ, ㄷ ⑤ ㄱ, ㄴ, ㄷ

중요 **02** 그림은 물질대사를 (가)와 (나)로 구분한 것이다. ㉠은 생명체 내에서 합성되어 물질대사에 관여하는 물질이다.

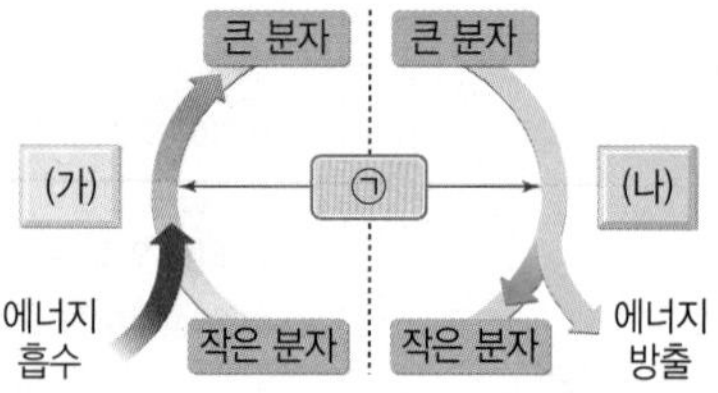

이에 대한 설명으로 옳은 것만을 [보기]에서 있는 대로 고른 것은?

보기
ㄱ. (가)는 동화 작용이다.
ㄴ. 영양소의 소화는 (나)의 예이다.
ㄷ. ㉠은 효소로, 활성화 에너지를 높인다.

① ㄱ ② ㄴ ③ ㄱ, ㄴ ④ ㄱ, ㄷ ⑤ ㄴ, ㄷ

중요 **03** 그림은 생명체 내에서 일어나는 어떤 화학 반응의 에너지 변화를 나타낸 것이다.
이에 대한 설명으로 옳은 것만을 [보기]에서 있는 대로 고른 것은?

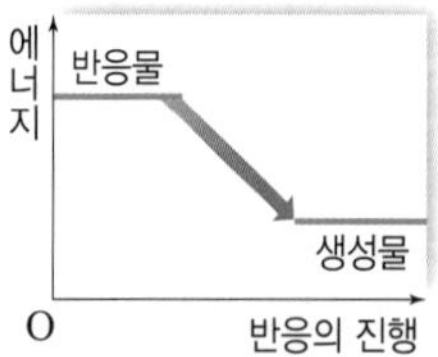

보기
ㄱ. 이화 작용에 해당한다.
ㄴ. 반응이 일어날 때 에너지가 흡수된다.
ㄷ. 포도당이 이산화 탄소와 물로 될 때의 에너지 변화이다.

① ㄱ ② ㄷ ③ ㄱ, ㄴ ④ ㄱ, ㄷ ⑤ ㄴ, ㄷ

04 그림 (가)는 식물 세포의 구조를, (나)는 세포에서 일어나는 화학 반응의 하나를 나타낸 것이다.

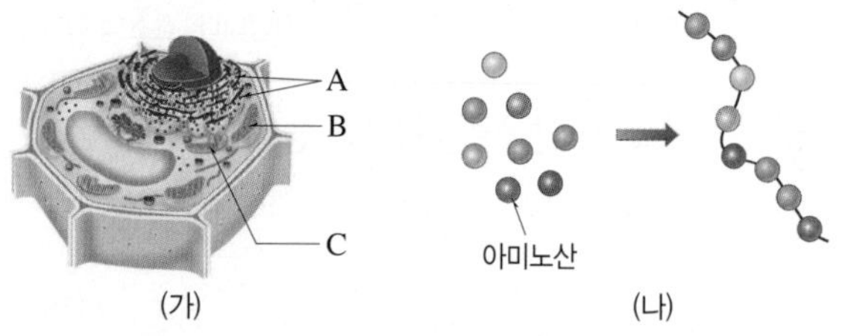

이에 대한 설명으로 옳은 것만을 [보기]에서 있는 대로 고른 것은?

보기
ㄱ. A에서 (나) 반응이 일어난다.
ㄴ. (나) 반응이 일어날 때 에너지가 방출된다.
ㄷ. B에서 포도당을 합성할 때 에너지를 흡수한다.
ㄹ. C에서 일어나는 에너지 전환 과정은 이화 작용과 관련이 있다.

① ㄱ, ㄴ ② ㄱ, ㄷ ③ ㄷ, ㄹ
④ ㄱ, ㄷ, ㄹ ⑤ ㄴ, ㄷ, ㄹ

05 그림 (가)와 (나)는 연소와 세포 호흡을 통해 포도당 1분자가 산화될 때의 에너지 변화를 순서 없이 나타낸 것이다.

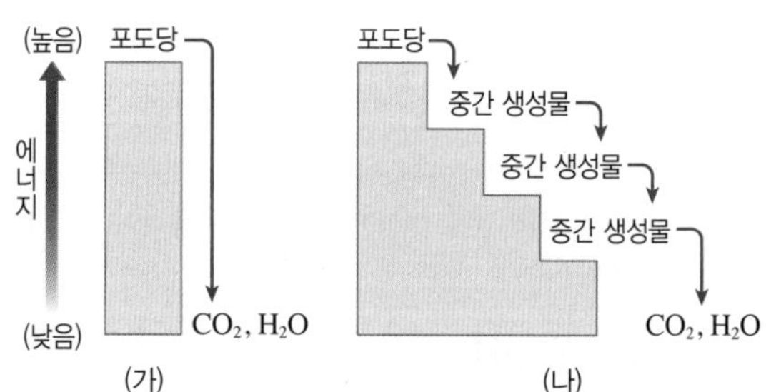

이에 대한 설명으로 옳은 것만을 [보기]에서 있는 대로 고른 것은?

보기
ㄱ. (가)는 (나)보다 높은 온도에서 일어난다.
ㄴ. (가)는 (나)보다 방출되는 에너지의 총량이 더 많다.
ㄷ. (가)에는 한 종류, (나)에는 여러 종류의 효소가 필요하다.

① ㄱ ② ㄴ ③ ㄱ, ㄷ
④ ㄴ, ㄷ ⑤ ㄱ, ㄴ, ㄷ

B 효소

06 효소에 대한 설명으로 옳은 것은?

① 주성분은 탄수화물이다.
② 화학 반응의 활성화 에너지를 낮춘다.
③ 효소의 종류에 관계없이 입체 구조가 같다.
④ 온도가 높을수록 효소의 작용이 활발해진다.
⑤ 반응물과 결합하여 화학 반응에 직접 참여한다.

중요 **07** 그림은 효소가 있을 때와 없을 때 어떤 화학 반응의 에너지 변화를 나타낸 것이다.
이에 대한 설명으로 옳은 것만을 [보기]에서 있는 대로 고른 것은?

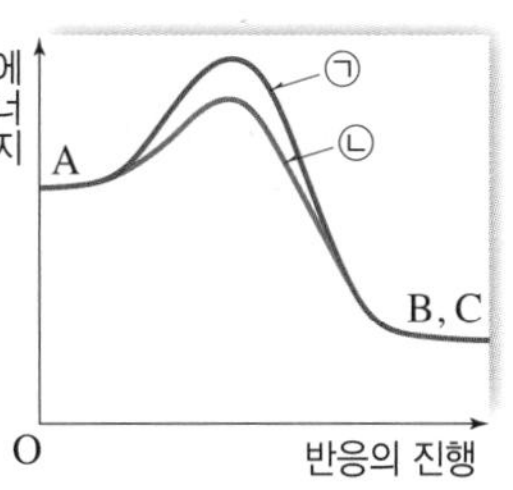

보기
ㄱ. 반응 속도는 ㉠일 때보다 ㉡일 때가 빠르다.
ㄴ. 물질의 에너지 크기는 A>B+C이다.
ㄷ. 효소가 있을 때의 에너지 변화는 ㉡이다.

① ㄱ ② ㄴ ③ ㄱ, ㄷ
④ ㄴ, ㄷ ⑤ ㄱ, ㄴ, ㄷ

중요 **08** 그림은 효소의 작용을 나타낸 것이다.

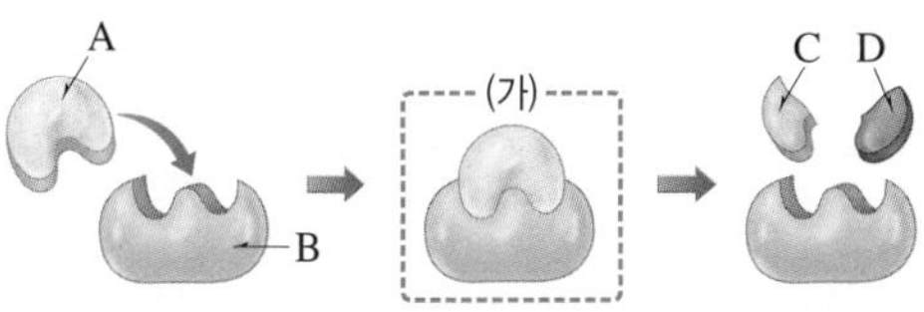

이에 대한 설명으로 옳은 것만을 [보기]에서 있는 대로 고른 것은?

보기
ㄱ. B는 이화 작용에 관여하는 효소이다.
ㄴ. (가) 상태에서 화학 반응의 활성화 에너지가 높아진다.
ㄷ. 반응이 진행되면서 A의 양은 감소하고, C와 D의 양은 증가한다.

① ㄱ ② ㄴ ③ ㄱ, ㄷ
④ ㄴ, ㄷ ⑤ ㄱ, ㄴ, ㄷ

09 다음은 효소의 작용을 알아보기 위한 실험이다.

(가) 시험관 A와 B에 3 % 과산화 수소수를 같은 양 넣은 후 A에는 생간 조각을, B에는 삶은 간 조각을 넣었더니 A에서는 ㉠ 기포가 발생하였고, B에서는 기포가 발생하지 않았다.
(나) 기포 발생이 끝난 A에 과산화 수소수를 더 넣었다.

이에 대한 설명으로 옳은 것만을 [보기]에서 있는 대로 고른 것은?

보기
ㄱ. ㉠에는 이산화 탄소가 있다.
ㄴ. 효소의 주성분은 고온에서 기능을 잃는다.
ㄷ. (나)의 A에서 기포가 다시 발생한다.

① ㄱ ② ㄴ ③ ㄱ, ㄷ
④ ㄴ, ㄷ ⑤ ㄱ, ㄴ, ㄷ

10 다음은 감자를 이용한 과산화 수소 분해 실험이다.

삼각 플라스크 A~C에 5 % 과산화 수소수와 같은 크기의 감자 조각을 표와 같이 넣고, 입구에 고무풍선을 씌운 뒤 일정 시간이 지난 후에 고무풍선의 변화를 관찰하였다.

삼각 플라스크	A	B	C
과산화 수소수(mL)	100	100	150
감자 조각(개)	0	5	5

[결과]

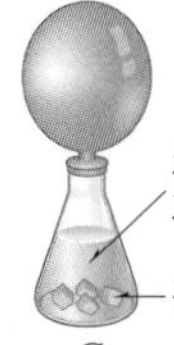

이에 대한 설명으로 옳은 것만을 [보기]에서 있는 대로 고른 것은?

보기
ㄱ. 감자에는 과산화 수소 분해 효소가 들어 있다.
ㄴ. 효소의 양이 일정할 때, 반응물의 양이 많을수록 생성물의 양이 많다.
ㄷ. 10 % 과산화 수소수로 같은 실험을 하더라도 B의 고무풍선 크기는 위와 같을 것이다.

① ㄱ ② ㄷ ③ ㄱ, ㄴ
④ ㄴ, ㄷ ⑤ ㄱ, ㄴ, ㄷ

11 그림 (가)는 어떤 효소의 작용을, (나)는 (가)가 진행되는 동안 일어나는 에너지 변화를 나타낸 것이다.

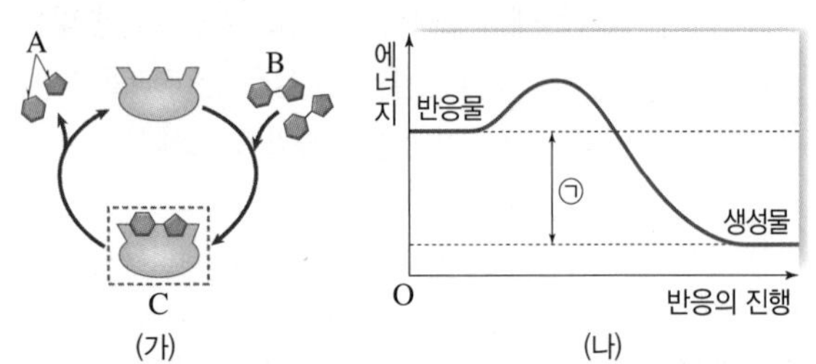

이에 대한 설명으로 옳은 것만을 [보기]에서 있는 대로 고른 것은?

보기
ㄱ. A의 에너지는 B의 에너지보다 작다.
ㄴ. C가 형성되면 (나)의 ㉠의 크기가 작아진다.
ㄷ. B의 양이 일정할 때, C의 형성 속도가 빠를수록 생성되는 A의 총량이 증가한다.

① ㄱ ② ㄷ ③ ㄱ, ㄴ
④ ㄴ, ㄷ ⑤ ㄱ, ㄴ, ㄷ

12 그림은 효소의 농도가 일정할 때 반응물의 농도에 따른 초기 반응 속도를 나타낸 것이다. 이에 대한 설명으로 옳은 것만을 [보기]에서 있는 대로 고른 것은?

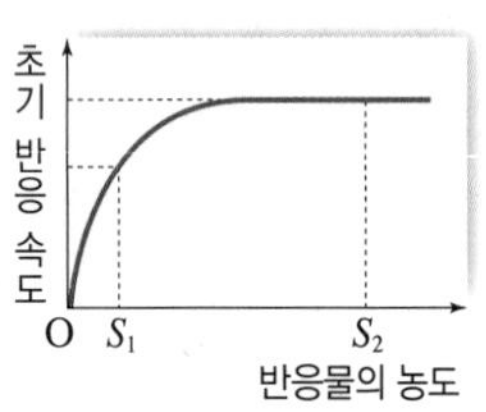

보기
ㄱ. S_1일 때보다 S_2일 때 생성물의 생성 속도가 빠르다.
ㄴ. S_1일 때보다 S_2일 때 반응물과 결합한 효소의 비율이 높다.
ㄷ. S_1일 때보다 S_2일 때 활성화 에너지가 더 작다.

① ㄱ ② ㄷ ③ ㄱ, ㄴ
④ ㄴ, ㄷ ⑤ ㄱ, ㄴ, ㄷ

13 효소가 활용되는 사례로 적합하지 않은 것은?

① 밥과 엿기름물로 식혜 만들기
② 김치와 된장을 발효시켜 숙성시키기
③ 혈당 측정기로 혈액 속 포도당 양 측정하기
④ 고기에 키위즙을 넣어 고기를 연하게 만들기
⑤ 감자를 삶을 때 빨리 익히기 위해 작게 자르기

14 다음은 세포 호흡으로 포도당이 분해되는 반응을 나타낸 것이다.

$$포도당 + 6O_2 \longrightarrow 6CO_2 + 6H_2O$$

(1) 이 반응이 주로 일어나는 세포 소기관을 쓰시오.

(2) 이 반응은 포도당이 연소될 때도 일어난다. 세포 호흡과 연소의 차이점을 두 가지 서술하시오.

중요 **15** 그림은 효소의 작용을 나타낸 것이다.

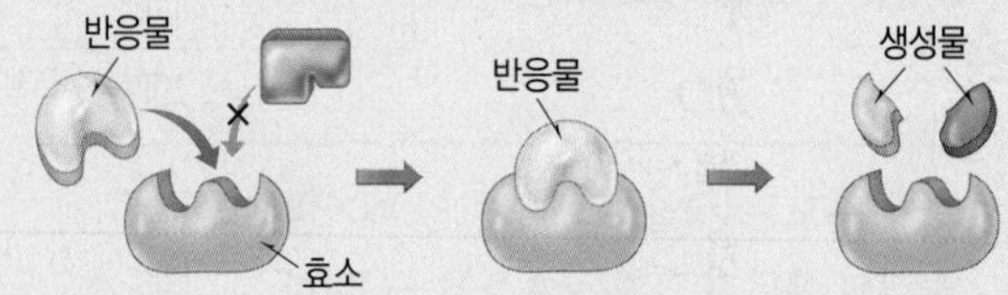

이를 통해 알 수 있는 효소의 특성을 세 가지 서술하시오.

16 표는 효소 X의 작용을 알아보기 위해 5 % 과산화 수소수를 10 mL씩 넣은 시험관 A와 B에 첨가한 물질과 실험 결과를 나타낸 것이다.

시험관	첨가한 물질	실험 결과
A	증류수 3 mL	기포 발생 안 함
B	감자즙 3 mL	기포 발생함

(1) 이 실험에서 반응을 촉매한 효소 X의 이름을 쓰시오.

(2) 효소가 화학 반응을 촉진할 수 있는 원리를 서술하시오.

17 생명체에는 물질대사에 관여하는 효소의 종류가 매우 많은 데 비해 그 양은 많지 않다. 그 까닭을 효소의 특성과 관련지어 서술하시오.

실력 UP 문제

01 그림은 식물 세포의 구조를, 표는 세포 소기관 A와 B에서 일어나는 물질대사 (가)와 (나)를 순서 없이 나타낸 것이다.

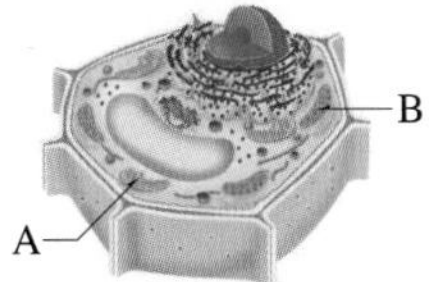

(가) $6CO_2 + 6H_2O \longrightarrow$ 포도당($C_6H_{12}O_6$)$+6O_2$
(나) 포도당($C_6H_{12}O_6$)$+6O_2 \longrightarrow 6CO_2 + 6H_2O$

이에 대한 설명으로 옳은 것만을 [보기]에서 있는 대로 고른 것은?

보기
ㄱ. (가)는 에너지를 흡수하여 일어나며, B에서 진행된다.
ㄴ. (나)에서 포도당의 에너지는 한꺼번에 열로 방출된다.
ㄷ. (가)와 (나) 반응에 관여하는 효소의 종류는 서로 같다.

① ㄱ ② ㄷ ③ ㄱ, ㄴ
④ ㄱ, ㄷ ⑤ ㄴ, ㄷ

02 그림은 어떤 물질대사에서 효소의 유무에 따른 에너지 변화를 나타낸 것이다.

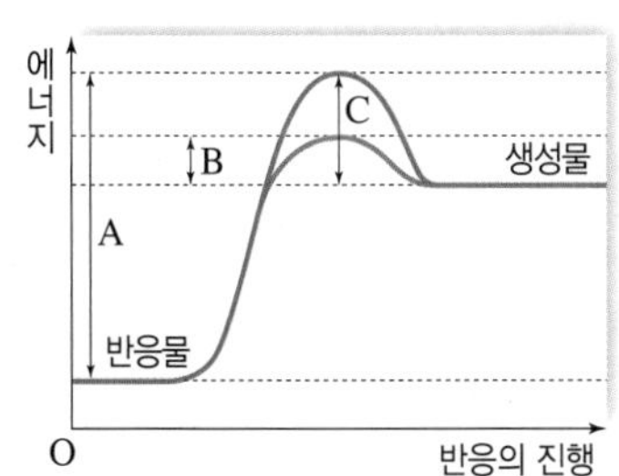

이에 대한 설명으로 옳은 것만을 [보기]에서 있는 대로 고른 것은?

보기
ㄱ. 이 반응은 동화 작용에 속한다.
ㄴ. 효소가 없을 때의 활성화 에너지는 A이다.
ㄷ. 효소의 작용으로 감소하는 활성화 에너지의 크기는 C−B이다.

① ㄱ ② ㄴ ③ ㄱ, ㄷ
④ ㄴ, ㄷ ⑤ ㄱ, ㄴ, ㄷ

03 그림 (가)는 어떤 효소의 반응을, (나)는 이 효소가 관여하는 반응이 진행될 때 물질 A~D의 농도를 나타낸 것이다. ㉠~㉣은 각각 기질, 효소, 생성물, 효소·기질 복합체 중 하나이고, A~D는 각각 ㉠~㉣ 중 하나이다.

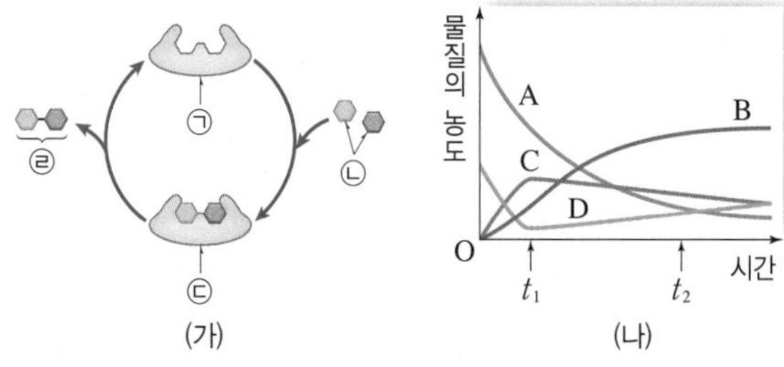

이에 대한 설명으로 옳은 것만을 [보기]에서 있는 대로 고른 것은?

ㄱ. ㉠은 A이다.
ㄴ. ㉡의 농도를 2배로 하면 C+D의 농도가 2배로 증가한다.
ㄷ. ㉢의 농도는 t_1일 때가 t_2일 때보다 높다.

① ㄱ ② ㄴ ③ ㄷ ④ ㄱ, ㄴ ⑤ ㄴ, ㄷ

04 그림 (가)는 효소의 농도가 일정할 때 반응물의 농도에 따른 초기 반응 속도를, (나)는 효소와 반응물의 결합 정도를 각각 나타낸 것이다. S_1과 S_2일 때 효소와 반응물의 결합 정도는 각각 A~C 중 하나이다.

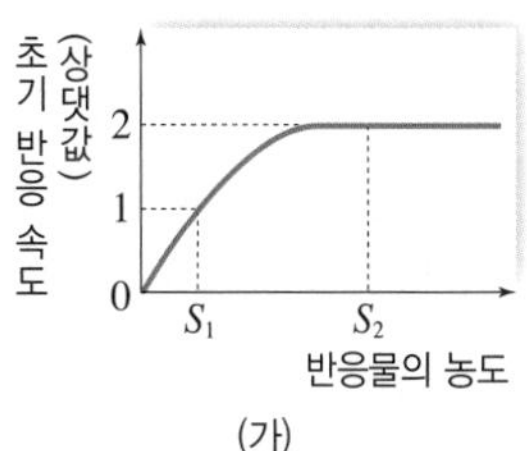

(가)

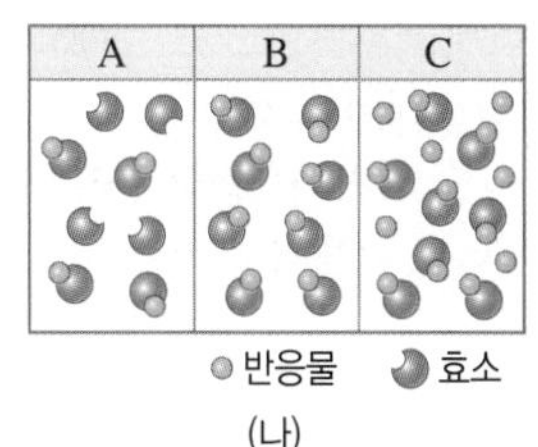

(나)

이에 대한 설명으로 옳지 않은 것은?

① S_1일 때 효소와 반응물의 결합 정도는 A이다.
② 생성물의 생성 속도는 S_2일 때가 S_1일 때보다 빠르다.
③ 활성화 에너지 크기는 S_1일 때가 S_2일 때의 $\frac{1}{2}$이다.
④ S_2일 때 효소를 더 넣어 주면 초기 반응 속도가 2보다 커진다.
⑤ 반응물과 결합하고 있는 효소의 비율은 S_2일 때가 S_1일 때보다 높다.

3 생명 시스템에서 정보의 흐름

핵심 포인트
❶ 유전자와 단백질 ★★
❷ 유전 정보의 흐름 ★★★
❸ 유전자 이상과 유전 질환 ★★

A 유전자와 단백질

1. 유전자 생물의 ❶형질을 결정하는 유전 정보는 세포 핵 속의 DNA에 저장되어 있다.
➡ 유전 정보가 저장된 DNA의 특정 부분을 ◆유전자라고 한다.

◆ **유전자**
DNA에서 특정한 단백질이나 RNA를 만들 수 있는 단위이다. 사람은 20000~25000개의 단백질 유전자를 갖는다.
유전자 중에는 단백질 합성에는 관여하지 않고 RNA 합성에만 관여하는 것이 있다는 사실이 알려졌다. 그에 따라 최근에는 유전자를 'DNA 염기 서열에서 단백질이나 RNA를 만들 수 있는 단위'로 정의한다.

| DNA와 유전자의 관계 |

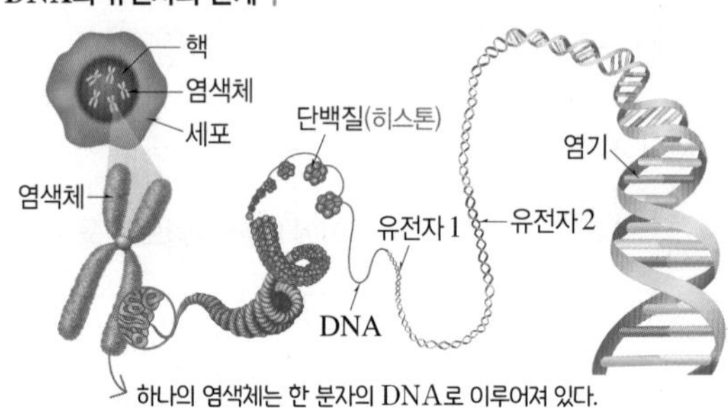

하나의 염색체는 한 분자의 DNA로 이루어져 있다.

- DNA는 단백질과 결합한 상태로 세포 핵 속에 있으며, 세포 분열 시 응축하여 막대 모양의 염색체로 나타난다.
- 유전자는 DNA의 특정 부위에 있으며, 한 분자의 DNA에는 많은 수의 유전자가 있다.
- 특정 유전자는 특정 단백질에 대한 정보를 저장한다.

2. 유전자와 단백질 생물은 유전자의 유전 정보에 따라 효소를 비롯한 다양한 ◆단백질을 합성하고, 이 단백질에 의해 다양한 형질이 나타난다.

◆ **단백질의 합성**
단백질은 단위체인 아미노산이 펩타이드 결합으로 연결되어 합성된다. 이때 아미노산의 배열 순서에 따라 단백질의 종류가 결정되므로, 단백질 유전자에는 특정 단백질의 아미노산 배열 순서에 대한 정보가 저장되어 있다.

| 유전 형질이 나타나는 과정 |

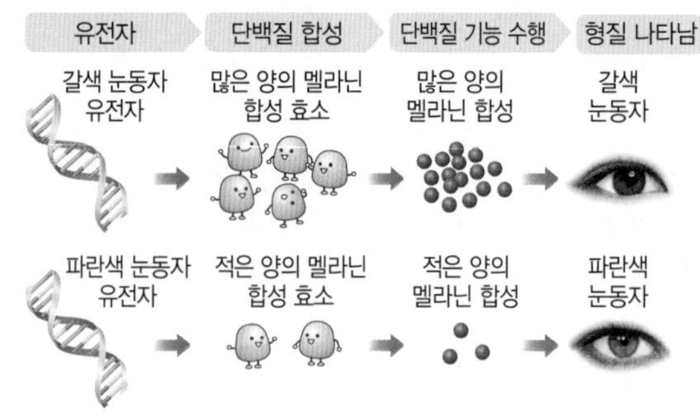

- 유전자에 저장된 정보에 따라 ❷멜라닌 합성 효소가 합성되고, 이 효소의 작용으로 멜라닌이 합성되어 눈동자 색이 나타난다. ➡ 단백질에 대한 정보는 유전자에 저장되어 있다.
- 유전자가 다르면 합성되는 단백질에 차이가 생겨 그에 따라 형질이 다르게 나타날 수 있다.

암기해!
형질이 나타나는 과정
DNA의 유전자 → 단백질 → 형질

탐구 자료창 사슴의 털색이 다른 까닭

미래엔 교과서에만 나와요.

그림은 사슴의 털색이 갈색을 띠는 과정과 흰색 털의 사슴을 나타낸 것이다.

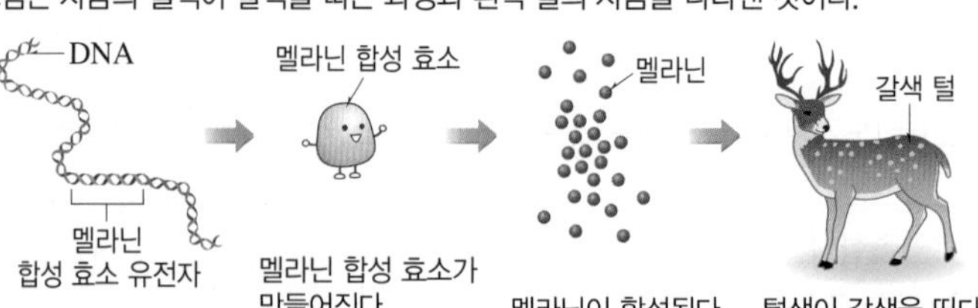

1. **사슴의 털색이 갈색을 띠는 과정:** DNA에 있는 유전자의 유전 정보에 따라 멜라닌 합성 효소(단백질)가 합성되고, 이 효소의 작용으로 멜라닌이 합성되어 사슴의 털색이 갈색으로 나타난다.
2. **사슴의 털색이 흰색을 띠는 까닭:** 멜라닌이 만들어지지 않았기 때문이다. ➡ DNA에 있는 멜라닌 합성 효소 유전자에 이상이 생겨 멜라닌 합성 효소가 합성되지 않았다.
3. **결론:** 유전자에 의해 합성되는 단백질의 유무에 따라 형질이 달라진다.

용어
❶ **형질(形 형상, 質 바탕)** 눈동자 색깔, 피부색, 혈액형 등과 같이 생물이 나타내는 특성
❷ **멜라닌** 동물의 조직에 있는 흑갈색의 색소로, 그 양에 따라 눈동자 색깔 등이 결정된다.

B 유전 정보의 흐름

1. 생명 중심 원리 세포 내에서 이루어지는 유전 정보의 흐름을 설명하는 원리로, 유전 정보는 DNA에서 RNA를 거쳐 단백질로 전달된다. DNA ➡ RNA ➡ 단백질

└● 유전자의 유전 정보에 따라 생명체를 구성하는 다양한 단백질이 합성되는 과정을 유전자 발현이라고 한다.

| 생명 중심 원리 |

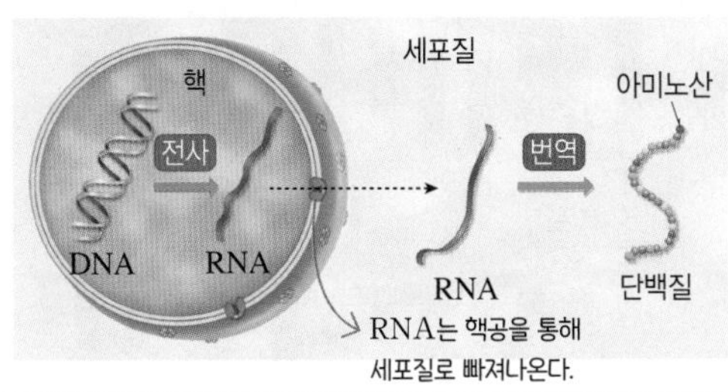

- **전사** DNA에 저장된 유전 정보가 RNA로 전달되는 과정으로, DNA가 있는 ◆핵 속에서 일어난다.
- **번역** RNA의 유전 정보에 따라 단백질이 합성되는 과정으로, 세포질의 리보솜에서 일어난다.

유전 정보의 원본인 DNA는 핵 속에 안전하게 보존되면서 RNA를 통해 정보를 전달하여 단백질이 합성된다.

2. 유전 정보의 저장

① **DNA의 유전 정보:** DNA에는 염기인 아데닌(A), 구아닌(G), 사이토신(C), 타이민(T)이 나열되어 있는데, 유전 정보는 유전자를 이루는 DNA의 염기 서열에 저장된다.

② **◆3염기 조합:** DNA에서 하나의 아미노산을 지정하는 연속된 3개의 염기이다.

| DNA의 3염기 조합 |

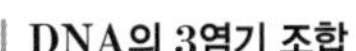

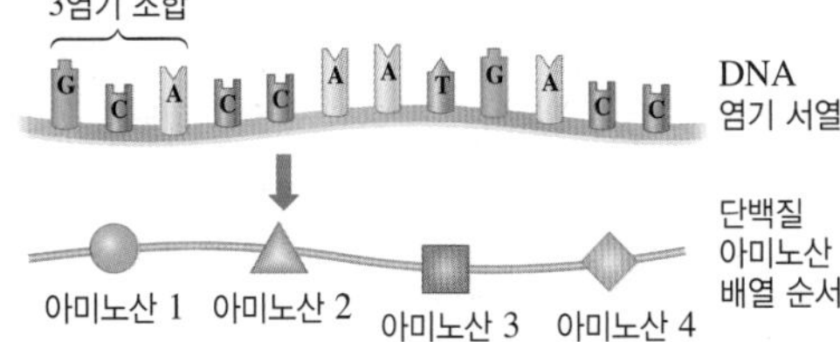

- 유전자의 DNA 염기 서열에 단백질의 아미노산 배열 순서에 대한 정보가 저장되어 있다.
- DNA의 연속된 3개의 염기가 한 조가 되어 하나의 아미노산을 지정한다. ➡ 3염기 조합
  └● 트리플렛 코드

3. 유전 정보의 전사

① **전사:** DNA의 유전 정보가 RNA로 전달되는 과정으로, DNA의 염기에 상보적인 염기를 가진 ◆RNA 뉴클레오타이드가 결합한다. ➡ DNA 염기 서열에 상보적인 염기 서열을 가진 RNA가 합성된다.

② **코돈:** RNA에서 하나의 아미노산을 지정하는 연속된 3개의 염기이다. ➡ 코돈은 DNA에서 상보적으로 전사된 것으로, 64종류가 있다.

| 전사 과정 |

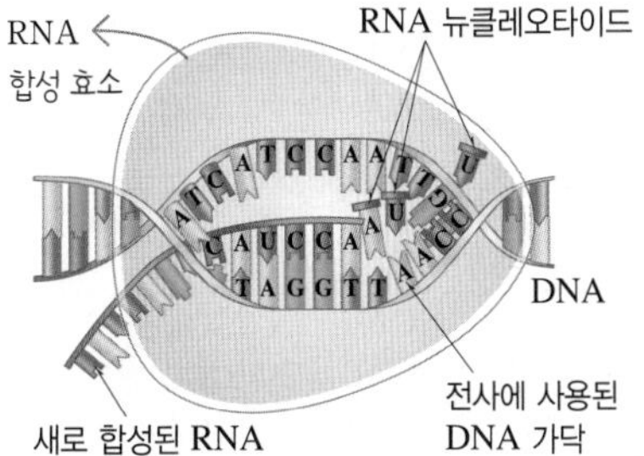

- 전사가 일어날 때에는 DNA의 이중 나선이 풀리고, 한 가닥의 폴리뉴클레오타이드의 염기에 상보적인 염기를 가진 RNA 뉴클레오타이드가 하나씩 결합하여 RNA가 합성된다.
- 염기의 상보적 관계

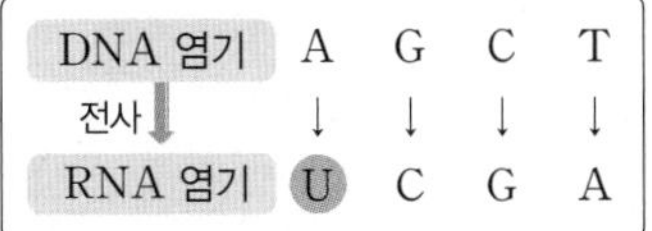

DNA 염기	A	G	C	T
전사 ↓	↓	↓	↓	↓
RNA 염기	U	C	G	A

RNA에는 타이민(T)이 없고 유라실(U)이 있으므로 아데닌(A)에 상보적인 염기는 유라실(U)이 된다.

- 전사가 완료되면 합성된 RNA는 DNA로부터 분리되고, DNA의 두 가닥은 다시 이중 나선을 이룬다.

암기해!

생명 중심 원리

DNA —전사→ RNA —번역→ 단백질

◆ 전사가 일어나는 장소

동물 세포, 식물 세포와 같이 막으로 둘러싸인 뚜렷한 핵이 있는 세포(진핵세포)의 경우 전사는 핵 속에서, 번역은 세포질에서 일어난다. 그러나 세균과 같이 막으로 둘러싸인 뚜렷한 핵이 없는 세포(원핵세포)는 전사와 번역이 모두 세포질에서 일어난다.

◆ 3염기 조합

DNA를 구성하는 염기는 4종류인데, 단백질을 구성하는 아미노산은 20종류이다. 만일 염기 2개가 한 조가 되어 하나의 아미노산을 지정한다면 $4^2=16$종류로 20종류의 아미노산을 모두 지정할 수 없다. 그러나 염기 3개가 한 조가 되어 하나의 아미노산을 지정한다면 $4^3=64$종류로 20종류의 아미노산을 모두 지정할 수 있다.

◆ RNA 뉴클레오타이드

RNA를 구성하는 뉴클레오타이드는 당으로 리보스를 가지며, 염기는 아데닌(A), 구아닌(G), 사이토신(C), 유라실(U)이 있다.

주의해!

전사와 상보적 염기

DNA 염기 ——→ RNA 염기

아데닌(A) 유라실(U)

4. 유전 정보의 번역 RNA의 유전 정보에 따라 단백질이 합성되는 과정으로, RNA의 코돈이 지정하는 아미노산이 펩타이드 결합에 의해 순서대로 연결되어 단백질이 합성된다.

➡ 합성된 단백질이 특정한 기능을 수행하여 형질이 나타난다.

| 유전 정보의 전달과 단백질 합성 과정 |

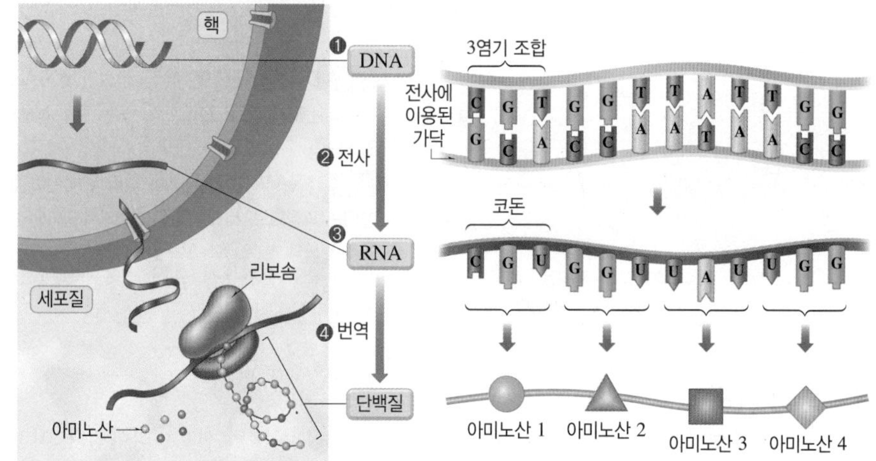

❶ DNA: 유전자에는 아미노산 배열 순서에 대한 정보가 저장되어 있다. ➡ DNA의 3염기 조합이 하나의 아미노산을 지정한다.

❷ 전사: DNA의 한쪽 폴리뉴클레오타이드의 염기에 상보적인 염기를 가진 RNA 뉴클레오타이드가 결합하여 RNA를 합성한다. ➡ DNA의 염기 서열이 GCA이면 RNA의 염기 서열은 CGU이다.

❸ RNA 이동: 핵 속에서 전사된 RNA는 세포질로 나와 리보솜과 결합한다.

❹ 번역: RNA의 코돈이 지정하는 아미노산이 차례대로 리보솜으로 운반되어 오고, 아미노산과 아미노산 사이에 펩타이드 결합이 일어나 폴리펩타이드가 만들어진다. ➡ 폴리펩타이드는 구부러지고 접혀 독특한 입체 구조를 갖는 단백질이 된다.

➡ DNA의 유전 정보는 RNA를 거쳐 단백질로 전달된다.

코돈 CGU는 아르지닌, GGU는 글리신, UAU는 타이로신, UGG는 트립토판을 각각 지정하므로 위에서 합성되는 단백질의 아미노산 배열 순서는 '…—아르지닌—글리신—타이로신—트립토판—…'임을 알 수 있어요.

◆ **전사와 번역**

DNA로부터 RNA가 합성되는 과정은 DNA의 염기 서열을 RNA의 염기 서열로 베끼는 것이므로 '전사'라고 한다. RNA로부터 단백질이 합성되는 과정은 RNA의 염기 서열을 아미노산 배열 순서로 바꾸는 과정이므로 '번역'이라고 한다.

DNA는 설계도에, RNA는 복사본에, 단백질은 설계도에 따라 만들어진 완성품에 비유할 수 있다.

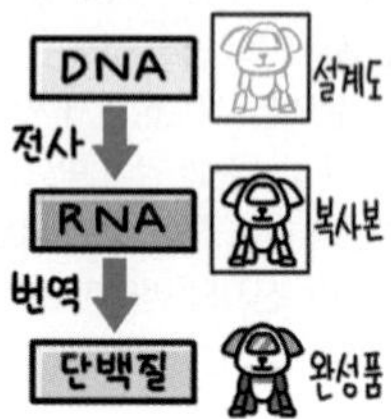

궁금해?

단백질 합성의 시작과 끝은 어떻게 알까?

RNA의 코돈 중에는 단백질 합성을 시작하게 하는 개시 코돈과 단백질 합성을 끝마치게 하는 종결 코돈이 있다. 따라서 번역은 항상 개시 코돈에서 시작되어 종결 코돈에서 끝난다.

확대경 코돈과 아미노산

1. 코돈은 아미노산을 지정하지만, 단백질 합성의 개시와 종결을 지정하는 코돈도 있다. AUG는 메싸이오닌을 지정하는 코돈이면서 단백질 합성을 시작하게 하는 개시 코돈이고, UAA, UAG, UGA는 종결 코돈으로 지정하는 아미노산이 없다. 나머지 61종류는 각기 한 종류의 아미노산을 지정한다.
2. 하나의 코돈은 하나의 아미노산을 지정한다. 그런데 코돈은 64종류이고 아미노산은 20종류이므로 한 종류의 아미노산을 지정하는 코돈이 여러 종류가 있을 수 있다.

[코돈이 지정하는 아미노산]

코돈	아미노산	코돈	아미노산	코돈	아미노산	코돈	아미노산	코돈	아미노산	코돈	아미노산	코돈	아미노산	코돈	아미노산
UUU	페닐알라닌	UCU	세린	UAU	타이로신	UGU	시스테인	AUU	아이소류신	ACU	트레오닌	AAU	아스파라진	AGU	세린
UUC		UCC		UAC		UGC		AUC		ACC		AAC		AGC	
UUA	류신	UCA		UAA	연결 멈춤	UGA	연결 멈춤	AUA		ACA		AAA	라이신	AGA	아르지닌
UUG		UCG		UAG		UGG	트립토판	AUG	메싸이오닌	ACG		AAG		AGG	
CUU	류신	CCU	프롤린	CAU	히스티딘	CGU	아르지닌	GUU	발린	GCU	알라닌	GAU	아스파트산	GGU	글리신
CUC		CCC		CAC		CGC		GUC		GCC		GAC		GGC	
CUA		CCA		CAA	글루타민	CGA		GUA		GCA		GAA	글루탐산	GGA	
CUG		CCG		CAG		CGG		GUG		GCG		GAG		GGG	

개념 확인 문제

정답친해 85쪽

핵심 체크

- (❶): 유전 정보가 저장되어 있는 DNA의 특정 부분
- (❷) 원리: 세포 내에서 이루어지는 유전 정보의 흐름을 설명하는 원리

(❸)	• DNA 염기 서열에 단백질의 아미노산 배열 순서에 대한 정보가 저장되어 있다. • (❹): 하나의 아미노산을 지정하는 DNA의 연속된 3개의 염기
↓ (❺)	
RNA	• 핵 속에서 DNA 염기 서열에 상보적인 염기 서열을 가진 RNA를 합성한다. • (❻): 하나의 아미노산을 지정하는 RNA의 연속된 3개의 염기
↓ (❼)	
단백질	• 세포질의 (❽)에서 RNA의 유전 정보에 따라 (❾)이 펩타이드 결합으로 연결되어 단백질이 합성된다.

1 유전자에 대한 설명으로 옳은 것은 ○, 옳지 않은 것은 ×로 표시하시오.

(1) DNA의 염기 서열 형태로 존재한다. ( )
(2) 염색체 한 개에 유전자 하나가 있다. ( )
(3) 유전자는 DNA의 특정 부위에 있다. ( )

2 그림은 생물의 형질이 나타나는 과정을 나타낸 것이다.

유전자 → ㉠ 합성 → ㉠이 기능 수행 → 형질 나타남

물질 ㉠은 무엇인지 쓰시오.

3 그림은 세포에서의 유전 정보 흐름을 나타낸 것이다.

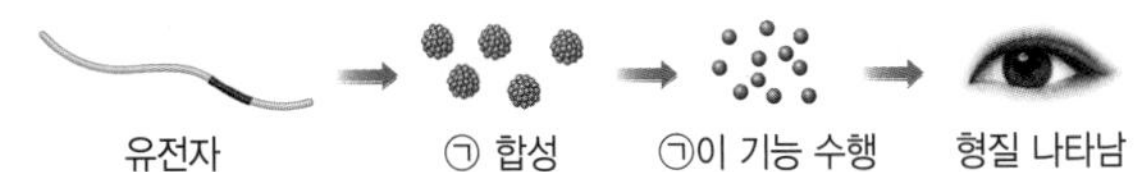

A와 B 과정을 각각 무엇이라고 하는지 쓰시오.

4 DNA를 구성하는 두 폴리뉴클레오타이드 중 한 가닥의 염기 서열이 다음과 같을 때, 이 DNA 가닥으로부터 전사된 RNA의 염기 서열을 쓰시오.

−A T A G C C T C A−

5 그림은 유전 정보가 전달되어 단백질이 합성되는 과정을 나타낸 것이다.

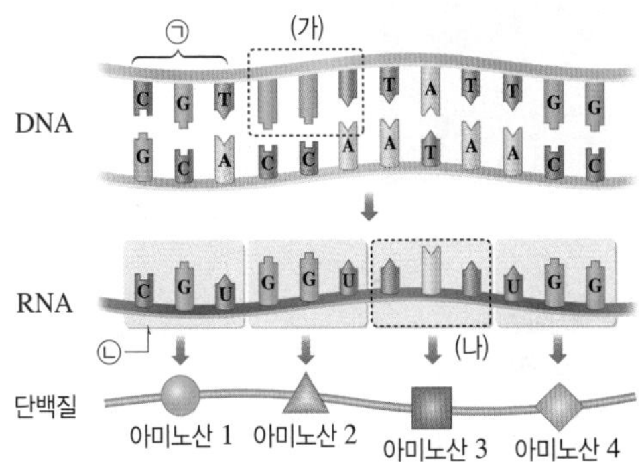

(1) 하나의 아미노산을 지정하는 ㉠과 ㉡을 각각 무엇이라고 하는지 쓰시오.
(2) (가)와 (나)의 염기 서열을 쓰시오.

6 유전 정보의 흐름에 대한 설명으로 옳은 것은 ○, 옳지 않은 것은 ×로 표시하시오.

(1) DNA의 유전 정보는 RNA를 거쳐 단백질로 전달된다. ( )
(2) 동물 세포에서 전사는 세포질에서 일어난다. ( )
(3) 번역은 세포질의 리보솜에서 일어난다. ( )
(4) 유전자로부터 전사된 RNA의 염기 서열에 의해 아미노산 배열 순서가 결정된다. ( )

◆ **페닐케톤뇨증**
페닐케톤뇨증은 페닐알라닌이 체내에 축적되어 나타나는 질환이다. 페닐알라닌은 아미노산의 일종으로, 체내에서 페닐알라닌 수산화 효소에 의해 타이로신으로 전환된다. 이 효소에 이상이 생기면 페닐알라닌이 체내에 축적되어 지능 저하, 갈색 피부와 모발, 경련 등의 증상이 나타난다.

◆ **낫 모양 적혈구**
유전자 이상으로 아미노산이 글루탐산에서 발린으로 바뀌면 헤모글로빈이 변형되고, 서로 달라붙어 적혈구가 찌그러진다. 낫 모양 적혈구는 수명이 짧고 산소 운반 기능도 떨어지며, 모세 혈관을 막아 혈액의 흐름을 방해하여 여러 기관에 손상을 입힌다.

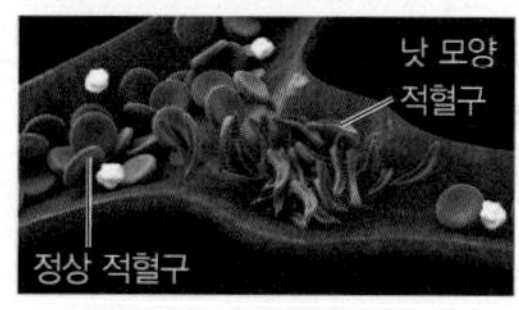

◆ **유전부호 체계와 진화**
생물의 유전부호 체계는 자손에게 물려지며, 이를 통해 생명의 연속성이 유지된다. 그러므로 거의 모든 생명체가 동일한 유전부호 체계를 사용한다는 것은 공통 조상이 자손을 만들고 번식하는 과정에서 다양한 생물로 진화해 왔다는 것을 의미한다.

C 유전자 이상과 유전 질환

1. 유전자 이상 유전자를 구성하는 DNA의 염기 서열에 이상이 생기는 것이다.
└ DNA에서 염기 일부가 빠지거나 끼어들거나 바뀌면 DNA 염기 서열이 바뀐다.

2. 유전자 이상에 의한 유전 질환 DNA 염기 서열이 바뀌면 전사, 번역 과정이 정상적으로 일어나지 않거나, 바뀐 염기 서열이 비정상 단백질로 번역되어 유전 질환이 나타날 수 있다.

① ◆**페닐케톤뇨증:** 유전자 이상으로 페닐알라닌 분해 효소가 만들어지지 않아 페닐알라닌이 체내에 축적되고, 축적된 페닐알라닌이 페닐케톤 등으로 바뀌어 뇌 조직을 손상시킨다.

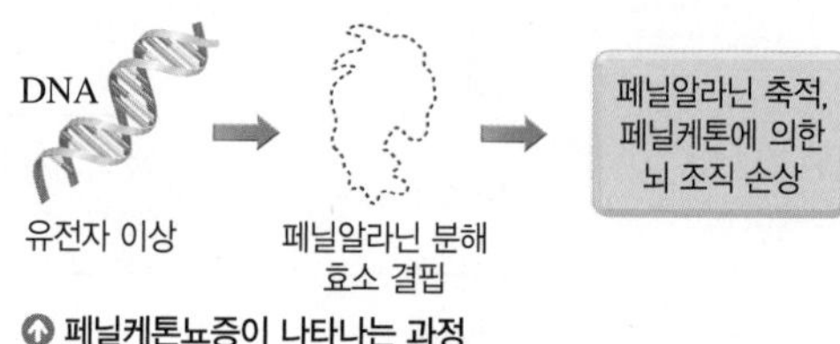

⬆ 페닐케톤뇨증이 나타나는 과정

② ◆**낫 모양 적혈구 빈혈증:** 헤모글로빈 유전자 이상으로 비정상 헤모글로빈이 만들어져 적혈구가 낫 모양으로 바뀌어 심한 빈혈 증상이 나타난다.

| 정상 적혈구와 낫 모양 적혈구의 형성 과정 | 동아 교과서에만 나와요.

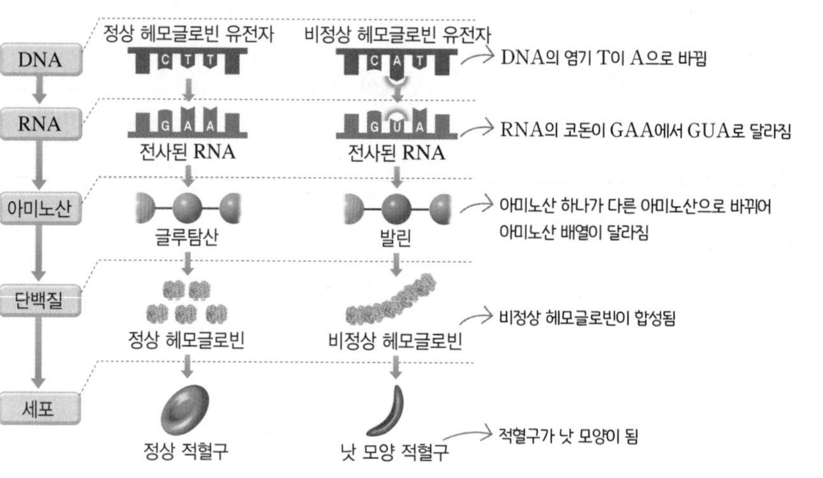

┌ 유전 정보를 나타내는 연속된 3개의 염기로, 3염기 조합은 DNA의 유전부호, 코돈은 RNA의 유전부호이다.

D 유전부호 체계의 공통성

1. 유전부호 체계의 공통성 지구에 사는 생물들은 서로 다른 유전 정보를 가지고 있어 모습과 생활 방식이 다양하지만 거의 모든 생명체는 동일한 유전부호 체계를 사용한다. ➡ 모든 생명체가 현재와 같은 유전부호 체계를 이용하는 공통 조상으로부터 ◆진화해 왔음을 의미한다.

| 유전부호 체계의 공통성 |

- DNA에 유전 정보를 저장한다.
- 유전 정보는 4종류 염기의 서열에 의해 결정된다.
- RNA가 유전 정보의 전달자로 이용된다.
- 리보솜에서 RNA의 정보에 따라 단백질이 합성된다.
- 유전부호를 해석하는 방법이 동일하다. ➡ 같은 코돈은 세균과 사람에서 같은 아미노산으로 번역된다. ─• UUU는 세균이나 사람에서 모두 페닐알라닌을 지정한다.

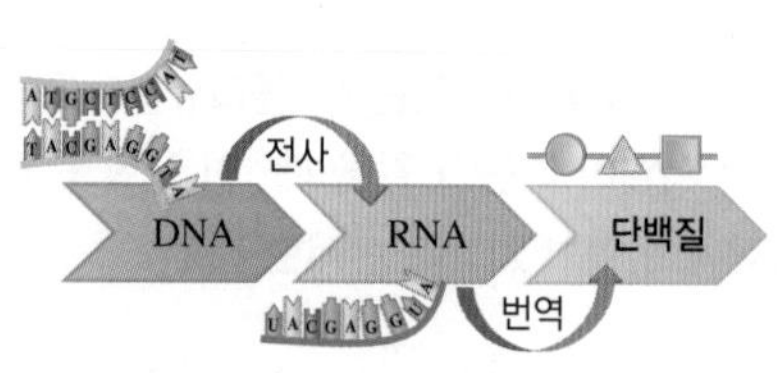

2. 유전부호 체계의 공통성 활용 사람과 세균의 유전부호 체계가 같으므로 사람의 유전자를 세균에 넣으면 사람의 유전 정보대로 단백질을 합성한다. ➡ 생명 공학 기술을 이용하여 세균에서 사람의 인슐린이나 생장 호르몬과 같은 유용한 단백질을 대량 생산할 수 있다.

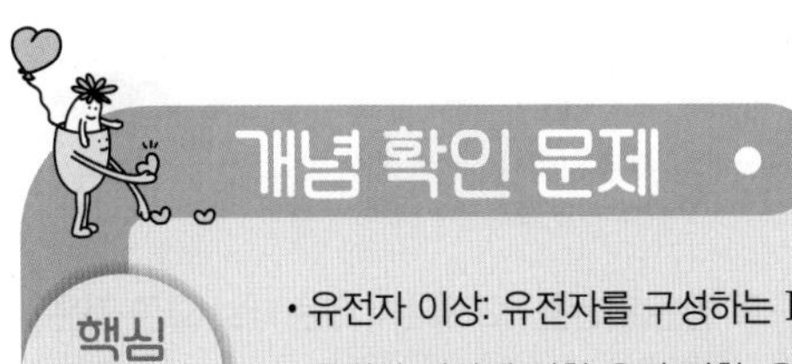

정답친해 86쪽

핵심 체크

- 유전자 이상: 유전자를 구성하는 DNA의 (❶)에 이상이 생기는 것
- 유전자 이상에 의한 유전 질환: 유전자 이상 → (❷) 이상 → 질환의 증상이 나타남
  예 페닐케톤뇨증 – 페닐알라닌 분해 효소 유전자 이상, 낫 모양 적혈구 빈혈증 – (❸) 유전자 이상
- 유전부호 체계의 공통성: 거의 모든 생명체는 유전 물질로 (❹)를, 유전 정보 전달자로 (❺)를 사용하며, 유전부호를 해석하는 방법이 동일하다. ➡ 공통 조상으로부터 진화하였음을 의미
- 유전부호 체계의 공통성 활용: 사람의 단백질 유전자 → 세균에 주입 → 세균에서 (❻)의 단백질 생산

1 그림은 낫 모양 적혈구 빈혈증이 나타나는 과정을 나타낸 것이다.

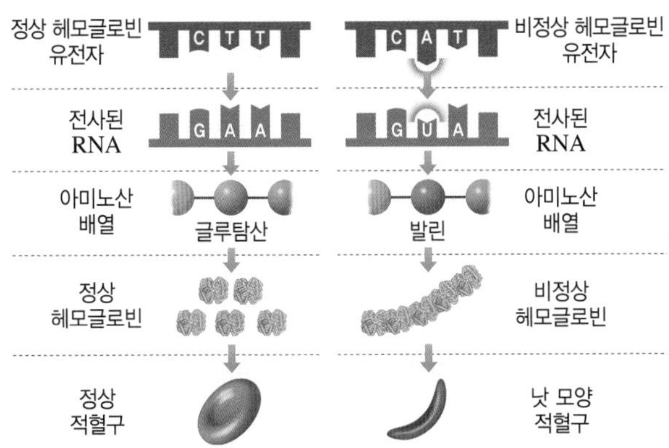

이에 대한 설명으로 옳은 것은 ○, 옳지 않은 것은 ×로 표시하시오.

(1) 헤모글로빈 유전자는 DNA의 특정 부위에 있다. ( )

(2) DNA 염기 서열이 바뀌면 이로부터 전사되는 RNA의 염기 서열도 바뀐다. ( )

(3) 코돈 GAA와 GUA는 동일한 아미노산을 지정한다. ( )

(4) 이상이 생긴 유전자에서 전사된 RNA는 번역되지 않는다. ( )

(5) 비정상 헤모글로빈은 적혈구의 모양을 바꿀 수 있다. ( )

2 다음에서 설명하는 유전 질환은 무엇인지 쓰시오.

> 유전자 이상으로 페닐알라닌을 분해하는 효소가 만들어지지 않아 체내에 페닐알라닌이 축적되어 나타난다.

3 생명체가 공통적으로 사용하는 유전부호 체계와 관련된 용어와 설명을 옳게 연결하시오.

(1) DNA •	• ㉠ 단백질 합성
(2) RNA •	• ㉡ 염기 서열에 저장
(3) 유전 정보 •	• ㉢ 유전 정보 저장 물질
(4) 리보솜 •	• ㉣ 유전 정보 전달 물질

4 다음은 생명 공학 기술을 이용하여 대장균에서 사람의 단백질을 생산하는 것을 설명한 것이다. ( ) 안에 알맞은 말을 쓰시오.

> 사람의 인슐린 유전자를 대장균에 주입하면 대장균에서 사람의 인슐린 단백질을 합성할 수 있다. 이는 사람과 대장균의 ( )가 동일하기 때문에 가능한 일이다.

내신 만점 문제

A 유전자와 단백질

중요 **01** 유전자에 대한 설명으로 옳은 것만을 [보기]에서 있는 대로 고른 것은?

보기
ㄱ. 유전 정보가 저장된 DNA의 특정 부분이다.
ㄴ. 한 분자의 DNA에는 하나의 유전자가 존재한다.
ㄷ. 유전자에는 단백질과 RNA에 대한 정보가 들어 있다.

① ㄱ ② ㄴ ③ ㄱ, ㄷ ④ ㄴ, ㄷ ⑤ ㄱ, ㄴ, ㄷ

02 그림은 염색체의 구조를 나타낸 것이다.

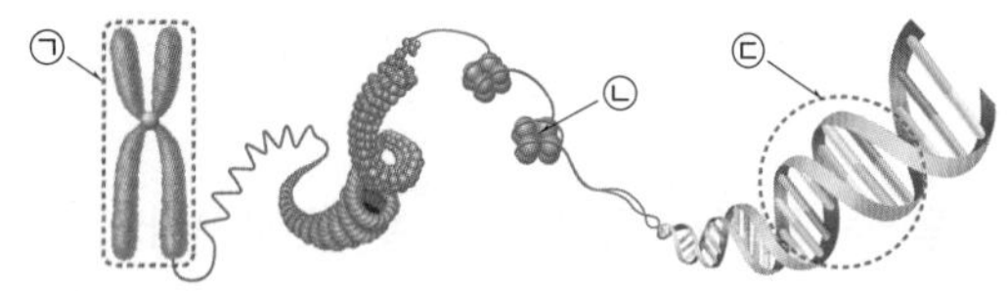

이에 대한 설명으로 옳은 것만을 [보기]에서 있는 대로 고른 것은?

보기
ㄱ. ㉠은 DNA와 단백질로 구성된다.
ㄴ. ㉡은 리보솜에서 합성된다.
ㄷ. ㉢의 기본 단위는 뉴클레오타이드이다.

① ㄱ ② ㄴ ③ ㄱ, ㄷ ④ ㄴ, ㄷ ⑤ ㄱ, ㄴ, ㄷ

중요 **03** 그림은 어떤 생물의 유전자와 단백질을 나타낸 것이다.
이에 대한 설명으로 옳은 것만을 [보기]에서 있는 대로 고른 것은?

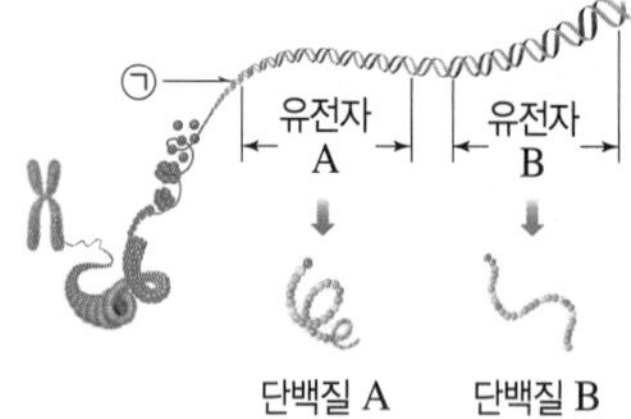

보기
ㄱ. 유전 정보는 ㉠에 염기 서열 방식으로 저장된다.
ㄴ. ㉠은 염기 아데닌(A), 구아닌(G), 사이토신(C), 유라실(U)로 구성된다.
ㄷ. 유전자 A에 이상이 생기면 단백질 B가 정상적으로 합성되지 않을 수 있다.

① ㄱ ② ㄴ ③ ㄷ ④ ㄱ, ㄷ ⑤ ㄴ, ㄷ

04 그림은 생물의 형질이 나타나는 과정을 나타낸 것이다.

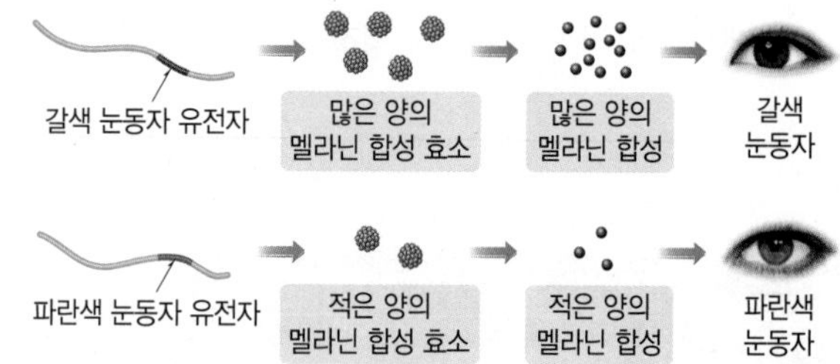

이에 대한 설명으로 옳은 것만을 [보기]에서 있는 대로 고른 것은?

보기
ㄱ. 눈동자 색 형질은 멜라닌 합성량에 따라 결정된다.
ㄴ. 유전자의 유전 정보에 따라 멜라닌 합성 효소가 합성된다.
ㄷ. 갈색 눈동자 유전자와 파란색 눈동자 유전자에 의해 합성되는 색소의 종류가 다르다.

① ㄱ ② ㄴ ③ ㄱ, ㄴ
④ ㄴ, ㄷ ⑤ ㄱ, ㄴ, ㄷ

B 유전 정보의 흐름

중요 **05** 그림은 동물 세포에서 일어나는 유전 정보의 흐름을 나타낸 것이다.

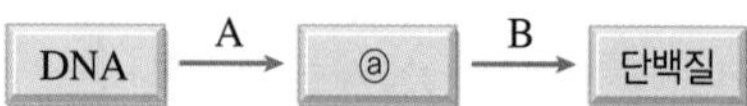

이에 대한 설명으로 옳은 것만을 [보기]에서 있는 대로 고른 것은?

보기
ㄱ. A는 전사로, 핵 속에서 일어난다.
ㄴ. ⓐ는 구성 성분으로 리보스를 포함한다.
ㄷ. B 과정에서 ⓐ의 염기 서열이 단백질의 아미노산 서열로 번역된다.

① ㄱ ② ㄴ ③ ㄱ, ㄷ
④ ㄴ, ㄷ ⑤ ㄱ, ㄴ, ㄷ

정답친해 86쪽

06 그림 (가)는 동물 세포를, (나)는 이 세포에서의 유전 정보 흐름을 나타낸 것이다.

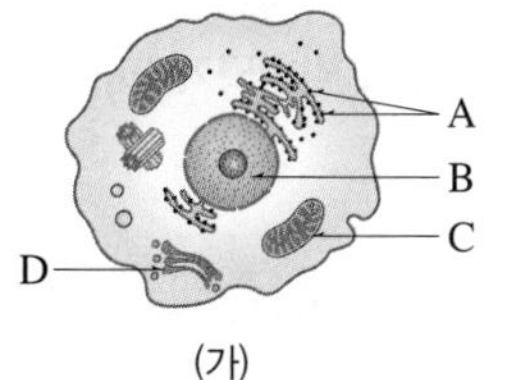

(가)

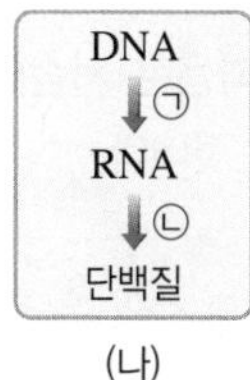

(나)

이에 대한 설명으로 옳은 것만을 [보기]에서 있는 대로 고른 것은?

보기
ㄱ. ㉠은 A에서, ㉡은 B에서 일어난다.
ㄴ. ㉡ 과정에 필요한 아미노산은 C에서 합성한다.
ㄷ. D는 (나) 과정을 거쳐 합성된 단백질을 세포 밖으로 분비하는 데 관여한다.

① ㄱ ② ㄴ ③ ㄷ
④ ㄱ, ㄴ ⑤ ㄴ, ㄷ

중요 **07** 그림은 전사를 통해 유전 정보가 전달되는 과정의 일부를 나타낸 것이다.
이에 대한 설명으로 옳은 것만을 [보기]에서 있는 대로 고른 것은?

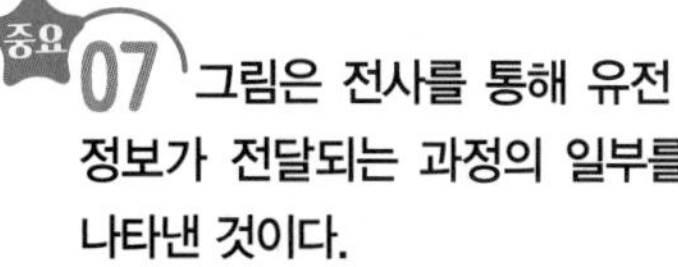

(가)

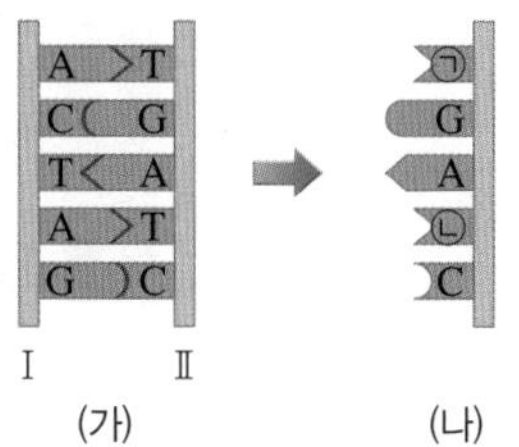

(나)

보기
ㄱ. (나)는 (가)의 가닥 Ⅰ로부터 전사되었다.
ㄴ. (나)의 ㉠과 ㉡에 공통적으로 들어갈 염기는 T이다.
ㄷ. (나)에서 아미노산 1개를 지정하는 연속된 3개의 염기를 코돈이라고 한다.

① ㄱ ② ㄴ ③ ㄱ, ㄴ
④ ㄱ, ㄷ ⑤ ㄴ, ㄷ

08 어떤 단백질의 한 부분이 30개의 아미노산으로 되어 있다면, 이 부분의 유전 정보를 저장하고 있는 RNA는 몇 개의 염기로 되어 있는가?

① 10개 ② 30개 ③ 60개
④ 90개 ⑤ 120개

09 그림은 세포 내 유전 정보 흐름을, 표는 일부 코돈이 지정하는 아미노산을 나타낸 것이다.

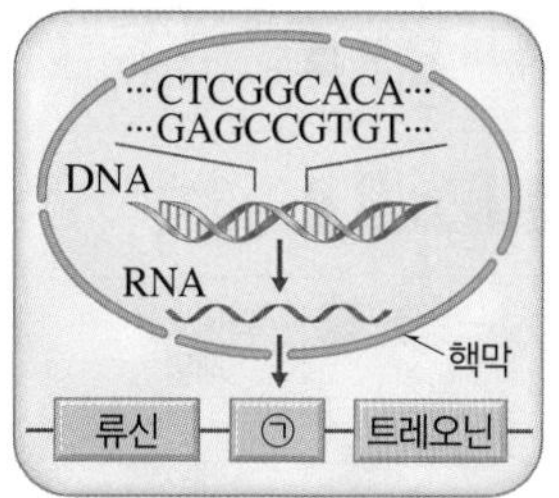

코돈	아미노산
CUC	류신
ACA	트레오닌
CCG	프롤린
GAG	글루탐산
GGC	글리신

이에 대한 설명으로 옳은 것만을 [보기]에서 있는 대로 고른 것은?

보기
ㄱ. ㉠은 글리신이다.
ㄴ. RNA의 염기 서열은 ··· GAGCCGUGU ···이다.
ㄷ. 핵 속에서 펩타이드 결합이 일어난다.

① ㄱ ② ㄴ ③ ㄷ ④ ㄱ, ㄴ ⑤ ㄴ, ㄷ

10 그림은 세포에서 유전 정보가 전달되는 과정의 일부를 나타낸 것이다.
이에 대한 설명으로 옳은 것만을 [보기]에서 있는 대로 고른 것은?

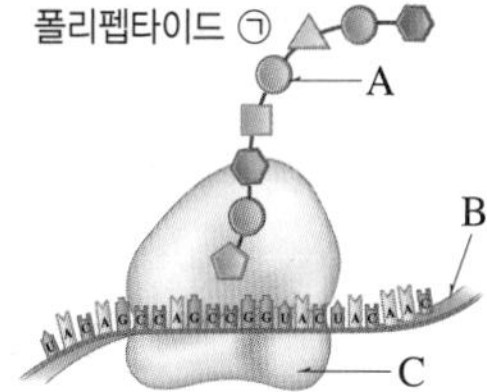

보기
ㄱ. A는 아미노산이며, 20종류가 있다.
ㄴ. B의 코돈 24개가 번역되어 ㉠을 합성하였다.
ㄷ. C는 리보솜이다.

① ㄱ ② ㄴ ③ ㄱ, ㄴ ④ ㄱ, ㄷ ⑤ ㄴ, ㄷ

C 유전자 이상과 유전 질환

11 페닐케톤뇨증과 낫 모양 적혈구 빈혈증에 대한 설명으로 옳은 것만을 [보기]에서 있는 대로 고르시오.

보기
ㄱ. 질환을 앓는 사람은 염색체 수가 정상인과 다르다.
ㄴ. DNA의 염기 서열에 이상이 생긴 것이 원인이다.
ㄷ. 특정한 기능을 하는 정상 단백질이 합성되지 않아 생기는 질환으로, 자손에게 유전되지 않는다.

12 그림은 낫 모양 적혈구 빈혈증이 생기는 과정을 나타낸 것이다.

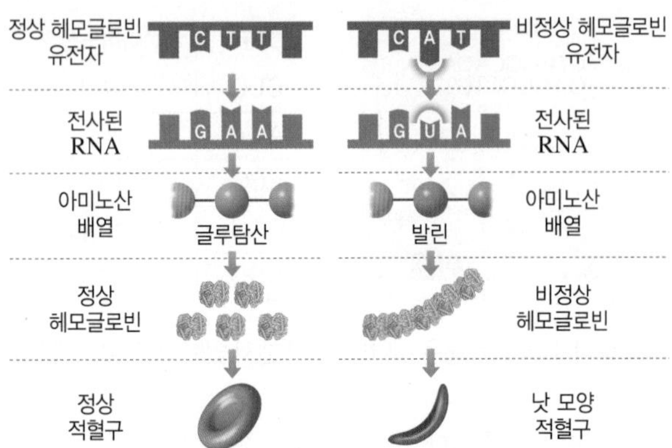

이에 대한 설명으로 옳은 것만을 [보기]에서 있는 대로 고른 것은? (단, 그림에 제시되지 않은 부분은 모두 정상이다.)

보기
ㄱ. 낫 모양 적혈구 빈혈증은 전사 과정에서 염기 1개가 바뀐 것이 원인이다.
ㄴ. 코돈 GAA와 GUA는 서로 다른 아미노산을 지정한다.
ㄷ. 비정상 헤모글로빈을 구성하는 아미노산의 개수는 정상 헤모글로빈과 같다.

① ㄴ ② ㄱ, ㄴ ③ ㄱ, ㄷ
④ ㄴ, ㄷ ⑤ ㄱ, ㄴ, ㄷ

D 유전부호 체계의 공통성

13 생명체가 사용하는 유전부호 체계에 대한 설명으로 옳은 것만을 [보기]에서 있는 대로 고른 것은?

보기
ㄱ. 생물종마다 고유한 유전부호 체계를 갖는다.
ㄴ. 거의 모든 생명체에서 유전 정보를 저장하는 방식이 같다.
ㄷ. 생명체의 진화 과정에서 유전 정보는 달라졌지만 유전부호 체계는 보존되어 왔다.

① ㄱ ② ㄴ ③ ㄱ, ㄴ
④ ㄱ, ㄷ ⑤ ㄴ, ㄷ

서술형 문제

14 다음은 사슴의 갈색 털 형질이 발현되기까지의 과정을 설명한 것이다.

> ㉠유전자의 유전 정보에 따라 ㉡멜라닌 합성 효소가 만들어지고, 이 효소의 작용으로 멜라닌이 합성되면 털색이 갈색으로 나타난다.

(1) ㉠이 저장되는 물질과 저장되는 방식을 서술하시오.

(2) ㉠에 따라 ㉡과 같은 단백질이 합성되기까지의 과정을 생명 중심 원리에 근거하여 서술하시오.

중요 **15** 그림은 사람의 세포에서 일어나는 유전 정보의 흐름을, 표는 일부 코돈이 지정하는 아미노산을 나타낸 것이다.

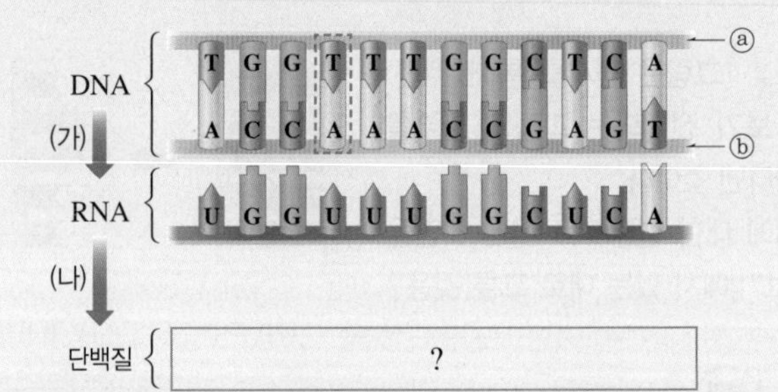

UGG	트립토판	GGU	글리신	GUU	발린
UUU	페닐알라닌	UUG	류신	GGC	글리신
GCU	알라닌	CUC	류신	UCA	세린

(1) (가)와 (나) 과정을 무엇이라고 하는지 각각 쓰시오.

(2) (가)와 (나)가 일어나는 세포 소기관을 각각 쓰시오.

(3) RNA는 DNA의 ⓐ와 ⓑ 중 어느 가닥으로부터 전사되었는지 근거를 들어 서술하시오.

(4) RNA의 왼쪽 첫 번째 염기 U부터 번역된다고 할 때 코돈표를 이용하여 단백질의 아미노산 서열을 쓰시오.

(5) DNA에서 [ ] 부분의 염기쌍 T−A가 G−C로 바뀌면 RNA와 단백질에서 어떤 결과가 나타날지 서술하시오.

실력 UP 문제

정답친해 89쪽

01 그림은 세포 내 유전 정보의 흐름을 나타낸 것이다.

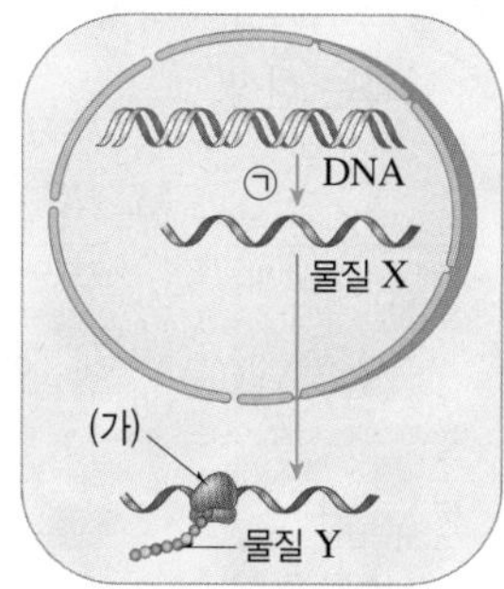

이에 대한 설명으로 옳은 것만을 [보기]에서 있는 대로 고른 것은?

보기
ㄱ. (가)는 인지질과 단백질로 이루어진 막 구조를 가진다.
ㄴ. ㉠ 과정에서 뉴클레오타이드의 결합으로 물질 X가 만들어진다.
ㄷ. 물질을 구성하는 단위체의 종류는 X가 Y보다 많다.

① ㄴ ② ㄷ ③ ㄱ, ㄷ
④ ㄴ, ㄷ ⑤ ㄱ, ㄴ, ㄷ

02 표는 DNA의 이중 나선을 분리하여 얻은 가닥 Ⅰ, Ⅱ와 이 중 한 가닥으로부터 전사된 RNA의 염기 조성 비율을 나타낸 것이다. (가)~(다)는 각각 DNA 가닥 Ⅰ, DNA 가닥 Ⅱ, RNA 중 하나이다.

구분	염기 조성(%)					
	아데닌 (A)	구아닌 (G)	사이토신 (C)	타이민 (T)	유라실 (U)	계
(가)	28	33	22	17	0	100
(나)	㉠	22	㉡	㉢	0	100
(다)	㉣	22	33	0	㉤	100

이에 대한 설명으로 옳지 않은 것은?

① ㉠+㉡=50이다.
② ㉢=㉤이다.
③ ㉣은 17이다.
④ (가)와 (나)는 DNA이고, (다)는 RNA이다.
⑤ RNA의 염기 서열은 (나)와 상보적이다.

03 그림은 DNA의 유전 정보로부터 단백질이 합성되는 과정을 나타낸 것이다.

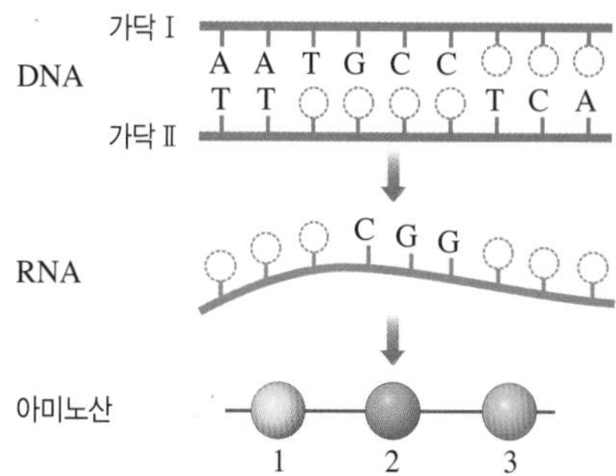

이에 대한 설명으로 옳지 않은 것은?

① 가닥 Ⅰ의 마지막 3개의 염기는 AGT이다.
② 가닥 Ⅱ의 비어 있는 4개 염기 중 2개는 G이다.
③ 아미노산 1을 지정하는 코돈은 AAU이다.
④ RNA는 DNA 가닥 Ⅰ로부터 전사된 것이다.
⑤ 제시된 RNA에서 염기의 수는 U이 A보다 많다.

04 다음은 정상 헤모글로빈 유전자와 이 유전자에서 1개의 염기가 각각 바뀐 (가)와 (나)에서 전사된 RNA와 이에 대응하는 아미노산을 나타낸 것이다.

구분	내용
정상 유전자	RNA : −C C U G A A G A A− 아미노산 : −프롤린−글루탐산−글루탐산−
(가)	RNA : −C C U G U A G A A− 아미노산 : −프롤린−발린−글루탐산−
(나)	RNA : −C C U G A G G A A− 아미노산 : −프롤린−글루탐산−글루탐산−

이에 대한 설명으로 옳은 것만을 [보기]에서 있는 대로 고른 것은?(단, 여기에 제시되지 않은 나머지 코돈은 모두 정상이며, (가), (나) 중 하나는 낫 모양 적혈구 빈혈증을 유발한다.)

보기
ㄱ. (가)로부터 합성되는 단백질의 아미노산 개수는 정상 단백질과 같다.
ㄴ. (나)는 낫 모양 적혈구 빈혈증을 유발한다.
ㄷ. 글루탐산을 지정하는 코돈은 2개 이상 있다.

① ㄴ ② ㄷ ③ ㄱ, ㄴ
④ ㄱ, ㄷ ⑤ ㄴ, ㄷ

1 생명 시스템의 기본 단위

1. 생명 시스템과 세포

(1) 생명 시스템의 구성 단계

① 동물체: 세포 → 조직 → (❶) → 기관계 → 개체

② 식물체: 세포 → 조직 → (❷) → 기관 → 개체

(2) 세포의 구조와 기능

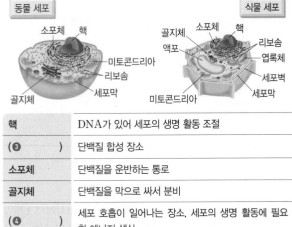

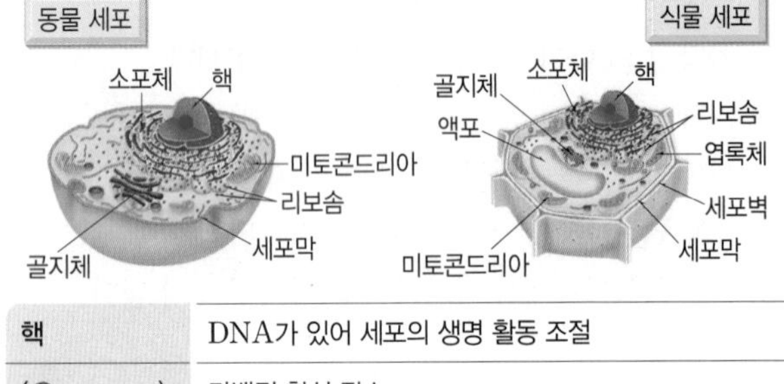

핵	DNA가 있어 세포의 생명 활동 조절
(❸)	단백질 합성 장소
소포체	단백질을 운반하는 통로
골지체	단백질을 막으로 싸서 분비
(❹)	세포 호흡이 일어나는 장소, 세포의 생명 활동에 필요한 에너지 생산
엽록체	광합성이 일어나는 장소, 포도당 합성
액포	물, 색소 등을 저장하며, 식물 세포에 발달
(❺)	세포 안팎으로의 물질 출입 조절
세포벽	식물 세포의 세포막 바깥에 있으며, 세포 모양 유지

2. 세포막의 구조와 특성

성분	• (❻): 머리 부분은 친수성, 꼬리 부분은 소수성 • 단백질(막단백질): 물질 이동 통로가 되는 것도 있다.
구조	인지질 2중층에 단백질이 군데군데 박혀 있으며, 유동성이 있다. (그림: 인지질 2중층, 단백질, 친수성 부분, 소수성 부분, 인지질의 구조)
특성	물질의 종류에 따라 투과도가 다른 (❼) 투과성

3. 세포막을 통한 물질 이동

(1) (❽): 분자가 스스로 운동하여 농도가 높은 곳에서 낮은 곳으로 퍼져 나가는 현상

구분	단순 확산	촉진 확산
이동 방식	(그림: 산소(O_2), 세포 밖, 세포 안)	(그림: 포도당, 세포 밖, 단백질, 세포 안)
이동 물질	기체 분자(산소, 이산화 탄소), 지용성 물질(지방산, 글리세롤) 예 폐포와 모세 혈관 사이의 O_2와 CO_2 교환	전하를 띤 물질(이온), 수용성 물질(포도당, 아미노산) 예 세포의 포도당 흡수

(2) (❾): 세포막을 경계로 저농도 용액에서 고농도 용액으로 용매인 물이 이동하는 현상

세포	저장액	등장액	고장액
동물 세포	세포로 들어오는 물의 양이 많음 ➡ 세포 부피 증가(적혈구 터짐)	세포 안팎으로 이동하는 물의 양이 같음 ➡ 세포 부피 변화 없음	세포에서 빠져나가는 물의 양이 많음 ➡ 세포 부피 감소
식물 세포	세포로 들어오는 물의 양이 많음 ➡ 어느 정도까지 세포 부피 증가	세포 안팎으로 이동하는 물의 양이 같음 ➡ 세포 부피 변화 없음	세포에서 빠져나가는 물의 양이 많음 ➡ 세포질 부피 감소(원형질 분리)

2 생명 시스템에서의 화학 반응

1. 물질대사

(1) 물질대사: 생명체 내에서 일어나는 모든 화학 반응으로, 에너지 출입이 동반되며, 생체 촉매인 (❿)가 관여한다.

(2) 물질대사의 구분

동화 작용	이화 작용
• 작은 분자를 큰 분자로 합성 • 에너지 흡수 ➡ 흡열 반응 예 광합성, 단백질 합성	• 큰 분자를 작은 분자로 분해 • 에너지 방출 ➡ 발열 반응 예 세포 호흡, 소화

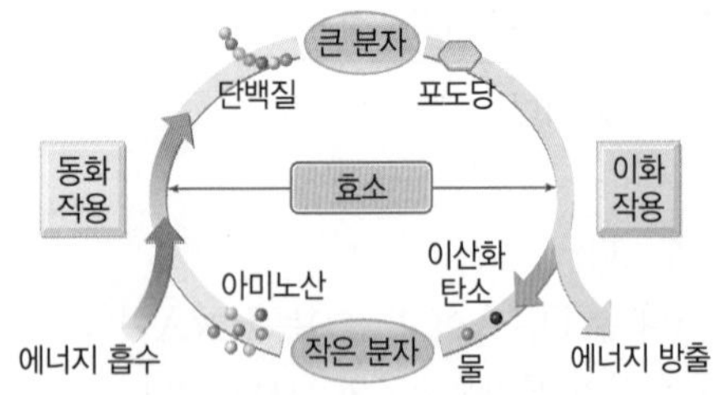

2. 효소

(1) **효소:** 생명체 내에서 합성되어 물질대사를 촉진하는 물질 ➡ 효소가 있어 물질대사는 체온 정도의 저온에서도 잘 일어난다.

(2) **효소의 작용:** 효소의 주성분은 (⓫)이며, 효소는 입체 구조에 들어맞는 반응물과 결합하여 (⓬)를 낮춤으로써 반응을 촉진한다.

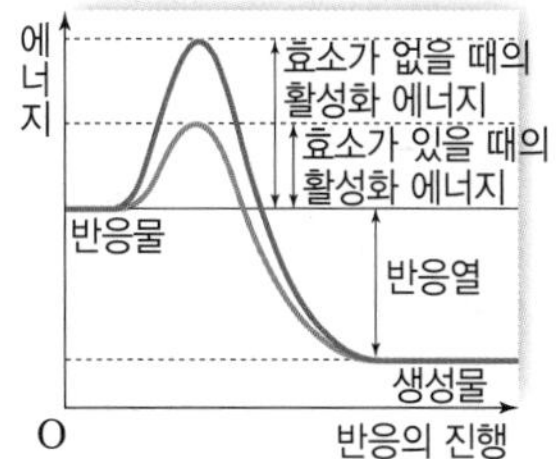

(3) **효소의 특성**

① **기질 특이성:** 한 종류의 효소는 입체 구조에 들어맞는 한 종류의 반응물(기질)하고만 결합한다.

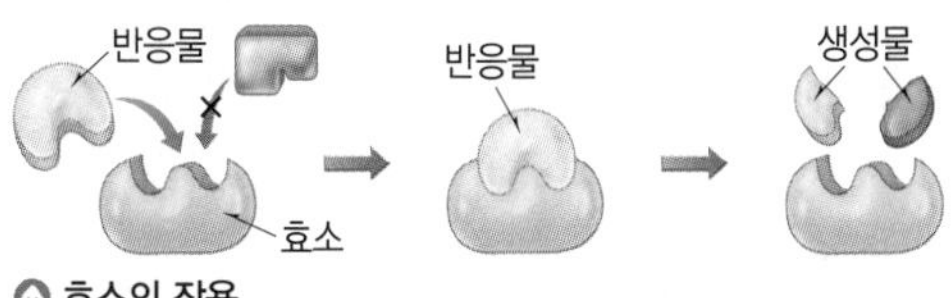

⬆ 효소의 작용

② **재사용:** 효소는 반응 전후에 변하지 않으므로 새로운 반응물과 결합하여 다시 반응에 참여할 수 있다.

(4) **효소와 생명 현상:** 혈액 응고, 해독 작용, 물질 합성, 영양소 소화 등 대부분의 생명 현상에 효소가 관여한다.

(5) **효소의 활용:** 일상생활(발효 식품, 효소 세제 등), 의학 분야(소화제, 요 검사지, 혈당 측정기 등), 산업 분야(섬유·의류·가죽 등의 화학제품 생산), 환경 분야(환경 오염 물질 분해, 바이오 에너지 생산)에서 다양하게 활용된다.

생명 시스템에서 정보의 흐름

1. 유전자와 단백질

(1) (⓭): DNA에서 생물의 형질을 결정하는 유전 정보가 저장되어 있는 특정 부분 ➡ 한 분자의 DNA에는 수많은 유전자가 존재한다.

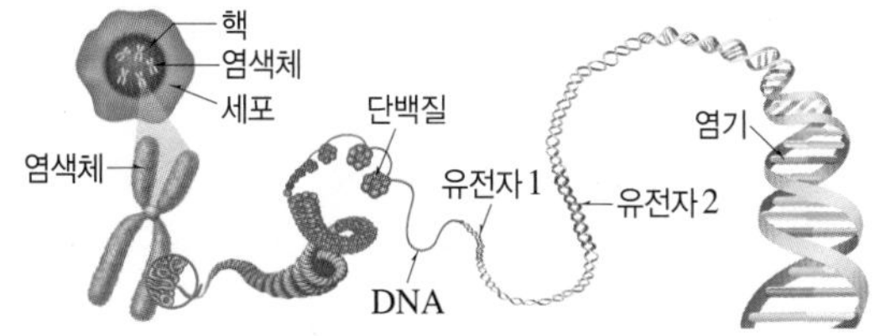

(2) **유전자와 단백질:** 유전자에 저장된 유전 정보에 따라 단백질이 합성되고, 단백질에 의해 형질이 나타난다.

2. 유전 정보의 흐름

(1) **생명 중심 원리:** DNA의 유전 정보가 RNA로 전달되고, RNA가 단백질 합성에 관여한다.

(2) **유전 정보의 저장:** DNA의 염기 서열에 유전 정보가 저장되며, DNA에서 연속된 3개의 염기가 한 조(⓰)가 되어 하나의 아미노산을 지정한다.

(3) **유전 정보의 전사와 번역**

전사	• DNA 이중 나선 중 한쪽 가닥에 상보적인 염기 서열을 가진 RNA 합성 A → U, G → C, C → G, T → A • (⓱): RNA에서 하나의 아미노산을 지정하는 연속된 3개의 염기 ➡ 64종류
번역	RNA의 유전 정보에 따라 리보솜에서 단백질 합성

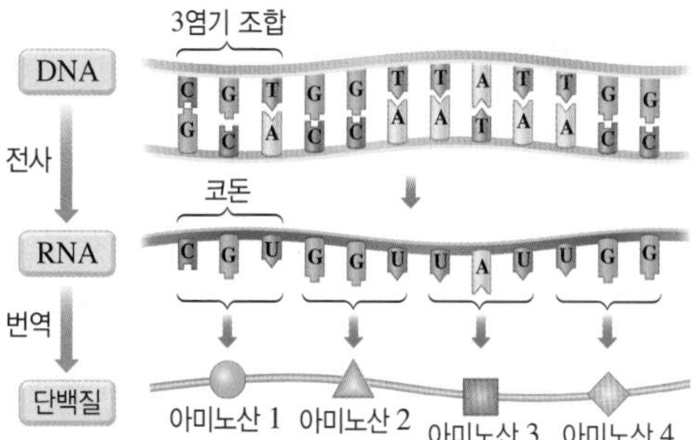

⬆ 유전 정보의 전달과 단백질 합성 과정

3. 유전자 이상과 유전 질환

(1) **유전자 이상:** DNA의 염기 서열이 바뀐 것

(2) **유전자 이상에 의한 유전 질환:** 유전자 이상으로 정상 단백질이 합성되지 않아 질환이 나타난다.

① **페닐케톤뇨증:** 유전자 이상 ➡ 페닐알라닌 분해 효소 결핍 ➡ 페닐알라닌 축적

② **낫 모양 적혈구 빈혈증:** 헤모글로빈 유전자 이상 ➡ 비정상 헤모글로빈 합성 ➡ 낫 모양 적혈구

4. 유전부호 체계의 공통성

(1) **유전부호 체계의 공통성:** 거의 모든 생명체는 유전 정보 저장 물질로 (⓲)를, 유전 정보 전달자로 (⓳)를 사용하고, 리보솜에서 동일한 방식으로 유전부호를 번역하여 단백질을 합성한다.

(2) **유전부호 체계의 공통성 활용:** 사람의 유전자를 세균에 넣어 세균에서 사람의 단백질을 합성할 수 있다.

중단원 마무리 문제

난이도 ●●●

●○○

01 그림 (가)와 (나)는 각각 동물체와 식물체의 구성 단계의 예를 나타낸 것이다. A~C는 각각 잎, 근육 조직, 기본 조직계 중 하나이다.

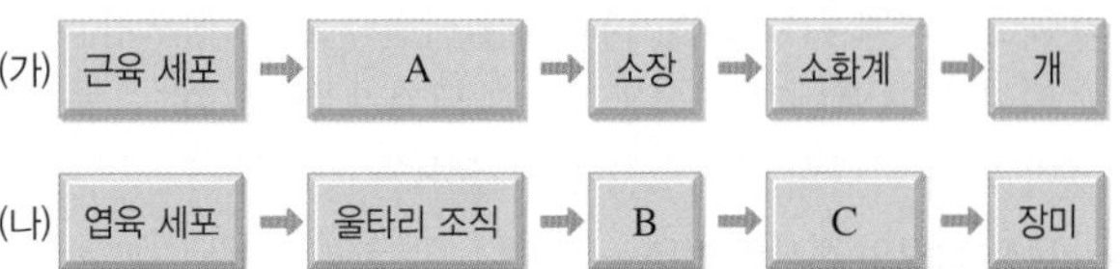

이에 대한 설명으로 옳은 것만을 [보기]에서 있는 대로 고른 것은?

보기
ㄱ. A는 근육 세포들이 모여 이루어진 근육 조직이다.
ㄴ. B를 구성하는 세포의 종류는 울타리 조직보다 다양하다.
ㄷ. C는 기본 조직계이다.

① ㄱ ② ㄷ ③ ㄱ, ㄴ
④ ㄴ, ㄷ ⑤ ㄱ, ㄴ, ㄷ

●●○

02 그림은 식물 세포의 구조를 나타낸 것이다.

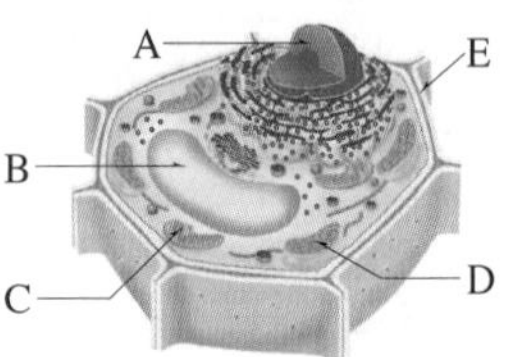

이에 대한 설명으로 옳지 않은 것은?

① A에는 유전 물질이 들어 있다.
② B는 단백질을 저장한다.
③ C는 산소를 소모하고 이산화 탄소를 발생한다.
④ D는 빛에너지를 화학 에너지로 전환한다.
⑤ E의 구성 성분에는 셀룰로스가 포함된다.

●○○

03 다음에서 설명하는 세포 소기관의 이름을 쓰시오.

• 막으로 둘러싸인 납작한 주머니가 여러 층으로 포개져 있는 모양이다.
• 단백질을 막으로 싸서 세포 내 다른 부위로 이동시키거나 세포 밖으로 분비한다.

서술형 ●●○

04 그림 (가)와 (나)는 식물 세포와 동물 세포를 순서 없이 나타낸 것이다.

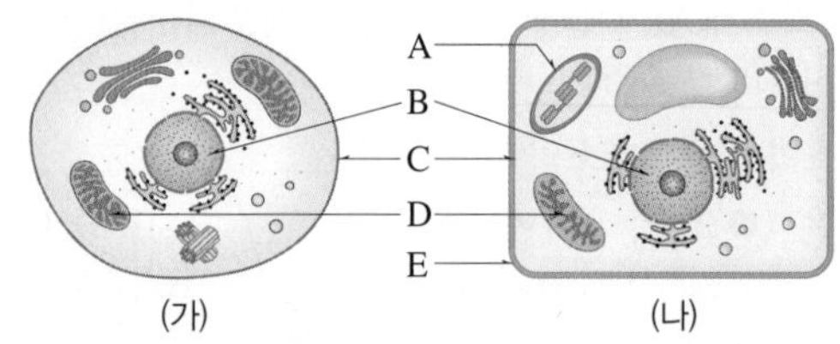

(가)와 (나)는 각각 어떤 세포인지 쓰고, 그렇게 판단한 근거를 기호 A~E와 세포 소기관의 이름을 들어 서술하시오.

●●●

05 그림 (가)는 동물 세포의 구조를 나타낸 것이고, (나)는 생명체를 구성하는 물질 세 가지를 구분한 것이다.

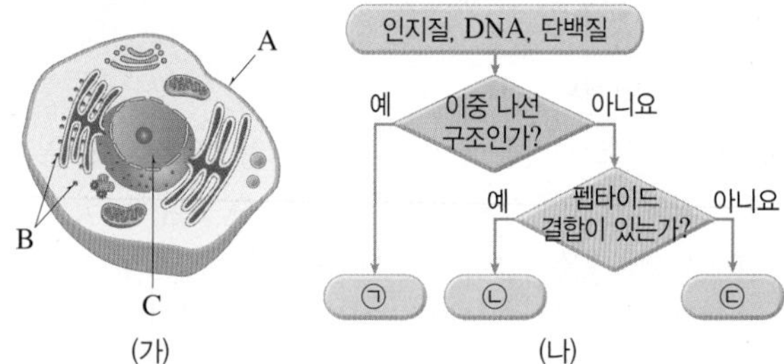

이에 대한 설명으로 옳은 것만을 [보기]에서 있는 대로 고른 것은?

보기
ㄱ. A의 주성분은 ㉡과 ㉢이다.
ㄴ. B에서 ㉠이 합성된다.
ㄷ. C는 ㉡을 포함하지 않는다.

① ㄱ ② ㄴ ③ ㄷ
④ ㄱ, ㄷ ⑤ ㄴ, ㄷ

서술형 ●●○

06 그림은 세포막과 인지질의 구조를 나타낸 것이다.

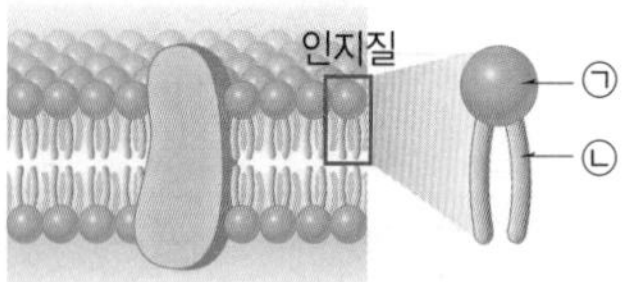

세포막을 구성하는 인지질이 2중층을 이루고 있는 까닭을 인지질의 특성과 관련지어 서술하시오.

●●○

07 그림은 세포막의 구조를 나타낸 것이다. 이에 대한 설명으로 옳은 것만을 [보기]에서 있는 대로 고른 것은?

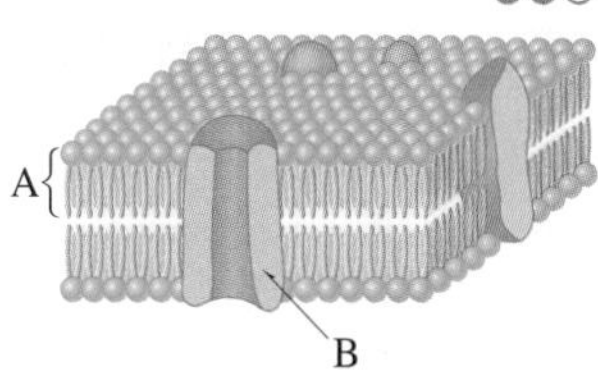

보기
ㄱ. A는 지방산을 포함한다.
ㄴ. B는 리보솜에서 합성된다.
ㄷ. B를 통해 인슐린과 같은 고분자 물질이 통과한다.

① ㄱ ② ㄴ ③ ㄱ, ㄴ
④ ㄴ, ㄷ ⑤ ㄱ, ㄴ, ㄷ

●●○

08 그림 (가)는 세포막을 경계로 폐포에서 일어나는 기체 교환을, (나)는 세포막을 경계로 소장에서 아미노산이 흡수되는 과정을 나타낸 것이다.

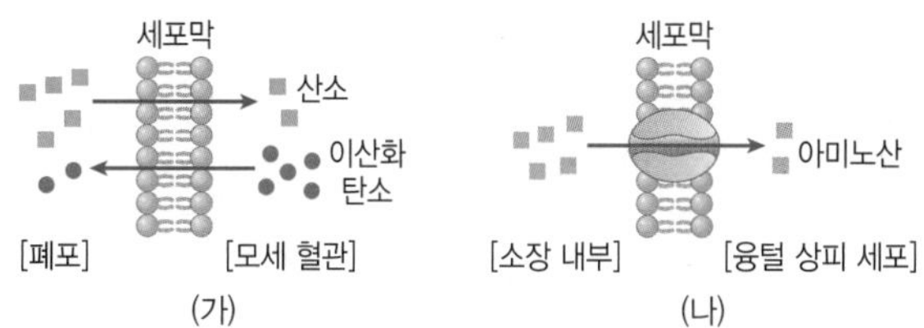

이에 대한 설명으로 옳은 것만을 [보기]에서 있는 대로 고른 것은?

보기
ㄱ. 이산화 탄소의 농도는 모세 혈관이 폐포보다 높다.
ㄴ. 폐포의 산소 농도가 높아지면 단위시간당 모세 혈관으로 이동하는 산소의 양이 증가한다.
ㄷ. 아미노산의 이동에는 막단백질과 에너지가 필요하다.

① ㄱ ② ㄷ ③ ㄱ, ㄴ
④ ㄴ, ㄷ ⑤ ㄱ, ㄴ, ㄷ

●●○

09 그림은 사람의 적혈구를 여러 동물 혈장의 등장액에 넣은 후 적혈구의 모양 변화를 관찰한 것이다.

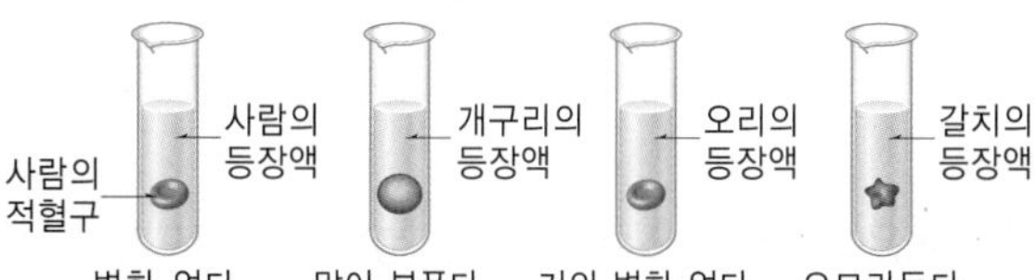

개구리, 오리, 갈치 중 혈장 삼투압이 큰 것부터 순서대로 나열하시오.

●●●

10 그림 (가)는 세포막을 경계로 농도가 서로 다른 설탕 용액을 각각 A 쪽과 B 쪽에 넣은 모습을, (나)는 일정 시간 동안 B 쪽 수면의 높이 변화를 나타낸 것이다.

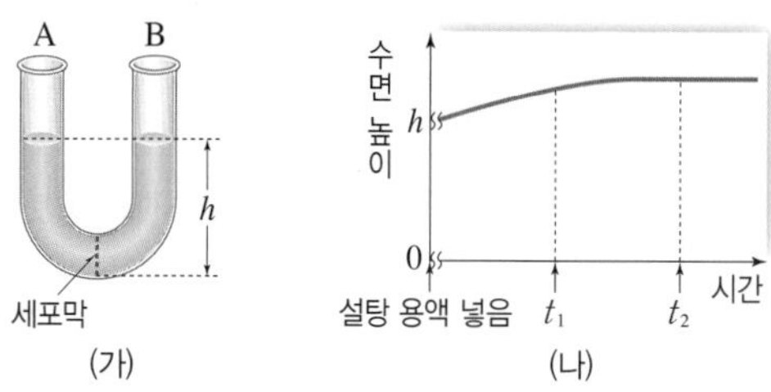

이에 대한 설명으로 옳은 것만을 [보기]에서 있는 대로 고른 것은?

보기
ㄱ. (가)에서 설탕 용액의 농도는 A>B이다.
ㄴ. A 쪽 설탕 용액의 농도는 t_2일 때가 t_1일 때보다 높다.
ㄷ. B 쪽의 설탕의 양은 t_2일 때가 t_1일 때보다 많다.

① ㄱ ② ㄴ ③ ㄷ
④ ㄱ, ㄴ ⑤ ㄴ, ㄷ

●●○

11 다음은 양파 표피 조직을 이용한 실험과 그 결과이다.

붉은 양파의 표피 조각을 각각 증류수, 10 % 설탕 용액, 20 % 설탕 용액에 10분 동안 넣어 두었다가 현미경으로 관찰하였다. (가)~(다)는 관찰 결과를 순서 없이 나열한 것이다.

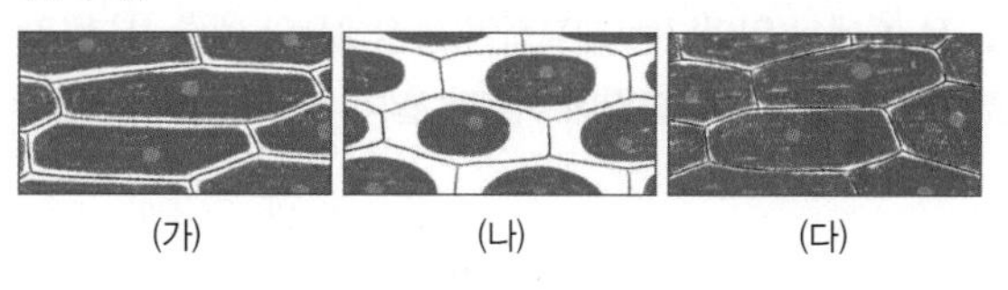

이에 대한 설명으로 옳은 것만을 [보기]에서 있는 대로 고른 것은?

보기
ㄱ. 20 % 설탕 용액에 넣어 둔 것은 (가)이다.
ㄴ. 세포 밖으로 이동한 물의 양은 (나)에서 가장 많다.
ㄷ. 배추를 소금물에 절인 후의 세포 상태와 같은 것은 (다)이다.

① ㄱ ② ㄴ ③ ㄱ, ㄴ
④ ㄱ, ㄷ ⑤ ㄴ, ㄷ

●●○

12 그림은 광합성과 세포 호흡에서의 물질 이동을 나타낸 것이다. (가)와 (나)는 각각 광합성과 세포 호흡 중 하나이다.

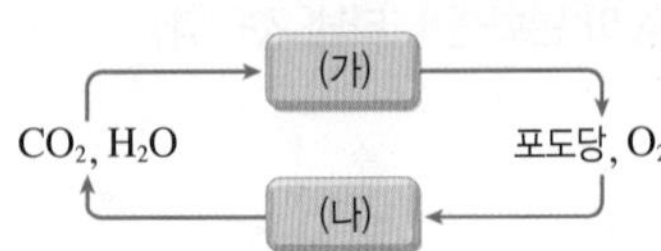

이에 대한 설명으로 옳은 것만을 [보기]에서 있는 대로 고른 것은?

보기
ㄱ. (가)는 동화 작용이다.
ㄴ. (가)에 필요한 에너지는 (나)를 통해 공급한다.
ㄷ. (나) 과정을 통해 포도당의 에너지는 모두 ATP에 저장된다.

① ㄱ ② ㄴ ③ ㄱ, ㄴ
④ ㄱ, ㄷ ⑤ ㄴ, ㄷ

서술형 ●●○

13 그림 (가)와 (나)는 식물 세포와 동물 세포를 나타낸 것이다. A～C는 각각 리보솜, 엽록체, 미토콘드리아 중 하나이다.

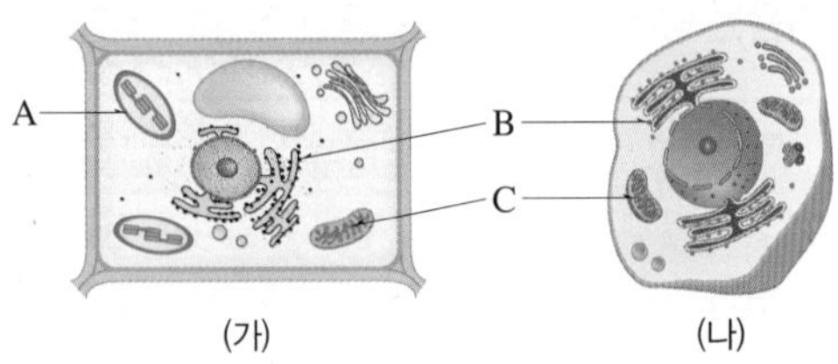

(가) (나)

A, B, C에서 일어나는 대표적인 물질대사의 예를 쓰고, 각각의 반응에서 에너지 출입이 어떻게 일어나는지 서술하시오.

서술형 ●●○

14 그림은 효소가 있을 때와 없을 때, 어떤 화학 반응의 에너지 변화를 나타낸 것이다. 효소가 있을 때의 에너지 변화는 ㉠과 ㉡ 중 어느 것인지 쓰고, 그렇게 판단한 근거를 A～C를 활용하여 서술하시오.

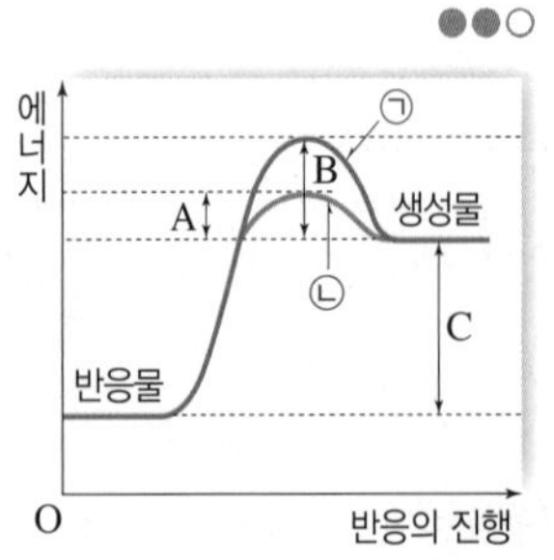

●●○

15 그림은 효소 X의 작용 과정을 나타낸 것이다.

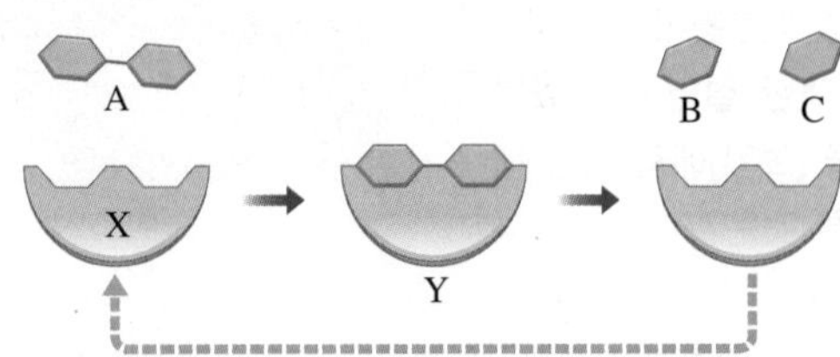

이에 대한 설명으로 옳은 것만을 [보기]에서 있는 대로 고른 것은?

보기
ㄱ. 반응 후에 A의 양은 줄어들지 않는다.
ㄴ. Y의 생성량이 많을수록 반응 속도가 증가한다.
ㄷ. 효소 X는 흡열 반응을 촉매하는 효소이다.

① ㄴ ② ㄷ ③ ㄱ, ㄴ
④ ㄱ, ㄷ ⑤ ㄴ, ㄷ

●●●

16 그림은 어떤 효소의 농도를 A, B, C로 다르게 하였을 때 반응물의 농도에 따른 초기 반응 속도를 나타낸 것이다.

초기 반응 속도(상댓값)
2
1
0
A
B
C
S_1 반응물 농도

이에 대한 설명으로 옳은 것만을 [보기]에서 있는 대로 고른 것은?(단, 반응물과 효소의 농도 이외의 조건은 동일하다.)

보기
ㄱ. 효소의 농도는 A～C 중 C가 가장 낮다.
ㄴ. 효소의 농도가 B일 때 S_1까지는 반응물의 농도가 증가할수록 초기 반응 속도도 증가한다.
ㄷ. S_1에서 $\frac{\text{반응물과 결합한 효소의 수}}{\text{전체 효소의 수}}$는 A<B이다.

① ㄱ ② ㄷ ③ ㄱ, ㄴ
④ ㄴ, ㄷ ⑤ ㄱ, ㄴ, ㄷ

서술형 ●●○

17 묽은 과산화 수소수에 생간을 넣으면 ㉠기포가 발생하지만, ㉡삶은 간을 넣으면 기포가 발생하지 않는다. ㉠, ㉡과 같은 결과가 나타나는 까닭을 효소의 기능 및 성분과 관련지어 서술하시오.

●●○

18 그림 (가)는 효소가 작용하는 원리를, (나)는 온도에 따른 효소의 반응 속도를 나타낸 것이다.

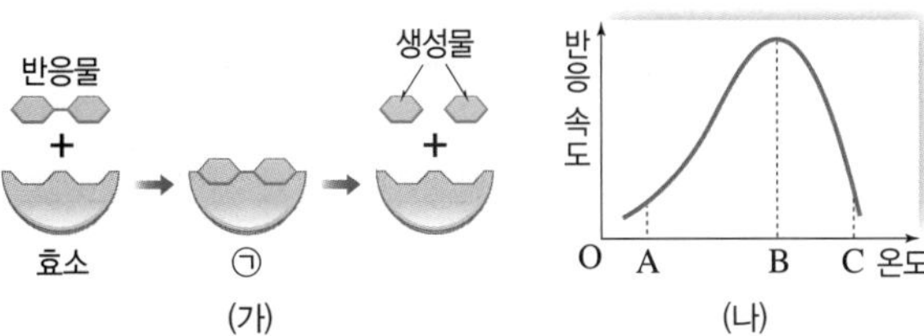

이에 대한 설명으로 옳은 것만을 [보기]에서 있는 대로 고른 것은?

보기

ㄱ. ㉠의 생성 속도는 A에서보다 B에서가 빠르다.

ㄴ. 효소는 A에서는 활성화 에너지를 높이고, B에서는 활성화 에너지를 낮춘다.

ㄷ. C에서 반응 속도가 느린 것은 대부분의 반응물이 반응하여 생성물로 되었기 때문이다.

① ㄱ ② ㄴ ③ ㄷ
④ ㄱ, ㄴ ⑤ ㄴ, ㄷ

●●○

19 그림은 사슴에서 갈색 털 형질이 나타나기까지의 과정을 나타낸 것이다.

이에 대한 설명으로 옳은 것만을 [보기]에서 있는 대로 고른 것은?

보기

ㄱ. A에는 멜라닌 성분에 대한 정보가 저장되어 있다.

ㄴ. A에 의해 멜라닌 합성 효소가 만들어지기까지 RNA와 리보솜이 관여한다.

ㄷ. 유전자에 이상이 생겨 단백질이 정상적으로 만들어지지 않으면 사슴의 털색이 갈색을 띠지 않는다.

① ㄷ ② ㄱ, ㄴ ③ ㄱ, ㄷ
④ ㄴ, ㄷ ⑤ ㄱ, ㄴ, ㄷ

●○○

20 DNA의 유전 정보는 RNA로 전달되고, 이 RNA의 유전 정보가 단백질로 전달된다는 유전 정보의 흐름을 무엇이라고 하는지 쓰시오.

●●○

21 그림은 세포 내에서 유전 정보의 전달 과정을 나타낸 것이다.

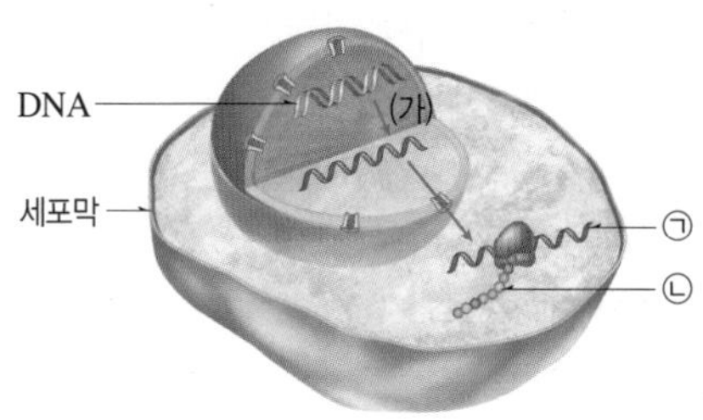

이에 대한 설명으로 옳은 것만을 [보기]에서 있는 대로 고른 것은?

보기

ㄱ. (가) 과정에 의해 RNA가 만들어진다.

ㄴ. ㉠은 당, 인산, 염기로 구성된다.

ㄷ. DNA에는 ㉡의 단위체 배열 순서에 대한 정보가 저장되어 있다.

① ㄱ ② ㄴ ③ ㄱ, ㄷ
④ ㄴ, ㄷ ⑤ ㄱ, ㄴ, ㄷ

●●○

22 유전자와 세포 내 유전 정보의 흐름에 대한 설명으로 옳지 않은 것은?

① 하나의 염색체에는 많은 수의 유전자가 있다.
② 전사는 DNA의 유전 정보가 RNA로 전달되는 것이다.
③ 코돈은 RNA의 연속된 3개의 염기이다.
④ 리보솜에서 RNA의 유전 정보가 단백질로 번역된다.
⑤ DNA의 두 가닥을 모두 이용하여 RNA가 합성된다.

●●○

23 그림은 유전 정보가 전달되어 단백질이 합성되는 과정을 나타낸 것이다.(단, RNA의 왼쪽 첫 번째 염기부터 번역된다.)

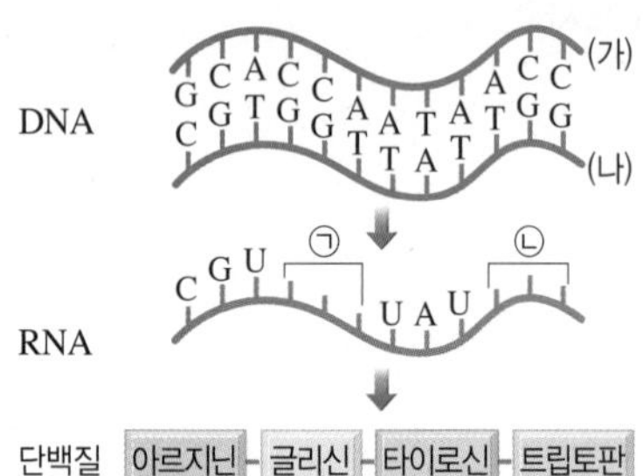

이에 대한 설명으로 옳은 것만을 [보기]에서 있는 대로 고른 것은?

보기

ㄱ. RNA는 DNA의 가닥 (가)로부터 전사되었다.

ㄴ. 타이로신을 지정하는 코돈은 ATA이다.

ㄷ. ㉠에 들어갈 염기는 GGU이고, ㉡에 들어갈 염기는 UGG이다.

① ㄱ ② ㄴ ③ ㄱ, ㄷ

④ ㄴ, ㄷ ⑤ ㄱ, ㄴ, ㄷ

●●●

24 다음은 DNA의 한 가닥과 이로부터 전사된 RNA의 염기 서열을, 표는 일부 코돈이 지정하는 아미노산을 나타낸 것이다.

DNA 가닥 … TGG ㉠ CTC ↓ACC TCG …

전사된 RNA … ACC CGU GAG ㉡ AGC …

코돈 번호 54 55 56 57 58

코돈	아미노산	코돈	아미노산
ACC	트레오닌	GAG	글루탐산
CGU	아르지닌	UGG	트립토판
AGC	세린	GCA	알라닌

이에 대한 설명으로 옳은 것만을 [보기]에서 있는 대로 고른 것은?

보기

ㄱ. ㉠에 해당하는 염기 서열은 GCA이다.

ㄴ. 코돈 ㉡은 트레오닌을 지정한다.

ㄷ. ↓ 부분에 염기 A이 삽입되면 58번째 아미노산이 글루탐산이 된다.

① ㄱ ② ㄴ ③ ㄱ, ㄷ

④ ㄴ, ㄷ ⑤ ㄱ, ㄴ, ㄷ

서술형 ●●○

25 다음은 어떤 DNA 가닥 (가)로부터 전사된 RNA의 염기 서열을 나타낸 것이다.

CGGAACUAUGCCUCCUAU

(1) 전사에 사용된 DNA 가닥 (가)의 염기 서열을 쓰시오.

(2) 이 RNA가 모두 번역된다면 단백질은 모두 몇 개의 아미노산으로 구성되는지 쓰고, 그 근거를 서술하시오.

●●○

26 그림은 낫 모양 적혈구가 생기는 원리를 나타낸 것이다.

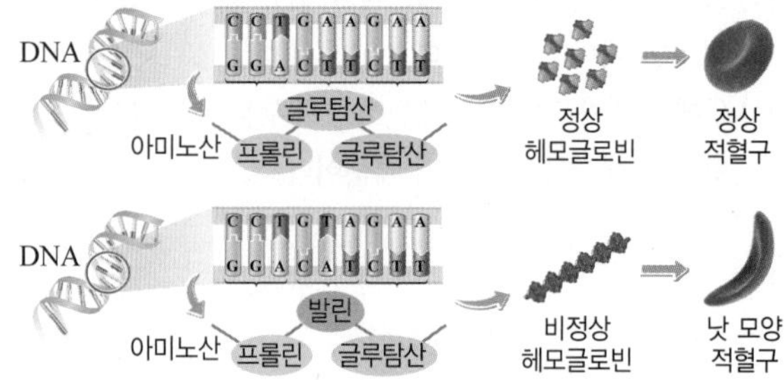

이에 대한 설명으로 옳은 것만을 [보기]에서 있는 대로 고른 것은?(단, 코돈 GAA는 글루탐산을 지정한다.)

보기

ㄱ. 발린을 지정하는 코돈은 CAU이다.

ㄴ. 유전자에 이상이 생기면 저장되는 유전 정보가 달라질 수 있다.

ㄷ. 아미노산 배열 순서에 따라 단백질의 종류와 특성이 결정된다.

① ㄱ ② ㄴ ③ ㄱ, ㄷ

④ ㄴ, ㄷ ⑤ ㄱ, ㄴ, ㄷ

서술형 ●●○

27 그림은 생명체에서 아미노산의 일종인 페닐알라닌이 타이로신으로 전환되는 과정을 나타낸 것이다.

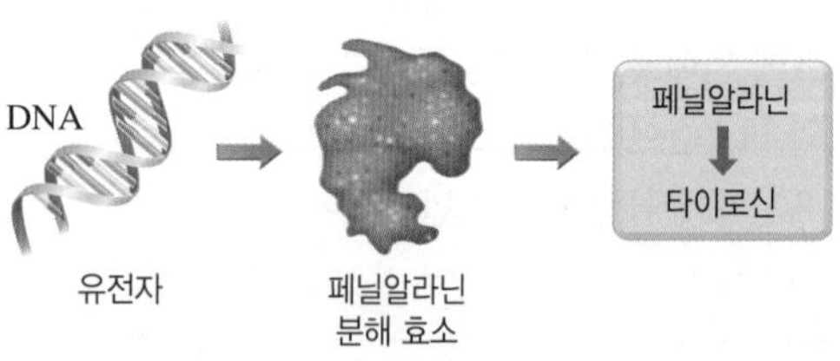

페닐케톤뇨증은 체내에 페닐알라닌이 축적되어 뇌 조직이 손상되는 유전 질환이다. 이 질환이 나타나는 원리를 서술하시오.

고난도 문제

01 그림 (가)는 동물 세포의 구조를, (나)는 세포 소기관 A ~C의 공통점과 차이점을 나타낸 것이다.

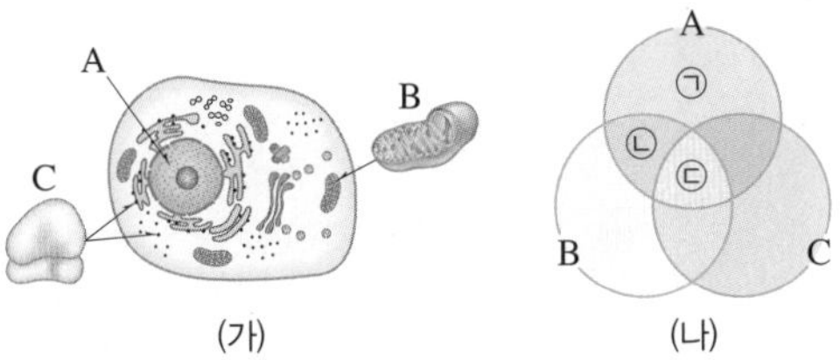

이에 대한 설명으로 옳은 것만을 [보기]에서 있는 대로 고른 것은?

ㄱ. '세포 호흡을 통한 이화 작용이 일어난다.'는 ㉠에 해당한다.
ㄴ. '이중막 구조이다.'는 ㉡에 해당한다.
ㄷ. '식물 세포에서도 관찰된다.'는 ㉢에 해당한다.

① ㄱ ② ㄷ ③ ㄱ, ㄴ
④ ㄴ, ㄷ ⑤ ㄱ, ㄴ, ㄷ

02 그림 (가)는 물질 A, B가 세포막을 통해 이동하는 방식을, (나)는 세포 안팎의 농도 차에 따라 세포막을 통해 이동하는 속도를 나타낸 것이다. Ⅰ과 Ⅱ는 각각 A와 B의 이동 속도 중 하나이다.

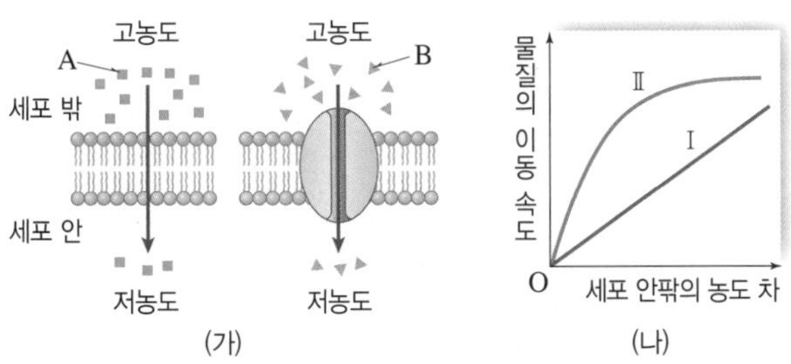

이에 대한 설명으로 옳은 것만을 [보기]에서 있는 대로 고른 것은?

보기

ㄱ. 폐포와 모세 혈관 사이에서 기체는 A가 이동하는 방식으로 세포막을 통과한다.
ㄴ. B의 이동 속도는 (나)의 Ⅰ이다.
ㄷ. A와 B는 세포막을 경계로 농도 차에 따라 세포 안팎으로 확산한다.

① ㄱ ② ㄴ ③ ㄷ ④ ㄱ, ㄷ ⑤ ㄴ, ㄷ

03 그림 (가)는 효소 X의 작용을, (나)는 효소 X의 농도가 일정할 때 반응물의 농도에 따른 초기 반응 속도를 나타낸 것이다.

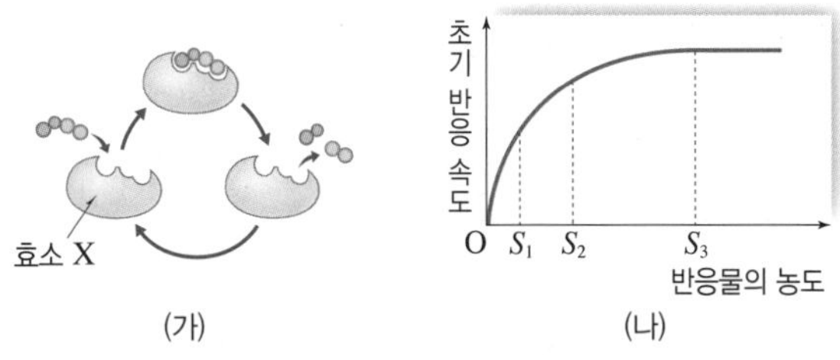

이에 대한 설명으로 옳은 것만을 [보기]에서 있는 대로 고른 것은?

보기

ㄱ. 효소 X는 이화 작용을 촉진한다.
ㄴ. S_2일 때는 S_1일 때보다 반응의 활성화 에너지가 작다.
ㄷ. S_3일 때 효소 X는 더 이상 반응물과 결합하지 않는다.

① ㄱ ② ㄴ ③ ㄷ
④ ㄱ, ㄷ ⑤ ㄴ, ㄷ

04 그림은 어떤 DNA 가닥과 이로부터 전사와 번역이 일어나는 과정을 나타낸 것이다.

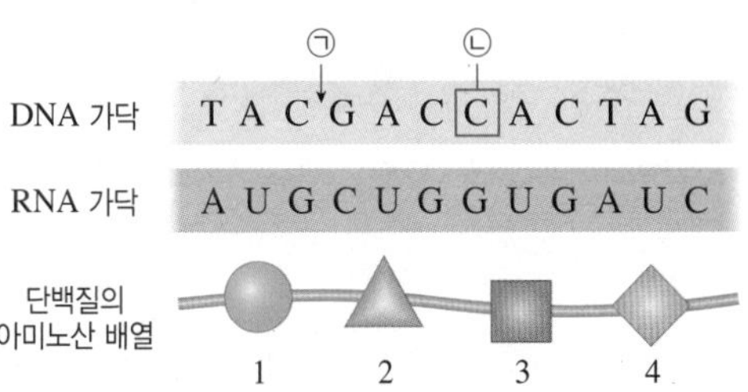

이에 대한 설명으로 옳은 것만을 [보기]에서 있는 대로 고른 것은?(단, RNA의 왼쪽 첫 번째 염기부터 번역된다.)

보기

ㄱ. 아미노산 4를 지정하는 코돈은 CUG이다.
ㄴ. ㉠ 부분에 염기 A이 삽입되면 세 번째 코돈이 GGU가 된다.
ㄷ. ㉡ 부분의 염기 C이 G으로 바뀌면 아미노산 2와 아미노산 3이 같아진다.

① ㄴ ② ㄷ ③ ㄱ, ㄴ
④ ㄴ, ㄷ ⑤ ㄱ, ㄴ, ㄷ

변화와 다양성

배운 내용

- 화학 반응
- 화학 반응식
- 화학 반응에서의 에너지 출입

1 화학 변화

배울 내용

- 지구와 생명의 역사를 바꾼 화학 반응
- 산화 환원 반응
- 산과 염기
- 지시약과 pH
- 중화 반응

대표적인 화학 반응인 산화 환원 반응과 산 염기 중화 반응의 사례를 통해 화학 변화의 규칙성을 배운다.

01 산화 환원 반응

핵심 포인트

① 지구와 생명의 역사를 바꾼 화학 반응의 예, 공통점 ★★
② 산소 및 전자의 이동과 산화 환원 반응 ★★★
③ 산화 환원 반응의 예 ★★

A 지구와 생명의 역사를 바꾼 화학 반응

철로 된 물질을 공기 중에 오래 두면 화학 반응이 일어나 녹이 습니다. 이처럼 우리 주위의 물질들은 끊임없이 화학 반응을 하고, 화학 반응은 지구와 생명체에서도 일어나고 있어요. 지구와 생명의 역사를 바꾼 화학 반응에는 어떤 것들이 있고, 이 화학 반응에는 어떤 공통점이 있는지 지금부터 함께 알아볼까요?

1. 광합성

① 원시 바다에서 광합성을 하는 생물이 출현하였고, 광합성으로 생성된 산소는 생명의 진화에 큰 역할을 하였다.

② **광합성:** 엽록체에서 빛에너지를 이용하여 이산화 탄소와 물로 ◆포도당과 산소를 만드는 반응

이산화 탄소 + 물 —(빛에너지)→ 포도당 + 산소
(이산화 탄소 + 물: 반응물, 포도당 + 산소: 생성물)

식물의 광합성

③ **광합성이 지구와 생명에 미친 영향**

광합성을 하는 생물 출현	원시 바다에 광합성을 하는 남세균이 출현하면서 산소가 생성되었다.
원시 지구의 대기 조성 변화	산소는 금속과 반응하여 산화물을 만들었고, 원시 바다에 축적된 산소가 대기로 방출되면서 메테인, 암모니아 등으로 이루어져 있던 원시 지구의 대기 조성이 변하였다.
산소 ◆호흡하는 생물 등장, ◆오존층 형성	대기 중 산소 농도가 증가함에 따라 산소 호흡으로 에너지를 얻는 생물이 출현하였고, 대기 중의 산소가 자외선을 흡수하여 오존을 생성하면서 오존층이 형성되었다.
육상 생물 등장	오존층에 의해 유해한 자외선과 방사선이 차단되어 물속에서 살던 생물들이 점차 육지로 올라와 살 수 있게 되었다.

2. 화석 연료의 ①연소

① **화석 연료:** 지질 시대 생물이 땅속에 묻혀 생성된 것으로, 탄소와 수소가 주요 성분이다.
예 석탄, 석유, 천연가스 등

② **화석 연료의 연소:** 화석 연료가 공기 중에서 연소하면 산소와 반응하여 이산화 탄소와 물이 생성되고 많은 열이 발생한다.

화석 연료의 연소

③ **화석 연료가 인류의 발전에 미친 영향:** 인류는 화석 연료가 연소할 때 발생하는 열을 이용하여 산업 혁명과 교통 혁명을 일으켰다.

- 18세기: 석탄이 증기 기관의 연료로 사용되면서 산업 혁명을 일으키는 데 기여하였다.
- 19세기 이후: 석유가 교통수단, 주택, 산업 등의 에너지원으로 사용되고 있다.
- 최근에는 화석 연료의 연소로 발생하는 이산화 탄소에 의한 환경 문제가 제기되고 있다.

◆ **포도당과 산소**
광합성의 생성물인 포도당은 녹말이나 셀룰로스 같은 양분으로 전환되어 식물체에 저장되고, 산소는 생명체의 호흡이나 물질의 연소에 쓰인다.

◆ **호흡**
포도당과 산소가 반응하여 이산화 탄소와 물이 생성되면서 에너지가 발생하는 반응

포도당 + 산소 ⟶ 이산화 탄소 + 물 + 에너지

➡ 호흡은 광합성과 함께 지구와 생명의 역사를 바꾼 화학 반응이다.

◆ **오존층**
성층권에서 오존의 농도가 상대적으로 높은 공기층을 오존층이라고 한다. 오존층은 태양으로부터 오는 유해한 자외선을 흡수하여 지상의 생물을 보호한다.

(용어)
① **연소(燃 타다, 燒 타다)** 어떤 물질이 빛과 열을 내면서 산소와 빠르게 결합하는 것

3. 철의 제련

① 자연 상태에서 철은 주로 철광석의 형태로 존재하므로 철광석의 주성분인 산화 철(Ⅲ)(Fe_2O_3)에서 산소를 분리하여 철을 얻는다.

② **철의 제련:** 순수한 철을 얻기 위해서 산화 철(Ⅲ)에서 산소를 분리하는 과정

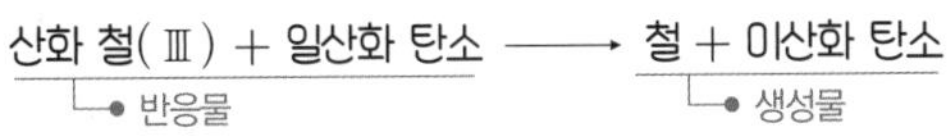

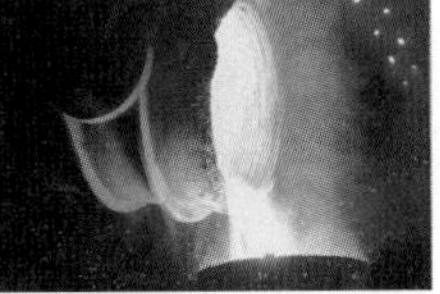

⬆ 철의 제련

③ **철의 제련이 인류의 발전에 미친 영향:** ◆철을 이용하는 철기 시대를 열어 문명을 발전시켰고, 철로 만든 선로는 증기 기관의 발명과 더불어 산업 혁명을 이끌었다.

4. 지구와 생명의 역사를 바꾼 화학 반응의 공통점 광합성과 호흡, 화석 연료의 연소, 철의 제련은 모두 산소가 관여하는 산화 환원 반응이다.

◆ **철의 이용**
철은 단단하고 비교적 쉽게 가공할 수 있어 과거에는 무기, 화폐, 농기구 등에 이용되었다. 오늘날에도 철은 각종 생활용품, 전자 제품, 교통수단, 건축물 등 다양한 분야에 이용되고 있다.

B 산화 환원 반응

1. ◆산소의 이동과 산화 환원 반응

구분	산화	환원
정의	물질이 산소를 얻는 반응	물질이 산소를 잃는 반응
예	$C + O_2 \longrightarrow CO_2$	$2CuO \longrightarrow 2Cu + O_2$
산화 환원 반응의 동시성	화학 반응에서 어떤 물질이 산소를 얻어 산화되면 다른 물질은 산소를 잃어 환원된다. ➡ 산화와 환원은 항상 동시에 일어난다.	예 $2CuO + C \longrightarrow 2Cu + CO_2$ (산화 구리(Ⅱ), 탄소, 구리, 이산화 탄소; C는 산화, CuO는 환원)

탐구 자료창 산화 구리(Ⅱ)와 탄소의 반응

그림과 같이 시험관에 검은색 산화 구리(Ⅱ)와 탄소 가루를 넣고, 충분히 가열하였더니 석회수가 뿌옇게 흐려지면서 시험관 속에 붉은색 물질이 생성되었다.

1. **석회수가 뿌옇게 흐려지는 까닭:** ◆이산화 탄소 기체가 발생했기 때문이다.
2. **시험관 속에 생성된 물질이 붉은색을 띠는 까닭:** 구리가 생성되었기 때문이다.
3. **산화 구리(Ⅱ)와 탄소 가루를 함께 가열할 때 일어나는 반응:** 검은색 산화 구리(Ⅱ)는 산소를 잃고 붉은색 구리로 환원되고, 이와 동시에 탄소는 산소를 얻어 이산화 탄소로 산화된다.

$$2CuO + C \longrightarrow 2Cu + CO_2$$

산화 구리(Ⅱ), 탄소, 구리, 이산화 탄소 (C → CO_2: 산화, CuO → Cu: 환원)

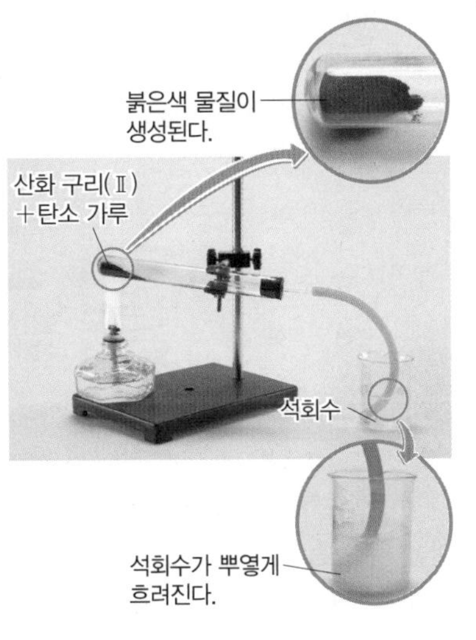

◆ **산소의 이동과 산화 환원 반응 예**

• 산화 구리(Ⅱ)와 수소의 반응

$CuO + H_2 \longrightarrow Cu + H_2O$ (H_2: 산화, CuO: 환원)

• 산화 철(Ⅲ)과 탄소의 반응

$2Fe_2O_3 + 3C \longrightarrow 4Fe + 3CO_2$ (C: 산화, Fe_2O_3: 환원)

• 마그네슘과 이산화 탄소의 반응

$2Mg + CO_2 \longrightarrow 2MgO + C$ (Mg: 산화, CO_2: 환원)

◆ **석회수를 이용한 이산화 탄소 기체 확인**
석회수($Ca(OH)_2$)와 이산화 탄소(CO_2)가 반응하면 흰색 앙금인 탄산 칼슘($CaCO_3$)이 생성되어 석회수가 뿌옇게 흐려진다. 따라서 이를 통해 이산화 탄소 기체의 발생 여부를 확인할 수 있다.

$$Ca(OH)_2 + CO_2 \longrightarrow CaCO_3 \downarrow + H_2O$$

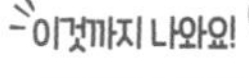

산화제와 환원제

• 산화제: 자신은 환원되면서 다른 물질을 산화시키는 물질
• 환원제: 자신은 산화되면서 다른 물질을 환원시키는 물질

예 $2CuO + C \longrightarrow 2Cu + CO_2$ (CuO: 산화제, C: 환원제)

산화 환원 반응

◆ **알코올램프의 겉불꽃과 속불꽃**
- 겉불꽃: 가장 바깥의 불꽃으로, 산소가 충분하다.
- 속불꽃: 안쪽의 청록색 불꽃으로, 산소가 충분하지 않아 알코올이 불완전 연소하여 발생한 일산화 탄소가 존재한다.

탐구 자료창 구리판의 가열

(가)와 같이 구리판을 ◆알코올램프의 겉불꽃 속에 넣었더니 구리판이 검게 변하였고, (나)와 같이 검게 변한 구리판을 알코올램프의 속불꽃 속에 넣었더니 구리판이 다시 붉게 변하였다.

(가) (나)

1. **(가)에서 구리판이 검게 변한 까닭:** 구리가 산소를 얻어 산화 구리(Ⅱ)가 되었기 때문이다.
   ➡ 구리와 결합한 산소의 질량만큼 질량이 증가한다.

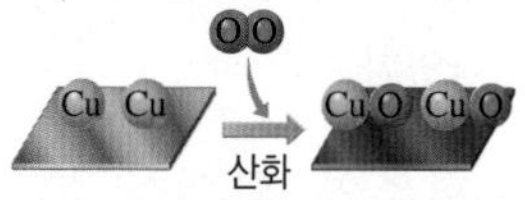

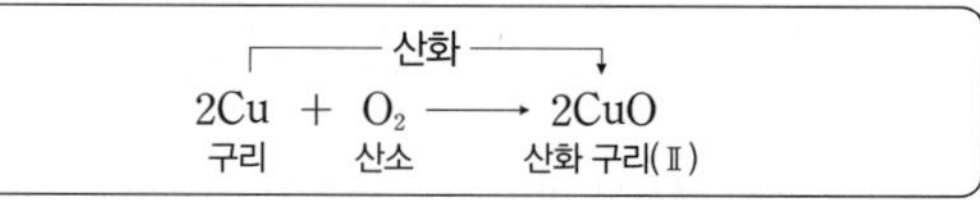

$$2Cu + O_2 \longrightarrow 2CuO$$
구리 산소 산화 구리(Ⅱ)

2. **(나)에서 구리판이 다시 붉게 변한 까닭:** 산화 구리(Ⅱ)가 산소를 잃고 구리가 되었기 때문이다.
   ➡ 산화 구리(Ⅱ)에서 떨어져 나간 산소의 질량만큼 질량이 감소한다.

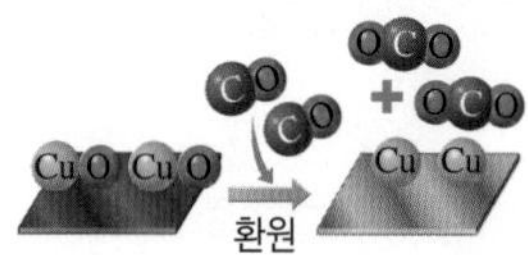

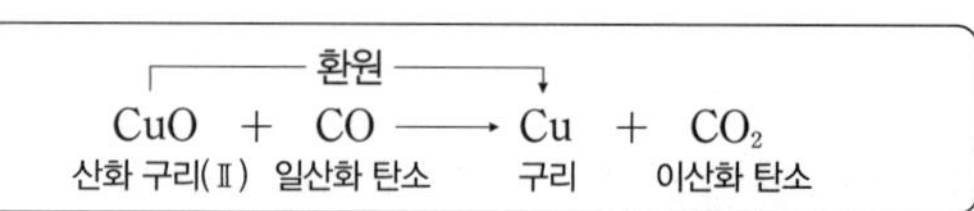

$$CuO + CO \longrightarrow Cu + CO_2$$
산화 구리(Ⅱ) 일산화 탄소 구리 이산화 탄소

◆ **전자의 이동과 산화 환원 반응**

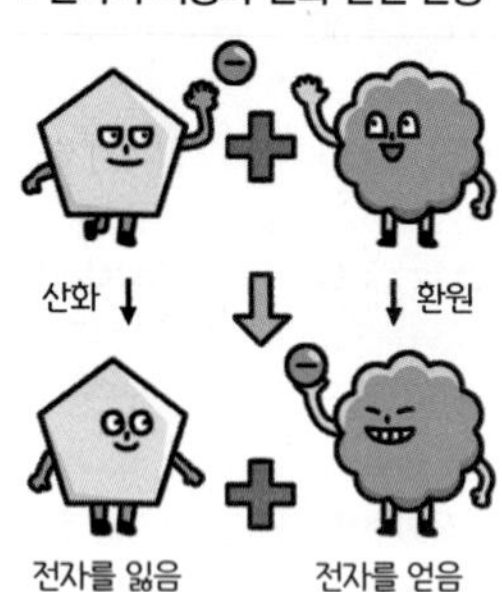

2. ◆전자의 이동과 산화 환원 반응 산화 환원 반응을 전자의 이동으로 정의하면 산소가 관여하지 않는 여러 가지 반응을 산화와 환원으로 설명할 수 있다.

구분	산화	환원
정의	물질이 전자를 잃는 반응	물질이 전자를 얻는 반응
예	$Mg \longrightarrow Mg^{2+} + 2\ominus$	$Cu^{2+} + 2\ominus \longrightarrow Cu$
산화 환원 반응의 동시성	화학 반응에서 어떤 물질이 전자를 잃어 산화되면 다른 물질은 전자를 얻어 환원된다. ➡ 산화와 환원은 항상 동시에 일어난다.	예 (산화: Mg → Mg^{2+}, 환원: Cu^{2+} → Cu) $Mg + Cu^{2+} \longrightarrow Mg^{2+} + Cu$ 마그네슘 구리 이온 마그네슘 이온 구리

전자의 이동과 여러 가지 산화 환원 반응

질산 은 수용액과 구리의 반응

무색의 질산 은 수용액에 구리줄을 넣으면 구리줄 표면에 은이 석출되면서 수용액이 점점 푸른색으로 변한다.

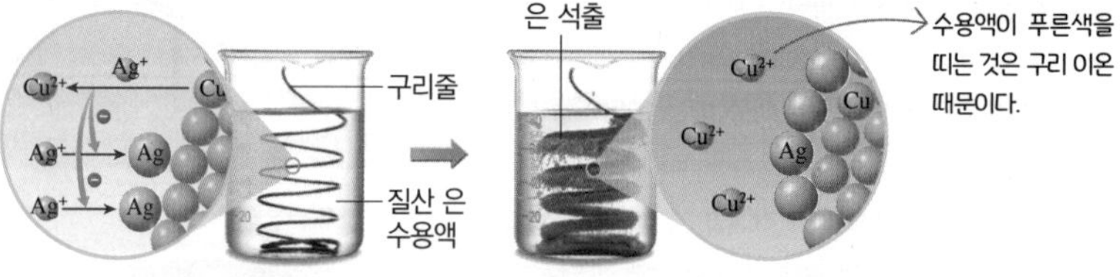

- 구리는 전자를 잃고 구리 이온으로 수용액에 녹아 들어가므로 수용액이 점점 푸른색으로 변한다.
  ➡ $Cu \longrightarrow Cu^{2+} + 2\ominus$(산화)
- 수용액의 은 이온이 전자를 얻어 구리줄 표면에 은으로 석출된다. ➡ $2Ag^{+} + 2\ominus \longrightarrow 2Ag$(환원)

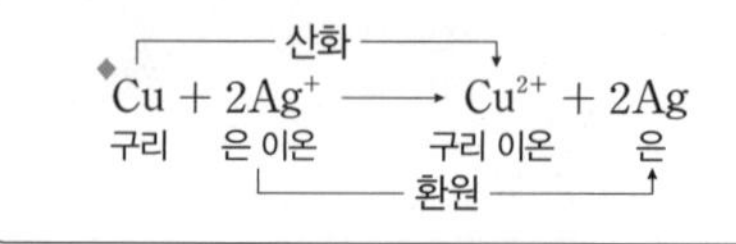

$$Cu + 2Ag^{+} \longrightarrow Cu^{2+} + 2Ag$$
구리 은 이온 구리 이온 은

수용액 속 이온 수 변화
- Cu^{2+} 증가, Ag^{+} 감소, NO_3^{-} 일정
- Cu^{2+} 1개가 생성될 때 Ag^{+} 2개가 Ag으로 석출되므로 수용액 속 전체 이온 수는 감소한다.

앞에서 석회수를 이용한 이산화 탄소 기체의 확인 반응을 배웠죠? 이 반응은 전자의 이동이 없으므로 산화 환원 반응이 아니에요.

◆ **질산 은 수용액과 구리의 반응**

$Cu \longrightarrow Cu^{2+} + 2\ominus$(산화)
$2Ag^{+} + 2\ominus \longrightarrow 2Ag$(환원)
$Cu + 2Ag^{+} \longrightarrow Cu^{2+} + 2Ag$

황산 구리(Ⅱ) 수용액과 아연의 반응

푸른색의 황산 구리(Ⅱ) 수용액에 아연판을 넣으면 아연판 표면에 구리가 석출되면서 수용액의 푸른색이 점점 옅어진다.

- 아연이 전자를 잃고 아연 이온으로 수용액에 녹아 들어간다. ➡ $Zn \longrightarrow Zn^{2+} + 2\ominus$(산화)
- 수용액의 구리 이온이 전자를 얻어 아연판 표면에 구리로 석출되므로 수용액의 푸른색이 점점 옅어진다.
  ➡ $Cu^{2+} + 2\ominus \longrightarrow Cu$(환원)

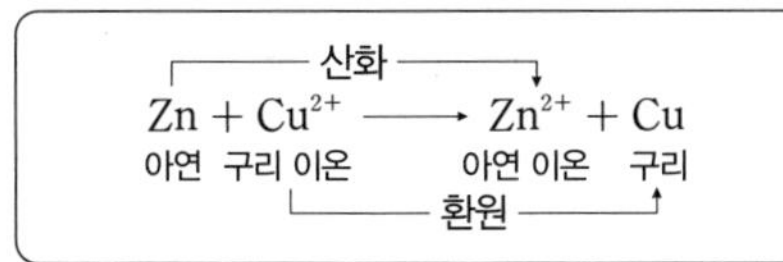

수용액 속 이온 수 변화
- Zn^{2+} 증가, Cu^{2+} 감소, SO_4^{2-} 일정
- Zn^{2+} 1개가 생성될 때 Cu^{2+} 1개가 Cu로 석출되므로 수용액 속 전체 이온 수는 일정하다.

묽은 염산과 아연의 반응

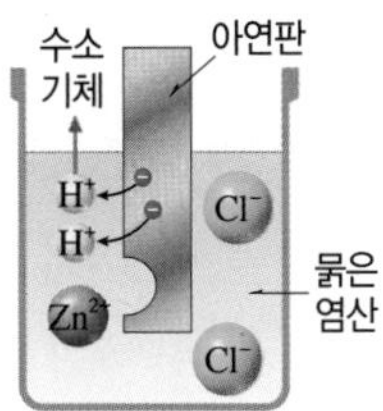

묽은 염산에 아연판을 넣으면 아연은 전자를 잃고 아연 이온으로 산화되고, 수소 이온은 전자를 얻어 수소로 환원된다.

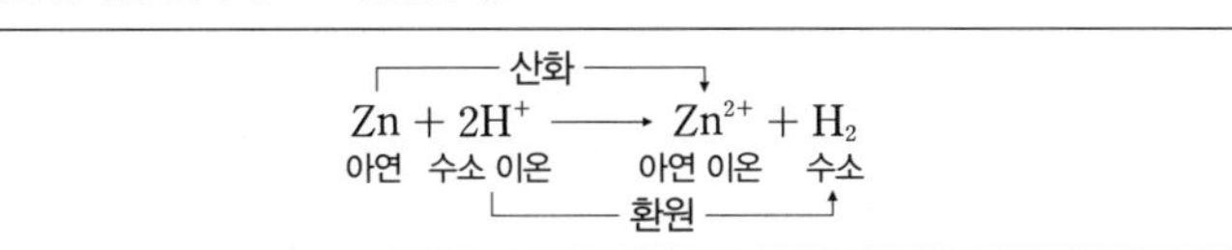

나트륨과 염소의 반응

천재 교과서에만 나와요.

금속 나트륨과 염소 기체를 반응시키면 나트륨은 전자를 잃고 나트륨 이온이 되고, 염소는 전자를 얻어 염화 이온이 되며, 나트륨 이온과 염화 이온이 결합하여 염화 나트륨을 생성한다.

3. 산소가 이동하는 산화 환원 반응에서 전자의 이동

산소를 얻는 반응인 산화는 전자를 잃는 것이고, 산소를 잃는 반응인 환원은 전자를 얻는 것이다.

마그네슘의 연소

마그네슘을 공기 중에서 가열하면 산소와 만나 산화 마그네슘이 된다. 이때 마그네슘은 전자를 잃고 마그네슘 이온으로 산화되고, 산소는 전자를 얻어 산화 이온으로 환원된다.

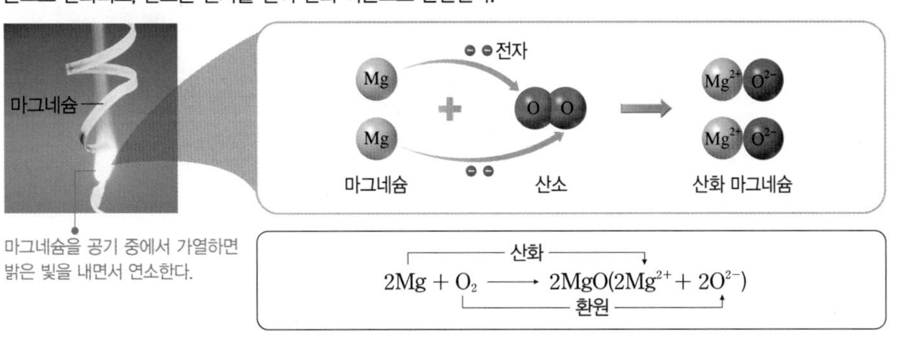

마그네슘을 공기 중에서 가열하면 밝은 빛을 내면서 연소한다.

◆ 황산 구리(Ⅱ) 수용액과 금속의 반응

- 황산 구리(Ⅱ) 수용액과 마그네슘의 반응

$$Mg + Cu^{2+} \longrightarrow Mg^{2+} + Cu$$
(산화: Mg → Mg^{2+}, 환원: Cu^{2+} → Cu)

- 황산 구리(Ⅱ) 수용액과 철의 반응

$$Fe + Cu^{2+} \longrightarrow Fe^{2+} + Cu$$
(산화: Fe → Fe^{2+}, 환원: Cu^{2+} → Cu)

- 황산 구리(Ⅱ) 수용액과 알루미늄의 반응

$$2Al + 3Cu^{2+} \longrightarrow 2Al^{3+} + 3Cu$$
(산화: Al → Al^{3+}, 환원: Cu^{2+} → Cu)

◆ 산화 환원 반응의 정의

산소가 이동하는 산화 환원 반응은 전자의 이동으로 설명할 수 있다. 따라서 산소의 이동에 의한 산화 환원 반응의 정의보다 전자의 이동에 의한 산화 환원 반응의 정의가 더 넓은 개념의 정의이다.

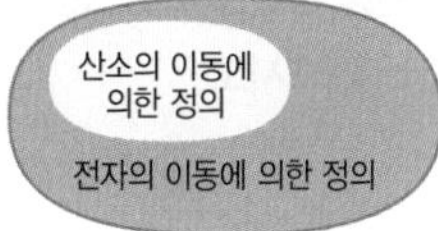

암기해!

산화 환원 반응

구분	산화	환원
산소	얻음	잃음
전자	잃음	얻음

개념 확인 문제

정답친해 96쪽

핵심 체크

- (❶): 엽록체에서 빛에너지를 이용하여 이산화 탄소와 물로 포도당과 산소를 만드는 반응
- 화석 연료의 연소: 화석 연료가 공기 중에서 연소하면 산소와 반응하여 (❷)와 물이 생성되고 많은 열이 발생한다.
- 철의 제련: 순수한 (❸)을 얻기 위해서 산화 철(Ⅲ)에서 산소를 분리하는 과정
- 지구와 생명의 역사를 바꾼 화학 반응의 공통점: 모두 (❹)가 관여하는 산화 환원 반응이다.
- 산화 환원 반응

구분	(❺)	(❻)
산소의 이동	산소를 얻는 반응	산소를 잃는 반응
전자의 이동	전자를 잃는 반응	전자를 얻는 반응

1 지구와 생명의 역사를 바꾼 화학 반응에 대한 설명으로 옳은 것은 ○, 옳지 않은 것은 ×로 표시하시오.

(1) 원시 지구에 남세균이 출현한 후 대기 중 이산화 탄소 농도가 증가하여 오존층이 형성되었다. ( )

(2) 석탄이 증기 기관의 연료로 사용되면서 산업 혁명이 일어나는 데 기여하였다. ( )

(3) 자연 상태에서 철은 산화 철(Ⅲ)의 형태로 존재하므로 제련 과정을 거쳐야 한다. ( )

2 다음은 지구와 생명의 역사를 바꾼 세 가지 화학 반응이다.

- 이산화 탄소 + 물 ⟶ 포도당 + 산소
- 화석 연료 + 산소 ⟶ 이산화 탄소 + 물
- 산화 철(Ⅲ) + 일산화 탄소 ⟶ 철 + 이산화 탄소

세 반응에 공통으로 관여하여 산화 환원 반응이 일어나게 하는 원소를 쓰시오.

3 산화 환원 반응에 대한 설명으로 옳은 것은 ○, 옳지 않은 것은 ×로 표시하시오.

(1) 산소를 잃는 반응은 산화이다. ( )

(2) 전자를 얻는 반응은 환원이다. ( )

(3) 산화와 환원은 동시에 일어날 수 없다. ( )

4 ( ) 안에 산화 또는 환원을 알맞게 쓰시오.

(1) $2CuO + C \longrightarrow 2Cu + CO_2$ (㉠( ), ㉡( ))

(2) $Cu + 2Ag^{+} \longrightarrow Cu^{2+} + 2Ag$ (㉠( ), ㉡( ))

(3) $2Na + Cl_2 \longrightarrow 2NaCl$ (㉠( ), ㉡( ))

5 그림은 황산 구리(Ⅱ)($CuSO_4$) 수용액에 아연(Zn)판을 넣었을 때 일어나는 반응을 모형으로 나타낸 것이다.

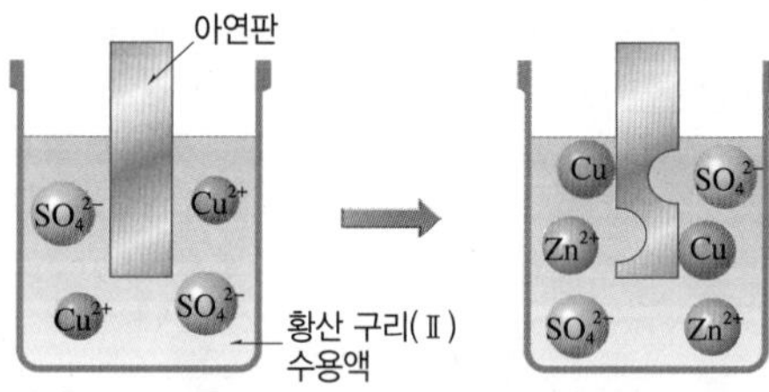

( ) 안에 알맞은 말을 고르시오.

(1) 아연은 (산화, 환원)된다.

(2) 구리 이온은 (산화, 환원)된다.

(3) 수용액의 푸른색은 점점 (진해진다, 옅어진다).

C 우리 주변의 산화 환원 반응

1. 광합성과 세포 호흡

광합성	세포 호흡
식물의 엽록체에서 빛에너지를 이용하여 이산화 탄소와 물로 포도당과 산소를 만든다.	미토콘드리아에서 포도당과 산소가 반응하면 이산화 탄소와 물이 생성되고, ◆에너지가 발생한다.

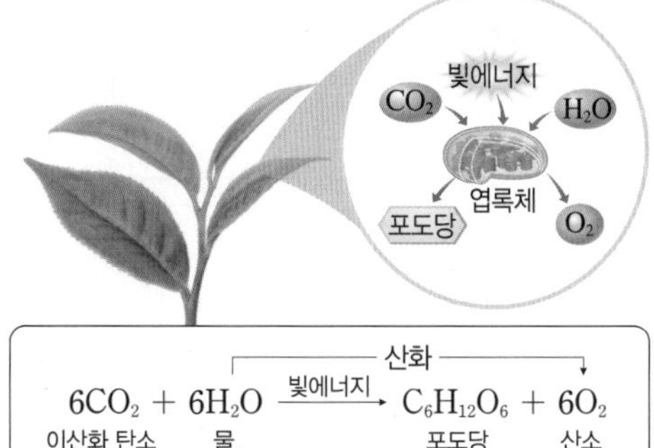

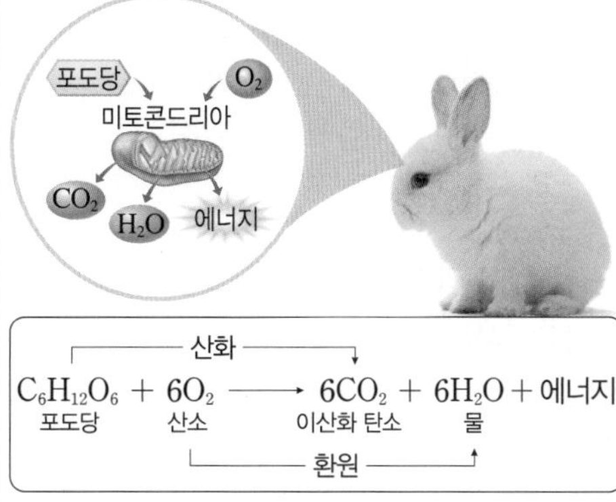

산화 / 환원

$$6CO_2 + 6H_2O \xrightarrow{\text{빛에너지}} C_6H_{12}O_6 + 6O_2$$

이산화 탄소, 물 → 포도당, 산소 (이산화 탄소 산화, 물… 산화: $H_2O \to O_2$; 환원: $CO_2 \to C_6H_{12}O_6$)

$$C_6H_{12}O_6 + 6O_2 \longrightarrow 6CO_2 + 6H_2O + \text{에너지}$$

포도당, 산소 → 이산화 탄소, 물 (산화: $C_6H_{12}O_6 \to CO_2$; 환원: $O_2 \to H_2O$)

◆ **세포 호흡에서 발생한 에너지** 세포 호흡이 일어날 때 발생한 에너지의 일부는 생명 현상을 유지하는 데 사용된다.

2. 연소 어떤 물질이 연소하면 빛과 열을 내면서 산소와 빠르게 결합한다.

연소의 예

석탄의 연소

석탄이 공기 중에서 연소할 때에는 석탄의 주성분인 탄소가 산소와 반응하여 이산화 탄소가 생성된다.

$$C + O_2 \longrightarrow CO_2$$

탄소, 산소 → 이산화 탄소 (산화: $C \to CO_2$)

메테인의 연소

도시가스의 주성분인 메테인이 공기 중에서 연소할 때에는 산소와 반응하여 이산화 탄소와 물이 생성된다.

$$CH_4 + 2O_2 \longrightarrow CO_2 + 2H_2O$$

메테인, 산소 → 이산화 탄소, 물 (산화: $CH_4 \to CO_2$; 환원: $O_2 \to H_2O$)

메테인의 연소

3. 철의 제련 용광로에 철광석과 ❶코크스를 함께 넣고 가열하면 순수한 철을 얻을 수 있다.

용광로에서 철의 제련

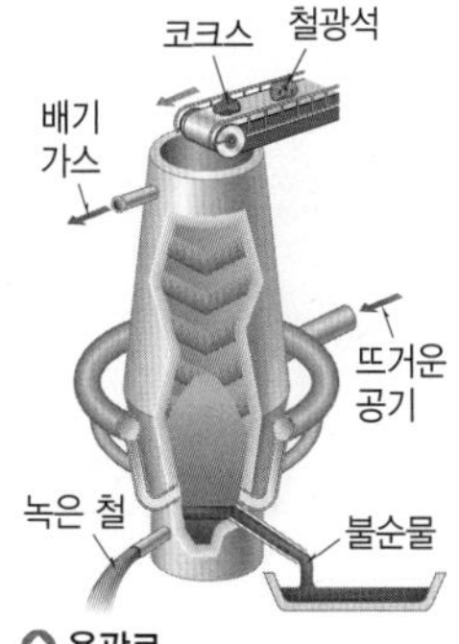

용광로

❶ **코크스의 산화**: 코크스가 산소를 얻어 일산화 탄소로 산화된다.

$$2C + O_2 \longrightarrow 2CO$$

탄소, 산소 → 일산화 탄소 (산화: $C \to CO$)

❷ **산화 철(Ⅲ)의 환원**: 철광석에 들어 있는 산화 철(Ⅲ)이 일산화 탄소와 반응하면 산화 철(Ⅲ)은 산소를 잃고 철로 환원되고, 일산화 탄소는 산소를 얻어 이산화 탄소로 산화된다.

$$Fe_2O_3 + 3CO \longrightarrow 2Fe + 3CO_2$$

산화 철(Ⅲ), 일산화 탄소 → 철, 이산화 탄소 (산화: $CO \to CO_2$; 환원: $Fe_2O_3 \to Fe$)

용어

❶ **코크스** 석탄을 높은 온도에서 오랫동안 구운 것으로 주성분은 탄소이다.

확대경 **철의 사용**

금성 교과서에만 나와요.

철은 지구 전체적으로 볼 때 가장 풍부한 원소이지만 지각에 존재하는 원소만을 비교하면 산소가 가장 풍부하고, 철은 금속 중에서 알루미늄 다음으로 많이 분포한다. 역사적으로 철이 이용되기 시작한 시기는 기원전 1500년경으로, 철보다 매장량이 훨씬 적은 구리의 이용 시기에 비해 약 2000년 정도 늦다. 그 까닭은 무엇일까?

철광석

구리는 자연 상태에서 비교적 쉽게 얻을 수 있지만, 철은 주로 산소와 결합한 철광석의 형태로 존재하기 때문에 철을 이용하려면 철광석에서 산소를 제거하는 제련 과정을 거쳐야 한다. 또한 철의 녹는점(1540 ℃)은 구리의 녹는점(1084 ℃)보다 높아 구리에 비해 용융시켜 가공하기 쉽지 않았다. 이 때문에 다루기 쉽고 얻기 쉬운 구리가 철보다 먼저 쓰이기 시작하였다.

4. 철의 부식과 부식 방지법

① **철의 부식(산화):** 철은 공기 중의 산소와 쉽게 반응하여 붉은 녹(◆산화물)을 만든다.

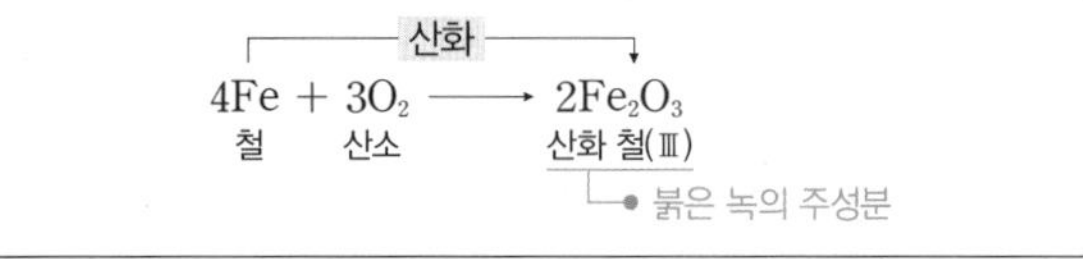

철의 부식

② **철의 부식 방지법:** 철이 공기 중의 산소나 수분과 접촉하는 것을 막는다.

- 철 표면에 페인트를 칠하거나 기름을 칠한다.
- 철 표면에 주석이나 알루미늄으로 얇은 막을 입힌다.

◆**금속 산화물의 성질**
철이 부식되어 생긴 산화물(녹)은 처음의 금속과 다른 물질로, 금속 특유의 광택이 없고 전기도 통하지 않는다.

5. ◆그 밖의 산화 환원 반응

사과의 갈변	일회용 손난로	섬유 표백
	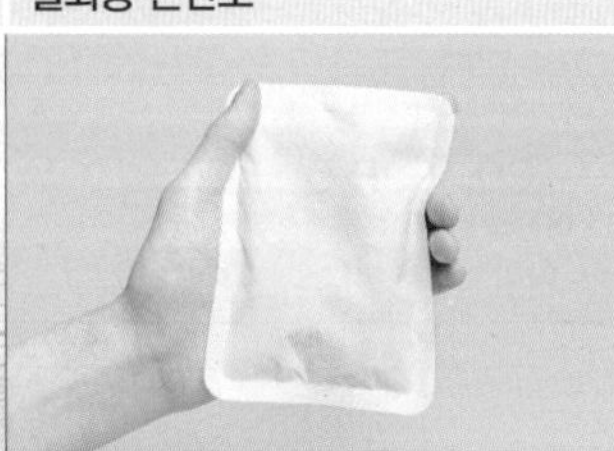	
사과를 깎아 공기 중에 두면 사과의 깎은 부분이 산화되어 갈색으로 변한다.	철 가루가 들어 있는 손난로를 흔들면 철이 산화되면서 열이 발생한다.	누렇게 변한 옷을 표백제로 세탁하면 산화 환원 반응이 일어나 옷이 하얗게 된다.
불꽃놀이	**반딧불이의 불빛**	**머리카락 염색**

폭죽에 들어 있는 화약이 폭발하여 산화되면서 매우 높은 열이 발생하여 금속의 불꽃색이 나타난다.	반딧불이의 몸속에서 루시페린이라는 물질이 산화될 때 불빛이 난다.	염색약의 과산화 수소는 머리카락의 멜라닌 색소를 산화시켜 머리카락을 탈색시킨다.

◆**그 밖의 산화 환원 반응**
- 음식물의 부패: 오래된 음식물이 산화되어 썩는다.
- 색이 변하는 렌즈: 색이 변하는 안경의 렌즈는 햇빛을 받으면 산화 환원 반응이 일어나 렌즈의 색이 어두워지고, 햇빛을 받지 않으면 렌즈가 다시 투명해진다.
- 루미놀 반응, 리튬 이온 전지, 우주선의 고체 연료 등도 산화 환원 반응을 이용한 예이다.

미래엔 교과서에만 나와요.

◆**산화 환원 반응이 일어날 때 나타나는 현상**
- 연소와 폭발: 빛과 열이 발생하고, 반응이 빠르게 일어난다.
- 음식물의 부패와 철의 부식: 색이 변하고, 반응이 느리게 일어난다.

확대경 미술에서 만나는 산화 환원 반응

동아 교과서에만 나와요.

1. **전통 도자기:** 도자기를 구울 때 가마 안에서 일어나는 산화 환원 반응을 이용하여 도자기의 색을 낸다.
2. **에칭:** 금속판을 산 수용액에 담갔을 때 일어나는 산화 환원 반응을 이용한다.
3. **유화:** 리놀렌산이 공기 중에서 산화되면서 굳어지는 것을 이용한다.

전통 도자기

에칭

유화

개념 확인 문제

정답친해 96쪽

핵심 체크

- 식물의 엽록체에서 광합성이 일어날 때 이산화 탄소는 포도당으로 (❶)된다.
- 미토콘드리아에서 세포 호흡이 일어날 때 포도당은 이산화 탄소로 (❷)된다.
- 메테인이 산소와 반응하여 연소할 때 메테인은 이산화 탄소로 (❸)된다.
- 용광로에 철광석과 코크스를 함께 넣고 가열하면 철광석의 주성분인 산화 철(Ⅲ)이 (❹)되어 순수한 철을 얻을 수 있다.
- 철의 부식
  - 철의 부식(산화): 철은 공기 중의 (❺)와 쉽게 반응하여 붉은 녹을 만든다.
  - 철의 부식 방지법: 철이 공기 중의 (❻)나 수분과 접촉하는 것을 막는다.

1 ( ) 안에 산화 또는 환원을 알맞게 쓰시오.

(1) $6CO_2 + 6H_2O \longrightarrow C_6H_{12}O_6 + 6O_2$ (위: ㉠( ), 아래: ㉡( ))

(2) $CH_4 + 2O_2 \longrightarrow CO_2 + 2H_2O$ (위: ㉠( ), 아래: ㉡( ))

2 다음은 철의 제련 과정에서 일어나는 반응을 화학 반응식으로 나타낸 것이다.

$$Fe_2O_3 + 3CO \longrightarrow 2Fe + 3CO_2$$

산화되는 물질과 환원되는 물질의 화학식을 각각 쓰시오.

3 철의 부식을 방지하는 방법으로 옳은 것은 ○, 옳지 <u>않은</u> 것은 ×로 표시하시오.

(1) 철 표면에 페인트를 칠한다. ( )

(2) 철을 습기가 많은 공기 중에 보관한다. ( )

(3) 철 표면에 알루미늄으로 얇은 막을 입힌다. ( )

4 산화 환원 반응의 예로 옳은 것만을 [보기]에서 있는 대로 고르시오.

보기

ㄱ. 반딧불이가 불빛을 낸다.
ㄴ. 표백제로 옷을 하얗게 만든다.
ㄷ. 오래된 자전거의 체인에 녹이 슨다.

내신 만점 문제

A 지구와 생명의 역사를 바꾼 화학 반응

01 다음은 원시 지구의 대기 조성 변화에 따른 생물체의 변화 과정을 순서없이 나타낸 것이다.

(가) 대기 중의 산소 농도가 증가하면서 산소 호흡을 하는 생물이 출현하였고, (㉠)층이 형성되었다.
(나) 원시 지구에 광합성을 하는 생물이 출현하였다.
(다) (㉠)층에 의해 물속에 살던 생물들이 육지로 올라와 살 수 있게 되었다.

이에 대한 설명으로 옳은 것만을 [보기]에서 있는 대로 고르시오.

보기
ㄱ. ㉠은 산소이다.
ㄴ. (나) 이후 원시 지구의 대기 조성이 변하였다.
ㄷ. (나) → (가) → (다) 순으로 일어났다.

02 다음은 지구와 생명의 역사를 바꾼 화학 반응이다.

(가) 광합성 (나) 화석 연료의 연소 (다) 철의 제련

이에 대한 설명으로 옳지 않은 것은?

① (가)로 인해 오존층이 형성되었다.
② (나)는 산업 혁명을 이끄는 역할을 하였다.
③ (다)를 이용하여 여러 가지 도구를 만들어 사용하였다.
④ (가)~(다)의 반응에는 모두 수소가 관여한다.
⑤ (가)~(다)는 모두 산화 환원 반응이다.

B 산화 환원 반응

중요 **03** 산화 환원 반응에 대한 설명으로 옳은 것만을 [보기]에서 있는 대로 고르시오.

보기
ㄱ. 산화는 산소와 결합하는 반응이다.
ㄴ. 어떤 물질이 전자를 얻으면 환원되었다고 한다.
ㄷ. 산화와 환원은 항상 동시에 일어난다.

중요 **04** 다음은 산화 구리(Ⅱ)(CuO)를 이용한 실험이다.

검은색 산화 구리(Ⅱ)와 탄소 가루를 시험관 속에 함께 넣고 가열하였더니 붉은색 고체가 생성되었고, 석회수가 뿌옇게 흐려졌다.

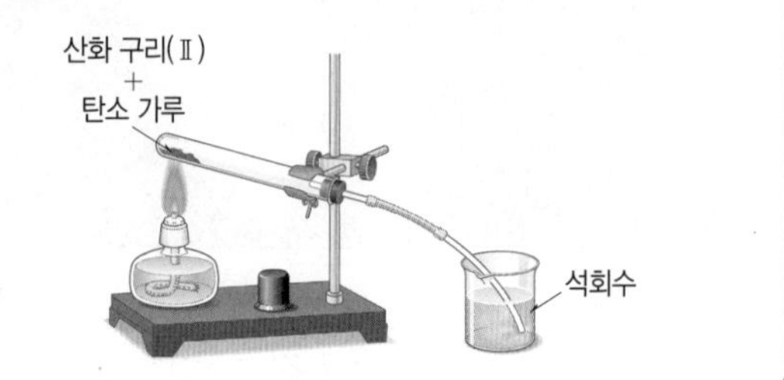

이에 대한 설명으로 옳은 것만을 [보기]에서 있는 대로 고른 것은?

보기
ㄱ. 산화 구리(Ⅱ)는 산화된다.
ㄴ. 발생한 기체는 이산화 탄소이다.
ㄷ. 시험관 속에서 일어나는 반응은 산화 환원 반응이다.

① ㄱ ② ㄷ ③ ㄱ, ㄴ
④ ㄴ, ㄷ ⑤ ㄱ, ㄴ, ㄷ

05 그림 (가)와 같이 붉은색 구리(Cu)판을 알코올램프의 겉불꽃 속에 넣었더니 검게 변하였고, 검게 변한 구리판을 (나)와 같이 속불꽃 속에 넣었더니 다시 붉게 변하였다.

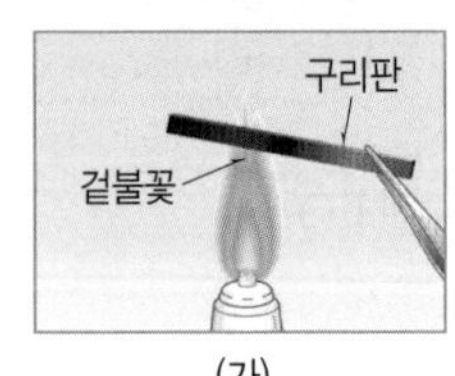

(가)

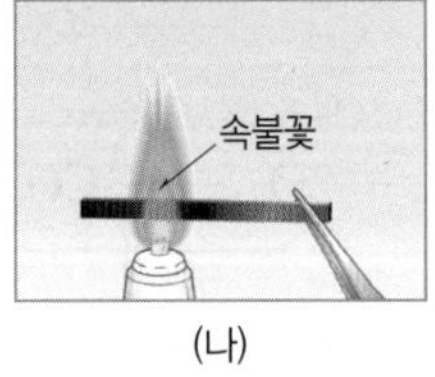

(나)

이에 대한 설명으로 옳지 않은 것은?

① (가)에서 구리는 전자를 잃는다.
② (가)에서 생성된 물질은 산화 구리(Ⅱ)이다.
③ (가)에서 구리판의 질량은 증가한다.
④ (가)에서 검게 변한 구리판은 (나)에서 이산화 탄소와 반응하여 환원된다.
⑤ (나)에서 검게 변한 구리판은 산소를 잃는다.

06 그림 (가)는 마그네슘(Mg) 리본을 공기 중에서 연소시키는 모습을, (나)는 드라이아이스(CO_2)로 만든 통 속에 마그네슘 가루를 넣고 연소시키는 모습을 나타낸 것이다.

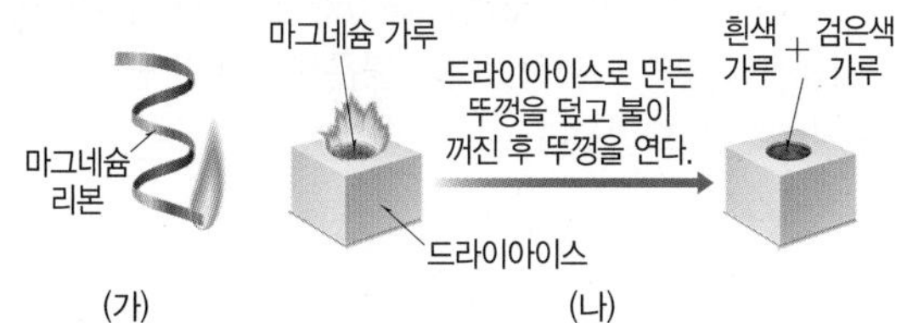

이에 대한 설명으로 옳은 것만을 [보기]에서 있는 대로 고른 것은?

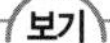

ㄱ. (가)에서 생성된 물질은 (나)에서도 생성된다.
ㄴ. (나)에서 드라이아이스는 환원된다.
ㄷ. (나)에서 생성된 검은색 가루는 탄소이다.

① ㄱ ② ㄴ ③ ㄱ, ㄷ
④ ㄴ, ㄷ ⑤ ㄱ, ㄴ, ㄷ

07 밑줄 친 물질이 환원되는 것만을 [보기]에서 있는 대로 고른 것은?

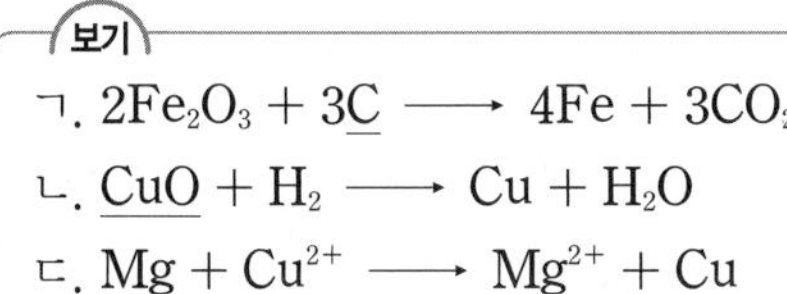

보기
ㄱ. $2Fe_2O_3 + 3\underline{C} \longrightarrow 4Fe + 3CO_2$
ㄴ. $\underline{CuO} + H_2 \longrightarrow Cu + H_2O$
ㄷ. $\underline{Mg} + Cu^{2+} \longrightarrow Mg^{2+} + Cu$

① ㄱ ② ㄴ ③ ㄱ, ㄷ
④ ㄴ, ㄷ ⑤ ㄱ, ㄴ, ㄷ

중요 **08** 그림은 무색의 질산 은($AgNO_3$) 수용액에 구리(Cu)줄을 넣었을 때 구리줄 표면에 은이 석출되는 모습을 나타낸 것이다.
이에 대한 설명으로 옳은 것만을 [보기]에서 있는 대로 고른 것은?

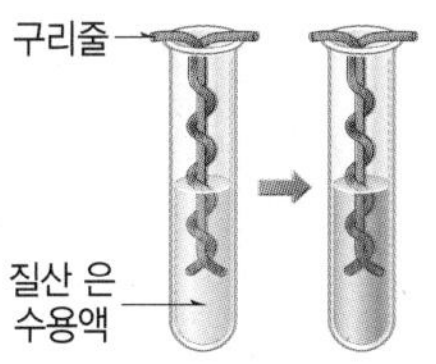

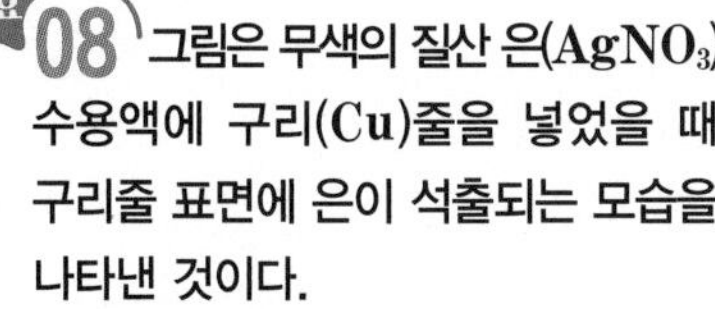

보기
ㄱ. 산화되는 물질은 구리이다.
ㄴ. 질산 이온은 전자를 얻는다.
ㄷ. 수용액이 푸른색으로 변하는 것은 구리 이온 때문이다.

① ㄱ ② ㄴ ③ ㄱ, ㄷ
④ ㄴ, ㄷ ⑤ ㄱ, ㄴ, ㄷ

중요 **09** 그림과 같이 황산 구리(Ⅱ)($CuSO_4$) 수용액에 아연(Zn)판을 넣었더니 아연판 표면에 구리가 석출되었다.

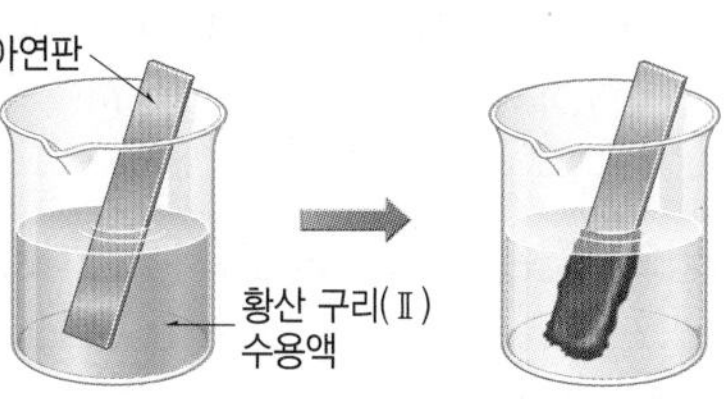

이에 대한 설명으로 옳은 것만을 [보기]에서 있는 대로 고른 것은?

보기
ㄱ. 아연은 산화된다.
ㄴ. 수용액 속 전체 이온 수는 감소한다.
ㄷ. 전자는 아연에서 구리 이온으로 이동한다.

① ㄱ ② ㄴ ③ ㄱ, ㄷ
④ ㄴ, ㄷ ⑤ ㄱ, ㄴ, ㄷ

C 우리 주변의 산화 환원 반응

10 다음은 생명체에서 일어나는 두 가지 화학 반응과 이에 대한 세 학생의 대화 내용이다.

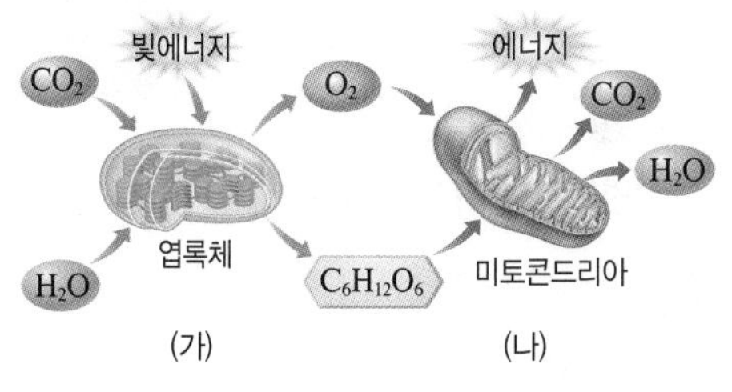

(가)의 반응물은 (나)의 생성물과 같아.
(가)에서 산화되는 물질은 이산화 탄소야.
(가)와 (나)는 모두 산소가 관여하는 반응이야.
A
B
C

(가)와 (나)에 대한 대화 내용이 옳은 학생만을 있는 대로 고른 것은?

① A ② B ③ A, C
④ B, C ⑤ A, B, C

11 다음은 두 가지 산화 환원 반응의 화학 반응식이다.

(가) 6(㉠) + $6H_2O \longrightarrow C_6H_{12}O_6 + 6O_2$
(나) $CH_4 + 2O_2 \longrightarrow$ (㉠) + $2H_2O$

이에 대한 설명으로 옳은 것만을 [보기]에서 있는 대로 고른 것은?

보기
ㄱ. (가)는 세포 호흡 반응이다.
ㄴ. (나) 반응이 일어나면 에너지가 발생한다.
ㄷ. ㉠은 이산화 탄소이다.

① ㄱ ② ㄴ ③ ㄱ, ㄷ
④ ㄴ, ㄷ ⑤ ㄱ, ㄴ, ㄷ

중요 **12** 다음은 철을 제련하는 모습과 이때 일어나는 두 가지 반응을 화학 반응식으로 나타낸 것이다.

(가) $2C + O_2 \longrightarrow$ 2(㉠)
(나) Fe_2O_3 + 3(㉡) $\longrightarrow$ $2Fe + 3CO_2$

철광석, 코크스 / 배기 가스 / 열풍 / 쇳물

이에 대한 설명으로 옳지 않은 것은?

① ㉠과 ㉡은 서로 다른 물질이다.
② (가)에서 탄소는 산화된다.
③ (나)에서 산화 철(Ⅲ)은 환원된다.
④ (나)에서 ㉡은 산소를 얻는다.
⑤ (가)와 (나)는 모두 산화 환원 반응이다.

13 산화 환원 반응이 일어나는 예로 옳지 않은 것은?

① 오래된 음식물이 썩는다.
② 철 표면에 페인트를 칠한다.
③ 도시가스를 연소시켜 난방을 한다.
④ 사과를 깎아 두면 갈색으로 변한다.
⑤ 철 가루가 들어 있는 손난로를 흔들면 따뜻해진다.

서술형 문제

14 그림과 같이 산화 구리(Ⅱ)(CuO)와 탄소(C) 가루를 혼합하여 시험관에 넣고 가열하였더니 붉은색 물질이 생성되었고, 석회수가 뿌옇게 흐려졌다.

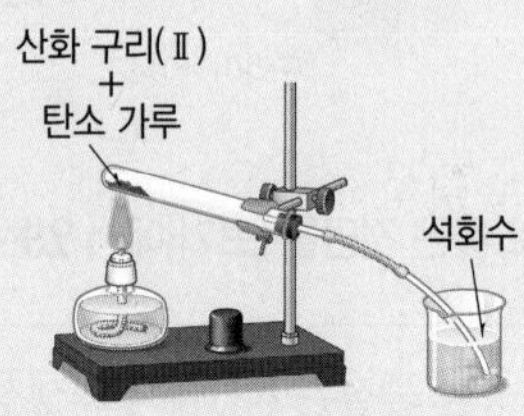

(1) 시험관에서 일어나는 반응을 화학 반응식으로 나타내시오.

(2) 붉은색 물질이 생성되는 까닭을 산화 환원 반응과 관련하여 서술하시오.

15 그림과 같이 푸른색을 띠는 황산 구리(Ⅱ)($CuSO_4$) 수용액에 아연(Zn)판을 넣었더니 아연판 표면에 구리(Cu)가 석출되었다. 이때 수용액의 색 변화를 쓰고, 그 까닭을 산화 환원 반응과 관련하여 서술하시오.

16 다음은 마그네슘(Mg)의 연소 반응을 화학 반응식으로 나타낸 것이다.

$$2Mg + O_2 \longrightarrow 2MgO$$

산화되는 물질과 환원되는 물질을 각각 쓰고, 그 까닭을 전자의 이동과 관련하여 서술하시오.

실력 UP 문제

정답친해 99쪽

01 그림은 아연(Zn)판을 묽은 염산(HCl)에 넣었을 때 일어나는 반응을 모형으로 나타낸 것이다.

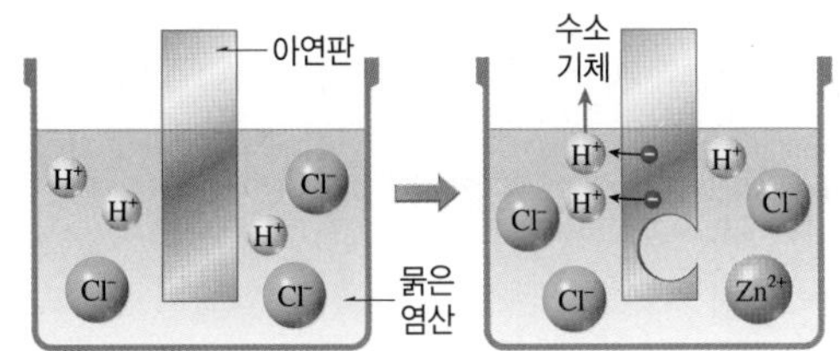

이에 대한 설명으로 옳지 않은 것은?

① 아연은 산화된다.
② 수소 이온은 환원된다.
③ 아연판의 질량은 점점 감소한다.
④ 염화 이온의 수는 변하지 않는다.
⑤ 수용액의 양이온 수는 점점 증가한다.

02 다음은 구리(Cu)와 관련된 두 가지 화학 반응식이다.

(가) $CuO + H_2 \longrightarrow Cu + H_2O$
(나) $Cu + 2AgNO_3 \longrightarrow Cu(NO_3)_2 + 2Ag$

이에 대한 설명으로 옳은 것만을 [보기]에서 있는 대로 고른 것은?

보기
ㄱ. (가)에서 산화 구리(Ⅱ)는 산화된다.
ㄴ. (나)에서 구리는 산화된다.
ㄷ. (나)에서 구리 원자 1개가 반응할 때 이동한 전자는 2개이다.

① ㄱ ② ㄴ ③ ㄱ, ㄷ
④ ㄴ, ㄷ ⑤ ㄱ, ㄴ, ㄷ

03 그림은 철(Fe)판에 유성펜으로 하트 모양을 그린 다음 황산 구리(Ⅱ)($CuSO_4$) 수용액에 담가 두었다가 꺼냈을 때 유성펜을 칠하지 않은 철판 표면에 구리(Cu)가 석출된 모습을 나타낸 것이다.

이에 대한 설명으로 옳은 것만을 [보기]에서 있는 대로 고른 것은?(단, 원자량은 구리가 철보다 크고, 유성펜을 칠한 부분에서는 화학 반응이 일어나지 않는다.)

보기
ㄱ. 철은 산화되고, 구리 이온은 환원된다.
ㄴ. 철판의 질량은 감소한다.
ㄷ. 수용액의 전체 이온 수는 증가한다.

① ㄱ ② ㄷ ③ ㄱ, ㄴ
④ ㄴ, ㄷ ⑤ ㄱ, ㄴ, ㄷ

04 그림과 같이 묽은 염산(HCl)에 금속 A와 B를 각각 넣었더니 금속 A의 표면에서만 기체가 발생하였다.

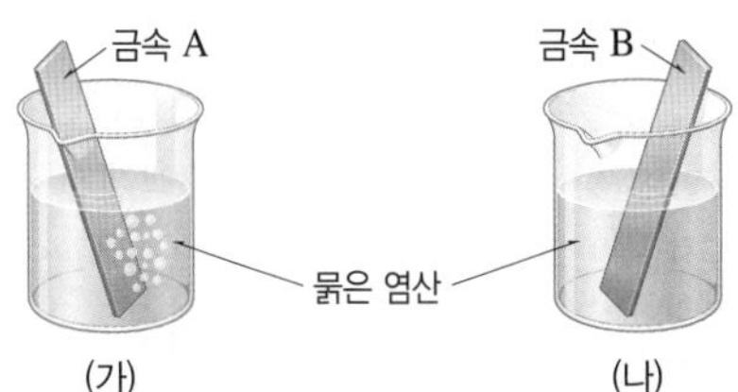

이에 대한 설명으로 옳은 것만을 [보기]에서 있는 대로 고른 것은? (단, A와 B는 임의의 원소 기호이다.)

보기
ㄱ. 금속 A는 금속 B보다 산화되기 쉽다.
ㄴ. (가)에서 금속 A는 산화제이다.
ㄷ. (가)에서 금속 A가 잃은 총 전자 수와 양이온이 얻은 총 전자 수는 같다.

① ㄱ ② ㄴ ③ ㄱ, ㄷ
④ ㄴ, ㄷ ⑤ ㄱ, ㄴ, ㄷ

02 산과 염기

핵심 포인트
1. 산과 염기의 성질 ★★★
2. 산성과 염기성을 나타내는 이온의 확인 ★★★
3. 지시약의 색 변화 ★★

A 산과 염기

레몬에서 신맛이 나는 까닭은 산이 들어 있기 때문이고, 비누가 미끈거리는 까닭은 염기가 들어 있기 때문이에요. 이외에 산과 염기는 어떤 성질을 나타내는지 지금부터 함께 알아보아요.

1. 산 물에 녹아 수소 이온(H^+)을 내놓는 물질

예 ◆염산(HCl), 황산(H_2SO_4), 아세트산(CH_3COOH), 탄산(H_2CO_3), 질산(HNO_3) 등

◆ 염화 수소와 염산
염화 수소는 실온에서 기체인 물질로, 물에 매우 잘 녹는다. 염화 수소를 물에 녹인 수용액을 염산이라고 한다.

① **산의 ❶이온화:** 산은 물에 녹아 수소 이온(H^+)과 음이온으로 나누어진다.

산		수소 이온(H^+)		음이온
HCl(염산)	⟶	H^+	+	Cl^-(염화 이온)
H_2SO_4(황산)	⟶	$2H^+$	+	SO_4^{2-}(황산 이온)
CH_3COOH(아세트산)	⟶	H^+	+	CH_3COO^-(아세트산 이온)
H_2CO_3(탄산)	⟶	$2H^+$	+	CO_3^{2-}(탄산 이온)
HNO_3(질산)	⟶	H^+	+	NO_3^-(질산 이온)

주의해!
메테인이 산이 아닌 까닭
메테인(CH_4)은 H가 들어 있지만 물에 녹아 H^+을 내놓지 않으므로 산이 아니다.

산의 이온화 모형

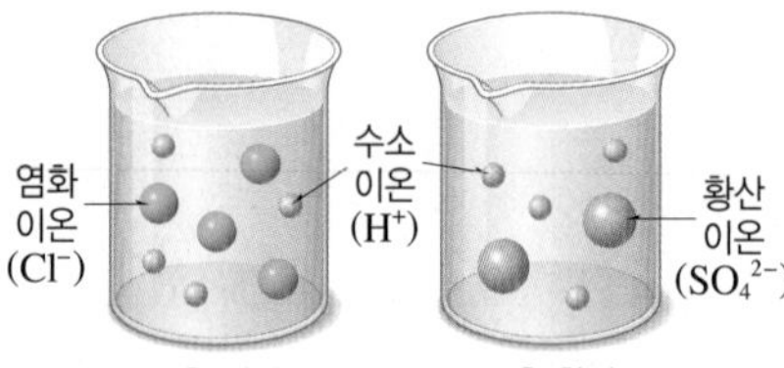

- 묽은 염산과 묽은 황산에 공통으로 들어 있는 이온: H^+
- HCl 분자 1개는 물에 녹아 H^+ 1개와 Cl^- 1개를 내놓는다. ➡ H^+ : Cl^-의 개수비=1 : 1
- H_2SO_4 분자 1개는 물에 녹아 H^+ 2개와 SO_4^{2-} 1개를 내놓는다. ➡ H^+ : SO_4^{2-}의 개수비=2 : 1

② **◆산성:** 산이 나타내는 공통적인 성질을 산성이라고 하며, 산성이 나타나는 까닭은 수소 이온(H^+) 때문이다.

◆ 산의 특이성
산의 종류에 따라 성질이 다른 것은 음이온이 각각 다르기 때문이다.

- 신맛이 난다.
  예 레몬(시트르산), 식초(아세트산), 김치(젖산), 유산균 음료(젖산) 등
- 수용액에서 전류가 흐른다. ➡ 산 수용액에 이온이 존재하기 때문이다.
- ◆금속과 반응하여 수소 기체를 발생시킨다.
  예 $Mg + 2HCl \longrightarrow MgCl_2 + H_2\uparrow$
- 탄산 칼슘(달걀 껍데기 등)과 반응하여 이산화 탄소 기체를 발생시킨다.
  예 $CaCO_3 + 2HCl \longrightarrow CaCl_2 + H_2O + CO_2\uparrow$
- 푸른색 리트머스 종이를 붉게 변화시킨다.
- 페놀프탈레인 용액을 떨어뜨려도 색이 변하지 않는다.

◆ 산과 금속의 반응
묽은 산은 마그네슘, 아연, 철 등의 금속과 반응하여 수소 기체를 발생시키지만 금이나 은 등의 금속과는 반응하지 않는다.

◆ 우리 주변의 산성 물질
신맛이 나는 과일, 식초, 탄산음료, 김치, 유산균 음료, 해열제, 진통제 등에 산이 포함되어 있다.

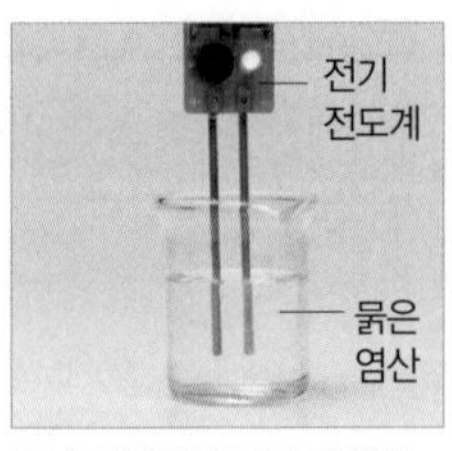

수용액에서 전기 전도성

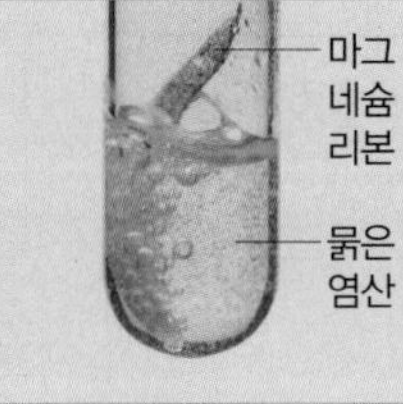

금속과의 반응

달걀 껍데기와의 반응

리트머스 종이의 색 변화

(용어)
❶ **이온화** 어떤 물질이 이온으로 나누어지는 현상

산성을 나타내는 이온의 확인

질산 칼륨 수용액에 적신 푸른색 리트머스 종이 위에 묽은 염산에 적신 실을 올려놓고 전류를 흘려 준다.

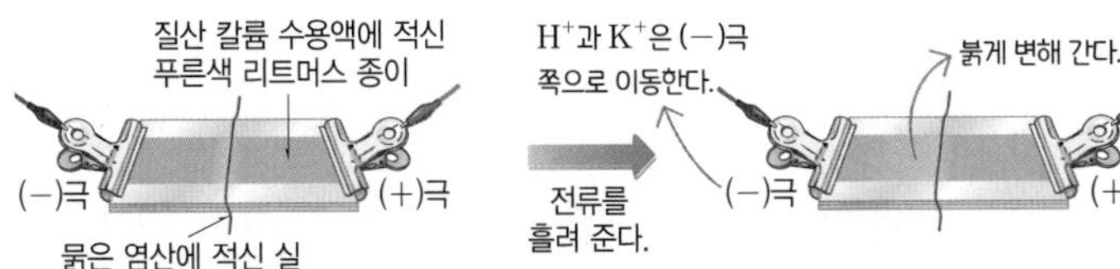

1. 푸른색 리트머스 종이가 실에서부터 (−)극 쪽으로 붉게 변해 간다.
   ➡ H^+이 (−)극 쪽으로 이동하면서 푸른색 리트머스 종이의 색을 변하게 한다.
2. 묽은 염산 대신 묽은 황산이나 아세트산 수용액으로 실험해도 같은 결과가 나타난다.
   ➡ 산의 공통적인 성질은 H^+ 때문에 나타나는 것을 알 수 있다.

이온의 확인 실험에서 전류가 흐르면 수용액 속 각 이온들이 이동하는데, 이때 27 V 이상의 전압을 걸어 주어야 이온의 이동을 확인할 수 있어요.

2. 염기 물질에 녹아 수산화 이온(OH^-)을 내놓는 물질

예 수산화 나트륨($NaOH$), 수산화 칼륨(KOH), 수산화 칼슘($Ca(OH)_2$), 암모니아(NH_3) 등

① **염기의 이온화:** 염기는 물에 녹아 양이온과 수산화 이온(OH^-)으로 나누어진다.

염기		양이온		수산화 이온(OH^-)
$NaOH$(수산화 나트륨)	⟶	Na^+(나트륨 이온)	+	OH^-
KOH(수산화 칼륨)	⟶	K^+(칼륨 이온)	+	OH^-
$Ca(OH)_2$(수산화 칼슘)	⟶	Ca^{2+}(칼슘 이온)	+	$2OH^-$

주의해!

암모니아가 염기인 까닭

암모니아(NH_3)는 실온에서 기체인 물질로, 물질 내에 OH^-을 가지고 있지 않지만 물에 녹으면 OH^-이 생성되므로 염기이다.

$NH_3 + H_2O \longrightarrow NH_4^+ + OH^-$

염기의 이온화 모형

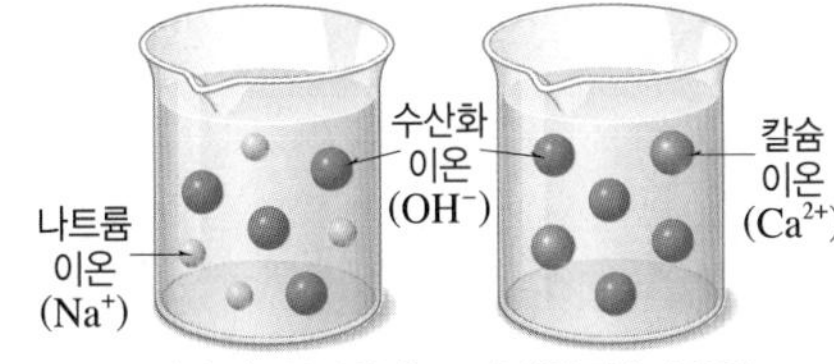

- 수산화 나트륨 수용액과 수산화 칼슘 수용액에 공통으로 들어 있는 이온: OH^-
- $NaOH$ 입자 1개는 물에 녹아 Na^+ 1개와 OH^- 1개를 내놓는다. ➡ $Na^+ : OH^-$의 개수비 = 1 : 1
- $Ca(OH)_2$ 입자 1개는 물에 녹아 Ca^{2+} 1개와 OH^- 2개를 내놓는다. ➡ $Ca^{2+} : OH^-$의 개수비 = 1 : 2

주의해!

메탄올(CH_3OH)이 염기가 아닌 까닭

메탄올은 OH가 들어 있지만 물에 녹아 OH^-을 내놓지 않으므로 염기가 아니다.

② **◆염기성:** 염기가 나타내는 공통적인 성질을 염기성이라고 하며, 염기성이 나타나는 까닭은 수산화 이온(OH^-) 때문이다.

- 쓴맛이 난다.
- 수용액에서 전류가 흐른다. ➡ 염기 수용액에 이온이 존재하기 때문이다.
- 대부분의 금속이나 탄산 칼슘(달걀 껍데기 등)과 반응하지 않는다.
- 단백질을 녹이는 성질이 있어 손으로 만지면 미끈거린다.
- 붉은색 리트머스 종이를 푸르게 변화시킨다.
- 페놀프탈레인 용액을 떨어뜨리면 붉은색으로 변한다.

◆ **염기의 특이성**
염기의 종류에 따라 성질이 다른 것은 양이온이 각각 다르기 때문이다.

▲ 수용액에서 전기 전도성

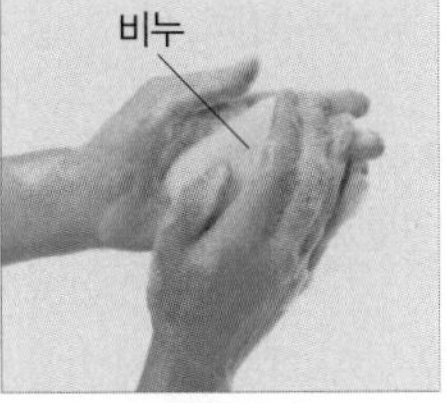

▲ 단백질을 녹이는 성질

▲ 리트머스 종이의 색 변화

▲ 페놀프탈레인 용액의 색 변화

암기해!

산과 염기
- 산: H^+을 내놓는 물질
- 염기: OH^-을 내놓는 물질

◆ **우리 주변의 염기성 물질**
비누, 하수구 세정제, 제산제, 치약, 유리 세정제, 베이킹 소다 등에 염기가 포함되어 있다.

염기성 물질	포함된 염기
비누, 하수구 세정제	수산화 나트륨
제산제	수산화 마그네슘
치약	탄산 나트륨

염기성을 나타내는 이온의 확인

질산 칼륨 수용액에 적신 붉은색 리트머스 종이 위에 수산화 나트륨 수용액에 적신 실을 올려놓고 전류를 흘려 준다.

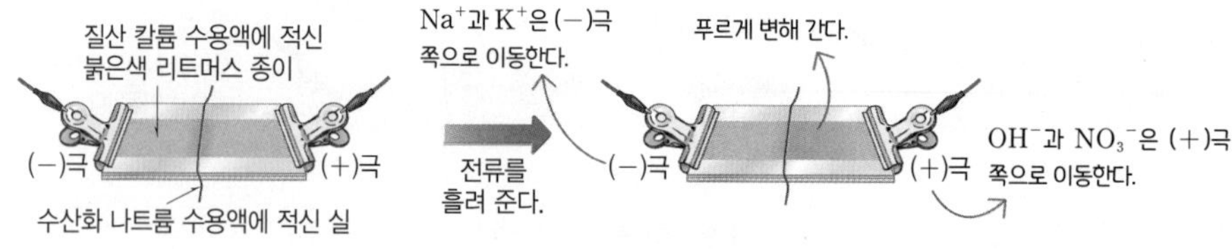

1. 붉은색 리트머스 종이가 실에서부터 (+)극 쪽으로 푸르게 변해 간다.
   ➡ OH^{-}이 (+)극 쪽으로 이동하면서 붉은색 리트머스 종이의 색을 변하게 한다.
2. 수산화 나트륨 수용액 대신 암모니아수나 수산화 칼륨 수용액으로 실험해도 같은 결과가 나타난다.
   ➡ 염기의 공통적인 성질은 OH^{-} 때문에 나타나는 것을 알 수 있다.

천재 교과서에만 나와요.

◆ **우리 몸속의 산과 염기**
- 입: 음식물이 분해되면 산성 물질이 생기므로 입안은 약한 산성을 띤다. 이때 약한 염기성 물질인 침이 분비되면 입안은 다시 약한 염기성을 띤다.
- 위: 위에서 분비되는 위액에는 염산이 들어 있어 위 내부는 강한 산성을 띤다.
- 소장: 십이지장으로 분비되는 이자액에는 염기성 물질이 들어 있어 소장은 약한 염기성을 띤다.

탐구 자료창 산과 염기의 성질

홈판에 묽은 염산, 식초, 레몬 즙, 사이다, 수산화 나트륨 수용액, 비눗물, 유리 세정제, 소다 수용액을 각각 10방울씩 떨어뜨린 후 리트머스 종이의 색 변화, 전기 전도성, 마그네슘 및 달걀 껍데기와의 반응, 페놀프탈레인 용액에 의한 색 변화를 관찰한다.

1. 결과

물질	묽은 염산	식초	레몬 즙	사이다	수산화 나트륨 수용액	비눗물	유리 세정제	소다 수용액
리트머스 종이를 대었을 때	푸른색 리트머스 종이가 붉게 변한다.				붉은색 리트머스 종이가 푸르게 변한다.			
전기 전도계를 담갔을 때	전류가 흐른다.							
마그네슘 리본을 넣었을 때	◆수소 기체가 발생한다.				변화가 없다.			
달걀 껍데기를 넣었을 때	이산화 탄소 기체가 발생한다.				변화가 없다.			
페놀프탈레인 용액을 떨어뜨렸을 때	색 변화가 없다.				붉은색으로 변한다.			

2. 해석

산성 물질	묽은 염산, 식초, 레몬 즙, 사이다
염기성 물질	수산화 나트륨 수용액, 비눗물, 유리 세정제, 소다 수용액
산의 공통적인 성질	• 푸른색 리트머스 종이를 붉게 변화시킨다. • 수용액에서 전류가 흐른다. • 마그네슘 리본을 넣었을 때 수소 기체가 발생한다. • 달걀 껍데기를 넣었을 때 이산화 탄소 기체가 발생한다. • 페놀프탈레인 용액을 떨어뜨려도 색이 변하지 않는다.
염기의 공통적인 성질	• 붉은색 리트머스 종이를 푸르게 변화시킨다. • 수용액에서 전류가 흐른다. • 마그네슘, 달걀 껍데기와 반응하지 않는다. • 페놀프탈레인 용액을 떨어뜨리면 붉은색으로 변한다.
산과 염기의 공통적인 성질	수용액에서 전류가 흐른다. ➡ 산 수용액과 염기 수용액에는 모두 이온이 존재한다.

◆ **수소 기체의 확인**

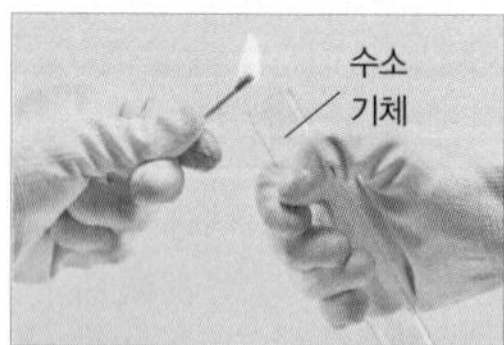

수소 기체는 스스로 잘 타는 성질(가연성)이 있으므로 성냥불을 갖다 대었을 때 '펑' 소리를 내며 탄다. 이를 통해 수소 기체가 발생했음을 확인할 수 있다.

개념 확인 문제

정답친해 100쪽

핵심 체크

- 산의 공통적인 성질이 나타나는 까닭: 산이 물에 녹아 공통으로 (❶)을 내놓기 때문이다.
- 산성(산의 공통적인 성질)
  - (❷)맛이 나고, 수용액에서 전류가 흐른다.
  - 금속과 반응하여 (❸) 기체를 발생시킨다.
  - 탄산 칼슘(달걀 껍데기 등)과 반응하여 (❹) 기체를 발생시킨다.
  - 푸른색 리트머스 종이를 (❺)게 변화시킨다.
  - 페놀프탈레인 용액을 떨어뜨려도 색이 변하지 않는다.
- 염기의 공통적인 성질이 나타나는 까닭: 염기가 물에 녹아 공통으로 (❻)을 내놓기 때문이다.
- 염기성(염기의 공통적인 성질)
  - (❼)맛이 나고, 수용액에서 전류가 흐른다.
  - 대부분의 금속이나 탄산 칼슘(달걀 껍데기 등)과 반응하지 않는다.
  - (❽)을 녹이는 성질이 있어 손으로 만지면 미끈거린다.
  - 붉은색 리트머스 종이를 (❾)게 변화시킨다.
  - 페놀프탈레인 용액을 떨어뜨리면 (❿)게 변한다.

1 다음 산과 염기의 이온화식을 완성하시오.

(1) $HCl \longrightarrow H^+ + ($ $)$

(2) $H_2SO_4 \longrightarrow ($ $) + SO_4^{2-}$

(3) $CH_3COOH \longrightarrow H^+ + ($ $)$

(4) $($ $) \longrightarrow K^+ + OH^-$

(5) $Ca(OH)_2 \longrightarrow Ca^{2+} + ($ $)$

2 산과 염기에 대한 설명으로 옳은 것은 ○, 옳지 않은 것은 ×로 표시하시오.

(1) 산은 물에 녹아 H^+을 내놓는다. ( )

(2) 묽은 황산은 마그네슘과 반응하지 않는다. ( )

(3) 염기가 공통적인 성질을 나타내는 까닭은 OH^- 때문이다. ( )

(4) 염기는 손에 묻으면 미끈거린다. ( )

(5) 수산화 나트륨 수용액에 페놀프탈레인 용액을 떨어뜨려도 색 변화가 없다. ( )

3 산 수용액과 염기 수용액에서 전류가 흐르는 까닭은 수용액에 ( )이 존재하기 때문이다.

4 그림과 같이 장치하고 전류를 흘려 주었다. ( ) 안에 알맞은 말을 쓰시오.

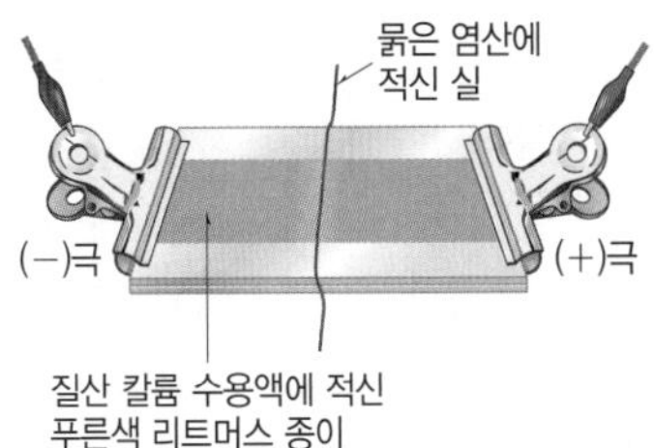

> 푸른색 리트머스 종이가 실에서부터 ( )극 쪽으로 붉게 변해 간다.

5 다음 설명에 해당하는 물질만을 [보기]에서 있는 대로 고르시오.

> 보기
> ㄱ. 식초 ㄴ. 비눗물 ㄷ. 레몬 즙
> ㄹ. 탄산음료 ㅁ. 유리 세정제 ㅂ. 하수구 세정제

(1) 붉은색 리트머스 종이를 푸르게 변화시킨다.

(2) 전기 전도성이 있다.

(3) 마그네슘 리본을 넣으면 기체가 발생한다.

(4) 달걀 껍데기를 넣으면 기체가 발생한다.

B 지시약과 pH

산성 용액과 염기성 용액은 눈으로 구별하기 어렵고, 맛을 보거나 만져서 구별하는 것은 위험해요. 지금부터 산성 용액과 염기성 용액을 구별하는 방법에 대해 알아보아요.

1. 지시약 용액의 [1]액성에 따라 색이 변하는 물질 ➡ 용액의 액성을 구별하기 위해 사용한다.

① 액성에 따른 지시약의 색 변화

구분	리트머스 종이	페놀프탈레인 용액	메틸 오렌지 용액	BTB 용액
산성	푸른색 → 붉은색	무색	붉은색	노란색
중성	–	무색	노란색	초록색
염기성	붉은색 → 푸른색	붉은색	노란색	파란색

② 천연 지시약: 자주색 양배추, 붉은색 장미꽃, 포도 껍질, 검은콩 등에서 추출한 용액은 액성에 따라 색이 변하므로 지시약으로 사용할 수 있다.

암기해!

지시약의 색 변화

무무붉 / 붉노노 / 노초파

페놀프탈레인 / 메틸 오렌지 / BTB

궁금해?

자주색 양배추, 붉은색 장미꽃 등을 지시약으로 사용할 수 있는 까닭은?

과일이나 꽃 등에 주로 포함되어 있는 색소인 안토시아닌은 용액의 액성에 따라 색이 변한다. 따라서 안토시아닌이 들어 있는 자주색 양배추, 붉은색 장미꽃 등은 지시약으로 사용할 수 있다.

탐구 자료창 천연 지시약 만들기

자주색 양배추를 뜨거운 물에 넣고 우려내어 천연 지시약을 만든 다음, 묽은 염산, 식초, 사이다, 소다 수용액, 수산화 나트륨 수용액, 하수구 세정제에 자주색 양배추 지시약을 떨어뜨리고 색 변화를 관찰한다.

• 여러 가지 물질에서 자주색 양배추 지시약의 색 변화

물질	묽은 염산	식초	사이다	소다 수용액	수산화 나트륨 수용액	하수구 세정제
색 변화와 용액의 액성	붉은색	붉은색	붉은색	푸른색	노란색	노란색
	산성에서 붉은색 계열을 띤다.			염기성에서 푸른색이나 노란색 계열을 띤다.		

동아, 금성 교과서에만 나와요.

2. ◆pH 수용액에 들어 있는 수소 이온(H^+)의 농도를 숫자로 나타낸 것 → 1~14 사이의 값을 갖는다.

① pH가 작을수록 산성이 강하고, pH가 클수록 염기성이 강하다. → 용액 속 H^+ 농도가 진할수록 pH는 작고, 산성이 강하다.

pH<7	pH=7	pH>7
산성	중성	염기성

② 우리 주변 물질의 pH

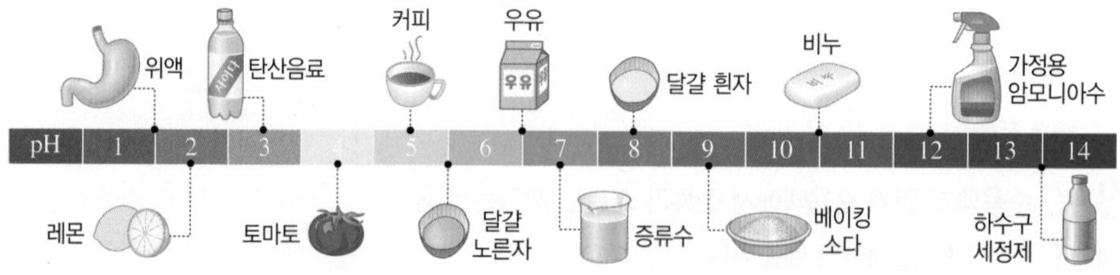

◆pH의 측정

• pH 측정기: 용액의 pH를 정확하게 측정할 수 있다.

• pH 시험지: 몇 가지 지시약을 혼합하여 만든 만능 지시약을 적셔 만든 종이로, 용액의 대략적인 pH를 알 수 있다.

용어

[1] 액성(液 용액, 性 성질) 용액의 성질로 산성, 중성, 염기성으로 구분된다.

C 지구 환경에 영향을 미치는 산과 염기

1. 이산화 탄소와 해양 산성화 이산화 탄소는 생명체의 호흡이나 화석 연료의 연소, 화산 분출이나 산불 등으로 발생한다. ➡ 이산화 탄소가 바닷물에 녹으면 해양을 산성화시킨다.

지구 온난화는 Ⅳ-1-03. 지구 환경 변화와 인간 생활에서 자세히 다뤄요.

2. 해양 산성화가 지구 환경에 미치는 영향

❶ 대기 중에 배출된 이산화 탄소가 바닷물에 녹아 탄산을 생성한다. $CO_2+H_2O \longrightarrow H_2CO_3$

⬇

❷ 탄산이 이온화하여 바닷물 속 수소 이온(H^+) 농도가 증가한다. $H_2CO_3 \longrightarrow H^++HCO_3^-$

⬇

❸ 바닷물 속 수소 이온(H^+)은 산호나 조개류가 석회질 껍데기를 만드는 것을 방해하여 개체 수 감소를 일으키고, 해양 생태계에 전반적인 영향을 미친다.

개념 확인 문제

정답친해 100쪽

핵심 체크

• (❶): 용액의 액성에 따라 색이 변하는 물질

구분	산성	중성	염기성
리트머스 종이	푸른색 → 붉은색	—	붉은색 → 푸른색
페놀프탈레인 용액	무색	무색	(❷)
메틸 오렌지 용액	붉은색	(❸)	노란색
BTB 용액	노란색	초록색	(❹)

• (❺): 수용액에 들어 있는 H^+의 농도를 숫자로 나타낸 것

• (❻): 바닷물 속 H^+의 농도를 증가시켜 지구 환경에 영향을 미친다.

1 지시약에 대한 설명으로 옳은 것은 ○, 옳지 않은 것은 ×로 표시하시오.

(1) 묽은 염산에 메틸 오렌지 용액을 떨어뜨리면 붉은색으로 변한다. ( )

(2) 페놀프탈레인 용액으로 산성 용액과 중성 용액을 구별할 수 있다. ( )

2 몇 가지 물질과 BTB 용액을 떨어뜨렸을 때 나타나는 색을 옳게 연결하시오.

(1) 비눗물 • • ㉠ 노란색

(2) 증류수 • • ㉡ 초록색

(3) 식초 • • ㉢ 파란색

3 용액의 액성과 pH에 대한 설명으로 옳은 것은 ○, 옳지 않은 것은 ×로 표시하시오.

(1) pH가 7보다 작은 용액의 액성은 산성이다. ( )

(2) 용액 속 H^+ 농도가 진할수록 pH는 크다. ( )

(3) pH가 7보다 큰 용액은 붉은색 리트머스 종이를 푸르게 변화시킨다. ( )

4 다음은 해양 산성화와 관련된 자료이다. ( ) 안에 공통으로 들어갈 말을 쓰시오.

• 이산화 탄소가 바닷물에 녹아 탄산을 생성하고, 탄산이 이온화하여 바닷물 속 ( )의 농도가 증가한다.
• ( )은 조개류의 개체 수 감소를 일으킨다.

내신 만점 문제

A 산과 염기 B 지시약과 pH

01 다음은 두 가지 산의 이온화식을 나타낸 것이다.

• $HCl \longrightarrow$ (㉠) + Cl^-
• $HNO_3 \longrightarrow$ (㉠) + NO_3^-

이에 대한 설명으로 옳은 것만을 [보기]에서 있는 대로 고른 것은?

보기
ㄱ. ㉠은 H^+이다.
ㄴ. ㉠에 의해 산의 공통적인 성질이 나타난다.
ㄷ. 산의 종류에 따라 성질이 다른 까닭은 산의 음이온 때문이다.

① ㄱ ② ㄷ ③ ㄱ, ㄴ
④ ㄴ, ㄷ ⑤ ㄱ, ㄴ, ㄷ

중요 **02** 산과 염기가 이온화되는 식을 옳게 나타낸 것은?

① $H_2SO_4 \longrightarrow H^+ + SO_4^-$
② $NaOH \longrightarrow Na^- + OH^+$
③ $H_2CO_3 \longrightarrow 2H^+ + CO_3^{2-}$
④ $Ca(OH)_2 \longrightarrow Ca^{2+} + OH^-$
⑤ $CH_3COOH \longrightarrow CH_3CO^+ + OH^-$

중요 **03** 산과 염기의 성질로 옳지 않은 것은?

① 산은 신맛이 난다.
② 염기 수용액은 탄산 칼슘과 반응한다.
③ 산 수용액과 염기 수용액은 전기 전도성이 있다.
④ 묽은 질산은 금속과 반응하여 기체를 발생시킨다.
⑤ 수산화 칼륨 수용액에 페놀프탈레인 용액을 떨어뜨리면 붉은색으로 변한다.

04 표는 물질 (가)~(다)를 물에 녹였을 때 생성되는 이온을 나타낸 것이다.

물질	(가)	(나)	(다)
양이온	H^+	K^+	Ca^{2+}
음이온	Cl^-	OH^-	OH^-

이에 대한 설명으로 옳은 것만을 [보기]에서 있는 대로 고른 것은?

보기
ㄱ. (가)는 산, (나)와 (다)는 염기이다.
ㄴ. (나)는 단백질을 녹이는 성질이 있다.
ㄷ. (다)에서 양이온과 음이온 수의 비는 2 : 1이다.

① ㄱ ② ㄷ ③ ㄱ, ㄴ
④ ㄴ, ㄷ ⑤ ㄱ, ㄴ, ㄷ

05 표는 몇 가지 물질을 기준 (가)에 따라 분류한 것이다.

(가)	예	아니요
물질	HCl, HNO_3	$NaOH$, KOH

기준 (가)로 적절한 것만을 [보기]에서 있는 대로 고르시오.

보기
ㄱ. 수용액에서 전류가 흐르는가?
ㄴ. 수용액에 달걀 껍데기를 넣으면 기체가 발생하는가?
ㄷ. 수용액에 페놀프탈레인 용액을 넣으면 붉게 변하는가?

06 그림은 산 HA 수용액에 들어 있는 이온을 모형으로 나타낸 것이다. HA 수용액에 대한 설명으로 옳은 것만을 [보기]에서 있는 대로 고른 것은?(단, A는 임의의 원소 기호이다.)

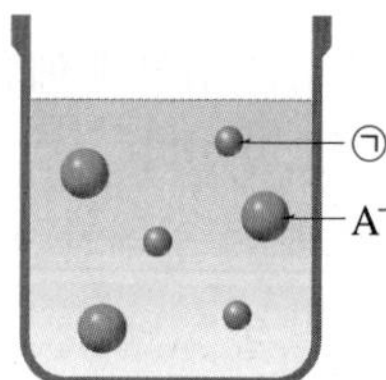

보기
ㄱ. 전기 전도성이 있다.
ㄴ. 마그네슘 조각을 넣으면 수소 기체가 발생한다.
ㄷ. 푸른색 리트머스 종이를 대었을 때 붉게 변하는 까닭은 ㉠ 때문이다.

① ㄱ ② ㄷ ③ ㄱ, ㄴ
④ ㄴ, ㄷ ⑤ ㄱ, ㄴ, ㄷ

정답친해 100쪽

07 그림은 두 가지 염기 수용액에 존재하는 입자를 모형으로 나타낸 것이다.

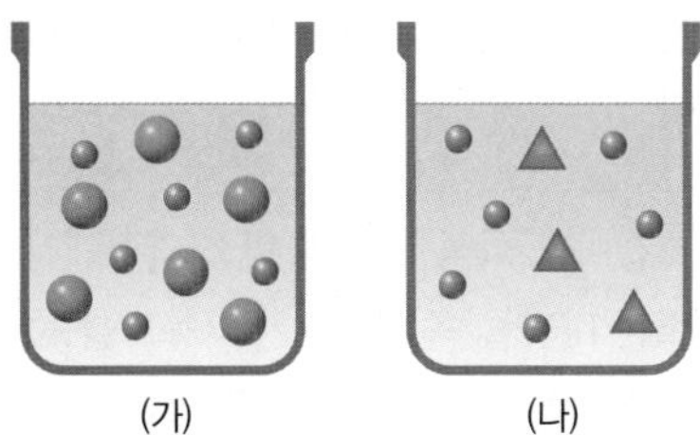

이에 대한 설명으로 옳은 것만을 [보기]에서 있는 대로 고른 것은?

보기
ㄱ. ●은 OH^-이다.
ㄴ. 수용액에 들어 있는 양이온 수는 (가)가 (나)보다 크다.
ㄷ. BTB 용액을 이용하여 두 수용액을 구별할 수 있다.

① ㄱ ② ㄷ ③ ㄱ, ㄴ
④ ㄴ, ㄷ ⑤ ㄱ, ㄴ, ㄷ

중요 **08** 그림과 같이 질산 칼륨(KNO_3) 수용액에 적신 푸른색 리트머스 종이 위에 묽은 염산(HCl)에 적신 실을 올려놓고 전류를 흘려 주었더니 실에서부터 (−)극 쪽으로 리트머스 종이가 붉게 변하였다.

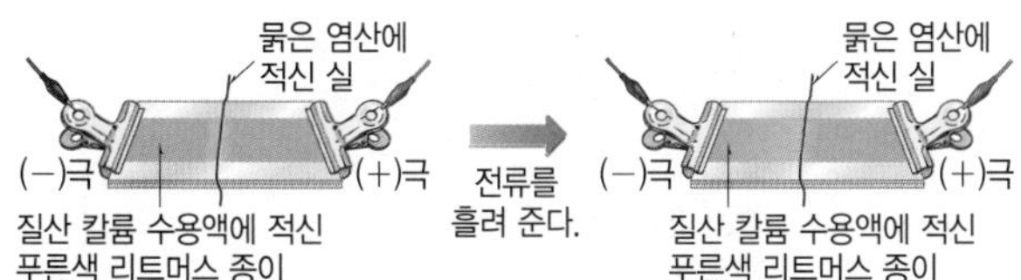

이에 대한 설명으로 옳은 것만을 [보기]에서 있는 대로 고른 것은?

보기
ㄱ. 붉은색의 이동은 H^+ 때문에 나타난다.
ㄴ. (+)극 쪽으로 이동하는 이온은 Cl^-뿐이다.
ㄷ. 묽은 염산 대신 수산화 나트륨 수용액으로 실험해도 같은 결과가 나타난다.

① ㄱ ② ㄴ ③ ㄱ, ㄷ
④ ㄴ, ㄷ ⑤ ㄱ, ㄴ, ㄷ

09 그림은 세 가지 수용액을 주어진 기준에 따라 분류하는 과정을 나타낸 것이다.

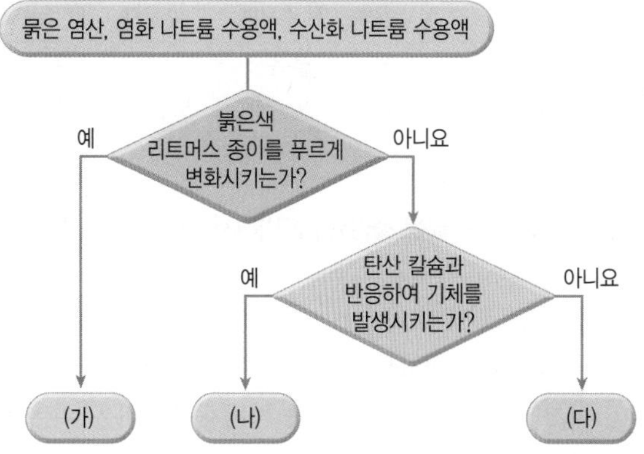

이에 대한 설명으로 옳은 것만을 [보기]에서 있는 대로 고른 것은?(단, 혼합 전 세 수용액의 온도는 모두 같다.)

보기
ㄱ. (가)에 아연 조각을 넣으면 기체가 발생한다.
ㄴ. pH는 (다)<(나)이다.
ㄷ. (가)와 (다)에는 모두 Na^+이 들어 있다.

① ㄱ ② ㄷ ③ ㄱ, ㄴ
④ ㄴ, ㄷ ⑤ ㄱ, ㄴ, ㄷ

중요 **10** 표는 식초, 레몬 즙, 유리 세정제를 이용하여 실험한 결과를 나타낸 것이다.

물질	식초	레몬 즙	유리 세정제
리트머스 종이를 대었을 때	푸른색 → 붉은색	푸른색 → 붉은색	붉은색 → 푸른색
마그네슘 리본을 넣었을 때	(가)	기체 발생	(나)
전기 전도계를 담갔을 때	전류 흐름	(다)	전류 흐름

이에 대한 설명으로 옳은 것만을 [보기]에서 있는 대로 고른 것은?

보기
ㄱ. (가)와 (나)에서는 같은 종류의 기체가 발생한다.
ㄴ. (다)는 '전류 흐름'이 적절하다.
ㄷ. 식초와 레몬 즙은 유리 세정제보다 pH가 작다.

① ㄱ ② ㄴ ③ ㄱ, ㄷ
④ ㄴ, ㄷ ⑤ ㄱ, ㄴ, ㄷ

중요 **11** 표는 A~D 수용액에 지시약을 떨어뜨렸을 때 색 변화를 나타낸 것이다.

구분	A 수용액	B 수용액	C 수용액	D 수용액
페놀프탈레인 용액	무색	붉은색	무색	무색
메틸 오렌지 용액	(가)	노란색	노란색	붉은색
BTB 용액	노란색	파란색	(나)	노란색

이에 대한 설명으로 옳은 것만을 [보기]에서 있는 대로 고른 것은?

보기
ㄱ. (가)는 노란색이고, (나)는 초록색이다.
ㄴ. B 수용액에는 OH^-이 들어 있다.
ㄷ. 마그네슘 조각을 넣었을 때 기체가 발생하는 수용액은 한 가지이다.

① ㄱ ② ㄴ ③ ㄱ, ㄷ
④ ㄴ, ㄷ ⑤ ㄱ, ㄴ, ㄷ

12 그림은 우리 주변 물질의 pH를 나타낸 것이다.

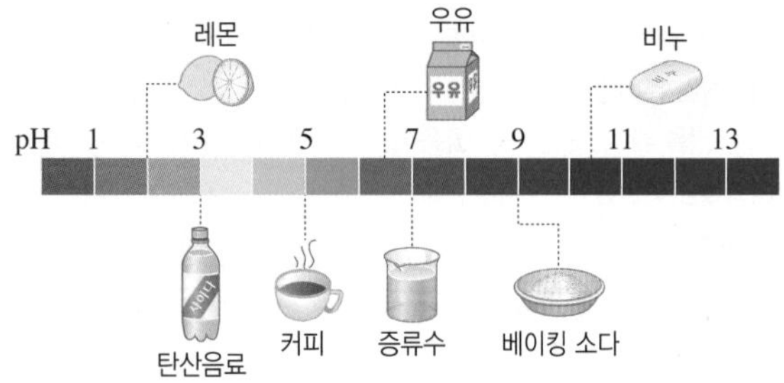

이에 대한 설명으로 옳지 않은 것은?

① 비누는 염기성 물질이다.
② 우유와 증류수의 액성은 중성이다.
③ 산성이 가장 강한 물질은 레몬이다.
④ 탄산음료와 커피에는 모두 H^+이 들어 있다.
⑤ 수용액에 페놀프탈레인 용액을 떨어뜨렸을 때 붉게 변하는 물질은 두 가지이다.

C 지구 환경에 영향을 미치는 산과 염기

13 다음은 이산화 탄소(CO_2)가 지구 환경에 미치는 영향에 대한 자료이다.

동식물의 호흡이나 화석 연료의 연소 과정에서 발생하는 이산화 탄소는 바닷물 속 (㉠)의 농도를 증가시키고, (㉠)은 산호나 조개류가 석회질 껍데기를 만드는 것을 방해한다.

이에 대한 설명으로 옳은 것만을 [보기]에서 있는 대로 고른 것은?

보기
ㄱ. 이산화 탄소는 바닷물에 녹아 탄산을 생성한다.
ㄴ. ㉠은 H^+이다.
ㄷ. ㉠의 농도가 증가하면 바닷물의 pH가 커진다.

① ㄱ ② ㄷ ③ ㄱ, ㄴ
④ ㄴ, ㄷ ⑤ ㄱ, ㄴ, ㄷ

서술형 문제

14 다음은 염기가 공통적인 성질을 나타내는 까닭을 알아보기 위한 실험이다.

(가) 그림과 같이 장치하고 전류를 흘려 준다.

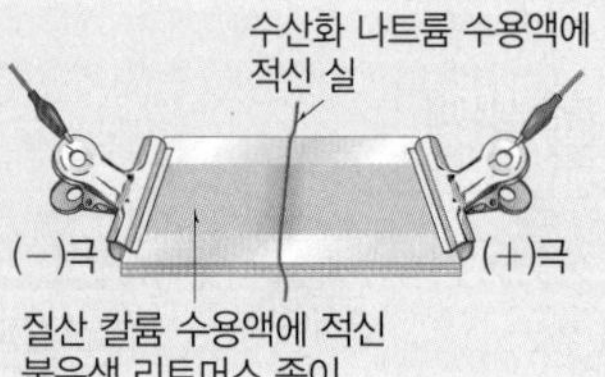

(나) 수산화 나트륨 수용액 대신 수산화 칼륨 수용액으로 과정 (가)를 수행한다.

[실험 결과]
(가)와 (나)에서 모두 붉은색 리트머스 종이가 실에서부터 (+)극 쪽으로 푸르게 변해 간다.

(가)와 (나)에서 모두 붉은색 리트머스 종이가 실에서부터 (+)극 쪽으로 푸르게 변해 가는 까닭을 서술하시오.

실력 UP 문제

정답친해 103쪽

01 표는 수용액 (가)~(다)에 대한 자료이다.

수용액	(가)	(나)	(다)
이온 모형			
BTB 용액	노란색	파란색	초록색

이에 대한 설명으로 옳은 것만을 [보기]에서 있는 대로 고른 것은?

보기
ㄱ. (가)와 (다)에 들어 있는 양이온의 종류는 같다.
ㄴ. (나)에서 BTB 용액의 색을 변화시키는 것은 ■이다.
ㄷ. 메틸 오렌지 용액을 떨어뜨렸을 때 노란색을 나타내는 수용액은 한 가지이다.

① ㄱ ② ㄴ ③ ㄱ, ㄷ
④ ㄴ, ㄷ ⑤ ㄱ, ㄴ, ㄷ

02 표는 두 가지 염기 수용액에 녹아 있는 이온에 대한 자료이다.

염기 수용액	(가)	(나)
이온 수의 비	㉠ ㉡	㉢ ㉡

이에 대한 설명으로 옳은 것만을 [보기]에서 있는 대로 고른 것은?(단, ㉠~㉢은 서로 다른 종류의 이온이다.)

보기
ㄱ. ㉡은 OH^-이다.
ㄴ. ㉠의 전하량은 ㉢의 전하량보다 크다.
ㄷ. 수산화 칼슘은 (나) 수용액에 녹아 있는 염기의 예로 적절하다.

① ㄱ ② ㄴ ③ ㄱ, ㄷ
④ ㄴ, ㄷ ⑤ ㄱ, ㄴ, ㄷ

03 그림은 묽은 염산(HCl) 50 mL가 들어 있는 비커에 충분한 양의 마그네슘(Mg) 조각을 넣었을 때 시간에 따른 용액 속 마그네슘 이온(Mg^{2+}) 수의 변화를 나타낸 것이다.

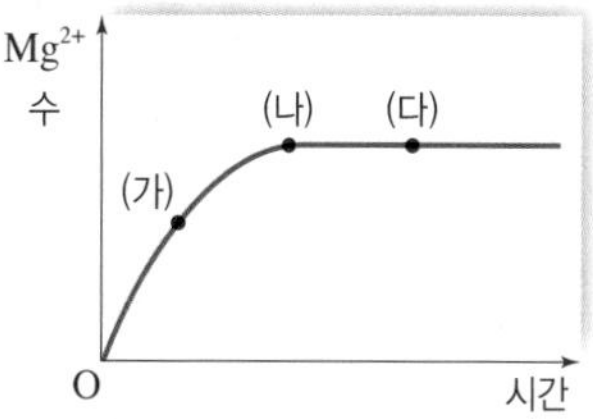

이에 대한 설명으로 옳지 않은 것은?

① (가) 수용액의 액성은 산성이다.
② (가)와 (나)의 수용액에서 전체 양이온 수는 같다.
③ (나) 수용액의 pH는 (가) 수용액보다 크다.
④ (다) 수용액에는 페놀프탈레인 용액을 떨어뜨려도 색깔이 변하지 않는다.
⑤ (가)~(다) 수용액에서는 모두 전류가 흐른다.

04 그림과 같이 페트리 접시에 뜨거운 한천을 부어 굳힌 후, 가운데에 수산화 나트륨(NaOH) 수용액 2~3방울을, A와 B에는 페놀프탈레인 용액을 각각 1방울씩 떨어뜨린 다음 전류를 흘려 주었더니 B가 붉은색으로 변하였다.

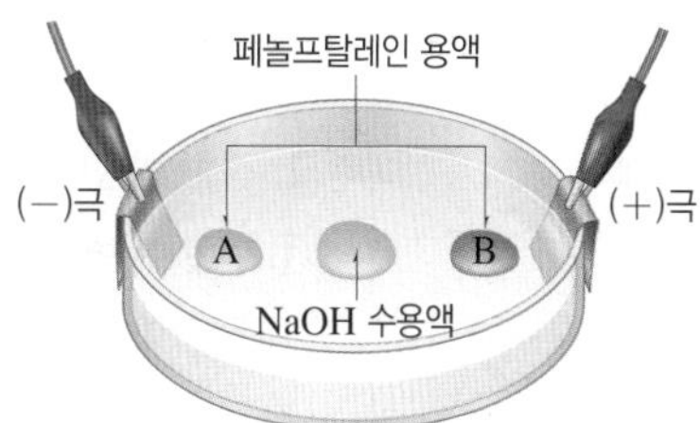

이에 대한 설명으로 옳은 것만을 [보기]에서 있는 대로 고른 것은?

보기
ㄱ. OH^-은 (−)극 쪽으로 이동한다.
ㄴ. 수산화 나트륨 수용액 대신 수산화 칼륨 수용액으로 실험해도 같은 결과가 나타난다.
ㄷ. 수산화 나트륨 수용액 대신 묽은 염산으로 실험하면 A의 페놀프탈레인 용액이 붉은색으로 변한다.

① ㄱ ② ㄴ ③ ㄱ, ㄷ
④ ㄴ, ㄷ ⑤ ㄱ, ㄴ, ㄷ

3. 중화 반응

핵심 포인트
- ❶ 중화 반응의 모형 해석 ★★★
- ❷ 중화 반응이 일어날 때의 온도 변화 ★★★
- ❸ 생활 속의 중화 반응 예 ★★

A 중화 반응

1. 중화 반응 산과 염기가 반응하여 물이 생성되는 반응

① 산의 수소 이온(H^+)과 염기의 수산화 이온(OH^-)이 1 : 1의 개수비로 반응하여 물(H_2O)을 생성한다.

$$H^+ + OH^- \longrightarrow H_2O$$

| 묽은 염산(HCl)과 수산화 나트륨(NaOH) 수용액의 반응 |

[중화 반응 모형]

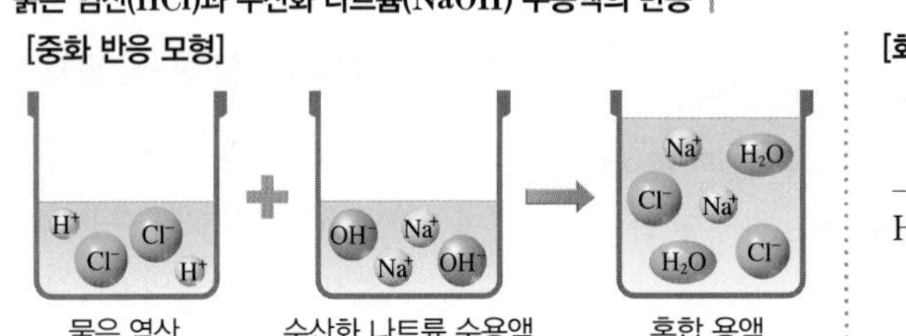

[화학 반응식]

$$HCl \longrightarrow H^+ + Cl^-$$
$$NaOH \longrightarrow Na^+ + OH^-$$
$$HCl + NaOH \longrightarrow H_2O + {}^{◆}NaCl$$

② **중화점:** 산의 수소 이온(H^+)과 염기의 수산화 이온(OH^-)이 모두 반응하여 산과 염기가 완전히 중화되는 지점

③ **혼합 용액의 액성**

구분	모형	용액의 액성
H^+의 수>OH^-의 수	H^+ 100개 + OH^- 50개 ➡ H_2O 50개 + H^+ 50개 —● 반응 후 H^+이 남아 있다.	산성
H^+의 수=OH^-의 수	H^+ 100개 + OH^- 100개 ➡ H_2O 100개 —● 반응 후 H^+이나 OH^-이 남아 있지 않다.	중성
H^+의 수<OH^-의 수	H^+ 50개 + OH^- 100개 ➡ H_2O 50개 + OH^- 50개 —● 반응 후 OH^-이 남아 있다.	염기성

2. 중화 반응이 일어날 때의 변화

① **이온 수 변화와 용액의 액성** (완자쌤 비법 특강 239쪽)

예 ◆일정량의 묽은 염산(HCl)에 수산화 나트륨(NaOH) 수용액을 조금씩 넣을 때의 변화

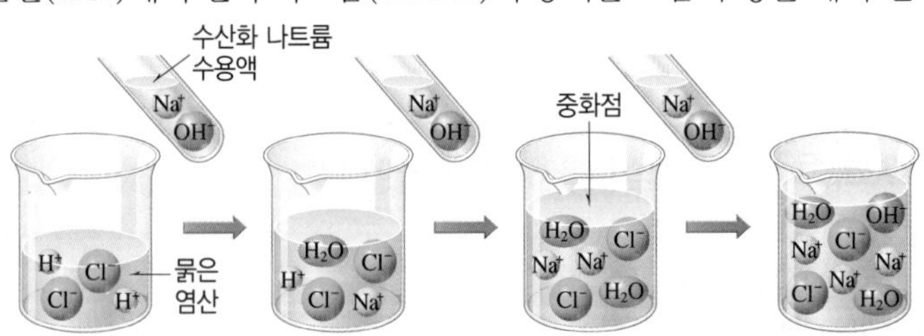

H^+의 수	2	1	0	0
Cl^-의 수	2	2	2	2
Na^+의 수	0	1	2	3
OH^-의 수	0	0	0	1
용액의 액성	산성	산성	중성	염기성

◆ **염**

중화 반응에서 물과 함께 생성되는 물질로, 산의 음이온과 염기의 양이온이 만나 생성된다.

산+염기 ⟶ 물+염

예 묽은 염산과 수산화 나트륨 수용액의 반응에서 생성된 염은 염화 나트륨(NaCl)으로, 수용액을 가열하여 물을 증발시키면 고체 상태의 염화 나트륨을 얻을 수 있다.

암기해!

용액의 액성

산성	H^+이 있음
중성	H^+과 OH^-이 모두 없음
염기성	OH^-이 있음

◆ **이온 수 변화 그래프**

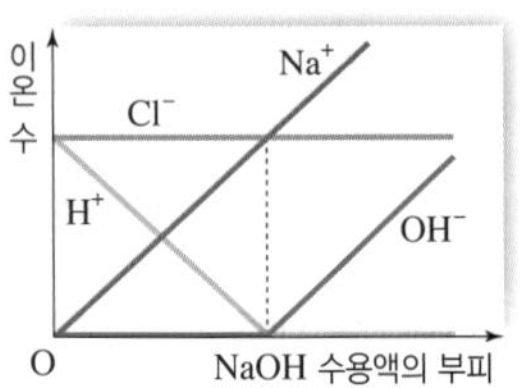

- H^+: OH^-과 반응하여 점차 감소하다가 중화점 이후에는 존재하지 않는다.
- Cl^-: 반응에 참여하지 않으므로 처음 수 그대로 일정하다.
- Na^+: 반응에 참여하지 않으므로 수산화 나트륨 수용액을 넣는 대로 증가한다.
- OH^-: H^+과 반응하므로 처음에는 존재하지 않다가 중화점 이후부터 증가한다.

② **지시약의 색 변화:** 중화점을 지나면 용액의 액성이 변하여 지시약의 색이 변한다.

예 일정량의 묽은 염산(HCl)에 BTB 용액을 떨어뜨린 후 수산화 나트륨(NaOH) 수용액을 조금씩 넣을 때의 변화

③ **혼합 용액의 온도 변화**

- 중화열: 중화 반응이 일어날 때 발생하는 열
- 완전히 중화되었을 때 혼합 용액의 온도가 가장 높다. ➡ 반응하는 수소 이온(H^+)과 수산화 이온(OH^-)의 수가 많을수록 중화열이 많이 발생하기 때문이다.

탐구 자료창 **산과 염기의 중화 반응**

온도와 농도가 같은 묽은 염산(HCl)과 수산화 나트륨(NaOH) 수용액의 부피를 다르게 하여 잘 섞은 후 혼합 용액의 최고 온도를 측정하고, BTB 용액의 색 변화를 관찰하여 다음과 같은 결과를 얻었다.

구분	A	B	C	D	E
HCl의 부피(mL)	2	4	6	8	10
NaOH 수용액의 부피(mL)	10	8	6	4	2
최고 온도(℃)	25	27	29	27	25
BTB 용액의 색	파란색	파란색	초록색	노란색	노란색
용액의 액성	염기성	염기성	중성	산성	산성
혼합 용액에 존재하는 이온	Cl^-, Na^+, OH^-	Cl^-, Na^+, OH^-	Cl^-, Na^+	H^+, Cl^-, Na^+	H^+, Cl^-, Na^+

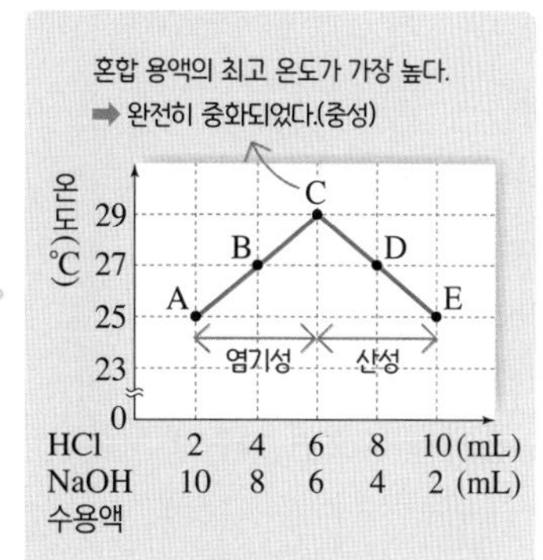

1. 혼합 용액의 최고 온도가 가장 높은 C에서 완전히 중화되었다. ➡ 같은 농도의 묽은 염산과 수산화 나트륨 수용액은 1 : 1의 부피비로 반응한다.
2. **A와 B:** 같은 농도의 묽은 염산과 수산화 나트륨 수용액은 1 : 1의 부피비로 반응하므로 A와 B에는 반응하지 않은 OH^-이 존재한다. ➡ A와 B의 액성은 염기성이다.
3. **D와 E:** 같은 농도의 묽은 염산과 수산화 나트륨 수용액은 1 : 1의 부피비로 반응하므로 D와 E에는 반응하지 않은 H^+이 존재한다. ➡ D와 E의 액성은 산성이다.

3. ◆생활 속의 중화 반응

생선 비린내 제거	생선의 비린내(염기)는 레몬 즙(산)을 뿌려 없앤다.
김치의 신맛 제거	김치의 신맛(산)을 줄이기 위해 소다(염기)를 넣는다.
◆산성화된 토양 중화	산성화된 토양(산)에 석회 가루(염기)를 뿌린다.
벌레 물린 데 약 바르기	벌레 물린 부위(산: 벌레의 독)에 암모니아수(염기)를 바른다.
제산제 복용	위산(산)의 과다 분비로 속이 쓰릴 때 제산제(염기)를 먹는다.
이산화 황 제거	공장의 배기가스에 포함된 이산화 황(산)을 염기성 물질(산화 칼슘, 석회석 등)로 중화하여 제거한다.
양치질	입안의 음식물이 분해되어 생긴 산(산)을 치약(염기)으로 양치질을 하여 제거한다.

◆ **그 밖의 중화 반응**

- 물놀이 시설의 물을 염소 소독할 경우 산성을 띠므로 염기를 넣어 pH를 조절한다.
- 하수 처리장 악취의 원인인 황화 수소(산)를 염기인 수산화 나트륨으로 중화한다.
- 종이를 만들 때 종이에 포함된 산성 물질을 염기성 물질로 중화하여 종이를 오래 보관한다.

주의해!

중화 반응이 아닌 예

머리카락에 의해 하수구가 막혔을 때 하수구 세정제를 사용하는 것은 단백질을 녹이는 염기의 성질을 이용한 것이다.

◆ **토양과 호수의 산성화 방지**

- 산성화 원인: 화학 비료, 산성비 등에 의해 토양이나 호수가 산성화된다.
- 산성화 피해: 산성화된 토양에서는 작물이 잘 자라지 못하고, 산성화된 호수에서는 물고기가 살기 어렵다.
- 산성화 방지법: 석회 가루를 뿌려 중화한다. 이때 석회 가루의 양이 너무 적으면 효과가 나타나지 않고, 너무 많이 뿌리면 오히려 환경에 해를 끼칠 수 있으므로 적절한 양을 정밀하게 뿌려야 한다.

개념 확인 문제

정답친해 104쪽

핵심 체크

- (❶): 산과 염기가 반응하여 물이 생성되는 반응
  ➡ 산의 H^+과 염기의 OH^-이 (❷)의 개수비로 반응하여 물을 생성한다.

$$(❸) + (❹) \longrightarrow H_2O$$

- (❺): 산의 H^+과 염기의 OH^-이 모두 반응하여 산과 염기가 완전히 중화되는 지점
- 혼합 용액의 액성: 혼합하는 수용액 속 H^+과 OH^-의 수에 따라 중화 반응 후 혼합 용액의 액성이 달라진다.

구분	H^+의 수 > OH^-의 수	H^+의 수 = OH^-의 수	H^+의 수 < OH^-의 수
용액의 액성	(❻)	중성	(❼)

- (❽): 중화 반응이 일어날 때 발생하는 열 ➡ 반응하는 H^+과 OH^-의 수가 많을수록 열이 많이 발생한다.

1 중화 반응에 대한 설명으로 옳은 것은 ○, 옳지 않은 것은 ×로 표시하시오.

(1) 산과 염기가 만나 물을 생성한다. ( )

(2) 중화 반응에서 산의 H^+과 염기의 OH^-은 1 : 1의 개수비로 반응한다. ( )

(3) 염은 산의 양이온과 염기의 음이온이 결합한 물질이다. ( )

(4) 중화점에 도달한 용액에 BTB 용액을 넣으면 파란색을 띤다. ( )

(5) 같은 온도의 산성 용액과 염기성 용액을 혼합하면 용액의 온도가 높아진다. ( )

2 그림은 일정량의 수산화 나트륨(NaOH) 수용액에 묽은 염산(HCl)을 조금씩 넣을 때 용액에 들어 있는 입자를 모형으로 나타낸 것이다.(단, 혼합 전 두 수용액의 온도는 같다.)

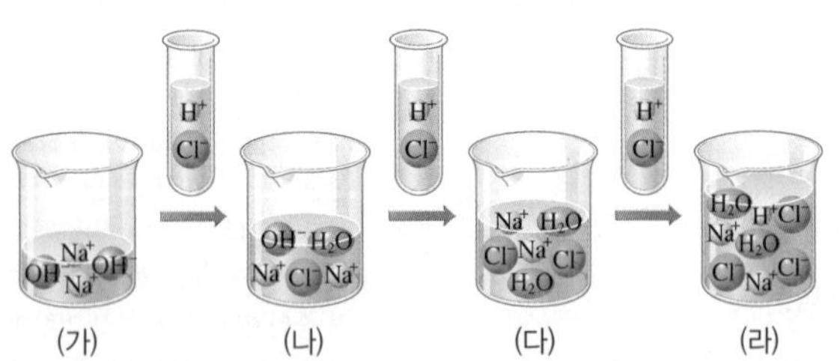

(1) (가)~(라)에 BTB 용액을 떨어뜨렸을 때 나타나는 색을 각각 쓰시오.

(2) (가)~(라) 중 용액의 최고 온도가 가장 높은 것을 쓰시오.

3 H^+의 수가 10개인 산성 용액과 OH^-의 수가 20개인 염기성 용액을 혼합하였다. 혼합 용액의 액성을 쓰시오.

4 그림은 온도와 농도가 같은 묽은 염산(HCl)과 수산화 나트륨(NaOH) 수용액의 부피를 달리하여 혼합한 후 각 용액의 최고 온도를 측정하여 나타낸 것이다.

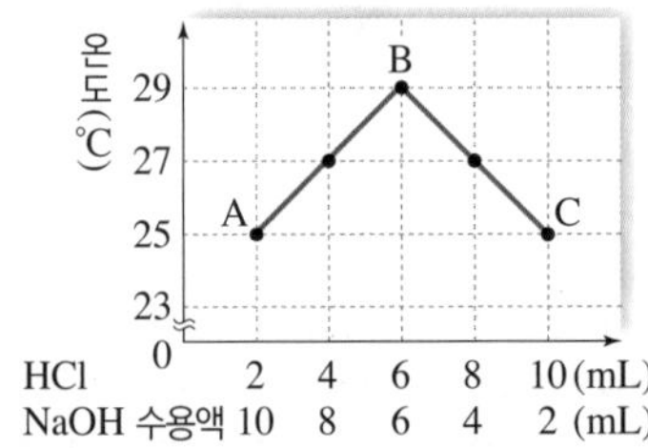

A~C 중 생성된 물의 양이 가장 많은 것을 쓰시오.

5 중화 반응의 예로 옳은 것은 ○, 옳지 않은 것은 ×로 표시하시오.

(1) 표백제로 옷을 하얗게 만든다. ( )

(2) 생선구이에 레몬 즙을 뿌린다. ( )

(3) 깎아 놓은 사과가 갈색으로 변한다. ( )

(4) 산성화된 토양에 석회 가루를 뿌린다. ( )

(5) 공장에서 이산화 황을 배출하기 전에 산화 칼슘으로 제거한다. ( )

정답친해 104쪽

중화 반응의 이온 수 변화

중화 반응이 일어나면 산의 수소 이온(H^+)과 염기의 수산화 이온(OH^-)이 1 : 1의 개수비로 반응하여 물을 생성합니다. 일정량의 묽은 염산(HCl)에 수산화 나트륨(NaOH) 수용액을 조금씩 넣을 때의 이온 수 변화를 모형으로 나타내고, 이를 통해 중화점을 찾아볼까요?

그림은 일정량의 묽은 염산(HCl)에 BTB 용액을 떨어뜨린 다음 수산화 나트륨(NaOH) 수용액을 조금씩 넣을 때의 이온 수 변화를 모형으로 나타낸 것이다.

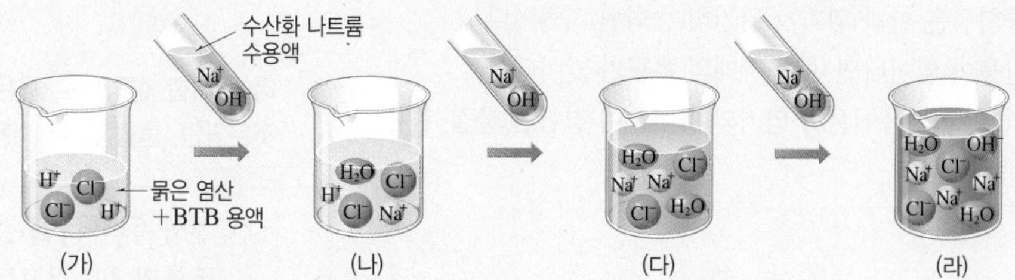

❶ 이 반응에서 각 이온 수, 전체 이온 수, 생성된 물 분자 수는 다음과 같다.

구분	(가)	(나)	(다)	(라)
각 이온 수	H^+: 2, Cl^-: 2	H^+: 1, Cl^-: 2, Na^+: 1	Cl^-: 2, Na^+: 2	Cl^-: 2, Na^+: 3, OH^-: 1
전체 이온 수	4	4	4	6
생성된 물 분자 수	0	1	2	2

❷ 이온 및 분자 수 변화를 그래프로 나타낸 다음 중화점을 찾는다.

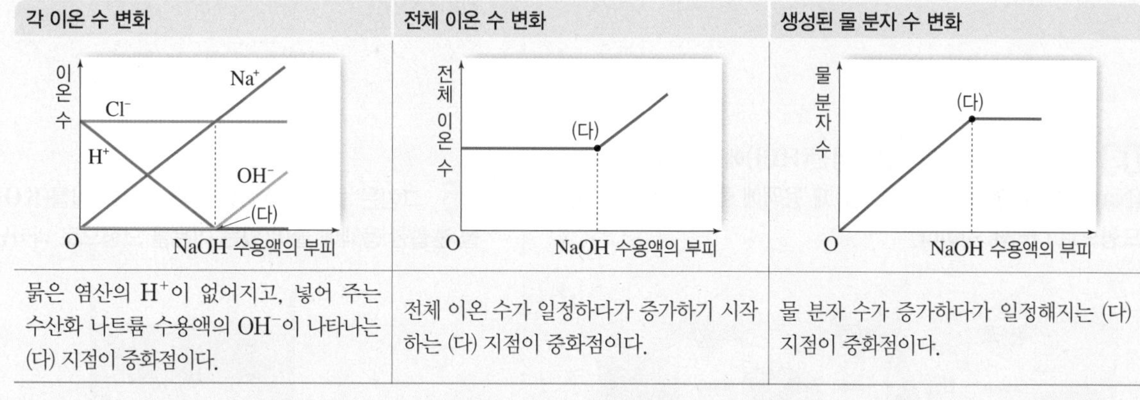

묽은 염산의 H^+이 없어지고, 넣어 주는 수산화 나트륨 수용액의 OH^-이 나타나는 (다) 지점이 중화점이다.	전체 이온 수가 일정하다가 증가하기 시작하는 (다) 지점이 중화점이다.	물 분자 수가 증가하다가 일정해지는 (다) 지점이 중화점이다.

[Q1~Q2] 다음은 묽은 염산(HCl)에 수산화 나트륨(NaOH) 수용액을 조금씩 넣을 때 용액 속에 존재하는 이온을 모형으로 나타낸 것이다.

(가) 비커에 묽은 염산 8 mL를 넣는다.
(나) (가)의 용액에 수산화 나트륨 수용액 4 mL를 넣는다.
(다) (나)의 용액에 수산화 나트륨 수용액 4 mL를 더 넣는다.

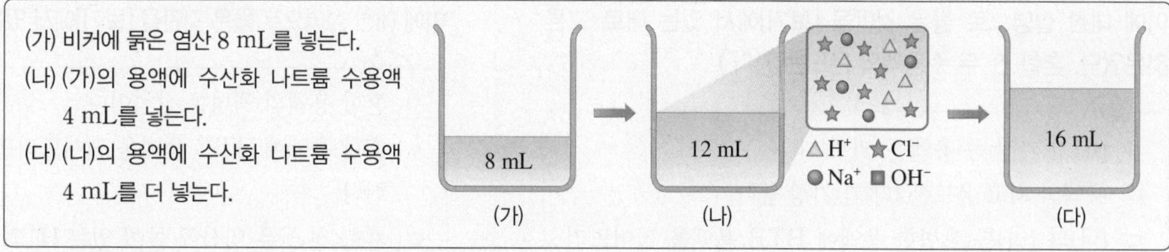

Q1 (가)~(다) 중 생성된 물의 양이 가장 많은 용액의 기호를 써 보자.

Q2 (다) 용액 속에 존재하는 이온을 모형으로 나타내 보자.

내신 만점 문제

A 중화 반응

01 중화 반응에 대한 설명으로 옳지 않은 것은?

① 산과 염기가 반응하여 물이 생성된다.
② 반응하는 H^+과 OH^-의 개수비는 1 : 1이다.
③ 중화점은 산과 염기가 완전히 중화된 지점이다.
④ 반응이 일어나면 혼합 용액의 온도가 낮아진다.
⑤ 염은 산의 음이온과 염기의 양이온이 결합한 물질이다.

02 H^+ 100개가 들어 있는 묽은 염산(HCl) 100 mL에 수산화 나트륨(NaOH) 수용액 50 mL를 혼합하였더니 용액의 액성이 중성이 되었다. 혼합 전 수산화 나트륨 수용액 50 mL에 들어 있는 OH^-의 수는?

① 50개 ② 100개 ③ 150개
④ 200개 ⑤ 250개

중요 **03** 그림은 일정량의 묽은 염산(HCl)에 수산화 나트륨(NaOH) 수용액을 조금씩 넣을 때 용액에 들어 있는 입자를 모형으로 나타낸 것이다.

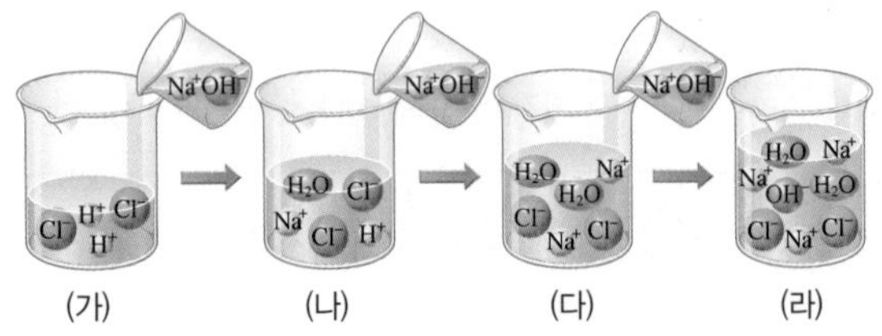

이에 대한 설명으로 옳은 것만을 [보기]에서 있는 대로 고른 것은?(단, 혼합 전 두 수용액의 온도는 같다.)

보기
ㄱ. pH가 가장 큰 용액은 (가)이다.
ㄴ. 용액의 최고 온도는 (다)가 가장 높다.
ㄷ. (나)와 (라)를 혼합한 용액에 BTB 용액을 떨어뜨리면 초록색을 띤다.

① ㄱ ② ㄷ ③ ㄱ, ㄴ
④ ㄴ, ㄷ ⑤ ㄱ, ㄴ, ㄷ

중요 **04** 그림은 묽은 황산(H_2SO_4) (가)와 수산화 나트륨(NaOH) 수용액 (나)의 반응을 입자 모형으로 나타낸 것이다.

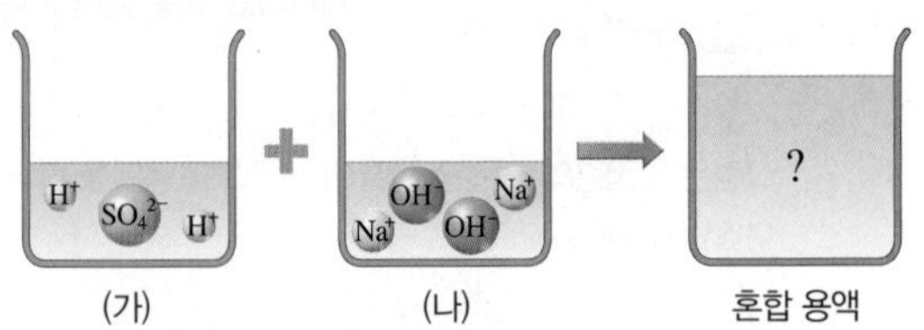

이에 대한 설명으로 옳은 것만을 [보기]에서 있는 대로 고른 것은?(단, 혼합 전 두 수용액의 온도는 같다.)

보기
ㄱ. 혼합 용액의 pH는 7보다 작다.
ㄴ. 용액의 최고 온도는 혼합 용액이 (가)보다 높다.
ㄷ. 혼합 후 생성된 물 분자 수는 (나)에 들어 있는 Na^+의 수와 같다.

① ㄱ ② ㄷ ③ ㄱ, ㄴ
④ ㄴ, ㄷ ⑤ ㄱ, ㄴ, ㄷ

05 그림은 묽은 염산(HCl)과 수산화 칼륨(KOH) 수용액을 혼합한 용액에 들어 있는 이온을 모형으로 나타낸 것이다.

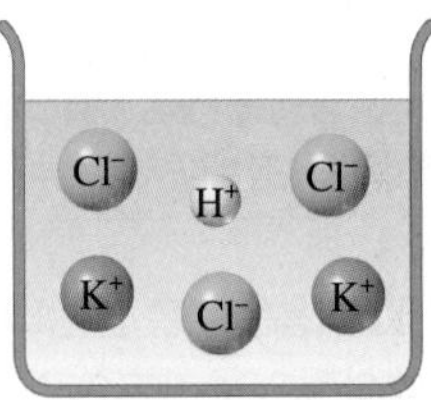

이에 대한 설명으로 옳은 것만을 [보기]에서 있는 대로 고른 것은?

보기
ㄱ. 혼합 용액의 액성은 산성이다.
ㄴ. 혼합 용액에 BTB 용액을 떨어뜨리면 노란색으로 변한다.
ㄷ. 혼합 전 묽은 염산에 들어 있는 H^+의 수는 수산화 칼륨 수용액에 들어 있는 OH^-의 수보다 크다.

① ㄱ ② ㄴ ③ ㄱ, ㄷ
④ ㄴ, ㄷ ⑤ ㄱ, ㄴ, ㄷ

06 그림은 산 HA 수용액 20 mL에 염기 BOH 수용액을 10 mL씩 넣을 때 수용액 (가)~(다)에 들어 있는 이온을 모형으로 나타낸 것이다.

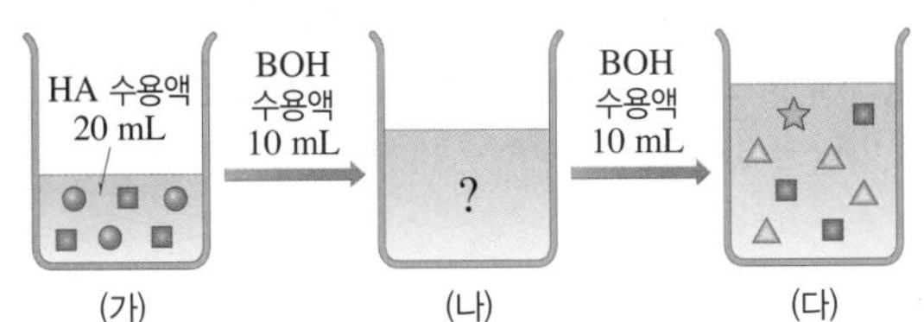

이에 대한 설명으로 옳은 것만을 [보기]에서 있는 대로 고른 것은?

보기

ㄱ. ■는 A^-이다.

ㄴ. (나)에서 혼합 용액의 액성은 산성이다.

ㄷ. (나)와 (다)에 들어 있는 물 분자 수는 같다.

① ㄱ ② ㄷ ③ ㄱ, ㄴ ④ ㄴ, ㄷ ⑤ ㄱ, ㄴ, ㄷ

07 그림은 페놀프탈레인 용액을 한두 방울 떨어뜨린 수산화 나트륨(NaOH) 수용액 20 mL에 묽은 염산(HCl)을 조금씩 넣을 때 생성되는 물 분자 수를 나타낸 것이다.

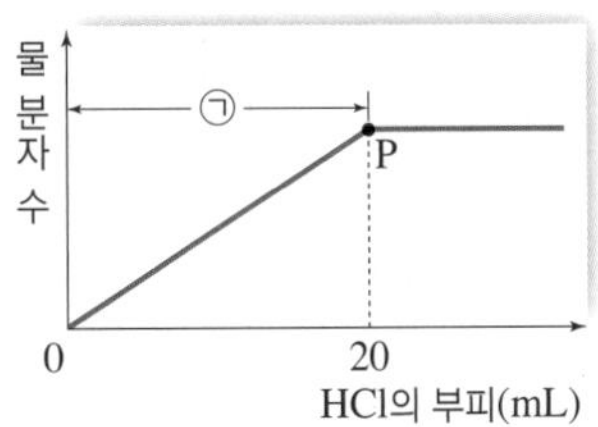

이에 대한 설명으로 옳은 것만을 [보기]에서 있는 대로 고른 것은?(단, 혼합 전 두 수용액의 온도는 같다.)

보기

ㄱ. ㉠ 구간에서 pH는 증가한다.

ㄴ. 혼합 용액의 색은 붉은색에서 무색으로 변한다.

ㄷ. P 지점에서 혼합 용액의 온도가 가장 높다.

① ㄱ ② ㄷ ③ ㄱ, ㄴ ④ ㄴ, ㄷ ⑤ ㄱ, ㄴ, ㄷ

중요 **08** 표는 같은 농도의 묽은 염산(HCl)과 수산화 나트륨(NaOH) 수용액의 부피를 달리하여 혼합한 용액 (가)~(라)에 대한 자료이다.

구분	(가)	(나)	(다)	(라)
묽은 염산의 부피(mL)	10	20	30	40
수산화 나트륨 수용액의 부피(mL)	50	40	30	20

이에 대한 설명으로 옳은 것만을 [보기]에서 있는 대로 고른 것은?(단, 혼합 전 두 수용액의 온도는 같다.)

보기

ㄱ. 용액의 최고 온도는 (가)가 가장 높다.

ㄴ. 혼합 용액에 들어 있는 이온의 종류가 가장 많은 것은 (다)이다.

ㄷ. H^+은 (나)보다 (라)에 많이 존재한다.

① ㄱ ② ㄷ ③ ㄱ, ㄴ ④ ㄴ, ㄷ ⑤ ㄱ, ㄴ, ㄷ

중요 **09** 그림은 온도와 농도가 같은 묽은 염산(HCl)과 수산화 칼륨(KOH) 수용액의 부피를 달리하여 혼합한 후 각 용액의 최고 온도를 측정하여 나타낸 것이다.

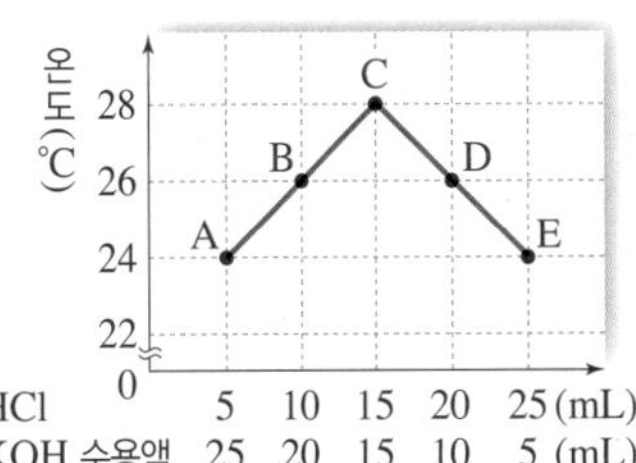

이에 대한 설명으로 옳지 않은 것은?

① A와 B의 액성은 염기성이다.

② C는 산과 염기가 완전히 중화된 상태이다.

③ B와 D에서 생성된 물의 양은 같다.

④ E에 E와 온도가 같은 수산화 나트륨 수용액을 넣어 주면 용액의 온도가 높아진다.

⑤ D와 E에 페놀프탈레인 용액을 떨어뜨리면 모두 붉은색을 띤다.

[10~11] 표는 온도가 같은 묽은 염산(HCl)과 수산화 나트륨(NaOH) 수용액의 부피를 달리하여 혼합한 용액 (가)~(다)에 대한 자료이다.

구분		(가)	(나)	(다)
혼합 전 부피(mL)	묽은 염산	40	60	80
	수산화 나트륨 수용액	80	60	40
최고 온도(℃)		28	t_1	28
혼합 용액에 존재하는 이온의 종류 수(개)		㉠	2	㉡

10 이에 대한 설명으로 옳은 것만을 [보기]에서 있는 대로 고른 것은?

보기
ㄱ. t_1은 28 ℃보다 높다.
ㄴ. ㉠과 ㉡은 각각 2이다.
ㄷ. 묽은 염산 10 mL에 들어 있는 H^+ 수와 수산화 나트륨 수용액 10 mL에 들어 있는 Na^+ 수는 같다.

① ㄱ ② ㄴ ③ ㄱ, ㄷ
④ ㄴ, ㄷ ⑤ ㄱ, ㄴ, ㄷ

11 (가)에 존재하는 이온 모형으로 가장 적절한 것은?(단, ●, ●, △, ▲는 서로 다른 이온이다.)

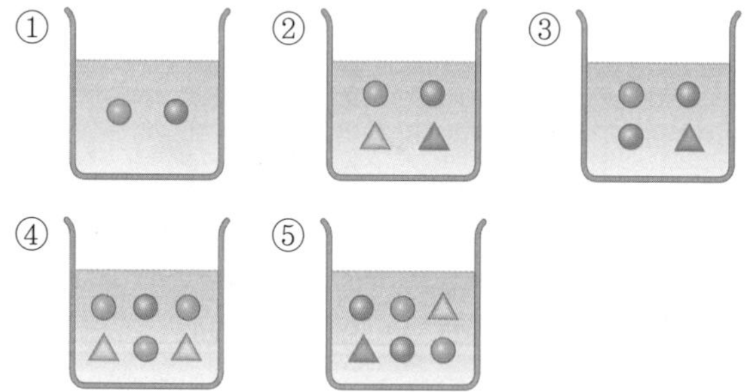

12 생활 속 중화 반응의 활용 예로 적절하지 않은 것은?

① 산성화된 토양에 석회 가루를 뿌린다.
② 벌레 물린 부위에 암모니아수를 바른다.
③ 김치의 신맛을 줄이기 위해 소다를 넣는다.
④ 위액 과다 분비로 속이 쓰릴 때 제산제를 먹는다.
⑤ 머리카락으로 하수구가 막혔을 때 세정제를 사용한다.

서술형 문제

13 그림은 일정량의 수산화 나트륨(NaOH) 수용액에 묽은 염산(HCl)을 조금씩 넣을 때 용액에 들어 있는 이온을 모형으로 나타낸 것이다.

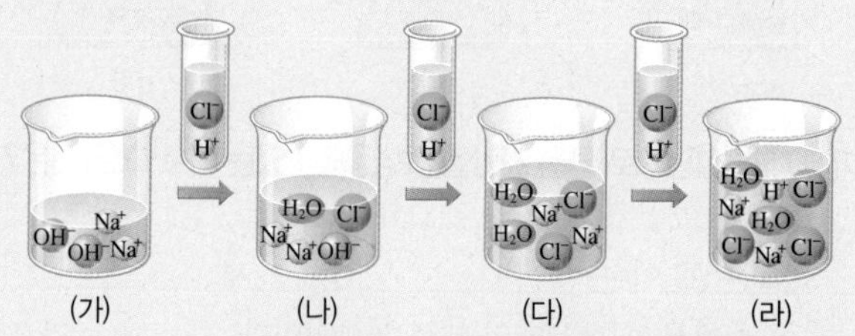

(가)~(라) 중 중화점에 도달한 용액을 쓰고, 그 까닭을 서술하시오.

14 그림은 일정량의 수산화 칼륨(KOH) 수용액에 묽은 염산(HCl)을 조금씩 넣을 때 용액에 들어 있는 두 가지 이온 수 변화를 나타낸 것이다.

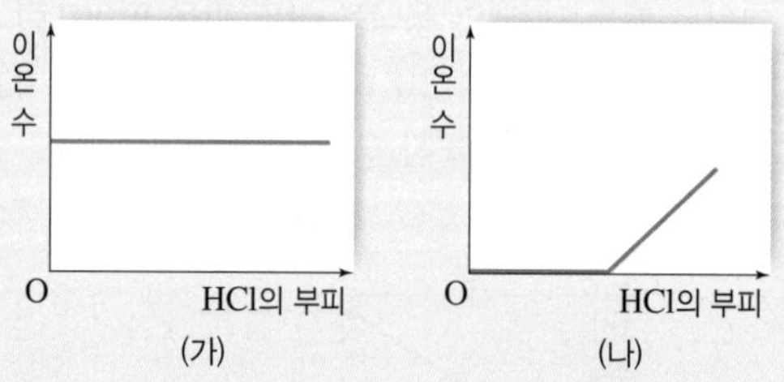

(1) (가)는 어떤 이온인지 쓰고, 그 까닭을 서술하시오.

(2) (나)는 어떤 이온인지 쓰고, 그 까닭을 서술하시오.

15 생선 비린내를 없애기 위해 생선 요리에 레몬 즙을 뿌리는 까닭을 중화 반응의 원리를 이용하여 서술하시오.

실력 UP 문제

정답친해 107쪽

01 그림은 수산화 나트륨(NaOH) 수용액 10 mL에 묽은 염산(HCl)을 5 mL씩 넣을 때 용액에 들어 있는 음이온을 모형으로 나타낸 것이다.

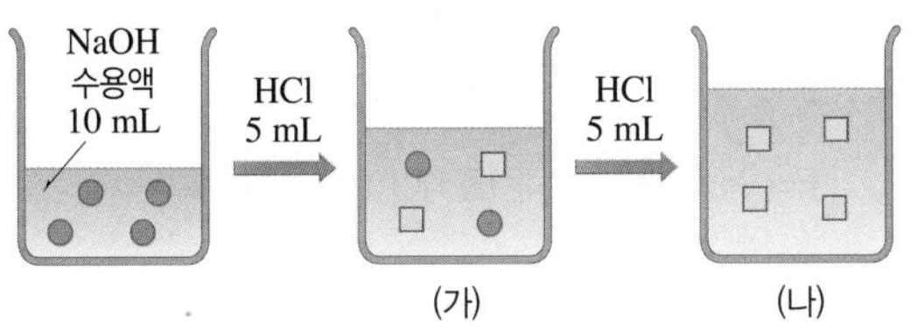

이에 대한 설명으로 옳은 것만을 [보기]에서 있는 대로 고른 것은?(단, 혼합 전 두 수용액의 온도는 같다.)

보기
ㄱ. □은 Cl^-이다.
ㄴ. 용액의 최고 온도는 (나)가 (가)보다 높다.
ㄷ. 혼합 전 같은 부피에 들어 있는 전체 이온 수는 수산화 나트륨 수용액과 묽은 염산이 같다.

① ㄱ ② ㄷ ③ ㄱ, ㄴ ④ ㄴ, ㄷ ⑤ ㄱ, ㄴ, ㄷ

02 그림은 일정량의 묽은 염산(HCl)에 수산화 칼륨(KOH) 수용액을 조금씩 넣을 때 용액에 들어 있는 이온 수 변화를 나타낸 것이다.

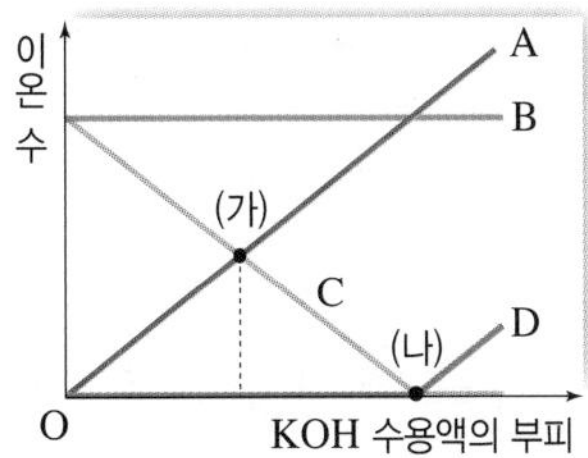

이에 대한 설명으로 옳지 않은 것은?

① A와 B는 중화 반응에 참여하지 않는 이온이다.
② C는 H^+이고, D는 OH^-이다.
③ (가) 용액은 마그네슘과 반응하지 않는다.
④ 용액의 pH는 (나)가 (가)보다 크다.
⑤ 생성된 물의 양은 (나)가 (가)보다 많다.

03 표는 묽은 염산(HCl)과 수산화 나트륨(NaOH) 수용액의 부피를 달리하여 혼합한 용액 (가), (나)에 대한 자료이다.

구분	혼합 전 용액의 부피(mL)		전체 양이온 수	존재하는 양이온
	묽은 염산	수산화 나트륨 수용액		
(가)	20	20	$10N$	H^+, Na^+
(나)	20	40	$12N$	Na^+

이에 대한 설명으로 옳은 것만을 [보기]에서 있는 대로 고른 것은?

보기
ㄱ. (가)에 존재하는 H^+ 수는 $3N$이다.
ㄴ. (나)는 염기성 용액이다.
ㄷ. 묽은 염산 60 mL와 수산화 나트륨 수용액 100 mL를 혼합한 용액의 액성은 중성이다.

① ㄱ ② ㄷ ③ ㄱ, ㄴ ④ ㄴ, ㄷ ⑤ ㄱ, ㄴ, ㄷ

04 그림은 농도가 서로 다른 수산화 나트륨(NaOH) 수용액과 묽은 염산(HCl)을 여러 부피비로 혼합하였을 때 혼합 용액의 최고 온도를 측정한 것이다. 실험 Ⅰ과 Ⅱ는 묽은 염산의 농도만 다른 조건에서 실험 과정을 반복한 것이다.

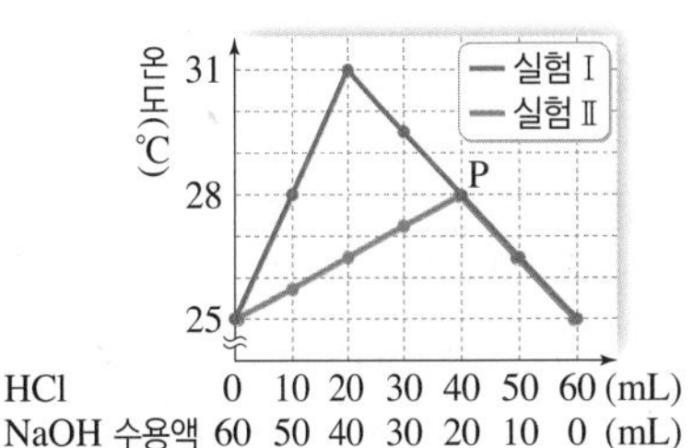

이에 대한 설명으로 옳은 것만을 [보기]에서 있는 대로 고른 것은?

보기
ㄱ. 실험 Ⅰ에서 같은 부피에 들어 있는 이온 수는 Cl^-이 Na^+의 2배이다.
ㄴ. 묽은 염산에서 같은 부피에 들어 있는 Cl^- 수는 실험 Ⅰ이 실험 Ⅱ의 4배이다.
ㄷ. P에서 생성된 물 분자 수는 실험 Ⅰ이 Ⅱ의 2배이다.

① ㄱ ② ㄷ ③ ㄱ, ㄴ ④ ㄴ, ㄷ ⑤ ㄱ, ㄴ, ㄷ

중단원 핵심 정리

정답친해 108쪽

1 산화 환원 반응

1. 지구와 생명의 역사를 바꾼 화학 반응

(1) **지구와 생명의 역사를 바꾼 화학 반응:** 광합성과 호흡, 화석 연료의 연소, 철의 제련 등

(2) **공통점:** 광합성과 호흡, 화석 연료의 연소, 철의 제련은 모두 (❶)가 관여하는 산화 환원 반응이다.

2. 산화 환원 반응

구분	산화	환원
산소의 이동	산소를 (❷) 반응	산소를 (❸) 반응
	예 $2CuO + C \longrightarrow 2Cu + CO_2$ (산화: C → CO_2, 환원: CuO → Cu)	
전자의 이동	전자를 (❹) 반응	전자를 (❺) 반응
	예 $Mg + Cu^{2+} \longrightarrow Mg^{2+} + Cu$ (산화: Mg → Mg^{2+}, 환원: Cu^{2+} → Cu)	
동시성	어떤 물질이 산소를 얻거나 전자를 잃고 산화되면 다른 물질은 산소를 잃거나 전자를 얻어 환원된다. ➡ 산화와 환원은 항상 동시에 일어난다.	

3. 우리 주변의 산화 환원 반응

광합성	식물의 엽록체에서 빛에너지를 이용하여 이산화 탄소와 물로 포도당과 산소를 만든다. $6CO_2 + 6H_2O \xrightarrow{빛에너지} C_6H_{12}O_6 + 6O_2$
세포 호흡	미토콘드리아에서 포도당과 산소가 반응하면 이산화 탄소와 물이 생성되고, 에너지가 발생한다. $C_6H_{12}O_6 + 6O_2 \longrightarrow 6CO_2 + 6H_2O +$ 에너지
메테인의 연소	도시가스의 주성분인 메테인이 공기 중에서 연소할 때에는 산소와 반응하여 이산화 탄소와 물이 생성된다. $CH_4 + 2O_2 \longrightarrow CO_2 + 2H_2O$
철의 제련	용광로에 철광석과 코크스를 함께 넣고 가열하면 순수한 철을 얻을 수 있다. $2C + O_2 \longrightarrow 2CO$ $Fe_2O_3 + 3CO \longrightarrow 2Fe + 3CO_2$
철의 부식(산화)	철은 공기 중의 산소와 쉽게 반응하여 붉은 녹을 만든다. $4Fe + 3O_2 \longrightarrow 2Fe_2O_3$

2 산과 염기

1. 산과 염기

구분	산	염기
정의	물에 녹아 (❻)을 내놓는 물질	물에 녹아 (❼)을 내놓는 물질
성질	• 신맛이 나고, 수용액에서 전류가 흐른다. • 금속과 반응하여 수소 기체를 발생시키고, 탄산 칼슘과 반응하여 이산화 탄소 기체를 발생시킨다. • 푸른색 리트머스 종이를 붉게 변화시킨다.	• 쓴맛이 나고, 수용액에서 전류가 흐른다. • (❽)을 녹이는 성질이 있어 손으로 만지면 미끈거린다. • 붉은색 리트머스 종이를 푸르게 변화시킨다.

2. 지시약과 pH

(1) **지시약:** 용액의 액성에 따라 색이 변하는 물질

구분	산성	중성	염기성
페놀프탈레인 용액	무색	무색	(❾)
메틸 오렌지 용액	(❿)	노란색	노란색
BTB 용액	노란색	(⓫)	파란색

(2) **pH:** 수용액에 들어 있는 H^+의 농도를 숫자로 나타낸 것

3. 지구 환경에 영향을 미치는 산과 염기

해양 산성화	이산화 탄소는 바닷물에 녹아 바닷물 속 H^+의 농도를 증가시킨다. ➡ H^+은 산호나 조개류의 개체 수 감소를 일으킨다.

3 중화 반응

중화 반응	산과 염기가 반응하여 (⓬)이 생성되는 반응 ➡ $H^+ + OH^- \longrightarrow H_2O$ 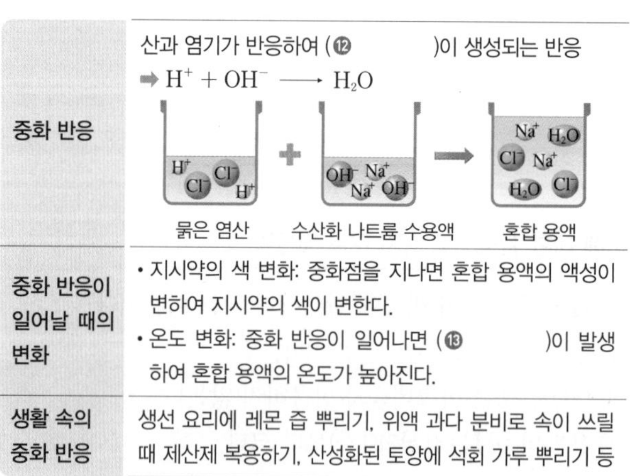
중화 반응이 일어날 때의 변화	• 지시약의 색 변화: 중화점을 지나면 혼합 용액의 액성이 변하여 지시약의 색이 변한다. • 온도 변화: 중화 반응이 일어나면 (⓭)이 발생하여 혼합 용액의 온도가 높아진다.
생활 속의 중화 반응	생선 요리에 레몬 즙 뿌리기, 위액 과다 분비로 속이 쓰릴 때 제산제 복용하기, 산성화된 토양에 석회 가루 뿌리기 등

중단원 마무리 문제

난이도 ●●●

●●○

01 다음은 지구와 생명의 역사를 바꾼 세 가지 반응의 화학 반응식이다.

(가) $6CO_2 + 6H_2O \longrightarrow C_6H_{12}O_6 + 6($ ㉠ $)$
(나) $CH_4 + 2O_2 \longrightarrow ($ ㉡ $) + 2H_2O$
(다) $Fe_2O_3 + 3CO \longrightarrow 2Fe + 3($ ㉢ $)$

이에 대한 설명으로 옳은 것만을 [보기]에서 있는 대로 고른 것은?

보기
ㄱ. ㉠은 생명체의 호흡에 사용된다.
ㄴ. ㉡과 ㉢은 같은 물질이다.
ㄷ. (가)~(다)는 모두 산화 환원 반응이다.

① ㄱ ② ㄷ ③ ㄱ, ㄴ
④ ㄴ, ㄷ ⑤ ㄱ, ㄴ, ㄷ

●●○

02 그림과 같이 산화 구리(Ⅱ)(CuO)와 탄소(C) 가루를 혼합하여 시험관에 넣고 가열하였더니 붉은색 물질이 생성되었고, 석회수가 뿌옇게 흐려졌다.

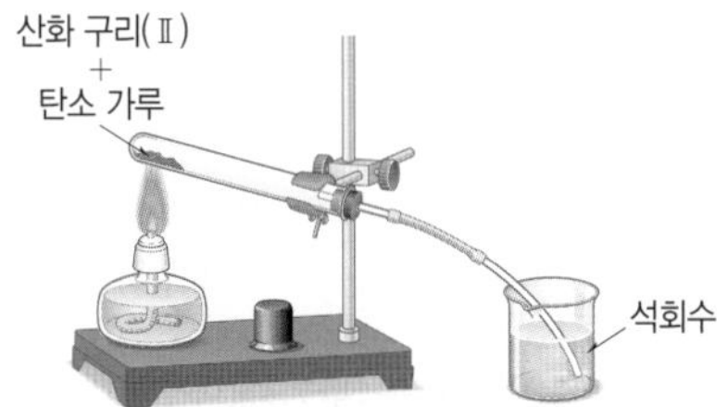

이에 대한 설명으로 옳지 않은 것은?

① 산화 구리(Ⅱ)는 환원된다.
② 탄소는 산소를 얻는다.
③ 붉은색 물질은 구리이다.
④ 이산화 탄소가 생성된다.
⑤ 석회수는 산화되어 뿌옇게 흐려진다.

●●○

03 다음은 구리(Cu)를 이용한 실험이다.

(가) 붉은색 구리판을 공기 중에서 가열하였더니 검게 변하였다.
(나) 검게 변한 구리판을 가열하여 수소 기체가 들어 있는 시험관에 넣었더니 다시 붉은색 구리판이 되었고, 시험관에 액체 물질이 생성되었다.

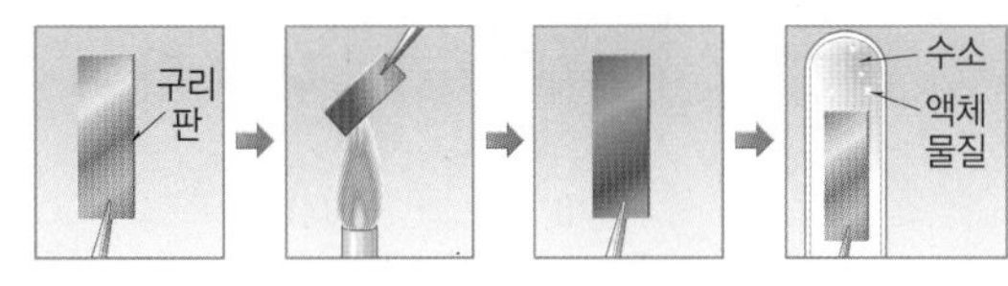

이에 대한 설명으로 옳은 것만을 [보기]에서 있는 대로 고른 것은?

보기
ㄱ. (가)에서 구리는 산화된다.
ㄴ. (나)에서 검게 변한 구리판은 산화된다.
ㄷ. (나)에서 생성된 액체 물질은 물이다.

① ㄱ ② ㄴ ③ ㄱ, ㄷ
④ ㄴ, ㄷ ⑤ ㄱ, ㄴ, ㄷ

서술형 ●●○

04 그림과 같이 드라이아이스(CO_2)로 만든 통 내부에 구멍을 낸 후 마그네슘(Mg) 가루를 넣고 불을 붙였더니 흰색 가루와 검은색 가루가 생성되었다.

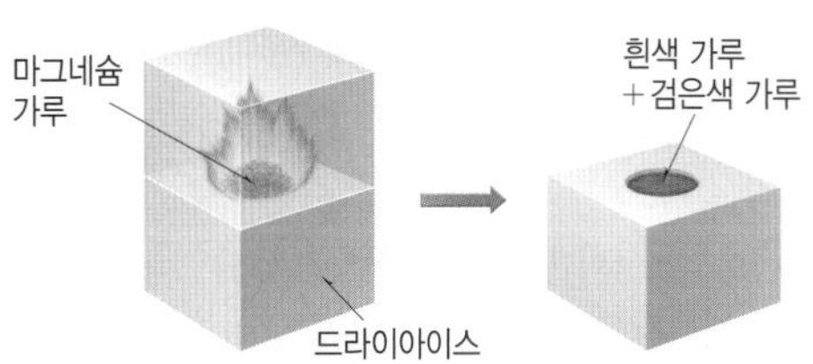

(1) 이 반응을 화학 반응식으로 나타내시오.

(2) 이 반응에서 산화된 물질과 환원된 물질의 화학식을 각각 쓰시오.

05 다음은 아연(Zn)을 이용한 실험이다.

그림과 같이 황산 구리(Ⅱ) 수용액과 묽은 염산에 각각 아연판을 넣었다.

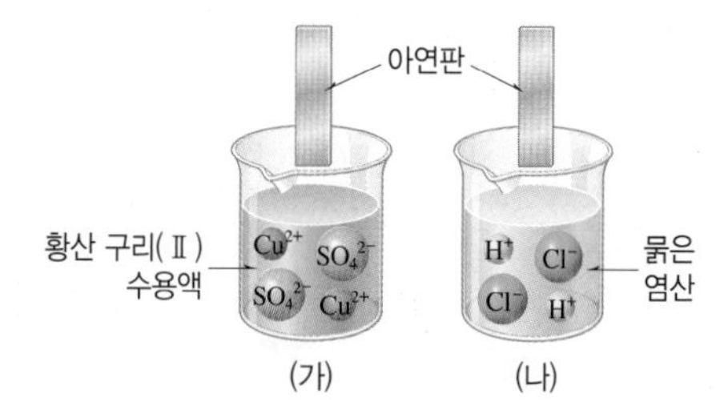

[실험 결과]
(가)에서는 구리가 석출되었고, (나)에서는 기체가 발생하였다.

이에 대한 설명으로 옳지 않은 것은?

① (가)와 (나)에서 아연은 산화된다.
② (가)에서 용액의 푸른색은 점점 옅어진다.
③ (나)에서 발생한 기체는 수소이다.
④ (나)에서 아연판의 질량은 점점 감소한다.
⑤ (가)와 (나)에서 수용액의 양이온 수는 점점 감소한다.

06 그림은 철의 제련 과정에서 일어나는 화학 반응을 나타낸 것이다.

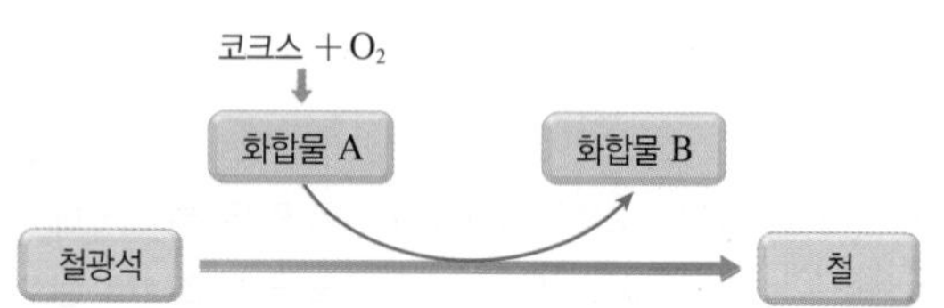

이에 대한 설명으로 옳은 것만을 [보기]에서 있는 대로 고른 것은?

보기
ㄱ. 분자 1개에 들어 있는 산소 원자의 수는 화합물 A와 B가 같다.
ㄴ. 철광석의 산화 철(Ⅲ)은 환원된다.
ㄷ. 화합물 B를 석회수에 통과시키면 석회수가 뿌옇게 흐려진다.

① ㄱ ② ㄷ ③ ㄱ, ㄴ
④ ㄴ, ㄷ ⑤ ㄱ, ㄴ, ㄷ

07 다음은 세 가지 화학 반응을 나타낸 것이다.

(가) 탄산 칼슘($CaCO_3$)에 식초를 떨어뜨리면 이산화 탄소가 생긴다.
(나) 방안에 둔 철로 만든 머리핀에 붉은 녹(Fe_2O_3)이 생긴다.
(다) 은수저 표면의 검은 녹(Ag_2S)을 알루미늄 포일을 이용하여 제거한다.

이에 대한 설명으로 옳은 것만을 [보기]에서 있는 대로 고른 것은?

보기
ㄱ. (가)~(다)는 모두 산화 환원 반응이다.
ㄴ. (나) 반응에서 물질 사이에는 산소가 이동한다.
ㄷ. (다) 반응에서 물질 사이에는 전자가 이동한다.

① ㄱ ② ㄷ ③ ㄱ, ㄴ
④ ㄴ, ㄷ ⑤ ㄱ, ㄴ, ㄷ

08 수용액에 마그네슘(Mg) 조각을 넣었을 때 수소 기체(H_2)를 발생시키는 물질만을 [보기]에서 있는 대로 고르시오.

보기
ㄱ. HCl ㄴ. KOH ㄷ. NaOH
ㄹ. HNO_3 ㅁ. H_2SO_4 ㅂ. $Ca(OH)_2$

09 표는 우리 주변의 몇 가지 물질에 지시약을 떨어뜨렸을 때 색 변화를 나타낸 것이다.

물질	레몬 즙	탄산음료	소다 수용액
메틸 오렌지 용액	붉은색	붉은색	노란색
BTB 용액	노란색	노란색	파란색

이에 대한 설명으로 옳은 것만을 [보기]에서 있는 대로 고른 것은?

보기
ㄱ. 레몬 즙과 탄산음료에는 OH^-이 들어 있다.
ㄴ. 소다 수용액의 pH는 7보다 크다.
ㄷ. 전기 전도성이 있는 물질은 두 가지이다.

① ㄱ ② ㄴ ③ ㄱ, ㄷ
④ ㄴ, ㄷ ⑤ ㄱ, ㄴ, ㄷ

10
그림과 같이 질산 칼륨(KNO_3) 수용액에 적신 붉은색 리트머스 종이 위에 수산화 나트륨(NaOH) 수용액에 적신 실을 올려놓은 후 전류를 흘려 주었더니 붉은색 리트머스 종이가 A극 쪽으로 푸르게 변하였다.

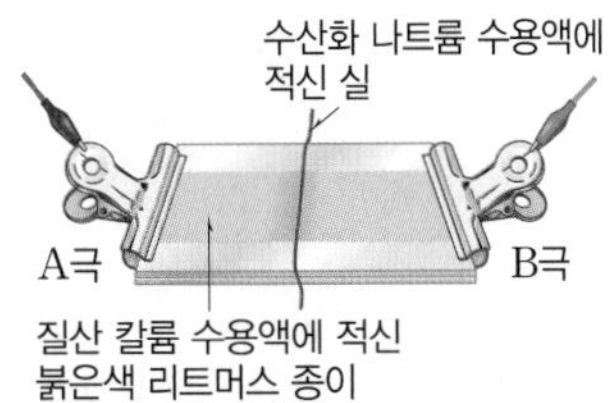

이에 대한 설명으로 옳은 것만을 [보기]에서 있는 대로 고른 것은?

보기
ㄱ. 리트머스 종이가 푸르게 변하는 것은 OH^- 때문이다.
ㄴ. Na^+과 K^+은 A극 쪽으로 이동한다.
ㄷ. 수산화 나트륨 수용액 대신 묽은 염산을 이용하면 푸른색이 B극 쪽으로 이동한다.

① ㄱ ② ㄷ ③ ㄱ, ㄴ
④ ㄴ, ㄷ ⑤ ㄱ, ㄴ, ㄷ

11
그림은 묽은 염산(HCl)과 수산화 나트륨(NaOH) 수용액을 서로 다른 부피로 혼합한 세 가지 혼합 용액에 들어 있는 이온을 모형으로 나타낸 것이다.

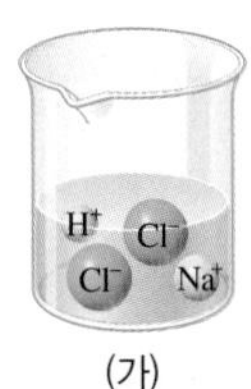

(가)

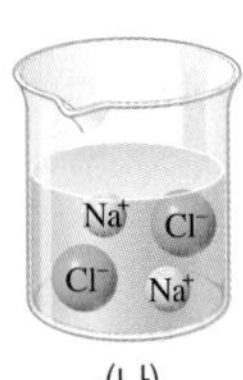

(나)

(다)

이에 대한 설명으로 옳은 것만을 [보기]에서 있는 대로 고른 것은?

보기
ㄱ. 생성된 물 분자 수가 가장 많은 용액은 (가)이다.
ㄴ. (가)와 (나)에 페놀프탈레인 용액을 떨어뜨려도 색 변화가 없다.
ㄷ. (다)의 pH는 7보다 크다.

① ㄱ ② ㄷ ③ ㄱ, ㄴ
④ ㄴ, ㄷ ⑤ ㄱ, ㄴ, ㄷ

12
그림은 같은 온도의 묽은 염산(HCl) (가)와 수산화 나트륨(NaOH) 수용액 (나)의 반응을 이온 모형으로 나타낸 것이다.

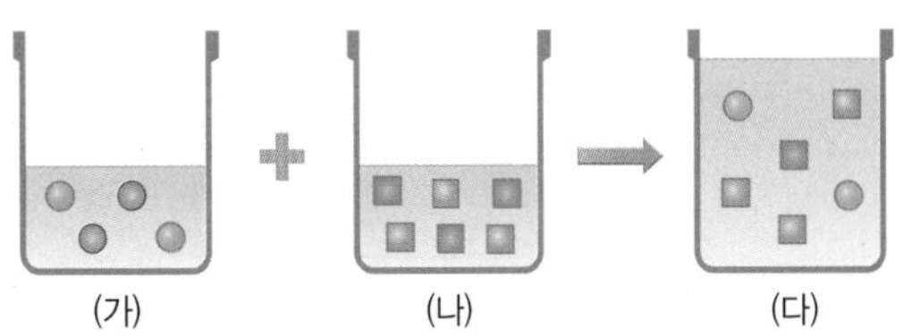

이에 대한 설명으로 옳은 것만을 [보기]에서 있는 대로 고른 것은?

보기
ㄱ. ●은 H^+이다.
ㄴ. (다)에 페놀프탈레인 용액을 떨어뜨리면 붉은색을 띤다.
ㄷ. 용액의 최고 온도는 (나)가 (다)보다 높다.

① ㄱ ② ㄷ ③ ㄱ, ㄴ
④ ㄴ, ㄷ ⑤ ㄱ, ㄴ, ㄷ

13
그림은 수산화 나트륨(NaOH) 수용액이 들어 있는 비커에 BTB 용액을 떨어뜨린 후 드라이아이스(CO_2)를 계속 넣을 때 용액의 색이 변화되는 모습을 나타낸 것이다.

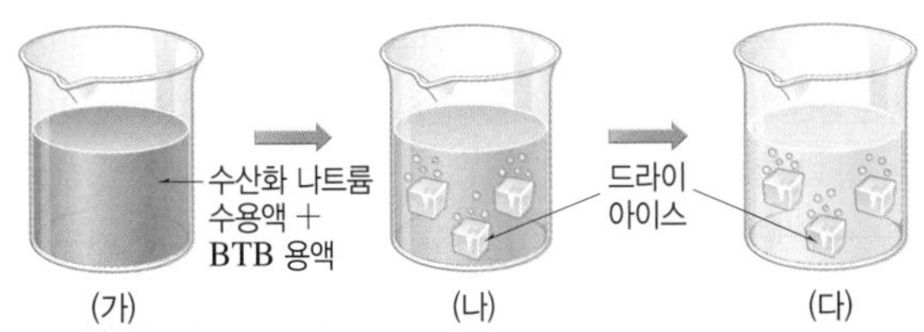

이에 대한 설명으로 옳은 것만을 [보기]에서 있는 대로 고른 것은?

보기
ㄱ. 드라이아이스를 용액에 넣으면 OH^-이 생성된다.
ㄴ. 용액의 pH는 점점 작아진다.
ㄷ. (가)와 (다)를 혼합하면 중화 반응이 일어난다.

① ㄱ ② ㄴ ③ ㄱ, ㄷ
④ ㄴ, ㄷ ⑤ ㄱ, ㄴ, ㄷ

●●●

14 그림은 수산화 칼슘($Ca(OH)_2$) 수용액 10 mL에 묽은 염산(HCl)을 조금씩 넣을 때 용액에 들어 있는 이온 수를 나타낸 것이다.

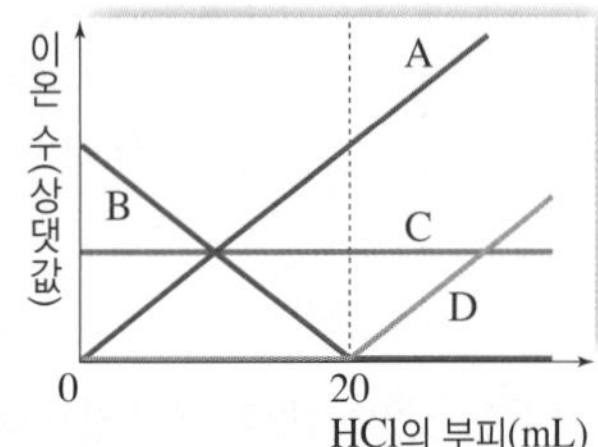

이에 대한 설명으로 옳은 것만을 [보기]에서 있는 대로 고른 것은?

보기
ㄱ. A와 C에 의해 중화열이 발생한다.
ㄴ. D는 H^+이다.
ㄷ. 반응 전 같은 부피에 들어 있는 이온 수는 묽은 염산이 수산화 칼슘 수용액보다 크다.

① ㄱ ② ㄴ ③ ㄱ, ㄷ
④ ㄴ, ㄷ ⑤ ㄱ, ㄴ, ㄷ

●●○

15 같은 농도의 묽은 염산(HCl)과 수산화 나트륨(NaOH) 수용액을 표와 같이 부피를 달리하여 혼합하였다.

구분	(가)	(나)	(다)	(라)	(마)
묽은 염산의 부피(mL)	2	6	10	14	18
수산화 나트륨 수용액의 부피(mL)	18	14	10	6	2

이에 대한 설명으로 옳은 것만을 [보기]에서 있는 대로 고른 것은?(단, 혼합 전 두 수용액의 온도는 같다.)

보기
ㄱ. 용액의 최고 온도는 (다)가 (가)보다 높다.
ㄴ. 생성된 물의 양은 (나)와 (라)가 같다.
ㄷ. (마)에 BTB 용액을 떨어뜨리면 파란색을 띤다.

① ㄱ ② ㄷ ③ ㄱ, ㄴ
④ ㄴ, ㄷ ⑤ ㄱ, ㄴ, ㄷ

서술형 ●●○

16 그림은 온도와 농도가 같은 묽은 염산(HCl)과 수산화 칼륨(KOH) 수용액의 부피를 달리하여 혼합한 후 각 용액의 최고 온도를 측정하여 나타낸 것이다.

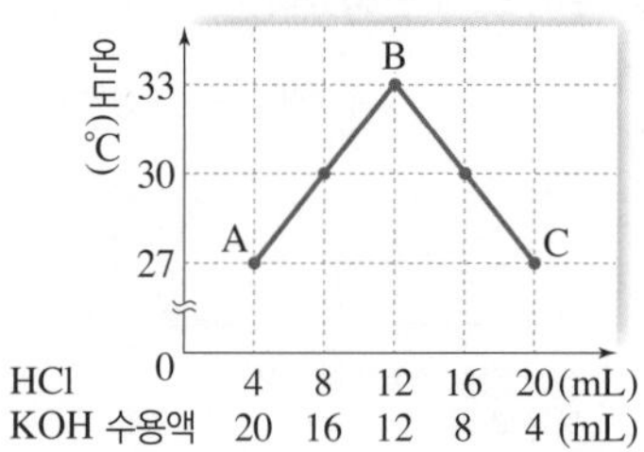

A~C 중 페놀프탈레인 용액을 한두 방울 떨어뜨렸을 때 붉은색으로 변하는 용액을 쓰고, 그 까닭을 서술하시오.

●○○

17 다음은 우리 생활에서 화학 반응을 활용하는 예이다.

생선 요리에 레몬 즙을 뿌린다.

이 반응에 대한 설명으로 옳은 것만을 [보기]에서 있는 대로 고른 것은?

보기
ㄱ. 반응 과정에서 열이 발생한다.
ㄴ. 반응 전과 후 pH가 달라진다.
ㄷ. 이와 같은 원리가 이용된 반응에는 화석 연료의 연소가 있다.

① ㄱ ② ㄷ ③ ㄱ, ㄴ
④ ㄴ, ㄷ ⑤ ㄱ, ㄴ, ㄷ

●○○

18 다음은 생활 속 중화 반응의 예를 나타낸 것이다.

- 김치의 ㉠신맛을 줄이기 위해 ㉡소다를 넣는다.
- 하수 처리장의 ㉢악취를 ㉣수산화 나트륨으로 중화시킨다.
- ㉤위액 과다 분비로 속이 쓰릴 때 ㉥제산제를 먹는다.

㉠~㉥ 중 염기로 작용하는 것만을 옳게 짝 지은 것은?

① ㉠, ㉢, ㉤ ② ㉠, ㉣, ㉤ ③ ㉠, ㉣, ㉥
④ ㉡, ㉢, ㉤ ⑤ ㉡, ㉣, ㉥

정답친해 111쪽

고난도 문제

01 그림은 금속 X 이온이 들어 있는 수용액에 금속 Y와 Z를 순서대로 넣었을 때 수용액 속에 존재하는 금속 양이온을 모형으로 나타낸 것이다.

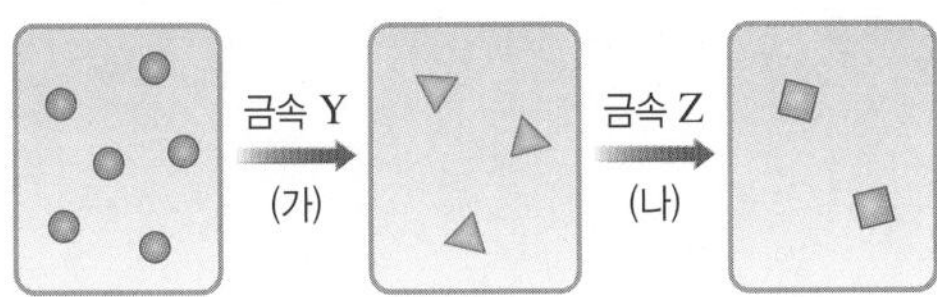

이에 대한 설명으로 옳은 것만을 [보기]에서 있는 대로 고른 것은?(단, 음이온은 반응에 참여하지 않고, X~Z는 임의의 원소 기호이다.)

보기
ㄱ. (가)에서 환원되는 물질은 X 이온이다.
ㄴ. 이온 1개의 전하량은 Z 이온이 Y 이온의 3배이다.
ㄷ. (가)와 (나)는 모두 산화 환원 반응이다.

① ㄱ ② ㄴ ③ ㄱ, ㄷ
④ ㄴ, ㄷ ⑤ ㄱ, ㄴ, ㄷ

02 다음은 기체 X와 관련된 실험이다.

(가) 아연(Zn)과 묽은 염산(HCl)을 반응시켜 발생한 기체 X를 포집한다.
(나) (가)에서 포집한 기체 X를 산화 구리(Ⅱ)(CuO)와 함께 시험관에 넣고 가열하면 구리(Cu)와 액체 Y가 생성된다.

이에 대한 설명으로 옳은 것만을 [보기]에서 있는 대로 고른 것은?

보기
ㄱ. X는 수소 기체이다.
ㄴ. Y는 물이다.
ㄷ. 아연은 구리보다 전자를 얻기 쉽다.

① ㄱ ② ㄷ ③ ㄱ, ㄴ
④ ㄴ, ㄷ ⑤ ㄱ, ㄴ, ㄷ

03 그림은 같은 부피에 들어 있는 산 HA 수용액과 염기 BOH 수용액 속 입자의 종류와 수를 나타낸 것이다.

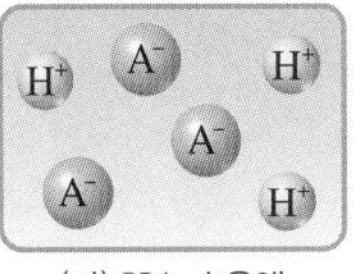

(가) HA 수용액

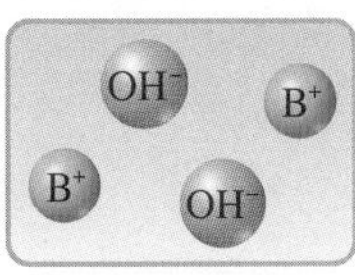

(나) BOH 수용액

이에 대한 설명으로 옳은 것만을 [보기]에서 있는 대로 고른 것은?(단, 혼합 전 두 수용액의 온도는 같고, A와 B는 임의의 원소 기호이다.)

보기
ㄱ. (가)와 (나)를 혼합한 용액에 BTB 용액을 떨어뜨리면 노란색을 띤다.
ㄴ. pH는 (나)가 (가)보다 크다.
ㄷ. (가)와 (나)를 2 : 3의 부피비로 혼합한 용액의 액성은 중성이다.

① ㄱ ② ㄷ ③ ㄱ, ㄴ
④ ㄴ, ㄷ ⑤ ㄱ, ㄴ, ㄷ

04 그림은 묽은 염산(HCl)과 수산화 나트륨(NaOH) 수용액의 부피를 달리하여 반응시켰을 때 혼합 용액에 존재하는 H^+ 수를 상댓값으로 나타낸 것이다. 실험 Ⅰ과 Ⅱ에서 사용한 각 수용액의 농도는 서로 다르다.

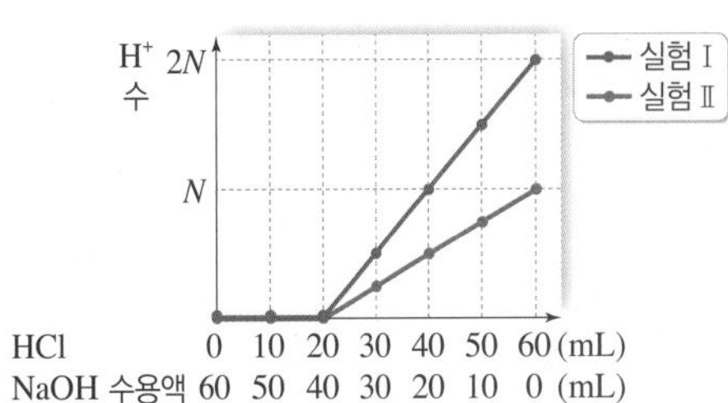

이에 대한 설명으로 옳은 것만을 [보기]에서 있는 대로 고르시오. (단, 혼합 전 두 수용액의 온도는 같다.)

보기
ㄱ. 반응 전 실험 Ⅰ에서 같은 부피에 들어 있는 H^+ 수는 OH^- 수와 같다.
ㄴ. 수산화 나트륨 수용액에서 같은 부피에 들어 있는 Na^+ 수는 실험 Ⅰ이 실험 Ⅱ의 2배이다.
ㄷ. 중화점에서 발생한 물 분자 수의 비는 실험 Ⅰ : 실험 Ⅱ =1 : 2이다.

배운 내용

- 생물 다양성
- 변이
- 생물이 다양해지는 과정
- 생물 다양성의 중요성
- 생물 다양성 보전

2 생물 다양성과 유지

배울 내용

- 화석
- 지질 시대의 환경과 생물
- 대멸종과 생물 다양성
- 진화와 자연 선택설
- 변이와 자연 선택
- 생물 다양성의 의미
- 생물 다양성의 중요성
- 생물 다양성 보전

생물은 환경의 변화에 적응하면서 진화하였고, 그 결과 다양한 생물이 나타나게 되었음을 이해한다. 생물의 진화 과정을 변이와 자연 선택에 기초하여 배운다.

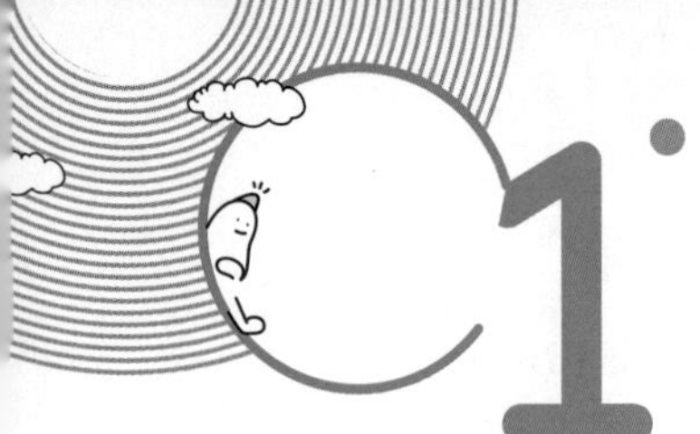

1. 지질 시대의 환경과 생물

핵심 포인트
- ❶ 화석의 종류와 화석을 이용한 과거의 해석 ★★★
- ❷ 지질 시대의 구분 ★★
- ❸ 지질 시대의 환경과 생물 ★★★
- ❹ 대멸종과 생물 다양성 ★★

A 화석과 지질 시대

1. 화석 과거에 살았던 생물의 유해나 흔적이 지층 속에 남아 있는 것 예 뼈, 알, 발자국, 배설물, 기어간 흔적, 생물이 뚫은 구멍, 빙하나 호박 속에 갇힌 생물, ❶규화목 등

① ◆화석의 생성 과정

생물의 유해나 흔적이 갑자기(홍수나 산사태 등) 퇴적물에 묻힌다. ➜ 퇴적층이 쌓여 오랜 시간이 지나면 화석이 만들어진다. ➜ 지각 변동으로 퇴적층이 융기한 후 침식 작용을 받아 ◆화석이 드러난다.

② **화석의 종류:** 시상 화석과 표준 화석으로 구분한다.

- 시상 화석: 지층의 생성 환경을 알려주는 화석 ─● 특정한 환경에 생존
  ➡ 조건: 생물의 생존 기간이 길고, 분포 면적이 좁아야 한다.
- 표준 화석: 지층의 생성 시기를 알려주는 화석 ─● 특정한 시기에 생존
  ➡ 조건: 생물의 생존 기간이 짧고, 분포 면적이 넓어야 한다.

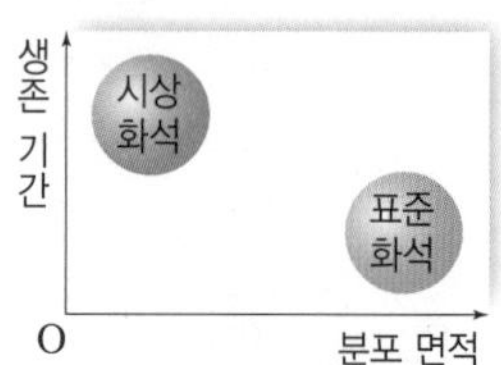

▲ 시상 화석과 표준 화석의 조건

시상 화석의 예	생성 환경	표준 화석의 예	생성 시기
고사리	따뜻하고 습한 육지	삼엽충, 갑주어, 방추충	고생대
산호	따뜻하고 얕은 바다	공룡, 암모나이트	중생대
조개	얕은 바다나 갯벌	화폐석, 매머드	신생대

2. 화석을 이용한 과거의 해석

① **지층이 생성될 당시의 환경:** 시상 화석을 이용하여 지층이 생성될 당시의 환경을 알 수 있다.

탐구 자료창 과거 지구에 살았던 생물의 서식 환경

그림은 산호와 고사리의 오늘날 지구에 살고 있는 모습과 화석의 모습을 나타낸 것이다.

1. **화석이 발견된 지층의 생성 환경:** 생물은 과거에도 오늘날과 유사한 환경에서 서식했을 것이다.

산호 화석이 발견된 지층이 생성될 당시의 환경	고사리 화석이 발견된 지층이 생성될 당시의 환경
오늘날 산호는 따뜻하고 얕은 바다에서 서식하므로 지층이 생성될 당시 따뜻하고 얕은 바다였을 것이다.	오늘날 고사리는 따뜻하고 습한 육지에서 서식하므로 지층이 생성될 당시 따뜻하고 습한 육지였을 것이다.

2. **생물의 서식 환경과 다른 곳에서 화석이 발견되는 경우:** 생물이 퇴적된 이후 지각 변동을 받아 다른 환경으로 변화되었기 때문이다. 예 강원도 영월 산지에서 산호 화석이 발견된다.

비상 교과서에만 나와요.

◆ **화석의 생성 조건**
- 생물의 개체 수가 많아야 한다.
- 생물이 단단한 뼈나 껍데기를 가지고 있어야 한다.
- 생물의 유해나 흔적이 훼손되기 전에 지층 속에 빨리 매몰되어 ❷화석화 작용을 받아야 한다.

➡ 삼엽충, 암모나이트가 공룡보다 발견되는 화석이 많은 까닭: 바다에서 서식하여 육지에서 서식했던 공룡보다 빨리 지층 속에 매몰될 수 있었고, 개체 수가 많았기 때문

◆ **대부분의 화석이 퇴적암에서 발견되는 까닭**
화석은 대부분 석회암, 셰일 등의 퇴적암에서 발견된다. 화성암은 마그마가 식어서 생성되고, 변성암은 높은 열과 압력을 받아 생성된다. 높은 열과 압력을 받으면 생물의 유해가 파손되거나 형태가 사라지기 때문에 화성암이나 변성암에서는 화석이 발견되기 어렵다.

암기해!
지질 시대의 표준 화석
- 고생대
  삼갑방 ➡ 삼엽충, 갑주어, 방추충
- 중생대
  공암 ➡ 공룡, 암모나이트
- 신생대
  화매 ➡ 화폐석, 매머드

용어

❶ **규화목(硅 규소, 化 되다, 木 나무)** 나무의 원래 형태와 구조를 보존한 상태로 이산화 규소가 나무의 성분과 대체되어 만들어진 화석

❷ **화석화 작용** 생물의 유해나 흔적이 다른 물질로 치환되거나 탄소로 변하여 화석으로 보존되는 작용

② **지층이 생성된 시대:** 표준 화석을 이용하여 지층의 생성 시대를 알 수 있다. → 지질 시대 구분에 이용

③ **과거 생물의 진화 과정:** 나중에 생성된 지층일수록 진화된 생물의 화석이 발견된다.

④ **과거 대륙의 이동:** 멀리 떨어진 대륙의 화석을 비교하여 ◆대륙의 분포 변화를 알 수 있다.

⑤ **과거 육지와 바다 환경:** 화석으로 발견된 생물의 서식 환경을 통해 지층이 생성될 당시의 환경이 육지인지 바다인지 알 수 있다.

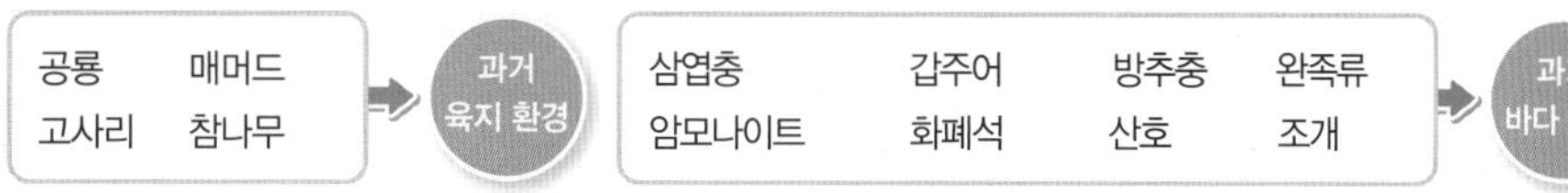

⑥ **지층의 융기:** 바다에 살았던 생물의 화석이 육지에서 발견되는 경우, 이 지층은 바다 밑에서 만들어진 이후 수면 위로 융기했다는 것을 알 수 있다. 예 강원도 태백 산지의 고생대 지층에서 발견되는 삼엽충 화석, 히말라야산맥에서 발견되는 암모나이트 화석

화석을 이용한 과거의 해석

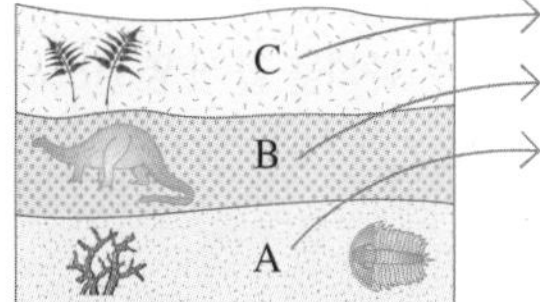

화석이 발견된 지층의 단면

- 지층 C: 고사리 화석 발견 ➡ 지층이 퇴적될 당시 따뜻하고 습한 육지 환경이었다.
- 지층 B: 공룡 화석 발견 ➡ 중생대, 지층이 퇴적될 당시 육지 환경이었다.
- 지층 A: 산호 화석과 삼엽충 화석 발견 ➡ 지층이 퇴적될 당시 따뜻하고 수심이 얕은 바다 환경이었고, 고생대였다.

→ 가장 먼저 생성된 지층 A가 생성될 때는 바다 환경이었다가 지층이 융기하여 지층 B와 C가 생성될 때는 육지 환경이 되었다.

3. 지질 시대 약 46억 년 전 지구가 탄생한 후부터 현재까지의 기간

① **지질 시대의 구분 기준:** 생물계의 급격한 변화(화석의 변화), 대규모 지각 변동(부정합) 등

➡ 많은 종류의 생물이 갑자기 멸종하거나 출현한 시기를 경계로 구분한다.

확대경 부정합 (동아 교과서에만 나와요.)

1. **부정합:** 지각 변동을 거친 지층 위에 새로운 지층이 퇴적되어 아래위 두 지층 사이가 연속적이지 않은 관계
2. **부정합면:** 부정합을 이루는 두 층의 경계면 ➡ 부정합면을 경계로 위층과 아래층 사이에 긴 시간의 단절이 있고, 화석의 종류가 달라진다.
3. **부정합의 생성 과정:** 퇴적 → 융기 → 침식 → 침강 → 퇴적

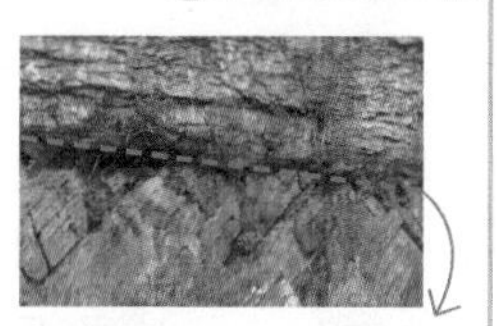
부정합 부정합면

② **지질 시대의 구분:** 화석이 거의 발견되지 않는 선캄브리아 시대와 화석이 많이 발견되는 고생대, 중생대, 신생대로 구분한다.

지질 시대의 구분과 ◆상대적 길이

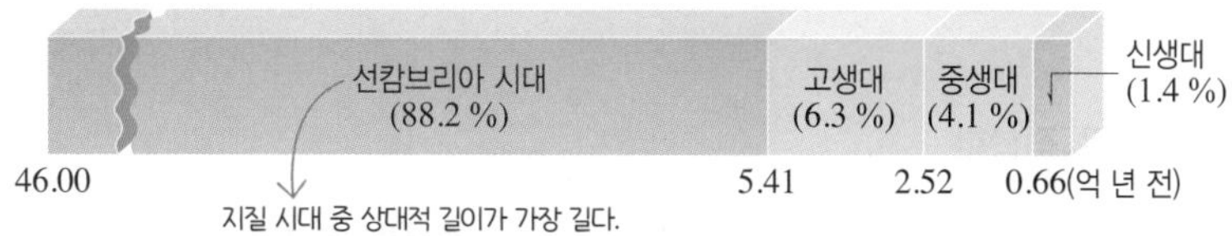

- **화석이 거의 발견되지 않는 시대:** 선캄브리아 시대

  ➡ 선캄브리아 시대의 화석이 거의 없는 까닭: 생물의 개체 수가 적었고, 생물체에 단단한 골격이 없었으며, 화석이 되었어도 지각 변동과 풍화 작용을 많이 받아 남아 있기 어렵기 때문
- **화석이 많이 발견되는 시대:** 생물계의 변화를 기준으로 고생대, 중생대, 신생대로 구분한다.
- **지질 시대의 상대적 길이:** 선캄브리아 시대≫고생대 > 중생대 > 신생대

  └ 지질 시대 구분의 기준이 되는 화석과 지층에 대한 정보가 불확실하거나 부족하기 때문에 길다.

(비상 교과서에만 나와요.)

◆ **과거 대륙의 분포 변화**

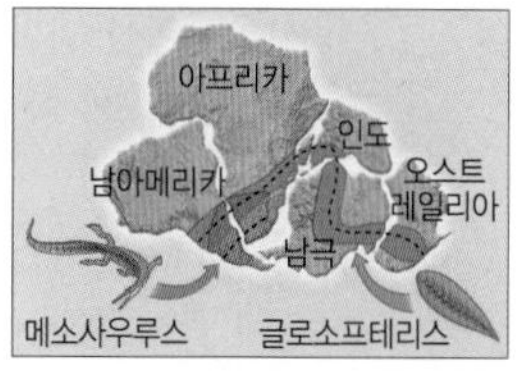

메소사우루스 화석과 글로소프테리스 화석은 멀리 떨어진 여러 대륙에서 발견되는데, 이를 통해 현재는 멀리 떨어져 있는 대륙들이 과거에는 한 덩어리로 뭉쳐 있었다는 것을 알 수 있다.

지질 시대는 넓은 지역에 걸쳐 일어난 지구 환경의 급격한 변화를 기준으로 구분하는데, 생물의 생존이 지구 환경 변화의 영향을 크게 받기 때문에 주로 화석의 변화를 기준으로 구분해요~

◆ **지질 시대의 상대적 길이**

지질 시대를 12시간으로 나타내면, 고생대는 10시 35분, 중생대는 11시 21분, 신생대는 11시 50분에 시작했다.

개념 확인 문제

정답친해 113쪽

핵심 체크

- 화석: 과거에 살았던 생물의 유해나 흔적이 지층 속에 남아 있는 것
  - 시상 화석: 지층이 생성될 당시의 (❶)을 알려주는 화석
  - (❷): 지층이 생성된 시기를 알려주는 화석
- (❸)을 이용한 과거의 해석
  - 지층이 생성될 당시의 환경과 생성된 시대: 시상 화석과 표준 화석으로 지층이 생성된 환경과 시대를 알 수 있다.
  - 과거 대륙의 이동: 멀리 떨어진 대륙의 화석을 비교하여 대륙의 분포 변화를 알 수 있다.
  - 과거 육지와 바다 환경: 지층이 생성될 당시의 환경이 육지인지 바다인지 알 수 있다.
- (❹): 약 46억 년 전 지구가 탄생한 후부터 현재까지의 기간
  - 지질 시대의 구분 기준: 생물계의 급격한 변화((❺)의 변화), 대규모 지각 변동(부정합)
  - 지질 시대의 구분: 선캄브리아 시대, 고생대, 중생대, (❻)

1 화석에 대한 설명으로 옳은 것은 ○, 옳지 않은 것은 ×로 표시하시오.

(1) 과거에 살았던 생물의 유해나 흔적이 지층에 남아 있는 것을 화석이라고 한다. ( )

(2) 화석은 주로 화성암에서 발견된다. ( )

(3) 생물의 배설물은 화석이 될 수 없다. ( )

2 다음은 화석의 생성 과정을 설명한 것이다. ( ) 안에 알맞은 말을 쓰시오.

> 홍수나 산사태 등에 의해 생물의 유해나 흔적이 갑자기 ㉠( )에 묻힌다. → 퇴적층이 쌓여 오랜 시간이 지나면 ㉡( )이 만들어진다. → ㉢( )으로 퇴적층이 땅 위로 올라온 후 침식 작용을 받아 화석이 드러난다.

3 시상 화석으로 적합한 것은 '시', 표준 화석으로 적합한 것은 '표'라고 쓰시오.

(1) 특정 환경에 살았던 생물의 화석 ( )

(2) 생존 기간이 짧고, 분포 면적은 넓은 생물의 화석 ( )

(3) 방추충, 공룡, 매머드 화석 ( )

(4) 고사리, 산호, 조개 화석 ( )

4 지질 시대와 각 지질 시대의 표준 화석을 옳게 연결하시오.

(1) 고생대 • • ㉠ 삼엽충

(2) 중생대 • • ㉡ 화폐석

(3) 신생대 • • ㉢ 암모나이트

5 과거 지층이 만들어질 당시에 바다 환경이었음을 알려주는 화석만을 [보기]에서 있는 대로 고르시오.

보기

ㄱ. 공룡　ㄴ. 산호　ㄷ. 고사리

ㄹ. 매머드　ㅁ. 삼엽충　ㅂ. 암모나이트

6 지질 시대를 구분하는 기준으로 적합한 것만을 [보기]에서 있는 대로 고르시오.

보기

ㄱ. 지진의 발생　ㄴ. 화석의 변화

ㄷ. 퇴적물 종류의 변화　ㄹ. 부정합

7 그림은 지질 시대를 상대적 길이에 따라 나타낸 것이다.

A	B	C	D
46.00 ~ 5.41	5.41 ~ 2.52	2.52 ~ 0.66	0.66 ~

(억 년 전)

A~D에 알맞은 지질 시대를 쓰시오.

B 지질 시대의 환경과 생물

1. 선캄브리아 시대의 환경과 생물 완자쌤 비법 특강 258쪽

환경

- 기후: 전반적으로 온난하였고, 말기에 ❶빙하기가 있었을 것으로 추정된다.
- 수륙 분포: 지각 변동을 많이 받았고, 화석이 드물게 발견되어 정확히 알기 어렵다.

생물

- 발견되는 화석이 드물다. ➡ 생물의 개체 수가 적었고, 생물체에 단단한 뼈나 껍데기가 없었으며, 화석이 되었어도 오랜 시간 동안 지각 변동을 받아 남아 있기 어렵기 때문
- 바다에서 최초의 생명체가 출현하였다. ➡ 생물에 유해한 자외선이 바다 속에는 닿지 않았기 때문

바다 ┌광합성을 하는 남세균(사이아노박테리아)의 출현 ➡ 바다와 대기로 산소 방출
└◆스트로마톨라이트 형성, 후기에 다세포 생물이 출현하여 에디아카라 동물군 화석 형성

육지 초기에는 대기 중에 산소가 없었고 남세균 출현 후 점차 산소가 쌓였지만, 오존층이 형성되지 않아 강한 자외선이 지표에 도달하였기 때문에 육지에서는 생물이 출현할 수 없었다.

2. 고생대의 환경과 생물

오존층은 선캄브리아 시대 말기에 형성되기 시작하여 고생대에 육상 생물이 출현할 수 있을 만큼 두껍게 형성되었어요~

환경

- 기후: 대체로 온난하였고, 말기에 빙하기가 있었다.
- 수륙 분포: 말기에 대륙들이 하나로 합쳐져서 ❷판게아가 형성되었다.

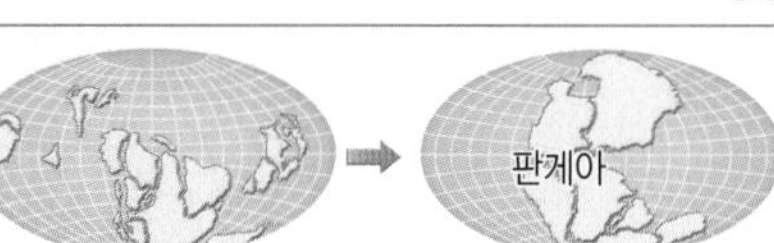

고생대 중기 ➡ 고생대 말기

생물

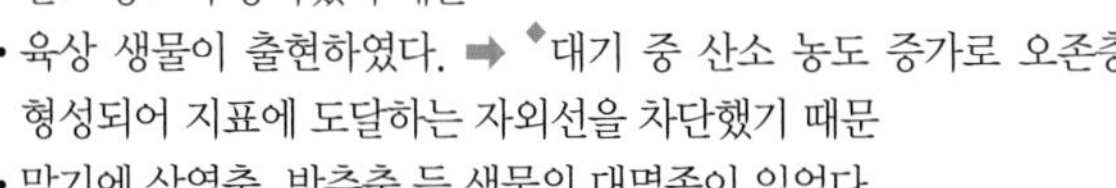

- 초기에 해양 생물의 수가 폭발적으로 증가하였다. ➡ 바다와 대기의 산소 농도가 증가했기 때문
- 육상 생물이 출현하였다. ➡ ◆대기 중 산소 농도 증가로 오존층이 형성되어 지표에 도달하는 자외선을 차단했기 때문
- 말기에 삼엽충, 방추충 등 생물의 대멸종이 있었다.
  판게아 형성, 화산 폭발 등으로 인한 환경 변화가 원인으로 추정된다.

바다 무척추동물(삼엽충, 방추충, 완족류 등), 척추동물인 어류(갑주어 등) 번성

육지 양서류, 곤충류(대형 잠자리 등), ❸양치식물(고사리 등), 이끼류 번성, 겉씨식물 출현
양치식물이 대량으로 묻혀 석탄층을 형성하였으며, 오늘날 석탄은 화석 연료로 사용되고 있다.

3. 중생대의 환경과 생물

환경

- 기후: 빙하기 없이 전반적으로 온난하였다.
  화산 활동으로 대기 중 이산화 탄소량 증가 → 온실 효과로 기온 상승
- 수륙 분포: 판게아가 분리되면서 전 세계적으로 지각 변동이 활발하게 일어났고, 대륙과 해양의 분포가 다양해졌다.

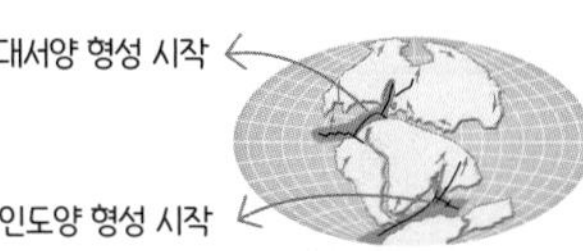

중생대 중기

생물 파충류의 시대

- 다양한 서식지가 형성되면서 고생대 말기의 대멸종 이후 생물이 다시 번성하였다.
- 말기에 공룡, 암모나이트 등 생물의 대멸종이 있었다.
  소행성 충돌, 화산 폭발 등이 원인으로 추정된다.

바다 암모나이트 번성

육지 파충류(공룡 등), 겉씨식물(소철, 은행나무, 소나무, 잣나무 등) 번성, 속씨식물과 몸집이 작은 포유류, 조류 출현
(겉씨식물) 건조한 환경에서도 잘 적응한다.

◆ 선캄브리아 시대의 화석

스트로마톨라이트

에디아카라 동물군

- 스트로마톨라이트: 가장 오래된 생물의 흔적으로, 남세균이 여러 겹으로 쌓여 만들어진 퇴적 구조
- 에디아카라 동물군: 오스트레일리아의 에디아카라 언덕에서 발견된 해파리, 해면 등 다세포 생물의 화석군

금성 교과서에만 나와요.

◆ 대기 중 산소 농도(상댓값) 변화와 생물의 관계

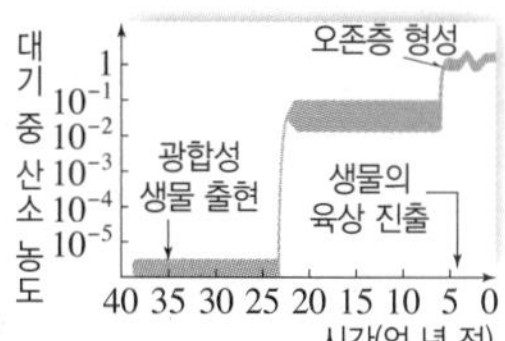

남세균의 광합성으로 산소가 바다에 포화된 후 대기로 방출 → 대기 중 산소 농도 증가 → 오존층 형성 → 생물의 육상 진출 가능 → 서식지 확대로 생물의 수 증가

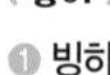

(용어)

❶ **빙하기(氷 얼음, 河 물, 期 기간)** 기후가 한랭하여 고위도 지역이나 산악 지대에 발달한 빙하가 상대적으로 확장된 시기

❷ **판게아(Pangaea)** 고생대 말기에 대륙들이 하나로 뭉쳐 이루어진 거대한 대륙

❸ **양치(羊 양, 齒 이빨)식물** 식물의 모양이 양의 이빨 모습과 유사하여 붙여진 이름으로, 꽃과 씨앗을 만들지 않고 포자로 번식하는 관다발 식물을 총칭하는 말

◆ 생물의 진화 과정
- 척추동물: 어류 → 양서류 → 파충류 → 조류와 포유류
- 식물: 해조류 → 양치식물 → 겉씨식물 → 속씨식물

◆ 대륙이 이동할 때 환경 변화
- 대륙이 합쳐질 때: 해안선의 길이가 감소하여 얕은 바다의 면적 감소로 해양 생물의 서식처 감소, 해류가 단순해져 기후대가 단순해짐 ➡ 생물의 수 감소
- 대륙이 분리될 때: 해안선의 길이가 증가하여 얕은 바다의 면적 증가로 해양 생물의 서식처 증가, 해류가 복잡해져 기후대가 복잡해짐 ➡ 생물의 수 증가

궁금해?

공룡은 왜 멸종하였을까?
- 소행성 충돌설: 거대한 소행성의 충돌로 지진 해일이 발생하고, 먼지 구름이 햇빛을 차단하여 공룡이 멸종했다는 가설
- 용암 분출설: 수십만 년에 걸친 화산 분출로 화산재와 화산 가스가 대량 방출되어 서식지가 파괴되고 기후가 변화되어 공룡이 멸종했다는 가설
- 공룡 알의 성비 불균형설: 급격한 기후 변화로 공룡 알의 성비 불균형이 일어나 개체 수가 감소하면서 공룡이 멸종했다는 가설

(용어)

❶ **간빙기(間 사이, 氷期 빙하기)** 빙하기와 빙하기 사이의 따뜻한 기간

❷ **대멸종(大 크다, 滅 없어지다, 種 종류)** 생물의 한 종류가 없어지는 것을 멸종이라 하고, 많은 생물종이 한꺼번에 멸종하는 것을 대멸종이라고 한다.

4. 신생대의 환경과 생물

환경
- 기후: 전기에는 대체로 온난하였지만, 후기에 빙하기와(4회) ❶간빙기가(3회) 반복되었다.
- 수륙 분포: 대서양과 인도양이 넓어지고, 현재와 비슷한 수륙 분포가 형성되었다.

알프스산맥 형성 – 유라시아 대륙과 아프리카 대륙의 충돌
히말라야산맥 형성 – 유라시아 대륙과 인도 대륙의 충돌
대서양
인도양

⊙ 신생대 말기

생물 (포유류의 시대)
- 빙하기에 해수면이 낮아지면서 얕은 바다였던 곳이 육지로 드러나 생물이 여러 대륙으로 이동하였다.
- 넓은 초원이 형성되었고, 현재와 비슷한 생물종을 이루었다.

- 바다: 화폐석 번성 → 플랑크톤의 일종, 탄산 칼슘 껍데기가 있는 원생동물
- 육지: 대형 포유류(매머드 등), 속씨식물(참나무, 단풍나무, 포플러나무 등) 번성, 후기에 인류의 조상 출현
  - 포유류: 외부 온도가 변해도 체온을 일정한 범위에서 유지할 수 있어 다양한 조건에서 서식할 수 있다.

이것까지 나와요! 지구과학I

지질 시대별 평균 기온 변화

고생대에 빙하기가 있었고, 중생대는 전반적으로 온난하였으며, 신생대에 여러 번의 빙하기가 있었다.

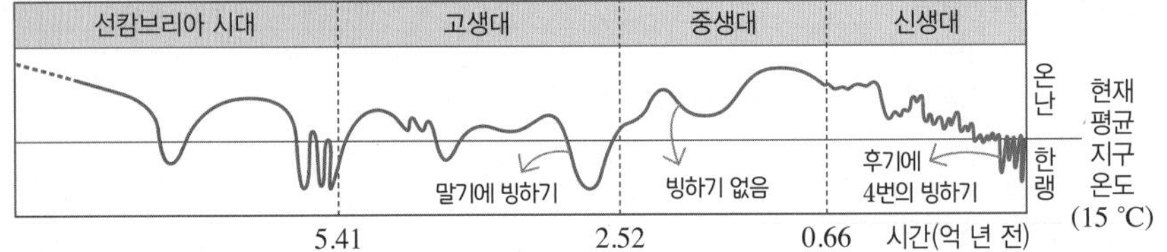

C 대멸종과 생물 다양성

1. ❷대멸종의 원인 지구 환경의 급격한 변화 ➡ 수륙 분포 변화 및 해수면의 변화, 소행성 충돌(운석 충돌), 대규모 화산 폭발, 지각 변동, 기후 변화, 대기와 해양의 산소량 급감 등

① **판게아 형성:** ◆대륙이 합쳐지면서 해류가 단순해졌고 기후대가 단순해졌다.

② **소행성 충돌:** 소행성 충돌로 생긴 재와 먼지가 햇빛을 차단하여 기온이 하강하였다.

③ **화산 폭발:** 방출된 화산재가 햇빛을 차단하여 기온이 하강하였다(중생대 말기). 이산화 탄소, 메테인 등의 화산 가스가 대기로 유입되어 산성비가 내렸고, 온실 효과를 일으켜 기온이 상승하였다(고생대 말기 시베리아 지역의 대규모 화산 분출).

탐구 자료창 지질 시대 생물의 수 변화

그림은 지질 시대 동안 지구에 존재한 생물 과(생물 분류 단계(계–문–강–목–과–속–종) 중 하나)의 수 변화를 나타낸 것이다.

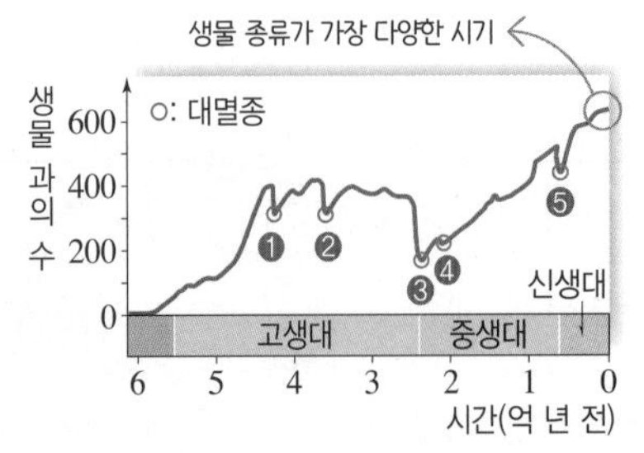

1. **대멸종 횟수:** 5번 ➡ 고생대 말기(❸)에 가장 큰 규모의 멸종이 일어났다.
2. **대멸종의 원인**
   - ❶ 빙하의 확장으로 인한 해수면 하강, 기온 하강 등
   - ❷ 해양의 무산소화, 기후 냉각, 소행성 충돌 등
   - ❸ 판게아 형성, 화산 폭발로 인한 온난화, 소행성 충돌 등(삼엽충, 방추충 등 멸종)
   - ❹ 판게아 분리에 따른 화산 활동 등
   - ❺ 소행성 충돌, 화산 폭발 등(공룡, 암모나이트 등 멸종)

2. 생물 다양성 급격하게 변한 지구 환경에 적응하지 못한 생물은 멸종하지만, 환경 변화에 적응한 생물은 생태 공간을 채우며 다양한 종으로 진화하면서 오늘날의 생물 다양성을 갖추게 되었다. ─● 중생대 말기에 공룡은 멸종하였지만, 포유류는 환경에 적응하여 살아남아 신생대에 번성하였다.

개념 확인 문제

정답친해 113쪽

핵심 체크

- 선캄브리아 시대 ┌ 환경: 광합성 생물(남세균)이 출현하여 대기 중 (❶) 농도가 점차 증가하였다.
  └ 생물: 바다에서 최초의 생물 출현, 스트로마톨라이트, 에디아카라 동물군 화석 형성
- 고생대 ┌ 환경: 말기에 빙하기가 있었고, 대륙들이 하나로 합쳐져서 (❷)가 형성되었다.
  └ 생물: 육상 생물 출현, 무척추동물(삼엽충 등), 어류(갑주어 등), 양서류, (❸)식물 번성
- 중생대 ┌ 환경: 전반적으로 온난하였고, 판게아가 분리되기 시작하였다.
  └ 생물: 암모나이트, (❹)(공룡 등), 겉씨식물 번성
- 신생대 ┌ 환경: 후기에 여러 번의 빙하기가 나타났으며, 현재와 비슷한 수륙 분포를 이루었다.
  └ 생물: 화폐석, 포유류(매머드 등), (❺)식물 번성, 인류의 조상 출현
- 대멸종과 생물 다양성: 지구 환경의 급격한 변화로 많은 생물종이 한꺼번에 멸종하는 것을 (❻)이라 하고, 새로운 환경에 (❼)한 생물은 다양한 종으로 진화하면서 오늘날의 생물 다양성을 갖추게 되었다.

1 지질 시대의 기후에 대한 설명으로 옳은 것은 ○, 옳지 않은 것은 ×로 표시하시오.

(1) 선캄브리아 시대는 전반적으로 한랭하였다. ··· ( )
(2) 고생대 말기에 빙하기가 있었다. ··· ( )
(3) 중생대는 전반적으로 온난하였다. ··· ( )
(4) 신생대는 전 기간 동안 빙하기가 1번 있었다. ( )

2 지질 시대 수륙 분포의 변화 과정을 오래된 시대부터 순서대로 나열하시오.

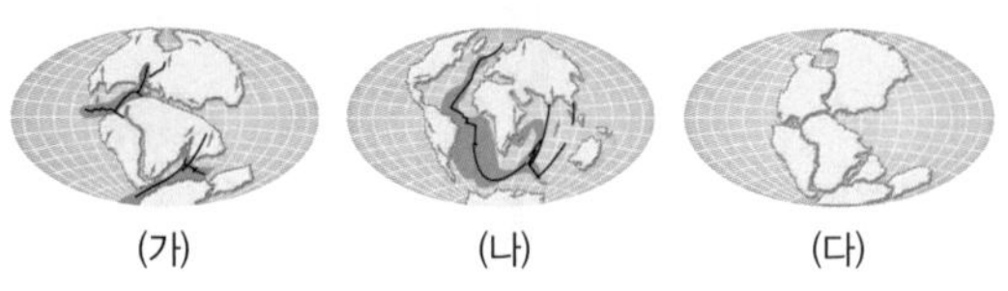

(가) (나) (다)

3 지질 시대의 생물에 대한 설명으로 옳은 것은 ○, 옳지 않은 것은 ×로 표시하시오.

(1) 선캄브리아 시대에 최초의 생명체가 출현하였다. ··· ( )
(2) 고생대에는 바다에서 암모나이트가, 육지에서 공룡이 번성하였다. ··· ( )
(3) 중생대에 최초의 육상 생물이 출현하였다. ··· ( )
(4) 신생대에 속씨식물과 포유류가 번성하였다. ··· ( )

4 그림은 서로 다른 지질 시대의 복원도이다.

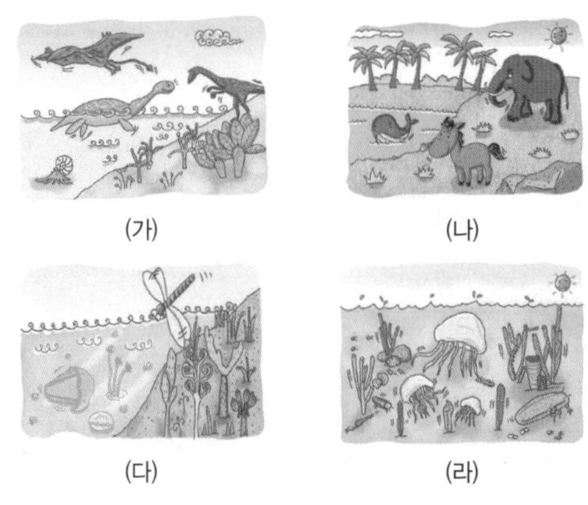

(가) (나) (다) (라)

(1) (가)~(라)에 해당하는 지질 시대의 이름을 쓰시오.
(2) (가)~(라)를 오래된 시대부터 순서대로 나열하시오.

5 그림은 생물 과의 수 변화를 나타낸 것이다. (가)생물이 가장 크게 멸종했던 지질 시대와 (나)생물의 종류가 가장 다양했던 지질 시대를 쓰시오.

생물 과의 수
600, 400, 200, 0
○: 대멸종
고생대 중생대 신생대
6 5 4 3 2 1 0
시간(억 년 전)

정답친해 114쪽

완자쌤 비법 특강

지질 시대의 환경과 생물의 변화

지구는 오랜 지질 시대를 거치면서 수많은 지각 변동을 겪어 왔으며, 다양한 생물들이 출현하고 멸종하기를 반복해 왔어요. 지질 시대에 따라 수륙 분포 등 환경의 변화와 생물의 변화가 어떻게 나타났는지 시대 순으로 한눈에 흐름을 정리해 볼까요?

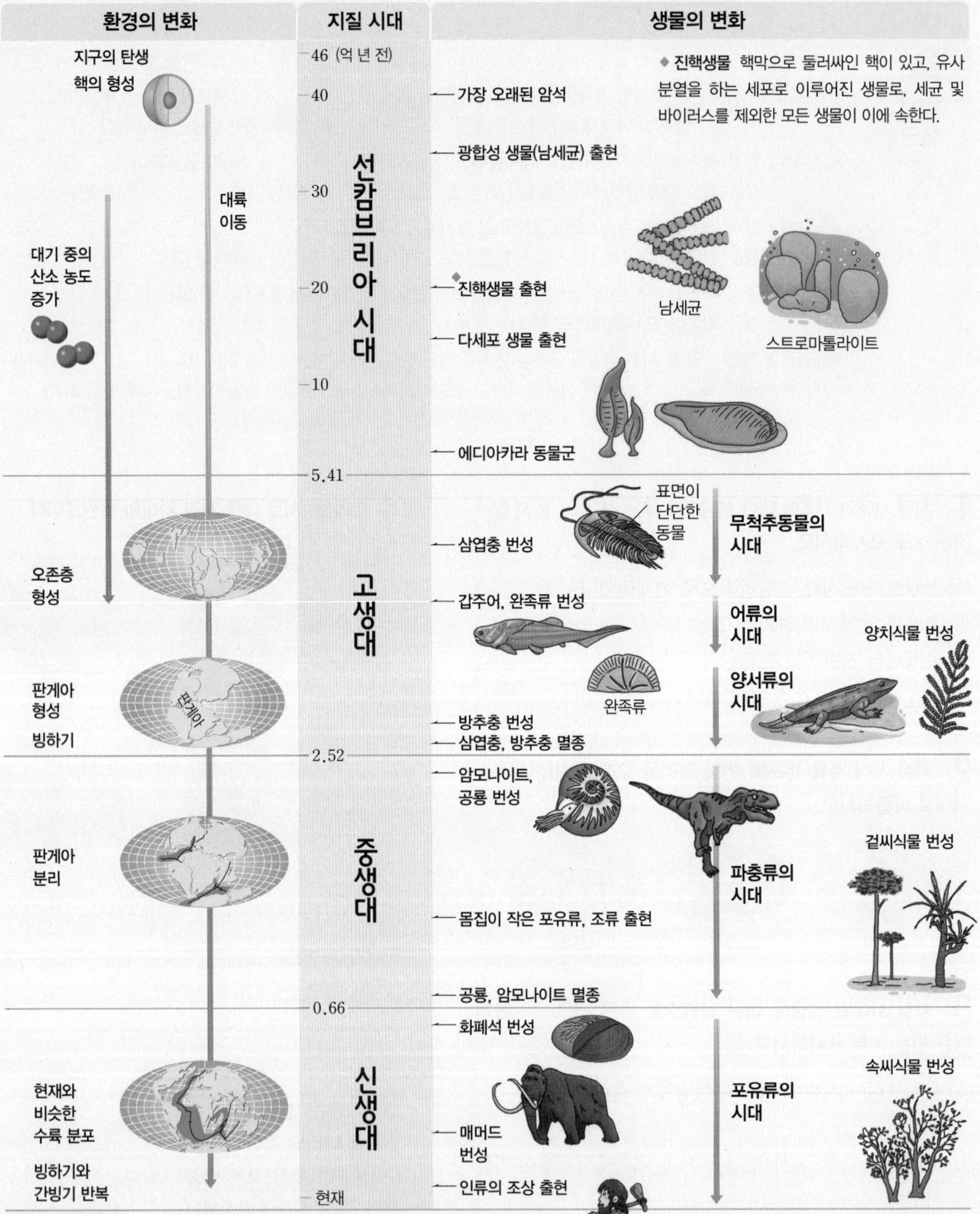

환경의 변화	지질 시대	생물의 변화
지구의 탄생, 핵의 형성	46 (억 년 전)	
	40	가장 오래된 암석
대륙 이동	선캄브리아 시대	광합성 생물(남세균) 출현
대기 중의 산소 농도 증가	30	
	20	◆진핵생물 출현
		다세포 생물 출현
	10	에디아카라 동물군
	5.41	
	고생대	삼엽충 번성 (표면이 단단한 동물) — 무척추동물의 시대
오존층 형성		갑주어, 완족류 번성 — 어류의 시대
판게아 형성		양서류의 시대, 양치식물 번성
빙하기		방추충 번성
	2.52	삼엽충, 방추충 멸종
	중생대	암모나이트, 공룡 번성 — 파충류의 시대
판게아 분리		겉씨식물 번성
		몸집이 작은 포유류, 조류 출현
	0.66	공룡, 암모나이트 멸종
	신생대	화폐석 번성 — 포유류의 시대
현재와 비슷한 수륙 분포		속씨식물 번성
		매머드 번성
빙하기와 간빙기 반복	현재	인류의 조상 출현

◆ **진핵생물** 핵막으로 둘러싸인 핵이 있고, 유사 분열을 하는 세포로 이루어진 생물로, 세균 및 바이러스를 제외한 모든 생물이 이에 속한다.

남세균

스트로마톨라이트

완족류

판게아

Q1 선캄브리아 시대 초기에 생물들이 바다에서만 활동한 까닭은 무엇이 형성되지 못했기 때문인지 쓰시오.

내신 만점 문제

정답친해 114쪽

A 화석과 지질 시대

01 화석과 지질 시대에 대한 설명으로 옳지 않은 것은?

① 화석은 대부분 퇴적암에서 발견된다.
② 지질 시대에 살았던 생물의 흔적은 화석이 될 수 없다.
③ 생물이 갑자기 퇴적물에 묻히고 퇴적층이 쌓여 오랜 시간이 지나면 화석이 만들어진다.
④ 지질 시대는 화석의 변화를 기준으로 구분한다.
⑤ 지질 시대 중 고생대, 중생대, 신생대에는 화석이 많이 발견된다.

02 화석의 생성 조건이 아닌 것은?

① 생물의 크기가 커야 한다.
② 생물의 개체 수가 많아야 한다.
③ 생물에 단단한 부위가 있어야 한다.
④ 생물의 유해나 흔적이 화석화 작용을 받아야 한다.
⑤ 생물의 유해나 흔적이 지층 속에 빨리 묻혀야 한다.

중요 **03** 그림은 생물의 생존 기간과 분포 면적을 나타낸 것이다.

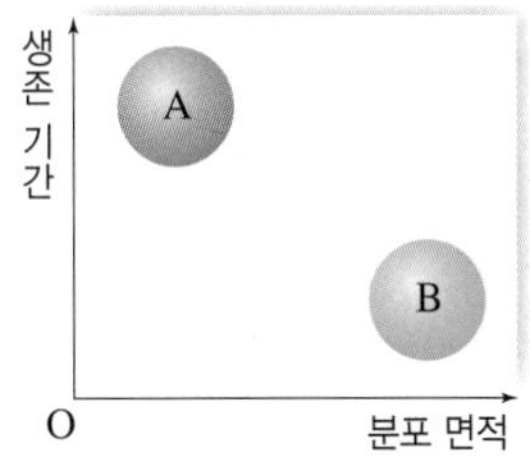

이에 대한 설명으로 옳은 것만을 [보기]에서 있는 대로 고른 것은?

보기
ㄱ. A에 해당하는 화석으로는 산호 화석이 있다.
ㄴ. B를 이용하여 지층의 생성 시대를 알 수 있다.
ㄷ. B는 A보다 환경 변화에 민감하다.

① ㄱ ② ㄷ ③ ㄱ, ㄴ
④ ㄴ, ㄷ ⑤ ㄱ, ㄴ, ㄷ

중요 **04** 그림 (가)~(다)는 서로 다른 지층에서 발견된 화석을 나타낸 것이다.

(가) 고사리

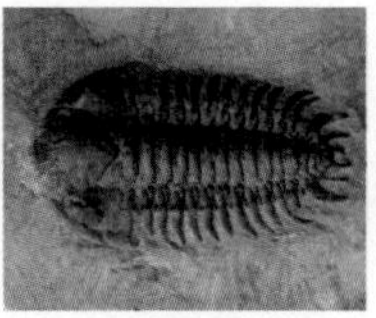
(나) 삼엽충

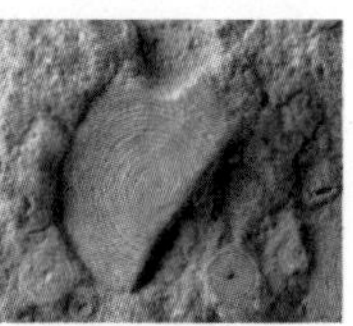
(다) 화폐석

이에 대한 설명으로 옳지 않은 것은?

① (가)는 시상 화석이다.
② (나)는 분포 면적이 넓고, 생존 기간이 짧다.
③ (나)가 발견된 지층에서 방추충 화석이 발견될 수 있다.
④ (다)는 따뜻하고 습한 육지에서 서식하였다.
⑤ (다)는 (가)보다 지질 시대 구분에 유용하다.

05 화석을 통해 알 수 있는 것과 가장 거리가 먼 것은?

① 지층의 융기 ② 과거 대륙의 이동
③ 과거 지층의 생성 환경 ④ 과거의 지진 활동
⑤ 생물의 진화 과정

06 표는 서로 다른 세 지역의 지층 A~C에서 발견된 화석을 나타낸 것이다.

지층	A	B	C
화석	매머드	공룡 발자국	삼엽충, 산호

이에 대한 설명으로 옳은 것만을 [보기]에서 있는 대로 고른 것은?

보기
ㄱ. 가장 먼저 생성된 지층은 A이다.
ㄴ. 지층 B는 중생대의 육지에서 퇴적되었다.
ㄷ. 지층 C는 수온이 높은 바다에서 퇴적되었다.

① ㄱ ② ㄴ ③ ㄱ, ㄷ
④ ㄴ, ㄷ ⑤ ㄱ, ㄴ, ㄷ

07 그림은 (가)와 (나) 지역의 지층 A~D와 각 지층에서 발견된 화석을 나타낸 것이다.

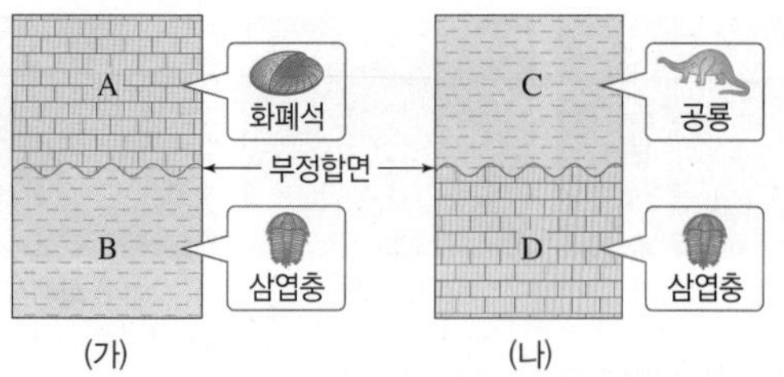

이에 대한 설명으로 옳은 것만을 [보기]에서 있는 대로 고른 것은?

보기
ㄱ. 지층 A는 중생대에 퇴적되었다.
ㄴ. 지층 A는 바다에서, 지층 C는 육지에서 퇴적되었다.
ㄷ. 지층 B와 D는 같은 지질 시대에 퇴적되었다.
ㄹ. (나) 지역의 지층은 융기된 적이 있다.

① ㄱ, ㄷ ② ㄱ, ㄹ ③ ㄴ, ㄹ
④ ㄱ, ㄴ, ㄷ ⑤ ㄴ, ㄷ, ㄹ

08 그림 (가)는 어느 지역의 지층 A~E를, (나)는 지층 A~E에서 화석이 발견된 범위를 나타낸 것이다.

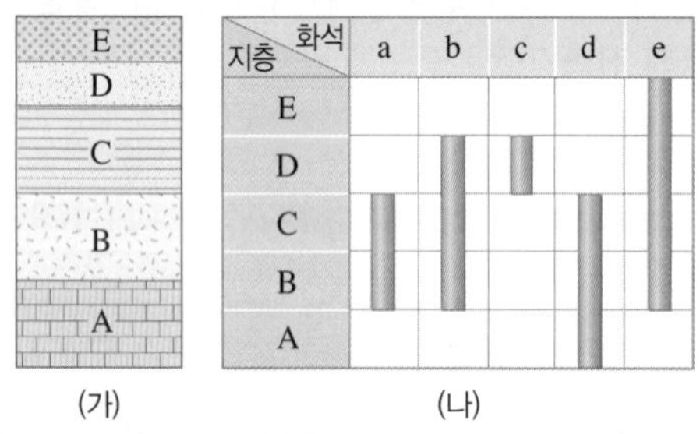

이에 대한 설명으로 옳은 것만을 [보기]에서 있는 대로 고른 것은?(단, 이 지역에서 지층의 역전은 없었다.)

보기
ㄱ. 생존 기간만을 고려할 때 표준 화석으로 가장 적합한 화석은 e이다.
ㄴ. 생존 기간만을 고려할 때 시상 화석으로 가장 적합한 화석은 b와 d이다.
ㄷ. 지층 A~E를 세 지질 시대로 구분할 때 가장 적합한 경계는 A와 B 사이, C와 D 사이이다.

① ㄱ ② ㄷ ③ ㄱ, ㄴ
④ ㄴ, ㄷ ⑤ ㄱ, ㄴ, ㄷ

B 지질 시대의 환경과 생물

09 선캄브리아 시대에 대한 설명으로 옳지 않은 것은?

① 화석이 거의 발견되지 않는다.
② 지질 시대 중 상대적 길이가 가장 길다.
③ 지구상에 최초의 생명체가 출현하였다.
④ 태양의 자외선이 지표에 강하게 도달하였다.
⑤ 육지 환경에서 스트로마톨라이트가 형성되었다.

중요 **10** 고생대의 생물에 대한 설명으로 옳은 것은?

① 파충류에서 포유류로 진화하였다.
② 후기에 다세포 생물이 출현하였다.
③ 생물이 육지로 진출하기 시작하였다.
④ 파충류와 겉씨식물이 번성했던 시기이다.
⑤ 대표적인 화석으로 공룡과 암모나이트가 있다.

11 그림은 지질 시대의 길이를 상대적으로 나타낸 것이다.
A 시대에 대한 설명으로 옳은 것은?

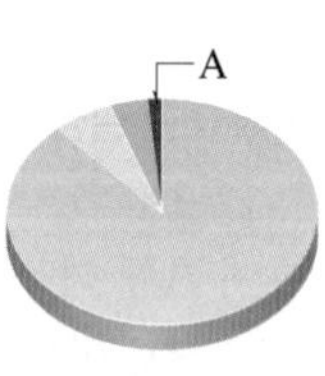

① 생물이 바다에서만 살았다.
② 어류 및 양서류가 번성하였다.
③ 속씨식물과 포유류가 번성하였다.
④ 기간이 짧아 발견되는 화석이 거의 없다.
⑤ 초기에 해양 생물의 수가 폭발적으로 증가하였다.

12 다음은 지질 시대의 생물에 대한 설명이다.

(가) 파충류와 겉씨식물이 번성하였다.
(나) 말기에 가장 큰 규모의 대멸종이 일어났다.
(다) 초원이 넓게 발달하였고, 인류의 조상이 출현하였다.
(라) 남세균이 등장하여 대기 중 산소 농도가 증가하였다.

지질 시대가 오래된 것부터 순서대로 옳게 나열한 것은?

① (나)→(가)→(다)→(라) ② (나)→(다)→(라)→(가)
③ (라)→(가)→(다)→(나) ④ (라)→(나)→(가)→(다)
⑤ (라)→(다)→(가)→(나)

13 그림 (가)~(다)는 지질 시대를 대표하는 화석을 나타낸 것이다.

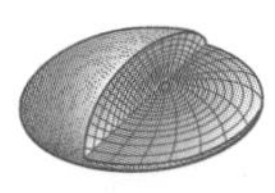
(가) 화폐석

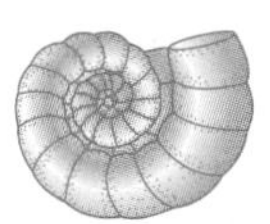
(나) 암모나이트

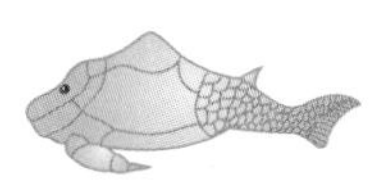
(다) 갑주어

이에 대한 설명으로 옳지 않은 것은?

① (다) → (나) → (가) 순으로 번성하였다.
② (가)가 번성한 지질 시대 후기에는 빙하기가 있었다.
③ (나)가 번성한 지질 시대에는 오존층이 없었다.
④ (다)가 번성한 지질 시대에는 양치식물이 번성하였다.
⑤ (가)~(다) 모두 바다에서 퇴적된 지층에서 발견된다.

14 그림 (가)~(다)는 지질 시대별 수륙 분포를 나타낸 것이다.

(가)

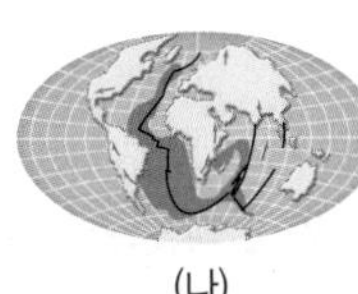
(나)

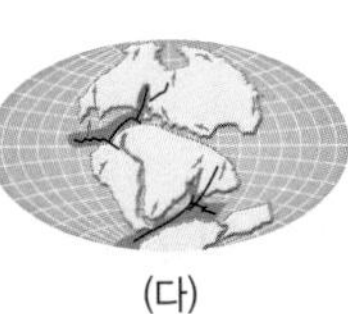
(다)

이에 대한 설명으로 옳지 않은 것은?

① (가)는 고생대 말기의 수륙 분포이다.
② (나)는 현재의 수륙 분포와 가장 비슷하다.
③ (다)에서 대서양이 형성되기 시작하였다.
④ (다)에서 히말라야산맥이 형성되었다.
⑤ (가)보다 (나)에서 해양 생물의 수가 더 많았을 것이다.

중요 **15** 그림 (가)~(다)는 지질 시대의 모습을 순서 없이 나타낸 것이다.

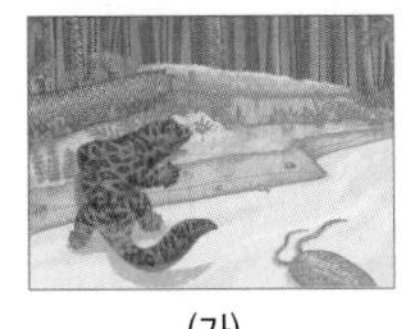
(가)

(나)

(다)

이에 대한 설명으로 옳은 것만을 [보기]에서 있는 대로 고른 것은?

보기
ㄱ. (가) 시대에 양치식물이 번성하였다.
ㄴ. (나) 시대에는 빙하기 없이 전반적으로 온난하였다.
ㄷ. (다) 시대에 판게아가 분리되기 시작하였다.

① ㄱ ② ㄴ ③ ㄱ, ㄷ
④ ㄴ, ㄷ ⑤ ㄱ, ㄴ, ㄷ

중요 **16** 그림은 지질 시대를 상대적 길이에 따라 구분한 것이다.

이에 대한 설명으로 옳은 것은?

① A 시대에는 대기 중에 산소가 없었다.
② B 시대 말기에 모든 대륙이 한 덩어리로 모였다.
③ C 시대에 속씨식물이 번성하였다.
④ D 시대에 생물이 바다에서 육지로 진출하였다.
⑤ 화석이 가장 드물게 발견되는 시대는 D이다.

C 대멸종과 생물 다양성

17 지질 시대 생물의 대멸종에 대한 설명으로 옳은 것은?

① 가장 큰 대멸종은 중생대 말기에 일어났다.
② 5차 대멸종은 소행성 충돌과 관련이 있다.
③ 대멸종 이전에 번성했던 생물종이 대멸종 이후에도 다시 번성하는 경향이 있다.
④ 대멸종은 지질 시대 전체 시간과 비교하여 보았을 때 매우 긴 기간에 걸쳐 일어났다.
⑤ 지질 시대 동안 대멸종이 반복되면서 생물 다양성은 계속 감소하였다.

중요 **18** 그림은 지질 시대 동안 생물 과의 수 변화를 나타낸 것이다.

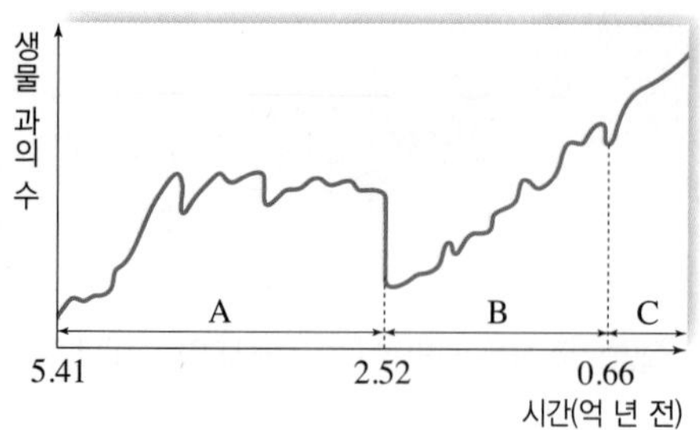

이에 대한 설명으로 옳은 것은?

① A 시대는 신생대이다.
② A 시대 말기에 암모나이트가 멸종하였다.
③ B 시대 말기에 대멸종이 일어난 원인은 판게아가 형성되었기 때문이다.
④ C 시대에 생물의 다양성이 가장 높았다.
⑤ 지질 시대 동안 대멸종은 총 2번 일어났다.

19 그림은 지질 시대 동안 멸종된 생물의 비율을 나타낸 것이다.

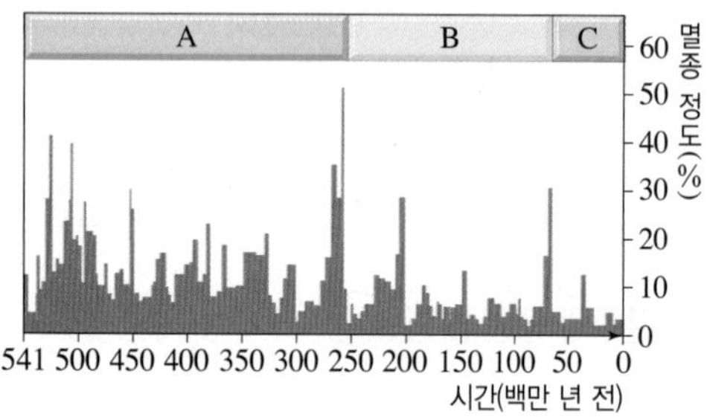

이에 대한 설명으로 옳은 것만을 [보기]에서 있는 대로 고른 것은?

보기
ㄱ. 지질 시대의 구분은 생물의 수 변화와 관련이 있다.
ㄴ. B 시대 말기에 가장 큰 규모의 멸종이 일어났다.
ㄷ. 최근으로 올수록 생물의 멸종 비율은 대체로 증가하는 경향이 있다.

① ㄱ ② ㄴ ③ ㄱ, ㄷ
④ ㄴ, ㄷ ⑤ ㄱ, ㄴ, ㄷ

서술형 문제

중요 **20** 어떤 산지에서 다음 두 화석이 함께 산출되었다.

암모나이트

산호

(1) 이 지층이 퇴적된 지질 시대를 쓰고, 지층이 퇴적될 당시의 환경을 서술하시오.

(2) 암모나이트 화석이나 산호 화석이 육지에서 발견된 까닭을 서술하시오.

21 선캄브리아 시대에 발견되는 화석이 적은 까닭을 두 가지만 서술하시오.

22 (가)선캄브리아 시대 초기에 육지가 아닌 바다에서 생물이 출현한 까닭과 (나)선캄브리아 시대와 비교하여 고생대에 생물종의 수가 급격히 증가한 까닭을 서술하시오.

23 지질 시대 동안에 몇 번의 생물의 대멸종이 있었다.

(1) 삼엽충과 공룡이 멸종한 시기를 각각 쓰시오.

(2) 몇 번의 대멸종에도 불구하고 생물 다양성이 유지되는 까닭을 다음 단어를 모두 포함하여 서술하시오.

멸종 적응 진화

실력 UP 문제

정답친해 118쪽

01 그림 (가)는 우리나라에서 발견된 화석을 나타낸 것이고, (나)는 화석의 생성 조건을 나타낸 것이다.

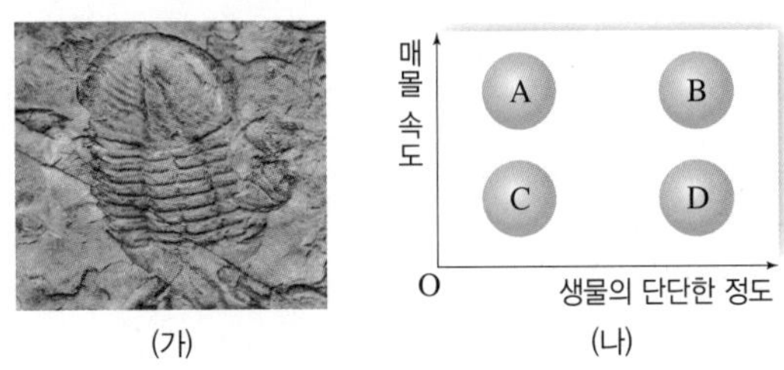

(가) (나)

이에 대한 설명으로 옳은 것만을 [보기]에서 있는 대로 고른 것은?

보기
ㄱ. (가)의 생물은 고생대에 번성하였다.
ㄴ. 화석은 (나)의 A 조건에서 가장 잘 만들어진다.
ㄷ. (가)가 발견된 지층에서 매머드 화석이 발견될 수 있다.

① ㄱ ② ㄴ ③ ㄱ, ㄷ
④ ㄴ, ㄷ ⑤ ㄱ, ㄴ, ㄷ

02 그림은 지질 시대 동안 대기 중 산소 농도 변화를 나타낸 것이다.

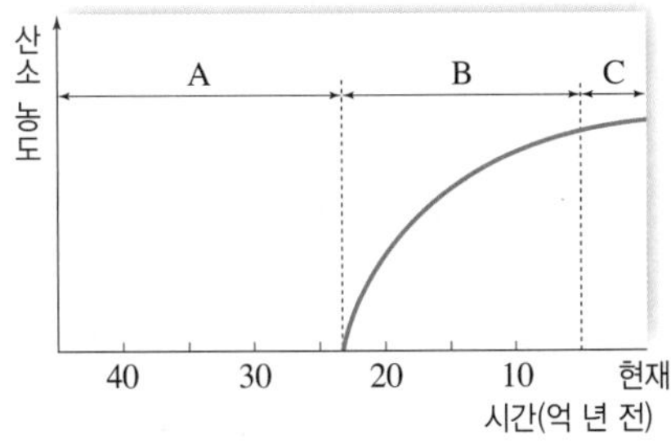

이에 대한 설명으로 옳은 것은?

① A 시기에는 지구에 생명체가 존재하지 않았다.
② 최초의 생명체는 바다 속에서 탄생했을 것이다.
③ B 시기에 산소가 급격히 증가한 것은 육상 식물의 광합성 작용 때문이다.
④ 지표에 도달하는 자외선의 양은 A 시기보다 C 시기에 많았을 것이다.
⑤ 생물권의 분포 범위는 C 시기보다 A 시기에 넓었을 것이다.

03 그림은 고생대부터 신생대까지 대륙 빙하의 분포 범위와 기후 변화를 나타낸 것이다.

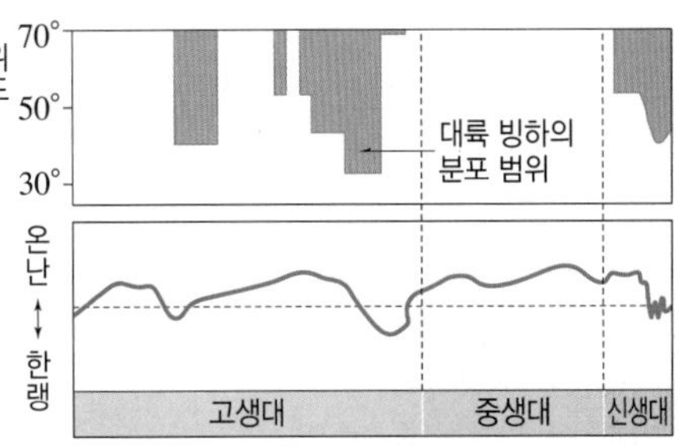

이에 대한 설명으로 옳은 것만을 [보기]에서 있는 대로 고른 것은?

보기
ㄱ. 고생대 초기의 기후는 비교적 한랭하였다.
ㄴ. 중생대는 빙하기가 없고, 온난한 기후였다.
ㄷ. 신생대 후기에는 중생대보다 평균 해수면이 낮았을 것이다.

① ㄱ ② ㄷ ③ ㄱ, ㄴ
④ ㄴ, ㄷ ⑤ ㄱ, ㄴ, ㄷ

04 그림 (가)는 고생대와 중생대의 수륙 분포를 나타낸 것이고, (나)는 지질 시대 동안 생물계의 변화를 나타낸 것이다.

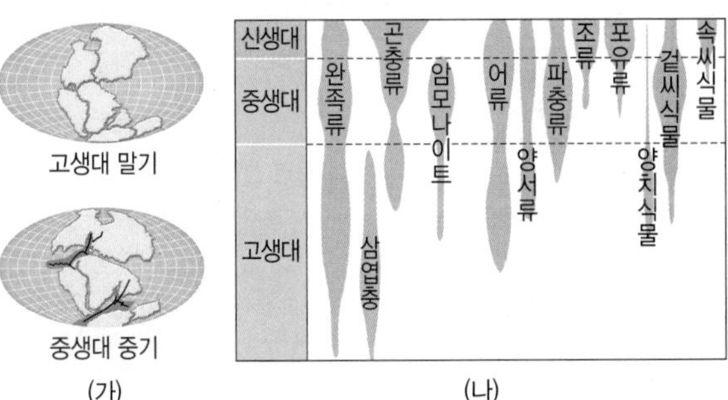

(가) (나)

이에 대한 설명으로 옳은 것만을 [보기]에서 있는 대로 고른 것은?

보기
ㄱ. (가)에서 해양 생물의 서식지는 고생대 말기보다 중생대 중기에 더 넓어졌다.
ㄴ. (나)에서 척추동물이 처음 출현한 시기는 중생대이다.
ㄷ. 고생대 말기에 나타난 생물계의 큰 변화는 판게아의 형성과 관련이 있다.

① ㄱ ② ㄴ ③ ㄱ, ㄷ
④ ㄴ, ㄷ ⑤ ㄱ, ㄴ, ㄷ

2 자연 선택과 생물의 진화

핵심 포인트
1. 다윈의 자연 선택설 ★★★
2. 변이 ★★
3. 변이와 자연 선택에 의한 생물의 진화 ★★★

A 진화와 자연 선택설

지질 시대를 거치면서 지구 환경은 끊임없이 변화해 왔고, 생물은 환경에 적응하면서 변화해 왔다. 오랜 시간에 걸친 생물의 변화가 어떤 방식으로 이루어졌는지 지금부터 알아볼까요?

1. 진화 생물이 오랜 시간 동안 환경에 적응하면서 몸의 구조나 특성이 변화하는 현상 ➡ 진화의 결과 지구에 다양한 생물이 나타나게 되었다.

2. *다윈의 자연 선택설 다윈의 진화론으로, 변이와 자연 선택 과정을 종합하여 생물의 진화를 설명하고 있다.

① **자연 선택설에 따른 진화 과정:** 다양한 변이가 있는 개체들 중에서 환경에 잘 적응한 개체가 살아남아 자손을 남기게 되고(자연 선택), 이러한 자연 선택 과정이 오랜 세월 동안 누적되면서 생물이 점차 변하고 다양해지는 진화가 일어난다.

단계	내용
과잉 생산과 변이 (변이: 유전적 변이)	생물은 주어진 환경에서 살아남을 수 있는 것보다 더 많은 수의 자손을 낳으며(과잉 생산), 이때 태어난 같은 [1]종의 개체들 사이에는 다양한 형질(생물이 가진 특징)이 나타난다(변이).
↓ 생존 경쟁	과잉 생산된 개체 사이에서 먹이나 서식 공간 등을 두고 생존 경쟁이 일어난다.
↓ 자연 선택	다양한 변이를 가진 개체들 중 환경에 적응하기 유리한 형질을 가진 개체가 생존 경쟁에서 살아남아 자손을 더 많이 남긴다. ➡ 집단에서 생존에 유리한 형질을 가진 개체의 비율이 높아진다.
↓ 진화	자연 선택 과정이 오랫동안 누적되어 진화가 일어난다.

자연 선택설로 설명하는 기린의 진화

많은 수의 기린이 태어났고, 기린의 목 길이는 다양하였다. (기린의 목 길이에 다양한 변이가 있다.)
➡ 과잉 생산과 변이

생존에 유리한 목이 긴 기린이 살아남아 자손을 남겼다.
➡ 생존 경쟁, 자연 선택

이 과정이 오랫동안 누적되어 기린의 목이 지금처럼 길어졌다.
➡ 진화

② **다윈의 자연 선택설의 한계점:** 다윈은 변이가 나타나는 원인과 부모의 형질이 자손에게 전달되는 원리를 명확하게 설명하지 못하였다. ➡ 다윈이 자연 선택설을 발표하던 당시에는 유전의 원리가 알려지지 않았기 때문이다.

◆ 다윈
영국의 생물학자로 다양한 환경에서 살아가는 생물을 관찰하여 「종의 기원」을 발표하였다. 다윈은 「종의 기원」에서 자연 선택을 바탕으로 하는 진화론을 주장하였다.

암기해!
다윈의 자연 선택설
과잉 생산과 변이 → 생존 경쟁 → 자연 선택 → 진화

동아 교과서에만 나와요.
◆ 라마르크의 용불용설
- 의미: 많이 사용하는 기관은 발달하여 자손에게 유전되지만, 사용하지 않는 기관은 퇴화한다.
- 예시: 기린은 높은 곳에 있는 나뭇잎을 따먹기 위해 목을 계속 사용한 결과 지금처럼 목이 길어졌다.
- 한계점: 후천적으로 얻은 형질은 유전되지 않는다.
- 의의: 환경에 의해 생물이 변할 수 있다는 진화론의 핵심을 도출하였다.

용어
[1] **종(種)** 생물학적 종은 자연 상태에서 교배하여 생식 능력이 있는 자손을 낳을 수 있는 집단이다.

③ **다윈의 진화론이 과학과 사회에 준 영향:** 다윈의 진화론은 근대 유럽인의 세계관을 바꾸어 놓았으며, 오늘날에 이르기까지 과학뿐 아니라 사회의 여러 분야에 많은 영향을 주고 있다.

과학	• 생명 과학의 이론적 기반을 제시하였다. ➡ 다윈의 진화론이 발표되기 전까지는 생물은 변하지 않는다고 생각하였으나, 다윈의 진화론이 발표된 이후 생물은 자연 선택을 통해 진화한다고 생각하게 되었다. ➡ 진화의 관점에서 생물의 유연관계를 파악하게 되었다. • 유전학, ◆사회 생물학, 분자 생물학 등의 학문이 발전하는 데 영향을 주었다.
사회	• 개인 또는 기업 간의 경쟁을 기반으로 하는 자본주의 발달에 영향을 주었다. • 사회나 국가 사이에도 생존 경쟁이 일어나고 가장 적합한 것이 살아남게 되므로, 인간 또는 국가 간의 불평등은 자연스러운 일이라는 사회진화론이 대두되었다. ➡ 제국주의의 출현, 인종 차별이나 식민 지배의 정당화에 악용되었다. (제국주의: 특정 국가가 다른 민족이나 국가를 정치, 경제, 문화적으로 지배하는 것을 말한다.) • 사회, 문화, 철학 등 다양한 분야에 영향을 주었다.

◆ **사회 생물학**
인간을 비롯한 개미, 벌, 고릴라 등 사회 생활을 하는 동물의 행동을 진화의 관점에서 이해하고 해석하는 학문 분야이다.

개념 확인 문제

정답친해 119쪽

핵심 체크

• (❶   ): 생물이 오랜 시간 동안 환경에 적응하면서 몸의 구조나 특성이 변화하는 현상
• 다윈의 자연 선택설은 생물의 진화를 '과잉 생산과 (❷   ) → 생존 경쟁 → (❸   ) → 진화'로 설명한다.
• 다윈의 진화론이 과학과 사회에 준 영향: 생명 과학의 이론적 기반 제시, 자본주의 발달 촉진, 사회진화론 대두 등

1 생물의 진화에 대한 설명으로 옳은 것은 ○, 옳지 않은 것은 ×로 표시하시오.

(1) 오랜 시간에 걸친 생물의 변화이다. ( )
(2) 진화의 결과 지구의 생물종이 단순해졌다. ( )
(3) 변이가 없는 집단에서 진화가 더 빠르게 일어난다. ( )
(4) 같은 종의 개체들은 환경에 적응하는 능력이 모두 같다. ( )
(5) 항상 우수한 형질을 가진 개체가 자연 선택되어 진화한다. ( )

2 다음은 어떤 진화설에 따른 생물의 진화 과정을 설명한 것이다.

> 다양한 변이가 있는 개체들 중에서 환경에 잘 적응한 개체가 살아남아 자손을 남기는 과정이 반복되어 생물의 진화가 일어난다.

이에 해당하는 진화설과 이를 주장한 사람의 이름을 쓰시오.

3 다음은 다윈의 자연 선택설에 따른 진화 과정을 순서 없이 나타낸 것이다.

> (가) 생존 경쟁   (나) 생물의 진화
> (다) 과잉 생산과 변이   (라) 자연 선택

진화가 일어나는 과정을 순서대로 나열하시오.

4 다윈의 진화론이 과학과 사회에 준 영향으로 옳은 것은 ○, 옳지 않은 것은 ×로 표시하시오.

(1) 생물종이 변한다고 믿던 당시 사람들에게 생물종은 변하지 않는다는 생각을 갖게 하였다. ( )
(2) 시장 경제에 기초한 자본주의의 발달을 촉진하였다. ( )
(3) 사회나 국가 사이의 생존 경쟁과 적자생존을 자연스러운 일이라고 주장하는 사회진화론이 대두되었다. ( )

B 변이

1. 변이 같은 종에 속한 개체들 사이에서 나타나는 형태, 습성, 기능 등의 형질의 차이로, 유전적 변이와 비유전적 변이로 구분한다. ─● 일반적으로 말하는 변이는 유전적 변이를 의미한다.

유전적 변이	• 개체가 가진 유전자의 차이로 나타난다. 유전 정보의 차이 • 형질이 자손에게 유전된다. ➡ ◆진화가 일어나는 원동력이 된다. 예 • 앵무의 깃털 색이 다양하다. • 유럽정원달팽이의 껍데기는 무늬, 색깔, 나선 방향 등이 개체마다 다르다.	
비유전적 변이	• 환경의 영향으로 나타난다. • 형질이 자손에게 유전되지 않는다. 예 • 훈련으로 단련된 사람은 근육이 발달하였다. • 카렌 족 여인들은 어릴 적부터 여러 개의 링을 목에 걸고 생활한 결과 목이 길어졌다.	카렌 족 여인

2. ◆유전적 변이가 나타나는 원인 유전적 변이는 오랫동안 축적된 돌연변이와 유성 생식 과정에서 생식세포의 다양한 유전자 조합으로 발생한다.

① **돌연변이:** DNA의 유전 정보에 변화가 생겨 부모에게 없던 형질이 자손에게 나타나는 것이다. ➡ 돌연변이로 새로운 유전자가 만들어지며, 자손에게 유전될 수 있다.

| 돌연변이 |

• 붉은색 딱정벌레 무리의 자손 중에 초록색 딱정벌레가 나타났다. ➡ 새로운 변이의 출현 ─● 돌연변이

• 돌연변이로 새롭게 초록색 유전자가 나타났으며, 초록색 딱정벌레는 무리 내에서 교배하여 자손에게 초록색 유전자를 물려준다. ➡ 딱정벌레 집단의 유전적 변이가 다양해진다.

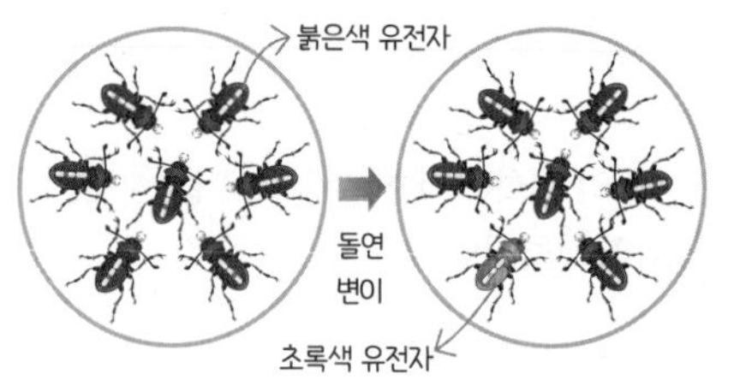

② **유성 생식 과정에서 다양한 유전자 조합:** 유성 생식 과정에서 ◆유전자 조합이 다양한 생식세포를 형성하고 암수 생식세포가 무작위로 수정하여 형질이 다양한 자손이 나타난다.

| 생식세포의 다양한 조합 |

• 흰색 털과 갈색 털을 가진 부모 사이에서 얼룩무늬 강아지가 태어났다.

• 얼룩무늬 강아지는 흰색 털 유전자와 갈색 털 유전자를 모두 가진다. ➡ 얼룩무늬 강아지는 자손에게 흰색 털 유전자와 갈색 털 유전자를 물려줄 수 있다.

• 세대를 거듭하면서 자손의 유전자 조합이 다양해진다. ➡ 변이가 다양해진다.

C 변이와 자연 선택에 의한 생물의 진화

1. 변이와 자연 선택에 의한 ◆생물의 진화 주어진 환경에 적응하여 살아남는 데 유리한 변이를 가진 개체는 살아남아 자손을 남기고, 이러한 자연 선택 과정이 오랫동안 반복되면서 생물의 진화가 일어난다.

◆ 진화의 원동력
환경에 대한 적응력의 차이는 생물 개체들이 가진 형질의 차이에 의해 나타나며, 형질은 유전자에 의해 결정된다. 따라서 자손에게 물려줄 수 있는 유전적 변이가 진화의 원동력이 된다. 유전적 변이가 다양한 집단은 급격한 환경 변화가 일어나더라도 살아남는 개체가 있을 확률이 높다.

천재 교과서에만 나와요.

◆ 변이가 나타나는 과정
개체가 가진 유전자의 차이에 따라 합성되는 단백질의 종류와 양이 달라지고, 그에 따라 형질의 차이(변이)가 나타난다.
예 완두의 꽃 색 변이

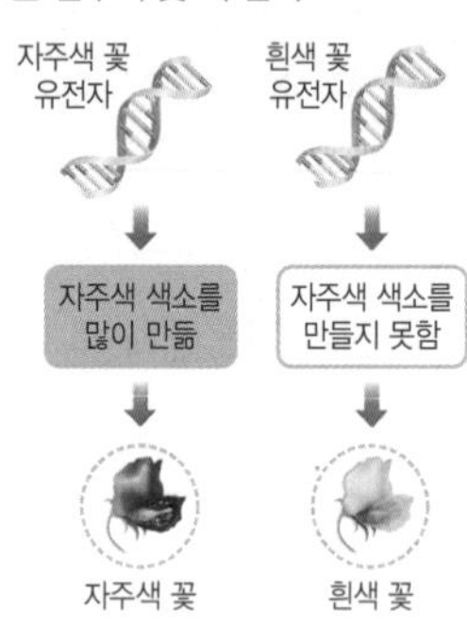

◆ 유전자 조합이 다양한 생식세포
사람의 체세포에는 부모에게서 물려받은 염색체가 쌍을 이루는데, 생식세포 분열 과정에서 상동 염색체가 분리되어 각각 다른 생식세포로 들어간다. 상동 염색체는 23쌍이 있으므로 이들의 분리로 형성될 수 있는 암수 생식세포의 유전자 조합은 각각 2^{23}가지가 된다.

◆ 생물의 진화
진화는 한 개체의 변화가 아니라 집단 내에서 특정 유전자를 가진 개체의 비율이 변하는 것을 말한다. 한 개체의 유전자는 평생 변하지 않으므로 진화는 집단 수준에서 관찰할 수 있다.

① **핀치 부리의 자연 선택:** 다양한 변이를 가진 같은 종의 핀치가 갈라파고스 제도의 각 섬에 적응하는 과정에서 환경에 유리한 변이를 가진 핀치가 각 섬에서 자연 선택되었고, 이 과정이 오랫동안 반복되면서 각 섬마다 살고 있는 핀치의 종류가 달라졌다.

| 핀치 부리의 자연 선택 과정 |

남아메리카 대륙에서 핀치 중 일부가 갈라파고스 제도로 날아들었고 각 섬마다 많은 수의 핀치가 태어났다.

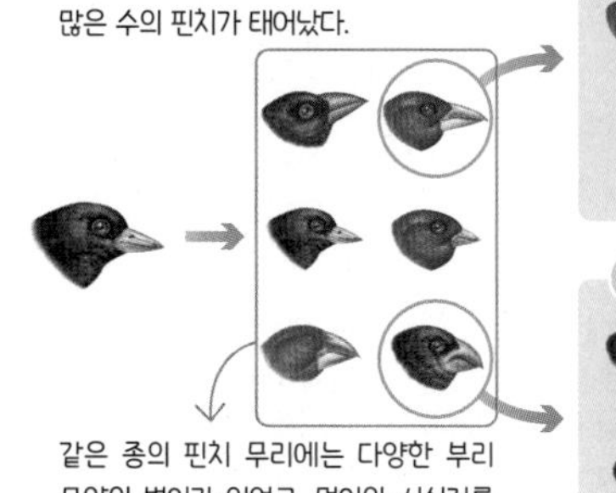

같은 종의 핀치 무리에는 다양한 부리 모양의 변이가 있었고, 먹이와 서식지를 차지하기 위해 서로 경쟁하였다.

선인장이 많은 섬

선인장이 많은 섬에서는 길고 뾰족한 부리를 가진 핀치가 살아남아 더 많은 자손을 남겼다. ➡ 오랜 시간이 지난 후 길고 뾰족한 부리를 가진 핀치가 번성하였다.

크고 단단한 씨앗이 많은 섬

크고 두꺼운 부리

크고 단단한 씨앗이 많은 섬에서는 크고 두꺼운 부리를 가진 핀치가 살아남아 더 많은 자손을 남겼다. ➡ 오랜 시간이 지난 후 크고 두꺼운 부리를 가진 핀치가 번성하였다.

- 각 섬마다 먹이 환경이 달랐고 먹이 환경에 적합한 부리를 가진 핀치가 자연 선택되었다.
- 같은 종의 핀치가 오랜 시간 동안 다른 먹이 환경에 적응한 결과 서로 다른 부리 모양을 가진 종으로 진화하게 되었다. —• 현재 갈라파고스 제도에는 부리의 모양이 조금씩 다른 14종의 핀치가 살고 있다.

확대경 나방의 자연 선택과 진화

미래엔 교과서에만 나와요.

나무줄기가 밝은색의 지의류로 덮여 있을 때는 흰색 나방의 개체 수가 많았지만, 지의류가 사라져 나무줄기의 어두운색이 드러나자 검은색 나방의 개체 수가 많아졌다. ➡ 나방의 색이 환경과 비슷한 색을 띠면 천적에게 잡아먹히는 비율이 낮아져 자연 선택되기 때문이다.

지의류가 있을 때

지의류가 없을 때

② **낫 모양 적혈구 유전자의 자연 선택:** ◆말라리아가 많이 발생하는 아프리카 일부 지역에서는 낫 모양 적혈구 유전자를 가진 사람의 비율이 다른 지역보다 높게 나타난다.

| 낫 모양 적혈구 유전자의 빈도와 말라리아의 분포 |

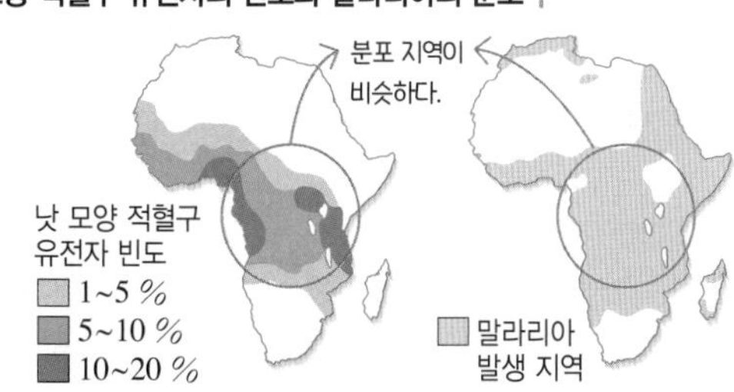

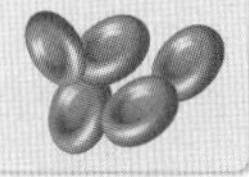

정상 적혈구

낫 모양 적혈구

낫 모양 적혈구는 산소 운반 능력이 떨어지며, 모세 혈관을 막아 혈액의 흐름을 느리게 하여 악성 빈혈을 유발한다.

- 낫 모양 적혈구는 헤모글로빈 유전자의 돌연변이로 나타나며, 심한 빈혈을 유발하기 때문에 생존에 불리하여 일반적으로 드물게 발견된다.
- 말라리아 원충은 적혈구에 기생하는데 낫 모양 적혈구에서는 증식하기 어려워 낫 모양 적혈구를 가진 사람은 말라리아에 잘 걸리지 않는다. —• 말라리아에 저항성이 있다.
- 말라리아가 많이 발생하는 지역에서는 낫 모양 적혈구 유전자를 가진 사람이 정상 적혈구 유전자만 가진 사람보다 생존에 유리하여 낫 모양 적혈구 유전자가 자연 선택되어 자손에게 유전된다. ➡ 말라리아가 많이 발생하는 지역에서는 낫 모양 적혈구 유전자의 빈도가 높다. —• 형질이 더 우수한 개체가 자연 선택되는 것이 아니라, 주어진 환경에 적응하여 살아남는 데 유리한 변이를 가진 개체가 자연 선택되는 것이다.

이것까지 나와요! 생명과학II

핀치 부리의 진화

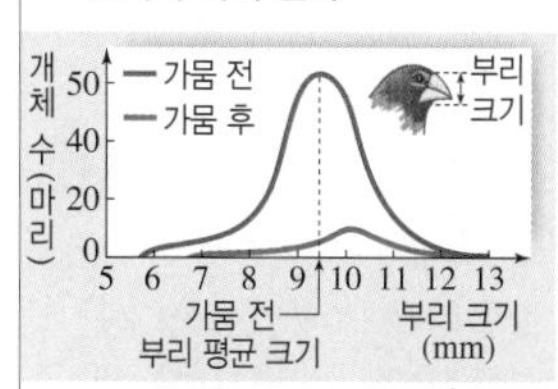

가뭄 전에는 작고 연한 씨앗이 많았으나 가뭄 후에는 크고 딱딱한 씨앗이 많아지는 먹이 환경의 변화가 있었다.
➡ 가뭄 후에는 큰 부리를 가진 개체가 생존에 유리하여 자연 선택되었다.
➡ 핀치 부리의 평균 크기가 증가하였다.

자연 선택에 의한 진화는 오랜 시간에 걸쳐 서서히 일어나지만, 급격한 환경 변화가 일어나면 짧은 시간 내에 자연 선택이 일어나 진화가 일어나기도 해요.

◆ **말라리아**
말라리아 원충에 감염되어 나타나는 질병으로 모기에 의해서 전파된다. 말라리아에 감염되면 발열, 오한, 구토, 혈소판 감소 등의 증세를 보이고, 치료하지 않을 경우 사망할 수도 있다.

주의해!

변이와 환경에 대한 적응
같은 변이라도 어떤 환경에서는 생존에 유리하게 작용하지만, 다른 환경에서는 생존에 불리하게 작용하여 자연 선택의 결과가 달라질 수 있다.

③ **항생제 내성 세균의 자연 선택:** ❶항생제를 지속적으로 사용하는 환경에서는 항생제 ❷내성 세균이 자연 선택되어 집단 내에서 그 비율이 점차 높아진다. ➡ 항생제 내성 세균 집단이 형성된다. → 살충제를 자주 살포하는 환경에서 살충제 내성 해충 집단이 형성되는 것도 항생제 내성 세균 집단이 형성되는 것과 같은 원리로 설명할 수 있다.

주의해!

항생제 내성 세균의 등장
항생제 사용으로 항생제 내성 세균이 나타난 것이 아니라 항생제 사용 전 돌연변이 등으로 이미 항생제 내성 세균이 집단 내에 존재하고 있었다.

항생제 내성 세균의 자연 선택 과정

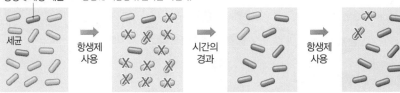

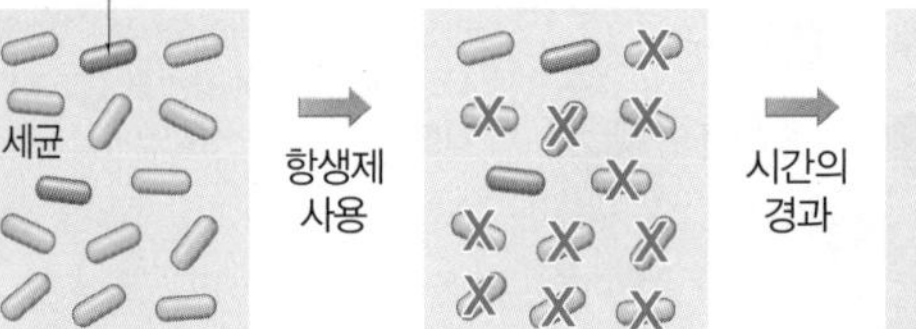

❶ 많은 세균 중에서 항생제 내성 세균이 일부 존재한다. → 항생제 내성 세균은 돌연변이에 의해 나타난다.

❷ 항생제를 사용하면 항생제에 내성이 없는 세균은 대부분 죽는다.

❸ 항생제 내성 세균이 살아남아 자손을 남겨 항생제 내성 세균이 점점 증가한다.

❹ 대부분의 세균이 항생제에 내성을 가지므로 항생제를 사용해도 세균이 줄어들지 않는다.

➡ 항생제를 지속적으로 사용하는 환경에서는 항생제 내성 세균이 자연 선택되어 항생제 내성 세균 집단이 형성될 수 있다.

탐구 자료창 항생제 내성 세균의 자연 선택 모의 실험

(가) 털실 방울(항생제 내성이 없는 세균 모형) 36개와 스타이로폼 구(항생제 내성 세균 모형) 4개를 쟁반 위에 잘 섞어 놓는다.

(나) 벨크로 테이프(항생제 모형)를 이용해 남은 세균 모형이 20개가 될 때까지 세균 모형을 제거한 다음, 쟁반 위에 남은 세균 모형의 수만큼 털실 방울과 스타이로폼 구를 더 넣어 준다. → 벨크로 테이프로 세균 모형을 제거하는 것은 항생제를 사용하였을 때 세균이 제거되는 것을 의미한다.

(다) 과정 (나)를 2회 더 반복하며 쟁반 위에 남은 털실 방울과 스타이로폼 구의 개수를 기록한다.

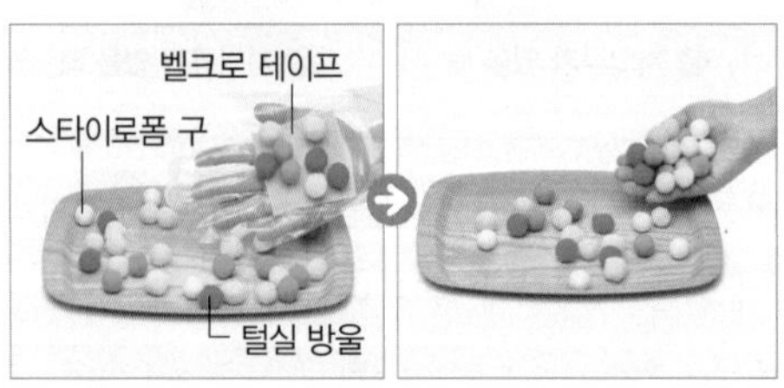

구분	털실 방울(개)	스타이로폼 구(개)
처음	36	4
1회	32(=16개 남음+16개 추가)	8(=4개 남음+4개 추가)
2회	24(=12개 남음+12개 추가)	16(=8개 남음+8개 추가)
3회	8(=4개 남음+4개 추가)	32(=16개 남음+16개 추가)

털실 방울 → 줄어든다. 스타이로폼 구 → 늘어난다.

1. **해석:** 벨크로 테이프 사용 후 쟁반 위에 남은 세균 모형은 항생제를 사용했을 때 살아남은 세균을 의미하고, 쟁반에 남은 수만큼 더 넣어 주는 것은 살아남은 세균이 자손을 남기는 과정을 의미한다. ➡ 자연 선택

2. **결과 및 결론:** 과정 (나)를 반복할수록 털실 방울의 수는 줄고 스타이로폼 구의 수는 늘어난다. ➡ 항생제를 지속적으로 사용하는 환경에서는 세대를 거듭하면서 항생제 내성 세균의 비율이 높아진다.

구분	처음	1회	2회	3회
항생제 내성 세균의 비율	$\frac{4}{40}\times100=10\%$	$\frac{8}{40}\times100=20\%$	$\frac{16}{40}\times100=40\%$	$\frac{32}{40}\times100=80\%$

→ 항생제 내성 세균의 비율은 $\frac{\text{항생제 내성 세균 수}}{\text{전체 세균 수}}\times100$으로 구할 수 있다.

2. 다양한 생물의 출현과 진화 지구 환경은 지속적으로 변화해 왔으며, 환경 변화는 자연 선택의 방향에 영향을 준다. 생태계의 환경은 다양하므로 생물은 서로 다른 환경에 적응하여 다양한 방향으로 자연 선택되었다. ➡ 그 결과 지구에는 다양한 생물이 나타나게 되었다.

용어

❶ **항생제(抗 대항하다, 生 살다, 劑 약제)** 세균을 죽이거나 번식을 억제하는 물질로, 세균성 질병을 치료한다.

❷ **내성(耐 견디다, 性 성품)** 곤충이나 세균이 살충제나 항생제의 계속 사용에 대해 나타내는 저항성

개념 확인 문제

정답친해 119쪽

핵심 체크

- (❶   ): 같은 종의 개체들 사이에서 나타나는 형태, 습성, 기능 등의 형질의 차이
- (❷   ) 변이: 유전자의 차이로 나타나며, 자손에게 유전되므로 진화의 원동력이 된다.
- 유전적 변이가 나타나는 원인: (❸   ), 유성 생식 과정에서 다양한 유전자 조합
- 변이와 자연 선택에 의한 생물의 진화

	변이	환경 변화	(❹)	진화
①	핀치의 다양한 부리 모양 ➡	섬마다 풍부한 먹이의 종류가 다름 ➡	먹이에 적합한 부리를 가진 핀치가 선택됨 ➡	섬마다 부리 모양이 다른 핀치 집단이 서식함
②	정상 적혈구 유전자, 낫 모양 적혈구 유전자 ➡	말라리아가 많이 발생함 ➡	낫 모양 적혈구 유전자가 생존에 유리하여 선택됨 ➡	낫 모양 적혈구 유전자의 빈도가 높아짐
③	항생제 내성이 없는 세균, 항생제 내성 세균 ➡	항생제의 지속적 사용 ➡	항생제 내성 세균이 생존에 유리하여 선택됨 ➡	항생제 내성 세균 집단이 형성됨

1 그림은 다양한 깃털 색을 가진 앵무이다.
이와 같이 같은 종의 개체들 사이에서 나타나는 형질의 차이를 무엇이라고 하는지 쓰시오.

2 유전적 변이와 관련있는 설명에는 '유', 비유전적 변이와 관련있는 설명에는 '비'를 쓰시오.

(1) 진화의 원동력이 된다. (   )
(2) 형질이 자손에게 유전된다. (   )
(3) 환경의 영향으로 나타난다. (   )
(4) 유럽정원달팽이의 껍데기 무늬와 색깔은 개체마다 다르다. (   )
(5) 운동으로 단련된 팔은 운동을 하지 않은 팔에 비해 근육이 발달되어 있다. (   )

3 유전적 변이가 나타나는 원인으로 옳은 것만을 [보기]에서 있는 대로 고르시오.

보기
ㄱ. 돌연변이
ㄴ. 체세포 분열에 의한 세포의 형성
ㄷ. 유성 생식 과정에서 생식세포의 다양한 유전자 조합

4 변이와 자연 선택에 의한 생물의 진화에 대한 설명으로 옳은 것은 ○, 옳지 않은 것은 ×로 표시하시오.

(1) 돌연변이는 집단에 없던 새로운 변이를 만든다. (   )
(2) 환경이 변하면 자연 선택의 방향이 달라질 수 있다. (   )
(3) 자연 선택이 오랫동안 반복되면 집단 내 각 변이의 비율이 달라지면서 진화가 일어난다. (   )

5 그림은 항생제 내성 세균 집단이 형성되는 과정을 나타낸 것이다. ㉠과 ㉡은 각각 항생제 내성 세균과 항생제 내성이 없는 세균 중 하나이다.

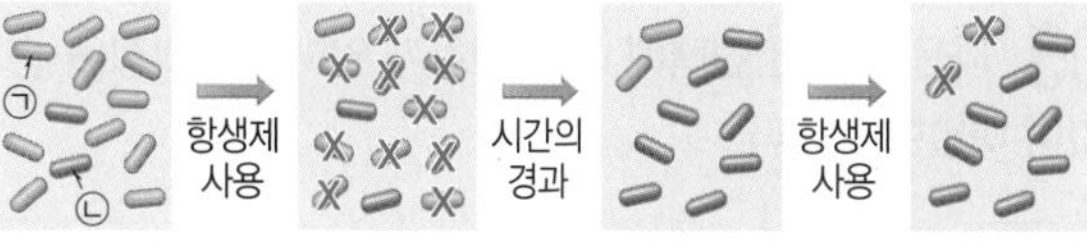

이에 대한 설명으로 옳은 것은 ○, 옳지 않은 것은 ×로 표시하시오.

(1) ㉠과 ㉡은 유전자의 차이에 의해 나타난다. (   )
(2) 항생제를 사용하기 전에는 세균 집단에 변이가 나타나지 않는다. (   )
(3) 항생제를 지속적으로 사용하는 환경에서 ㉡이 자연 선택되었다. (   )
(4) 항생제를 사용하지 않으면 ㉡이 ㉠으로 바뀐다. (   )

내신 만점 문제

A 진화와 자연 선택설

01 다음은 생물의 진화에 대한 학생 A~C의 발표 내용이다.

A: 같은 종의 개체들 사이에서 나타나는 형질의 차이를 진화라고 해.
B: 진화는 짧은 시간 내에 한 세대를 거치는 동안 일어나는 생물의 변화라고 할 수 있어.
C: 진화의 결과 생물들의 유전적 구성이 변하고 종이 다양해져.

발표 내용이 옳은 학생만을 있는 대로 고르시오.

중요 **02** 다음은 다윈의 자연 선택설에 따른 진화 과정을 나타낸 것이다.

과잉 생산과 (㉠) → 생존 경쟁 → (㉡) → 진화

이에 대한 설명으로 옳은 것만을 [보기]에서 있는 대로 고른 것은?

보기
ㄱ. ㉠은 변이, ㉡은 자연 선택이다.
ㄴ. 다수의 개체들은 먹이와 서식 공간을 두고 생존 경쟁을 한다.
ㄷ. ㉡에서 우수한 형질을 가진 개체들이 더 많이 번식한다.

① ㄱ ② ㄷ ③ ㄱ, ㄴ ④ ㄴ, ㄷ ⑤ ㄱ, ㄴ, ㄷ

03 다음은 자연 선택에 의해 진화가 일어나는 과정을 순서 없이 나열한 것이다.

(가) 개체들은 먹이, 서식 공간 등을 두고 경쟁한다.
(나) 세대를 거듭하는 동안 변이가 누적되어 생물종이 다양해진다.
(다) 생물은 주어진 환경에서 살아남을 수 있는 것보다 더 많은 수의 자손을 남기며, 개체들 사이에는 형질에서 조금씩 차이가 난다.
(라) 환경에 유리한 형질을 가진 개체가 살아남아 자신의 형질을 자손에게 남긴다.

진화가 일어나는 과정을 순서대로 옳게 나열하시오.

중요 **04** 그림은 기린의 진화 과정을 다윈의 자연 선택설로 나타낸 것이다.

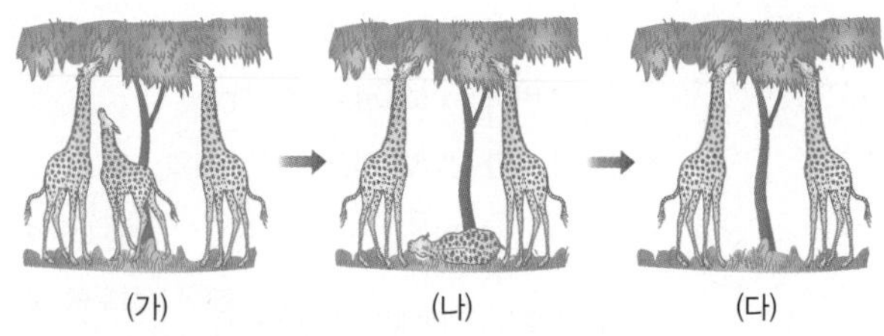
(가) (나) (다)

이에 대한 설명으로 옳은 것만을 [보기]에서 있는 대로 고른 것은?

보기
ㄱ. (가)는 과잉 생산된 개체들 사이에 목 길이가 다양한 변이가 있는 것을 나타낸다.
ㄴ. (나)에서 생존 경쟁과 자연 선택이 일어났다.
ㄷ. (다)에서 목이 긴 형질이 자손에게 유전된다.

① ㄱ ② ㄴ ③ ㄱ, ㄷ ④ ㄴ, ㄷ ⑤ ㄱ, ㄴ, ㄷ

05 다윈의 자연 선택설에 대한 설명으로 옳은 것은?

① 변이가 나타나는 원인을 명확하게 설명하였다.
② 부모의 형질이 자손에게 유전되는 원리를 명확하게 설명하였다.
③ 많이 사용하는 기관이 발달하여 자손에게 유전된다고 설명하였다.
④ 개체들의 생존력은 특정 형질을 획득함으로써 높아진다고 설명하였다.
⑤ 생존에 유리한 개체들이 살아남아 자손을 더 많이 남긴다고 설명하였다.

06 다윈의 진화론이 과학과 사회에 준 영향으로 옳은 것만을 [보기]에서 있는 대로 고른 것은?

보기
ㄱ. 생명 과학의 이론적 기반을 제시하였다.
ㄴ. 경쟁을 기반으로 하는 자본주의의 발달에 영향을 주었다.
ㄷ. 인종 차별, 식민 지배 등을 정당화하는 이론으로 악용되었다.

① ㄱ ② ㄷ ③ ㄱ, ㄴ ④ ㄴ, ㄷ ⑤ ㄱ, ㄴ, ㄷ

B 변이

중요 **07** 그림 (가)는 시클리드의 색 변이를, (나)는 목에 링을 끼고 생활한 결과 목이 길어진 것을 나타낸 것이다.

(가)

(나)

이에 대한 설명으로 옳은 것만을 [보기]에서 있는 대로 고른 것은?

보기
ㄱ. (가)의 시클리드는 모두 같은 종에 속한다.
ㄴ. (나)는 개체가 가진 유전자의 차이에 의해 나타나는 형질이다.
ㄷ. (가)와 (나)의 변이는 모두 진화의 원동력이 된다.

① ㄱ ② ㄴ ③ ㄷ
④ ㄱ, ㄷ ⑤ ㄴ, ㄷ

08 다음은 변이와 관련된 자료이다.

붉은색 딱정벌레 무리의 자손 중 ㉠붉은색 딱정벌레들은 몸 색의 붉은색 정도가 개체마다 다르다. 붉은색 딱정벌레 무리의 자손 중에 ㉡초록색 딱정벌레가 나타났으며, 초록색 딱정벌레는 붉은색 딱정벌레와 교배하여 붉은색과 초록색의 자손이 생겼다.

이에 대한 설명으로 옳은 것만을 [보기]에서 있는 대로 고른 것은?

보기
ㄱ. ㉠의 개체들 사이에는 변이가 없다.
ㄴ. ㉡은 돌연변이로 생긴 개체이다.
ㄷ. 딱정벌레의 몸 색은 유전자에 의해 나타나는 형질로, 자손에게 유전된다.

① ㄱ ② ㄴ ③ ㄱ, ㄷ
④ ㄴ, ㄷ ⑤ ㄱ, ㄴ, ㄷ

C 변이와 자연 선택에 의한 생물의 진화

중요 **09** 그림은 갈라파고스 제도의 각 섬에 서식하는 핀치의 먹이와 부리 모양을 나타낸 것이다.

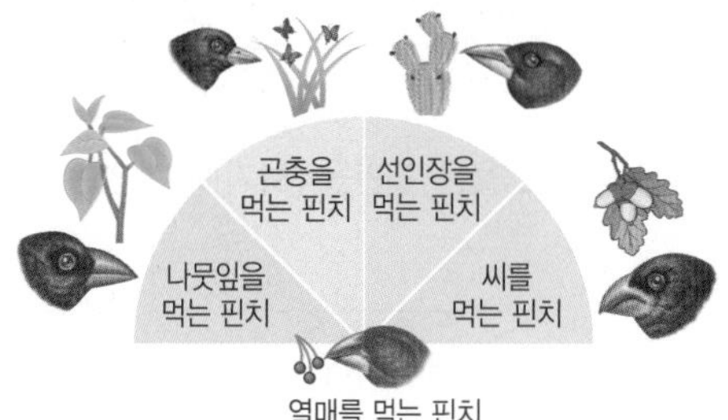

이에 대한 설명으로 옳은 것만을 [보기]에서 있는 대로 고른 것은?

보기
ㄱ. 자주 사용하는 기관이 발달하여 자손에게 유전된다.
ㄴ. 각 섬의 먹이 환경이 핀치 부리 모양의 자연 선택에 영향을 주었다.
ㄷ. 각 섬에 사는 핀치는 서로 다른 종에서 진화하였다.

① ㄱ ② ㄴ ③ ㄷ
④ ㄱ, ㄷ ⑤ ㄴ, ㄷ

10 다음은 낫 모양 적혈구 빈혈증에 대한 설명이다.

낫 모양 적혈구는 심한 빈혈을 유발하기 때문에 일반적으로 드물게 발견된다. 그러나 말라리아가 많이 발생하는 지역에서는 다른 지역보다 낫 모양 적혈구 유전자를 가진 사람의 비율이 높다.

이에 대한 설명으로 옳은 것만을 [보기]에서 있는 대로 고른 것은?

보기
ㄱ. 낫 모양 적혈구는 자손에게 유전되지 않는 변이이다.
ㄴ. 같은 변이라도 환경에 따라 생존에 유리할 수도 있고 불리할 수도 있다.
ㄷ. 낫 모양 적혈구 유전자를 가진 사람은 말라리아에 저항성이 있다.

① ㄱ ② ㄴ ③ ㄷ
④ ㄱ, ㄴ ⑤ ㄴ, ㄷ

중요 **11** 그림은 항생제를 지속적으로 사용하는 환경에서 세균 집단의 변화를 나타낸 것이다. ㉠과 ㉡은 각각 항생제 내성 세균과 항생제 내성이 없는 세균 중 하나이다.

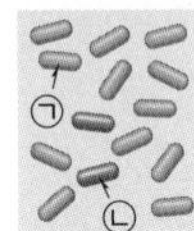

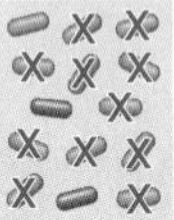
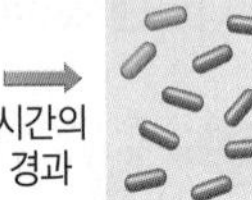

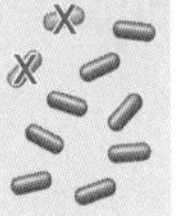

이에 대한 설명으로 옳은 것만을 [보기]에서 있는 대로 고른 것은?

보기

ㄱ. ㉠은 항생제 내성 세균이다.
ㄴ. 항생제 내성 세균의 형질은 자손에게 유전되지 않는다.
ㄷ. 항생제를 사용하는 환경에서는 ㉠보다 ㉡이 생존에 유리하다.

① ㄱ ② ㄴ ③ ㄷ
④ ㄱ, ㄴ ⑤ ㄴ, ㄷ

12 다음은 항생제 내성 세균 집단의 형성 과정에 대한 모의 실험 과정이다.

> 항생제 내성 세균 모형과 항생제 내성이 없는 세균 모형을 쟁반 위에 잘 섞어 놓은 후 벨크로 테이프를 이용해 세균 모형을 제거한다. 이때 쟁반 위에 남은 세균 모형의 수만큼 세균 모형을 더 넣어 주고, 이 과정을 2회 반복한다.

이에 대한 설명으로 옳은 것만을 [보기]에서 있는 대로 고른 것은?

보기

ㄱ. 항생제 내성 세균 모형은 벨크로 테이프에 잘 달라붙는 것으로 한다.
ㄴ. 벨크로 테이프에 의해 제거되지 않고 남은 세균 모형은 항생제에 의한 자연 선택에 비유할 수 있다.
ㄷ. 실험이 진행될수록 항생제 내성 세균 모형의 비율은 점점 높아진다.

① ㄱ ② ㄴ ③ ㄱ, ㄷ
④ ㄴ, ㄷ ⑤ ㄱ, ㄴ, ㄷ

서술형 문제

13 그림은 기린이 긴 목을 가지게 된 과정을 다윈의 자연 선택설로 나타낸 것이다.

다윈의 자연 선택설에 따라 기린의 목이 길어지게 된 과정을 변이, 생존 경쟁, 자연 선택을 모두 포함하여 서술하시오.

14 다음은 항생제 내성 세균의 출현과 진화 과정을 순서 없이 나타낸 것이다.

> (가) 항생제 내성이 없는 세균 집단이 있었다.
> (나) 항생제를 지속적으로 사용함에 따라 항생제 내성이 없는 세균의 생존 확률이 감소하였다.
> (다) 우연히 ㉠항생제 내성 세균이 나타났다.
> (라) 항생제 내성 세균의 비율이 점차 증가하여 항생제 내성 세균 집단이 형성되었다.

(1) 위 진화 과정을 순서대로 나열하시오.

(2) ㉠이 나타난 원인은 무엇인지 쓰시오.

(3) 항생제 내성 세균 집단의 형성에 가장 큰 영향을 끼친 환경 변화는 무엇인지 쓰시오.

15 그림은 어떤 지역에서 살충제를 지속적으로 살포하였을 때 살충제 내성 모기의 비율 변화를 나타낸 것이다.

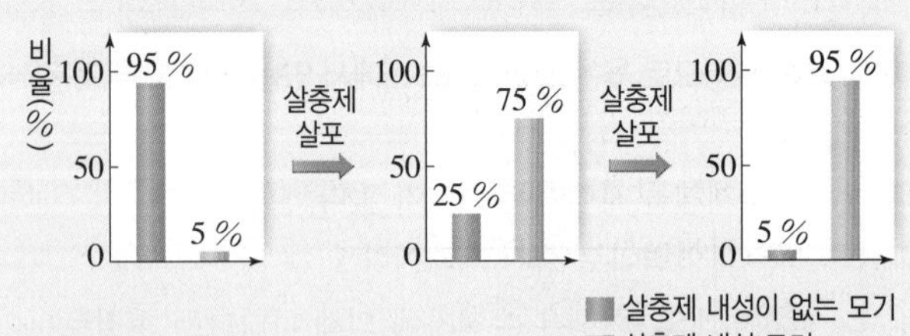

이와 같은 변화가 나타나게 된 과정을 변이와 자연 선택으로 서술하시오.

실력 UP 문제

정답친해 122쪽

01 그림은 어떤 나비 집단의 진화 과정을 나타낸 것이다. (가)와 (나)는 바다의 형성으로 분리된 지역이며, ㉠과 ㉡은 각각 돌연변이와 자연 선택 중 하나이다. A~C는 서로 다른 날개 형질을 가진다.

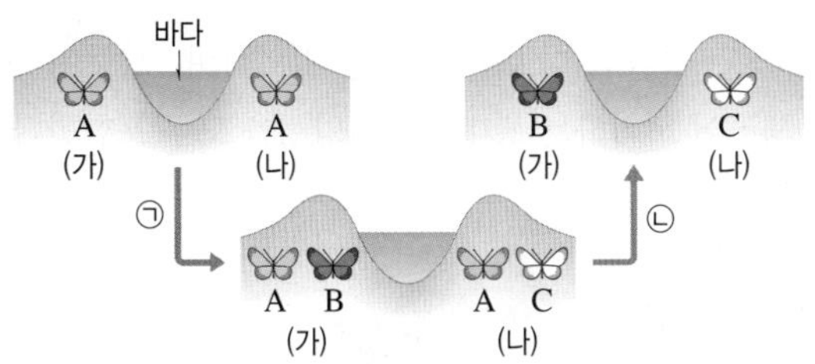

이에 대한 설명으로 옳은 것만을 [보기]에서 있는 대로 고른 것은?

보기
ㄱ. 나비 집단의 변이는 ㉠에 의해 감소하고, ㉡에 의해 증가한다.
ㄴ. (가)에서 A보다 B의 생존율이 높았다.
ㄷ. (나)에서 A와 C는 유전적으로 동일하다.

① ㄱ ② ㄴ ③ ㄷ ④ ㄱ, ㄴ ⑤ ㄴ, ㄷ

02 그림 (가)는 아프리카에서 말라리아가 많이 발생하는 지역을, (나)는 같은 지역에서의 낫 모양 적혈구 유전자 빈도를 나타낸 것이다.

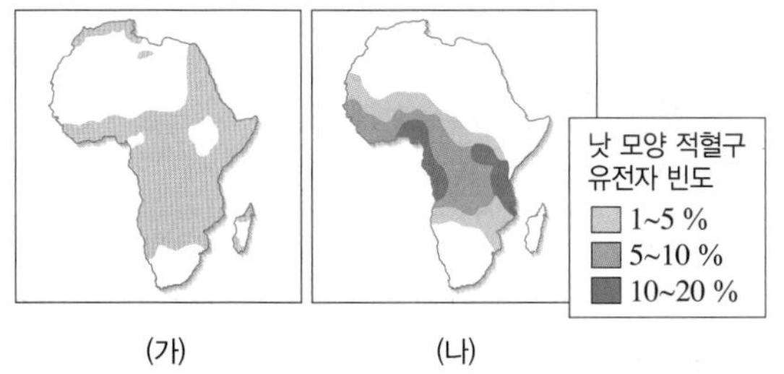

이에 대한 설명으로 옳은 것만을 [보기]에서 있는 대로 고른 것은?

보기
ㄱ. 말라리아가 많이 발생하는 지역에서 낫 모양 적혈구 유전자를 가진 사람의 비율이 다른 지역보다 높다.
ㄴ. 말라리아는 낫 모양 적혈구 유전자를 가진 사람의 생존에 유리하게 작용한다.
ㄷ. 생존에 불리한 형질은 환경이 변하더라도 자연 선택되지 않는다.

① ㄱ ② ㄷ ③ ㄱ, ㄴ ④ ㄴ, ㄷ ⑤ ㄱ, ㄴ, ㄷ

03 그림은 어떤 생물 집단에서 진화가 일어나는 과정을 나타낸 것이다. ㉠과 ㉡은 서로 다른 형질을 나타낸다.

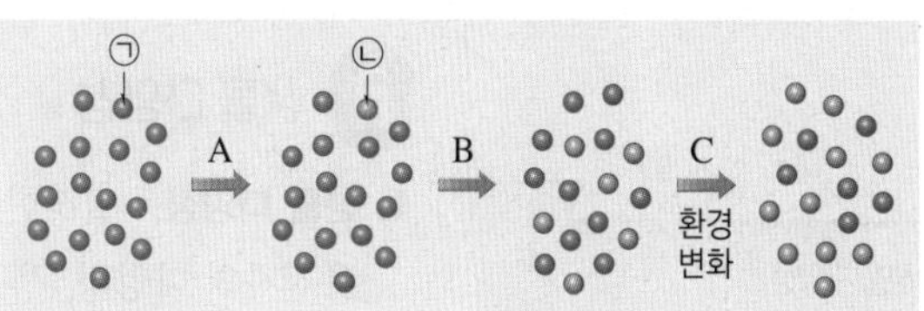

이에 대한 설명으로 옳은 것만을 [보기]에서 있는 대로 고른 것은?

보기
ㄱ. A 과정에서 돌연변이가 일어났다.
ㄴ. B 과정에서 ㉡ 형질이 자손에게 유전되었다.
ㄷ. C 과정에서 ㉠ 형질을 가진 개체가 생존에 더 유리하도록 환경이 변하였다.

① ㄱ ② ㄴ ③ ㄷ ④ ㄱ, ㄴ ⑤ ㄱ, ㄴ, ㄷ

04 다음은 어떤 섬에 사는 핀치에 대한 연구 내용이다.

이 지역은 원래 작고 연한 씨앗이 풍부하였다. 그러나 심한 가뭄으로 씨앗의 총 수는 감소하고, 작고 연한 씨앗보다 크고 딱딱한 씨앗이 많아졌다. 씨앗을 먹고 사는 핀치의 가뭄 전과 후의 부리 크기에 따른 개체 수를 조사하여 다음과 같은 그래프를 얻었다.

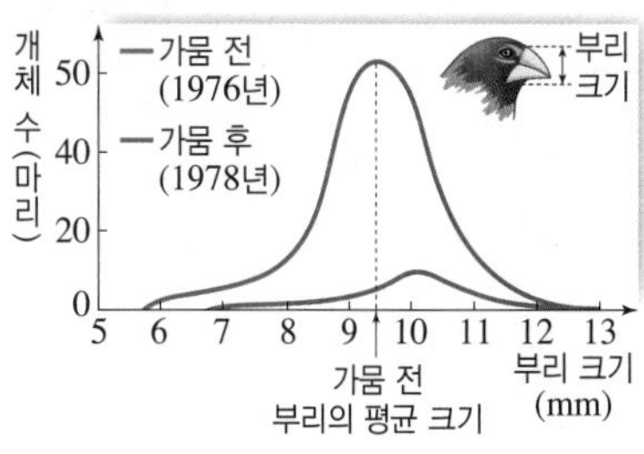

이에 대한 설명으로 옳은 것만을 [보기]에서 있는 대로 고른 것은?

보기
ㄱ. 가뭄 시 큰 부리를 가진 핀치가 자연 선택되었다.
ㄴ. 가뭄 전에 비해 가뭄 후 부리의 평균 크기가 증가하였다.
ㄷ. 가뭄 전에 비해 가뭄 후 핀치의 전체 개체 수가 증가하였다.

① ㄱ ② ㄴ ③ ㄷ ④ ㄱ, ㄴ ⑤ ㄴ, ㄷ

3 생물 다양성의 중요성과 보전 방안

핵심 포인트
1. 생물 다양성의 의미 ★★★
2. 종 다양성 비교 ★★
3. 생물 다양성의 감소 원인과 보전 방안 ★★

A 생물 다양성

암기해!
생물 다양성
• 유전적 다양성
• 종 다양성
• 생태계 다양성

1. 생물 다양성 일정한 생태계에 존재하는 생물의 다양한 정도를 의미하며, 생물이 지닌 유전자의 다양성, 생물종의 다양성, 생물이 서식하는 생태계의 다양성을 모두 포함한다.

생물 다양성 지구에는 다양한 생태계가 있으며, 생태계 안에서는 다양한 생물종이 살아가고 있다. 같은 생물종이라도 개체마다 유전자 구성이 다르다.

① **유전적 다양성:** 같은 생물종이라도 서로 다른 유전자를 가지고 있어 다양한 형질이 나타나는 것을 의미한다. → 같은 종이라도 유전적 차이 때문에 개체마다 모양, 크기, 색 등이 다르게 나타난다.

예 • 터키달팽이는 개체마다 껍데기 무늬와 색이 다르다.
• 채프먼얼룩말은 개체마다 털 줄무늬가 다르다.
• 아시아무당벌레는 개체마다 겉날개 무늬와 색이 다르다.

터키달팽이의 껍데기 무늬와 색

채프먼얼룩말의 털 줄무늬

• 하나의 형질을 결정하는 유전자가 다양할수록 변이가 다양하며 유전적 다양성이 높다.
• 유전적 다양성이 높을수록 급격한 환경 변화에도 적응하여 살아남는 개체가 있어 멸종될 가능성이 낮다.

◆ **아일랜드 대기근**
1800년대 아일랜드는 품종 개량으로 인해 동일한 종류의 감자만을 키우고 있었다. 그런데 1847년 감자잎마름병이 유행하게 되었고, 이에 대한 저항성을 가진 감자가 없어 병이 계속 퍼졌다. 결국 이 지역에서 더 이상 감자를 생산할 수 없게 되었고, 150만 명이 기아로 사망하였다.

유전적 다양성의 중요성

씨가 없는 바나나	씨가 있는 야생 바나나
• 우리가 흔히 먹는 바나나는 씨가 없어서 땅속줄기를 잘라 옮겨 심는 [1]무성 생식의 한 방법으로 번식한다. ➡ 유전적 다양성이 매우 낮다. ➡ 변이가 적다.	• 씨가 있는 야생 바나나는 암수 생식세포를 만들고, 생식세포가 수정하여 새로운 개체가 되는 유성 생식으로 번식한다. ➡ 유전적 다양성이 높다. ➡ 변이가 많다.
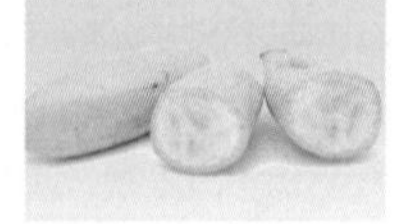 • 유전적 다양성이 낮아 전염병 등 급격한 환경 변화가 일어났을 때 멸종될 가능성이 높다.	 • 유전적 다양성이 높아 전염병 등 급격한 환경 변화가 일어났을 때 살아남는 개체가 있을 가능성이 높다.

용어
[1] **무성 생식(無 없다, 性 암컷과 수컷, 生 낳다, 殖 불리다)** 암컷과 수컷의 교배 없이 이루어지는 생식

② *종 다양성: 일정한 지역에 서식하는 생물종의 다양한 정도로, 일정한 지역에 얼마나 많은 생물종이 얼마나 고르게 분포하여 살고 있는지를 나타낸다.

• 서식하는 생물종의 수가 많을수록, 각 생물종의 분포 비율이 균등할수록 종 다양성이 높다.
• 종 다양성이 높을수록 생태계가 안정적으로 유지된다.

탐구 자료창 종 다양성 비교

그림 (가)와 (나)는 어떤 두 지역에 서식하는 식물종의 분포를, 표는 각 식물종의 개체 수를 나타낸 것이다.

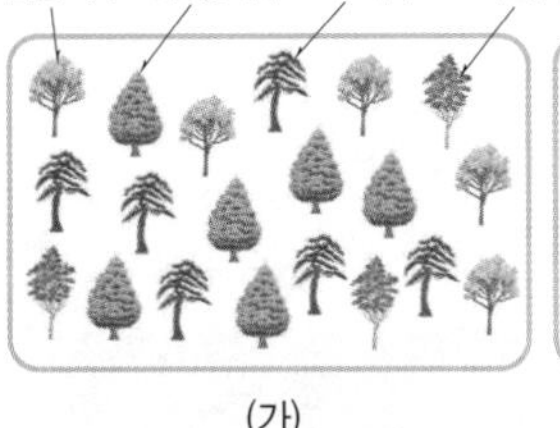

(가)

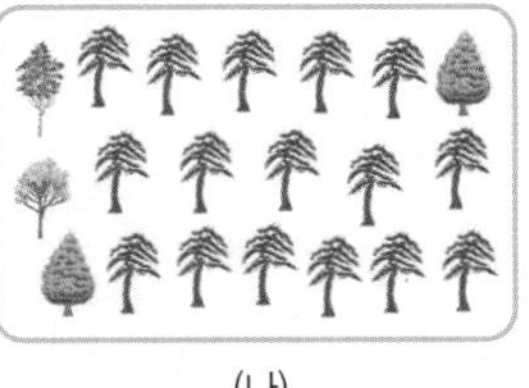
(나)

구분	(가)	(나)
신갈나무	5	1
구상나무	6	2
소나무	6	16
자작나무	3	1
총 개체 수	20개체	20개체

1. (가)와 (나)에 서식하는 식물종은 모두 4종이고, 총 개체 수는 20개체로 같다.
2. (가)는 각 식물종이 고르게 분포하지만, (나)는 소나무의 분포 비율이 매우 높다.
3. **결론:** (가)가 (나)보다 종 다양성이 높다.

③ **생태계 다양성:** 일정한 지역에 존재하는 생태계의 다양한 정도를 의미한다.

• 대륙과 해양의 분포, 위도, 기온, 강수량, 계절 등 환경의 차이로 지구에는 열대 우림, 갯벌, 습지, 삼림, 초원, 사막, 해양 등 다양한 생태계가 존재한다.
• 생태계의 종류에 따라 환경이 다르므로 환경과 상호 작용을 하며 서식하는 생물종과 개체 수가 다르다.
• 생태계가 다양할수록 종 다양성도 높아진다.

여러 가지 생태계

열대 우림

갯벌

습지

• 열대 우림은 강수량이 많고 기온이 높아 종 다양성이 가장 높다. → 열대 우림은 식물의 종류가 많으며, 그 식물을 이용하는 동물이나 균류의 종류도 많기 때문이다.
• 갯벌과 습지는 육상 생태계와 수생태계를 잇는 완충 지대로, 두 생태계의 자원을 모두 이용하는 생물종이 공존하므로 종 다양성이 상대적으로 높다.

2. 생물 다양성의 구성과 기능 유전적 다양성은 종 다양성을 유지하는 데 중요한 역할을 하고, 종 다양성은 생태계 평형을 유지하는 데 중요한 역할을 한다. 생태계 다양성은 생물에게 다양한 서식지와 환경 요인을 제공함으로써 종 다양성을 높인다. ➡ 유전적 다양성, 종 다양성, 생태계 다양성 모두 생물 다양성 유지에 중요한 역할을 한다.

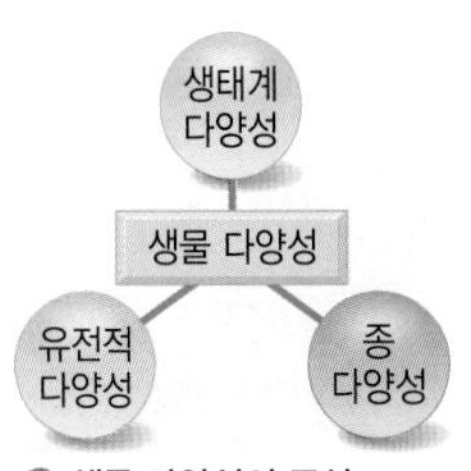

생물 다양성의 구성

◆ **종 다양성**
현재까지 알려진 생물종만해도 약 190만 종에 이르며, 아직 발견되지 않은 생물종까지 포함하면 약 1000만 종 이상일 것으로 추정된다. 지금까지 발견된 생물종에서는 곤충이 가장 많다.

암기해!
종 다양성이 높은 생태계
• 생물종이 많다.
• 각 생물종의 분포 비율이 균등하다.

B 생물 다양성의 중요성

생물종이 다양할수록 생태계가 안정적으로 유지된다는 내용은 Ⅳ-1-02. 생태계 평형에서 더 자세히 배워요.

1. 생물 다양성과 ◆생태계 평형 생물 다양성(종 다양성)이 높을수록 생태계가 안정적으로 유지된다. ➡ 생태계를 구성하는 생물종이 단순하면 어떤 생물종이 사라졌을 때 먹이 사슬이 끊어져 생태계 평형이 깨지기 쉽다. 반면, 생태계를 구성하는 생물종이 다양하면 복잡한 먹이 사슬을 형성하여 어떤 생물종이 사라지더라도 그 종을 대체할 수 있는 다른 생물종이 있어 생태계 평형을 유지할 수 있다.

◆ **생태계 평형**
생태계를 구성하는 생물의 종류, 개체 수, 물질의 양 등이 일정한 수준을 유지하여 안정된 상태를 이루고 있는 것을 말한다.

2. 생물 다양성과 생물 자원 생물 자원은 인간의 생활과 생산 활동에 이용되는 모든 생물적 자원(유전자, 생물, 생태계 등)으로, 생물 다양성이 높을수록 생물 자원이 풍부해진다.

① **의식주 재료 제공:** 생물은 인간의 의식주에 필요한 각종 자원을 제공한다.

천재와 동아 교과서에서는 생물 자원의 내용을 Ⅳ. 환경과 에너지에서 배웁니다.

의복 재료

목화

목화(면섬유), 양(양모), 누에(비단) 등은 섬유의 원료를 제공하여 의복 재료로 이용된다.

식량 재료

곡물

벼, 밀, 콩, 옥수수 등은 주식으로 이용되고, 사과, 바나나, 배 등도 식량으로 이용된다.

주택 재료

목재

나무, 풀 등은 주택 재료로 사용된다.

② **의약품 원료 제공:** 생물 자원을 이용하여 의약품을 만든다. (의약품의 많은 부분은 생물 자원에서 찾아냈거나 생물 자원을 활용하여 만든 것이다.)

예
- 버드나무 껍질: ◆아스피린 원료
- 주목 열매: 항암제 원료
- 팔각: 독감 치료제 원료
- 푸른곰팡이: 항생제인 페니실린 원료
- ◆청자고둥: 진통제 원료
- 개똥쑥: 말라리아 치료제 원료

◆ **아스피린**
버드나무 껍질에서 얻은 살리실산을 변화시켜 만든 것으로, 진통 해열제이다. 최근에는 심혈관 질환을 예방하는 의약품으로 사용하기도 한다.

◆ **청자고둥**
청자고둥의 독소로부터 강력한 진통제인 프리알트가 개발되었다.

버드나무

푸른곰팡이

주목

팔각

③ **생물 유전자 자원:** 병충해 저항성 유전자, 파란색 유전자 등을 이용하여 새로운 농작물을 개발한다. 예 해충 저항성 옥수수, 파란 장미 등

④ **사회적·심미적 가치:** 다양한 생태계는 사람에게 휴식 장소, 여가 활동 장소, 생태 관광 장소 등을 제공한다.

휴식 장소

여가 활동 장소

생태 관광 장소

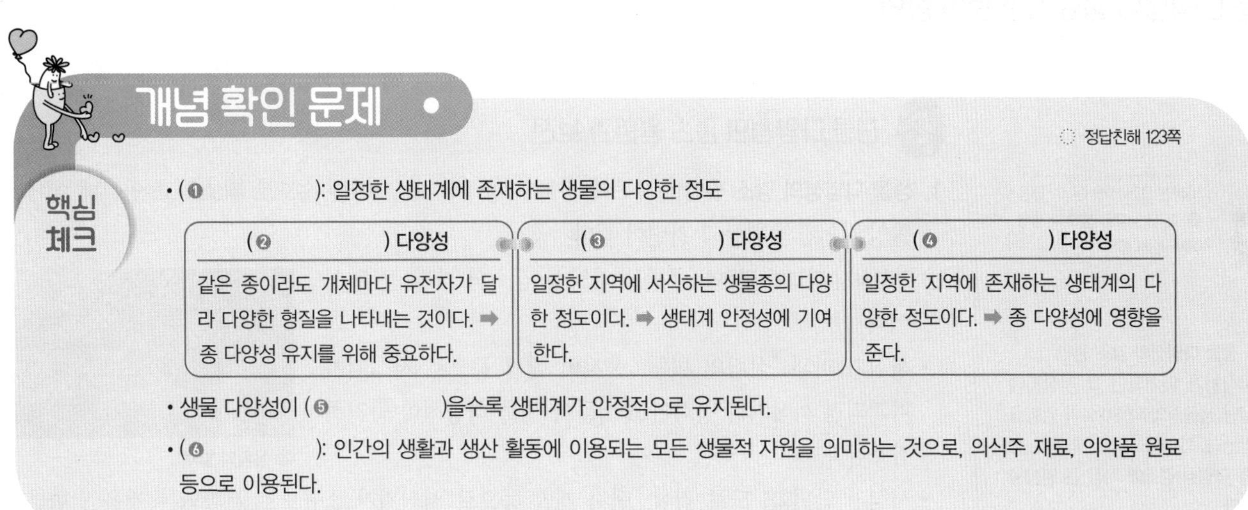

개념 확인 문제

정답친해 123쪽

핵심 체크

- (❶): 일정한 생태계에 존재하는 생물의 다양한 정도

(❷) 다양성	(❸) 다양성	(❹) 다양성
같은 종이라도 개체마다 유전자가 달라 다양한 형질을 나타내는 것이다. ➡ 종 다양성 유지를 위해 중요하다.	일정한 지역에 서식하는 생물종의 다양한 정도이다. ➡ 생태계 안정성에 기여한다.	일정한 지역에 존재하는 생태계의 다양한 정도이다. ➡ 종 다양성에 영향을 준다.

- 생물 다양성이 (❺)을수록 생태계가 안정적으로 유지된다.
- (❻): 인간의 생활과 생산 활동에 이용되는 모든 생물적 자원을 의미하는 것으로, 의식주 재료, 의약품 원료 등으로 이용된다.

1 그림은 생물 다양성의 세 가지 의미를 나타낸 것이다.

(가) (나) (다)

(가)~(다)에 해당하는 생물 다양성의 의미를 각각 쓰시오.

2 유전적 다양성에 대한 설명으로 옳은 것은 ○, 옳지 않은 것은 ×로 표시하시오.

(1) 서로 다른 생물종에서 개체마다 다양한 형질이 나타나는 것을 의미한다. ( )

(2) 유전적 다양성이 높은 집단은 변이가 다양하다. ( )

(3) 유전적 다양성이 높은 집단은 급격한 환경 변화에 적응하지 못하고 멸종될 가능성이 높다. ( )

3 다음은 종 다양성에 대한 설명이다. ( ) 안에 알맞은 말을 고르시오.

> 생물종이 ㉠(많을수록, 적을수록), 각 생물종의 분포 비율이 ㉡(균등할수록, 불균등할수록) 종 다양성이 높다.

4 강수량이 많고 기온이 높아 종 다양성이 가장 높은 생태계는?

① 갯벌 ② 사막 ③ 습지
④ 농경지 ⑤ 열대 우림

5 그림은 생물 다양성의 구성을 모식도로 나타낸 것이다.

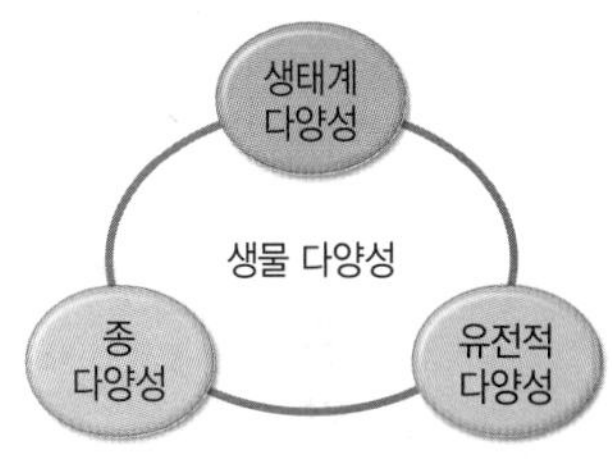

이에 대한 설명으로 옳은 것은 ○, 옳지 않은 것은 ×로 표시하시오.

(1) 유전적 다양성은 생물 다양성을 유지하는 것과 관련이 없다. ( )

(2) 종 다양성이 높으면 생태계의 안정성이 높아진다. ( )

(3) 생태계 다양성이 높으면 종 다양성이 높아진다. ( )

6 생물 자원에 대한 설명으로 옳은 것은 ○, 옳지 않은 것은 ×로 표시하시오.

(1) 생물 다양성이 높을수록 생물 자원이 풍부해진다. ( )

(2) 버드나무 껍질에서 페니실린 원료를 얻는다. ( )

(3) 생물의 유전자는 생물 자원에 포함되지 않는다. ( )

C 생물 다양성의 감소 원인과 보전

미래엔 교과서에서는 이 내용을 Ⅳ-1-02. 생태계 평형에서 배웁니다.

1. 생물 다양성의 감소 원인 지구의 생물 다양성은 매우 빠른 속도로 감소하고 있는데, 주요 원인은 인간의 활동과 관련이 깊다.

① [1]**서식지 파괴와 단편화:** ◆생물 다양성 감소의 가장 큰 원인이다.

- 서식지 파괴: 삼림의 벌채, 습지의 매립 등으로 서식지가 파괴되면 서식지의 면적이 줄어들어 생물 다양성이 급격히 감소한다.

삼림의 벌채

- 서식지 단편화: 도로 건설, 택지 개발 등으로 서식지가 소규모로 분할되는 것을 말한다. 서식지가 분할되면 서식지의 면적이 감소되고, 생물종의 이동을 제한하여 고립시키므로 멸종 위험이 높아진다. — 도로 건설로 서식지가 분할되면 야생 동물이 도로를 건너다가 자동차에 치여 죽는 로드킬이 발생할 가능성이 높아진다.

◆ 생물 다양성의 감소 원인
서식지가 파괴되면 그 서식지에 살던 생물종의 약 80 %가 영향을 받는다. 따라서 서식지 파괴가 생물 다양성 감소에 가장 큰 영향을 준다.

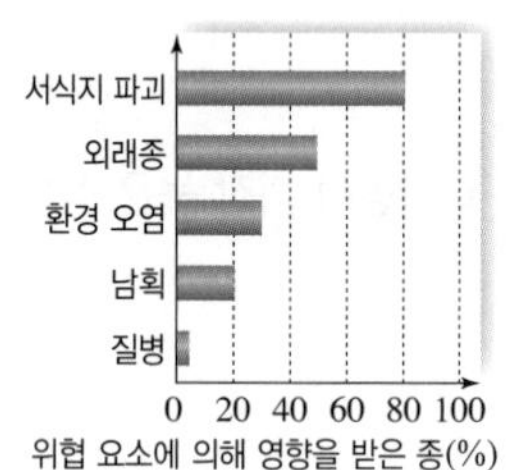

| 서식지 단편화 |

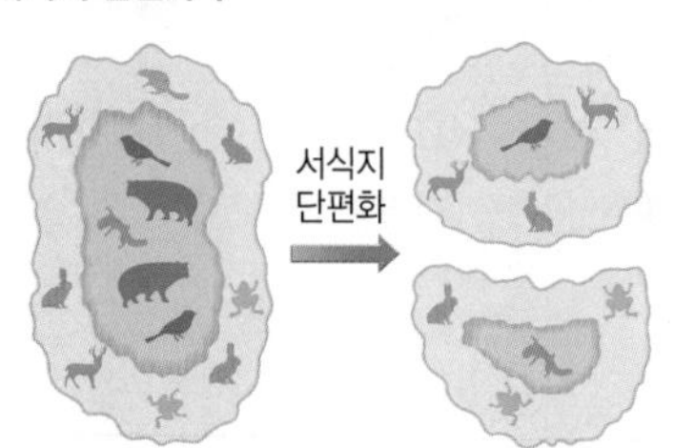

- 서식지가 단편화되면 가장자리의 면적은 넓어지고, 중앙의 면적은 좁아진다. ➡ 서식지의 가장자리에 사는 생물종보다 중앙에 사는 생물종이 더 큰 영향을 받는다.
- 서식지가 단절되면 생물종의 이동을 제한하여 고립시키기 때문에 그 지역에 서식하는 생물종의 개체 수가 감소하여 멸종으로 이어질 수 있다.

② 불법 [2]**포획**과 [3]**남획:** 보호 동식물을 불법 포획하거나 야생 동식물을 남획하면 해당 생물종의 개체 수가 급격하게 감소하여 멸종될 수 있다. ➡ 특정 생물종의 멸종은 생태계에서의 먹이 관계에도 영향을 주어 생물 다양성을 감소시킨다.

예 우리나라의 삼림에 서식하던 호랑이, 곰, 여우 등의 대형 포유류는 무분별한 사냥으로 멸종 위기에 처하였고, 일부는 이미 멸종하였다.

③ ◆**외래종 유입:** 외래종이 새로운 환경에 적응하여 대량으로 번식하면 고유종(=토종 생물)의 서식지를 차지하여 생존을 위협하고 먹이 관계에 변화를 일으켜 생태계 평형을 깨뜨린다.

예 블루길, 가시박, 뉴트리아, 배스 등

◆ 외래종
외래종은 원래 살고 있던 서식지에서 벗어나 다른 지역으로 유입된 생물을 말한다. 대부분의 외래종은 새로운 환경에 적응하지 못하지만, 일부 생물종은 원래 그 지역에 살던 고유종보다 번성하여 생태계 평형을 위협한다.

블루길	가시박	뉴트리아

북아메리카에서 들여온 외래종으로 고유종의 어린 물고기와 알 등을 닥치는 대로 잡아먹는다.	덩굴 식물로 주변의 다른 식물을 뒤덮어 식물의 생장을 방해한다.	몸집이 크고 번식력이 좋으며, 잡식성으로 고유종을 먹어 치우지만, 마땅한 천적이 없다.

④ **환경 오염:** 대기 오염으로 인한 산성비는 하천, 호수, 토양 등을 산성화시키고, 강이나 바다에 유입된 화학 물질과 중금속은 수중 생물에게 피해를 준다.

용어
[1] **서식지(棲 살다, 息 숨쉬다, 地 땅)** 생물이 먹이를 얻고 생식 활동을 하며 살아가는 공간
[2] **포획(捕 사로잡다, 獲 짐승을 잡다)** 물고기나 동물을 잡는 행위
[3] **남획(濫 넘치다, 獲 짐승을 잡다)** 생물을 과도하게 많이 잡는 행위

2. 생물 다양성 보전을 위한 노력

개인적 노력	• 에너지를 절약하고, 자원을 재활용하며, 저탄소 제품을 사용한다.
사회적·국가적 노력	• 도로 건설 등으로 단편화된 서식지를 연결하는 생태 통로를 설치한다. • 생물 다양성이 높은 지역은 국립 공원으로 지정하여 관리한다. • 야생 생물 보호 및 관리에 관한 법률을 제정하여 야생 생물과 그 서식지를 보호한다. • 멸종 위기종을 자생지에 방사하는 복원 사업을 하고, 종자 은행을 통해 생물의 유전자를 관리한다. • 검역 등을 강화하여 외래종이 불법적으로 유입되는 것을 막고, 외래종을 도입하기 전 외래종이 기존 생태계에 주는 영향을 철저히 검증한다.  ⊙ 생태 통로
국제적 노력	• ◆생물 다양성에 관한 국제 협약을 체결한다. 예 생물 다양성 협약, 람사르 협약, 런던 협약, 멸종 위기에 처한 야생 동식물의 국제 거래에 관한 협약(CITES), 이동성 야생 동물종의 보전에 관한 협약(CMS) 등

◆ 생물 다양성에 관한 국제 협약
- 생물 다양성 협약: 다양한 생물종을 보호하기 위해 유엔 환경 개발 회의에서 체결하였다. 생물 자원의 주체적 이용을 제한한다.
- 람사르 협약: 물새 서식지로 중요한 습지를 보전하기 위해 체결하였다.
- 런던 협약: 선진 공업국이 산업 폐기물을 바다에 버려 발생한 해양 오염의 방지를 위해 체결하였다.

개념 확인 문제

정답친해 123쪽

핵심 체크

- 생물 다양성 감소의 원인: (❶) 파괴와 단편화, 불법 (❷)과 남획, 외래종 유입, 환경 오염 등
- 생물 다양성 보전을 위한 노력
  - 개인적 노력: 에너지 절약, 자원의 재활용, 저탄소 제품의 사용 등
  - 사회적·국가적 노력: 생태 통로 설치, 국립 공원 지정, 멸종 위기종 복원 사업, (❸) 도입 전 철저한 검증 등
  - 국제적 노력: 생물 다양성에 관한 국제 협약 체결 등

1 생물 다양성 감소 원인에 대한 설명으로 옳은 것은 ○, 옳지 않은 것은 ×로 표시하시오.

(1) 생물 다양성 감소의 가장 큰 원인은 불법 포획 및 남획이다. ( )

(2) 열대 우림의 나무를 베어내면 그곳에 살던 야생 생물의 서식지가 파괴된다. ( )

(3) 서식지가 단편화되면 서식지의 면적이 증가한다. ( )

(4) 생활 하수와 공장 폐수 등에 의한 하천 오염은 수중 생물에게 피해를 입힌다. ( )

2 원래 살고 있던 서식지에서 벗어나 다른 지역으로 유입된 생물을 무엇이라고 하는지 쓰시오.

3 다음은 생물 다양성 보전을 위해 우리가 노력하고 있는 예이다. ( ) 안에 알맞은 말을 쓰시오.

그림은 산을 뚫고 도로를 건설할 때 야생 동물이 이동할 수 있도록 만든 ㉠( )이다. ㉠( )는 도로 건설 등으로 ㉡( )된 서식지를 연결하기 위해 설치한다.

4 물새 서식지로 중요한 습지를 보전하기 위해 1971년 체결한 국제 협약은 무엇인지 쓰시오.

내신 만점 문제

A 생물 다양성

중요 **01** 생물 다양성에 대한 설명으로 옳지 않은 것은?

① 생물 다양성은 유전적 다양성, 종 다양성, 생태계 다양성을 모두 포함한다.
② 생물 다양성이 낮을수록 생태계 평형이 깨지기 쉽다.
③ 유전적 다양성은 서로 다른 생물종에서 유전자 변이의 다양함을 의미한다.
④ 생태계 다양성은 어느 지역에 존재하는 생태계의 다양한 정도를 의미한다.
⑤ 일정한 지역에 생물종이 많을수록, 각 생물종의 분포 비율이 균등할수록 종 다양성이 높아진다.

중요 **02** 다음은 생물 다양성의 세 가지 의미에 대한 예이다.

(가) 터키달팽이는 개체마다 껍데기 무늬와 색이 조금씩 다르다.
(나) 갯벌은 하천, 해양, 습지 등 다양한 환경이 존재한다.
(다) 숲에는 무당벌레, 개구리, 노루, 소나무 등 다양한 생물이 살고 있다.

(가)~(다)에 해당하는 생물 다양성의 의미를 옳게 짝 지은 것은?

	(가)	(나)	(다)
①	유전적 다양성	생태계 다양성	종 다양성
②	유전적 다양성	종 다양성	생태계 다양성
③	종 다양성	생태계 다양성	유전적 다양성
④	종 다양성	유전적 다양성	생태계 다양성
⑤	생태계 다양성	유전적 다양성	종 다양성

03 그림 (가)는 생물 다양성을 구성하는 세 가지 요소를, (나)는 A의 예를 나타낸 것이다.

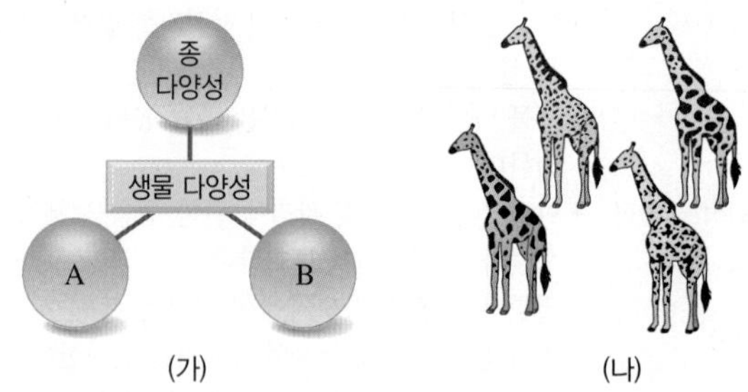

(가) (나)

이에 대한 설명으로 옳은 것만을 [보기]에서 있는 대로 고른 것은?

보기
ㄱ. (나)의 기린은 모두 같은 종이다.
ㄴ. A가 높을수록 급격한 환경 변화에도 살아남아 종을 유지할 가능성이 높다.
ㄷ. B는 한 생태계 내에 존재하는 생물종의 다양한 정도를 나타낸다.

① ㄱ ② ㄴ ③ ㄷ
④ ㄱ, ㄴ ⑤ ㄴ, ㄷ

중요 **04** 그림은 생물 다양성의 세 가지 의미를 순서 없이 나타낸 것이다.

(가)

(나)

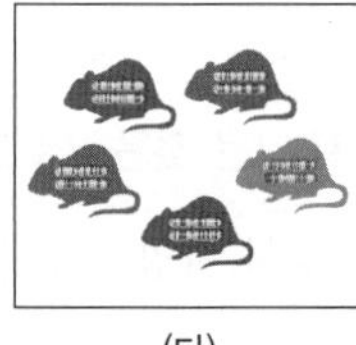
(다)

이에 대한 설명으로 옳은 것만을 [보기]에서 있는 대로 고른 것은?

보기
ㄱ. (가)는 일정한 지역에 서식하는 동물과 식물의 개체 수를 의미한다.
ㄴ. (나)가 높을수록 (가)도 높아진다.
ㄷ. 생태계에서 복잡한 먹이 사슬을 형성하는 데 가장 큰 영향을 주는 것은 (다)이다.

① ㄱ ② ㄴ ③ ㄷ
④ ㄱ, ㄷ ⑤ ㄴ, ㄷ

중요 **05** 그림은 면적이 동일한 두 지역 (가)와 (나)에 서식하는 식물종 A~D의 분포를, 표는 두 지역의 식물종 A~D의 개체 수를 나타낸 것이다.

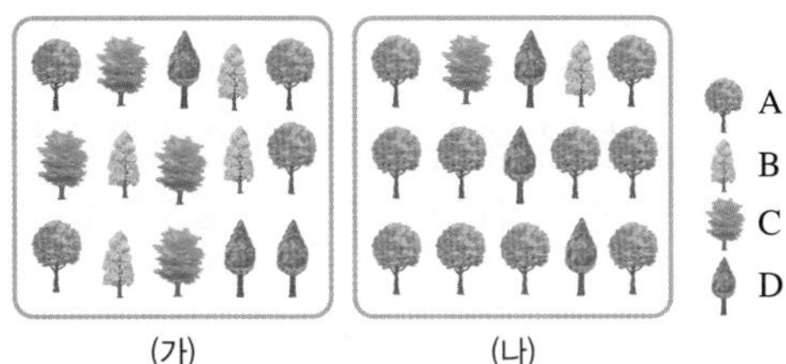

구분	A	B	C	D
(가)	4	4	4	3
(나)	10	1	1	3

이에 대한 설명으로 옳은 것만을 [보기]에서 있는 대로 고른 것은?(단, 식물종 A~D 이외의 종은 고려하지 않는다.)

보기
ㄱ. (가)와 (나)에 서식하는 식물종의 수는 같다.
ㄴ. A의 분포 비율은 (가)보다 (나)에서 높다.
ㄷ. (가)는 (나)보다 종 다양성이 높다.

① ㄱ ② ㄴ ③ ㄱ, ㄷ
④ ㄴ, ㄷ ⑤ ㄱ, ㄴ, ㄷ

B 생물 다양성의 중요성

06 생물 자원과 이용 방법을 연결한 것으로 옳지 않은 것은?

① 목화 – 면섬유 원료
② 나무 – 주택 재료
③ 벼, 밀, 콩, 옥수수 – 식량 재료
④ 버드나무 껍질 – 항암제 원료
⑤ 자연 휴양림 – 휴식 장소

C 생물 다양성의 감소 원인과 보전

07 그림은 생물 다양성을 감소시키는 원인에 따라 영향을 받은 종의 비율을 나타낸 것이다.

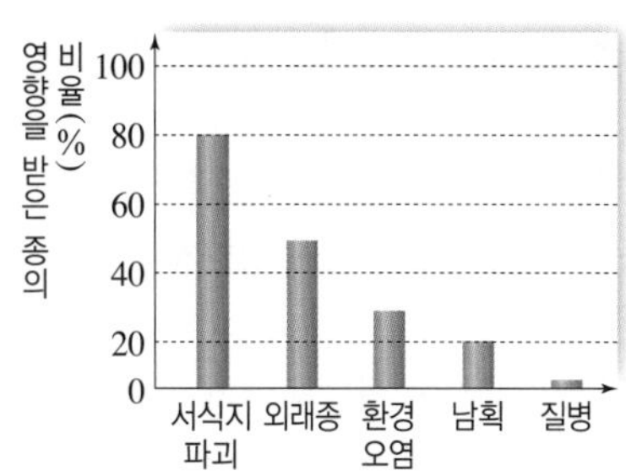

이에 대한 설명으로 옳지 않은 것은?

① 서식지 파괴는 생물 다양성 감소에 가장 큰 영향을 준다.
② 외래종은 고유종의 생존을 위협할 수 있다.
③ 환경 오염은 모든 생물종에게 동일한 영향을 준다.
④ 남획은 특정 생물종의 멸종 위험을 높일 수 있다.
⑤ 유전적 다양성이 낮은 종일수록 특정 질병의 영향을 많이 받을 수 있다.

08 그림은 철도와 도로 건설에 따른 서식지 면적의 변화를 나타낸 것이다.

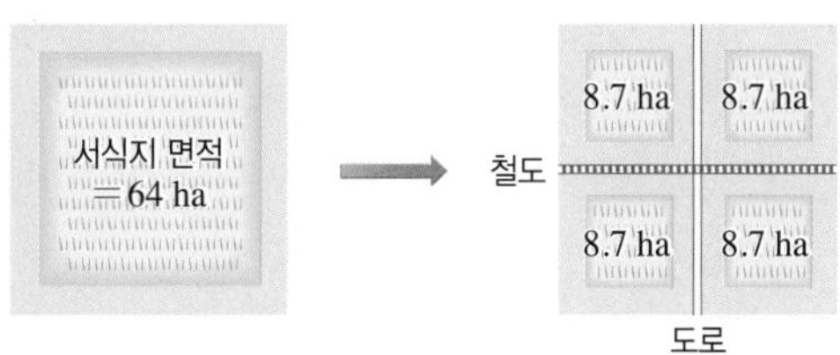

이에 대한 설명으로 옳은 것만을 [보기]에서 있는 대로 고른 것은?

보기
ㄱ. 서식지가 소규모로 분할되었다.
ㄴ. 서식지 면적이 철도와 도로의 면적만큼 감소하였다.
ㄷ. 서식지 중심부에 살던 생물종보다 서식지 가장자리에 살던 생물종이 사라질 위험이 더 높다.

① ㄱ ② ㄴ ③ ㄱ, ㄷ
④ ㄴ, ㄷ ⑤ ㄱ, ㄴ, ㄷ

09 다음은 우리나라에 도입된 몇 가지 외래종을 나열한 것이다.

이에 대한 설명으로 옳은 것만을 [보기]에서 있는 대로 고른 것은?

보기
ㄱ. 외래종은 생태계 평형을 깨뜨릴 수 있다.
ㄴ. 외래종은 종 다양성을 높여 생태계의 먹이 사슬이 안정화된다.
ㄷ. 외래종 도입과 같이 생물의 국가 간 이동을 활성화하는 것은 생물 다양성 보전에 도움이 된다.

① ㄱ ② ㄴ ③ ㄷ
④ ㄱ, ㄷ ⑤ ㄴ, ㄷ

10 생물 다양성이 감소하는 경우를 [보기]에서 있는 대로 고른 것은?

보기
ㄱ. 우수한 품종의 작물을 농장에서 대규모로 재배한다.
ㄴ. 하나의 커다란 서식지를 여러 개의 작은 서식지로 분할한 후 관리한다.
ㄷ. 국립 공원에서 일부 지역의 출입을 통제하는 자연 휴식년제를 실시한다.

① ㄱ ② ㄱ, ㄴ ③ ㄱ, ㄷ
④ ㄴ, ㄷ ⑤ ㄱ, ㄴ, ㄷ

중요 **11** 생물 다양성을 보전하기 위한 대책으로 적절하지 않은 것은?

① 저탄소 제품을 사용하여 환경 오염을 줄인다.
② 야생 동식물의 불법 포획이나 남획을 금지한다.
③ 군집 전체보다는 한 종의 특정 서식지를 보호한다.
④ 단편화된 서식지는 생물이 이동할 수 있는 통로를 만들어 연결한다.
⑤ 생물 다양성에 관한 국제 협약을 체결하여 국가 간의 의견을 조율한다.

12 다음은 생물 다양성 감소 원인과 보전 방안에 대한 설명이다.

㉠도로 건설로 큰 서식지가 작은 서식지로 나누어지면 서식지 면적이 줄어들고 야생 동물의 이동이 제한된다. 이런 경우 ㉡야생 동물이 지나다닐 수 있는 인공적인 길을 만들어 서식지를 연결하고 로드킬을 방지한다.

㉠과 ㉡에 해당하는 용어를 각각 쓰시오.

서술형 문제

13 다음은 바나나에 대한 설명이다.

㉠바나나 야생종은 씨로 번식하지만, ㉡우리가 흔히 먹는 바나나는 씨가 없어 땅속줄기로 번식시켜 대량으로 재배한다.

(1) 바나나에 치명적인 곰팡이성 질병이 발생하였을 때, ㉠과 ㉡ 중 멸종될 가능성이 높은 것은 무엇인지 쓰시오.

(2) 위와 같이 판단한 근거를 생물 다양성의 요소와 관련지어 서술하시오.

14 그림은 면적이 같은 서로 다른 지역 (가)와 (나)에 서식하는 식물종 A~D를 나타낸 것이다.(단 A~D 이외의 종은 고려하지 않는다.)

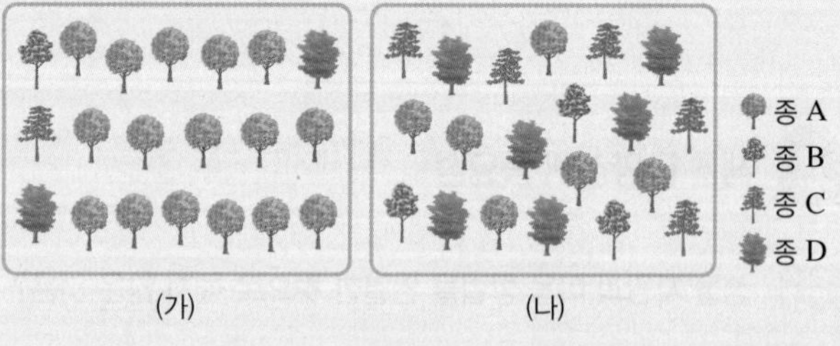

(1) (가)와 (나) 중에서 종 다양성이 더 높은 지역을 쓰시오.

(2) 위와 같이 판단한 근거를 종 다양성이 높은 조건 두 가지를 들어 서술하시오.

실력 UP 문제

정답친해 126쪽

01 그림은 어떤 생물종의 개체 수에 따른 유전자 변이의 수를 나타낸 것이다.

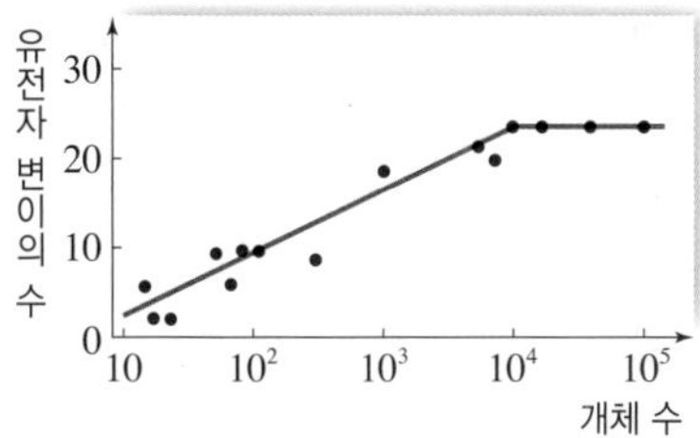

이에 대한 설명으로 옳은 것만을 [보기]에서 있는 대로 고른 것은?

보기

ㄱ. 개체 수에 비례하여 유전적 다양성이 계속 증가한다.
ㄴ. 유전자 변이의 수가 많을수록 집단의 유전적 다양성이 높아진다.
ㄷ. 개체 수가 10^2일 때보다 10^5일 때 환경 변화에 대한 적응력이 더 높다.

① ㄱ ② ㄴ ③ ㄷ
④ ㄱ, ㄴ ⑤ ㄴ, ㄷ

02 표는 면적이 같은 서로 다른 지역 ㉠과 ㉡에 서식하는 식물종 A~F의 개체 수를 나타낸 것이다.

구분	A	B	C	D	E	F
㉠	30	30	28	33	50	49
㉡	122	30	21	14	20	13

이에 대한 설명으로 옳은 것만을 [보기]에서 있는 대로 고른 것은?(단, ㉠과 ㉡에서 식물종 A~F만을 고려한다.)

보기

ㄱ. 식물의 종 다양성은 ㉠과 ㉡에서 같다.
ㄴ. 종 B가 전체 식물에서 차지하는 개체 수의 비율은 ㉠보다 ㉡에서 높다.
ㄷ. ㉡보다 ㉠에서 생태계가 안정적으로 유지된다.

① ㄱ ② ㄴ ③ ㄷ
④ ㄱ, ㄷ ⑤ ㄴ, ㄷ

03 그림은 서식지가 보존되는 면적에 따라 주어진 면적에서 원래 발견되었던 종의 비율을 나타낸 것이다.

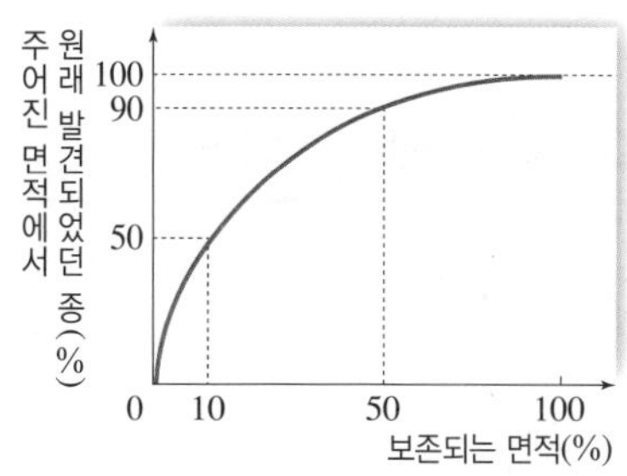

이에 대한 설명으로 옳은 것만을 [보기]에서 있는 대로 고른 것은?

보기

ㄱ. 서식지 면적이 10 %로 감소하면, 그 지역에 살던 생물종 수가 절반으로 줄어든다.
ㄴ. 서식지 면적이 절반으로 감소하면, 그 지역에 살던 생물의 개체 수가 10 % 감소한다.
ㄷ. 서식지 파괴는 종 다양성을 감소시킨다.

① ㄱ ② ㄴ ③ ㄱ, ㄷ
④ ㄴ, ㄷ ⑤ ㄱ, ㄴ, ㄷ

04 그림은 이끼로 덮인 서식지를 (가)~(다) 세 가지 유형으로 나눈 다음 6개월 후 이끼 밑에 서식하는 소형 동물 중 사라진 생물종 수 변화를 조사한 결과이다.

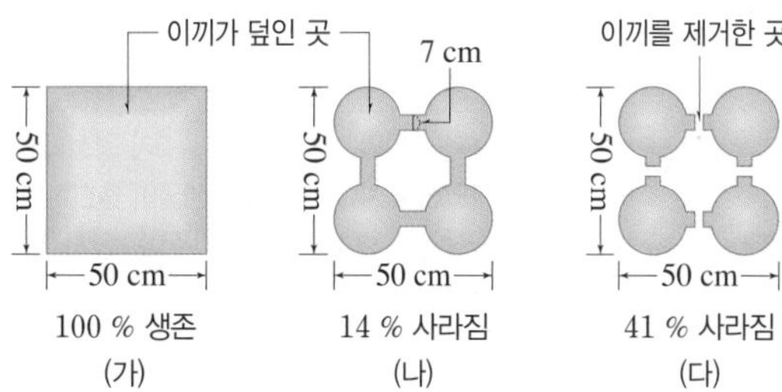

이에 대한 설명으로 옳은 것만을 [보기]에서 있는 대로 고른 것은?

보기

ㄱ. 서식지 면적은 (가)가 가장 넓다.
ㄴ. 6개월 후 종 다양성은 (나)가 (다)보다 높다.
ㄷ. 산을 관통하는 도로를 만들 때 산을 절개하는 것보다 터널을 만드는 것이 생물 다양성 보전에 도움이 된다.

① ㄱ ② ㄴ ③ ㄱ, ㄷ
④ ㄴ, ㄷ ⑤ ㄱ, ㄴ, ㄷ

1 지질 시대의 환경과 생물

1. 화석과 지질 시대

(1) 화석

구분	(❶)	(❷)
특징	• 지층의 생성 환경을 알려준다. • 좁은 지역에 오랜 기간 분포	• 지층의 생성 시기를 알려준다. • 넓은 지역에 짧은 기간 분포
예	• 고사리: 따뜻하고 습한 육지 • 산호: 따뜻하고 얕은 바다 • 조개: 얕은 바다나 갯벌	• 고생대: 삼엽충, 갑주어, 방추충 • 중생대: 공룡, 암모나이트 • 신생대: 화폐석, 매머드

(2) **화석을 이용한 과거의 해석:** 지층이 생성될 당시의 환경, 지층이 생성된 시대, 생물의 진화 과정, 과거 대륙의 이동, 과거 육지와 바다 환경, 지층의 융기 등

(3) **지질 시대**

지질 시대의 구분 기준	• 생물계의 급격한 변화((❸)의 변화) • 대규모 지각 변동(부정합)
지질 시대의 구분	(❹), 고생대, 중생대, 신생대

2. 지질 시대의 환경과 생물

선캄브리아 시대	• 발견되는 화석이 드물다. • 광합성을 하는 남세균이 출현하였다. • 스트로마톨라이트, 에디아카라 동물군 화석
고생대	• 말기에 빙하기가 있었고, (❺)가 형성되었다. • 오존층이 자외선을 차단하여 육상 생물이 출현하였다. • 무척추동물(삼엽충, 방추충), 어류(갑주어), 양서류, 곤충류, 양치식물 번성 • 말기에 생물의 대멸종이 있었다. ➡ 삼엽충, 방추충 멸종
(❻)	• 전반적으로 온난하였고, 판게아가 분리되었다. • 암모나이트, 파충류(공룡), 겉씨식물 번성 • 말기에 생물의 대멸종이 있었다. ➡ 공룡, 암모나이트 멸종
(❼)	• 후기에 여러 번의 빙하기가 있었고, 현재와 비슷한 수륙 분포가 형성되었다. • 화폐석, 포유류(매머드), 속씨식물 번성, 인류 조상 출현

3. 대멸종과 생물 다양성

지질 시대에 여러 번의 대멸종이 있었고, 이는 생물 다양성이 증가하는 계기가 되었다.

2 자연 선택과 생물의 진화

1. 진화와 자연 선택설

(1) **생물의 (❽):** 생물이 오랜 시간 동안 환경에 적응하면서 몸의 구조나 특성이 변화하는 현상

(2) **다윈의 자연 선택설:** 다양한 변이가 있는 개체들 중에서 환경에 잘 적응한 개체가 자연 선택되는 과정이 반복되어 생물의 진화가 일어난다고 하였다.

과잉 생산과 변이 → 생존 경쟁 → 자연 선택 → 진화

과잉 생산과 변이	생물은 주어진 환경에서 살아남을 수 있는 것보다 더 많은 수의 자손을 낳으며(과잉 생산), 이때 태어난 같은 종의 개체들 사이에는 다양한 형질이 나타난다(❾).
생존 경쟁	과잉 생산된 개체들 사이에서 먹이나 서식 공간 등을 두고 생존 경쟁이 일어난다.
(❿)	환경에 적응하기 유리한 형질을 가진 개체가 생존 경쟁에서 살아남아 더 많은 자손을 남긴다.
진화	자연 선택 과정이 오랫동안 누적되어 진화가 일어난다.

(3) **다윈의 자연 선택설의 한계점:** 변이가 나타나는 원인과 부모의 형질이 자손에게 유전되는 원리를 명확하게 설명하지 못하였다.

(4) **다윈의 진화론이 과학과 사회에 준 영향:** 생명 과학의 이론적 기반을 제시하였으며, 자본주의의 발달, 사회진화론, 제국주의의 출현에 영향을 주었다.

2. 변이

(1) **변이:** 같은 종의 개체들 사이에서 나타나는 형태, 기능, 습성 등의 형질의 차이이다.

(2) **변이의 종류**

① (⓫) 변이: 개체가 가진 유전자의 차이로 나타나는 변이 ➡ 형질이 자손에게 유전되므로 진화의 원동력이 된다.

② 비유전적 변이: 환경의 영향으로 나타나는 변이 ➡ 형질이 자손에게 유전되지 않으므로 진화에 영향을 주지 않는다.

(3) **유전적 변이가 나타나는 원인**

① (⓬): 유전자에 변화가 생겨 부모에게 없던 형질이 자손에게 나타나는 것이다. ➡ 새로운 유전자가 만들어진다.

② 유성 생식 과정에서 다양한 유전자 조합: 유성 생식 과정에서 유전자 조합이 다양한 생식세포를 만들고 암수 생식세포가 무작위로 수정하여 형질이 다양한 자손이 나타난다.

3. 변이와 자연 선택에 의한 생물의 진화

핀치 부리의 자연 선택	① 같은 종의 핀치가 갈라파고스 제도의 여러 섬에 흩어져 살게 되었고, 핀치 무리에는 다양한 부리 모양의 변이가 있었다. ② 각 섬의 먹이 환경에 적합한 부리 모양을 가진 핀치가 자연 선택되었고, 이 과정이 오랫동안 반복되어 오늘날 부리 모양이 다른 여러 종의 핀치로 진화하였다.
낫 모양 적혈구 유전자의 자연 선택	① 낫 모양 적혈구 유전자를 가진 사람은 말라리아에 저항성이 있다. ② 말라리아가 자주 발생하는 지역에서는 낫 모양 적혈구 유전자를 가진 사람이 생존에 유리하여 (⑬) 된다. ③ 말라리아가 자주 발생하는 지역은 다른 지역보다 낫 모양 적혈구 유전자를 가진 사람의 비율이 높다.
항생제 내성 세균의 자연 선택	① 세균 집단 내에 항생제 내성 세균이 일부 존재한다. ② (⑭)를 지속적으로 사용하는 환경에서는 항생제 내성 세균이 자연 선택되어 그 비율이 점점 증가하고, 그 결과 항생제 내성 세균 집단이 형성된다.

생물 다양성의 중요성과 보전 방안

1. 생물 다양성

(1) **생물 다양성:** 일정한 생태계에 존재하는 생물의 다양한 정도를 의미하며, 유전적 다양성, 종 다양성, 생태계 다양성을 모두 포함한다.

(⑮)	• 같은 생물종이라도 서로 다른 유전자를 가지고 있어 다양한 형질이 나타나는 것을 의미한다. • 유전적 다양성이 높을수록 변이가 다양하여 급격한 환경 변화에도 살아남는 개체가 있을 가능성이 높다.
종 다양성	• 일정한 지역에 서식하는 생물종의 다양한 정도를 의미한다. • 일정한 지역에 얼마나 많은 생물종이 얼마나 고르게 분포하여 살고 있는지를 나타낸다. • 생물종의 수가 (⑯), 각 생물종의 분포 비율이 (⑰)할수록 종 다양성이 높다. • 종 다양성이 높을수록 생태계가 안정적으로 유지되어 생태계 평형이 잘 유지된다.
생태계 다양성	• 일정한 지역에 존재하는 생태계의 다양한 정도를 의미한다. • 열대 우림, 갯벌, 초원 등 다양한 생태계가 존재한다. • 생태계에 따라 환경이 다르고, 서식하는 생물종이 다르다. • 생태계 다양성이 높을수록 종 다양성이 높아진다.

2. 생물 다양성의 중요성

(1) **생물 다양성과 생태계 평형:** 생물 다양성이 높을수록 생태계 평형이 잘 유지된다.

(2) **생물 다양성과 생물 자원:** (⑱)은 인간의 생활과 생산 활동에 이용되는 모든 생물적 자원이다.

의식주 재료	의복 재료(목화, 누에, 양 등), 식량 재료(벼, 밀, 콩 등), 주택 재료(나무, 풀 등)
의약품 원료	버드나무 껍질(⑲), 푸른곰팡이(페니실린), 주목 열매(항암제), 청자고둥(진통제), 개똥쑥(말라리아 치료제), 팔각(독감 치료제) 등
생물 유전자 자원	병충해 저항성 유전자, 파란색 유전자 등을 이용하여 새로운 농작물을 개발한다. 예 해충 저항성 옥수수, 파란 장미 등
사회적·심미적 가치	생태계는 휴식 장소, 여가 활동 장소, 생태 관광 장소 등을 제공한다.

3. 생물 다양성의 감소 원인과 보전

(1) **생물 다양성의 감소 원인**

서식지 파괴	삼림의 벌채, 습지의 매립 등 ➡ 생물의 서식지 면적이 감소한다.
서식지 (⑳)	도로 건설 등으로 서식지가 소규모로 분할되는 것을 말한다. ➡ 서식지가 단편화되면 서식지 면적이 감소하고, 생물종의 이동을 제한하여 고립시키므로 멸종 위험이 높아진다.
불법 포획과 남획	불법 포획과 남획은 그 생물종의 멸종 위험을 높이고, 특정 생물종의 멸종은 생태계의 먹이 관계에 영향을 주어 생물 다양성을 감소시킨다.
외래종 유입	외래종이 새로운 환경에 적응하여 대량으로 번식하면 고유종의 서식지를 차지하여 생존을 위협하고 생태계 평형을 깨뜨린다. 예 뉴트리아, 배스, 블루길, 가시박 등
환경 오염	대기 오염으로 인한 산성비는 하천, 토양 등을 산성화시키고, 강이나 바다로 유입된 화학 물질 등은 수중 생물에게 피해를 준다.

(2) **생물 다양성 보전을 위한 노력**

개인적 노력	에너지 절약, 자원 재활용, 저탄소 제품 사용 등
사회적·국가적 노력	관련 법률 제정, 생태 통로 설치, 국립 공원 지정, 멸종 위기종 복원 사업 등
국제적 노력	생물 다양성에 관한 국제 협약 체결 예 생물 다양성 협약, 람사르 협약, 런던 협약 등

마무리 문제

난이도 ●●●

●●○

01 그림은 우리나라에서 발견된 공룡 발자국 화석을 나타낸 것이다. 이에 대한 설명으로 옳은 것만을 [보기]에서 있는 대로 고른 것은?

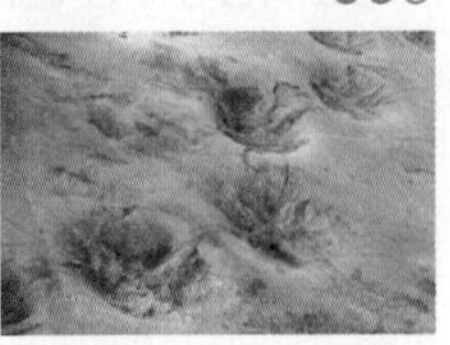

보기
ㄱ. 공룡 발자국이 새겨진 암석은 변성암이다.
ㄴ. 공룡 발자국 화석은 주로 삼엽충 화석과 함께 발견된다.
ㄷ. 이 지층은 화석이 생성된 이후에 심한 지각 변동을 받지 않았다.

① ㄱ ② ㄷ ③ ㄱ, ㄴ
④ ㄴ, ㄷ ⑤ ㄱ, ㄴ, ㄷ

서술형 ●●○

02 그림은 고생물의 생존 기간과 분포 면적을 나타낸 것이다. **A~D** 중 표준 화석으로 가장 적당한 것을 고르고, 그 까닭을 서술하시오.

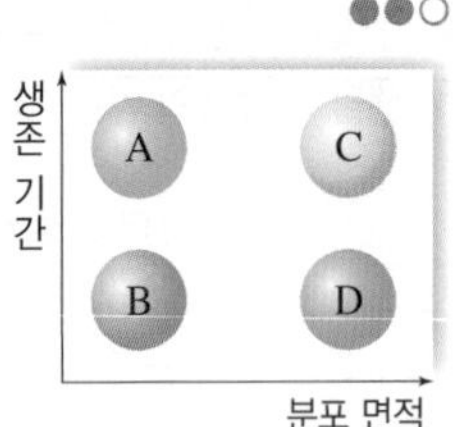

●●○

03 그림은 (가), (나) 두 지역의 지층과 각 지층에서 발견된 화석을 나타낸 것이다.

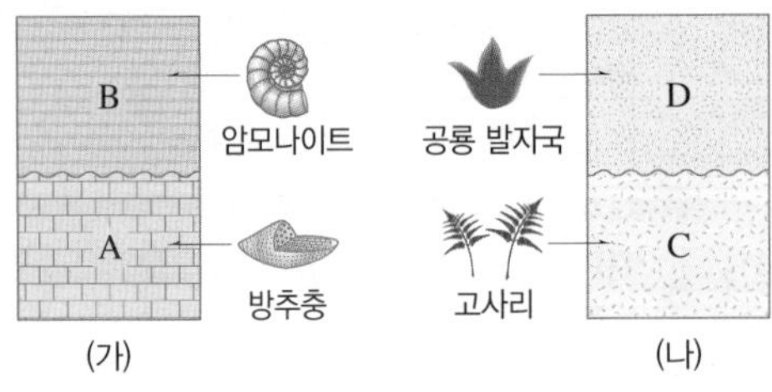

지층 A~D에 대한 해석으로 옳지 않은 것은?

① 지층 A는 신생대에 퇴적되었다.
② 지층 B와 D는 같은 지질 시대에 퇴적되었다.
③ 지층 A와 B가 퇴적될 때, (가) 지역은 바다였다.
④ 지층 C와 D가 퇴적될 때, (나) 지역은 육지였다.
⑤ 지층 C는 따뜻하고 습한 지역에서 퇴적되었다.

●●●

04 그림은 지구의 역사를 선캄브리아 시대, 고생대, 중생대, 신생대로 구분하여 각 지질 시대의 상대적 길이를 순서 없이 나타낸 것이다.

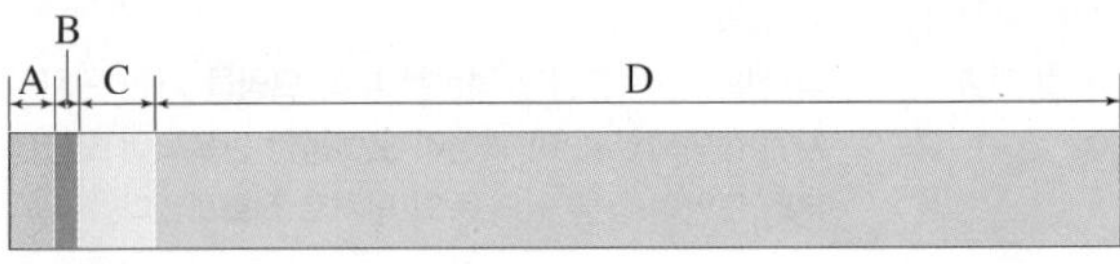

이에 대한 설명으로 옳은 것만을 [보기]에서 있는 대로 고른 것은?

보기
ㄱ. 오존층이 형성되어 육상 생물이 출현한 시대는 A이다.
ㄴ. 속씨식물이 번성한 시대는 B이다.
ㄷ. C 시대 말기에는 판게아가 형성되었다.
ㄹ. D 시대는 가장 오래 지속되었기 때문에 가장 다양한 생물의 화석이 발견된다.

① ㄱ, ㄴ ② ㄱ, ㄹ ③ ㄴ, ㄷ
④ ㄱ, ㄷ, ㄹ ⑤ ㄴ, ㄷ, ㄹ

서술형 ●○○

05 지질 시대 중 육상 생물이 출현한 시대를 쓰고, 육상 생물이 출현할 수 있게 된 까닭을 서술하시오.

●●○

06 그림 (가)~(라)는 지질 시대 동안 동물계의 변화를 순서 없이 나타낸 것이다.

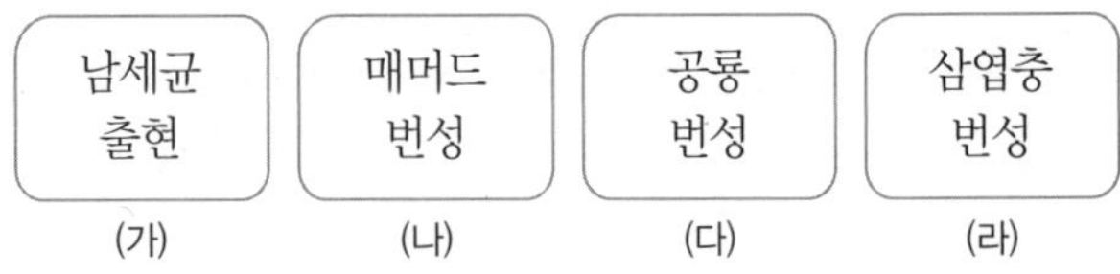

이에 대한 설명으로 옳은 것만을 [보기]에서 있는 대로 고른 것은?

보기
ㄱ. (가) 시대에는 생물이 모두 바다에서 생활하였다.
ㄴ. (나) 시대는 빙하기 없이 대체로 온난하였다.
ㄷ. (다) 시대에 바다에서는 암모나이트가 번성하였다.
ㄹ. 지질 시대가 지속된 기간은 (라) 시대가 (가) 시대보다 길다.

① ㄱ, ㄷ ② ㄱ, ㄹ ③ ㄴ, ㄹ
④ ㄱ, ㄴ, ㄷ ⑤ ㄴ, ㄷ, ㄹ

07 그림 (가)와 (나)는 지질 시대에 따른 대륙의 분포를 나타낸 것이다.

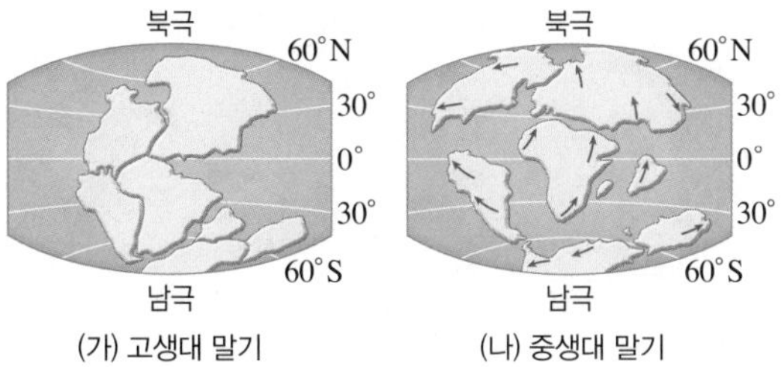

(가) 고생대 말기 (나) 중생대 말기

이에 대한 설명으로 옳지 않은 것은?

① (가) 시기에 판게아가 형성되었다.
② (가) 시기에 삼엽충과 방추충이 멸종하였다.
③ (나) 시기에 공룡과 암모나이트가 멸종하였다.
④ (가)보다 (나) 시기에 대서양의 면적이 좁아졌다.
⑤ (가)에서 (나)로 갈수록 점점 현재의 수륙 분포와 비슷해진다.

08 그림은 고생대부터 신생대까지 해양 동물군과 육상 식물군의 수 변화를 나타낸 것이다.

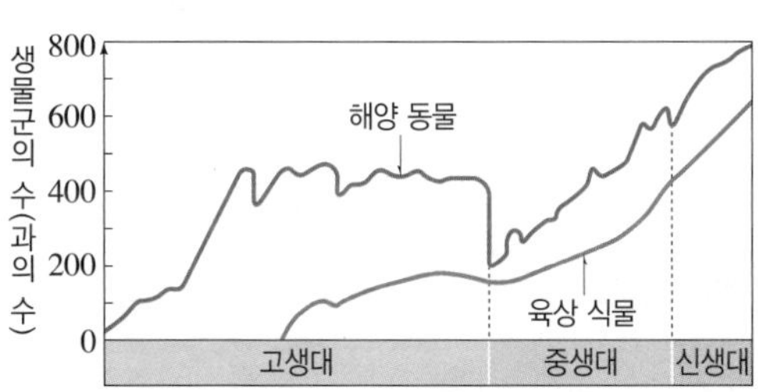

이에 대한 설명으로 옳은 것만을 [보기]에서 있는 대로 고른 것은?

보기
ㄱ. 고생대 말기에 해양 동물의 대멸종이 일어났다.
ㄴ. 생물의 종류가 가장 다양한 시기는 중생대이다.
ㄷ. 해양 동물은 육상 식물보다 지질 시대 구분에 더 유용하다.

① ㄱ ② ㄴ ③ ㄱ, ㄷ
④ ㄴ, ㄷ ⑤ ㄱ, ㄴ, ㄷ

서술형

09 지질 시대 동안 생물의 대멸종을 일으킨 환경 변화를 두 가지만 서술하시오.

10 그림은 기린의 진화 과정을 다윈의 자연 선택설로 나타낸 것이다.

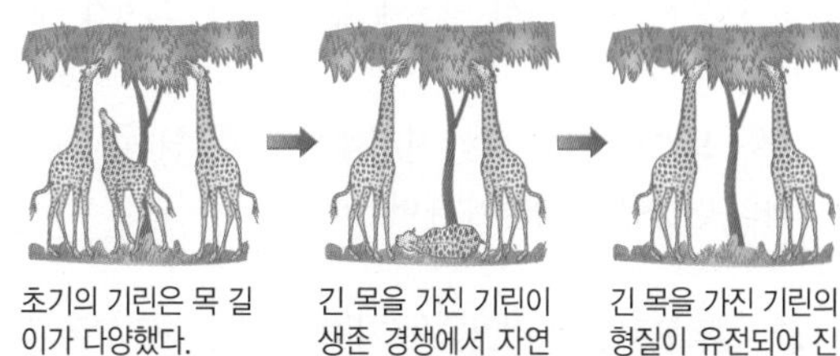

초기의 기린은 목 길이가 다양했다.
긴 목을 가진 기린이 생존 경쟁에서 자연 선택되어 살아남았다.
긴 목을 가진 기린의 형질이 유전되어 진화하였다.

이에 대한 설명으로 옳은 것만을 [보기]에서 있는 대로 고른 것은?

보기
ㄱ. 환경 변화로 인해 개체들 사이에서 다양한 형질이 나타났다.
ㄴ. 환경에 적응하기 유리한 형질을 가진 개체가 생존에 유리하다.
ㄷ. 자연 선택된 개체는 생존에 유리한 형질만 자손에게 전달한다.
ㄹ. 생물은 주어진 환경에서 살아남을 수 있는 것보다 많은 수의 자손을 낳는다.

① ㄱ, ㄷ ② ㄱ, ㄹ ③ ㄴ, ㄹ
④ ㄱ, ㄴ, ㄷ ⑤ ㄴ, ㄷ, ㄹ

11 같은 종의 개체들 사이에서 나타나는 유전적 형질의 차이에 대한 설명으로 옳은 것만을 [보기]에서 있는 대로 고른 것은?

보기
ㄱ. 생물 다양성을 높이는 요인이다.
ㄴ. 개체들의 환경 적응력의 차이가 나타나게 한다.
ㄷ. 유전자의 차이로 나타나는 변이이며, 형질이 자손에게 전달된다.
ㄹ. 오른손을 많이 써서 오른손이 왼손보다 커진 것은 이에 해당하는 예이다.

① ㄱ, ㄴ ② ㄴ, ㄷ ③ ㄴ, ㄹ
④ ㄷ, ㄹ ⑤ ㄱ, ㄴ, ㄷ

●●○

12 다음은 변이가 나타나는 두 가지 원인을 설명한 예이다.

(가) 갈색 토끼 무리에서 이전에 없던 흰색 토끼가 태어났다.
(나) 갈색 토끼와 흰색 토끼 사이에서 갈색, 흰색, 얼룩무늬의 다양한 토끼들이 태어났다.

이에 대한 설명으로 옳은 것만을 [보기]에서 있는 대로 고른 것은?

보기
ㄱ. (가)에서 돌연변이로 집단에 새로운 변이가 나타났다.
ㄴ. (나)에서 생식세포의 다양한 조합을 통해 다음 세대의 변이가 증가하였다.
ㄷ. (나)의 얼룩무늬 토끼는 갈색 털 유전자와 흰색 털 유전자를 모두 가진다.

① ㄴ ② ㄷ ③ ㄱ, ㄴ
④ ㄱ, ㄷ ⑤ ㄱ, ㄴ, ㄷ

●●●

13 표는 밝은 숲과 어두운 숲에 같은 수의 흰색 나방과 검은색 나방을 놓아 주고 일정 시간 후 재포획된 비율을 나타낸 것이다.(단, 나방이 재포획된 비율은 일정 시간 후 천적에게 피식되지 않고 생존한 나방의 수에 비례한다.)

구분	재포획된 비율(%)	
	밝은 숲	어두운 숲
흰색 나방	14	23
검은색 나방	7	54

이에 대한 설명으로 옳은 것만을 [보기]에서 있는 대로 고른 것은?

보기
ㄱ. 밝은 숲에서는 흰색 나방이 생존에 유리하였다.
ㄴ. 어두운 숲에서는 검은색 나방이 자연 선택되었다.
ㄷ. 환경 변화에 따라 자연 선택되는 변이가 달라져 진화의 방향이 달라진다는 것을 알 수 있다.

① ㄱ ② ㄴ ③ ㄱ, ㄷ
④ ㄴ, ㄷ ⑤ ㄱ, ㄴ, ㄷ

●●○

14 그림은 항생제 내성 세균 집단이 형성되는 과정을 나타낸 것이다.

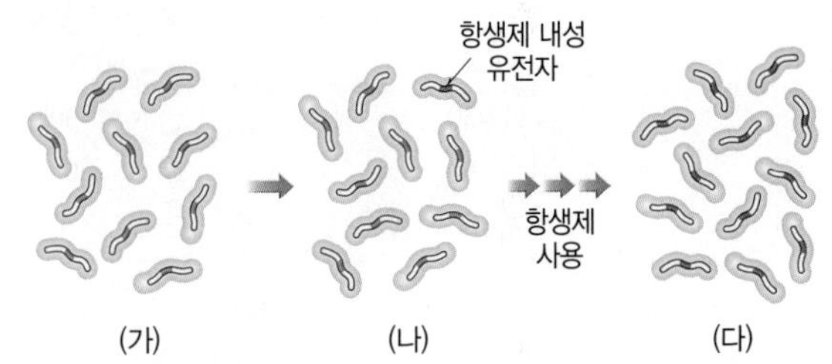

이에 대한 설명으로 옳은 것은?

① 항생제 내성 유전자는 항생제 사용으로 나타났다.
② (가) → (나)에서 항생제 내성 세균이 자연 선택되었다.
③ (나) → (다)에서 항생제 내성이 없는 세균은 생존에 불리하여 도태되었다.
④ 환경이 달라져도 집단의 구성은 변화가 없다.
⑤ 항생제 사용을 중단하면 항생제 내성 세균은 다시 사라진다.

●●●

15 그림은 살충제 살포에 따라 해충 집단이 변화하는 과정을 나타낸 것이다.

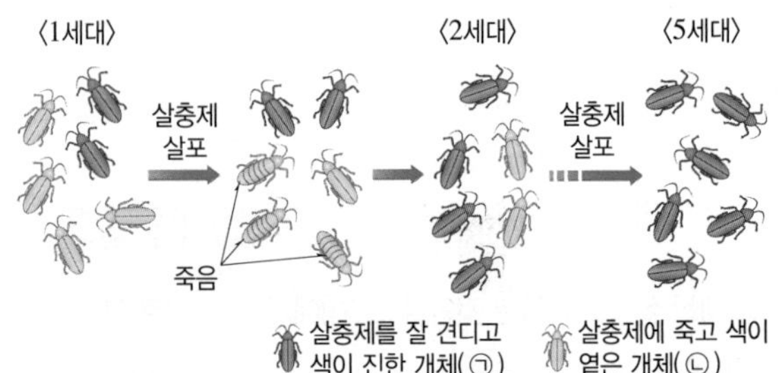

이에 대한 설명으로 옳은 것만을 [보기]에서 있는 대로 고른 것은?

보기
ㄱ. 유전적 다양성은 1세대보다 5세대에서 더 높다.
ㄴ. 살충제를 살포하는 환경에서는 ㉠이 ㉡보다 환경 적응력이 높다.
ㄷ. 2세대 이후 살충제 살포를 중지하고 색이 진한 개체를 잡아먹는 천적이 나타난다면 ㉡의 비율이 다시 증가할 것이다.

① ㄱ ② ㄴ ③ ㄱ, ㄷ
④ ㄴ, ㄷ ⑤ ㄱ, ㄴ, ㄷ

[16~17] 다음은 항생제를 지속적으로 사용하는 환경에서 항생제 내성 세균 집단이 출현하는 과정에 관한 모의 실험이다.

[실험 과정]

(가) 세균 모형 A와 B를 준비한다. A는 벨크로 테이프에 붙는 재질이고, B는 벨크로 테이프에 붙지 않는 재질이다.

(나) 쟁반에 A를 36개, B를 4개 넣어 1세대를 만든다.

(다) 벨크로 테이프로 세균 모형을 찍어 내어 20개를 제거한다.

(라) 쟁반에 남은 것과 같은 세균 모형을 ㉠각각의 수만큼 더해 2세대를 만든다.

(마) 과정 (다)와 (라)를 반복하여 3세대와 4세대를 만든다.

[실험 결과]

각 세대에서 세균 모형 A와 B의 개수는 표와 같다.

구분	1세대	2세대	3세대	4세대
A	36개	32개	24개	8개
B	4개	8개	16개	32개

●●○

16 **이에 대한 설명으로 옳은 것만을 [보기]에서 있는 대로 고른 것은?**

보기

ㄱ. B는 항생제 내성 세균의 모형이다.

ㄴ. 벨크로 테이프는 항생제 역할을 한다.

ㄷ. ㉠은 살아남은 세균의 증식을 의미한다.

① ㄱ ② ㄴ ③ ㄱ, ㄷ ④ ㄴ, ㄷ ⑤ ㄱ, ㄴ, ㄷ

서술형 ●●○

17 **위 실험의 결론으로 항생제 내성 세균 집단의 출현 과정을 다음 용어를 모두 포함하여 서술하시오.**

변이 항생제 자연 선택

●●○

18 **(가)는 생물 다양성의 세 가지 의미를, (나)는 같은 종의 쥐 집단에서 서로 다른 얼룩무늬를 나타낸 것이다.**

구분	의미
A	같은 종이라도 개체마다 형질이 다르게 나타나는 것을 의미한다.
B	어느 지역에 존재하는 생태계의 다양한 정도를 의미한다.
C	㉠

(가)

(나)

이에 대한 설명으로 옳은 것만을 [보기]에서 있는 대로 고른 것은?

보기

ㄱ. (나)는 A의 예에 해당한다.

ㄴ. B가 높을수록 급격한 환경 변화에 적응하여 살아남는 개체가 있을 가능성이 높다.

ㄷ. '일정한 지역에 서식하는 생물종의 다양한 정도를 의미한다.'는 ㉠에 해당한다.

① ㄱ ② ㄴ ③ ㄱ, ㄷ ④ ㄴ, ㄷ ⑤ ㄱ, ㄴ, ㄷ

●●○

19 **다음은 바나나에 대한 설명이다.**

㉠야생 바나나는 씨가 있어 암수 생식세포를 만들고, 그 생식세포가 수정하여 새로운 개체가 되는 유성 생식으로 번식한다. 하지만 ㉡우리가 흔히 먹는 바나나는 씨가 없어 땅속줄기를 잘라 옮겨 심는 무성 생식의 한 방법으로 번식한다.

이에 대한 설명으로 옳은 것만을 [보기]에서 있는 대로 고른 것은?

보기

ㄱ. ㉠은 ㉡보다 변이가 많다.

ㄴ. ㉠은 ㉡보다 유전적 다양성이 낮다.

ㄷ. 급격한 환경 변화가 일어났을 때 ㉠은 ㉡보다 살아남는 개체가 있을 확률이 낮다.

① ㄱ ② ㄴ ③ ㄷ ④ ㄱ, ㄷ ⑤ ㄱ, ㄴ, ㄷ

●●●
20 그림은 면적이 같은 서로 다른 지역 (가)와 (나)에 서식하는 식물종 ㉠~㉣을 조사한 결과를 나타낸 것이다.

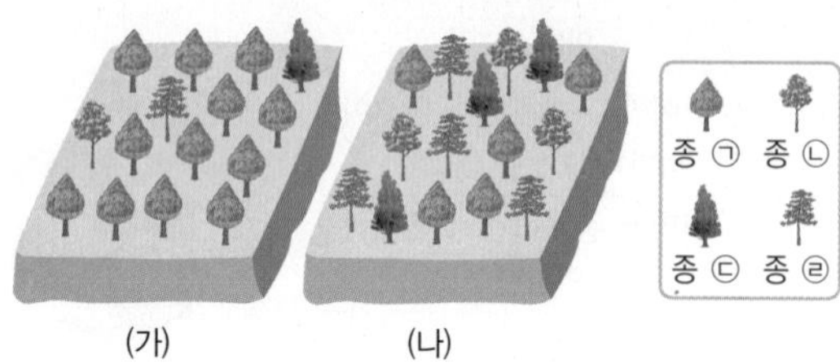

이에 대한 설명으로 옳은 것만을 [보기]에서 있는 대로 고른 것은?(단, ㉠~㉣ 이외의 종은 고려하지 않는다.)

보기
ㄱ. 식물의 종 다양성은 (가)보다 (나)에서 높다.
ㄴ. 식물의 종 수는 (가)와 (나)에서 같다.
ㄷ. 종 ㉡의 $\frac{\text{개체 수}}{\text{면적}}$의 값은 (나)에서가 (가)에서의 3배이다.

① ㄱ ② ㄴ ③ ㄱ, ㄷ
④ ㄴ, ㄷ ⑤ ㄱ, ㄴ, ㄷ

●●○
21 다음은 인류의 생물 자원 활용에 대한 자료이다.

(가) 푸른곰팡이에서 페니실린 원료를, 버드나무 껍질에서 아스피린 원료를 얻는다.
(나) 생물의 유전자 자원을 이용하여 우수한 특성의 농작물을 개발한다.
(다) 휴식, 여가 활동 및 관광 장소를 제공한다.

이를 생물 다양성 유지와 관련지어 설명한 것으로 옳은 것만을 [보기]에서 있는 대로 고른 것은?

보기
ㄱ. (가)는 종 다양성 유지의 필요성과 관련이 있다.
ㄴ. (나)의 예로는 해충 저항성 옥수수 개발이 있다.
ㄷ. (다)는 다양한 생태계를 도시로 개발함으로써 얻을 수 있다.

① ㄱ ② ㄱ, ㄴ ③ ㄱ, ㄷ
④ ㄴ, ㄷ ⑤ ㄱ, ㄴ, ㄷ

●●○
22 그림은 어떤 서식지가 도로와 철도에 의해 분할되었을 때의 변화를 나타낸 것이다.

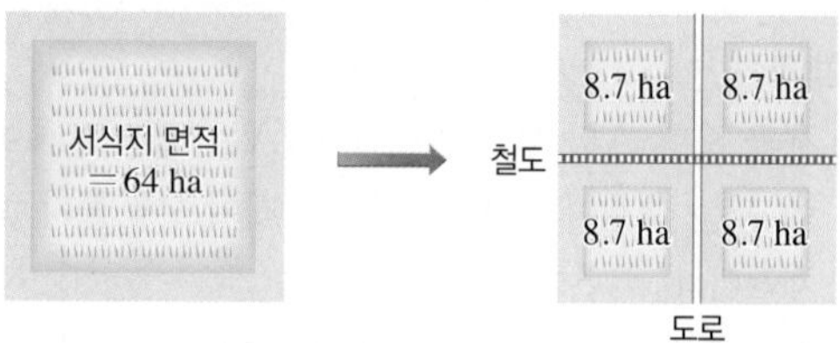

이에 대한 설명으로 옳은 것만을 [보기]에서 있는 대로 고른 것은?

보기
ㄱ. 서식지가 소규모로 단편화되었다.
ㄴ. 가장자리의 면적이 늘어나므로 종 다양성이 높아진다.
ㄷ. 생태 통로를 설치하여 서식지를 연결하면 생물 다양성이 서식지 분할 전보다 높아진다.

① ㄱ ② ㄴ ③ ㄷ
④ ㄱ, ㄴ ⑤ ㄴ, ㄷ

서술형 ●●○
23 다음은 가시박에 대한 자료이다.

㉠가시박은 북미 지역이 원산지인 식물로 1990년대 초반 참외와 수박의 접목용으로 도입되었다. 일부 개체가 농장 밖으로 퍼져나가 전국적으로 확산되었으며, 다른 식물을 휘감고 올라가 말라 죽게 만든다.

(1) ㉠과 같이 원래 서식지에서 다른 서식지로 유입된 생물을 무엇이라고 하는지 쓰시오.

(2) ㉠과 같은 생물에 의한 생물 다양성 감소 문제가 재발하지 않도록 하기 위한 방안을 두 가지만 서술하시오.

●●○
24 다음 국제 협약 (가)와 (나)는 각각 무엇인지 쓰시오.

(가) 다양한 생물종의 보호와 생물 자원의 지속 가능한 이용 등을 위해 1992년 유엔 환경 개발 회의에서 채택하였다.
(나) 물새 서식지로서 국제적으로 중요한 습지 자원을 보전하기 위해 1971년 채택하였다.

고난도 문제

01 그림은 전체 지질 시대를 24시간으로 환산하여 나타낸 지질 시계를, 표는 각 지질 시대의 시작 시기를 나타낸 것이다.

지질 시대	시작 시기 (억 년 전)
선캄브리아 시대	46
고생대	5.41
중생대	2.52
신생대	0.66

이에 대한 설명으로 옳은 것만을 [보기]에서 있는 대로 고른 것은?

보기
ㄱ. 전체 지질 시대 중 선캄브리아 시대가 차지하는 비율은 85 % 이상이다.
ㄴ. 시계에서 삼엽충이 번성한 기간은 2시간보다 길다.
ㄷ. 공룡이 멸종한 시기는 23시와 24시 사이이다.

① ㄱ ② ㄴ ③ ㄱ, ㄷ ④ ㄴ, ㄷ ⑤ ㄱ, ㄴ, ㄷ

02 다음은 자연 선택에 의해 생물의 진화가 일어나는 과정 일부를 나타낸 것이다.

변이(㉠) → 생존 경쟁(㉡) → 자연 선택(㉢)

이에 대한 설명으로 옳은 것만을 [보기]에서 있는 대로 고른 것은?

보기
ㄱ. '터키달팽이 집단에서 개체마다 껍데기의 무늬와 색깔이 다르다.'는 ㉠의 예에 해당한다.
ㄴ. ㉡ 과정에서 이론적으로 집단 내 개체들의 생존율에는 차이가 없다.
ㄷ. ㉢에서 환경 변화에 관계없이 우수한 형질을 가진 개체들이 선택된다.

① ㄱ ② ㄴ ③ ㄱ, ㄴ ④ ㄱ, ㄷ ⑤ ㄴ, ㄷ

03 그림은 갈라파고스 제도의 어떤 섬에서 극심한 가뭄 전과 후 핀치의 개체 수와 부리의 평균 크기 변화를 나타낸 것이고, 표는 가뭄 전과 후 핀치의 먹이에 대한 설명이다.

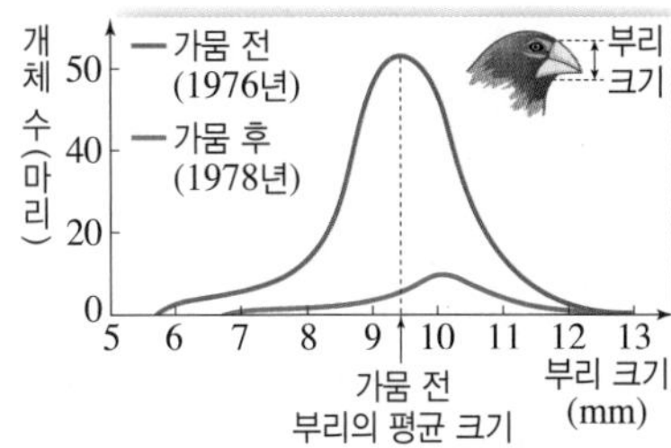

가뭄 전에는 작고 연한 씨앗이 풍부하였지만, 가뭄 후 씨앗의 총 수가 감소하였고, 크고 딱딱한 씨앗이 많아졌다.

이에 대한 설명으로 옳은 것만을 [보기]에서 있는 대로 고른 것은?

보기
ㄱ. 크고 딱딱한 씨앗을 먹기 위해 핀치의 부리가 커졌다.
ㄴ. 먹이 환경의 변화는 핀치의 부리 크기 유전자의 돌연변이를 유발하였다.
ㄷ. 가뭄 시에 부리가 큰 핀치보다 부리가 작은 핀치의 생존 확률이 낮았다.

① ㄴ ② ㄷ ③ ㄱ, ㄴ ④ ㄱ, ㄷ ⑤ ㄴ, ㄷ

04 그림은 어떤 생태계에서 일시적인 환경 변화 X가 일어난 후 생태계에 서식하는 생물의 전체 개체 수, 종 수, 종 다양성을 시간에 따라 나타낸 것이다.

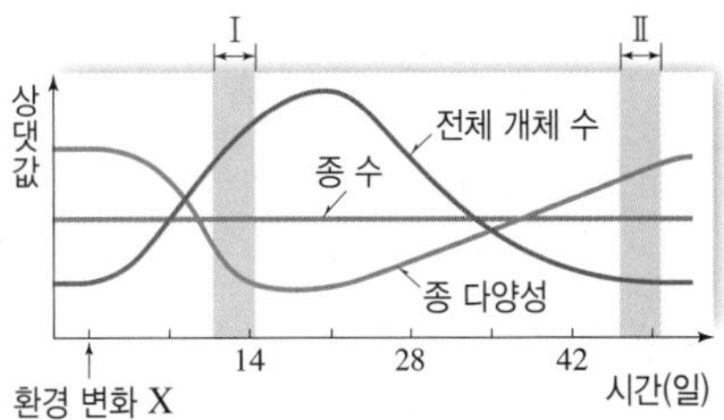

이에 대한 설명으로 옳은 것만을 [보기]에서 있는 대로 고른 것은?

보기
ㄱ. 구간 Ⅰ에서 개체 수가 증가하는 종이 있다.
ㄴ. 전체 개체 수에서 각 종이 차지하는 비율은 구간 Ⅰ에서보다 구간 Ⅱ에서 더 균등하다.
ㄷ. X는 생물 다양성을 높이는 작용을 한다.

① ㄱ ② ㄴ ③ ㄷ ④ ㄱ, ㄴ ⑤ ㄴ, ㄷ

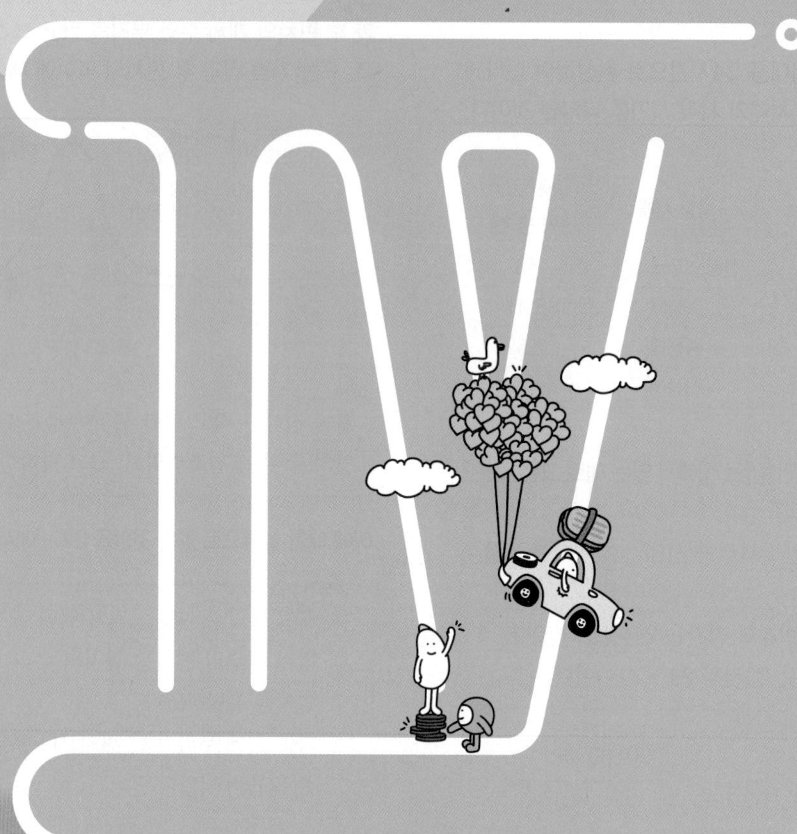

환경과 에너지

배운 내용

- 환경과 생물
- 지구 온난화
- 대기 대순환
- 열과 우리 생활
- 에너지 전환과 보존

1 생태계와 환경

배울 내용

- 생태계의 구성
- 생물과 환경의 관계
- 생태계 평형
- 해수의 표층 순환
- 사막화와 엘니뇨
- 에너지 보존 법칙
- 열효율
- 에너지의 효율적 이용

중학교 때 배웠던 지구 온난화를 한반도 중심으로 배우고, 중학교 때 배우지 않았던 생태계 평형, 사막화와 엘니뇨, 에너지 효율과 더불어 에너지를 효율적으로 이용할 수 있는 방법을 배운다.

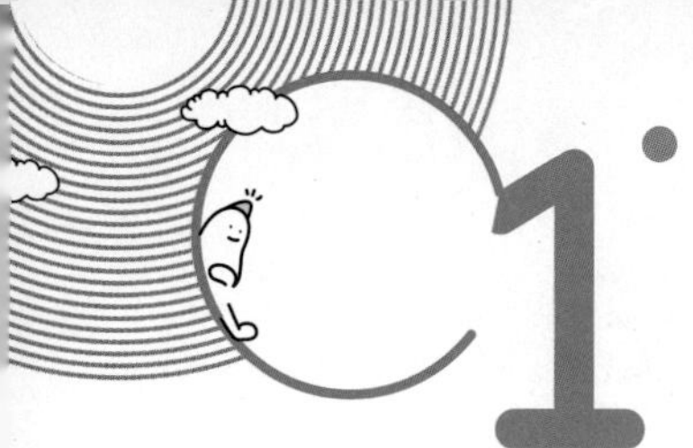

1 생태계 구성 요소와 환경

핵심 포인트
- ❶ 생태계 구성 요소 사이의 관계 ★★★
- ❷ 빛과 생물 ★★★
- ❸ 온도와 생물 ★★

A 생태계의 구성

생태계는 지구 시스템의 생물권에 속하며, 생태계는 그 자체로도 생물들이 살아가는 하나의 시스템이랍니다. 그럼 지금부터 생태계의 구성 요소에 대해 자세히 알아볼까요?

1. 생태계

① ◆**생태계:** 생물이 다른 생물 및 환경과 서로 영향을 주고받는 하나의 커다란 체계

◆ **생태계**
생태계는 생물적 요인과 비생물적 요인의 구성 요소들 사이에서 상호 작용을 하며 생물들이 살아가는 터전이 되는 하나의 커다란 체계이다.

◆ **개체, 개체군, 군집의 관계**
같은 종의 개체들이 모여 개체군을 이루고, 여러 개체군이 모여 군집을 이룬다.

② **생태계의 종류:** 열대 우림, 삼림, 초원, 갯벌, 사막, 연못, 공원, 어항 등
- 생태계는 어항과 같이 작은 생태계부터 바다와 같이 큰 생태계까지 다양하다.
- 산, 사막 등과 같이 자연적으로 형성된 생태계도 있고, 텃밭, 공원, 저수지 등과 같이 인위적으로 만들어진 생태계도 있다.

2. 생태계 구성 요소

생태계는 생물적 요인과 비생물적 요인으로 구성된다.

① **생물적 요인:** 생태계에 존재하는 모든 생물로, ◆역할에 따라 생산자, 소비자, 분해자로 구분한다.

◆ **생물적 요인의 구분**
생명체는 유기물의 에너지를 이용하여 살아가는데 생태계의 생물적 요인은 이러한 유기물을 생산하는 생산자, 소비하는 소비자, 분해하는 분해자로 분류한다.

생산자	소비자	분해자
광합성을 하여 생명 활동에 필요한 양분(유기물)을 스스로 만드는 생물 예 식물, 식물 플랑크톤	다른 생물을 먹이로 하여 양분(유기물)을 얻는 생물 예 동물, 동물 플랑크톤	다른 생물의 사체나 배설물에 포함된 유기물을 분해하여 에너지를 얻는 생물 예 세균, 곰팡이, 버섯
 수국	 호랑이	 버섯

② **비생물적 요인:** 생물을 둘러싸고 있는 모든 환경 요인으로 빛, 온도, 물, 토양, 공기 등이 있다.
- 미래엔 교과서에서는 비생물적 요인을 비생물적 환경 요인이라고 하였다.

암기해!
생태계의 구성 요소
- 생물적 요인: 생산자, 소비자, 분해자
- 비생물적 요인: 빛, 온도, 물, 공기 등

3. 생태계 구성 요소 사이의 관계 생태계에서 생물적 요인과 비생물적 요인을 구성하는 요소들은 서로 영향을 주고받는다.

생태계 구성 요소 사이의 관계

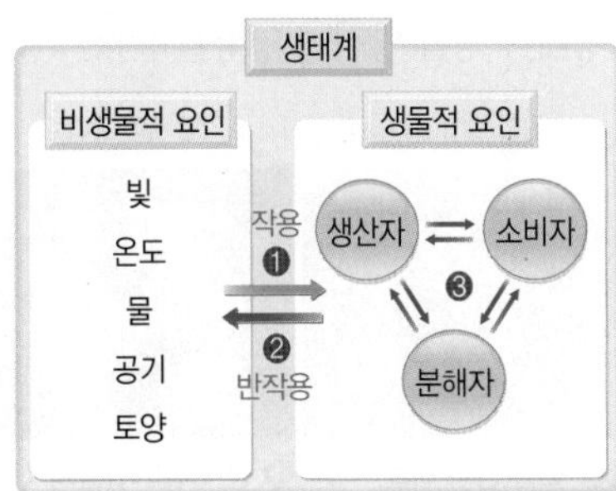

❶ 비생물적 요인이 생물에 영향을 준다.—• 작용
예 • 토양에 양분이 풍부하면 식물이 잘 자란다.
• 가을에 기온이 낮아지면 은행나무 잎이 노랗게 변한다.

❷ 생물이 비생물적 요인에 영향을 준다.—• 반작용
예 • 식물의 광합성으로 공기의 성분이 변한다.
• 낙엽이 쌓여 분해되면 토양이 비옥해진다.
• 지렁이는 흙 속을 돌아다니며 토양의 통기성을 높인다.

❸ 생물들 간에 서로 영향을 주고받는다.
예 • 풀이 무성해지자 토끼의 개체 수가 증가하였다.

천재 교과서에서는 생태계 구성 요소 사이의 관계를 작용, 반작용의 용어를 사용해 설명했어요.

생물 사이의 관계

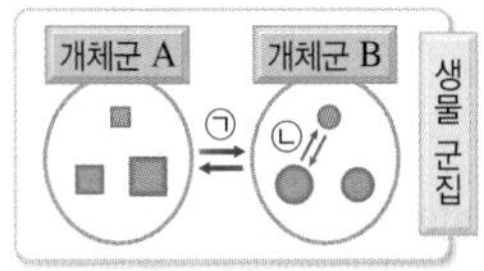

각 개체군은 같은 종의 개체들로 구성되어 있으며, 개체군 A와 B는 다른 종으로 이루어져 있다. ➡ ㉠은 서로 다른 종의 생물 사이의 상호 작용이고, ㉡은 같은 종의 생물 사이의 상호 작용이다.

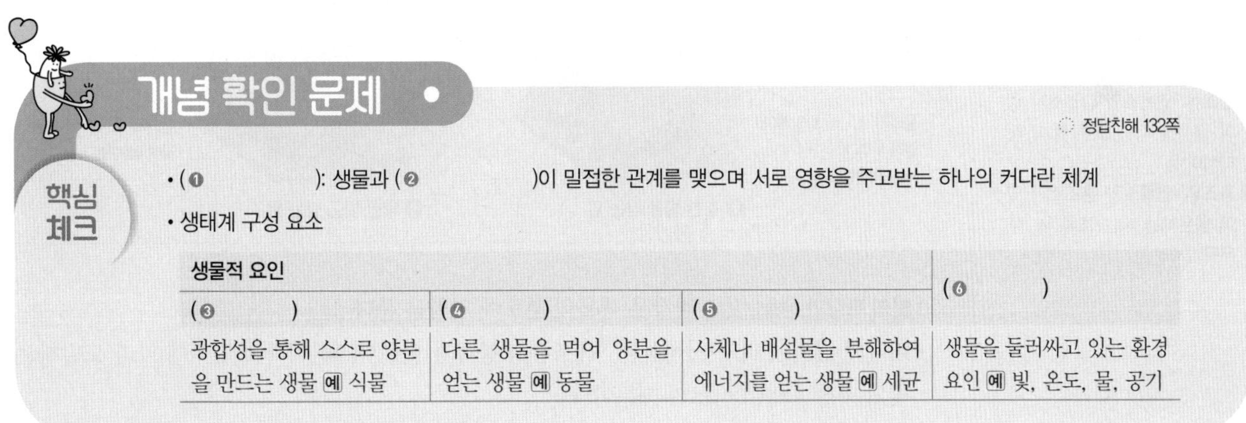

개념 확인 문제

정답친해 132쪽

핵심 체크

• (❶): 생물과 (❷)이 밀접한 관계를 맺으며 서로 영향을 주고받는 하나의 커다란 체계

• 생태계 구성 요소

생물적 요인			(❻)
(❸)	(❹)	(❺)	
광합성을 통해 스스로 양분을 만드는 생물 예 식물	다른 생물을 먹어 양분을 얻는 생물 예 동물	사체나 배설물을 분해하여 에너지를 얻는 생물 예 세균	생물을 둘러싸고 있는 환경 요인 예 빛, 온도, 물, 공기

1 같은 지역에 사는 여러 개체군의 무리를 무엇이라고 하는지 쓰시오.

2 생태계를 구성하는 각 요소의 예를 [보기]에서 있는 대로 고르시오.

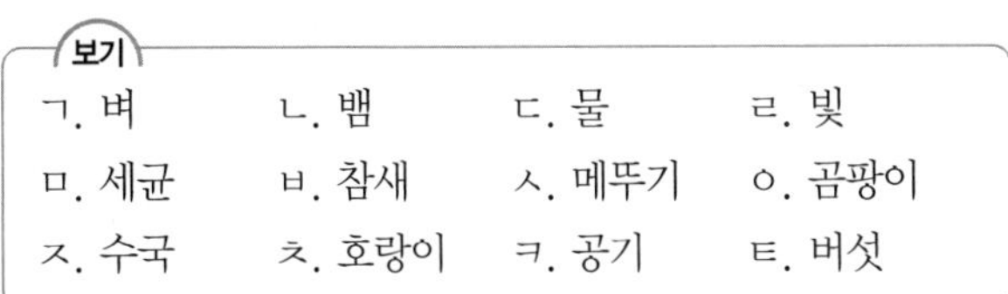

보기
ㄱ. 벼 ㄴ. 뱀 ㄷ. 물 ㄹ. 빛
ㅁ. 세균 ㅂ. 참새 ㅅ. 메뚜기 ㅇ. 곰팡이
ㅈ. 수국 ㅊ. 호랑이 ㅋ. 공기 ㅌ. 버섯

(1) 생산자
(2) 소비자
(3) 분해자
(4) 비생물적 요인

3 그림은 생태계를 구성하는 요소 사이의 관계를 나타낸 것이다. 다음 현상은 ㉠~㉢ 중 어느 것에 해당하는지 쓰시오.

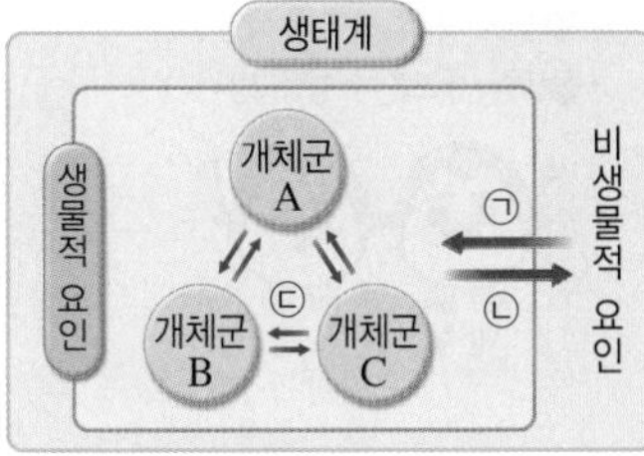

(1) 낙엽이 쌓여 분해되면 토양이 비옥해진다. ······ (   )
(2) 토양 속 양분이 풍부하면 식물이 잘 자란다. ··· (   )
(3) 가을에 기온이 낮아지면 은행나무 잎이 노랗게 변한다. ······ (   )
(4) 지렁이가 흙 속을 돌아다니며 토양의 통기성을 높인다. ······ (   )
(5) 메뚜기의 개체 수가 증가하면 개구리의 개체 수도 증가한다. ······ (   )

B 생물과 환경의 관계

생물은 빛, 온도, 물, 토양, 공기 등 여러 환경 요인에 적응하여 살아가고 있다.

1. 빛과 생물 빛의 세기와 파장, 일조 시간 등은 생물의 형태나 생활 방식에 영향을 준다.

① ◆**빛의 세기와 생물**

소철(양지 식물)

산세베리아(음지 식물)

- 숲의 위쪽에는 강한 빛에 적응한 식물(양지 식물)이 잘 자라고, 숲의 아래쪽으로 갈수록 약한 빛에 적응한 식물(음지 식물)이 잘 자란다.
- 일반적으로 빛의 세기가 강한 곳에 서식하는 식물의 잎은 울타리 조직이 발달하여 두껍고, 빛의 세기가 약한 곳에 서식하는 식물의 잎은 얇고 넓어 약한 빛을 효율적으로 흡수할 수 있다.
- 한 식물에서도 강한 빛을 받는 잎(양엽)이 약한 빛을 받는 잎(음엽)보다 두껍다.

◆ **빛의 세기와 식물**
식물은 빛에너지를 이용하여 양분을 합성하므로, 빛의 영향을 많이 받는다. 식물에 따라 강한 빛에 적응한 식물(양지 식물)과 약한 빛에 적응한 식물(음지 식물)이 있으며, 그 결과 한 지역의 식물 분포가 달라진다.

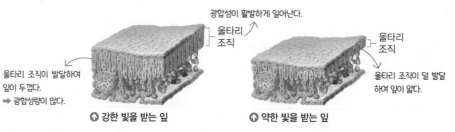

빛의 세기에 따른 잎의 두께

광합성이 활발하게 일어난다.
울타리 조직
울타리 조직이 발달하여 잎이 두껍다.
➡ 광합성량이 많다.
강한 빛을 받는 잎

울타리 조직
울타리 조직이 덜 발달하여 잎이 얇다.
약한 빛을 받는 잎

② **빛의 파장과 생물:** 빛의 파장은 생물의 분포에 영향을 준다.

- 바다의 깊이에 따라 서식하는 ◆해조류의 종류가 다르다. ➡ 바다의 깊이에 따라 도달하는 빛의 파장과 양이 다르기 때문이다.

◆ **해조류의 종류**
- 녹조류: 엽록소가 많아 녹색을 띠는 조류 예 파래, 해캄 등
- 갈조류: 엽록소와 갈조소가 있어 갈색을 띠는 조류 예 미역, 다시마 등
- 홍조류: 엽록소와 홍조소가 있어 붉은색을 띠는 조류 예 김, 우뭇가사리 등

바다의 깊이에 따른 해조류의 분포

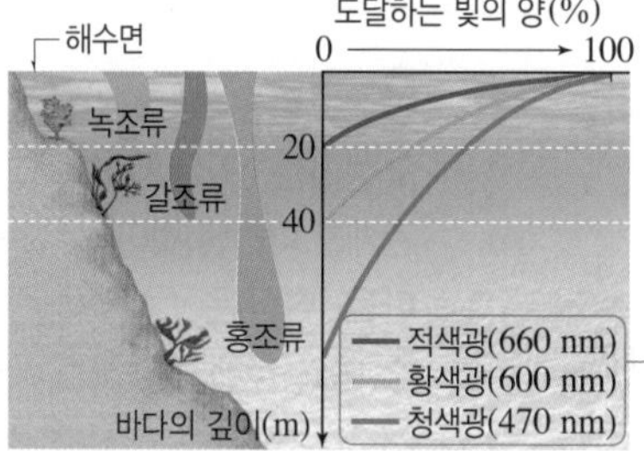

- 파장이 긴 적색광은 바다 얕은 곳까지만 투과한다. ➡ 바다 얕은 곳에는 적색광을 주로 이용하는 녹조류가 많이 분포한다.
- 파장이 짧은 청색광은 바다 깊은 곳까지 투과한다. ➡ 바다 깊은 곳에는 청색광을 주로 이용하는 홍조류가 많이 분포한다.

빛은 파장이 짧을수록 투과도가 커서 수심이 깊은 곳까지 도달할 수 있다.

암기해!
빛의 파장과 해조류
- 적색광–녹조류 ➡ 적록 색맹
- 청색광–홍조류 ➡ 청팀홍팀

③ ❶**일조 시간과 생물:** 일조 시간은 동물의 생식이나 행동, 식물의 ❷개화에 영향을 준다.

- 꾀꼬리나 종달새는 일조 시간이 길어지는 봄에 번식하고, 송어나 노루는 일조 시간이 짧아지는 가을에 번식한다. → 일조 시간이 성호르몬의 분비에 영향을 주기 때문이다.
- 온대 지역의 곤충은 늦여름과 가을에 일조 시간이 짧아지면 겨울잠을 자고, 이른 봄에 일조 시간이 길어지면 활동을 시작하고 번식한다.
- 붓꽃은 일조 시간이 길어지는 봄과 초여름에 꽃이 피고, 코스모스는 일조 시간이 짧아지는 가을에 꽃이 핀다.

(**용어**)
❶ **일조(日 해, 照 비추다) 시간** 하루 중 구름이나 안개 등에 가려지지 않고 햇빛이 실제로 내리쬐는 시간
❷ **개화(開 열다, 花 꽃)** 꽃이 피는 현상

확대경 일조 시간과 식물의 개화 (동아 교과서에만 나와요.)

1. **장일 식물:** 일조 시간이 길어지는 봄과 초여름에 꽃이 피는 식물 예 붓꽃, 시금치 등
2. **단일 식물:** 일조 시간이 짧아지는 가을에 꽃이 피는 식물 예 코스모스, 국화, 나팔꽃 등

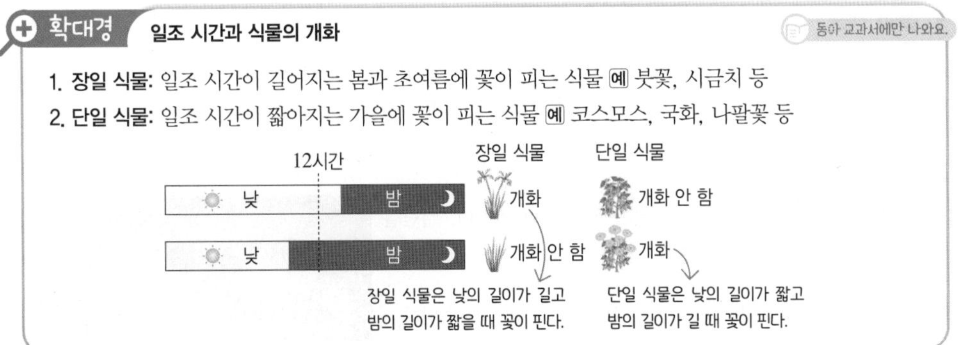

2. 온도와 생물 온도는 생명체 내에서 일어나는 ◆물질대사 과정에 영향을 주므로 생물의 생명 활동은 온도의 영향을 많이 받는다.

① 동물의 적응

- 개구리, 곰, 박쥐, 다람쥐는 추운 겨울이 오면 겨울잠을 잔다.
- 기러기와 같은 철새는 계절에 따라 적합한 온도의 장소로 이동한다.
- 나마쿠아 카멜레온은 온도가 높을 때 몸 색이 밝아져 열을 방출하고, 온도가 낮을 때 몸 색이 어두워져 열을 흡수한다.
- 추운 지방에 사는 정온 동물은 깃털이나 털이 발달되어 있고 피하 지방층이 두꺼워 몸에서 열이 빠져나가는 것을 막는다.
- 북극여우는 몸집이 크고 몸의 말단부가 작아 열이 방출되는 것을 막지만, 사막여우는 몸집이 작고 몸의 말단부가 커서 열을 잘 방출한다.

귀가 작다. ➡ 추운 곳에서 체온을 유지하는 데 효과적이다.
귀가 크다. ➡ 더운 곳에서 열을 방출하는 데 효과적이다.

북극여우 온대여우 사막여우

② 식물의 적응

- 기온이 매우 낮은 툰드라에 사는 털송이풀은 잎이나 꽃에 털이 나 있어 체온이 낮아지는 것을 막는다.
- 낙엽수는 기온이 낮아지면 단풍이 들고 잎을 떨어뜨리지만, 상록수는 잎의 ◆큐티클층이 두꺼워 잎을 떨어뜨리지 않고 겨울을 난다. — 낙엽수는 기온이 낮아지면 초록색의 엽록소가 파괴되어 황색이나 붉은색을 띠는 색소가 드러나 노란색이나 붉은색의 단풍이 든다.

털송이풀

단풍나무(낙엽수) 가을이나 겨울에 잎이 떨어졌다가 봄에 새잎이 나는 나무

동백나무(상록수) 사계절 내내 잎이 푸른 나무

◆ **물질대사와 온도**
생물의 물질대사에는 생체 촉매인 효소가 관여하는데, 효소는 온도에 따라 활성이 달라지며, 고온에서는 변성이 된다. 따라서 생물의 생명 활동은 온도의 영향을 받는다.

궁금해?

개구리와 곰이 겨울잠을 자는 까닭은 어떻게 다를까?
변온 동물인 개구리는 스스로 체온을 조절하지 못한다. 따라서 겨울이 오면 체온이 낮아져 물질대사가 원활하지 않으므로 온도 변화가 적은 땅속에 들어가 겨울잠을 잔다. 반면 정온 동물인 곰은 먹이가 부족한 겨울철 동안 활동을 줄여 에너지 소모를 줄이기 위해 겨울잠을 잔다.

◆ **식물의 큐티클층**
식물의 줄기나 잎, 특히 잎의 표피 조직 표면을 싸고 있는 얇은 막으로, 큐틴 성분이 퇴적되어 만들어진다. 큐티클층은 식물체 안의 수분이 빠져나가는 것을 막고, 외부로부터 몸을 보호한다. 사철나무와 고무나무처럼 큐티클층이 두껍게 발달된 잎은 표면이 단단하고 윤이 난다.

3. 물과 생물

3. 물과 생물 물은 생명체를 구성하는 성분 중 가장 많으며, 생명 유지에 반드시 필요하다. 따라서 생물은 체내 수분을 보존하기 위해 다양한 방법으로 적응하였다.

① **동물의 적응:** 육상에 사는 동물은 몸속의 수분 증발을 막고, 수분 손실을 최소화하는 방법으로 적응하였다.

수분 증발 방지	• 곤충은 몸 표면이 *키틴질로 되어 있으며, 키틴질 바깥에는 큐티클층도 있다. • 파충류는 몸 표면이 비늘로 덮여 있다. • 조류와 파충류의 알은 단단한 껍데기로 싸여 있다. (키틴질 / 비늘 — 메뚜기 / 도마뱀)
수분 손실 최소화	• 사막에 사는 낙타는 땀을 잘 흘리지 않아 몸에서 빠져나가는 수분의 양을 줄인다. • 사막에 사는 포유류는 농도가 진한 오줌을 배설하여 오줌으로 빠져나가는 수분의 양을 줄인다.

◆ **키틴질**
곤충류나 갑각류의 외골격을 이루고 있는 물질로, 내부의 연한 살을 보호하고 수분이 증발되는 것을 막는다.

② ***식물의 적응:** 식물은 서식하는 곳에 따라 몸의 구조가 다르게 적응하였다.

◆ **서식지에 따른 식물의 적응**
• 육상 식물: 뿌리, 줄기, 잎 발달
• 수생 식물: 뿌리가 잘 발달하지 않고, 통기 조직 발달
• 건생 식물: 저수 조직 발달

육상 → 육상 식물

대부분의 육상 식물은 뿌리, 줄기, 잎이 잘 발달해 있다.
예 은행나무, 민들레

은행나무

물 → 수생 식물

관다발이나 뿌리가 잘 발달하지 않으며, ❶통기 조직이 발달하여 물 위에 떠서 살 수 있다.
예 수련, 생이가래

수련

건조한 지역 → 건생 식물

물을 저장하는 ❷저수 조직이 발달하였고, 선인장과 같은 일부 식물은 잎이 가시로 변해 수분 증발을 막는다. 예 선인장, 알로에

선인장

4. 토양과 생물 토양은 수많은 생물이 살아가는 터전을 제공하고, 토양의 무기염류, 공기, 수분 함량 등은 생물의 생활에 영향을 준다.

• 지렁이와 두더지 등은 토양을 돌아다니며 토양의 통기성을 높여, 산소가 필요한 식물과 미생물이 살기 좋은 환경을 만든다.
• 토양 속 미생물은 토양에서 동식물의 사체나 배설물을 무기물로 분해하여 다른 생물에게 양분을 제공하거나 비생물 환경으로 돌려보낸다.

⇧ 토양에 사는 생물

• 토양의 깊이에 따라 공기의 함량이 달라 분포하는 세균의 종류가 달라진다. ➡ 공기를 비교적 많이 포함하고 있는 토양의 표면은 *호기성 세균이 살기에 적합하고, 공기를 적게 포함하는 토양의 깊은 곳은 혐기성 세균이 살기에 적합하다.

◆ **호기성 세균과 혐기성 세균**
호기성 세균은 산소를 이용해 유기물을 분해하여 살아가는 세균이고, 혐기성 세균은 산소 없이 유기물을 분해하며 살 수 있는 세균이다.

◆ **인간과 생태계**
인간을 포함한 모든 생물은 환경과 상호 작용을 하며 살아간다. 인간도 생태계를 구성하고 있는 구성원이므로 생태계를 보전하는 것은 인간의 생존을 위해서도 중요하다.

5. 공기와 생물 공기는 생물의 생활에 영향을 준다.

• 공기가 희박한 고산 지대에 사는 사람들은 평지에 사는 사람들에 비해 혈액 속 적혈구 수가 많아 산소를 효율적으로 운반한다. ➡ 산소가 부족한 환경에 적응하였다.
• 공기 중의 산소는 생물의 호흡에 이용되고, 이산화 탄소는 식물의 광합성에 이용된다. ➡ 생물의 호흡과 광합성으로 공기의 성분이 변한다.
• 나무는 세균으로부터 자신을 보호하는 살균 물질을 분비한다. ➡ 주변 공기의 성분이 변한다.

(용어)
❶ **통기(通 통하다, 氣 기체) 조직** 식물체에서 공기가 이동할 수 있도록 세포 사이의 틈이 많은 조직
❷ **저수(貯 저축하다, 水 물) 조직** 물을 저장하는 조직

정답친해 132쪽

핵심 체크

• 빛과 생물

빛의 세기	강한 빛을 받는 잎은 약한 빛을 받는 잎보다 (❶) 조직이 발달하여 두껍다.
빛의 (❷)	바다의 깊이에 따라 서식하는 해조류의 종류가 다르다.
일조 시간	붓꽃은 봄과 초여름에 꽃이 피고, 코스모스는 가을에 꽃이 핀다.

• 온도와 생물: 추운 지역에 사는 동물일수록 몸집이 (❸), 몸의 말단부 크기가 (❹).
• 물과 생물: 파충류는 몸속 수분 증발을 막기 위해 몸 표면이 (❺)로 덮여 있다.
• 토양과 생물: 토양의 깊이에 따라 공기의 함량이 달라 분포하는 세균의 종류가 달라진다.
• 공기와 생물: 공기가 희박한 고산 지대에 사는 사람들은 평지에 사는 사람들에 비해 혈액 속 적혈구 수가 (❻) 산소를 효율적으로 운반한다.

1 [보기]는 생물을 둘러싸고 있는 환경 요인을 나타낸 것이다.

보기
ㄱ. 빛　ㄴ. 온도　ㄷ. 물
ㄹ. 토양　ㅁ. 공기

다음과 같은 현상에 가장 큰 영향을 준 환경 요인을 [보기]에서 각각 고르시오.

(1) 곤충은 몸 표면이 키틴질로 되어 있다.
(2) 꾀꼬리는 봄에 번식하고, 노루는 가을에 번식한다.
(3) 개구리와 같은 변온 동물은 추운 겨울이 오면 겨울잠을 잔다.
(4) 고산 지대에 사는 사람들은 평지에 사는 사람들보다 적혈구 수가 많다.

2 그림은 한 식물에서 서로 다른 곳에 달린 두 잎의 단면을 나타낸 것이다.

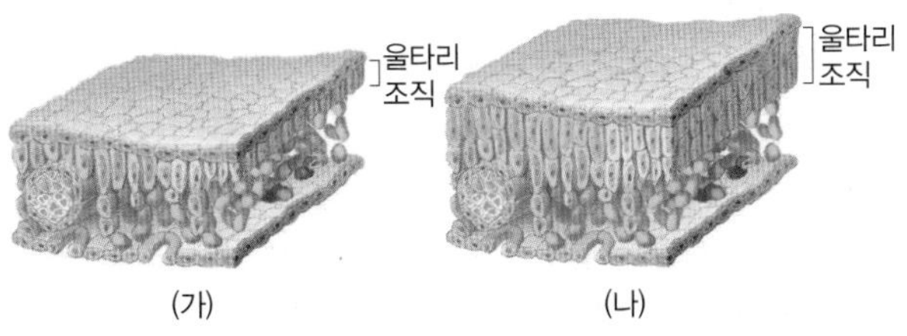

(가)와 (나) 중 강한 빛에 적응한 잎을 쓰시오.

3 다음 생물의 적응 현상과 관련 있는 환경 요인은?

바다 얕은 곳에는 녹조류가 많이 분포하고, 바다 깊은 곳에는 홍조류가 많이 분포한다.

① 온도　② 토양　③ 빛의 세기
④ 빛의 파장　⑤ 일조 시간

4 단풍나무는 겨울이 되어 기온이 낮아지면 단풍이 들고 잎을 떨어뜨리지만, 동백나무는 잎에 큐티클층이 두껍게 발달되어 있어 잎을 떨어뜨리지 않고 겨울을 난다.

단풍나무

동백나무

이와 같은 현상에 가장 큰 영향을 준 환경 요인을 쓰시오.

5 표는 서식 장소에 따른 식물의 특징을 설명한 것이다.

(가)	(나)
뿌리가 잘 발달하지 않았고, 줄기와 뿌리에 통기 조직이 발달하였다.	저수 조직이 발달하였고, 잎이 가시로 변하였다.

(가)와 (나) 중 물이 풍부한 환경에 서식하는 식물을 쓰시오.

내신 만점 문제

A 생태계의 구성

01 생태계에 대한 설명으로 옳은 것만을 [보기]에서 있는 대로 고른 것은?

보기
ㄱ. 생태계는 생산자, 소비자, 분해자로 구분된다.
ㄴ. 생태계는 생물적 요인과 비생물적 요인을 포함한다.
ㄷ. 일정한 지역에 사는 같은 종의 무리를 군집이라고 한다.

① ㄱ ② ㄴ ③ ㄷ
④ ㄱ, ㄷ ⑤ ㄴ, ㄷ

02 다음은 어떤 생태계를 구성하는 요소를 나열한 것이다.

미역, 멸치, 고등어, 식물 플랑크톤, 세균

이에 대한 설명으로 옳은 것은?

① 미역과 식물 플랑크톤은 생산자이다.
② 멸치와 고등어는 동일한 개체군에 속한다.
③ 생태계를 구성하는 요소가 모두 제시되어 있다.
④ 멸치는 이 생태계에서 최종 소비자에 해당한다.
⑤ 세균은 살아가는 데 필요한 양분을 스스로 합성한다.

중요 **03** 다음은 생태계를 구성하는 생물적 요인에 대한 학생들의 발표 내용이다.

A: 생산자는 빛에너지를 이용하여 양분을 합성하는 생물입니다.
B: 버섯은 생산자에 속하는 생물입니다.
C: 소비자는 생산자나 다른 소비자를 먹이로 하여 양분을 얻는 생물입니다.

발표 내용이 옳은 학생만을 있는 대로 고른 것은?

① A ② B ③ C
④ A, C ⑤ B, C

04 그림은 생태계를 구성하는 생물적 요인 사이의 관계를 나타낸 것이다.
이에 대한 설명으로 옳은 것만을 [보기]에서 있는 대로 고른 것은?

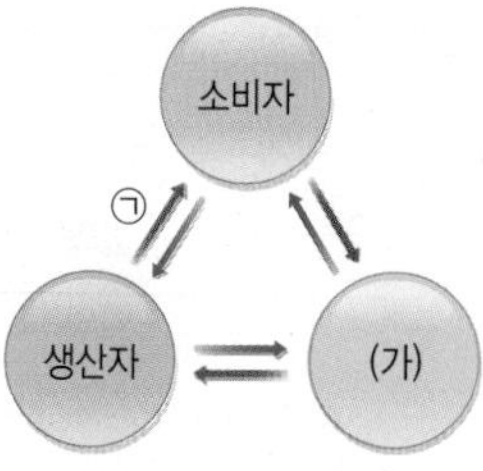

보기
ㄱ. (가)는 분해자이다.
ㄴ. (가), 생산자, 소비자는 서로 영향을 주고받는다.
ㄷ. 도토리가 많이 열리면 다람쥐의 개체 수가 증가하는 것은 ㉠의 예이다.

① ㄱ ② ㄴ ③ ㄱ, ㄷ
④ ㄴ, ㄷ ⑤ ㄱ, ㄴ, ㄷ

중요 **05** 그림은 생태계를 구성하는 요소 사이의 관계를 나타낸 것이다.

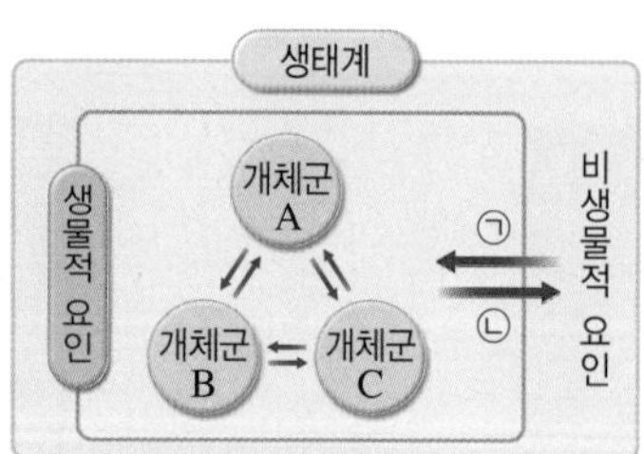

이에 대한 설명으로 옳지 않은 것은?

① ㉠은 작용이다.
② 토양 속 세균은 비생물적 요인에 해당한다.
③ 개체군 A와 개체군 B는 같은 군집에 속한다.
④ '가을에 기온이 내려가면 단풍잎이 붉게 변한다.'는 ㉠의 예에 해당한다.
⑤ '식물의 광합성으로 숲의 공기 성분이 달라진다.'는 ㉡의 예에 해당한다.

06 다음은 생태계 구성 요소 간의 관계를 설명한 사례이다.

(가) 스라소니는 눈신토끼를 잡아먹는다.
(나) 지렁이에 의해 토양의 통기성이 높아진다.

(가)와 (나)에 나타난 생태계 구성 요소 간의 관계에 해당하는 사례를 [보기]에서 있는 대로 골라 옳게 짝 지은 것은?

보기
ㄱ. 숲에 나무가 우거질수록 숲 속의 습도가 높아진다.
ㄴ. 지의류는 산성 물질을 분비하여 암석의 풍화를 촉진한다.
ㄷ. 토끼풀은 뿌리혹박테리아에게 양분을 공급하고, 뿌리혹박테리아는 토끼풀에게 질소 화합물을 공급한다.

	(가)	(나)		(가)	(나)
①	ㄴ	ㄷ	②	ㄴ	ㄱ, ㄷ
③	ㄴ, ㄷ	ㄱ	④	ㄷ	ㄱ
⑤	ㄷ	ㄱ, ㄴ			

B 생물과 환경의 관계

중요 **07** 그림은 한 식물에서 서로 다른 곳에 달린 두 잎의 단면 구조를 나타낸 것이다.

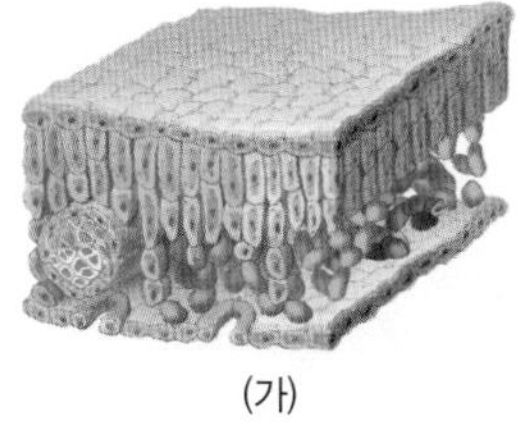
(가)

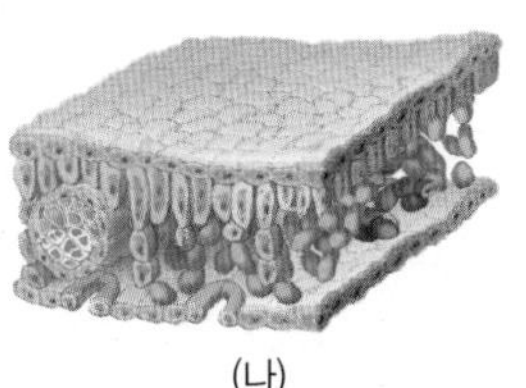
(나)

이에 대한 설명으로 옳은 것만을 [보기]에서 있는 대로 고른 것은?

보기
ㄱ. (가)와 (나)의 잎의 두께 차이는 빛의 세기와 관련이 있다.
ㄴ. (나)는 (가)보다 울타리 조직이 더 발달하였다.
ㄷ. 빛이 있을 때 (가)에서보다 (나)에서 광합성이 더 활발하게 일어난다.

① ㄱ ② ㄴ ③ ㄱ, ㄷ
④ ㄴ, ㄷ ⑤ ㄱ, ㄴ, ㄷ

중요 **08** 그림은 바다의 깊이에 따른 해조류의 분포와 바다의 깊이에 따라 도달하는 빛의 파장과 양을 나타낸 것이다.

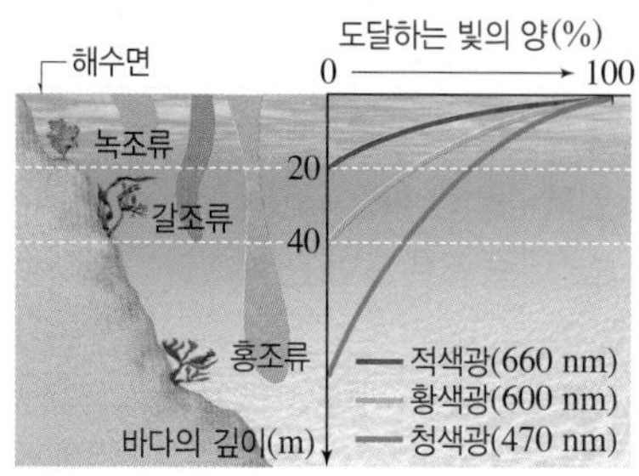

이에 대한 설명으로 옳은 것만을 [보기]에서 있는 대로 고른 것은?

보기
ㄱ. 파장이 짧은 빛이 바다 깊은 곳까지 도달한다.
ㄴ. 해조류의 분포는 빛의 파장에 대한 적응 결과이다.
ㄷ. 해조류는 몸 색깔과 같은 색깔의 빛을 주로 광합성에 이용한다.
ㄹ. 미역은 홍조류에 속한다.

① ㄱ, ㄴ ② ㄱ, ㄷ ③ ㄴ, ㄷ
④ ㄴ, ㄹ ⑤ ㄷ, ㄹ

09 그림은 낮과 밤의 길이에 따른 식물 (가)와 (나)의 개화 여부를 나타낸 것이다.

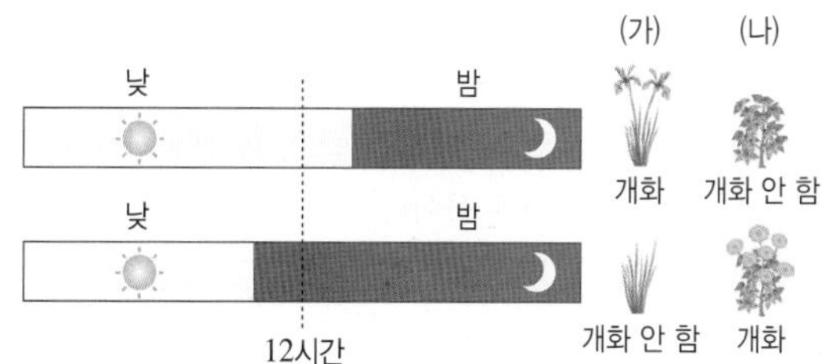

이에 대한 설명으로 옳은 것만을 [보기]에서 있는 대로 고른 것은?

보기
ㄱ. (가)는 단일 식물이다.
ㄴ. (나)의 예로는 코스모스와 국화가 있다.
ㄷ. (가)는 일조 시간이 길어질 때 꽃이 핀다.
ㄹ. 자연 상태에서 (가)는 주로 봄에, (나)는 주로 가을에 꽃이 핀다.

① ㄱ, ㄴ ② ㄱ, ㄹ ③ ㄷ, ㄹ
④ ㄱ, ㄴ, ㄷ ⑤ ㄴ, ㄷ, ㄹ

10 다음은 생물이 어떤 환경 요인에 적응한 현상이다.

- 개구리는 겨울잠을 잔다.
- 온대 활엽수는 가을이 되면 낙엽이 진다.

위의 환경 요인과 동일한 환경 요인에 대한 생물의 적응 현상을 [보기]에서 있는 대로 고른 것은?

보기
ㄱ. 국화는 가을에 꽃이 핀다.
ㄴ. 철새는 계절에 따라 이동한다.
ㄷ. 사막여우의 귀가 북극여우의 귀보다 크다.

① ㄱ ② ㄴ ③ ㄷ ④ ㄱ, ㄴ ⑤ ㄴ, ㄷ

11 그림 (가)는 사막에 서식하는 선인장을, (나)는 육상에 서식하는 민들레를, (다)는 물에 서식하는 수련을 나타낸 것이다.

(가)

(나)

(다)

이에 대한 설명으로 옳은 것만을 [보기]에서 있는 대로 고른 것은?

보기
ㄱ. (가)는 저수 조직이 발달하였다.
ㄴ. (나)보다 (다)에서 뿌리가 잘 발달해 있다.
ㄷ. 서식지에 따른 식물들의 몸 구조와 형태에 가장 큰 영향을 준 환경 요인은 물이다.

① ㄱ ② ㄴ ③ ㄱ, ㄷ ④ ㄴ, ㄷ ⑤ ㄱ, ㄴ, ㄷ

12 다음은 환경에 대한 생물의 적응 현상이다.

(가) 꾀꼬리는 봄에 번식하고, 노루는 가을에 번식한다.
(나) 파충류의 몸은 비늘로 덮여 있고 알은 단단한 껍데기로 싸여 있다.
(다) 고산 지대에 사는 사람들은 평지에 사는 사람들보다 혈액에 적혈구 수가 많다.

(가)~(다)와 가장 관련 있는 환경 요인을 각각 쓰시오.

서술형 문제

13 표는 어떤 생태계를 구성하는 생물들을 역할에 따라 (가)~(다)로 구분한 것이다. (가)~(다)는 각각 생산자, 소비자, 분해자 중 하나이다.

(가)	(나)	(다)
버섯, 곰팡이	매, 다람쥐	토끼풀, 참나무

(가)~(다)가 양분을 얻는 방법과 관련지어 생태계에서의 역할을 각각 서술하시오.

14 그림은 한 식물에서 서로 다른 곳에 달린 두 잎의 단면 구조를 나타낸 것이다.

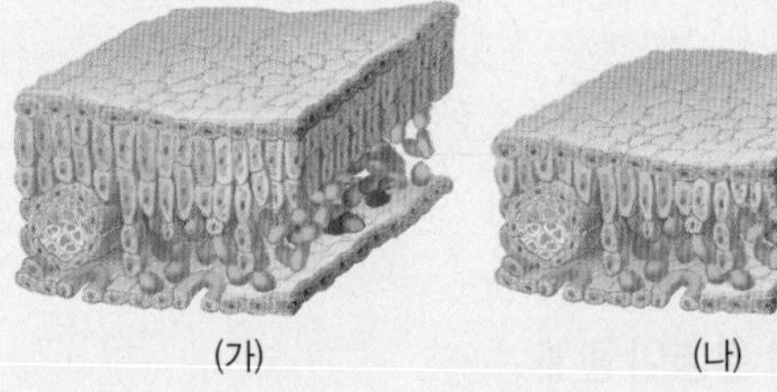
(가) (나)

(1) (가)와 (나) 중 강한 빛을 받는 잎은 무엇인지 쓰시오.

(2) 위와 같이 판단한 근거를 서술하시오.

15 그림은 서로 다른 지역에 사는 여우의 모습을 나타낸 것이다.

북극여우

사막여우

(1) 위 현상과 관련 있는 환경 요인은 무엇인지 쓰시오.

(2) 북극여우와 사막여우에서 귀의 크기가 차이가 나는 까닭을 열의 방출 및 체온 유지와 관련지어 서술하시오.

실력 UP 문제

정답친해 135쪽

01 그림은 생태계를 구성하는 요소 사이의 관계를 나타낸 것이다.

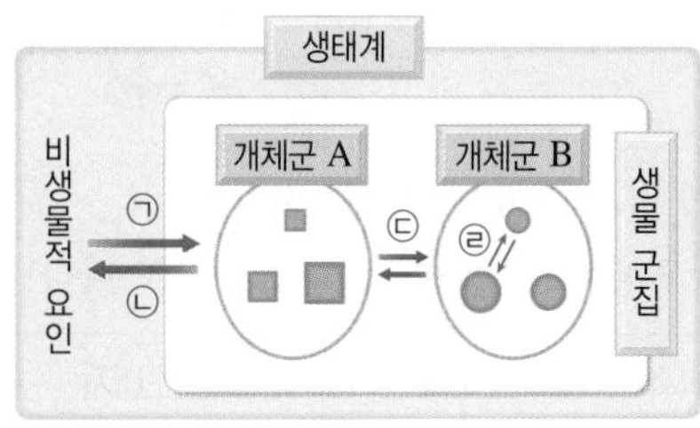

이에 대한 설명으로 옳은 것은?

① 개체군 A는 최소 두 종 이상으로 구성되어 있다.
② 식물 뿌리에 의해 바위의 토양화가 촉진되는 것은 ㉠에 해당한다.
③ 붓꽃이 낮의 길이가 길어지는 봄에 꽃이 피는 것은 ㉡에 해당한다.
④ 개구리의 개체 수가 증가하자 뱀의 개체 수가 증가하는 것은 ㉢에 해당한다.
⑤ 쏘가리가 버들치를 잡아먹는 것은 ㉣에 해당한다.

02 그림은 일조 시간에 따른 식물 A의 개화 여부를 나타낸 것이다.

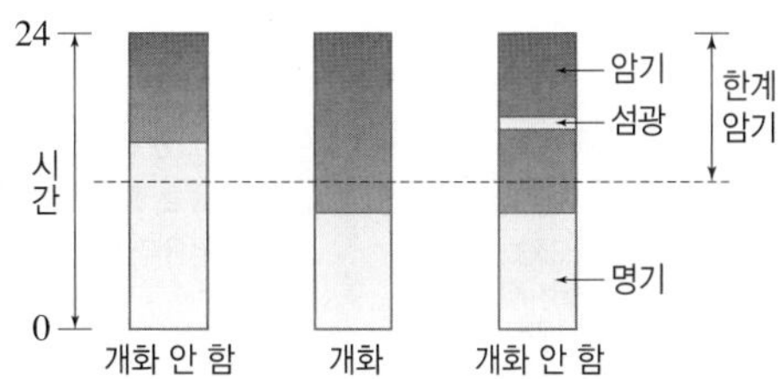

이에 대한 설명으로 옳은 것만을 [보기]에서 있는 대로 고른 것은?

보기
ㄱ. A는 단일 식물이다.
ㄴ. A의 개화에 영향을 미치는 결정적인 요인은 지속적인 암기의 길이이다.
ㄷ. '꾀꼬리는 봄에 번식하고, 송어는 가을에 산란한다.'는 이와 동일한 환경 요인에 대한 적응 현상이다.

① ㄱ ② ㄴ ③ ㄱ, ㄷ
④ ㄴ, ㄷ ⑤ ㄱ, ㄴ, ㄷ

03 그림은 여러 지역에 걸쳐 서식하는 사슴종 A의 체중과 서식 위도의 관계를 나타낸 것이다.

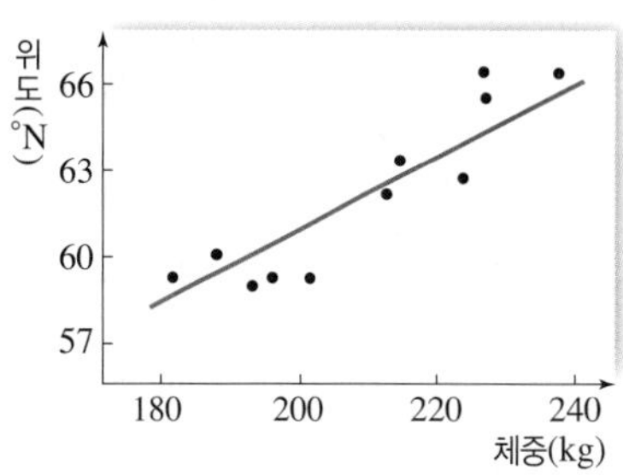

이에 대한 설명으로 옳은 것만을 [보기]에서 있는 대로 고른 것은?(단, 위도가 높아질수록 평균 기온이 낮아진다.)

보기
ㄱ. 사슴종 A는 고위도에 서식할수록 몸집이 크다.
ㄴ. 사슴종 A는 체중이 많이 나갈수록 단위 체중당 열 방출량이 증가한다.
ㄷ. 개구리가 겨울잠을 자는 것은 이와 동일한 환경 요인에 적응한 현상이다.

① ㄱ ② ㄴ ③ ㄱ, ㄷ
④ ㄴ, ㄷ ⑤ ㄱ, ㄴ, ㄷ

04 그림은 잎의 단면 구조를 나타낸 것이다. (가)와 (나)는 각각 건조한 지역에 사는 식물과 물에 사는 식물 중 하나이다.

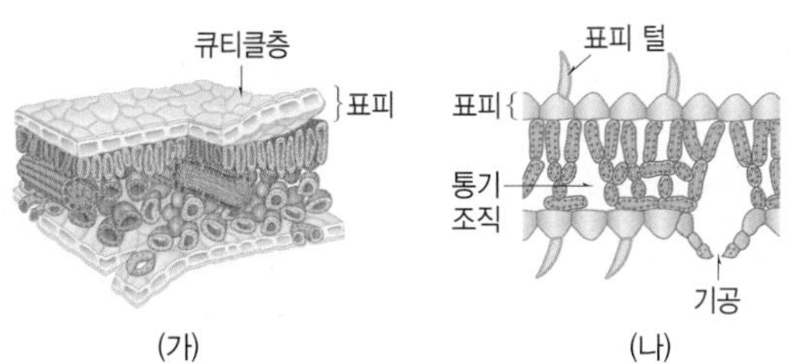

이에 대한 설명으로 옳은 것만을 [보기]에서 있는 대로 고른 것은?

보기
ㄱ. (가)는 (나)보다 물이 풍부한 환경에 서식한다.
ㄴ. (가)의 표피와 큐티클층은 체내 수분이 증발되는 것을 막는다.
ㄷ. (나)는 (가)보다 뿌리가 잘 발달하지 않는다.

① ㄴ ② ㄷ ③ ㄱ, ㄴ
④ ㄴ, ㄷ ⑤ ㄱ, ㄴ, ㄷ

생태계 평형

핵심 포인트
- ❶ 생태계에서의 먹이 관계 ★★★
- ❷ 생태계에서의 에너지 흐름 ★★
- ❸ 생태 피라미드 ★★
- ❹ 생태계 평형 유지 원리 ★★★

A 먹이 관계와 생태 피라미드

1. 생태계에서의 먹이 관계 생태계의 생물들은 먹고 먹히는 관계로 얽혀 있다.

① ◆**먹이 사슬:** 생산자부터 최종 소비자까지 먹고 먹히는 관계를 사슬 모양으로 나타낸 것이다.

> 생산자 → 1차 소비자 → 2차 소비자 → 3차 소비자 → … → 최종 소비자

② ◆**먹이 그물:** 여러 생물의 먹이 사슬이 복잡하게 얽혀 그물처럼 나타나는 것이다.

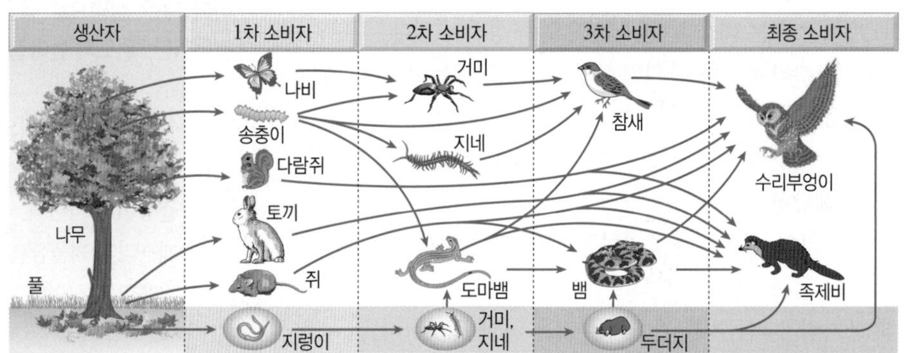

⬆ **먹이 그물** 생태계에서 생물들은 하나의 먹이 사슬로만 연결되지 않고, 여러 먹이 사슬에 동시에 연결된다.

2. 생태계에서의 에너지 흐름

① 생태계에서 에너지는 먹이 사슬을 통해 유기물의 형태로 상위 ❶영양 단계로 이동한다. (미래엔, 천재 교과서에서는 먹이 사슬을 먹이 관계로 표현하였다.)

② 유기물에 저장된 에너지는 각 영양 단계에서 생명 활동(세포 호흡 등)을 통해 열에너지로 방출되고 남은 것이 상위 영양 단계로 이동한다. ➡ 상위 영양 단계로 갈수록 에너지양이 감소한다.

확대경 생태계에서의 에너지 흐름

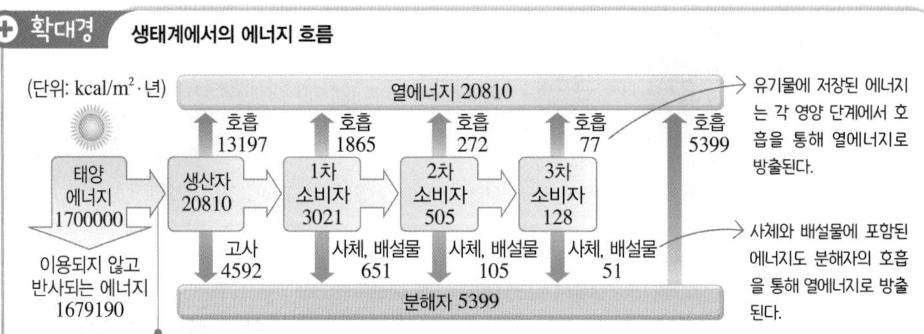

생태계가 유지되려면 태양의 빛에너지가 계속 유입되어야 한다.

1. 태양의 빛에너지는 생산자의 광합성에 의해 화학 에너지로 전환되어 유기물에 저장된다.
2. 유기물에 저장된 에너지는 먹이 사슬을 통해 상위 영양 단계로 이동한다.
3. 상위 영양 단계로 갈수록 에너지양이 감소한다. ➡ 각 영양 단계에서 생명 활동을 통해 열에너지로 방출되거나 사체나 배설물에 포함되어 분해자로 이동하고 남은 에너지가 상위 영양 단계로 이동하기 때문이다.
4. **에너지 효율:** 한 영양 단계에서 다음 영양 단계로 이동한 에너지의 비율이다.

$$\text{에너지 효율(\%)} = \frac{\text{현 영양 단계의 에너지양}}{\text{전 영양 단계의 에너지양}} \times 100$$

예 1차 소비자의 에너지 효율: $\frac{3021}{20810} \times 100 = 14.5(\%)$

◆ **먹이 사슬과 먹이 그물**
실제 생태계에서는 하나의 생물종이 여러 생물종에게 잡아먹히고, 또 다른 하나의 생물종은 여러 생물종을 잡아먹기도 하므로 여러 개의 먹이 사슬이 얽혀 복잡한 먹이 그물을 나타낸다.

◆ **해양 생태계의 먹이 그물**

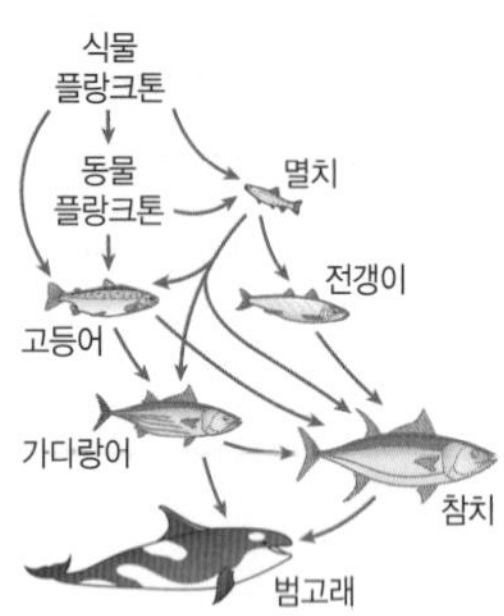

멸치는 1차 소비자이면서 2차 소비자이다.

이것까지 나와요! 생명과학Ⅰ

생태계에서의 물질과 에너지의 이동

열 / 열 / 열
태양 에너지 → 생산자 → 1차 소비자 → 2차 소비자
대기, 물, 토양
분해자 (균류·세균)
열
생태계
→ 에너지의 흐름 → 물질의 순환

생태계에서 물질은 순환하지만 에너지는 순환하지 않고 흐른다.

(용어)
❶ **영양 단계** 생물 개체군이 먹이 사슬에서 차지하는 위치로, 생산자, 1차 소비자, 2차 소비자 등이 있다.

3. 생태 피라미드 먹이 사슬에서 각 영양 단계에 속하는 생물의 에너지양, ◆생물량, 개체 수를 하위 영양 단계부터 상위 영양 단계로 쌓아올린 것이다. ➡ 안정된 생태계에서는 에너지양, 생물량, 개체 수가 상위 영양 단계로 갈수록 줄어드는 피라미드 형태를 나타낸다.

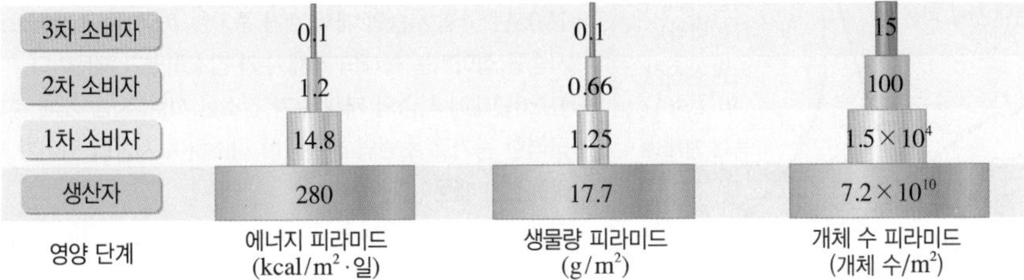

영양 단계	에너지 피라미드 (kcal/m²·일)	생물량 피라미드 (g/m²)	개체 수 피라미드 (개체 수/m²)
3차 소비자	0.1	0.1	15
2차 소비자	1.2	0.66	100
1차 소비자	14.8	1.25	1.5×10^4
생산자	280	17.7	7.2×10^{10}

◆ **생물량(생체량)**
일정한 공간에 서식하는 생물 전체의 무게이다. 생물의 몸을 구성하는 유기물에 에너지가 저장되어 있다.

B 생태계 평형

1. 생태계 평형 생태계를 구성하는 생물의 종류와 개체 수, 물질의 양, 에너지 흐름 등이 안정된 상태를 유지하는 것이다. 생태계 평형은 주로 먹이 사슬에 의해 유지되며, 먹이 그물이 복잡할수록 생태계 평형이 잘 유지된다. ➡ 종 다양성이 높아야 한다.

| 먹이 그물과 생태계 평형 |

먹이 그물이 단순한 생태계

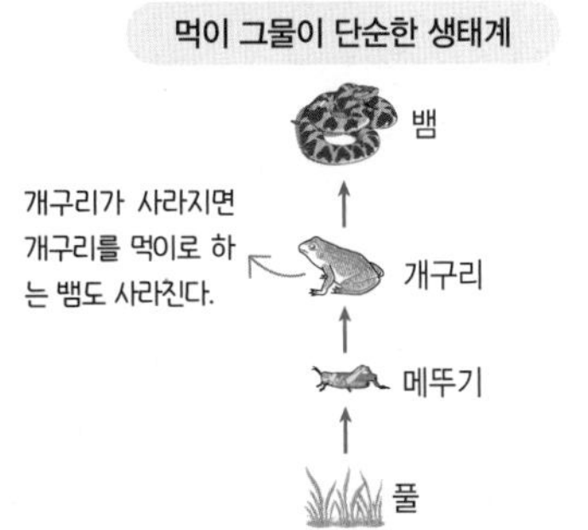

어느 한 생물종이 사라지면 그 생물종과 먹고 먹히는 관계의 생물종이 직접 영향을 받는다. ➡ 생태계 평형이 쉽게 깨진다.

먹이 그물이 복잡한 생태계

어느 한 생물종이 사라져도 먹고 먹히는 관계에서 이를 대체할 수 있는 다른 생물종이 있다. ➡ 생태계 평형이 잘 깨지지 않는다.

궁금해?

생태계 평형이 잘 유지되려면 종 다양성이 높아야 하는 까닭?
생태계를 구성하는 생물종이 다양할수록 먹이 그물이 복잡해지고, 먹이 그물이 복잡할수록 생태계 평형이 잘 유지되기 때문이다.

2. 생태계 평형 유지 원리 안정된 생태계는 어떤 요인에 의해 일시적으로 생태계 평형이 깨지더라도 시간이 지나면 먹이 사슬에 의해 대부분 생태계 평형이 회복된다.

| 생태계 평형이 회복되는 과정 |

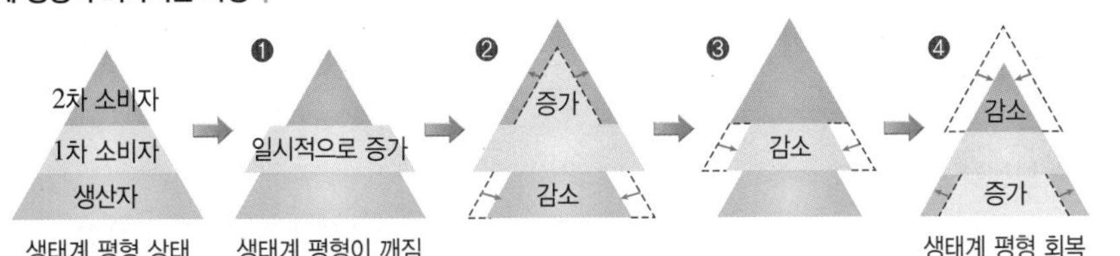

❶ 안정된 생태계에서 1차 소비자의 개체 수가 일시적으로 증가하여 생태계 평형이 깨진다.
❷ 1차 소비자의 개체 수 증가로 생산자의 개체 수는 감소하고, 2차 소비자의 개체 수는 증가한다.
❸ 생산자의 개체 수 감소와 2차 소비자의 개체 수 증가로 1차 소비자의 개체 수가 감소한다.
❹ 1차 소비자의 개체 수 감소로 생산자의 개체 수는 증가하고, 2차 소비자의 개체 수는 감소하여 생태계 평형이 회복된다.

| 먹이 관계와 생태계 평형 | 미래엔 교과서에만 나와요.

그림은 1905년 카이바브 고원에서 사슴을 보호하기 위해 늑대 사냥을 허용한 이후 사슴과 늑대의 개체 수, 초원의 생산량 변화를 나타낸 것이다.

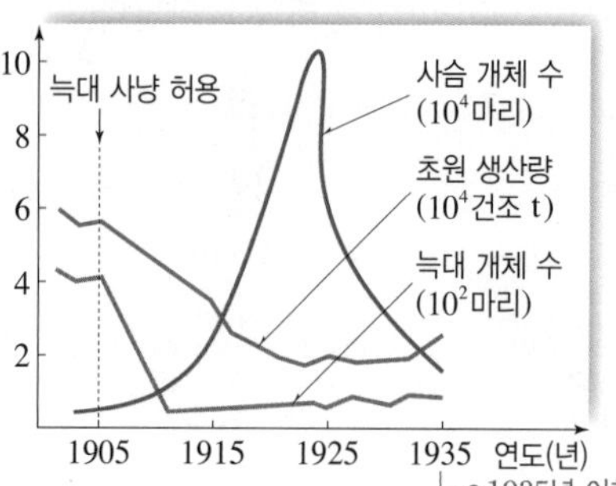

- 카이바브 고원에서의 먹이 관계: 초원의 풀 → 사슴 → 늑대
- 1905년 이후 사슴의 개체 수가 증가한 까닭: 늑대 사냥으로 사슴을 잡아먹는 늑대의 개체 수가 감소하였기 때문이다.
- 1920년대에 사슴의 개체 수가 감소한 까닭: 사슴 개체 수의 급격한 증가로 초원의 생산량이 감소하여 사슴의 먹이가 부족해졌기 때문이다.
- 사슴을 보호하기 위해 늑대 사냥을 허용한 것과 같은 인간의 간섭은 생태계 평형을 파괴할 수 있다.

└● 1935년 이후 초원의 생산량이 증가하면서 사슴의 개체 수가 증가하고, 그 결과 늑대의 개체 수도 증가하여 생태계 평형이 회복될 것이다.

C 환경 변화와 생태계

천재와 미래엔 교과서로 공부하는 학생들은 Ⅲ-2-03. 생물 다양성의 중요성과 보전 방안의 B. 생물 다양성의 중요성 부분을 살펴보세요.

1. 환경 변화와 생태계 평형 안정된 생태계에서는 환경 변화가 일어나 일시적으로 생물의 종류와 개체 수가 변하더라도 대부분 생태계 평형을 회복할 수 있지만, 그 한계를 넘는 환경 변화가 일어나면 생태계 평형이 깨질 수 있다.

2. 생태계 평형이 깨지는 요인

① **자연재해:** 홍수, 산사태, 화산 폭발 등과 같은 자연재해는 생물의 서식지를 파괴하고, 생태계의 먹이 그물에 변화를 일으켜 생태계 평형을 깨뜨린다.

② **인간의 활동**

무분별한 벌목	도로와 도시를 건설하기 위해 숲의 나무를 무분별하게 벌채하고 훼손한다. ➡ 숲의 생태계가 파괴되고, 삼림의 토양이 쉽게 침식된다.
경작지 개발	인구 증가로 식량을 대량 생산하기 위해 숲을 파괴하고 경작지를 개발한다. ➡ 생물의 서식지가 파괴되어 생태계가 불안정해지고 단순해진다.
무질서하게 세워진 건물	무질서하게 세워진 도시의 건물 때문에 공기 순환이 원활하지 못해 오염 물질이 쌓이고 기온이 높아지는 ◆열섬 현상이 나타난다.
환경 오염	생활 하수, 축산 폐수 등에서 배출되는 유기물과 공장 폐수에서 배출되는 산성 물질, 중금속 등은 수중 생물의 생존을 위협한다.
인구의 도시 집중과 산업화	인구의 도시 집중과 산업화에 따른 대기 중 이산화 탄소의 농도 증가로 지구 온난화가 심화되어 지구 전체의 기후가 변한다. ➡ 기후 변화로 생물의 서식지가 변하거나 파괴되어 생물종이 멸종되기도 한다.

3. 생태계 보전을 위한 노력

① 생물의 서식지를 보호하고 훼손된 서식지를 복원한다. 예 ◆생태 하천 복원 사업

② 생태적 가치가 있는 곳은 국립 공원으로 지정한다.

③ 멸종 위기에 처한 생물을 ❶천연 기념물로 지정하여 보호한다.

④ 도로 건설 등으로 나뉜 서식지를 연결하는 생태 통로를 설치한다.

⑤ 도시의 열섬 현상을 완화하기 위해 옥상 정원을 가꾸고, 도시 중심부에 숲을 조성하며 바람길을 확보한다.

◆ 열섬 현상
도심의 기온이 주위의 기온보다 높은 현상으로, 자동차, 공장, 주택 등에서 사용하는 열기관으로부터 방출되는 열이 도심의 기온을 높이는 원인이 된다.

◆ 생태 하천 복원
콘크리트 제방 대신에 나무, 풀, 흙 등과 같은 자연 재료를 이용하여 하천 주변에 생물 군집을 조성하고, 수질 정화 시설을 설치하여 물길을 자연스럽게 만들어 준다. 자정 능력을 갖춘 하천을 만들어 생물들의 서식지를 제공한다.

(용어)
❶ **천연 기념물** 학술이나 관상적 가치가 높아 이를 보호하기 위해 법률로 지정한 것으로, 생물뿐만 아니라 지질, 광물 등도 포함된다.

개념 확인 문제

정답친해 136쪽

핵심 체크

- (❶)은 생산자부터 최종 소비자까지 먹고 먹히는 관계를 사슬 모양으로 나타낸 것이고, (❷)은 (❶)이 복잡하게 얽혀서 형성된 것이다.
- 생태계에서 에너지는 '태양의 (❸)에너지 → 생산자 → 1차 소비자 → ⋯ → 최종 소비자'로 이동한다.
- (❹): 각 영양 단계의 에너지양, 생물량, 개체 수를 하위 영양 단계부터 차례로 쌓아올린 것이다.
- 생태계 (❺): 생태계를 구성하는 생물의 종류와 개체 수 등이 안정된 상태를 유지하는 것이다.
- 생태계 평형 유지 원리: 일시적으로 생태계 평형이 깨지더라도 (❻)에 의해 생태계 평형이 회복된다.
- 생태계 평형이 깨지는 요인: 홍수, 산사태와 같은 자연재해, 무분별한 벌목, 환경 오염과 같은 인간의 활동
- 생태계 보전을 위한 노력: 생태 하천 복원 사업, 생태 통로 설치, 천연 기념물 지정, 옥상 정원 등

1 그림은 어떤 생태계에서의 먹이 관계를 나타낸 것이다.

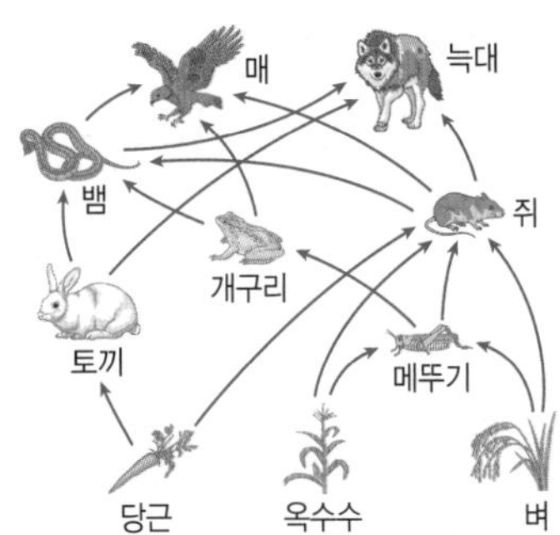

이에 대한 설명으로 옳은 것은 ○, 옳지 않은 것은 ×로 표시하시오.

(1) 옥수수는 생산자이다. ( )

(2) 쥐는 1차 소비자이면서 2차 소비자이다. ( )

(3) 뱀은 최종 소비자이다. ( )

(4) 메뚜기의 개체 수가 갑자기 증가하면 개구리의 개체 수는 감소한다. ( )

2 생태계에서의 에너지 흐름에 대한 설명으로 옳은 것은 ○, 옳지 않은 것은 ×로 표시하시오.

(1) 생산자는 빛에너지를 화학 에너지로 전환하여 유기물에 저장한다. ( )

(2) 유기물에 저장된 에너지는 하위 영양 단계에서 상위 영양 단계로 이동한다. ( )

(3) 먹이 사슬을 통해 이동하는 에너지양은 상위 영양 단계로 갈수록 증가한다. ( )

3 그림은 어떤 생태계에서 측정된 물리량을 하위 영양 단계부터 상위 영양 단계로 쌓아올린 것이다.

3차 소비자
2차 소비자
1차 소비자
생산자

(1) 이를 무엇이라고 하는지 쓰시오.

(2) 안정된 생태계에서 이와 같은 형태로 나타나는 물리량을 [보기]에서 있는 대로 고르시오.

보기
ㄱ. 에너지양　ㄴ. 생물량　ㄷ. 개체 크기

4 그림은 1차 소비자의 개체 수가 일시적으로 증가한 후 다시 생태계 평형이 회복되기까지의 과정을 순서 없이 나타낸 것이다.

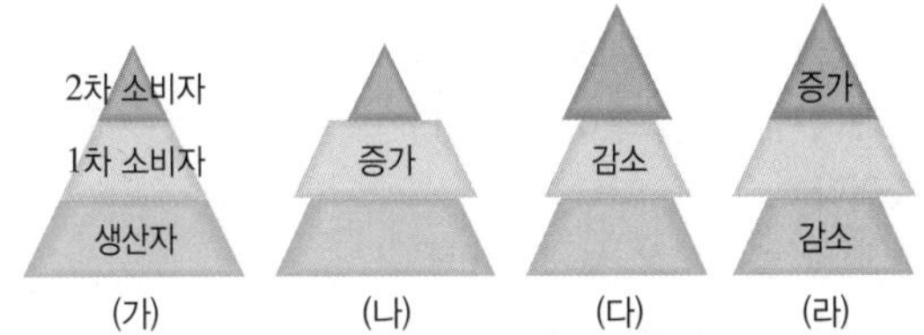

생태계 평형이 회복되기까지의 과정을 순서대로 나열하시오. (단, 1차 소비자의 개체 수가 일시적으로 증가하였을 때부터 시작한다.)

5 생태계 평형을 깨뜨리는 요인을 [보기]에서 있는 대로 고르시오.

보기
ㄱ. 산사태　ㄴ. 벌목　ㄷ. 경작지 개발
ㄹ. 하천 복원　ㅁ. 남획　ㅂ. 폐수 방류

내신 안정 문제

A 먹이 관계와 생태 피라미드

중요 **01** 그림은 어떤 안정된 생태계에서의 먹이 관계를 나타낸 것이다.

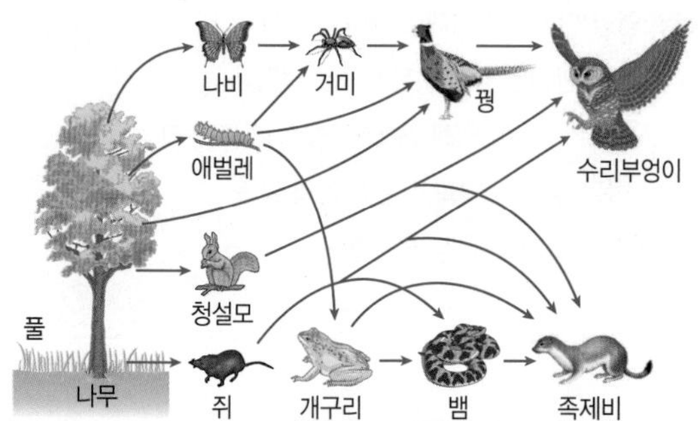

이에 대한 설명으로 옳은 것만을 [보기]에서 있는 대로 고른 것은?

> 보기
> ㄱ. 나무와 풀은 광합성을 하여 유기물을 생산한다.
> ㄴ. 쥐 개체군의 에너지양은 뱀 개체군의 에너지양보다 많다.
> ㄷ. 이 생태계에서 꿩이 사라지면 수리부엉이도 사라진다.

① ㄱ ② ㄱ, ㄴ ③ ㄱ, ㄷ
④ ㄴ, ㄷ ⑤ ㄱ, ㄴ, ㄷ

02 그림은 어떤 생태계의 생물 군집 내에서 유기물의 이동을 나타낸 것이다.
이에 대한 설명으로 옳은 것만을 [보기]에서 있는 대로 고른 것은? (단, (가)와 (나)는 각각 소비자와 분해자 중 하나이며, (가)의 예로는 세균이 있다.)

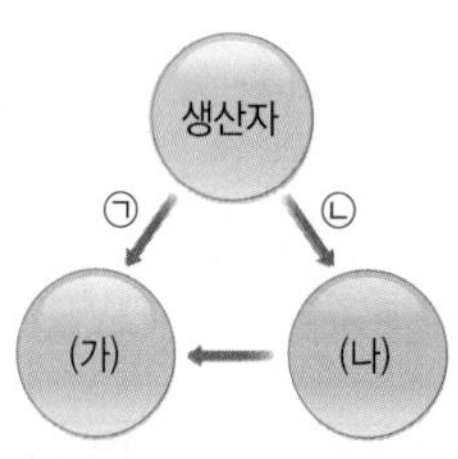

> 보기
> ㄱ. (가)는 분해자, (나)는 소비자이다.
> ㄴ. ㉠에서 유기물은 주로 생물의 사체 형태로 이동한다.
> ㄷ. ㉡에서 유기물은 먹이 사슬을 통해 상위 영양 단계로 이동한다.

① ㄱ ② ㄷ ③ ㄱ, ㄴ
④ ㄴ, ㄷ ⑤ ㄱ, ㄴ, ㄷ

03 그림은 어떤 생태계에서의 에너지 흐름을 나타낸 것이다. A~C는 모두 생물적 요인에 속하고, ㉠과 ㉡은 에너지 종류이다.

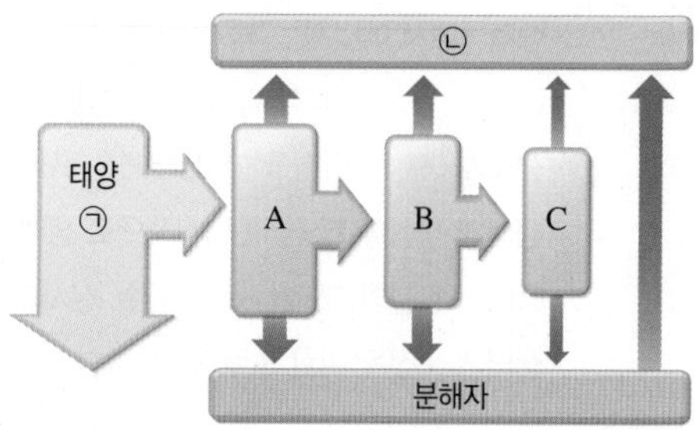

이에 대한 설명으로 옳은 것만을 [보기]에서 있는 대로 고른 것은?

> 보기
> ㄱ. A는 생산자이다.
> ㄴ. ㉠은 빛에너지이고, ㉡은 열에너지이다.
> ㄷ. 에너지는 A → B → C로 유기물의 형태로 이동한다.
> ㄹ. 에너지양은 B보다 C가 더 많다.

① ㄱ, ㄴ ② ㄱ, ㄹ ③ ㄴ, ㄷ
④ ㄱ, ㄴ, ㄷ ⑤ ㄴ, ㄷ, ㄹ

04 그림은 생태계에서의 물질과 에너지의 이동을 나타낸 것이다. ㉠과 ㉡은 각각 물질과 에너지 중 하나이다.

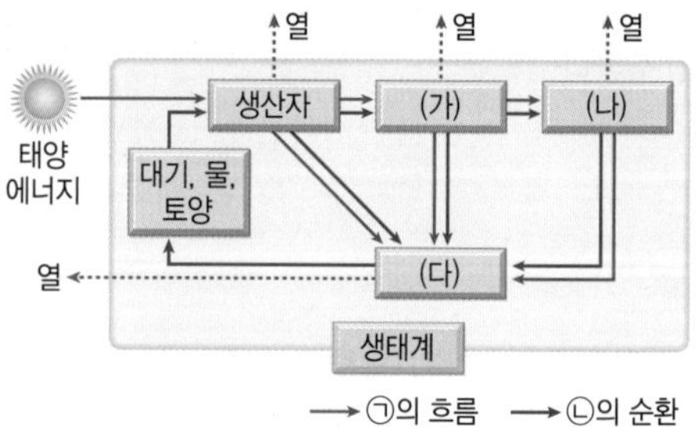

이에 대한 설명으로 옳지 않은 것은?

① ㉠은 에너지이고, ㉡은 물질이다.
② 생산자는 빛에너지를 화학 에너지로 전환한다.
③ 생산자의 에너지는 먹이 사슬을 통해 (가)로 전달된다.
④ (가)의 에너지는 모두 (나)와 (다)에게 전달된다.
⑤ 세균과 곰팡이는 (다)에 해당한다.

정답친해 136쪽

중요 **05** 그림은 어떤 안정된 생태계에서 생산자, 1차 소비자, 2차 소비자의 에너지양을 상댓값으로 나타낸 것이다.

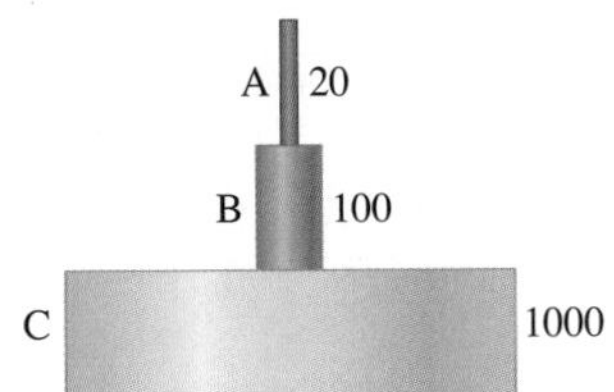

이에 대한 설명으로 옳은 것만을 [보기]에서 있는 대로 고른 것은?

보기
ㄱ. C는 1차 소비자이다.
ㄴ. 에너지 효율은 A가 B보다 높다.
ㄷ. 상위 영양 단계로 갈수록 이용할 수 있는 에너지양이 감소한다.

① ㄱ ② ㄴ ③ ㄱ, ㄷ
④ ㄴ, ㄷ ⑤ ㄱ, ㄴ, ㄷ

06 표는 어떤 안정된 생태계에서 각 영양 단계별 생물량과 에너지양을 나타낸 것이다. A~D는 각각 생산자, 1차 소비자, 2차 소비자, 3차 소비자 중 하나이다.

영양 단계	생물량(상댓값)	에너지양(상댓값)
A	0.1	0.1
B	1.25	26.8
C	17.7	280
D	0.66	1.2

이에 대한 설명으로 옳은 것만을 [보기]에서 있는 대로 고른 것은?

보기
ㄱ. A는 D보다 상위 영양 단계이다.
ㄴ. B에 저장된 에너지의 일부는 C로 이동한다.
ㄷ. C는 무기물로부터 탄수화물을 합성할 수 있다.

① ㄱ ② ㄴ ③ ㄱ, ㄷ
④ ㄴ, ㄷ ⑤ ㄱ, ㄴ, ㄷ

B 생태계 평형

중요 **07** 그림은 두 생태계 (가)와 (나)에서의 먹이 관계를 나타낸 것이다.

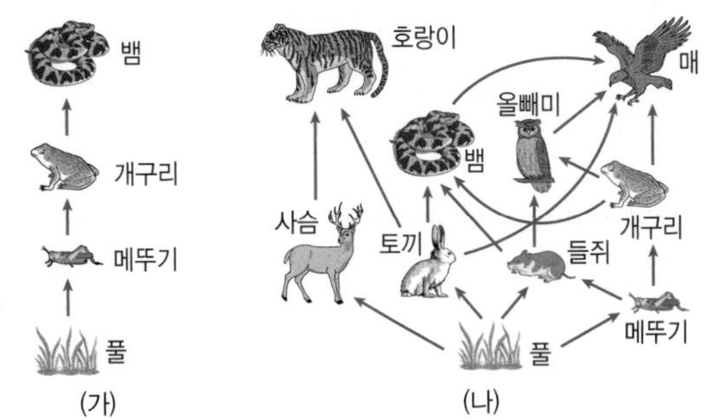

이에 대한 설명으로 옳은 것만을 [보기]에서 있는 대로 고른 것은?

보기
ㄱ. 종 다양성은 (가)보다 (나)가 높다.
ㄴ. 영양 단계의 수는 (가)와 (나)에서 같다.
ㄷ. 생태계의 안정성은 (가)보다 (나)가 높다.
ㄹ. 뱀은 (가)와 (나)에서 모두 최종 소비자이다.

① ㄱ, ㄴ ② ㄱ, ㄷ ③ ㄴ, ㄷ
④ ㄴ, ㄹ ⑤ ㄷ, ㄹ

중요 **08** 그림은 어떤 안정된 생태계에서 환경 변화 A가 발생하여 1차 소비자의 개체 수가 일시적으로 증가한 후 평형 상태를 회복하기까지의 과정을 순서 없이 나타낸 것이다.

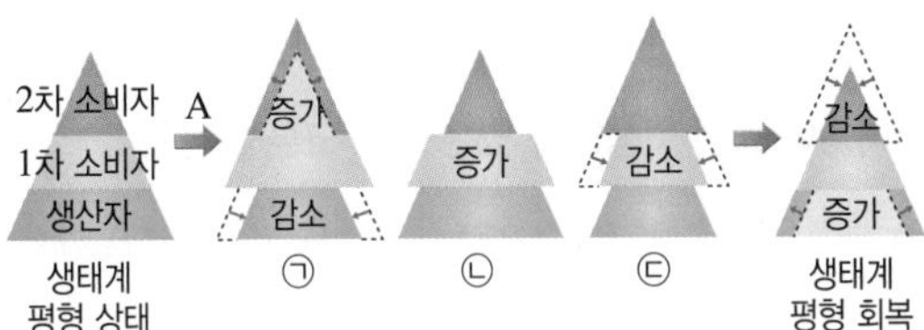

이에 대한 설명으로 옳은 것만을 [보기]에서 있는 대로 고른 것은?

보기
ㄱ. 1차 소비자의 수가 증가하면 생산자의 수가 감소한다.
ㄴ. 생태계 평형은 주로 먹이 사슬에 의해 유지된다.
ㄷ. 생태계 평형이 회복되는 과정을 순서대로 나열하면 ㉠ → ㉡ → ㉢ 순이다.

① ㄱ ② ㄷ ③ ㄱ, ㄴ
④ ㄴ, ㄷ ⑤ ㄱ, ㄴ, ㄷ

09 그림은 생물종 A~H로 구성된 어떤 안정된 생태계에서의 먹이 관계를 나타낸 것이다.

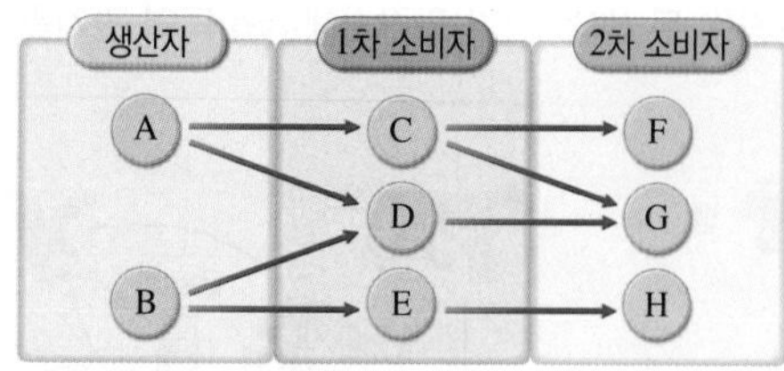

이에 대한 설명으로 옳은 것만을 [보기]에서 있는 대로 고른 것은?(단, A~H는 모두 다른 종이며, ⟶로 제시된 먹이 관계만 일어난다.)

보기
ㄱ. A가 사라지면 두 종의 생물이 사라진다.
ㄴ. C와 D는 G로부터 에너지를 얻는다.
ㄷ. H가 사라지면 E의 개체 수가 일시적으로 증가한다.

① ㄱ ② ㄴ ③ ㄷ ④ ㄱ, ㄷ ⑤ ㄴ, ㄷ

10 다음은 생태계 평형에 대한 학생 A~C의 대화 내용이다.

환경 변화에도 생물의 종류와 개체 수가 변하지 않는 것을 말해.
생태계 평형이 잘 유지되려면 먹이 그물이 복잡한 것이 좋아.
가뭄, 홍수 등에 의해 서 생태계 평형이 깨질 수 있어.
A
B
C

대화 내용이 옳은 학생만을 있는 대로 고른 것은?

① A ② B ③ A, C ④ B, C ⑤ A, B, C

C 환경 변화와 생태계

11 생태계 보전을 위한 노력으로 적합하지 않은 것은?

① 생태 하천 복원 사업을 실시한다.
② 삼림의 훼손을 엄격하게 규제한다.
③ 옥상 정원을 가꾸고 도심에 숲을 조성한다.
④ 간척 사업을 활발하게 하여 갯벌을 경작지로 만든다.
⑤ 멸종 위기에 처한 야생 생물을 천연 기념물로 지정한다.

서술형 문제

12 그림은 생물종 A~J로 구성된 어떤 안정된 생태계에서의 먹이 관계를 나타낸 것이다.

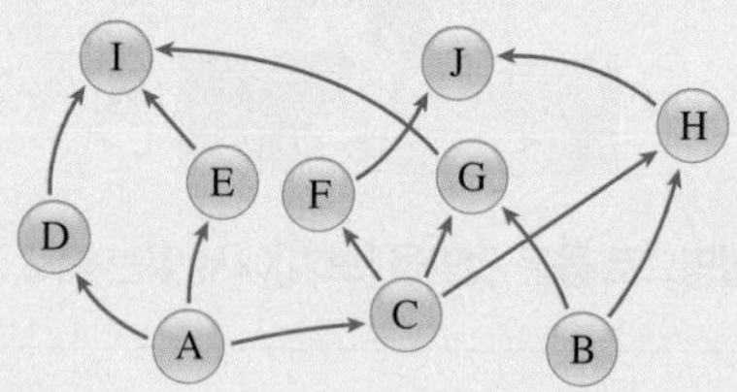

(1) A~J 중 생산자에 해당하는 생물을 모두 쓰시오.

(2) 생태계에서 C가 사라졌을 때 A, F, G의 개체 수 변화를 서술하시오.

13 다음은 두 가지 먹이 사슬을 나타낸 것이다.

(가) 옥수수 → 사람
(나) 옥수수 → 소 → 사람

(가)와 (나) 중 사람에게 전달되는 에너지양이 더 많은 것을 쓰고, 그렇게 판단한 근거를 서술하시오.(단, (가)와 (나)에서 옥수수의 양은 같다.)

14 그림은 해초, 성게, 해달로 이루어진 어떤 해양 생태계에서 해달의 개체 수가 감소하였을 때 생태 피라미드의 변화를 나타낸 것이다.

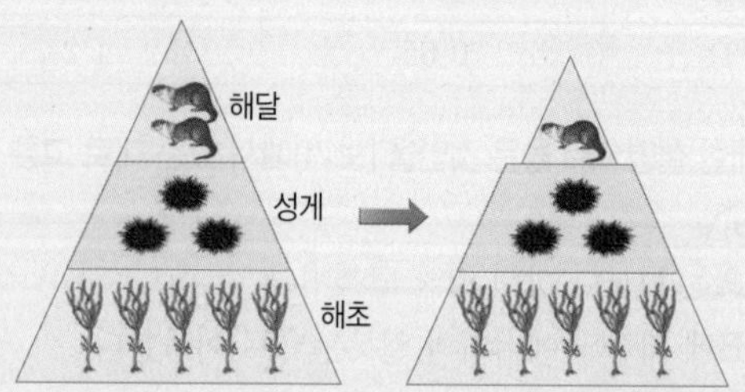

이 생태계가 평형을 회복하는 과정을 해초, 성게, 해달의 개체 수 변화로 서술하시오.

실력 UP 문제

정답친해 139쪽

01 그림 (가)는 어떤 안정된 생태계에서의 먹이 그물을, (나)는 이 생태계에서의 영양 단계별 에너지양을 나타낸 것이다. ㉠~㉣은 각각 1차 소비자, 2차 소비자, 3차 소비자, 생산자 중 하나이다.

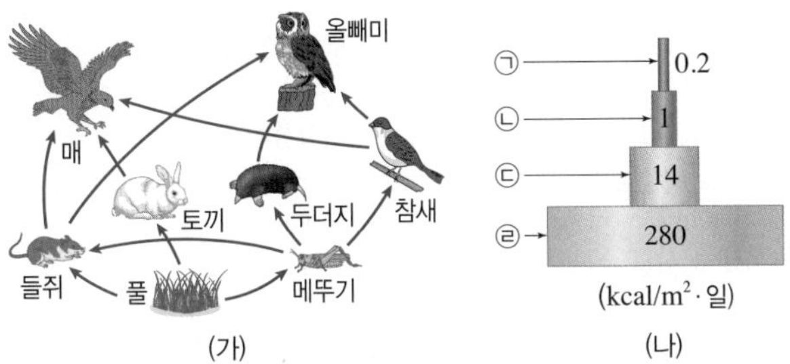

이에 대한 설명으로 옳은 것만을 [보기]에서 있는 대로 고른 것은?

보기

ㄱ. 토끼와 메뚜기는 ㉢에 속한다.
ㄴ. 들쥐의 개체 수가 증가하면 매의 개체 수는 증가하고 올빼미의 개체 수는 감소한다.
ㄷ. 이 생태계에서의 생물량을 영양 단계별로 나타내면 (나)와 같은 형태를 나타낼 것이다.

① ㄱ ② ㄴ ③ ㄱ, ㄷ
④ ㄴ, ㄷ ⑤ ㄱ, ㄴ, ㄷ

02 그림은 생태계 구성 요소 사이의 관계 중 일부를 나타낸 것이다.

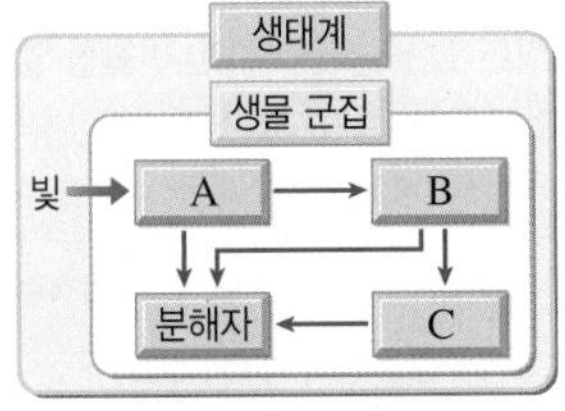

이에 대한 설명으로 옳은 것만을 [보기]에서 있는 대로 고른 것은?(단, A~C는 각각 생산자, 1차 소비자, 2차 소비자 중 하나이며, 화살표(→)는 유기물의 이동을 나타낸 것이다.)

보기

ㄱ. A는 생산자이다.
ㄴ. 안정된 생태계에서 유기물은 'A → B'로 이동하는 양이 'B → C'로 이동하는 양보다 많다.
ㄷ. 생물 집단이 보유한 에너지양은 분해자가 가장 많다.

① ㄱ ② ㄴ ③ ㄷ
④ ㄱ, ㄴ ⑤ ㄱ, ㄷ

03 그림은 어떤 안정된 생태계에서의 에너지 흐름을 나타낸 것이다. A~C는 생물적 요인이며, 에너지양은 상댓값으로 나타낸 것이다.

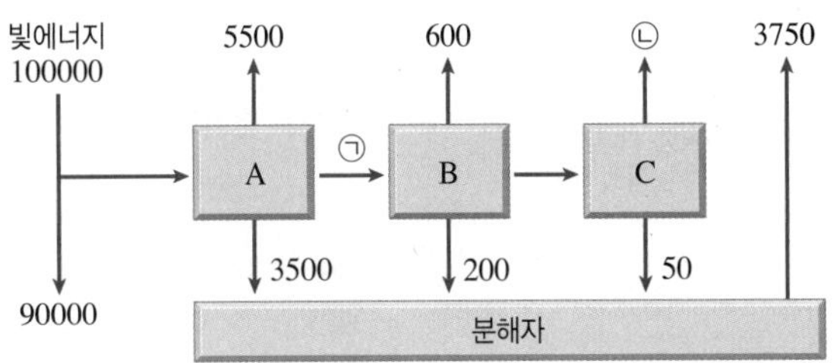

이에 대한 설명으로 옳은 것만을 [보기]에서 있는 대로 고른 것은?

보기

ㄱ. ㉠은 1000이다.
ㄴ. C의 에너지양은 '㉡+50'으로 나타낼 수 있다.
ㄷ. A의 에너지양은 C의 에너지양의 50배이다.

① ㄱ ② ㄷ ③ ㄱ, ㄴ
④ ㄴ, ㄷ ⑤ ㄱ, ㄴ, ㄷ

04 그림은 어떤 안정된 생태계에서 생태계 평형이 일시적으로 깨진 후 다시 평형이 회복되는 과정에서 개체 수 피라미드의 변화를 나타낸 것이다.

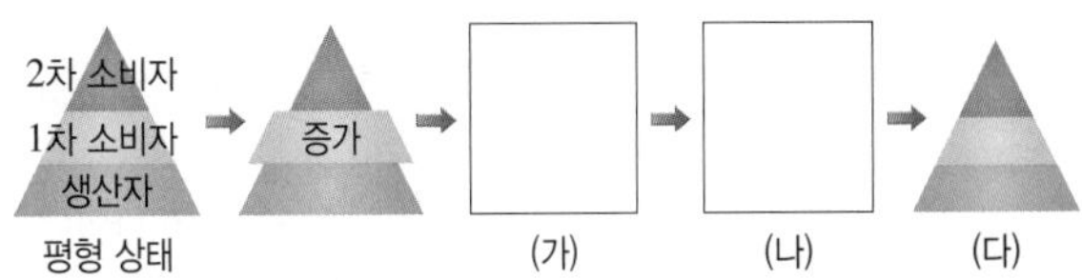

이에 대한 설명으로 옳은 것만을 [보기]에서 있는 대로 고른 것은?

보기

ㄱ. (가)에서 2차 소비자의 개체 수가 증가한다.
ㄴ. 1차 소비자의 개체 수는 (가)보다 (나)에서 더 많다.
ㄷ. (다)에서 각 영양 단계에 해당하는 생물의 개체 수는 생태계 평형이 깨지기 이전과 같다.

① ㄱ ② ㄴ ③ ㄱ, ㄷ
④ ㄴ, ㄷ ⑤ ㄱ, ㄴ, ㄷ

지구 환경 변화와 인간 생활

핵심 포인트
- ❶ 기후 변화의 원인 ★★
- ❷ 지구 온난화 ★★★
- ❸ 대기와 해수의 순환 ★★★
- ❹ 사막화 ★★★
- ❺ 엘니뇨 ★★★

◆ **기후와 기상**
- 기후: 오랜 기간 동안 평균적으로 나타나는 대기 상태
- 기상(날씨): 짧은 기간 동안 나타나는 기온, 강수 등의 대기 상태

A 기후 변화

1. 기후 변화의 원인
지구 내적 원인과 지구 외적 원인(천문학적 원인)이 있다.

구분	내용
지구 내적 원인	• 지표면의 변화: 빙하 면적이 증가하거나 숲이 줄어들면 지표면의 반사율이 증가한다. • 화산 활동: 다량의 화산재가 대기로 방출되면 햇빛의 대기 투과율이 낮아져 기온이 하강한다. • 대기 조성 변화: 대기 중의 이산화 탄소 농도 변화 등에 의해 기후가 변한다. • 수륙 분포 변화: 대륙이 이동하면 대기와 해수의 순환이 변하여 기후가 변한다.
지구 외적 원인	지구 자전축의 기울기, 지구 자전축의 기울기 방향, 지구 공전 궤도 모양이 주기적으로 변한다. ➡ 태양 복사 에너지의 입사량이 변하여 기후가 변한다.

육지와 바다의 비열이 다르므로 대륙이 이동하면 지역별 태양 복사 에너지의 흡수량이 변하여 대기의 순환과 해류가 달라진다. 대륙이 분리되면 해양성 기후 지역이 늘어나고, 대륙이 합쳐지면 건조 기후 지역이 늘어난다.

암기해!

지구 내적 원인
- 기온이 하강하는 경우
  - 지표면 반사율 증가 예 빙하 면적 증가, 삼림 면적 감소
  - 대기 투과율 감소 예 화산 활동(화산재 방출)
- 기온이 상승하는 경우
  - 지표면 반사율 감소 예 빙하 면적 감소, 삼림 면적 증가
  - 대기 중 이산화 탄소 농도 증가 예 화산 활동(이산화 탄소 방출)

확대경 지구 자전축의 기울기 변화와 기후 변화 (천재 교과서에만 나와요.)

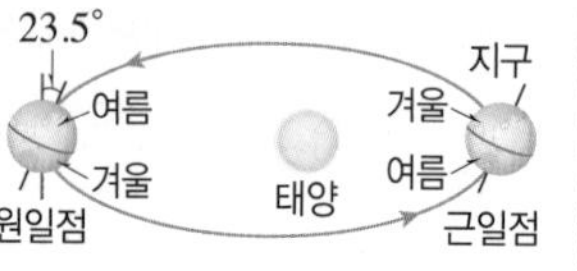

1. **현재:** 자전축이 공전 궤도면에서 수직인 축에서 약 23.5° 기울어져 있으며, 북반구는 원일점에서 태양 복사 에너지의 입사량이 많아 여름이 되고, 근일점에서 겨울이 된다.

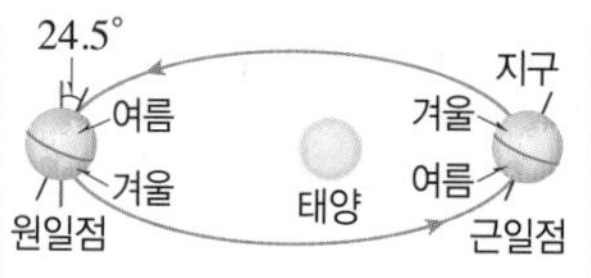

2. **자전축의 기울기가 커질 때:** 북반구는 현재보다 여름에 태양 복사 에너지의 입사량이 많아지고 겨울에 태양 복사 에너지의 입사량이 적어져 기온의 연교차가 커진다.

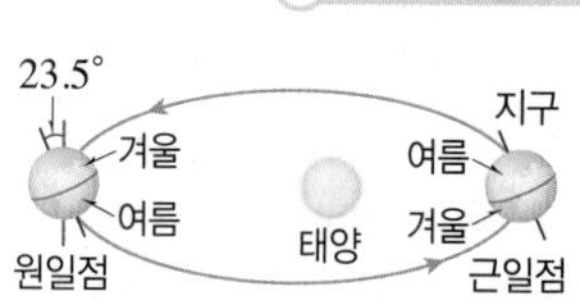

3. **자전축의 기울기 방향이 반대가 될 때:** 북반구는 원일점에서 겨울이, 근일점에서 여름이 된다. 현재보다 겨울과 여름의 태양 복사 에너지의 입사량 차이가 커져 기온의 연교차가 커진다.

2. 과거의 기후 변화 연구 방법

오늘날에는 각종 관측 장비를 이용하지만, 관측이 시작되기 전 과거의 기후는 나무의 나이테, 빙하, 화석, 산호의 성장률, 고문서 등을 연구하여 알아냅니다.

구분	내용
나무의 나이테 연구	• 온난하고 강수량이 많을수록 생장 속도가 빨라 나이테 간격이 넓다. • 나이테는 1년에 1개씩 형성되어 1년 단위의 기후 변화를 알 수 있다. ➡ 1만 년 전~수십 년 전의 기후를 알 수 있다. 생존 기간이 겹치는 여러 나무의 나이테를 비교하면 긴 기간의 기후를 추정할 수 있다.
빙하 연구	• 빙하에 포함된 공기 방울을 분석하여 눈이 내릴 당시의 대기 성분을 알 수 있다. • 나무의 나이테처럼 빙하 코어(빙하에 구멍을 뚫어 채취한 얼음 기둥)에는 1년에 1개씩 형성된 층이 있다. ➡ 수십만 년 단위의 기후를 알 수 있다.
화석 연구	• 해저 퇴적물이나 퇴적암 속에는 꽃가루 화석 등 서식 환경이 다양한 생물의 화석이 포함되어 있다. ➡ 수억 년 단위의 기후를 알 수 있다.

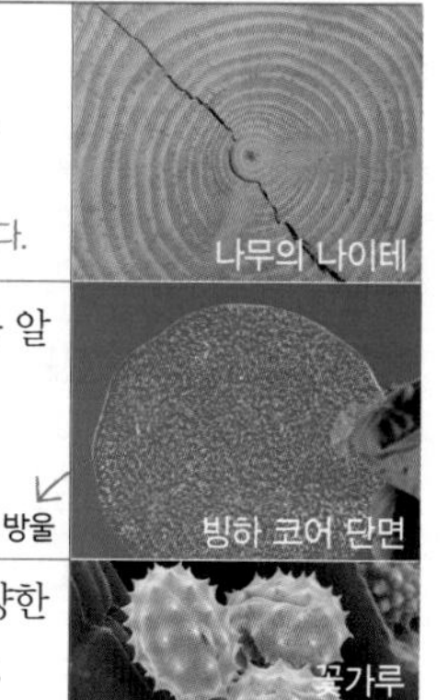

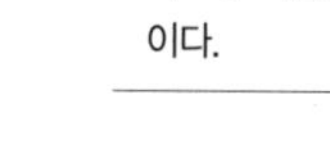

이것까지 나와요! 지구과학Ⅰ

산소 동위 원소비($^{18}O/^{16}O$)
- 기온이 높을수록 빙하 코어를 이루는 물 분자의 산소 동위 원소비($^{18}O/^{16}O$)가 높다.
- 기온이 높을수록 해양 생물 속의 산소 동위 원소비($^{18}O/^{16}O$)가 낮다. ➡ 기온이 높을수록 해수 속 ^{18}O의 비율이 낮아지므로 해양 생물 속의 ^{18}O 비율도 낮아지기 때문이다.

3. 과거의 기후 변화
빙하기와 간빙기가 여러 차례 있었고, 작은 기후 변동이 계속되었다.

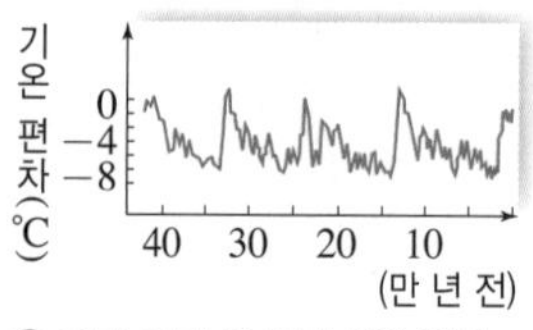

⬆ 과거 40만 년 동안 기온 변화

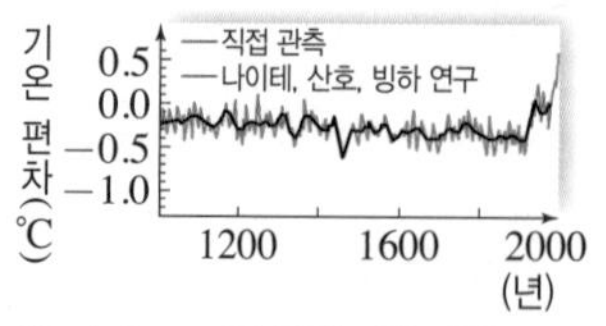

⬆ 과거 1000년 동안 기온 변화

지질 시대에는 기온이 낮아진 빙하기와 기온이 높아진 간빙기가 반복되었고, 최근에는 기온이 급격히 상승하고 있다.

B 지구 온난화

1. 지구 온난화 대기 중 온실 기체의 양이 증가하면서 지구의 평균 기온이 상승하는 현상

① **온실 기체:** 지구 복사 에너지를 잘 흡수하여 ◆온실 효과를 일으키는 기체

예 수증기, 이산화 탄소, 메테인, 산화 이질소, 오존, 클로로플루오로탄소(CFC) 등

└ 지구 복사(적외선)는 잘 흡수하고, 태양 복사(주로 가시광선)는 거의 흡수하지 않는다.

② **지구 온난화의 원인**

- 산업 혁명 이후 화석 연료의 사용량이 급격하게 증가하여 대기 중 이산화 탄소의 농도가 증가하였다. ➡ 최근 일어나는 지구 온난화의 주요 원인
- 과도한 삼림 벌채, 가축 사육 등으로 대기 중 온실 기체의 농도가 증가하였다.
  - 과도한 삼림 벌채 └ 광합성량 감소
  - 가축 사육 └ 호흡으로 인한 이산화 탄소 배출, 소화 활동에 의한 메테인 배출 등

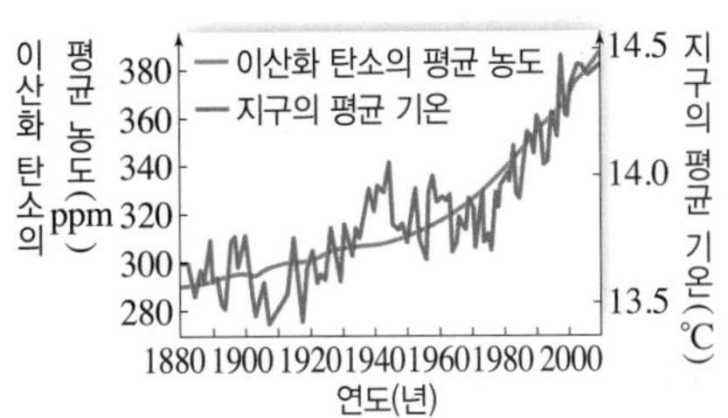

- 대기 중 이산화 탄소의 농도는 증가하고 있으며, 최근 더 큰 폭으로 증가하고 있다.
- 기온은 대체로 상승하고 있으며, 최근 더 큰 폭으로 상승하고 있다.

➡ 기온 상승 원인: 대기 중 이산화 탄소의 농도 증가

▲ 대기 중 이산화 탄소의 평균 농도 변화와 지구의 평균 기온 변화

③ **지구 온난화의 영향**

- 빙하의 융해 — 극지방과 고산 지대의 빙하가 녹아 해수로 유입된다.
- 해수의 열팽창 — 수온이 상승하면 해수의 부피가 팽창한다.

◆해수면 상승	빙하의 융해와 해수의 열팽창이 일어나 해수면이 상승한다. ➡ 해안 저지대가 침수되어 생활 공간이 줄어들고, 곡물 생산량이 감소한다.
기상 이변	수온 상승으로 강수량과 증발량이 변하여 집중 호우와 홍수, 가뭄 등 기상 이변이 발생하고, 폭풍 해일이나 대규모 태풍이 발생한다. 해수면에서 증발한 수증기의 응결열이 태풍의 에너지원이기 때문
생태계 변화	멸종 위기 생물종의 증가로 생물 다양성이 낮아질 수 있고, 육지와 해양 생태계가 변할 수 있다.
해양 산성화	해수에 녹은 이산화 탄소는 해양 산성화를 일으켜 해양 생물의 서식 환경을 바꾼다. └ 해양 생물의 대량 멸종을 유발할 수 있다.
기타	말라리아나 뎅기열과 같은 질병의 발생 지역이 확대된다.

2. 한반도의 지구 온난화 지구 온난화의 영향으로 우리나라의 평균 기온이 상승하고 있다.

① **기후 변화의 경향성:** 20세기에 우리나라 평균 기온 상승률은 지구 전체 평균 기온 상승률의 약 2배이고, 최근 약 30년 간 평균 기온이 급격히 상승하였다. └ 대기 중의 온실 기체 농도 증가 때문

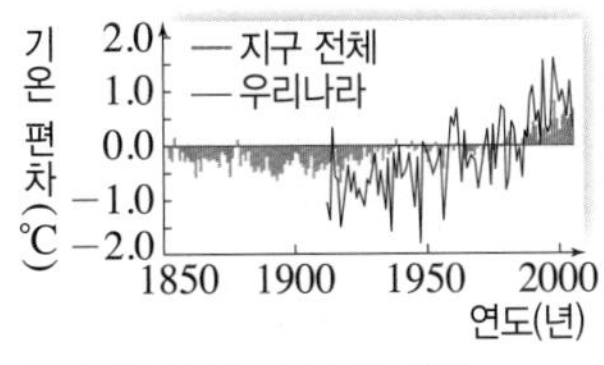

▲ 우리나라의 평균 기온 편차

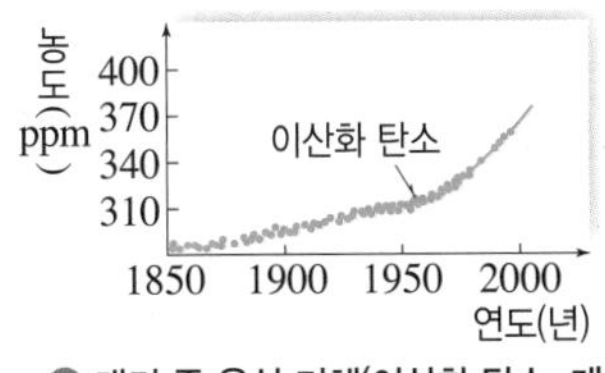

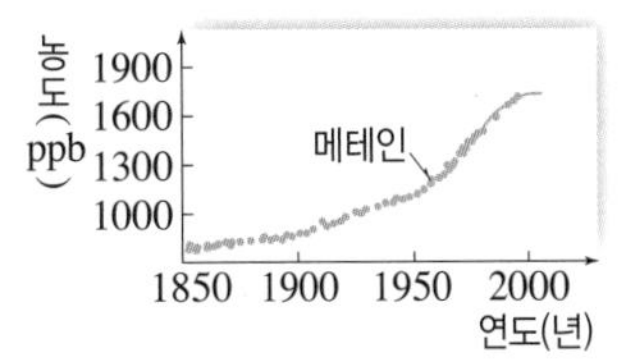

▲ 대기 중 온실 기체(이산화 탄소, 메테인)의 농도 변화

② **기후 변화로 나타나는 영향**

- 계절의 길이 변화: 여름이 길어지고, 겨울이 짧아진다. └ 열대야, 폭염 증가
- 봄꽃의 개화 시기: 봄꽃의 개화 시기가 점차 빨라진다.
- 아열대 기후구 확대: 아열대[1] 기후구가 북쪽으로 확대된다.
- 동식물의 서식지 변화: 농작물의 재배지가 변화하고, 연안 수온이 상승하여 난류성 어종이 증가한다. └ 오징어, 해파리 등

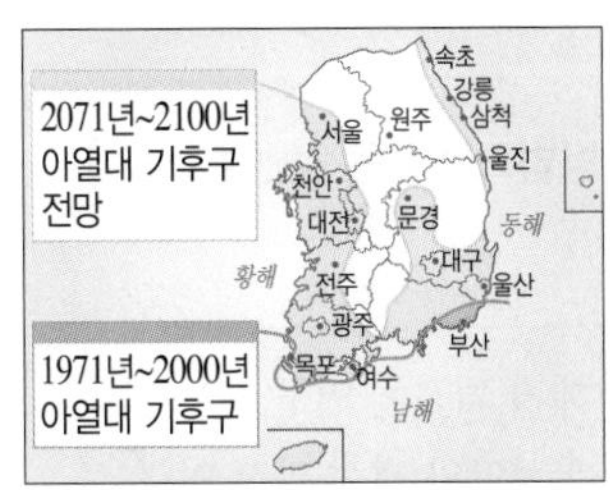

▲ 우리나라의 아열대 기후구 전망

◆ **온실 효과**

온실 기체가 지표에서 방출하는 지구 복사 에너지를 흡수하였다가 재방출하여 평균 기온이 대기가 없을 때보다 높게 유지되는 효과

주의해!

기후 변화의 다양한 원인

- 화산 분출물 중 화산재는 기온을 낮추지만, 수증기나 이산화 탄소는 온실 효과로 기온을 높인다.
- 숲이 줄어들면 지표면의 반사율 증가로 기온이 낮아지지만, 광합성량 감소로 대기 중 이산화 탄소 농도가 증가하면 기온이 높아지기도 한다.

◆ **해수면 상승**

빙하가 녹으면 빙하 면적이 줄어들고 해수면이 상승한다.
해수면이 상승하면 해안 저지대나 섬들이 잠겨 육지의 면적이 줄어든다. 예 몰디브, 투발루 등

용어

[1] **기후구(氣候 기후, 區 나누다)** 같은 위도의 지역은 대체로 동일한 기후를 보이므로 기후대라 하고, 동일한 기후대에서도 지역에 따라 작은 차이가 있으므로 기후의 차이가 뚜렷한 지역을 세분하여 기후구라고 한다.

◆ 파리 협정
2015년 열린 유엔기후변화협약 당사국 총회에서 2020년 이후의 기후 변화에 대응하기 위해 채택한 합의문으로, 모든 국가가 자발적으로 이산화 탄소 배출 감축에 참여할 것을 촉진하는 내용이다.

3. 지구 온난화를 막기 위한 노력 온실 기체의 배출량을 줄여야 한다.

① 화석 연료의 사용을 억제하고, 화석 연료를 대체할 수 있는 신재생 에너지(태양광, 태양열, 지열, 바람 등)를 개발하며, 에너지 효율을 높이는 기술을 개발한다.

② 숲의 면적을 늘려 대기 중 이산화 탄소의 농도를 낮춘다.

③ 국제 협약(유엔기후변화 협약, ◆파리 협정 등)에 가입하고, 협약을 이행하기 위해 노력한다.
└ 온실 기체의 배출 감축 전략을 수립하고 시행하는 국제 협약(195개국 가입)

개념 확인 문제

정답친해 140쪽

핵심 체크

- 기후 변화의 원인
  - 지구 (❶) 원인: 지표면의 변화, 화산 활동, 대기 조성 변화, 수륙 분포 변화 등
  - 지구 (❷) 원인: 지구 자전축의 기울기 변화, 지구 자전축의 기울기 방향 변화 등
- 과거의 기후 변화 연구 방법: 나무의 나이테 연구, 빙하 연구, 화석 연구 등
  ➡ 기후가 (❸)하고 강수량이 많을수록 나무의 나이테 간격이 넓어진다.
- (❹): 대기 중 (❺)의 양이 증가하면서 지구의 평균 기온이 상승하는 현상
  - (❺): 지구 복사 에너지를 잘 흡수하는 수증기, 이산화 탄소, 메테인 등의 기체
  - 원인: 화석 연료의 사용량 급증, 과도한 삼림 벌채, 가축 사육 등에 의한 대기 중 온실 기체의 농도 증가
  - 영향: 해수면 상승, 기상 이변, 생태계 변화, 해양 산성화 등
    ➡ 극지방과 고산 지대의 빙하의 (❻), 해수의 (❼) → 해수면 상승 → 육지 면적 (❽)
- 한반도의 지구 온난화: 평균 기온이 (❾)하고 있으며, 지구 전체 평균 기온보다 큰 폭으로 상승하고 있다.

1 기후 변화에 대한 설명으로 옳은 것은 ○, 옳지 않은 것은 ×로 표시하시오.

(1) 빙하 면적이 감소한 지역은 지표면의 반사율이 증가한다. ( )

(2) 화산 활동에 의해 대기로 방출된 화산재는 지구 기온을 낮춘다. ( )

(3) 지구 자전축의 기울기 변화는 기후 변화의 지구 외적 원인에 해당한다. ( )

(4) 인간 활동에 의해서는 기후 변화가 일어나지 않는다. ( )

(5) 지질 시대에는 빙하기와 간빙기가 반복되었다. ( )

2 과거의 기후 변화를 연구하는 방법으로 옳은 것만을 [보기]에서 있는 대로 고르시오.

보기
ㄱ. 빙하 코어 연구
ㄴ. 해저 퇴적물 연구
ㄷ. 나무의 나이테 연구
ㄹ. 화성암의 생성 과정 연구

3 온실 기체가 아닌 것은?

① 오존 ② 질소 ③ 메테인 ④ 수증기 ⑤ 이산화 탄소

4 다음은 지구 온난화의 주요 원인을 설명한 것이다. ( ) 안에 알맞은 말을 쓰시오.

> 산업 혁명 이후 ㉠( )의 사용량이 급격하게 증가함에 따라 온실 기체 중 ㉡( )의 농도가 대기 중에서 크게 증가하여 지구의 평균 기온은 상승하고 있다.

5 한반도의 기후 변화에 대한 설명으로 옳은 것은 ○, 옳지 않은 것은 ×로 표시하시오.

(1) 겨울의 길이가 짧아지고 있다. ( )

(2) 개나리의 개화 시기가 늦어지고 있다. ( )

(3) 아열대 기후 지역이 북쪽으로 확대된다. ( )

(4) 한반도의 평균 기온 상승률은 지구 전체의 평균 기온 상승률보다 작다. ( )

C 대기와 해수의 순환

기후 변화는 대기와 해수의 순환과 밀접하게 연관되어 있답니다. 대기와 해수의 순환이 어떻게 일어나는지 알아볼까요?

1. 위도별 에너지 불균형 지구는 구형이므로 위도에 따라 태양 복사 에너지 흡수량이 달라진다.

① **◆위도별 복사 에너지:** 저위도는 에너지가 남고, 고위도는 에너지가 부족하다.

② **에너지 불균형 해소:** 대기와 해수의 순환으로 저위도의 남는 에너지가 고위도로 이동한다.
└● 위도 38° 부근에서 에너지 이동이 가장 활발하다.

2. 대기 대순환 크고 작은 여러 규모의 대기 순환 중에서 지구 전체 규모로 일어나는 순환

① **발생 원인:** 위도에 따른 에너지 불균형으로 발생하고, 지구 자전의 영향을 받는다.

② **대기 대순환 모형:** 적도에서 가열된 공기가 상승하고, 극에서 냉각된 공기가 하강하여 순환을 이루는데, 지구가 자전하여 적도에서 극 사이에 3개의 순환 세포가 형성된다.

구분	내용
해들리 순환 (적도~위도 30°)	적도 부근에서 가열된 공기가 상승하고, 고위도로 이동하다가 위도 30° 부근에서 하강한다. ➡ 지상에는 무역풍이 분다.
페렐 순환 (위도 30°~60°)	하강한 공기는 고위도로 이동하다가 위도 60° 부근에서, 극에서 저위도로 이동해 온 공기와 만나 상승한다. ➡ 지상에는 편서풍이 분다.
극순환 (위도 60°~극)	극에서 냉각되어 하강한 공기가 저위도로 이동하여 위도 60° 부근에서 상승한다. ➡ 지상에는 극동풍이 분다.
대기 대순환의 기압대	• 적도: 상승 기류에 의해 적도 저압대가 형성된다. ➡ 습한 기후, 열대 우림 분포 • 위도 30°: 하강 기류에 의해 아열대 고압대가 형성된다. ➡ 건조한 기후, 사막 분포 • 위도 60°: 편서풍과 극동풍이 만나 한대 전선대(저압대)가 형성된다.

한대 전선대
아열대 고압대
적도 저압대
60°N 30°N 0° 30°S
극동풍 편서풍 북동 무역풍 남동 무역풍
극순환 페렐 순환 해들리 순환

▲ ◆대기 대순환 모형

3. 해수의 표층 순환

① **발생 원인:** 해수면 위에서 지속적으로 부는 바람에 의해 발생한다.

② **해수의 표층 순환:** 대기 대순환의 바람과 대륙의 영향으로 표층 해류가 순환한다.

구분	내용
동서 방향의 표층 해류	대기 대순환의 바람에 의해 동서 방향의 해류가 발생한다. ┌ 무역풍대: 동 → 서로 해류가 흐른다. 예 북적도 해류, 남적도 해류 └ 편서풍대: 서 → 동으로 해류가 흐른다. 예 북태평양 해류, 북대서양 해류, ◆남극 순환 해류
남북 방향의 표층 해류	동서 방향으로 흐르는 해류가 대륙에 막히면 해류의 방향이 남북 방향으로 바뀐다. ┌ 난류: 저위도 → 고위도로 흐른다. 예 쿠로시오 해류, 멕시코만류, 동오스트레일리아 해류 └ 한류: 고위도 → 저위도로 흐른다. 예 캘리포니아 해류, 카나리아 해류, 페루 해류

| 해수의 표층 순환과 대기 대순환 |

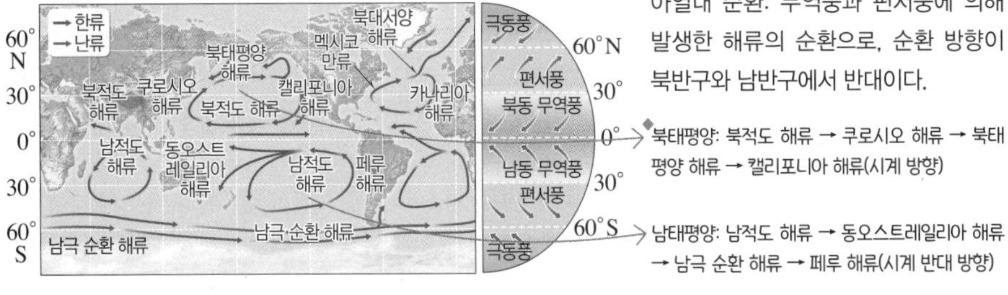

아열대 순환: 무역풍과 편서풍에 의해 발생한 해류의 순환으로, 순환 방향이 북반구와 남반구에서 반대이다.

◆북태평양: 북적도 해류 → 쿠로시오 해류 → 북태평양 해류 → 캘리포니아 해류(시계 방향)

남태평양: 남적도 해류 → 동오스트레일리아 해류 → 남극 순환 해류 → 페루 해류(시계 반대 방향)

◆ 위도별 복사 에너지양 분포

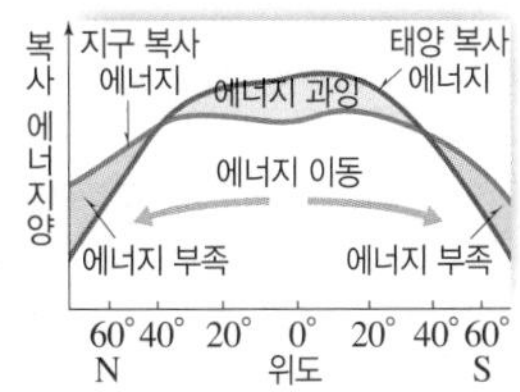

• 적도~위도 약 38°: 태양 복사 에너지 흡수량 > 지구 복사 에너지 방출량 ➡ 에너지 과잉

• 위도 약 38°~극: 지구 복사 에너지 방출량 > 태양 복사 에너지 흡수량 ➡ 에너지 부족

궁금해?

지구 자전이 물체의 운동에 어떤 영향을 줄까?

북반구에서 운동하는 물체는 지구 자전의 영향을 받아 운동 방향이 오른쪽으로 휘어진다. 따라서 적도에서 북극으로 부는 바람과 북극에서 적도로 부는 바람은 오른쪽으로 휘어져 분다.

◆ 지구가 자전하지 않는다고 가정할 때 대기 대순환

적도에서 가열된 공기가 상승하고, 극에서 냉각된 공기가 하강하여 적도에서 극 사이에 1개의 순환 세포가 형성될 것이다. ➡ 북반구 지상에서는 북풍이, 남반구 지상에서는 남풍이 불 것이다.

◆ 남극 순환 해류(남극 순환류)

동서 방향으로 흐르는 큰 규모의 표층 해류는 대륙에 막혀 남북 방향으로 흐름이 변하지만, 남극 순환 해류는 대륙에 막히지 않으므로 남극 대륙 주위를 서에서 동으로 순환한다.

◆ 북대서양에서 아열대 순환

북적도 해류 → 멕시코만류 → 북대서양 해류 → 카나리아 해류(시계 방향)

◆사막화 과정

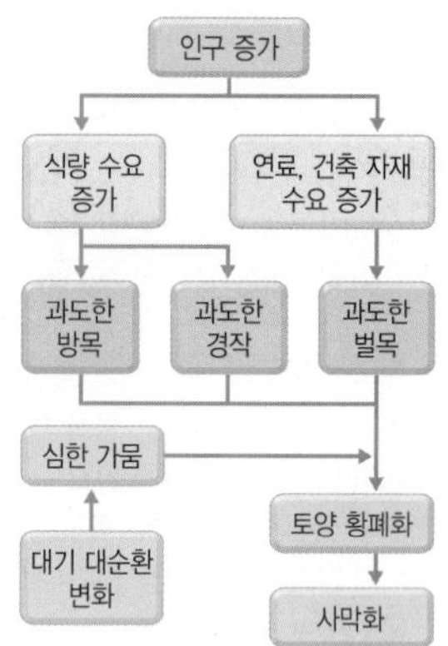

D 사막화와 엘니뇨

1. 사막화 사막 주변 지역의 토지가 황폐해져 점차 사막으로 변하는 현상

① **사막 지역:** 고압대가 형성되는 위도 30° 부근에 주로 분포한다. ➡ 하강 기류가 발달하여 대체로 날씨가 맑고 기후가 건조하기 때문

② **사막화 지역:** 사막 주변에 분포하며, 건조 지역이 확대되면서 사막이 넓어진다.

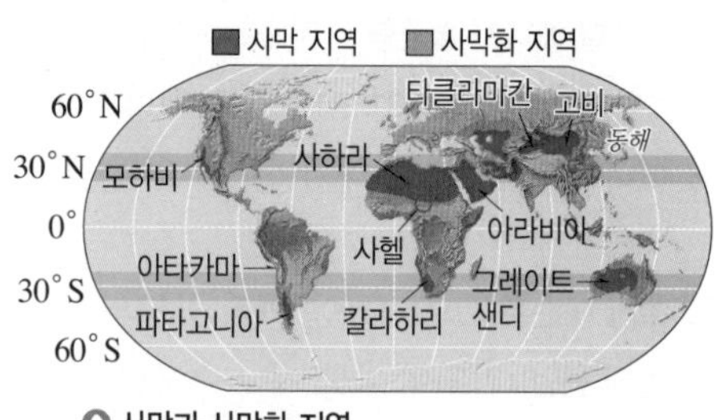

⊙ 사막과 사막화 지역

③ **사막화의 발생 원인, 피해, 대책**

◆발생 원인	• 자연적인 원인: 대기 대순환 변화에 따른 지속적인 가뭄 —● 강수량이 감소하고 증발량이 증가할 때 • 인위적인 원인: 과도한 방목, 과도한 경작, 무분별한 삼림 벌채 등으로 인한 토지 황폐화 숲이 사라지면 지표는 더 많은 태양 에너지를 반사하여 냉각되고, 하강 기류가 생기면서 건조해져 사막화가 가속화된다.
피해	• 토지가 황폐해져 식량 부족이 일어난다. 예 사하라 사막 남쪽의 사헬 지역 • 중국과 몽골 지역의 사막화로 우리나라의 연평균 ◆황사 일수가 증가한다. 예 고비 사막 주변 • 생물이 서식지를 잃어 생태계에 변화가 일어난다.
대책	삼림 벌채 및 가축의 방목을 줄이고, 숲의 면적을 늘리며, 사막화 관련 국제 협약을 준수한다.

◆**황사**
중국 내륙, 몽골의 황토 지대에서 강한 바람에 의해 상공으로 올라간 모래 먼지가 편서풍을 타고 와 한반도 부근에서 가라앉는 현상이다.

2. 엘니뇨와 라니냐 무역풍의 변화로 인한 표층 해수의 흐름 변화로 발생한다. ➡ 기권과 수권의 상호 작용 —● 엘니뇨와 라니냐는 2년~7년마다 불규칙하게 발생한다.

① **엘니뇨:** 적도 부근 동태평양 해역의 표층 수온이 평년보다 높은 상태로 지속되는 현상

② **라니냐:** 적도 부근 동태평양 해역의 표층 수온이 평년보다 낮은 상태로 지속되는 현상

③ **평상시와 엘니뇨 발생 시, 라니냐 발생 시의 기후 비교**

용어
❶ **용승(湧 물이 솟다, 昇 오르다)** 심층의 찬 해수가 솟아오르는 현상으로, 심층의 찬 해수에는 플랑크톤의 먹이가 되는 영양분이 풍부하여 용승이 일어나는 해역은 좋은 어장이 형성된다.

구분	평상시	엘니뇨 발생 시	라니냐 발생 시 (미래엔, 동아 교과서에만 나와요.)
모식도	저기압 / 고기압 / 강수 / 표층 해수의 이동 / 인도네시아 서 / 남아메리카 동 / 무역풍 / 따뜻한 해수 / 차가운 해수	고기압 / 저기압 / 표층 해수의 이동 / 강수 / 인도네시아 서 / 남아메리카 동 / 무역풍 약화 / 따뜻한 해수 / 차가운 해수	저기압 / 고기압 / 강수 / 표층 해수의 이동 / 인도네시아 서 / 남아메리카 동 / 무역풍 강화 / 따뜻한 해수 / 차가운 해수
대기 순환과 해수 이동	무역풍이 적도 부근의 따뜻한 표층 해수를 서쪽으로 운반한다.	무역풍이 평상시보다 약해질 때, 적도 부근의 따뜻한 표층 해수가 동쪽으로 이동한다.	무역풍이 평상시보다 강해질 때, 적도 부근의 따뜻한 표층 해수가 서쪽으로 이동한다.
동태평양의 표층 수온과 기후	• 따뜻한 해수가 서쪽으로 이동하여 동쪽에서 ❶용승이 일어나 표층 수온이 낮다. • 고기압이 분포하여 하강 기류가 발달한다. ➡ 맑고 건조하다. 해수면 온도가 낮으면 공기가 냉각되어 기압이 높아진다.	• 평상시보다 표층 수온이 높아진다. ➡ 용승 약화 • 해수의 증발이 활발하고, 기압이 낮아져 상승 기류가 발달한다. ➡ 강수량이 증가하여 홍수와 폭우가 발생한다.	• 평상시보다 표층 수온이 낮아진다. ➡ 용승 강화 • 해수의 증발이 감소하고, 기압이 높아져 하강 기류가 발달한다. ➡ 강수량이 감소하여 가뭄과 산불이 발생한다.
서태평양의 표층 수온과 기후	• 따뜻한 해수가 이동하여 표층 수온이 높다. • 해수의 증발이 많고, 저기압이 분포하여 상승 기류가 발달한다. ➡ 비가 많이 내린다. 해수면 온도가 높으면 수증기가 많이 증발하고, 공기가 가열되어 기압이 낮아진다.	• 평상시보다 표층 수온이 낮아진다. • 해수의 증발이 감소하고, 기압이 높아져 하강 기류가 발달한다. ➡ 강수량이 감소하여 가뭄이 심해지고, 대규모 산불이 발생한다.	• 평상시보다 표층 수온이 높아진다. • 해수의 증발이 증가하고, 기압이 낮아져 상승 기류가 발달한다. ➡ 강수량이 증가하여 홍수와 폭우가 발생한다.

④ **엘니뇨가 세계 기후에 미치는 영향:** 규모가 작은 엘니뇨는 남태평양 주변 지역에만 영향을 주지만, 규모가 큰 엘니뇨는 대기의 순환을 변화시켜 전 세계에 기상 이변을 일으킨다.

엘니뇨(12월~2월)가 세계 기후에 미치는 영향 ➲

암기해!

엘니뇨 발생 과정(동태평양)
무역풍 약화 → 따뜻한 표층 해수가 동쪽으로 이동, 용승 약화 → 동태평양의 표층 수온 상승 → 증발량 증가, 상승 기류 발달 → 강수량 증가

개념 확인 문제

정답친해 140쪽

핵심 체크

- 대기 대순환: 위도별 에너지 불균형과 지구의 자전에 의해 적도에서 극 사이에 3개의 순환 세포가 형성된다.
  - 지상에서 부는 바람: 해들리 순환 - (❶), 페렐 순환 - (❷), 극순환 - 극동풍
  - 기압대: 적도 부근 - 적도 저압대, 위도 30° 부근 - (❸), 위도 60° 부근 - 한대 전선대(저압대)
- 해수의 표층 순환: 대기 대순환의 (❹)과 대륙의 영향으로 해수의 표층 순환이 형성된다.
  ➡ (❺)대의 해류는 서에서 동으로 흐르고, (❻)는 저위도에서 고위도로 흐른다.
- (❼): 사막 주변 지역의 토지가 황폐해져 점차 사막으로 변하는 현상
- (❽): 무역풍 약화로 적도 부근 동태평양 해역의 표층 수온이 평년보다 높은 상태로 지속되는 현상
- (❾): 무역풍 강화로 적도 부근 동태평양 해역의 표층 수온이 평년보다 낮은 상태로 지속되는 현상

1 그림은 북반구의 대기 대순환 모형을 나타낸 것이다.
A~C에 해당하는 순환의 이름을 각각 쓰시오.

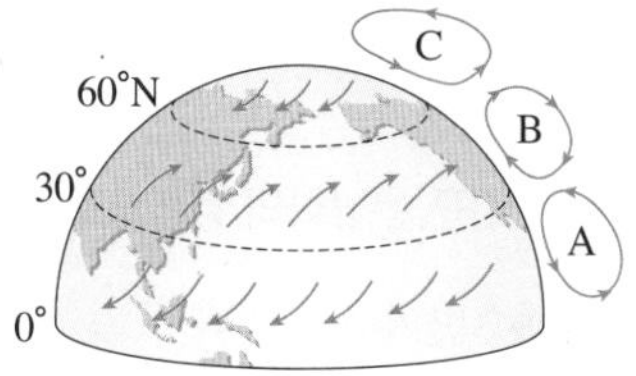

2 해수의 표층 순환에 대한 설명으로 옳은 것은 ○, 옳지 않은 것은 ×로 표시하시오.

(1) 대기 대순환의 바람에 의해 형성된 표층 해류는 동서 방향으로 흐른다. ( )
(2) 북태평양 해류는 무역풍에 의해 형성된다. ( )
(3) 쿠로시오 해류는 난류이다. ( )
(4) 멕시코만류는 북쪽으로 흐른다. ( )
(5) 남극 순환 해류는 남쪽으로 흐른다. ( )

3 사막화의 원인이 아닌 것은?

① 지속적인 가뭄 ② 무분별한 삼림 벌채
③ 대기 대순환의 변화 ④ 과도한 가축의 방목
⑤ 황사 발생 빈도 증가

4 전 세계의 주요 사막이 분포하는 지역으로 옳은 곳만을 [보기]에서 있는 대로 고르시오.

보기
ㄱ. 적도 부근의 지역 ㄴ. 증발량 > 강수량 지역
ㄷ. 기후가 건조한 지역 ㄹ. 상승 기류가 우세한 지역

5 엘니뇨에 대한 설명으로 옳은 것은 ○, 옳지 않은 것은 ×로 표시하시오.

(1) 평상시보다 무역풍이 강해질 때 발생한다. ( )
(2) 평상시보다 적도 부근 동태평양 해역의 표층 수온이 낮게 유지된다. ( )
(3) 기권과 수권의 상호 작용으로 발생한다. ( )

6 그림은 태평양 적도 부근 해역에서 따뜻한 표층 해수의 흐름을 나타낸 것이다.
평상시와 엘니뇨일 때 흐름을 A와 B 중에서 각각 고르시오.

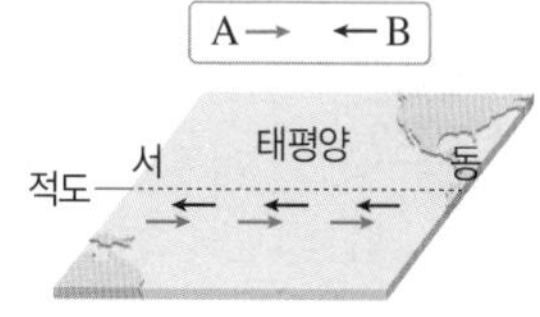

내신 만점 문제

A 기후 변화

01 기후 변화에 대한 설명으로 옳지 않은 것은?

① 대기와 해수의 순환이 변하면 기후가 변한다.
② 태양 복사 에너지 입사량의 변화로 기후가 변한다.
③ 대기로 방출된 다량의 화산재는 햇빛의 투과율을 낮춘다.
④ 대기 중의 이산화 탄소 농도가 증가하면 기온이 상승한다.
⑤ 빙하 면적이 증가하면 태양 복사 에너지의 지표면 흡수율이 증가한다.

02 다음은 기후 변화를 일으키는 원인을 설명한 것이다.

(가) 화산 분출로 인한 햇빛의 대기 투과율 변화
(나) 대륙 이동에 의한 수륙 분포 변화
(다) 지구 자전축의 기울기 변화

이에 대한 설명으로 옳은 것만을 [보기]에서 있는 대로 고른 것은?

보기
ㄱ. (가)는 지구 내적 원인이다.
ㄴ. (가)에 의해 지구의 기온은 상승한다.
ㄷ. (나)와 (다)는 모두 지구 외적 원인이다.
ㄹ. (다)에 의해 여름과 겨울에 지구가 받는 태양 복사 에너지의 양이 달라진다.

① ㄱ, ㄷ ② ㄱ, ㄹ ③ ㄴ, ㄷ
④ ㄱ, ㄴ, ㄹ ⑤ ㄴ, ㄷ, ㄹ

03 [보기]는 과거의 기후 변화를 연구하는 방법을 나타낸 것이다.

보기
ㄱ. 빙하 코어 연구
ㄴ. 꽃가루 화석 연구
ㄷ. 나무의 나이테 연구

가장 오래 전의 기후를 알 수 있는 것부터 순서대로 옳게 나열한 것은?

① ㄱ→ㄴ→ㄷ ② ㄱ→ㄷ→ㄴ ③ ㄴ→ㄱ→ㄷ
④ ㄴ→ㄷ→ㄱ ⑤ ㄷ→ㄴ→ㄱ

B 지구 온난화

중요 **04** 그림은 1880년 이후 대기 중 이산화 탄소의 농도와 지구의 평균 기온 변화를 나타낸 것이다.

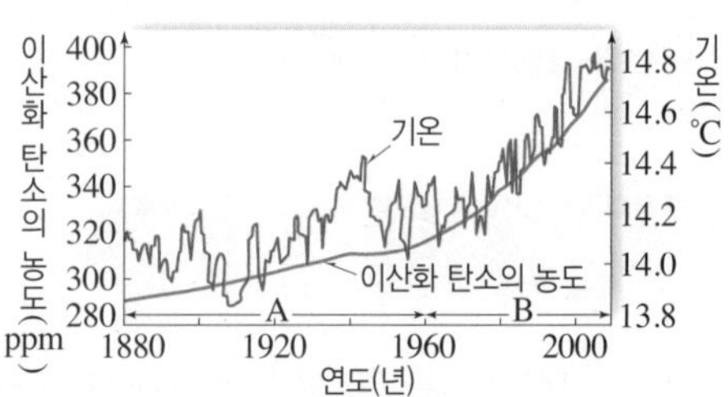

이에 대한 설명으로 옳은 것만을 [보기]에서 있는 대로 고른 것은?

보기
ㄱ. 대기 중 이산화 탄소의 농도 변화로 지구의 평균 기온이 상승하였을 것이다.
ㄴ. 기온 상승률은 A 기간보다 B 기간에 더 컸다.
ㄷ. 이 기간 동안 지구의 빙하 면적은 감소하였을 것이다.

① ㄱ ② ㄷ ③ ㄱ, ㄴ
④ ㄴ, ㄷ ⑤ ㄱ, ㄴ, ㄷ

중요 **05** 지구 온난화의 영향으로 가장 거리가 먼 것은?

① 해수면이 상승한다.
② 해안 저지대가 침수된다.
③ 태풍의 강도가 강해진다.
④ 생물 다양성이 감소할 수 있다.
⑤ 해수에 녹은 산소에 의해 산성화가 일어난다.

06 그림은 우리나라와 지구 전체의 평균 기온 변화를 나타낸 것이다.

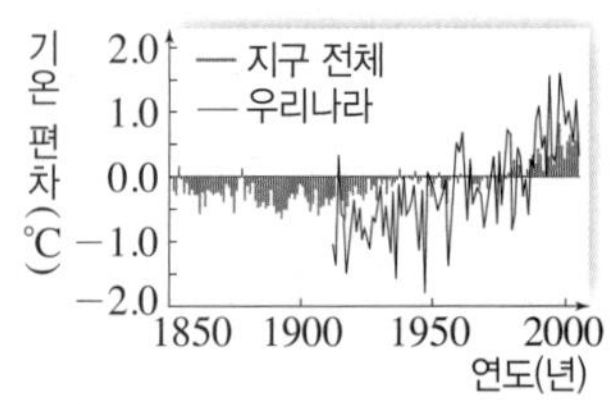

이 기간 동안 일어난 현상에 대한 설명으로 옳은 것만을 [보기]에서 있는 대로 고르시오.

보기
ㄱ. 대기 중의 이산화 탄소 농도가 증가하였을 것이다.
ㄴ. 강물의 결빙 일수가 점차 증가하였을 것이다.
ㄷ. 우리나라는 지구 전체보다 온난화의 영향이 컸다.

07 그림은 우리나라의 아열대 기후구 전망을 나타낸 것이다.

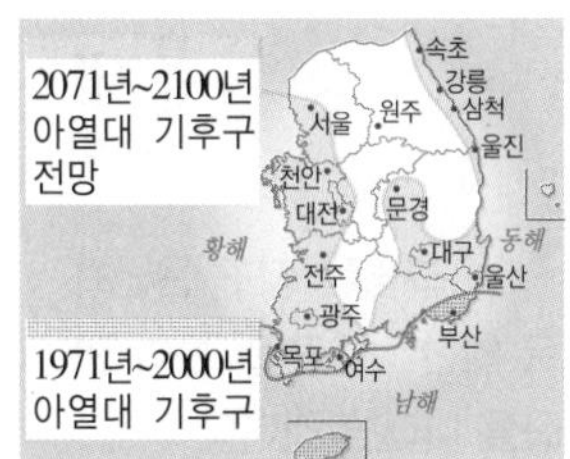

1971년~2000년과 비교하여 2071년~2100년 우리나라의 기후와 관련된 현상을 옳게 예상한 것은?

① 아열대 기후구가 남하한다.
② 봄꽃의 개화 시기가 늦어진다.
③ 겨울의 길이가 길어진다.
④ 열대야 일수가 감소한다.
⑤ 난류성 어종이 증가한다.

C 대기와 해수의 순환

[08~09] 그림은 북반구의 대기 대순환을 나타낸 것이다.

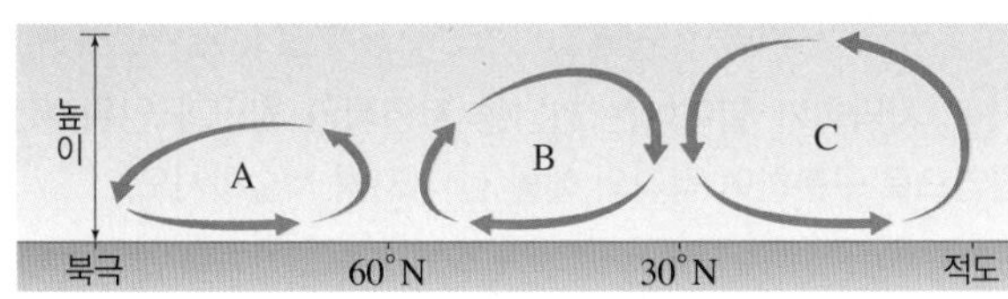

08 A~C 순환의 지상에서 부는 바람을 각각 쓰시오.

중요 **09** 이에 대한 설명으로 옳지 않은 것은?

① 저위도에서는 에너지가 남아 공기가 가열된다.
② 지구가 자전하여 3개의 순환 세포를 이룬다.
③ A는 극순환, B는 페렐 순환이다.
④ B와 C 사이에는 저압대가 형성된다.
⑤ 적도 부근에는 열대 우림이 많이 분포한다.

10 해수의 표층 순환에 대한 설명으로 옳지 않은 것은?

① 수온과 염분의 차이로 발생한다.
② 대륙의 영향으로 해류의 방향이 바뀐다.
③ 저위도의 남는 에너지를 고위도로 운반한다.
④ 대륙에 막히지 않아 지구 주위를 순환하는 해류가 있다.
⑤ 북반구의 아열대 해역에서는 시계 방향의 순환을 이룬다.

중요 **11** 그림은 주요 표층 해류의 분포를 나타낸 것이다.

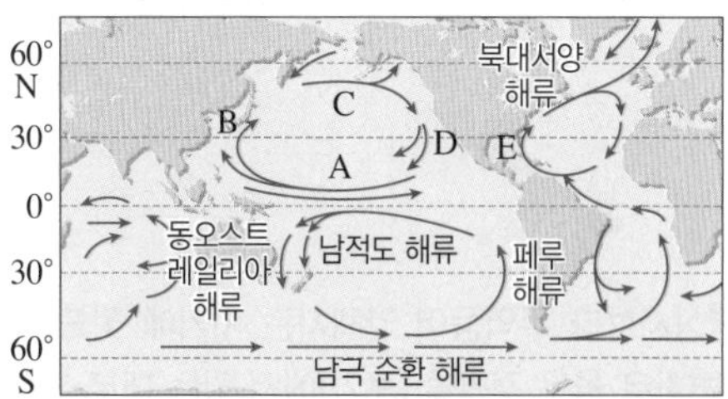

이에 대한 설명으로 옳은 것만을 [보기]에서 있는 대로 고른 것은?

보기
ㄱ. A는 무역풍, C는 편서풍에 의해 형성된 해류이다.
ㄴ. B는 난류이고, D는 한류이다.
ㄷ. B와 E는 고위도로 에너지를 운반한다.

① ㄱ ② ㄷ ③ ㄱ, ㄴ
④ ㄴ, ㄷ ⑤ ㄱ, ㄴ, ㄷ

D 사막화와 엘니뇨

12 사막과 사막화에 대한 설명으로 옳지 않은 것은?

① 사막은 주로 적도 지역에 분포한다.
② 사막은 강수량이 적고 증발량이 많은 지역에서 발달한다.
③ 대기 대순환의 변화는 사막화의 원인이 된다.
④ 과잉 경작이나 삼림 벌채는 사막화를 가속화시킨다.
⑤ 사막 주변에 숲을 조성하면 사막화를 억제할 수 있다.

중요 **13** 그림은 주요 사막과 사막화 지역을 나타낸 것이다.

이에 대한 설명으로 옳은 것만을 [보기]에서 있는 대로 고른 것은?

보기
ㄱ. 사막은 주로 고압대에서 발달한다.
ㄴ. 사막화가 일어나면 사막 지역이 확대된다.
ㄷ. 고비 사막 주변의 사막화로 우리나라의 황사 발생 빈도가 감소한다.

① ㄱ ② ㄷ ③ ㄱ, ㄴ
④ ㄴ, ㄷ ⑤ ㄱ, ㄴ, ㄷ

14 평상시보다 무역풍이 약해지는 시기에 적도 부근 동태평양의 변화로 옳은 것만을 [보기]에서 있는 대로 고른 것은?

보기
ㄱ. 표층 수온이 낮아진다. ㄴ. 가뭄이 발생한다.
ㄷ. 용승이 약해진다. ㄹ. 어획량이 감소한다.

① ㄱ, ㄴ ② ㄱ, ㄷ ③ ㄴ, ㄷ
④ ㄴ, ㄹ ⑤ ㄷ, ㄹ

중요 **15** 그림 (가)와 (나)는 평상시와 엘니뇨 발생 시의 표층 해수 이동과 대기 순환을 순서 없이 나타낸 것이다.

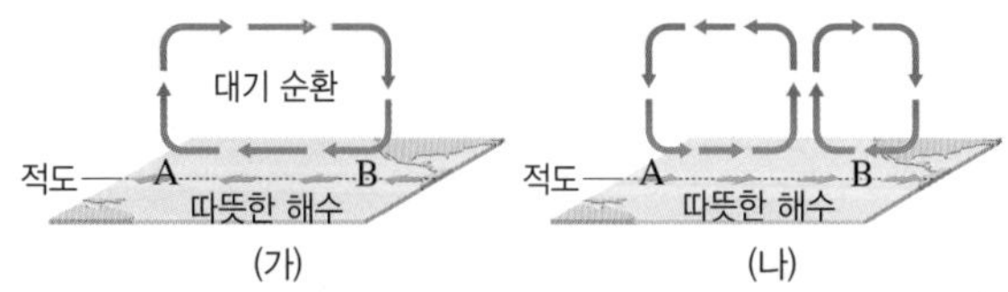

이에 대한 설명으로 옳은 것만을 [보기]에서 있는 대로 고른 것은?

보기
ㄱ. (가)는 평상시, (나)는 엘니뇨 발생 시이다.
ㄴ. (가)에서 강수량은 A 해역이 B 해역보다 적다.
ㄷ. A 해역의 해수면 평균 기압은 (나)가 (가)보다 낮다.

① ㄱ ② ㄷ ③ ㄱ, ㄴ
④ ㄴ, ㄷ ⑤ ㄱ, ㄴ, ㄷ

서술형 문제

중요 **16** 그림은 지구 온난화로 인한 해수면의 높이 변화를 나타낸 것이다.
이와 같이 해수면의 높이가 변한 까닭을 두 가지로 서술하시오.

17 대기 대순환이 일어나는 근본적인 원인을 쓰고, 대기 대순환이 3개의 순환 세포로 만들어지는 까닭을 서술하시오.

18 북태평양에서 무역풍과 편서풍에 의해 형성되는 표층 해류의 이름과 해수의 이동 방향(동서 방향)을 각각 서술하시오.

19 사막화가 일어나는 까닭을 자연적인 원인과 인위적인 원인으로 구분하여 각각의 예를 한 가지씩 서술하시오.

20 그림은 적도 부근 동태평양에서의 해수면 수온 편차(관측값－평년값)를 나타낸 것이다.

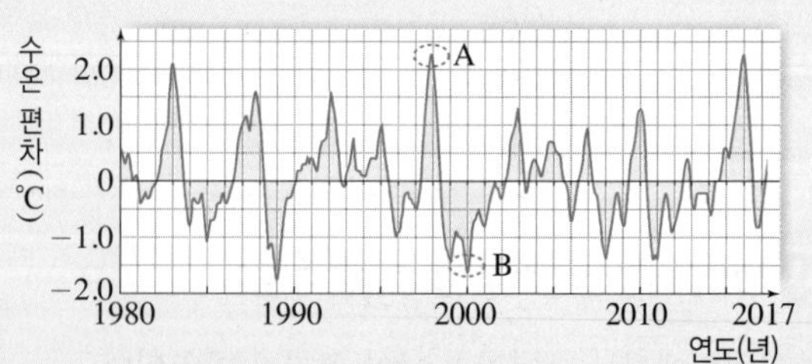

A와 B 시기 중 엘니뇨와 라니냐가 발생한 시기를 각각 고르고, 각 시기에 동태평양에서 일어날 수 있는 기상 재해를 서술하시오.

실력 UP 문제

정답친해 143쪽

01 그림은 지구 자전축의 기울기 변화를 나타낸 것이다.
이에 대한 설명으로 옳은 것만을 [보기]에서 있는 대로 고른 것은?

보기
ㄱ. 기후 변화의 지구 내적 원인에 해당한다.
ㄴ. 자전축의 기울기가 작아지면 기온의 연교차가 커진다.
ㄷ. 자전축의 기울기 방향이 현대와 반대가 되면 원일점과 근일점에서 계절은 현재와 반대가 된다.

① ㄱ ② ㄷ ③ ㄱ, ㄴ
④ ㄴ, ㄷ ⑤ ㄱ, ㄴ, ㄷ

02 다음은 과거의 기후 변화 연구 방법을 나타낸 것이다.

• ㉠나무의 나이테 간격을 연구한다.
• ㉡빙하 코어에 포함된 공기 방울을 연구한다.

이에 대한 설명으로 옳은 것은?

① ㉠은 ㉡보다 더 오래된 기후를 연구하는 데 이용된다.
② ㉠의 간격이 넓었던 시기는 한랭한 기후였다.
③ ㉡의 연구로 대기 중 이산화 탄소 농도를 알 수 있다.
④ ㉡에 포함된 산소 동위 원소비($^{18}O/^{16}O$)가 낮았던 시기는 온난한 기후였다.
⑤ 해양 생물 속의 산소 동위 원소비($^{18}O/^{16}O$)가 낮았던 시기는 한랭한 기후였다.

03 다음은 대기 대순환의 형성 원리를 설명한 것이다.

(가) 적도 지방에서 가열된 공기는 상승하고, 극지방에서 냉각된 공기는 하강한다.
(나) 지구는 자전하고 있다.

다음 각각의 경우 지상에서 부는 바람을 화살표로 나타내시오.

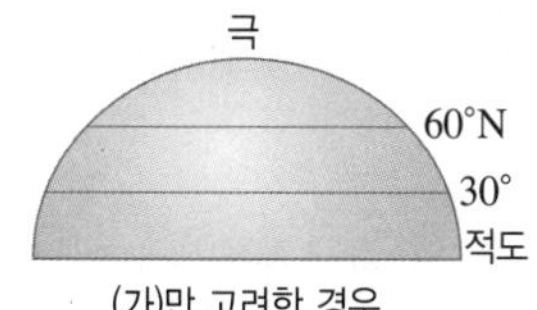

(가)만 고려한 경우

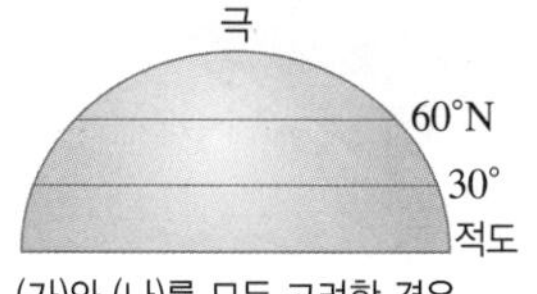

(가)와 (나)를 모두 고려한 경우

04 그림은 태평양의 주요 해류가 흐르는 해역 A~E를 나타낸 것이다.

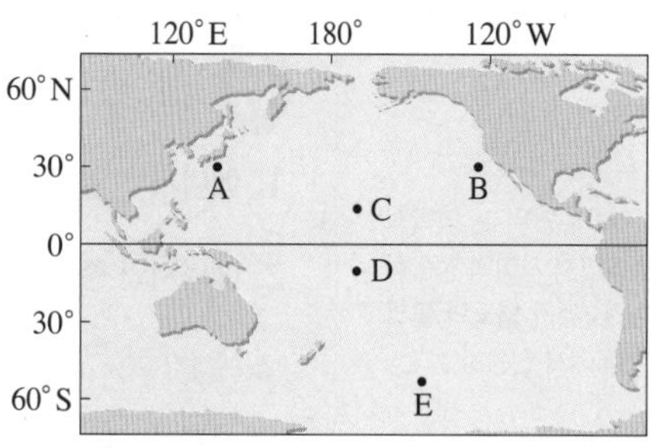

이에 대한 설명으로 옳은 것만을 [보기]에서 있는 대로 고른 것은?

보기
ㄱ. 고위도로의 에너지 수송량은 A가 B보다 많다.
ㄴ. C와 D에서 흐르는 해류의 방향은 서로 반대이다.
ㄷ. E에서는 편서풍에 의해 남극 순환 해류가 흐른다.

① ㄱ ② ㄴ ③ ㄱ, ㄷ
④ ㄴ, ㄷ ⑤ ㄱ, ㄴ, ㄷ

05 그림 (가)와 (나)는 엘니뇨 시기와 라니냐 시기의 태평양 적도 부근의 해수면 온도를 순서 없이 나타낸 것이다.

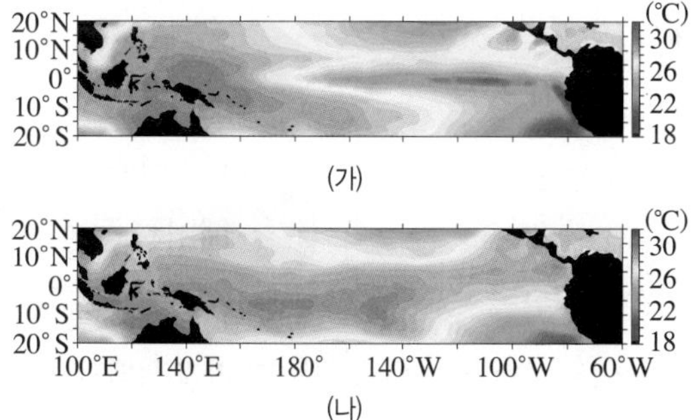

이에 대한 설명으로 옳은 것만을 [보기]에서 있는 대로 고른 것은?

보기
ㄱ. (가)는 엘니뇨 시기이다.
ㄴ. 무역풍은 (가)보다 (나) 시기에 강했다.
ㄷ. 적도 부근 동태평양에서 홍수 피해 가능성은 (가)보다 (나) 시기에 높았다.

① ㄱ ② ㄷ ③ ㄱ, ㄴ
④ ㄴ, ㄷ ⑤ ㄱ, ㄴ, ㄷ

4. 에너지 전환과 효율적 이용

핵심 포인트
1. 에너지 전환과 보존 ★★
2. 열효율 ★★★
3. 에너지의 효율적 이용 ★★

A 에너지

1. 에너지 일을 할 수 있는 능력(단위: ◆J)

◆ **J(줄)**
J(줄)은 에너지의 단위로, 역학적 에너지와 열에너지 사이의 정량적 관계를 밝힌 19세기 영국의 물리학자 줄의 이름에서 인용하였다.

2. 에너지의 종류

빛에너지	전기 에너지	열에너지	핵에너지
가시광선이나 자외선과 같이 빛의 형태로 전달되는 에너지	전기 제품에 전류가 흐를 때 사용되는 에너지 전하의 이동에 의해 발생한다.	물체를 이루는 원자나 분자의 운동에 의한 에너지 온도가 높은 물체에서 낮은 물체로 이동하는 에너지	◆핵반응에서 발생하는 에너지
화학 에너지	**파동 에너지**	**퍼텐셜 에너지**	**운동 에너지**
화학 결합에 의해 물질 속에 저장된 에너지 석유, 석탄, 화학 물질, 음식물 등에 저장되어 있다.	소리나 파도와 같은 파동이 가지는 에너지	높은 곳에 있는 물체가 가지는 에너지 물체의 위치에 따라 잠재적으로 가지는 에너지	운동하는 물체가 가지는 에너지

퍼텐셜 에너지+ 운동 에너지 =역학적 에너지

◆ **핵반응**
• 핵융합: 수소와 같은 가벼운 원자핵이 결합하여 무거운 원자핵이 되는 반응
• 핵분열: 우라늄과 같은 무거운 원자핵이 가벼운 원자핵으로 쪼개지는 반응

핵융합에 대한 내용은 Ⅳ-2-02. 태양 에너지의 생성과 전환에서, 핵분열에 대한 내용은 Ⅳ-2-03. 발전과 지구 환경에서 배워요.

B 에너지 전환과 보존

1. 에너지 전환 한 형태의 에너지가 다른 형태의 에너지로 바뀌는 것으로, 일상생활에서 여러 가지 형태의 에너지 전환이 일어난다.

| 휴대 전화에서 일어나는 에너지 전환 |

휴대 전화를 충전하면 전기 에너지가 화학 에너지의 형태로 배터리에 저장되고, 이 화학 에너지는 휴대 전화를 사용할 때 다시 전기 에너지로 전환된 후 다양한 형태의 에너지로 전환된다.

2. 여러 가지 에너지 전환의 예

구분	에너지 전환 과정	
◆광합성	식물은 태양빛을 이용하여 포도당을 만든다.	빛에너지 → 화학 에너지
반딧불이	반딧불이의 배에 있는 화학 물질이 빛을 방출한다.	화학 에너지 → 빛에너지
식사 후 움직임	음식물의 에너지를 이용하여 몸을 움직인다.	화학 에너지 → 운동 에너지
폭포	높은 곳에 있는 물이 아래로 떨어진다.	퍼텐셜 에너지 → 운동 에너지
세탁기	세탁기의 전원을 켜면 ◆전동기(모터)에 연결된 회전 날개나 통이 세탁물과 함께 회전한다.	전기 에너지 → 운동 에너지
텔레비전	텔레비전의 전원을 켜면 화면에서 빛이 방출되고 스피커에서 소리가 나온다.	전기 에너지 → 빛에너지, 소리 에너지

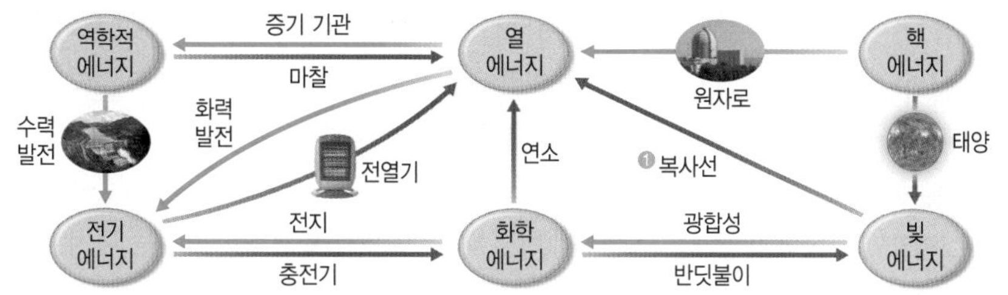

3. 에너지 보존 법칙 한 에너지는 다른 형태의 에너지로 전환될 수 있지만 새롭게 생겨나거나 소멸되지 않으며 전체 양은 항상 일정하게 보존된다. ➡ 어떤 종류의 에너지가 감소하면 그만큼 다른 형태의 에너지가 증가한다.

4. 에너지 절약의 필요성 ◆에너지의 전환 과정에서 에너지의 전체 양은 보존되지만, 에너지가 전환될 때마다 항상 에너지의 일부는 다시 사용하기 어려운 형태의 열에너지로 전환되어 버려진다. ➡ 우리가 이용할 수 있는 에너지의 양은 점차 감소하므로 에너지를 절약해야 한다.

예 휴대폰에서 발생한 열에너지나 텔레비전 화면에서 방출된 빛에너지, 스피커에서 나온 파동 에너지(소리 에너지)는 공간으로 퍼져 나간 후에 다시 사용하기 어렵다.

탐구 자료창 자동차에서의 에너지 전환과 보존

표는 자동차의 각 부분에서 일어나는 에너지 전환을 나타낸 것이고, 그림은 자동차의 엔진에 공급된 연료의 화학 에너지를 100 %로 볼 때 자동차의 각 부분에서 이용되는 에너지의 비율을 나타낸 것이다.

엔진	휘발유의 화학 에너지 → 피스톤의 운동 에너지
바퀴	피스톤의 운동 에너지 → 바퀴의 운동 에너지
배터리	• 사용: 화학 에너지 → 전기 에너지 • 충전: 전기 에너지 → 화학 에너지
전조등	전기 에너지 → 빛에너지
라디오	전기 에너지 → 소리 에너지

기타 (9 %)
운동 에너지 피스톤의 운동 (26 %)
열에너지 배기가스, 바퀴와 지면의 마찰열 (45 %)
화학 에너지 휘발유 (100 %)
열에너지 엔진 부분의 열 (20 %)

1. **에너지 보존:** 휘발유에 저장된 화학 에너지는 휘발유를 연소시켜 사용한 에너지의 총합과 같으므로 에너지의 전체 양은 보존된다. ➡ 100 %=45 %+9 %+26 %+20 %
2. **에너지 전환 과정에서 발생하는 열에너지:** 배기가스, 바퀴와 지면의 마찰에 의해 발생한 열에너지와 엔진 부분에서 발생한 열에너지 등을 다시 모아서 자동차를 달리게 하는 데 사용할 수 없다.

◆ **광합성**
식물이 태양 에너지를 이용하여 이산화 탄소와 물로 유기물(포도당)을 합성하고 산소를 대기 중에 방출한다.

◆ **전동기(모터)**
전기 에너지를 운동 에너지로 전환시키는 장치로, 영구 자석의 자기장 내에 있는 코일에 전류가 흐를 때 발생하는 힘에 의해 코일이 회전한다.

주의해!
역학적 에너지 보존과 마찰
• 마찰이 없을 때 역학적 에너지는 항상 일정하게 보존된다.
• 마찰이 있을 때는 역학적 에너지의 일부가 열에너지로 전환되므로 역학적 에너지가 보존되지 않으며, 이 경우에는 역학적 에너지와 열에너지의 합이 일정하게 보존된다.

◆ **에너지 전환**
전체 에너지가 보존되더라도 에너지가 전환될 때마다 쓸모없는 열에너지가 발생하기 때문에 유용한 에너지의 양은 점점 감소한다.

용어
❶ **복사선(輻 바퀴살, 射 비추다, 線 선)** 물체로부터 방출되는 전자기파(적외선, 가시광선, 자외선 등)를 통틀어 이르는 말

정답친해 144쪽

핵심 체크

- (❶): 일을 할 수 있는 능력으로, 단위는 (❷)이다.
- (❸): 화학 결합에 의해 물질 속에 저장된 에너지
- 에너지 (❹): 한 형태의 에너지가 다른 형태의 에너지로 바뀌는 것
  - 세탁기: (❺) 에너지 → 운동 에너지
  - 배터리 충전: 전기 에너지 → (❻) 에너지
- 에너지 (❼) 법칙: 에너지는 여러 가지 형태로 전환될 수 있지만 전체 양은 항상 일정하게 보존된다.
- 에너지가 다른 에너지로 전환될 때마다 에너지의 일부는 다시 사용하기 어려운 형태의 (❽)로 전환된다.

1 다음 설명에 해당하는 에너지를 쓰시오.

(1) 소리나 파도와 같은 파동이 가지는 에너지
(2) 원자핵이 분열할 때나 융합할 때 발생하는 에너지
(3) 물체를 이루는 원자의 진동이나 분자 운동에 의한 에너지
(4) 가시광선이나 자외선 같이 빛의 형태로 전달되는 에너지

2 다음은 여러 가지 에너지의 전환 과정이다. ( ) 안에 공통으로 들어갈 알맞은 에너지의 종류를 쓰시오.

- 전구: 전기 에너지 → ( )에너지
- 광합성: ( )에너지 → 화학 에너지
- 태양: 핵에너지 → ( )에너지

3 표는 에너지가 전환되는 여러 상황을 나타낸 것이다. ( ) 안에 알맞은 에너지의 종류를 쓰시오.

폭포	반딧불이	번개
퍼텐셜 에너지 ➡ ㉠( ) 에너지	㉡( ) 에너지 ➡ 빛에너지	전기 에너지 ➡ ㉢( )에너지

4 에너지 전환에 대한 설명으로 옳은 것은 ○, 옳지 않은 것은 ×로 표시하시오.

(1) 한 형태의 에너지는 다른 형태의 에너지로 전환될 수 있다. ( )
(2) 텔레비전을 볼 때 발생하는 열에너지는 다시 사용할 수 있다. ( )
(3) 에너지는 여러 단계의 전환 과정을 거치면서 다시 사용하기 어려운 형태의 에너지로 전환된다. ( )

5 다음은 에너지 전환에 대한 설명이다. ( ) 안에 알맞은 말을 쓰시오.

(1) 한 에너지가 다른 형태의 에너지로 전환될 때, 에너지는 새로 생기거나 소멸되지 않고 그 양이 일정하게 보존되는데, 이를 ( ) 법칙이라고 한다.
(2) 에너지가 전환되는 과정에서 전체가 유용한 에너지로 전환되지 않고, 일부는 ( )의 형태로 버려진다.

6 표는 자동차에 공급하는 에너지와 자동차의 각 부분에서 소비하는 모든 에너지양을 나타낸 것이다.

에너지		에너지양
공급하는 에너지	연료의 화학 에너지	1000 J
소비하는 에너지	배기가스, 바퀴와 지면의 열에너지	450 J
	엔진 피스톤의 운동 에너지	㉠
	엔진의 열에너지	200 J
	기타	90 J

엔진 피스톤의 운동 에너지양 ㉠은 몇 J인지 쓰시오.

C 에너지의 효율적 이용

1. 에너지 효율

① **공급한 에너지와 버려지는 열에너지:** 에너지를 사용하는 과정에서 공급한 에너지의 일부가 불필요한 열에너지로 버려지므로 공급한 에너지가 모두 유용하게 사용되지는 않는다.

② **에너지 효율:** 공급한 에너지 중에서 유용하게 사용된 에너지의 비율

$$\text{에너지 효율}(\%)=\frac{\text{유용하게 사용된 에너지}}{\text{공급한 에너지}}\times 100$$

③ 버려지는 열에너지가 항상 존재하므로 에너지 효율은 항상 1(=100 %)보다 작다.
→ 에너지 효율이 높을수록 버려지는 열에너지의 양이 적다.

2. 열기관 → 열에너지를 공급받아 일을 하는 장치

① **열기관:** 열에너지를 일로 전환하는 장치로, 주로 ◆화석 연료가 연소할 때 발생하는 열에너지를 이용하여 동력을 얻는다.

예 ◆가솔린 엔진(가솔린 기관), 디젤 엔진(디젤 기관), 증기 기관
→ 가솔린 기관의 열효율은 26 % 정도이며, 디젤 기관의 열효율은 37 % 정도이다.

| 열기관의 작동 원리 |

열기관은 높은 온도의 고열원에서 열에너지(Q_1)를 공급받아 외부에 일(W)을 하고 낮은 온도의 저열원으로 열에너지(Q_2)를 방출한다.

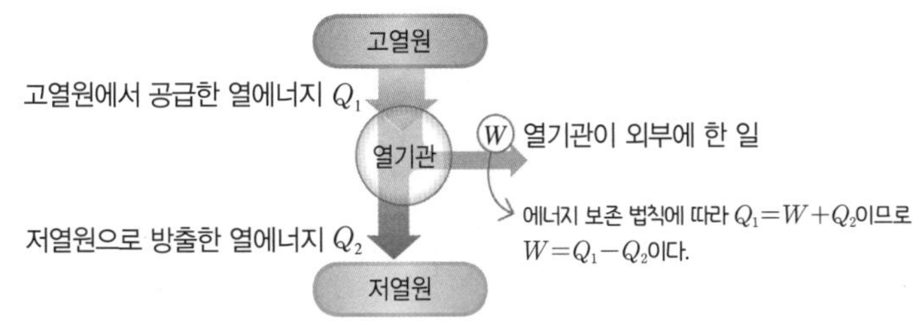

② **열효율(e):** 열기관의 에너지 효율 ➡ 열기관에 공급된 에너지 중에서 열기관이 한 일의 비율
→ 열효율이 높을수록 저열원으로 방출하는 열에너지의 양이 적다.

$$\text{열효율}(\%)=\frac{\text{열기관이 한 일}}{\text{열기관에 공급된 에너지}}\times 100,\quad ^{◆}e=\frac{W}{Q_1}\times 100$$

탐구 자료창 자동차의 열효율

표는 자동차 A, B가 같은 속력으로 운동할 때, 단위시간당 엔진에 공급되는 에너지와 엔진이 한 일의 양을 나타낸 것이다.

자동차	A	B
엔진에 공급된 에너지(kJ)	150	120
엔진이 한 일(kJ)	30	30

1. 자동차 A, B의 열효율
- A: $\frac{30\text{ kJ}}{150\text{ kJ}}\times 100=20\ \%$
- B: $\frac{30\text{ kJ}}{120\text{ kJ}}\times 100=25\ \%$

2. 연료 소비
- 자동차 A, B 중 같은 속력으로 같은 거리를 달릴 때 연료를 더 적게 사용하는 자동차는 B이다.
- 자동차 A, B 중 같은 양의 연료로 달릴 때 더 먼 거리를 갈 수 있는 자동차는 B이다.

3. **이산화 탄소 배출:** 자동차 A, B 중 같은 속력으로 같은 거리를 달릴 때 이산화 탄소를 더 적게 배출하는 자동차는 B이다. → 열효율이 높을수록 연료를 적게 쓸 수 있다.

◆ 화석 연료

생명체의 유해가 땅속에 묻혀 오랜 시간 열과 압력을 받아 만들어진 연료로 석유, 석탄, 천연가스 등이 있다. 오늘날 인류가 소비하는 에너지의 대부분은 화석 연료에서 얻는다.

◆ 내연 기관과 외연 기관

- 내연 기관: 연료의 연소가 기관의 내부에서 이루어지는 기관
  예 가솔린 엔진, 디젤 엔진, LPG 엔진
- 외연 기관: 연료의 연소가 기관의 외부에서 이루어지는 기관
  예 증기 기관

자동차는 내연 기관으로 연료가 연소할 때 발생하는 기체가 팽창하는 힘을 이용하여 피스톤을 움직여 동력을 얻는다.

◆ 열효율을 구하는 식

$e=\frac{W}{Q_1}\times 100$일 때, $W=Q_1-Q_2$이므로 다음과 같이 열효율을 구할 수 있다.

$$e=\left(\frac{Q_1-Q_2}{Q_1}\right)\times 100=\left(1-\frac{Q_2}{Q_1}\right)\times 100$$

궁금해?

효율이 1(=100 %)인 열기관은 존재할까?

존재하지 않는다.(열을 모두 일로 바꿀 수 없기 때문이다.) ➡ 열역학 제2법칙

◆국제 사회의 에너지 효율 개선을 위한 노력
온실 기체 감축을 위한 국제 협약 체결, 에너지 문제 해결을 위한 국제 기구 설립 등

◆하이브리드
하이브리드는 두 개 이상의 요소가 합쳐진다는 뜻으로 두 가지 이상의 기술을 접목한 것을 하이브리드 기술이라고 하며, 주로 자동차에 이용되고 있다.

궁금해?

에너지 소비 효율 등급이 높은 제품을 사용해야 하는 까닭은?
1등급에 가까운 제품일수록 에너지 절약형 제품이다. 1등급 제품을 사용하면 5등급 제품을 사용할 때보다 약 30 %~40 %의 에너지를 절감할 수 있다.

◆대기 전력
- 전자 제품의 전원을 끈 상태에서도 전기 제품이 소비하는 전력
- 컴퓨터와 같은 사무기기뿐만 아니라 텔레비전, 전기밥솥, 에어컨 등과 같은 가전 기기 등은 플러그만 꽂혀 있어도 대기 전력으로 인해 전력이 소비된다. 가정에서 대기 전력으로 인하여 손실되는 전력은 전체 소비 전력의 약 6 %~11 %로 추정되고 있다.

사무기기 및 전자 기기를 사용하지 않을 경우 플러그를 뽑거나 대기 전력 자동 차단 멀티탭을 사용하여 대기 전력을 줄일 수 있다.

◆에너지 절약 표시

3. 에너지의 효율적 이용

① 에너지 효율이 높은 제품을 사용한다. → 버려지는 열에너지를 줄일 수 있어 에너지를 절약할 수 있고, 이산화 탄소 배출량도 줄일 수 있어 환경 문제 해결에도 도움이 된다.

- ◆하이브리드 자동차: 엔진, 배터리, 전기 모터(→전동기)를 함께 사용하는 자동차로, 운행 중 버려지는 에너지의 일부를 전기 에너지로 전환하여 다시 사용한다. ➡ 일반 자동차보다 에너지 효율이 높다.

| 하이브리드 자동차의 구조와 원리 |

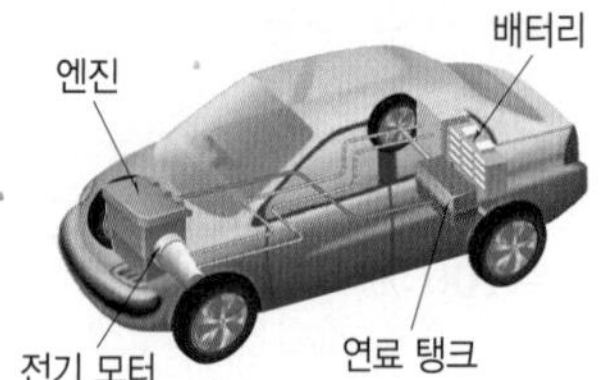

하이브리드 자동차는 브레이크를 밟는 동안 자동차의 운동 에너지를 전기 에너지로 전환하여 배터리에 저장하고(→화학 에너지의 형태로 저장된다.), 저장된 전기 에너지는 자동차가 천천히 달릴 때 전기 모터를 돌리는 데에 다시 사용한다.

- 조명 기구의 효율 개선: 조명 기구에 공급되는 에너지 중 열에너지로 전환되는 양을 줄이고 빛에너지로 전환되는 양을 높여 에너지 효율을 높이는 쪽으로 발전해 왔다.

→ 백열등은 과거에 주로 사용했던 조명 기구로 가격이 저렴하지만 에너지 효율이 낮아 현재는 거의 생산되지 않고 있다.

② 에너지 절약을 유도하기 위한 제도를 운영한다.

- 에너지 소비 효율 등급 표시 제도: 제품의 에너지 소비 효율을 1~5등급으로 구분하여 표시한다.
- ◆대기 전력 저감 프로그램 실시: 대기 전력을 줄인 제품에 ◆에너지 절약 표시를 붙인다.

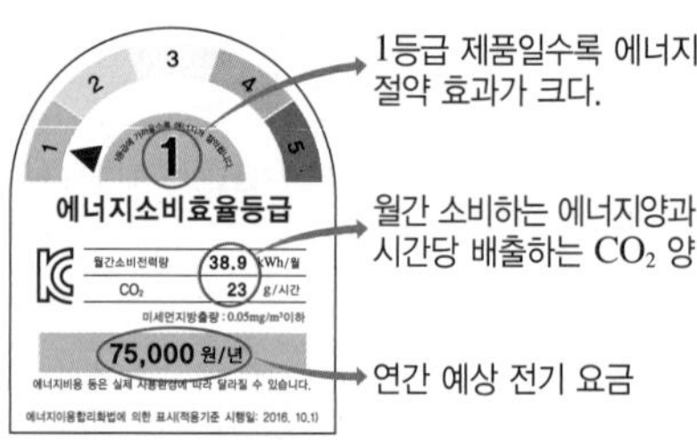

⊙ 에너지 소비 효율 등급 표시

③ 에너지 사용량을 줄인다.

- 에너지 제로 하우스: 필요한 에너지를 태양, 지열, 풍력 등의 재생 에너지를 통해 얻고, 단열로 외부와의 열 출입을 차단하는 미래형 주택이다.

| 에너지 제로 하우스의 구조와 특징 |

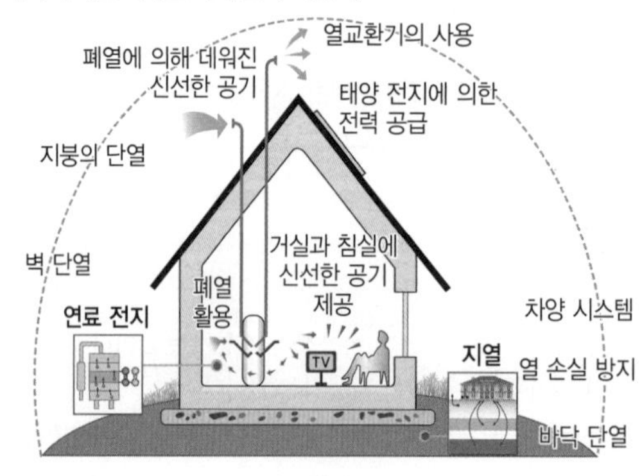

❶ 지붕: 태양광 발전기 설치, 태양열 집열판 설치, 옥상 정원 조성 등
❷ 외벽: 특수 단열재, 복합 단열재 사용 등
❸ 바닥: 빗물 저장소 설치, 지열 발전 시설 설치, 잔디 심기 등
❹ 창문: 3중 유리창 사용, 자연 채광을 이용한 조명, 스마트 제어 기술을 이용한 환기 시스템 사용 등

- 단열 자재, 채광 설비 – 냉난방 에너지 사용량 감소
- 건물 내 에너지 공급 및 이용 현황 실시간 모니터링 시스템
- 폐열 활용

개념 확인 문제

정답친해 144쪽

핵심 체크

- 에너지 (❶   ): 공급한 에너지 중에서 유용하게 사용된 에너지의 비율
- 에너지 효율은 항상 1(=100 %)보다 (❷   )다.
- (❸   ): 열에너지를 일로 전환하는 장치로, 고열원에서 열에너지를 공급받아 외부에 일을 하고 저열원으로 열에너지를 방출한다.

$$\text{열효율}(\%) = \frac{\text{열기관이 한 (❹ \qquad)}}{\text{열기관에 공급된 에너지}} \times 100$$

- 에너지의 효율적 이용
  - 에너지 효율이 (❺   )은 제품을 사용한다.
  - 에너지 절약을 유도하는 대책을 마련한다. 예 (❻   ) 등급 표시 제도

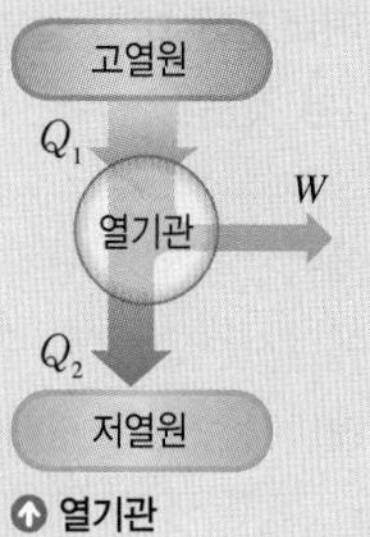

⊙ 열기관

1 에너지 효율에 대한 설명으로 옳은 것은 ○, 옳지 않은 것은 ×로 표시하시오.

(1) 에너지 효율은 공급한 에너지에 대해 유용하게 사용된 에너지의 비율이다. (   )

(2) 공급한 에너지의 양이 같을 때, 에너지 효율이 높을수록 버려지는 열에너지의 양은 많다. (   )

(3) 에너지 효율은 100 %가 될 수 있다. (   )

[2~3] 그림은 열기관의 작동 원리를 나타낸 것이다.

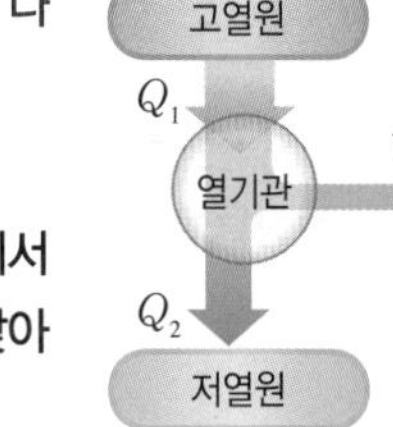

2 열기관의 작동 원리를 설명한 글에서 ㉠~㉢에 해당하는 것을 그림에서 찾아 기호를 쓰시오.

> 고열원에서 ㉠열에너지를 공급받아 외부에 ㉡일을 하고 저열원으로 ㉢열에너지를 방출한다.

3 열기관의 열효율(%)을 나타내는 식으로 옳은 것만을 [보기]에서 있는 대로 고르시오.

> 보기
>
> ㄱ. $e = \frac{W}{Q_1} \times 100$ ㄴ. $e = \left(\frac{Q_1 - Q_2}{Q_1}\right) \times 100$
>
> ㄷ. $e = \left(1 - \frac{Q_1}{Q_2}\right) \times 100$

4 어떤 열기관이 500 J의 에너지를 공급받아서 100 J의 일을 하였다. 이 열기관의 열효율은 몇 %인지 쓰시오.

5 표는 조명 기구 A, B의 에너지 효율을 나타낸 것이다.

조명 기구	에너지 효율(%)
A	5
B	25

(1) A와 B의 밝기가 같을 때, A와 B 중 같은 시간 동안 전기 에너지를 더 적게 사용하는 것을 쓰시오.

(2) A와 B의 밝기가 같을 때, A와 B 중 같은 시간 동안 버려지는 열에너지가 더 적은 것을 쓰시오.

6 에너지의 효율적인 이용에 대한 설명으로 옳은 것은 ○, 옳지 않은 것은 ×로 표시하시오.

(1) 에너지 효율이 낮은 제품을 사용한다. (   )

(2) 에너지 절약 표시가 붙은 제품을 사용한다. (   )

(3) 전기 제품을 사용하지 않을 때는 플러그를 뽑아 두어야 한다. (   )

7 다음에서 설명하는 것이 무엇인지 쓰시오.

> 엔진, 배터리, 전기 모터를 함께 사용하는 자동차로, 운행 중 버려지는 에너지를 전기 에너지로 전환하여 다시 사용하므로 일반 자동차보다 에너지 효율이 높다.

내신 만점 문제

A 에너지

01 에너지에 대한 설명으로 옳은 것만을 [보기]에서 있는 대로 고른 것은?

보기
ㄱ. 에너지와 일의 단위는 다르다.
ㄴ. 에너지는 일을 할 수 있는 능력이다.
ㄷ. 에너지는 다른 형태의 에너지로 전환될 수 있다.

① ㄱ ② ㄴ ③ ㄱ, ㄷ
④ ㄴ, ㄷ ⑤ ㄱ, ㄴ, ㄷ

B 에너지 전환과 보존

02 자연과 일상생활에서 일어나는 에너지 전환을 나타낸 것 중 옳지 않은 것은?

① 폭포: 운동 에너지 → 퍼텐셜 에너지
② 광합성: 빛에너지 → 화학 에너지
③ 선풍기: 전기 에너지 → 운동 에너지
④ 충전기: 전기 에너지 → 화학 에너지
⑤ 전기 밥솥: 전기 에너지 → 열에너지

중요 **03** 그림은 우리 주변에서 볼 수 있는 여러 가지 에너지 전환과 이용 형태를 나타낸 것이다.

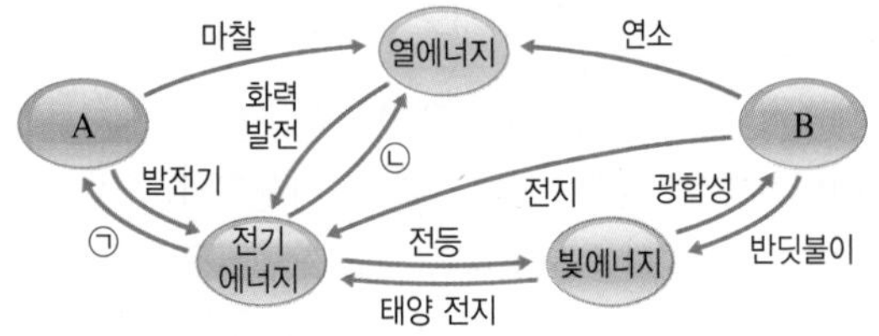

이에 대한 설명으로 옳은 것만을 [보기]에서 있는 대로 고른 것은?

보기
ㄱ. A는 화학 에너지이다.
ㄴ. B는 역학적 에너지이다.
ㄷ. ㉠의 예로 전동기, ㉡의 예로 전열기를 들 수 있다.

① ㄱ ② ㄷ ③ ㄱ, ㄴ
④ ㄴ, ㄷ ⑤ ㄱ, ㄴ, ㄷ

04 여러 가지 형태의 에너지 전환에 대한 설명으로 옳은 것만을 [보기]에서 있는 대로 고르시오.

보기
ㄱ. 형광등을 켜면 전기 에너지가 모두 빛에너지로 전환된다.
ㄴ. 석탄으로 물을 끓이면 화학 에너지가 열에너지로 전환된다.
ㄷ. 청소기를 사용하면 전기 에너지의 일부는 소리 에너지로 전환된다.

중요 **05** 에너지 전환에 대한 설명으로 옳은 것만을 [보기]에서 있는 대로 고른 것은?

보기
ㄱ. 에너지가 전환될 때 전체 양은 일정하게 유지된다.
ㄴ. 에너지가 전환될 때마다 에너지의 일부는 다시 사용하기 어려운 열에너지로 전환된다.
ㄷ. 에너지가 전환될 때마다 우리가 사용할 수 있는 에너지양은 감소한다.

① ㄱ ② ㄴ ③ ㄱ, ㄷ
④ ㄴ, ㄷ ⑤ ㄱ, ㄴ, ㄷ

06 그림은 휴대 전화를 사용할 때 휴대 전화에서 일어나는 여러 현상들을 나타낸 것이다.

이에 대한 설명으로 옳은 것만을 [보기]에서 있는 대로 고른 것은?

보기
ㄱ. 화면에서 전기 에너지가 빛에너지로 전환된다.
ㄴ. 배터리가 충전될 때 화학 에너지가 전기 에너지로 전환된다.
ㄷ. 휴대 전화가 뜨거워질 때 전환된 에너지는 다시 사용할 수 있다.

① ㄱ ② ㄷ ③ ㄱ, ㄴ
④ ㄴ, ㄷ ⑤ ㄱ, ㄴ, ㄷ

07 그림은 어떤 자동차에서 연료의 화학 에너지를 매초 72 kJ 소비할 때, 에너지가 전환되는 과정을 나타낸 것이다.

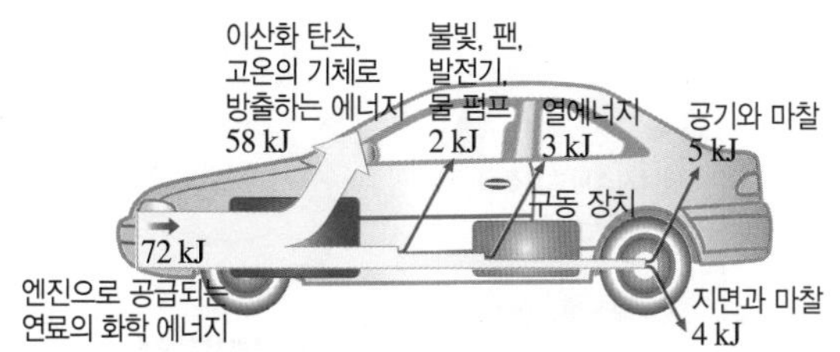

이에 대한 설명으로 옳은 것만을 [보기]에서 있는 대로 고른 것은?

> 보기
> ㄱ. 자동차에 공급되는 연료의 에너지와 소비되는 에너지의 총합은 같다.
> ㄴ. 자동차에서 방출되는 열에너지는 자동차가 달리도록 하는 데 다시 이용하기 어렵다.
> ㄷ. 엔진으로 공급되는 연료의 화학 에너지는 최종적으로 모두 운동 에너지로 전환된다.

① ㄱ ② ㄷ ③ ㄱ, ㄴ
④ ㄴ, ㄷ ⑤ ㄱ, ㄴ, ㄷ

C 에너지의 효율적 이용

08 어떤 조명 기구에 매초 60 J의 전기 에너지를 공급하였더니, 18 J의 빛에너지와 42 J의 열에너지가 발생하였다. 이 조명 기구의 에너지 효율은?

① 15 % ② 25 % ③ 30 %
④ 40 % ⑤ 60 %

09 열기관에 대한 설명으로 옳은 것만을 [보기]에서 있는 대로 고른 것은?

> 보기
> ㄱ. 일을 열에너지로 바꾸는 장치이다.
> ㄴ. 열기관의 열효율은 항상 100 %보다 작다.
> ㄷ. 열기관의 대표적인 장치로 자동차의 엔진이 있다.

① ㄱ ② ㄴ ③ ㄷ
④ ㄱ, ㄴ ⑤ ㄴ, ㄷ

[10~12] 그림은 고열원으로부터 Q_1의 열에너지를 공급받아 W의 일을 하고, 나머지 Q_2의 열에너지를 저열원으로 방출하는 열기관의 원리를 나타낸 것이다.

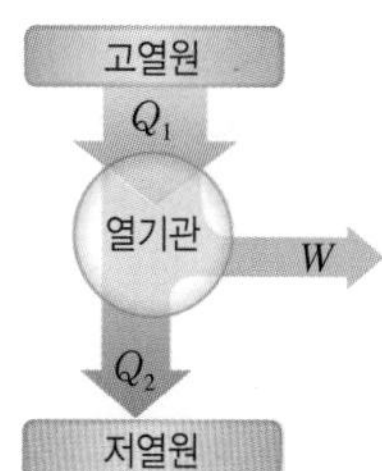

중요 **10** 이에 대한 설명으로 옳은 것만을 [보기]에서 있는 대로 고른 것은?

> 보기
> ㄱ. 열기관의 열효율(%)은 $\frac{W}{Q_1}\times 100$이다.
> ㄴ. $Q_2=0$인 열기관을 만들 수 있다.
> ㄷ. Q_2를 감소시키면 열효율이 낮아진다.

① ㄱ ② ㄴ ③ ㄷ
④ ㄱ, ㄴ ⑤ ㄴ, ㄷ

11 Q_1이 50 kJ이고 열효율이 20 %일 때, 이 열기관이 하는 일(W)은 몇 kJ인지 구하시오.

12 열효율이 30 %이고 Q_1이 240 J일 때, 이 열기관이 저열원으로 방출한 에너지(Q_2)는 몇 J인지 구하시오.

중요 **13** 표는 열기관 A, B의 열효율을 나타낸 것이다.
이에 대한 설명으로 옳은 것만을 [보기]에서 있는 대로 고른 것은?

열기관	열효율(%)
A	26
B	37

> 보기
> ㄱ. 같은 에너지를 공급할 때 같은 시간 동안 한 일의 양은 A가 B보다 적다.
> ㄴ. 공급한 에너지에서 불필요하게 발생하는 열에너지의 비율은 A가 B보다 크다.
> ㄷ. 같은 양의 일을 할 때 같은 시간 동안 연료를 소비하는 양은 A가 B보다 적다.

① ㄱ ② ㄴ ③ ㄷ
④ ㄱ, ㄴ ⑤ ㄴ, ㄷ

14 다음은 하이브리드 자동차에 대한 설명이다.

> 일반 자동차는 엔진과 배터리만을 사용하지만 하이브리드 자동차는 엔진, 배터리, 전기 모터를 함께 사용한다. 하이브리드 자동차는 브레이크를 밟아 속력을 줄일 때 전기 모터가 발전기로 작동하면서 감소하는 운동 에너지를 (㉠) 에너지로 전환하고, 배터리에 (㉡) 에너지 형태로 저장한다.

㉠, ㉡에 해당하는 에너지의 종류를 옳게 짝 지은 것은?

	㉠	㉡		㉠	㉡
①	열	화학	②	열	전기
③	전기	화학	④	전기	열
⑤	화학	전기			

중요 **15** 그림은 백열등, 형광등, LED등에서 1초 동안 공급된 전기 에너지와 발생한 에너지를 나타낸 것이다.

전등	1초 동안 공급된 전기 에너지(J)	1초 동안 발생한 에너지(J)		
		빛	열	기타
백열등	60	3.8	55.6	0.6
형광등	20	4	15.5	0.5
LED등	10	4.9	4.8	0.3

이에 대한 설명으로 옳은 것만을 [보기]에서 있는 대로 고른 것은?

보기

ㄱ. 형광등을 조명으로 사용할 때 에너지 효율은 20 %이다.

ㄴ. 백열등은 형광등보다 전기 에너지가 열에너지로 전환되는 비율이 높다.

ㄷ. 같은 밝기일 때 1초 동안 소비하는 전기 에너지가 가장 적은 것은 LED등이다.

① ㄱ ② ㄴ ③ ㄱ, ㄷ

④ ㄴ, ㄷ ⑤ ㄱ, ㄴ, ㄷ

16 그림 (가)와 (나)는 가전 제품의 표면에 부착된 마크를 나타낸 것이다.

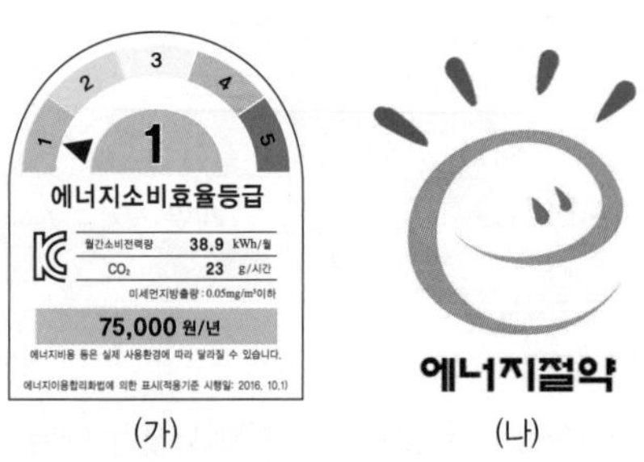

(가) (나)

이에 대한 설명으로 옳지 않은 것은?

① (가)에서 1~5 중 작은 숫자를 가리키는 제품일수록 에너지 효율이 높다.

② (가)에서 1~5 중 큰 숫자를 가리키는 제품일수록 불필요한 열에너지가 많이 발생한다.

③ (가)에서 CO_2 항목의 숫자가 작을수록 친환경적이다.

④ (나)는 대기 전력을 줄인 제품에 붙이는 표시이다.

⑤ (나)가 붙은 제품의 전원을 끄면 플러그가 꽂혀 있어도 전기 에너지를 전혀 소비하지 않는다.

서술형 문제

17 에너지의 총량이 보존됨에도 불구하고 에너지를 절약해야 하는 까닭은 무엇인지 서술하시오.

중요 **18** 그림과 같이 열기관이 고열원으로부터 600 kJ의 열에너지를 공급받아 외부에 W의 일을 하고 저열원으로 480 kJ의 열에너지를 방출하였다.

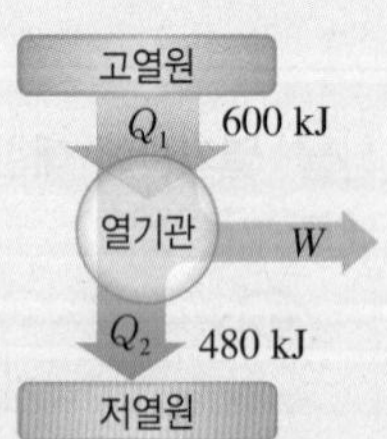

(1) 이 열기관이 한 일은 몇 kJ인지 쓰시오.

(2) 이 열기관의 열효율이 몇 %인지 계산 과정과 함께 구하시오.

실력 UP 문제

정답친해 147쪽

01 그림은 휴대 전화에 공급된 전기 에너지가 여러 가지 형태의 에너지로 전환되는 과정을 나타낸 것이다. 휴대 전화에 전기 에너지는 배터리를 통해 공급된다.

이에 대한 설명으로 옳은 것만을 [보기]에서 있는 대로 고른 것은?

보기
ㄱ. 전등에서 전기 에너지는 ㉠ 에너지로 전환된다.
ㄴ. 폭포에서 퍼텐셜 에너지는 ㉡ 에너지로 전환된다.
ㄷ. 휴대 전화가 점점 따뜻해지는 까닭은 에너지 총량이 감소했기 때문이다.

① ㄱ ② ㄷ ③ ㄱ, ㄴ
④ ㄴ, ㄷ ⑤ ㄱ, ㄴ, ㄷ

02 그림은 자동차의 엔진에 공급된 연료의 화학 에너지를 100 %로 했을 때 자동차의 각 부분에서 이용되는 에너지를 모두 나타낸 것이다.

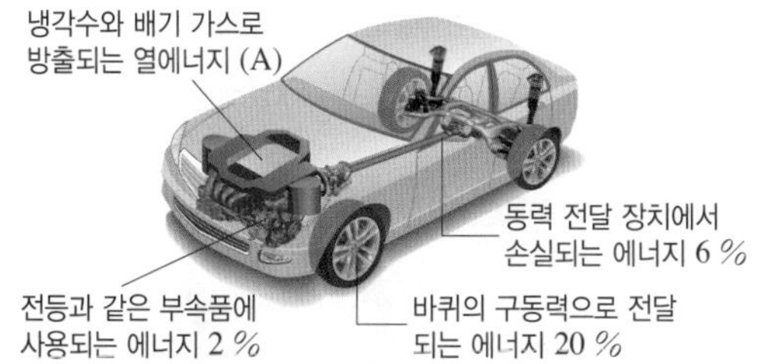

이에 대한 설명으로 옳은 것만을 [보기]에서 있는 대로 고른 것은?

보기
ㄱ. A는 72 %이다.
ㄴ. 이 자동차의 에너지 효율은 20 %이다.
ㄷ. 바퀴의 구동력으로 전달되는 에너지도 결국 열에너지로 전환된다.

① ㄱ ② ㄴ ③ ㄱ, ㄷ
④ ㄴ, ㄷ ⑤ ㄱ, ㄴ, ㄷ

03 그림 (가)는 고열원으로부터 Q_1의 열에너지를 공급받아 일을 하고 나머지 Q_2의 열에너지를 저열원으로 방출하는 열기관을 모식적으로 나타낸 것이고, (나)는 열기관 A~C의 Q_1과 Q_2를 나타낸 것이다.

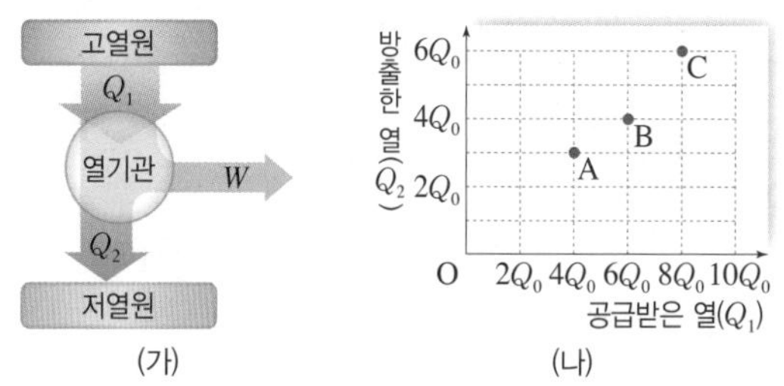

(가) (나)

이에 대한 설명으로 옳은 것만을 [보기]에서 있는 대로 고른 것은?

보기
ㄱ. A가 한 일은 Q_0이다.
ㄴ. A와 B의 열효율은 같다.
ㄷ. C의 열효율은 25 %이다.

① ㄱ ② ㄴ ③ ㄱ, ㄷ
④ ㄴ, ㄷ ⑤ ㄱ, ㄴ, ㄷ

04 그림은 미래형 주택인 에너지 제로 하우스를 개략적으로 나타낸 것이다.

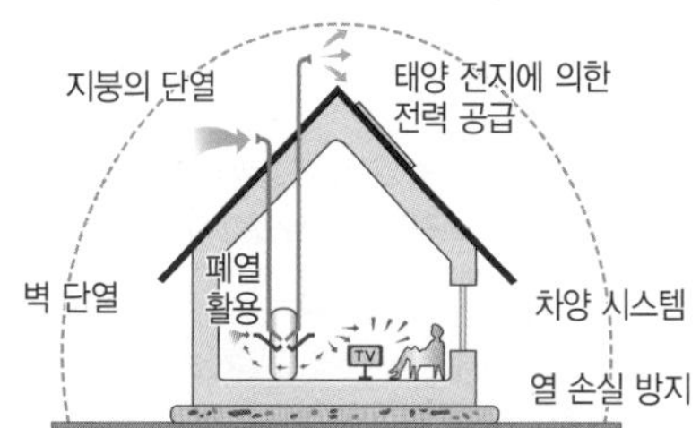

에너지 제로 하우스의 특징에 대한 설명으로 옳지 않은 것은?

① 특수 단열재를 사용한다.
② 고효율의 절전형 전자 제품을 사용한다.
③ 건물 내 전력 사용량을 실시간 모니터링한다.
④ 태양광 발전과 같은 재생 에너지를 이용한다.
⑤ 화석 연료와 같은 에너지 자원에 대한 의존도가 높다.

1 생태계 구성 요소와 환경

1. 생태계의 구성

(1) **생태계:** 생물이 다른 생물 및 환경과 밀접한 관계를 맺으며 서로 영향을 주고받는 하나의 커다란 체계

(2) **생태계 구성 요소**

생물적 요인	생산자	(❶)을 하여 생명 활동에 필요한 양분을 스스로 만드는 생물 예 식물, 식물 플랑크톤
	소비자	다른 생물을 먹이로 하여 양분을 얻는 생물 예 동물, 동물 플랑크톤
	(❷)	다른 생물의 사체나 배설물에 포함된 유기물을 분해하여 에너지를 얻는 생물 예 세균, 곰팡이, 버섯
비생물적 요인		생물을 둘러싸고 있는 모든 환경 요인 예 빛, 온도, 물, 토양, 공기 등

(3) **생태계 구성 요소 사이의 관계**

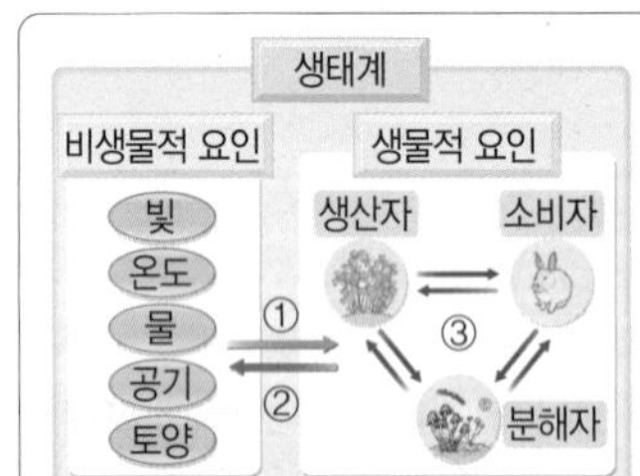

① 비생물적 요인이 생물에 영향을 준다(작용).
② (❸)이 비생물적 요인에 영향을 준다(반작용).
③ 생물들 간에 서로 영향을 주고받는다.

2. 생물과 환경의 관계

빛	빛의 세기	강한 빛을 받는 잎이 약한 빛을 받는 잎보다 두껍다. ➡ 울타리 조직이 발달하였기 때문이다.
	빛의 파장	바다의 깊이에 따라 (❹)의 분포가 다르다. ➡ 바다의 깊이에 따라 도달하는 빛의 파장과 양이 다르기 때문이다.
	일조 시간	붓꽃은 일조 시간이 길어지는 봄과 초여름에 꽃이 피고, 국화는 일조 시간이 짧아지는 가을에 꽃이 핀다.
(❺)		북극여우는 몸집이 크고 몸의 말단부가 작아 열이 방출되는 것을 막으므로 추운 곳에서 체온을 유지하는 데 효과적이다.
물		파충류는 몸 표면이 비늘로 덮여 있으며 알은 단단한 껍데기로 싸여 있다. ➡ 몸속 수분 증발을 막는다.
토양		토양의 깊이에 따라 공기의 함량이 달라 분포하는 세균의 종류가 달라진다.
(❻)		공기가 희박한 고산 지대에 사는 사람들은 평지에 사는 사람들에 비해 혈액 속 적혈구 수가 많다.

2 생태계 평형

1. 먹이 관계와 생태 피라미드

(1) **생태계에서의 먹이 관계:** 생태계의 생물들은 먹고 먹히는 관계로 얽혀 있어 먹이 사슬과 먹이 그물로 나타낼 수 있다.

(2) **생태계에서의 에너지 흐름**

① 생태계에서 에너지는 (❼)을 통해 유기물의 형태로 상위 영양 단계로 이동한다.

② 유기물에 저장된 에너지는 각 영양 단계에서 생물의 생명 활동을 통해 열에너지로 방출되고 남은 것이 상위 영양 단계로 이동한다. ➡ 상위 영양 단계로 갈수록 에너지양은 (❽)한다.

(3) **생태 피라미드:** 안정된 생태계에서는 에너지양, 생물량, (❾)가 하위 영양 단계부터 상위 영양 단계로 갈수록 줄어들어 피라미드 형태로 나타난다.

2. 생태계 평형

(1) **생태계 평형:** 생태계를 구성하는 생물의 종류와 개체 수, 물질의 양, 에너지 흐름 등이 안정된 상태를 유지하는 것이다. ➡ 먹이 그물이 (❿)할수록 생태계 평형이 잘 유지된다.

(2) **생태계 평형이 회복되는 과정**

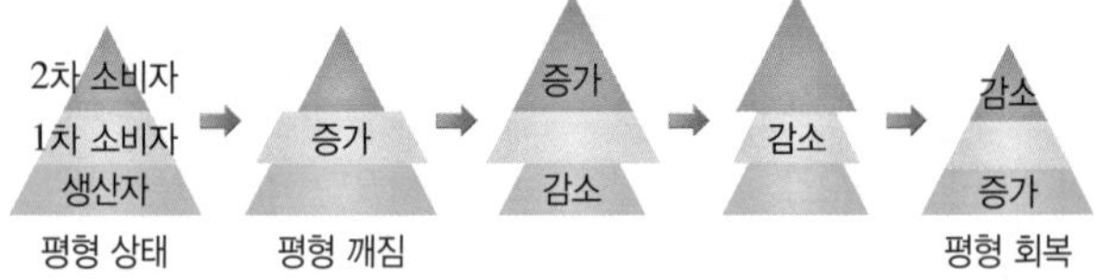

3. 환경 변화와 생태계

(1) **생태계 평형이 깨지는 요인:** 자연재해(홍수, 산사태, 지진, 화산 폭발 등)와 인간의 활동(무분별한 벌목, 경작지 개발, 환경 오염 등)에 의해 생태계 평형이 깨질 수 있다.

(2) **생태계 보전을 위한 노력:** 생태 하천 복원 사업, 옥상 정원, 국립 공원 지정, 천연 기념물 지정 등

지구 환경 변화와 인간 생활

1. 기후 변화

원인	• 지구 내적 원인: 지표면의 변화, 화산 활동, 대기 조성 변화, 수륙 분포 변화 등 • 지구 외적 원인: 지구 자전축의 기울기 변화 등
연구 방법	나무의 나이테, 빙하, 화석, 산호의 성장률, 고문서 등 연구

2. 지구 온난화

주요 원인	화석 연료의 사용량 증가로 인한 대기 중 (⑪)의 농도 증가
영향	빙하의 융해와 해수의 열팽창으로 해수면 (⑫), 기상 이변, 생태계 변화, 해양 산성화 등
한반도의 지구 온난화	• 최근 약 30년 간 평균 기온이 급격히 상승하였다. • 영향: 봄꽃의 개화 시기 변화, 아열대 기후구 확대 등
대책	화석 연료 사용 억제, 신재생 에너지 개발, 국제 협약 가입 등

3. 대기와 해수의 순환

대기 대순환	해수의 표층 순환
• 발생 원인: 위도별 에너지 불균형 • 순환: 적도~극 사이에 3개의 순환 세포 형성 • 지상에서 부는 바람 ┌극순환: 극동풍 ├페렐 순환: 편서풍 └해들리 순환: (⑬)	• 발생 원인: 지속적으로 부는 바람 ┌편서풍대 예 북태평양 해류 └무역풍대 예 북적도 해류 • 순환: 남반구와 북반구에서 아열대 순환 방향이 반대로 형성 • 난류: 저위도에서 고위도로 열에너지 수송

4. 사막화 사막 주변 지역의 토지가 황폐해져 사막으로 변하는 현상 ➡ 사막은 위도 30° 부근에 주로 분포

발생 원인	• 자연적인 원인: (⑭)의 변화 • 인위적인 원인: 과잉 방목, 과잉 경작, 무분별한 삼림 벌채 등
대책	가축의 방목 줄이기, 숲의 면적 늘리기, 삼림 벌채 최소화 등

5. 엘니뇨 무역풍 약화로 적도 부근 동태평양 해역의 표층 수온이 평상시보다 높은 상태로 지속되는 현상

구분	평상시	(⑮) 발생 시
대기와 표층 해수	무역풍에 의해 따뜻한 표층 해수가 서쪽으로 이동	무역풍이 약화되어 따뜻한 표층 해수가 동쪽으로 이동
동태평양	용승, 수온 낮음, 강수량 적음	용승 약화, 수온 상승, 홍수
서태평양	수온 높음, 강수량 많음	수온 하강, 가뭄

에너지 전환과 효율적 이용

1. 에너지

(1) **에너지:** (⑯)을 할 수 있는 능력(단위: J)

(2) **에너지의 종류:** 빛에너지, 전기 에너지, 열에너지, 핵에너지, 화학 에너지, 파동 에너지, 퍼텐셜 에너지, 운동 에너지 등

2. 에너지 전환과 보존

(1) **에너지 전환:** 한 형태의 에너지가 다른 형태의 에너지로 바뀌는 것

구분	에너지 전환 과정
배터리 충전	전기 에너지 → (⑰) 에너지
휴대 전화 화면	전기 에너지 → (⑱)에너지
광합성	빛에너지 → 화학 에너지
세탁기	전기 에너지 → 운동 에너지

(2) **에너지 보존 법칙:** 한 에너지는 다른 형태의 에너지로 전환될 수 있지만 새롭게 생겨나거나 소멸되지 않으며, 전체 양은 항상 일정하게 (⑲)된다.

3. 에너지의 효율적 이용

(1) **에너지 효율:** 공급한 에너지 중에서 유용하게 사용된 에너지의 비율

(2) **(⑳):** 열에너지를 일로 전환하는 장치

① **열기관의 작동 원리:** 열기관은 높은 온도의 고열원에서 열에너지(Q_1)를 공급받아 외부에 일(W)을 하고 낮은 온도의 저열원으로 열에너지(Q_2)를 방출한다.

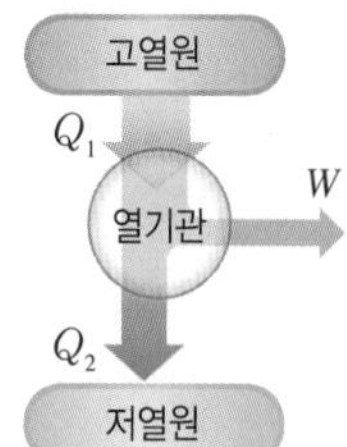

② **열기관의 에너지 효율(열효율)**

$$\text{열효율(\%)} = \frac{\text{열기관이 한 일}}{\text{열기관에 공급된 에너지}} \times 100$$

(3) **에너지의 효율적 이용**

① 에너지 효율이 (㉑) 제품을 사용한다.

② 에너지 절약을 유도하는 대책을 마련한다.

• 에너지 (㉒) 등급 표시 제도: 제품의 에너지 소비 효율을 1~5등급으로 구분하여 표시한다.

• 대기 전력 저감 프로그램 실시: (㉓)을 줄인 제품에 에너지 절약 표시를 붙인다.

③ 에너지 사용량을 줄인다.

중단원 마무리 문제

난이도 ●●●

●●○

01 다음은 어느 강 생태계에 대한 설명이다.

> (가) 강의 유속이 느려지고 수온이 상승하면서 ㉠식물 플랑크톤의 개체 수가 급격하게 증가하였다.
> (나) 과도하게 증식한 식물 플랑크톤이 물고기의 호흡을 방해하였다.
> (다) ㉡세균이 식물 플랑크톤의 사체를 분해하면서 물속의 산소를 많이 소모하였다.

이에 대한 설명으로 옳지 않은 것은?

① ㉠은 생산자이다.
② ㉡은 분해자이다.
③ (가)는 비생물적 요인이 생물에 영향을 준 것이다.
④ (나)는 생물이 다른 생물에 영향을 준 것이다.
⑤ (다)는 비생물적 요인들 사이에서 서로 영향을 주고받은 것이다.

●●○

02 그림 (가)는 생태계 구성 요소 사이의 관계 중 일부를, (나)는 수심에 따라 도달하는 빛의 양과 해조류의 분포를 나타낸 것이다.

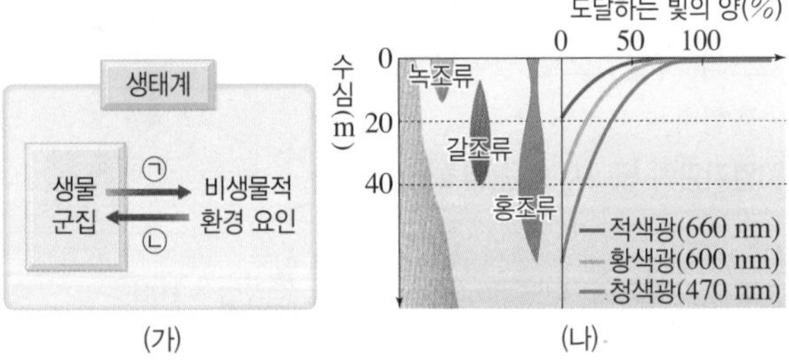

(가) (나)

이에 대한 설명으로 옳은 것만을 [보기]에서 있는 대로 고른 것은?

> **보기**
> ㄱ. 생물 군집은 여러 개체군으로 구성된다.
> ㄴ. (나)는 ㉡의 예에 해당한다.
> ㄷ. '세균이 낙엽을 분해한다.'는 ㉠의 예에 해당한다.

① ㄴ ② ㄷ ③ ㄱ, ㄴ
④ ㄴ, ㄷ ⑤ ㄱ, ㄴ, ㄷ

●●○

03 다음은 식물 A와 B에 대한 자료이다.

> 식물 A는 강한 빛에서 잘 자라고, 식물 B는 약한 빛에서 잘 자란다.

이 자료에 근거하여 식물 A와 B의 특징을 설명한 것으로 옳은 것만을 [보기]에서 있는 대로 고른 것은?

> **보기**
> ㄱ. 잎의 두께는 A가 B보다 두껍다.
> ㄴ. 숲의 아래쪽에서는 A가 B보다 잘 자란다.
> ㄷ. 빛이 강할 때 A는 B보다 단위시간당 광합성량이 많다.

① ㄱ ② ㄴ ③ ㄱ, ㄷ
④ ㄴ, ㄷ ⑤ ㄱ, ㄴ, ㄷ

●●○

04 그림은 여우의 환경에 대한 적응 현상을 나타낸 것이다.

북극여우

사막여우

이에 대한 설명으로 옳은 것만을 [보기]에서 있는 대로 고른 것은?

> **보기**
> ㄱ. 북극여우는 사막여우보다 몸집과 몸의 말단부의 크기가 크다.
> ㄴ. 사막여우는 북극여우보다 외부로 열을 방출하는 데 유리하다.
> ㄷ. 곰이 겨울이 오면 겨울잠을 자는 것도 이와 같은 환경 요인에 적응한 현상이다.

① ㄱ ② ㄴ ③ ㄱ, ㄷ
④ ㄴ, ㄷ ⑤ ㄱ, ㄴ, ㄷ

서술형 ●●○

05 다음은 물에 대한 생물의 적응 현상을 설명한 것이다.

> 선인장과 같은 건생 식물과 수련과 같은 수생 식물은 ㉠서식 환경에 적응하여 조직이나 기관이 서로 다른 특징을 나타낸다.

㉠과 관련지어 선인장과 수련의 특징을 각각 한 가지씩 서술하시오.

●●●

06 그림은 어떤 안정된 생태계에서 각 영양 단계의 에너지양을 상댓값으로 나타낸 에너지 피라미드이다.

3 — 3차 소비자
15 — 2차 소비자
100 — 1차 소비자
1000 생산자

이에 대한 설명으로 옳은 것만을 [보기]에서 있는 대로 고른 것은?

보기
ㄱ. 상위 영양 단계로 갈수록 에너지양이 감소한다.
ㄴ. 1차 소비자의 에너지양은 생산자의 10 %이다.
ㄷ. 2차 소비자가 가진 에너지의 80 %는 열에너지로 방출된다.

① ㄱ ② ㄴ ③ ㄱ, ㄴ
④ ㄴ, ㄷ ⑤ ㄱ, ㄴ, ㄷ

서술형 ●●●

07 표는 어떤 안정된 생태계에서 영양 단계 A~D의 생물량, 에너지양, 에너지 효율을 나타낸 것이다. A~D는 각각 생산자, 1차 소비자, 2차 소비자, 3차 소비자 중 하나이다.

영양 단계	생물량 (상댓값)	에너지양 (상댓값)	에너지 효율 (%)
A	37	200	10
B	1.5	6	㉠
C	11	30	15
D	809	2000	1

(1) A~D를 먹이 사슬로 나타내고, 그 근거를 서술하시오.

(2) B의 에너지 효율 ㉠을 구하시오.

(3) C의 개체 수가 갑자기 증가할 경우 D의 개체 수는 일시적으로 어떻게 변할지 근거를 들어 서술하시오.

●●●

08 그림은 해양 생태계 (가)와 (나)에서의 먹이 관계를 나타낸 것이다.

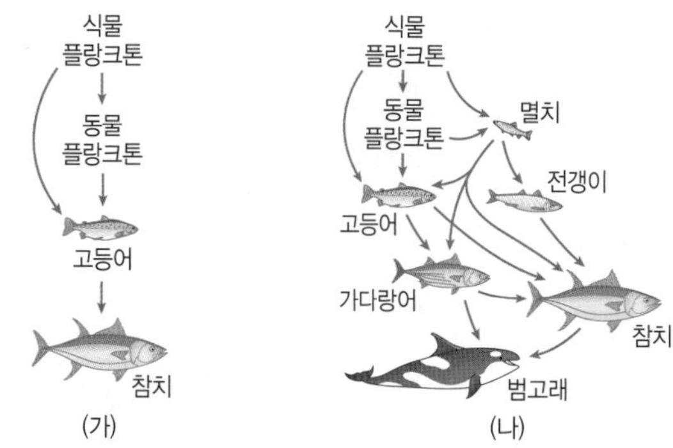

이에 대한 설명으로 옳은 것만을 [보기]에서 있는 대로 고른 것은?

보기
ㄱ. (가)와 (나)에서 생산자와 최종 소비자가 같다.
ㄴ. 고등어가 사라지면 (가)와 (나)에서 모두 참치가 사라진다.
ㄷ. 고등어의 개체 수가 급격히 증가했을 때, 참치의 개체 수 변화는 (나)보다 (가)에서 더 크게 나타난다.

① ㄱ ② ㄴ ③ ㄷ
④ ㄱ, ㄷ ⑤ ㄴ, ㄷ

●●○

09 그림은 같은 지역에서 환경 변화에 따른 생태계 구성 요소의 변화를 나타낸 것이다.

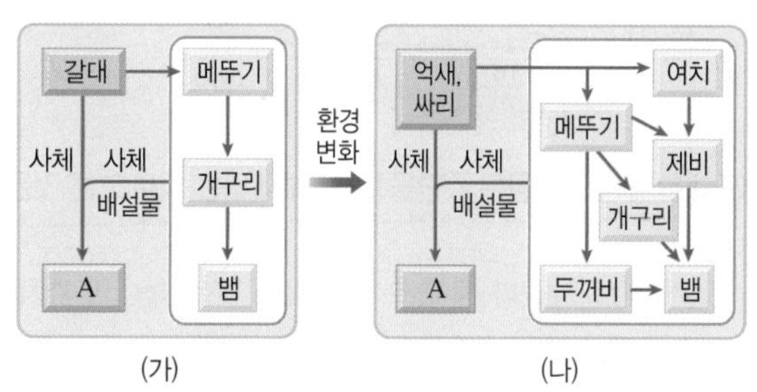

이에 대한 설명으로 옳지 않은 것은?

① A의 예로는 세균, 곰팡이 등이 있다.
② 환경 변화로 생산자의 종류가 달라졌다.
③ (가)보다 (나)일 때 종 다양성이 높다.
④ (가)보다 (나)일 때 생태계 안정성이 높다.
⑤ (가)와 (나)에서 생태계의 에너지양은 동일하다.

10 표는 녹조류와 생물 A~C가 먹이 사슬을 이루고 있는 어떤 생태계에서 각 생물의 개체 수가 증가하였을 때 나머지 생물의 일시적인 개체 수 변화를 나타낸 것이다.

구분	녹조류	A	B	C
녹조류 개체 수 증가		증가	증가	증가
A 개체 수 증가	증가		감소	증가
B 개체 수 증가	감소	증가		증가
C 개체 수 증가	감소	감소	증가	

녹조류와 생물 A~C 사이에서의 에너지 이동 방향으로 옳은 것은?

① 녹조류 → A → B → C
② 녹조류 → A → C → B
③ 녹조류 → B → A → C
④ 녹조류 → B → C → A
⑤ 녹조류 → C → A → B

11 그림은 어떤 지역에서 사슴을 보호하기 위해 늑대 사냥을 허가한 이후 약 30년 동안 사슴과 늑대의 개체 수 및 초원의 생산량 변화를 조사하여 나타낸 것이다.

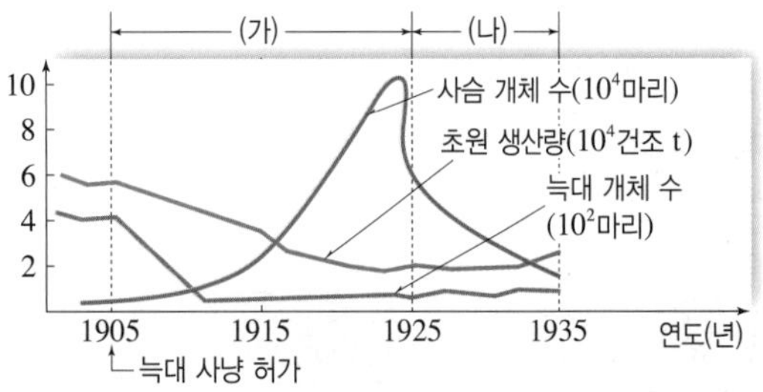

이에 대한 설명으로 옳은 것만을 [보기]에서 있는 대로 고른 것은?

보기
ㄱ. (가)에서 사슴의 개체 수가 증가한 것은 늑대의 개체 수가 감소하였기 때문이다.
ㄴ. (가)에서 초원의 생산량이 감소한 것은 토양의 무기 염류가 부족해졌기 때문이다.
ㄷ. (나)에서 사슴의 개체 수가 감소한 주된 원인은 천적이 증가했기 때문이다.

① ㄱ ② ㄴ ③ ㄷ
④ ㄱ, ㄴ ⑤ ㄴ, ㄷ

12 그림은 과거 약 40만 년 동안의 기온 변화를 나타낸 것이다.

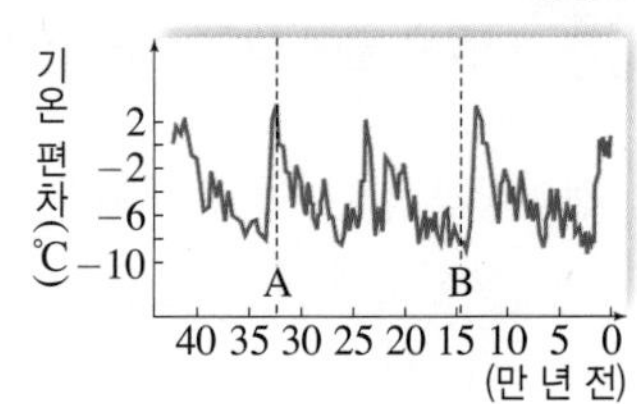

이에 대한 설명으로 옳은 것만을 [보기]에서 있는 대로 고른 것은?

보기
ㄱ. 여러 차례의 빙하기와 간빙기가 있었다.
ㄴ. A 시기는 B 시기보다 해수면 높이가 높았을 것이다.
ㄷ. 나무의 나이테를 연구하여 알아낸 자료이다.

① ㄱ ② ㄷ ③ ㄱ, ㄴ
④ ㄴ, ㄷ ⑤ ㄱ, ㄴ, ㄷ

13 그림은 우리나라와 지구 전체의 대기 중 이산화 탄소의 농도 변화를 나타낸 것이다.

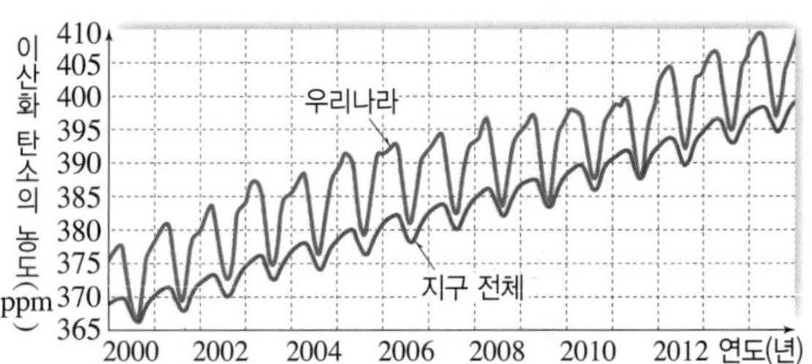

이에 대한 설명으로 옳은 것만을 [보기]에서 있는 대로 고른 것은?

보기
ㄱ. 우리나라는 지구 전체보다 온난화의 영향을 더 많이 받았을 것이다.
ㄴ. 우리나라는 지구 전체보다 대기 중 이산화 탄소 농도의 계절별 변동성이 크다.
ㄷ. 우리나라와 지구 전체는 봄철보다 가을철에 이산화 탄소 농도가 높다.

① ㄱ ② ㄷ ③ ㄱ, ㄴ
④ ㄴ, ㄷ ⑤ ㄱ, ㄴ, ㄷ

서술형

14 그림은 위도에 따른 복사 에너지양을 나타낸 것이다. 위도에 따른 에너지의 이동 방향과 이동 수단, 그렇게 나타나는 까닭을 서술하시오.

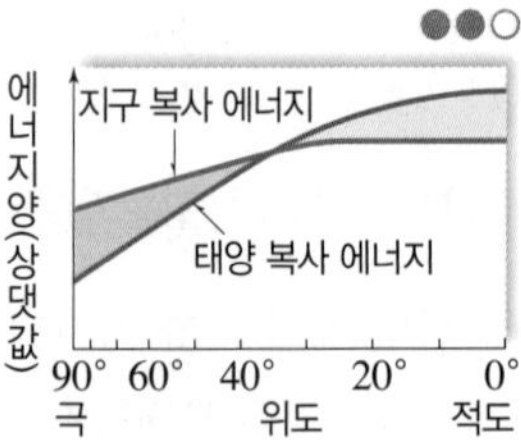

●●●

15 그림은 대기 대순환 모형을 나타낸 것이다.

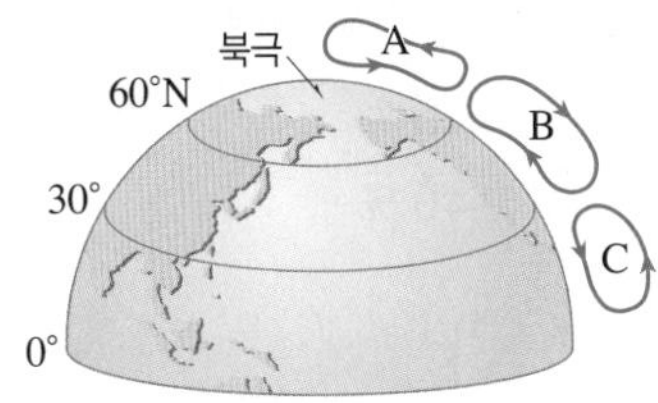

이에 대한 설명으로 옳지 않은 것은?

① A는 극순환이다.
② B 순환의 지표면 부근에서는 편서풍이 분다.
③ B와 C 순환 사이의 지표면에는 사막이 많이 분포한다.
④ B 순환의 지표면 부근에서 부는 바람에 의해 북적도 해류가 흐른다.
⑤ 지표면 평균 기압은 30°N이 0°보다 높다.

●●○

16 그림은 북태평양의 아열대 순환을 이루는 해류 A~C를 나타낸 것이다.

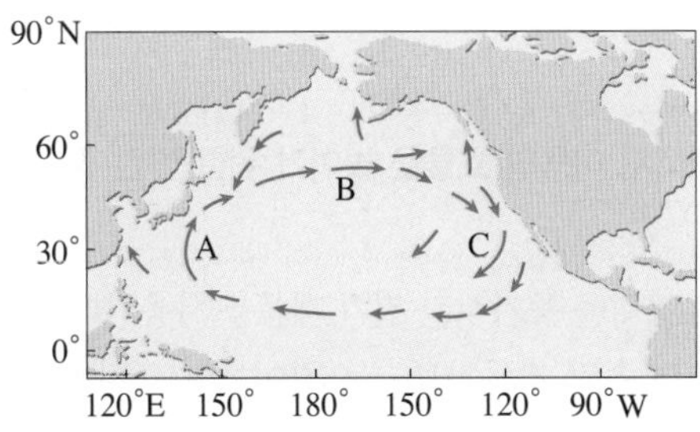

이에 대한 설명으로 옳지 않은 것은?

① A는 쿠로시오 해류이다.
② B는 편서풍에 의해 형성된다.
③ C는 한류이다.
④ 해류가 흐르면서 열에너지를 운반한다.
⑤ 남반구의 아열대 순환은 시계 방향으로 일어난다.

●●●

17 그림 (가)와 (나)는 태평양 적도 부근 해역에서 엘니뇨 시기와 라니냐 시기의 대기 순환을 순서 없이 나타낸 것이다.

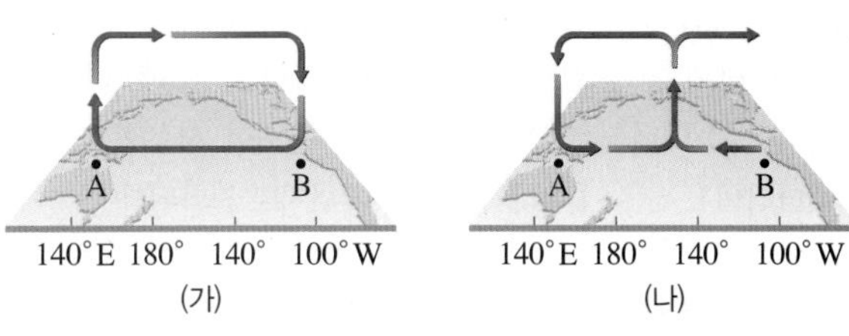

이에 대한 설명으로 옳은 것만을 [보기]에서 있는 대로 고른 것은?

보기
ㄱ. (가)는 엘니뇨 시기, (나)는 라니냐 시기이다.
ㄴ. 해수면 높이 차(A 지점−B 지점)는 (가)가 (나)보다 크다.
ㄷ. B 지점에서의 용승은 (가)가 (나)보다 강하다.

① ㄱ ② ㄴ ③ ㄱ, ㄷ
④ ㄴ, ㄷ ⑤ ㄱ, ㄴ, ㄷ

●●○

18 다음은 건전지로 작동되는 장난감 자동차에 대한 설명이다.

장난감 자동차의 스위치를 켜면 발광 다이오드(LED)에 불이 들어오고, 전동기에 연결된 바퀴가 회전하며 앞으로 움직인다.

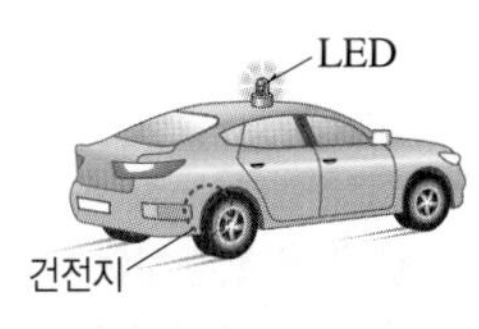

이에 대한 설명으로 옳은 것만을 [보기]에서 있는 대로 고른 것은?

보기
ㄱ. 건전지에서는 전기 에너지가 화학 에너지로 전환된다.
ㄴ. 전동기에서는 전기 에너지가 운동 에너지로 전환된다.
ㄷ. 발광 다이오드(LED)에서 사용한 전기 에너지는 건전지로부터 자동차에 공급된 전기 에너지보다 작다.

① ㄱ ② ㄴ ③ ㄷ
④ ㄱ, ㄴ ⑤ ㄴ, ㄷ

●○○

19 다음은 휴대 전화를 충전할 때와 사용할 때 배터리에서 일어나는 에너지의 전환 과정을 설명한 것이다.

> 휴대 전화를 충전할 때는 전기 에너지가 배터리의 (　　　) 에너지로 전환되고, 휴대 전화를 사용할 때는 배터리의 (　　　) 에너지가 전기 에너지로 전환된다.

(　　　) 안에 공통으로 들어갈 에너지의 종류는?

① 열　② 빛　③ 화학
④ 운동　⑤ 퍼텐셜

●●○

20 다음은 에너지를 절약해야 하는 까닭을 설명한 것이다.

> 에너지가 다른 형태로 전환될 때, 에너지의 전체 양은 (㉠). 그러나 전환되는 과정에서 일부는 다시 사용하기 어려운 (㉡) 형태로 전환되므로, 사용 가능한 에너지의 양은 (㉢)하기 때문에 에너지를 절약해야 한다.

(　　　) 안에 들어갈 말을 옳게 짝 지은 것은?

	㉠	㉡	㉢
①	보존된다	열에너지	감소
②	보존된다	퍼텐셜 에너지	감소
③	감소한다	열에너지	증가
④	감소한다	퍼텐셜 에너지	증가
⑤	감소한다	운동 에너지	일정

●●●

21 그림은 온도가 T_1인 열원에서 열에너지 Q_1을 흡수하여 W의 일을 하고, 온도가 T_2인 열원으로 열에너지 Q_2를 방출하는 열기관을 나타낸 것이다.

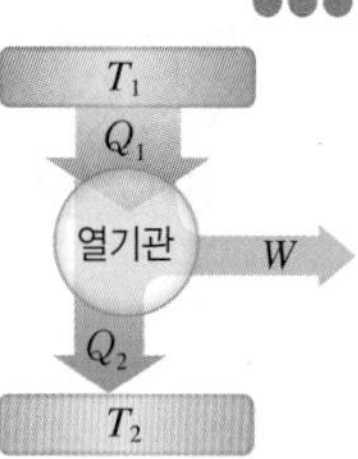

이에 대한 설명으로 옳은 것만을 [보기]에서 있는 대로 고른 것은?

> 보기
> ㄱ. 온도는 T_1이 T_2보다 높다.
> ㄴ. $\frac{Q_2}{Q_1}$가 클수록 열효율은 커진다.
> ㄷ. $Q_1=W$인 열기관은 만들 수 있다.

① ㄱ　② ㄴ　③ ㄷ
④ ㄱ, ㄴ　⑤ ㄴ, ㄷ

●○○

22 어떤 열기관이 **2000 J**의 에너지를 공급받아서 **400 J**의 일을 하였다. 이 열기관의 열효율은?

① 10 %　② 15 %　③ 20 %
④ 25 %　⑤ 40 %

●●●

23 전구 A, B와 열기관 C, D의 에너지 효율을 표로 나타낸 것이다.

전구	에너지 효율(%)	열기관	에너지 효율(%)
A	8	C	30
B	24	D	45

이에 대한 설명으로 옳은 것만을 [보기]에서 있는 대로 고른 것은?

> 보기
> ㄱ. 같은 전기 에너지를 소비한다면 전구의 밝기는 A가 B보다 어둡다.
> ㄴ. 전구의 밝기가 같다면 같은 시간 동안 소비하는 전기 에너지는 B가 A의 3배이다.
> ㄷ. 같은 양의 일을 한다면 C가 D보다 연료를 더 적게 소비한다.
> ㄹ. 같은 양의 에너지가 공급된다면 같은 시간 동안 버려지는 열에너지는 C가 D보다 많다.

① ㄱ, ㄴ　② ㄱ, ㄹ　③ ㄴ, ㄷ
④ ㄴ, ㄹ　⑤ ㄷ, ㄹ

●●○

24 에너지 이용의 효율을 높이기 위한 방안 중 옳지 않은 것은?

① 대기 전력을 증가시킨 전기 제품을 사용한다.
② 일반 가솔린 자동차보다는 하이브리드 자동차를 사용한다.
③ 전기 기구는 에너지 소비 효율 등급이 1등급에 가까운 것을 사용한다.
④ 외부의 에너지 공급 없이 에너지를 자급할 수 있는 에너지 제로 하우스를 짓는다.
⑤ 스마트 기기로 전기 사용량을 실시간으로 확인할 수 있는 스마트 플러그를 사용한다.

중단원 고난도 문제

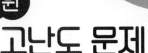

01 그림은 생태계를 구성하는 요소와 이들 사이의 관계를 나타낸 것이다. 생물 군집 내의 화살표는 에너지의 흐름을 나타낸 것이고, (가)~(다)는 각각 1차 소비자, 2차 소비자, 생산자 중 하나이다.

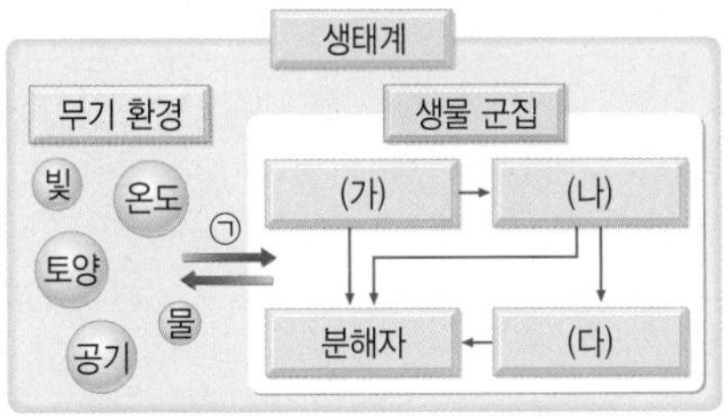

이에 대한 설명으로 옳은 것만을 [보기]에서 있는 대로 고른 것은?

보기
ㄱ. '양엽은 음엽보다 울타리 조직이 발달하였다.'는 ㉠의 예에 해당한다.
ㄴ. 광합성을 하는 생물은 (가)에 속한다.
ㄷ. (가)에서 분해자로 무기물이 이동한다.
ㄹ. (나)의 개체 수가 갑자기 증가하면 (다)의 개체 수는 감소한다.

① ㄱ, ㄴ ② ㄱ, ㄹ ③ ㄴ, ㄷ
④ ㄱ, ㄴ, ㄷ ⑤ ㄴ, ㄷ, ㄹ

02 그림은 서로 다른 생태계에서 생산자, 1차 소비자, 2차 소비자의 에너지양을 상댓값으로 나타낸 생태 피라미드이다.

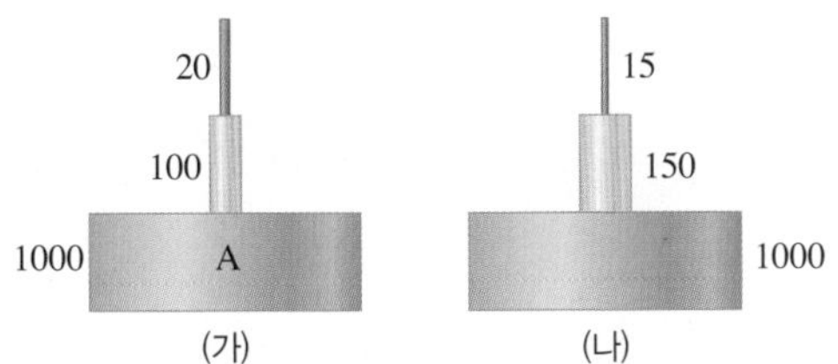

이에 대한 설명으로 옳은 것만을 [보기]에서 있는 대로 고른 것은?

보기
ㄱ. A는 생산자이다.
ㄴ. (가)에서 생산자의 개체 수는 1차 소비자의 개체 수의 10배이다.
ㄷ. 2차 소비자의 에너지 효율은 (가)가 (나)보다 높다.

① ㄱ ② ㄴ ③ ㄷ ④ ㄱ, ㄴ ⑤ ㄱ, ㄷ

03 그림은 적도 부근 동태평양과 서태평양의 해수면 기압 차(동태평양 기압－서태평양 기압)를 나타낸 것이다. ㉠과 ㉡은 각각 엘니뇨와 라니냐 시기 중 하나이다.

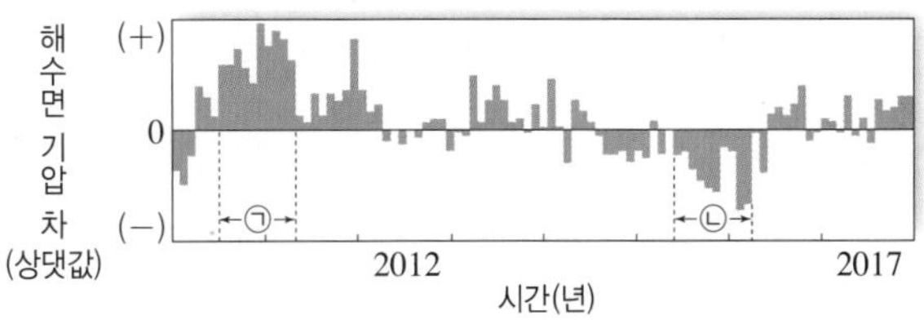

이에 대한 설명으로 옳은 것만을 [보기]에서 있는 대로 고른 것은?

보기
ㄱ. 무역풍은 ㉠ 시기가 ㉡ 시기보다 약하다.
ㄴ. 서태평양에서 강수량은 ㉠ 시기가 ㉡ 시기보다 많다.
ㄷ. 표층 수온의 차(서태평양－동태평양)는 ㉠ 시기가 ㉡ 시기보다 크다.

① ㄱ ② ㄴ ③ ㄱ, ㄷ
④ ㄴ, ㄷ ⑤ ㄱ, ㄴ, ㄷ

04 그림은 고열원으로부터 열에너지를 흡수하여 $3W$의 일을 하고 저열원으로 Q의 열에너지를 방출하는 열기관 A와, Q의 열에너지를 흡수하여 $2W$의 일을 하는 열기관 B를 나타낸 것이다. A와 B의 열효율(e)은 같다.

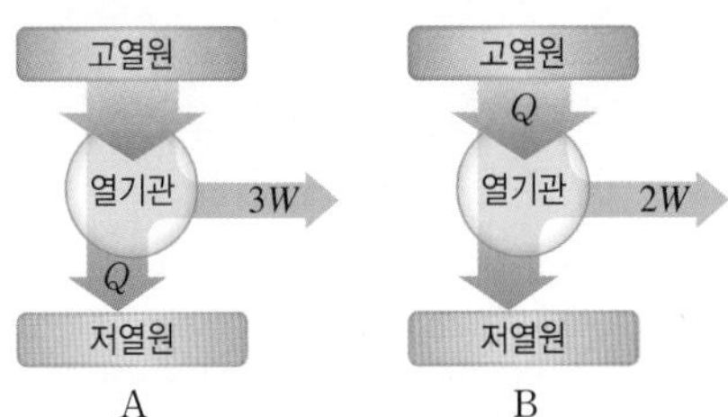

Q와 e에 해당하는 값을 옳게 짝 지은 것은?

	Q	e		Q	e
①	$3W$	$\frac{1}{8}$	②	$3W$	$\frac{1}{5}$
③	$6W$	$\frac{1}{5}$	④	$6W$	$\frac{1}{3}$
⑤	$8W$	$\frac{1}{3}$			

배운 내용

- 전류, 전압, 전기 저항
- 전류의 자기 작용
- 전기 에너지
- 에너지 전환과 보존

2 발전과 신재생 에너지

배울 내용

- 전자기 유도
- 발전기와 여러 가지 발전
- 전력 수송 과정
- 변압기
- 수소 핵융합 반응
- 화석 연료
- 신재생 에너지

전기 에너지가 생산되어 수송되는 과정과 전력 손실, 변압기의 원리를 배운다. 또, 태양 에너지가 생성되는 원리를 이해하고, 지구에 도달한 태양 에너지가 지구에서 전환되는 것을 배운다. 화석 연료를 대체하는 신재생 에너지를 이용한 발전 방식을 새롭게 배운다.

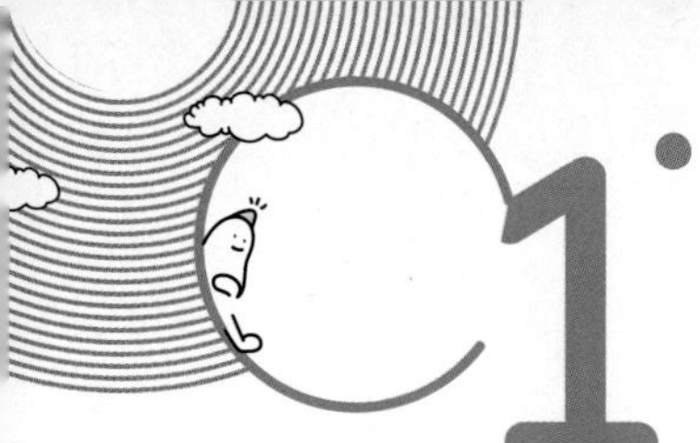

01 전기 에너지의 생산과 수송

핵심 포인트

❶ 전자기 유도 ★★
❷ 전기 에너지의 생산 ★★★
❸ 전력 수송 ★★★

이 단원에 들어가기 전에 중등과학 2학년에서 배운 전류의 자기 작용에 대해 리마인드 해 볼까요?

이것까지 나와요! 중등과학

자석과 전류가 흐르는 코일 주위의 자기장

자석이나 전류가 흐르는 코일 주변에는 자기력이 작용하는 공간인 자기장이 형성되어 있다.

초록색 실선은 자기장의 방향을 연속적으로 이은 선으로, 간격이 촘촘할수록 자기장의 세기가 세다.

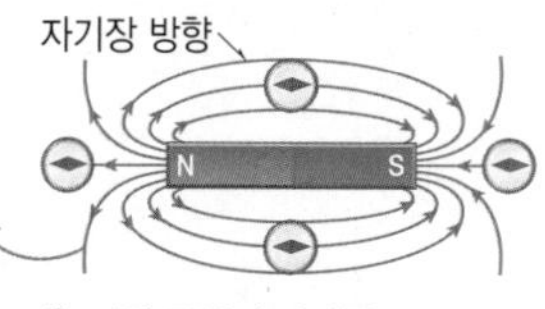

⬆ 자석 주위의 자기장

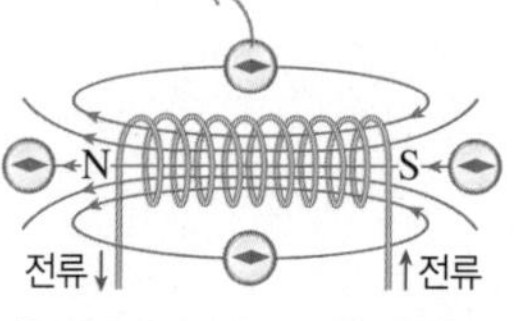

⬆ 전류가 흐르는 코일 주위의 자기장

A 전자기 유도

영국의 패러데이는 전류가 흐르는 코일 주변에 자기장이 형성되는 것과는 반대로 코일을 통과하는 자기장이 변하면 코일에 전류가 유도되는 전자기 유도 현상을 발견하였답니다. 지금부터 전자기 유도 현상을 알아보아요.

1. 전자기 유도 코일 근처에서 자석을 움직이거나 자석 근처에서 코일을 움직일 때 코일을 통과하는 자기장이 변하면서 코일에 전류가 흐르는 현상

2. 유도 기전력 전자기 유도 현상에 의해 코일에 생기는 전압으로, 유도 기전력에 의해 코일에 전류가 흐른다.

3. 유도 전류 전자기 유도에 의해 코일에 흐르는 전류

① **유도 전류의 세기:** 자석을 빨리 움직일수록, 자석의 세기가 셀수록, 코일의 감은 수가 많을수록 유도 전류의 세기가 세진다. ➡ ◆패러데이 법칙

② **◆유도 전류의 방향:** 코일을 통과하는 자기장의 변화를 방해하는 방향 → 자석의 움직임을 방해하는 방향

(→ : 자석에 의한 자기장 방향, → : 유도 전류에 의한 자기장 방향)

구분	N극을 가까이 할 때	N극을 멀리 할 때	S극을 가까이 할 때	S극을 멀리 할 때
자기장 변화	코일 속을 ↓ 방향으로 지나는 자기장 증가 가까이 한다. N, S, A, B, G, I, 검류계	코일 속을 ↓ 방향으로 지나는 자기장 감소 멀리 한다. S, N, A, B, G, I	코일 속을 ↑ 방향으로 지나는 자기장 증가 가까이 한다. S, N, A, B, G, I	코일 속을 ↑ 방향으로 지나는 자기장 감소 멀리 한다. N, S, A, B, G, I
자석과 코일 사이의 힘	코일 위쪽에 N극이 형성된다. ➡ 척력 작용	코일 위쪽에 S극이 형성된다. ➡ 인력 작용	코일 위쪽에 S극이 형성된다. ➡ 척력 작용	코일 위쪽에 N극이 형성된다. ➡ 인력 작용
유도 전류 방향	B → Ⓖ → A	A → Ⓖ → B	A → Ⓖ → B	B → Ⓖ → A

4. 전자기 유도의 이용 발전기, 무선 충전기, 인덕션 레인지, ◆교통 카드 판독기, 전기 기타, 변압기, 금속 탐지기, 마이크 등

◆ 패러데이 법칙
코일에 유도된 전류의 세기는 코일의 감은 수와 단위시간당 코일의 단면을 수직으로 통과하는 자기장 변화에 비례한다.
단위시간당 코일을 통과하는 자기장의 변화가 커질수록 유도 전류가 더 많이 흐른다.

◆ 유도 전류의 방향
자석을 코일에 가까이 할 때는 척력이 작용하는 방향으로 유도 전류가 흐르고, 멀리 할 때는 인력이 작용하는 방향으로 유도 전류가 흐른다.

◆ 교통 카드 판독기의 원리
교통 카드 속에는 코일이 있어서 교통 카드를 버스 등에 설치된 단말기에 가져가면 코일을 통과하는 자기장이 변하면서 전류가 유도된다. 이 전류가 카드 속의 메모리칩을 작동시켜 요금을 정산한다.

⬆ 교통 카드 판독기

탐구 자료창 전자기 유도 실험

다음은 코일과 검류계를 집게 달린 전선으로 연결한 후, 막대자석의 N극과 S극을 코일 근처에서 움직이면서 검류계 바늘의 움직임을 관찰한 결과이다.

자석		검류계 바늘의 움직임
(가) N극을 움직일 때	가까이	오른쪽으로 움직인다.
	멀리	왼쪽으로 움직인다.
(나) S극을 움직일 때	가까이	왼쪽으로 움직인다.
	멀리	오른쪽으로 움직인다.
(다) 자석을 빠르게 움직일 때		검류계 바늘이 크게 움직인다.
(라) 자석이 정지해 있을 때		검류계 바늘이 움직이지 않는다.

매우 약한 전류가 흐를 때 전류를 측정하는 기구야.

검류계 / 자석 / 코일

1. **유도 전류의 방향:** (가), (나)에서 자석의 운동 방향을 반대로 하거나 극을 바꾸면 유도 전류가 반대 방향으로 흐른다.
2. **유도 전류의 세기:** (다)에서 자석을 빠르게 움직일수록 유도 전류의 세기가 세진다.
3. **유도 전류의 발생:** (라)에서 자석이 정지해 있을 때 유도 전류가 흐르지 않는다. ➡ 자기장의 변화가 없을 때는 유도 전류가 흐르지 않는다.

암기해!

유도 전류의 방향을 찾는 방법
오른손 엄지손가락이 코일에 유도된 N극을 가리키도록 코일을 감아쥘 때, 네 손가락이 감아쥐는 방향이 유도 전류의 방향이다.

유도 전류 / 코일에 유도된 N극 방향 / 유도 전류 방향

B 전기 에너지의 생산

인류는 전자기 유도 현상을 이용하여 전기 에너지를 대량으로 생산할 수 있게 되었답니다. 그럼 전기 에너지는 어떻게 대량으로 생산되는지 지금부터 알아볼까요?

1. 발전기 전자기 유도를 이용하여 자석이나 코일의 회전에 의한 운동 에너지를 전기 에너지로 전환하는 장치

(전기 에너지: 다른 에너지로 전환하기 쉽고 사용하기 편리한 형태의 에너지이다.)

① **발전기의 원리:** 코일이 회전하며 자석을 스쳐 지나갈 때 코일을 통과하는 자기장의 변화가 생겨 유도 전류가 흐른다.

| 발전기의 원리 |

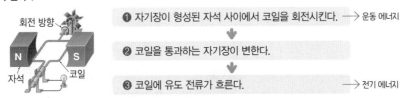

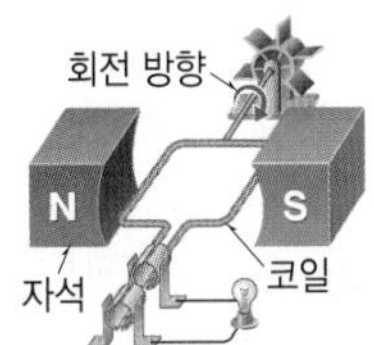

❶ 자기장이 형성된 자석 사이에서 코일을 회전시킨다. → 운동 에너지
↓
❷ 코일을 통과하는 자기장이 변한다.
↓
❸ 코일에 유도 전류가 흐른다. → 전기 에너지

1. 코일이 회전할 때 자기장이 수직으로 통과하는 코일 면의 면적이 시간에 따라 변하여 전자기 유도 현상이 일어난다. → 코일 근처에서 자석을 움직일 때 코일을 통과하는 자기장이 변하는 것과 같은 현상이다.
2. 코일이 빠르게 회전할수록 유도 전류의 세기가 세진다.

(90° 회전하는 순간◆유도 전류의 방향이 바뀐다.)

0°일 때	45° 회전했을 때	90° 전후	135° 회전했을 때

자기장이 수직으로 통과하는 코일 면의 면적 증가 → 자기장이 수직으로 통과하는 코일 면의 면적 감소

◆ 교류와 직류
발전기에서 생산되는 전류와 같이 전류의 세기와 방향이 변하는 전류를 교류라 하고, 건전지에 의해 흐르는 전류와 같이 한 방향으로 흐르는 전류를 직류라고 한다.

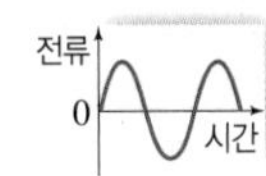

교류

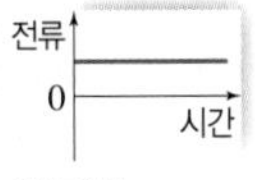

직류

◆ 터빈
기체나 액체의 흐름을 이용하여 회전 운동을 얻는 장치이다.

② **발전소의 발전기:** 발전기에 연결된 ◆터빈이 돌아갈 때 발전기의 코일 속에서 자석이 회전하여 전기 에너지가 생산된다. ➡ 터빈의 운동 에너지가 전기 에너지로 전환된다.

실제 발전기에서는 코일 대신 자석이 회전한다.

| 터빈과 발전기의 구조 |

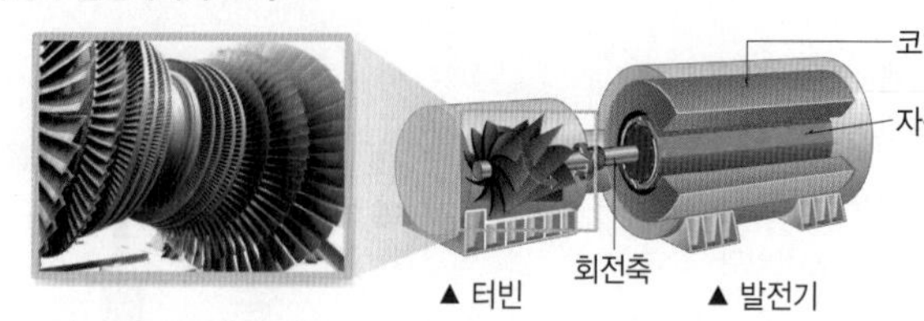

발전기는 바깥쪽에 고정되어 있는 코일(고정자)과 축을 따라 회전하는 자석(회전자)으로 구성되어 있다.

암기해!
발전기에서의 에너지 전환
운동 에너지 → 전기 에너지

③ **일상생활에서 이용되는 간이 발전기**

악력기를 이용한 발전기	흔들이 손전등	자전거 발전기
발광 다이오드, 코일, 자석	코일, 자석	전조등, 발전기, 회전자, 코일, 자석
악력기를 쥐거나 펼 때 발광 다이오드에 불이 켜진다.	손전등을 흔들 때 자석이 코일 속을 통과하여 불이 켜진다.	바퀴를 돌릴 때 자석이 코일 속에서 회전하여 전조등에 불이 켜진다.

확대경 전동기 (천재, 금성 교과서에만 나와요.)

전동기는 영구 자석 사이에 회전할 수 있는 코일이 들어 있어 발전기와 구조가 비슷하지만, 발전기와는 원리가 다르다.

1. **전동기의 원리:** 전동기는 자석 사이에 있는 코일에 전류가 흐를 때, 코일이 자기장으로부터 받는 힘을 이용하여 회전력을 얻는 장치이다.
2. **전동기에서의 에너지 전환:** 전기 에너지 → 운동 에너지

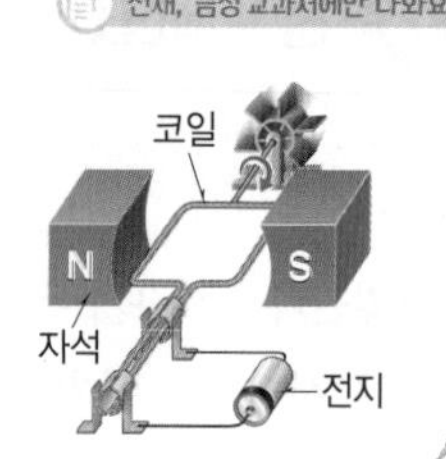

핵발전 과정은 Ⅵ-2-03. 발전과 지구 환경에서 더 자세히 배워요.

2. 여러 가지 발전

발전기에 연결된 터빈을 돌리는 에너지원에 따라 구분된다.

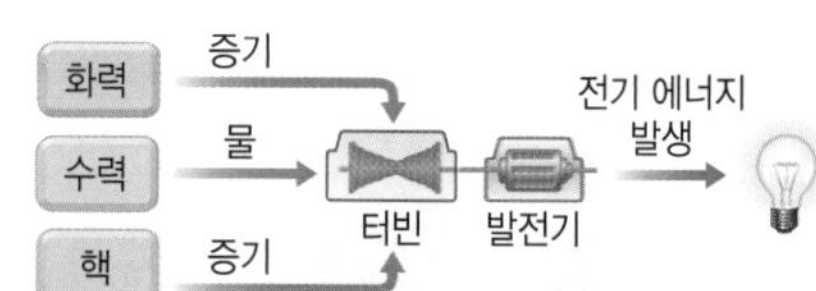

구분	화력 발전	수력 발전	핵발전 (원자력 발전이라고도 한다.)
에너지원	석유나 석탄과 같은 화석 연료의 화학 에너지	높은 곳에 있는 물의 퍼텐셜 에너지	우라늄과 같은 핵연료의 핵에너지
원리	보일러, 증기, 발전기, 터빈, 물, 화석 연료	댐, 수문, 저수지, 발전기, 터빈, 강	증기, 터빈, 발전기, 핵연료, 냉각기, 원자로
	화석 연료의 연소로 물을 끓여 얻은 고온, 고압의 수증기로 터빈을 돌린다. (◆증기 터빈 방식)	댐에 의해 높은 곳에 있던 물이 낮은 곳으로 내려오면서 터빈을 돌린다.	핵연료의 핵에너지로 물을 끓여 얻은 고온, 고압의 수증기로 터빈을 돌린다.
◆에너지 전환	화학 에너지 → 열에너지 → 운동 에너지 → 전기 에너지	퍼텐셜 에너지 → 운동 에너지 → 전기 에너지	핵에너지 → 열에너지 → 운동 에너지 → 전기 에너지

미래엔 교과서에만 나와요.
◆ **다른 화력 발전 방식의 종류**
- 가스 터빈 방식: 천연가스와 같은 기체 연료를 연소시킬 때 발생하는 고온, 고압의 연소 가스로 터빈을 돌리는 방식이다.
- 복합 방식: 가스 터빈에서 전기를 생산하고 방출되는 열에너지를 버리지 않고 증기 터빈으로 보내 물을 끓여 터빈을 돌리는 방식이다.

◆ **발전소에서의 에너지 전환**
화력 발전, 수력 발전, 핵발전에서 전기 에너지를 생산하는 에너지원은 다르지만, 터빈을 돌려 전기 에너지를 생산하는 과정은 같으므로 터빈의 운동 에너지가 전기 에너지로 전환된다.

개념 확인 문제

정답친해 153쪽

핵심 체크

- (❶): 코일 근처에서 자석을 움직이거나 자석 근처에서 코일을 움직일 때 코일에 전류가 흐르는 현상
- (❷): 전자기 유도에 의해 코일에 흐르는 전류
- 유도 전류의 세기는 자석을 움직이는 속도가 (❸)수록, 자석의 세기가 (❹)수록, 코일의 감은 수가 (❺)수록 세진다.
- (❻): 전자기 유도를 이용하여 전기 에너지를 생산하는 장치
  - 코일의 회전에 의한 (❼) 에너지가 전기 에너지로 전환된다.
  - 발전기에 연결된 (❽)을 돌리는 에너지원에 따라 화력 발전, 수력 발전, 핵발전 등으로 구분된다.

1 전자기 유도에 의해 코일에 흐르는 유도 전류의 세기에 영향을 주는 요인만을 [보기]에서 있는 대로 고르시오.

보기	
ㄱ. 코일의 감은 수	ㄴ. 자석의 세기
ㄷ. 자석을 움직이는 빠르기	ㄹ. 코일의 감은 방향

2 그림과 같이 코일 근처에서 자석을 움직이며 검류계 바늘을 관찰한 결과에 대한 설명으로 옳은 것은 ○, 옳지 않은 것은 ×로 표시하시오.

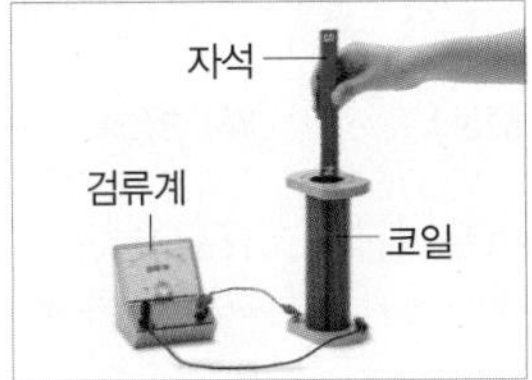

(1) 자석을 움직일 때 검류계 바늘이 움직인다. ······ ( )

(2) 코일 속에 자석이 정지해 있을 때 검류계의 바늘이 움직인다. ······ ( )

(3) 코일에 자석을 가까이 할 때와 멀리 할 때 검류계의 바늘이 반대 방향으로 움직인다. ······ ( )

3 그림은 자석의 N극을 코일에 가까이 할 때와 멀리 할 때의 모습을 나타낸 것이다. (가)와 (나)에서 각각 코일에 흐르는 유도 전류의 방향을 완성하시오.

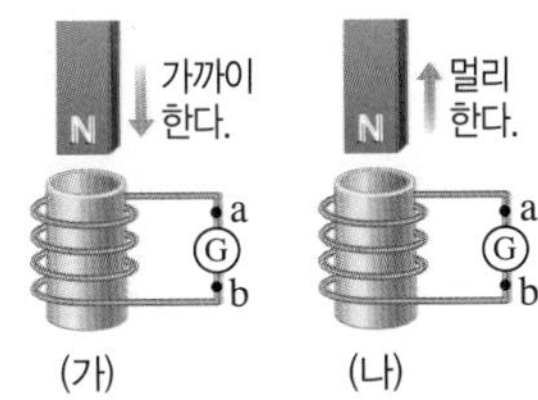

(가) ㉠( ) → Ⓖ → ㉡( )
(나) ㉢( ) → Ⓖ → ㉣( )

4 전자기 유도를 이용한 장치가 아닌 것은?

① 발전기 ② 전기 기타 ③ 세탁기
④ 무선 충전기 ⑤ 교통 카드 판독기

5 다음은 발전기에 대한 설명이다. ( ) 안에 알맞은 말을 쓰시오.

> 발전소의 발전기는 바깥쪽에 고정되어 있는 코일과 안쪽에서 축을 따라 회전하는 ㉠( )으로 구성되어 있으며 ㉡( ) 현상을 이용하여 전기 에너지를 생산한다.

6 그림은 발전소에서 전기 에너지가 만들어지는 과정을 나타낸 것이다. ( ) 안에 알맞은 장치의 이름을 쓰시오.

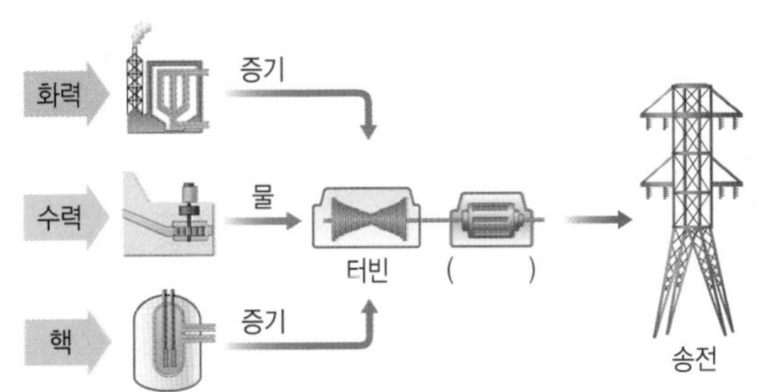

7 각 발전 방식의 에너지원을 옳게 연결하시오.

(1) 화력 발전 • • ㉠ 화석 연료의 화학 에너지
(2) 수력 발전 • • ㉡ 우라늄의 핵에너지
(3) 핵발전 • • ㉢ 높은 곳에 있는 물의 퍼텐셜 에너지

C 전기 에너지의 수송

발전소에서 만들어진 전기 에너지는 먼 길을 지나 우리들이 사는 집으로 와서 컴퓨터, 텔레비전 등을 작동시켜요. 전기 에너지가 우리들이 사는 집까지 오는 동안 어떤 과정을 거쳤을까요?

1. 전력 수송 과정

① ◆**전력:** 단위시간당 생산 또는 사용하는 전기 에너지

(전압 × 전류 × 시간)

$$\text{전력}=\frac{\text{전기 에너지}}{\text{시간}}=\text{전압}\times\text{전류},\quad P=\frac{E}{t}=VI\quad [\text{단위: W(와트)}]$$

② **전력 수송 과정:** 발전소에서 생산한 전기 에너지는 초고압 변전소(발전소 내에 있는 변전소이다.)에서 전압을 높여 송전되고, 1, 2차 변전소를 거쳐 전압을 낮춘 후 최종적으로 주상 변압기를 거쳐 가정으로 공급된다.

- 송전: 발전소에서 생산한 전력을 가정이나 공장으로 수송하는 과정
- 변전: 전력 수송 과정에서 전압을 높이거나 낮추는 과정

◆ **1 W의 전력**
1 W는 1초 동안 1 J의 전기 에너지를 사용할 때의 전력 또는 1 V의 전압에서 1 A의 전류가 흐를 때의 전력이다.

비상 교과서에만 나와요.

◆ **배전**
변전소에서 전기를 사용하는 장소까지 전력을 분배하거나 공급하는 과정
비상 교과서에서는 발전소에서 변전소까지의 전력 수송을 송전, 변전소에서 전기 사용 장소까지의 전력 수송을 배전으로 구분한다.

| 전력 수송 과정 |

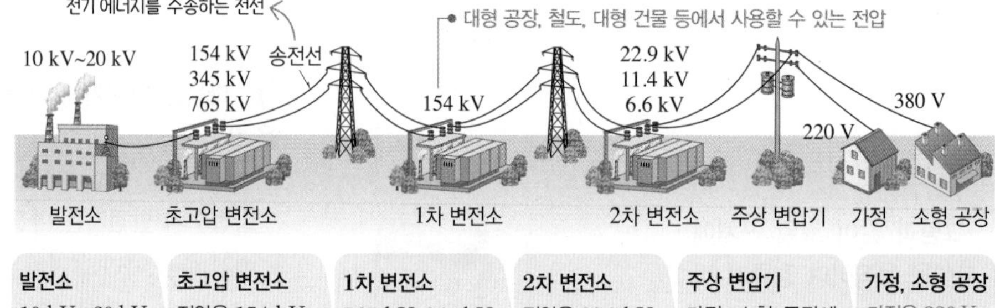

발전소	초고압 변전소	1차 변전소	2차 변전소	주상 변압기	가정, 소형 공장
10 kV~20 kV의 전압으로 전력을 생산한다.	전압을 154 kV, 345 kV, 765 kV로 높인다.	765 kV, 345 kV의 전압을 154 kV까지 낮춘다.	전압을 22.9 kV, 11.4 kV, 6.6 kV까지 더 낮춘다.	가정, 소형 공장에서 사용할 수 있는 전압으로 낮춘다.	가정은 220 V, 소형 공장은 380 V의 전압을 사용한다.

2. 전력 손실

송전 과정에서 송전선에 전류가 흐를 때 송전선의 저항에 의해 열이 발생하여 전기 에너지의 일부가 열에너지로 전환되어 손실된다.

① **손실 전력의 크기:** 송전선에 흐르는 전류 I가 셀수록, 송전선의 저항 R가 클수록 크다.

$$\text{손실 전력}=(\text{전류})^2\times\text{저항},\quad P_{\text{손실}}=I^2R$$

② **손실 전력을 줄이는 방법**

송전선의 저항을 줄인다. (송전선의 길이를 줄여도 송전선의 저항이 감소한다.)	송전 전류의 세기를 줄인다.
• 저항이 작은 송전선을 사용한다. 저항이 가장 작은 재질은 은(Ag)이지만 가격이 비싸므로 구리나 알루미늄을 사용한다. • 송전선을 굵게 만들어 사용한다. 송전선의 생산 비용과 송전선의 무게를 견딜 수 있는 송전탑의 설치 비용이 증가하므로 한계가 있다.	• 일정한 전력 P를 송전할 때 전압 V를 높이면 송전선에 흐르는 전류 I를 줄일 수 있다. 전력은 전압과 전류의 곱이므로 전력은 변화시키지 않고 전압을 높이면 송전선에 흐르는 전류가 줄어든다.

암기해!

손실 전력($P_{\text{손실}}$) 식

$$P_{\text{손실}}=I^2R=\left(\frac{P_0}{V}\right)^2R$$

- 생산 전력$=P_0$
- 송전 전류$=I$
- 송전 전압$=V$
- 송전선 저항$=R$

3. 송전 전압과 손실 전력

일정한 전력 P를 송전할 때 송전 전압 V를 n배 높이면 전류의 세기는 $\frac{1}{n}$배가 되어 송전선에서 손실되는 전력은 $\frac{1}{n^2}$배가 된다.

확대경 송전 전압에 따른 손실 전력의 크기 비교

비상 교과서에만 나와요.

다음은 발전소에서 1만 V의 전압으로 생산한 전력이 400만 W로 일정할 때 전압을 각각 40만 V와 4만 V로 높여 송전한 경우를 나타낸 것이다. 송전선의 저항은 20 Ω이다.

1. 송전 전압이 40만 V인 경우 → 손실 전력은 송전 전압이 4만 V인 경우의 $\frac{1}{100}$배이다.

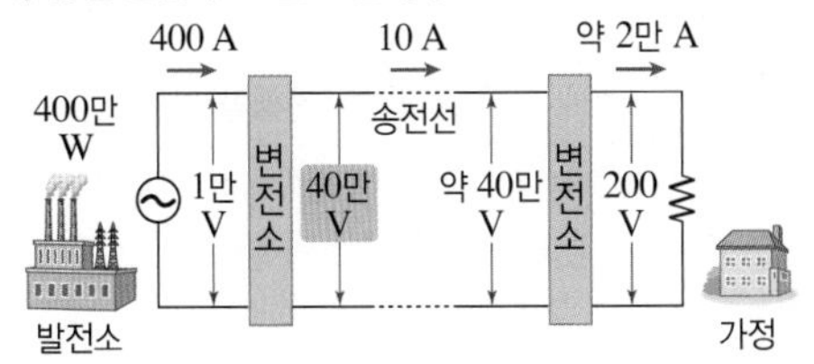

송전 전압	40만 V
송전선에 흐르는 전류	$\frac{400만\ W}{40만\ V}=10\ A$
손실 전력	$(10\ A)^2 \times 20\ \Omega$ $=2000\ W$

송전한 전력의 0.05 %

2. 송전 전압이 4만 V인 경우

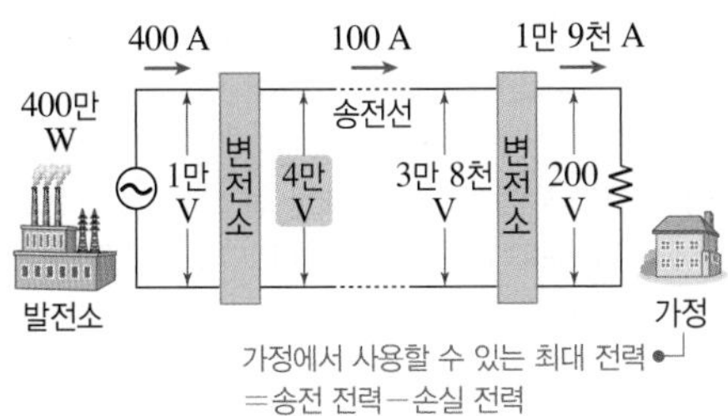

가정에서 사용할 수 있는 최대 전력 =송전 전력−손실 전력

송전 전압	4만 V
송전선에 흐르는 전류	$\frac{400만\ W}{4만\ V}=100\ A$
손실 전력	$(100\ A)^2 \times 20\ \Omega$ $=200000\ W$

송전한 전력의 5 %

송전 전압을 10배 높여서 송전한 경우 손실되는 전력은 $\frac{1}{100}$배로 작아져요.

4. 변압기 전자기 유도 현상을 이용하여 송전 과정에서 전압을 변화시키는 장치로, 1차 코일과 2차 코일의 감은 수를 조절하여 전압을 변화시킨다.

① **구조:** 변압기는 얇은 철판 여러 장을 붙인 철심 양쪽에 코일을 감은 구조이다.

② **원리:** 1차 코일에 ◆교류가 입력될 때 생기는 자기장의 변화가 철심을 통해 2차 코일에 영향을 주므로 2차 코일을 통과하는 자기장이 변하여 2차 코일에 전류가 유도된다.

◆ **발전소에서 생산한 교류와 변압기** 대부분의 발전소는 발전기로 전기 에너지를 생산하므로 발전소에서 생산한 전류는 교류이다. 발전소에서 생산된 교류의 전압은 변압기를 이용하여 바꿀 수 있다.

변압기의 원리

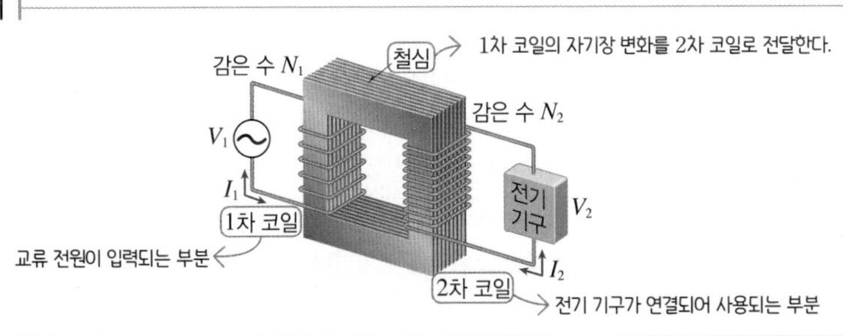

❶ 1차 코일에 세기와 방향이 변하는 교류가 흐른다. → ❷ 1차 코일에 흐르는 전류에 의해 코일 주위의 자기장이 변한다. → ❸ 2차 코일에 전자기 유도 현상이 일어나 전류가 유도된다.

1. 1차 코일과 2차 코일의 전압은 1차 코일과 2차 코일의 감은 수에 비례한다.
   - $\frac{V_1}{V_2}=\frac{N_1}{N_2}$이다. 코일의 감은 수 N_1과 N_2를 조절해서 2차 코일에 유도되는 전압을 조절한다.
2. 변압기에서 전력 손실이 없다면 1차 코일에 공급되는 전력 P_1과 2차 코일에 공급되는 전력 P_2가 같다.
   - $P_1=P_2$이므로 $V_1I_1=V_2I_2$이다.
3. $V_1I_1=V_2I_2$이므로 $\frac{V_1}{V_2}=\frac{N_1}{N_2}=\frac{I_2}{I_1}$가 성립한다.
   - 전압은 코일의 감은 수에 비례하고 전류의 세기는 코일의 감은 수에 반비례한다.

암기해!

변압기에서 코일의 감은 수

$\frac{V_1}{V_2}=\frac{N_1}{N_2}$이므로 전압을 높이려면 1차 코일보다 2차 코일을 더 많이 감아야 하고, 전압을 낮추려면 1차 코일보다 2차 코일을 더 적게 감아야 한다.

D 효율적이고 안전한 전력 수송

우리는 전력 손실을 줄이기 위해 높은 전압으로 송전한 후 소비 지역에서 전압을 낮추어 사용한다는 것을 배웠어요. 이외에도 전력을 효율적이고 안전하게 수송하는 방법은 무엇이 있는지 알아보아요.

1. 효율적인 전력 수송

고전압 송전	송전선에 흐르는 전류를 줄여 저항에 의해 손실되는 전력을 줄인다.
송전선으로 초전도 케이블 사용	송전선으로 저항이 0인 초전도체를 이용한 초전도 케이블을 사용하면 열이 발생하지 않으므로 기존 전선보다 전력 손실이 적어 대용량 전력 수송을 할 수 있다. — 최근 우리나라 경기도 용인시에 1 km 구간의 송전망이 초전도 케이블로 설치되어 상용화에 성공하였다.
거미줄 같은 송전 전력망	• 거미줄 같은 송전 전력망을 구축하면 송전 과정에서 문제가 발생했을 때 문제가 생긴 부분을 차단하고 우회하여 송전할 수 있다. • 전력을 수송하는 거리를 줄여 송전선에서 손실되는 전력을 줄인다. (최단 거리 송전이 가능하다.)
지능형 전력망(스마트 그리드)	소비자의 전력 수요량과 전력 회사의 공급량에 대한 정보를 실시간으로 주고받으며, 장소와 시간에 따라 필요한 전력만 공급하고, 남는 전력을 저장하였다가 필요할 때 다시 공급한다. 한 지역의 소비량이 갑자기 증가하더라도 전력 소비량이 초과되어 대규모 정전이 일어나는 것을 막을 수 있어요. 신재생 에너지 / 발전소 / 공장 / 전력 회사 / 지능형 소비자 / 전기 자동차

2. 안전한 전력 수송

전선 지중화 사업	전기 시설을 땅속에 묻어 도시 미관을 개선하고, 통행 불편을 해소하며, 자연재해나 사고의 위험으로부터 전기 시설을 보호할 수 있다.
로봇을 이용한 선로 점검 및 수리	사람 대신 로봇이 선로를 점검 및 수리하여 *고전압에 의한 안전사고를 줄일 수 있다.
안전장치 설치	• 송전탑을 인적이 드문 지역에 높게 설치한다. (전압이 높을수록 송전탑의 높이가 높다.) • 고압 차단 스위치를 설치한다. • 송전탑과 송전선은 전기가 통하지 않는 [1]애자로 연결한다. 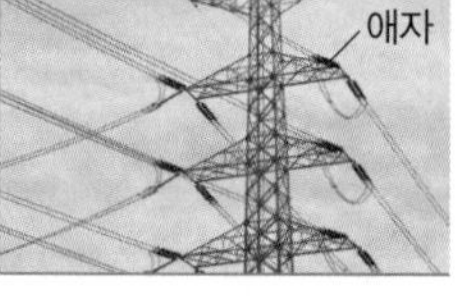

◆ 고전압 송전의 문제점
- 고전압으로 인해 공기 중으로 전하가 이동하는 방전이 일어날 수 있으므로 감전 사고의 위험이 높다.
- 강한 자기장이 송전선 주변 통신에 교란을 줄 수 있다.

확대경 초고압 직류 송전

초고압 직류 송전은 전력용 반도체를 이용하여 교류를 높은 전압의 직류로 바꾸어 송전하는 방식으로, 기존 교류 송전 방식보다 손실되는 전력과 전자파의 위험이 적어 장거리 송전, 해저 케이블 등 다양하게 활용할 수 있다. 우리나라도 진도와 제주도 사이에 해저 케이블을 설치하여 초고압 직류 송전을 하고 있다.

전선을 지하에 묻는 비용이 교류 송전보다 적게 든다.

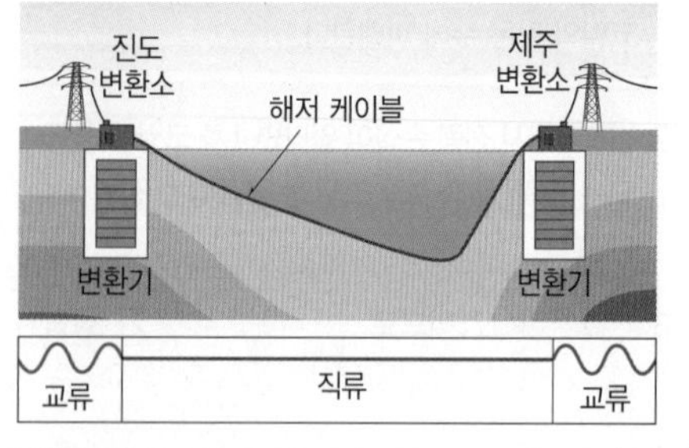

진도 – 제주 간 초고압 직류 송전

(용어)
[1] 애자(insulator, 碍 방해하다, 子 아들) 송전선 등에서 전기가 통하지 않도록 이용하는 기구

개념 확인 문제

정답친해 153쪽

핵심 체크

- (❶): 단위시간당 생산 또는 사용하는 전기 에너지로, (❷)과 전류의 곱이다.
- (❸) 과정: 발전소에서 생산한 전력을 송전선을 통해 가정이나 공장으로 수송하는 과정
- 전력 손실: 송전선에 전류가 흐를 때 저항에 의해 전기 에너지의 일부가 (❹)로 전환되어 손실되는 것
  - 손실 전력=(❺)^2× 저항
  - 손실 전력을 줄이는 방법: 높은 (❻)으로 송전하거나 저항이 (❼) 재질의 송전선을 사용한다.
- (❽): 송전 과정에서 전압을 변화시키는 장치로, 1차 코일과 2차 코일의 감은 수를 조절하여 전압을 변화시킨다.
- 효율적인 전력 수송: 송전선으로 (❾) 케이블을 사용하면 열이 발생하지 않아 전력 손실이 적다.

1 전력에 대한 설명으로 옳은 것은 ○, 옳지 않은 것은 ×로 표시하시오.

(1) 전압과 시간의 곱과 같다. ( )
(2) 단위는 W(와트)를 사용한다. ( )
(3) 1초 동안에 공급 또는 사용하는 전기 에너지이다. ( )
(4) 1 W는 1 V의 전압에서 1 A의 전류가 흐를 때의 전력이다. ( )

2 일정한 전력을 송전할 때 손실 전력을 줄이는 방법에 대한 설명으로 옳은 것은 ○, 옳지 않은 것은 ×로 표시하시오.

(1) 송전선의 저항을 줄인다. ( )
(2) 낮은 전압으로 송전한다. ( )
(3) 송전선에 흐르는 전류를 줄인다. ( )

3 일정한 전력을 송전할 때 전압을 2배 높여 송전하면 송전선에서 손실되는 전력은 몇 배가 되는지 쓰시오.

4 송전 과정에서 변압기로 전압을 변화시킬 때 어떤 현상을 이용하는지 쓰시오.

5 그림은 변압기의 구조를 나타낸 것이다.

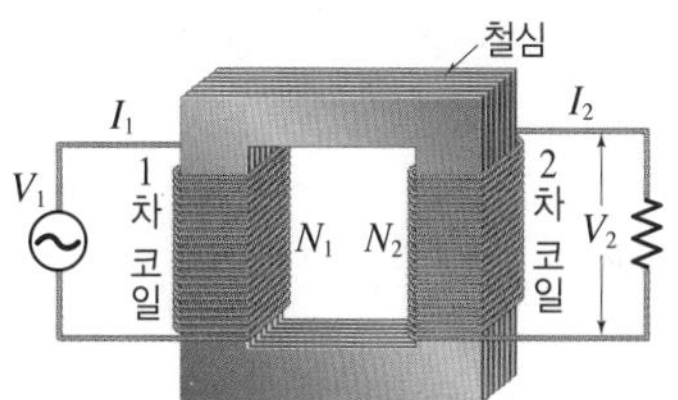

1, 2차 코일의 감은 수와 전압, 전류 사이의 관계식으로 옳은 것만을 [보기]에서 있는 대로 고르시오.(단, 변압기에서 에너지 손실은 무시한다.)

보기

ㄱ. $\frac{V_1}{V_2}=\frac{N_1}{N_2}$ ㄴ. $V_1I_1=V_2I_2$ ㄷ. $\frac{I_1}{I_2}=\frac{N_1}{N_2}$

6 다음은 안전한 전력 수송 과정에 대한 설명이다. ( ) 안에 알맞은 말을 쓰시오.

- 송전 전압이 높을수록 송전탑을 인적이 드문 곳에 ㉠( ) 설치한다.
- 주택 근처의 전봇대를 없애고 전선을 땅속에 묻어 전선 ㉡( )한다.

7 소비자의 전력 수요량과 전력 회사의 전력 공급량에 대한 정보를 실시간으로 주고받으며, 장소와 시간에 따라 필요한 전력만 공급하고 남는 전력을 저장하였다가 필요할 때 다시 공급하는 시스템을 무엇이라고 하는지 쓰시오.

내신 만점 문제

A 전자기 유도

01 그림과 같이 코일 가까이에서 자석의 N극을 아래로 향하고, 자석을 a 방향으로 움직이면 검류계의 바늘이 오른쪽으로 움직였다.
검류계의 바늘이 왼쪽으로 움직이게 하는 방법으로 옳은 것만을 [보기]에서 있는 대로 고른 것은?

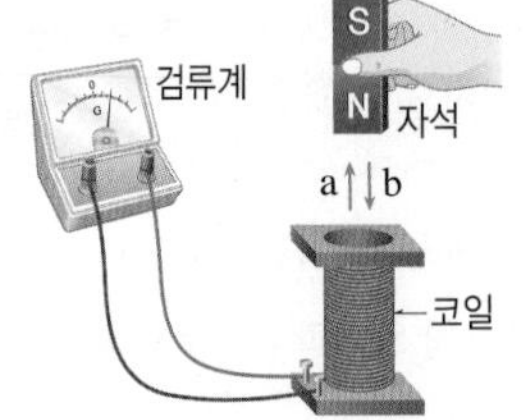

ㄱ. 자석의 N극을 아래로 향하고 b 방향으로 움직인다.
ㄴ. 자석의 S극을 아래로 향하고 a 방향으로 움직인다.
ㄷ. 자석의 S극을 아래로 향하고 b 방향으로 움직인다.

① ㄱ ② ㄴ ③ ㄷ
④ ㄱ, ㄴ ⑤ ㄴ, ㄷ

중요 **02** 그림은 고정된 코일의 중심축을 따라 화살표 방향으로 자석이 일정한 속력으로 운동하고 있는 모습을 나타낸 것이다.
이에 대한 설명으로 옳지 않은 것은?

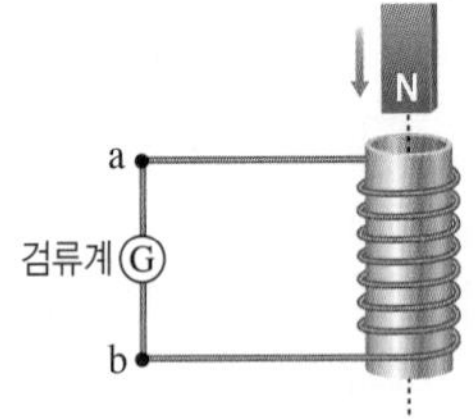

① 코일의 위쪽은 N극을 띤다.
② 코일 내부의 자기장이 약해진다.
③ 유도 전류의 방향은 a → Ⓖ → b이다.
④ 자석과 코일 사이에는 척력이 작용한다.
⑤ 자석이 코일에 가까워지는 속력이 클수록 유도 전류의 세기는 세진다.

B 전기 에너지의 생산

03 그림은 발전기의 구조를 나타낸 것이다.
코일이 자석 사이에서 회전할 때 나타나는 현상으로 옳은 것만을 [보기]에서 있는 대로 고른 것은?

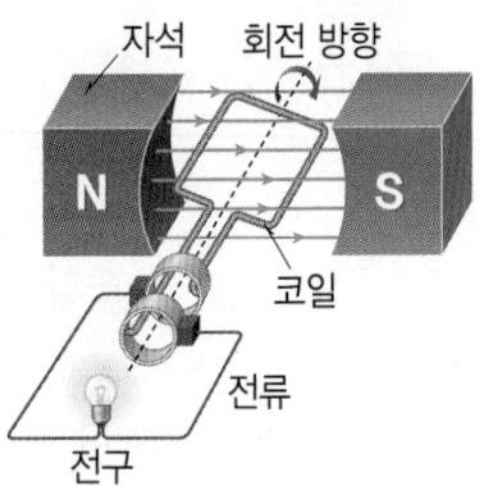

보기
ㄱ. 전기 에너지가 코일의 운동 에너지로 전환된다.
ㄴ. 코일이 빠르게 회전할수록 유도 전류의 세기가 약해진다.
ㄷ. 코일이 회전할 때 코일을 통과하는 자기장의 변화가 생긴다.

① ㄱ ② ㄷ ③ ㄱ, ㄴ
④ ㄴ, ㄷ ⑤ ㄱ, ㄴ, ㄷ

중요 **04** 그림은 화력 발전소, 수력 발전소, 핵발전소의 발전 과정을 나타낸 것이다.

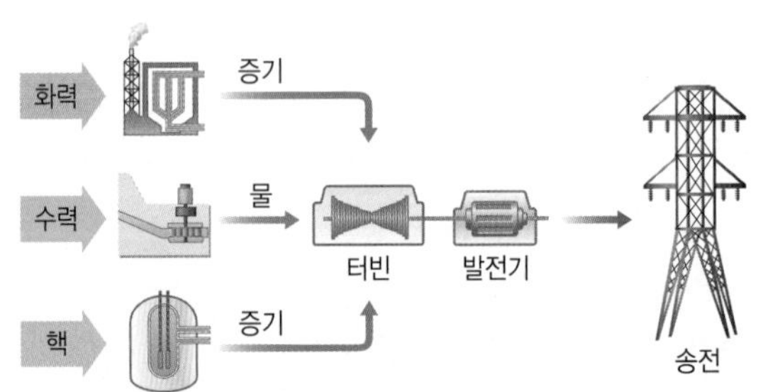

이에 대한 설명으로 옳은 것만을 [보기]에서 있는 대로 고른 것은?

보기
ㄱ. 발전기는 전자기 유도를 이용하여 전기 에너지를 생산한다.
ㄴ. 터빈은 기체나 액체의 흐름을 이용하여 회전 운동을 얻는 장치이다.
ㄷ. 세 가지 발전 방식 모두 열에너지 → 운동 에너지 → 전기 에너지의 에너지 전환 과정을 거친다.

① ㄱ ② ㄷ ③ ㄱ, ㄴ
④ ㄴ, ㄷ ⑤ ㄱ, ㄴ, ㄷ

05 화력 발전소와 핵발전소의 공통점으로 옳은 것만을 [보기]에서 있는 대로 고른 것은?

보기
ㄱ. 발전기에 연결된 터빈을 돌린다.
ㄴ. 화석 연료의 화학 에너지를 이용한다.
ㄷ. 물을 끓여 얻은 증기의 힘으로 터빈을 돌린다.

① ㄱ ② ㄴ ③ ㄱ, ㄷ
④ ㄴ, ㄷ ⑤ ㄱ, ㄴ, ㄷ

C 전기 에너지의 수송

06 220 V의 전압에서 2 A의 전류가 흐를 때 공급되는 전력은?

① 55 W ② 110 W ③ 220 W
④ 440 W ⑤ 880 W

중요 **07** 그림은 우리나라 발전소에서 생산한 전기 에너지를 가정으로 공급하는 과정을 나타낸 것이다.

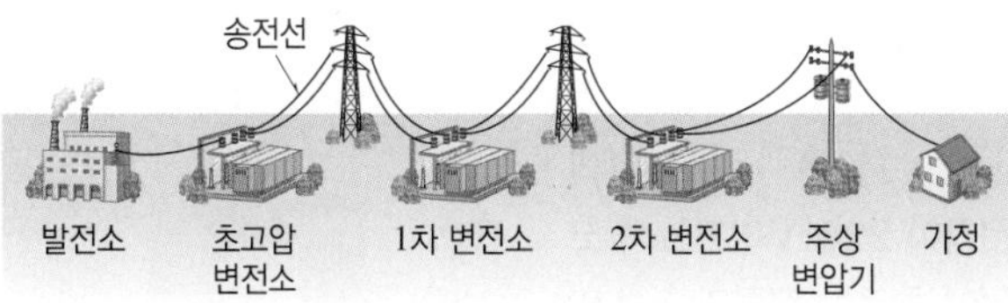

이에 대한 설명으로 옳은 것만을 [보기]에서 있는 대로 고른 것은?

보기
ㄱ. 초고압 변전소에서는 전압을 높인다.
ㄴ. 1차 변전소의 변압기는 1차 코일에 걸리는 전압이 2차 코일에 걸리는 전압보다 크다.
ㄷ. 주상 변압기는 전압을 가정이나 소형 공장에서 사용할 수 있는 전압으로 낮춘다.

① ㄱ ② ㄷ ③ ㄱ, ㄴ
④ ㄴ, ㄷ ⑤ ㄱ, ㄴ, ㄷ

중요 **08** 전력 손실에 대한 설명으로 옳지 않은 것은?

① 전기 에너지의 일부가 열에너지로 전환되어 손실되는 것이다.
② 송전 전압을 높이면 전력 손실을 줄일 수 있다.
③ 송전선의 길이를 줄이면 전력 손실을 줄일 수 있다.
④ 송전선에 흐르는 전류를 줄이면 전력 손실을 줄일 수 있다.
⑤ 송전선의 굵기를 가늘게 만들수록 전력 손실을 줄일 수 있다.

09 그림은 변전소에서 저항값이 같은 송전선 A, B를 통해 동일한 전력을 각각 V, $10V$의 전압으로 송전하는 모습을 나타낸 것이다.

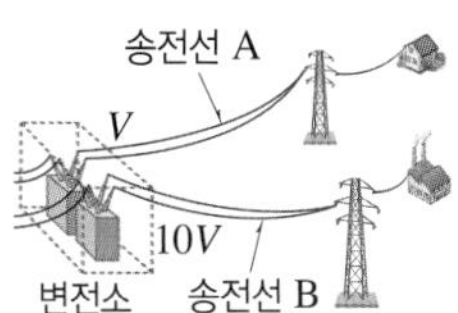

송전선 B에 흐르는 전류와 손실 전력은 각각 송전선 A의 몇 배인가?

	전류	손실 전력		전류	손실 전력
①	$\frac{1}{10}$배	$\frac{1}{100}$배	②	$\frac{1}{10}$배	$\frac{1}{10}$배
③	$\frac{1}{10}$배	10배	④	10배	$\frac{1}{10}$배
⑤	10배	100배			

10 그림은 변압기의 구조를 나타낸 것이다.
이에 대한 설명으로 옳은 것만을 [보기]에서 있는 대로 고른 것은?(단, 변압기에서 에너지 손실은 무시한다.)

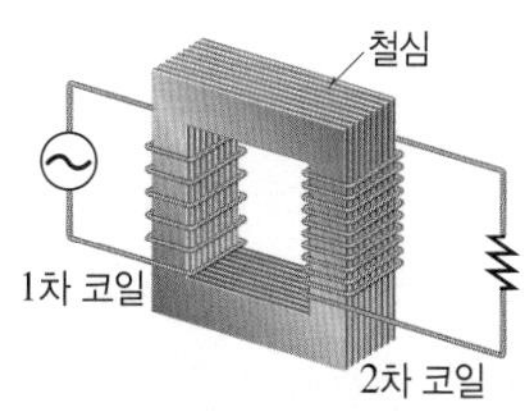

보기
ㄱ. 1차 코일에는 직류가 흐른다.
ㄴ. 전압을 높이려면 2차 코일을 1차 코일보다 많이 감아야 한다.
ㄷ. 2차 코일의 감은 수가 1차 코일보다 적을 때, 1차 코일에 공급되는 전력보다 2차 코일에 유도되는 전력이 작다.

① ㄱ ② ㄴ ③ ㄱ, ㄷ
④ ㄴ, ㄷ ⑤ ㄱ, ㄴ, ㄷ

중요 **11** 변전소 변압기의 1차 코일과 2차 코일의 감은 수의 비가 1 : 100일 때, 2차 코일의 전압과 전류는 각각 1차 코일의 몇 배인가?(단, 변압기에서 에너지 손실은 무시한다.)

	전압	전류		전압	전류
①	$\frac{1}{100}$배	$\frac{1}{100}$배	②	$\frac{1}{100}$배	100배
③	100배	$\frac{1}{100}$배	④	100배	$\frac{1}{10}$배
⑤	100배	100배			

12 발전소에서 생산한 200 W의 전력을 저항이 4 Ω인 송전선을 통해 100 V의 전압으로 소비자에게 송전한다면, 소비자가 사용할 수 있는 최대 전력은?

① 136 W ② 152 W ③ 184 W
④ 197 W ⑤ 200 W

D 효율적이고 안전한 전력 수송

중요 **13** 발전소에서 생산한 전력을 효율적이고 안전하게 수송하는 방법과 거리가 먼 것은?

① 전기 시설을 지중화한다.
② 로봇을 이용해 선로를 점검하거나 수리한다.
③ 전력 사용량을 정확히 예측하여 발전량을 조절한다.
④ 송전선의 저항에 의한 전력 손실을 줄이기 위해 송전 전압을 낮게 송전한다.
⑤ 송전 과정에 문제가 생겼을 때 우회가 가능하도록 거미줄 같은 송전 전력망을 구축한다.

14 초고압 직류 송전에 대한 설명으로 옳은 것만을 [보기]에서 있는 대로 고른 것은?

> 보기
> ㄱ. 변압기를 이용하여 교류를 높은 전압의 직류로 바꿔 송전하는 방식이다.
> ㄴ. 교류 송전보다 전력 손실과 전자기파 발생 위험이 적다.
> ㄷ. 전선을 지하에 묻는 비용이 교류 송전보다 적게 든다.

① ㄱ ② ㄴ ③ ㄱ, ㄷ
④ ㄴ, ㄷ ⑤ ㄱ, ㄴ, ㄷ

서술형 문제

15 그림은 전자기 유도 실험을 나타낸 것이다.

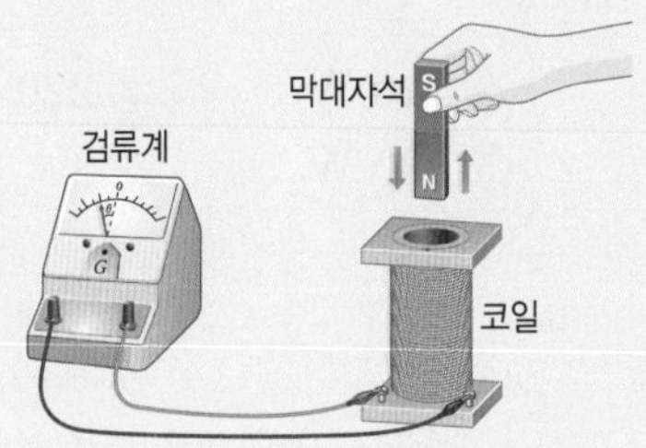

검류계에 흐르는 유도 전류의 세기를 증가시키는 방법을 세 가지 서술하시오.

16 그림은 1차 코일의 전압이 220 V이고 1차 코일에 흐르는 전류가 1 A인 변압기를 나타낸 것이다. 1차 코일의 감은 수는 20회이고 2차 코일의 감은 수는 10회이며, 변압기에서 일어나는 에너지 손실은 없다.

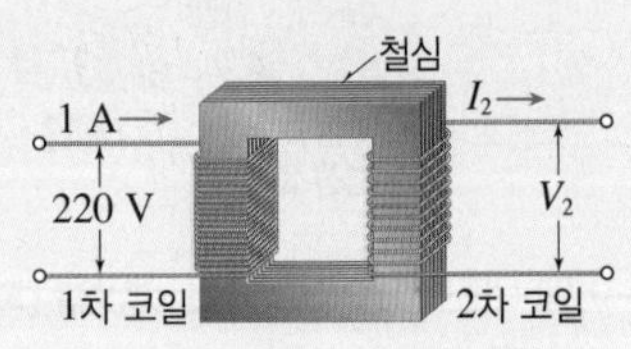

(1) 2차 코일에 유도되는 전압 V_2는 몇 V인지 계산 과정과 함께 구하시오.

(2) 2차 코일에 흐르는 전류 I_2는 몇 A인지 계산 과정과 함께 구하시오.

실력 UP 문제

정답친해 156쪽

01 그림은 마찰이 없는 레일을 따라 내려온 자석이 코일을 통과하는 모습을 나타낸 것이다. 점 p, q는 레일 위에 있는 두 점이다.

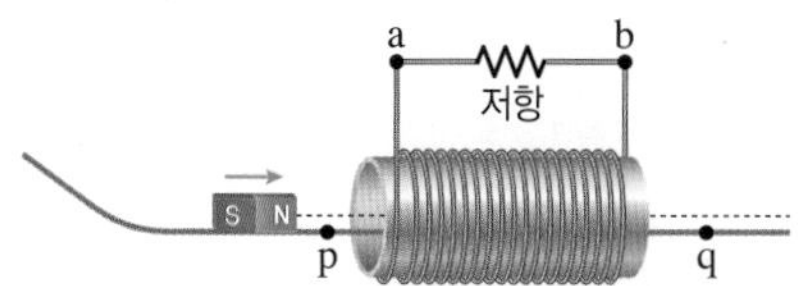

이에 대한 설명으로 옳은 것만을 [보기]에서 있는 대로 고른 것은?

보기

ㄱ. 자석이 p를 지날 때 유도 전류는 b → 저항 → a 방향으로 흐른다.
ㄴ. 자석의 속력은 q에서가 p에서보다 느리다.
ㄷ. 자석이 p를 지날 때와 q를 지날 때 모두 자석과 코일 사이에 척력이 작용한다.

① ㄱ ② ㄴ ③ ㄷ
④ ㄱ, ㄴ ⑤ ㄴ, ㄷ

02 그림 (가)는 코일 위에서 자석을 연직 방향으로 운동시키는 모습을, (나)는 (가)에서 코일과 자석 사이의 간격 d를 시간에 따라 나타낸 것이다.

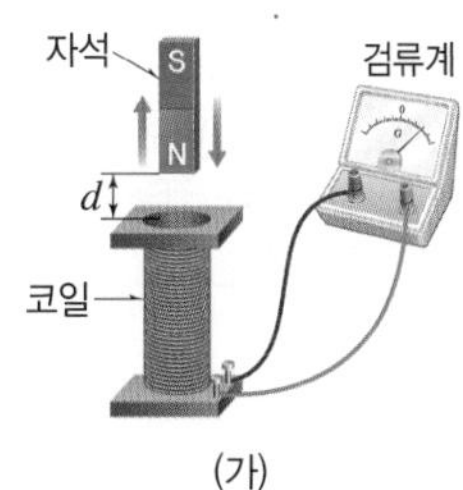

(가)

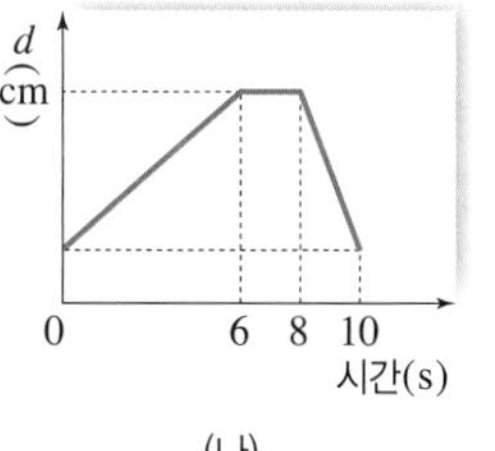

(나)

검류계에 흐르는 유도 전류에 대한 설명으로 옳은 것만을 [보기]에서 있는 대로 고른 것은?

보기

ㄱ. 7초일 때 전류가 최대이다.
ㄴ. 전류의 세기는 3초일 때가 9초일 때보다 크다.
ㄷ. 전류의 방향은 3초일 때와 9초일 때가 서로 반대이다.

① ㄱ ② ㄷ ③ ㄱ, ㄴ
④ ㄴ, ㄷ ⑤ ㄱ, ㄴ, ㄷ

03 그림은 발전소에서 생산한 전력 400만 W의 전압을 변전소에서 1만 V에서 4만 V로 높여 송전한 경우를 나타낸 것이다. 변전소의 변압기에서 에너지 손실은 없으며, 송전선 저항은 40 Ω이다.

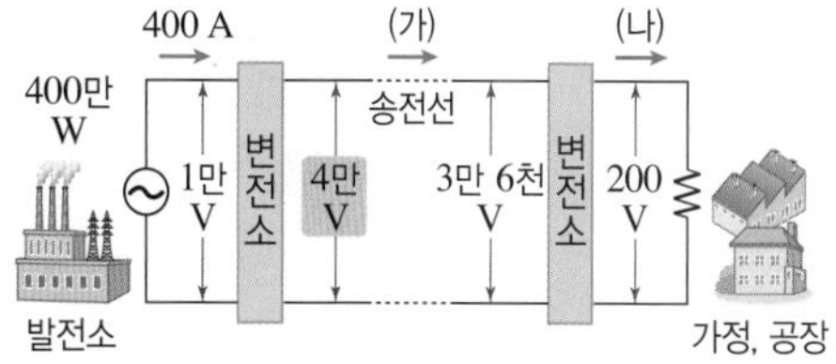

이에 대한 설명으로 옳은 것만을 [보기]에서 있는 대로 고른 것은?

보기

ㄱ. (가)의 송전선에 흐르는 전류는 10 A이다.
ㄴ. (가)의 송전선에서 손실되는 전력은 40만 W이다.
ㄷ. (나)의 송전선에 흐르는 전류는 1만 8천 A이다.

① ㄱ ② ㄴ ③ ㄷ
④ ㄱ, ㄴ ⑤ ㄴ, ㄷ

04 그림은 변전소에서 송전 전력 P, $2P$를 각각 송전선 A, B를 통해 송전하는 모습을, 표는 A, B에서의 송전 전압과 전류의 세기 및 손실 전력을 나타낸 것이다.

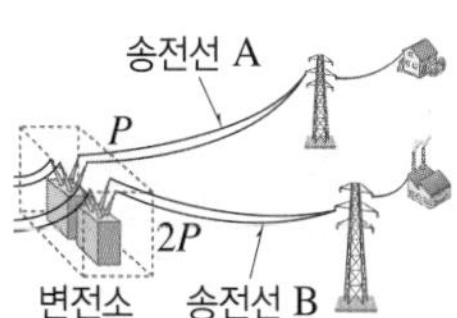

송전선	A	B
송전 전압	V	V
전류의 세기	I	㉠
손실 전력	P_0	$2P_0$

이에 대한 설명으로 옳은 것만을 [보기]에서 있는 대로 고른 것은?

보기

ㄱ. A, B에 교류가 흐른다.
ㄴ. ㉠은 $2I$이다.
ㄷ. 송전선의 저항값은 A가 B의 2배이다.

① ㄱ ② ㄴ ③ ㄱ, ㄷ
④ ㄴ, ㄷ ⑤ ㄱ, ㄴ, ㄷ

2 태양 에너지의 생성과 전환

핵심 포인트
1. 수소 핵융합 반응 ★★★
2. 질량 결손 ★
3. 태양 에너지의 전환 ★★

A 태양 에너지의 생성

태양 에너지는 지구에 도달하여 지구에 자연 변화를 일으키며 생명체가 생명 활동을 유지하는 데 근원이 되는 에너지라 할 수 있습니다. 그러면 태양 에너지는 어떻게 만들어지는 것인지 알아볼까요?

1. 태양 태양은 주로 수소와 헬륨으로 이루어져 있으며, 중심부는 약 1500만 K인 초고온 상태로, 수소와 헬륨이 원자핵과 전자가 분리된 ◆플라스마 상태로 존재한다.

◆**플라스마 상태**
태양 중심부와 같은 초고온 상태에서 원자가 원자핵과 전자로 분리되어 활발하게 움직이는 상태

2. 태양 에너지의 생성 태양 에너지는 태양 중심부에서 일어나는 ◆수소 핵융합 반응을 통해 생성된다. ➡ 수소 원자핵 4개가 융합하여 헬륨 원자핵 1개를 만드는 수소 핵융합 반응에서 질량이 감소하는데, 감소한 질량이 태양 에너지로 전환되어 방출된다.

비상 교과서에만 나와요.

◆**수소 핵융합 반응**
수소 원자핵 6개가 반응에 참여하여 헬륨 원자핵 1개와 수소 원자핵 2개를 만든다.
➡ 결과적으로 수소 핵융합 반응은 수소 원자핵 4개가 뭉쳐 헬륨 원자핵 1개를 만드는 반응이다.

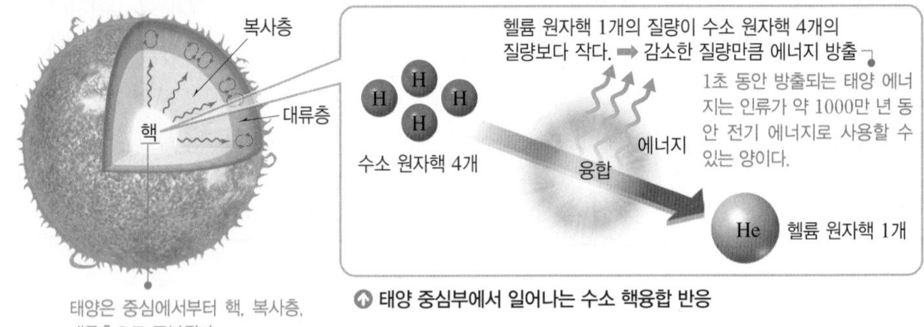

태양은 중심에서부터 핵, 복사층, 대류층으로 구분된다.

▲ 태양 중심부에서 일어나는 수소 핵융합 반응

암기해!
수소 핵융합 반응
수소 원자핵 4개 ➡ 헬륨 원자핵 1개

3. 질량과 에너지의 관계

① **질량 결손:** 수소 핵융합 반응과 같은 핵반응에서 반응 후 입자들의 질량 합이 반응 전보다 줄어드는데 이때의 질량 차이를 말한다. — 질량 결손은 원자핵을 구성하는 입자들의 질량 합과 원자핵의 질량 차이를 말한다.

② **질량과 에너지의 관계:** 질량과 에너지는 서로 전환될 수 있는 양으로, 핵반응에 의한 질량 결손이 Δm이면 이때 방출하는 에너지 E는 다음과 같다. — 아인슈타인의 이론으로, 질량 에너지 등가 원리라고 한다.

$$E = \Delta mc^2 \ (c: \text{빛의 속력})$$

◆**핵융합 발전**
핵융합 발전은 바닷물에 풍부한 중수소와 3중 수소를 융합하여 헬륨으로 만드는 과정에서 발생한 에너지로 전기 에너지를 생산하는 발전 방식이다.

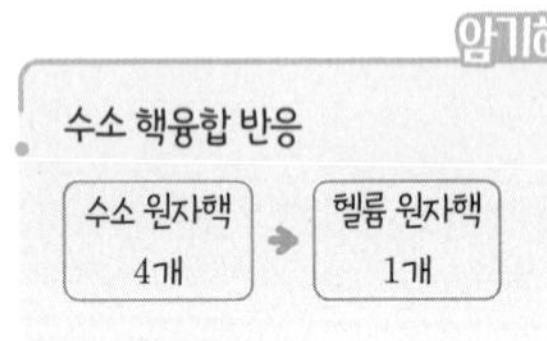

헬륨 원자핵의 질량 결손

그림 (가)는 따로 떨어져 정지해 있는 양성자 2개와 중성자 2개를 나타낸 것이고, (나)는 헬륨 원자핵을 나타낸 것이다. 표는 양성자, 중성자, 헬륨 원자핵 1개의 질량을 나타낸 것이다.

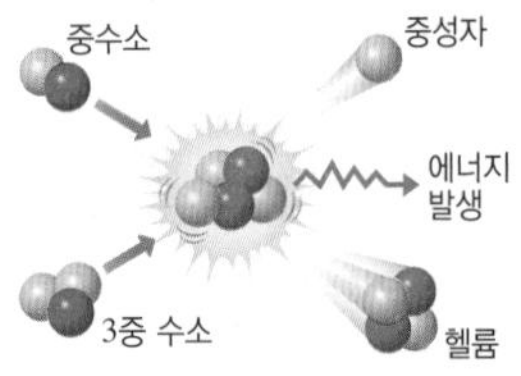

입자	질량(◆u)
양성자	1.0073
중성자	1.0087
헬륨 원자핵	4.0015

- (가)의 총 질량: $(1.0073\ u + 1.0087\ u) \times 2 = 4.0320\ u$
- (나)의 질량: $4.0015\ u$ → 헬륨 원자핵의 질량은 원자핵을 구성하는 양성자와 중성자의 질량의 합보다 작다.

➡ 양성자와 중성자가 결합하여 원자핵을 이룰 때 질량의 합이 줄어든다. 이때 줄어든 질량이 질량 결손에 해당한다.

◆**원자 질량의 단위(u)**
원자나 분자 등의 질량과 같은 작은 질량의 단위로, 안정한 상태의 탄소 12 원자 질량의 $\frac{1}{12}$을 기준으로 정한다.
$1\ u = 1.66 \times 10^{-27}\ kg$

B 태양 에너지의 전환과 순환

1. 태양 에너지 태양 에너지는 ◆지구에 도달하여 직접 다른 에너지로 전환되기도 하고, 전환되어 축적된 후 또 다른 에너지로 전환되기도 한다. 이 과정에서 여러 가지 에너지 ❶순환을 일으키므로, 태양 에너지는 지구에서 일어나는 에너지 순환의 근원이 된다.

2. 태양 에너지의 전환과 이용 태양 에너지는 여러 가지 다른 형태의 에너지로 전환되며, 모든 생명체의 생명 활동을 유지시키고 지표면에서 자연 현상의 대부분을 일으킨다.

광합성	광합성을 통해 식물에 양분으로 저장되어 생명체의 에너지원이 된다. (빛에너지 ➡ 화학 에너지)	태양광 발전 	태양 전지와 같은 장치를 사용해 태양 에너지를 전기 에너지로 직접 전환한다. (빛에너지 ➡ 전기 에너지)
화석 연료	생명체의 유해가 오랫동안 땅속에 묻혀 화석 연료가 된다. (화학 에너지)	화력 발전	화석 연료를 연소시켜 전기 에너지를 생산한다. (화학 에너지 ➡ 전기 에너지)
기상 현상	태양열에 의해 물이 증발하여 비, 눈과 같은 ◆기상 현상이 일어난다. (열에너지 ➡ 역학적 에너지)	수력 발전	비, 눈 등을 댐에 저장하여 수력 발전에 활용한다. (퍼텐셜 에너지 ➡ 전기 에너지)

| 태양 에너지의 전환 |

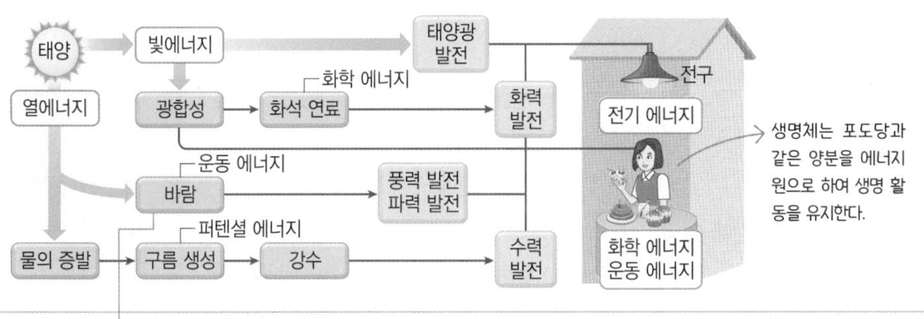

대기가 태양의 열에너지를 흡수하면 기온이 상승하고 기압의 차이가 발생하여 바람이 분다.

3. 태양 에너지에 의한 에너지 순환

◆대기와 해수의 순환	탄소의 순환
에너지 부족 / 태양 복사 에너지 / 지구 복사 에너지 / 극 / 대기와 해수의 순환 / 에너지 과잉 / 적도	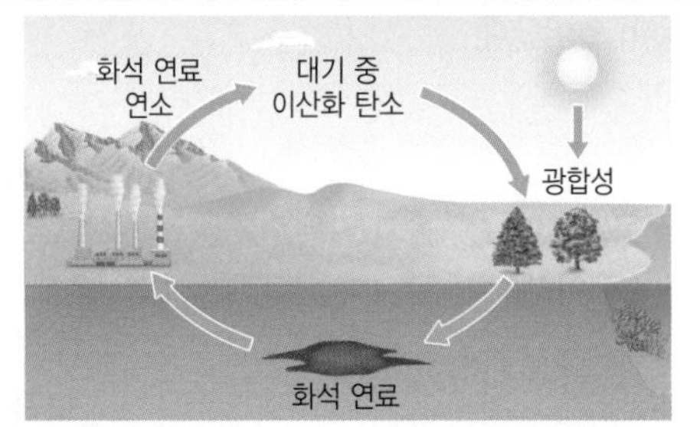
위도별로 입사하는 태양 에너지와 방출하는 지구 에너지 사이에 차이가 있다. ➡ 저위도의 남는 에너지는 에너지가 부족한 고위도로 이동하며 이 과정에서 대기와 해수가 순환한다.	대기 중의 이산화 탄소는 태양 에너지와 함께 화학 에너지 형태로 포도당에 저장되고 생명체의 유해는 땅속에 묻혀 화석 연료가 된다. ➡ 탄소를 매개로 하는 순환을 일으키며 다양한 에너지로 전환된다.

◆ **지구에 도달하는 태양 에너지**
지구에 도달하는 태양 에너지는 태양에서 방출하는 에너지의 약 $\frac{1}{20억}$이다.

주의해!
태양 에너지가 근원이 아닌 에너지
지구 내부 에너지, 우라늄 핵에너지 등
- 지구 내부 에너지에 의해 일어나는 현상으로 지진, 화산 활동 등이 있다.

◆ **기상 현상에서 에너지 전환**
태양열에 의해 물이 증발하여 구름이 되었다가(열에너지 → 구름의 퍼텐셜 에너지) 비, 눈이 되어 내린다.(퍼텐셜 에너지 → 비, 눈의 운동 에너지)

◆ **태양 에너지의 순환**
지구에 도달한 태양 에너지 일부는 대기와 지표에서 반사되고, 나머지는 대기와 지표에 흡수된다. 지표에 흡수된 에너지는 대기로 방출되고, 대기가 흡수한 에너지의 일부는 다시 지표로 방출되어 에너지 순환이 일어난다.

◆ **대기와 해수의 순환**
대기와 해수가 순환하며 지구는 에너지 평형을 유지한다. ➡ 생명체가 생존하기에 적당한 기온이 유지된다.

용어
❶ 순환(循 돌다, 環 고리) 주기적으로 반복되거나 되풀이하여 도는 것

개념 확인 문제

정답친해 157쪽

핵심 체크

- 태양 에너지의 생성
  - 태양 중심부에서 (❶   ) 반응으로 생성된다.
  - 핵반응 후 질량의 합이 핵반응 전보다 줄어드는데, 핵반응 전과 후 질량 합의 차이를 (❷   )이라고 한다.
- 태양 에너지의 전환

광합성	식물은 광합성을 통해 태양의 (❸)에너지를 포도당에 화학 에너지 형태로 저장한다.
기상 현상	물이 증발하여 구름이 되었다가(태양의 (❹)에너지 → 퍼텐셜 에너지) 비와 눈이 되어 내린다.(퍼텐셜 에너지 → 운동 에너지)
태양광 발전	태양의 빛에너지가 직접 (❺) 에너지로 전환된다.

- 지구에서 태양 에너지에 의해 일어나는 에너지 순환
  - (❻   )와 (❼   )의 순환: 저위도의 남는 에너지가 고위도로 운반되면서 순환한다.
  - 탄소의 순환: 태양 에너지는 (❽   )를 매개로 하는 순환 과정을 거쳐 다양한 에너지로 전환된다.

1 태양에 대한 설명으로 옳은 것은 ○, 옳지 않은 것은 ×로 표시하시오.

(1) 태양 중심부는 온도가 약 1500만 K인 초고온 상태이다. (   )

(2) 주로 수소와 헬륨으로 구성되어 있고, 중심부는 원자핵과 전자가 분리된 플라스마 상태로 존재한다. (   )

(3) 태양 에너지는 태양 표면에서 일어나는 수소 핵융합 반응으로 생성된다. (   )

2 다음은 핵융합 반응에 대한 설명이다. (   ) 안에 알맞은 말을 쓰시오.

> 핵융합 반응은 가벼운 원자핵이 융합하여 무거운 원자핵으로 변환되는 반응으로, 태양의 중심부에서는 4개의 ㉠(   ) 원자핵이 융합하여 1개의 ㉡(   ) 원자핵이 만들어지는 수소 핵융합 반응이 일어난다.

3 질량과 에너지에 대한 설명으로 옳은 것은 ○, 옳지 않은 것은 ×로 표시하시오.(단, c는 빛의 속력이다.)

(1) 질량과 에너지는 서로 변환될 수 있는 물리량이다. (   )

(2) 물체의 질량이 Δm만큼 감소하면 Δmc만큼의 에너지가 발생한다. (   )

(3) 태양 에너지는 질량 결손에 의해 생성된다. (   )

4 지구의 지표와 대기 및 해양에서 여러 가지 기상 변화를 일으키며 지구에서 여러 가지 에너지 순환을 일으키는 근원이 되는 에너지는 무엇인지 쓰시오.

5 그림과 같이 비가 내리는 기상 현상에서 태양 에너지의 전환에 의해 나타나는 에너지의 종류가 아닌 것은?

① 열에너지 ② 운동 에너지 ③ 화학 에너지 ④ 퍼텐셜 에너지 ⑤ 역학적 에너지

6 태양 에너지가 근원인 에너지로 옳은 것만을 [보기]에서 있는 대로 고르시오.

> 보기
> ㄱ. 우라늄의 핵에너지
> ㄴ. 화석 연료의 화학 에너지
> ㄷ. 지열 발전의 지열 에너지
> ㄹ. 풍력 발전에 의한 전기 에너지
> ㅁ. 댐에 저장된 물의 퍼텐셜 에너지

내신 만점 문제

정답친해 157쪽

A 태양 에너지의 생성

01 그림은 태양의 내부 구조를 나타낸 것이다.

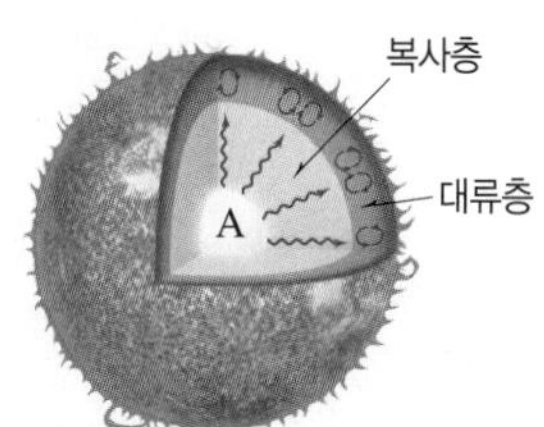

A에 대한 설명으로 옳은 것만을 [보기]에서 있는 대로 고른 것은?

> 보기
> ㄱ. 수소 핵융합 반응이 일어난다.
> ㄴ. 수소와 헬륨이 플라스마 상태로 존재한다.
> ㄷ. 시간이 지날수록 헬륨의 양은 점점 감소한다.

① ㄱ ② ㄷ ③ ㄱ, ㄴ
④ ㄴ, ㄷ ⑤ ㄱ, ㄴ, ㄷ

[02~03] 그림은 태양에서 일어나는 수소 핵융합 반응을 나타낸 것이다.

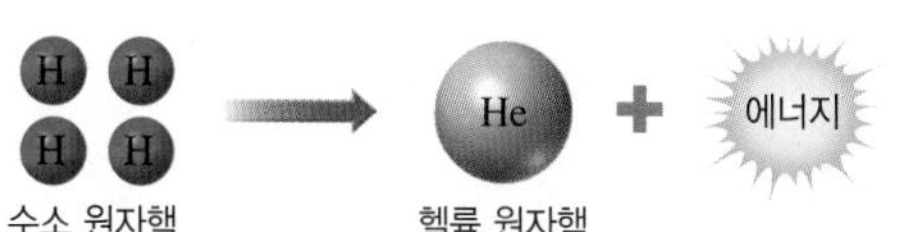

02 이 반응에 대한 설명으로 옳은 것만을 [보기]에서 있는 대로 고른 것은?

> 보기
> ㄱ. 수소 핵융합 반응은 초고온 상태에서 일어난다.
> ㄴ. 핵융합 반응 전의 전체 질량이 반응 후의 전체 질량보다 크다.
> ㄷ. 수소 핵융합 반응에서 발생하는 에너지는 지구에 도달하여 다른 형태의 에너지로 전환된다.

① ㄱ ② ㄴ ③ ㄱ, ㄷ
④ ㄴ, ㄷ ⑤ ㄱ, ㄴ, ㄷ

중요 **03** 이 반응에서 에너지가 발생하는 원리로 옳은 것은?

① 질량이 에너지로 전환된 것이다.
② 빛에너지가 열에너지로 전환된 것이다.
③ 열에너지가 빛에너지로 전환된 것이다.
④ 운동 에너지가 열에너지로 전환된 것이다.
⑤ 화학 에너지가 열에너지로 전환된 것이다.

중요 **04** 질량과 에너지의 관계에 대한 설명으로 옳은 것만을 [보기]에서 있는 대로 고른 것은?(단, c는 빛의 속력이다.)

> 보기
> ㄱ. 질량이 m인 물체가 가지는 에너지는 mc이다.
> ㄴ. 핵반응 후 질량이 감소한 만큼 에너지가 발생한다.
> ㄷ. 질량은 에너지로 전환될 수 있지만 에너지는 질량으로 전환될 수 없다.

① ㄱ ② ㄴ ③ ㄱ, ㄷ
④ ㄴ, ㄷ ⑤ ㄱ, ㄴ, ㄷ

B 태양 에너지의 전환과 순환

05 태양 에너지에 대한 설명으로 옳은 것만을 [보기]에서 있는 대로 고른 것은?

> 보기
> ㄱ. 지구 내부 에너지의 근원이 되는 에너지이다.
> ㄴ. 지구 생명체의 생명 활동을 유지시키는 에너지이다.
> ㄷ. 지구에 도달하는 태양 에너지는 태양에서 방출하는 에너지의 약 $\frac{1}{10}$이다.

① ㄱ ② ㄴ ③ ㄱ, ㄴ
④ ㄱ, ㄷ ⑤ ㄴ, ㄷ

06 지구에 도달한 태양 에너지가 전환되면서 생기는 현상으로 옳지 <u>않은</u> 것은?

① 바닷물이 증발한다.
② 지진이나 화산 활동이 일어난다.
③ 식물이 광합성을 하여 포도당을 만든다.
④ 바람이 불고, 비나 눈 등의 강수 현상이 일어난다.
⑤ 동식물에 축적된 화학 에너지가 화석 연료로 변환된다.

07 그림은 지구에서 일어나는 탄소의 순환 과정을 나타낸 것이다. 태양 에너지는 탄소를 매개로 하는 순환 과정을 거쳐 다양한 에너지로 전환된다.

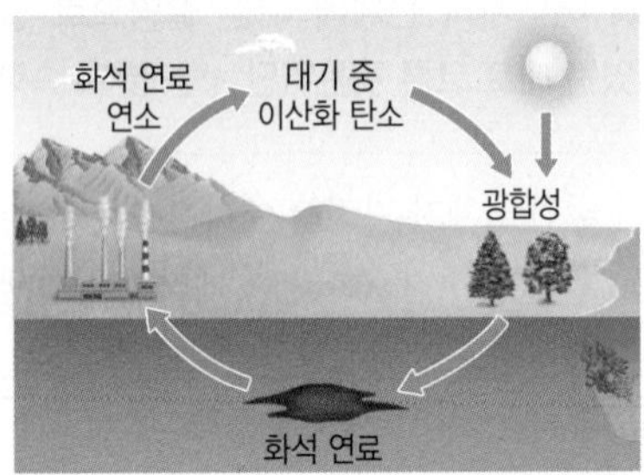

이 과정에서 나타나는 에너지의 형태로 옳지 <u>않은</u> 것은?

① 빛에너지 ② 열에너지 ③ 핵에너지
④ 전기 에너지 ⑤ 화학 에너지

중요 **08** 그림은 대기와 물의 순환에서 태양 에너지가 전환되어 이동하는 과정을 나타낸 것이다.

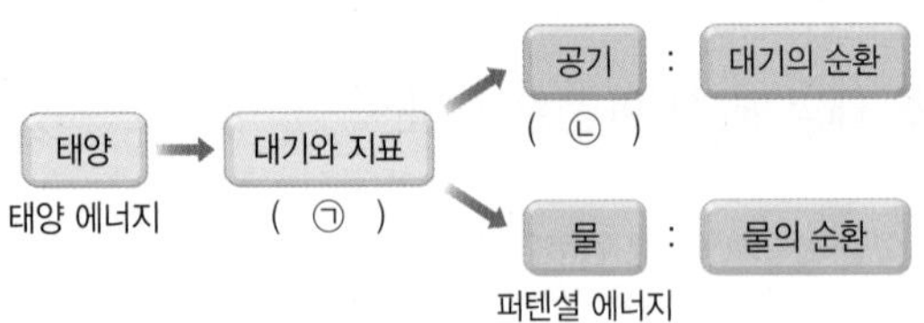

㉠과 ㉡에 해당하는 에너지로 가장 적절한 것을 옳게 짝 지은 것은?

	㉠	㉡
①	열에너지	화학 에너지
②	열에너지	운동 에너지
③	빛에너지	운동 에너지
④	빛에너지	퍼텐셜 에너지
⑤	역학적 에너지	화학 에너지

중요 **09** 그림은 지구에서 물이 순환하며 비나 눈과 같은 기상 현상을 일으키는 모습을 나타낸 것이다.

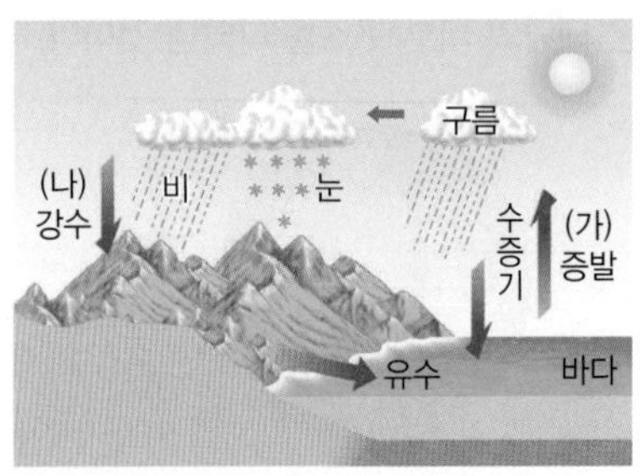

이에 대한 설명으로 옳은 것만을 [보기]에서 있는 대로 고른 것은?

보기
ㄱ. 태양 에너지가 일으키는 에너지 순환 과정이다.
ㄴ. (가)에서 바닷물이 증발하여 구름이 될 때 태양의 열에너지가 화학 에너지로 전환된다.
ㄷ. (나)에서 구름이 비가 되어 떨어질 때 구름의 퍼텐셜 에너지가 비의 운동 에너지로 전환된다.

① ㄱ ② ㄴ ③ ㄱ, ㄷ
④ ㄴ, ㄷ ⑤ ㄱ, ㄴ, ㄷ

10 태양 에너지가 생성되어 방출되는 원리를 다음 용어를 모두 포함하여 서술하시오.

수소 헬륨 질량

11 질량 결손에 대해 서술하시오.

실력 UP 문제

정답친해 159쪽

01 그림은 태양에서 일어나는 수소 핵융합 반응을 나타낸 것이다.

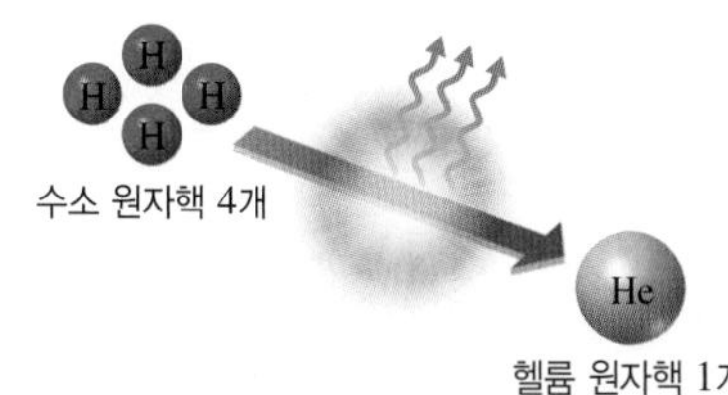

이에 대한 설명으로 옳은 것만을 [보기]에서 있는 대로 고른 것은?

보기
ㄱ. 태양 내부에서 수소의 양은 일정하게 유지된다.
ㄴ. 수소 원자핵 4개의 질량 합은 헬륨 원자핵 1개의 질량과 같다.
ㄷ. 태양에서 방출되는 에너지는 질량 에너지 등가 원리를 이용해 계산할 수 있다.

① ㄱ ② ㄷ ③ ㄱ, ㄴ
④ ㄴ, ㄷ ⑤ ㄱ, ㄴ, ㄷ

02 다음은 태양에서 일어나는 핵융합 반응과 핵융합 발전에서 일어나는 핵융합 반응을 설명한 것이다.

- 태양에서의 핵융합: 태양 중심부에서는 (㉠) 원자핵들이 융합하여 (㉡) 원자핵으로 변환된다.
- 핵융합 발전에서의 핵융합: (㉢) 원자핵과 3중수소 원자핵을 충돌시켜 (㉣) 원자핵으로 융합시킨다.

( ) 안에 알맞은 물질을 옳게 짝 지은 것은?

	㉠	㉡	㉢	㉣
①	수소	헬륨	수소	헬륨
②	수소	헬륨	중수소	헬륨
③	수소	헬륨	헬륨	중수소
④	헬륨	수소	헬륨	중수소
⑤	헬륨	수소	중수소	헬륨

03 그림은 지구에서 태양 에너지가 ㉠ 에너지~㉤ 에너지로 전환되어 이용되는 과정을 나타낸 것이다.

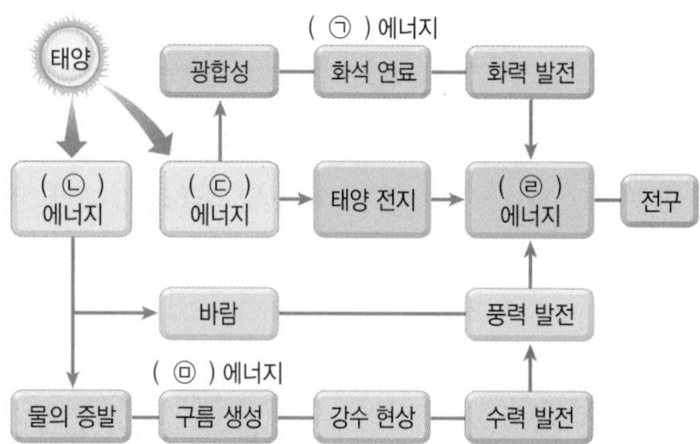

이에 대한 설명으로 옳은 것만을 [보기]에서 있는 대로 고른 것은?

보기
ㄱ. ㉡에너지는 빛에너지이다.
ㄴ. 식물은 광합성을 통해 ㉢에너지를 ㉠ 에너지로 전환하여 저장한다.
ㄷ. 화력 발전은 발전 과정에서 터빈의 ㉤ 에너지가 ㉣에너지로 전환된다.

① ㄱ ② ㄴ ③ ㄱ, ㄷ
④ ㄴ, ㄷ ⑤ ㄱ, ㄴ, ㄷ

04 그림 (가), (나)는 지구에서 일어나는 어느 순환 과정의 일부를 각각 나타낸 것이다.

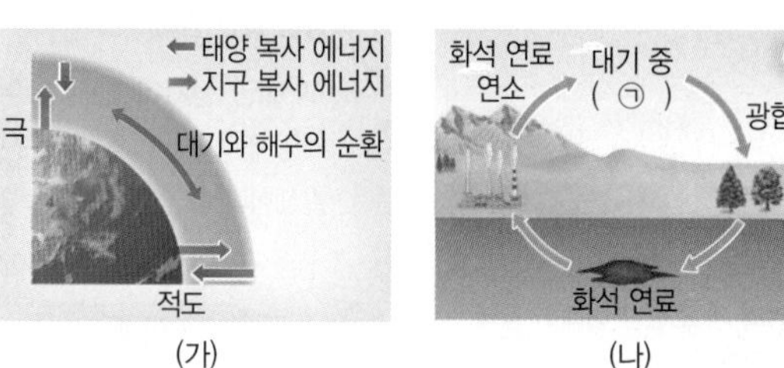

(가) (나)

이에 대한 설명으로 옳은 것만을 [보기]에서 있는 대로 고른 것은?

보기
ㄱ. ㉠은 이산화 탄소이다.
ㄴ. (가)에서 저위도의 남는 에너지가 고위도로 이동하며 대기와 해수가 순환한다.
ㄷ. (나)에서 지구 내부 에너지는 화석 연료의 화학 에너지로 전환된다.

① ㄱ ② ㄷ ③ ㄱ, ㄴ
④ ㄴ, ㄷ ⑤ ㄱ, ㄴ, ㄷ

3 발전과 지구 환경

핵심 포인트
❶ 태양광 발전 ★★
❷ 핵발전 ★★★
❸ 풍력 발전 ★

A 화석 연료와 지구 환경

1. 에너지 사용의 변천

① **산업 혁명 이전:** 태양, 바람, 물 등이 가진 에너지를 주로 이용하였다. (태양열, 풍차, 물레방아)

② **산업 혁명 이후:** 증기 기관의 발명과 함께 석탄을 사용하기 시작하여 현재는 석탄, 석유, 천연가스 등의 화석 연료를 ◆주 에너지원으로 사용하고 있다.

2. 화석 연료

생명체의 유해가 땅속에 묻힌 후 높은 열과 압력을 받아 만들어진 에너지 자원

① **화석 연료의 생성 과정**

석탄의 생성 과정	식물의 유해가 땅속에 퇴적되어 오랜 시간 열과 압력을 받아 석탄이 만들어진다.
석유, 천연가스의 생성 과정	미생물이 바다나 호수에 퇴적되어 오랜 시간 열과 압력을 받아 석유와 천연가스가 만들어진다. (석유와 천연가스는 주로 함께 매장되어 있다.)

② **화석 연료 사용의 문제점**

- 지구 온난화로 인한 기후 변화와 대기 오염과 같은 환경 문제를 일으킨다. (화석 연료를 연소시킬 때 이산화 탄소, 이산화 황, 질소 산화물 등이 발생한다.)
- 매장 지역이 편중되어 있고 매장량의 한계가 있어 언젠가는 ◆고갈될 에너지이다.
  ➡ 화석 연료를 대체할 수 있는 에너지 자원을 개발해야 한다.

B 현재 화석 연료를 대체하고 있는 발전 방식

1. ◆태양광 발전

반도체로 만든 태양 전지를 이용하여 태양의 빛에너지를 직접 전기 에너지로 전환한다.

| 태양광 발전 원리 |

❶ 태양 전지에 빛이 흡수되면 태양 전지 내부에 자유 전자가 발생한다. (광전 효과와 같은 원리이다.) ➜ ❷ 자유 전자가 한쪽 전극으로 이동하게 되면 기전력(전압)이 생긴다. ➜ ❸ 전극에 전기 장치를 연결하면 전자가 외부 회로를 통해 이동하며 전류가 흐른다.

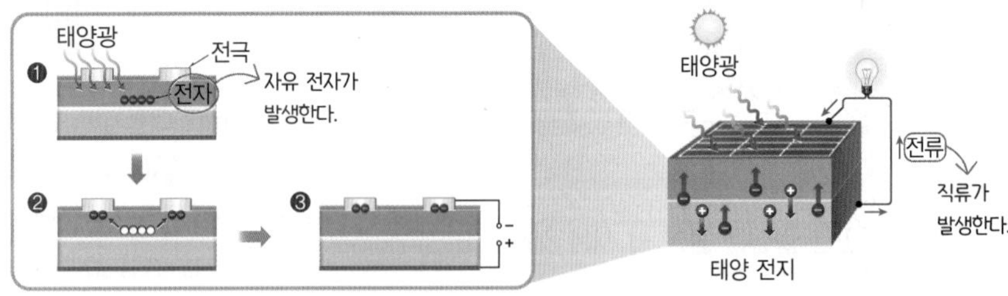

장점	• 태양 에너지를 자연에서 쉽게 얻을 수 있고, 환경 문제를 거의 일으키지 않는다. • 진동과 소음이 적으며, 수명이 길고 유지와 보수가 간편하다.
단점	• 계절과 일조량의 영향을 받으므로 발전 시간이 제한적이다. (흐린 날과 밤에는 전기를 생산할 수 없다.) • 화력 발전에 비해 발전 효율이 낮으므로 넓은 설치 면적이 필요하고, 초기 설치 비용이 많이 든다. • 태양 전지에서 반사되는 빛이 인가나 축사에 피해를 주기도 한다.

◆ **에너지원별 에너지 공급량**

기타 3.3 %, 수력 0.6 %, 원자력 10.4 %, 석유 37.8 %, 천연가스 18.7 %, 석탄 29.2 %

우리나라의 에너지원별 에너지 공급량 비율은 석유가 37.8 %로 가장 많이 차지하고 있다.

◆ **화석 연료의 고갈 시점**

화석 연료는 누적 소비량이 증가함에 따라 잔여 매장량이 감소하고 있다. 현재처럼 화석 연료를 사용할 경우 2085년 이후 화석 연료가 고갈될 수 있다.

비상 교과서에만 나와요.

◆ **태양광 발전 시스템**

태양광 발전 시스템은 태양 전지(셀) 여러 개를 모아 만든 모듈을 다시 여러 개 조립한 어레이 형태로 설치된다.

셀 ⟶ 모듈 ⟶ 어레이

이것까지 나와요! 물리학Ⅰ

광전 효과

금속에 빛을 비추었을 때 전자가 튀어나오는 현상이다. 반도체에 빛을 비추어도 전자가 튀어나온다.

2. 핵발전 우라늄 원자핵이 ◆핵분열할 때 발생하는 에너지를 이용하여 터빈을 돌려 전기 에너지를 생산한다.

(질량 결손에 해당하는 에너지)

| 핵발전 원리 |

❶ 원자로(통제된 상태에서 핵분열이 일어나게 하는 장치) 안에서 우라늄 원자핵에 느린 중성자를 충돌시키면 핵분열이 일어나면서 2~3개의 빠른 중성자와 에너지가 방출된다. (빠른 중성자의 속력을 느려지게 하기 위해 감속재를 사용한다.)

➡ ❷ 중성자들이 다른 우라늄 원자핵에 계속 충돌하는 ◆연쇄 반응이 일어나며, 막대한 양의 에너지가 방출된다.

➡ ❸ 핵분열 과정에서 발생한 열에너지로 물을 끓이고, 증기를 이용하여 발전기에 연결된 터빈을 돌려 전기 에너지를 생산한다.

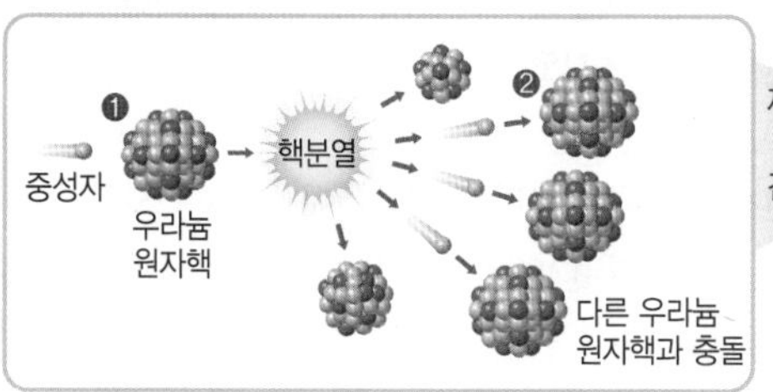

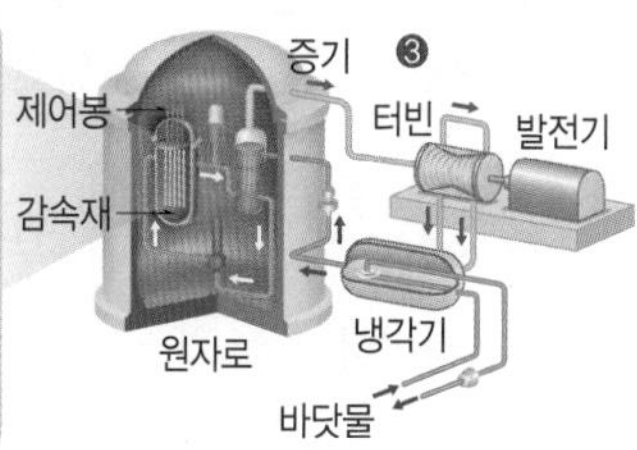

• 감속재: 중성자의 속력을 느리게 하여 연쇄 반응이 계속 일어나게 한다. ➡ 흑연이나 물 사용
• 제어봉: 연쇄 반응에서 기하급수적으로 증가하는 중성자를 흡수하여 연쇄 반응 속도를 조절함으로써 에너지 방출량을 제어한다. ➡ 카드뮴이나 붕소 사용

장점	• 화력 발전에 비해 연료비가 저렴하고 ◆에너지 효율이 높아 대용량 발전이 가능하다. • 환경 문제를 일으키는 이산화 탄소를 거의 배출하지 않으므로 화력 발전을 대체할 수 있다.
단점	• 우라늄과 같은 핵연료의 매장량이 한정되어 있어 언젠가는 고갈될 수 있다. • 발전 과정에서 사용한 냉각수가 바다로 배출되어 해수의 온도가 상승한다. • 방사능 유출의 위험이 있고, 핵발전 과정에서 발생하는 방사성 폐기물을 처리하기 어렵다.

(방사성 폐기물: 사용 후 남은 연료와 원전 내 방사선 관리 구역에서 작업자들이 사용하였던 작업복, 장갑, 기기 교체 부품 등을 포함한다.)

3. 풍력 발전 풍력 발전기를 이용해 바람의 운동 에너지를 전기 에너지로 전환한다.

| 풍력 발전 원리 |

❶ 바람의 운동 에너지가 풍력 발전기의 날개를 회전시킨다.
⬇
❷ 날개와 회전축으로 연결된 발전기를 돌린다.
⬇
❸ 전기 에너지를 생산한다.

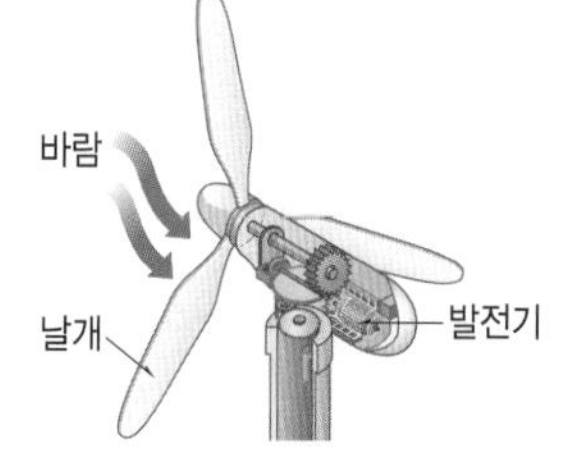

◆바람의 세기가 강하거나 날개의 길이가 길수록 날개를 통과하는 공기의 양이 많아져 전력 생산량이 증가한다.

장점	• 설비가 비교적 간단하고, 설치 기간이 짧다. • 전력 생산 단가가 저렴하고, 환경 오염을 일으키지 않는다.
단점	• 바람의 방향과 세기가 일정하지 않아 발전량을 정확히 예측하기 어렵다. • 소음이 발생하고, 새들이 풍력 발전기 날개에 충돌하는 문제가 발생한다. • 설치 과정에서 삼림이나 자연 경관을 훼손하기도 한다.

◆ **핵분열**
입자의 충돌로 불안정하게 된 무거운 원자핵이 비교적 질량이 작은 2개 이상의 원자핵으로 나누어지는 현상

◆ **연쇄 반응**
우라늄 원자핵이 핵분열할 때 방출하는 2~3개의 중성자가 다른 우라늄 원자핵과 충돌하여 핵분열이 연속으로 일어나는 현상이다.
연쇄 반응이 빠르게 일어나면 핵폭탄과 같이 많은 에너지를 순식간에 방출하므로 반응 속도를 조절해야 한다.

◆ **우라늄 1 g의 에너지 효율**
우라늄 1 g의 핵분열로 발생하는 에너지양은 석유 약 1800 L나 석탄 3 t을 태울 때 발생하는 에너지양과 같다.

◆ **풍력 발전기의 설치 장소**
바람이 지속적으로 부는 산, 바다 근처나 해양에 설치한다.

개념 확인 문제

정답친해 159쪽

핵심 체크

- (❶): 생명체의 유해가 땅속에 묻힌 후 오랫동안 높은 열과 압력을 받아 만들어진 에너지 자원
- (❷): 반도체로 만든 태양 전지를 이용하여 태양의 빛에너지를 직접 전기 에너지로 전환하는 방식
- (❸): 우라늄 원자핵이 핵분열할 때 방출하는 에너지로 터빈을 돌려 전기 에너지를 생산하는 방식
- 핵발전소에서는 중성자의 속력을 느리게 하는 (❹)와 중성자 수를 조절하는 (❺)을 사용한다.
- (❻): 발전기에 연결된 회전 날개를 이용해 바람의 운동 에너지를 전기 에너지로 전환하는 방식

1 화석 연료에 대한 설명으로 옳은 것은 ○, 옳지 않은 것은 ×로 표시하시오.

(1) 석탄, 석유, 천연가스는 화석 연료에 해당된다. ( )
(2) 현재 인류가 가장 많이 사용하고 있는 에너지원이다. ( )
(3) 환경 문제를 일으키는 물질을 배출하지 않는다. ( )
(4) 매장량이 풍부하여 고갈될 염려가 없다. ( )

2 다음은 화석 연료의 생성 과정을 설명한 것이다. ( ) 안에 알맞은 말을 쓰시오.

> ㉠( )은(는) 식물의 유해가 땅속에 퇴적되어 오랜 시간 열과 압력을 받아 만들어지고, ㉡( )와(과) 천연가스는 미생물이 바다나 호수에 퇴적되어 오랜 시간 열과 압력을 받아 만들어진다.

3 태양광 발전에 대한 설명으로 옳은 것은 ○, 옳지 않은 것은 ×로 표시하시오.

(1) 환경 문제를 거의 유발하지 않는다. ( )
(2) 태양 전지의 수명이 길고, 보수가 간편하다. ( )
(3) 날씨에 관계없이 일정한 양의 전기 에너지를 생산할 수 있다. ( )

4 다음은 핵발전의 원리를 설명한 것이다. ( ) 안에 알맞은 말을 쓰시오.

> 원자로 안에서 우라늄 원자핵에 속력이 느린 ㉠( ) 를 충돌시켜 ㉡( ) 반응이 일어날 때 발생하는 에너지로 터빈을 돌려 전기 에너지를 생산한다.

5 그림은 풍력 발전기의 구조를 나타낸 것이다.
풍력 발전기에서의 에너지 전환 과정 중 ( ) 안에 알맞은 말을 고르시오.

> 바람의 ㉠(운동, 열) 에너지 ➡ 회전 날개의 운동 에너지 ➡ ㉡(빛, 전기) 에너지

6 현재 화석 연료를 대체하는 발전 방식 중 다음과 같은 장단점이 있는 발전 방식을 쓰시오.

(1) 화력 발전에 비해 연료비가 저렴하지만, 방사성 폐기물을 처리하기 어렵다.
(2) 전력 생산 단가가 저렴하지만, 소음이 발생하고 새들이 발전 시설에 충돌하는 문제가 발생한다.
(3) 에너지원을 자연에서 쉽게 얻을 수 있지만, 발전 시설에서 반사되는 빛이 주변 인가나 축사에 피해를 주기도 한다.

내신 만점 문제

정답친해 160쪽

A 화석 연료와 지구 환경

01 화석 연료의 특징으로 옳은 것만을 [보기]에서 있는 대로 고른 것은?

보기
ㄱ. 매장량에 한계가 있어 미래에 고갈될 에너지이다.
ㄴ. 지구 온난화와 같은 기후 변화와 대기 오염을 일으킨다.
ㄷ. 생명체의 유해가 땅속에서 오랫동안 높은 열과 압력을 받아 생성된다.

① ㄱ ② ㄴ ③ ㄱ, ㄷ
④ ㄴ, ㄷ ⑤ ㄱ, ㄴ, ㄷ

B 현재 화석 연료를 대체하고 있는 발전 방식

02 그림은 태양 전지의 원리를 나타낸 것이다.
이에 대한 설명으로 옳은 것만을 [보기]에서 있는 대로 고른 것은?

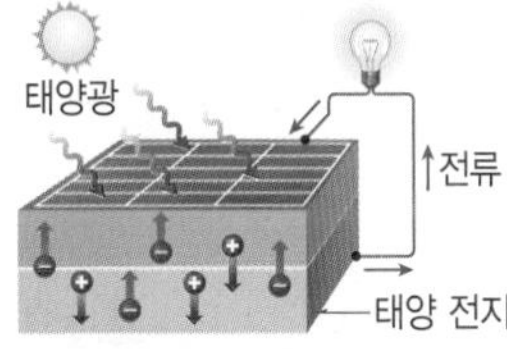

보기
ㄱ. 태양 전지는 반도체로 만든다.
ㄴ. 전자기 유도를 이용하여 전기 에너지를 생산한다.
ㄷ. 태양 전지를 통해 빛에너지가 전기 에너지로 전환된다.

① ㄱ ② ㄴ ③ ㄱ, ㄷ
④ ㄴ, ㄷ ⑤ ㄱ, ㄴ, ㄷ

중요 **03** 태양 전지를 이용한 태양광 발전의 특징으로 옳지 않은 것은?

① 초기 설치 비용이 많이 든다.
② 환경 문제를 거의 일으키지 않는다.
③ 계절과 일조량에 따라 발전량이 달라진다.
④ 대규모 발전을 위해 넓은 장소가 필요하다.
⑤ 화력 발전에 비해 발전 효율이 높은 편이다.

04 그림은 핵발전소의 원자로에서 일어나는 우라늄 원자핵의 분열 과정을 나타낸 것이다.

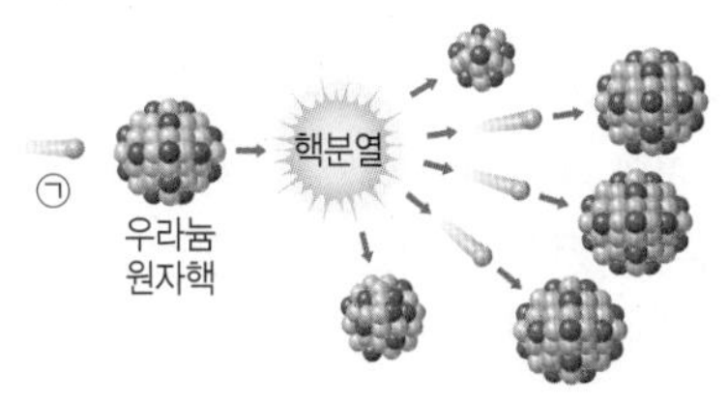

이에 대한 설명으로 옳은 것만을 [보기]에서 있는 대로 고른 것은?

보기
ㄱ. ㉠은 중성자이다.
ㄴ. 우라늄과 같이 가벼운 원자핵이 두 개의 무거운 원자핵으로 분열한다.
ㄷ. 우라늄 원자핵이 분열할 때 방출되는 에너지는 질량 결손에 의한 것이다.

① ㄱ ② ㄴ ③ ㄱ, ㄷ
④ ㄴ, ㄷ ⑤ ㄱ, ㄴ, ㄷ

중요 **05** 그림은 핵발전소에서 전기 에너지를 만드는 과정을 나타낸 것이다.

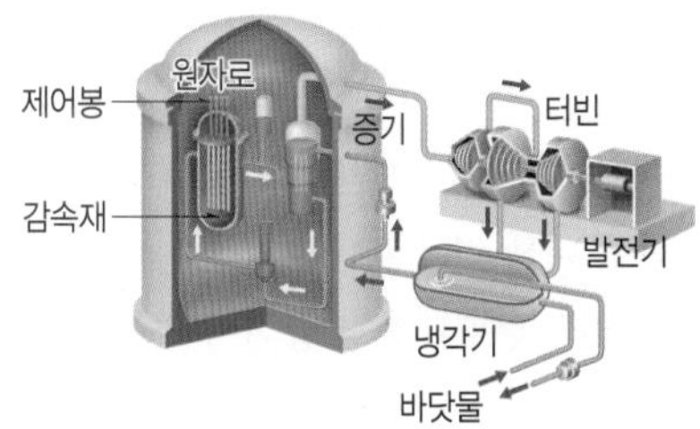

이에 대한 설명으로 옳은 것만을 [보기]에서 있는 대로 고른 것은?

보기
ㄱ. 발전 과정에서 이산화 탄소를 많이 배출한다.
ㄴ. 원자로에서 에너지 방출량을 조절하는 장치는 제어봉이다.
ㄷ. 원자로에서 발생한 열로 증기를 발생시켜 발전기의 터빈을 돌린다.

① ㄱ ② ㄷ ③ ㄱ, ㄴ
④ ㄴ, ㄷ ⑤ ㄱ, ㄴ, ㄷ

중요 **06** 다음은 원자로에서 일어나는 핵분열에 대한 설명이다.

> 우라늄에 속도가 느린 중성자를 충돌시키면 핵분열 반응이 일어나 중성자와 에너지를 방출한다. 이때 방출된 중성자는 근처의 다른 우라늄과 충돌하여 핵분열이 연속으로 이어지는 (㉠)이(가) 일어난다.
> 핵분열 과정에서 방출되는 고속의 중성자의 속도를 느리게 하여 핵분열이 계속 일어나도록 하기 위해서는 (㉡)을(를) 사용해야 하고, 기하급수적으로 증가하는 중성자를 흡수하여 핵분열 과정이 급격하게 진행되는 것을 조절하기 위해서 (㉢)을(를) 사용한다.

㉠~㉢에 알맞은 말을 옳게 짝 지은 것은?

	㉠	㉡	㉢
①	흡열 반응	감속재	제어봉
②	연소 반응	제어봉	감속재
③	연소 반응	감속재	제어봉
④	연쇄 반응	제어봉	감속재
⑤	연쇄 반응	감속재	제어봉

07 핵발전에 대한 설명으로 옳지 않은 것은?

① 방사능 유출의 위험이 있다.
② 방사성 폐기물 처리가 어렵다.
③ 에너지원이 언젠가는 고갈될 수 있다.
④ 화력 발전에 비해 연료비가 많이 든다.
⑤ 에너지 효율이 높아 대용량 발전이 가능하다.

중요 **08** 풍력 발전에 대한 설명으로 옳지 않은 것은?

① 언제, 어디서나 일정한 전력을 생산할 수 있다.
② 발전 과정에서 대기 오염 물질을 배출하지 않는다.
③ 발전 과정에서 소음이 발생하여 피해를 주기도 한다.
④ 설비가 비교적 간단하고, 전력 생산 단가가 저렴하다.
⑤ 바람의 세기가 강할수록, 날개의 길이가 길수록 전력 생산량이 증가한다.

09 그림 (가)~(다)는 각각 태양광 발전, 풍력 발전, 화력 발전 중 하나를 나타낸 것이다.

(가)

(나)

(다)

이에 대한 설명으로 옳은 것만을 [보기]에서 있는 대로 고른 것은?

> 보기
> ㄱ. (가)는 이산화 탄소를 배출하는 발전 방식이다.
> ㄴ. (나)는 발전기를 사용하지 않는 발전 방식이다.
> ㄷ. (나)와 (다)는 에너지원이 고갈되지 않는 발전 방식이다.

① ㄱ ② ㄴ ③ ㄱ, ㄷ
④ ㄴ, ㄷ ⑤ ㄱ, ㄴ, ㄷ

10 핵발전소의 원자로 안에서 우라늄 원자핵이 핵분열할 때 연쇄 반응이 일어나는 과정을 서술하시오.

11 태양광 발전에서 에너지 전환 과정을 쓰고, 태양광 발전의 장점을 두 가지 서술하시오.

12 풍력 발전기를 설치할 수 있는 지역적 조건을 서술하시오.

실력 UP 문제

정답친해 161쪽

01 그림은 태양 전지의 원리를 나타낸 것이다.

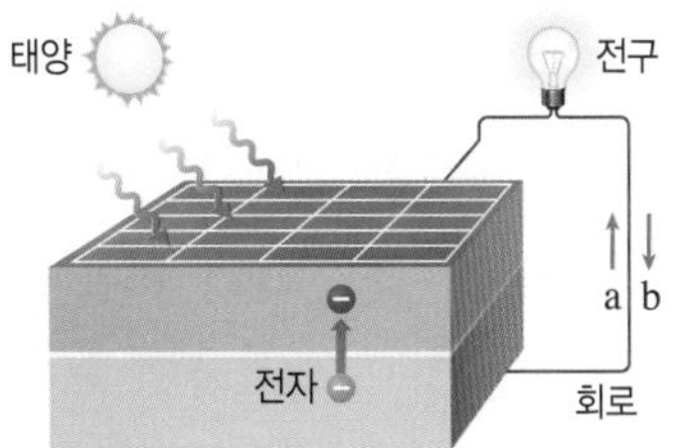

이에 대한 설명으로 옳은 것만을 [보기]에서 있는 대로 고른 것은?

보기
ㄱ. 외부 회로에 흐르는 전류의 방향은 a이다.
ㄴ. 태양 전지의 원리는 광전 효과로 설명할 수 있다.
ㄷ. 에너지 전환 과정 중 열에너지를 운동 에너지로 전환하는 과정이 있다.

① ㄱ ② ㄷ ③ ㄱ, ㄴ
④ ㄴ, ㄷ ⑤ ㄱ, ㄴ, ㄷ

02 그림은 원자로에서 일어나는 반응을 나타낸 것이다.

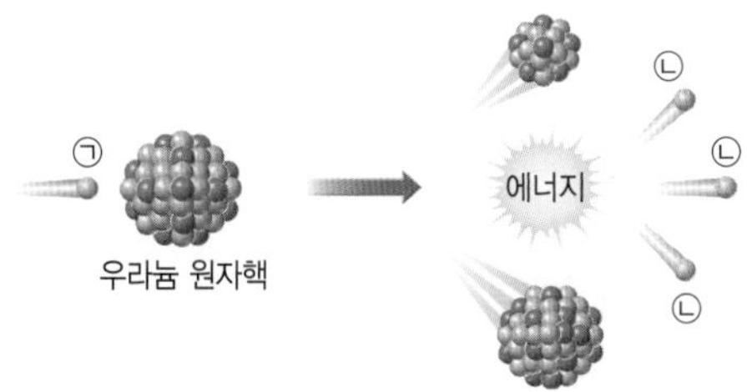

이에 대한 설명으로 옳은 것만을 [보기]에서 있는 대로 고른 것은?

ㄱ. ㉠의 속력은 ㉡의 속력보다 빠르다.
ㄴ. 감속재는 연쇄 반응 속도를 조절하기 위해 ㉡을 흡수한다.
ㄷ. 반응 후 생성물의 질량 합은 반응 전 반응물의 질량 합보다 작다.

① ㄱ ② ㄷ ③ ㄱ, ㄴ
④ ㄴ, ㄷ ⑤ ㄱ, ㄴ, ㄷ

03 그림 (가)와 (나)는 각각 핵발전과 화력 발전을 나타낸 것이다.

(가)

(나)

이에 대한 설명으로 옳은 것만을 [보기]에서 있는 대로 고른 것은?

보기
ㄱ. (가)는 핵융합 반응을 이용한다.
ㄴ. (나)는 지속 가능한 발전 방식이 아니다.
ㄷ. (가), (나)의 근원이 되는 에너지는 태양 에너지이다.
ㄹ. (가), (나)에서 '열에너지 → 운동 에너지 → 전기 에너지'의 에너지 전환 과정이 공통으로 나타난다.

① ㄱ, ㄴ ② ㄱ, ㄷ ③ ㄴ, ㄹ
④ ㄱ, ㄷ, ㄹ ⑤ ㄴ, ㄷ, ㄹ

04 다음은 전기 에너지를 생산하는 발전 방식과 생산되는 전류에 대한 학생 A~C의 대화이다.

A: 세기와 방향이 변하는 전류를 교류라고 하고, 세기와 방향이 일정한 전류를 직류라고 해.

B: 발전기에서 전자기 유도에 의해 만들어지는 전류는 교류야.

C: (㉠)에서는 세기와 방향이 일정한 직류가 만들어져.

㉠에 해당하는 발전 방식은?

① 핵발전 ② 수력 발전 ③ 풍력 발전
④ 화력 발전 ⑤ 태양광 발전

4 미래의 지속 가능한 발전

핵심 포인트
- ❶ 연료 전지 ★★★
- ❷ 조력 발전, 파력 발전 ★★
- ❸ 친환경 에너지 도시, 적정 기술 ★

재생 에너지라는 이름은 계속해서 다시 사용할 수 있는 에너지라는 뜻이에요.

◆ **폐기물 및 바이오 에너지**
- 폐기물 에너지: 폐기물 매립장에서 발생하는 가스나 소각할 때 발생하는 열을 이용한다.
- 바이오 에너지: 농작물, 나무, 음식물 쓰레기 등을 태워서 열과 빛을 얻거나 가스, 고체 연료 등의 형태로 얻는다.

◆ **연료 전지의 연료**
연료 전지는 수소, 메탄올, 나프타, 천연가스 등을 연료로 사용한다.

암기해!
수소 연료 전지에서 일어나는 반응
수소 + 산소 ⟶ 물 + 전기 에너지 + 열에너지

◆ **연료 전지의 에너지 효율**
연료 전지의 에너지 효율은 40 % ~60 % 정도로 높은 편이고, 전기 에너지와 함께 방출되는 열에너지까지 활용한다면 에너지 효율은 더 높아진다.

◆ **연료 전지의 이용**
대형 연료 전지 발전소, 수소 연료 전지 자동차, 휴대용 전자 제품 등에 이용된다.

물을 전기 분해 할 때 순수한 물은 전기 분해를 할 수 없으므로 물에 수산화 나트륨을 녹인 수산화 나트륨 수용액을 사용해요.

A 미래를 위한 지속 가능한 발전 방식

1. 신재생 에너지 기존의 화석 연료를 변환하여 이용하거나 햇빛, 바다, 바람 등의 재생 가능한 에너지원을 변환하여 이용하는 에너지 ➡ 지속적인 에너지 공급을 할 수 있다.

신에너지	수소, 연료 전지, 석탄의 액화 및 가스화	재생 에너지	태양광, 태양열, 풍력, 수력, 해양, 지열, ◆폐기물, 바이오
장점	• 환경 문제가 거의 없어 친환경적이다. • 재생 에너지는 재생 가능한 에너지원을 이용하여 자원 고갈의 염려가 없다.		
단점	• 기존 에너지원에 비해 초기 투자 비용이 많이 든다. • 대부분 화석 연료를 이용한 화력 발전보다 효율이 낮아 지속적인 개발이 필요하다.		

2. 연료 전지 ◆연료의 화학 반응을 통해 화학 에너지를 전기 에너지로 전환하는 장치로, 대표적으로 수소 연료 전지가 있다. (화학 반응: 수소가 산화되어 물이 되는 반응)

원리

❶ (−)극에서는 수소가 산화되어 수소 이온과 전자가 발생한다. (이온: 원자가 전자를 얻거나 잃어서 전하를 띠게 된 입자)

❷ 전자는 외부 회로를 통하여 (+)극으로 이동하고, 수소 이온은 전해질을 통하여 (+)극으로 이동하여 전류를 흐르게 한다. (전류는 (+)극에서 (−)극으로 흐른다.)

❸ (+)극에서는 산소가 환원되어 수소 이온과 반응하여 물과 함께 전기 에너지, 열에너지가 발생한다.

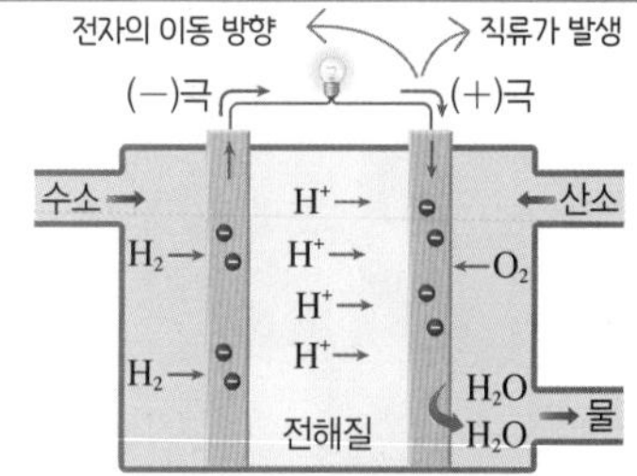

(−)극 연료 전극	$2H_2 \longrightarrow 4H^+ + 4e^-$	수소의 산화 반응 전자를 잃는 것
(+)극 공기 전극	$O_2 + 4H^+ + 4e^- \longrightarrow 2H_2O$	산소의 환원 반응 전자를 얻는 것
전체 반응	$2H_2 + O_2 \longrightarrow 2H_2O$	물과 전기 에너지, 열에너지 발생

장점
- 최종 생성물로 물만 생성되므로 환경 오염 물질을 거의 배출하지 않는다.
- 연료 전지에서는 연료의 화학 에너지가 전기 에너지로 직접 전환되므로 ◆에너지 효율이 높다. (여러 단계의 에너지 전환 과정을 거치는 화력 발전보다 에너지 효율이 높다.)

단점 수소의 생산 비용이 비싸며 효율적인 수소 저장 기술과 안정성 확보를 위한 기술 개발이 더 필요하다.

탐구 자료창 물의 전기 분해와 연료 전지 실험

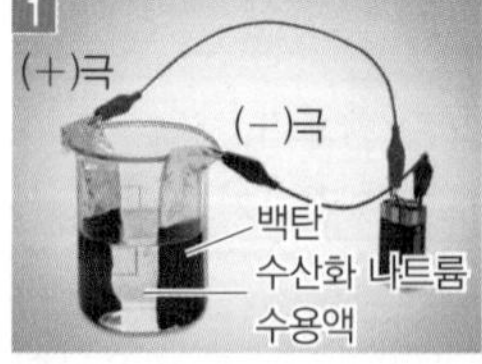

1. 백탄 2개의 위쪽을 알루미늄박으로 감싸서 수산화 나트륨 수용액에 담근 후, 건전지에 연결하여 물을 전기 분해 한다.
   - (+)극에서는 산소 기체가, (−)극에서는 수소 기체가 발생한다.
   - 건전지의 전기 에너지가 물을 수소와 산소로 분해한다.
2. 10분 정도 지난 후, 건전지를 떼어 내고 발광 다이오드를 연결하면 불이 켜진다.
   - 수소와 산소가 반응하여 물이 생성되는 과정에서 전기 에너지가 발생하여 불이 켜진다.
   ➡ 수소 연료 전지에서는 화학 에너지가 전기 에너지로 직접 전환된다.

3. ◆조력 발전 밀물과 썰물 때 생기는 해수면의 높이차를 이용하여 전기 에너지를 생산한다.

└● 조수 간만의 차

원리	방조제를 쌓아 밀물 때 바닷물을 받아들이면서 터빈을 돌려 전기 에너지를 생산한다.	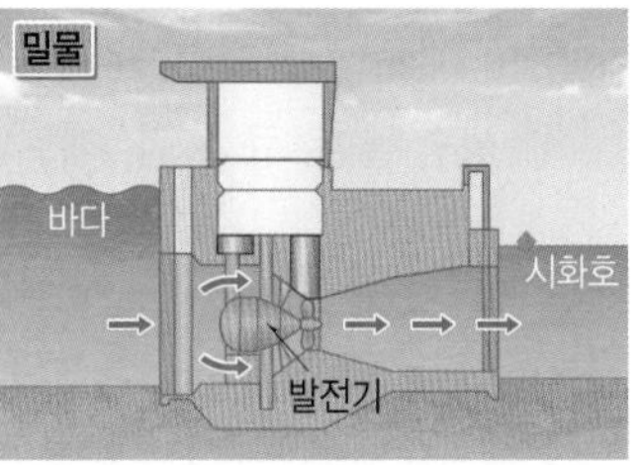
장점	• 발전에 드는 비용이 비교적 저렴하다. • 밀물과 썰물이 매일 일어나므로 발전량을 예측할 수 있다. • 발전소가 한번 건설되면 오랫동안 이용할 수 있다.	
단점	• 건설비가 많이 들며, 설치 장소가 제한적이다. • 갯벌이 파괴되어 해양 생태계에 혼란을 줄 수 있다.	

4. 파력 발전 파도의 운동 에너지를 이용하여 전기 에너지를 얻는다.

원리	파도가 칠 때 해수면이 움직여 발전소 안의 공기가 압축될 때 공기의 흐름이 터빈을 돌려 전기 에너지를 생산한다.	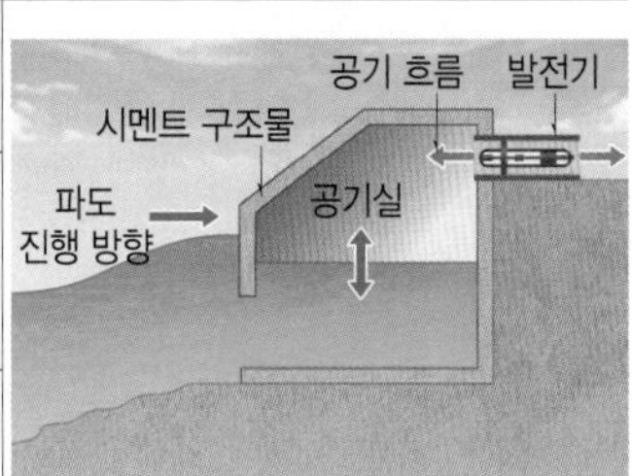
장점	• 연료비가 들지 않고, 소규모로 개발할 수 있다. • 방파제로 활용할 수 있어서 실용성이 크다. • 환경에 미치는 영향이 적다.	
단점	• ◆기후에 따라 파도가 약해지면 발전량이 적어진다. • 파도에 노출되므로 내구성이 약하다.	

확대경 여러 가지 재생 에너지의 발전 방식

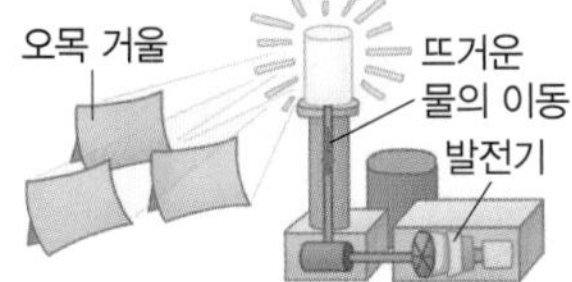

◆태양열 발전 태양의 열에너지를 오목 거울로 모아 물을 끓여 전기 에너지를 생산한다.

지열 발전 땅속 뜨거운 지하수나 수증기로 물을 끓여 전기 에너지를 생산한다.

소수력 발전 강이나 하천에서 물의 낙차를 이용해 전기 에너지를 생산한다.

B 에너지 문제를 해결하기 위한 노력

1. 친환경 에너지 도시 에너지와 환경 문제를 함께 해결할 수 있는 도시

지역 환경에 맞는 신재생 에너지를 활용한다.

에너지 공급	• 모든 주택의 지붕에 태양 전지판을 설치하여 전기 에너지를 생산한다. • ◆열병합 발전소에서 산업 폐기물을 태워 에너지를 생산한다.	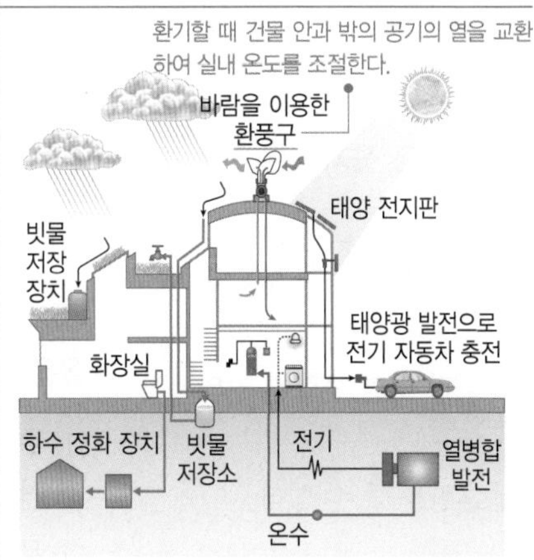
건물 관리	• 빗물을 저장하여 옥상 정원 관리에 활용한다. • 오수를 정화하여 화장실에 활용한다. • 주거용 공간은 남쪽으로 배치하고 열교환기가 부착된 환풍기를 설치한다. • 건물 외벽에 고효율 단열재를 사용하고, 채광이 잘 되는 넓은 3중 유리창을 사용한다.	
교통 정책	모든 도로는 보행자, 자전거 통행자에게 우선권을 준다. → 자동차의 이산화 탄소 배출을 줄일 수 있다.	

미래엔, 금성 교과서에만 나와요.

◆ 조력 발전의 원리
조력 발전은 밀물 또는 썰물일 때 한 방향만을 이용하는 방식과 밀물과 썰물 양방향을 모두 이용하는 방식이 있다.

◆ 시화호의 조력 발전소

우리나라는 조수 간만의 차가 큰 서해안의 시화호에 조력 발전소를 건설하여 운영하고 있다.
시화호에서는 밀물 때 발전기를 돌려 전기 에너지를 생산한다.

◆ 파력 발전소의 설치 장소
파력 발전소는 송전 거리가 짧아야 하므로 육지에서 가깝고, 수심이 깊지 않으며, 파도가 풍부한 연안 지역에 설치한다.

◆ 태양광 발전과 태양열 발전
태양의 빛에너지를 이용하여 전기 에너지를 생산하는 태양광 발전과 달리 태양열 발전은 태양의 열에너지를 이용하여 전기 에너지를 생산한다.

오목 거울로 빛을 모으는 태양열 발전

◆ 열병합 발전
전력을 생산하는 과정에서 버려지는 열을 회수하여 난방이나 온수에 이용함으로써 에너지 효율을 높인 발전 방식이다.

궁금해?
에너지 수확 기술이란?
우리 주변에서 버려지는 적은 양의 에너지를 모아 전기 에너지로 전환하는 기술로, 운동할 때 몸에서 발생하는 열이나 진동, 체온 등을 이용하여 전기 에너지를 생산한다.

적정 기술을 이용한 장치는 주로 최빈국과 개발 도상국의 문화·정치·환경적인 면을 고려하여 만들어진다.

2. 적정 기술 과학 기술의 혜택에서 소외된 사람들의 삶의 질을 개선할 수 있는 기술로, 사회 공동체의 필요 및 환경 조건을 고려하여 해당 지역에서 지속적인 생산과 소비가 가능해야 하며, 대규모 사회 기반 시설이 필요하지 않고 친환경적이어야 한다.

예 생명 빨대, 큐 드럼, 페트병 전구, 항아리 냉장고, 페달 세탁기, 와카 워터 탑 등

공기 중의 수증기가 그물에 닿으면 생기는 물방울을 모아 이용한다.

생명 빨대	큐 드럼	페트병 전구
빨대로 물을 빨아들이면 빨대 속 정수 장치를 통해 오염된 물이 정화된다. 	작은 힘으로도 멀리 떨어진 곳에서 물을 길어 올 수 있도록 바퀴 형태로 된 물통이다. 	지붕에 설치하여 전기 없이도 빛의 산란을 이용하여 어두운 실내를 밝게 하는 장치이다. 

햇빛이 없는 밤에는 이용할 수 없다.

개념 확인 문제

정답친해 162쪽

핵심 체크

- (❶   ): 기존의 화석 연료를 변환하여 이용하거나 햇빛, 바다, 바람 등의 재생 가능한 에너지원을 변환하여 이용하는 에너지
- (❷   ): 연료의 화학 반응을 통해 화학 에너지를 전기 에너지로 전환하는 장치
- 수소 연료 전지에서는 수소와 산소가 반응하여 (❸   )과 전기 에너지, 열에너지가 발생한다.
- (❹   ): 밀물과 썰물 때 생기는 해수면의 높이차를 이용하여 전기 에너지를 생산하는 방식
- (❺   ): 파도가 칠 때 해수면의 움직임을 이용하여 전기 에너지를 생산하는 방식
- (❻   ): 기술이 사용되는 사회 공동체의 필요 및 환경 조건을 고려하여 해당 지역에서 지속적인 생산과 소비를 할 수 있는 기술

1 수소 연료 전지의 (−)극에 공급하는 물질(A)과 반응 후 생성되는 물질(B)은 각각 무엇인지 쓰시오.

2 조력 발전에 대한 설명으로 옳은 것은 ○, 옳지 않은 것은 ×로 표시하시오.

(1) 밀물과 썰물로 인한 해수면의 높이 차이를 이용하여 전기 에너지를 생산한다. ( )

(2) 에너지원이 고갈될 염려가 없고 환경 오염 물질이 거의 발생하지 않는다. ( )

(3) 갯벌이 파괴되어 해양 생태계에 혼란을 줄 수 있다. ( )

3 다음은 파력 발전의 원리를 설명한 것이다. ( ) 안에 공통으로 들어갈 알맞은 말을 쓰시오.

> 파도가 칠 때 해수면이 움직여 발전소 안의 ( )가 압축될 때 생기는 ( )의 흐름을 이용하여 터빈을 돌려 전기 에너지를 생산한다.

4 친환경 에너지 도시를 설계할 때 적용할 수 있는 기술로 옳은 것은 ○, 옳지 않은 것은 ×로 표시하시오.

(1) 주택의 지붕에 태양 전지판을 설치한다. ( )

(2) 건물 외벽에 고효율 단열재를 사용한다. ( )

(3) 모든 도로는 자동차에게 우선권을 준다. ( )

내신 만점 문제

정답친해 162쪽

A 미래를 위한 지속 가능한 발전 방식

01 신재생 에너지에 대한 설명과 거리가 가장 먼 것은?

① 자원 고갈의 염려가 없다.
② 대부분 에너지 효율이 낮다.
③ 재생 에너지는 계속해서 다시 사용할 수 있다.
④ 기존의 에너지원에 비해 초기 투자 비용이 적게 든다.
⑤ 이산화 탄소 배출로 인한 환경 문제가 거의 발생하지 않는다.

중요 **02** 그림은 수소 연료 전지의 원리를 나타낸 것이다. 이에 대한 설명으로 옳은 것만을 [보기]에서 있는 대로 고른 것은?

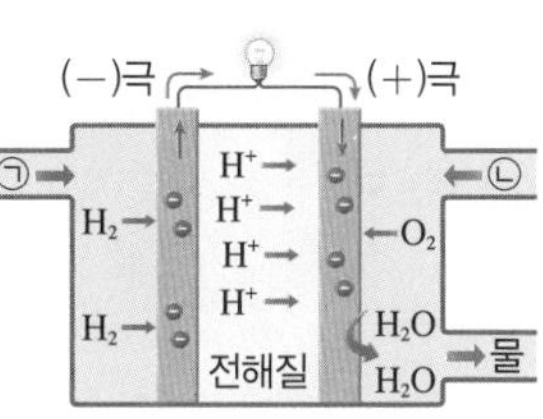

보기
ㄱ. ㉠은 산소, ㉡은 수소이다.
ㄴ. 반응 후 생성물로 물과 이산화 탄소가 발생한다.
ㄷ. 연료의 화학 에너지를 전기 에너지로 전환하는 장치이다.

① ㄱ ② ㄴ ③ ㄷ
④ ㄱ, ㄴ ⑤ ㄴ, ㄷ

03 그림은 최근에 많이 연구되고 있는 수소 연료 전지 버스를 나타낸 것이다. 수소 연료 전지에 대한 설명으로 옳지 않은 것은?

① 에너지 효율이 높고, 환경 오염 문제가 없다.
② 수소를 연소시켜 전기 에너지로 전환하는 장치이다.
③ 효율적인 수소의 저장 기술과 안정성 확보가 중요하다.
④ 수소를 대신해 메탄올, 나프타, 천연가스 등 다양한 연료를 사용할 수 있다.
⑤ 소규모의 휴대용 전자 제품부터 대형 연료 전지 발전소까지 넓은 영역에 이용될 수 있다.

04 그림 (가)는 건전지를 이용하여 물을 전기 분해 하는 모습을, (나)는 (가)에서 10분 정도 지난 후 건전지를 떼어 내고 발광 다이오드를 연결하였더니 불이 켜지는 모습을 나타낸 것이다.

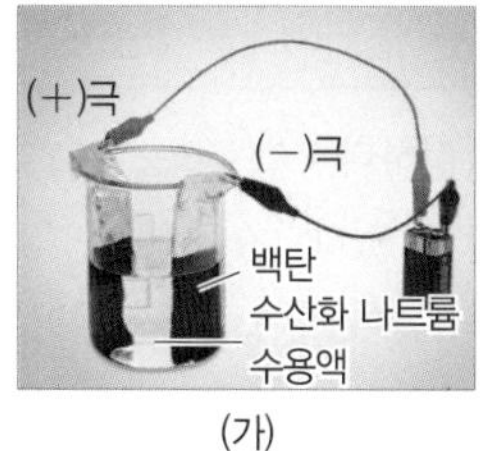

(가)

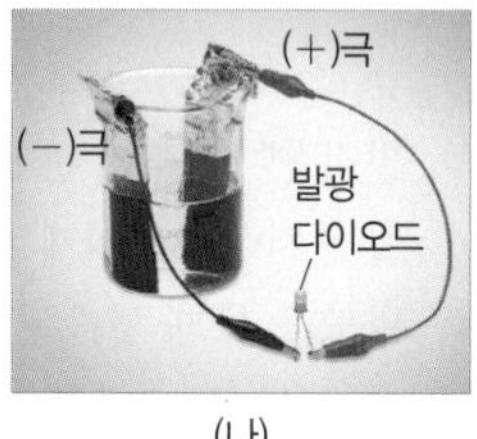

(나)

이에 대한 설명으로 옳은 것만을 [보기]에서 있는 대로 고른 것은?

보기
ㄱ. (가)의 (+)극에서는 산소가, (−)극에서는 수소가 발생한다.
ㄴ. (나)의 발광 다이오드에 흐르는 전류는 수소와 산소가 반응하며 생긴 것이다.
ㄷ. (나)의 반응은 (가)의 반응을 반대로 이용한 것이다.

① ㄱ ② ㄴ ③ ㄱ, ㄷ
④ ㄴ, ㄷ ⑤ ㄱ, ㄴ, ㄷ

중요 **05** 그림은 우리나라 서해안 지역의 시화호에 건설된 조력 발전소의 발전 원리를 나타낸 것이다.

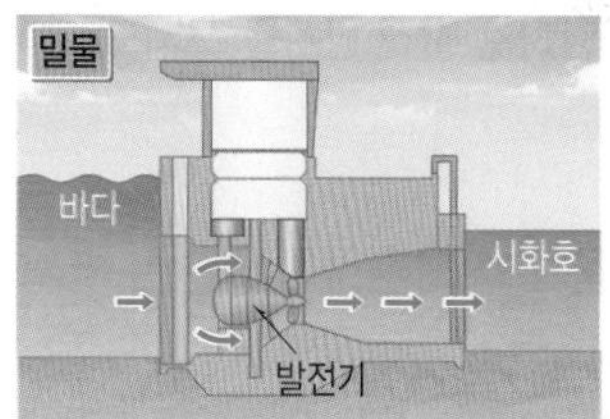

이에 대한 설명으로 옳은 것만을 [보기]에서 있는 대로 고른 것은?

보기
ㄱ. 소규모로 개발할 수 있고, 어느 바다에서나 설치할 수 있다.
ㄴ. 초기 시설 투자 비용이 많이 들고 주변 환경에 변화를 가져온다.
ㄷ. 조수 간만의 차가 클수록 많은 양의 전기 에너지를 생산할 수 있다.

① ㄱ ② ㄴ ③ ㄷ
④ ㄱ, ㄴ ⑤ ㄴ, ㄷ

06 그림은 파력 발전소의 발전 원리를 나타낸 것이다. 이에 대한 설명으로 옳은 것만을 [보기]에서 있는 대로 고른 것은?

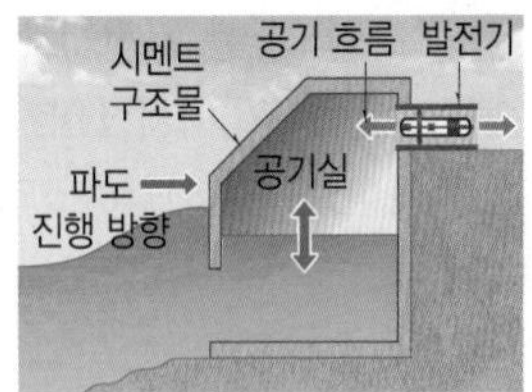

보기
ㄱ. 발전량이 기후에 관계없이 일정하다.
ㄴ. 발전 시설을 방파제로 활용할 수 있다.
ㄷ. 파도가 칠 때 생기는 해수면의 높이 차이로 공기를 압축하여 터빈을 돌린다.

① ㄱ ② ㄷ ③ ㄱ, ㄴ
④ ㄴ, ㄷ ⑤ ㄱ, ㄴ, ㄷ

07 그림은 신재생 에너지를 이용한 발전 방식을 기준에 따라 분류한 것이다. (가), (나), (다)는 각각 조력 발전, 지열 발전, 태양광 발전 중 하나이다.

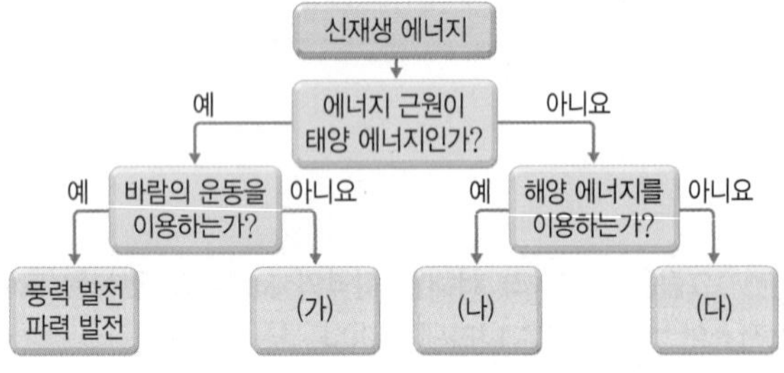

(가)~(다)에 해당하는 발전 방식을 쓰시오.

B 에너지 문제를 해결하기 위한 노력

중요
08 친환경 에너지 도시를 설계할 때 고려해야 할 사항으로 옳은 것만을 [보기]에서 있는 대로 고른 것은?

보기
ㄱ. 재생 가능한 에너지를 적극 활용하여 이산화 탄소 배출량을 줄인다.
ㄴ. 열손실을 줄여 건물의 실내 온도 유지에 필요한 에너지를 최소화한다.
ㄷ. 신재생 에너지를 이용하여 환경 문제와 에너지 문제를 함께 해결한다.

① ㄱ ② ㄷ ③ ㄱ, ㄴ
④ ㄴ, ㄷ ⑤ ㄱ, ㄴ, ㄷ

09 그림은 적정 기술에 해당하는 예들을 나타낸 것이다.

생명 빨대

큐 드럼

페트병 전구

이에 대한 설명으로 옳은 것만을 [보기]에서 있는 대로 고른 것은?

보기
ㄱ. 대규모의 사회 기반 시설이 필요한 기술이다.
ㄴ. 친환경적이고 삶의 질을 개선할 수 있는 기술이다.
ㄷ. 사회 공동체의 정치, 문화, 환경의 조건을 고려해 해당 지역에서 지속적인 생산과 소비가 가능해야 한다.

① ㄱ ② ㄷ ③ ㄱ, ㄴ
④ ㄴ, ㄷ ⑤ ㄱ, ㄴ, ㄷ

서술형 문제

10 그림은 수소 연료 전지의 원리를 나타낸 것이다.

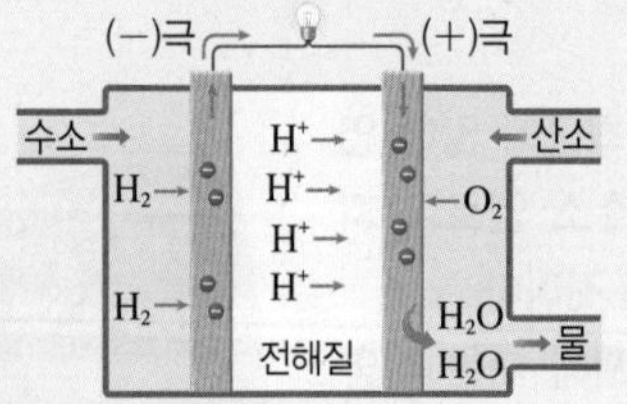

(1) 연료 전지의 전체 반응을 나타내는 화학 반응식을 쓰시오.

(2) 연료 전지가 활용되는 분야를 두 가지 쓰시오.

(3) 연료 전지가 화력 발전보다 에너지 효율이 높은 까닭을 에너지 전환 과정을 비교하여 서술하시오.

실력 UP 문제

정답친해 164쪽

01 그림은 수소 연료 전지에서 전기 에너지가 만들어지는 과정을 나타낸 것이다.

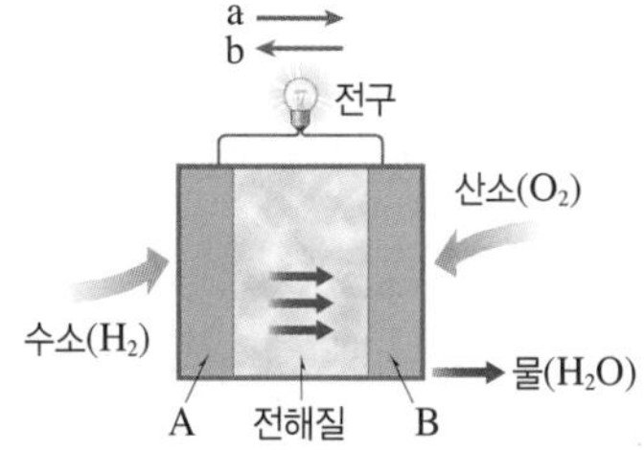

이에 대한 설명으로 옳은 것만을 [보기]에서 있는 대로 고른 것은?

보기
ㄱ. A는 (+)극이다.
ㄴ. (+)극에서 산소가 환원된다.
ㄷ. 전구에 흐르는 전류의 방향은 b이다.
ㄹ. 전자는 전해질을 통해 A에서 B로 이동한다.

① ㄱ, ㄷ ② ㄱ, ㄹ ③ ㄴ, ㄷ
④ ㄱ, ㄴ, ㄹ ⑤ ㄴ, ㄷ, ㄹ

02 그림 (가)와 (나)는 수소 연료 전지와 화력 발전소에서 전기 에너지를 얻는 과정을 나타낸 것이다.

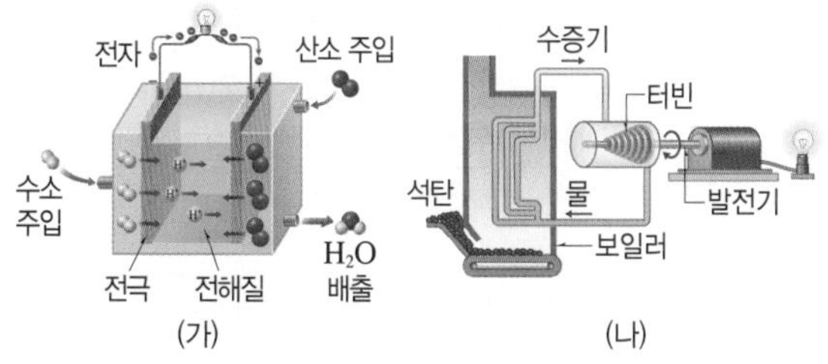

이에 대한 설명으로 옳은 것만을 [보기]에서 있는 대로 고른 것은?

보기
ㄱ. 에너지 효율은 (가)가 (나)보다 높다.
ㄴ. 소음과 환경 오염 물질이 발생하는 정도는 (가)가 (나)보다 적다.
ㄷ. (가)와 (나)는 공통적으로 화학 에너지 → 열에너지 → 전기 에너지의 에너지 전환 과정을 거친다.

① ㄱ ② ㄷ ③ ㄱ, ㄴ
④ ㄴ, ㄷ ⑤ ㄱ, ㄴ, ㄷ

03 그림 (가)와 (나)는 조력 발전과 파력 발전의 원리를 나타낸 것이다.

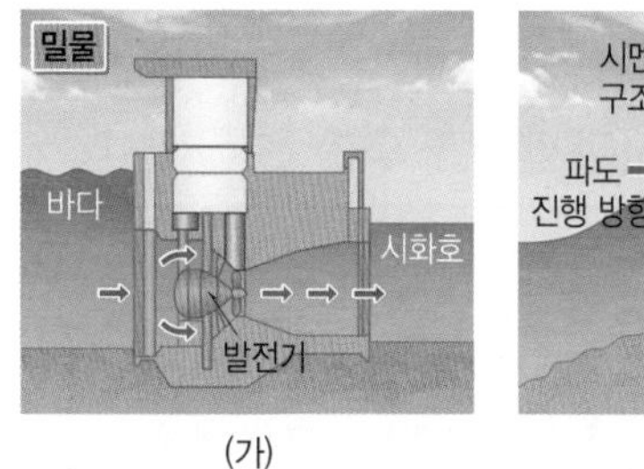

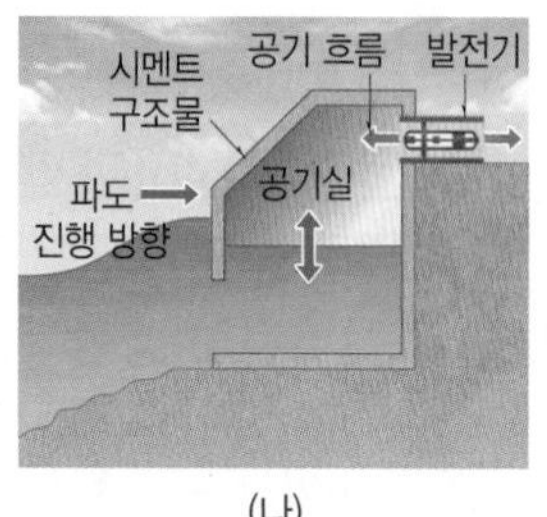

(가) (나)

이에 대한 설명으로 옳은 것만을 [보기]에서 있는 대로 고른 것은?

보기
ㄱ. (가)는 지속적이고 예측 가능한 발전이다.
ㄴ. (가)는 우리나라 서해안이 동해안보다 적합하다.
ㄷ. (가)와 (나)는 대규모 발전이 가능하다.
ㄹ. (가)는 발전량이 일정하고, (나)는 발전량의 변동이 크다.

① ㄱ, ㄴ ② ㄱ, ㄹ ③ ㄴ, ㄷ
④ ㄱ, ㄷ, ㄹ ⑤ ㄴ, ㄷ, ㄹ

04 그림 (가)~(다)는 친환경 에너지 도시를 설계할 때 적용할 수 있는 장치를 나타낸 것이다.

(가) 환풍기

(나) 3중 유리창

(다) 전기 자동차 충전소

이에 대한 설명으로 옳은 것만을 [보기]에서 있는 대로 고른 것은?

보기
ㄱ. (가)에 열교환기를 부착하여 난방 기구 없이 실내 온도를 조절한다.
ㄴ. (나)를 이용해서 열손실을 줄이되 채광을 위해 창을 넓게 만든다.
ㄷ. (다)를 이용해서 다른 도시에 있는 발전소에서 생산한 전기를 공급받아 전기 자동차를 충전한다.

① ㄱ ② ㄴ ③ ㄷ
④ ㄱ, ㄴ ⑤ ㄴ, ㄷ

정답친해 165쪽

1 전기 에너지의 생산과 수송

1. 전기 에너지의 생산

(1) (❶): 코일 근처에서 자석을 움직일 때 코일을 통과하는 자기장이 변하여 유도 전류가 흐르는 현상

(2) **발전소에서의 전기 에너지 생산:** 발전기에 연결된 터빈을 돌리면 전자기 유도에 의해 전기 에너지가 생산된다.

2. 전기 에너지의 수송

(1) **전력 수송 과정:** 발전소에서 생산된 전력은 송전선을 통해 가정이나 공장으로 전달된다.

전력 손실	송전선에 전류가 흐를 때 저항에 의해 전기 에너지의 일부가 (❷)에너지로 전환되어 손실된다. ➡ 손실 전력 =(❸ $)^2$× 저항
고전압 송전	전력 손실을 줄이기 위해 (❹) 전압으로 송전하고, 가정이나 사업장 근처 변전소에서 전압을 낮춘다.

(2) **변압기:** 전자기 유도를 이용하여 전압을 바꾸는 장치

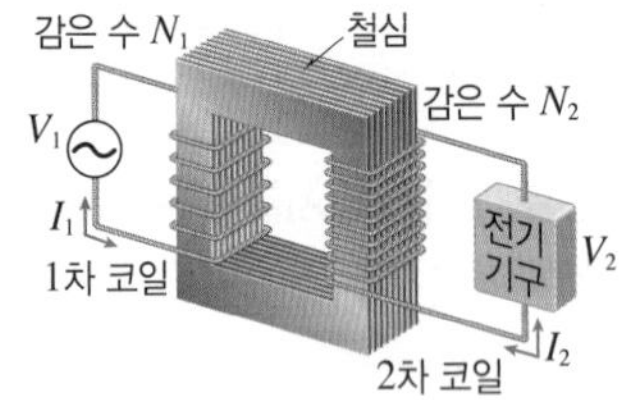

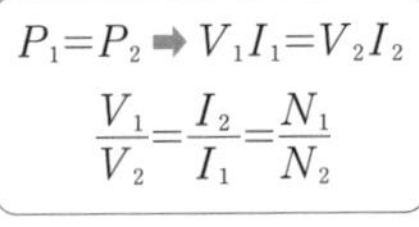
$$P_1=P_2 \Rightarrow V_1I_1=V_2I_2$$
$$\frac{V_1}{V_2}=\frac{I_2}{I_1}=\frac{N_1}{N_2}$$

2 태양 에너지의 생성과 전환

1. 태양 에너지의 생성

생성 과정	태양 중심부에서 수소 원자핵들이 융합하여 헬륨 원자핵으로 변환되는 (❺) 반응으로 생성된다.
(❻)	핵반응 후 질량 합이 핵반응 전보다 줄어들 때의 질량 차이

2. 태양 에너지의 전환과 순환

에너지 전환	태양열에 의해 물이 증발하여 비, 눈과 같은 기상 현상이 일어나고, 식물은 광합성을 통해 양분을 얻는다.
에너지 순환	저위도의 남는 에너지는 고위도로 이동하며 대기와 해수가 순환한다.

3 발전과 지구 환경

1. 태양광 발전

원리	태양 전지를 이용하여 태양의 빛에너지를 직접 (❼) 에너지로 전환한다.
특징	• 수명이 길고 유지와 보수가 간편하다. • 계절과 일조량의 영향을 받아 발전 시간이 제한적이다.

2. 핵발전

원리	우라늄의 원자핵이 분열할 때 발생하는 에너지로 터빈을 돌려 전기 에너지를 생산한다.
특징	• 연료비가 저렴하고 에너지 효율이 높다. • 방사능 유출의 위험이 있고, 방사성 폐기물을 처리하기 어렵다.

3. 풍력 발전

원리	바람의 (❽) 에너지로 터빈을 돌려 전기 에너지를 생산한다.
특징	• 설비가 비교적 간단하고, 전력 생산 단가가 저렴하다. • 소음과 새들이 발전기 날개에 충돌하는 문제가 발생한다.

4 미래의 지속 가능한 발전

1. 신재생 에너지

정의	기존의 화석 연료를 변환하여 이용하거나 햇빛, 바다, 바람 등의 재생 가능한 에너지원을 변환하여 이용하는 에너지
특징	• 초기 투자 비용이 많이 들지만 환경 문제가 거의 없다. • 재생 가능한 에너지원을 이용하여 자원이 고갈될 염려가 없다.

2. 연료 전지

원리	연료의 화학 반응을 통해 화학 에너지를 전기 에너지로 전환한다.
특징	• 최종 생성물로 (❾)만 생성되어 환경 오염 물질을 거의 배출하지 않는다. • 화학 에너지가 전기 에너지로 직접 전환되어 효율이 높다.

3. 해양 에너지

구분	(❿) 발전	파력 발전
원리	밀물과 썰물 때 생기는 해수면의 높이차를 이용하여 전기 에너지를 생산한다.	파도가 칠 때 해수면의 움직임을 이용하여 전기 에너지를 생산한다.
특징	• 발전량을 예측할 수 있다. • 설치 장소가 제한적이다.	• 소규모로 개발할 수 있다. • 방파제로 활용할 수 있다.

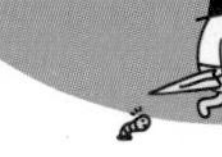

마무리 문제

난이도 ●●●

정답친해 165쪽

●●○

01 그림은 저항을 연결한 코일과 막대자석으로 전자기 유도 실험을 하는 모습을 나타낸 것이다.

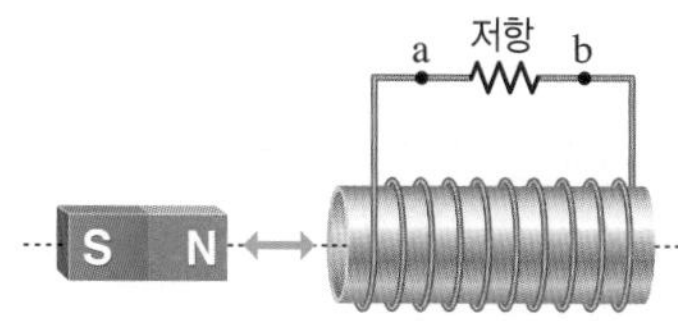

이에 대한 설명으로 옳은 것만을 [보기]에서 있는 대로 고른 것은?

보기
ㄱ. 자석의 세기가 셀수록 코일에 흐르는 유도 전류의 세기는 세진다.
ㄴ. 자석의 N극을 코일에서 멀리 할 때 코일의 왼쪽 부분은 N극이 된다.
ㄷ. 자석의 N극을 코일에 가까이 할 때 저항에 흐르는 유도 전류의 방향은 a → 저항 → b 방향이다.

① ㄱ ② ㄴ ③ ㄱ, ㄷ
④ ㄴ, ㄷ ⑤ ㄱ, ㄴ, ㄷ

●●○

02 그림은 자전거의 전조등에 사용되는 소형 발전기의 구조를 나타낸 것이다. 자전거의 바퀴를 돌릴 때 발전기 내부의 영구 자석이 회전하면서 전조등이 켜진다.

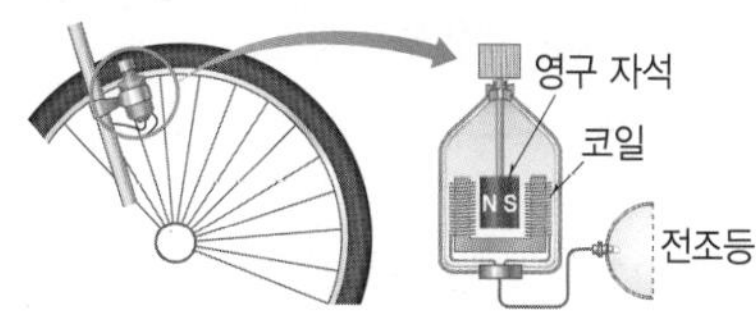

이에 대한 설명으로 옳지 않은 것은?

① 영구 자석이 회전하면 코일에 유도 기전력이 발생한다.
② 영구 자석의 회전에 의해 코일에 유도 전류가 흐른다.
③ 전조등에 흐르는 전류의 방향은 일정하다.
④ 자전거의 바퀴가 빠르게 회전할수록 전조등은 더 밝아진다.
⑤ 영구 자석의 운동 에너지가 전기 에너지로 전환된다.

●●○

03 일정한 전력 P를 송전선을 통해 가정으로 수송하는 과정에서 발생하는 전력 손실에 대한 설명으로 옳은 것만을 [보기]에서 있는 대로 고른 것은?

보기
ㄱ. 송전선에 전류가 흐를 때 발생하는 열에 의해 전력이 손실된다.
ㄴ. 전압을 100배 높여 송전하면 송전선에서 손실되는 전력이 $\frac{1}{100}$배로 줄어든다.
ㄷ. 송전선에서의 전력 손실을 줄이려면 굵기가 가는 송전선을 사용해야 한다.

① ㄱ ② ㄴ ③ ㄷ
④ ㄱ, ㄴ ⑤ ㄴ, ㄷ

●●○

04 그림은 변압기의 구조를 나타낸 것이고, 표는 변압기의 1차 코일과 2차 코일의 감은 수, 전압, 전류, 전력을 나타낸 것이다.

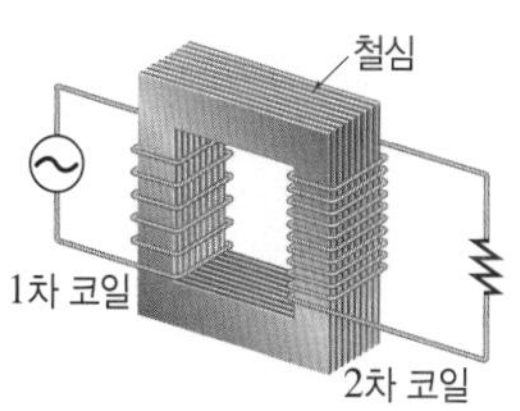

구분	코일을 감은 수(회)	전압(V)	전류(A)	전력(W)
1차 코일	200	110	2	220
2차 코일	400	V_2	1	P_2

이에 대한 설명으로 옳은 것만을 [보기]에서 있는 대로 고른 것은?(단, 변압기에서 발생하는 에너지 손실은 무시한다.)

보기
ㄱ. 전자기 유도를 이용하여 전압을 변화시킨다.
ㄴ. 2차 코일의 전압 V_2는 220 V이다.
ㄷ. 2차 코일의 전력 P_2는 440 W이다.

① ㄱ ② ㄷ ③ ㄱ, ㄴ
④ ㄱ, ㄷ ⑤ ㄴ, ㄷ

서술형 ●●●

05 표는 지역 A, B에서 전력을 송전할 때 발전소의 송전 전력, 송전선의 저항, 송전 전압을 나타낸 것이다.

구분	송전 전력	송전선의 저항	송전 전압
A	P	R	V
B	$2P$	(가)	V

A, B에서 송전선의 손실 전력이 서로 같을 때 B에서 송전선의 저항 (가)를 계산 과정과 함께 구하시오.

●●○

06 그림은 태양 에너지가 생성되는 핵반응을 나타낸 것이다. 이에 대한 설명으로 옳은 것만을 [보기]에서 있는 대로 고른 것은?

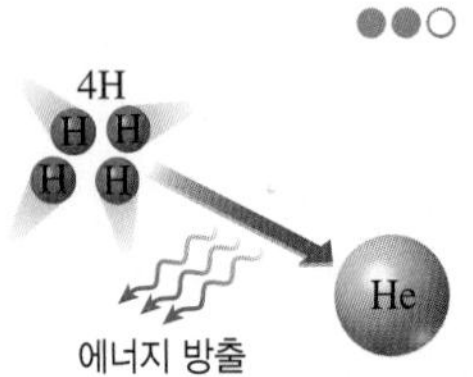

보기
ㄱ. 태양 에너지는 수소 원자핵이 융합하여 헬륨 원자핵으로 바뀌는 수소 핵융합 반응으로 생성된다.
ㄴ. 핵반응 전과 후 입자 전체 질량의 합이 일정하게 보존된다.
ㄷ. 태양 에너지는 지구에서 일어나는 에너지의 전환과 순환 대부분의 원인이 된다.

① ㄱ ② ㄴ ③ ㄱ, ㄷ
④ ㄴ, ㄷ ⑤ ㄱ, ㄴ, ㄷ

●●○

07 태양 에너지가 지구에서 일으키는 에너지의 전환과 순환에 대한 설명으로 옳은 것만을 [보기]에서 있는 대로 고른 것은?

보기
ㄱ. 대기와 해수의 순환을 일으키고, 기상 현상의 원인이 된다.
ㄴ. 우라늄의 핵에너지로 전환되어 핵발전의 연료로 사용된다.
ㄷ. 식물의 광합성을 통해 화학 에너지 형태로 포도당에 저장되고, 생명체의 에너지원으로 이용된다.

① ㄱ ② ㄴ ③ ㄱ, ㄷ
④ ㄴ, ㄷ ⑤ ㄱ, ㄴ, ㄷ

●○○

08 18세기 이후에 사용하기 시작하여 현재 가장 많이 사용하고 있는 에너지원으로, 대기 오염과 지구 온난화 등 환경 문제를 일으키는 원인이 되는 에너지원을 쓰시오.

●●○

09 그림은 태양 전지에서 전기 에너지가 만들어지는 원리를 나타낸 것이다. 이에 대한 설명으로 옳지 않은 것은?

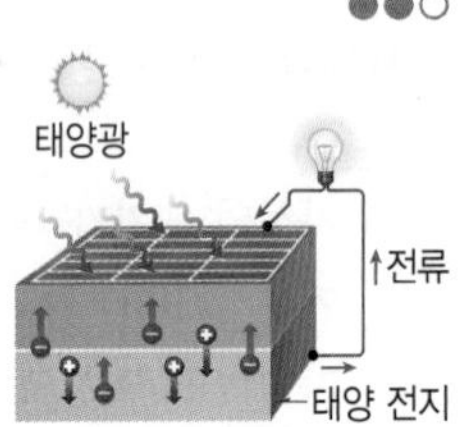

① 초기 투자 비용이 많이 든다.
② 환경 오염 물질이 거의 발생하지 않는다.
③ 태양광 발전 설비의 유지와 보수가 쉽다.
④ 반도체에 빛을 비추면 자유 전자가 생기는 원리를 이용한다.
⑤ 태양 전지의 설치 면적에 관계없이 많은 양의 전기 에너지를 생산할 수 있다.

●●○

10 그림은 핵발전소의 원자로 안에서 우라늄 원자핵이 핵분열하는 과정을 나타낸 것이다. 이에 대한 설명으로 옳은 것만을 [보기]에서 있는 대로 고른 것은?

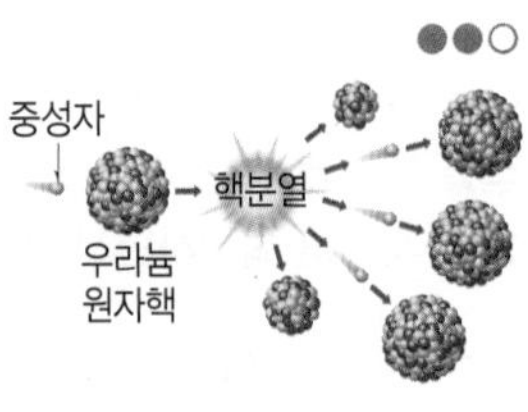

보기
ㄱ. 핵분열 과정에서 발생하는 에너지는 우라늄 원자핵의 화학 에너지이다.
ㄴ. 연쇄 반응이 계속 일어나도록 하기 위해 중성자의 속도를 느리게 하는 감속재를 사용한다.
ㄷ. 연쇄 반응의 속도를 조절하기 위해 중성자를 흡수하는 제어봉을 사용한다.

① ㄱ ② ㄴ ③ ㄷ
④ ㄱ, ㄴ ⑤ ㄴ, ㄷ

11 ●●● 그림은 다양한 종류의 발전 방식을 나타낸 것이다.

(가) 화력 발전 (나) 태양광 발전 (다) 풍력 발전 (라) 핵발전

각 특징에 맞는 발전 방식을 잘못 연결한 것은?

① 소음이 발생하는 발전 방식 – (나)
② 전자기 유도를 이용한 발전 방식 – (가), (다), (라)
③ 대기 오염 물질을 방출하는 발전 방식 – (가)
④ 에너지원이 고갈될 염려가 없는 발전 방식 – (나), (다)
⑤ 에너지의 근원이 태양 에너지가 아닌 발전 방식 – (라)

12 ●○○ 신재생 에너지를 이용한 발전 방식에 해당하지 않는 것은?

① 핵발전 ② 풍력 발전 ③ 파력 발전
④ 조력 발전 ⑤ 태양광 발전

13 ●●○ 그림은 수소 연료 전지를 나타낸 것이다.

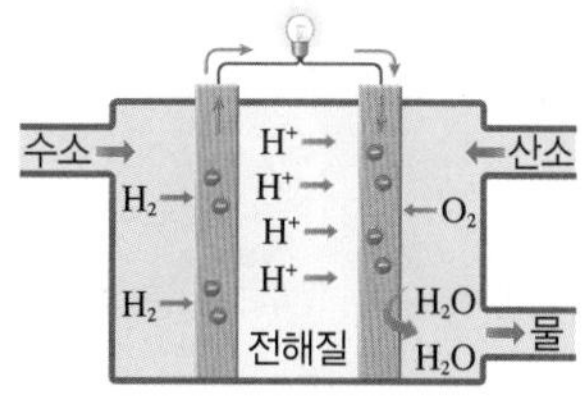

이에 대한 설명으로 옳은 것만을 [보기]에서 있는 대로 고른 것은?

보기
ㄱ. (+)극에 공급된 수소는 전자를 잃고 산화된다.
ㄴ. 최종 생성물은 물이므로, 환경 오염을 거의 일으키지 않는다.
ㄷ. 수소 이온은 도선을 통해 (−)극에서 (+)극으로 이동한다.

① ㄱ ② ㄴ ③ ㄱ, ㄷ
④ ㄴ, ㄷ ⑤ ㄱ, ㄴ, ㄷ

14 ●●○ 그림 (가), (나)는 해양 에너지를 이용하는 발전 방식을 나타낸 것이다.

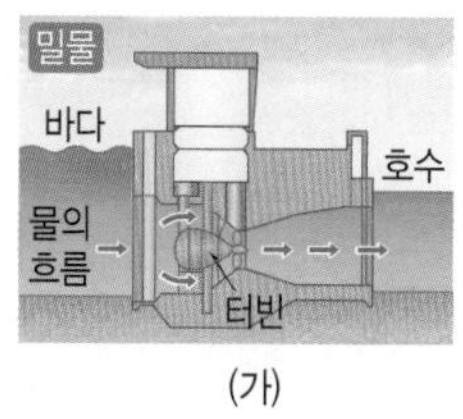

(가)

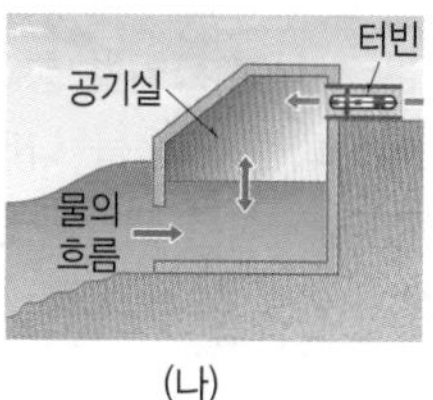

(나)

(가)와 (나)의 공통점으로 옳지 않은 것은?

① 자원이 고갈될 염려가 없다.
② 많은 양의 전기를 생산하기에 유리하다.
③ 전자기 유도 현상에 의해 전기 에너지를 생산한다.
④ 발전소를 건설할 수 있는 장소 선정에 제한이 있다.
⑤ 발전 과정에서 대기 오염 물질이 거의 발생하지 않는다.

15 ●●○ 그림은 에너지원으로부터 전기 에너지를 생산하는 과정 A, B, C를 나타낸 것이다. A, B, C는 각각 연료 전지 발전, 조력 발전, 지열 발전 중 하나이다.

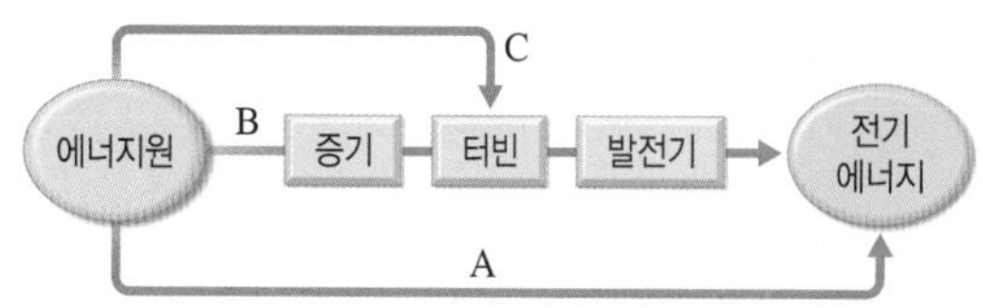

A, B, C에 해당하는 발전 방식을 쓰시오.

16 ●●○ 그림은 어느 친환경 에너지 도시의 에너지 관리 시스템을 나타낸 것이다. 이에 대한 설명으로 옳지 않은 것은?

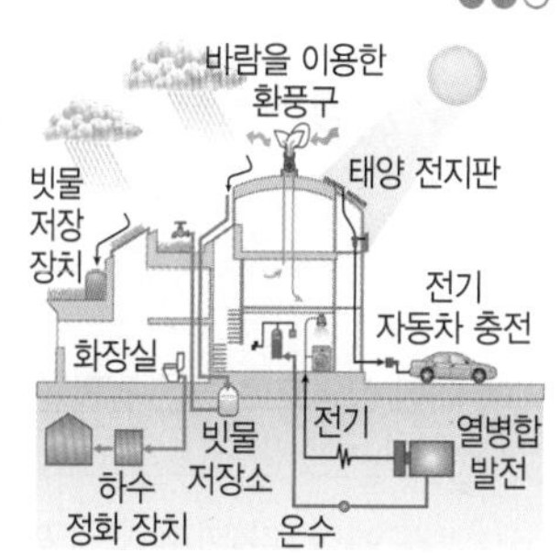

① 오수를 정화하여 화장실에 활용한다.
② 화석 연료를 사용하지 않도록 개발되었다.
③ 열병합 발전소에서 석탄을 소각하여 에너지를 생산한다.
④ 주택의 지붕 위에 태양 전지를 설치하여 전기 에너지를 생산한다.
⑤ 환풍구를 특수 제작하여 미세한 바람을 이용해 실내 온도를 적정 온도로 유지한다.

고난도 문제

정답친해 167쪽

01 그림은 코일 위에 가만히 놓은 자석이 코일을 통과하여 낙하하는 모습을 나타낸 것이다. 자석은 코일의 중심축상에 있는 점 p, q를 지난다.

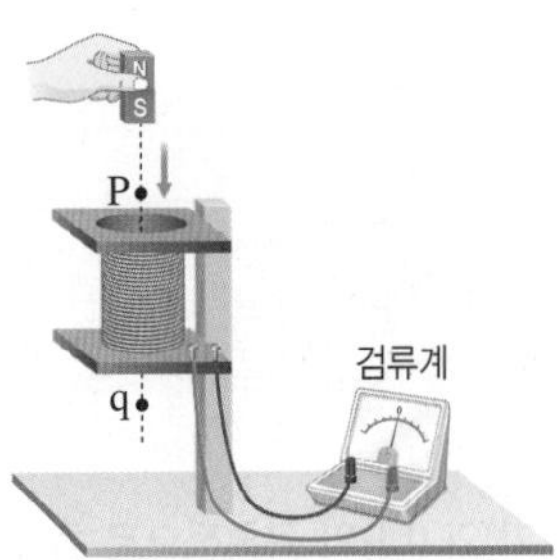

이에 대한 설명으로 옳은 것만을 [보기]에서 있는 대로 고른 것은?(단, 자석의 크기와 공기 저항은 무시한다.)

보기
ㄱ. 자석이 p를 지날 때와 q를 지날 때, 자석에 작용하는 자기력의 방향은 같다.
ㄴ. 자석이 p를 지날 때와 q를 지날 때, 검류계에 흐르는 유도 전류의 방향은 같다.
ㄷ. 자석이 p에서 q까지 낙하하는 동안 자석의 역학적 에너지는 보존된다.

① ㄱ ② ㄴ ③ ㄱ, ㄷ
④ ㄴ, ㄷ ⑤ ㄱ, ㄴ, ㄷ

02 그림은 자석 사이에서 코일이 회전할 때 전기가 생산되는 발전기의 원리를 나타낸 것이다. (가)~(라)는 코일 면이 자기장과 이루는 각도가 각각 0°, 45°, 90°, 135°일 때 모습이다.

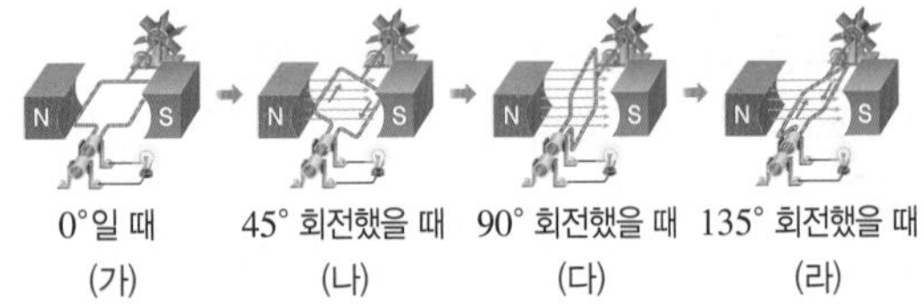

0°일 때 (가) 45° 회전했을 때 (나) 90° 회전했을 때 (다) 135° 회전했을 때 (라)

이에 대한 설명으로 옳은 것만을 [보기]에서 있는 대로 고른 것은?

보기
ㄱ. (가)에서 (다)까지 코일 면이 회전할 때, 자기장이 코일 면을 수직으로 통과하는 면적은 감소한다.
ㄴ. 전자기 유도 현상에 의해 코일에 전류가 흐른다.
ㄷ. (나)와 (라)에서 코일에 흐르는 전류의 방향은 반대이다.

① ㄱ ② ㄴ ③ ㄱ, ㄷ
④ ㄴ, ㄷ ⑤ ㄱ, ㄴ, ㄷ

03 그림 (가)는 전력 수송 과정에서 전압을 변화시키는 주상 변압기를, (나)는 주상 변압기의 회로를 나타낸 것이다. 송전선의 저항은 R이고, 주상 변압기의 1차 코일과 2차 코일의 감은 수는 각각 N_1과 N_2이다.

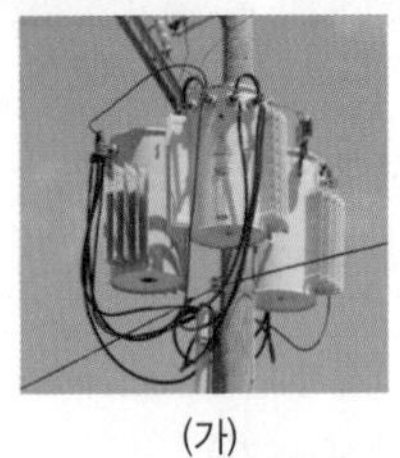
(가)

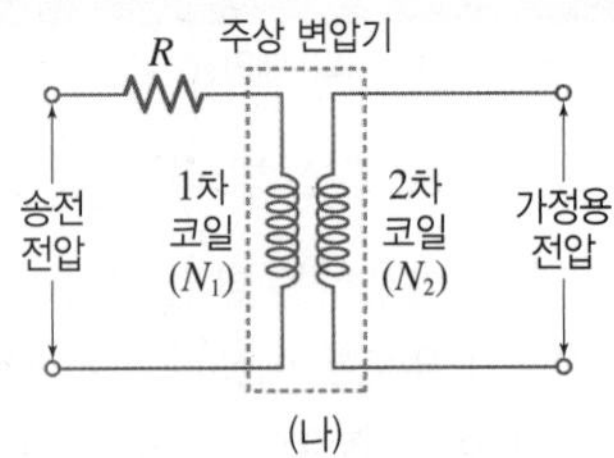

(나)

이에 대한 설명으로 옳은 것만을 [보기]에서 있는 대로 고른 것은?(단, 송전 전압은 일정하고, 주상 변압기에서의 에너지 손실은 무시한다.)

보기
ㄱ. $N_1 > N_2$이다.
ㄴ. 1차 코일과 2차 코일에 흐르는 전류의 세기는 같다.
ㄷ. 가정에서 사용하는 전력이 증가하면 송전선에서 손실되는 전력이 증가한다.

① ㄱ ② ㄴ ③ ㄷ
④ ㄱ, ㄷ ⑤ ㄴ, ㄷ

04 그림 (가)와 (나)는 핵융합 반응과 핵분열 반응의 예를 순서 없이 나타낸 것이다.

중수소 삼중수소 헬륨 중성자
(가)

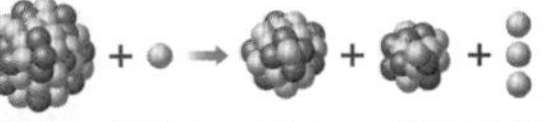
우라늄 중성자 바륨 크립톤 중성자
(나)

이에 대한 설명으로 옳은 것만을 [보기]에서 있는 대로 고른 것은?

보기
ㄱ. (가)는 태양에서 일어나는 핵융합 반응이다.
ㄴ. (나)에서 연쇄 반응이 계속 일어나도록 하기 위해서는 감속재를 사용해야 한다.
ㄷ. (가)와 (나)에서 핵반응이 일어나기 전과 후의 질량의 합은 같다.

① ㄱ ② ㄴ ③ ㄱ, ㄷ
④ ㄴ, ㄷ ⑤ ㄱ, ㄴ, ㄷ

를 잃고 C^+이 되고, B 원자가 전자 2개를 얻어 B^{2-}이 된 다음, C^+과 B^{2-}이 2 : 1의 개수비로 결합하여 생성된다. (3) (가)는 공유 결합으로 생성된 물질로 액체 상태에서 전기 전도성이 없고, (나)는 이온 결합으로 생성된 물질로 액체 상태에서 전기 전도성이 있다. 14 환경 오염을 일으키지 않아야 한다. 생명체에 해롭지 않아야 한다. 시멘트와 차량, 철제 구조물을 부식시키지 않아야 한다. 제설 작업이 쉬워야 한다. 제설 효과가 좋아야 한다. 등

실력 UP 문제 59쪽

01 ④ 02 ③ 03 ④ 04 ③

중단원 핵심 정리 60~61쪽

❶ 감소 ❷ 중성자 ❸ 원자핵 ❹ 우주 배경 복사 ❺ 흡수 스펙트럼 ❻ 종류 ❼ 빅뱅 우주론 ❽ 철 ❾ 중력 수축 ❿ 수소 핵융합 ⓫ 중력 ⓬ 철 ⓭ 초신성 폭발 ⓮ 미행성체 ⓯ 마그마 ⓰ 원자 번호 ⓱ 금속 ⓲ 비금속 ⓳ 1 ⓴ 17 ㉑ 2 ㉒ 8 ㉓ 원자가 전자 ㉔ 원자가 전자 ㉕ 18 ㉖ 없다 ㉗ 있다 ㉘ 없다

중단원 마무리 문제 62~66쪽

01 ② 02 빅뱅 우주론에서는 시간이 지날수록 우주의 밀도가 감소하지만, 정상 우주론에서는 시간이 지나도 우주의 밀도가 일정하다. 03 ③ 04 ③ 05 ④ 06 ④ 07 ① 08 ③ 09 ② 10 초신성 잔해에는 철보다 무거운 원소가 분포한다. 초신성 폭발 과정에서 매우 큰 에너지가 발생하여 철보다 무거운 원소가 일시적으로 만들어지기 때문이다. 11 ③ 12 지구형 행성은 철, 규소, 니켈 등 무거운 물질로 이루어진 암석 성분의 행성이고, 목성형 행성은 메테인, 수소, 헬륨 등 가벼운 물질로 이루어진 기체 성분의 행성이다. 이러한 차이가 나는 까닭은 지구형 행성은 태양으로부터 가까운 곳에서 녹는점이 높은 무거운 물질들이 응축하여 형성되었고, 목성형 행성은 태양으로부터 먼 곳에서 녹는점이 낮은 가벼운 물질들이 응축하여 형성되었기 때문이다. 13 ① 14 ㄱ, ㄴ 15 ④ 16 ② 17 D 18 ③ 19 ③ 20 ② 21 ③ 22 ③ 23 ② 24 (1) 염화 칼륨, 염화 칼륨은 이온 결합 물질로 수용액 상태에서 이온이 자유롭게 이동하여 전기 전도성이 있기 때문이다. (2) 설탕, 설탕은 공유 결합 물질로 수용액 상태에서 전기적으로 중성인 분자 상태로 존재하여 전기 전도성이 없기 때문이다. 25 ③ 26 ㄱ, ㄴ, ㄷ

중단원 고난도 문제 67쪽

01 ② 02 ① 03 ② 04 ⑤

2 자연의 구성 물질

01 지각과 생명체 구성 물질의 결합 규칙성

개념 확인 문제 73쪽

❶ 규소 ❷ 탄소 ❸ 4 ❹ 4 ❺ 규산염 사면체 ❻ 판상 구조 ❼ 탄소 화합물 ❽ 4 ❾ 4 ❿ 고리 모양

1 (1) × (2) × (3) ○ (4) ○ 2 A: 규소, B: 산소 3 (가) 복사슬 구조 (나) 망상 구조 (다) 판상 구조 4 ④ 5 (1) × (2) ○ (3) × 6 ① 7 (가) 가지 모양(가지 달린 사슬 모양) (나) 사슬 모양 (다) 고리 모양

내신 만점 문제 74~76쪽

01 ④ 02 ⑤ 03 ③ 04 ④ 05 ③ 06 ③ 07 ② 08 ⑤ 09 ③ 10 ① 11 ⑤ 12 ⑤ 13 ⑤ 14 ③ 15 ④ 16 철과 마그네슘은 별 내부의 핵융합 반응으로 생성되었고, 니켈은 초신성 폭발 과정에서 생성되었다. 17 산소와 규소, 규산염 사면체들이 일정한 규칙에 따라 서로 결합하여 다양한 구조를 이루기 때문에 다양한 종류의 규산염 광물이 만들어진다. 18 (나), (나)는 (가)보다 규산염 사면체 사이에 공유하는 산소 수가 많아 공유 결합이 더 복잡하기 때문에 풍화에 강하다. 19 탄소는 원자가 전자가 4개이므로 원자 1개당 최대 4개의 공유 결합을 하여 다양한 화합물을 만든다. 또한, 다른 탄소와도 다양한 방식으로 연속적으로 결합하여 복잡하고 다양한 분자를 만드는 데 유리하다. 따라서 탄소는 생명체의 주요 구성 성분이 되었다.

실력 UP 문제 77쪽

01 ④ 02 ② 03 ⑤ 04 ⑤ 05 ⑤

02 생명체 구성 물질의 형성

개념 확인 문제 80쪽

❶ 탄수화물 ❷ 단백질 ❸ 핵산 ❹ 단위체 ❺ 아미노산 ❻ 폴리펩타이드 ❼ 펩타이드 ❽ 아미노산

1 (1) × (2) × (3) ○ (4) × (5) × 2 ㄴ, ㄷ, ㄹ, ㅁ 3 (1) ㉡ (2) ㉠ (3) ㉢ 4 ㉠ 아미노산, (가) 펩타이드 결합 5 (1) ○ (2) ○ (3) ○ (4) × (5) ○ (6) × 6 ㉠ 배열 순서, ㉡ 입체 구조

개념 확인 문제 83쪽

❶ 뉴클레오타이드 ❷ 디옥시리보스 ❸ T ❹ 리보스 ❺ U ❻ 인산 ❼ 상보 ❽ 타이민(T) ❾ 사이토신(C) ❿ 염기 서열

1 뉴클레오타이드, 염기 2 (1) × (2) × (3) ○ 3 ㄷ, ㄹ, ㅁ 4 (1) RNA (2) 4개 5 (1) 디옥시리보스 (2) 인산 (3) 사이토신(C) 6 ATGGTGCACGTA 7 30 % 8 (1) ○ (2) ○ (3) ×

내신 만점 문제 84~86쪽

01 ③ 02 ④ 03 ③ 04 ⑤ 05 ㄱ, ㄴ, ㄷ 06 ⑤ 07 ③ 08 ⑤ 09 ④ 10 ②, ④ 11 ③ 12 ② 13 ⑤ 14 ② 15 ② 16 (가)의 단위체는 뉴클레오타이드이며 4종류가 있다. (나)의 단위체는 아미노산이며 20종류가 있다. 17 (1) 물(H_2O) (2) 펩타이드 결합, 119개 (3) 단백질은 단위체인 아미노산이 펩타이드 결합으로 연결되어 형성되는데, 아미노산의 종류와 수 및 배열 순서에 따라 단백질의 입체 구조가 달라져 다양한 종류의 단백질이 형성된다. 즉, 20종류의 아미노산이 다양한 순서로 결합하여 입체 구조가 다른 많은 종류의 단백질을 형성할 수 있다. 18 • 당: DNA를 구성하는 당은 디옥시리보스이고, RNA를 구성하는 당은 리보스이다. • 염기: DNA를 구성하는 염기는 A, G, C, T이고, RNA를 구성하는 염기는 A, G, C, U이다. • 기능: DNA는 유전 정보를 저장하고, RNA는 유전 정보의 전달 및 단백질 합성에 관여한다. 19 염기가 다른 4종류의 단위체가 다양한 순서로 결합하여 다양한 염기 서열을 가진 DNA가 만들어지고, DNA의 다양한 염기 서열에 다양한 유전 정보가 저장된다.

실력 UP 문제 87쪽

01 ④ 02 ① 03 ③ 04 ③

03 신소재의 개발과 이용

개념 확인 문제 92쪽

❶ 액정 ❷ 다이오드 ❸ p형 반도체 ❹ n형 반도체 ❺ 초전도 ❻ 네오디뮴 자석 ❼ 그래핀 ❽ 생체 모방

1 (1) ○ (2) ○ (3) × 2 ㄴ, ㄷ 3 (1) ○ (2) × (3) ○ 4 ㉠ 양공, ㉡ 전자 5 ㉠ 0, ㉡ 초전도체 6 ㄱ, ㄴ, ㄹ 7 ㄱ, ㄴ

내신 만점 문제 93~96쪽

01 ② 02 ③ 03 ④ 04 ⑤ 05 ④ 06 ③ 07 ③ 08 ⑤ 09 ④ 10 ③ 11 B, D 12 ⑤ 13 ⑤ 14 ③ 15 ⑤ 16 ③ 17 ⑤ 18 ④ 19 초전도체는 (가)와 같이 임계 온도 이하에서 전기 저항이 0이 되는 특성이 있다. 임계 온도 이하에서 초전도체는 외부 자기장을 밀어내는 특성이 있어 (나)와 같이 마이스너 효과가 나타난다. 20 (1) 그래핀 (2) 탄소 (3) 열을 잘 전달한다. 강도가 매우 높다. 잘 휘어진다. 투명하다. 등

21

생물	특성	신소재
홍합	접착 단백질을 분비하여 젖은 표면에 잘 붙어 있다.	수중 접착제
연잎	표면에 미세한 돌기와 기름 성분이 있어 물방울이 흘러내린다.	방수 코팅제
도꼬마리 열매	갈고리 구조를 가지고 있어 옷이나 동물의 털에 잘 달라붙는다.	벨크로 테이프

실력 UP 문제 97쪽

01 ② 02 ④ 03 ③ 04 ③

중단원 핵심 정리 98~99쪽

❶ 산소 ❷ 산소 ❸ 철 ❹ 규산염 사면체 ❺ 탄소 화합물 ❻ 단백질 ❼ 핵산 ❽ 포도당 ❾ 20 ❿ 펩타이드 ⓫ 폴리펩타이드 ⓬ 입체 구조 ⓭ 배열 순서 ⓮ 1 : 1 : 1 ⓯ 인산 ⓰ 디옥시리보스 ⓱ T ⓲ U ⓳ 이중 나선 ⓴ 타이민(T) ㉑ 사이토신(C) ㉒ 상보 ㉓ LCD ㉔ 발광 다이오드 ㉕ 태양 전지 ㉖ 임계 온도 ㉗ 탄소 ㉘ 생체 모방 ㉙ 홍합

중단원 마무리 문제 100~104쪽

01 ④ 02 ④ 03 지각을 구성하는 암석은 대부분 규산염 광물로 이루어져 있고, 규산염 광물을 구성하는 주요 원소는 산소와 규소이기 때문이다. 04 ② 05 (1) A: 탄소, B: 규소, (2) 탄소(A)와 규소(B)는 원자가 전자가 4개이기 때문에 최대 4개의 원자와 공유 결합을 할 수 있다. 06 ③ 07 ④ 08 ① 09 ⑤ 10 (가)는 2중 결합, (나)는 3중 결합이다. 탄소와 탄소 사이에는 단일 결합뿐만 아니라 2중 결합, 3중 결합 등의 다양한 결합 방식이 가능하므로 많은 종류의 탄소 화합물이 만들어질 수 있다. 11 ② 12 ③ 13 ④ 14 (가) 단위체가 아미노산이다. 펩타이드 결합이 있다. 효소의 주성분이다. 등 (나) 이중 나선 구조이다. 염기로 타이민(T)이 있다. 당은 디옥시리보스이다. 등 15 ④ 16 ③ 17 ② 18 ④

19 ㉠ 27, ㉡ 27, ㉢ 23 20 ㉠ 디옥시리보스, ㉡ A, G, C, U, ㉢ 유전 정보 저장 21 (1) ATGCTTCG (2) DNA를 구성하는 두 가닥의 폴리뉴클레오타이드는 나선 안쪽을 향해 있는 염기 사이의 수소 결합으로 연결된다. 이때 A은 T과, G은 C과 상보적으로 결합한다. 22 ④ 23 ② 24 ② 25 물질의 온도가 임계 온도 T 이하가 되어야 한다. 26 ④ 27 ③

중단원 고난도 문제 105쪽

01 ① 02 ⑤ 03 ③

Ⅱ. 시스템과 상호 작용

1 역학적 시스템

01 물체의 운동

개념 확인 문제 110쪽

❶ 이동 거리 ❷ 변위 ❸ 속력 ❹ 속도 ❺ 가속도 ❻ 알짜힘 ❼ 알짜힘 ❽ 질량

1 (1) × (2) ○ (3) ○ (4) × 2 (1) 8 m (2) 2 m (3) 2 m/s (4) 0.5 m/s 3 (가) 16 N (나) 8 m/s² 4 (가) ㄴ, ㄷ (나) ㄹ, ㅁ

내신 만점 문제 111~112쪽

01 ④ 02 ③ 03 ⑤ 04 ④ 05 ⑤ 06 ⑤ 07 ③ 08 ③ 09 ⑤ 10 (1) ㉠ 15, ㉡ 10 (2) 물체에 운동 방향과 나란한 방향으로 일정한 크기의 알짜힘이 작용하여 물체는 가속도가 일정한 등가속도 직선 운동을 한다. 11 (1) 10 N (2) 가속도의 크기 $a=\frac{F}{m}=\frac{10}{2}$ $=5(\text{m/s}^2)$이다. (3) 등가속도 운동 식 $v=v_0+at$에 따라 2초일 때 속력 $v=at=5\times2=10(\text{m/s})$이다.

실력 UP 문제 113쪽

01 ③ 02 ⑤ 03 ④ 04 ③

02 중력과 역학적 시스템

개념 확인 문제 117쪽

❶ 중력 ❷ 클수록 ❸ 자유 낙하 ❹ 등속 직선 ❺ 등가속도 ❻ 중력 ❼ 생명

1 (1) ○ (2) × (3) ○ 2 ㄱ, ㄴ 3 (1) ○ (2) × (3) × 4 ㉠ 중력, ㉡ 일정, ㉢ 등가속도 5 ㉠ 가까울수록, ㉡ 희박 6 (1) ○ (2) ○ (3) × (4) ○

내신 만점 문제 118~120쪽

01 ④ 02 ③ 03 ③ 04 ① 05 ③ 06 ② 07 ③ 08 ④ 09 ① 10 ③ 11 ① 12 두 물체 사이의 거리를 가깝게 하거나 질량이 더 큰 물체로 바꾼다. 13 A는 연직 방향으로 등가속도 운동을 한다. B는 연직 방향으로는 등가속도 운동을 하고, 수평 방향으로는 등속 직선 운동을 한다. 14 수소, 헬륨과 같은 가벼운 기체는 속력이 빨라 지구 중력을 벗어나 우주로 날아가 버리므로 지구 대기의 구성 성분에 거의 없다.

실력 UP 문제 121쪽

01 ③ 02 ③ 03 ④ 04 ②

03 역학적 시스템과 안전

개념 확인 문제 125쪽

❶ 관성 ❷ 질량 ❸ 운동량 ❹ 충격량 ❺ 운동량의 변화량 ❻ 반비례 ❼ 충격력 ❽ 길게

1 (1) × (2) × (3) ○ (4) ○ 2 4 kg·m/s 3 (1) × (2) ○ (3) ○ (4) ○ 4 60 kg·m/s 5 (1) 같다 (2) 같다 (3) 충격력 (4) 시멘트 바닥 6 ㄱ, ㄴ, ㄷ, ㅂ

내신 만점 문제 126~128쪽

01 ③ 02 ④ 03 ① 04 ③ 05 ④ 06 ④ 07 10 m/s 08 ④ 09 ③ 10 ③ 11 ⑤ 12 ④ 13 ⑤ 14 ③ 15 (1) −20 N·s (2) −20 kg·m/s (3) 2초 후 물체의 운동량=처음 운동량+충격량=2 kg×20 m/s+(−20 N·s)=20 kg·m/s이다. 2초 후 물체의 속도를 v라고 하면 20 kg·m/s=2 kg×v에서 v=10 m/s이다. 16 충격량은 충격력에 충돌 시간을 곱한 값이므로, 충격량이 같을 때 충돌 시간이 더 짧은 단단한 바닥에 떨어진 달걀이 더 큰 충격력을 받기 때문이다.

실력 UP 문제 129쪽

01 ④ 02 ③ 03 ④ 04 ③

중단원 핵심 정리 130쪽

❶ 이동 거리 ❷ 변위 ❸ 가속도 ❹ 운동 상태 ❺ 알짜힘 ❻ 비례 ❼ 반비례 ❽ 속도 ❾ 클수록 ❿ 지구 중심 ⓫ 등가속도 ⓬ 없음(0) ⓭ 등가속도 ⓮ 속도 ⓯ 변화량 ⓰ 충격량 ⓱ 충격력 ⓲ 길게

중단원 마무리 문제 131~134쪽

01 ⑤ 02 ⑤ 03 ④ 04 자동차는 출발점에서 정지해 있었으므로 등가속도 운동 식 $v=v_0+at$에 따라 4초일 때 속도는 0+4×4=16(m/s)이다. 8초일 때 속도는 16+(−6)×4=−8(m/s)이므로 속력은 8 m/s이다. 따라서 자동차의 속력은 4초일 때가 8초일 때의 2배이다. 05 ③ 06 ③ 07 ③ 08 ④ 09 ④ 10 ③ 11 (1) 연직 방향 가속도, 바닥에 닿을 때까지 걸린 시간 (2) 연직 방향으로는 속력이 일정하게 증가하고, 수평 방향으로는 속력이 일정하다. 12 ⑤ 13 망치 자루는 정지해도 망치 머리는 계속 운동하려는 관성 때문이다. 14 ⑤ 15 24 N·s 16 ④ 17 ② 18 ④ 19 ⑤ 20 충돌 시간(포탄이 힘을 받는 시간)이 길어져 포탄이 받는 충격량이 커지므로 포탄의 운동량의 변화량이 커지기 때문이다. 21 ②

중단원 고난도 문제 135쪽

01 ③ 02 ④ 03 ③ 04 ①

2 지구 시스템

01 지구 시스템의 에너지와 물질 순환

개념 확인 문제 142쪽

❶ 지구 시스템 ❷ 대류권 ❸ 맨틀 ❹ 수온 약층 ❺ 생물권 ❻ 외권

1 중력 2 (1) ㉡ (2) ㉠ (3) ㉤ (4) ㉣ (5) ㉢ 3 (1) A: 대류권, B: 성층권, C: 중간권, D: 열권 (2) 높이에 따른 기온 분포 4 (1) ○ (2) × (3) ○ (4) ○ 5 (1) B (2) A (3) C 6 (1) ○ (2) × (3) × 7 (1) 생물권 (2) 지권 (3) 지권 (4) 기권 (5) 지권 (6) 외권

개념 확인 문제 145쪽

❶ 태양 에너지 ❷ 에너지 평형 ❸ 태양 에너지 ❹ 탄산 이온 ❺ 일정하다

1 지구 내부 에너지 2 (1) × (2) ○ 3 (1) 태양 에너지 (2) 36 단위 4 (1) ㉡ (2) ㉢ (3) ㉠ (4) ㉣ 5 ㄱ, ㄷ, ㄹ 6 (1) ○ (2) ×

내신 만점 문제 146~149쪽

01 ② 02 ③ 03 ① 04 ④ 05 ⑤ 06 ③ 07 ④ 08 ① 09 ① 10 ② 11 ③ 12 ④ 13 ③ 14 (가) 지구 내부 에너지 (나) 태양 에너지 (다) 조력 에너지 15 ① 16 ⑤ 17 ⑤ 18 ① 19 ③ 20 (1) 성층권, 성층권(B)에 있는 오존이 태양의 자외선을 흡수하기 때문에 성층권에서는 높이 올라갈수록 기온이 높아진다. (2) A층, C층, 높이 올라갈수록 기온이 낮아지므로 대류가 활발하게 일어난다. (3) A층, 대류가 활발하게 일어나고 수증기가 존재하므로 눈, 비와 같은 기상 현상이 나타난다. 21 • 지구 내부 에너지는 화산 활동, 지진, 대륙의 이동 등을 일으킨다. • 조력 에너지는 밀물과 썰물을 일으킨다. 22 육지에서 물을 얻은 양과 잃은 양은 같으므로 96=36+A이고, A는 60 단위이다. 바다에서 물을 얻은 양과 잃은 양은 같으므로 36+284=B이고, B는 320 단위이다. 23 (가)는 기권, (나)는 지권, (다)는 수권이다.

실력 UP 문제 150~151쪽

01 ② 02 ② 03 ② 04 ⑤ 05 ① 06 ② 07 ② 08 ①

02 지권의 변화

개념 확인 문제 154쪽

❶ 변동대 ❷ 일치 ❸ 화산대 ❹ 지진대 ❺ 판 구조론 ❻ 암석권 ❼ 연약권 ❽ 맨틀(연약권)

1 (1) ○ (2) × (3) × 2 ㉠ 퇴적물, ㉡ 화석, ㉢ 지각 변동 3 (1) 시 (2) 표 (3) 표 (4) 시 4 (1) ㉠ (2) ㉢ (3) ㉡ 5 ㄴ, ㅁ, ㅂ 6 ㄴ, ㄹ 7 A: 선캄브리아 시대, B: 고생대, C: 중생대, D: 신생대

개념 확인 문제 257쪽

❶ 산소 ❷ 판게아 ❸ 양치 ❹ 파충류 ❺ 속씨 ❻ 대멸종 ❼ 적응

1 (1) × (2) ○ (3) ○ (4) × 2 (다) → (가) → (나) 3 (1) ○ (2) × (3) × (4) ○ 4 (1) (가) 중생대 (나) 신생대 (다) 고생대 (라) 선캄브리아 시대 (2) (라) → (다) → (가) → (나) 5 (가) 고생대 (나) 신생대

완자쌤 비법 특강 258쪽

Q1 오존층

내신 만점 문제 259~262쪽

01 ② 02 ① 03 ③ 04 ④ 05 ④ 06 ④ 07 ⑤ 08 ② 09 ⑤ 10 ③ 11 ③ 12 ④ 13 ③ 14 ④ 15 ③ 16 ② 17 ② 18 ④ 19 ① 20 (1) 중생대, 따뜻하고 수심이 얕은 바다 환경이었다. (2) 암모나이트나 산호와 같이 바다에 살았던 생물의 화석이 바다 밑에서 만들어진 이후 지층이 수면 위로 융기했기 때문에 육지에서 발견된다. 21 선캄브리아 시대의 생물은 개체 수가 적었고, 생물체에 단단한 부분이 없었으며, 화석이 되었어도 오랜 시간 동안 지각 변동을 많이 받아 남아 있기 어렵기 때문에 선캄브리아 시대는 발견되는 화석이 적다. 22 (가) 선캄브리아 시대 초기에는 대기 중 산소가 없어 오존층이 형성되지 못하였다. 따라서 지표에 강한 자외선이 도달했기 때문에 육지에서 생물이 출현할 수 없었고, 자외선이 차단되는 바다에서 생물이 출현하였다. (나) 고생대에는 바다와 대기 중의 산소 농도가 증가하였기 때문에 생물종의 수가 급격히 증가하였다. 23 (1) 삼엽충: 고생대 말기, 공룡: 중생대 말기 (2) 급격하게 변한 지구 환경에 적응하지 못한 생물은 멸종하지만, 새로운 환경에 적응한 생물은 다양한 종으로 진화하면서 생태 공간을 채우기 때문에 생물 다양성이 유지된다.

실력 UP 문제 263쪽

01 ① 02 ② 03 ④ 04 ③

02 자연 선택과 생물의 진화

개념 확인 문제 265쪽

❶ 진화 ❷ 변이 ❸ 자연 선택

1 (1) ○ (2) × (3) × (4) × (5) × 2 자연 선택설, 다윈 3 (다) → (가) → (라) → (나) 4 (1) × (2) ○ (3) ○

개념 확인 문제 269쪽

❶ 변이 ❷ 유전적 ❸ 돌연변이 ❹ 자연 선택

1 변이 2 (1) 유 (2) 유 (3) 비 (4) 유 (5) 비 3 ㄱ, ㄷ 4 (1) ○ (2) ○ (3) ○ 5 (1) ○ (2) × (3) ○ (4) ×

내신 만점 문제 270~272쪽

01 C 02 ③ 03 (다) → (가) → (라) → (나) 04 ⑤ 05 ⑤ 06 ⑤ 07 ① 08 ④ 09 ② 10 ⑤ 11 ③ 12 ④ 13 주어진 환경에서 살아남을 수 있는 것보다 많은 수의 기린이 태어났고, 목 길이가 다양한 변이가 있었다. 먹이를 두고 생존 경쟁을 한 결과 생존에 유리한 목이 긴 기린이 자연 선택되었고, 이 과정이 오랫동안 누적되어 기린의 목이 지금처럼 길어졌다. 14 (1) (가) → (다) → (나) → (라) (2) 돌연변이 (3) 항생제를 지속적으로 사용하는 환경 변화가 있었다. 15 살충제를 살포하기 전에는 살충제 내성이 없는 모기가 대부분이었고, 살충제 내성 모기가 일부 있었다. 살충제를 살포하자 살충제 내성이 없는 모기는 대부분 죽고, 살충제 내성 모기가 살아남아 더 많은 자손을 남기게 되었다. 살충제를 지속적으로 살포하는 환경에서 이러한 자연 선택 과정이 반복되어 집단 내에 살충제 내성 모기의 비율이 크게 높아졌다.

실력 UP 문제 273쪽

01 ② 02 ③ 03 ④ 04 ④

03 생물 다양성의 중요성과 보전 방안

개념 확인 문제 277쪽

❶ 생물 다양성 ❷ 유전적 ❸ 종 ❹ 생태계 ❺ 높 ❻ 생물 자원

1 (가) 생태계 다양성 (나) 종 다양성 (다) 유전적 다양성 2 (1) × (2) ○ (3) × 3 ㉠ 많을수록, ㉡ 균등할수록 4 ⑤ 5 (1) × (2) ○ (3) ○ 6 (1) ○ (2) × (3) ×

개념 확인 문제 279쪽

❶ 서식지 ❷ 포획 ❸ 외래종

1 (1) × (2) ○ (3) × (4) ○ 2 외래종 3 ㉠ 생태 통로, ㉡ 단편화 4 람사르 협약

내신 만점 문제 280~282쪽

01 ③ 02 ① 03 ④ 04 ② 05 ⑤ 06 ④ 07 ③ 08 ① 09 ① 10 ② 11 ③ 12 ㉠ 서식지 단편화, ㉡ 생태 통로 13 (1) ㉡ (2) ㉡은 무성 생식으로 번식하므로 유전적 다양성이 매우 낮아 모든 개체들이 똑같이 질병에 취약하여 멸종될 가능성이 높다. 14 (1) (나) (2) 서식하는 생물종의 수가 많을수록 각 생물종의 분포 비율이 균등할수록 종 다양성이 높다. (가)와 (나)에 분포하는 식물종 수는 4종으로 같지만, (나)는 (가)에 비해 종 A~D가 고르게 분포하므로 종 다양성은 (나)에서가 (가)에서보다 높다.

실력 UP 문제 283쪽

01 ⑤ 02 ③ 03 ③ 04 ⑤

중단원 핵심 정리 284~285쪽

❶ 시상 화석 ❷ 표준 화석 ❸ 화석 ❹ 선캄브리아 시대 ❺ 판게아 ❻ 중생대 ❼ 신생대 ❽ 진화 ❾ 변이 ❿ 자연 선택 ⓫ 유전적 ⓬ 돌연변이 ⓭ 자연 선택 ⓮ 항생제 ⓯ 유전적 다양성 ⓰ 많고 ⓱ 균등 ⓲ 생물 자원 ⓳ 아스피린 ⓴ 단편화

중단원 마무리 문제 286~290쪽

01 ② 02 D, 표준 화석은 생물의 생존 기간이 짧고, 분포 면적이 넓어야 하기 때문이다. 03 ① 04 ③ 05 고생대, 오존층이 지표에 도달하는 자외선을 차단하였기 때문에 육상 생물이 출현할 수 있었다. 06 ① 07 ④ 08 ③ 09 수륙 분포 변화, 소행성 충돌(운석 충돌), 대규모 화산 분출 등에 의한 급격한 환경 변화로 대멸종이 일어났다. 10 ③ 11 ⑤ 12 ⑤ 13 ⑤ 14 ③ 15 ④ 16 ⑤ 17 세균 집단에는 항생제에 내성이 있는 것과 없는 것의 변이가 있다. 항생제를 지속적으로 사용하는 환경에서는 항생제 내성이 없는 세균은 도태되고 항생제 내성 세균이 자연 선택되어 그 비율이 점점 높아져 항생제 내성 세균 집단이 출현한다. 18 ③ 19 ① 20 ⑤ 21 ② 22 ① 23 (1) 외래종 (2) 외래종을 도입하기 전에 외래종이 기존 생태계에 주는 영향을 철저하게 검증한다. 외래종이 불법적으로 유입되는 것을 막는다. 24 (가) 생물 다양성 협약 (나) 람사르 협약

중단원 고난도 문제 291쪽

01 ③ 02 ① 03 ② 04 ④

Ⅳ. 환경과 에너지

1 생태계와 환경

01 생태계 구성 요소와 환경

개념 확인 문제 295쪽

❶ 생태계 ❷ 환경 ❸ 생산자 ❹ 소비자 ❺ 분해자 ❻ 비생물적 요인

1 군집 2 (1) ㄱ, ㅈ (2) ㄴ, ㅂ, ㅅ, ㅊ (3) ㅁ, ㅇ, ㅌ (4) ㄷ, ㄹ, ㅋ 3 (1) ㉡ (2) ㉠ (3) ㉠ (4) ㉡ (5) ㉢

개념 확인 문제 299쪽

❶ 울타리 ❷ 파장 ❸ 크고 ❹ 작다 ❺ 비늘 ❻ 많아

1 (1) ㄷ (2) ㄱ (3) ㄴ (4) ㅁ 2 (나) 3 ④ 4 온도 5 (가)

내신 만점 문제 300~302쪽

01 ② 02 ① 03 ④ 04 ⑤ 05 ② 06 ⑤ 07 ① 08 ① 09 ⑤ 10 ⑤ 11 ③ 12 (가) 일조 시간 (나) 물 (다) 공기 13 (가)는 생물의 사체나 배설물에 포함된 유기물을 무기물로 분해하는 분해자이고, (나)는 다른 생물을 먹이로 하여 양분을 얻는 소비자이며, (다)는 광합성을 하여 스스로 양분을 만드는 생산자이다. 14 (1) (가) (2) 강한 빛을 받는 잎은 울타리 조직이 발달하여 약한 빛을 받는 잎보다 두께가 두껍다. 15 (1) 온도 (2) 추운 곳에 사는 북극여우는 귀의 크기가 작아 외부로 열이 방출되는 것을 막아 추운 곳에서 체온을 유지하는 데 효과적이고, 더운 곳에 사는 사막여우는 귀의 크기가 커서 외부로 열을 잘 방출하여 더운 곳에서 체온을 유지하는 데 효과적이다.

실력 UP 문제 303쪽

01 ④ 02 ⑤ 03 ③ 04 ④

02 생태계 평형

개념 확인 문제 307쪽

❶ 먹이 사슬 ❷ 먹이 그물 ❸ 빛 ❹ 생태 피라미드 ❺ 평형 ❻ 먹이 사슬(먹이 관계)

1 (1) ○ (2) ○ (3) × (4) × 2 (1) ○ (2) ○ (3) × 3 (1) 생태 피라미드 (2) ㄱ, ㄴ 4 (나) → (라) → (다) → (가) 5 ㄱ, ㄴ, ㄷ, ㅁ, ㅂ

내신 만점 문제 308~310쪽

01 ② 02 ⑤ 03 ④ 04 ④ 05 ④ 06 ③ 07 ② 08 ③ 09 ④ 10 ④ 11 ④ 12 (1) A, B (2) C가 사라지면 C의 먹이가 되는 A의 개체 수는 증가하고, C를 먹이로 하는 F와 G의 개체 수는 감소한다. 특히 F는 C만을 먹이로 하므로 C가 사라지면 F도 사라진다. 13 (가), 에너지가 다음 영양 단계로 이동할 때마다 각 영양 단계에서 생명 활동을 통해 열에너지로 방출되고 남은 에너지의 일부가 다음 영양 단계로 이동한다. 따라서 영양 단계를 적게 거치는 (가)가 (나)보다 사람에게 전달되는 에너지양이 많다. 14 해달의 개체 수가 감소하면 해달의 먹이인 성게의 개체 수가 증가하고 성게의 먹이인 해초의 개체 수는 감소한다. 성게의 개체 수가 증가함에 따라 성게를 먹이로 하는 해달의 개체 수는 증가하고 성게의 개체 수는 다시 감소하게 된다. 그 결과 해초의 개체 수는 다시 증가하여 생태계가 평형을 회복한다.

실력 UP 문제 311쪽

01 ③ 02 ④ 03 ⑤ 04 ①

03 지구 환경 변화와 인간 생활

개념 확인 문제 314쪽

❶ 내적 ❷ 외적 ❸ 온난 ❹ 지구 온난화 ❺ 온실 기체 ❻ 융해 ❼ 열팽창 ❽ 감소 ❾ 상승

1 (1) × (2) ○ (3) ○ (4) × (5) ○ 2 ㄱ, ㄴ, ㄷ 3 ② 4 ㉠ 화석 연료, ㉡ 이산화 탄소 5 (1) ○ (2) × (3) ○ (4) ×

개념 확인 문제 317쪽

❶ 무역풍 ❷ 편서풍 ❸ 아열대 고압대 ❹ 바람 ❺ 편서풍 ❻ 난류 ❼ 사막화 ❽ 엘니뇨 ❾ 라니냐

1 A: 해들리 순환, B: 페렐 순환, C: 극순환 2 (1) ○ (2) × (3) ○ (4) ○ (5) × 3 ⑤ 4 ㄴ, ㄷ 5 (1) × (2) × (3) ○ 6 평상시: B, 엘니뇨: A

내신 만점 문제 318~320쪽

01 ⑤ 02 ② 03 ③ 04 ⑤ 05 ⑤ 06 ㄱ, ㄷ 07 ⑤ 08 A: 극동풍, B: 편서풍, C: 무역풍 09 ④ 10 ① 11 ⑤ 12 ① 13 ③ 14 ⑤ 15 ① 16 지구의 평균 기온이 상승하여 빙하가 녹아 해수로 유입되고, 해수의 열팽창이 일어나 해수의 부피가 증가하였기 때문이다. 17 대기 대순환은 위도에 따른 에너지 불균형에 의해 일어나고, 지구의 자전에 의해 3개의 순환 세포로 만들어진다. 18 무역풍에 의해 북적도 해류가 동에서 서로 흐르고, 편서풍에 의해 북태평양 해류가 서에서 동으로 흐른다. 19 • 자연적인 원인: 대기 대순환의 변화에 의해 발생한 지속적인 가뭄으로 사막화가 일어난다. • 인위적인 원인: 과도한 방목, 과도한 경작, 무분별한 삼림 벌채 등에 의해 토지가 황폐화되어 사막화가 일어난다. 20 A 시기에 엘니뇨가 발생하였고, 동태평양에서는 강수량이 증가하여 홍수가 발생할 수 있다. B 시기에 라니냐가 발생하였고, 동태평양에서는 강수량이 감소하여 가뭄이 발생할 수 있다.

실력 UP 문제 321쪽

01 ② 02 ③ 03

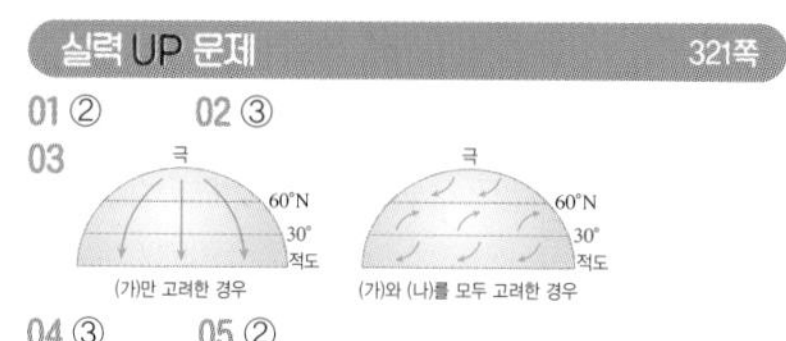

04 ③ 05 ②

04 에너지 전환과 효율적 이용

개념 확인 문제 324쪽

❶ 에너지 ❷ J(줄) ❸ 화학 에너지 ❹ 전환 ❺ 전기 ❻ 화학 ❼ 보존 ❽ 열에너지

1 (1) 파동 에너지 (2) 핵에너지 (3) 열에너지 (4) 빛에너지 2 빛 3 ㉠ 운동, ㉡ 화학, ㉢ 빛 4 (1) ○ (2) × (3) ○ 5 (1) 에너지 보존 (2) 열에너지 6 260 J

개념 확인 문제 327쪽

❶ 효율 ❷ 작 ❸ 열기관 ❹ 일 ❺ 높 ❻ 에너지 소비 효율

1 (1) ○ (2) × (3) × 2 ㉠ Q_1, ㉡ W, ㉢ Q_2 3 ㄱ, ㄴ 4 20 % 5 (1) B (2) B 6 (1) × (2) ○ (3) ○ 7 하이브리드 자동차

내신 만점 문제 328~330쪽

01 ④ 02 ① 03 ② 04 ㄴ, ㄷ 05 ⑤ 06 ① 07 ③ 08 ③ 09 ⑤ 10 ① 11 10 kJ 12 168 J 13 ④ 14 ③ 15 ⑤ 16 ⑤ 17 에너지를 사용하는 과정에서 에너지의 일부가 다시 사용할 수 없는 열에너지로 전환되어 버려지므로, 이용할 수 있는 에너지의 양이 점차 감소하기 때문이다. 18 (1) 120 kJ (2) $e=\frac{W}{Q_1}\times100=\frac{120\text{ kJ}}{600\text{ kJ}}\times100=20\ \%$

실력 UP 문제 331쪽

01 ③ 02 ③ 03 ③ 04 ⑤

중단원 핵심 정리 332~333쪽

❶ 광합성 ❷ 분해자 ❸ 생물 ❹ 해조류 ❺ 온도 ❻ 공기 ❼ 먹이 사슬 ❽ 감소 ❾ 개체 수 ❿ 복잡 ⓫ 이산화 탄소 ⓬ 상승 ⓭ 무역풍 ⓮ 대기 대순환 ⓯ 엘니뇨 ⓰ 일 ⓱ 화학 ⓲ 빛 ⓳ 보존 ⓴ 열기관 ㉑ 높은 ㉒ 소비 효율 ㉓ 대기 전력

중단원 마무리 문제 334~338쪽

01 ⑤ 02 ③ 03 ③ 04 ④ 05 선인장은 잎이 가시로 변하였으며, 저수 조직이 발달하였다. 수련은 줄기에 통기 조직이 발달하였고, 관다발이나 뿌리가 잘 발달하지 않았다. 06 ③ 07 (1) D → A → C → B, 안정된 생태계에서 생물량과 에너지양은 상위 영양 단계로 갈수록 감소한다. (2) 20(%) (3) 2차 소비자인 C의 개체 수가 증가하면 1차 소비자인 A의 개체 수는 감소한다. 그에 따라 생산자인 D는 피식량이 줄어 개체 수가 증가한다. 08 ③ 09 ⑤ 10 ③ 11 ① 12 ③ 13 ③ 14 저위도에서는 에너지가 남고 고위도에서는 에너지가 부족하기 때문에, 대기와 해수의 순환에 의해 저위도에서 고위도로 에너지가 이동한다. 15 ④ 16 ⑤ 17 ④ 18 ⑤ 19 ③ 20 ① 21 ① 22 ③ 23 ② 24 ①

대단원 고난도 문제 339쪽

01 ① 02 ⑤ 03 ④ 04 ④

2 발전과 신재생 에너지

01 전기 에너지의 생산과 수송

개념 확인 문제 345쪽

❶ 전자기 유도 ❷ 유도 전류 ❸ 빠를 ❹ 셀 ❺ 많을 ❻ 발전기 ❼ 운동 ❽ 터빈

1 ㄱ, ㄴ, ㄷ 2 (1) ○ (2) × (3) ○ 3 ㉠ b, ㉡ a, ㉢ a, ㉣ b 4 ③ 5 ㉠ 자석, ㉡ 전자기 유도 6 발전기 7 (1) ㉠ (2) ㉢ (3) ㉡

개념 확인 문제 349쪽

❶ 전력 ❷ 전압 ❸ 전력 수송 ❹ 열에너지 ❺ 전류 ❻ 전압 ❼ 작은 ❽ 변압기 ❾ 초전도

1 (1) × (2) ○ (3) ○ (4) ○ 2 (1) ○ (2) × (3) ○ 3 $\frac{1}{4}$배 4 전자기 유도 현상 5 ㄱ, ㄴ 6 ㉠ 높게, ㉡ 지중화 7 지능형 전력망(스마트 그리드)

내신 만점 문제 350~352쪽

01 ④ 02 ② 03 ② 04 ③ 05 ③ 06 ④ 07 ⑤ 08 ⑤ 09 ① 10 ② 11 ③ 12 ③ 13 ④ 14 ④ 15 막대자석을 빠르게 움직인다. 코일의 감은 수를 많게 한다. 센 자석을 사용한다. 16 (1) 1, 2차 코일의 전압은 1, 2차 코일의 감은 수에 비례하므로 $\left(\frac{V_1}{V_2}=\frac{N_1}{N_2}\right)$, 1차 코일과 2차 코일의 감은 수의 비가 2 : 1일 때 전압의 비도 2 : 1이다. 따라서 2차 코일의 전압 V_2=110 V이다. (2) 1차 코일의 전력과 2차 코일의 전력은 같으므로($V_1I_1=V_2I_2$), 1차 코일과 2차 코일의 전압의 비가 2 : 1일 때 전류의 비는 1 : 2이다. 따라서 2차 코일에 흐르는 전류 I_2=2 A이다.

실력 UP 문제 353쪽

01 ② 02 ② 03 ⑤ 04 ⑤

02 태양 에너지의 생성과 전환

개념 확인 문제 356쪽

❶ 수소 핵융합 ❷ 질량 결손 ❸ 빛 ❹ 열 ❺ 전기 ❻ 대기 ❼ 해수 ❽ 탄소

1 (1) ○ (2) ○ (3) × 2 ㉠ 수소, ㉡ 헬륨 3 (1) ○ (2) × (3) ○ 4 태양 에너지 5 ③ 6 ㄴ, ㄹ, ㅁ

내신 만점 문제 357~358쪽

01 ③ 02 ⑤ 03 ① 04 ② 05 ② 06 ② 07 ③ 08 ② 09 ③ 10 태양 중심부에서 수소

원자핵이 헬륨 원자핵으로 변환되는 수소 핵융합 반응에서 질량 결손에 해당하는 에너지가 방출된다. 11 핵반응 후 입자들의 질량 합이 핵반응 전 입자들의 질량 합보다 줄어드는데 이때의 질량 차이를 말한다.

실력 UP 문제 359쪽

01 ② 02 ② 03 ② 04 ③

03 발전과 지구 환경

개념 확인 문제 362쪽

❶ 화석 연료 ❷ 태양광 발전 ❸ 핵발전 ❹ 감속재 ❺ 제어봉 ❻ 풍력 발전

1 (1) ○ (2) ○ (3) × (4) × 2 ㉠ 석탄, ㉡ 석유 3 (1) ○ (2) ○ (3) × 4 ㉠ 중성자, ㉡ 핵분열 5 ㉠ 운동, ㉡ 전기 6 (1) 핵발전 (2) 풍력 발전 (3) 태양광 발전

내신 만점 문제 363~364쪽

01 ⑤ 02 ③ 03 ⑤ 04 ③ 05 ④ 06 ⑤ 07 ④ 08 ① 09 ⑤ 10 우라늄 원자핵에 중성자를 충돌시키면, 우라늄 원자핵이 분열되면서 방출되는 2~3개의 중성자가 다른 원자핵에 계속 충돌하여 핵분열이 연쇄적으로 일어난다. 11 빛에너지 → 전기 에너지, 고갈될 염려가 없다. 환경 문제를 일으키지 않는다. 진동과 소음이 적고 수명이 길다. 12 지속적으로 바람이 부는 지역인 산이나 바다 근처에 설치하거나 해양에 설치한다.

실력 UP 문제 365쪽

01 ③ 02 ② 03 ③ 04 ⑤

04 미래의 지속 가능한 발전

개념 확인 문제 368쪽

❶ 신재생 에너지 ❷ 연료 전지 ❸ 물 ❹ 조력 발전 ❺ 파력 발전 ❻ 적정 기술

1 A: 수소, B: 물 2 (1) ○ (2) ○ (3) ○ 3 공기 4 (1) ○ (2) ○ (3) ×

내신 만점 문제 369~370쪽

01 ④ 02 ③ 03 ② 04 ⑤ 05 ⑤ 06 ④
07 (가) 태양광 발전 (나) 조력 발전 (다) 지열 발전
08 ⑤ 09 ④ 10 (1) $2H_2 + O_2 \longrightarrow 2H_2O$ (2) 휴대용 전자 제품, 수소 연료 전지 자동차, 대형 연료 전지 발전소 등 (3) 화력 발전은 여러 단계의 에너지 전환 과정(화학 에너지 → 열에너지 → 운동 에너지 → 전기 에너지)을 거치면서 에너지 손실이 많이 발생하지만, 연료 전지는 연료의 화학 에너지를 전기 에너지로 직접 전환하므로 에너지 효율이 더 높다.

실력 UP 문제 371쪽

01 ③ 02 ③ 03 ① 04 ④

중단원 핵심 정리 372쪽

❶ 전자기 유도 ❷ 열 ❸ 전류 ❹ 높은 ❺ 수소 핵융합 ❻ 질량 결손 ❼ 전기 ❽ 운동 ❾ 물 ❿ 조력

중단원 마무리 문제 373~375쪽

01 ③ 02 ③ 03 ① 04 ③ 05 송전선에서 손실 전력은 (전류)^2 × 저항 = $\left(\frac{\text{전력}}{\text{전압}}\right)^2$ × 저항이다. 지역 A, B에서 송전선의 손실 전력이 서로 같을 때, $\left(\frac{P}{V}\right)^2 \times R = \left(\frac{2P}{V}\right)^2$ × (가)이므로 지역 B에서 송전선의 저항 (가)는 $0.25R$이다. 06 ③ 07 ③ 08 화석 연료 09 ⑤ 10 ⑤ 11 ① 12 ① 13 ② 14 ② 15 A: 연료 전지 발전, B: 지열 발전, C: 조력 발전 16 ③

중단원 고난도 문제 376쪽

01 ① 02 ④ 03 ④ 04 ②

여기까지 오느라 수고 많았어!
다시 통합과학을 공부하다가
막힐 땐 언제든 또 불러줘.
네 곁엔 언제나 완자가 있다는
걸 기억해~

중단원 핵심 정리 204~205쪽

❶ 기관 ❷ 조직계 ❸ 리보솜 ❹ 미토콘드리아 ❺ 세포막 ❻ 인지질 ❼ 선택적 ❽ 확산 ❾ 삼투 ❿ 효소 ⓫ 단백질 ⓬ 활성화 에너지 ⓭ 유전자 ⓮ 전사 ⓯ 번역 ⓰ 3염기 조합 ⓱ 코돈 ⓲ DNA ⓳ RNA

중단원 마무리 문제 206~210쪽

01 ③ 02 ② 03 골지체 04 (가)는 동물 세포이고, (나)는 식물 세포이다. A(엽록체)와 E(세포벽)가 (가)에는 없고 (나)에는 있기 때문이다. 05 ① 06 세포막의 주요 성분인 인지질은 머리 부분(㉠)은 친수성이고, 꼬리 부분(㉡)은 소수성이다. 세포 안과 밖은 물이 풍부한 환경이어서 친수성의 머리 부분은 바깥쪽으로 향하고 소수성의 꼬리 부분은 서로 마주 보며 안쪽으로 배열하게 되어 인지질 2중층을 이룬다. 07 ③ 08 ③ 09 갈치>오리>개구리 10 ② 11 ② 12 ① 13 A에서는 이산화 탄소와 물로부터 포도당을 합성하는 광합성이 일어나며, 이때 에너지가 흡수된다. B에서는 아미노산을 펩타이드 결합으로 연결하는 단백질 합성이 일어나며, 이때 에너지가 흡수된다. C에서는 포도당과 같은 유기물을 이산화 탄소와 물로 분해하는 세포 호흡이 일어나며, 이때 에너지가 방출된다. 14 효소가 있을 때의 에너지 변화는 ㉡이다. ㉠의 활성화 에너지는 B+C이고, ㉡의 활성화 에너지는 A+C이다. 효소는 활성화 에너지를 낮추는 작용을 하므로, 활성화 에너지가 작은 ㉡이 효소가 있을 때의 에너지 변화이다. 15 ① 16 ⑤ 17 과산화 수소수에 생간을 넣으면 간 속의 카탈레이스가 과산화 수소가 물과 산소로 분해되는 반응을 촉진하여 기포가 발생한다. 그런데 간을 삶으면 고온에서 효소의 주성분인 단백질이 변성되어 카탈레이스의 촉매 기능이 상실되므로 과산화 수소수에 삶은 간을 넣으면 기포가 발생하지 않는다. 18 ① 19 ④ 20 생명 중심 원리 21 ⑤ 22 ⑤ 23 ③ 24 ③ 25 (1) GCCTTGATACGGAGGATA (2) 6개, RNA의 연속된 염기 3개가 한 조가 되어 하나의 아미노산을 지정하므로 염기 18개로 구성된 RNA가 모두 번역된다면 총 6개의 아미노산으로 구성된 폴리펩타이드가 형성된다. 26 ④ 27 페닐알라닌 분해 효소 유전자에 이상이 생겨 페닐알라닌 분해 효소가 합성되지 않은 결과 페닐알라닌이 타이로신으로 전환되지 않고 체내에 축적되어 페닐케톤뇨증이 나타난다.

중단원 고난도 문제 211쪽

01 ④ 02 ④ 03 ① 04 ④

벌써 반이나 왔네?
완자와 함께 하니까
통합과학 진도가 술술~
앞으로 남은 단원도 화이팅!

Ⅲ. 변화와 다양성

1 화학 변화

01 산화 환원 반응

개념 확인 문제 218쪽

❶ 광합성 ❷ 이산화 탄소(CO_2) ❸ 철(Fe) ❹ 산소 ❺ 산화 ❻ 환원

1 (1) × (2) ○ (3) ○ 2 산소(O) 3 (1) × (2) ○ (3) × 4 (1) ㉠ 환원, ㉡ 산화 (2) ㉠ 산화, ㉡ 환원 (3) ㉠ 산화, ㉡ 환원 5 (1) 산화 (2) 환원 (3) 옅어진다

개념 확인 문제 221쪽

❶ 환원 ❷ 산화 ❸ 산화 ❹ 환원 ❺ 산소 ❻ 산소

1 (1) ㉠ 환원, ㉡ 산화 (2) ㉠ 산화, ㉡ 환원 2 산화되는 물질: CO, 환원되는 물질: Fe_2O_3 3 (1) ○ (2) × (3) ○ 4 ㄱ, ㄴ, ㄷ

내신 만점 문제 222~224쪽

01 ㄴ, ㄷ 02 ④ 03 ㄱ, ㄴ, ㄷ 04 ④ 05 ④ 06 ⑤ 07 ② 08 ③ 09 ③ 10 ③ 11 ④ 12 ① 13 ② 14 (1) $2CuO + C \longrightarrow 2Cu + CO_2$ (2) 검은색 산화 구리(Ⅱ)(CuO)가 산소를 잃고 붉은색 구리(Cu)로 환원되었기 때문이다. 15 수용액의 푸른색이 점점 옅어진다. 수용액의 구리 이온(Cu^{2+})이 전자를 얻어 구리(Cu)로 환원되어 석출되므로 수용액 속 구리 이온의 수가 점점 감소하기 때문이다. 16 산화되는 물질: Mg, 환원되는 물질: O_2, 마그네슘(Mg)은 전자를 잃고 마그네슘 이온(Mg^{2+})이 되고, 산소(O)는 전자를 얻어 산화 이온(O^{2-})이 되기 때문이다.

실력 UP 문제 225쪽

01 ⑤ 02 ④ 03 ① 04 ③

02 산과 염기

개념 확인 문제 229쪽

❶ 수소 이온(H^+) ❷ 신 ❸ 수소(H_2) ❹ 이산화 탄소(CO_2) ❺ 붉 ❻ 수산화 이온(OH^-) ❼ 쓴 ❽ 단백질 ❾ 푸르 ❿ 붉

1 (1) Cl^- (2) $2H^+$ (3) CH_3COO^- (4) KOH (5) $2OH^-$ 2 (1) ○ (2) × (3) ○ (4) ○ (5) × 3 이온 4 (−) 5 (1) ㄴ, ㅁ, ㅂ (2) ㄱ, ㄴ, ㄷ, ㄹ, ㅁ, ㅂ (3) ㄱ, ㄷ, ㄹ (4) ㄱ, ㄷ, ㄹ

개념 확인 문제 231쪽

❶ 지시약 ❷ 붉은색 ❸ 노란색 ❹ 파란색 ❺ pH ❻ 이산화 탄소(CO_2)

1 (1) ○ (2) × 2 (1) ㉢ (2) ㉡ (3) ㉠ 3 (1) ○ (2) × (3) ○ 4 수소 이온(H^+)

내신 만점 문제 232~234쪽

01 ⑤ 02 ③ 03 ② 04 ③ 05 ㄴ 06 ⑤ 07 ③ 08 ① 09 ② 10 ④ 11 ② 12 ② 13 ③ 14 수산화 나트륨(NaOH) 수용액과 수산화 칼륨(KOH) 수용액에 공통으로 들어 있는 OH^-이 (+)극 쪽으로 이동하기 때문이다.

실력 UP 문제 235쪽

01 ② 02 ③ 03 ② 04 ②

03 중화 반응

개념 확인 문제 238쪽

❶ 중화 반응 ❷ 1 : 1 ❸ $H^+(OH^-)$ ❹ $OH^-(H^+)$ ❺ 중화점 ❻ 산성 ❼ 염기성 ❽ 중화열

1 (1) ○ (2) ○ (3) × (4) × (5) ○ 2 (1) (가) 파란색 (나) 파란색 (다) 초록색 (라) 노란색 (2) (다) 3 염기성 4 B 5 (1) × (2) ○ (3) × (4) ○ (5) ○

완자쌤 비법 특강 239쪽

Q1 (다)

Q2

내신 만점 문제 240~242쪽

01 ④ 02 ② 03 ④ 04 ④ 05 ⑤ 06 ③ 07 ④ 08 ② 09 ⑤ 10 ③ 11 ③ 12 ⑤ 13 (다), (다)에는 H^+과 OH^-이 모두 반응하여 존재하지 않기 때문이다. 14 (1) K^+, 반응에 참여하지 않고 처음 수 그대로 일정하기 때문이다. (2) H^+, OH^-과 반응하므로 처음에는 존재하지 않다가 중화점 이후부터 증가하기 때문이다. 15 생선 요리에서 나는 비린내 성분은 염기성 물질이므로 산성 물질인 레몬 즙을 뿌리면 중화되어 비린내를 줄일 수 있다.

실력 UP 문제 243쪽

01 ⑤ 02 ③ 03 ④ 04 ③

중단원 핵심 정리 244쪽

❶ 산소 ❷ 얻는 ❸ 잃는 ❹ 잃는 ❺ 얻는 ❻ 수소 이온(H^+) ❼ 수산화 이온(OH^-) ❽ 단백질 ❾ 붉은색 ❿ 붉은색 ⓫ 초록색 ⓬ 물(H_2O) ⓭ 중화열

중단원 마무리 문제 245~248쪽

01 ⑤ 02 ⑤ 03 ③ 04 (1) $2Mg + CO_2 \longrightarrow 2MgO + C$ (2) 산화된 물질: Mg, 환원된 물질: CO_2 05 ⑤ 06 ④ 07 ④ 08 ㄱ, ㄹ, ㅁ 09 ② 10 ① 11 ④ 12 ③ 13 ④ 14 ② 15 ③ 16 A, A는 반응하지 않은 OH^-이 남아 있는 염기성 용액이므로 페놀프탈레인 용액을 떨어뜨리면 붉은색으로 변한다. 17 ③ 18 ⑤

중단원 고난도 문제 249쪽

01 ③ 02 ③ 03 ⑤ 04 ㄴ

2 생물 다양성과 유지

01 지질 시대의 환경과 생물

개념 확인 문제 254쪽

❶ 환경 ❷ 표준 화석 ❸ 화석 ❹ 지질 시대 ❺ 화석 ❻ 신생대

1 지구 내부 에너지 **2** (1) ○ (2) × (3) × (4) ○ (5) × (6) ○ **3** (1) × (2) ○ (3) ○ (4) × (5) ○ **4** A: 암석권(판), B: 연약권 **5** (1) 두껍다 (2) 작다 (3) 태평양판 **6** ㉠ 온도, ㉡ 작아, ㉢ 커

개념 확인 문제 159쪽

❶ 발산 ❷ 상승 ❸ 수렴 ❹ 하강 ❺ 보존 ❻ 해령 ❼ 천발 지진 ❽ 변환 단층 ❾ 해구 ❿ 습곡 산맥 ⓫ 화산 활동 ⓬ 화산 쇄설물 ⓭ 지진

1 (1) D (2) A, B, E (3) C **2** (1) ㄴ, ㄷ (2) ㄱ, ㄹ, ㅂ **3** (1) ○ (2) ○ (3) × **4** (1) × (2) ○ (3) × (4) ○ **5** ㉠ 섭입형, ㉡ 해양판, ㉢ 대륙판 **6** (1) ○ (2) ○ (3) × **7** ③

완자쌤 비법 특강 160쪽

Q1 I, J, K, L
Q2 A, B, C, D, E, F

내신 만점 문제 161~164쪽

01 ⑤ 02 ④ 03 ③ 04 ① 05 ② 06 ⑤ 07 A: 습곡 산맥, B: 해구, C: 변환 단층, D: 해령 08 ① 09 ③ 10 ③ 11 ③ 12 ⑤ 13 ① 14 ③ 15 ③ 16 ② 17 ① 18 ④ 19 (1) A: 암석권, B: 가까워진다, C: 발산형 경계 (2) 맨틀(연약권)에서 대류가 일어나 연약권 위에 떠 있는 판(암석권)이 대류를 따라 이동한다. 20 (1) A: 해령, B: 해구, A 부근에서는 화산 활동과 천발 지진이 일어나고, B 부근에서는 화산 활동과 천발~심발 지진이 일어난다. (2) A에서 B로 갈수록 해양 지각의 나이가 많아진다. 21 지권과 기권의 상호 작용, 항공기 운항에 차질이 생긴다. 햇빛을 차단하여 지구의 기온이 하강한다. 농작물의 생장을 저해할 수 있다.

실력 UP 문제 165쪽

01 ⑤ 02 ① 03 ④ 04 ①

중단원 핵심 정리 166쪽

❶ 중간권 ❷ 지진파 ❸ 수권 ❹ 수온 약층 ❺ 지구 자기장 ❻ 광합성 ❼ 지구 내부 에너지 ❽ 태양 에너지 ❾ 지구 내부 ❿ 판 경계 ⓫ 판 ⓬ 맨틀(연약권) ⓭ 발산형 ⓮ 천발 지진 ⓯ 습곡 산맥

중단원 마무리 문제 167~170쪽

01 ④ 02 ① 03 ③ 04 ⑤ 05 (1) (가) 태양 에너지 (나) 지구 내부 에너지 (다) 조력 에너지, 지구 시스템의 에너지원 중 태양 에너지가 가장 많은 양을 차지한다. (2) 조력 에너지에 의해 발생하는 현상에는 밀물과 썰물이 있다. (3) (가)의 근원은 태양의 수소 핵융합 반응, (나)의 근원은 지구 내부의 방사성 원소의 붕괴열, (다)의 근원은 달과 태양의 인력이다. 06 ① 07 ③ 08 ② 09 ⑤ 10 ⑤ 11 ② 12 (가) B−C 구간 (나) 천발 지진이 일어나고, 변환 단층이 형성된다. 13 ⑤ 14 ② 15 (1) A, E, 천발 지진과 화산 활동이 활발하게 일어난다. (2) C 지역에서는 판이 생성되거나 소멸되지 않고, D 지역에서는 판이 소멸된다. C 지역에서는 천발 지진이 발생하고 화산 활동은 일어나지 않으며, D 지역에서는 천발~심발 지진이 발생하고, 화산 활동이 활발하다. (3) B, D, 역단층은 횡압력이 작용하여 형성된다. 16 ⑤ 17 ⑤

중단원 고난도 문제 171쪽

01 ③ 02 ① 03 ① 04 ③

3 생명 시스템

01 생명 시스템의 기본 단위

개념 확인 문제 176쪽

❶ 세포 소기관 ❷ 기관 ❸ 핵 ❹ 리보솜 ❺ 골지체 ❻ 엽록체 ❼ 미토콘드리아 ❽ 세포막

1 (1) × (2) × (3) ○ (4) ○ **2** 세포 **3** ㉠ 조직, ㉡ 기관 **4** (1) (가) (2) ㉠ 기관계, ㉡ 조직계 **5** A: 소포체, B: 핵, C: 엽록체, D: 세포벽, E: 세포막, F: 미토콘드리아 **6** C, D **7** F **8** ㉠ 핵, ㉡ 리보솜, ㉢ 소포체

개념 확인 문제 179쪽

❶ 인지질 ❷ 선택적 투과성 ❸ 확산 ❹ 지용 ❺ 막단백질 ❻ 삼투 ❼ 커 ❽ 작아

1 A: 단백질(막단백질), B: 인지질 **2** (1) × (2) ○ (3) × **3** 선택적 투과성 **4** (가) 단순 확산 (나) 촉진 확산 **5** (1) 산소 (2) 포도당, K^+ **6** (1) ○ (2) × (3) ○ **7** (1) × (2) × (3) ○

내신 만점 문제 180~183쪽

01 ⑤ 02 ④ 03 ② 04 ③ 05 ③ 06 ⑤ 07 ② 08 ③ 09 ④ 10 ① 11 ③ 12 ㄱ, ㄷ 13 ③ 14 ③ 15 ① 16 ② 17 ② 18 ④ 19 ⑤ 20 ① 21 ㉠ 엽록체, ㉡ 미토콘드리아, (가) 단백질 합성 장소 (나) 세포의 형태 유지 22 핵 속에 저장된 DNA의 유전 정보에 따라 리보솜에서 아미노산이 결합하여 단백질이 합성된다. 합성된 단백질은 소포체를 통해 골지체로 운반된 후 골지체에서 막으로 싸여 세포 밖으로 분비된다. 23 물질이 세포막을 경계로 농도가 높은 쪽(고농도)에서 낮은 쪽(저농도)으로 이동한다. 물질이 이동하는 데 에너지를 사용하지 않는다. 24 (1) (가)에 넣어 둔 것은 (나)에 넣어 둔 것보다 양파 표피 세포의 세포질이 많이 줄어들었으므로 설탕 용액의 농도는 (가)가 (나)보다 높다. (2) (가)는 양파 표피 세포 안보다 농도가 높아서 삼투에 의해 세포에서 물이 빠져나가면서 세포질의 부피가 작아져 세포막이 세포벽에서 분리되었다.

실력 UP 문제 184~185쪽

01 ④ 02 ④ 03 ① 04 ③ 05 ⑤ 06 ③ 07 ① 08 ③

02 생명 시스템에서의 화학 반응

개념 확인 문제 188쪽

❶ 물질대사 ❷ 동화 ❸ 이화 ❹ 효소 ❺ 활성화 에너지 ❻ 반응물(기질) ❼ 기질 특이성

1 (1) ○ (2) ○ (3) × **2** (1) ㄴ, ㄷ, ㅁ (2) ㄱ, ㄹ, ㅂ **3** ㉠ 낮고, ㉡ 단계적으로, ㉢ 필요하다 **4** (1) E (2) A **5** (1) B (2) 반응물: A, 생성물: C, D **6** 기질 특이성 **7** (1) × (2) × (3) × (4) ○

완자쌤 비법 특강 189쪽

Q1 효소를 더 넣어 준다.
Q2 열에 의해 효소의 주성분인 단백질의 입체 구조가 변하기(변성) 때문이다.
Q3 침 아밀레이스의 최적 pH는 중성인데, 위 속은 강한 산성이기 때문이다.

내신 만점 문제 190~192쪽

01 ④ 02 ③ 03 ④ 04 ④ 05 ① 06 ② 07 ⑤ 08 ③ 09 ④ 10 ③ 11 ① 12 ③ 13 ⑤ 14 (1) 미토콘드리아 (2) 세포 호흡은 반응이 단계적으로 일어나지만, 연소는 반응이 한 번에 일어난다. 세포 호흡은 체온 정도의 낮은 온도에서 일어나지만, 연소는 매우 높은 온도에서 일어난다. 세포 호흡에는 생체 촉매인 효소가 필요하지만, 연소는 효소가 필요하지 않다. 세포 호흡에서는 에너지가 소량씩 여러 차례에 걸쳐 방출되지만, 연소에서는 에너지가 한꺼번에 방출된다. 중 2가지 15 효소는 반응물과 결합하여 작용한다. 효소는 입체 구조에 들어맞는 특정 물질에만 작용한다. 효소는 반응 전후에 변하지 않는다. 16 (1) 카탈레이스 (2) 효소는 화학 반응의 활성화 에너지를 낮추어 반응이 빠르게 일어나도록 한다. 17 한 종류의 효소는 한 종류의 반응물(기질)에만 작용하는 기질 특이성이 있다. 물질대사는 여러 단계를 거쳐 일어나는데, 각 단계마다 반응물이 다르므로 많은 종류의 효소가 필요하다. 그러나 효소는 반응 전후에 변하지 않아 재사용이 가능하므로 종류가 많은 데 비해 그 양은 많지 않다.

실력 UP 문제 193쪽

01 ① 02 ⑤ 03 ③ 04 ③

03 생명 시스템에서 정보의 흐름

개념 확인 문제 197쪽

❶ 유전자 ❷ 생명 중심 ❸ DNA ❹ 3염기 조합 ❺ 전사 ❻ 코돈 ❼ 번역 ❽ 리보솜 ❾ 아미노산

1 (1) ○ (2) × (3) ○ **2** 단백질 **3** A: 전사, B: 번역 **4** −UAUCGGAGU− **5** (1) ㉠ 3염기 조합, ㉡ 코돈 (2) (가) GGT (나) UAU **6** (1) ○ (2) × (3) ○ (4) ○

개념 확인 문제 199쪽

❶ 염기 서열 ❷ 단백질 ❸ 헤모글로빈 ❹ DNA ❺ RNA ❻ 사람

1 (1) ○ (2) ○ (3) × (4) × (5) ○ **2** 페닐케톤뇨증 **3** (1) ㉢ (2) ㉣ (3) ㉡ (4) ㉠ **4** 유전부호 체계

내신 만점 문제 200~202쪽

01 ③ 02 ⑤ 03 ① 04 ③ 05 ⑤ 06 ③ 07 ④ 08 ④ 09 ① 10 ④ 11 ㄴ 12 ④ 13 ⑤ 14 (1) DNA, 유전 정보는 DNA의 염기 서열에 저장되어 있다. (2) DNA의 염기 서열에 저장된 유전 정보는 RNA로 전사되고, RNA의 유전 정보에 따라 리보솜에서 아미노산이 펩타이드 결합으로 연결되어 단백질이 만들어지는 번역이 일어난다. 15 (1) (가) 전사 (나) 번역 (2) (가) 핵 (나) 리보솜 (3) RNA는 DNA의 ⓑ와 상보적인 염기 서열로 되어 있으므로 ⓑ로부터 전사되었다. (4) 트립토판−페닐알라닌−글리신−세린 (5) RNA의 2번째 코돈이 UUU에서 GUU로 바뀌고, 그에 따라 단백질의 2번째 아미노산이 페닐알라닌에서 발린으로 바뀌게 된다.

실력 UP 문제 203쪽

01 ① 02 ⑤ 03 ③ 04 ④

스피드 정답체크

I. 물질과 규칙성

1 물질의 규칙성과 결합

01 우주 초기 원소의 생성

개념 확인 문제 15쪽

❶ 빅뱅 우주론 ❷ 전자 ❸ 중성자 ❹ 쿼크 ❺ 전자 ❻ 수소 원자 ❼ 3분 ❽ 38만 년 ❾ 3000 ❿ 우주 배경 복사

1 (1) 빅 (2) 정 (3) 정 (4) 빅 2 (1) × (2) × (3) ○ (4) ○ (5) ○ 3 ㄷ → ㄹ → ㄴ → ㄱ 4 ④ 5 A: 원자핵, B: 전자 6 ㉠ 38만, ㉡ 원자, ㉢ 빛 7 (1) 펜지어스와 윌슨 (2) 3 (3) 모든 (4) 빅뱅 우주론

개념 확인 문제 18쪽

❶ 스펙트럼 ❷ 연속 스펙트럼 ❸ 흡수 스펙트럼 ❹ 방출 스펙트럼(선 스펙트럼) ❺ 흡수 ❻ 종류 ❼ 질량비 ❽ 3 : 1

1 (가) ㄷ (나) ㄴ (다) ㄱ 2 (1) (다) (2) (나) (3) (가) 3 ㄴ, ㄷ 4 (1) × (2) × (3) ○ 5 (가) D (나) E 6 (1) ○ (2) × (3) ○

완자쌤 비법 특강 19쪽

Q1 ①

Q2 ⑤

완자쌤 비법 특강 20쪽

Q1 양성자가 생성된 시기

Q2 천체의 스펙트럼 관측(별빛의 스펙트럼 관측)

내신 만점 문제 21~24쪽

01 ③ 02 ② 03 ④ 04 ④ 05 ② 06 ① 07 ③ 08 ② 09 ① 10 ② 11 ⑤ 12 ⑤ 13 ⑤ 14 ③ 15 ③ 16 ① 17 ③ 18 ④ 19 ④ 20 ⑤ 21 (1) 양성자, 중성자 (2) 우주가 팽창하여 우주의 온도가 낮아지면서 양성자 2개와 중성자 2개가 결합하여 헬륨 원자핵이 생성되었다. 22 수소와 헬륨, 우주의 온도가 계속 낮아져 더 무거운 원자핵이 만들어지는 핵합성이 일어나지 못하였기 때문이다. 23 우주 배경 복사가 관측되었다. 우주에 분포하는 수소와 헬륨의 질량비가 약 3 : 1로 관측되었다. 24 방출 스펙트럼(선 스펙트럼), 가열된 고온의 성운이 특정한 파장의 빛을 방출하기 때문이다.

실력 UP 문제 25쪽

01 ③ 02 ⑤ 03 ② 04 ③ 05 헬륨 원자핵 1개의 질량은 수소 원자핵 1개 질량의 약 4배이므로 수소 원자핵(양성자)과 헬륨 원자핵의 질량비가 3 : 1이면 개수비는 12 : 1이 된다. 그런데 헬륨 원자핵은 양성자 2개와 중성자 2개로 구성되므로 양성자와 중성자의 개수비는 14 : 2, 즉 7 : 1이 된다.

02 지구와 생명체를 구성하는 원소의 생성

개념 확인 문제 29쪽

❶ 중력 수축 ❷ 핵융합 ❸ 수소 ❹ 핵융합 반응 ❺ 탄소 ❻ 철 ❼ 초신성 폭발 ❽ 원시 태양 ❾ 마그마의 바다

1 • 지구: 철, 산소 • 사람: 산소, 탄소 2 (1) × (2) × (3) × (4) ○ 3 (1) ○ (2) × (3) × 4 (다) → (라) → (나) → (가) 5 ㉠ 낮은, ㉡ 목성형 6 (가) → (다) → (나) → (라)

내신 만점 문제 30~32쪽

01 ① 02 ⑤ 03 ⑤ 04 ③ 05 ④ 06 ⑤ 07 ③ 08 ① 09 ③ 10 ③ 11 ④ 12 ④ 13 ① 14 ② 15 ① 16 (가) 별의 내부 압력과 중력이 평형을 이루기 때문에 주계열성의 크기가 일정하게 유지된다. (나) 주계열성 중심부의 바깥층에서 수소 핵융합 반응이 일어나 내부 압력이 커지기 때문에 별이 팽창하여 크기가 커진다. 17 이 별은 질량이 태양의 10배 이상이며, 초신성 폭발이 일어나 원소가 우주로 방출된다. 18 철, 철의 원자핵은 매우 안정하기 때문이다. 19 미행성체의 충돌열이 발생하면서 지구 전체가 녹아 마그마의 바다가 형성되었기 때문이다.

실력 UP 문제 33쪽

01 ② 02 ③ 03 ④ 04 ⑤

03 원소들의 주기성

개념 확인 문제 37쪽

❶ 원소 ❷ 원자 번호 ❸ 금속 ❹ 비금속 ❺ 알칼리 금속 ❻ 수소 ❼ 할로젠

1 (1) ○ (2) × (3) ○ (4) × 2 (1) ㉠ 주기, ㉡ 족 (2) 원자 번호 (3) 세로줄 (4) ㉠ 금속, ㉡ 비금속 3 금속 원소: (나), (다), (마), 비금속 원소: (가), (라), (바) 4 A: 알칼리 금속, B: 할로젠 5 (1) × (2) × (3) ○ (4) ○ 6 (1) × (2) ○ (3) × (4) ○

개념 확인 문제 40쪽

❶ 전자 ❷ 양성자 ❸ 원자 번호 ❹ 2 ❺ 8 ❻ 8 ❼ 원자가 전자 ❽ 원자가 전자 ❾ 전자 껍질 ❿ 0 ⓫ 원자가 전자

1 (1) ○ (2) × (3) ○ 2 ㉠ 에너지 준위, ㉡ 전자 껍질 3 (1) ○ (2) × (3) × 4 (1) 2 (2) 4 (3) 6 (4) ㉠ 2, ㉡ 14 5 ㄹ

완자쌤 비법 특강 41쪽

Q1

원소	리튬(Li)	나트륨(Na)	칼륨(K)
원자 번호	3	11	19
양성자수	3	11	19
전자 수	3	11	19
전자 배치	3+	11+	19+
전자가 들어 있는 전자 껍질 수	2	3	4
원자가 전자 수	1	1	1

Q2

원소	플루오린(F)	염소(Cl)
원자 번호	9	17
양성자수	9	17
전자 수	9	17
전자 배치	9+	17+
전자가 들어 있는 전자 껍질 수	2	3
원자가 전자 수	7	7

내신 만점 문제 42~44쪽

01 ⑤ 02 ③ 03 ③ 04 ① 05 ③ 06 ㄱ, ㄴ 07 ③ 08 ④ 09 ② 10 ③ 11 ④ 12 ③ 13 C 14 ② 15 ② 16 알칼리 금속은 반응성이 매우 커서 공기 중의 산소, 물과 잘 반응하므로 공기나 물과의 접촉을 차단하기 위해서이다. 17 원자 번호가 증가함에 따라 원자가 전자 수가 주기적으로 변하기 때문이다.

실력 UP 문제 45쪽

01 ⑤ 02 ㄱ, ㄷ 03 ② 04 ① 05 ④

04 원소들의 화학 결합과 다양한 물질

개념 확인 문제 49쪽

❶ 비활성 기체 ❷ 8 ❸ 비활성 기체 ❹ 이온 ❺ 인력 ❻ 공유 ❼ 전자쌍

1 (1) × (2) ○ (3) ○ 2 ㄱ, ㄴ 3 (가) 2 (나) 1 4 (1) 공유 (2) 이온 (3) 공통 5 (가) 공유 결합 (나) 이온 결합 6 (다), (라)

완자쌤 비법 특강 50~51쪽

Q1 ㉠ 1, ㉡ 1

㉢ 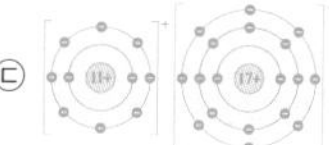

㉣ 1, ㉤ 1, ㉥ 1 : 1, ㉦ 이온

Q2 ㉠ 2, ㉡ 2

㉢ 17+ 12+ 17+

㉣ 2, ㉤ 1, ㉥ 1 : 2, ㉦ 이온

Q3 ㉠ 5, ㉡ 3

㉢ 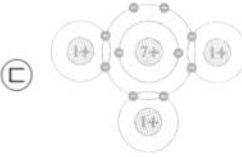

㉣ 3, ㉤ 3, ㉥ 3, ㉦ 공유

Q4 ㉠ 6, ㉡ 2

㉢ 

㉣ 2, ㉤ 2, ㉥ 2, ㉦ 공유

개념 확인 문제 55쪽

❶ 정전기적 인력 ❷ 분자 ❸ 양이온(음이온) ❹ 음이온(양이온) ❺ 고체 ❻ 액체(수용액) ❼ 수용액(액체) ❽ 없다

1 (1) × (2) ○ (3) × 2 (1) ○ (2) ○ (3) × 3 (가) ㄷ, ㅁ, ㅂ (나) ㄱ, ㄴ, ㄹ 4 (1) ㉠ 공유, ㉡ 이온 (2) ㉠ 분자, ㉡ 이온 (3) ㉠ (나), ㉡ (가) 5 (1) ㉢ (2) ㉡ (3) ㉠

내신 만점 문제 56~58쪽

01 ② 02 ③ 03 ③ 04 ⑤ 05 ④ 06 (다)>(나)>(가) 07 ② 08 ③ 09 ② 10 ⑤ 11 ④ 12 ① 13 (1) (가)는 비금속 원소인 A와 B로 이루어진 물질로 B 원자가 A 원자 2개와 각각 전자쌍 1개씩 총 2개를 공유하여 생성된다. (2) (나)는 비금속 원소인 B와 금속 원소인 C로 이루어진 물질로 C 원자가 전자 1개

15개정 교육과정

정확한 답과 친절한 해설

정답친해

완벽한 필수 학습서

wi

통합과학

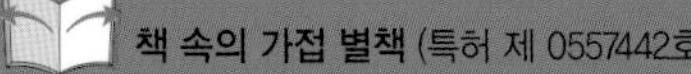
책 속의 가접 별책 (특허 제 0557442호)

'정답친해'는 본책에서 쉽게 분리할 수 있도록 제작되었으므로
유통 과정에서 분리될 수 있으나 파본이 아닌 정상제품입니다.

visang

ABOVE IMAGINATION

우리는 남다른 상상과 혁신으로
교육 문화의 새로운 전형을 만들어
모든 이의 행복한 경험과 성장에 기여한다

정답친해

통합과학

Ⅰ

물질과 규칙성

1 물질의 규칙성과 결합

1 우주 초기 원소의 생성

개념 확인 문제 15쪽

❶ 빅뱅 우주론 ❷ 전자 ❸ 중성자 ❹ 쿼크 ❺ 전자 ❻ 수소 원자 ❼ 3분 ❽ 38만 년 ❾ 3000 ❿ 우주 배경 복사

1 (1) 빅 (2) 정 (3) 정 (4) 빅 2 (1) × (2) × (3) ○ (4) ○ (5) ○ 3 ㄷ → ㄹ → ㄴ → ㄱ 4 ④ 5 A: 원자핵, B: 전자 6 ㉠ 38만, ㉡ 원자, ㉢ 빛 7 (1) 펜지어스와 윌슨 (2) 3 (3) 모든 (4) 빅뱅 우주론

1 빅뱅 우주론은 가모프 등의 과학자가 주장한 이론으로, 우주가 팽창하면서 질량은 일정하고, 온도와 밀도가 감소한다.
정상 우주론은 호일 등의 과학자가 주장한 이론으로, 우주가 팽창하면서 질량이 증가하여 온도와 밀도가 일정하게 유지된다.

2 (1) 쿼크는 더 이상 분해되지 않는 기본 입자이다.
(2) 중성자는 쿼크 3개가 결합하여 만들어진다.
(5) 원자는 양전하를 띠는 원자핵과 음전하를 띠는 전자가 결합하여 만들어진 입자이다.

3 빅뱅 후 우주가 팽창하면서 가벼운 입자가 먼저 생성되었고, 우주의 온도가 낮아짐에 따라 점차 무거운 입자가 생성되었다. 빅뱅 → ㄷ. 쿼크, 전자 등의 기본 입자 생성 → ㄹ. 양성자(수소 원자핵), 중성자 생성 → ㄴ. 헬륨 원자핵 생성 → ㄱ. 원자 생성

4 헬륨 원자핵이 생성되기 직전, 우주에는 양성자의 수가 중성자의 수보다 많았다. 빅뱅 후 약 3분이 되었을 때 양성자와 중성자가 결합하여 헬륨 원자핵이 생성되었다. 헬륨 원자핵을 생성하고 남은 양성자는 그 자체가 수소 원자핵으로, 수소 원자핵과 헬륨 원자핵의 질량비는 약 3 : 1이었다.

5 원자는 원자핵의 주위를 전자가 돌고 있는 구조이다. 수소 원자는 수소 원자핵 주위를 전자 1개가 도는 구조이고, 헬륨 원자는 헬륨 원자핵 주위를 전자 2개가 도는 구조이다.

6 빅뱅 후 약 38만 년이 되었을 때 중성인 원자가 생성되면서 빛이 원자핵이나 전자의 방해를 받지 않고 우주 공간으로 퍼져 나가 우주가 투명해졌다.

7 (1) 우주 배경 복사는 빅뱅 우주론에 따라 가모프에 의해 예측되었고, 펜지어스와 윌슨에 의해 최초로 관측되었다.
(2) 원자가 생성되면서 우주 배경 복사가 우주 공간으로 퍼져 나갔을 때 우주의 온도가 약 3000 K이었고, 현재는 온도가 낮아져 약 3 K이 되었다.
(3) 우주 배경 복사는 우주 공간에 퍼져 있는 빛이므로 우주의 모든 방향에서 거의 같은 세기로 관측된다.
(4) 빅뱅 우주론에 따라 예측된 우주 배경 복사가 실제로 관측되었으므로 우주 배경 복사는 빅뱅 우주론을 지지하는 증거가 된다.

개념 확인 문제 18쪽

❶ 스펙트럼 ❷ 연속 스펙트럼 ❸ 흡수 스펙트럼 ❹ 방출 스펙트럼(선 스펙트럼) ❺ 흡수 ❻ 종류 ❼ 질량비 ❽ 3 : 1

1 (가) ㄷ (나) ㄴ (다) ㄱ 2 (1) (다) (2) (나) (3) (가) 3 ㄴ, ㄷ 4 (1) × (2) × (3) ○ 5 (가) D (나) E 6 (1) ○ (2) × (3) ○

1 (가) 검은 바탕에 몇 개의 밝은 선(방출선)이 나타나므로 방출 스펙트럼(ㄷ)이다.
(나) 연속적인 색의 띠를 바탕으로 검은 선(흡수선)이 나타나므로 흡수 스펙트럼(ㄴ)이다.
(다) 무지개처럼 넓은 파장에 걸쳐 연속적으로 나누어진 색의 띠가 나타나므로 연속 스펙트럼(ㄱ)이다.

2 (1) 고온의 광원에서 방출하는 빛을 관측하면 (다)와 같이 넓은 파장에 걸쳐 퍼진 빛의 띠, 즉 연속 스펙트럼이 나타난다.
(2) 별빛이 저온의 성운을 통과하면서 특정한 파장이 흡수된 빛을 관측하면 흡수된 특정한 파장의 빛만 스펙트럼에 나타나지 않아 (나)와 같은 흡수 스펙트럼이 나타난다.
(3) 별 주위에서 가열된 성운이 방출하는 빛을 관측하면 성운을 이루는 원소가 방출하는 특정한 파장의 빛만 스펙트럼에 나타나 (가)와 같은 방출 스펙트럼이 나타난다.

3 원소마다 고유한 선 스펙트럼이 나타나며 원소의 밀도에 따라 흡수선의 세기가 달라지므로 별빛의 스펙트럼을 분석하면 구성 원소의 종류와 질량비를 알아낼 수 있다.

4 (1) 스펙트럼에서 같은 원소로 인해 나타나는 흡수선과 방출선의 위치(파장)는 같다.
(2), (3) 원소마다 고유의 선 스펙트럼이 나타나므로 방출선이 나타나는 위치는 기체의 종류에 따라 다르며, 스펙트럼을 관찰하면 원소를 구별할 수 있다.

5 꼼꼼 문제 분석

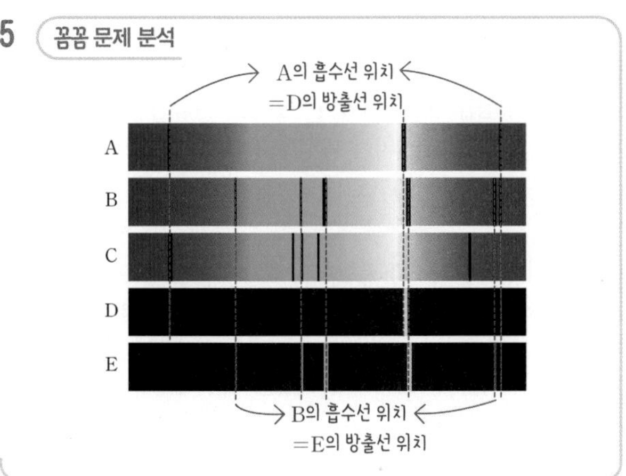

같은 원소는 스펙트럼에서 흡수선과 방출선의 위치가 같다. 따라서 A는 D와 같은 원소이고, B는 E와 같은 원소이다.

6 (1) 우주를 구성하고 있는 다양한 천체의 스펙트럼을 분석하면 우주 전역에 분포하는 원소의 종류와 질량비를 알 수 있다.
(2) 우주 전역에 분포하는 원소 중 수소가 약 74 %를 차지하고, 헬륨은 약 24 %를 차지한다.
(3) 빅뱅 우주론의 계산에 따라 우주에 분포하는 수소와 헬륨의 질량비가 약 3 : 1일 것으로 예측되었고, 천체의 스펙트럼을 분석한 결과 실제로 수소와 헬륨의 질량비가 약 3 : 1로 관측되었다.

19쪽

완자쌤 비법 특강
Q1 ①
Q2 ⑤

Q1 ㄱ. A, B 모두 정지 상태와 비교할 때 흡수선 파장이 붉은색 쪽으로 이동하였으므로 스펙트럼에 적색 편이가 나타난다.
바로알기 ㄴ. 적색 편이가 클수록 후퇴 속도가 빠르므로 A는 B보다 후퇴 속도가 느리다.
ㄷ. 허블 법칙에 따르면 우리은하로부터의 거리가 멀수록 후퇴 속도가 빠르므로 우리은하로부터의 거리는 A가 B보다 가깝다.

Q2 ㄱ. 그래프에서 거리와 후퇴 속도가 비례 관계이므로 우리은하로부터의 거리가 멀수록 후퇴 속도가 빠르다.
ㄴ. $\frac{y}{x}$는 그래프에서 직선의 기울기이므로 허블 법칙($V = H \cdot R$)에서 허블 상수(H)에 해당한다.
ㄷ. 대부분의 외부 은하들이 우리은하로부터 멀어지고, 거리가 멀수록 외부 은하의 후퇴 속도가 빠른 것은 은하들 사이의 공간이 확장되기 때문이며, 이는 우주가 팽창하기 때문이다.

20쪽

완자쌤 비법 특강
Q1 양성자가 생성된 시기
Q2 천체의 스펙트럼 관측(별빛의 스펙트럼 관측)

Q1 우주의 온도가 낮아지면서 더 무거운 입자가 생성되었다. 양성자보다 원자가 더 무거운 입자이므로 양성자가 생성된 시기에 우주의 온도가 더 높았다.

Q2 천체의 스펙트럼을 분석하여 구성 원소의 종류와 질량비를 알 수 있다.

내신 만점 문제

21~24쪽

01 ③	02 ②	03 ④	04 ④	05 ②	06 ①
07 ③	08 ②	09 ①	10 ②	11 ⑤	12 ⑤
13 ⑤	14 ③	15 ③	16 ①	17 ③	18 ④
19 ④	20 ⑤	21 해설 참조	22 해설 참조	23 해설 참조	24 해설 참조

01 ①, ② 빅뱅 우주론은 가모프 등이 주장하였으며, 고온 고밀도의 한 점에서 빅뱅이 일어나 우주가 현재까지 계속 팽창하고 있다는 우주론이다.
④ 우주를 이루는 수소와 헬륨의 질량비와 우주 배경 복사는 빅뱅 우주론을 지지하는 증거이다.
⑤ 은하들 사이의 거리가 멀어지는 것은 우주가 팽창하기 때문이다.
바로알기 ③ 허블이 외부 은하를 관측하여 우주의 팽창이 밝혀졌고, 우주가 팽창한다는 사실을 바탕으로 빅뱅 우주론이 등장하였다.

02 ② 빅뱅 우주론에서는 우주를 이루는 기본적인 물질은 빅뱅 초기에 생성되었기 때문에 우주가 팽창하는 동안 우주의 질량이 일정하지만, 정상 우주론에서는 우주가 팽창하면서 생기는 빈 공간에서 물질이 계속 생성되어 우주의 질량이 증가한다.
바로알기 ① 두 우주론은 우주가 팽창한다는 것을 전제로 한다.
③, ④ 빅뱅 우주론에서는 우주가 팽창하는데 질량이 일정하므로 우주의 밀도와 온도는 감소한다. 정상 우주론에서는 우주가 팽창하는데 질량도 증가하여 우주의 밀도와 온도는 일정하게 유지된다.
⑤ 빅뱅 우주론은 가모프 등이 주장하였고, 정상 우주론은 호일 등이 주장하였다.

03 꼼꼼 문제 분석

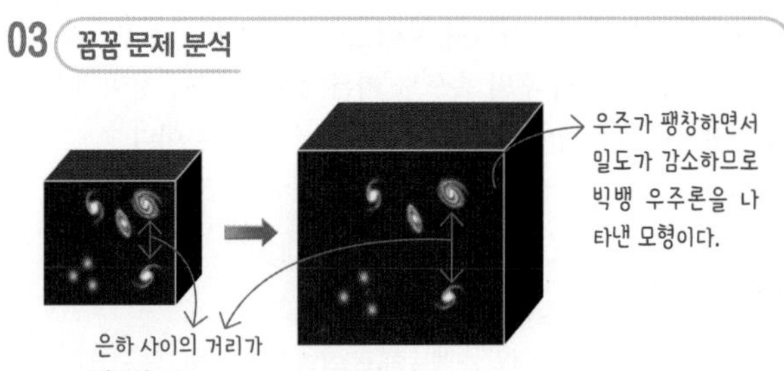

우주가 팽창하면서 밀도가 감소하므로 빅뱅 우주론을 나타낸 모형이다.
은하 사이의 거리가 멀어진다.

ㄴ. 빅뱅 우주론은 우주가 팽창함에 따라 온도가 낮아진다.
ㄷ. 빅뱅 우주론은 우주 팽창을 전제로 한다. 우주 공간이 팽창하면 은하 사이의 거리가 멀어지며, 멀리 있는 은하일수록 더 빠른 속도로 멀어진다.
바로알기 ㄱ. 빅뱅 우주론은 가모프 등의 과학자가 주장하였다. 호일은 정상 우주론을 주장하였다.

04 ① 기본 입자에는 쿼크, 전자 등이 있다.
② 중성자는 2개의 같은 종류의 쿼크와 1개의 다른 종류의 쿼크로 이루어진다. 중성자와 양성자는 모두 3개의 쿼크로 이루어지며, 구성하는 쿼크의 조합이 다르다.
③ 양성자는 양전하를 띠고, 원자핵은 양성자와 전하를 띠지 않는 중성자로 이루어져 있으므로 양전하를 띤다.
⑤ 원자는 양전하를 띠는 원자핵의 주위를 음전하를 띠는 전자가 도는 구조이다.
바로알기 ④ 양성자는 2개의 같은 종류의 쿼크와 1개의 다른 종류의 쿼크로 이루어진다. 즉, 3개의 쿼크가 결합한 입자이다.

05 원자는 원자핵(A)과 전자(C)로 이루어져 있고, 원자핵(A)은 양성자(B)와 중성자로, 양성자(B)와 중성자는 쿼크로 이루어져 있다.
ㄴ. 수소 원자핵은 양성자 1개에 해당하므로 쿼크 3개가 결합하여 생성된 1개의 B(양성자)로 이루어져 있다.
바로알기 ㄱ. 양성자(B)는 양전하를 띠고, 중성자는 전하를 띠지 않으므로 원자핵(A)은 양전하를 띤다.
ㄷ. C는 원자핵 주위를 도는 전자이다. 전자(C)는 기본 입자로, 더 이상 쪼개지지 않는다.

06 ① 빅뱅 이후 우주의 온도가 낮아짐에 따라 쿼크와 전자 → 양성자와 중성자 → 원자핵(헬륨) → 원자(수소와 헬륨) 순으로 생성되었다.
바로알기 ② 양성자는 3개의 쿼크가 결합하여 만들어지므로 기본 입자가 아니다.
③ 헬륨 원자핵은 2개의 양성자와 2개의 중성자로 이루어진다.
④ 양성자 1개는 그 자체로 수소 원자핵이다.
⑤ 중성자는 3개의 쿼크가 결합하여 만들어진다.

07 ㄱ. 같은 종류의 쿼크 2개와 다른 종류의 쿼크 1개가 결합한 입자, 즉 쿼크 3개가 결합한 입자이므로 양성자 또는 중성자이다.
ㄴ. 양성자와 중성자가 결합하여 원자핵을 이룬다.
바로알기 ㄷ. 양성자와 중성자는 전자보다 무거운 입자로, 전자보다 나중에 생성되었다. 기본 입자인 전자와 쿼크는 빅뱅 후 가장 먼저 생성되었다.

08 ② 빅뱅 후 약 3분이 되었을 때 양성자 2개와 중성자 2개가 결합하여 헬륨 원자핵이 생성되었다.
바로알기 ①, ③ 기본 입자는 빅뱅 이후 최초로 생성되었고, 온도가 점차 낮아지면서 10^{-6}초가 되었을 때 양성자와 중성자가 생성되었다.
④, ⑤ 원자핵과 전자가 결합하여 원자가 생성되면서 빛이 자유롭게 이동할 수 있게 된 것은 빅뱅 후 약 38만 년이 되었을 때이다.

09 (가)는 빅뱅 후 10^{-6}초가 되었을 때이고, (나)는 빅뱅 후 약 3분이 되었을 때이다.
ㄱ. (가)에서 (나)로 변화할 때 우주가 팽창하면서 우주의 온도가 낮아졌고, 빠르게 움직이던 양성자와 중성자의 운동이 느려져 서로 결합할 수 있게 되어 헬륨 원자핵이 생성되었다.
바로알기 ㄴ. 양성자는 그 자체로 수소 원자핵이 되었고, 양성자와 중성자가 결합하여 헬륨 원자핵이 되었다.
ㄷ. (나)에서 수소 원자핵과 헬륨 원자핵의 개수비는 약 12 : 1이었고, 질량비는 약 3 : 1이었다.

10 (가)는 빛이 양전하를 띠는 원자핵과 음전하를 띠는 전자의 방해를 받아 퍼져 나가지 못할 때이다.
(나)는 원자핵과 전자가 결합하여 중성인 원자가 생성되면서 빛이 자유롭게 퍼져 나가 우주가 투명해지기 시작한 때이다.
ㄴ. 우주가 팽창하면서 온도가 낮아졌기 때문에 전자가 원자핵에 붙잡히게 되었고, 빛이 우주 전역으로 퍼져 나갔다.
바로알기 ㄱ. 빅뱅 후 약 38만 년이 지났을 때의 변화이다.
ㄷ. (나)에서 우주 공간으로 퍼져 나간 빛은 현재 우주 배경 복사로 남아 파장이 길어진 채로 우주 전역에서 관측된다.

11 꼼꼼 문제 분석

(가) 쿼크의 결합에 의해 양성자와 중성자가 생성되었다.
➡ 양성자와 중성자 생성(원자핵 생성 이전) ❶
(나) 전자가 원자핵에 붙잡히지 않고 서로 분리되어 있었다. ➡ 원자핵 생성 후(원자 생성 이전) ❷
(다) 빛은 진행을 방해받지 않고, 우주 공간으로 퍼져 나가기 시작하였다. ➡ 원자 생성 ❸

쿼크가 결합하여 양성자나 중성자가 되고, 양성자와 중성자가 결합하여 원자핵이 되며, 원자핵과 전자가 결합하여 원자가 생성되면서 빛이 우주 공간으로 퍼져 나가므로 시간이 경과한 순서는 (가) → (나) → (다)이다.

⑤ (다)는 전자가 원자핵에 붙잡혀 원자가 만들어진 시기이므로 빅뱅 후 약 38만 년이 지나 우주의 온도가 약 3000 K으로 낮아진 때이다.

바로알기 ① 빅뱅 이후 시간이 지남에 따라 우주의 온도는 낮아졌으므로 (가)일 때의 우주 온도가 가장 높았다.

② (나)는 원자가 생성되기 전이므로 빅뱅 후 38만 년 이전이고, (다)는 원자가 생성된 때이므로 빅뱅 후 약 38만 년일 때이다. 따라서 (나)는 (다)보다 먼저이다.

③ 전자는 기본 입자로, 쿼크가 생성된 시기에 생성되었으므로 (가) 이전에 생성되었다.

④ (나) 시기에 빛은 전자와 원자핵에 의해 진행이 방해를 받아 직진하지 못하였으므로 우주는 불투명한 상태였다.

12 꼼꼼 문제 분석

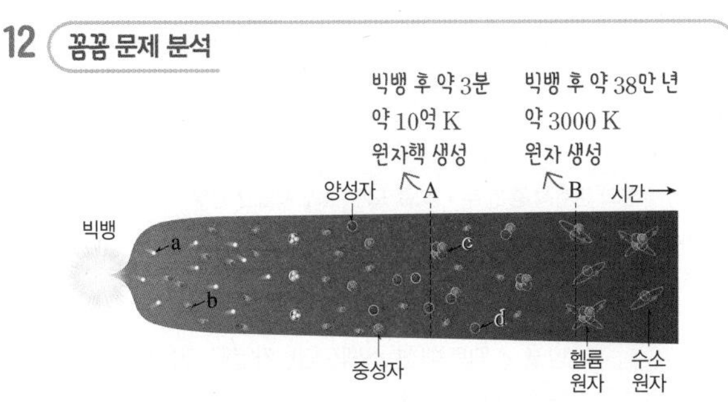

a: 3개가 결합하여 양성자 또는 중성자가 된다. ➡ 쿼크

b: B 시기에 원자핵과 결합하여 원자가 된다. ➡ 전자

c: 양성자 2개와 중성자 2개가 결합하였다. ➡ 헬륨 원자핵

d: 양성자 1개 ➡ 수소 원자핵

①, ② a와 b는 더 이상 쪼개지지 않는 기본 입자로, a는 양성자와 중성자를 구성하므로 쿼크이고, b는 원자핵과 결합하여 원자를 구성하므로 전자이다.

③ c(헬륨 원자핵)는 양성자 2개와 중성자 2개로 구성되므로 양전하를 띠고, d(수소 원자핵)는 양성자 1개로 구성되므로 양전하를 띤다.

④ 빅뱅 이후 우주는 계속 팽창하였으므로 우주의 온도는 A보다 B 시기에 낮아졌다.

바로알기 ⑤ B 시기 직전에 우주에 분포하는 수소 원자핵과 헬륨 원자핵의 질량비가 약 3 : 1이므로 c(헬륨 원자핵)와 d(수소 원자핵)의 질량비는 약 1 : 3이었다.

13 ① 가모프는 우주의 온도가 약 3000 K일 때 원자가 생성되면서 우주 전역으로 퍼져 나간 빛이 현재는 수 K으로 온도가 낮아진 상태로 발견될 것이라고 우주 배경 복사의 존재를 예측하였다.

② 펜지어스와 윌슨이 지상의 전파 망원경으로 우주 배경 복사를 처음 관측하였다.

③ 빅뱅 우주론에서 예측했던 우주 배경 복사가 실제로 관측되어 우주 배경 복사는 빅뱅 우주론을 지지하는 증거가 되었다.

④ 원자가 생성되기 전, 원자핵은 양전하를 띠고 전자는 음전하를 띠어 빛의 진로를 방해하였다. 원자핵과 전자가 결합하여 중성인 원자가 형성되면서 빛은 우주 공간으로 퍼져 나갔다.

바로알기 ⑤ 관측된 우주 배경 복사의 파장과 세기가 약 3 K인 물체가 방출하는 것과 같으므로 이를 통해 현재 우주의 온도가 약 3 K임을 알게 되었다.

14 ㄱ. 인공위성으로 우주 배경 복사를 관측하여 현재 우주 전체가 대체로 약 3 K의 균일한 온도 분포를 보인다는 것을 알아내었다.

ㄴ. 우주 배경 복사의 분포는 대체로 균일하지만 미세하게 불균일하다. 따라서 우주의 온도 분포에는 미세한 차이가 있다.

바로알기 ㄷ. 우주 배경 복사는 우주의 모든 방향에서 거의 같은 세기로 관측된다.

15 ① 빛은 파장에 따라 굴절률이 다르므로 분광기를 통과하면 파장에 따라 나누어지는데, 이렇게 나타나는 색의 띠를 스펙트럼이라고 한다.

② 원소의 종류에 따라 스펙트럼에서 선의 위치가 다르게 나타나므로 스펙트럼을 분석하여 원소의 종류를 구별할 수 있다.

④ 특정한 원소의 기체 방전관을 분광기로 관측하면 검은색 바탕에 밝은 색의 띠(방출선)가 나타난다.

⑤ 스펙트럼을 관측하여 별의 구성 원소와 질량비를 알 수 있으므로 별과 은하를 관측한 스펙트럼으로부터 우주에 존재하는 원소의 분포를 알 수 있다.

바로알기 ③ 원소의 종류에 따라 전자의 에너지 준위와 그 간격이 다르므로 스펙트럼에 나타나는 방출선이나 흡수선의 위치는 원소의 종류에 따라 다르다.

16 (가)는 연속 스펙트럼, (나)는 흡수 스펙트럼, (다)는 방출 스펙트럼이다.

ㄱ. 백열전구를 관측하면 (가)와 같은 연속 스펙트럼이 나타난다.

ㄷ. 고온으로 가열된 기체에서는 특정 파장의 빛을 방출하여 스펙트럼에서 (다)와 같이 특정 파장에 방출선이 나타난다.

바로알기 ㄴ. (나)에서는 흡수선이 나타나고, (다)에서는 방출선이 나타난다.

ㄹ. 원소마다 고유한 스펙트럼을 나타낸다. (나)와 (다)는 흡수선과 방출선이 나타나는 위치가 다르므로 관측한 원소가 다르다.

17 ㄱ. (가)는 연속 스펙트럼에 흡수선이 나타나므로 흡수 스펙트럼이다.

ㄷ. (가)와 (나)는 흡수선과 방출선이 같은 위치에서 나타나므로 동일한 원소로 인해 나타나는 스펙트럼이다.

바로알기 ㄴ. (나)는 방출 스펙트럼으로, 고온의 별 주위에서 온도가 높아진 기체에서 방출하는 빛을 관측할 때 나타난다.

18 꼼꼼 문제 분석

스펙트럼에서 동일한 원소의 방출선과 흡수선이 나타나는 위치는 같다.

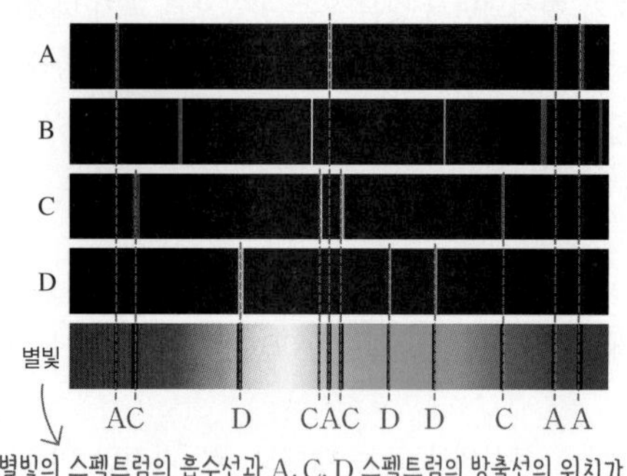

별빛의 스펙트럼의 흡수선과 A, C, D 스펙트럼의 방출선의 위치가 일치하므로 이 별을 구성하는 원소는 A, C, D이다.

19 ④ 빅뱅 이후 우주의 온도가 낮아짐에 따라 수소와 헬륨이 생성되었고, 빅뱅 우주론에서 질량비를 예측한 후 실제로 그 비율대로 관측되었으므로 빅뱅 우주론을 지지하는 증거이다.

바로알기 ① 우주의 수소와 헬륨의 질량비는 약 3 : 1이다.
②, ⑤ 우주 전역의 수소와 헬륨은 대부분 빅뱅 우주 초기에 입자의 생성 과정에서 만들어졌으며, 별의 중심부에서 만들어진 헬륨의 양은 극히 적으므로 함량이 계속 증가하지 않는다.
③ 수소와 헬륨의 비는 스펙트럼 분석을 통해 알아냈다.

20 ㄱ. 시간이 지남에 따라 우주는 팽창한다. (가)는 헬륨 원자핵이 생성되기 전이고, (나)는 헬륨 원자핵이 생성된 이후이므로 우주의 크기는 (가)보다 (나)의 시기가 컸다.
ㄴ. (나)의 시기에는 양성자 2개와 중성자 2개가 결합하여 1개의 헬륨 원자핵을 만들었으므로 수소 원자핵 개수 : 헬륨 원자핵 개수는 12 : 1이었다.
ㄷ. 헬륨 원자핵 1개 질량은 수소 원자핵 1개 질량의 약 4배이다.
(나)의 시기에 $\frac{\text{수소 원자핵의 개수}}{\text{헬륨 원자핵의 개수}}$가 $\frac{12}{1}$이므로
$\frac{\text{수소 원자핵의 총 질량}}{\text{헬륨 원자핵의 총 질량}}$은 약 $\frac{12}{4}=3$이었다.

21 3개의 쿼크가 결합하여 (가) 양성자와 중성자가 생성되었고, 양성자와 중성자가 결합하여 (나) 헬륨 원자핵이 생성되었다.

모범 답안 (1) 양성자, 중성자
(2) 우주가 팽창하여 우주의 온도가 낮아지면서 양성자 2개와 중성자 2개가 결합하여 헬륨 원자핵이 생성되었다.

	채점 기준	배점
(1)	(가)의 입자를 모두 옳게 쓴 경우	40 %
(2)	(나)의 입자가 생성된 과정을 우주의 온도 변화, 구성 입자를 모두 포함하여 옳게 서술한 경우	60 %
	우주의 온도 변화만 포함하여 옳게 서술한 경우	30 %
	구성 입자만 포함하여 옳게 서술한 경우	

22 모범 답안 수소와 헬륨, 우주의 온도가 계속 낮아져 더 무거운 원자핵이 만들어지는 핵합성이 일어나지 못하였기 때문이다.

채점 기준	배점
수소와 헬륨을 쓰고, 더 무거운 원소가 생성되지 못한 까닭을 우주의 온도 변화로 옳게 서술한 경우	100 %
수소와 헬륨만 쓴 경우	40 %

23 • 가모프는 빅뱅 우주의 팽창에 따른 온도 변화를 계산하여 현재 수 K으로 온도가 낮아진 우주 배경 복사가 우주 전역을 채우고 있을 것으로 예측하였고, 실제로 수 K으로 관측되었다.
• 빅뱅 우주론에서 계산한 수소와 헬륨의 질량비는 약 3 : 1이었고, 스펙트럼 분석으로 실제 우주의 수소와 헬륨의 질량비가 약 3 : 1임이 밝혀졌다.

모범 답안 우주 배경 복사가 관측되었다. 우주에 분포하는 수소와 헬륨의 질량비가 약 3 : 1로 관측되었다.

채점 기준	배점
빅뱅 우주론의 관측적 증거 두 가지를 모두 옳게 서술한 경우	100 %
한 가지만 옳게 서술한 경우	50 %

24 모범 답안 방출 스펙트럼(선 스펙트럼), 가열된 고온의 성운이 특정한 파장의 빛을 방출하기 때문이다.

채점 기준	배점
스펙트럼의 종류를 쓰고, 성운이 고온이라는 것과 특정한 파장의 빛을 방출한다는 것을 포함하여 관측되는 까닭을 옳게 서술한 경우	100 %
스펙트럼의 종류를 쓰고, 특정한 파장의 빛을 방출하기 때문이라고만 서술한 경우	70 %
스펙트럼의 종류만 옳게 쓴 경우	40 %

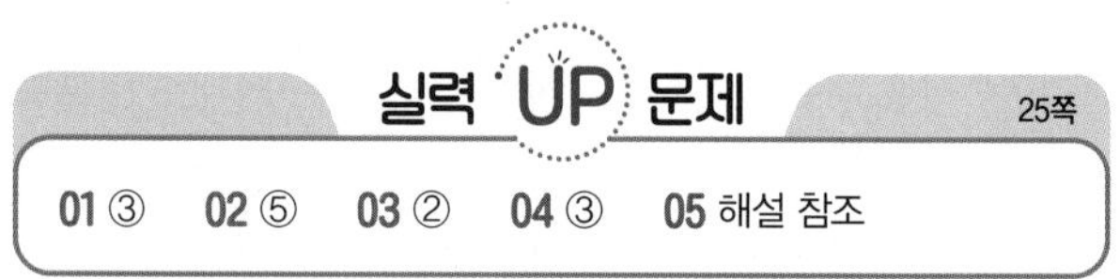

01 꼼꼼 문제 분석

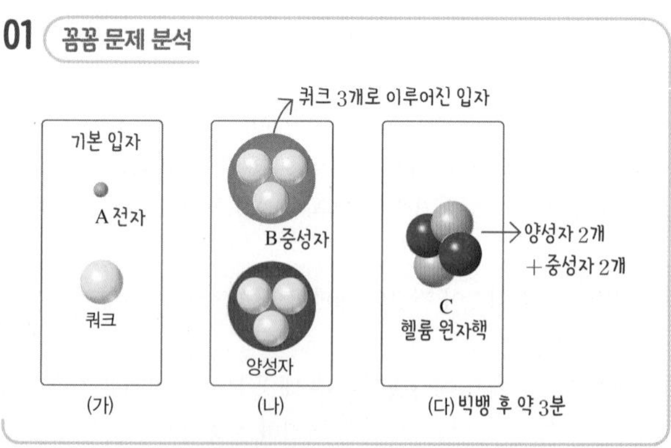

ㄱ. (가)는 쿼크와 전자(A)이므로 기본 입자이고, (나)는 쿼크가 결합하여 생성된 중성자(B)와 양성자이며, (다)는 중성자와 양성자가 결합하여 생성된 원자핵(C)이다. 빅뱅 후 시간이 지남에 따라 (가) → (나) → (다) 순서로 생성되었으므로 우주의 온도는 (가) → (나) → (다)로 갈수록 낮아졌다.
ㄷ. 우주의 온도가 낮아지면서 A(전자)가 C(원자핵) 주위에 붙잡혀 원자가 생성되었고, 이 시기에 수소 원자와 헬륨 원자가 생성되었다.
바로알기 ㄴ. B는 중성자이므로 전하를 띠지 않고, 양성자는 양전하를 띤다. C는 중성자와 양성자가 결합하여 생성된 원자핵이므로 양전하를 띤다.

02 꼼꼼 문제 분석

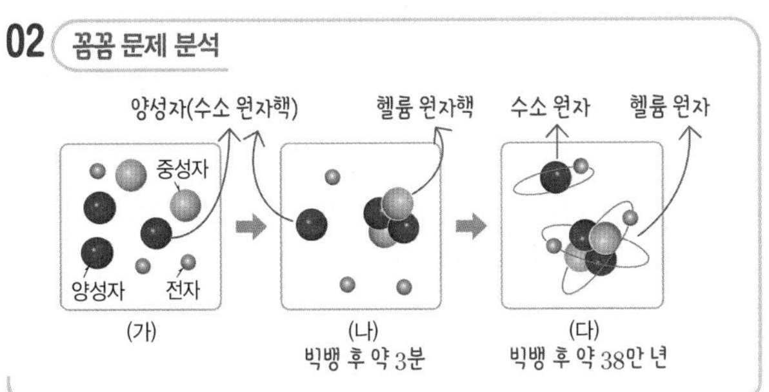

ㄱ. (가) → (나) → (다)로 갈수록 우주는 점차 팽창하였으므로 우주의 밀도는 감소하였다.
ㄴ. (가) → (나)의 변화는 헬륨 원자핵이 생성되는 과정이므로 빅뱅 후 약 3분이 되었을 때, 양성자와 중성자가 결합하여 일어났다.
ㄷ. (나) → (다)의 변화는 원자핵에 전자가 붙잡혀 원자가 생성되는 과정이므로 빅뱅 후 약 38만 년이 지났을 때 일어났으며, 이 때 우주 온도는 약 3000 K이었다.

03 꼼꼼 문제 분석

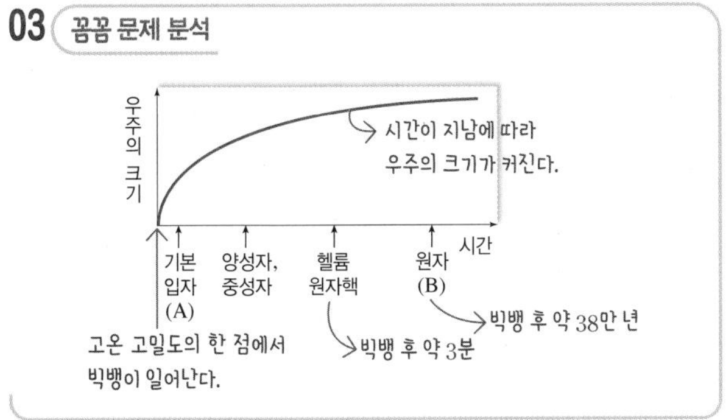

ㄴ. B 시기에 수소 원자핵과 헬륨 원자핵은 각각 전자를 붙잡아 수소 원자와 헬륨 원자가 되었으며, 질량비는 약 3 : 1이었다.
바로알기 ㄱ. A에서 B로 갈수록 무거운 물질이 생성되었으나, 우주 전체의 질량은 일정하였다.
ㄷ. B 시기에 전자가 원자핵과 결합하면서 빛이 자유롭게 퍼져 나갈 수 있게 되었다. 물질로부터 빠져나온 빛은 우주가 팽창하면서 우주의 온도가 낮아져 파장이 점차 길어졌다.

04 ③ 전자가 높은 에너지 준위에서 낮은 에너지 준위로 이동하면 빛을 방출하여 (나)와 같이 스펙트럼에 방출선이 나타난다.
바로알기 ① (가)에서는 흡수선, (나)에서는 방출선이 나타난다.
② 별빛이 저온의 성운을 통과하면 특정한 파장의 빛이 흡수되므로 (가)와 같은 흡수 스펙트럼이 나타난다.
④ (가)의 흡수선과 (나)의 방출선의 위치가 다르므로 (가) 천체에는 (나)의 원소가 포함되어 있지 않다.
⑤ 원소의 종류에 따라 스펙트럼에서 선의 위치가 달라진다.

05 모범 답안 헬륨 원자핵 1개의 질량은 수소 원자핵 1개 질량의 약 4배이므로 수소 원자핵(양성자)과 헬륨 원자핵의 질량비가 3 : 1이면 개수비는 12 : 1이 된다. 그런데 헬륨 원자핵은 양성자 2개와 중성자 2개로 구성되므로 양성자와 중성자의 개수비는 14 : 2, 즉 7 : 1이 된다.

채점 기준	배점
수소 원자핵과 헬륨 원자핵의 질량비로부터 수소 원자핵과 헬륨 원자핵의 개수비를 추론하고, 그로부터 양성자와 중성자의 개수비를 추론하여 옳게 서술한 경우	100 %
양성자와 중성자의 개수비만 쓴 경우	50 %

2 지구와 생명체를 구성하는 원소의 생성

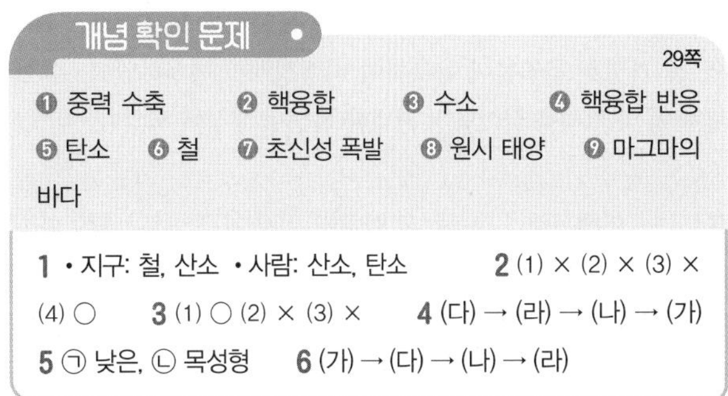
개념 확인 문제 29쪽

❶ 중력 수축 ❷ 핵융합 ❸ 수소 ❹ 핵융합 반응 ❺ 탄소 ❻ 철 ❼ 초신성 폭발 ❽ 원시 태양 ❾ 마그마의 바다

1 • 지구: 철, 산소 • 사람: 산소, 탄소 2 (1) × (2) × (3) × (4) ○ 3 (1) ○ (2) × (3) × 4 (다) → (라) → (나) → (가) 5 ㉠ 낮은, ㉡ 목성형 6 (가) → (다) → (나) → (라)

1 • 지구를 구성하는 주요 원소의 질량비: 철>산소>규소>마그네슘 ➡ 철과 산소의 질량비가 높다.
• 사람을 구성하는 주요 원소의 질량비: 산소>탄소>수소>질소 ➡ 산소와 탄소의 질량비가 높다.

2 (1) 별은 성간 물질이 밀집되어 만들어진 성운 내부의 밀도가 큰 영역에서 탄생한다. 성운 내부에서 여러 개의 원시별이 생성되고, 원시별이 중력에 의해 수축하면서 온도가 상승하여 핵융합 반응이 일어나는 별이 된다.
(2) 원시별에서는 중력 수축에 의해 에너지가 생성되며, 핵융합 반응은 일어나지 않는다.
(3) 원시별 중심부의 온도가 1000만 K에 도달해야 수소 핵융합 반응이 일어나 주계열성이 된다.
(4) 수소 핵융합 반응은 4개의 수소 원자핵이 융합하여 1개의 헬륨 원자핵이 되는 반응이므로 수소 핵융합 반응이 일어나면 수소의 양은 감소하고, 헬륨의 양은 증가한다.

3 (1) 무거운 원소일수록 핵융합 반응이 일어나는 온도가 높다. 질량이 큰 별일수록 중심부의 온도가 높아지므로 최종적으로 생성되는 원소가 무겁다.
(2) 질량이 태양 정도인 별의 중심부에서 생성되는 가장 무거운 원소는 탄소, 산소이다. 철은 질량이 태양의 10배 이상인 별의 중심부에서 생성되는 가장 무거운 원소이다.
(3) 철보다 무거운 원소는 초신성 폭발 과정에서 방출되는 높은 에너지에 의해 생성된다.

4 (다) 초신성 폭발의 충격으로 우리은하의 나선팔에 있는 거대한 성운의 밀도가 불균일해졌고, 밀도가 큰 부분이 수축하여 태양계 성운이 형성되었다.
→ (라) 태양계 성운이 수축하면서 회전하여 중심부에서 원시 태양이 형성되었고, 주변부에서 납작한 원시 원반이 형성되었다.
→ (나) 원시 원반에서 여러 개의 큰 고리가 형성되었고, 각각의 고리에서 기체와 티끌이 뭉쳐 미행성체들이 형성되었다.
→ (가) 미행성체가 서로 충돌하여 원시 행성이 형성되면서 원시 태양계가 형성되었다.

5 태양에서 먼 곳은 온도가 낮아서 녹는점이 낮은 얼음, 메테인 등 가벼운 물질들이 응축하여 미행성체를 형성하였고, 수소, 헬륨 등의 기체를 끌어당겨 거대한 목성형 행성이 되었다.

6 (가) 미행성체가 충돌하고 합쳐져 원시 지구가 형성되었다.
→ (다) 원시 지구에 미행성체가 계속 충돌하여 발생한 열에 의해 지구 전체가 녹아 마그마의 바다가 형성되었다.
→ (나) 마그마의 바다에서 상대적으로 가벼운 물질(규소, 산소 등)은 떠오르고 상대적으로 무거운 물질(철, 니켈 등)은 중심부로 가라앉아 맨틀과 핵을 형성하였다.
→ (라) 미행성체의 충돌이 줄어들어 지구의 표면이 식으면서 원시 지각이 형성되었고, 대기 중의 수증기가 응결하여 내린 빗물이 원시 지각의 낮은 곳으로 모여 원시 바다가 형성되었다.

내신 만점 문제 30~32쪽

01 ①	02 ⑤	03 ⑤	04 ③	05 ④	06 ⑤
07 ③	08 ①	09 ③	10 ③	11 ④	12 ④
13 ①	14 ②	15 ①	16 해설 참조	17 해설 참조	
18 해설 참조	19 해설 참조				

01 ㄱ. 우주를 구성하는 전체 원소 중 수소가 약 74 %, 헬륨이 약 24 %를 차지한다.
바로알기 ㄴ. 지구에는 철이 가장 많은 질량비를 차지하지만, 사람의 몸에는 산소가 가장 많은 질량비를 차지한다.
ㄷ. 지구와 사람을 구성하는 주요 원소는 빅뱅 우주 초기에 생성된 수소나 헬륨보다 무거운 원소들이며, 별이 진화하는 동안 별 내부의 핵융합 반응이나 초신성 폭발 과정에서 생성되었다.

02 (가) 지구의 주요 원소의 질량비: 철>산소>규소
(나) 사람의 주요 원소의 질량비: 산소>탄소>수소
ㄱ. (가)는 규소가 세 가지 주요 원소에 포함되므로 지구이고, (나)는 산소와 탄소가 주요 원소인 사람이다.
ㄴ. 지구에 가장 풍부한 A는 철이다. 사람의 몸은 탄소 화합물인 유기물로 이루어져 있으므로 B는 탄소이고, C는 수소이다.
ㄷ. 빅뱅 우주 초기의 물질 생성 과정에서 수소와 헬륨이 만들어졌다. (가)와 (나)에서 C(수소)를 제외한 나머지 무거운 원소들(철, 산소, 규소, 탄소)은 별의 내부에서 생성되었다.

03 ① 우주의 주요 구성 원소인 수소와 헬륨 등의 성간 물질이 모여 가스 구름이 형성되고, 가스 구름이 수축하여 성운이 만들어진다.
② 성운 내부의 밀도가 큰 영역에서 물질이 뭉쳐 원시별이 된다.
③, ④ 원시별 단계에서는 내부 압력이 중력보다 작아서 원시별은 점차 수축하면서 중력 수축 에너지가 발생하여 뜨거워진다.
바로알기 ⑤ 원시별이 중력 수축하면서 온도가 상승하여 1000만 K 이상이 되면 중심부에서 수소 핵융합 반응이 시작되어 별(주계열성)이 된다.

04 꼼꼼 문제 분석

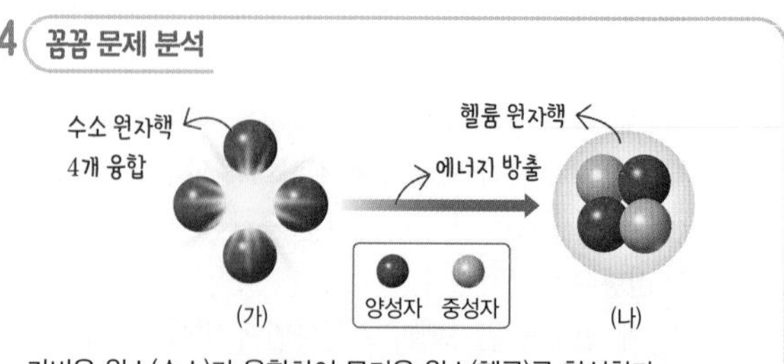

- 가벼운 원소(수소)가 융합하여 무거운 원소(헬륨)를 합성한다.
- 질량의 합: (가)>(나) ➡ 질량 차이만큼 에너지가 발생한다.

ㄱ. (가)는 수소 원자핵 4개가 융합하는 수소 핵융합 반응이다.
ㄷ. 주계열성은 별의 진화 과정에서 처음 핵융합 반응이 일어나므로 가장 가벼운 원소인 수소의 핵융합 반응이 일어난다.

바로알기 ㄴ. (가) → (나)는 에너지를 방출하는 과정이다. 질량은 에너지로 변환될 수 있는데, (가)의 질량이 (나)의 질량보다 조금 크며, 반응이 일어나면 감소한 질량만큼 에너지가 발생한다.

05 ④ 주계열성은 내부 압력(A)과 중력(B)이 평형을 이루어 크기가 일정하게 유지되는 별이다.

바로알기 ① A는 내부 압력, B는 중력이다.
② A는 핵융합 반응으로 발생한 에너지에 의해 별을 팽창시키는 힘이다.
③ B는 별의 질량에 의해 중심 쪽으로 작용하는 힘이다.
⑤ 중심부의 핵융합 반응이 멈추면 A가 B보다 작아지므로 별이 중력에 의해 수축하기 시작한다.

06 ① 주계열성은 내부 압력과 중력이 평형을 이루어 안정하므로 별의 크기가 일정하게 유지된다.
②, ③ 주계열성은 중심부에서 수소 핵융합 반응이 일어나는 별이므로 중심부의 온도는 1000만 K 이상이다.
④ 별은 일생 중 가장 긴 시간을 수소 핵융합 반응으로 에너지를 생성하는 주계열성으로 보낸다.

바로알기 ⑤ 별의 질량이 클수록 핵융합 반응이 활발하게 일어나 수소를 빠르게 소모하므로 주계열성의 수명이 짧다.

07 꼼꼼 문제 분석

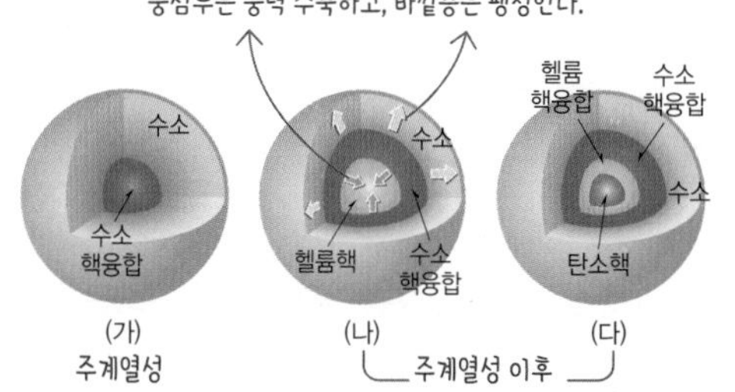

(가)는 주계열성이고, (나)는 주계열성 이후 별이 팽창하는 과정이며, (다)는 헬륨 핵융합 반응이 일어나 탄소핵이 생성된 단계이다.

ㄱ. (가)의 중심부에서는 수소 핵융합 반응이 일어나 헬륨을 생성하므로 수소의 양은 점차 감소하고, 헬륨의 양은 점차 증가한다.
ㄴ. (가) 주계열성에서 별의 크기는 일정하다. (나)에서 헬륨핵 주변에서 수소 핵융합 반응이 일어나 내부 압력이 증가하면서 별의 바깥층이 팽창하므로 별의 크기는 (가)보다 (나)에서 크다.

바로알기 ㄷ. 질량이 태양 정도인 별은 철을 만드는 핵융합 반응이 일어날 만큼 온도가 높아지지 않으며, 탄소핵이 생성되면 더 이상 핵융합 반응이 일어나지 않는다.

08 꼼꼼 문제 분석

핵융합 반응	반응 원소 → 생성 원소	반응 온도
(가) 수소 핵융합	H → He	1000만 K
(나) 규소 핵융합	Si → Fe	30억 K
(다) 헬륨 핵융합	He → C, O	1억 K~2억 K
(라) 산소 핵융합	O → S, Si	20억 K

↘ 무거운 원소일수록 높은 온도에서 핵융합 반응이 일어난다.
원자량: (가) < (다) < (라) < (나)

ㄱ. (가) < (다) < (라) < (나)의 순으로 핵융합 반응이 일어나기 위한 중심부 온도가 높으므로 가장 먼저 일어나는 반응은 (가)이다.

바로알기 ㄴ. 철은 원자핵이 매우 안정하기 때문에 별의 중심부에서 핵융합 반응으로 만들어지는 가장 무거운 원소이다. 철보다 무거운 원소는 초신성 폭발 과정에서 발생하는 높은 에너지에 의해 생성된다.
ㄷ. (가)는 주계열성의 중심에서 일어나는 수소 핵융합 반응이고, (나), (다), (라)는 주계열성 이후일 때(거성 단계) 별의 중심에서 일어나는 핵융합 반응이다.

09 꼼꼼 문제 분석

원자량: 철 > 규소 > 산소 > 탄소 > 헬륨 > 수소
➡ 중심으로 갈수록 무거운 원소가 생성되었다.

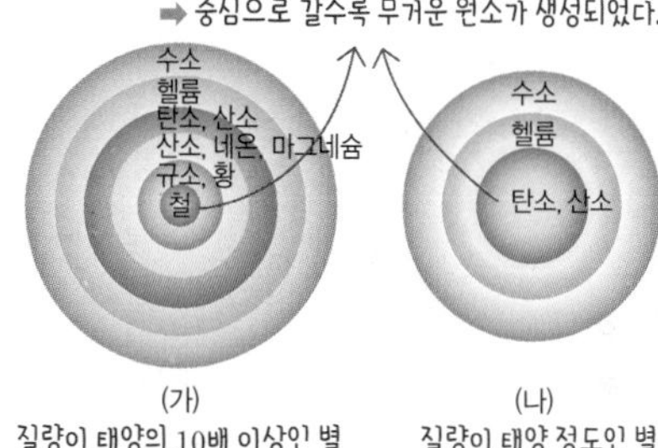

ㄱ, ㄴ. 별의 질량이 클수록 중심부의 온도가 높아져 무거운 원소가 생성된다. 철은 탄소보다 무거운 원소이므로 별 중심부의 최대 온도는 (가)가 (나)보다 높고, 별의 질량은 (가)가 (나)보다 크다.

바로알기 ㄷ. 질량이 태양 정도인 별은 중심부에서 핵융합 반응으로 탄소, 산소까지만 생성되므로 태양이 진화하면 (나)와 같은 구조가 될 것이다.

10 ㄱ. 초신성 폭발 과정에서 방출된 막대한 에너지에 의해 철보다 무거운 금, 납, 우라늄 등이 생성되므로 초신성 잔해에는 이러한 원소들이 포함되어 있다.
ㄴ. 별은 질량에 따라 진화하는 과정이 달라지는데, 질량이 태양의 10배 이상인 별은 주계열성 이후에 팽창하여 크기가 커지고, 그 후에는 초신성 폭발이 일어난다.

바로알기 ㄷ. 초신성 폭발이 일어나는 별은 질량이 태양의 10배 이상이므로 별의 중심부에서는 점차 무거운 원소의 핵융합이 일어나 최종적으로는 철까지 생성된다.

11 ④ 탄소 – 주계열성 이후 단계인 별의 중심부에서 헬륨 핵융합 반응으로 생성된다.

바로알기 ① 철 – 질량이 태양의 10배 이상인 별 내부에서 핵융합 반응으로 생성되는 가장 무거운 원소이다.
② 수소 – 빅뱅 우주 초기에 생성된다.
③ 헬륨 – 빅뱅 우주 초기의 핵합성으로 생성되지만, 별 내부에서 일어나는 수소 핵융합 반응으로도 생성된다.
⑤ 구리 – 철보다 무거운 원소이므로 질량이 태양의 10배 이상인 별이 폭발하여 초신성이 될 때 생성된다.

12 ① 우리은하의 나선팔에 있던 거대한 성운이 초신성 폭발로 밀도가 불균일해지면서 태양계 성운이 형성되었다.
② 태양계 성운이 중력에 의해 수축하여 현재의 태양계가 되었으므로 태양계 성운의 크기는 현재 태양계보다 매우 컸다.
③ 태양계 성운이 수축하여 크기가 작아졌으므로 회전 속도가 점차 빨라졌다.
⑤ 원시 원반에서 미행성체들이 충돌하고 병합하여 원시 행성이 형성되었다.

바로알기 ④ 태양계 성운이 중력에 의해 수축하면서 에너지가 발생하여 중심부의 온도가 점차 높아져 원시 태양이 형성되었다.

13 꼼꼼 문제 분석

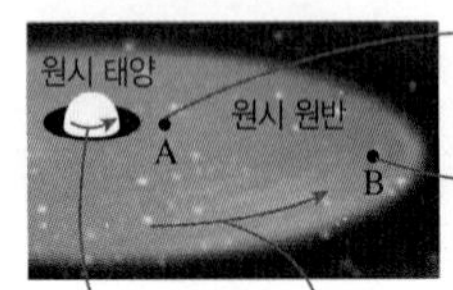

온도가 높은 곳: 녹는점이 높은 무거운 물질 분포
온도가 낮은 곳: 녹는점이 낮은 가벼운 물질 분포
태양의 자전 방향 = 원반의 회전 방향(행성의 공전 방향)

ㄱ. 성운이 중력에 의해 수축함에 따라 성운 중심부의 온도와 밀도가 높아져 원시 태양이 형성되었다.

바로알기 ㄴ. 성운이 회전하면서 납작한 원반 모양이 되었고, 원반 내에서 뭉쳐진 미행성체들이 회전하면서 합쳐져 원시 행성이 되었다. 따라서 태양계 행성들의 공전 방향이 모두 같다.
ㄷ. 원반 내에서는 원시 태양에서 멀어질수록 온도가 낮아졌다. 따라서 원시 태양에 가까운 A에서 녹는점이 낮은 가벼운 물질은 증발하여 B 쪽으로 밀려났고, 철, 니켈, 규소 등의 녹는점이 높은 물질은 A에 남았다.

14 꼼꼼 문제 분석

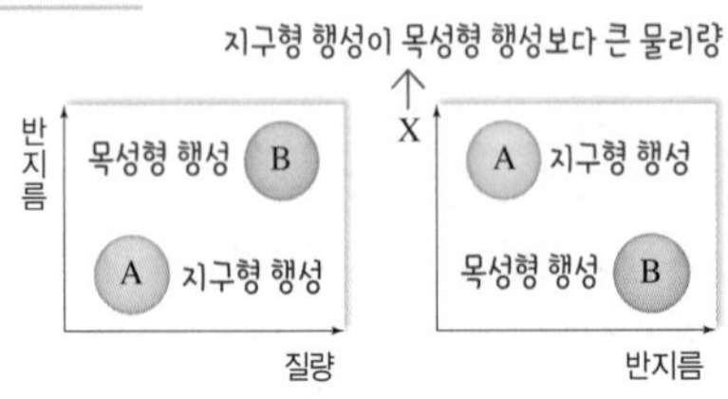

② X는 A가 B보다 큰 물리량이다. A(지구형 행성)는 암석질의 행성이므로 평균 밀도가 크고, B(목성형 행성)는 기체형 행성이므로 평균 밀도가 작다. 따라서 평균 밀도는 X에 해당한다.

바로알기 ① 지구형 행성은 목성형 행성보다 질량과 반지름이 작고, A는 B보다 질량과 반지름이 작으므로, A는 지구형 행성, B는 목성형 행성이다.
③ A(지구형 행성)는 모두 고리가 없고, B(목성형 행성)는 모두 고리가 있다.
④ A(지구형 행성)는 위성이 없거나 1개~2개이지만, B(목성형 행성)는 위성 수가 매우 많다.
⑤ A(지구형 행성)는 표면이 단단한 암석으로 이루어져 있지만, B(목성형 행성)는 표면이 기체이다.

15 ㄱ. 지구는 철, 니켈, 규소 등의 무거운 물질이 응축되어 만들어진 미행성체가 충돌하여 형성되었으므로 (가)의 미행성체에는 철과 규소가 포함되어 있었다.
ㄴ. (가) → (나)에서 미행성체가 충돌하면서 미행성체의 질량이 더해지므로 지구의 질량은 계속 증가하였다.

바로알기 ㄷ. 원시 바다는 원시 지각에 내린 빗물이 낮은 곳으로 모여 형성되었으므로 (다) 이후에 형성되었다.
ㄹ. 맨틀과 핵은 마그마의 바다에서 가벼운 물질은 떠오르고 무거운 물질은 가라앉아 형성되었으므로 (나) 이후에 형성되었다.

16 모범 답안 (가) 별의 내부 압력과 중력이 평형을 이루기 때문에 주계열성의 크기가 일정하게 유지된다.
(나) 주계열성 중심부의 바깥층에서 수소 핵융합 반응이 일어나 내부 압력이 커지기 때문에 별이 팽창하여 크기가 커진다.

채점 기준	배점
(가)와 (나)를 모두 옳게 서술한 경우	100 %
(가)만 옳게 서술한 경우	50 %

17 이 별의 중심부에서 생성된 가장 무거운 원소는 철이다.
모범 답안 이 별은 질량이 태양의 10배 이상이며, 초신성 폭발이 일어나 원소가 우주로 방출된다.

채점 기준	배점
별의 질량을 태양과 옳게 비교하고, 원소의 방출을 옳게 서술한 경우	100 %
별의 질량만 태양과 옳게 비교한 경우	50 %

18 모범 답안 철, 철의 원자핵은 매우 안정하기 때문이다.

채점 기준	배점
철을 쓰고, 철이 별 내부에서 핵융합 반응으로 생성되는 가장 무거운 원소인 까닭을 옳게 서술한 경우	100 %
철만 쓴 경우	50 %

19 태양계 성운의 원반 내에서 형성된 수많은 미행성체들은 서로 충돌하고 합쳐져 원시 지구로 성장하였고, 이 과정에서 미행성체의 충돌열에 의해 마그마의 바다가 형성되었다. 철, 니켈 등의 밀도가 큰 물질은 가라앉아 핵이 되었고, 규소 등의 밀도가 작은 물질은 위로 떠올라 맨틀이 되었다.

모범 답안 미행성체의 충돌열이 발생하면서 지구 전체가 녹아 마그마의 바다가 형성되었기 때문이다.

채점 기준	배점
마그마의 바다가 형성된 것을 서술하고, 그 원인을 미행성체의 충돌열로 서술한 경우	100 %
마그마의 바다만 서술한 경우	70 %

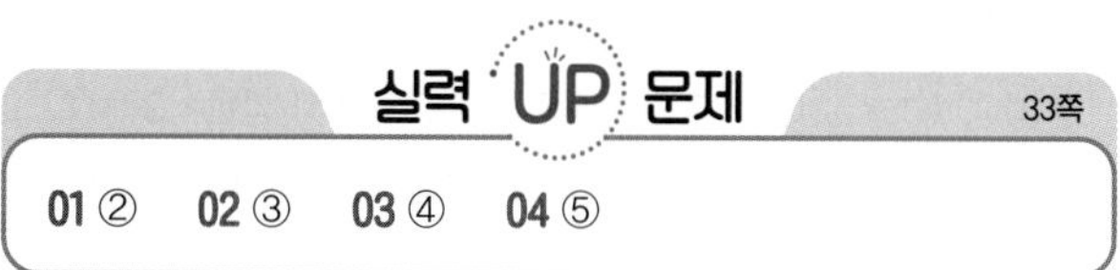

01 꼼꼼 문제 분석

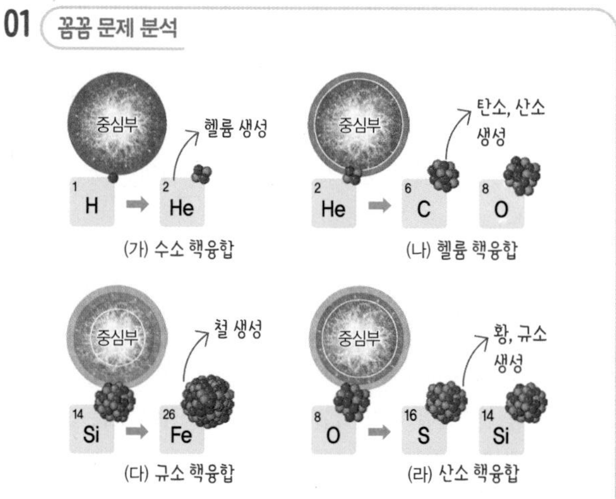

(가)는 주계열성, (나), (다), (라)는 주계열성 이후에 일어나는 반응이다.

ㄷ. 철은 황, 규소보다 무거운 원소이고, 온도가 높을수록 무거운 원소가 생성되므로 별 중심부의 온도는 (다)가 (라)보다 높았다.

바로알기 ㄱ. 질량이 태양의 10배 이상인 별에서 일어난다. 질량이 태양과 비슷한 별 내부에서는 (가) → (나)까지만 일어난다.

ㄴ. 가벼운 원소가 먼저 생성되고 점차 무거운 원소가 생성되므로 (가) → (나) → (라) → (다) 순으로 원소가 생성되었다.

02 꼼꼼 문제 분석

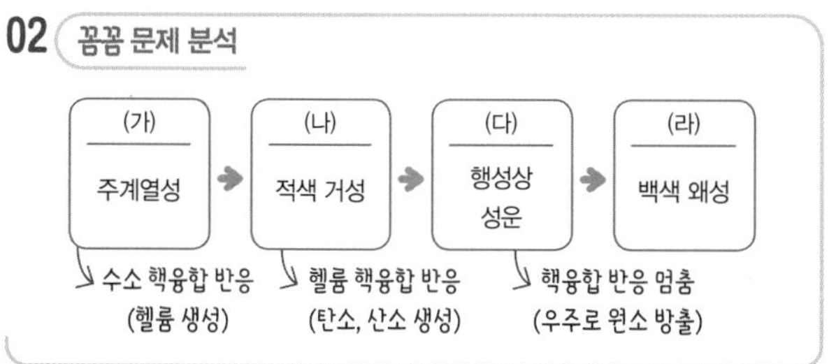

ㄴ. (나) 적색 거성의 중심부에서는 헬륨 핵융합 반응이 일어나 탄소, 산소가 생성된다.

ㄷ. (다)에서 별의 바깥층이 우주 공간으로 점차 퍼져 나가 행성상 성운이 되므로 별 내부에서 생성된 원소가 이 과정에서 우주 공간으로 방출된다.

바로알기 ㄱ. (가) 주계열성은 내부 압력과 중력이 평형을 이루어 별의 크기가 일정하다.

ㄹ. (라) 백색 왜성의 중심부에서는 핵융합 반응이 일어나지 않는다.

03 꼼꼼 문제 분석

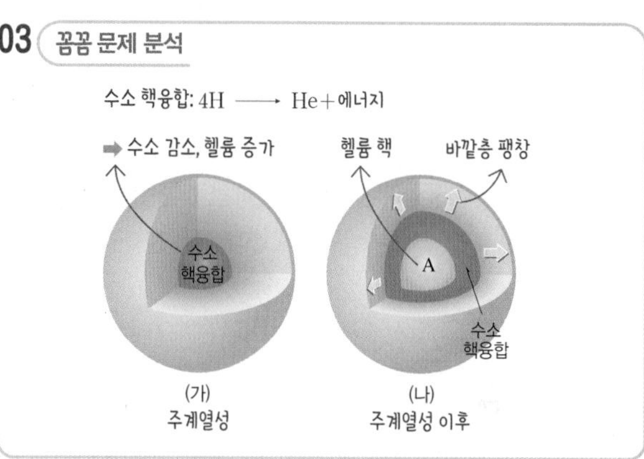

(가)는 중심핵에서 수소 핵융합 반응이 일어나므로 주계열성이고, (나)는 중심핵의 바깥층에서 수소 핵융합 반응이 일어나므로 주계열성 이후의 단계이다.

ㄴ. (나)는 중심핵에서 수소 핵융합 반응이 끝나고, 중심핵 바깥층에서 수소 핵융합 반응이 일어나 별이 팽창하는 단계이므로 (가)보다 별의 크기가 커진다. 따라서 별의 크기는 (가)가 (나)보다 작다.

ㄷ. (나)에서 A(중심핵)는 헬륨으로 이루어져 있으며, 헬륨 핵융합 반응이 시작되면 탄소와 산소가 생성된다.

바로알기 ㄱ. (가)의 중심핵에서는 수소 핵융합 반응으로 헬륨이 생성되고 있다. (나)의 중심핵(A)은 수소가 고갈되었고, 헬륨으로 이루어져 있다. 따라서 중심핵의 $\frac{\text{헬륨 함량}}{\text{수소 함량}}$은 (가)가 (나)보다 작다.

04 ㄱ. 우리은하의 나선팔에 있던 거대한 성운이 초신성 폭발에 의한 충격으로 불안정해지면서 여러 개의 작은 성운으로 분열되었으며, 그 중의 하나가 태양계 성운이 되었다.

ㄴ. 태양계 성운이 수축하여 원시 원반이 형성되고, 고리와 미행성체가 형성되었으므로 (가) → (나)에서 중력 수축에 의해 성운 중심부의 온도는 상승하였다.

ㄷ. 태양계 성운이 회전하는 과정에서 원시 태양과 납작한 원시 원반이 형성되었고, 원시 원반에서 미행성체가 형성되었으므로 (나)의 미행성체가 공전하는 방향은 원시 태양이 자전하는 방향과 같았다.

03 원소들의 주기성

개념 확인 문제

37쪽

❶ 원소 ❷ 원자 번호 ❸ 금속 ❹ 비금속 ❺ 알칼리 금속 ❻ 수소 ❼ 할로젠

1 (1) ○ (2) × (3) ○ (4) × **2** (1) ㉠ 주기, ㉡ 족 (2) 원자 번호 (3) 세로줄 (4) ㉠ 금속, ㉡ 비금속 **3** 금속 원소: (나), (다), (마), 비금속 원소: (가), (라), (바) **4** A: 알칼리 금속, B: 할로젠 **5** (1) × (2) × (3) ○ (4) ○ **6** (1) × (2) ○ (3) × (4) ○

1 (1) 원소는 모든 물질을 이루는 기본 성분이다.
(2) 원소들이 모여 다양한 물질을 생성하므로 물질의 종류가 원소의 종류보다 훨씬 많다. 즉, 원소의 종류는 물질의 종류에 비해 적다.
(3) 멘델레예프는 그 당시까지 발견된 63종의 원소들을 원자량 순서로 배열하여 주기율표를 만들었다.
(4) 모즐리는 원소들의 주기적 성질이 원자 번호에 의한 것임을 발견하였다. 성질이 비슷한 세 쌍의 원소들이 존재하는 것을 알아낸 과학자는 되베라이너이다.

2 현대의 주기율표는 원소를 원자 번호 순서로 나열하되, 화학적 성질이 비슷한 원소들이 같은 세로줄에 오도록 배열한다. 가로줄은 주기, 세로줄은 족이라고 하며 7개의 주기와 18개의 족으로 이루어져 있다. 주기율표의 왼쪽과 가운데에는 대부분 금속 원소가 있고, 오른쪽에는 대부분 비금속 원소가 있다.

3 구리(Cu), 나트륨(Na), 칼슘(Ca)은 주기율표의 왼쪽과 가운데에 있는 금속 원소이고, 헬륨(He)과 브로민(Br)은 주기율표의 오른쪽에 있는 비금속 원소이다. 수소(H)는 비금속 원소이지만 주기율표의 왼쪽에 있다.

4 A 영역은 주기율표의 1족 원소 중 수소를 제외한 금속 원소이므로 알칼리 금속이다. B 영역은 주기율표의 17족 원소이므로 할로젠이다.

5 (1) 알칼리 금속은 공기 중의 산소, 물과 잘 반응하므로 공기나 물과의 접촉을 차단하기 위해 석유, 벤젠 등에 넣어 보관한다.
(2) 알칼리 금속은 다른 금속에 비해 밀도가 작다.
(3) 알칼리 금속은 물과 반응하여 수소 기체를 발생시키고, 이때 생성된 수용액은 염기성을 띤다.
(4) 알칼리 금속은 칼로 자를 수 있을 정도로 무르다.

6 (1) 할로젠은 비금속 원소로 전기가 잘 통하지 않는다.
(2), (3) 실온에서 플루오린(F_2)은 옅은 노란색 기체, 염소(Cl_2)는 노란색 기체, 브로민(Br_2)은 적갈색 액체, 아이오딘(I_2)은 보라색 고체 상태로 존재한다.
(4) 할로젠은 반응성이 커서 나트륨(Na), 칼륨(K)과 같은 금속과 반응하여 화합물을 생성한다.

개념 확인 문제

40쪽

❶ 전자 ❷ 양성자 ❸ 원자 번호 ❹ 2 ❺ 8 ❻ 8 ❼ 원자가 전자 ❽ 원자가 전자 ❾ 전자 껍질 ❿ 0 ⓫ 원자가 전자

1 (1) ○ (2) × (3) ○ **2** ㉠ 에너지 준위, ㉡ 전자 껍질 **3** (1) ○ (2) × (3) × **4** (1) 2 (2) 4 (3) 6 (4) ㉠ 2, ㉡ 14 **5** ㄹ

1 (1) 원자는 양전하를 띠는 원자핵과 음전하를 띠는 전자로 구성된다.
(2) 원자는 전기적으로 중성이므로 한 원자를 구성하는 양성자수와 전자 수가 같다.
(3) 원자의 종류에 따라 양성자수가 다르고, 이에 따라 전자 수 또한 다르다.

3 (1) 전자는 에너지 준위가 낮은 전자 껍질, 즉 원자핵에서 가까운 전자 껍질부터 차례대로 채워진다.
(2), (3) 같은 주기 원소들은 전자가 들어 있는 전자 껍질 수가 같고, 같은 족 원소들은 가장 바깥 전자 껍질에 들어 있는 전자, 즉 원자가 전자 수가 같다.

4 (1), (2) 가장 바깥 전자 껍질인 두 번째 전자 껍질에 전자가 4개 들어 있다. 따라서 전자가 들어 있는 전자 껍질 수는 2이고, 원자가 전자 수는 4이다.
(3) 원자에서 양성자수와 전자 수가 같으므로 주어진 원자의 양성자수는 전자 수와 같은 6이다. 따라서 원자 번호는 6이다.
(4) 전자가 들어 있는 전자 껍질 수는 주기 번호와 같고, 원자가 전자 수는 족 번호의 일의 자리 수와 같다. 따라서 2주기 14족 원소이다.

5 ㄱ. A의 전자 수는 8이고, B의 전자 수는 16이다.
ㄴ. A와 B의 전자 수가 다르므로 양성자수도 다르다.
ㄷ. A에서 전자가 들어 있는 전자 껍질 수는 2이고, B에서 전자가 들어 있는 전자 껍질 수는 3이다.
ㄹ. A와 B 모두 가장 바깥 전자 껍질에 전자가 6개 들어 있으므로 원자가 전자 수가 6으로 같다.

41쪽

완자쌤 비법 특강

Q1 해설 참조
Q2 해설 참조

Q1 알칼리 금속은 주기율표의 1족 원소이므로 원자가 전자 수가 모두 1이다.

모범 답안

원소	리튬(Li)	나트륨(Na)	칼륨(K)
원자 번호	3	11	19
양성자수	3	11	19
전자 수	3	11	19
전자 배치	3+	11+	19+
전자가 들어 있는 전자 껍질 수	2	3	4
원자가 전자 수	1	1	1

Q2 할로젠은 주기율표의 17족 원소이므로 원자가 전자 수가 모두 7이다.

모범 답안

원소	플루오린(F)	염소(Cl)
원자 번호	9	17
양성자수	9	17
전자 수	9	17
전자 배치	9+	17+
전자가 들어 있는 전자 껍질 수	2	3
원자가 전자 수	7	7

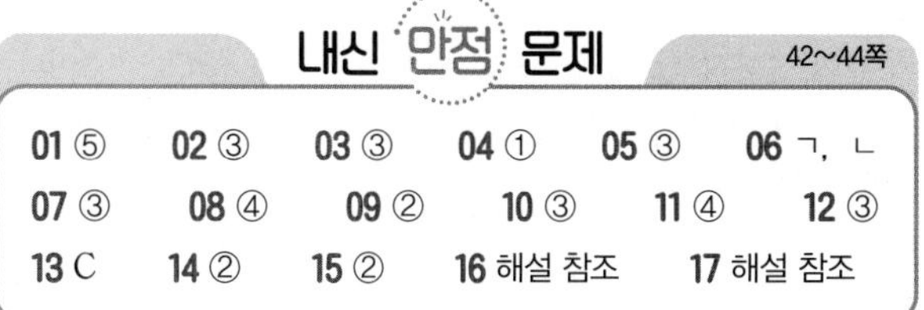

내신 만점 문제
42~44쪽
01 ⑤ 02 ③ 03 ③ 04 ① 05 ③ 06 ㄱ, ㄴ
07 ③ 08 ④ 09 ② 10 ③ 11 ④ 12 ③
13 C 14 ② 15 ② 16 해설 참조 17 해설 참조

01 ① 라부아지에는 더 이상 분해되지 않는 물질들을 원소로 정의하고, 33종의 원소를 성질에 따라 네 가지로 분류하였다.
② 되베라이너는 성질이 비슷한 세 쌍 원소들의 원자량 사이에는 일정한 관계가 있다는 것을 발견하고 세 쌍 원소설을 제안하였다.
③ 멘델레예프는 당시까지 발견된 63종의 원소들을 원자량 순서대로 배열하면 성질이 비슷한 원소가 주기적으로 나타나는 것을 발견하여 주기율표의 기틀을 마련하였다.
④ 모즐리는 원소의 주기적 성질이 원자를 이루는 양성자수, 즉 원자 번호에 의해 나타나는 것을 발견하여 멘델레예프가 만든 주기율표에서 몇몇 원소들의 성질이 주기성에서 벗어나는 문제점을 해결하였다.
바로알기 ⑤ 주기율의 발견과 관련된 과학자들을 시대 순으로 나열하면 되베라이너 - 멘델레예프 - 모즐리이다.

02 ㄱ, ㄷ. 현대의 주기율표는 원소들을 원자 번호 순서대로 나열하되, 주기가 바뀔 때마다 화학적 성질이 비슷한 원소가 나타나도록 배열한 표이다.
바로알기 ㄴ. 같은 족에 속한 원소들은 원자가 전자 수가 같으므로 화학적 성질이 비슷하다.

03 (가), (다): 현대의 주기율표에서 같은 족에 속하는 원소들은 화학적 성질이 비슷하다.
바로알기 (나): 현대의 주기율표에서 같은 주기에 속하는 원소들은 전자가 들어 있는 전자 껍질 수가 같고, 원자가 전자 수가 서로 다르므로 화학적 성질이 다르다.

04 ②, ⑤ 주기율표에서 금속 원소는 대부분 왼쪽이나 가운데에 있고, 비금속 원소는 대부분 오른쪽에 있다.
③ 금속 원소는 대부분 전기 전도성이 크고, 비금속 원소는 대부분 전기 전도성이 작다.
④ 수은을 제외한 금속 원소는 실온에서 고체 상태로 존재한다. 수은은 실온에서 액체 상태로 존재한다.
바로알기 ① 비금속 원소는 광택이 있는 것이 거의 없으며, 특유의 광택이 있는 것은 금속 원소이다.

05 (가)는 주기율표의 왼쪽과 가운데에 있으므로 금속 원소이고, (다)는 주로 주기율표의 오른쪽에 있으므로 비금속 원소이다. (나)는 (가)와 (다) 사이에 있으므로 준금속 원소이다.
ㄱ. 나트륨(Na)은 알칼리 금속으로 (가)에 속한다.
ㄴ. 준금속 원소인 (나)는 금속 원소와 비금속 원소의 성질을 모두 띠거나 중간 성질을 띤다.
바로알기 ㄷ. 비금속 원소인 (다)는 대부분 열 전도성과 전기 전도성이 작다.

06 (가)의 리튬(Li), 나트륨(Na), 칼륨(K)은 주기율표의 1족에 속하는 알칼리 금속이고, (나)의 염소(Cl), 브로민(Br), I(아이오딘)은 주기율표의 17족에 속하는 할로젠이다.

ㄱ. 알칼리 금속은 실온에서 고체 상태로 존재한다.

ㄴ. 할로젠은 실온에서 원자 2개가 결합한 분자의 형태로 존재한다.

바로알기 ㄷ. 알칼리 금속과 할로젠은 반응성이 매우 커서 다른 원소와 잘 반응한다.

07 ㄱ, ㄴ. 알칼리 금속은 물과 반응하여 수소 기체를 발생시키고, 그 수용액은 염기성을 띤다. 이 반응을 화학 반응식으로 나타내면 다음과 같다.

$$2M + 2H_2O \longrightarrow 2MOH + H_2 \uparrow$$ (M: 알칼리 금속)

반응 후 수용액의 액성은 염기성이므로 페놀프탈레인 용액을 떨어뜨리면 수용액의 색이 붉은색으로 변한다.

바로알기 ㄷ. 리튬(Li) 대신 금속 A와 B를 사용하여 과정 (가)~(다)를 반복할 때 실험 결과가 리튬과 같으므로 A와 B는 리튬과 화학적 성질이 비슷하다. 즉, A와 B는 리튬과 같은 족에 속한다.

08 꼼꼼 문제 분석

3, 4주기에 속하는 알칼리 금속이다.

주기＼족	1	2	13	14	15	16	17	18
1								
2							A―F	
3	B―Na						C―Cl	
4	D―K						E―Br	

2~4주기에 속하는 할로젠이다.

① A는 플루오린(F)으로 수소(H)와 반응하여 할로젠화 수소인 플루오린화 수소(HF)를 생성한다.

② B는 나트륨(Na)이고, C는 염소(Cl)이다. 나트륨과 염소는 격렬하게 반응하여 염화 나트륨(NaCl)을 생성한다.

③ B와 D는 알칼리 금속으로 공기 중에 두면 모두 산소와 반응하여 산화물을 생성한다.

⑤ 할로젠인 A, C, E는 비금속 원소이고, 알칼리 금속인 B, D는 금속 원소이다.

바로알기 ④ D와 E는 같은 주기 원소이다. 같은 주기 원소들은 원자가 전자 수가 서로 다르므로 화학적 성질이 다르다.

09 ㄴ. 원자는 양전하를 띠는 양성자와 음전하를 띠는 전자의 수가 같아 전기적으로 중성이다.

바로알기 ㄱ. 원자핵은 양성자와 중성자로 이루어져 있으며, 전자는 원자핵 주위를 돌고 있다.

ㄷ. 양성자는 양전하를 띠며, 중성자는 전하를 띠지 않는다.

10 ①, ② 같은 족 원소들은 원자가 전자 수가 같고, 같은 주기 원소들은 전자가 들어 있는 전자 껍질 수가 같다.

④ 원자에서 전자는 특정한 에너지 준위의 궤도인 전자 껍질에 존재한다.

⑤ 원자핵에서 가장 가까운 전자 껍질인 첫 번째 전자 껍질에는 전자가 최대 2개 채워진다.

바로알기 ③ 원자핵에서 가까운 전자 껍질일수록 에너지 준위가 낮다.

11 꼼꼼 문제 분석

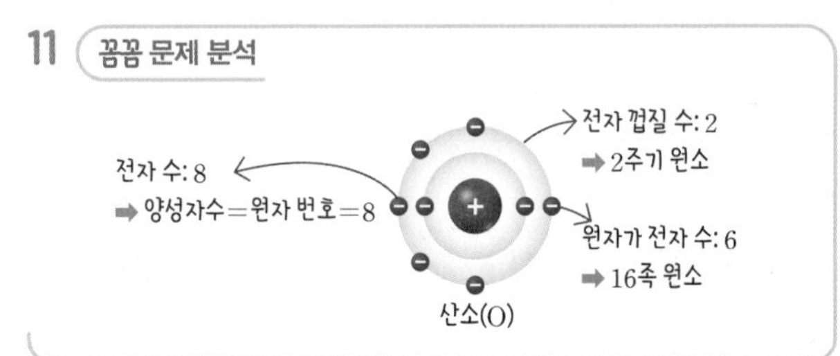

① 이 원자는 전자가 들어 있는 전자 껍질 수가 2이므로 2주기 원소이다.

② 이 원자는 가장 바깥 전자 껍질에 들어 있는 전자인 원자가 전자 수가 6이므로 16족 원소이다.

③ 원자는 전기적으로 중성이므로 한 원자에서 전자 수와 양성자 수가 같다. 이 원자의 전자 수는 8이므로 양성자수도 8이다. 원자의 양성자수는 원자 번호에 해당하므로 이 원자의 원자 번호는 8이다.

⑤ 이 원자는 2주기 16족 원소인 산소(O)로 주기율표에서 오른쪽에 있는 비금속 원소이다.

바로알기 ④ 이 원자의 전자 수는 8이고, 원자가 전자 수는 6이다.

12 꼼꼼 문제 분석

원자의 전자 배치	11+	17+
원자(원소 기호)	A(Na)	B(Cl)
전자 껍질 수	3 ➡ 3주기 원소	3 ➡ 3주기 원소
전자 수	11 ➡ 양성자수: 11	17 ➡ 양성자수: 17
원자가 전자 수	1 ➡ 1족 원소	7 ➡ 17족 원소

ㄱ. 원자는 양전하를 띠는 양성자, 전하를 띠지 않는 중성자, 음전하를 띠는 전자로 이루어져 있다. 원자는 양성자수와 전자 수가 같아 전기적으로 중성이므로 원자 A와 B의 전하량은 0이다.

ㄴ. A와 B는 전자가 들어 있는 전자 껍질 수가 3으로 같으므로 모두 3주기 원소이다.

바로알기 ㄷ. 실온에서 원자 2개가 결합한 이원자 분자로 존재하는 것은 비금속 원소인 B만 해당한다.

[13~14] 꼼꼼 문제 분석

주기\족	1	2	13	14	15	16	17	18
1								A–He
2		B–Be			C–N			
3	D (Na)	E (Mg)				F (S)		

13 전자가 들어 있는 전자 껍질 수가 2이므로 2주기 원소이고, 비금속 원소이므로 14~18족 원소이다. 따라서 이 원소는 주기율표의 C에 해당한다.

14 ② B와 C는 같은 주기 원소로 전자가 들어 있는 전자 껍질 수가 2로 같다.

바로알기 ① A는 18족 원소이므로 원자가 전자 수가 0이다.
③ C는 2주기 15족 원소이므로 첫 번째 전자 껍질에는 전자가 2개 들어 있고, 두 번째 전자 껍질에는 전자가 5개 들어 있다. 따라서 C의 전자 수는 7이다.
④ 원자가 전자 수는 A가 0, B와 E가 2, C가 5, D가 1, F가 6이다. 따라서 원자가 전자 수가 가장 많은 것은 F이다.
⑤ E는 주기율표에서 왼쪽에 있으므로 금속 원소이고, F는 주기율표에서 오른쪽에 있으므로 비금속 원소이다.

15 꼼꼼 문제 분석

원자의 전자 배치	(1+)	(3+)	(9+)	(11+)
원자(원소 기호)	A(H)	B(Li)	C(F)	D(Na)
전자 껍질 수	1	2	2	3
원자가 전자 수	1	1	7	1

ㄴ. A~D의 원자가 전자 수는 각각 1, 1, 7, 1이다. 따라서 원자가 전자 수가 가장 많은 것은 C이다.

바로알기 ㄱ. A(H), B(Li), D(Na)는 원자가 전자 수가 모두 1이지만, A는 비금속 원소이고 B와 D는 금속 원소이므로 화학적 성질이 다르다.
ㄷ. B와 C의 원자가 전자는 모두 두 번째 전자 껍질에 들어 있다.

16 모범 답안 알칼리 금속은 반응성이 매우 커서 공기 중의 산소, 물과 잘 반응하므로 공기나 물과의 접촉을 차단하기 위해서이다.

채점 기준	배점
산소, 물과의 반응성으로 옳게 서술한 경우	100 %
산소와 물 중 한 가지와의 반응성으로만 옳게 서술한 경우	50 %

17 모범 답안 원자 번호가 증가함에 따라 원자가 전자 수가 주기적으로 변하기 때문이다.

채점 기준	배점
원자가 전자 수를 언급하여 옳게 서술한 경우	100 %
원자가 전자 수를 언급하지 못한 경우	0 %

실력 UP 문제
45쪽
01 ⑤ 02 ㄱ, ㄷ 03 ② 04 ① 05 ④

01 꼼꼼 문제 분석

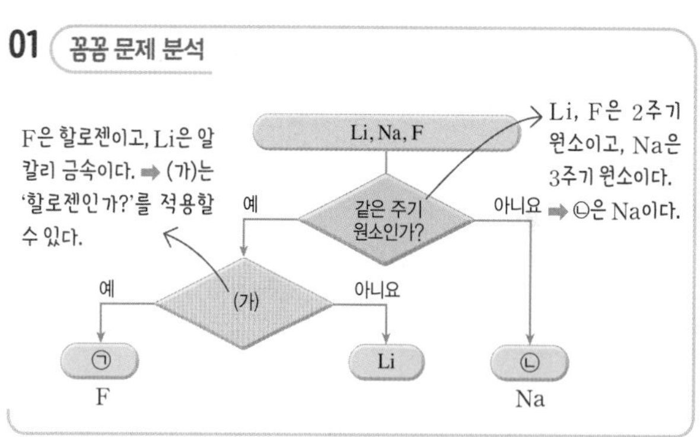

F은 할로젠이고, Li은 알칼리 금속이다. ➡ (가)는 '할로젠인가?'를 적용할 수 있다.
Li, Na, F
Li, F은 2주기 원소이고, Na은 3주기 원소이다.
예
같은 주기 원소인가?
아니요 ➡ ㉡은 Na이다.
예
(가)
아니요
㉠
Li
㉡
F
Na

ㄱ. ㉠은 리튬(Li)과 같은 주기 원소인 플루오린(F)이므로 (가)에 '할로젠인가?'를 적용할 수 있다.
ㄴ. 플루오린은 실온에서 옅은 노란색 기체로 존재한다.
ㄷ. ㉡은 알칼리 금속인 나트륨(Na)이므로 물과 반응하여 수소 기체를 발생시킨다.

02 꼼꼼 문제 분석

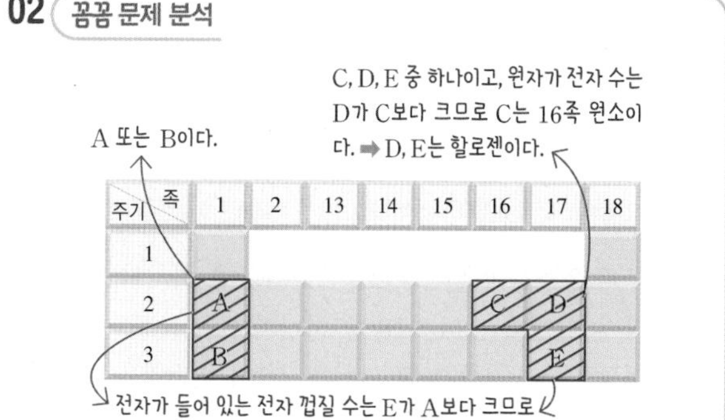

A 또는 B이다.
C, D, E 중 하나이고, 원자가 전자 수는 D가 C보다 크므로 C는 16족 원소이다. ➡ D, E는 할로젠이다.
주기 족
1 2 13 14 15 16 17 18
1
2 A C D
3 B E
전자가 들어 있는 전자 껍질 수는 E가 A보다 크므로 E는 3주기 원소이고, A는 2주기 원소이다.

ㄱ. E는 3주기 17족 원소이므로 할로젠이다.
ㄷ. B는 1족 원소이고, D는 17족 원소이므로 원자가 전자 수는 D가 B보다 크다.

바로알기 ㄴ. A와 C는 모두 2주기 원소이므로 전자가 들어 있는 전자 껍질 수가 같다.

03 꼼꼼 문제 분석

전기 전도성이 있는 A는 금속 원소이다. ➡ 알칼리 금속이므로 원자가 전자 수는 1이다.

전기 전도성이 없는 C는 비금속 원소이다. ➡ 할로젠이므로 원자가 전자 수는 7이다.

원소	A	B	C	D
원자가 전자 수	$x=1$	1	$y=7$	7
전기 전도성	있음	㉠ 있음	없음	㉡ 없음

원자가 전자 수가 1인 B는 알칼리 금속이므로 전기 전도성이 있다.

원자가 전자 수가 7인 D는 할로젠이므로 전기 전도성이 없다.

② A와 B는 모두 알칼리 금속이므로 같은 족 원소이다.

바로알기 ① 원자가 전자 수가 A는 1이고, C는 7이므로 $\frac{y}{x}$는 7이다.
③ C와 D는 모두 할로젠이므로 같은 주기 원소가 될 수 없다.
④, ⑤ B는 알칼리 금속이고, D는 할로젠이므로 ㉠에는 '있음', ㉡에는 '없음'이 적절하다.

04 꼼꼼 문제 분석

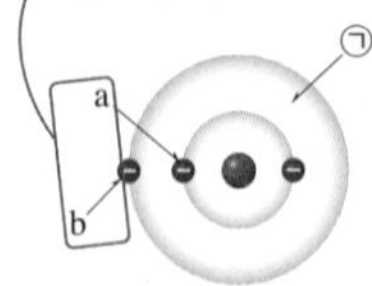

원자핵에 가까운 전자 껍질일수록 에너지 준위가 낮다. ➡ a는 b보다 에너지 준위가 낮다.

원자에서 전자는 특정한 에너지 준위를 갖는 전자 껍질에만 존재한다.

ㄱ. 원자는 전기적으로 중성이므로 전자 수와 양성자수가 같다. A는 전자 수가 3이므로 양성자수도 3이다. 원자에서 원자 번호는 양성자수와 같으므로 A의 원자 번호는 3이다.
바로알기 ㄴ. 원자핵에서 가까운 전자 껍질일수록 에너지 준위가 낮으므로 첫 번째 전자 껍질에 있는 a가 두 번째 전자 껍질에 있는 b보다 에너지 준위가 낮다.
ㄷ. 전자는 특정한 에너지 준위를 갖는 전자 껍질에만 존재하므로 a가 에너지를 흡수해도 전자 껍질 사이의 공간인 ㉠ 영역에는 존재할 수 없다.

05 2주기 원소들의 원자 번호는 3~10 중 하나이고, 3주기 원소들의 원자 번호는 11~18 중 하나이다. 전자 수는 A가 B의 2배이므로 A는 3주기 원소, B는 2주기 원소임을 알 수 있다. 원자에서 전자 수는 양성자수와 같고, 양성자수는 원자 번호와 같으므로 전자 수가 A가 B의 2배인 (A, B)의 원자 번호 조합은 (12, 6), (14, 7), (16, 8), (18, 9) 중 하나이다. 또한 원자가 전자 수는 B가 A의 2배이므로 가능한 (A, B)의 원자 번호 조합은 (12, 6)뿐이다. 원자 번호가 12인 A의 전자 수는 12, 원자 번호가 6인 B의 전자 수는 6이므로 A와 B의 전자 수의 합은 $12+6=18$이다.

4 원소들의 화학 결합과 다양한 물질

개념 확인 문제

49쪽

❶ 비활성 기체 ❷ 8 ❸ 비활성 기체 ❹ 이온 ❺ 인력 ❻ 공유 ❼ 전자쌍

1 (1) × (2) ○ (3) ○ **2** ㄱ, ㄴ **3** (가) 2 (나) 1 **4** (1) 공유 (2) 이온 (3) 공통 **5** (가) 공유 결합 (나) 이온 결합 **6** (다), (라)

1 (1) 비활성 기체 이외의 원소들은 화학 결합을 형성하여 안정해지려고 한다. 그러나 비활성 기체는 안정한 전자 배치를 이루고 있으므로 화학 결합을 형성하지 않는다.
(2) 원소들은 화학 결합을 형성하여 비활성 기체와 같은 안정한 전자 배치를 이룬다.
(3) 원소들이 화학 결합을 형성할 때 비활성 기체와 같은 전자 배치를 이루기 위해 원자들 사이에 전자를 주고받거나 공유한다.

2 ㄱ, ㄴ. 비활성 기체는 안정한 전자 배치를 이루므로 다른 원소와 화학 결합을 하거나 반응하지 않아 화학적으로 안정하다. 따라서 비활성 기체는 실온에서 원자 상태로 존재한다.
ㄷ. 네온이나 아르곤 같은 비활성 기체들은 가장 바깥 전자 껍질에 전자가 8개 채워져 있지만, 헬륨은 가장 바깥 전자 껍질에 전자가 2개 채워져 있다.

3 (가) 산소(O)는 가장 바깥 전자 껍질에 전자가 6개 들어 있다. 따라서 같은 주기의 비활성 기체인 네온(Ne)과 같이 안정한 전자 배치를 이루려면 전자 2개를 얻어야 한다.
(나) 나트륨(Na)은 가장 바깥 전자 껍질에 전자가 1개 들어 있다. 따라서 앞 주기의 비활성 기체인 네온(Ne)과 같이 안정한 전자 배치를 이루려면 전자 1개를 잃어야 한다.

4 (1) 공유 결합은 비금속 원소의 원자들이 전자쌍을 공유하여 형성되는 화학 결합이다.
(2) 이온 결합이 형성될 때 금속 원소의 원자는 전자를 잃고 양이온이 되고, 비금속 원소의 원자는 전자를 얻어 음이온이 된 후 이 이온들 사이에 정전기적 인력이 작용하여 결합한다.
(3) 이온 결합이 형성될 때 금속 원소의 원자는 전자를 잃고 비활성 기체와 같은 전자 배치를 이루고, 비금속 원소의 원자는 전자를 얻어 비활성 기체와 같은 전자 배치를 이룬다. 또한 공유 결합이 형성될 때 결합하는 비금속 원소의 원자들은 서로 전자를 내놓아 전자쌍을 만들고, 이 전자쌍을 공유한다. 즉, 이온 결합과 공유 결합을 형성한 각 원소의 원자들은 비활성 기체와 같은 전자 배치를 이룬다.

5 (가)는 전자쌍을 공유하여 결합을 형성하므로 공유 결합으로 생성된 물질이고, (나)는 양이온과 음이온이 결합을 형성하므로 이온 결합으로 생성된 물질이다.

6 (가) 물(H, O)과 (나) 지방(C, H, O)은 비금속 원소로만 이루어진 물질이므로 공유 결합으로 만들어진 물질이고, (다) 산화 철(Fe, O)과 (라) 염화 나트륨(Na, Cl)은 금속 원소와 비금속 원소로 이루어진 물질이므로 이온 결합으로 만들어진 물질이다.

50~51쪽

완자쌤 비법 특강

Q1 ㉠ 1, ㉡ 1, ㉢ 해설 참조, ㉣ 1, ㉤ 1, ㉥ 1 : 1, ㉦ 이온

Q2 ㉠ 2, ㉡ 2, ㉢ 해설 참조, ㉣ 2, ㉤ 1, ㉥ 1 : 2, ㉦ 이온

Q3 ㉠ 5, ㉡ 3, ㉢ 해설 참조, ㉣ 3, ㉤ 3, ㉥ 3, ㉦ 공유

Q4 ㉠ 6, ㉡ 2, ㉢ 해설 참조, ㉣ 2, ㉤ 2, ㉥ 2, ㉦ 공유

Q1 모범 답안

㉢

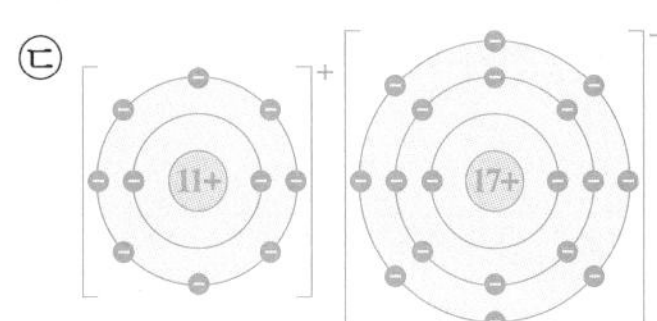

Q2 모범 답안

㉢

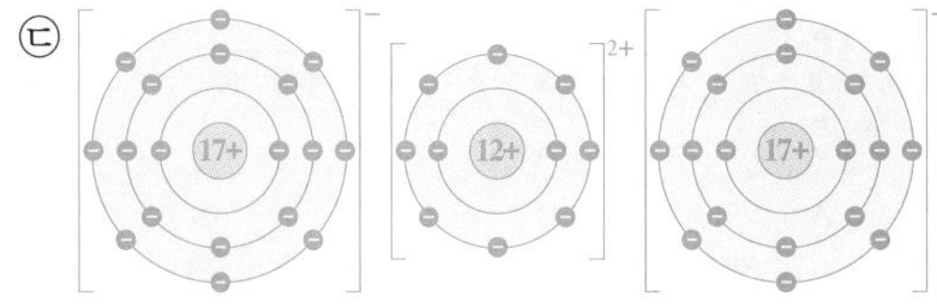

Q3 모범 답안

㉢

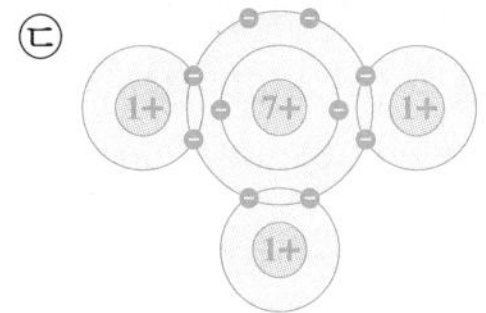

Q4 모범 답안

㉢

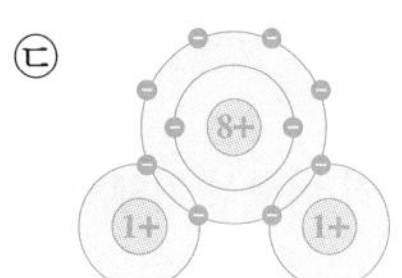

개념 확인 문제

55쪽

❶ 정전기적 인력 ❷ 분자 ❸ 양이온(음이온) ❹ 음이온(양이온) ❺ 고체 ❻ 액체(수용액) ❼ 수용액(액체) ❽ 없다

1 (1) × (2) ○ (3) × **2** (1) ○ (2) ○ (3) × **3** (가) ㄷ, ㅁ, ㅂ (나) ㄱ, ㄴ, ㄹ **4** (1) ㉠ 공유, ㉡ 이온 (2) ㉠ 분자, ㉡ 이온 (3) ㉠ (나), ㉡ (가) **5** (1) ㉢ (2) ㉡ (3) ㉠

1 (1) 이온 결합 물질은 수많은 양이온과 음이온이 연속적으로 결합하여 결정을 이룬다.
(2) 이온 결합 물질은 대부분 물에 잘 녹으며, 물에 녹으면 양이온과 음이온으로 나누어진다.
(3) 이온 결합 물질은 고체 상태에서 이온들이 자유롭게 이동하지 못하므로 전류가 흐르지 않는다. 한편, 액체 상태와 수용액 상태에서는 이온들이 자유롭게 이동하여 전하를 운반하므로 전류가 잘 흐른다.

2 (1) 공유 결합 물질은 2개 이상의 비금속 원소의 원자들이 결합하여 분자 상태로 존재한다.
(2) 공유 결합 물질은 분자의 성질에 따라 설탕이나 포도당처럼 물에 녹는 것도 있고, 메테인이나 질소처럼 물에 녹지 않는 것도 있다.
(3) 공유 결합 물질은 대부분 고체, 액체, 수용액 상태에서 모두 전기적으로 중성인 분자 상태로 존재하므로 전류가 흐르지 않는다.

3 이온 결합 물질은 금속 원소의 양이온과 비금속 원소의 음이온이 결합하여 생성된 물질이고, 공유 결합 물질은 비금속 원소의 원자들이 결합하여 생성된 물질이다. 따라서 염화 칼슘($CaCl_2$), 탄산 칼슘($CaCO_3$), 수산화 나트륨($NaOH$)은 이온 결합 물질이고, 물(H_2O), 에탄올(C_2H_6O), 산소(O_2)는 공유 결합 물질이다.

4 (1), (2) (가)는 전기적으로 중성인 분자로 이루어져 있으므로 공유 결합 물질이고, (나)는 수많은 양이온과 음이온으로 이루어져 있으므로 이온 결합 물질이다.
(3) 액체 상태에서 (가)는 전기적으로 중성인 분자 상태로 존재하므로 전류가 흐르지 않지만, (나)는 양이온과 음이온으로 나누어져 전하를 띠므로 전류가 흐른다.

5 (1) 물(H_2O)은 공유 결합 물질로, 사람 몸의 약 70 %를 구성하며, 사람뿐만 아니라 다른 생명체도 구성한다.
(2) 질소(N_2)는 공유 결합 물질로, 대기의 약 78 %를 구성한다.
(3) 규산염 광물은 규산 이온(SiO_4^{4-})이 비금속 원소나 금속 양이온과 결합한 물질로, 지각을 구성한다.

내신 만점 문제 56~58쪽

01 ② 02 ③ 03 ③ 04 ⑤ 05 ④ 06 (다)>(나)>(가) 07 ② 08 ③ 09 ② 10 ⑤ 11 ④ 12 ① 13 해설 참조 14 해설 참조

01 광고용 기구의 충전 기체인 A는 헬륨(He), 광고판 충전 기체인 B는 네온(Ne), 형광등의 충전 기체인 C는 아르곤(Ar)이다.

① A, B, C는 모두 비활성 기체로 주기율표의 오른쪽에 위치하여 비금속 원소로 분류된다.

③, ④ 비활성 기체는 주기율표의 18족에 속하며, 화학적으로 안정하여 반응성이 거의 없다.

⑤ 비활성 기체는 가장 바깥 전자 껍질에 채워질 수 있는 전자를 최대로 채워 안정한 전자 배치를 이룬다.

바로알기 ② 비활성 기체는 안정한 전자 배치를 가지므로 원자 1개가 안정한 분자로 존재한다.

02 꼼꼼 문제 분석

주기＼족	1	2	13	14	15	16	17	18
1								He－A
2	B－Li							Ne－C
3		D－Mg						E－Cl

ㄱ. A와 C는 주기율표의 18족 원소이므로 비활성 기체이다.

ㄴ. B는 주기율표의 1족 원소이므로 가장 안정한 이온이 되면 전자 1개를 잃고 앞 주기의 비활성 기체인 A와 같은 전자 배치를 이룬다.

바로알기 ㄷ. D가 가장 안정한 이온이 되면 2주기 18족 원소인 C와 같은 전자 배치를 이루고, E가 가장 안정한 이온이 되면 3주기 18족 원소인 아르곤(Ar)과 같은 전자 배치를 이룬다.

03 꼼꼼 문제 분석

전자 껍질 수는 주기 번호와 같고, 원자가 전자 수는 족의 일의 자리 수와 같다.

원자	A Li	B F	C Ar	D Mg
전자 껍질 수	2	2	3	3
원자가 전자 수	1	7	0	2

원자가 전자 수가 0인 원소는 비활성 기체이다.

ㄱ. A는 2주기 1족 금속 원소로 전자 1개를 잃어 양이온이 되기 쉽고, B는 2주기 17족 비금속 원소로 전자 1개를 얻어 음이온이 되기 쉽다.

ㄴ. C는 비활성 기체로 안정한 전자 배치를 가지고 있어 화합물을 거의 형성하지 않고, 원자 상태로 존재한다.

바로알기 ㄷ. B가 비활성 기체의 전자 배치를 갖는 이온이 될 때 전자 1개를 얻어 같은 주기의 비활성 기체인 네온(Ne)과 같은 전자 배치를 이룬다. D가 비활성 기체의 전자 배치를 갖는 이온이 될 때 전자 2개를 잃고 앞 주기의 비활성 기체인 네온과 같은 전자 배치를 이룬다.

04 꼼꼼 문제 분석

A는 2주기 18족 원소인 네온(Ne)으로 비활성 기체이다.

C는 3주기 1족 원소인 나트륨(Na)으로 금속 원소이다.

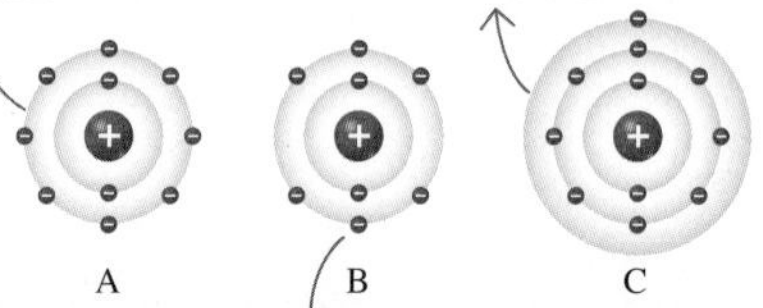

B는 2주기 16족 원소인 산소(O)로 비금속 원소이다.

ㄱ. A는 가장 바깥 전자 껍질에 전자가 8개 들어 있는 비활성 기체로 안정한 전자 배치를 이루고 있어 다른 원자와 화학 결합을 형성하지 않는다.

ㄴ. B는 원자가 전자 수가 6인 비금속 원소이고, C는 원자가 전자 수가 1인 금속 원소이다. B와 C가 결합할 때 금속 원소의 원자인 C는 전자를 잃고 양이온이 되고, 비금속 원소의 원자인 B는 전자를 얻어 음이온이 된 후 결합한다.

ㄷ. C는 화학 결합을 할 때 전자 1개를 잃고 가장 바깥 전자 껍질에 전자가 8개 들어 있는 A와 같은 전자 배치를 이룬다.

05 꼼꼼 문제 분석

A는 3주기 1족 원소인 나트륨(Na)으로 금속 원소이다.

B는 2주기 17족 원소인 플루오린(F)으로 비금속 원소이다.

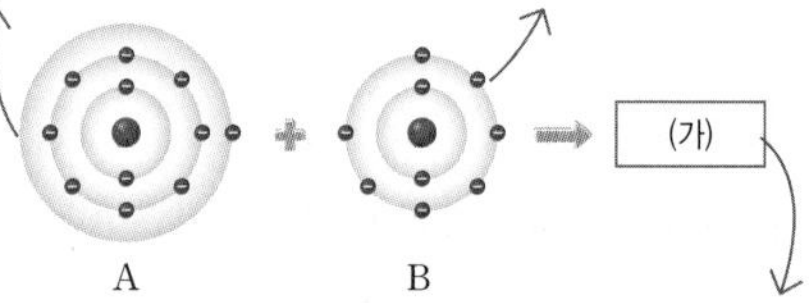

이온 결합 물질인 플루오린화 나트륨(NaF)이 생성된다.

①, ② A는 금속 원소이고 B는 비금속 원소이므로 A와 B가 화학 결합을 할 때 A는 전자 1개를 잃고 A^+이 되고, B는 전자 1개를 얻어 B^-이 된다. 따라서 (가)에서 A는 양전하를 띠는 양이온으로 존재하고 B는 음전하를 띠는 음이온으로 존재한다.

③ A는 A^+으로 존재하므로 앞 주기 비활성 기체인 네온(Ne)의 전자 배치를 갖는다.

⑤ A^+과 B^-이 1 : 1의 개수비로 결합하므로 (가)의 화학식은 AB이다.

바로알기 ④ B는 B^-으로 존재하므로 같은 주기 비활성 기체인 네온(Ne)의 전자 배치를 갖는다.

06 꼼꼼 문제 분석

공유 전자쌍 수: 1　공유 전자쌍 수: 2　공유 전자쌍 수: 3

(가) 수소 분자(H_2)　(나) 산소 분자(O_2)　(다) 질소 분자(N_2)

분자에 들어 있는 공유 전자쌍 수는 (다) > (나) > (가)이다.

07 꼼꼼 문제 분석

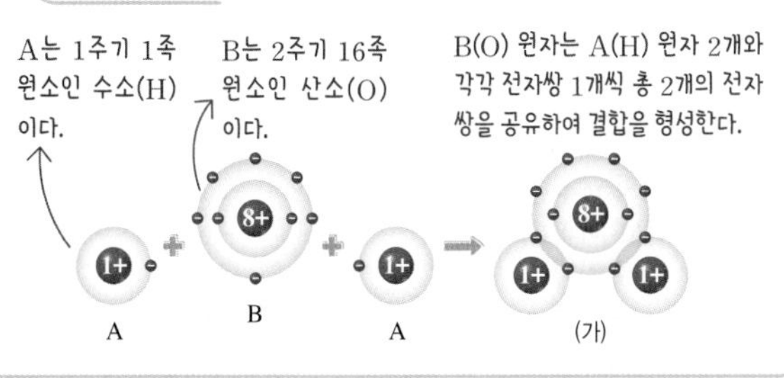

A는 1주기 1족 원소인 수소(H)이다.
B는 2주기 16족 원소인 산소(O)이다.
B(O) 원자는 A(H) 원자 2개와 각각 전자쌍 1개씩 총 2개의 전자쌍을 공유하여 결합을 형성한다.
8+
1+
A
B
A
(가)

ㄷ. (가)에서 B는 가장 바깥 전자 껍질에 전자가 8개 배치되므로 비활성 기체인 네온(Ne)과 같은 전자 배치를 이룬다.

바로알기 ㄱ. A 원자와 B 원자는 전자쌍을 공유하면서 결합을 하여 (가)를 생성한다. 즉, A와 B는 공유 결합을 한다.

ㄴ. B 원자는 A 원자 2개와 각각 전자쌍 1개씩 총 2개의 전자쌍을 공유하여 결합한다. 즉, (가)에는 단일 결합이 2개 존재한다.

08 ① 이온 결합 물질은 양이온과 음이온이 강한 정전기적 인력으로 결합하고 있어 녹는점과 끓는점이 비교적 높다.

② 이온 결합 물질에 힘을 가하면 이온층이 밀려 같은 전하를 띤 이온들이 인접하여 반발력이 작용하므로 쉽게 부스러진다.

④, ⑤ 비금속 원소의 원자들은 일반적으로 일정한 수의 원자가 전자쌍을 공유하여 화학 결합을 형성하므로 공유 결합으로 생성된 물질은 일반적으로 분자로 이루어져 있다. 설탕($C_{12}H_{22}O_{11}$), 에탄올(C_2H_6O), 아스피린($C_9H_8O_4$)은 모두 공유 결합 물질이다.

바로알기 ③ 이온 결합 물질은 수많은 이온들이 결합하여 이루어져 있는데, 고체 상태에서는 이온들이 정전기적 인력으로 강하게 결합하고 있다.

09 꼼꼼 문제 분석

A 원자가 전자 1개를 잃고 생성된 A 이온은 전자가 들어 있는 전자 껍질 수가 3이다.
➡ A는 4주기 1족 원소인 칼륨(K)이다.

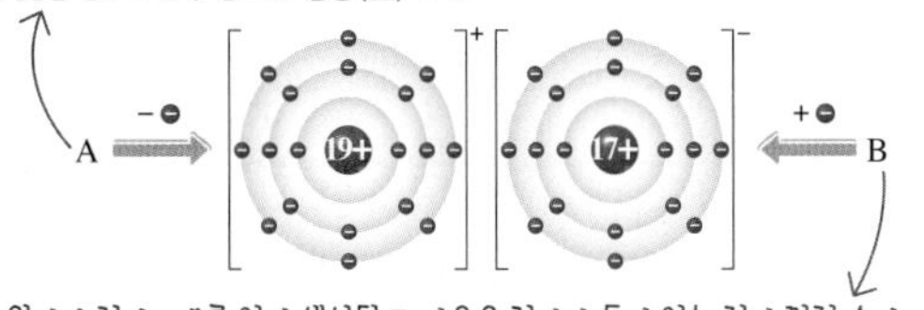

B 원자가 전자 1개를 얻어 생성된 B 이온은 전자가 들어 있는 전자 껍질 수가 3이다.
➡ B는 3주기 17족 원소인 염소(Cl)이다.

ㄴ. B는 3주기 17족 원소인 염소(Cl)로 비금속 원소이다.

바로알기 ㄱ. A는 4주기 원소이고, B는 3주기 원소이므로 A와 B는 같은 주기 원소가 아니다.

ㄷ. AB(KCl)는 양이온과 음이온이 결합하여 생성된 이온 결합 물질이다. 이온 결합 물질은 고체 상태에서 이온들이 강하게 결합하고 있기 때문에 자유롭게 이동할 수 없으므로 전기 전도성이 없다.

10 꼼꼼 문제 분석

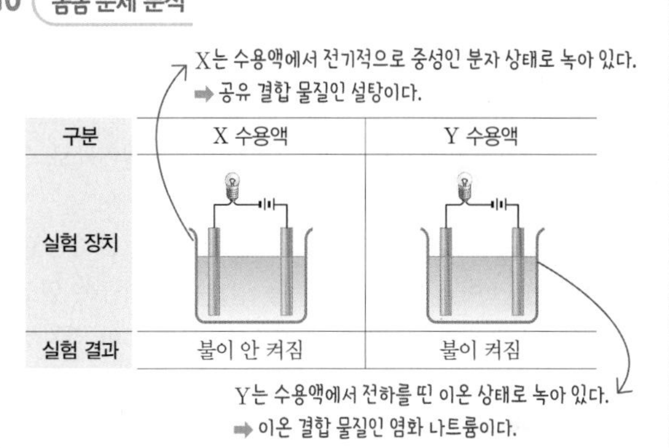

X는 수용액에서 전기적으로 중성인 분자 상태로 녹아 있다.
➡ 공유 결합 물질인 설탕이다.
구분
X 수용액
Y 수용액
실험 장치
실험 결과
불이 안 켜짐
불이 켜짐
Y는 수용액에서 전하를 띤 이온 상태로 녹아 있다.
➡ 이온 결합 물질인 염화 나트륨이다.

ㄱ. X는 수용액에서 분자 상태로 존재하므로 공유 결합 물질이다. 따라서 X의 구성 원소는 모두 비금속 원소이다.

ㄴ. Y 수용액은 전류가 흐르므로 Y 수용액에는 이온이 존재한다.

ㄷ. Y는 이온 결합 물질로 액체 상태에서 이온이 이동하여 전하를 운반할 수 있으므로 전기 전도성이 있다.

11 꼼꼼 문제 분석

주기 \ 족	1	2	13	14	15	16	17	18
1								He—A
2	B—Li					O—C	D—F	
3	E—Na						F—Cl	

① B는 금속 원소이고, D는 비금속 원소이다. B와 D가 화학 결합을 할 때 B는 전자 1개를 잃고 A와 같은 전자 배치를 이룬다.

② C는 16족 원소로 원자가 전자 수가 6이다. C가 비활성 기체와 같은 전자 배치를 이루려면 전자가 2개 부족하므로 C 원자 2개는 각각 전자를 2개씩 내놓아 전자쌍 2개를 만들고, 이 전자쌍을 공유하여 결합을 형성한다. 즉, C_2(O_2)에서 공유 전자쌍 수는 2이다.

한편, D는 17족 원소로 원자가 전자 수가 7이다. D가 비활성 기체와 같은 전자 배치를 이루려면 전자가 1개 부족하므로 D 원자 2개는 각각 전자를 1개씩 내놓아 전자쌍 1개를 만들고, 이 전자쌍을 공유하여 결합을 형성한다. 즉, D_2(F_2)에서 공유 전자쌍 수는 1이다. 따라서 공유 전자쌍 수는 C_2가 D_2의 2배이다.

③ BF(LiCl)는 금속 원소인 B와 비금속 원소인 F로 이루어진 이온 결합 물질이므로 액체 상태에서 전기 전도성이 있다.

⑤ E는 1족에 속하는 금속 원소이고, F는 17족에 속하는 비금속 원소이다. E와 F가 결합할 때 E는 전자 1개를 잃고 +1의 양이온이 되고, F는 전자 1개를 얻어 −1의 음이온이 되어 전기적으로 중성이 되도록 결합한다. 즉, E의 양이온과 F의 음이온이 1 : 1의 개수비로 결합하여 화합물을 생성한다.

바로알기 ④ $E_2C(Na_2O)$는 금속 원소인 E와 비금속 원소인 C로 이루어진 이온 결합 물질이다.

12 ㄱ. 제습제($CaCl_2$)는 금속 원소의 양이온과 비금속 원소의 음이온이 정전기적 인력으로 결합한 이온 결합 물질이므로 수용액 상태에서 전기 전도성이 있다.

바로알기 ㄴ. 소독용 알코올(C_2H_6O)의 구성 원소인 C, H, O는 모두 비금속 원소이다. 따라서 소독용 알코올은 비금속 원소의 원자들이 서로의 전자를 내놓아 전자쌍을 만들고, 이 전자쌍을 공유하여 생성된 공유 결합 물질이다.

ㄷ. 베이킹파우더($NaHCO_3$)는 이온 결합 물질이므로 물에 잘 녹아 빵이나 과자를 만들 때 사용된다.

13 꼼꼼 문제 분석

1주기 1족 비금속 원소인 수소(H)이다. — A

2주기 16족 비금속 원소인 산소(O)이다. — B

3주기 1족 금속 원소인 나트륨(Na)이다. — C

1+   8+   11+

화합물 (가): 공유 결합 물질인 물(H_2O)이 생성된다.

화합물 (나): 이온 결합 물질인 산화 나트륨(Na_2O)이 생성된다.

모범 답안 (1) (가)는 비금속 원소인 A와 B로 이루어진 물질로 B 원자가 A 원자 2개와 각각 전자쌍 1개씩 총 2개를 공유하여 생성된다.

(2) (나)는 비금속 원소인 B와 금속 원소인 C로 이루어진 물질로 C 원자가 전자 1개를 잃고 C^+이 되고, B 원자가 전자 2개를 얻어 B^{2-}이 된 다음, C^+과 B^{2-}이 2 : 1의 개수비로 결합하여 생성된다.

(3) (가)는 공유 결합으로 생성된 물질로 액체 상태에서 전기 전도성이 없고, (나)는 이온 결합으로 생성된 물질로 액체 상태에서 전기 전도성이 있다.

채점 기준		배점
(1)	(가)의 생성 과정을 옳게 서술한 경우	25 %
(2)	(나)의 생성 과정을 옳게 서술한 경우	25 %
(3)	(가)와 (나)의 전기 전도성을 모두 옳게 서술한 경우	50 %
	(가)와 (나) 중 한 가지의 전기 전도성만 옳게 서술한 경우	20 %

14 모범 답안 환경 오염을 일으키지 않아야 한다. 생명체에 해롭지 않아야 한다. 시멘트와 차량, 철제 구조물을 부식시키지 않아야 한다. 제설 작업이 쉬워야 한다. 제설 효과가 좋아야 한다. 등

채점 기준	배점
물질의 조건을 두 가지 이상 서술한 경우	100 %
물질의 조건을 한 가지만 서술한 경우	40 %

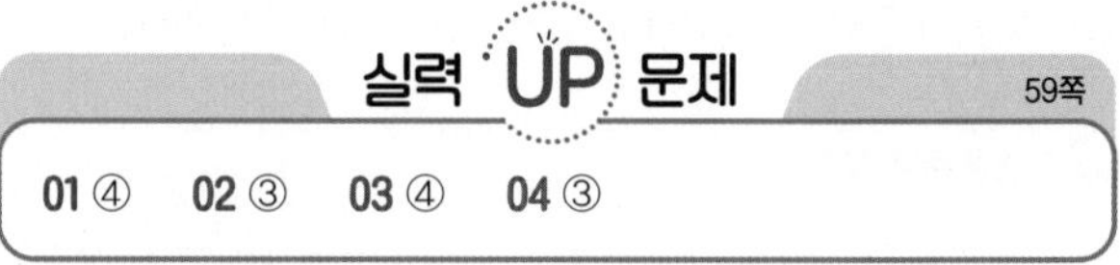

01 꼼꼼 문제 분석

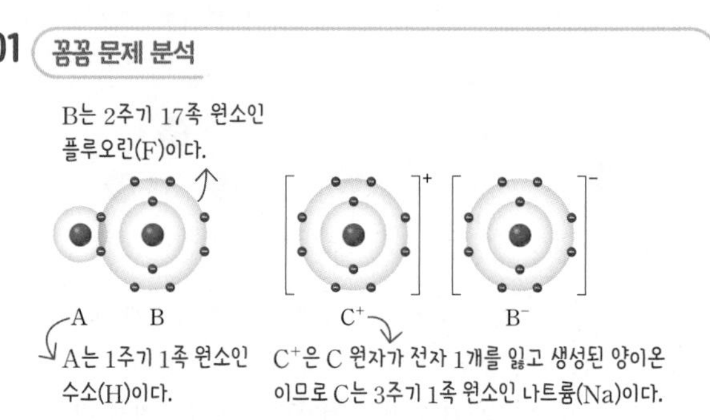

B는 2주기 17족 원소인 플루오린(F)이다.
A B
C⁺ B⁻
A는 1주기 1족 원소인 수소(H)이다.
C⁺은 C 원자가 전자 1개를 잃고 생성된 양이온이므로 C는 3주기 1족 원소인 나트륨(Na)이다.

ㄴ. 화합물 AB에서 A 원자와 B 원자는 각각 전자 1개를 내놓아 전자쌍 1개를 만들고, 이 전자쌍을 공유하며 결합하고 있다. 즉, AB에서 공유 전자쌍 수는 1이다.

ㄷ. A는 비금속 원소이고, C는 금속 원소이므로 화합물 CA는 금속 원소의 양이온과 비금속 원소의 음이온이 정전기적 인력으로 결합한 이온 결합 물질이다.

바로알기 ㄱ. B는 2주기 원소이고, C는 3주기 원소이다.

02 꼼꼼 문제 분석

• A의 원자가 전자 수는 4이다.
→ A는 14족 원소이다. ➡ (다)

• B는 금속 원소이다.
→ B는 1족 원소(수소 제외) 또는 2족 원소이다. ➡ (나)

• C는 D보다 원자가 전자가 6개 더 많다.
→ 남은 (가)와 (라) 중 C는 원자가 전자가 7개인 (라)이고, D는 원자가 전자가 1개인 (가)이다.

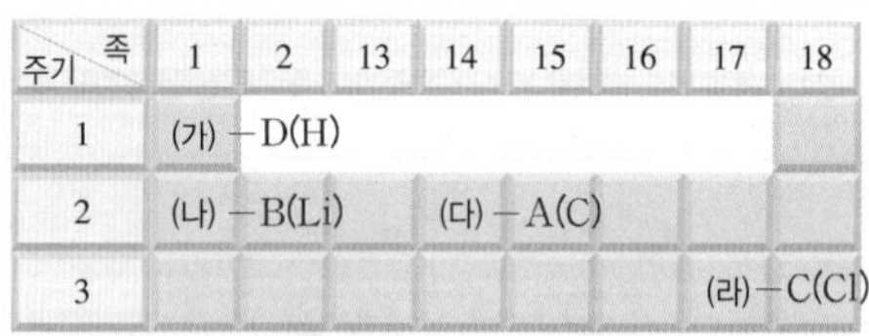

주기 \ 족	1	2	13	14	15	16	17	18
1	(가) − D(H)							
2	(나) − B(Li)			(다) − A(C)				
3							(라) − C(Cl)	

③ BC(LiCl)는 금속 원소인 리튬(Li)과 비금속 원소인 염소(Cl)로 이루어진 이온 결합 물질이므로 액체 상태에서 전기 전도성이 있다.

바로알기 ① $AC_4(CCl_4)$, ② $AD_4(CH_4)$, ④ $C_2(Cl_2)$, ⑤ $D_2(H_2)$는 비금속 원소들로 이루어진 공유 결합 물질이므로 액체 상태에서 전기 전도성이 없다.

03 꼼꼼 문제 분석

X와 Y 사이에 각각 전자쌍 1개를 공유하므로 X의 원자가 전자는 6개이고, Y의 원자가 전자는 7개이다. ➡ X는 2주기 16족 원소(O)이고, Y는 2주기 17족 원소(F)이다.

X와 Z 사이에 각각 전자쌍 2개를 공유하므로 Z의 원자가 전자는 4개이다. ➡ Z는 2주기 14족 원소(C)이다.

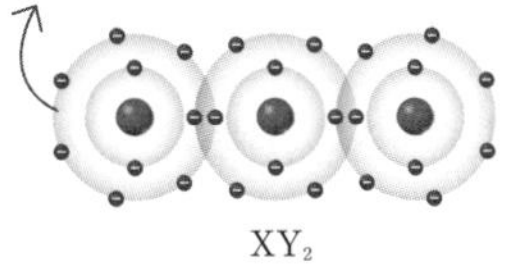
XY_2

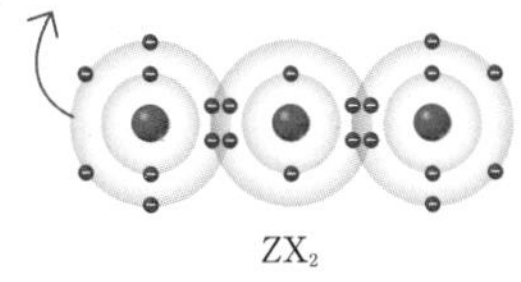
ZX_2

ㄴ, ㄷ. $ZX_2(CO_2)$에서 X와 Z 사이에 공유한 전자쌍이 각각 2개이므로 ZX_2에는 2중 결합이 존재하고, 총 4개의 전자쌍을 공유하고 있다. 또한 $ZY_4(CF_4)$에서 Y와 Z 사이에 공유한 전자쌍이 각각 1개이므로 총 4개의 전자쌍을 공유하고 있다.

바로알기 ㄱ. X~Z는 모두 2주기 원소이고 각각 16족, 17족, 14족 원소이므로 원자가 전자 수는 Y>X>Z이다.

04 꼼꼼 문제 분석

원자	A	B	C
첫 번째 전자 껍질의 전자 수	$x=2$	2	2
두 번째 전자 껍질의 전자 수	6	$y=8$	$z=8$
세 번째 전자 껍질의 전자 수	0	2	7
원소의 종류	2주기 16족 원소 ➡ O	3주기 2족 원소 ➡ Mg	3주기 17족 원소 ➡ Cl

ㄱ. A 원자는 두 번째 전자 껍질에 전자가 들어 있으므로 첫 번째 전자 껍질에는 전자가 최대로 들어 있다. 즉, $x=2$이다. B 원자는 세 번째 전자 껍질에 전자가 들어 있으므로 두 번째 전자 껍질에는 전자가 최대로 들어 있다. 즉, $y=8$이다. 마찬가지로 C 원자에서 두 번째 전자 껍질에 전자가 최대로 들어 있어야 하므로 $z=8$이다. 따라서 $\frac{y+z}{x}=\frac{8+8}{2}=8$이다.

ㄴ. A는 2주기 16족 원소로 비금속 원소인 산소(O)이고, B는 3주기 2족 원소로 금속 원소인 마그네슘(Mg)이다. 따라서 금속 원소와 비금속 원소로 이루어진 BA(MgO)는 이온 결합 물질이므로 액체 상태에서 전기 전도성이 있다.

바로알기 ㄷ. B는 금속 원소이고, C는 비금속 원소이며, 비활성 기체와 같이 가장 바깥 전자 껍질에 전자를 8개 채우기 위해서 B는 전자 2개가 많고, C는 전자 1개가 부족하다. 따라서 B와 C는 전자를 주고받아 각각 B^{2+}과 C^-을 생성한 후 1 : 2의 개수비로 결합하여 $BC_2(MgCl_2)$를 생성한다. 즉, B 원자와 C 원자 사이에는 전자쌍을 공유하는 것이 아니라 전자를 주고 받는다.

중단원 핵심 정리

60~61쪽

❶ 감소 ❷ 중성자 ❸ 원자핵 ❹ 우주 배경 복사 ❺ 흡수 스펙트럼 ❻ 종류 ❼ 빅뱅 우주론 ❽ 철 ❾ 중력 수축 ❿ 수소 핵융합 ⓫ 중력 ⓬ 철 ⓭ 초신성 폭발 ⓮ 미행성체 ⓯ 마그마 ⓰ 원자 번호 ⓱ 금속 ⓲ 비금속 ⓳ 1 ⓴ 17 ㉑ 2 ㉒ 8 ㉓ 원자가 전자 ㉔ 원자가 전자 ㉕ 18 ㉖ 없다 ㉗ 있다 ㉘ 없다

중단원 마무리 문제

62~66쪽

01 ② **02** 해설 참조 **03** ③ **04** ③ **05** ④ **06** ④ **07** ① **08** ③ **09** ② **10** 해설 참조 **11** ③ **12** 해설 참조 **13** ① **14** ㄱ, ㄴ **15** ④ **16** ② **17** D **18** ③ **19** ③ **20** ② **21** ③ **22** ③ **23** ② **24** 해설 참조 **25** ③ **26** ㄱ, ㄴ, ㄷ

01 (가)는 허블, (나)는 가모프(빅뱅 우주론), (다)는 호일(정상 우주론), (라)는 펜지어스와 윌슨이다.

ㄷ. 우주 배경 복사는 빅뱅 우주론을 주장한 가모프에 의해 그 존재가 예측되었으며, 펜지어스와 윌슨에 의해 실제로 관측됨으로써 빅뱅 우주론의 증거가 되었다. 이 발견으로 빅뱅 우주론이 인정받을 수 있었다.

바로알기 ㄱ. (가) 허블의 관측으로 우주가 팽창하고 있음을 알게 되었으며, 우주 팽창에 관한 두 가지 우주론이 (나)와 (다)에 의해 제시되었다. 따라서 (가)의 관측으로 (다)의 우주론이 부정된 것은 아니다.

ㄴ. (나)의 빅뱅 우주론에서는 빅뱅으로 생겨난 기본 입자로부터 새로운 입자가 생성되므로 빅뱅 이후 우주의 질량은 일정하게 유지되었다.

02 빅뱅 우주론에서는 우주가 팽창하면서 질량이 일정하고, 정상 우주론에서는 우주가 팽창하면서 질량이 증가한다.

모범 답안 빅뱅 우주론에서는 시간이 지날수록 우주의 밀도가 감소하지만, 정상 우주론에서는 시간이 지나도 우주의 밀도가 일정하다.

채점 기준	배점
시간에 따른 우주의 밀도 변화를 모두 옳게 비교하여 서술한 경우	100 %
한 가지 우주론의 밀도 변화만 옳게 서술한 경우	50 %

03 빅뱅 후 쿼크, 전자 등의 기본 입자가 가장 먼저 생성되었다. → 온도가 낮아지면서 쿼크 3개가 결합하여 양성자와 중성자가 생성되었다. → 빅뱅 후 약 3분이 되었을 때는 양성자와 중성자가 결합하여 헬륨 원자핵이 생성되었다. → 빅뱅 후 약 38만 년이 되었을 때 전자가 원자핵과 결합하여 헬륨 원자와 수소 원자가 생성되었다.

04 꼼꼼 문제 분석

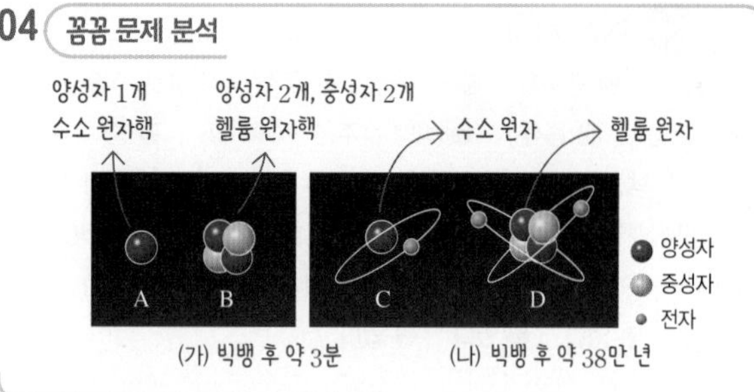

ㄱ. 양성자는 양전하를 띠고, 중성자는 전하를 띠지 않는다. A는 양성자 1개인 수소 원자핵이므로 양전하를 띠고, B는 양성자 2개와 중성자 2개가 결합한 헬륨 원자핵이므로 양전하를 띤다.
ㄴ. (가)는 원자핵과 전자가 분리된 시기이고, (나)는 우주의 온도가 낮아지면서 전자가 원자핵에 붙잡혀 원자가 생성된 시기로, 빅뱅 후 약 38만 년이 되었을 때 (가) → (나)의 변화가 일어났다.
바로알기 ㄷ. 현재 우주를 이루는 수소 원자(C)와 헬륨 원자(D)의 질량비는 약 3 : 1이다.

05 꼼꼼 문제 분석

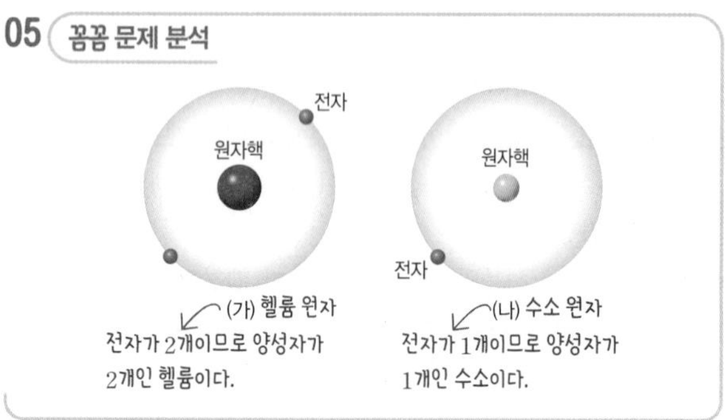

ㄴ. 원자가 생성되기 전에 전하를 띠는 전자와 원자핵은 빛의 진행을 방해하였다. 원자핵과 전자가 결합하여 중성인 (가)와 (나) 원자가 생성되면서 빛은 방해받지 않고 직진할 수 있게 되었다.
ㄷ. 우주의 온도가 높을 때는 전자의 운동 에너지가 높아 원자핵에 붙잡히지 않았으나, 우주의 온도가 낮아지면서 전자가 원자핵에 붙잡혀 원자가 생성되었다.
바로알기 ㄱ. 원자는 중성을 띠므로 양성자수와 전자 수가 같다. 따라서 (가)의 원자핵은 양성자가 2개인 헬륨 원자핵이고, (나)의 원자핵은 양성자가 1개인 수소 원자핵이다.

06 ㄴ. 빅뱅 후 우주는 계속 팽창하였으므로 (가) 시기의 우주 배경 복사는 우주의 팽창에 의해 파장이 길어졌다.
ㄷ. 우주 배경 복사는 빅뱅 후 약 38만 년이 되었을 때 원자가 생성되면서 우주 공간으로 퍼져 나간 빛이다.
바로알기 ㄱ. 우주 배경 복사는 우주 전역을 채우고 있을 것으로 예측되었고, 실제로 우주의 모든 방향에서 거의 같은 세기로 관측된다.

07 (가)는 연속 스펙트럼, (나)는 방출 스펙트럼, (다)는 흡수 스펙트럼이다.
ㄱ. (가)는 고온의 물체에서 방출되는 빛의 스펙트럼이고, (나)는 가열된 기체가 방출하는 빛의 스펙트럼이며, (다)는 고온의 물체에서 방출되어 저온의 기체를 통과한 빛의 스펙트럼이다.
바로알기 ㄴ. (나)는 특정한 파장의 빛이 방출되어 생기는 스펙트럼이다.
ㄷ. (나)와 (다)는 방출선과 흡수선의 위치(파장)가 같으므로 동일한 원소에 의해 나타나는 스펙트럼이다.

08 ㄱ. A는 별이 수축하려는 힘인 중력이고, B는 별이 팽창하려는 힘인 내부 압력이다.
ㄴ. 중력과 내부 압력이 평형을 이루는 별은 주계열성이므로 중심부의 온도는 수소 핵융합 반응이 일어날 수 있는 1000만 K 이상이다.
바로알기 ㄷ. 중력과 내부 압력이 평형을 이루므로 별의 크기가 일정하게 유지된다.

09 ㄷ. 별의 중심부에서 철이 생성된 후 핵융합 반응이 멈추면, 중력 수축을 하다가 폭발하여 철보다 무거운 원소가 생성되고 생성된 원소들은 우주로 방출된다.
바로알기 ㄱ. 철로 이루어진 핵이 형성되었으므로 질량이 태양의 10배 이상인 별의 내부 구조이다.
ㄴ. 중심부에서 철이 생성되면 더 이상 핵융합 반응이 일어나지 않는다. 철보다 무거운 원소는 초신성 폭발 때 생성된다.

10 초신성 폭발은 태양 질량의 10배 이상인 별의 진화 과정에서 나타나며, 이때 별 내부에서 생성된 원소를 비롯하여 초신성 폭발 과정에서 생성된 철보다 무거운 원소들이 우주로 방출된다.
모범 답안 초신성 잔해에는 철보다 무거운 원소가 분포한다. 초신성 폭발 과정에서 매우 큰 에너지가 발생하여 철보다 무거운 원소가 일시적으로 만들어지기 때문이다.

채점 기준	배점
철보다 무거운 원소가 분포한다는 것과 초신성 폭발 과정에서 철보다 무거운 원소가 생성된다는 것을 모두 옳게 서술한 경우	100 %
철보다 무거운 원소가 분포한다는 것만 서술한 경우	50 %

11 ㄱ. (가)에서 태양계 성운이 회전하면서 물질이 회전축에 수직인 방향으로 퍼져 나가 원시 원반을 형성하였다.
ㄷ. 태양계 성운이 수축하면서 중심부의 온도와 밀도가 상승하여 원시 태양이 형성되었고, (가) → (나) → (다)에서 원시 태양은 중력 수축하여 온도가 상승하였다.
바로알기 ㄴ. 원시 태양에 가까운 곳일수록 온도가 높았으므로 녹는점이 높은 물질들이 고체로 남아 미행성체를 형성하였다. 따라서 (나)에서 원시 태양에 가까운 미행성체일수록 구성 물질의 녹는점이 높았다.

12 모범 답안 지구형 행성은 철, 규소, 니켈 등 무거운 물질로 이루어진 암석 성분의 행성이고, 목성형 행성은 메테인, 수소, 헬륨 등 가벼운 물질로 이루어진 기체 성분의 행성이다. 이러한 차이가 나는 까닭은 지구형 행성은 태양으로부터 가까운 곳에서 녹는점이 높은 무거운 물질들이 응축하여 형성되었고, 목성형 행성은 태양으로부터 먼 곳에서 녹는점이 낮은 가벼운 물질들이 응축하여 형성되었기 때문이다.

채점 기준	배점
구성 물질의 차이와 그 까닭을 태양으로부터의 거리와 녹는점을 포함하여 옳게 서술한 경우	100 %
구성 물질의 차이만 옳게 서술한 경우	50 %

13 (가)는 마그마의 바다가 형성된 단계이고, (나)는 원시 지각이 형성된 단계로, (가) → (나) 순으로 일어났다.

ㄱ. (가) 단계에서 마그마의 바다가 형성된 후 마그마의 바다에서 가벼운 물질과 무거운 물질의 분리가 일어나 맨틀과 핵이 형성되었다.

바로알기 ㄴ. (나) 단계에서 형성된 원시 지각에 빗물이 모여 원시 바다가 형성되었다. 따라서 원시 바다는 (나) 단계 이후에 형성되었다.

ㄷ. (나) 단계에서 원시 지각이 형성된 후 수증기가 응결하여 내린 비가 원시 바다를 형성하였으므로 (나) 단계 이후에 대기 중의 수증기량은 크게 감소하였다.

14 ㄱ. 주기율표의 가로줄은 주기라 하고, 1주기부터 7주기까지 있다. 주기율표의 세로줄은 족이라 하고, 1족부터 18족까지 있다.

ㄴ. 같은 주기에 속한 원소들은 전자가 들어 있는 전자 껍질 수가 같고, 전자가 들어 있는 전자 껍질 수는 주기 번호와 같다.

바로알기 ㄷ. 같은 족에 속한 원소들은 원자가 전자 수가 같아 화학적 성질이 비슷하다. 하지만 1주기 1족 원소인 수소(H)는 비금속 원소이고, 수소를 제외한 나머지 1족 원소들은 모두 알칼리 금속이므로 1족 원소들이 모두 화학적 성질이 비슷한 것은 아니다.

15 ④ 칼륨, 나트륨, 리튬은 모두 알칼리 금속으로, 알칼리 금속은 물과 반응하여 수소 기체를 발생시킨다.

바로알기 ① 알칼리 금속과 물과의 반응을 통해 알칼리 금속의 반응성을 알아보는 실험이다.

② 물과의 반응으로 보아 알칼리 금속의 반응성은 칼륨>나트륨>리튬 순이다. 따라서 세 가지 금속 중 칼륨의 반응성이 가장 크다.

③ 알칼리 금속이 물과 반응하여 생성된 수용액은 염기성을 띤다. 따라서 페놀프탈레인 용액에 의해 수용액의 색이 무색에서 붉은색으로 변하므로 (가)와 (나)는 '무색 → 붉은색'이 적절하다.

⑤ 리튬은 알칼리 금속이므로 리튬이 물과 반응하여 생성된 수용액은 염기성을 띤다.

16 꼼꼼 문제 분석

원자의 전자 배치	9+	11+
원자(원소 기호)	A(F)	B(Na)
전자 껍질 수	2 ➡ 2주기	3 ➡ 3주기
원자가 전자 수	7 ➡ 17족	1 ➡ 1족

A는 2주기 17족 원소인 플루오린(F)으로 비금속 원소이고, B는 3주기 1족 원소인 나트륨(Na)으로 금속 원소이다.

ㄴ. B는 알칼리 금속이다. 알칼리 금속은 물과 반응하여 수소 기체를 발생시킨다.

바로알기 ㄱ. A는 전자가 들어 있는 전자 껍질 수가 2이고, B는 전자가 들어 있는 전자 껍질 수가 3이다. 따라서 A는 2주기 원소이고, B는 3주기 원소이다.

ㄷ. A와 B가 결합할 때 비금속 원소의 원자인 A는 금속 원소의 원자인 B가 내놓은 전자를 얻어 음이온이 되고, B는 양이온이 된다.

[17~18] 꼼꼼 문제 분석

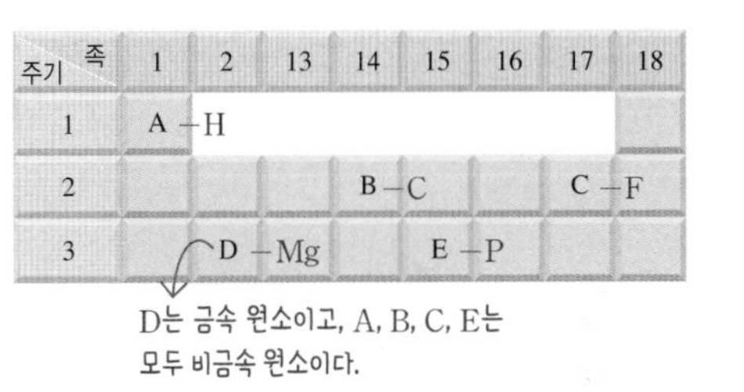

주기
족
1
2
13
14
15
16
17
18
A – H
B – C
C – F
D – Mg
E – P
D는 금속 원소이고, A, B, C, E는
모두 비금속 원소이다.

17 광택이 있으며, 열 전도성과 전기 전도성이 큰 것은 금속 원소이다. 금속 원소는 주기율표에서 왼쪽과 가운데에 있지만 1주기 1족 원소인 수소는 비금속 원소이다. 따라서 주어진 자료의 특성이 있는 원소는 D 한 가지이다.

나머지 A~C, E는 모두 광택이 없으며, 열 전도성과 전기 전도성이 작은 비금속 원소이다.

18 ㄷ. 전자가 들어 있는 전자 껍질 수는 주기 번호와 같다. D와 E는 같은 3주기 원소이므로 전자가 들어 있는 전자 껍질 수가 3으로 같다.

바로알기 ㄱ. 원자가 전자 수는 족의 일의 자리 수와 같으므로 A가 1, B가 4, C가 7, D가 2, E가 5이다. 따라서 원자가 전자 수는 A가 가장 작고, C가 가장 크다.

ㄴ. 같은 족에 속한 원소들은 원자가 전자 수가 같아 화학적 성질이 비슷하다. B와 C는 같은 족 원소가 아니므로 화학적 성질이 다르다.

19 꼼꼼 문제 분석

• 전자가 들어 있는 전자 껍질 수는 3이다.
→ 3주기 원소이다.
• 가장 바깥 전자 껍질에 들어 있는 전자 수는 7이다.
→ 원자가 전자 수가 7이므로 17족 원소이다.

ㄱ. X는 3주기 17족 원소인 염소(Cl)이다. X는 비금속 원소이고, 수소(H) 또한 비금속 원소이므로 X와 H는 전자쌍을 공유하여 결합한다. 따라서 HX(HCl)는 공유 결합 물질이다.

ㄴ. X가 비활성 기체의 전자 배치와 같이 가장 바깥 전자 껍질에 전자를 8개 채우기 위해서는 전자 1개가 부족하므로 $X_2(Cl_2)$에서 2개의 X 원자는 전자쌍 1개를 공유하여 결합한다. 따라서 X_2에서 공유 전자쌍 수는 1이다.

바로알기 ㄷ. 비금속 원소인 X가 금속 원소인 나트륨(Na)과 결합할 때 Na은 전자 1개를 잃고 Na^+이 되고, 이 전자를 X가 얻어 X^-이 된 후, 두 이온 사이의 정전기적 인력으로 결합한다. 즉, NaX(NaCl)는 이온 결합 물질이므로 수많은 양이온과 음이온이 연속적으로 결합하여 결정을 이룬다.

20 꼼꼼 문제 분석

A와 C는 1족에 속하는 원소이지만 A는 비금속 원소인 H이고, C는 알칼리 금속이다. ➡ 화학적 성질이 다르다.

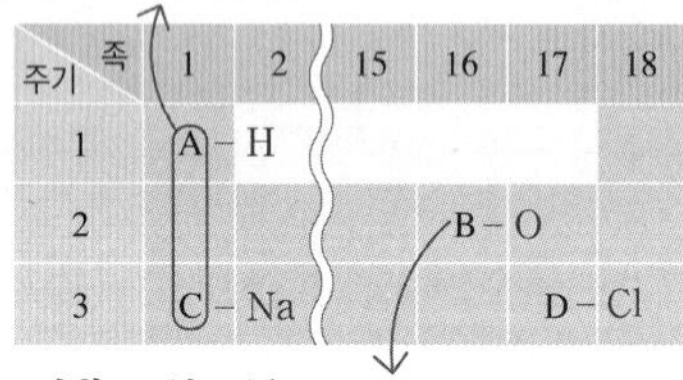

주기＼족	1	2	15	16	17	18
1	A－H					
2				B－O		
3	C－Na				D－Cl	

B의 원자가 전자 수는 6이다.
➡ 전자 2개를 얻어야 Ne과 같은 전자 배치를 갖는다.

ㄷ. C는 금속 원소이고, D는 비금속 원소이므로 C와 D로 이루어진 화합물은 이온 결합 물질이다. 따라서 액체 상태에서 전기 전도성이 있다.

바로알기 ㄱ. A는 비금속 원소이고, C는 알칼리 금속이므로 화학적 성질이 다르다.

ㄴ. B는 원자가 전자 수가 6이므로 네온(Ne)과 같은 전자 배치를 갖는 이온이 될 때 전자 2개를 얻어 B^{2-}이 된다.

21 꼼꼼 문제 분석

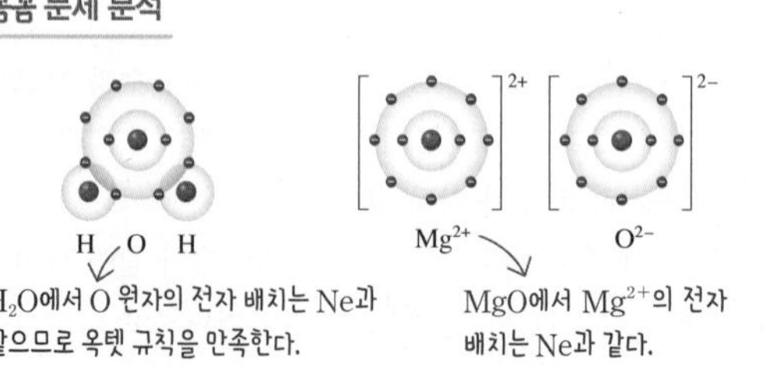

ㄱ. 물(H_2O)에서 산소(O) 원자는 수소(H) 원자와 전자쌍을 공유하면서 가장 바깥 전자 껍질에 전자 8개를 채우므로 옥텟 규칙을 만족한다.

ㄴ. 산화 마그네슘(MgO)에서 마그네슘 이온(Mg^{2+})은 마그네슘(Mg)이 전자 2개를 잃고 생성된 이온으로 비활성 기체인 네온(Ne)과 같은 전자 배치를 갖는다.

바로알기 ㄷ. 수소 원자와 산소 원자가 전자쌍을 공유하여 생성된 물은 공유 결합 물질로 액체 상태에서 전기적으로 중성인 분자로 존재하므로 전기 전도성이 없다. 마그네슘 이온과 산화 이온(O^{2-}) 사이의 정전기적 인력으로 생성된 산화 마그네슘은 이온 결합 물질로 액체 상태에서 이온들이 비교적 자유롭게 이동할 수 있으므로 전압을 걸어 주면 각 이온은 자신의 전하와 반대 전극으로 이동하면서 전하를 운반한다. 즉, 산화 마그네슘은 액체 상태에서 전기 전도성이 있다.

22 꼼꼼 문제 분석

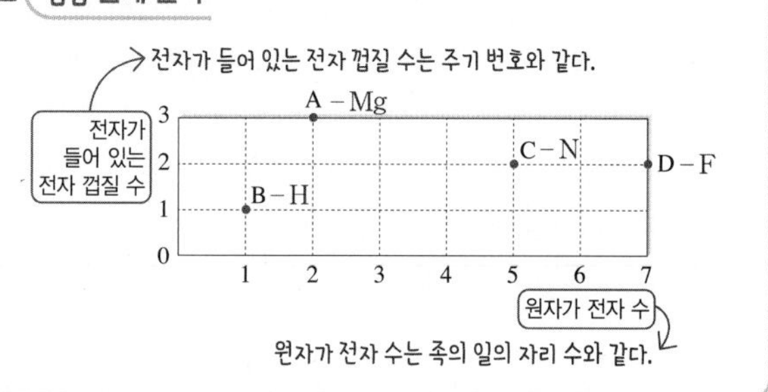

ㄱ. A는 3주기 2족 원소인 마그네슘(Mg)이다. 따라서 A는 금속 원소이다.

ㄷ. C는 2주기 15족 원소인 질소(N)이고, D는 2주기 17족 원소인 플루오린(F)이다. C와 D로 이루어진 물질인 $CD_3(NF_3)$는 C 원자가 D 원자 3개와 각각 전자쌍 1개씩 총 3개를 공유하여 생성된다.

바로알기 ㄴ. B는 1주기 1족 원소인 수소(H)이다. 수소는 비금속 원소이므로 물과 반응하여 수소 기체를 발생시키지 않는다.

23 꼼꼼 문제 분석

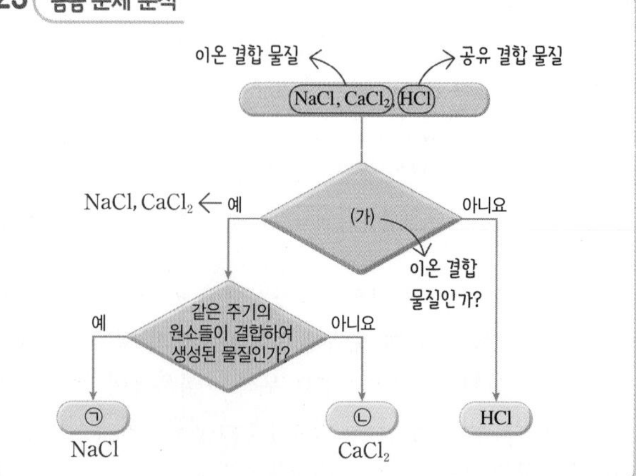

ㄷ. 기준 (가)의 '예'에 해당하는 염화 나트륨(NaCl)과 염화 칼슘($CaCl_2$) 중 ㉠은 3주기 원소들로 이루어진 NaCl이고, ㉡은 3주기 원소인 염소(Cl)와 4주기 원소인 칼슘(Ca)으로 이루어진 $CaCl_2$이다. 이때 ㉡은 양이온인 칼슘 이온(Ca^{2+})과 음이온인 염화 이온(Cl^-)이 1 : 2의 개수비로 결합하여 생성된다.

바로알기 ㄱ. '아니요'에 해당하는 염화 수소(HCl)가 공유 결합 물질이므로 기준 (가)는 이온 결합 물질의 여부를 묻는 질문이 적절하다.

ㄴ. ㉠인 NaCl은 소금의 주성분이다. 습기 제거제의 주성분은 $CaCl_2$이다.

24 꼼꼼 문제 분석

이온들이 반대 전하를 띠는 극 쪽으로 이동하여 전류가 흐른다. ➡ 이온 결합 물질이 녹아 있다.

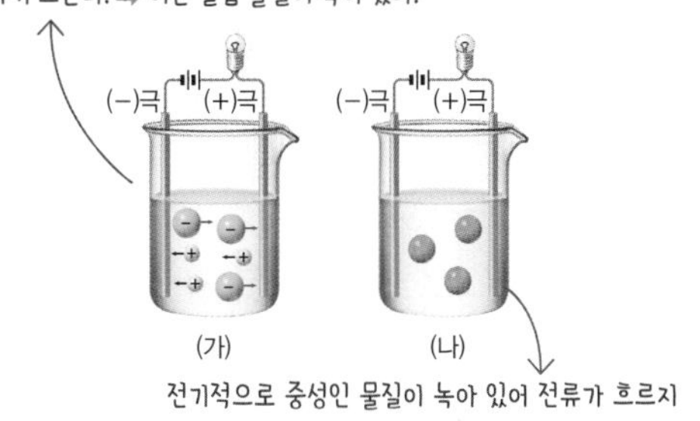

전기적으로 중성인 물질이 녹아 있어 전류가 흐르지 않는다. ➡ 공유 결합 물질이 녹아 있다.

모범 답안 (1) 염화 칼륨, 염화 칼륨은 이온 결합 물질로 수용액 상태에서 이온이 자유롭게 이동하여 전기 전도성이 있기 때문이다.

(2) 설탕, 설탕은 공유 결합 물질로 수용액 상태에서 전기적으로 중성인 분자 상태로 존재하여 전기 전도성이 없기 때문이다.

채점 기준		배점
(1)	(가)에 녹인 물질을 옳게 쓰고, 그 까닭을 옳게 서술한 경우	50 %
	(가)에 녹인 물질만 옳게 쓴 경우	20 %
(2)	(나)에 녹인 물질을 옳게 쓰고, 그 까닭을 옳게 서술한 경우	50 %
	(나)에 녹인 물질만 옳게 쓴 경우	20 %

25 A: 제설제는 눈이 어는 것을 막는 물질로 물에 녹아 물의 어는점을 낮춰 준다.

C: 현재 사용되는 제설제는 차량을 부식시키고 식물의 생장을 방해하는 단점이 있다.

바로알기 B: 염화 칼슘($CaCl_2$)과 염화 마그네슘($MgCl_2$)은 모두 금속 원소의 양이온과 비금속 원소의 음이온이 결합한 이온 결합 물질이다.

26 ㄱ. (가)는 산소(O_2)로, 대기의 약 21 %를 구성한다.

ㄴ. (나)는 물(H_2O)로, 생명체 내의 다양한 화학 반응을 돕는다.

ㄷ. (가)에는 2중 결합이 1개 존재하므로 공유 전자쌍 수가 2이고, (나)에는 단일 결합이 2개 존재하므로 공유 전자쌍 수가 2이다. 따라서 (가)와 (나)는 공유 전자쌍 수가 같다.

중단원 고난도 문제

67쪽

01 ② 02 ① 03 ② 04 ⑤

01 꼼꼼 문제 분석

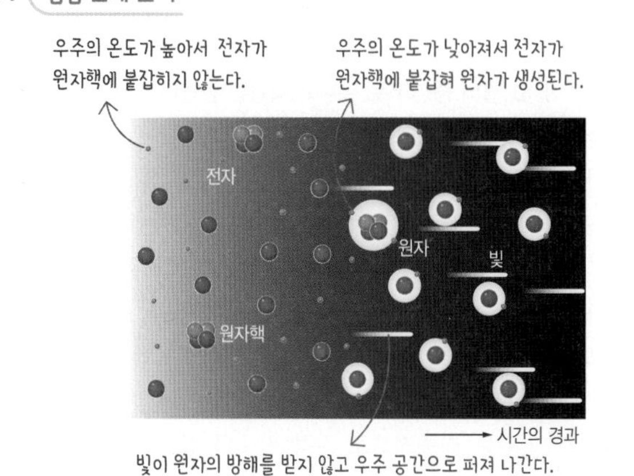

선택지 분석

~~ㄱ~~. 빅뱅 이후 1초가 지나지 않아 일어난 변화이다. (약 38만 년일 때)

㉡ 우주의 온도가 낮아지면서 일어난 변화이다.

~~ㄷ~~. 빛의 파장은 시간이 경과할수록 짧아졌다. 길어졌다

전략적 풀이 ❶ 생성된 입자의 종류와 입자의 변화를 파악하여 일어난 시기를 알아낸다.

ㄱ. 원자핵과 전자가 떨어져 있다가 결합하여 원자가 생성된 시기이므로 빅뱅 후 약 38만 년일 때 일어난 변화이다. 빅뱅 후 1초 이내에는 기본 입자, 양성자, 중성자가 생성되었다.

❷ 입자의 변화를 통해 우주의 온도 변화를 추정한다.

ㄴ. 전자의 운동이 느려지면서 전자가 원자핵에 붙잡혀 원자가 생성되었으므로 우주의 온도는 점차 낮아졌다.

❸ 우주의 온도 변화에 따른 빛의 파장 변화를 파악한다.

ㄷ. 우주가 팽창하면서 우주의 온도가 낮아지므로 빛의 파장은 점차 길어졌고 현재는 마이크로파로 검출된다.

02 꼼꼼 문제 분석

수소 핵융합 반응에 의해 생성

원자량이 수소와 탄소 사이인 원소 분포(헬륨)

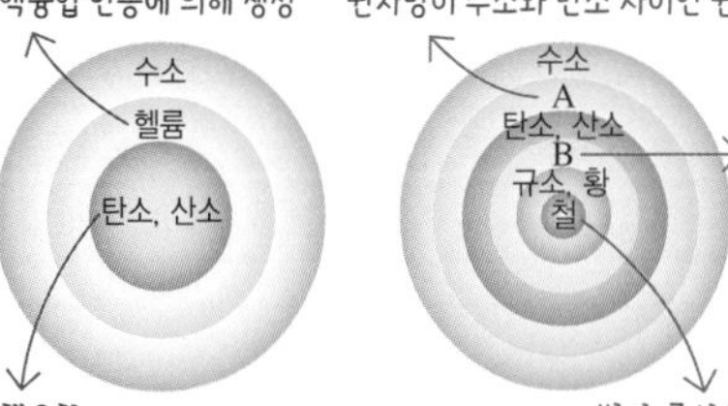

원자량이 탄소와 규소 사이인 원소 분포(산소, 네온, 마그네슘)

헬륨 핵융합 반응에 의해 생성

(나) 별의 중심부에서 생성될 수 있는 가장 무거운 원소

별의 질량이 클수록 중심부에서 핵융합에 의해 더 무거운 원소가 생성된다. ➡ 철은 탄소보다 무거운 원소이다. ➡ 별의 질량: (가)<(나)

선택지 분석

ㄱ. B는 A보다 양성자수가 많다.
~~ㄴ~~. 별의 질량은 (가)가 (나)보다 크다. 작다
~~ㄷ~~. (나)보다 질량이 큰 별의 중심부에서는 핵융합 반응으로 우라늄이 생성된다. 생성되지 않는다

전략적 풀이 ❶ 별의 중심부로 갈수록 핵융합 반응에 의해 무거운 원소가 생성됨을 적용하여 A와 B 원소를 비교한다.

ㄱ. 별의 중심부 온도가 상승함에 따라 점차 무거운 원소의 핵융합 반응이 일어나므로 최종적인 별의 내부 구조는 중심부로 갈수록 무거운 원소가 분포한다. 따라서 B는 A보다 무거운 원소로, 원자 번호가 크므로 양성자수는 B가 A보다 많다.

❷ 별의 질량이 클수록 중심부에서 더 무거운 원소의 핵융합 반응이 일어남을 적용하여 별의 질량을 비교한다.

ㄴ. (가)와 (나)는 최종적으로 각각 탄소와 산소, 철이 생성되었고 철은 탄소와 산소보다 무거운 원소이므로 별의 질량은 (가)가 (나)보다 작다.

❸ 별의 중심부에서 생성될 수 있는 가장 무거운 원소는 철임을 안다.

ㄷ. (나)의 중심부에서는 핵융합 반응에서 생성될 수 있는 가장 무거운 원소인 철이 만들어졌으므로 (나)보다 질량이 큰 별이라고 해도 중심부에서 핵융합 반응으로 철보다 무거운 우라늄이 생성되지 않는다. 우라늄은 초신성 폭발 과정에서 생성될 수 있다.

03 꼼꼼 문제 분석

- A와 B는 같은 족 원소이다.
  → A와 B는 1족 원소 또는 17족 원소이다.
- 전자가 들어 있는 전자 껍질 수는 B=E>A이다.
  → 전자 껍질 수: ㉣=㉤>㉠=㉡=㉢ ➡ B와 E는 3주기 원소이고 A, C, D는 2주기 원소이다.
- 원자 번호는 A가 D보다 크다.
  → A가 1족 원소인 경우 제시된 원소 중 원자 번호가 가장 작으므로 조건에 부합하지 않는다. ➡ A는 2주기 17족 원소이고, B는 3주기 17족 원소이며 D는 ㉠ 또는 ㉡ 중 하나이다.
- 원자가 전자 수는 C가 D보다 크다.
  → C는 2주기 16족 원소이고, D는 2주기 1족 원소이다.

주기 \ 족	1	2	13	14	15	16	17	18
2	㉠ - D(Li)				C(O) - ㉡		㉢ - A(F)	
3	㉣ - E(Na)						㉤ - B(Cl)	

선택지 분석

~~ㄱ~~. A는 알칼리 금속이다. 할로젠
ㄴ. D와 E는 화학적 성질이 비슷하다.
~~ㄷ~~. B와 C로 이루어진 물질은 이온 결합 물질이다. 공유 결합

전략적 풀이 ❶ 주기율표에서 같은 족에 속하는 원소는 1족 또는 17족 원소 중 하나임을 파악하고, A가 1족인 경우를 가정하여 제시된 자료를 적용해 본다.

ㄱ. 전자가 들어 있는 전자 껍질 수가 B=E>A이므로 A는 2주기 원소이다. A를 1족에 속하는 알칼리 금속이라고 가정하면 ㉠에 해당하여 A~E 중 원자 번호가 가장 작으므로 제시된 자료에 부합하지 않는다. 따라서 A는 1족 원소가 아니라 17족에 속하는 할로젠이다.

❷ 전자 껍질 수, 원자 번호, 원자가 전자 수를 비교하여 A~E를 ㉠~㉤에 배치해 본다.

ㄴ. A와 B는 각각 2주기 17족 원소인 ㉢ 플루오린(F), 3주기 17족 원소인 ㉤ 염소(Cl)이고, D와 E는 각각 2주기 1족 원소인 ㉠ 리튬(Li), 3주기 1족 원소인 ㉣ 나트륨(Na)이며 C는 2주기 16족 원소인 ㉡ 산소(O)이다. 따라서 D와 E는 1족에 속하는 알칼리 금속이므로 화학적 성질이 비슷하다.

ㄷ. B와 C는 모두 비금속 원소이므로 B와 C로 이루어진 물질은 공유 결합 물질이다.

04 꼼꼼 문제 분석

액체 상태에서 전기 전도성이 있는 (가)와 (다)는 이온 결합 물질이다.

화합물	녹는점(°C)	끓는점(°C)	전기 전도성	
			고체	액체
(가)	685	1324	없음	있음
(나)	−183	−162	없음	없음
(다)	993	1704	없음	있음

→ 녹는점은 (가)<(다)이다. ➡ 화학 결합의 세기는 (가)<(다)이다.

선택지 분석

ㄱ. (가)와 (다)의 화학 결합의 종류는 같다.
ㄴ. (나)는 분자 상태로 존재한다.
ㄷ. 화학 결합의 세기는 (가)<(다)이다.

전략적 풀이 ❶ 이온 결합 물질은 액체 상태일 때 전기 전도성이 있다는 것을 이용하여 (가)~(다)의 화학 결합의 종류를 파악한다.

ㄱ. 액체 상태에서 전기 전도성이 있는 (가)와 (다)는 이온 결합 물질이고, 액체 상태에서 전기 전도성이 없는 (나)는 공유 결합 물질이다. 따라서 (가)와 (다)의 화학 결합의 종류는 이온 결합으로 같다.

ㄴ. (나)는 공유 결합 물질이므로 구성 원자들이 전자쌍을 공유하여 분자를 이룬다.

❷ 고체 물질에서 화학 결합의 세기가 셀수록 물질의 녹는점이 높음을 이해한다.

ㄷ. 일반적으로 고체 물질에서 화학 결합의 세기가 셀수록 물질의 녹는점이 높다. 녹는점은 (가)<(다)이므로 화학 결합의 세기는 (다)가 (가)보다 세다.

2 자연의 구성 물질

1 지각과 생명체 구성 물질의 결합 규칙성

개념 확인 문제

73쪽

❶ 규소 ❷ 탄소 ❸ 4 ❹ 4 ❺ 규산염 사면체
❻ 판상 구조 ❼ 탄소 화합물 ❽ 4 ❾ 4 ❿ 고리 모양

1 (1) × (2) × (3) ○ (4) ○ **2** A: 규소, B: 산소 **3** (가) 복사슬 구조 (나) 망상 구조 (다) 판상 구조 **4** ④ **5** (1) × (2) ○ (3) × **6** ① **7** (가) 가지 모양(가지 달린 사슬 모양) (나) 사슬 모양 (다) 고리 모양

1 (1) 지각과 생명체에 산소가 가장 많은 까닭은 산소는 다른 원소와 쉽게 결합하여 다양한 물질을 만들 수 있기 때문이다.
(2) 대기를 구성하는 원소의 성분비는 질소(78 %)>산소(21 %)>아르곤 등이고, 해양을 구성하는 원소의 성분비는 산소(85 %)>수소(10 %)>염소 등이므로 원소의 성분비는 서로 다르다.
(3) 생명체를 구성하는 원소 중 두 번째로 많은 것은 탄소이다. 탄소는 별 내부의 핵융합 반응으로 생성되었다.
(4) 생명체는 물과 소량의 무기물을 제외하면 탄수화물, 단백질, 포도당, 지질, 핵산 등 유기물로 구성되어 있다.

2 규산염 사면체는 1개의 규소와 4개의 산소가 공유 결합을 한 구조이다. 따라서 A는 규소, B는 산소이다.

3 (가)는 단사슬이 서로 엇갈려 2개의 사슬 모양으로 결합하고 있으므로 복사슬 구조이다.
(나)는 규산염 사면체가 산소 4개를 모두 공유하여 입체 모양으로 결합하고 있으므로 망상 구조이다.
(다)는 규산염 사면체가 산소 3개를 공유하여 얇은 판 모양으로 결합하고 있으므로 판상 구조이다.

4 규산염 광물은 규소와 산소로 이루어진 규산염 사면체를 기본 골격으로 한다. 규산염 광물의 예로는 감람석, 휘석, 각섬석, 흑운모, 석영, 장석 등이 있다. 방해석은 비규산염 광물이다.

5 (1) 탄소 화합물은 생명체를 구성하고, 에너지원으로 사용되기 때문에 생명 활동을 하는 데 중요하다.
(2) 탄소는 최대 4개의 결합을 할 수 있고, 산소는 최대 2개의 결합을 할 수 있으므로 탄소는 산소보다 결합할 수 있는 전자가 많다.
(3) 탄소와 탄소 사이에 단일 결합뿐만 아니라 2중 결합, 3중 결합을 할 수도 있다.

6 탄소 화합물은 탄소를 기본 골격으로 하여 여러 원소가 공유 결합하여 만들어진다. 탄소 화합물의 예로는 탄수화물, 단백질, 포도당, 지질, 핵산 등이 있다. 물은 산소와 수소로 이루어져 있으므로 탄소 화합물이 아니다.

7 탄소는 다른 탄소와 단일 결합하여 사슬 모양, 가지 모양(가지 달린 사슬 모양), 고리 모양 등 다양한 모양의 구조를 만든다.

내신 만점 문제

74~76쪽

01 ④	02 ⑤	03 ③	04 ④	05 ③	06 ③
07 ②	08 ⑤	09 ③	10 ①	11 ⑤	12 ⑤
13 ⑤	14 ③	15 ④	16 해설 참조	17 해설 참조	
18 해설 참조		19 해설 참조			

01 ① 지각을 구성하는 원소에는 산소가 가장 많고, 규소가 두 번째로 많다. 생명체를 구성하는 원소에는 산소가 가장 많고, 탄소가 두 번째로 많다. 따라서 지각과 생명체에 공통적으로 산소가 가장 많다.
② 지각과 생명체를 구성하는 원소의 대부분은 별 내부의 핵융합 반응이나 초신성 폭발 과정에서 생성되었다.
③ 지각은 암석으로, 암석은 광물로, 광물은 원소로 이루어져 있다.
⑤ 생명체를 구성하는 유기물은 탄소를 기본 골격으로 하는 탄소 화합물이다.
바로알기 ④ 생명체는 물과 소량의 무기물을 제외하면 유기물로 구성되어 있다.

02 지각에는 산소가 가장 많고, 규소가 두 번째로 많다.
ㄱ. A는 지각에 가장 많은 원소이므로 산소이고, B는 규소이다.
ㄴ. 산소(A)와 규소(B)는 공유 결합하여 규산염 광물을 이룬다.
ㄷ. 철보다 가벼운 원소인 산소(A)와 규소(B)는 질량이 큰 별의 중심부에서 핵융합 반응에 의해 생성된 후 우주로 방출되어 지각을 이루는 물질이 되었다.

03 A는 산소, B는 질소, C는 수소, D는 탄소이다.
③ C(수소)는 빅뱅 우주의 탄생 초기에 생성되어 별을 형성하는 재료가 되었다.
바로알기 ① A는 지각을 이루는 주요 원소 중 가장 많은 질량비를 차지하므로 산소이다.
② B는 질소이고, C는 수소이므로 서로 다른 원소이다.
④ D는 탄소이고, 지각을 이루는 광물의 약 92 %는 산소와 규소로 이루어진 규산염 광물이다.
⑤ D(탄소)는 주로 별의 내부에서 핵융합 반응으로 생성된다.

04 ㄴ. 해양에 가장 많은 원소는 산소이고, 두 번째로 많은 원소는 수소이다. 수소는 빅뱅 우주의 탄생 초기에 생성되었다.
ㄷ. 대기에 가장 많은 원소는 질소이다. 질소는 철보다 가벼운 원소이므로 별 내부의 핵융합 반응으로 생성되었다.
바로알기 ㄱ. 지각에 가장 많은 원소는 산소이고, 두 번째로 많은 원소는 규소이다. 산소와 규소는 모두 철보다 가벼운 원소로, 별 내부의 핵융합 반응으로 생성되었다.

05 ㄱ, ㄴ. 규산염 광물은 산소와 규소로 이루어진 규산염 사면체를 기본 골격으로 하여 규산염 사면체들이 일정한 규칙에 따라 화학적으로 결합하여 만들어진 광물이다.
바로알기 ㄷ. 지각에서 광물의 약 92 %는 규산염 광물이고, 약 8 %는 비규산염 광물이다. 따라서 지각을 이루는 광물은 대부분 규산염 광물로 이루어져 있다.

06 꼼꼼 문제 분석

- 원자핵의 전하=양성자수=원자 번호
- 원자가 전자: 가장 바깥 전자 껍질에 배치된 전자로, 화학 결합에 참여한다.

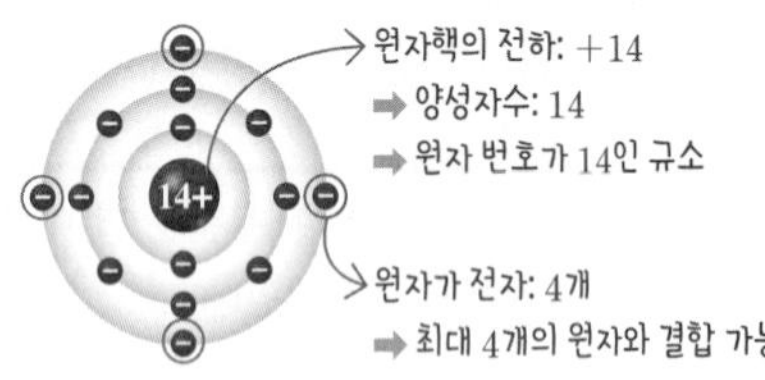
14+
원자핵의 전하: +14
➡ 양성자수: 14
➡ 원자 번호가 14인 규소
원자가 전자: 4개
➡ 최대 4개의 원자와 결합 가능

ㄱ. 양성자수가 14이므로 원자 번호가 14인 규소이다.
ㄷ. 광물에서 규소는 주로 산소와 결합하여 규산염 광물을 이룬다.
바로알기 ㄴ. 규소는 주기율표의 14족 원소로, 원자가 전자가 4개이다. 따라서 최대 4개의 공유 결합을 할 수 있다.

07 ㉠ 지각을 이루는 대부분의 광물은 규산염 광물이며, 석영, 장석, 운모, 휘석 등이 규산염 광물에 속한다.
㉡ 규산염 광물은 1개의 규소가 4개의 산소와 공유 결합한 규산염 사면체가 다양하게 결합하여 만들어진 것이다.
㉢ 석영은 규산염 사면체가 망상 구조를 이루고, 휘석은 규산염 사면체가 단사슬 구조를 이룬다. 운모는 규산염 사면체가 판상 구조를 이룬다.

08 ① 규산염 사면체는 규소 1개를 중심으로 산소 4개가 결합한 구조이다. 따라서 A는 산소, B는 규소이다.
② 규소(B)는 주기율표의 14족 원소로, 원자가 전자가 4개이다. 따라서 최대 4개의 공유 결합을 할 수 있다.
③ 규산염 사면체는 규소와 산소가 공유 결합을 한 구조이다.
④ 규산염 사면체는 전기적으로 −4의 음전하를 띤다.
바로알기 ⑤ 지각을 구성하는 원소의 질량비는 산소(A)가 가장 크고, 규소(B)가 두 번째로 크다.

09 ㄱ. 규산염 사면체는 전기적으로 −4의 전하를 띤다. 따라서 규산염 사면체에 +2의 전하를 띠는 마그네슘 이온 2개가 결합하면 전기적으로 안정한 상태인 중성이 된다.
ㄴ. 규산염 사면체 1개가 마그네슘 등의 양이온과 결합하면 독립형 구조의 광물이 된다.
바로알기 ㄷ. 독립형 구조의 대표적인 광물로 감람석이 있다. 석영은 망상 구조의 대표적인 광물이다.

10 꼼꼼 문제 분석

산소
규소
규산염 사면체
단사슬
+
단사슬
복사슬 구조
단사슬이 서로 엇갈려 2개의 사슬 모양으로 결합하고 있다.

ㄱ. 규산염 사면체가 2개의 사슬 모양으로 결합하고 있으므로 복사슬 구조이다.
바로알기 ㄴ. 복사슬 구조의 대표적인 광물로 각섬석이 있다. 장석은 망상 구조의 대표적인 광물이다.
ㄷ. 규산염 사면체가 모든 산소를 공유하여 망상 구조를 이루는 석영이 복사슬 구조를 이루는 각섬석보다 풍화에 강하다.

11 꼼꼼 문제 분석

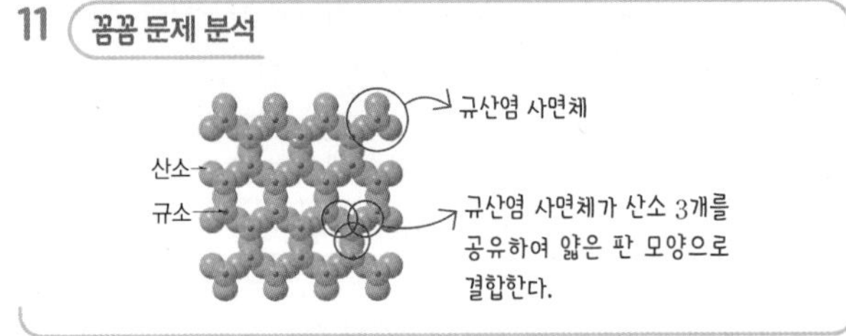
규산염 사면체
산소
규소
규산염 사면체가 산소 3개를 공유하여 얇은 판 모양으로 결합한다.

①, ② 규산염 사면체가 얇은 판 모양으로 결합하고 있으므로 판상 구조이다.
③ 판상 구조는 힘을 주면 규산염 사면체의 결합력이 약한 면을 따라 쪼개지는 성질이 있다.
④ 판상 구조의 대표적인 광물로 흑운모가 있다.
바로알기 ⑤ 판상 구조는 규산염 사면체가 산소 3개를 공유한다. 규산염 사면체가 산소 4개를 공유하는 것은 망상 구조이다.

12 ① (가)는 1개의 규산염 사면체가 독립형 구조를 이루며, 금속 이온(양이온)이 사면체에 결합하여 안정한 광물이 된다.
② (나)는 규산염 사면체가 1개의 사슬 모양으로 길게 결합한 단사슬 구조이다.
③ 감람석은 규산염 사면체가 (가) 독립형 구조를 이루는 광물이다.
④ 휘석은 규산염 사면체가 (나) 단사슬 구조를 이루는 광물이다.
바로알기 ⑤ 규산염 광물은 규산염 사면체 간에 산소 원자가 공유되는 결합 구조에 따라 다양한 광물이 만들어진다.

13 꼼꼼 문제 분석

• 원자는 양성자수와 전자 수가 같아 전기적으로 중성이다.
• 양성자수는 원자마다 다르므로 양성자수로 원자 번호를 정한다.
• 전자 수＝양성자수＝원자 번호

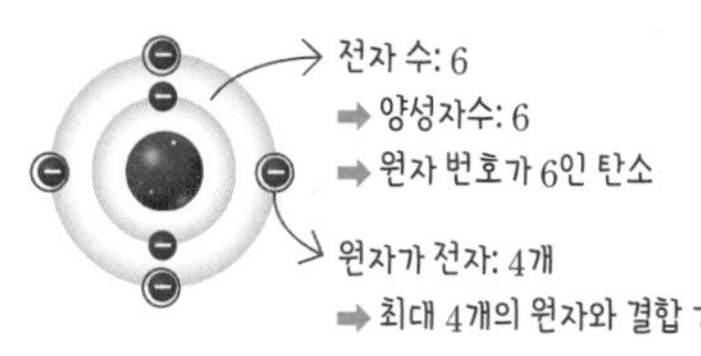
전자 수: 6
➡ 양성자수: 6
➡ 원자 번호가 6인 탄소
원자가 전자: 4개
➡ 최대 4개의 원자와 결합 가능

① 그림은 전자가 6개이므로 양성자수가 6인 탄소이고, 원자가 전자는 4개이다.
② 탄소는 별의 중심부에서 헬륨 핵융합 반응에 의해 생성된다.
③ 탄소와 수소는 서로의 전자를 내놓아 전자쌍을 만들고, 이를 공유하여 공유 결합을 한다.
④ 탄소는 다른 탄소 원자와 다양한 형태로 결합하여 단백질, 지질, 탄수화물 등 생명체를 구성하는 유기물의 골격을 형성한다.
바로알기 ⑤ 탄소는 원자가 전자가 4개이므로 최대 4개의 수소 원자와 결합할 수 있다.

14 꼼꼼 문제 분석

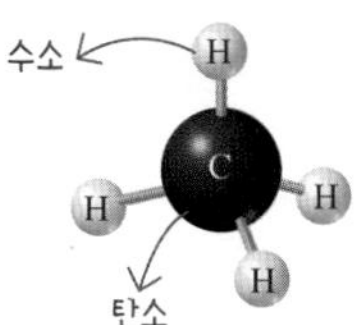
수소
탄소

1개의 탄소 원자와 4개의 수소 원자가 공유 결합을 하여 메테인(CH_4) 분자가 만들어진다.

ㄱ. 탄소 원자 1개와 수소 원자 4개가 결합한 분자는 메테인 분자(CH_4)이다.
ㄷ. 메테인 분자의 수소 원자 대신에 다른 원자가 결합하면 새로운 화합물이 만들어진다.
바로알기 ㄴ. 메테인 분자는 탄소 원자와 수소 원자가 공유 결합하여 만들어진다.

15 꼼꼼 문제 분석

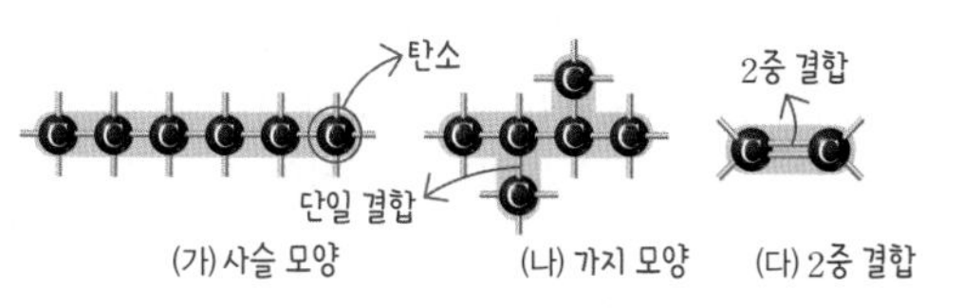
탄소
2중 결합
단일 결합
(가) 사슬 모양
(나) 가지 모양
(다) 2중 결합

ㄴ. 탄소는 다른 탄소와 연속적으로 결합할 수 있어 복잡하고 다양한 분자를 만들 수 있다.
ㄷ. 탄소는 다른 탄소와 단일 결합하기도 하고, 탄소와 탄소 사이에 2중 결합이나 3중 결합을 하기도 한다.
바로알기 ㄱ. (가)는 사슬처럼 길게 결합되어 있으므로 사슬 모양이다.

16 철과 철보다 가벼운 원소는 별 내부의 핵융합 반응으로 생성되었고, 철보다 무거운 원소는 초신성 폭발 과정에서 생성되었다. 마그네슘은 철보다 가벼운 원소이고, 니켈은 철보다 무거운 원소이다.

모범 답안 철과 마그네슘은 별 내부의 핵융합 반응으로 생성되었고, 니켈은 초신성 폭발 과정에서 생성되었다.

채점 기준	배점
철, 마그네슘, 니켈을 두 그룹으로 구분하고 원소의 기원을 각각 옳게 서술한 경우	100 %
철, 마그네슘, 니켈을 두 그룹으로 구분하고 원소의 기원을 한 가지만 옳게 서술한 경우	60 %

17 모범 답안 산소와 규소, 규산염 사면체들이 일정한 규칙에 따라 서로 결합하여 다양한 구조를 이루기 때문에 다양한 종류의 규산염 광물이 만들어진다.

채점 기준	배점
산소와 규소를 쓰고, 지각에서 규산염 광물의 종류가 다양한 까닭을 옳게 서술한 경우	100 %
지각에서 규산염 광물의 종류가 다양한 까닭만 옳게 서술한 경우	60 %
산소와 규소만 쓴 경우	40 %

18 꼼꼼 문제 분석

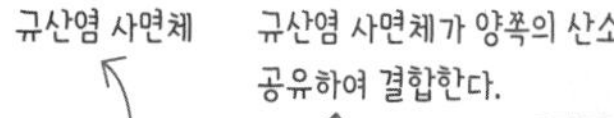
규산염 사면체
규산염 사면체가 양쪽의 산소를 공유하여 결합한다.
규소
산소

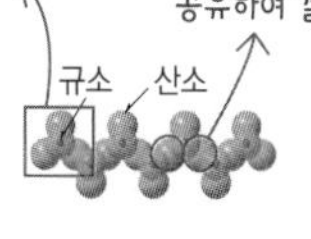

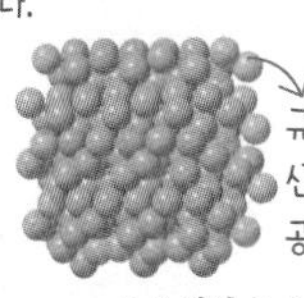
규산염 사면체가 산소 4개를 모두 공유하여 결합한다.

(가) 단사슬 구조 (나) 망상 구조

단사슬 구조보다 망상 구조일 때 규산염 사면체가 공유하는 산소 수가 많다. ➡ 공유 결합이 복잡해진다. ➡ 결합을 끊는 데 필요한 에너지가 많아지기 때문에 풍화에 강하다.

모범 답안 (나), (나)는 (가)보다 규산염 사면체 사이에 공유하는 산소 수가 많아 공유 결합이 더 복잡하기 때문에 풍화에 강하다.

채점 기준	배점
(나)를 고르고, 규산염 사면체의 공유 결합을 포함하여 풍화에 강한 까닭을 옳게 서술한 경우	100 %
(나)만 고른 경우	30 %

19 탄소는 원자가 전자가 4개이므로 최대 4개의 수소 원자와 결합할 수 있다. 따라서 만들 수 있는 화합물이 많으며, 수소 대신 다른 원자가 결합하면 더 다양한 화합물을 만들 수 있다. 한편 탄소는 다른 탄소와도 잘 결합하여 사슬 모양, 가지 모양, 고리 모양 등 다양한 기본 골격을 형성할 수 있으며, 2중 결합이나 3중 결합을 형성하기도 하므로 복잡한 유기물을 만드는 데 유리하다.

모범 답안 탄소는 원자가 전자가 4개이므로 원자 1개당 최대 4개의 공유 결합을 하여 다양한 화합물을 만든다. 또한, 다른 탄소와도 다양한 방식으로 연속적으로 결합하여 복잡하고 다양한 분자를 만드는 데 유리하다. 따라서 탄소는 생명체의 주요 구성 성분이 되었다.

채점 기준	배점
탄소가 생명체의 주요 구성 성분이 되는 까닭을 원자가 전자, 탄소 화합물의 결합 규칙성을 모두 관련지어 옳게 서술한 경우	100 %
탄소 화합물의 결합 규칙성만 관련지어 옳게 서술한 경우	70 %
원자가 전자만 관련지어 옳게 서술한 경우	30 %

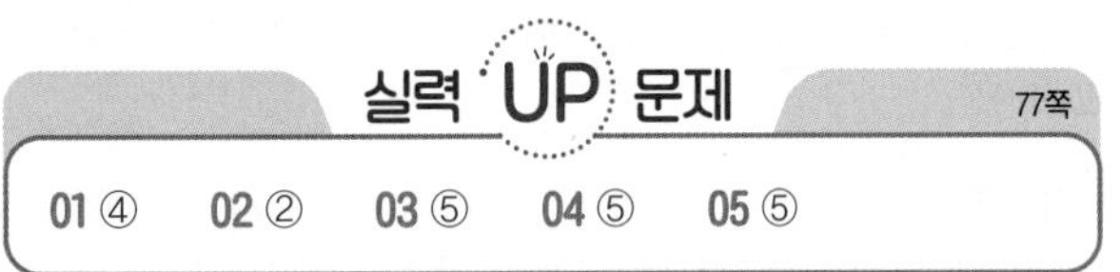

01 꼼꼼 문제 분석

지구를 구성하는 원소의 질량비: 철 > 산소 > 규소 > 마그네슘 > 기타

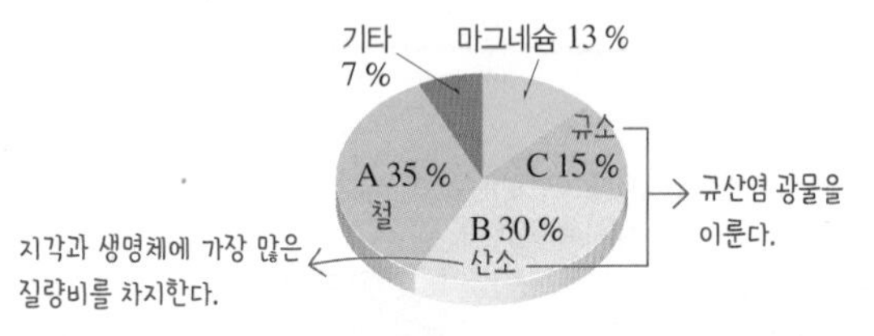

ㄴ. 규산염 광물은 규산염 사면체를 기본 골격으로 하여 규산염 사면체들이 일정한 규칙에 따라 화학적으로 결합하여 만들어진 광물이다. 규산염 사면체는 산소(B)와 규소(C)가 공유 결합하여 이루어진다.

ㄷ. 철(A)과 철보다 가벼운 원소인 산소(B), 규소(C)는 모두 별 내부의 핵융합 반응으로 생성되었다.

바로알기 ㄱ. 지각에 가장 많은 원소는 산소(B)이다.

02 (가)는 규산염 사면체가 양쪽의 산소를 공유하여 단일 사슬 모양으로 길게 결합하고 있으므로 단사슬 구조이다. (나)는 단사슬이 서로 엇갈려 2개의 사슬 모양으로 결합하고 있으므로 복사슬 구조이다.

ㄷ. 규산염 광물의 결합 구조가 복잡할수록 공유하는 산소의 수는 증가한다. 따라서 공유하는 산소의 수는 복사슬 구조인 (나)가 단사슬 구조인 (가)보다 많다.

바로알기 ㄱ. (가)는 규산염 사면체가 단일 사슬 모양으로 길게 결합하고 있으므로 단사슬 구조이다.

ㄴ. (나)는 복사슬 구조이므로 각섬석의 결합 구조에 해당한다. 감람석의 결합 구조는 독립형 구조이다.

03 ⑤ 중성 지방은 단위체인 글리세롤과 지방산이 결합하여 형성된다.

바로알기 ① 탄수화물, 단백질, 지질은 탄소로 이루어진 기본 골격에 수소, 산소, 질소 등 여러 원소가 결합하여 만들어진 탄소 화합물이다. 물은 산소와 수소로만 이루어져 있기 때문에 탄소 화합물이 아니다.

② 탄수화물인 녹말은 포도당과 같은 단당류가 일정한 간격으로 결합하여 형성된다.

③ 단백질은 여러 개의 아미노산이 결합하여 형성된다.

④ 인지질은 세포막의 구성 성분이 된다. 체내 에너지원의 기능을 하는 것은 중성 지방이다.

04 ㄱ. (가)는 규산염 사면체이므로 중심 원자인 A는 규소이고, B는 산소이다. (나)는 메테인 분자이므로 중심 원자인 C는 탄소이고, D는 수소이다.

ㄴ. 석영은 망상 구조이므로 규산염 사면체 간에 산소(B)가 모두 공유되고, 감람석은 독립형 구조이므로 규산염 사면체 간에 산소(B)가 공유되지 않는다. 따라서 $\frac{\text{B의 개수}}{\text{A의 개수}}$는 석영이 감람석보다 작다.

ㄷ. 규산염 사면체에서 규소(A)와 산소(B)는 공유 결합을 하고, 메테인 분자에서 탄소(C)와 수소(D)는 공유 결합을 한다.

05 꼼꼼 문제 분석

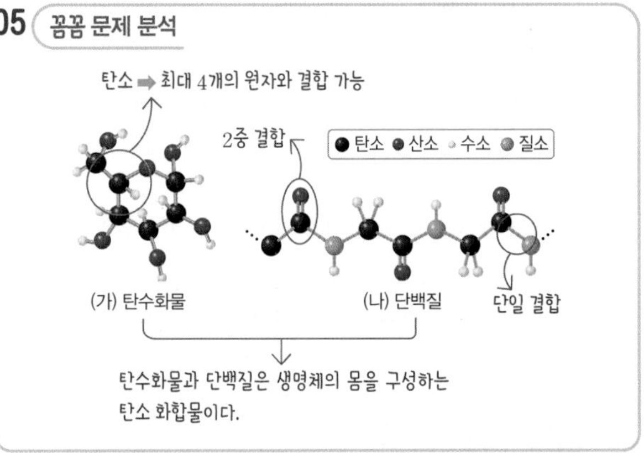

ㄱ. 탄소 화합물은 탄소를 기본 골격으로 여러 원소가 공유 결합하여 만들어진 물질이다. (가) 탄수화물과 (나) 단백질은 탄소를 기본으로 산소, 수소, 질소가 공유 결합하여 만들어진 탄소 화합물이다.

ㄴ. 탄수화물과 단백질을 포함한 탄소 화합물은 생명체를 구성하고, 에너지원으로 사용되기 때문에 생명 활동을 하는 데 중요하다.

ㄷ. 탄소는 주기율표의 14족 원소로, 원자가 전자가 4개이기 때문에 최대 4개의 공유 결합을 할 수 있다. 따라서 탄소는 수소 외에도 산소, 질소 등 여러 종류의 원소와 결합하여 다양한 화합물을 만들 수 있다.

2 생명체 구성 물질의 형성

개념 확인 문제

80쪽

❶ 탄수화물 ❷ 단백질 ❸ 핵산 ❹ 단위체 ❺ 아미노산
❻ 폴리펩타이드 ❼ 펩타이드 ❽ 아미노산

1 (1) × (2) × (3) ○ (4) × (5) × **2** ㄴ, ㄷ, ㄹ, ㅁ **3** (1) ㉡ (2) ㉠ (3) ㉢ **4** ㉠ 아미노산, (가) 펩타이드 결합 **5** (1) ○ (2) ○ (3) ○ (4) × (5) ○ (6) × **6** ㉠ 배열 순서, ㉡ 입체 구조

1 (1) 탄수화물의 구성 원소는 탄소(C), 수소(H), 산소(O)이며, 질소(N)는 포함되지 않는다.
(2) 생명체를 구성하는 물질 중 가장 많은 양을 차지하는 것은 물이다. 단백질은 물을 제외하고 가장 많은 양을 차지한다.
(3) 지질의 종류 중 중성 지방은 에너지원으로 사용되고, 인지질은 세포막의 주요 성분이다.
(4) 물은 비열이 커서 외부 온도 변화에 따라 쉽게 온도가 변하지 않아 체온을 일정하게 유지하는 데 도움이 된다.
(5) 무기염류는 다양한 생리 작용을 조절하는 데 관여하지만, 에너지원은 아니다.

2 생명체를 구성하는 물질 중 지질, 핵산, 단백질, 탄수화물은 모두 탄소(C)를 포함하는 탄소 화합물이다.

3 탄수화물의 단위체는 포도당, 단백질의 단위체는 아미노산, 핵산의 단위체는 뉴클레오타이드이다.

4 단백질의 단위체는 아미노산(㉠)이고, 아미노산과 아미노산은 펩타이드 결합(가)으로 연결되어 긴 사슬 모양의 폴리펩타이드를 형성한다.

5 (1) 단백질의 구성 원소는 탄소(C), 수소(H), 산소(O), 질소(N)이며, 황(S)을 포함하기도 한다.
(2) 단백질은 효소, 호르몬, 항체의 주성분이다.
(3) 단백질은 효소, 호르몬의 성분으로 각종 화학 반응과 생리 작용을 조절한다.
(4) 유전 정보를 저장하거나 전달하는 것은 핵산이다.
(5) 단백질, 핵산, 녹말은 단위체의 결합으로 형성되는 고분자 화합물이다.
(6) 단백질의 단위체는 아미노산이며, 아미노산의 종류와 수 및 배열 순서에 따라 단백질의 종류가 달라진다.

6 단백질은 아미노산의 종류와 수 및 배열 순서에 따라 입체 구조가 결정되고, 단백질의 기능은 이 입체 구조에 의해 결정된다.

개념 확인 문제

83쪽

❶ 뉴클레오타이드 ❷ 디옥시리보스 ❸ T ❹ 리보스
❺ U ❻ 인산 ❼ 상보 ❽ 타이민(T) ❾ 사이토신(C)
❿ 염기 서열

1 뉴클레오타이드, 염기 **2** (1) × (2) × (3) ○ **3** ㄷ, ㄹ, ㅁ **4** (1) RNA (2) 4개 **5** (1) 디옥시리보스 (2) 인산 (3) 사이토신(C) **6** ATGGTGCACGTA **7** 30 % **8** (1) ○ (2) ○ (3) ×

1 핵산을 구성하는 단위체는 뉴클레오타이드이며, 뉴클레오타이드는 인산, 당, 염기가 1 : 1 : 1로 결합한 물질이다.

2 (1) 핵산의 단위체는 뉴클레오타이드이며, 뉴클레오타이드는 인산, 당, 염기가 1 : 1 : 1로 결합되어 있다.
(2) 핵산의 단위체는 DNA를 구성하는 단위체 4종류와 RNA를 구성하는 단위체 4종류가 있다.

3 DNA를 구성하는 당은 디옥시리보스이고, DNA는 염기 중 타이민(T)이 있으며, 이중 나선 구조이다. RNA를 구성하는 당은 리보스이고, RNA는 염기 중 유라실(U)이 있으며, 단일 가닥 구조이다.

4 (1) 단일 가닥 구조이며, 염기에 유라실(U)이 있는 것으로 보아 이 핵산은 RNA이다.
(2) 핵산의 단위체인 뉴클레오타이드는 인산, 당, 염기가 1 : 1 : 1로 결합되어 있으므로, 핵산을 구성하는 염기의 개수와 단위체의 개수가 같다.

5 (1) 이중 나선 구조이므로 이 핵산은 DNA이다. DNA를 구성하는 당은 디옥시리보스이다.
(2) DNA의 바깥쪽 골격은 뉴클레오타이드의 당과 인산의 결합으로 형성된다.
(3) DNA의 폴리뉴클레오타이드 두 가닥은 염기 사이의 수소 결합으로 연결되는데, 상보적으로 결합하므로 염기 ㉡이 구아닌(G)이면 이와 결합하는 염기 ㉢은 사이토신(C)이다.

6 DNA 이중 나선에서 두 가닥의 폴리뉴클레오타이드는 염기의 상보결합으로 연결된다. 아데닌(A)은 타이민(T)과, 구아닌(G)은 사이토신(C)과 상보적으로 결합하므로, 제시된 가닥과 결합한 다른 쪽 가닥의 염기 서열은 ATGGTGCACGTA이다.

7 DNA 이중 나선을 이루는 두 폴리뉴클레오타이드의 염기 서열은 상보적이며, 구아닌(G)은 항상 사이토신(C)과 결합한다. 따라서 DNA 이중 나선에서 구아닌(G)의 비율이 30 %이면 사이토신(C)의 비율도 30 %이다.

8 (1) 단백질과 DNA는 모두 탄소(C)를 포함하는 탄소 화합물이다.
(2) 단백질과 DNA는 단위체가 일정한 규칙에 따라 결합하여 형성된 고분자 화합물이다.
(3) 단백질은 입체 구조에 따라 다양한 기능을 나타낸다. 그러나 DNA의 경우 입체 구조는 이중 나선 구조로 동일하며, 다양한 염기 서열에 다양한 유전 정보를 저장한다.

내신 만점 문제 84~86쪽

01 ③ 02 ④ 03 ③ 04 ⑤ 05 ㄱ, ㄴ, ㄷ 06 ⑤
07 ③ 08 ⑤ 09 ④ 10 ②, ④ 11 ③ 12 ②
13 ⑤ 14 ② 15 ② 16 해설 참조 17 해설 참조
18 해설 참조 19 해설 참조

01 꼼꼼 문제 분석

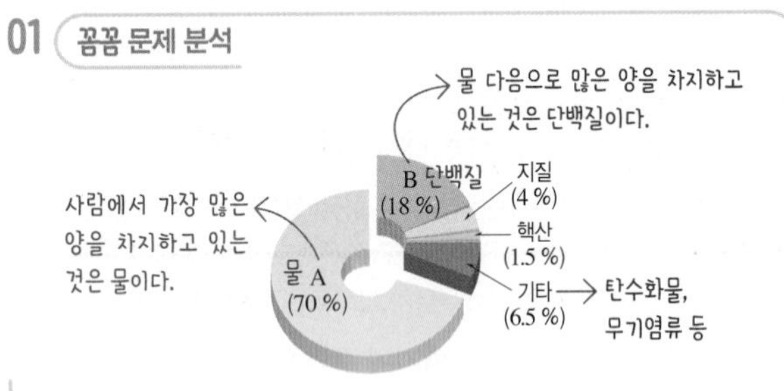

③ B는 사람을 구성하는 물질 중 두 번째로 많은 양을 차지하는 단백질이다. 단백질은 아미노산의 펩타이드 결합으로 형성된다.
바로알기 ① A는 사람을 구성하는 물질 중 가장 많은 양을 차지하는 물이다. 물은 수소(H)와 산소(O)로 구성되며 탄소(C)를 포함하지 않는다. 따라서 물은 탄소 화합물이 아니다.
② 물(A)은 에너지원이 아니다. 주요 에너지원은 탄수화물이다.
④ 물(A)은 비열이 커서 체온을 일정하게 유지하는 데 도움이 된다.
⑤ 유전 정보의 저장과 전달에 관여하는 물질은 핵산이며, 사람을 구성하는 물질 중 핵산의 비율은 1.5 %이다.

02 ㄱ. A는 유전 정보를 저장하는 핵산이다. 핵산은 단위체인 뉴클레오타이드가 결합하여 형성된다.
ㄴ. B는 효소와 항체의 주성분인 단백질이다. 단백질은 아미노산이 펩타이드 결합으로 연결되어 형성된다.
바로알기 ㄷ. C는 비열이 커서 체온 유지에 도움이 되는 물이다. 물은 생명체를 구성하는 물질 중 가장 많지만, 탄소 화합물은 아니다.

03 A: 인지질은 지질의 일종으로, 세포막의 주요 성분이다.
C: 핵산의 단위체는 뉴클레오타이드이며, DNA와 RNA를 구성하는 뉴클레오타이드는 각각 4종류이다. 단백질의 단위체는 아미노산이며, 아미노산은 곁사슬이 다른 20종류가 있다. 따라서 단위체의 종류는 핵산보다 단백질이 더 많다.
바로알기 B: 녹말은 탄수화물의 일종인 다당류로, 단위체는 포도당 한 종류이다.

04 꼼꼼 문제 분석

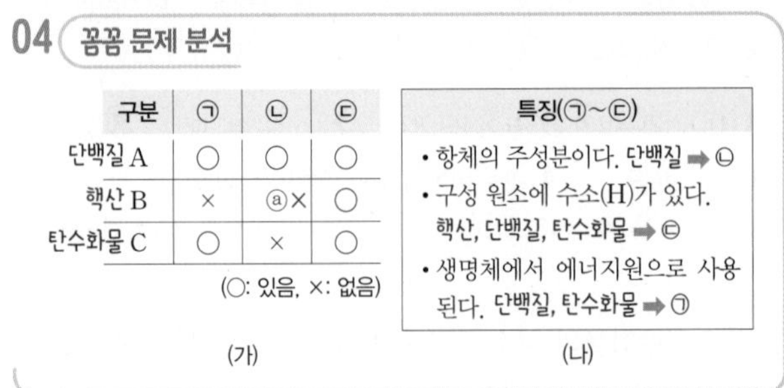

구분	㉠	㉡	㉢
단백질 A	○	○	○
핵산 B	×	ⓐ×	○
탄수화물 C	○	×	○

(○: 있음, ×: 없음)

(가)

특징(㉠~㉢)
• 항체의 주성분이다. 단백질 ➡ ㉡
• 구성 원소에 수소(H)가 있다. 핵산, 단백질, 탄수화물 ➡ ㉢
• 생명체에서 에너지원으로 사용된다. 단백질, 탄수화물 ➡ ㉠

(나)

A는 특징 ㉠~㉢이 모두 있으므로 단백질이다. 특징 ㉠과 ㉢이 있는 C는 탄수화물이고, B는 핵산이다.
ㄱ. 단백질(A)의 단위체는 아미노산이다.
ㄷ. 핵산의 구성 원소는 탄소(C), 수소(H), 산소(O), 질소(N), 인(P)이고, 단백질의 구성 원소는 탄소(C), 수소(H), 산소(O), 질소(N), 황(S)이며, 탄수화물의 구성 원소는 탄소(C), 수소(H), 산소(O)이다. 따라서 A~C에 공통으로 있는 특징 ㉢은 '구성 원소에 수소(H)가 있다.'이다.
바로알기 ㄴ. 특징 ㉡은 탄수화물에는 없고 단백질에만 있는 특징이므로 '항체의 주성분이다.'이며, 이는 핵산(B)에는 없는 특징이므로 ⓐ는 '×'이다.

05 글리코젠은 포도당, 단백질은 아미노산, DNA는 뉴클레오타이드가 결합하여 형성된 고분자 화합물이다.

06 꼼꼼 문제 분석

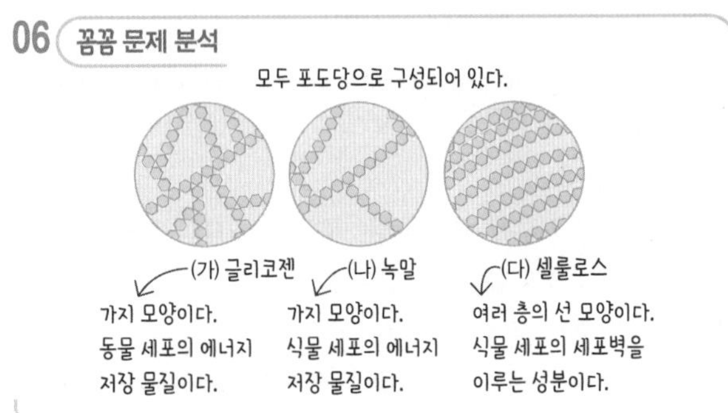

ㄱ. 녹말, 셀룰로스, 글리코젠은 모두 탄수화물의 다당류에 속하며, 단위체는 포도당이다.
ㄴ. 녹말과 글리코젠은 포도당이 가지 모양으로 이어져 있는 형태이다. (가)는 동물 세포의 에너지 저장 물질이므로 글리코젠이고, (나)는 식물 세포의 에너지 저장 물질인 녹말이다.
ㄷ. (다)는 포도당이 여러 층의 선 모양으로 이어져 있는 형태인 셀룰로스이다. 셀룰로스는 식물 세포의 세포벽을 이루는 성분이다.

07 ① 단백질은 효소, 호르몬, 항체의 주성분으로, 각종 화학 반응과 생리 작용을 조절한다.
② 단백질은 다양한 아미노산이 펩타이드 결합으로 연결되어 형성된다.
④ 단백질의 종류는 아미노산의 종류와 수 및 배열 순서에 의해 결정되므로, 단백질의 종류가 다르면 아미노산의 배열 순서가 다르다.
⑤ 단백질의 기능은 입체 구조와 밀접한 관련이 있으므로 열에 의해 단백질의 입체 구조가 변하면 그 기능을 잃을 수 있다.
바로알기 ③ 단백질의 단위체는 아미노산으로, 인체를 구성하는 아미노산은 20종류가 있다. 아미노산의 종류와 수 및 배열 순서에 따라 단백질의 종류가 달라지는데, 20종류의 아미노산이 다양한 방법으로 조합하여 만들어질 수 있는 단백질의 종류는 이론적으로 거의 무한대에 가깝다.

08 ㄴ. 모든 아미노산은 공통적으로 탄소를 중심으로 아미노기, 카복실기, 수소 원자, 곁사슬이 결합되어 있다. ㉡은 카복실기이다.
ㄷ. 아미노산의 종류는 곁사슬에 의해 결정되며, 아미노산은 곁사슬이 다른 20종류가 있다.
바로알기 ㄱ. 아미노산에서 질소를 포함하는 ㉠은 아미노기이다.

09 ㄱ. ㉠은 아미노산과 아미노산 사이에 형성된 펩타이드 결합이다.
ㄷ. 탄소 화합물 X는 아미노산이 결합하여 형성된 단백질이다. 단백질은 에너지원으로 이용되기도 한다.
바로알기 ㄴ. 한 아미노산의 카복실기와 다른 아미노산의 아미노기 사이에서 물이 한 분자 빠져나오면서 펩타이드 결합이 형성된다.

10 꼼꼼 문제 분석

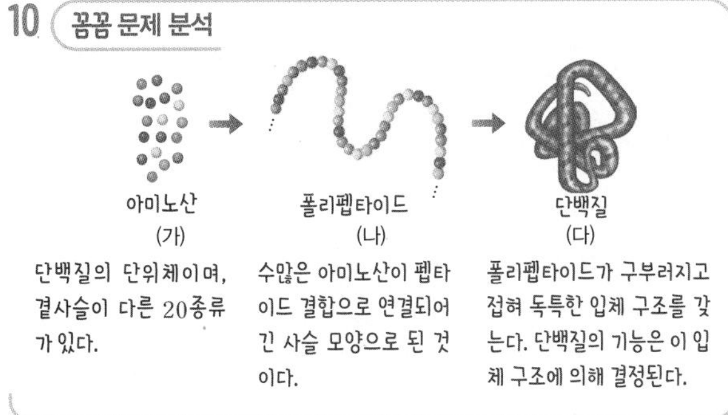

아미노산
(가)
단백질의 단위체이며, 곁사슬이 다른 20종류가 있다.
폴리펩타이드
(나)
수많은 아미노산이 펩타이드 결합으로 연결되어 긴 사슬 모양으로 된 것이다.
단백질
(다)
폴리펩타이드가 구부러지고 접혀 독특한 입체 구조를 갖는다. 단백질의 기능은 이 입체 구조에 의해 결정된다.

① (가)는 단백질의 단위체인 아미노산이다.
③ 아미노산(가)이 펩타이드 결합으로 연결되어 폴리펩타이드(나)로 될 때 물이 빠져나온다.
⑤ 폴리펩타이드(나)는 아미노산(가)의 배열 순서에 따라 구부러지고 접혀 독특한 입체 구조를 갖는 단백질(다)이 되고 이 입체 구조에 따라 단백질의 기능이 결정된다.
바로알기 ② (나)는 폴리펩타이드이다. 폴리뉴클레오타이드는 뉴클레오타이드가 연결되어 긴 사슬 모양으로 된 것이다.
④ 아미노산(가)이 폴리펩타이드(나)로 될 때 펩타이드 결합이 형성된다.

11 ㄱ. 모든 단백질의 단위체는 아미노산이다. 단백질의 일종인 헤모글로빈(가)과 콜라젠(나)은 아미노산으로 구성된다.
ㄴ. 단백질의 종류는 아미노산의 종류와 수 및 배열 순서로 결정된다. 따라서 서로 다른 종류의 단백질인 헤모글로빈(가)과 콜라젠(나)은 단위체인 아미노산의 수와 배열 순서가 다르다.
바로알기 ㄷ. 단백질의 기능은 입체 구조에 의해 결정된다. 따라서 입체 구조가 다른 헤모글로빈(가)과 콜라젠(나)은 기능이 다르다. 적혈구 속 헤모글로빈(가)은 산소를 운반하는 기능을 하고, 피부 속 콜라젠(나)은 피부를 구성하는 기능을 한다.

12 ② 핵산의 구성 원소는 탄소(C), 수소(H), 산소(O), 질소(N), 인(P)이다.
바로알기 ① 핵산은 핵뿐만 아니라 세포질에도 있다.
③ 핵산을 구성하는 당과 염기의 비율은 1 : 1이다.
④ 생명체를 구성하는 탄소 화합물 중 양이 가장 많은 것은 단백질이다.
⑤ 핵산의 종류에는 DNA와 RNA가 있다. DNA를 구성하는 단위체의 당은 디옥시리보스이며, RNA를 구성하는 단위체의 당은 리보스이다. 또 타이민(T)은 DNA에만 있고, 유라실(U)은 RNA에만 있다. 따라서 핵산의 종류에 따라 구성하는 단위체의 종류가 다르다.

13 ㄱ. ㉠은 당(디옥시리보스)이다. 당은 탄수화물의 일종으로 탄소(C), 수소(H), 산소(O)로 구성된다.
ㄴ. ㉡은 염기이다. DNA의 단위체를 구성하는 염기에는 아데닌(A), 구아닌(G), 사이토신(C), 타이민(T)의 4종류가 있다.
ㄷ. DNA는 단위체인 뉴클레오타이드가 결합하여 형성된다. 뉴클레오타이드가 다양한 순서로 결합하여 다양한 염기 서열이 만들어지며 이러한 염기(㉡) 서열에 유전 정보가 저장된다.

14 꼼꼼 문제 분석

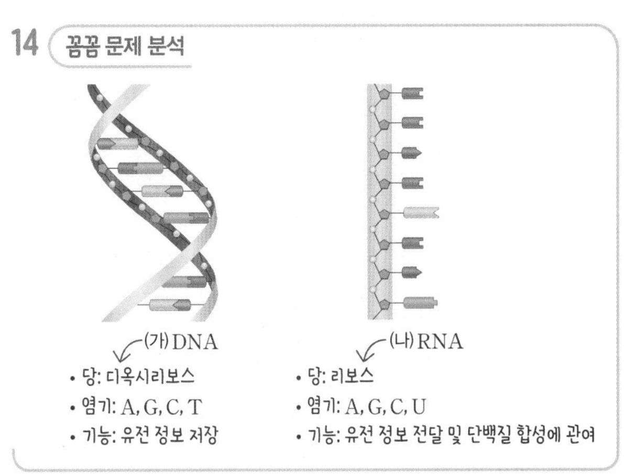

(가) DNA
• 당: 디옥시리보스
• 염기: A, G, C, T
• 기능: 유전 정보 저장
(나) RNA
• 당: 리보스
• 염기: A, G, C, U
• 기능: 유전 정보 전달 및 단백질 합성에 관여

① (가)는 두 가닥의 폴리뉴클레오타이드가 나선형으로 꼬여 있으므로 이중 나선 구조의 DNA이다. (나)는 단일 가닥의 폴리뉴클레오타이드로 되어 있으므로 RNA이다.
③ RNA(나)를 구성하는 염기에는 아데닌(A), 구아닌(G), 사이토신(C), 유라실(U)의 4종류가 있다.
④ DNA(가)는 유전 정보를 저장하고, RNA(나)는 유전 정보의 전달 및 단백질 합성에 관여한다.
⑤ DNA(가)와 RNA(나)의 단위체는 모두 뉴클레오타이드로, 인산, 당, 염기가 1 : 1 : 1로 결합되어 있다.
바로알기 ② DNA(가)를 구성하는 당은 디옥시리보스이다. 리보스는 RNA(나)를 구성하는 당이다.

15 이중 나선 DNA에서 상보적으로 결합하는 아데닌(A)과 타이민(T), 구아닌(G)과 사이토신(C)의 비율은 각각 같다. 따라서 전체 염기 중에서 구아닌(G)의 비율이 30 %라면 사이토신(C)의 비율도 30 %이다. 전체 염기 중 나머지 $100-(30+30)=40(\%)$는 아데닌(A)과 타이민(T)인데, 아데닌(A)과 타이민(T)의 비율이 같으므로 아데닌(A)과 타이민(T)의 비율은 각각 20 %이다.

16 (가)는 이중 나선 구조인 DNA이고, (나)는 다양한 종류의 단위체가 결합한 단백질이다. DNA는 인산, 당, 염기가 1 : 1 : 1로 결합한 뉴클레오타이드가 결합하여 형성되고, 단백질은 아미노산이 펩타이드 결합으로 연결되어 형성된다.

모범 답안 (가)의 단위체는 뉴클레오타이드이며 4종류가 있다. (나)의 단위체는 아미노산이며 20종류가 있다.

채점 기준	배점
(가)와 (나)의 단위체의 이름과 종류를 모두 옳게 서술한 경우	100 %
(가)의 단위체의 이름과 종류만 옳게 서술한 경우	50 %
(나)의 단위체의 이름과 종류만 옳게 서술한 경우	50 %

17 꼼꼼 문제 분석

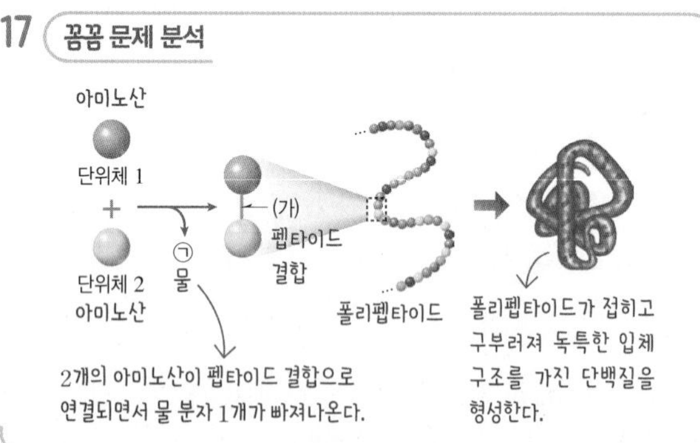

단백질은 단위체인 아미노산이 펩타이드 결합으로 연결되어 폴리펩타이드를 형성하고 이것이 구부러지고 접혀 입체적인 구조를 갖추게 됨으로써 특정 기능을 하게 된다. 몇 가지 블록으로 다양한 모양을 만들 수 있는 것처럼 20종류의 아미노산을 어떤 순서로 연결하는가에 따라 셀 수 없을 만큼 많은 종류의 단백질을 만들 수 있다.

모범 답안 (1) 물(H_2O)
(2) 펩타이드 결합, 119개
(3) 단백질은 단위체인 아미노산이 펩타이드 결합으로 연결되어 형성되는데, 아미노산의 종류와 수 및 배열 순서에 따라 단백질의 입체 구조가 달라져 다양한 종류의 단백질이 형성된다. 즉, 20종류의 아미노산이 다양한 순서로 결합하여 입체 구조가 다른 많은 종류의 단백질을 형성할 수 있다.

채점 기준		배점
(1)	물(H_2O)이라고 쓴 경우	20 %
(2)	(가)의 이름과 개수를 옳게 쓴 경우	30 %
	(가)의 이름과 개수 중 한 가지만 옳게 쓴 경우	15 %
(3)	단백질의 종류를 결정하는 요소를 단위체의 종류와 수, 배열 순서와 연결하여 옳게 서술한 경우	50 %
	단위체의 배열 순서에 대해서만 서술한 경우	40 %

18 DNA는 디옥시리보핵산, RNA는 리보핵산이라고 한다. DNA를 구성하는 당은 디옥시리보스이고, RNA를 구성하는 당은 리보스이다.

모범 답안 • 당: DNA를 구성하는 당은 디옥시리보스이고, RNA를 구성하는 당은 리보스이다.
• 염기: DNA를 구성하는 염기는 A, G, C, T이고, RNA를 구성하는 염기는 A, G, C, U이다.
• 기능: DNA는 유전 정보를 저장하고, RNA는 유전 정보의 전달 및 단백질 합성에 관여한다.

채점 기준	배점
당, 염기, 기능과 관련지어 DNA와 RNA의 차이점 세 가지를 모두 옳게 서술한 경우	100 %
DNA와 RNA의 차이점을 두 가지만 옳게 서술한 경우	70 %
DNA와 RNA의 차이점을 한 가지만 옳게 서술한 경우	30 %

19 DNA는 뉴클레오타이드가 결합하여 형성되며, 생물의 형질을 결정하는 유전 정보를 저장하고 있다. 유전 정보는 DNA의 염기 서열에 저장되는데, DNA의 염기 서열이 다르면 저장되는 유전 정보도 다르다.

모범 답안 염기가 다른 4종류의 단위체가 다양한 순서로 결합하여 다양한 염기 서열을 가진 DNA가 만들어지고, DNA의 다양한 염기 서열에 다양한 유전 정보가 저장된다.

채점 기준	배점
다양한 염기 서열이 형성되어 다양한 유전 정보를 저장한다고 서술한 경우	100 %
다양한 염기 서열이 형성된다고만 서술한 경우	70 %

01 ④ 02 ① 03 ③ 04 ③

01 꼼꼼 문제 분석

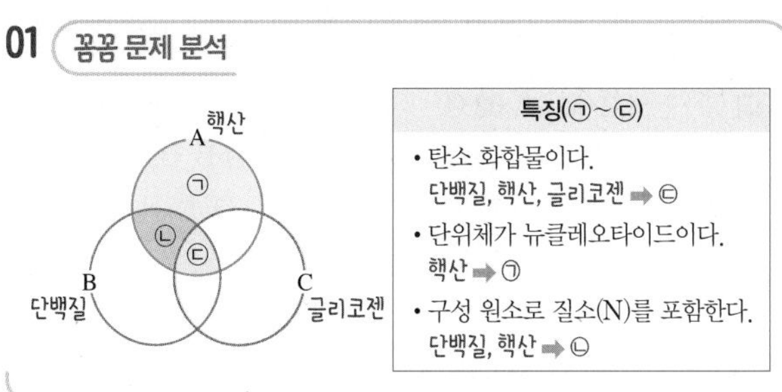

A 핵산
B 단백질
C 글리코젠
㉠
㉡
㉢
특징(㉠~㉢)
• 탄소 화합물이다.
단백질, 핵산, 글리코젠 ➡ ㉢
• 단위체가 뉴클레오타이드이다.
핵산 ➡ ㉠
• 구성 원소로 질소(N)를 포함한다.
단백질, 핵산 ➡ ㉡

ㄴ. B는 단백질이다. 헤모글로빈은 적혈구에 들어 있는 단백질의 일종으로, 4개의 폴리펩타이드로 구성되어 있으며 산소를 운반하는 기능을 한다.

ㄷ. C는 글리코젠으로 탄수화물의 일종이며, 글리코젠은 동물 세포의 에너지 저장 물질로 에너지원으로 사용된다.

바로알기 ㄱ. A는 핵산이며, 단위체인 뉴클레오타이드의 배열 순서에 따라 염기 서열이 달라져 다양한 유전 정보가 저장될 수 있다. 핵산인 DNA는 단위체의 배열 순서에 관계없이 이중 나선 구조를 나타내며, 단백질은 단위체의 배열 순서에 따라 입체 구조가 달라진다.

02 꼼꼼 문제 분석

단백질과 RNA의 공통적인 특징이면서 녹말에는 해당하지 않는 특징이다. 따라서 '구성 원소로 질소(N)를 포함하는가?' 등이 될 수 있다.

녹말, RNA, 단백질
(가) — 예 / 아니요 → 녹말
단위체는 아미노산인가? — 예 → A 단백질 / 아니요 → B RNA

A는 아미노산으로 구성된 단백질, B는 뉴클레오타이드로 구성된 RNA이며, 녹말은 포도당으로 구성되어 있다. ➡ 단백질, RNA, 녹말 모두 단위체로 구성되어 있다.

ㄴ. 단백질(A)은 20종류의 단위체(아미노산)로, RNA(B)는 4종류의 단위체(뉴클레오타이드)로 구성된다.

바로알기 ㄱ. 녹말도 단위체(포도당)로 구성되어 있으므로 녹말을 RNA, 단백질과 구분하는 기준 (가)로 '단위체로 구성되어 있는가?'는 적합하지 않다.

ㄷ. RNA(B)는 아데닌(A), 구아닌(G), 사이토신(C), 유라실(U)이 포함된 뉴클레오타이드를 가진다. 타이민(T)이 포함된 뉴클레오타이드는 DNA에만 있다.

03 꼼꼼 문제 분석

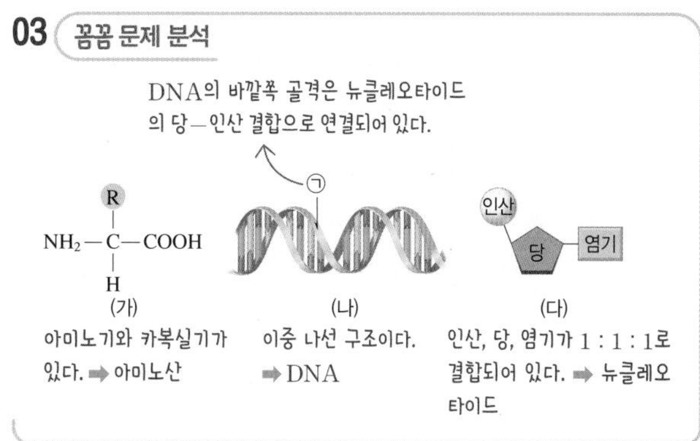

ㄱ. 효소의 주성분은 단백질이고, (가)는 단백질의 단위체인 아미노산이다.

ㄴ. (나)는 DNA이며, DNA 이중 나선을 이루는 바깥쪽 골격은 한 뉴클레오타이드의 인산과 다른 뉴클레오타이드의 당이 공유 결합하여 형성된다.

바로알기 ㄷ. DNA(나)는 뉴클레오타이드(다)의 결합으로 이루어지므로, 당과 인산의 비율은 DNA(나)와 뉴클레오타이드(다)에서 모두 1 : 1이다.

04 꼼꼼 문제 분석

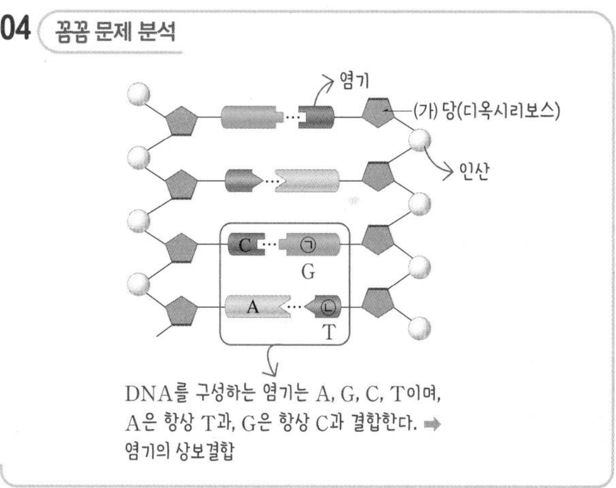

물질 X는 세포의 핵 속에 있고, 인산, 당, 염기가 1 : 1 : 1로 결합된 뉴클레오타이드로 이루어져 있으며, 두 가닥의 폴리뉴클레오타이드로 구성되어 있으므로 DNA이다.

ㄱ. DNA를 구성하는 당 (가)는 디옥시리보스이다.

ㄴ. C(사이토신)과 결합하는 ㉠은 G(구아닌)이고, A(아데닌)과 결합하는 ㉡은 T(타이민)이다. 이때 염기 사이의 결합은 수소 결합이다.

바로알기 ㄷ. 이중 나선 DNA에서 ㉠(G)의 비율이 35 %이면 ㉠(G)과 상보적으로 결합하는 C의 비율도 35 %이다. 나머지 ㉡(T)과 A을 합한 비율은 100−(35+35)=30 %인데, ㉡(T)과 A은 상보적으로 결합하므로 ㉡(T)과 A의 비율은 각각 15 %이다.

3 신소재의 개발과 이용

개념 확인 문제

92쪽

❶ 액정 ❷ 다이오드 ❸ p형 반도체 ❹ n형 반도체
❺ 초전도 ❻ 네오디뮴 자석 ❼ 그래핀 ❽ 생체 모방

1 (1) ○ (2) ○ (3) × 2 ㄴ, ㄷ 3 (1) ○ (2) × (3) ○
4 ㉠ 양공, ㉡ 전자 5 ㉠ 0, ㉡ 초전도체 6 ㄱ, ㄴ, ㄹ
7 ㄱ, ㄴ

1 (1) 절연체는 전기 저항이 매우 커서 전류가 거의 흐르지 않는 물질이다.
(2) 반도체는 온도, 압력 등 조건에 따라 전기 저항이 변하므로 다양한 분야에서 이용되고 있다.
(3) 전류의 흐름을 차단해야 하는 곳에는 절연체를 사용해야 한다. 도체는 전류가 흘러야 하는 곳에 사용한다.

2 액정은 가늘고 긴 분자가 규칙적인 배열을 하고 있어, 고체 결정의 성질을 가지면서도 액체처럼 흐르는 성질이 있는 물질로, 영상 정보 표시 장치에 주로 쓰인다.

3 (1) 발광 다이오드(LED)는 전류가 흐르면 빛을 방출하는 성질이 있어 조명 장치에 이용된다.
(2) 다이오드는 교류를 직류로 바꾸는 데 사용된다.
(3) 반도체는 조건에 따라 전기 저항이 변하는 성질이 있어 압력 감지기, 화재 감지기 등 여러 가지 감지기에 이용된다.

4 고유(순수) 반도체인 규소(Si)나 저마늄(Ge)에 원자가 전자가 3개인 원소를 도핑하면 p형 반도체가 되고, 원자가 전자가 5개인 원소를 도핑하면 n형 반도체가 된다. p형 반도체는 양공이, n형 반도체는 전자가 전하 나르개 역할을 하여 순수 반도체보다 전기 전도성이 좋다.

5 초전도 현상은 임계 온도 이하에서 전기 저항이 0이 되는 현상이다. 초전도 현상을 나타내는 물질을 초전도체라고 한다. 초전도체는 임계 온도 이하에서 자석 위에 떠 있을 수 있다.

6 ㄱ, ㄴ, ㄹ. 임계 온도 이하에서 전기 저항이 0이 되는 초전도체는 강한 자기장을 만들 수 있어 자기 공명 영상 장치(MRI), 인공 핵융합 장치 등에 이용되고, 전류가 흘러도 열이 발생하지 않아 슈퍼컴퓨터의 회로에 이용된다.
ㄷ. 네오디뮴 자석은 철 원자 사이에 네오디뮴과 붕소를 첨가하여 철 원자의 자기장 방향이 흐트러지지 않도록 만든 강한 자석으로 초전도체의 이용 분야가 아니다.

7 그래핀과 탄소 나노 튜브는 열을 잘 전달하고 전기 전도성이 좋은 특징이 있지만, 대량 생산이 어렵고 생산 비용이 많이 드는 등의 단점이 있다.

내신 만점 문제

93~96쪽

01 ②	02 ③	03 ④	04 ⑤	05 ④	06 ③
07 ③	08 ⑤	09 ④	10 ③	11 B, D	12 ⑤
13 ⑤	14 ③	15 ⑤	16 ③	17 ⑤	18 ④
19 해설 참조	20 해설 참조	21 해설 참조			

01 도체인 구리는 전류가 흐르는 전선에 이용되고, 절연체인 고무는 전류가 흐르지 않아야 할 전선 피복에 이용된다. 규소는 반도체의 원료로 이용되며, 다이오드는 반도체를 이용해 만든 전기 소자이다.

02 ㄱ. 액정에 전압을 가하면 액정 분자가 일정한 방향으로 나란하게 정렬되고, 전압을 가하지 않으면 분자의 배열이 꼬인다.
ㄴ. 액정은 고체와 액체의 성질을 함께 가지는 물질이다.
바로알기 ㄷ. 액정을 이용한 영상 표시 장치(LCD)는 스스로 빛을 내지 못하므로 여러 개의 형광등이나 LED를 광원으로 사용한다. LCD는 별도의 배경 광원이 있을 때, 액정에 전압을 가하지 않으면 빛이 통과하고, 전압을 가하면 빛이 차단되는 성질을 이용하여 화면을 표시하는 장치이다.

03 ㄱ. 발광 다이오드(LED)는 각종 영상 표시 장치, 조명 장치 등에 이용된다.
ㄷ. 발광 다이오드(LED)는 전류가 흐를 때 빛을 방출하는 전기 소자로 결합하는 원소의 종류에 따라 방출하는 빛의 색이 다르다. 갈륨(Ga) - 비소(As) - 인(P)을 결합하면 빨간색 LED를 만들 수 있고, 갈륨(Ga) - 인(P)을 결합하여 초록색 LED를, 갈륨(Ga) - 질소(N)를 결합하여 파란색 LED를 만들 수 있다.
바로알기 ㄴ. 약한 전류 신호를 크게 하는 증폭 작용을 하는 반도체 소자는 트랜지스터이다.

04 ㄱ. (가)의 유기 발광 다이오드(OLED)는 전류가 흐를 때 빛을 방출하는 유기물의 얇은 필름으로 만든 다이오드로, 휘어지는 디스플레이에 이용된다.
ㄴ. (나)는 원자가 전자가 3개인 원소를 도핑한 p형 반도체와 원자가 전자가 5개인 원소를 도핑한 n형 반도체를 결합하여 만든 반도체 소자로, p-n 접합 다이오드이다. 다이오드는 한쪽 방향으로만 전류가 흐르는 특성이 있어 교류를 직류로 바꾸는 정류 작용에 이용된다.
ㄷ. (다)의 트랜지스터는 증폭 작용이나 스위치 작용을 하는 반도체 소자로 전자 장치의 성능 향상과 소형화에 이용된다.

05 꼼꼼 문제 분석

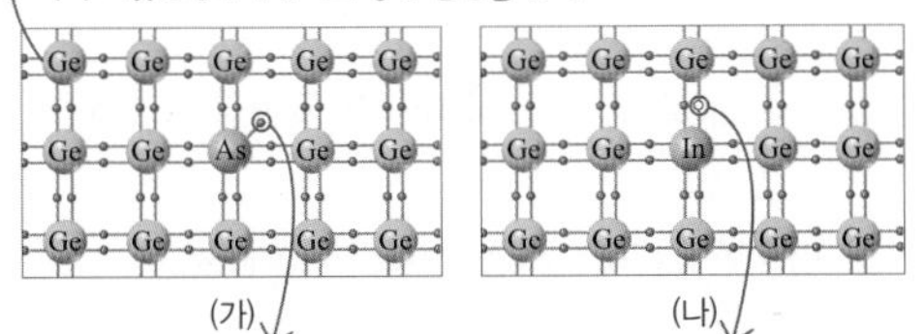
저마늄(Ge)은 원자가 전자가 4개인 원소이다. 순수한 저마늄 결정은 각각 이웃한 4개의 전자와 공유 결합을 한다.
(가)
(나)

비소(As)가 도핑된 곳에 공유 결합에 참여하지 않은 전자 1개가 있다. ➡ 공유 결합에 참여하지 않은 전자가 쉽게 자유 전자가 될 수 있어 전기 전도성이 좋다.(n형 반도체)

인듐(In)이 도핑된 곳에 공유 결합할 전자 1개가 부족해 양공이 있다. ➡ 양공이 전하 나르개 역할을 하여 전기 전도성이 좋다.(p형 반도체)

ㄱ. 비소(As)는 15족 원소로 원자가 전자가 5개인 원소이다. (가)에서 비소(As)는 4개의 전자가 공유 결합에 참여하고 1개의 전자가 남는다.

ㄷ. (가)와 (나)를 접합하여 만든 p−n 접합 다이오드는 전류를 한쪽 방향으로만 흐르게 하는 정류 작용을 한다.

바로알기 ㄴ. (나)는 원자가 전자가 3개인 인듐(In)을 도핑한 p형 반도체로, 양공이 전하 나르개 역할을 한다.

06 ㄱ, ㄴ. p−n 접합 다이오드는 한쪽 방향으로만 전류가 흐르는 특성이 있어 교류를 직류로 바꾸는 정류 작용에 이용된다.

바로알기 ㄷ. p형 반도체를 전원의 (−)극에, n형 반도체를 전원의 (+)극에 연결하여 역방향 전압을 걸면 다이오드에 전류가 흐르지 않는다. p형 반도체를 전원의 (+)극에, n형 반도체를 전원의 (−)극에 연결하는 순방향 전압을 걸어야 다이오드에 전류가 흐른다.

07 ① 철, 니켈, 코발트는 자석에 잘 달라붙으며, 강한 자기장 속에 놓아두면 외부 자기장을 제거해도 오랫동안 자석의 성질을 유지하므로 자석이 될 수 있는 물질이다.

② 철, 구리, 알루미늄 등과 같이 전기 저항이 작아 전류가 잘 흐르는 물질은 도체이다. 도체는 전류가 흘러야 하는 전선 등에 이용된다.

바로알기 ③ 임계 온도 이하에서 초전도 현상이 나타나는 물질을 초전도체라고 한다. 모든 물질이 초전도체인 것은 아니다.

08 꼼꼼 문제 분석

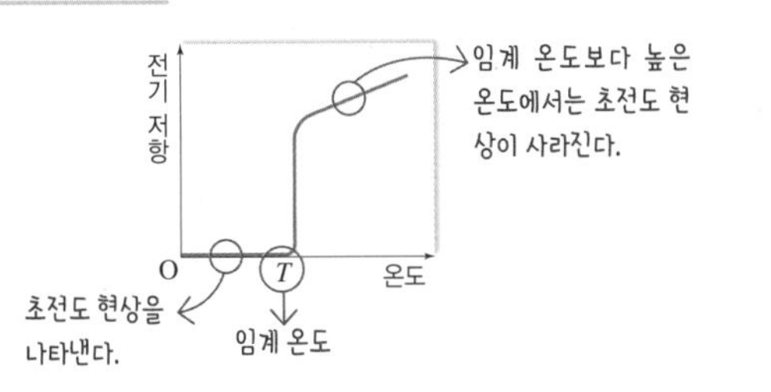
전기 저항
임계 온도보다 높은 온도에서는 초전도 현상이 사라진다.
O
T
온도
초전도 현상을 나타낸다.
임계 온도

물질의 온도에 따른 전기 저항을 나타내는 그래프에서 T 이하의 온도에서 전기 저항이 0이 되는 것으로 보아 이 물질은 초전도체이다.

ㄱ. 초전도체는 T 이하의 온도에서 전기 저항이 0이 되는 초전도 현상이 나타난다.

ㄴ, ㄷ. 초전도체는 T 이하의 온도에서 전기 저항이 0이 되므로 전류가 흐르더라도 열이 발생하지 않는다. 따라서 초전도체를 이용하면 전력 손실 없이 강한 전류를 흐르게 하여 매우 강한 자기장을 만들 수 있다.

09 꼼꼼 문제 분석

자석이 초전도체 위에 떠 있는 현상을 마이스너 효과라고 한다.
➡ 초전도체의 온도가 임계 온도 이하이다.

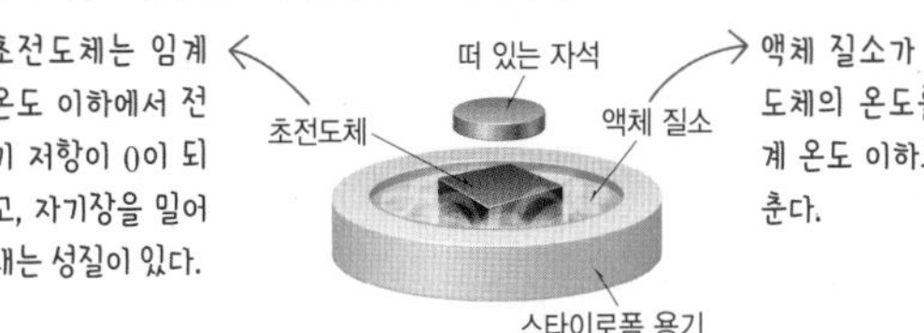
초전도체는 임계 온도 이하에서 전기 저항이 0이 되고, 자기장을 밀어내는 성질이 있다.
떠 있는 자석
초전도체
액체 질소
액체 질소가 초전도체의 온도를 임계 온도 이하로 낮춘다.
스타이로폼 용기

ㄱ. 초전도 상태일 때 초전도체 위에 자석을 놓으면 초전도체가 자석이 만드는 자기장을 밀어내어 자석이 초전도체 위에 떠 있게 되는데, 이러한 현상을 마이스너 효과라고 한다.

ㄴ. 초전도체가 자석이 만드는 자기장을 밀어내는 현상은 자기 부상 열차에 이용된다.

바로알기 ㄷ. 초전도체는 임계 온도 이하에서 전기 저항이 0이 된다.

10 꼼꼼 문제 분석

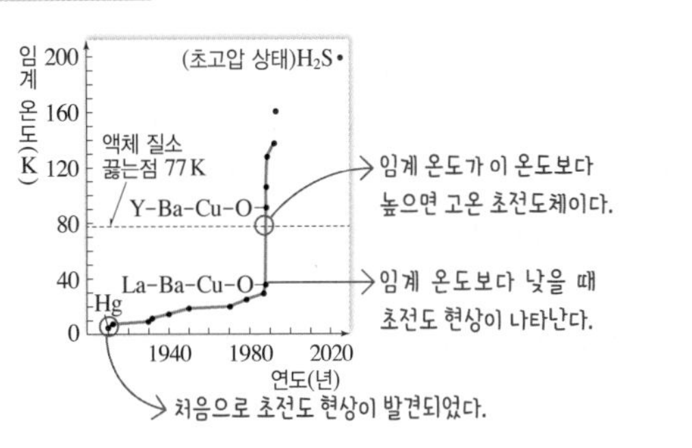
임계 온도(K)
200
160
120
80
40
0
(초고압 상태)H₂S
액체 질소 끓는점 77 K
Y-Ba-Cu-O
La-Ba-Cu-O
Hg
1940
1980
2020
연도(년)
임계 온도가 이 온도보다 높으면 고온 초전도체이다.
임계 온도보다 낮을 때 초전도 현상이 나타난다.
처음으로 초전도 현상이 발견되었다.

ㄱ. 1911년 오너스가 극저온에서 금속의 전기 저항을 측정하는 실험을 하던 중 약 4 K에서 수은(Hg)의 전기 저항이 0이 되는 현상, 즉 초전도 현상을 처음 발견하였다.

ㄴ. Y−Ba−Cu−O 화합물은 임계 온도가 액체 질소의 끓는점인 77 K보다 높으므로 고온 초전도체에 해당한다.

바로알기 ㄷ. La−Ba−Cu−O 화합물은 임계 온도가 77 K보다 낮다. 따라서 77 K의 액체 질소 속에서 초전도 현상을 나타내지 않는다.

11 꼼꼼 문제 분석

초전도체는 임계 온도 이하에서 초전도 현상을 나타낸다. 액체 질소의 온도인 77 K보다 임계 온도가 높은 물질만 초전도 현상을 나타낼 수 있다.

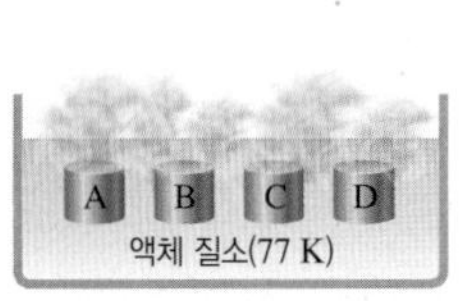

물질	임계 온도
A	50 K
B	90 K
C	60 K
D	100 K

임계 온도가 77 K보다 높은 물질은 B, D이다.

초전도체는 임계 온도 이하에서 초전도 현상을 나타내고 초전도 상태인 물질은 마이스너 효과를 나타낸다. 따라서 마이스너 효과를 나타낼 수 있는 물질은 임계 온도가 액체 질소의 온도 77 K보다 높은 B와 D이다.

12 철 원자 사이에 네오디뮴과 붕소를 첨가하여 철 원자의 자기장 방향이 흐트러지지 않도록 만든 신소재는 네오디뮴 자석이다. 네오디뮴 자석은 매우 강력한 자석으로, 하드 디스크의 헤드를 움직이는 장치, 고출력 소형 스피커, 강력 모터 등에 이용된다.

13 ㄱ. 나노(nano)는 10^{-9}을 의미하는 접두어이며, 1 nm는 10^{-9} m이다.
ㄴ. 나노 기술은 나노미터 수준의 매우 작은 크기의 물질을 합성, 조립, 제어하여 특유의 기능을 갖도록 구조를 만들고 이를 응용하는 기술을 말한다.
ㄷ. 그래핀과 탄소 나노 튜브는 탄소 원자의 결합 구조를 변화시키는 나노 기술을 이용하여 만든 신소재이다.

14 ㄱ. 그래핀은 열을 잘 전달하고 전기 전도성이 좋으며, 투명하다. 또 강도가 매우 높고 잘 휘어진다.
ㄷ. 그래핀은 휘어지는 디스플레이, 의복형 컴퓨터, 야간 투시용 콘택트렌즈, 차세대 반도체 소재, 초경량 고강도 소재, 해수를 담수로 바꾸는 필터, 에너지 전극 소재 등에 이용된다.
바로알기 ㄴ. 그래핀은 대량 생산이 어렵고 생산 비용이 많이 들며 제품의 수송과 저장이 어렵다.

15 꼼꼼 문제 분석

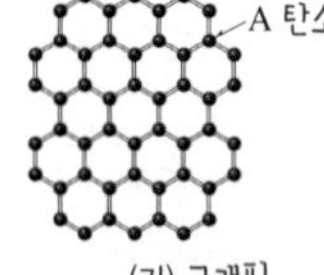

(가) 그래핀

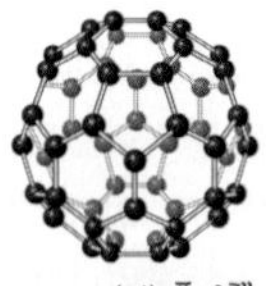
(나) 풀러렌

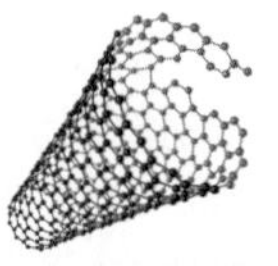
(다) 탄소 나노 튜브

그래핀, 풀러렌, 탄소 나노 튜브는 모두 탄소로 이루어진 탄소 동소체이다.

ㄱ. 그래핀(가)에서 공유 결합을 이루고 있는 A는 탄소이다.
ㄴ. (가)는 그래핀, (나)는 풀러렌, (다)는 탄소 나노 튜브이다.
ㄷ. 탄소 나노 튜브(다)는 첨단 현미경의 탐침, 나노 핀셋, 금속이나 세라믹과 섞어 강도를 높인 복합 재료 등에 이용된다.

16 ③ 갈고리 구조를 가진 도꼬마리 열매를 모방하여 벨크로 테이프를 만들었다.
바로알기 ① 미세한 돌기와 기름 성분이 있어 물방울이 흘러내리는 연잎의 표면을 모방하여 방수 코팅제를 개발하였다.
② 상어의 피부에 있는 특수한 모양의 비늘들이 물과의 저항력을 줄이는 것을 모방하여 전신 수영복을 만들었다.
④ 색소가 없이 빛의 간섭에 의해 색을 내는 모르포 나비 날개를 모방하여 모르포텍스 섬유를 만들었다.
⑤ 박쥐가 초음파를 이용하여 장애물을 감지하는 것을 모방하여 초음파를 이용해 장애물을 피해가는 로봇 청소기를 개발하였다.

17 ㄱ. 도마뱀붙이 발바닥(가)에 나 있는 미세 섬모를 모방하여 붙였다 떼어내기를 반복할 수 있는 게코 테이프를 개발하였다.
ㄴ. 홍합의 족사(나)를 모방하여 물속에서도 사용할 수 있는 수중 접착제를 개발하였다.
ㄷ. 도마뱀붙이의 발바닥(가)과 홍합의 족사(나)의 구조를 모방하여 물속에서도 붙였다 떼어내기를 반복할 수 있는 접착테이프를 개발할 수 있었다.

18 그래핀이 나선형으로 말려 있는 구조를 이루고 있는 물질 (가)는 탄소 나노 튜브이다. 모양을 변형해도 가열하면 원래 모양으로 되돌아오는 성질이 있어 휘어져도 복원되는 안경테, 치아 교정용 보철기 등에 이용되는 (나)는 형상 기억 합금이다. 임계 온도 이하에서 전기 저항이 0이 되어 전류가 흐르더라도 열이 발생하지 않아 전력 손실이 없는 (다)는 초전도체이다.

19 모범 답안 초전도체는 (가)와 같이 임계 온도 이하에서 전기 저항이 0이 되는 특성이 있다. 임계 온도 이하에서 초전도체는 외부 자기장을 밀어내는 특성이 있어 (나)와 같이 마이스너 효과가 나타난다.

채점 기준	배점
초전도체의 전기적 특성과 자기적 특성을 모두 옳게 서술한 경우	100 %
두 가지 특성 중 한 가지만 옳게 서술한 경우	50 %

20 모범 답안 (1) 그래핀
(2) 탄소
(3) 열을 잘 전달한다. 강도가 매우 높다. 잘 휘어진다. 투명하다. 등

	채점 기준	배점
(1)	그래핀이라고 옳게 쓴 경우	20 %
(2)	탄소라고 옳게 쓴 경우	20 %
(3)	장점을 두 가지 모두 옳게 서술한 경우	60 %
	장점을 한 가지만 옳게 서술한 경우	30 %

21 모범 답안

생물	특성	신소재
홍합	접착 단백질을 분비하여 젖은 표면에 잘 붙어 있다.	수중 접착제
연잎	표면에 미세한 돌기와 기름 성분이 있어 물방울이 흘러내린다.	방수 코팅제
도꼬마리 열매	갈고리 구조를 가지고 있어 옷이나 동물의 털에 잘 달라붙는다.	벨크로 테이프

채점 기준	배점
생물, 특성, 신소재를 모두 옳게 서술한 경우	100 %
세 가지 중 두 가지만 옳게 서술한 경우	60 %
세 가지 중 한 가지만 옳게 서술한 경우	30 %

실력 UP 문제

97쪽

01 ② 02 ④ 03 ③ 04 ③

01 꼼꼼 문제 분석

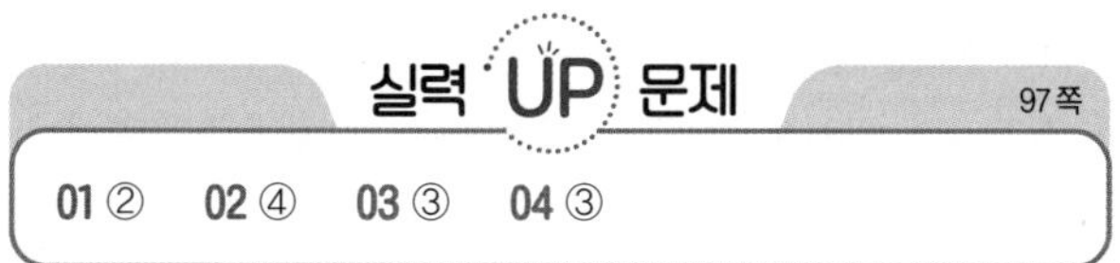

다이오드는 순방향 전압이 걸릴 때 전류가 흐르고, 역방향 전압이 걸릴 때 전류가 흐르지 않는다. ➡ p형 반도체에 전원의 (+)극을, n형 반도체에 전원의 (−)극을 연결하는 경우가 순방향 전압이다.

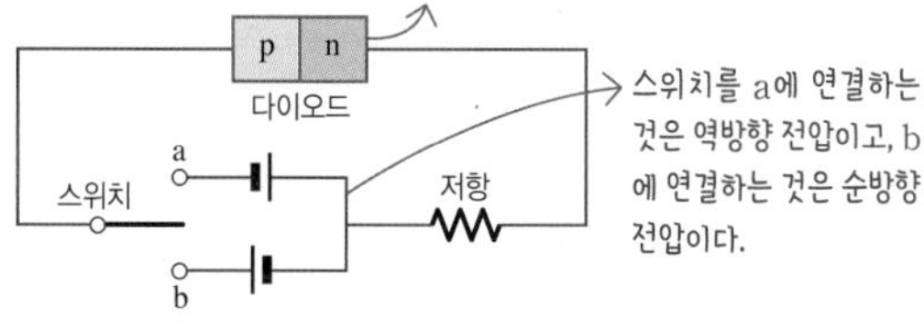

ㄷ. 다이오드의 p형 반도체는 원자가 전자가 4개인 규소(Si)에 원자가 전자가 3개인 갈륨(Ga)을 도핑하여 만들 수 있다.

바로알기 ㄱ. 스위치를 a에 연결하면 역방향 전압이 걸리므로 저항에 전류가 흐르지 않는다.

ㄴ. 스위치를 b에 연결하면 다이오드에 순방향 전압이 걸린다.

02 꼼꼼 문제 분석

액정 디스플레이(LCD)는 편광축이 수직인 두 편광판 사이에 액정을 채워 넣은 구조이다. 전압을 가하지 않을 때 위쪽 편광판을 통과한 빛이 액정을 통과하면서 진동 방향이 뒤틀려 아래쪽 편광판을 통과할 수 있다.

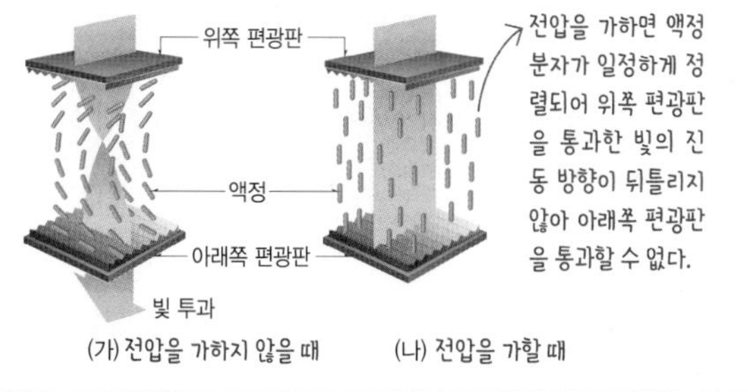

ㄱ. 빛이 액정 디스플레이(LCD)를 투과하는 경우는 전압을 가하지 않을 때이고, 빛이 투과하지 않는 경우는 전압을 가할 때이다. (가)에서 빛이 LCD를 투과하므로 (가)는 액정에 전압을 가하지 않은 상황이다.

ㄷ. LCD는 액정에 가하는 전압의 세기를 변화시켜 빛의 투과량을 조절하는 원리를 이용해 영상을 표시한다.

바로알기 ㄴ. 두 편광판의 편광축이 수직이므로 위쪽 편광판을 통과한 빛의 진동 방향이 편광판 사이에서 뒤틀리면 아래쪽 편광판을 투과하고, 진동 방향이 뒤틀리지 않으면 아래쪽 편광판을 투과하지 못한다. (나)에서 빛이 아래쪽 편광판을 투과하지 못하는 것으로 보아, (나)에서는 편광판 사이에서 빛의 진동 방향이 뒤틀리지 않는다.

03 꼼꼼 문제 분석

초전도체	반도체	
ㄱ. (그래프)	ㄴ. (그래프)	ㄷ. (그래프)
임계 온도 이하에서 전기 저항이 0이다.	온도가 높아지면 전기 저항이 감소한다.	

반도체는 온도가 높아지면 전기 저항이 감소하는 성질이 있으므로 반도체의 온도에 따른 전기 저항 변화 그래프는 ㄴ이다. 초전도체는 임계 온도 이하에서 전기 저항이 0이 되므로 초전도체의 온도에 따른 전기 저항 변화 그래프는 ㄱ이다.

04 꼼꼼 문제 분석

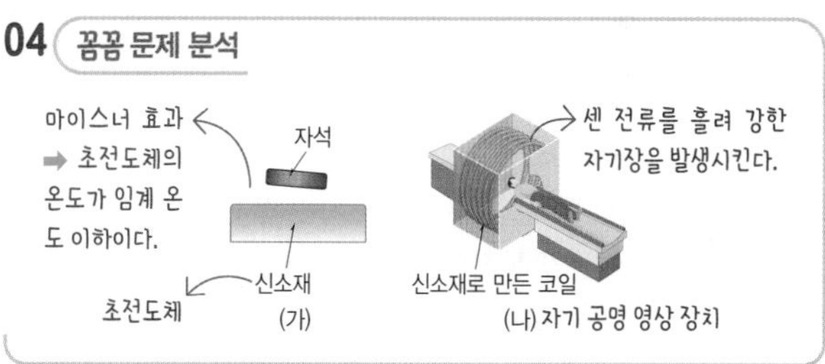

(가)에서 마이스너 효과가 나타나는 것으로 보아, 이 신소재는 초전도체이다. 초전도체는 임계 온도 이하에서 전기 저항이 0이 되는 초전도 현상이 나타나며, 자기장을 밀어내는 성질이 있다. (나)는 초전도체로 만든 전자석에 센 전류를 흘려 만든 강한 자기장으로 인체 내부의 영상을 얻는 장치인 자기 공명 영상 장치(MRI)이다.

ㄱ. 초전도체는 임계 온도 이하에서 초전도 현상을 나타낸다.

ㄷ. (나)에서 코일의 온도가 임계 온도보다 낮을 때 코일은 초전도 현상을 나타내므로 전기 저항이 0이다. 따라서 코일에 전류가 흘러도 열이 발생하지 않는다.

바로알기 ㄴ. (가)에서 신소재 위에 자석이 떠 있으므로 신소재는 초전도 상태이다. 따라서 신소재의 온도는 임계 온도 이하이다.

중단원 핵심 정리 98~99쪽

❶ 산소 ❷ 산소 ❸ 철 ❹ 규산염 사면체 ❺ 탄소 화합물 ❻ 단백질 ❼ 핵산 ❽ 포도당 ❾ 20 ❿ 펩타이드 ⓫ 폴리펩타이드 ⓬ 입체 구조 ⓭ 배열 순서 ⓮ 1 : 1 : 1 ⓯ 인산 ⓰ 디옥시리보스 ⓱ T ⓲ U ⓳ 이중 나선 ⓴ 타이민(T) ㉑ 사이토신(C) ㉒ 상보 ㉓ LCD ㉔ 발광 다이오드 ㉕ 태양 전지 ㉖ 임계 온도 ㉗ 탄소 ㉘ 생체 모방 ㉙ 홍합

중단원 마무리 문제 100~104쪽

01 ④ **02** ④ **03** 해설 참조 **04** ② **05** 해설 참조 **06** ③ **07** ④ **08** ① **09** ⑤ **10** 해설 참조 **11** ② **12** ③ **13** ④ **14** 해설 참조 **15** ④ **16** ③ **17** ② **18** ④ **19** ㉠ 27, ㉡ 27, ㉢ 23 **20** ㉠ 디옥시리보스, ㉡ A, G, C, U, ㉢ 유전 정보 저장 **21** 해설 참조 **22** ④ **23** ② **24** ② **25** 해설 참조 **26** ④ **27** ③

01 A, B: 지각을 구성하는 원소는 산소>규소>알루미늄>철 등의 순으로 많으므로, A는 산소이고, B는 규소이다.
C: 대기를 구성하는 원소는 질소>산소>아르곤 등의 순으로 많으므로, C는 질소이다.
D: 해양을 구성하는 원소는 산소>수소>염소 등의 순으로 많으므로, D는 산소이다.
ㄱ. 생명체를 구성하는 원소를 질량비가 큰 것부터 나열하면, 산소>탄소>수소 등이다. 따라서 산소(A)는 생명체에서도 가장 많은 양을 차지한다.
ㄴ. 산소(A)와 규소(B)가 결합하여 형성된 규산염 광물이 지각을 이루는 광물의 대부분(약 92 %)을 차지한다.
ㄹ. 지각과 해양에는 공통적으로 산소(A, D)가 가장 많다.
바로알기 ㄷ. 산소(A, D), 규소(B), 질소(C)는 모두 철보다 가벼운 원소이므로 별 내부의 핵융합 반응으로 생성되었다. 빅뱅 우주 탄생 초기에 생성된 원소는 수소, 헬륨이다.

02 꼼꼼 문제 분석

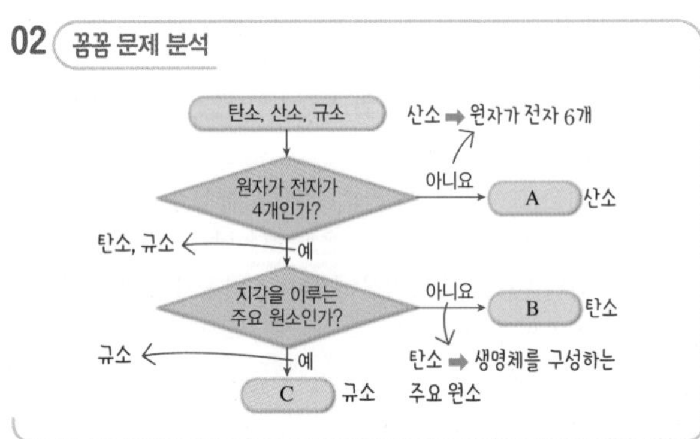

A: 탄소와 규소는 원자가 전자가 4개이고, 산소는 원자가 전자가 6개이므로 A는 산소이다.
B, C: C는 지각을 이루는 주요 원소이므로 규소이고, B는 생명체를 구성하는 주요 원소인 탄소이다.
ㄱ. 사람을 이루는 원소 중 가장 많은 것은 산소(A)이다.
ㄴ. 탄소(B)는 다른 탄소와 결합하여 사슬 모양, 가지 모양, 고리 모양 등 다양한 기본 골격을 형성할 수 있다.
ㄷ. 탄소(B)와 규소(C)는 모두 원자가 전자가 4개이므로 주기율표에서 14족 원소이다.
바로알기 ㄹ. 1개의 규소(C) 원자 주위에 4개의 산소(A) 원자가 결합된 규산염 사면체는 −4의 음전하를 띤다.

03 지각은 암석으로, 암석은 광물로 이루어져 있으며, 규산염 광물이 광물의 대부분을 차지한다. 규산염 광물은 1개의 규소와 4개의 산소로 이루어진 규산염 사면체를 기본 구조로 하여 형성된 광물이다. 따라서 지각에는 산소와 규소가 많은 비율을 차지한다.

모범 답안 지각을 구성하는 암석은 대부분 규산염 광물로 이루어져 있고, 규산염 광물을 구성하는 주요 원소는 산소와 규소이기 때문이다.

채점 기준	배점
지각을 이루는 광물의 대부분이 규산염 광물임을 제시하고, 산소와 규소가 많은 까닭을 옳게 서술한 경우	100 %
규산염 광물만 옳게 제시한 경우	60 %

04 규산염 사면체는 규소 1개를 중심으로 산소 4개가 결합한 구조이다. 따라서 A는 규소, B는 산소이다.
ㄴ. 규산염 사면체는 규소(A)와 산소(B)의 공유 결합으로 이루어진 구조이다.
바로알기 ㄱ. 규소(A)는 14족 원소이므로 원자가 전자가 4개이다. 따라서 최대 4개의 원자와 결합을 할 수 있다.
ㄷ. 규산염 사면체는 모든 규산염 광물의 기본 구조를 이룬다. 생명체의 기본 골격을 이루는 것은 탄소 화합물이다.

05 A는 전자가 6개이므로 양성자수가 6이고, 원자 번호가 6인 탄소이다. B는 전자가 14개이므로 양성자수가 14이고, 원자 번호가 14인 규소이다. 탄소와 규소는 주기율표의 14족 원소로, 원자가 전자가 4개이기 때문에 최대 4개의 원자와 결합을 할 수 있다.

모범 답안 (1) A: 탄소, B: 규소,
(2) 탄소(A)와 규소(B)는 원자가 전자가 4개이기 때문에 최대 4개의 원자와 공유 결합을 할 수 있다.

	채점 기준	배점
(1)	A와 B를 옳게 쓴 경우	50 %
(2)	A와 B에서 최대로 결합할 수 있는 공유 결합의 수를 원자가 전자 수와 관련지어 옳게 서술한 경우	50 %

06 • 힘을 주면 쪼개짐이 나타나는 광물은 휘석, 각섬석, 흑운모이다. 휘석과 각섬석은 2방향으로 쪼개지고, 흑운모는 얇은 판 모양(1방향)으로 쪼개진다.

• 규산염 사면체가 한 방향으로 길게 연결되어 단일 사슬 모양을 이루는 구조는 단사슬 구조이다. 단사슬 구조의 대표적인 광물로 휘석이 있다.

07 ㄴ. 석영은 규산염 사면체를 이루는 4개의 산소 원자 모두를 인접한 규산염 사면체와 공유하여 망상 구조를 이룬다. 흑운모는 규산염 사면체를 이루는 4개의 산소 원자 중 3개를 공유하여 판상 구조를 이룬다. 규산염 사면체 사이에 공유 결합이 복잡할수록 결합을 끊기 위한 에너지가 많이 필요하다. 따라서 사면체 사이에 공유 결합 수가 많은 석영이 흑운모보다 풍화 작용에 강하다.

ㄷ. 석영은 규산염 사면체가 4개의 산소 원자를 모두 다른 규산염 사면체와 공유하므로 산소와 규소만으로 이루어져 있다.

바로알기 ㄱ. 석영은 망상 구조이므로 모든 방향으로 결합력이 같아 깨짐이 발달하지만, 흑운모는 판상 구조이므로 결합력이 약한 면을 따라 쪼개짐이 발달한다.

08 꼼꼼 문제 분석

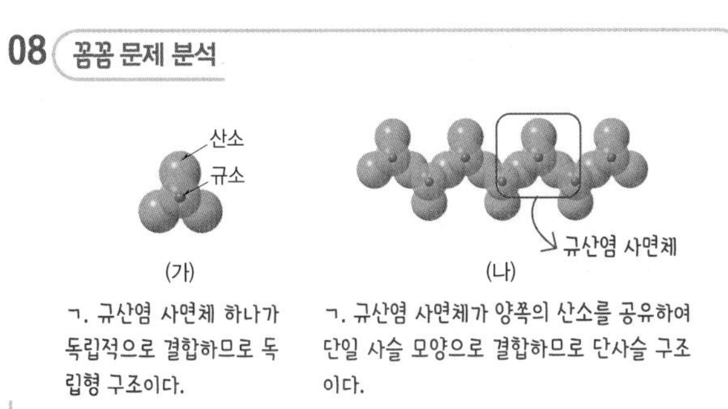

산소
규소
규산염 사면체
(가)
(나)
ㄱ. 규산염 사면체 하나가 독립적으로 결합하므로 독립형 구조이다.
ㄱ. 규산염 사면체가 양쪽의 산소를 공유하여 단일 사슬 모양으로 결합하므로 단사슬 구조이다.

바로알기 ㄴ. 휘석은 (나) 단사슬 구조로, 감람석은 (가) 독립형 구조로 결합된 광물이다.

ㄷ. 결합 구조가 복잡할수록 공유하는 산소의 수는 많다. 따라서 공유하는 산소의 수는 (나) 단사슬 구조가 (가) 독립형 구조보다 많다.

09 ㄱ, ㄴ. 탄소는 주기율표의 14족 원소이므로 원자가 전자가 4개이다. 따라서 1개의 탄소 원자에 최대 4개의 수소 원자가 공유 결합할 수 있다.

ㄷ. 탄소는 최대 4개의 원자와 결합이 가능하기 때문에 여러 종류의 원소와 결합하여 다양한 화합물을 만들 수 있다.

10 탄소는 다른 원자와도 결합이 가능하지만 탄소끼리도 다양한 형태로 결합이 가능하여 단일 결합, 2중 결합, 3중 결합을 할 수 있다. 따라서 탄소 화합물을 구성하는 주요 원소의 종류는 많지 않지만, 탄소 화합물의 종류는 매우 다양하다.

모범 답안 (가)는 2중 결합, (나)는 3중 결합이다. 탄소와 탄소 사이에는 단일 결합뿐만 아니라 2중 결합, 3중 결합 등의 다양한 결합 방식이 가능하므로 많은 종류의 탄소 화합물이 만들어질 수 있다.

채점 기준	배점
(가)와 (나)의 결합 방식을 모두 옳게 쓰고, 다양한 탄소 화합물이 만들어질 수 있는 까닭을 옳게 서술한 경우	100 %
(가)와 (나)의 결합 방식만 옳게 쓴 경우	60 %
(가)와 (나)의 결합 방식 중 한 가지만 옳게 쓴 경우	30 %

11 ㄷ. (가) 탄수화물, (나) 단백질, (다) 지질은 탄소를 기본 골격으로 여러 원소가 결합하여 만들어진 탄소 화합물이다.

바로알기 ㄱ. 탄소는 단일 결합뿐만 아니라 2중 결합, 3중 결합을 하여 복잡한 구조의 탄소 화합물을 만들 수 있다.

ㄴ. 탄소 화합물은 (가)~(다) 외에도 포도당, 핵산 등 종류가 다양하다.

12 사람을 구성하는 물질 중 가장 많은 양을 차지하는 A는 물이다. B는 탄소 화합물 중 가장 많은 양을 차지하는 단백질이며, C는 지질이다.

③ 단백질(B)은 효소와 항체의 주성분이다.

바로알기 ① 단백질(B)의 구성 원소는 탄소(C), 수소(H), 산소(O), 질소(N), 황(S)으로 탄소(C)가 있지만, 물(A)의 구성 원소는 수소(H)와 산소(O)로 탄소(C)가 없다.

② 물(A)은 비열이 커서 외부 온도 변화에 따라 체온이 쉽게 변하지 않으므로 체온 유지에 도움이 된다.

④ 유전 정보의 저장과 전달에 관여하는 물질은 핵산이다.

⑤ 생명체의 주요 에너지원으로 사용되는 물질은 탄수화물이다.

13 꼼꼼 문제 분석

구분	㉠	㉡	㉢
핵산A	×	○	○
탄수화물B	×	×	○
단백질 C	○	○	○

(○: 있음, ×: 없음)

(가)

특징(㉠~㉢)
• 단위체로 구성되어 있다. 핵산, 단백질, 탄수화물 ➡ ㉢
• 구성 원소로 질소(N)를 포함한다. 핵산, 단백질 ➡ ㉡
• 펩타이드 결합이 있다. 단백질 ➡ ㉠

(나)

ㄱ. ㉠~㉢ 중 두 가지 특징만 있는 A는 핵산이다. 핵산의 단위체는 뉴클레오타이드로 인산, 당, 염기가 1 : 1 : 1로 결합되어 있으므로 핵산(A)에서 당과 염기의 비는 1 : 1이다.

ㄷ. 특징 ㉠~㉢이 모두 있는 C는 단백질이다. 단백질은 단위체인 아미노산이 펩타이드 결합으로 연결되어 형성되므로, 분해되면 아미노산이 생성된다.

바로알기 ㄴ. ㉠~㉢ 중 한 가지 특징만 있는 B는 탄수화물이다. 헤모글로빈을 구성하는 성분은 단백질(C)이다.

14 (가)는 단백질에만 해당하는 특징이고, (나)는 DNA에만 해당하는 특징이다.

모범 답안 (가) 단위체가 아미노산이다. 펩타이드 결합이 있다. 효소의 주성분이다. 등
(나) 이중 나선 구조이다. 염기로 타이민(T)이 있다. 당은 디옥시리보스이다. 등

채점 기준	배점
(가)와 (나)의 분류 기준을 모두 옳게 서술한 경우	100 %
(가)와 (나) 중 한 가지 분류 기준만 옳게 서술한 경우	50 %

15 단위체가 펩타이드 결합으로 연결되는 물질 X는 단백질이다.
ㄴ. 단백질의 단위체(㉠)인 아미노산은 20종류가 있다.
ㄷ. 단백질은 몸을 구성하는 주요 물질이다.
바로알기 ㄱ. 물질 X는 단백질이다. 핵산의 단위체는 인산, 당, 염기로 구성된 뉴클레오타이드이다.

16 ㄱ. 한 아미노산의 카복실기의 탄소(C)와 다른 아미노산의 아미노기의 질소(N)가 연결되면서 펩타이드 결합(가)이 형성된다.
ㄴ. 두 아미노산 사이에서 펩타이드 결합이 형성될 때 물 한 분자가 빠져나온다.
바로알기 ㄷ. 펩타이드 결합의 수는 '아미노산의 수−1'이다. 따라서 20개의 아미노산으로 구성된 폴리펩타이드는 20−1=19개의 펩타이드 결합이 있다.

17 꼼꼼 문제 분석

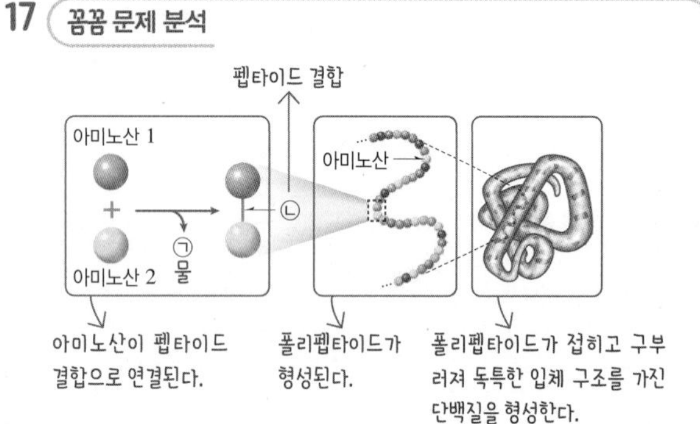

물질 X는 아미노산이 연결되어 형성되므로 단백질이다.
①, ③ 단백질은 아미노산이 연결되어 만들어지는데, 두 아미노산 사이에서 물(㉠) 한 분자가 빠져나오면서 펩타이드 결합(㉡)이 형성되고, 이러한 펩타이드 결합이 반복되어 폴리펩타이드가 형성된다.
④ 단백질은 입체 구조에 따라 그 기능이 결정된다.
⑤ 단백질의 종류는 아미노산의 종류와 수 및 배열 순서에 의해 결정된다.
바로알기 ② 아미노산은 펩타이드 결합(㉡)으로 연결된다. 펩타이드 결합은 공유 결합이다.

18 꼼꼼 문제 분석

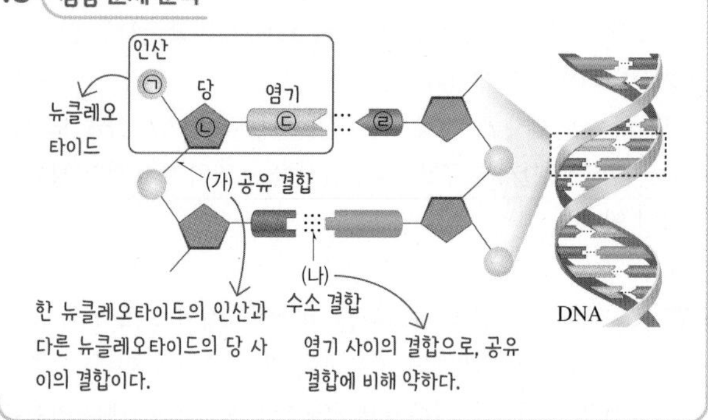

① DNA의 단위체는 인산(㉠)+당(㉡)+염기(㉢)로 이루어진 뉴클레오타이드이다.
② DNA를 구성하는 당(㉡)은 디옥시리보스이다.
③ 염기는 상보적으로 결합하므로 ㉢이 아데닌(A)이면 ㉣은 타이민(T)이다.
⑤ DNA 이중 나선 구조에서 상보적으로 결합하는 염기의 수는 같다.
바로알기 ④ 두 뉴클레오타이드의 당과 인산을 연결하는 결합 (가)는 공유 결합, 염기 사이의 결합 (나)는 수소 결합이다.

19 DNA 이중 나선에서 상보적으로 결합하는 염기의 비율은 같으므로 A=T, G=C의 관계가 성립한다. 따라서 타이민(T)의 비율 ㉢은 아데닌(A)과 같은 23 %이다. 구아닌(G)과 사이토신(C)을 합한 비율은 100−(23+23)=54(%)인데, 구아닌(G)과 사이토신(C)의 비율이 같으므로 ㉠과 ㉡은 각각 27 %이다.

20

구분	DNA	RNA
당	㉠ 디옥시리보스	리보스
염기	A, G, C, T	㉡ A, G, C, U
구조	이중 나선	단일 가닥
기능	㉢ 유전 정보 저장	유전 정보 전달

21 DNA를 구성하는 두 가닥의 폴리뉴클레오타이드는 안쪽을 향해 있는 염기 사이의 수소 결합에 의해 연결된다. 이때 A은 T과, G은 C과 상보적으로 결합하므로 이중 나선을 이루는 DNA의 한쪽 가닥의 염기 서열을 알면 상보적으로 결합하는 다른 쪽 가닥의 염기 서열도 알 수 있다.

모범 답안 (1) ATGCTTCG
(2) DNA를 구성하는 두 가닥의 폴리뉴클레오타이드는 나선 안쪽을 향해 있는 염기 사이의 수소 결합으로 연결된다. 이때 A은 T과, G은 C과 상보적으로 결합한다.

채점 기준		배점
(1)	염기 서열을 옳게 쓴 경우	50 %
(2)	염기의 수소 결합과 상보결합을 모두 옳게 서술한 경우	50 %
	염기의 수소 결합과 상보결합 중 한 가지만 옳게 서술한 경우	25 %

22 ㄱ. 단백질의 단위체인 아미노산은 20종류가 있고, DNA의 단위체인 뉴클레오타이드는 4종류가 있다.
ㄷ. 단백질은 단위체의 배열 순서에 따라 독특한 입체 구조를 가지며, 단백질의 입체 구조에 따라 단백질의 기능이 결정된다. 따라서 단백질 단위체의 배열 순서는 단백질의 기능을 결정한다고 할 수 있다.
바로알기 ㄴ. 단백질은 단위체의 배열 순서에 따라 입체 구조가 달라진다. 하지만 DNA는 단위체의 배열 순서가 달라도 입체 구조는 이중 나선으로 동일하며, 단위체의 배열 순서가 다르면 염기 서열이 달라져 저장하는 유전 정보가 달라진다.

23 (가) 액정을 이용하여 영상을 표시하는 장치는 LCD(액정 디스플레이)이다.
(나) 전류가 흐를 때 빛을 방출하는 유기물의 얇은 필름으로 만든 발광 다이오드는 OLED(유기 발광 다이오드)이다.

24 꼼꼼 문제 분석

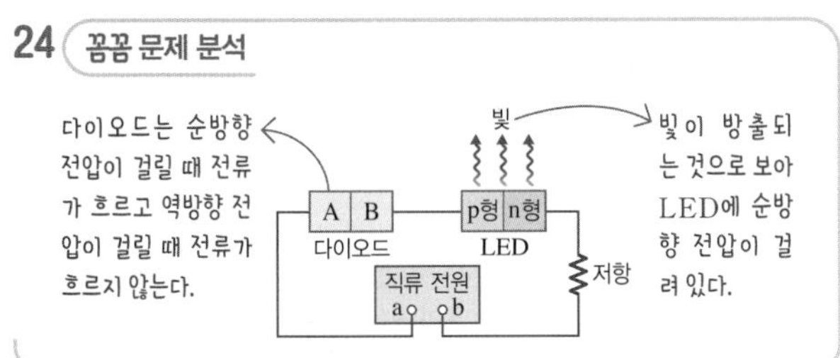

ㄴ. LED에서 빛이 방출되고 있으므로 다이오드와 LED 모두 순방향 전압이 걸린 상태이다. LED가 순방향 전압이려면 LED의 p형 반도체는 전원의 (+)극에, n형 반도체는 전원의 (−)극에 연결되어야 하므로, p형 반도체가 연결되어 있는 직류 전원의 a가 (+)극이다.
바로알기 ㄱ. 다이오드에 순방향 전압이 걸려 있으므로 전원의 (+)극에 연결된 A는 p형 반도체이다.
ㄷ. LED도 다이오드와 마찬가지로 순방향 전압이 걸릴 때만 전류가 흐른다. LED의 좌우를 바꾸어 연결하면 LED에 역방향 전압이 걸려 전류가 흐르지 않으므로 빛이 방출되지 않는다.

25 꼼꼼 문제 분석

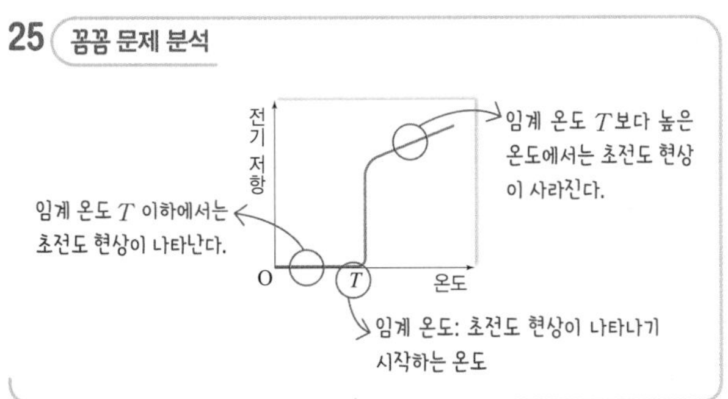

임계 온도 이하에서 전기 저항이 0이 되는 초전도 현상이 나타나는 물질이 초전도체이다.

모범 답안 물질의 온도가 임계 온도 T 이하가 되어야 한다.

채점 기준	배점
물질의 온도가 임계 온도 이하가 되어야 한다고 서술한 경우	100 %
임계 온도 이하라고만 서술한 경우	50 %

26 꼼꼼 문제 분석

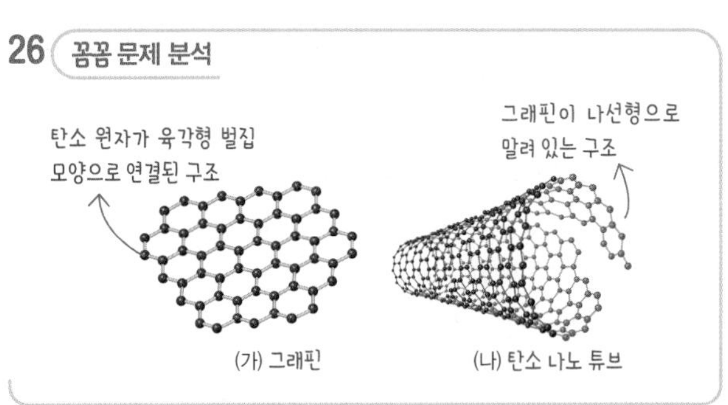

(가)는 탄소 원자가 육각형 벌집 모양의 구조를 이룬 그래핀이고, (나)는 그래핀이 나선형으로 말려 있는 구조의 탄소 나노 튜브이다.
바로알기 ④ (가)와 (나) 모두 전기 전도성이 좋고 열을 잘 전달한다.

27 ㄱ. 벨크로 테이프는 갈고리 구조가 있어 사람의 옷이나 동물의 털에 잘 달라붙는 도꼬마리의 열매를 모방하여 만든 신소재이다.
ㄷ. 모르포텍스 섬유는 빛의 간섭에 의해 색을 내는 모르포 나비의 날개를 모방하여 염료 없이 다양한 색을 낼 수 있도록 만든 섬유이다.
바로알기 ㄴ. 의료용 생체 접착제는 수중 접착제와 함께 홍합이 접착 단백질을 분비하여 젖은 표면에 잘 붙어 있는 원리를 모방하여 만든 신소재이다.

중단원 고난도 문제 105쪽

01 ① 02 ⑤ 03 ③

01 꼼꼼 문제 분석

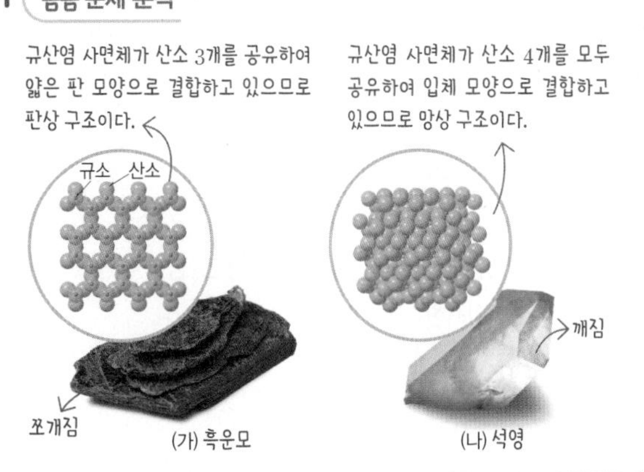

선택지 분석

ㄱ. (가)의 결합 구조는 판상 구조, (나)의 결합 구조는 망상 구조이다.

~~ㄴ.~~ 규산염 사면체 간에 공유되는 산소의 수는 (가)가 (나)보다 많다. 적다

~~ㄷ.~~ (가)와 (나)는 모두 쪼개짐이 발달한다.
(가)는 쪼개짐, (나)는 깨짐이 발달한다

전략적 풀이 ❶ (가)와 (나)의 결합 구조와 광물을 파악한다.

ㄱ. (가)는 흑운모로, 판상 구조의 대표적인 광물이다. (나)는 석영으로, 망상 구조의 대표적인 광물이다.

❷ 결합 구조가 복잡할수록 규산염 사면체 간 공유되는 산소의 수가 어떻게 달라지는지 파악한다.

ㄴ. 판상 구조는 규산염 사면체가 산소 3개를 공유하고, 망상 구조는 규산염 사면체가 산소 4개를 모두 공유하므로 규산염 사면체 간에 공유되는 산소의 수는 (나)가 (가)보다 많다.

❸ (가)와 (나)의 결합 구조와 광물의 성질의 관계를 이해한다.

ㄷ. (가) 흑운모는 판상 구조이므로 힘을 주면 규산염 사면체의 결합력이 약한 면을 따라 쪼개짐이 발달한다. (나) 석영은 규산염 사면체의 결합력이 모든 방향에서 비슷하기 때문에 힘을 주면 방향성 없이 깨짐이 발달한다.

02 꼼꼼 문제 분석

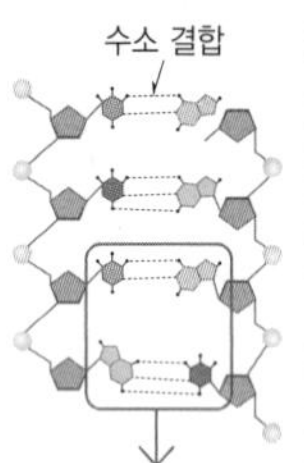

A과 T은 2개의 수소 결합, G과 C은 3개의 수소 결합으로 연결된다.

- (가)와 (나)는 각각 180개의 뉴클레오타이드로 구성되어 있다.
  ➡ (가)와 (나)에서 염기의 총 수는 각각 180이다.
- (가)에서 염기 수의 비는 $\frac{A+T}{G+C}=2$이다.
  ➡ (가)에서 A은 60, T은 60, G은 30, C은 30이다.
- (나)에서 A의 수는 50이다.
  ➡ (나)에서 A은 50, T은 50, G은 40, C은 40이다.

선택지 분석

ㄱ. $\frac{A+G}{T+C}$의 값(1)은 (가)와 (나)에서 같다.

ㄴ. (가)의 T의 수와 (나)의 G의 수를 합한 값은 100(60+40)이다.

ㄷ. 염기 사이의 수소 결합의 수는 (가)(210)보다 (나)(220)에서 더 많다.

전략적 풀이 ❶ DNA 이중 나선에서 A은 T과, G은 C과 상보적으로 결합한다는 것을 이해한다.

ㄱ. DNA 이중 나선에서 A은 항상 T과 결합하고, G은 항상 C과 결합하므로 염기 수는 A=T, G=C의 관계가 성립한다. 따라서 이중 나선 DNA (가)와 (나)에서 $\frac{A+G}{T+C}$의 값은 1로 같다.

❷ 염기 수와 염기 수의 비를 이용하여 (가)와 (나)를 구성하는 각 염기의 수를 계산한다.

ㄴ. (가)에서 염기의 총 수는 180이고, (가)에서 염기 수의 비는 $\frac{A+T}{G+C}=2$이므로 A+T의 수는 $180\times\frac{2}{3}=120$인데, A과 T의 수가 같으므로 A과 T의 수는 각각 60이다. G+C=180−120=60인데, G과 C의 수가 같으므로 G과 C의 수는 각각 30이다. (나)에서 A의 수가 50이므로 T의 수도 50이다. (나)에서 염기의 총 수는 180이므로 G+C=180−100=80인데, G과 C의 수가 같으므로 G과 C의 수는 각각 40이다. 따라서 (가)의 T의 수와 (나)의 G의 수의 합은 60+40=100이다.

❸ A과 T은 2개의 수소 결합, G과 C은 3개의 수소 결합으로 연결된다는 것을 생각한다.

ㄷ. (가)와 (나)에서 염기의 총 수는 180으로 같지만 (가)보다 (나)에서 G+C의 수가 많으므로 염기 사이의 수소 결합의 수는 (가)보다 (나)에서 더 많다. 염기 사이의 수소 결합의 수는 (가)에서 $(60\times2)+(30\times3)=210$이고, (나)에서 $(50\times2)+(40\times3)=220$이다.

03 꼼꼼 문제 분석

초전도체는 임계 온도 이하에서 전기 저항이 0이 되는 초전도 현상과 외부 자기장을 밀어내는 마이스너 효과가 나타난다.

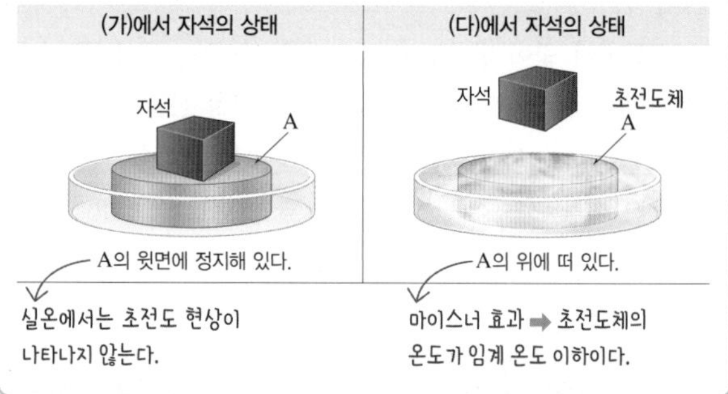

실온에서는 초전도 현상이 나타나지 않는다.

마이스너 효과 ➡ 초전도체의 온도가 임계 온도 이하이다.

선택지 분석

ㄱ. (다)에서 A는 초전도체이다.

ㄴ. (다)에서 A의 전기 저항은 0이다.

~~ㄷ.~~ (라)에서 자석은 더 높이 올라간다. 다시 아래로 떨어진다

전략적 풀이 ❶ (가)~(나) 과정에서 A의 온도 변화를 파악한다.

(가)에서 A의 온도는 실온이고, (나)의 과정을 거치면서 A의 온도는 임계 온도 이하로 내려간다.

❷ (다)에서 자석과 A 사이에 나타난 현상을 파악한다.

ㄱ. (다)에서 자석이 A 위에 떠 있는 마이스너 효과가 나타난 것으로 보아 A는 초전도체이다.

ㄴ. (다)에서 초전도 상태일 때 초전도체의 전기 저항은 0이다.

ㄷ. (라)에서 A의 온도가 임계 온도보다 높아지면 (가)에서처럼 초전도 현상이 나타나지 않아 자석은 아래로 떨어진다.

Ⅱ 시스템과 상호 작용

1 역학적 시스템

1 물체의 운동

개념 확인 문제 110쪽

❶ 이동 거리 ❷ 변위 ❸ 속력 ❹ 속도 ❺ 가속도
❻ 알짜힘 ❼ 알짜힘 ❽ 질량

1 (1) × (2) ○ (3) ○ (4) × **2** (1) 8 m (2) 2 m (3) 2 m/s (4) 0.5 m/s **3** (가) 16 N (나) 8 m/s² **4** (가) ㄴ, ㄷ (나) ㄹ, ㅁ

1 (1) 변위는 물체의 위치 변화량으로 출발 위치에서 도착 위치까지의 직선거리와 방향을 나타낸다. 물체가 실제로 움직여 지나간 총 길이는 이동 거리이다.
(2) 속력은 빠르기를 나타내는 물리량으로, 단위시간 동안의 이동 거리이다.
(3) 속도는 물체의 운동 방향과 빠르기를 함께 나타내는 물리량으로, 단위시간 동안의 변위이다.
(4) 물체가 직선상을 운동할 때, 운동 방향이 변하지 않으면 이동 거리와 변위의 크기는 같다. 그러나 물체가 운동 방향을 바꾸어 반대 방향으로 운동하는 경우에는 이동 거리가 변위의 크기보다 크다.

2 (1) 이동 거리는 물체가 실제로 움직인 총 거리이므로 5 m+3 m=8 m이다.
(2) 변위는 처음 위치에서 나중 위치까지의 직선거리와 방향이므로 오른쪽으로 2 m이다. 따라서 변위의 크기는 2 m이다.
(3) 평균 속력$=\frac{\text{이동 거리}}{\text{걸린 시간}}=\frac{8\text{ m}}{4\text{ s}}=2\text{ m/s}$이다.
(4) 평균 속도의 크기$=\frac{\text{변위의 크기}}{\text{걸린 시간}}=\frac{2\text{ m}}{4\text{ s}}=0.5\text{ m/s}$이다.

3 (가) 알짜힘은 물체에 여러 힘이 작용할 때 물체에 작용하는 모든 힘을 합한 것으로 방향이 있는 물리량이다. 오른쪽 방향을 (+)라고 하면 물체에 작용하는 알짜힘은 17+7−8=16(N)이므로 알짜힘의 크기는 16 N이다.
(나) 물체에 작용하는 알짜힘의 크기가 16 N이고 물체의 질량이 2 kg이므로 물체의 가속도의 크기는 $a=\frac{F}{m}=\frac{16\text{ N}}{2\text{ kg}}=8\text{ m/s}^2$ 이다.

4 ㄱ. 위치−시간 그래프의 기울기는 속도이다. 기울기가 0이므로 물체는 정지해 있다.
ㄴ. 위치−시간 그래프의 기울기는 속도이다. 기울기가 일정하므로 물체는 등속 직선 운동한다.
ㄷ. 속도−시간 그래프의 기울기는 가속도이다. 기울기가 0이므로 물체는 일정한 속도로 등속 직선 운동한다.
ㄹ. 속도−시간 그래프의 기울기는 가속도이다. 기울기가 일정하므로 물체는 등가속도 직선 운동을 한다.
ㅁ. 시간에 따라 가속도가 일정하므로 물체는 가속도가 일정한 등가속도 직선 운동을 한다.
ㅂ. 시간에 따라 가속도가 일정하게 증가하므로 물체는 가속도가 일정하게 증가하는 운동을 한다.

내신 만점 문제 111~112쪽

01 ④ 02 ③ 03 ⑤ 04 ④ 05 ⑤ 06 ⑤
07 ③ 08 ③ 09 ⑤ 10 해설 참조 11 해설 참조

01 꼼꼼 문제 분석

P에서 Q까지 다트의 운동 경로는 곡선이다.
➡ 이동 거리가 변위의 크기보다 크다.
P
Q
운동 방향이 변하는 운동이다.

ㄴ. P에서 Q까지 다트는 곡선 경로를 따라 운동하므로 이동 거리는 변위의 크기보다 크다.
ㄷ. 다트의 이동 거리가 변위의 크기보다 크므로 평균 속력은 평균 속도의 크기보다 크다.
바로알기 ㄱ. P에서 Q까지 다트는 곡선 경로를 따라 운동하므로 운동 방향이 계속 변하는 운동을 한다.

02 ㄱ. P에서 Q까지 상호의 이동 거리는 상호가 실제로 움직인 총 거리이므로 280 m이고, 변위의 크기는 처음 위치에서 나중 위치까지의 직선거리이므로 120 m이다. 따라서 이동 거리는 변위의 크기보다 크다.
ㄷ. 평균 속도의 크기$=\frac{\text{변위의 크기}}{\text{걸린 시간}}=\frac{120\text{ m}}{40\text{ s}}=3\text{ m/s}$이다.
바로알기 ㄴ. 변위의 크기는 처음 위치에서 나중 위치까지의 직선거리이므로 120 m이다.

03 ① 힘은 항상 두 물체 사이에 상호 작용 한다. 힘의 종류에는 중력, 전기력, 자기력, 탄성력, 마찰력, 부력 등이 있다.
② 힘은 물체의 모양이나 운동 상태를 변화시키는 원인이다.
③ 물체에 여러 힘이 작용할 때 물체에 작용하는 모든 힘을 합한 것을 알짜힘이라고 한다.
④ 등속 직선 운동은 속력과 운동 방향이 모두 일정한 운동으로 가속도가 0이다. 물체가 등속 직선 운동하려면 물체에 작용하는 알짜힘이 0이어야 한다.
바로알기 ⑤ 물체의 가속도는 물체에 작용하는 알짜힘에 비례하고, 물체의 질량에 반비례한다. 이를 가속도 법칙(뉴턴 운동 제2법칙)이라고 한다.

04 꼼꼼 문제 분석

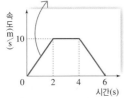

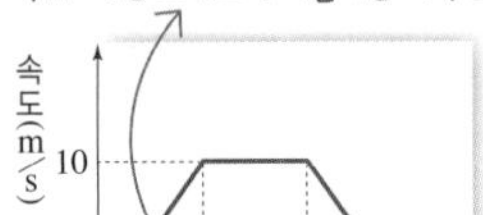

속도-시간 그래프의 기울기는 가속도이다.
속도(m/s)
10
0
2
4
6
시간(s)
속도-시간 그래프에서 그래프 아랫부분의 넓이는 변위이다. ➡ 직선 운동에서 운동 방향이 변하지 않는 경우 변위의 크기는 이동 거리와 같다.

ㄴ. 속도-시간 그래프에서 기울기는 가속도이므로 0~2초 동안 가속도의 크기는 $\frac{10}{2}=5(\text{m/s}^2)$이다.
ㄷ. 그래프에서 4~6초 동안 속도의 방향은 (+)방향이지만, 기울기가 (−)이므로 가속도의 방향은 (−)방향이다. 따라서 가속도의 방향은 운동 방향과 반대이다.
바로알기 ㄱ. 그래프에서 0~2초 동안 운동 방향이 변하지 않으므로 변위의 크기는 이동 거리와 같다. 따라서 0~2초 동안 이동 거리는 $2\times10\times\frac{1}{2}=10(\text{m})$이다.

05 물체의 가속도가 일정하고 직선 운동을 하므로 이 물체는 등가속도 직선 운동을 한다. 0초일 때 물체의 운동 방향을 (+)라고 하면, 가속도의 방향은 (−)이므로 가속도의 방향은 처음 운동 방향과 반대이다. 즉, 이 물체는 속도가 일정하게 감소하는 등가속도 직선 운동을 한다.
ㄱ. 등가속도 운동 식 $v=v_0+at$에 따라 2초일 때 물체의 속력은 $10+(-2)\times2=6(\text{m/s})$이다.
ㄴ. 가속도가 $-2\ \text{m/s}^2$이므로 5초일 때 속도는 $10+(-2)\times5=0$이 된다. 5초 이후에는 반대 방향으로 운동하므로, 이 물체는 5초일 때 운동 방향이 바뀐다.
ㄷ. 0초일 때 속도는 10 m/s이고, 10초일 때 속도는 $10+(-2)\times10=-10(\text{m/s})$이다. 따라서 0초일 때와 10초일 때의 속력은 10 m/s로 같다.

06 꼼꼼 문제 분석

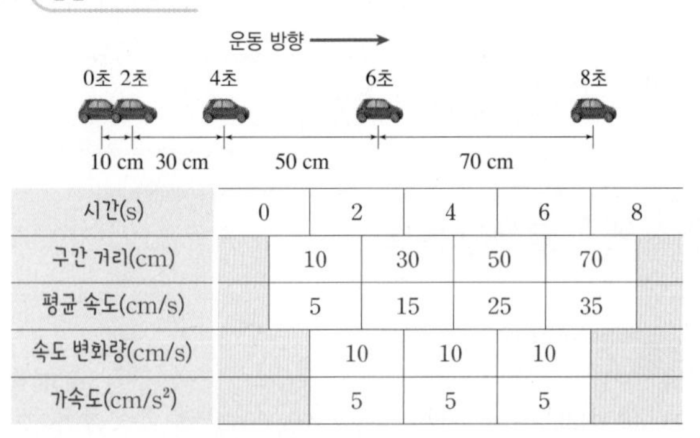

운동 방향
0초 2초
4초
6초
8초
10 cm 30 cm
50 cm
70 cm

시간(s)	0		2		4		6		8
구간 거리(cm)		10		30		50		70	
평균 속도(cm/s)		5		15		25		35	
속도 변화량(cm/s)			10		10		10		
가속도(cm/s²)			5		5		5		

① 0~2초 동안 평균 속력은 $\frac{10\text{ cm}}{2\text{ s}}=5\text{ cm/s}$이다.
② 2~4초 구간의 평균 속력은 15 cm/s이고, 4~6초 구간의 평균 속력은 25 cm/s이므로 두 구간 사이의 속력 변화량은 10 cm/s이다.
③ 등가속도 직선 운동에서 평균 속력은 구간의 중간 시각에서의 속력과 같다. 2~4초 동안 평균 속력은 15 cm/s이므로 3초인 순간의 속력은 15 cm/s이다.
④ 운동 방향을 (+)라고 하면 속도가 증가하므로 가속도의 방향도 (+)이다. 따라서 가속도의 방향은 운동 방향과 같다.
바로알기 ⑤ 구간 시간을 2초라고 할 때 인접한 구간 사이의 속력 변화량은 10 cm/s로 일정하다. 따라서 자동차의 가속도의 크기는 $\frac{10\text{ cm/s}}{2\text{ s}}=5\text{ cm/s}^2$이다.

07 꼼꼼 문제 분석

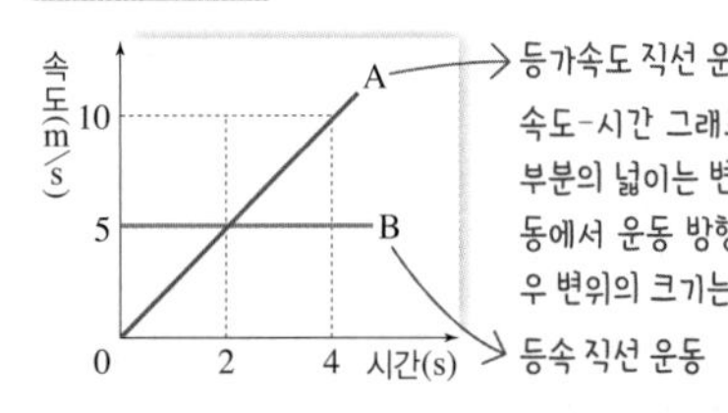

속도(m/s)
10
5
0
2
4
시간(s)
A
B
등가속도 직선 운동
속도-시간 그래프에서 그래프 아랫부분의 넓이는 변위이다. ➡ 직선 운동에서 운동 방향이 변하지 않는 경우 변위의 크기는 이동 거리와 같다.
등속 직선 운동

ㄱ. A는 가속도가 일정하고 직선상에서 운동하므로 등가속도 직선 운동을 한다.
ㄴ. 0초부터 2초까지 A의 평균 속력은 $\frac{0+5\text{ m/s}}{2}=2.5\text{ m/s}$이고 B의 속력은 5 m/s로 일정하므로 평균 속력은 B가 A의 두 배이다.
바로알기 ㄷ. 0초부터 4초까지 그래프 아랫부분의 넓이는 20 m로 A와 B가 같으므로 이동 거리는 A와 B가 서로 같다.

08 ㄱ. 가속도의 크기는 $a=\frac{F}{m}=\frac{4\text{ N}}{2\text{ kg}}=2\text{ m/s}^2$이다.
ㄴ. 물체는 2 m/s^2의 일정한 가속도로 등가속도 직선 운동하고 처음 속도가 0이므로, 등가속도 운동 식 $v=v_0+at$에 따라 3초일 때 속력은 $0+2\times3=6(\text{m/s})$이다.

바로알기 ㄷ. 처음 속도가 0이므로 등가속도 운동 식 $s=v_0t+\frac{1}{2}at^2$에서 0~5초 동안 물체의 이동 거리는 $s=\frac{1}{2}at^2=\frac{1}{2}\times2\times5^2$ $=25(\text{m})$이다.

09 꼼꼼 문제 분석

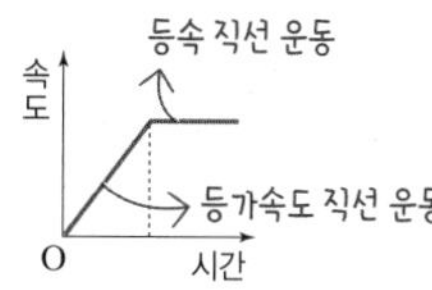

속도-시간 그래프의 기울기는 가속도이므로 이 물체는 일정한 가속도로 등가속도 직선 운동하다가 어느 시점부터 가속도가 0인 등속 직선 운동을 한다.

물체는 등가속도 직선 운동하다가 어느 시점부터 등속 직선 운동을 한다. 가속도 법칙(뉴턴 운동 제2법칙) $F=ma$에 따라 같은 물체일 경우 물체의 가속도(a)는 물체에 작용하는 알짜힘(F)에 비례한다. 따라서 물체가 등가속도 직선 운동하려면 물체의 운동 방향과 나란한 방향으로 일정한 크기의 알짜힘이 작용해야 하고, 등속 직선 운동하려면 물체에 작용하는 알짜힘이 0이어야 한다. 따라서 물체에 작용하는 알짜힘이 일정한 크기로 유지되다가 어느 시점부터 0이 되는 ⑤번이 이 물체의 힘-시간 그래프로 가장 적절하다.

10

물체의 평균 속도는 구간 거리를 구간 시간으로 나눈 값이다. 1초부터 2초까지 물체의 위치가 15 m 이동했으므로 구간 거리는 15 m이다. 따라서 1초부터 2초까지 물체의 평균 속도는 $\frac{15\text{ m}}{1\text{ s}}=15\text{ m/s}$이므로 ㉠은 15이다.

물체의 가속도는 구간별 속도 변화량을 구간 시간으로 나눈 값이다. 물체의 속도 변화량이 10 m/s이므로, 물체의 가속도는 $\frac{10\text{ m/s}}{1\text{ s}}=10\text{ m/s}^2$이다. 따라서 ㉡은 10이다.

시간(s)	0	1	2	3	4
위치(m)	0	5	20	45	80
구간 거리(m)	5	15	25	35	
평균 속도(m/s)	5	㉠=15	25	35	
속도 변화량(m/s)		10	10	10	
가속도(m/s²)		10	㉡=10	10	

모범 답안 (1) ㉠ 15, ㉡ 10

(2) 물체에 운동 방향과 나란한 방향으로 일정한 크기의 알짜힘이 작용하여 물체는 가속도가 일정한 등가속도 직선 운동을 한다.

채점 기준		배점
(1)	㉠과 ㉡을 모두 옳게 쓴 경우	40 %
	두 가지 중 한 가지라도 틀리게 쓴 경우	0 %
(2)	단어를 모두 포함하여 옳게 서술한 경우	60 %
	등가속도 운동을 한다라고만 서술한 경우	20 %

11

모범 답안 (1) 10 N

(2) 가속도의 크기 $a=\frac{F}{m}=\frac{10}{2}=5(\text{m/s}^2)$이다.

(3) 등가속도 운동 식 $v=v_0+at$에 따라 2초일 때 속력 $v=at=5\times2$ $=10(\text{m/s})$이다.

채점 기준		배점
(1)	10 N이라고 옳게 쓴 경우	20 %
(2)	계산 과정과 가속도의 크기를 모두 옳게 서술한 경우	40 %
	5 m/s²이라고만 쓴 경우	20 %
(3)	계산 과정과 속력을 모두 옳게 서술한 경우	40 %
	10 m/s라고만 쓴 경우	20 %

실력 UP 문제

113쪽

01 ③ **02** ⑤ **03** ④ **04** ③

01 꼼꼼 문제 분석

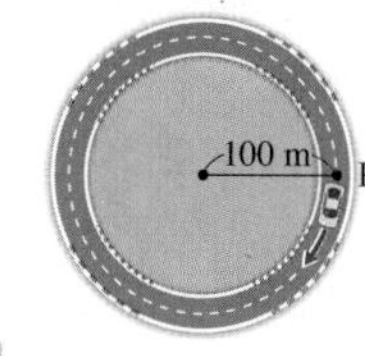

북 서 동 남

자동차가 원형 트랙을 한 바퀴 도는 데 10초 걸리므로 5초 동안 자동차는 원형 트랙을 반 바퀴 돈다.
자동차가 한 바퀴 도는 동안 이동 거리는 원의 둘레이고, 변위는 0이다.

ㄱ. 자동차가 원형 트랙을 한 바퀴 도는 데 10초 걸리므로 5초 동안 자동차는 원형 트랙을 반 바퀴 지난다. 따라서 5초 동안 변위의 크기는 원형 트랙의 지름인 200 m이다.

ㄴ. 평균 속력은 이동 거리를 걸린 시간으로 나눈 값이다. 10초 동안 자동차는 원의 둘레인 $2\times\pi\times100=200\pi(\text{m})$를 이동한다. 따라서 10초 동안 자동차의 평균 속력은 $\frac{200\pi\text{ m}}{10\text{ s}}=20\pi\text{ m/s}$이다.

바로알기 ㄷ. 평균 속도는 변위를 걸린 시간으로 나눈 값이다. P점을 통과한 후 5초 동안 자동차의 변위는 서쪽으로 200 m이므로 자동차의 평균 속도는 서쪽으로 $\frac{200\text{ m}}{5\text{ s}}=40\text{ m/s}$이다.

02 꼼꼼 문제 분석

한 방향으로 등가속도 직선 운동하는 물체의 평균 속력은 처음 속력과 나중 속력의 중간 값과 같다.

L

10 m/s

30 m/s

자동차의 평균 속력
$=\frac{10\text{ m/s}+30\text{ m/s}}{2}$
$=20\text{ m/s}$

ㄱ. 자동차는 등가속도 직선 운동하므로 평균 속력$=\frac{10+30}{2}$ $=20$(m/s)이다.
ㄴ. 평균 속력이 20 m/s이고 터널을 통과하는 데 걸린 시간이 5초이므로 터널의 길이 $L=20\times5=100$(m)이다.
ㄷ. 처음 속력이 10 m/s, 나중 속력이 30 m/s, 걸린 시간이 5초이므로 가속도의 크기$=\frac{\text{속력 변화량}}{\text{걸린 시간}}=\frac{30-10}{5}=4$(m/s²)이다.

03 꼼꼼 문제 분석

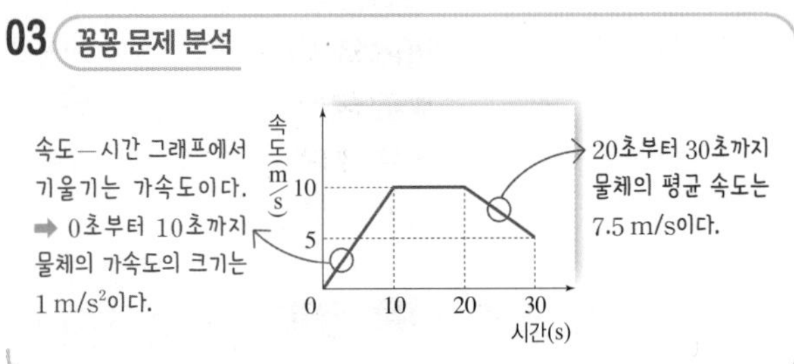

ㄱ. 0초부터 10초까지 물체의 가속도의 크기가 1 m/s²이므로 물체가 받은 알짜힘의 크기 $F=ma=2\times1=2$(N)이다.
ㄷ. 그래프에서 기울기의 크기는 5초일 때가 25초일 때의 2배이므로 가속도의 크기도 5초일 때가 25초일 때의 2배이다. 가속도 법칙 $F=ma$에 따라 물체에 작용하는 알짜힘의 크기는 가속도의 크기에 비례하므로 5초일 때가 25초일 때의 2배이다.
바로알기 ㄴ. 20초부터 30초까지 그래프의 기울기가 일정하므로 물체는 등가속도 직선 운동을 한다. 등가속도 직선 운동에서 평균 속도는 처음 속도와 나중 속도의 중간 값이므로 20초부터 30초까지 물체의 평균 속도는 7.5 m/s이다. 물체는 20초부터 30초까지 한 방향으로 직선 운동을 하므로 물체의 이동 거리는 $7.5\times10=75$(m)이다.

04 꼼꼼 문제 분석

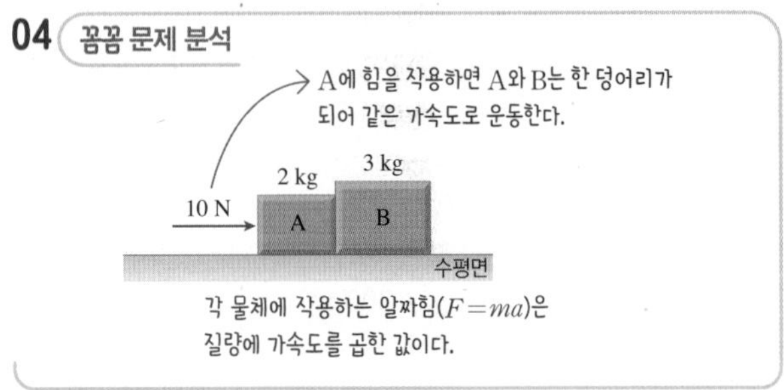

A에 힘을 작용하면 A와 B는 한 덩어리가 되어 같은 가속도로 운동한다.
2 kg
3 kg
10 N
A
B
수평면
각 물체에 작용하는 알짜힘($F=ma$)은 질량에 가속도를 곱한 값이다.

ㄱ. A에 작용하는 알짜힘이 일정하므로 A는 등가속도 직선 운동을 한다.
ㄴ. 한 덩어리가 된 물체의 질량이 5 kg이고, 물체에 작용한 힘이 10 N이므로 물체의 가속도 $a=\frac{10\text{ N}}{5\text{ kg}}=2$ m/s²이다. 따라서 물체 B의 가속도의 크기는 2 m/s²이다.
바로알기 ㄷ. 물체 A에 작용하는 알짜힘 $F=ma=2\times2=4$(N)이다.

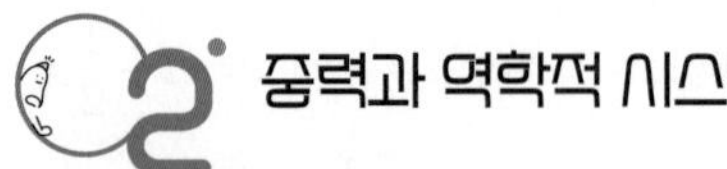

02 중력과 역학적 시스템

개념 확인 문제

117쪽

❶ 중력 ❷ 클수록 ❸ 자유 낙하 ❹ 등속 직선 ❺ 등가속도 ❻ 중력 ❼ 생명

1 (1) ○ (2) × (3) ○ **2** ㄱ, ㄴ **3** (1) ○ (2) × (3) ×
4 ㉠ 중력, ㉡ 일정, ㉢ 등가속도 **5** ㉠ 가까울수록, ㉡ 희박
6 (1) ○ (2) ○ (3) × (4) ○

1 (2) 중력은 물체가 접촉해 있거나 떨어져 있어도 작용한다.
(3) 물체의 무게는 물체에 작용하는 중력의 크기이므로, 무게가 1 N인 사과가 지구를 당기는 중력의 크기도 1 N이다.

2 ㄱ. 공기의 저항 없이 중력만 받아 낙하하는 운동을 자유 낙하 운동이라고 한다.
ㄴ. 지구 반지름(약 6400 km)에 비해 매우 작은 지표면의 수백 미터 높이 변화에서는 중력 가속도 값이 거의 차이가 없으므로 일정하다고 볼 수 있다. 따라서 지표면에서 자유 낙하 하는 물체는 속력이 일정하게 증가하는 등가속도 운동을 한다.
ㄷ. 공기 저항을 무시할 때 자유 낙하 하는 물체의 가속도는 중력 가속도로 일정하므로, 물체를 같은 높이에서 동시에 낙하시키면 질량에 관계없이 물체는 동시에 바닥에 떨어진다.

3 (2) 연직 방향으로는 일정한 중력이 작용하므로 가속도가 일정한 등가속도 운동을 한다.
(3) 수평 방향으로 던진 물체에는 운동 방향과 나란하지 않은 방향으로 중력이 작용한다.

4 수평 방향으로 던진 물체는 수평 방향으로는 힘이 작용하지 않아 등속 직선 운동을 하고, 연직 방향으로는 중력만 작용하므로 자유 낙하 운동과 같은 등가속도 운동을 한다.

5 중력의 크기는 지표면에 가까울수록 크다. 따라서 지표면과 가까울수록 공기의 밀도가 크고, 높은 곳으로 올라갈수록 공기의 밀도가 작아지므로 공기가 희박해진다.

6 (2) 지구에서 일어나는 밀물과 썰물 현상은 달과 태양의 중력에 의해 바닷물의 높이가 달라져서 생긴다.
(3) 중력이 작용하는 공간에서는 온도에 따라 밀도가 달라서 상대적으로 중력의 차이가 발생한다. 따라서 밀도가 작은 물질은 위로 올라가고 밀도가 큰 물질은 아래로 내려가는 방식으로 대류 현상이 일어난다.
(4) 사람 귓속의 전정 기관에서는 이석이 중력에 의해 움직이면서 몸의 평형 상태를 인식한다.

내신 만점 문제 118~120쪽

01 ④	02 ③	03 ③	04 ①	05 ③	06 ②
07 ③	08 ④	09 ①	10 ③	11 ①	
12 해설 참조	13 해설 참조	14 해설 참조			

01 중력은 질량이 있는 모든 물체 사이에 상호 작용 하는 힘으로, 질량이 클수록, 두 물체 사이의 거리가 가까울수록 크다.
바로알기 ④ 지표면에서 멀리 떨어져 있어도 중력이 작용한다.

02 ㄱ. 중력의 크기는 물체의 질량이 클수록 크다.
ㄷ. 지표면에서 중력 가속도가 g일 때, 질량이 m(kg)인 물체에 작용하는 중력의 크기는 mg(N)이다. 따라서 질량이 5 kg인 물체에 작용하는 중력의 크기는 $5\ \text{kg} \times 9.8\ \text{m/s}^2 = 49\ \text{N}$이다.
바로알기 ㄴ. 중력의 크기는 물체 사이의 거리가 가까울수록 크므로 지표면에서 높은 곳으로 갈수록 작아진다.

03 ㄱ. 두 물체 사이에 작용하는 중력의 크기는 서로 크기가 같고 방향이 반대이다.
ㄷ. 중력은 물체의 질량이 클수록 크므로 m_1이 커지면 두 물체 사이에 작용하는 중력의 크기가 커진다. 따라서 F_2도 커진다.
바로알기 ㄴ. F_1은 B가 A를 당기는 힘이다.

04 꼼꼼 문제 분석

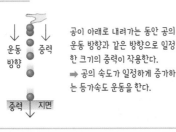

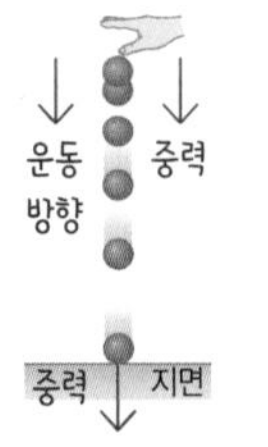

공이 아래로 내려가는 동안 공의 운동 방향과 같은 방향으로 일정한 크기의 중력이 작용한다.
➡ 공의 속도가 일정하게 증가하는 등가속도 운동을 한다.

ㄱ. 공은 자유 낙하 운동을 하므로 속도가 일정하게 증가하는 등가속도 운동을 한다.
바로알기 ㄴ. 질량이 있는 모든 물체에는 중력이 작용한다. 지표면에서 중력은 공의 운동 상태에 관계없이 항상 일정하다.
ㄷ. 공이 운동하는 동안 공에 작용하는 힘은 중력이므로, 공이 손을 떠난 순간과 지면에 도달하기 직전 공에 작용하는 중력의 방향은 연직 방향으로 서로 같다.

05 ㄱ, ㄴ. 공기 저항을 무시할 때 자유 낙하 하는 물체의 가속도는 질량에 관계없이 중력 가속도 $9.8\ \text{m/s}^2$으로 같다. 따라서 가속도의 크기는 A와 B가 같고, 두 물체는 동시에 지면에 도달한다.
바로알기 ㄷ. 물체에 작용하는 중력의 크기는 질량에 비례한다. 따라서 질량이 4 kg인 B에 작용하는 중력의 크기는 질량이 2 kg인 A에 작용하는 중력의 크기보다 크다.

06 꼼꼼 문제 분석

수평 방향으로 던진 공의 운동 분석
- 수평 방향: 힘이 작용하지 않는다. ➡ 등속 직선 운동
- 연직 방향: 지구에 의한 중력이 작용한다. ➡ 등가속도 운동

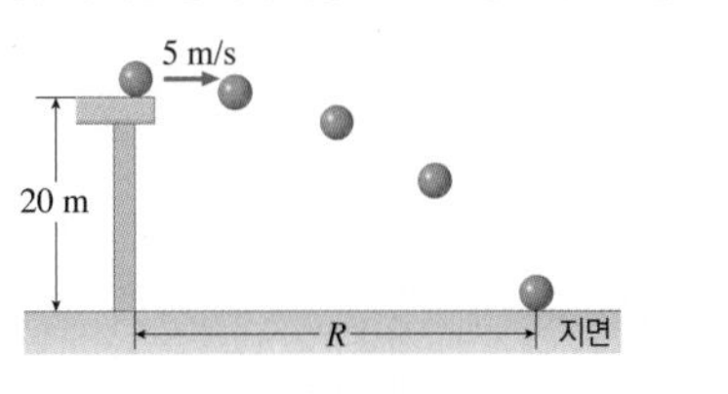

ㄱ. 수평 방향으로 던진 공에는 연직 방향으로 일정한 크기의 중력만 작용한다.
ㄷ. 공은 처음 속도가 0이고 연직 방향으로 등가속도 운동하므로 등가속도 운동 식 $s = v_0t + \frac{1}{2}at^2$에 따라 $20 = \frac{1}{2} \times 10 \times t^2$이므로 $t = 2$초이다. 따라서 공이 지면에 도달할 때까지 걸린 시간은 2초이다.
바로알기 ㄴ. 수평 방향으로는 힘을 받지 않으므로 등속 직선 운동을 한다.
ㄹ. 공은 수평 방향으로 5 m/s의 속도로 2초 동안 등속 직선 운동하므로 공이 지면에 도달할 때까지 수평 방향으로 이동한 거리 $R = 5\ \text{m/s} \times 2\ \text{s} = 10\ \text{m}$이다.

07 꼼꼼 문제 분석

두 동전은 같은 높이에서 동시에 운동을 시작한다. 자를 ㉠ 방향으로 빠르게 치면 A는 자유 낙하 하고, B는 수평 방향으로 던진 물체와 같은 운동을 한다.

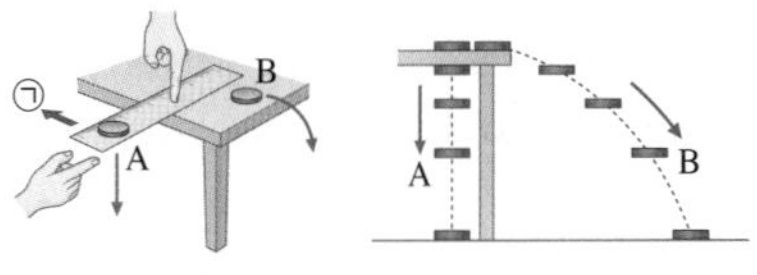

ㄱ. 같은 높이에서 동시에 운동을 시작한 A와 B는 연직 방향으로 같은 가속도로 운동하므로 동시에 바닥에 닿는다.
ㄴ. A는 자유 낙하 하므로 물체에 작용하는 중력의 방향과 운동 방향이 같다. 물체에 작용하는 중력의 크기와 방향이 일정하므로 물체의 가속도의 크기와 방향도 일정하다. 가속도는 시간에 따른 속도의 변화량을 나타내므로, 일정한 가속도로 운동하는 A의 연직 방향 속력은 일정하게 증가한다.
바로알기 ㄷ. B가 받는 알짜힘은 연직 방향의 중력이므로 B의 운동 방향과 같지 않다.

08 ㄱ. 수평 방향 속도에 관계없이 각 공은 연직 방향으로 중력을 받으므로 연직 방향으로는 자유 낙하 운동과 같은 가속도(중력 가속도)로 운동한다.

ㄴ. 수평 방향으로 던진 공의 수평 방향 속도가 빠를수록 더 멀리 날아가서 떨어진다.

바로알기 ㄷ. 같은 높이에서 출발하였으므로 세 공이 바닥에 닿을 때까지 걸린 시간은 질량에 관계없이 같다.

09 **꼼꼼 문제 분석**

수평으로 던진 두 물체 A, B는 수평 방향으로는 등속 직선 운동을 하고, 연직 방향으로는 등가속도 운동을 한다.

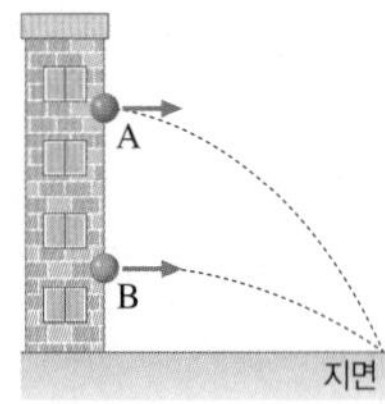

운동 분석
- 연직 방향: A와 B는 같은 가속도(중력 가속도)로 운동한다.
- 수평 방향: A와 B는 지면상의 같은 지점에 떨어졌으므로 수평 방향 이동 거리가 같다.

ㄱ. A와 B에는 연직 방향으로 중력만 작용하므로 두 물체는 연직 방향으로 등가속도 운동을 한다. 두 물체의 처음 속도는 0이므로 물체의 처음 높이를 h라고 하면 등가속도 운동 식에 따라 $h=\frac{1}{2}gt^2$이다. 두 물체의 가속도는 중력 가속도로 같고, A는 B보다 더 높은 층에서 던졌으므로 지면에 도달할 때까지 걸린 시간은 A가 B보다 길다.

바로알기 ㄴ. A와 B는 수평 방향으로는 등속 직선 운동을 한다. A, B의 수평 방향 이동 거리가 같고, 등속 직선 운동에서 이동 거리=속력×시간이므로 낙하하는 데 더 긴 시간이 걸린 A의 수평 방향 속력이 더 작다.

ㄷ. B의 가속도의 방향은 중력의 방향과 같은 연직 방향이다. B는 포물선을 그리며 운동하므로 B의 운동 방향은 계속 변한다. 따라서 운동하는 동안 B의 가속도의 방향은 운동 방향과 같지 않다.

10 ㄱ. 달은 지구 중력에 의해 지구의 영향을 벗어나지 못하고 지구 주위를 공전한다.

ㄴ. 물이 위에서 아래로 흐르거나 빗방울이 아래로 떨어지는 것은 중력 때문이다.

바로알기 ㄷ. 식물의 뿌리는 중력의 영향을 받아 땅속을 향해 자라서 식물의 몸체를 지지한다.

11 ㄱ. 물이 순환하여 구름이 형성되고 눈, 비 등 다양한 기상 현상이 일어나는 원인은 대류이다. 대류는 액체나 기체가 밀도 차에 의해 직접 이동하여 열을 전달하는 현상으로, 밀도에 따라 중력의 차이가 발생하기 때문에 일어난다. 무중력 상태에서는 대류가 일어나지 않으므로 기상 현상이 일어나기 어렵다.

바로알기 ㄴ. 무중력 상태에서는 중력을 견딜 필요가 없으므로 동물의 근육과 골격이 약해진다.

ㄷ. 무중력 상태에서는 대류가 일어나지 않으므로 양초의 불꽃 모양이 둥근 모양이 된다.

12 두 물체 사이의 중력은 질량이 클수록, 두 물체 사이의 거리가 가까울수록 크다.

모범 답안 두 물체 사이의 거리를 가깝게 하거나 질량이 더 큰 물체로 바꾼다.

채점 기준	배점
두 가지 모두 옳게 서술한 경우	100 %
한 가지만 옳게 서술한 경우	50 %

13 **꼼꼼 문제 분석**

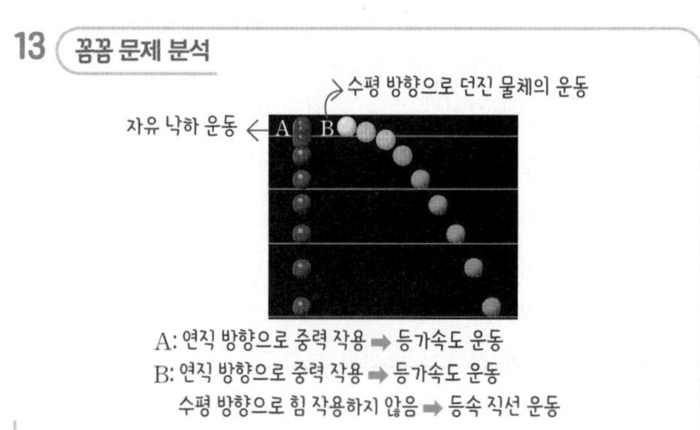

수평 방향으로 던진 물체의 운동
자유 낙하 운동
A
B
A: 연직 방향으로 중력 작용 ➡ 등가속도 운동
B: 연직 방향으로 중력 작용 ➡ 등가속도 운동
수평 방향으로 힘 작용하지 않음 ➡ 등속 직선 운동

공기 저항을 무시할 때 지표면 근처에서 수평 방향으로 던진 물체의 경우 수평 방향으로는 등속 직선 운동을 하고, 연직 방향으로는 자유 낙하 하는 물체와 같이 등가속도 운동을 한다.

모범 답안 A는 연직 방향으로 등가속도 운동을 한다. B는 연직 방향으로는 등가속도 운동을 하고, 수평 방향으로는 등속 직선 운동을 한다.

채점 기준	배점
A와 B의 운동을 모두 옳게 서술한 경우	100 %
A와 B의 운동 중 한 가지만 옳게 서술한 경우	50 %

14 모범 답안 수소, 헬륨과 같은 가벼운 기체는 속력이 빨라 지구 중력을 벗어나 우주로 날아가 버리므로 지구 대기의 구성 성분에 거의 없다.

채점 기준	배점
지구 중력과 연관지어 옳게 서술한 경우	100 %
무게가 가볍거나 속력이 빠르기 때문이라고만 서술한 경우	50 %

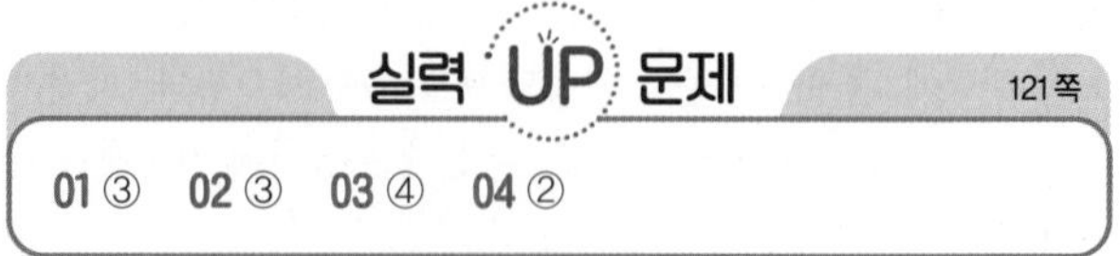

01 ㄱ. 운동하는 동안 A와 B에 작용하는 중력의 크기는 각각 일정하다.
ㄴ. B는 연직 방향으로 A와 같은 등가속도 운동을 하므로 연직 방향 가속도는 A와 B가 서로 같다.
바로알기 ㄷ. B는 수평 방향 속도에 관계없이 연직 방향으로는 A와 같은 등가속도 운동을 하므로 A와 지면에 동시에 떨어진다.

02 ㄱ. B가 A보다 수평 방향 이동 거리가 더 큰 것으로 보아 포탄을 쏜 속력은 B가 A보다 크다.
ㄷ. A, B, C에는 연직 방향으로 중력만 작용하므로, 운동하는 동안 세 포탄의 가속도의 크기는 중력 가속도로 모두 같다.
바로알기 ㄴ. 지표면 근처의 질량이 있는 모든 물체는 지구 중력의 영향을 받는다. 따라서 운동하는 동안 C에도 중력이 작용한다.

03 꼼꼼 문제 분석

수평 방향으로 던진 물체 A는 수평 방향으로는 등속 직선 운동을 하고, 연직 방향으로는 등가속도 운동을 한다.
물체 B는 자유 낙하 운동을 한다.

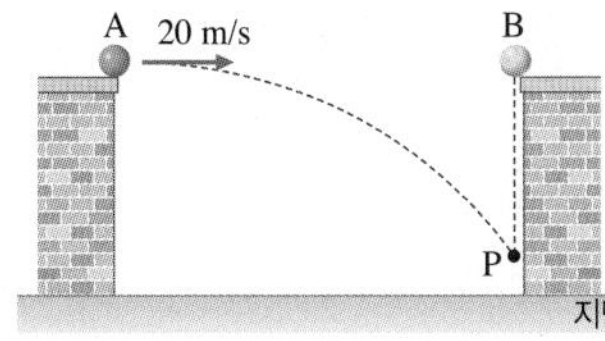

A, B가 P에서 충돌하므로 두 물체는 충돌할 때까지 걸린 시간과 연직 방향으로의 이동 거리가 같다.

ㄱ. A는 수평 방향으로는 등속 직선 운동을 하므로 두 탑 사이의 수평 거리는 20 m/s×1 s=20 m이다.
ㄴ. B는 자유 낙하 하므로 등가속도 운동을 한다. B의 처음 속력은 0이고, 1초 후 충돌하므로 등가속도 운동 식 $v=v_0+at$에 따라 충돌 직전 B의 속력은 0+10 m/s^2×1 s=10 m/s이다.
ㄷ. B의 가속도는 중력 가속도이므로 P까지의 거리를 h라고 하면 등가속도 운동 식 $h=\frac{1}{2}gt^2$에 따라 $h=\frac{1}{2}\times 10\ \text{m/s}^2\times(1\ \text{s})^2=$ 5 m이다.
바로알기 ㄹ. A와 B는 연직 방향으로 같은 가속도로 운동하므로 A를 수평 방향으로 던지는 속력을 더 크게 해도 두 물체는 충돌한다. 따라서 A를 던지는 속력을 더 크게 하면 두 물체는 더 빨리 충돌한다.

04 ㄴ. 기린은 중력의 영향으로 혈액이 머리 끝까지 순환하기 어렵지만 심장이 크고 혈압이 높아 혈액 순환이 가능하다.
바로알기 ㄱ. 밀물과 썰물은 태양과 달이 지구에 작용하는 중력에 의해 생기는 현상이다. 이때 지구와 더 가까이 있는 달의 영향력이 더 크다.
ㄷ. (가)는 중력이 지구 시스템에, (나)는 중력이 생명 시스템에 영향을 주는 것과 관련이 있다. 이처럼 중력은 지구 시스템과 생명 시스템에서 매우 중요하게 작용한다.

3 역학적 시스템과 안전

개념 확인 문제

125쪽

❶ 관성 ❷ 질량 ❸ 운동량 ❹ 충격량 ❺ 운동량의 변화량 ❻ 반비례 ❼ 충격력 ❽ 길게

1 (1) × (2) × (3) ○ (4) ○ **2** 4 kg·m/s **3** (1) × (2) ○ (3) ○ (4) ○ **4** 60 kg·m/s **5** (1) 같다 (2) 같다 (3) 충격력 (4) 시멘트 바닥 **6** ㄱ, ㄴ, ㄷ, ㅂ

1 (1) 물체는 운동 상태에 관계없이 관성을 가지고 있다. 즉, 정지하고 있는 물체도 관성을 가지고 있다.
(2) 관성은 물체가 가지는 고유의 성질로 물체에 작용하는 힘과 관계가 없다. 물체에 작용하는 힘이 0이면 물체는 관성에 의해 운동 상태가 변하지 않는다.
(3) 관성은 물체의 질량이 클수록 크다.
(4) 관성은 물체가 현재의 운동 상태를 유지하려는 성질로 물체에 작용하는 알짜힘이 0이면 정지해 있던 물체는 계속 정지해 있고, 운동하던 물체는 계속 등속 직선 운동을 한다.

2 운동량=질량×속도이므로 이 탄환의 운동량의 크기는 0.02 kg×200 m/s=4 kg·m/s이다.

3 (1) 운동량과 충격량의 단위는 서로 같다.
(2) 물체가 받는 충격량만큼 물체의 운동량이 변한다.
(3) 물체에 큰 힘을 오랫동안 작용하면 충격량이 커져서 물체의 속도 변화가 크다.
(4) 힘을 오랫동안 받을수록 충격량이 커져서 물체의 운동량 변화량이 크다. 따라서 같은 포탄일 경우 포신이 길수록 힘을 받는 시간이 길어져 더 큰 충격량을 받아 포탄이 멀리 날아간다.

4 나중 운동량=처음 운동량+충격량이므로 20 kg·m/s+40 kg·m/s=60 kg·m/s이다.

5 (1) 질량이 같은 두 달걀이 같은 높이에서 떨어졌으므로 바닥에 충돌하기 직전 운동량은 같다. 충돌 후 두 달걀은 멈추어서 운동량이 0이 되므로 두 달걀의 운동량의 변화량은 같다.
(2) 두 달걀의 운동량의 변화량이 같으므로 두 달걀이 받은 충격량도 같다. 힘 – 시간 그래프 아랫부분의 넓이는 충격량을 의미하므로 S_1과 S_2의 크기는 같다.
(3) 충격량=충격력×충돌 시간이므로 충격량이 같을 때 충돌 시간이 짧을수록 더 큰 충격력을 받는다.
(4) 시멘트 바닥에 떨어진 달걀이 푹신한 방석에 떨어진 달걀보다 충돌 시간이 짧으므로 더 큰 충격력을 받아 깨지기 쉽다.

6 에어백, 헬멧, 자동차 범퍼, 푹신한 매트는 모두 충돌 시간을 길게 하여 충격력을 줄이는 장치이다. 대포의 긴 포신은 힘이 작용하는 시간을 길게 하여 충격량을 크게 하므로 운동량이 커진 포탄은 더 멀리 날아갈 수 있다. 병따개는 지레의 원리를 이용하여 작은 힘을 작용하여 큰 힘을 내는 도구이다.

내신 만점 문제

126~128쪽

01 ③	02 ④	03 ①	04 ③	05 ④	06 ④
07 10 m/s	08 ④	09 ③	10 ③	11 ⑤	12 ④
13 ⑤	14 ③	15 해설 참조	16 해설 참조		

01 ㄱ. 관성은 물체가 가지는 고유의 성질로 물체가 현재의 운동 상태를 유지하려는 성질이다.

ㄴ. 관성은 물체의 질량이 클수록 크다.

바로알기 ㄷ. 운동하던 물체에 작용하는 알짜힘이 0이면 물체는 등속 직선 운동을 한다.

02 ㄴ. 달리던 사람이 돌부리에 걸리면 사람은 계속 움직이려고 하는데 발은 걸려 정지하므로 앞으로 넘어지게 된다.

ㄹ. 버스가 갑자기 출발하면 발은 버스와 함께 움직이지만 직접 힘을 받지 않은 상체는 정지해 있으려는 관성에 의해 뒤로 쏠린다.

바로알기 ㄱ. 노를 저으면 노가 물을 미는 힘의 반작용으로 물이 노를 밀어 배가 앞으로 나아가는 것은 작용 반작용 법칙과 관련된 현상이다.

ㄷ. 물로켓이 물을 내뿜는 힘의 반작용으로 물이 물로켓을 밀어주는 힘에 의해 물로켓이 앞으로 나아가는 것은 작용 반작용 법칙과 관련된 현상이다.

03 ㄱ. 관성은 물체의 질량이 클수록 크므로 세 물체 중 관성이 가장 큰 것은 질량이 가장 큰 C이다.

바로알기 ㄴ. 운동량은 물체의 질량과 속도를 곱한 물리량이다. B의 운동량의 크기는 2 kg×4 m/s=8 kg·m/s이고, C의 운동량의 크기는 3 kg×3 m/s=9 kg·m/s이므로 운동량의 크기는 B가 C보다 작다.

ㄷ. 세 물체는 수평면에서 일정한 속력으로 운동하므로 등속 직선 운동을 한다. 등속 직선 운동하는 물체에 작용하는 알짜힘은 0이다.

04 꼼꼼 문제 분석

운동량 보존 법칙에 따라 충돌 전과 충돌 후 운동량의 총합은 같다.

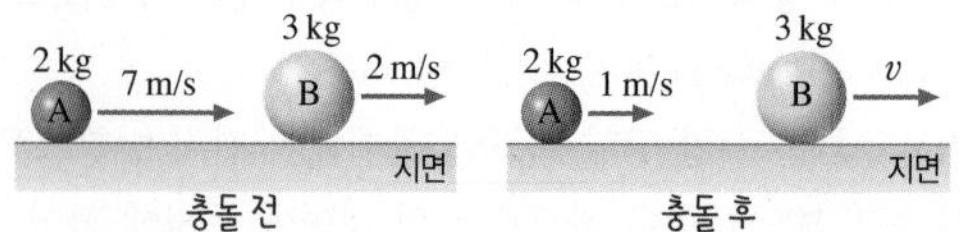

충돌 전 운동량의 합이 (2×7)+(3×2)=20(kg·m/s)이므로, 충돌 후 운동량의 합도 20 kg·m/s이다.

두 물체가 충돌할 때, 마찰이나 공기 저항 등 외부의 힘이 작용하지 않으면 충돌 전과 충돌 후 운동량의 총합은 일정하게 보존된다. 즉, 충돌 전 운동량의 합=충돌 후 운동량의 합이므로 (2 kg×7 m/s)+(3 kg×2 m/s)=(2 kg×1 m/s)+(3 kg×v)에서 충돌 후 B의 속력 v=6 m/s이다.

05 ①, ③ 물체가 힘을 받으면 속도가 변하므로 운동량이 변한다. 이때 물체가 받은 충격의 정도를 충격량이라고 하고 충격량의 크기만큼 운동량이 변한다.

② 충격량은 물체에 작용한 힘과 힘이 작용한 시간의 곱이므로 물체에 작용한 힘이 클수록, 힘이 작용한 시간이 길수록 충격량이 크다.

⑤ 충격량=충격력×충돌 시간이다. 물체가 받은 충격량이 일정할 때 충격력과 충돌 시간은 반비례하므로, 충돌 시간이 길수록 충격력이 작아진다.

바로알기 ④ 나중 운동량=처음 운동량+충격량이므로 충격량의 방향이 물체의 운동 방향과 같으면 운동량의 크기가 커진다.

06 꼼꼼 문제 분석

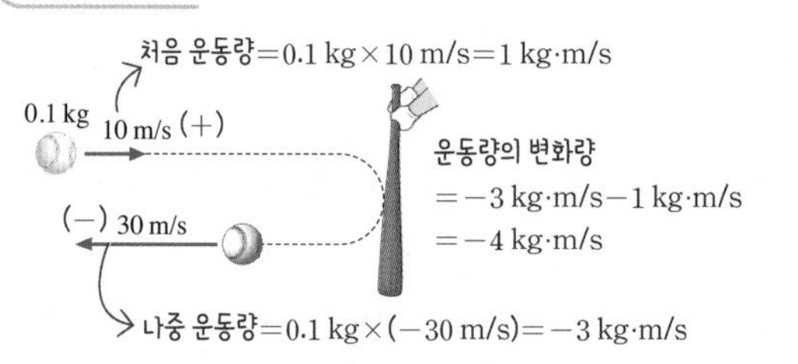

충격량은 운동량의 변화량과 같다. 처음 속도의 방향을 (+)라 하면 운동량의 변화량=나중 운동량−처음 운동량=0.1 kg×(−30 m/s)−0.1 kg×10 m/s=−4 kg·m/s=−4 N·s이므로 충격량의 크기는 4 N·s이다.

07 처음 운동량의 방향을 (+)라 하면 충격량은 운동 반대 방향이므로 −50 N·s가 된다. 충격량은 운동량의 변화량과 같으므로 처음 운동량+충격량=나중 운동량이다. 따라서 5 kg×20 m/s+(−50 N·s)=5 kg×v에서 나중 속도 v=10 m/s이다. 즉, 물체는 처음 운동 방향으로 10 m/s의 속력으로 운동하게 된다.

08 힘－시간 그래프 아랫부분의 넓이는 충격량을 의미하므로 10초 동안 물체가 받은 충격량은 30＋40＝70(N·s)이다. 충격량＝나중 운동량－처음 운동량이므로 10초 후 이 물체의 운동량＝처음 운동량＋충격량＝2 kg×5 m/s＋70 kg·m/s＝80 kg·m/s이다. 따라서 80 kg·m/s＝2 kg×v에서 10초 후의 속력 v＝40 m/s이다.

09 ㄱ. 충돌 전 A의 운동량의 크기는 4 kg×10 m/s＝40 kg·m/s이다.
ㄷ. 힘－시간 그래프 아랫부분의 넓이는 충격량을 의미하므로 충돌 과정에서 B가 받은 충격량은 20 N·s이다. 충격량＝나중 운동량－처음 운동량이므로 20＝(2×v)－(2×0)에서 충돌 후 B의 속력 v＝10 m/s이다.
바로알기 ㄴ. 작용 반작용 법칙에 따라 충돌 과정에서 A가 받은 충격량의 크기는 B가 받은 충격량의 크기와 같다. (나)에서 B가 받은 충격량이 20 N·s이므로 A가 받은 충격량의 크기도 20 N·s이다.

10 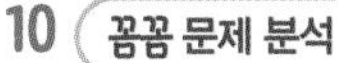

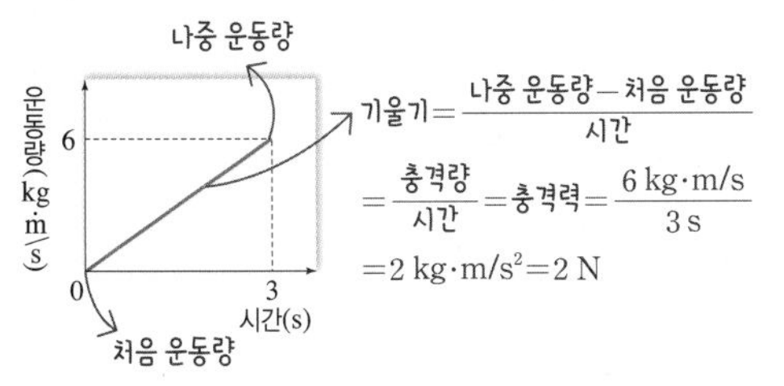

ㄱ. 운동량－시간 그래프에서 기울기는 충격력을 의미한다. 0~3초 동안 물체에 작용한 힘의 크기는 $\frac{6\text{ kg·m/s}}{3\text{ s}}$＝2 kg·m/s²＝2 N이다.
ㄴ. 물체의 운동량은 0초일 때 0이고, 3초일 때 6 kg·m/s이므로 0~3초 동안 운동량의 변화량은 6 kg·m/s이다.
바로알기 ㄷ. 충격량은 운동량의 변화량과 같으므로 0~3초 동안 물체가 받은 충격량의 크기는 6 N·s이다.

11 꼼꼼 문제 분석

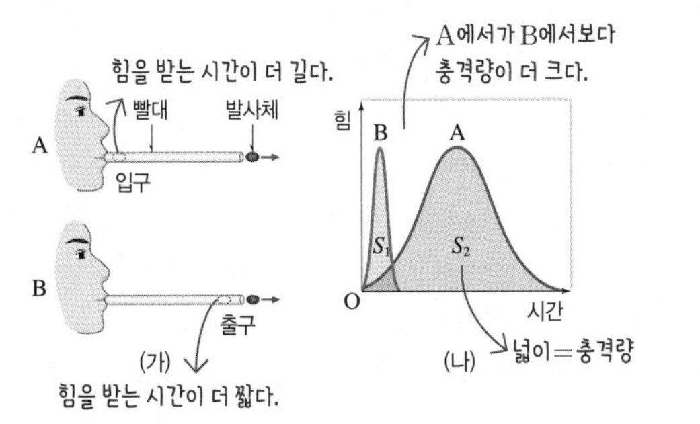

ㄱ. 발사체의 처음 위치에서 빨대 끝까지의 거리는 A에서가 B에서보다 더 길다. 따라서 같은 세기로 불 때 발사체가 힘을 받는 시간은 A에서가 B에서보다 길다.
ㄴ. 힘－시간 그래프에서 그래프 아랫부분의 넓이는 충격량을 의미한다. 따라서 S_1과 S_2는 각각 B와 A가 받은 충격량이다.
ㄷ. 운동량의 변화량은 충격량과 같으므로 A에서가 B에서보다 크다. 두 발사체의 처음 운동량은 0이므로 빨대를 빠져나오는 순간 발사체의 운동량은 A에서가 B에서보다 크다.

12 ㄴ, ㄷ. 질량이 같은 두 유리컵을 같은 높이에서 떨어뜨리므로 두 유리컵의 충돌 직전 운동량이 같다. 충돌 후 두 유리컵 모두 정지하므로 두 유리컵의 운동량의 변화량이 같고, 충격량의 크기도 같다. 충격량이 같을 때, 평균 힘은 힘이 작용한 시간에 반비례하므로 유리컵이 받은 평균 힘은 A에서가 B에서보다 크다.
바로알기 ㄱ. A는 B보다 힘이 작용한 시간이 짧고, 평균 힘의 크기가 큰 것으로 보아 A는 시멘트 바닥에 떨어진 유리컵이고, B가 이불 위에 떨어진 유리컵이다.

13 ㄴ. 같은 충격량($I=F\Delta t$)을 받을 때 충돌 시간(Δt)이 길수록 충격력(F)이 작아진다. 안전모나 범퍼는 충돌이 일어났을 때 충돌 시간을 길게 하여 사람이 받는 충격력을 작게 하는 역할을 한다.
ㄷ. 멀리뛰기 선수가 착지할 때 무릎을 살짝 구부리면 힘이 작용하는 시간이 길어져 몸이 받는 충격력이 작아진다.
바로알기 ㄱ. 충격량은 물체의 질량과 충돌 전후 속도에 의해 결정되므로 안전모나 범퍼가 충격량을 감소시키는 것은 아니다.

14 번지 점프를 할 때 사람이 떨어지는 동안 고무줄이 서서히 늘어나므로 사람이 받는 힘이 작아진다. 이는 운동량을 가진 물체가 멈추는 데 걸리는 시간을 길게 하여 힘의 크기를 작게 함으로써 충격을 완화시키는 원리를 이용한 것이다.
바로알기 ③ 자동차를 탈 때 안전띠를 착용하는 것은 충돌할 때 사람이 관성에 의해 튀어 나가는 것을 방지하기 위한 것이다.

15 충격량과 운동량은 방향이 있는 물리량이다. 오른쪽 방향을 (＋)로 표시하면 왼쪽 방향은 (－)로 표시한다.
충격량＝힘×충돌 시간이므로 －10 N×2 s＝－20 N·s이다.
물체의 운동량의 변화량은 물체가 받은 충격량과 같으므로 －20 kg·m/s이다.

모범 답안 (1) －20 N·s
(2) －20 kg·m/s
(3) 2초 후 물체의 운동량＝처음 운동량＋충격량＝2 kg×20 m/s＋(－20 N·s)＝20 kg·m/s이다. 2초 후 물체의 속도를 v라고 하면 20 kg·m/s＝2 kg×v에서 v＝10 m/s이다.

채점 기준		배점
(1)	$-20\ N\cdot s$라고 옳게 쓴 경우	20 %
(2)	$-20\ kg\cdot m/s$라고 옳게 쓴 경우	20 %
(3)	계산 과정과 속도를 모두 옳게 서술한 경우	60 %
	10 m/s라고만 쓴 경우	30 %

16 꼼꼼 문제 분석

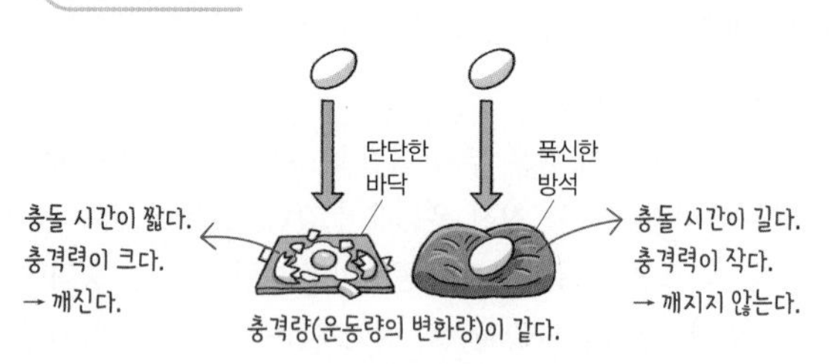

충격량이 같을 때 충격력과 충돌 시간은 반비례한다.

모범 답안 충격량은 충격력에 충돌 시간을 곱한 값이므로, 충격량이 같을 때 충돌 시간이 더 짧은 단단한 바닥에 떨어진 달걀이 더 큰 충격력을 받기 때문이다.

채점 기준	배점
충격량을 구하는 방법을 언급하고, 충격량이 같을 때 충돌 시간이 짧은 단단한 바닥에서 더 큰 충격력을 받기 때문이라고 서술한 경우	100 %
충격량이 같을 때 충돌 시간이 짧은 단단한 바닥에서 더 큰 충격력을 받기 때문이라고만 서술한 경우	70 %

실력 UP 문제

129쪽

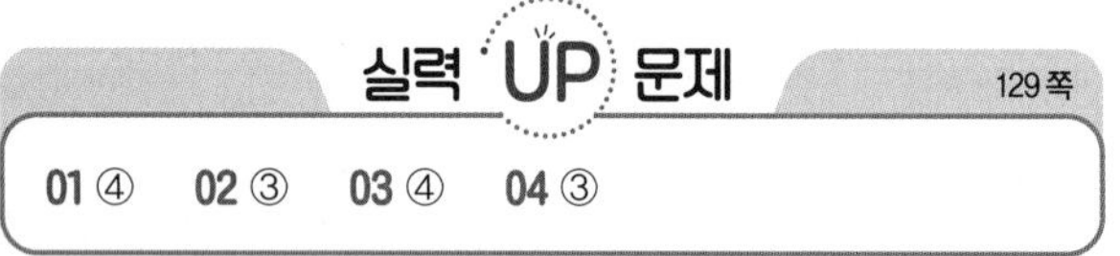

01 ④ 02 ③ 03 ④ 04 ③

01 ㄴ. 물체가 운동 상태를 유지하려는 성질은 관성이며, 이를 관성 법칙으로 설명할 수 있다.
ㄷ. 버스가 급정거할 때 승객들이 앞으로 넘어지는 것은 관성에 의한 현상이다.

바로알기 ㄱ. 물체에 작용하는 알짜힘이 0일 때 물체는 정지해 있거나 등속 직선 운동을 한다.

02 꼼꼼 문제 분석

(가)와 (나)에서 충돌 전 물체의 운동량이 같고, 충돌 후 모두 정지하므로 (가)와 (나)에서 물체의 운동량의 변화량은 같다.

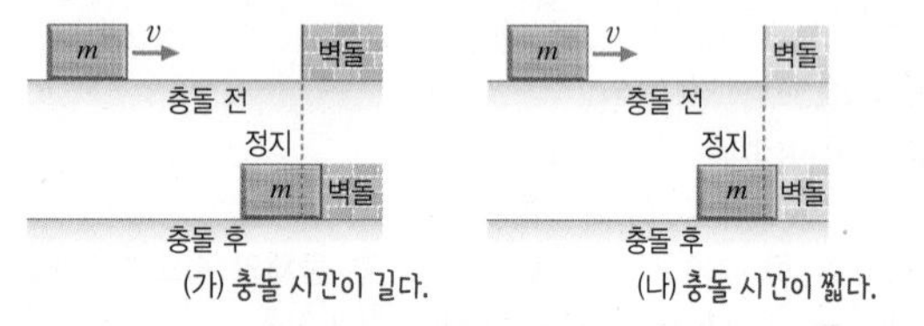

ㄱ. (가)와 (나)에서 물체의 충돌 전 운동량이 mv, 충돌 후 운동량이 0으로 같으므로, 운동량의 변화량의 크기는 mv로 같다.
ㄴ. 충격량은 운동량의 변화량과 같다. 따라서 물체가 벽으로부터 받은 충격량의 크기는 (가)에서와 (나)에서가 같다.

바로알기 ㄷ. 충격력$=\dfrac{\text{충격량}}{\text{충돌 시간}}$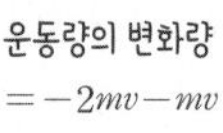이므로 충격량의 크기가 같을 때 충돌 시간이 길수록 충격력(평균 힘)의 크기는 작다. 따라서 물체가 벽으로부터 받은 충격력의 크기는 충돌 시간이 긴 (가)에서가 (나)에서보다 작다.

03 꼼꼼 문제 분석

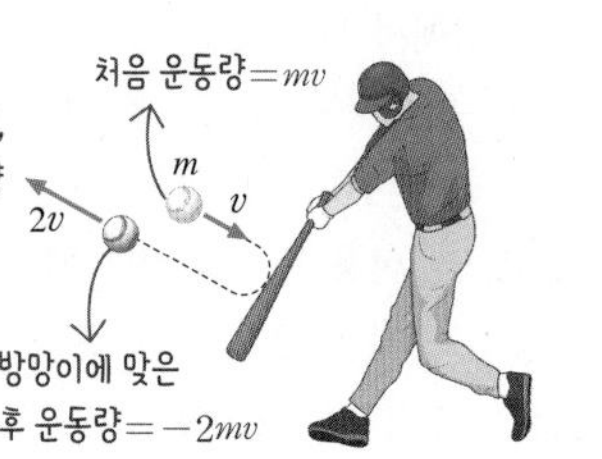

ㄱ. 충돌 후 공의 운동량의 크기는 $m\times 2v=2mv$이다.
ㄴ. 공의 운동량 변화량=나중 운동량−처음 운동량$=-2mv-mv=-3mv$이므로 공이 방망이로부터 받은 충격량의 크기는 $3mv$이다.

바로알기 ㄷ. 방망이가 공에 작용한 평균 힘$=\dfrac{\text{충격량}}{\text{시간}}$이므로 평균 힘의 크기$=\dfrac{3mv}{t}$이다.

04 꼼꼼 문제 분석

외부에서 힘이 작용하지 않으므로 운동량 보존 법칙이 성립한다.
➡ 충돌 전과 충돌 후 운동량의 합은 같다.

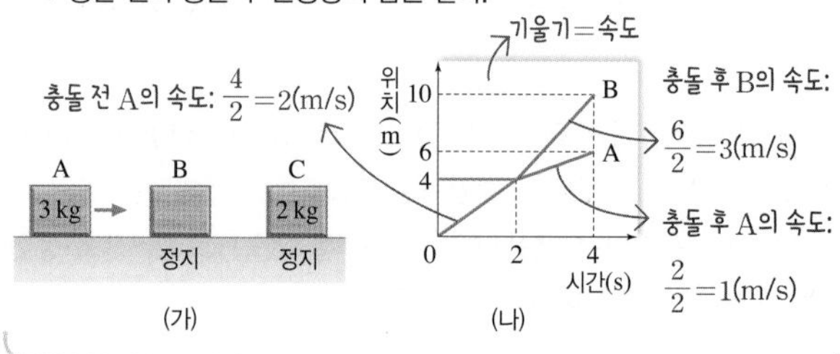

ㄱ. 위치−시간 그래프의 기울기는 속도를 의미하므로 충돌 전 A의 속도는 2 m/s이고 충돌 후 A의 속도는 1 m/s, 충돌 후 B의 속도는 3 m/s이다. B의 질량을 m이라고 하면 운동량 보존 법칙에 따라 $(3\times2)+0=(3\times1)+(m\times3)$이므로 $m=1$ kg이다.
ㄴ. 작용 반작용 법칙에 따라 A와 B가 충돌하는 동안 두 물체가 받는 충격량의 크기는 같다. 충격량의 크기는 운동량의 변화량의 크기와 같으므로 B가 A로부터 받은 충격량의 크기는 충돌 전후 A의 운동량의 변화량의 크기와 같다.

바로알기 ㄷ. 한 덩어리가 된 B와 C의 속력을 v라고 하면 운동량 보존 법칙에 따라 $1\times3+0=(1+2)\times v$이므로 $v=1$ m/s이다.

중단원 핵심 정리 130쪽

❶ 이동 거리 ❷ 변위 ❸ 가속도 ❹ 운동 상태 ❺ 알짜힘
❻ 비례 ❼ 반비례 ❽ 속도 ❾ 클수록 ❿ 지구 중심
⓫ 등가속도 ⓬ 없음(0) ⓭ 등가속도 ⓮ 속도 ⓯ 변화량
⓰ 충격량 ⓱ 충격력 ⓲ 길게

중단원 마무리 문제 131~134쪽

01 ⑤ 02 ⑤ 03 ④ 04 해설 참조 05 ③ 06 ③
07 ③ 08 ④ 09 ④ 10 ③ 11 해설 참조 12 ⑤
13 해설 참조 14 ⑤ 15 24 N·s 16 ④ 17 ②
18 ④ 19 ⑤ 20 해설 참조 21 ②

01 ㄱ. 20초 동안 원을 한 바퀴 돌았으므로 이동 거리는 원둘레와 같은 20π m이다.

ㄴ. 20초 동안 평균 속력$=\dfrac{\text{이동 거리}}{\text{시간}}=\dfrac{20\pi\text{ m}}{20\text{ s}}=\pi$ m/s이다.

ㄷ. 20초 동안 원을 한 바퀴 돌아 제자리로 돌아오므로 변위는 0이다. 따라서 20초 동안 평균 속도는 0이다.

02 ㄱ. 평균 속도$=\dfrac{\text{구간 거리}}{\text{구간 시간}}=\dfrac{14.7\text{ cm}}{0.1\text{ s}}=147$ cm/s이다.

ㄴ. 평균 속도 차이$=147-49=245-147=343-245=441-343=98$(cm/s)로 일정하다. 따라서 쇠구슬의 속도는 일정하게 증가하였다.

ㄷ. 인접 구간 사이의 평균 속도 차이가 98 cm/s로 일정하다. 즉, 단위시간당 속도 변화량이 일정하므로 가속도도 일정하다.

03 꼼꼼 문제 분석

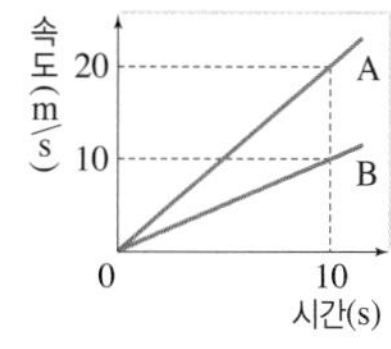

속도－시간 그래프의 기울기는 가속도이다.
➡ 그래프의 기울기가 일정하므로 A와 B는 등가속도 직선 운동을 한다.

속도－시간 그래프 아랫부분의 넓이는 이동 거리이다.

ㄱ. 그래프의 기울기가 가속도이므로 A의 가속도는 B의 2배이다. A의 가속도는 2 m/s^{2}이고, B의 가속도는 1 m/s^{2}이다.

ㄷ. 등가속도 직선 운동에서 평균 속도는 처음 속도와 나중 속도의 중간 값이다. 따라서 0~10초 동안 B의 평균 속도의 크기$=\dfrac{0+10}{2}=5$(m/s)이다.

바로알기 ㄴ. 그래프 아랫부분의 넓이는 이동 거리이므로 0~10초 동안 A의 이동 거리$=\dfrac{1}{2}\times10\times20=100$(m)이다.

04 꼼꼼 문제 분석

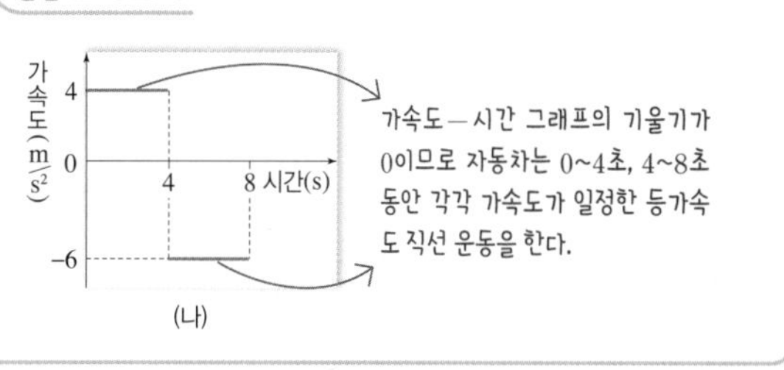

가속도－시간 그래프의 기울기가 0이므로 자동차는 0~4초, 4~8초 동안 각각 가속도가 일정한 등가속도 직선 운동을 한다.

(나)에서 자동차는 0~4초 동안 가속도가 4 m/s^{2}인 등가속도 직선 운동을, 4~8초 동안 가속도가 -6 m/s^{2}인 등가속도 직선 운동을 한다.

모범 답안 자동차는 출발점에서 정지해 있었으므로 등가속도 운동 식 $v=v_0+at$에 따라 4초일 때 속도는 $0+4\times4=16$(m/s)이다. 8초일 때 속도는 $16+(-6)\times4=-8$(m/s)이므로 속력은 8 m/s이다. 따라서 자동차의 속력은 4초일 때가 8초일 때의 2배이다.

채점 기준	배점
계산 과정과 답을 모두 옳게 서술한 경우	100 %
계산 과정만 옳게 서술한 경우	50 %
답만 옳게 서술한 경우	30 %

05 ㄱ. 두 물체 사이에 작용하는 중력의 크기는 두 물체의 질량이 클수록 크다.

ㄴ. 중력의 크기는 두 물체 사이의 거리가 멀수록 작다.

바로알기 ㄷ. 두 물체 사이에 작용하는 중력의 크기는 서로 같다. 즉, A가 B에 작용하는 중력은 B가 A에 작용하는 중력과 크기가 같고 방향은 반대이다.

06 꼼꼼 문제 분석

운동 방향 중력

일정한 시간 간격으로 나타낸 공의 위치 간격이 아래로 갈수록 점점 커진다.
➡ 공의 속도가 점점 증가한다.

③ 자유 낙하 하는 공에는 연직 방향으로 중력이 작용한다. 따라서 공의 운동 방향과 중력의 방향은 연직 방향으로 같다.

바로알기 ① 중력의 크기가 일정하므로 공의 가속도는 일정하다.
② 자유 낙하 하는 공의 속도는 일정하게 증가한다.
④ 작용 반작용 법칙에 따라 지구가 공에 작용하는 중력의 반작용으로 공은 지구에 중력을 작용한다.
⑤ 지표면 근처에서 물체에 작용하는 중력의 크기는 일정하다.

07 ㄱ. A는 정지해 있으므로 A에 작용하는 알짜힘은 0이다.

ㄴ. 지표면에서 자유 낙하 하는 물체는 등가속도 운동을 한다.

바로알기 ㄷ. 중력을 받아 자유 낙하 하는 물체의 가속도는 중력 가속도로, 질량에 관계없이 일정하다.

08 꼼꼼 문제 분석

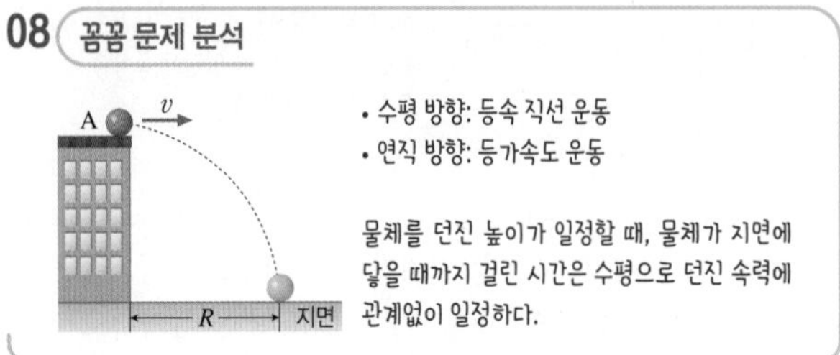

A
v
R
지면
• 수평 방향: 등속 직선 운동
• 연직 방향: 등가속도 운동
물체를 던진 높이가 일정할 때, 물체가 지면에 닿을 때까지 걸린 시간은 수평으로 던진 속력에 관계없이 일정하다.

ㄴ, ㄷ. 수평 방향으로 던진 물체는 수평 방향으로는 힘을 받지 않으므로 등속 직선 운동을 하고, 연직 방향으로는 중력을 받으므로 등가속도 운동을 한다.

바로알기 ㄱ. 물체가 지면에 닿을 때까지 걸린 시간을 t라고 하면 $R=vt$이므로 R는 v에 비례한다.

09 꼼꼼 문제 분석

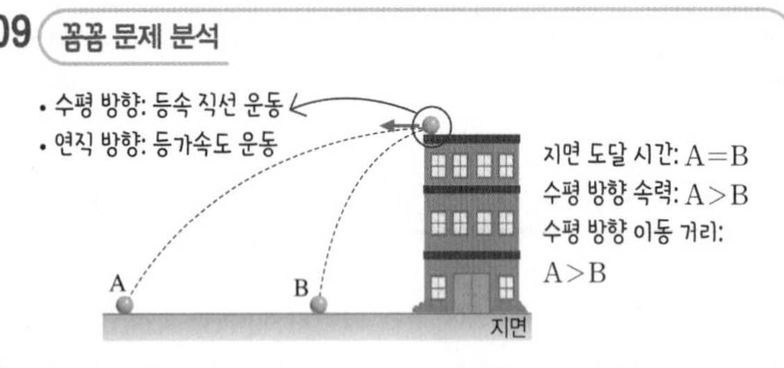

수평 방향으로 던진 물체는 연직 방향으로 등가속도 운동을 하므로, 처음 높이가 같으면 수평 방향으로 던진 속도의 크기나 물체의 질량에 관계없이 동시에 지면에 도달한다.

ㄱ. 두 물체가 지면에 도달하는 데 걸린 시간이 같으므로, 처음 수평 방향 속도가 더 빠른 물체의 수평 방향 이동 거리가 더 크다. 따라서 수평 방향 속도의 크기는 A가 B보다 크다.

ㄷ. 두 물체가 운동하는 동안 연직 방향의 가속도는 중력 가속도로 같다.

바로알기 ㄴ. 같은 높이에서 동시에 수평 방향으로 던지므로 A와 B는 지면에 동시에 도달한다.

10 꼼꼼 문제 분석

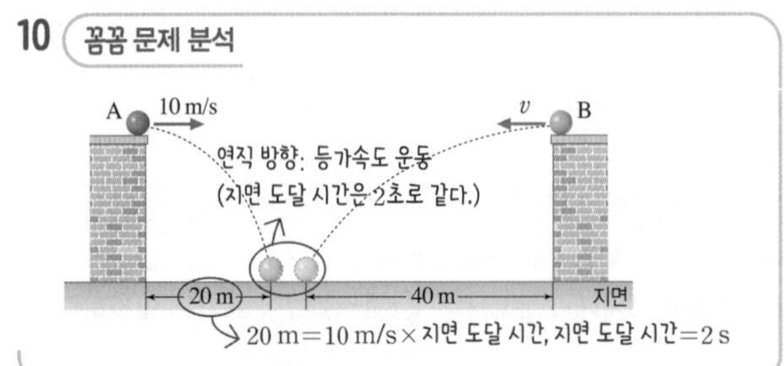

ㄱ. A, B는 중력에 의해 운동하므로 운동하는 동안 작용하는 힘의 크기는 각각 일정하다.

ㄴ. 두 물체가 같은 높이에서 출발하였으므로 지면에 도달하는 데 걸린 시간이 같다. B가 지면에 도달할 때까지 걸리는 시간이 2초이고, 수평 방향 이동 거리가 40 m이므로 $40\text{ m}=v\times2\text{ s}$에서 처음 수평 방향 속도 $v=20\text{ m/s}$이다.

바로알기 ㄷ. 지면에 도달하는 순간의 연직 방향의 속도는 같다.

11 꼼꼼 문제 분석

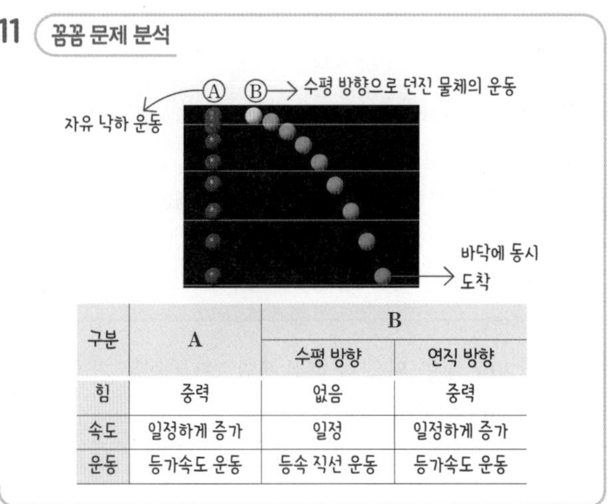

구분	A	B	
		수평 방향	연직 방향
힘	중력	없음	중력
속도	일정하게 증가	일정	일정하게 증가
운동	등가속도 운동	등속 직선 운동	등가속도 운동

모범 답안 (1) 연직 방향 가속도, 바닥에 닿을 때까지 걸린 시간

(2) 연직 방향으로는 속력이 일정하게 증가하고, 수평 방향으로는 속력이 일정하다.

채점 기준		배점
(1)	두 가지 모두 옳게 쓴 경우	100 %
	한 가지만 옳게 쓴 경우	50 %
(2)	두 가지 모두 옳게 서술한 경우	100 %
	한 가지만 옳게 서술한 경우	50 %

12 ㄱ. 행성들은 태양의 중력에 의해 태양의 영향을 벗어나지 못하고 태양 주위를 공전한다.

ㄴ. 지구에서 일어나는 밀물과 썰물은 달과 태양이 지구에 작용하는 중력 때문에 해수면의 높이가 달라져서 발생하는 현상이다.

ㄷ. 대류 현상은 액체나 기체가 온도에 따라 물질의 밀도가 달라지면서 상대적으로 중력(무게)의 차이가 발생하기 때문에 일어난다.

13 빠르게 운동하던 망치 자루가 바닥에 부딪혀 멈추면 망치 머리는 계속 운동하려는 관성에 의해 아래로 내려가 망치 자루에 단단히 박히게 된다.

모범 답안 망치 자루는 정지해도 망치 머리는 계속 운동하려는 관성 때문이다.

채점 기준	배점
망치 자루는 정지해도 망치 머리는 계속 운동하려는 관성 때문이라는 내용으로 서술한 경우	100 %
관성 때문이라고만 서술한 경우	50 %

14 ① 운동량의 단위는 kg·m/s이고, 충격량의 단위는 N·s이다. $N \cdot s = kg \cdot m/s^2 \cdot s = kg \cdot m/s$이므로 두 물리량의 단위는 같다.
② 충격량=힘×시간이고, 충격량의 방향은 힘의 방향과 같은 방향이다.
③ 운동량=질량×속도이고, 운동량의 방향은 물체의 속도와 같은 방향이다.
④ 물체가 받은 충격량은 물체의 운동량 변화량으로 나타난다.
바로알기 ⑤ 운동량은 방향을 포함하는 물리량이다. 따라서 질량이 같은 두 물체가 같은 속력으로 운동하더라도 운동 방향이 다르면 운동량도 다르다.

15 충격량은 힘 – 시간 그래프 아랫부분의 넓이이므로 충격량 $=6\ N \times 4\ s = 24\ N \cdot s$이다.

16 꼼꼼 문제 분석

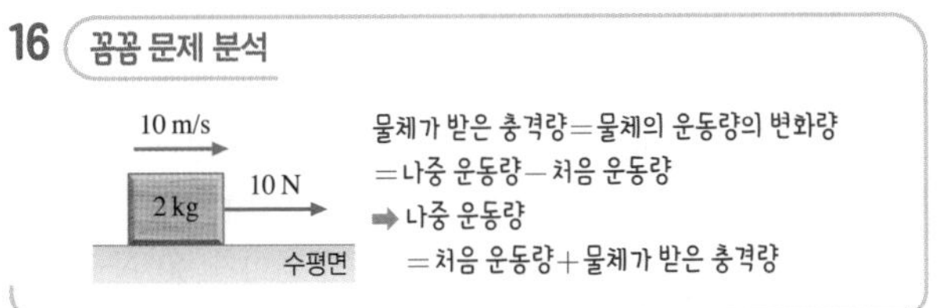

물체의 처음 운동량 $=2\ kg \times 10\ m/s = 20\ kg \cdot m/s$이고, 2초 동안 물체가 받은 충격량 $=10\ N \times 2\ s = 20\ N \cdot s$이다. 2초 후 물체의 운동량=처음 운동량+2초 동안 받은 충격량 $=20\ kg \cdot m/s + 20\ N \cdot s = 40\ kg \cdot m/s$이다. 2초 후 물체의 속력을 v라고 하면 $40\ kg \cdot m/s = 2\ kg \times v$에서 $v = 20\ m/s$이다.

17 꼼꼼 문제 분석

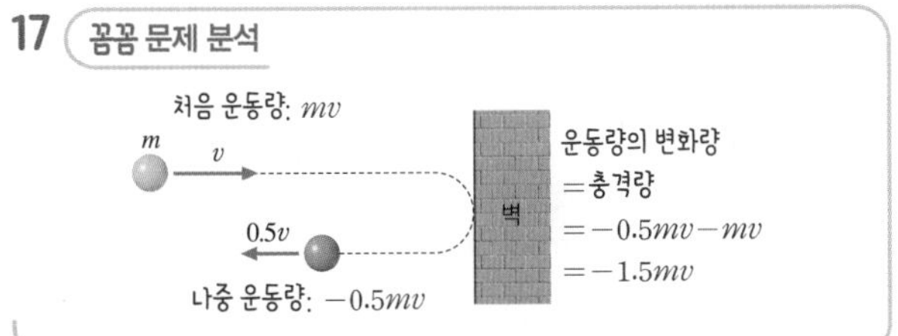

ㄷ. 오른쪽 방향을 (+)로 하면 충돌 전 공의 운동량은 mv, 충돌 후 공의 운동량은 $-0.5mv$이다. 충돌하는 과정에서 공이 벽으로부터 받은 충격량은 운동량의 변화량과 같으므로 $-0.5mv - mv = -1.5mv$이며, 크기는 $1.5mv$이다.
바로알기 ㄱ. 충돌 전 공의 운동량의 크기는 mv이고, 충돌 후 운동량의 크기는 $0.5mv$이므로 운동량의 크기는 감소하였다.
ㄴ. 공의 운동량의 변화량의 크기는 $1.5mv$이다.

18 ①, ③ 두 달걀의 충돌 직전 속도가 같고, 질량이 같으므로 바닥에 충돌하기 직전 운동량은 같다. 충돌 후 모두 정지하므로 운동량의 변화량이 같고, 충격량도 같다.
② 그래프에서 솜에 떨어진 달걀의 충돌 시간이 더 길다.
⑤ 그래프에서 충돌하는 동안 달걀이 받은 힘(충격력)은 시멘트 바닥에 떨어진 달걀이 더 크다.
바로알기 ④ 같은 높이에서 같은 종류의 달걀을 떨어뜨리므로 충돌 직전 두 달걀의 운동량이 같다. 충돌 후 두 달걀 모두 속도가 0이므로 두 달걀의 운동량의 변화량은 같다.

19 충격량이 같을 때 충격력과 충돌 시간은 반비례한다. 시멘트 바닥 위에 떨어진 달걀은 솜 위에 떨어진 달걀보다 충돌 시간이 더 짧으므로 더 큰 충격력을 받아 깨진 것이다.

20 대포의 포신이 길수록 포탄이 힘을 받는 시간이 길어져 충격량이 크므로 포탄이 포신을 떠날 때의 운동량이 크다. 다른 조건이 같다면 운동량이 클수록 포탄이 멀리 날아간다.
모범 답안 충돌 시간(포탄이 힘을 받는 시간)이 길어져 포탄이 받는 충격량이 커지므로 포탄의 운동량의 변화량이 커지기 때문이다.

채점 기준	배점
충돌 시간(포탄이 힘을 받는 시간)이 길어져 충격량이 커지고 그 결과 포탄의 운동량의 변화량이 커지기 때문이라는 내용으로 서술한 경우	100 %
포신이 길수록 포탄의 운동량이 커지기 때문이라고만 서술한 경우	50 %

21 ㄷ. 세 가지 안전장치는 모두 충돌 시간을 길게 하여 충격력(평균 힘)의 크기를 감소시키는 역할을 한다.
바로알기 ㄱ, ㄴ. 충돌 시 운동량의 변화량은 물체의 질량과 충돌 전후 속도에 의해 결정되므로 세 가지 안전장치가 있더라도 운동량의 변화량을 감소시키지는 않는다. 물체가 받은 충격량은 운동량의 변화량과 같으므로 충격량도 감소시키지 않는다.

중단원 고난도 문제

135쪽

01 ③ 02 ④ 03 ③ 04 ①

01 꼼꼼 문제 분석

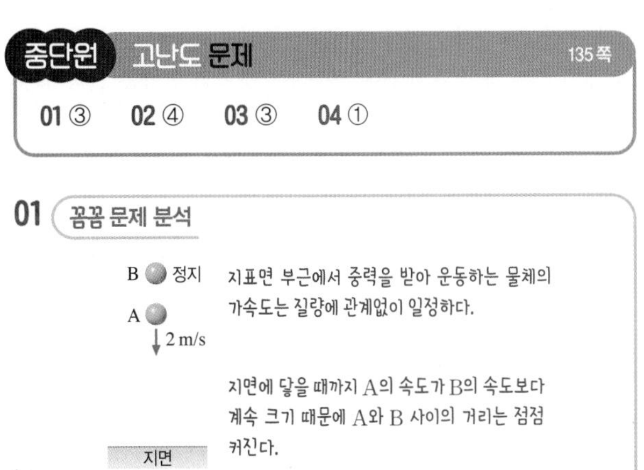

선택지 분석

㉠ 두 물체의 가속도는 같다.

~~ㄴ~~. 두 물체 사이의 거리는 일정하게 유지된다. 점점 커진다.

㉢ A의 속력이 4 m/s가 되는 순간 B의 속력은 2 m/s 이다.

전략적 풀이 ❶ 두 물체의 가속도를 파악한다.

ㄱ. 두 물체의 가속도는 중력 가속도로 같다.

❷ 두 물체의 속도와 이동 거리의 변화를 파악한다.

ㄴ. A가 지면에 닿기 전까지 계속 A의 속도가 B의 속도보다 크기 때문에 같은 시간 동안 이동 거리는 A가 B보다 크다. 따라서 A와 B 사이의 거리는 점점 커진다.

ㄷ. 두 물체의 가속도가 같으므로 같은 시간 동안 속도 변화량도 같다. 따라서 A의 속도가 2 m/s에서 4 m/s로 2 m/s 증가할 때 B의 속도도 2 m/s 증가하므로 A의 속력이 4 m/s가 되는 순간 B의 속력은 2 m/s가 된다.

02 꼼꼼 문제 분석

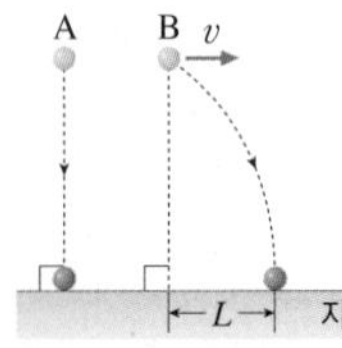

A와 B 모두 연직 방향으로 중력을 받는다.
➡ 지표면에서 중력만을 받아 운동하는 물체의 가속도는 질량에 관계없이 같다.

수평으로 던진 물체는 수평 방향으로 등속 직선 운동을 한다.

선택지 분석

~~ㄱ~~. 가속도의 크기는 A가 B보다 크다. A와 B가 같다.

㉡ 운동하는 동안 A와 B에 작용하는 중력의 방향은 같다.

㉢ A가 처음 위치에서 지면에 도달할 때까지 걸린 시간은 $\frac{L}{v}$이다.

전략적 풀이 ❶ 두 물체에 작용하는 힘과 물체의 가속도를 파악한다.

ㄱ. 지표면 근처에서 중력만을 받아 운동하는 물체의 가속도는 물체의 질량과 운동 방향에 관계없이 중력 가속도로 같다.

ㄴ. 운동하는 동안 A와 B에 작용하는 중력의 방향은 연직 방향으로 같다.

❷ 두 물체는 지면에 동시에 도달하므로 지면에 도달할 때까지 걸린 시간이 같다는 것을 이용한다.

ㄷ. B는 수평 방향으로 등속 직선 운동을 하므로 지면에 도달할 때까지 걸린 시간은 수평 방향으로 이동한 거리를 속력으로 나누어 구할 수 있다. 즉, B가 지면에 도달할 때까지 걸린 시간은 $\frac{L}{v}$이다. 따라서 A가 처음 위치에서 지면에 도달할 때까지 걸린 시간도 $\frac{L}{v}$이다.

03 꼼꼼 문제 분석

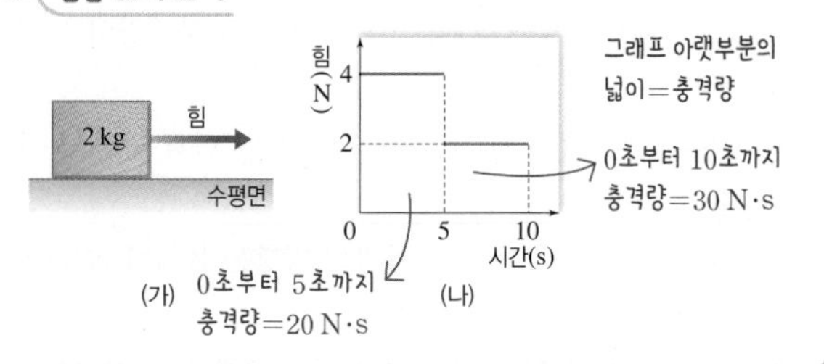

선택지 분석

㉠ 5초일 때 물체의 운동량의 크기는 20 kg·m/s이다.

㉡ 0초부터 10초까지 물체가 받은 충격량의 크기는 30 N·s이다.

~~ㄷ~~. 10초일 때 물체의 속력은 30 m/s이다. 15 m/s

전략적 풀이 ❶ 그래프 아랫부분의 넓이가 의미하는 것을 안다.
❷ 충격량과 운동량의 관계를 안다.

ㄱ. 0초부터 5초까지 물체가 받은 충격량이 20 N·s이므로 운동량의 변화량은 20 kg·m/s이다. 물체가 처음에 정지해 있었으므로 5초일 때 물체의 운동량의 크기는 20 kg·m/s이다.

ㄴ. 0초부터 10초까지 그래프 아랫부분의 넓이가 30 N·s이므로 물체가 받은 충격량의 크기는 30 N·s이다.

ㄷ. 0초부터 10초까지 물체가 받은 충격량이 30 N·s이므로 10초일 때 물체의 운동량은 30 kg·m/s이다. 따라서 30 kg·m/s $=2\text{ kg}\times v$에서 10초일 때 물체의 속력 $v=15$ m/s이다.

04 꼼꼼 문제 분석

충격량=운동량의 변화량

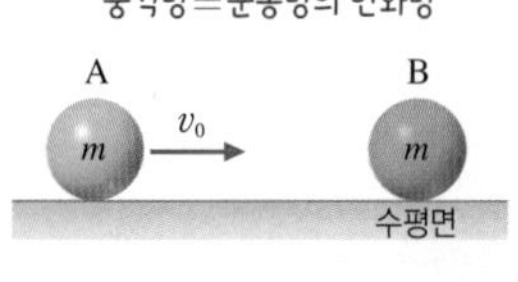

(가)

충돌 시 서로에게 작용하는 힘의 크기는 같다.
➡ 작용 반작용 관계

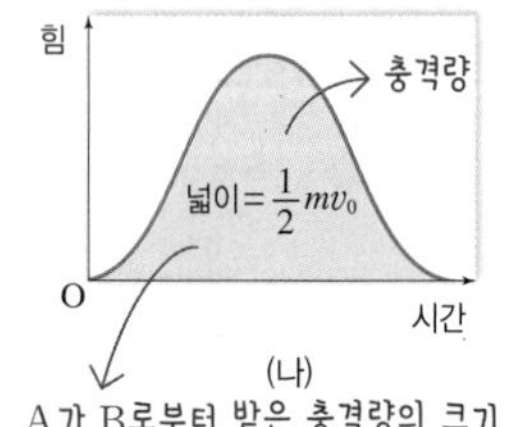

(나)

A가 B로부터 받은 충격량의 크기 =B가 A로부터 받은 충격량의 크기

전략적 풀이 ❶ 그래프 아랫부분의 넓이가 의미하는 것을 안다.

A가 B로부터 받은 충격량은 힘 – 시간 그래프 아랫부분의 넓이인 $\frac{1}{2}mv_0$이므로 B가 A로부터 받은 충격량의 크기도 $\frac{1}{2}mv_0$이다.

❷ 정지해 있던 B의 충돌 후 운동량의 크기를 예상한다.

정지해 있던 B가 받은 충격량의 크기가 $\frac{1}{2}mv_0$이므로 그만큼 운동량이 증가하여 충돌 후 B의 운동량은 $\frac{1}{2}mv_0$이다. B의 질량이 m이므로 충돌 후 B의 속력은 $\frac{1}{2}v_0$이다.

2 지구 시스템

1 지구 시스템의 에너지와 물질 순환

개념 확인 문제 142쪽

❶ 지구 시스템 ❷ 대류권 ❸ 맨틀 ❹ 수온 약층 ❺ 생물권 ❻ 외권

1 중력 **2** (1) ㉡ (2) ㉠ (3) ㉤ (4) ㉣ (5) ㉢ **3** (1) A: 대류권, B: 성층권, C: 중간권, D: 열권 (2) 높이에 따른 기온 분포 **4** (1) ○ (2) × (3) ○ (4) ○ **5** (1) B (2) A (3) C **6** (1) ○ (2) × (3) × **7** (1) 생물권 (2) 지권 (3) 지권 (4) 기권 (5) 지권 (6) 외권

2 (1) 오존층은 지구 대기의 성층권에 존재하므로 기권에 속한다.
(2) 토양은 지구 표면을 덮고 있으므로 지권에 속한다.
(3) 빙하는 액체 상태의 물이 얼어서 형성된 것으로 수권에 속한다.
(4) 동물, 식물, 미생물은 모두 생물권에 속한다.
(5) 태양은 지구의 기권 밖에 존재하므로 외권에 속한다.

4 (1) 지각은 대부분 비교적 가벼운 규산염 물질로 이루어져 있다.
(2) 맨틀은 고체 상태이지만, 일부는 유동성이 있기 때문에 대류가 일어난다.
(3) 외핵과 내핵은 구성 물질이 거의 같지만, 구성 물질의 상태에 따라 액체 상태의 외핵과 고체 상태의 내핵으로 구분된다.
(4) 지각은 주로 산소와 규소로 이루어져 있어 밀도가 작고, 핵은 주로 철과 니켈로 이루어져 있어 밀도가 크므로, 지구 중심으로 갈수록 밀도가 커진다.

5 꼼꼼 문제 분석

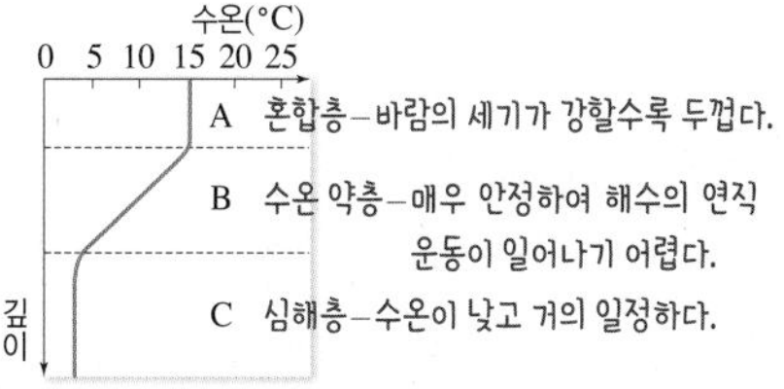

(1) 수온 약층(B)은 수심이 깊어짐에 따라 수온이 급격히 낮아지는 층으로 매우 안정하다.
(2) 혼합층(A)은 바람이 강할수록 해수의 혼합이 잘 일어나므로 두께가 두꺼워진다.
(3) 심해층(C)은 태양 복사 에너지가 거의 도달하지 않으므로 계절이나 깊이에 따른 수온 변화가 거의 없다.

6 (1) 수권 중 약 97.2 %를 해수가 차지한다.
(2) 생물은 지표, 대기, 해양 등에 서식하므로, 생물권은 지권, 기권, 수권의 영역과 공간적으로 겹쳐서 분포한다.
(3) 지구 자기장은 우주선이나 태양풍의 고에너지 입자를 차단하여 지구상의 생명체를 보호한다. 태양 복사의 유해 자외선을 차단하여 지상의 생명체를 보호하는 것은 오존층이다.

7 (1) 호흡은 생물이 대기 중 산소를 흡수하고 이산화 탄소를 방출하는 과정이고, 광합성은 식물이 대기 중 이산화 탄소를 흡수하고 산소를 방출하는 과정이다. 따라서 호흡과 광합성은 기권과 생물권의 상호 작용에 해당한다.
(2) 지진 해일은 해저에서 급격한 지각 변동에 의해 수면에 파동이 생기는 현상이므로 지권과 수권의 상호 작용에 해당한다.
(3) 화산 가스는 지권에서 화산 활동이 일어날 때 분출되어 기권으로 유입되는 기체 성분이다. 따라서 화산 가스 방출은 지권과 기권의 상호 작용에 해당한다.
(4) 태풍은 열대 해상에서 수증기의 숨은열(응결열)을 에너지원으로 하여 발생하므로 기권과 수권의 상호 작용에 해당한다.
(5) 석회 동굴은 지하수에 의해 석회암이 용해되어 형성되므로 수권과 지권의 상호 작용에 해당한다.
(6) 오로라는 태양으로부터 오는 대전 입자의 일부가 지구 자기장에 이끌려 대기로 진입하면서 공기 분자와 충돌하여 빛을 내는 현상이다. 따라서 오로라는 외권과 기권의 상호 작용에 해당한다.

개념 확인 문제 145쪽

❶ 태양 에너지 ❷ 에너지 평형 ❸ 태양 에너지 ❹ 탄산 이온 ❺ 일정하다

1 지구 내부 에너지 **2** (1) × (2) ○ **3** (1) 태양 에너지 (2) 36 단위 **4** (1) ㉡ (2) ㉢ (3) ㉠ (4) ㉣ **5** ㄱ, ㄷ, ㄹ **6** (1) ○ (2) ×

1 지구 내부 에너지는 지구 내부의 방사성 원소의 붕괴열로 생성되며, 판의 운동을 일으켜 대륙을 이동시키고 지진, 화산 활동 등의 지각 변동을 일으킨다.

2 (1) 지구는 구형이므로 고위도로 갈수록 태양 고도가 낮아져 단위 면적당 받는 태양 복사 에너지양이 적어진다.
(2) 대기와 해수의 순환을 통해 저위도의 남는 에너지가 고위도로 이동하여 지구 전체적으로 에너지 평형을 이룬다.

3 (2) 육지에서 물을 얻은 양과 잃은 양은 같으므로 96＝60＋A에서 A는 36 단위이다.

5 ㄱ, ㄹ. 화석 연료의 연소와 화산 활동을 통해 지권에서 기권으로 탄소가 이동하므로 대기 중 탄소가 증가한다.
ㄴ. 광합성을 통해 기권의 탄소가 생물권으로 이동하므로 대기 중 탄소가 감소한다.
ㄷ. 생물의 호흡 작용으로 탄소는 생물권에서 기권으로 이동하므로 대기 중 탄소가 증가한다.

6 (1) 최근에는 인간 활동으로 지구 온난화, 미세 먼지 등 환경 오염이 발생하여 지구 시스템의 균형이 깨지고 있다.
(2) 인간 활동으로 발생한 환경 문제는 인간의 합리적인 활동으로 회복될 수 있다.

내신 만점 문제

146~149쪽

01 ②	02 ③	03 ①	04 ④	05 ⑤	06 ③
07 ④	08 ①	09 ①	10 ②	11 ③	12 ④

13 ③ 14 (가) 지구 내부 에너지 (나) 태양 에너지 (다) 조력 에너지 15 ① 16 ⑤ 17 ⑤ 18 ① 19 ③
20 해설 참조 21 해설 참조 22 해설 참조 23 해설 참조

01 ① 지권은 단단한 지각과 지구 내부로 이루어져 있다.
③ 기권에 포함된 이산화 탄소와 수증기 등의 온실 기체가 온실 효과를 일으켜 지구를 보온해 준다.
④, ⑤ 태양계를 구성하는 천체들은 태양의 중력에 의해 일정한 궤도를 따라 공전하면서 서로 영향을 주고받는 거대한 역학적 시스템을 이룬다.
바로알기 ② 수권은 깊이에 따른 수온 분포를 기준으로 층을 구분한다. 중력에 의해 여러 개의 층으로 나누어진 권은 지권이다.

02 꼼꼼 문제 분석

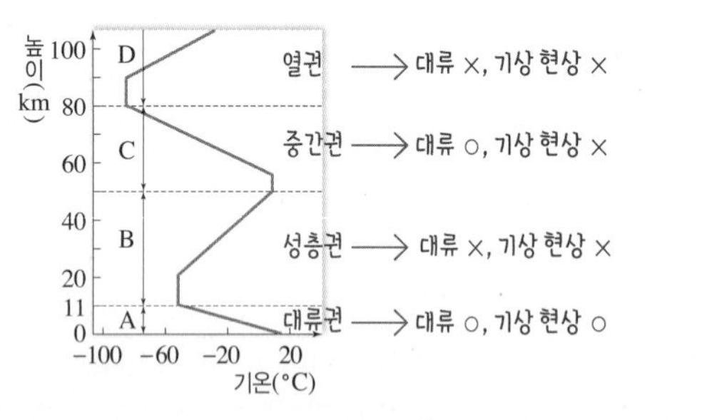

① 대류권(A)에서는 높이 올라갈수록 기온이 낮아지므로 공기의 대류가 활발하고 수증기가 존재하여 기상 현상이 나타난다.
② 성층권(B)에서는 높이 약 20 km~30 km 구간에 오존의 농도가 높은 오존층이 존재하여 자외선을 흡수한다.
④ 낮과 밤의 기온 차가 가장 큰 층은 열권(D)이다.
⑤ 오로라는 태양으로부터 날아온 전기를 띤 입자들이 극지방의 상공에서 공기 분자들과 충돌하여 빛을 내는 현상으로, 주로 열권(D)에서 나타난다.
바로알기 ③ 성층권(B)은 높이 올라갈수록 기온이 상승하여 안정하므로 대류가 일어나지 않고, 중간권(C)은 높이 올라갈수록 기온이 하강하므로 불안정하여 대류가 일어난다. 따라서 B는 C보다 기층이 안정하다.

03 꼼꼼 문제 분석

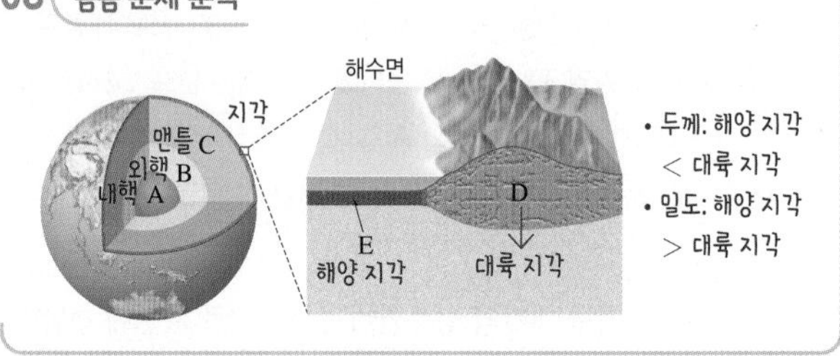

ㄱ. 내핵(A)과 외핵(B)은 철과 니켈로 이루어져 있어 구성 성분이 거의 같지만, 내핵은 고체 상태이고 외핵은 액체 상태이다.
바로알기 ㄴ. 맨틀(C)은 지권 전체 부피의 약 80 %를 차지하므로 내핵(A)과 외핵(B)을 합한 부피보다 크다.
ㄷ. 대륙 지각(D)은 해양 지각(E)보다 두께가 두껍고, 평균 밀도가 작다.

04 ① 수권의 대부분(약 97.2 %)을 차지하는 것은 해수이다.
② A는 육수 중 가장 많은 비율을 차지하는 빙하이고, B는 지표 아래에서 흐르는 지하수이다.
③ 지구 온난화는 지구의 평균 기온이 점점 높아지는 현상으로, 지구 온난화가 진행될수록 빙하가 녹으므로 수권에서 빙하(A)의 비율이 낮아진다.
⑤ 육수는 주로 빙하로 존재하며, 빙하는 고체 상태이다.
바로알기 ④ 주로 극지방과 고산 지대에 분포하는 것은 빙하(A)이다.

05 꼼꼼 문제 분석

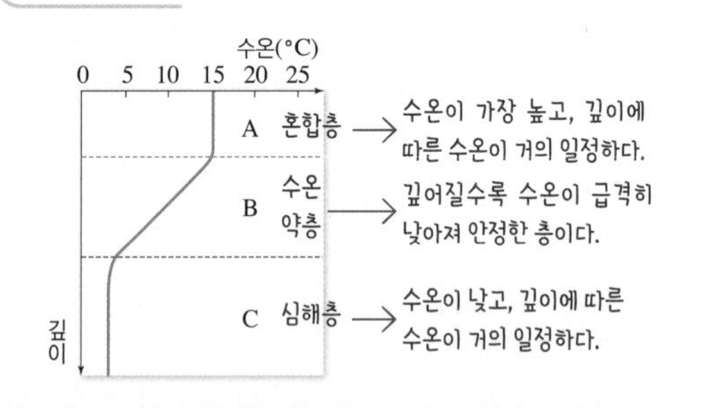

⑤ 수심이 깊어질수록 태양 에너지가 도달하는 양이 적어진다. 심해층(C)은 태양 에너지가 거의 도달하지 못하여 수온이 매우 낮고 거의 일정하다.

바로알기 ① A는 태양 복사 에너지를 흡수하여 수온이 높고, 바람의 혼합 작용으로 깊이에 따른 수온이 거의 일정한 혼합층이다.
② 수온 약층(B)은 수심이 깊어질수록 수온이 급격히 낮아져 안정한 층이다. 바람에 의해 해수의 혼합 작용이 일어나는 층은 혼합층(A)이다.
③ 수온 약층(B)은 수심이 깊어질수록 수온이 낮아지므로 안정하여 해수의 연직 운동이 일어나기 어렵다.
④ 수온 약층(B)은 해수의 연직 운동이 일어나기 어려우므로 혼합층(A)과 심해층(C) 사이에서 물질과 에너지 교환을 차단한다.

06 꼼꼼 문제 분석

혼합층의 두께가 중위도 해역에서 가장 두껍다.
혼합층의 두께: 중위도 > 저위도
➡ 바람의 세기: 중위도 > 저위도
N 60° 30° 위도 0° 30° S 60°
수온(°C) 0 5 10 15 20 25
깊이(m) 0 500 1000 1500
혼합층
수온 약층
심해층
저위도
중위도
고위도
고위도: 해수의 층상 구조가 나타나지 않는다.
수온 약층: 수심이 깊어질수록 수온이 급격히 낮아지는 층 ➡ 저위도 해역에서 뚜렷하게 발달한다.

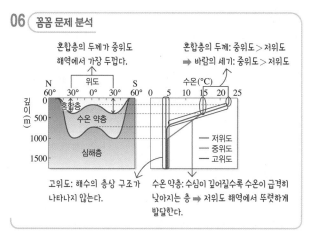

ㄱ. 바람이 강할수록 혼합층의 두께가 두꺼우므로 바람은 중위도 해역이 저위도 해역보다 강하게 분다.
ㄴ. 중위도 해역은 저위도 해역보다 혼합층이 두껍게 발달하고, 표층과 심층의 수온 차가 크기 때문에 수온 약층이 발달해 있다. 고위도 해역은 단위 면적당 입사하는 태양 복사 에너지양이 적어 표층 수온이 낮으므로 해수의 층상 구조가 나타나지 않는다. 따라서 층상 구조는 고위도 해역보다 중위도 해역에서 뚜렷하게 나타난다.
바로알기 ㄷ. 수온 약층은 혼합층과 심해층의 수온 차가 큰 저위도 해역에서 잘 발달한다. 수온 약층은 혼합층과 심해층 사이의 물질과 에너지 교환을 차단하므로 저위도 해역에서는 혼합층과 심해층 사이의 물질과 에너지 교환이 일어나기 어렵다.

07 • 생물권은 지구에 살고 있는 모든 생물로, 태양계 행성 중 지구에만 있는 특징이다.
• 지구의 형성과 진화 과정에서 생물은 바다가 생성된 후 출현하였으므로 지구 시스템의 구성 요소 중 가장 나중에 형성되었다.
• 토양 속 미생물이 생물의 사체나 배설물을 분해하는 과정에서 토양의 성분을 변화시키고, 생물의 광합성과 호흡 작용은 대기 조성 변화에 영향을 준다.

08 ㄱ. 외권은 기권보다 바깥쪽에 위치하는 영역이다. 외권에 분포하는 지구 자기장은 우주선과 태양풍의 고에너지 입자를 차단하는 역할을 한다.
바로알기 ㄴ. 태양 복사의 자외선은 기권에 해당하는 오존층에서 흡수된다.
ㄷ. 외권은 지구 시스템의 다른 요소와 물질 교환은 거의 없지만, 에너지의 교환은 끊임없이 일어나고 있다.

09 ① 화산 폭발(지권)에 의한 이산화 탄소 방출(기권)은 지권과 기권의 상호 작용(A)에 해당한다.
바로알기 ② 식물(생물권)의 매몰에 의한 석탄 형성(지권)은 생물권과 지권의 상호 작용에 해당한다.
③ 파도(수권)에 의한 암석의 침식(지권)은 수권과 지권의 상호 작용(E)에 해당한다.
④ 지하수(수권)에 의한 석회 동굴 형성(지권)은 수권과 지권의 상호 작용(E)에 해당한다.
⑤ 해수(수권)의 증발에 의한 구름 형성(기권)은 수권과 기권의 상호 작용(C)에 해당한다.

10 꼼꼼 문제 분석

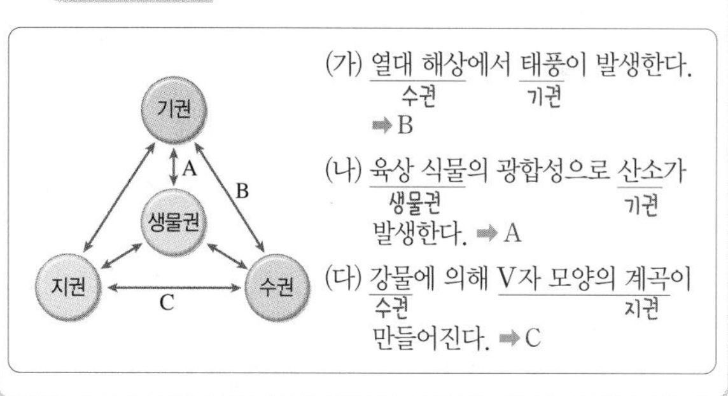

기권
생물권
지권
수권
A
B
C
(가) 열대 해상에서 태풍이 발생한다.
수권 기권
➡ B
(나) 육상 식물의 광합성으로 산소가 발생한다. ➡ A
생물권 기권
(다) 강물에 의해 V자 모양의 계곡이 만들어진다. ➡ C
수권 지권

(가) 열대 해상에서 증발한 수증기가 강한 상승 기류를 받아 구름을 형성하면서 태풍으로 성장한다. 따라서 수권과 기권의 상호 작용(B)에 해당한다.
(나) 육상 식물은 대기 중 이산화 탄소를 흡수하고 광합성을 하여 산소를 방출한다. 따라서 생물권과 기권의 상호 작용(A)에 해당한다.
(다) 강의 상류 지역에서는 경사가 급해 강바닥이 물에 깎이면서 V자 모양의 계곡이 만들어진다. 따라서 수권과 지권의 상호 작용(C)에 해당한다.

11 ㄱ. 오로라는 태양으로부터 오는 대전 입자의 일부(외권)가 대기(기권)로 진입하면서 공기 분자와 충돌하여 빛을 내는 현상이다. 따라서 외권과 기권의 상호 작용에 해당한다.
ㄴ. 유성은 태양계 공간을 떠돌던 작은 천체(외권)의 조각이 지구의 중력에 의하여 지구 대기로 들어올 때 공기(기권)와의 마찰로 타면서 밝은 빛을 내는 현상이다. 따라서 외권과 기권의 상호 작용에 해당한다.
바로알기 ㄷ. 버섯바위는 사막에서 바람(기권)에 의해 모래와 먼지가 암석(지권)의 아랫부분을 집중적으로 깎아 만들어진다. 따라서 기권과 지권의 상호 작용에 해당한다.

12 ① 판게아가 분리되어 해류가 복잡해지고 기후가 다양해지면서 각 대륙에서 다양한 생물이 출현하게 되었다.
② 성층권의 오존층이 태양 복사의 유해한 자외선을 차단하여 지상의 생물을 보호해 준다.
③ 원시 바다가 생성된 이후 대기 중 이산화 탄소가 바다에 녹으면서 대기 중 이산화 탄소의 농도가 감소하게 되었다. 이로부터 과도한 온실 효과를 방지하여 생명체가 생명 활동을 유지하게 하였다.
⑤ 식물이 대기 중 이산화 탄소를 흡수하여 광합성을 하고 산소를 대기 중으로 내보내어 생물이 호흡할 수 있도록 한다.
바로알기 ④ 외권의 지구 자기장은 우주선이나 태양풍의 고에너지 입자를 차단하여 생명체가 생명 활동을 유지할 수 있도록 한다. 지구로 들어오는 유성체의 대부분을 차단하여 생물을 보호해 주는 것은 기권이다.

13 ③ 태양 에너지는 지구 시스템의 에너지원 중 가장 많은 양을 차지하며, 대기 대순환 등 지구 환경에 가장 큰 영향을 준다. 또한, 식물의 광합성 등 생명 활동에 필요한 에너지원으로 이용된다.
바로알기 ① 판의 운동은 지구 내부 에너지에 의해 일어난다.
② 방사성 원소의 붕괴열로 생기는 에너지는 지구 내부 에너지이다.
④ 달과 태양이 지구에 작용하는 인력으로 발생하는 에너지는 조력 에너지이다.
⑤ 지구 시스템의 에너지원은 서로 독립적인 에너지원으로, 하나의 에너지가 다른 에너지로 전환되지 않는다.

14 지구 시스템에서 다양한 자연 현상을 일으키는 에너지원에는 태양 에너지, 지구 내부 에너지, 조력 에너지가 있다.
(가) 지구 내부 에너지는 대륙 이동, 지진, 화산 활동과 같은 지각 변동을 일으킨다.
(나) 태양 에너지를 흡수하여 바다에서 증발한 수증기가 강한 상승 기류를 받아 구름을 형성하면서 태풍으로 성장한다.
(다) 달과 태양의 인력으로 발생한 조력 에너지에 의해 밀물과 썰물이 일어나 해수면의 높이가 주기적으로 변한다.

15 꼼꼼 문제 분석

태양 고도: A > B > C
극
C
B
태양 고도
햇빛
A
적도
A: 에너지 과잉, C: 에너지 부족
➡ 대기와 해수의 순환에 의해 A에서 C 방향으로 에너지가 이동한다.
좁은 면적에 태양 복사 에너지가 집중된다.
➡ 단위 면적당 지표면이 받는 태양 복사 에너지양: A > B > C

ㄱ. 태양의 고도는 지표면과 햇빛이 이루는 각이므로 A에서 가장 높다.
바로알기 ㄴ. 단위 면적당 지표면이 받는 태양 복사 에너지양은 태양의 고도가 높을수록 많아지므로, A에서 가장 많고 C로 갈수록 적어진다.
ㄷ. 대기와 해수의 순환을 통해 저위도 지역(A)의 남는 에너지가 고위도 지역(C)으로 이동하여 위도에 따른 에너지 불균형을 해소하므로 지구는 전체적으로 에너지 평형을 이룬다.

16 꼼꼼 문제 분석

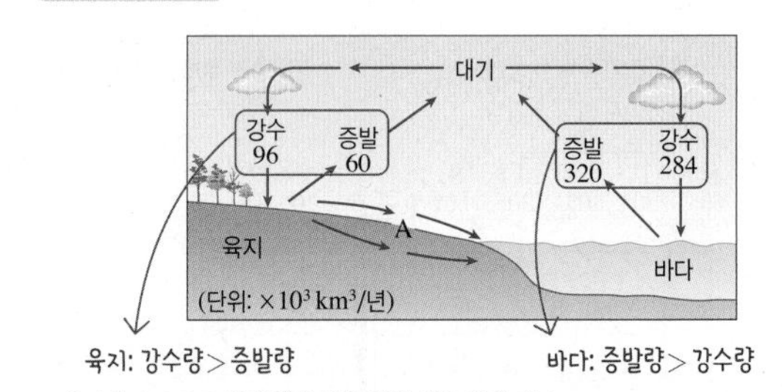

• 육지와 바다에서 각각 물을 얻은 양과 잃은 양은 같다.
➡ 육지는 96 = 60 + A, 바다는 284 + A = 320의 식이 성립한다.
➡ A는 36 단위이다.

ㄷ. A는 육지에 내린 강수 중 일부가 지표를 따라 바다로 이동하는 과정으로, 이 과정에서 육지를 흐르는 물에 의해 암석의 풍화와 침식이 일어나 지형의 변화가 일어난다.
ㄹ. 지구 전체로 볼 때 총 강수량(96 + 284 = 380)과 총 증발량(60 + 320 = 380)은 같다.
바로알기 ㄱ. 육지의 강수량은 96 단위, 바다의 강수량은 284 단위이므로 강수량은 육지보다 바다에서 많다.
ㄴ. 육지에서 물을 얻은 양(96)은 잃은 양(60 + A)과 같고, 바다에서 물을 얻은 양(284 + A)은 잃은 양(320)과 같다. 따라서 A 과정에 의한 물의 이동량은 36 단위이다.

17 꼼꼼 문제 분석

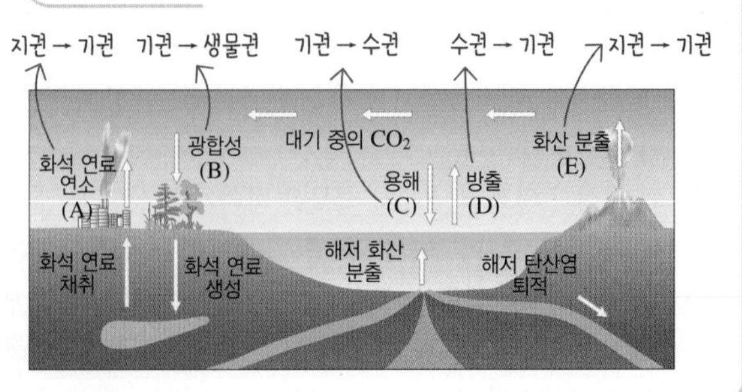

⑤ A, D, E 과정은 모두 탄소가 기권으로 이동하는 과정으로 대기 중 탄소량을 증가시켜 지구 온난화를 촉진한다.
바로알기 ① 생물권에서 탄소는 주로 유기물 형태로 존재한다. 주로 이산화 탄소 형태로 존재하는 권은 기권이다.

② A 과정에 의해 지권의 탄소가 기권으로 이동하고 있으므로 지권과 기권의 상호 작용에 해당한다.
③ E 과정은 지구 내부 에너지가 관여하여 일어나지만, A 과정은 인간 활동에 의해 일어난다.
④ 탄소는 B 과정에서 식물에 흡수되어 유기물로 저장되고, C 과정에서 해수에 녹아 탄산 이온으로 저장된다.

18 ㄱ. 기권의 이산화 탄소는 광합성에 의해 생물권으로 이동(A)하며, 이 과정에서 태양 에너지가 이용된다.
ㄴ. 생물은 호흡 과정에서 이산화 탄소를 방출하므로 생물권의 탄소가 기권으로 이동(B)한다.
바로알기 ㄷ. C 과정(지권 → 기권)을 거치면서 탄소의 존재 형태는 이산화 탄소나 메테인이 된다. 탄소가 탄산 이온의 형태로 존재하는 권은 수권이다.
ㄹ. 해저에서 죽은 생물체가 석회암의 형태로 퇴적되거나 생물의 사체가 오랜 시간이 지나 화석 연료가 되는 과정에 의해 생물권의 탄소가 지권으로 이동(D)한다. 이때 지권의 탄소량은 증가하지만, 그만큼 생물권의 탄소량이 감소하므로 지구 시스템의 전체 탄소량은 일정하다.

19 ㄱ. 질소는 대기 구성 성분의 약 78 %를 차지하므로 기권의 성분 중 가장 많은 부피비를 차지한다.
ㄷ. 동식물의 배설물이나 사체는 토양 속 분해자를 통해 분해되어 질소가 다시 기권으로 이동한다.
바로알기 ㄴ. 동물에 전달된 질소는 단백질의 구성 성분이 된다. 대기 중 질소는 토양 속의 세균을 통해 질산 이온으로 형태가 바뀌어 식물에 흡수된다.

20 A층은 대류권, B층은 성층권, C층은 중간권이다.
모범 답안 (1) 성층권, 성층권(B)에 있는 오존이 태양의 자외선을 흡수하기 때문에 성층권에서는 높이 올라갈수록 기온이 높아진다.
(2) A층, C층, 높이 올라갈수록 기온이 낮아지므로 대류가 활발하게 일어난다.
(3) A층, 대류가 활발하게 일어나고 수증기가 존재하므로 눈, 비와 같은 기상 현상이 나타난다.

채점 기준		배점
(1)	B층의 이름을 쓰고, B층에서 높이 올라갈수록 기온이 높아지는 까닭을 옳게 서술한 경우	30 %
	B층의 이름만 옳게 쓴 경우	10 %
(2)	대류가 활발한 층을 모두 고르고, 그 까닭을 옳게 서술한 경우	30 %
	대류가 활발한 층만 모두 옳게 고른 경우	10 %
(3)	기상 현상이 나타나는 층을 고르고, 그 까닭을 옳게 서술한 경우	40 %
	기상 현상이 나타나는 층만 옳게 고른 경우	20 %

21 모범 답안 • 지구 내부 에너지는 화산 활동, 지진, 대륙의 이동 등을 일으킨다.
• 조력 에너지는 밀물과 썰물을 일으킨다.

채점 기준	배점
지구 내부 에너지와 조력 에너지가 일으키는 자연 현상을 각각 한 가지씩 옳게 서술한 경우	100 %
지구 내부 에너지가 일으키는 자연 현상만 옳게 서술한 경우	50 %
조력 에너지가 일으키는 자연 현상만 옳게 서술한 경우	50 %

22 꼼꼼 문제 분석

각 권에서 물을 얻은 양과 잃은 양은 같다.

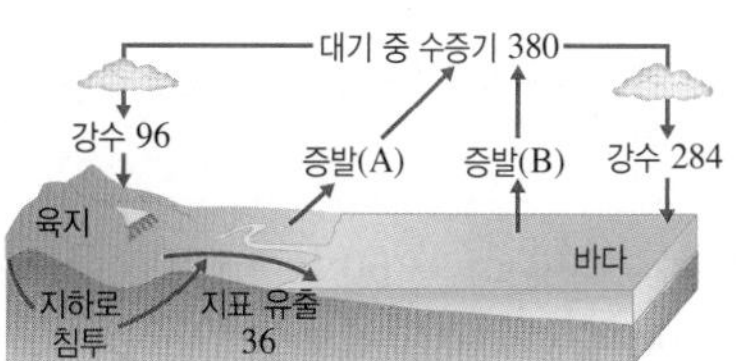

(단위: $\times 10^3 km^3$/년)
• 육지: 강수량(96)=바다로 유출되는 양(36)+증발량(A)
• 바다: 지표에서 얻은 양(36)+강수량(284)=증발량(B)

모범 답안 육지에서 물을 얻은 양과 잃은 양은 같으므로 96=36+A이고, A는 60 단위이다. 바다에서 물을 얻은 양과 잃은 양은 같으므로 36+284=B이고, B는 320 단위이다.

채점 기준	배점
A, B의 값을 계산 과정을 포함하여 모두 옳게 구한 경우	100 %
A, B 중 한 가지만 옳게 구한 경우	50 %

23 화산 가스 분출(A)은 지권에 있던 탄소가 기권으로 이동하는 과정이다. 이산화 탄소 용해(B)는 기권의 탄소가 수권으로 이동하는 과정이다. 석회암(C)은 수권에서 탄산 이온 형태로 존재하는 탄소가 지권으로 침전하여 생성된다.
모범 답안 (가)는 기권, (나)는 지권, (다)는 수권이다.

채점 기준	배점
(가)~(다)에 해당하는 구성 요소를 모두 옳게 서술한 경우	100 %
(가)~(다) 중 두 가지만 옳게 서술한 경우	70 %
(가)~(다) 중 한 가지만 옳게 서술한 경우	30 %

실력 UP 문제

150~151쪽

01 ② 02 ② 03 ② 04 ⑤ 05 ① 06 ②
07 ② 08 ①

01 꼼꼼 문제 분석

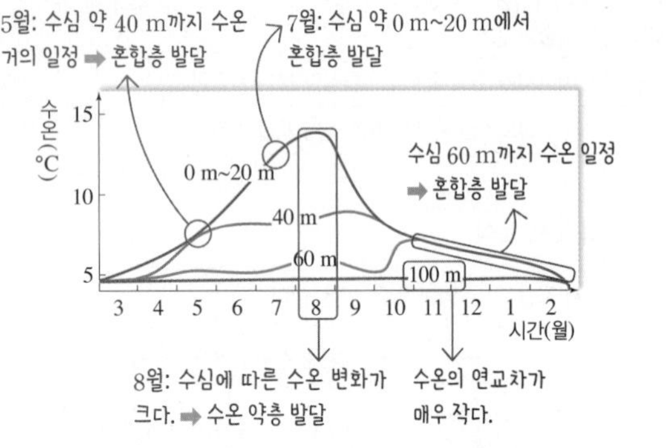

ㄷ. 수심이 0 m → 40 m → 60 m → 100 m로 깊어질수록 1년 동안 수온 변화를 나타내는 세로축의 변화가 작아진다. 따라서 수심이 깊어질수록 수온의 연교차는 작아진다.

바로알기 ㄱ. 5월에는 혼합층이 수심 40 m 정도까지 발달하고, 7월에는 수심 20 m 이하에서 혼합층이 발달한다. 따라서 혼합층은 5월이 7월보다 더 두껍게 형성된다. 혼합층은 바람이 강할수록 두꺼워지므로 바람은 7월보다 5월에 더 강하게 불었다.

ㄴ. 8월은 1년 중에서 수심에 따른 수온 변화선 사이의 간격이 가장 넓어 수온 약층이 가장 뚜렷하게 발달한다. 수온 약층은 매우 안정하여 해수의 연직 운동이 잘 일어나지 않으므로 8월에는 해수의 연직 혼합이 활발하지 않았다.

02 ㄷ. 오존이 태양 복사의 자외선을 흡수하면서 기권은 대류권, 성층권, 중간권, 열권으로 더 복잡한 구조를 형성하였다. 따라서 기권의 층상 구조는 (나) 시기에 더 복잡해졌다.

바로알기 ㄱ. 태양 복사의 자외선은 주로 오존층에서 차단되므로 (가) 시기에는 자외선이 지표까지 도달하였다.

ㄴ. 오존층이 형성된 까닭은 해양 생물의 광합성에 의해 대기의 산소 농도가 증가하였기 때문이다. 따라서 생물권은 (나) 시기 이전에 이미 형성되었다.

03 ㄷ. 석회암은 탄산염을 포함한 생물체가 퇴적되어 만들어지거나 물속에 녹아 있던 탄산 이온이 침전되어 만들어지므로 생물권에서 지권으로의 작용(B) 또는 수권에서 지권으로의 작용(C)으로 생성된다.

바로알기 ㄱ. (가)의 X 과정은 암석이 풍화·침식·운반·퇴적 작용을 거쳐 퇴적물이 만들어지는 과정이므로, 기권에서 지권으로의 작용(A)과 수권에서 지권으로의 작용(C)이 주로 영향을 미친다.

ㄴ. (가)의 Y 과정은 암석이 녹아 마그마가 생성되는 과정이므로 지구 내부 에너지에 의해 발생한다.

04 ㉠ 하천수에 의한 침식은 수권에 의해 지권이 영향을 받는 상호 작용이고, ㉡ 표층 해류 발생은 기권에 의해 수권이 영향을 받는 상호 작용이다. 따라서 A는 수권, B는 지권, C는 기권이다.

ㄱ. 빙하는 물이 얼어 생성되므로 지구 시스템의 구성 요소 중 수권(A)에 속한다.

ㄴ. 지구 시스템 내에서 탄소의 대부분은 탄산 칼슘(석회암)의 형태로 지권(B)에 가장 많이 존재한다.

ㄷ. 화산 가스 분출은 지권(B)에서 발생한 화산 활동에 의해 기권(C)이 영향을 받는 상호 작용이므로 ㉢의 예에 해당한다.

05 꼼꼼 문제 분석

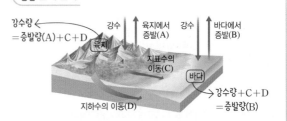

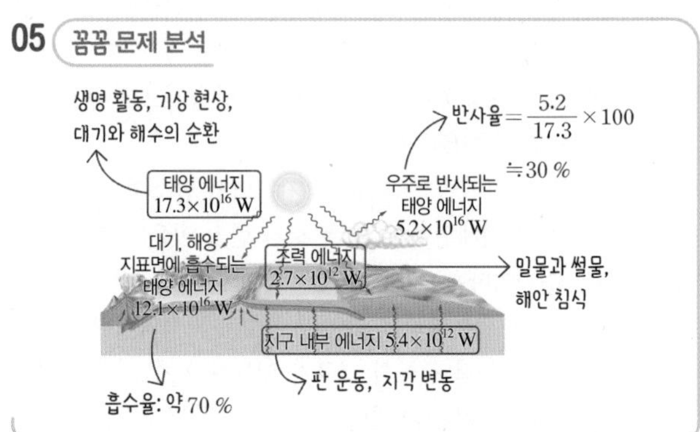

ㄱ. 지구에 입사하는 태양 에너지(17.3×10^{16} W) 중 반사되는 양(5.2×10^{16} W)이 약 30 %이므로 약 70 %는 흡수되어 지구 환경에서 사용된다.

바로알기 ㄴ. 습곡 산맥은 판 운동으로 형성되고, 판 운동은 지구 내부 에너지에 의해 일어난다.

ㄷ. 지구 시스템의 에너지원은 서로 전환되지 않으므로 지구 내부 에너지와 조력 에너지는 서로 전환되지 않는다.

06 꼼꼼 문제 분석

강수량 = 증발량(A)+C+D
강수
육지에서 증발(A)
강수
바다에서 증발(B)
육지
지표수의 이동(C)
바다
지하수의 이동(D)
강수량+C+D = 증발량(B)

• 육지에서는 강수량 > 증발량이고, 바다에서는 증발량 > 강수량이다.
• 육지와 바다 모두 물의 유입량 = 유출량이다.

ㄷ. 육지와 바다에서 증발(A, B)한 물은 에너지를 방출하면서 응결하여 구름이 되고, 강수에 의해 다시 육지나 바다로 이동하며 지구 시스템의 각 권을 순환한다.

바로알기 ㄱ. 육지나 바다에 관계없이 물의 증발은 태양 에너지에 의해 일어나므로 A와 B 과정은 모두 태양 에너지에 의해 일어난다.

ㄴ. 물의 순환에서 바다가 얻는 물의 양과 잃는 양은 같다. 바다가 얻는 물의 양은 강수량+육지에서 유입량(C+D)이고, 바다가 잃는 물의 양은 증발량(B)이다. 따라서 B는 육지에서 얻는 유입량(C+D)보다 많다.

07 꼼꼼 문제 분석

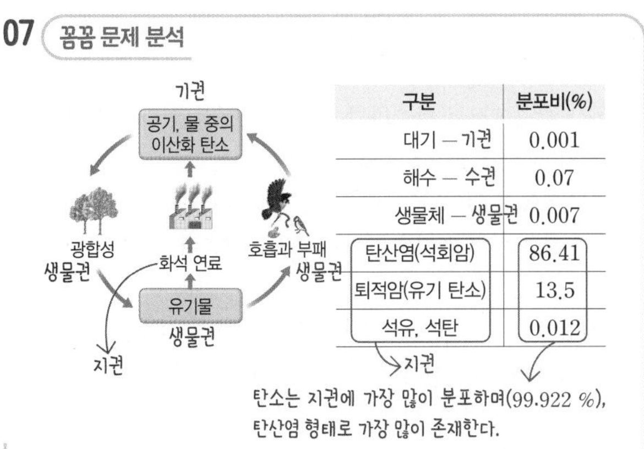

ㄴ. 지권에서 탄소는 탄산염(석회암), 퇴적암(유기 탄소), 석유, 석탄 등의 형태로 존재하며, 그 양은 전체 탄소의 99 % 이상이다.

바로알기 ㄱ. 탄소는 기권에서 이산화 탄소나 메테인으로, 생물권에서 유기물의 형태로 존재한다.

ㄷ. 화석 연료의 사용량이 증가하면 지권의 탄소량이 감소하지만 기권의 탄소량이 증가하여 지구 전체의 탄소량은 일정하다.

08 꼼꼼 문제 분석

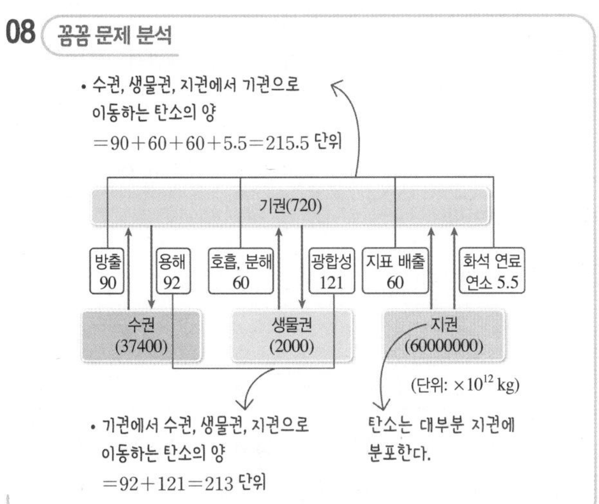

지구 시스템의 각 권에서는 상호 작용을 통해 탄소의 순환이 활발하게 일어나고 있다. 최근 들어 화석 연료의 사용량 증가로 기권의 탄소량이 증가하는 추세이다.

ㄱ. 지구 시스템에서 탄소는 대부분 탄산염 형태로 석회암 내에 포함되어 있으므로 고체 상태의 물질로 존재한다.

바로알기 ㄴ. 수권, 생물권, 지권에서 기권으로 이동하는 탄소량은 연간 215.5(=90+60+60+5.5) 단위이고, 기권에서 수권, 생물권, 지권으로 이동하는 탄소량은 연간 213(=92+121) 단위이다. 따라서 기권에 존재하는 탄소량은 연간 2.5 단위 증가하였다.

ㄷ. 사막화가 진행될수록 생물의 광합성량이 감소한다. 광합성량이 감소하면 기권에서 생물권으로 이동하는 탄소량이 감소하므로, 사막화는 기권의 탄소량을 증가시키는 역할을 한다.

2 지권의 변화

개념 확인 문제

154쪽

❶ 변동대 ❷ 일치 ❸ 화산대 ❹ 지진대 ❺ 판 구조론 ❻ 암석권 ❼ 연약권 ❽ 맨틀(연약권)

1 지구 내부 에너지 **2** (1) ○ (2) × (3) × (4) ○ (5) × (6) ○ **3** (1) × (2) ○ (3) ○ (4) × (5) ○ **4** A: 암석권(판), B: 연약권 **5** (1) 두껍다 (2) 작다 (3) 태평양판 **6** ㉠ 온도, ㉡ 작아, ㉢ 커

1 화산 활동과 지진은 한 지점에 축적되어 있던 지구 내부 에너지가 급격히 방출될 때 일어나는 현상이다.

2 (1) 지각 변동이 자주 일어나는 지역을 변동대라고 하므로 변동대에서는 화산 활동과 지진이 활발히 일어나고 있다.
(2) 화산대와 지진대는 거의 일치한다.
(3) 화산 활동이 일어나면 마그마가 분출하는 과정에서 지반의 진동이 동반되므로 지진이 발생하지만, 지진이 발생하는 곳에서 반드시 화산 활동이 일어나는 것은 아니다.
(4) 대륙의 중앙부는 안정한 지대로, 지진대나 화산대가 거의 분포하지 않는다. 지진대나 화산대는 주로 대륙의 주변부에 분포한다.
(5) 전 세계 화산 활동의 약 80 %가 환태평양 화산대에서 발생하고 있다.
(6) 판 경계에서는 판의 상대적인 운동에 따라 지각 변동이 활발하게 일어나므로 변동대는 판 경계와 대체로 일치한다.

3 (1) 지구 표면은 크고 작은 10여 개의 판으로 이루어져 있다.
(2) 판의 이동 속력은 약 1 cm/년~10 cm/년이다.
(3) 판은 암석권의 조각으로, 암석권은 지각과 상부 맨틀의 일부로 구성되어 있다. 따라서 판에는 지각이 포함된다.
(4) 지각과 상부 맨틀의 일부를 포함하는 두께 약 100 km의 단단한 부분을 암석권이라고 하고, 암석권 아래에 깊이 약 100 km~400 km의 유동성이 있는 부분을 연약권이라고 한다.

4 A는 지각과 상부 맨틀의 일부를 포함하는 두께 약 100 km의 부분이므로 암석권이고, B는 연약권이다.

5 (1) 대륙 지각은 해양 지각보다 두께가 두껍다. 대륙판은 대륙 지각을 포함하므로 해양 지각을 포함하는 해양판보다 두께가 두껍다.
(2) 대륙 지각은 해양 지각보다 밀도가 작다. 대륙판은 대륙 지각을 포함하므로 해양 지각을 포함하는 해양판보다 밀도가 작다.
(3) 유라시아판은 대륙판이고, 태평양판은 해양판이다.

6 판은 맨틀(연약권)에서 일어나는 대류에 의해 이동하며, 맨틀 상부와 하부의 온도 차이로 대류가 일어난다. 맨틀 대류를 따라 판이 이동하면서 맨틀 대류의 상승부에서 판이 멀어지고, 맨틀 대류의 하강부에서 판이 모이면서 지각 변동이 일어난다.

개념 확인 문제

159쪽

❶ 발산 ❷ 상승 ❸ 수렴 ❹ 하강 ❺ 보존 ❻ 해령
❼ 천발 지진 ❽ 변환 단층 ❾ 해구 ❿ 습곡 산맥
⓫ 화산 활동 ⓬ 화산 쇄설물 ⓭ 지진

1 (1) D (2) A, B, E (3) C **2** (1) ㄴ, ㄷ (2) ㄱ, ㄹ, ㅂ **3** (1) ○ (2) ○ (3) × **4** (1) × (2) ○ (3) × (4) ○ **5** ㉠ 섭입형, ㉡ 해양판, ㉢ 대륙판 **6** (1) ○ (2) ○ (3) × **7** ③

1 A는 히말라야산맥, B는 일본 해구, C는 산안드레아스 단층, D는 대서양 중앙 해령, E는 안데스산맥이 나타나는 판 경계이다.
(1) D는 판과 판이 서로 멀어지고 있으므로 발산형 경계이다.
(2) A, B, E는 판과 판이 서로 가까워지고 있으므로 수렴형 경계이다.
(3) C는 판과 판이 서로 어긋나고 있으므로 보존형 경계이다.

2 (1) 두 판이 서로 멀어지는 판 경계는 발산형 경계이고, 발산형 경계에서 형성되는 지형은 열곡대(ㄴ), 해령(ㄷ)이다.
(2) 두 판이 서로 가까워지는 판 경계는 수렴형 경계이고, 수렴형 경계에서 형성되는 지형은 해구(ㄱ), 습곡 산맥(ㄹ), 호상 열도(ㅂ)이다.

3 (1) 발산형 경계에서는 고온의 마그마가 해령 정상부의 열곡을 따라 분출하면서 새로운 판이 만들어진다.
(3) 발산형 경계는 맨틀 대류가 상승하는 곳으로, 판이 양쪽으로 갈라지면서 V자 모양의 골짜기인 열곡이 형성된다.

4 (1) 보존형 경계에서는 마그마가 생성되지 않으므로 화산 활동이 일어나지 않는다.
(2) 보존형 경계는 맨틀 대류가 상승하거나 하강하는 곳이 아니므로 판이 생성되거나 소멸되지 않는다.
(3) 보존형 경계에서는 해령이 끊기면서 해령에 수직으로 변환 단층이 발달한다.
(4) 변환 단층을 따라 판 경계에서 마찰이 일어나므로 천발 지진이 발생한다.

5 대륙판과 해양판이 모이면 밀도가 큰 해양판이 밀도가 작은 대륙판 아래로 비스듬히 섭입한다.

6 (1) 화산 활동으로 형성된 온천과 독특한 지형은 관광 자원으로 이용되기도 한다.
(2) 화산 부근에서는 마그마가 식으면서 형성된 광상(화성 광상)으로부터 유용한 광물을 얻을 수 있다.
(3) 화산 활동이 일어나면서 대기로 방출된 다량의 화산재는 햇빛을 가려 지구의 평균 기온을 일시적으로 낮춘다.

7 지진이 발생하면 누전이나 합선으로 화재가 발생할 수 있고, 지반이 붕괴되거나 산사태가 발생할 수도 있으며, 해저 지진이 발생하면 지진 해일이 발생할 수 있다.
③ 지진이 기온 변화를 일으키는 것은 아니다. 화산 활동으로 분출된 화산재에 의해 기온이 일시적으로 하강하기도 한다.

160쪽

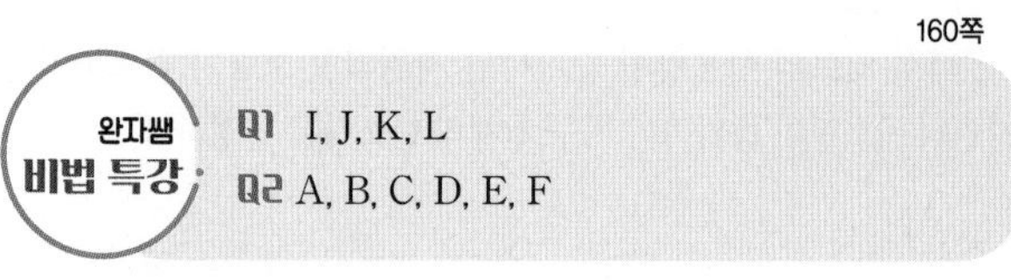
완자쌤 비법 특강
Q1 I, J, K, L
Q2 A, B, C, D, E, F

Q1 판이 생성되는 곳은 맨틀 대류가 상승하면서 마그마가 생성되는 발산형 경계이다.

Q2 맨틀 대류가 하강하는 곳은 판이 모여들면서 가까워지는 수렴형 경계이다.

내신 만점 문제

161~164쪽

01 ⑤ 02 ④ 03 ③ 04 ① 05 ② 06 ⑤
07 A: 습곡 산맥, B: 해구, C: 변환 단층, D: 해령 08 ①
09 ③ 10 ③ 11 ③ 12 ⑤ 13 ① 14 ③
15 ③ 16 ② 17 ① 18 ④ 19 해설 참조 20 해설 참조 21 해설 참조

01 꼼꼼 문제 분석

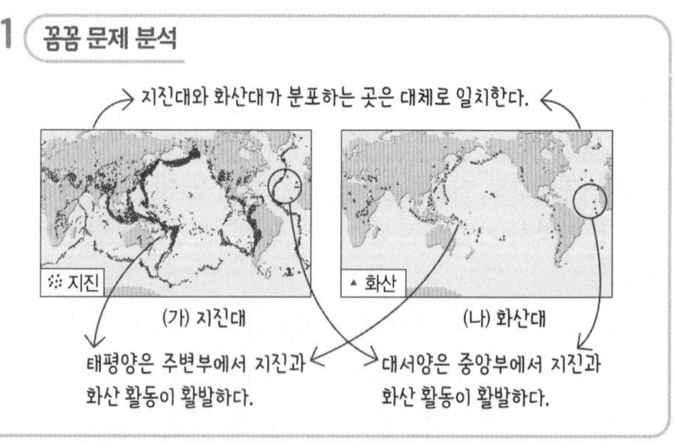

지진대와 화산대가 분포하는 곳은 대체로 일치한다.
지진
화산
(가) 지진대
(나) 화산대
태평양은 주변부에서 지진과 화산 활동이 활발하다.
대서양은 중앙부에서 지진과 화산 활동이 활발하다.

ㄱ. 지진과 화산 활동은 주로 판의 경계부에서 일어나므로 지진대와 화산대는 대체로 일치한다.
ㄴ. 태평양 연안에서는 수렴형 경계가 발달해 있어 지각 변동이 매우 활발하게 일어난다. 반면에, 대서양 연안에서는 판 경계가 거의 없기 때문에 지각 변동이 거의 발생하지 않는다.
ㄷ. 지진이 발생한 지점 중 화산이 분포하지 않는 지점이 있으므로 지진은 일어나지만 화산 활동은 일어나지 않는 지역도 있다.

02 화산대와 지진대는 거의 일치하는데, 이는 화산 활동과 지진이 대부분 판의 상대적인 운동으로 판 경계에서 발생하기 때문이다.

03 ③ 맨틀의 연약권에서 대류가 일어나 연약권 위에 떠 있는 판이 대류를 따라 이동한다.
바로알기 ① 판들은 서로 다른 방향과 속력으로 이동한다.
② 판은 지각과 상부 맨틀의 일부를 포함하는 두께 약 100 km의 부분이므로 판의 두께는 지각의 두께보다 두껍다.
④ 판의 중앙부에서는 지각 변동이 드물게 일어나고, 판 경계에서는 인접한 판의 운동으로 지각 변동이 활발하게 일어난다.
⑤ 지구의 표면은 여러 개의 크고 작은 판으로 이루어져 있다.

04 꼼꼼 문제 분석

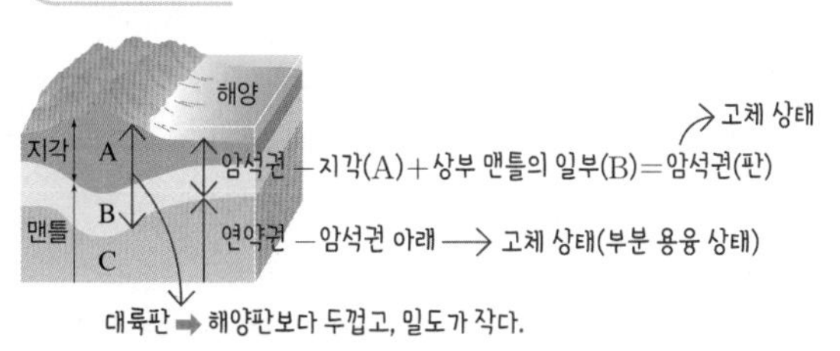

① 판은 지각(A)과 상부 맨틀의 일부(B)를 포함한다.
바로알기 ② 맨틀 대류가 일어나는 곳은 연약권(C)이다.
③ 연약권(C)은 맨틀 물질이 부분 용융되어 유동성이 있는 고체 상태이다.
④ 연약권(C)은 암석권(A+B)에 비해서 밀도가 크다.
⑤ 대륙판은 해양판에 비해서 두께가 두껍고, 밀도가 작다.

05 (가) 맨틀 대류의 하강부에서는 판이 수렴하면서 해구, 호상 열도, 습곡 산맥이 형성된다.
(나) 맨틀 대류의 상승부에서는 새로운 지각이 생성되면서 열곡대나 해저 산맥인 해령이 형성되어 양쪽으로 판이 이동한다.

06 (가)는 두 판이 어긋나는 보존형 경계, (나)는 두 판이 멀어지는 발산형 경계, (다)는 두 판이 가까워지는 수렴형 경계이다.
ㄷ. (다) 수렴형 경계에서는 판이 가까워지면서 밀도가 큰 판이 밀도가 작은 판 아래로 섭입하여 해구가 형성되고, 양쪽에서 미는 힘에 의해 지각이 융기하여 습곡 산맥이 형성될 수 있다.
ㄹ. 판 경계에서는 공통적으로 지진이 발생한다.

바로알기 ㄱ. (가) 보존형 경계에서는 두 판이 어긋나면서 마찰이 일어나 천발 지진이 자주 발생하고, 화산 활동은 거의 일어나지 않는다.
ㄴ. (나) 발산형 경계에서는 맨틀 물질이 상승하면서 판을 양쪽으로 밀어내어 판이 양쪽으로 멀어지면서 이동한다.

[07~08] 꼼꼼 문제 분석

해양판이 대륙판 아래로 섭입하면서 지층이 융기하여 습곡 산맥 형성
예 안데스산맥
해구: 수렴형 경계
➡ 천발~심발 지진 발생
A
B
D
C
해양
대륙
대륙판
해양판
맨틀
• 지진
해령: 발산형 경계
➡ 천발 지진 발생
변환 단층: 보존형 경계
➡ 천발 지진 발생

07 A와 B는 판의 수렴형(섭입형) 경계 지역으로, A에서는 습곡 산맥이, B에서는 해구가 형성된다. C는 보존형 경계 지역으로, 해령을 거의 수직으로 끊고 있는 변환 단층이 형성된다. D는 발산형 경계 지역으로 해저 산맥인 해령이 형성된다.

08 ㄱ. A는 수렴형(섭입형) 경계 부근이므로 A에서는 안데스산맥과 같은 습곡 산맥이 형성된다.
ㄴ. C는 변환 단층이 나타나는 보존형 경계 지역으로, 보존형 경계에서는 천발 지진이 활발하지만 마그마가 생성되지 않아 화산 활동은 일어나지 않는다.
바로알기 ㄷ. 발산형 경계 지역인 D에서는 판과 판이 멀어지면서 새로운 해양 지각이 생성된다.
ㄹ. 수렴형(섭입형) 경계 지역인 B에서는 천발~심발 지진이, 보존형 경계 지역인 C에서는 천발 지진이, 발산형 경계 지역인 D에서는 천발 지진이 발생한다. 따라서 B, C, D에서는 모두 천발 지진이 발생한다.

09 꼼꼼 문제 분석

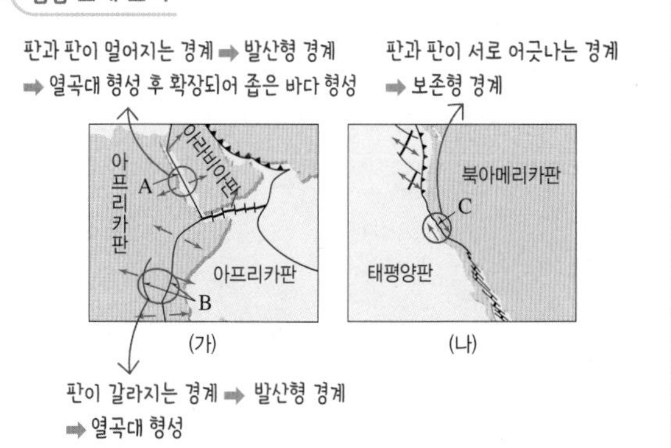

ㄱ. A는 대륙판인 아프리카판과 대륙판인 아라비아판이 멀어지는 발산형 경계(홍해)이고, B는 대륙판인 아프리카판이 둘로 갈라지는 발산형 경계(동아프리카 열곡대)이다. C는 태평양판과 북아메리카판이 서로 어긋나며 이동하는 보존형 경계(산안드레아스 단층)이다.

ㄷ. B에서는 대륙판이 갈라지면서 열곡대가 발달하며, 시간이 지나면 열곡대가 점점 넓고 깊어져 홍해와 같은 좁은 바다를 형성할 것이다.

바로알기 ㄴ. 화산 활동은 발산형 경계인 A와 B에서 활발하게 일어나고, 보존형 경계인 C에서는 거의 일어나지 않는다.

10 꼼꼼 문제 분석

습곡 산맥 발달
예 안데스산맥
해양판
대륙판
(가) 수렴형(섭입형) 경계
천발~심발 지진 발생

습곡 산맥 발달
예 히말라야산맥
대륙판
대륙판
(나) 수렴형(충돌형) 경계
천발~중발 지진 발생

ㄴ. (나) 수렴형(충돌형) 경계는 맨틀 물질의 하강이 있는 곳에서 발달한다.

ㄹ. (가)에서는 해양판이 대륙판 아래로 깊이 섭입하므로 마그마가 생성되어 화산 활동이 활발하고, (나)에서는 밀도가 비슷한 두 대륙판이 서로 충돌하여 판이 깊은 곳까지 섭입하지 않으므로 마그마가 생성되기 어려워 화산 활동이 거의 일어나지 않는다.

바로알기 ㄱ. (가)는 해양판이 대륙판 아래로 섭입하는 섭입형 경계이고, (나)는 대륙판과 대륙판이 충돌하는 충돌형 경계이다. 따라서 (가)와 (나)는 모두 판과 판이 모여드는 수렴형 경계이다.

ㄷ. (가)에서는 섭입대를 따라 천발~심발 지진이 발생하고, (나)에서는 지층이 휘어지거나 끊어지면서 천발~중발 지진이 발생한다. 따라서 심발 지진은 (나) 충돌형 경계보다 (가) 섭입형 경계에서 자주 발생한다.

11 꼼꼼 문제 분석

섭입형 경계에서는 밀도가 큰 판이 밀도가 작은 판 아래로 섭입하면서 밀도가 작은 판 쪽에서 화산 활동이 일어난다.

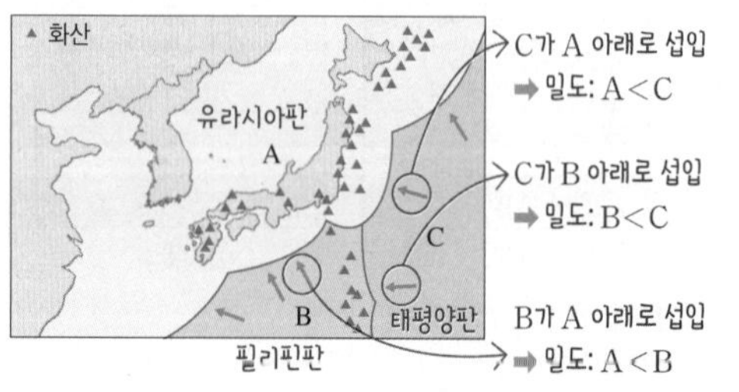

ㄱ. A와 B가 가까워지고 있으므로 A와 B의 경계는 수렴형 경계이다.

ㄷ. C가 B 아래로 섭입하므로 B와 C의 경계를 따라 해구가 발달한다.

바로알기 ㄴ. 판 A에서 화산 활동이 일어나므로 C가 A 아래로 섭입하고 있으며, 판의 평균 밀도는 A보다 C가 더 크다.

[12~13] 꼼꼼 문제 분석

경계부의 두 판	발산형 경계	수렴형 경계	보존형 경계
대륙판과 대륙판	A 열곡대	B 습곡 산맥	
대륙판과 해양판		C 해구, 호상 열도, 습곡 산맥	
해양판과 해양판	D 해령	해구, 호상 열도	E 변환 단층
지진	천발 지진	천발~중발(B) 천발~심발(C)	천발 지진
판 생성	판 생성	판 소멸(C)	판 보존

12 ① 동아프리카 열곡대는 대륙판과 대륙판이 발산하는 곳(A)이다.

② 히말라야산맥은 대륙판과 대륙판이 수렴하는 곳(B)이다.

③ 일본 해구는 대륙판과 해양판이 수렴하는 곳(C)이다.

④ 동태평양 해령은 해양판과 해양판이 발산하는 곳(D)이다.

바로알기 ⑤ 마리아나 제도는 해양판과 해양판의 수렴형 경계에서 생성된 호상 열도이다. E는 변환 단층에 해당한다.

13 ㄱ. A, D는 발산형 경계, E는 보존형 경계에서 형성되는 지형이다. 발산형 경계와 보존형 경계에서는 천발 지진이 발생하지만 심발 지진은 발생하지 않는다.

바로알기 ㄴ. 태평양 주변부에서는 해양판이 대륙판 아래로 섭입하거나 해양판이 해양판 아래로 섭입하므로 C와 같은 지형이 발달되어 있다.

ㄷ. E가 형성되는 보존형 경계에서는 판이 생성되거나 소멸하지 않는다.

14 화산 분출물 중 A는 기체인 화산 가스, B는 고체인 화산 쇄설물, C는 액체인 용암이다.

ㄱ. 화산 가스(A)의 성분 중 이산화 탄소, 이산화 황이 빗물에 녹으면 산성을 띠는 산성비가 내린다. 따라서 화산 가스는 산성비의 원인이 될 수 있다.

ㄷ. 용암(C)의 점성이 클수록 유동성이 감소하여 경사가 급한 화산체를 형성한다.

바로알기 ㄴ. 화산 쇄설물(B) 중 화산진과 화산재가 성층권에 오래 머물면 지표에 입사하는 태양 빛이 감소하여 지표 부근의 기온이 하강한다.

15 ㄱ. (가) 화산 가스에 포함된 황화 수소 등의 유독 가스는 사람과 가축의 질식사를 일으킬 수 있다.

ㄴ. (나) 용암류는 지표를 따라 흐르면서 도로 및 건물을 파괴하고 화재를 일으켜 재산 피해를 입힌다.

바로알기 ㄷ. (다) 화산재는 토양을 비옥하게 하여 농작물이 자라는 데 도움을 주기도 한다.

16 ㄷ. 지진에 의한 피해는 진도가 클수록 크므로 B 지역이 A 지역보다 크다.

바로알기 ㄱ. 진도는 지진에 의한 피해 정도를 기준으로 구분하며, 피해가 클수록 진도가 커진다. 지진 발생시 진원으로부터 방출된 에너지양을 기준으로 구분하는 것은 규모이며, 방출된 에너지양이 많을수록 규모가 커진다.

ㄴ. 지진의 규모는 동일한 지진이라면 진앙으로부터의 거리에 관계없이 어디에서나 같으므로 A 지역과 B 지역에서 같다.

17 ② 인공 지진의 지진파를 이용하여 지구 내부 구조를 파악할 수 있다.

③ 지진이 일어나면 진동에 의해 가스관이 파괴되거나 전선이 끊어져 가스 누출, 전기 누전 등으로 화재가 발생하기도 한다.

④ 해저에서 발생한 지진으로 인해 지진 해일이 발생하여 해안 지역에 피해를 입히기도 한다.

⑤ 인공 지진을 이용하여 천연가스, 석유 등 지하자원이 매장된 지역을 찾을 수 있다.

바로알기 ① 산성비가 내려 생태계에 피해를 주는 것은 화산 활동에 의한 피해이다.

18 ㄱ. 화산 주변에 제방을 쌓으면 화산재나 화산 가스에 섞여 흐르는 화산 쇄설류 등이 흘러 발생하는 피해를 줄일 수 있다.

ㄷ. 인공위성으로 지형 변화를 감시하여 지진 발생 등에 대처한다.

ㄹ. 건물에 내진 설계를 하면 지진으로 인한 흔들림으로 건물이 파괴되는 것을 줄일 수 있다.

바로알기 ㄴ. 활성 단층 지역은 지진이 발생하기 쉬우므로 이 지역을 피해 건물을 지어야 한다.

19 판은 지각과 상부 맨틀의 일부를 포함하는 암석권의 조각을 말한다. 판 경계는 판의 상대적인 이동에 따라 구분하는데, 판이 서로 멀어지는 발산형 경계, 판이 서로 가까워지는 수렴형 경계, 판이 서로 어긋나면서 이동하는 보존형 경계로 나뉜다.

모범 답안 (1) A: 암석권, B: 가까워진다, C: 발산형 경계

(2) 맨틀(연약권)에서 대류가 일어나 연약권 위에 떠 있는 판(암석권)이 대류를 따라 이동한다.

채점 기준		배점
(1)	A~C를 옳게 쓴 경우	50 %
(2)	판 이동의 원동력을 판의 구조로 옳게 서술한 경우	50 %

20 해령이 발달하는 판의 발산형 경계(A)에서는 마그마가 상승하여 화산 활동이 활발하고, 천발 지진이 발생한다. 해구가 발달하는 판의 수렴형 경계(B)에서는 화산 활동이 활발하고, 판이 깊은 곳까지 섭입하여 천발~심발 지진이 발생한다. 해양 지각은 해령에서 생성되어 해령을 축으로 양쪽으로 이동하다가 해구에서 소멸한다. 그러므로 해령에서 해구로 갈수록 해양 지각의 나이가 많아지고, 해저 퇴적물의 두께도 두꺼워진다.

모범 답안 (1) A: 해령, B: 해구, A 부근에서는 화산 활동과 천발 지진이 일어나고, B 부근에서는 화산 활동과 천발~심발 지진이 일어난다.

(2) A에서 B로 갈수록 해양 지각의 나이가 많아진다.

채점 기준		배점
(1)	A와 B에서 발달하는 지형을 모두 옳게 쓰고, A와 B 부근에서 일어나는 지각 변동을 옳게 서술한 경우	50 %
	A와 B에서 발달하는 지형만 옳게 쓴 경우	20 %
(2)	A에서 B로 갈수록 해양 지각의 나이 변화를 옳게 서술한 경우	50 %

21 모범 답안 지권과 기권의 상호 작용, 항공기 운항에 차질이 생긴다. 햇빛을 차단하여 지구의 기온이 하강한다. 농작물의 생장을 저해할 수 있다.

채점 기준	배점
화산재가 퍼져 나가는 데 작용한 두 권역을 모두 옳게 쓰고, 화산재로 인한 피해 두 가지를 옳게 서술한 경우	100 %
화산재로 인한 피해 두 가지만 옳게 서술한 경우	60 %
화산재가 퍼져 나가는 데 작용한 두 권역만 옳게 쓴 경우	40 %

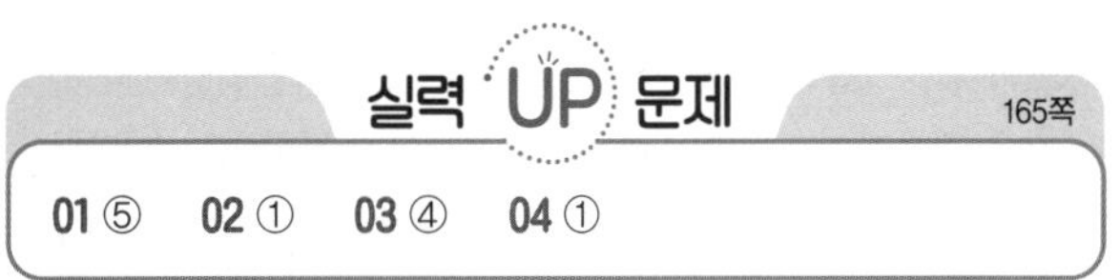

01 꼼꼼 문제 분석

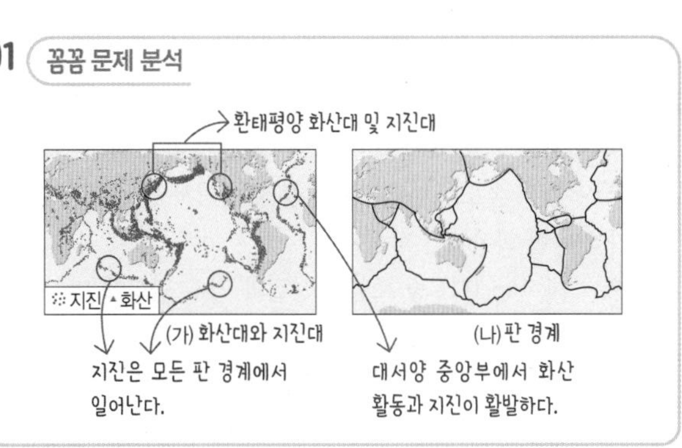

① (가)에서 화산대와 지진대는 (나)의 판 경계 지역을 따라 좁고 긴 띠 모양으로 분포하고 있다.
② (가)에서 환태평양 연안의 화산대와 지진대는 거의 일치한다.
③ 지진과 화산 활동은 주로 판의 상호 작용으로 일어나므로 주로 판 경계에서 발생한다.
④ 대서양은 중앙부에 판 경계가 분포하고 있어서 지진과 화산 활동 등의 지각 변동이 활발하다. 반면에, 대서양 연안에는 판 경계가 분포하지 않아 지각 변동이 활발하지 않다.
바로알기 ⑤ 지진은 모든 판 경계에서 일어나지만, 화산 활동은 발산형 경계와 수렴형(섭입형) 경계에서 주로 일어난다. 따라서 판 경계를 추정하기 위해서는 화산대의 분포보다 지진대의 분포 자료가 더 유용하다.

02 꼼꼼 문제 분석

- A: 히말라야산맥 ➡ 대륙판과 대륙판의 수렴형(충돌형) 경계
- B: 일본 해구 ➡ 대륙판과 해양판의 수렴형(섭입형) 경계
- C: 산안드레아스 단층 ➡ 보존형 경계
- D: 페루-칠레 해구 ➡ 해양판과 대륙판의 수렴형(섭입형) 경계
- E: 대서양 중앙 해령 ➡ 해양판과 해양판의 발산형 경계

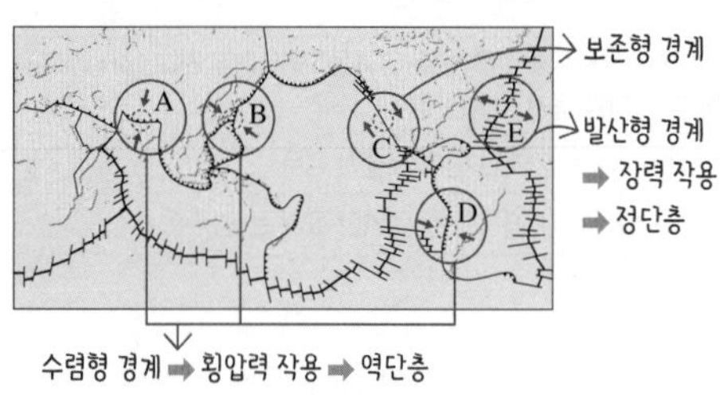

ㄱ. A에서는 두 대륙판이 충돌하면서 습곡 산맥이 발달하고, B에서는 대륙판 아래로 해양판이 섭입하면서 해구가 발달한다.
ㄴ. B는 해양판이 대륙판 아래로 섭입하는 수렴형 경계로, 천발~심발 지진이 발생한다. C는 두 판이 서로 어긋나는 보존형 경계로, 천발 지진이 발생한다. 따라서 진원의 평균 깊이는 B가 C보다 깊다.
바로알기 ㄷ. 인접한 두 판의 밀도 차는 밀도가 큰 해양판과 밀도가 작은 대륙판이 인접한 D가 두 해양판이 인접한 E보다 크다.
ㄹ. A에서는 횡압력이 작용하므로 역단층이 주로 나타나고, E에서는 장력이 작용하므로 정단층이 주로 나타난다.

03 ㄱ. (가) 화산 가스는 대부분(약 70 %~90 %) 수증기이고, 그 밖에 이산화 탄소, 이산화 황, 염소 기체 등이 포함되어 있다.
ㄴ. (나) 용암은 온도가 높을수록 유동성이 커서 잘 흘러내리므로 경사가 완만한 화산체를 형성한다.
바로알기 ㄷ. (가)~(다) 중 토양의 성질과 기후 변화에 미치는 영향은 (나) 용암이 가장 작다. (가) 화산 가스는 대기 성분을 변화시키고, (다) 화산재는 햇빛을 차단하여 기후를 변화시킨다. 또한, 화산재에는 인, 칼륨 등이 풍부하여 토양을 비옥하게 한다.

04 꼼꼼 문제 분석

수렴형 경계에서는 섭입대를 따라 지진이 발생한다.

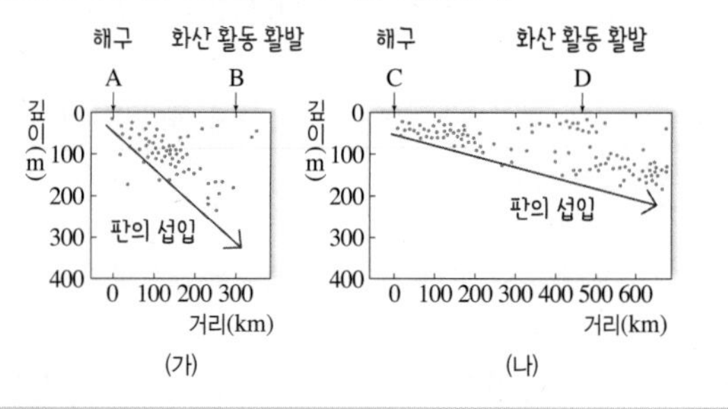

ㄱ. 해구에서는 천발 지진이 발생하지만 대륙 쪽으로 갈수록 지진 발생 지점의 깊이가 깊어져 심발 지진이 발생한다. 따라서 해구는 (가)에서 B보다 A에 가까운 곳에 있다.
바로알기 ㄴ. 해양판이 대륙판 아래로 섭입해 들어가는 과정에서 만들어진 마그마가 분출하여 화산 활동이 일어나므로, 화산 활동은 C보다 D에서 활발하게 일어난다.
ㄷ. 수평 거리가 같을 때 지진이 발생한 평균 깊이는 (가)가 (나)보다 깊으므로 해양판이 섭입해 들어가는 평균 기울기는 (가)가 (나)보다 크다.

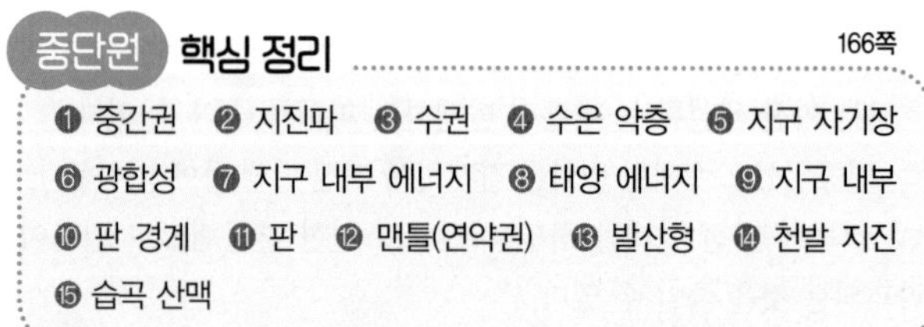
중단원 **핵심 정리** 166쪽

❶ 중간권 ❷ 지진파 ❸ 수권 ❹ 수온 약층 ❺ 지구 자기장
❻ 광합성 ❼ 지구 내부 에너지 ❽ 태양 에너지 ❾ 지구 내부
❿ 판 경계 ⓫ 판 ⓬ 맨틀(연약권) ⓭ 발산형 ⓮ 천발 지진
⓯ 습곡 산맥

중단원 **마무리 문제** 167~170쪽

01 ④ 02 ① 03 ③ 04 ⑤ 05 해설 참조 06 ①
07 ③ 08 ② 09 ⑤ 10 ⑤ 11 ② 12 해설 참조
13 ⑤ 14 ② 15 해설 참조 16 ⑤ 17 ⑤

01 ㄴ. A층은 성층권, B층은 대류권, C층은 핵이다.
ㄷ. 핵(C)은 철과 니켈로 구성되어 있으며, 구성 물질의 상태에 따라 액체 상태의 외핵과 고체 상태의 내핵으로 구분된다.
바로알기 ㄱ. 기권은 높이에 따른 기온 분포를 기준으로, 지권은 깊이에 따른 지진파의 속도 변화를 기준으로 구분한다.

02 꼼꼼 문제 분석

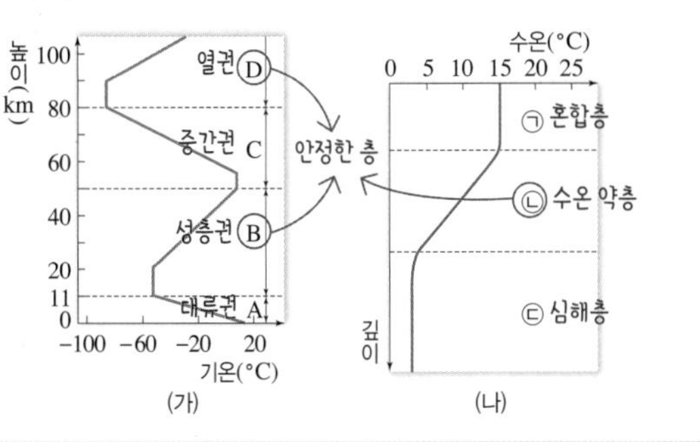

② 낮과 밤의 온도 차는 열권(D)에서 가장 크게 나타난다.
③ 심해층(㉢)은 태양 복사 에너지가 거의 도달하지 않아 계절이나 깊이에 따른 수온 변화가 거의 없다.
④ 성층권(B)은 높이 올라갈수록 기온이 높아지고, 수온 약층(㉡)은 수심이 깊어질수록 수온이 낮아지므로 두 층 모두 아래쪽의 온도가 낮아 안정한 층이다.
⑤ 혼합층(㉠)은 바람의 세기에 따라 두께가 달라진다. 기권 중 바람이 불며 혼합층과 맞닿아 있는 층은 대류권(A)이다.
바로알기 ① 중간권(C)에서는 대류가 일어나지만 수증기가 거의 없어 기상 현상이 나타나지 않는다. 기상 현상이 나타나는 층은 대류권(A)이다.

03
A는 우주에서 지구로 들어오는 우주선을 차단하는 자기권이고, B는 태양으로부터 오는 자외선을 흡수하는 오존층이다.
ㄱ. 지구 자기권(A)은 외권에 속하고, 오존층(B)은 기권에 속한다.
ㄷ. 지구상의 생명체는 수권이 형성된 후 바다에서 탄생하였고, 기권에 오존층이 형성되어 지표로 들어오는 태양 복사의 자외선이 차단되면서 바다에서 살던 생물이 육상으로 진출할 수 있게 되었다.
바로알기 ㄴ. 지구 자기권(A)은 철과 니켈 등으로 이루어진 액체 상태의 외핵이 운동하면서 형성되었다. 광합성을 하는 생물에 의해 형성된 것은 오존층(B)이다.

04
① 화산 폭발로 발생한 먼지에 의해 기온이 낮아지는 것은 지권과 기권의 상호 작용(A)에 해당한다.
② 물속에 녹아 있던 탄산 이온이 침전되어 석회암이 형성되는 것은 수권과 지권의 상호 작용(B)에 해당한다.
③ 저위도 해상에서 증발한 수증기가 응결하여 태풍이 발생하므로 태풍의 발생은 수권과 기권의 상호 작용(C)에 해당한다.
④ 식물이 대기 중 이산화 탄소를 흡수하여 광합성을 하고 산소를 방출하는 것은 기권과 생물권의 상호 작용(D)에 해당한다.
바로알기 ⑤ 해저 지진으로 인해 해일이 발생하는 것은 지권과 수권의 상호 작용(B)에 해당한다. E(지권과 생물권의 상호 작용)의 예로는 화석 연료의 생성 등이 있다.

05
모범 답안 (1) (가) 태양 에너지 (나) 지구 내부 에너지 (다) 조력 에너지, 지구 시스템의 에너지원 중 태양 에너지가 가장 많은 양을 차지한다.
(2) 조력 에너지에 의해 발생하는 현상에는 밀물과 썰물이 있다.
(3) (가)의 근원은 태양의 수소 핵융합 반응, (나)의 근원은 지구 내부의 방사성 원소의 붕괴열, (다)의 근원은 달과 태양의 인력이다.

채점 기준		배점
(1)	(가)~(다)를 모두 옳게 쓰고, 가장 많은 양을 차지하는 에너지원을 옳게 서술한 경우	50 %
	(가)~(다)만 모두 옳게 쓴 경우	30 %
(2)	㉠에 해당하는 현상 한 가지를 옳게 서술한 경우	20 %
(3)	(가)~(다)의 근원을 모두 옳게 서술한 경우	30 %
	(가)~(다)의 근원 중 한 가지만 옳게 서술한 경우	10 %

06
② 표층 해류는 해수면 위에서 지속적으로 부는 바람에 의해 발생하므로 기권과 수권의 상호 작용에 해당한다.
③ 태양 에너지는 지구 환경에 가장 큰 영향을 주는 에너지이다.
④ 화산 활동으로 이산화 탄소가 포함된 화산 가스가 대기에 공급되므로 탄소는 화산 활동에 의해 지권에서 기권으로 이동한다.
⑤ 지구 내부 에너지에 의해 대륙의 이동, 지진과 화산 활동, 판 운동 등이 일어난다.
바로알기 ① 지구 시스템의 에너지원은 서로 독립적이므로, 한 에너지가 다른 에너지로 전환되지 않는다.

07 꼼꼼 문제 분석

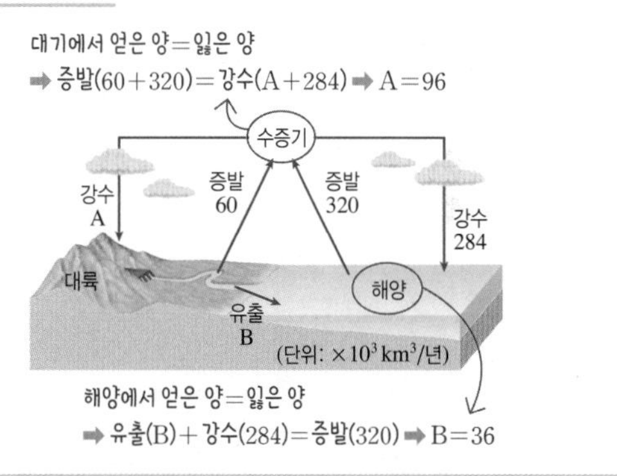

ㄱ. 대륙에서 얻은 양과 잃은 양이 같으므로 A=60+B이고, A−B=60이다.
ㄴ. 증발량이 대륙보다 해양에서 더 많으므로 숨은열의 형태로 대기 중으로 이동하는 열에너지도 대륙보다 해양에서 더 많다.
바로알기 ㄷ. 해양에서는 증발량(320)이 강수량(284)보다 많지만, 그 차이만큼의 물(36)이 대륙에서 해양으로 유입되므로 시간이 지나도 해수의 양은 일정하게 유지된다.

08
ㄴ. 이산화 탄소를 흡수하여 광합성을 하므로 탄소는 식물의 광합성 작용으로 기권에서 생물권으로 이동(A)하고, 생물의 호흡으로 이산화 탄소가 발생하므로 탄소는 호흡으로 생물권에서 기권으로 이동(B)한다.

바로알기 ㄱ. 탄소는 기권에서 이산화 탄소, 지권에서 석회암이나 화석 연료, 수권에서 탄산 이온, 생물권에서 유기물의 형태로 존재한다.
ㄷ. 수온이 높을수록 기체의 용해도가 감소하므로 이산화 탄소의 방출이 용해보다 활발하게 일어난다.

09 ㄴ. 우유의 움직임은 맨틀(연약권) 대류에 해당한다.
ㄷ. A는 우유가 상승하는 곳에서 표면이 갈라지므로 판의 발산형 경계에 해당하며, 발산형 경계에서는 해령이나 열곡대가 발달한다.
ㄹ. B는 우유가 하강하는 곳으로, 맨틀 대류의 하강부인 판의 수렴형 경계에 해당한다.
바로알기 ㄱ. 코코아 가루로 덮인 표면은 지각과 맨틀 상부로 이루어진 암석권(판)에 해당하고, 코코아 가루가 우유를 따라 움직이므로 우유는 맨틀 중 연약권에 해당한다.

10 ㄴ. B는 화산 활동은 활발하지만 심발 지진은 일어나지 않는 곳이므로 발산형 경계이다. D는 화산 활동이 활발하지 않고 맨틀 대류가 하강하지 않는 곳이므로 보존형 경계이다. 발산형 경계(B)에는 해령이, 보존형 경계(D)에는 변환 단층이 발달한다.
ㄷ. C는 화산 활동이 활발하지 않고 맨틀 대류가 하강하는 곳이므로 충돌형 수렴 경계이다. 충돌형 수렴 경계는 두 대륙판이 충돌하는 경계로, 히말라야산맥이 이에 해당한다.
바로알기 ㄱ. A는 화산 활동이 활발하고 심발 지진이 일어나므로 섭입형 수렴 경계이다. 대륙판과 대륙판은 밀도가 비슷하여 충돌하므로 화산 활동이나 심발 지진은 거의 일어나지 않는다.

11 꼼꼼 문제 분석

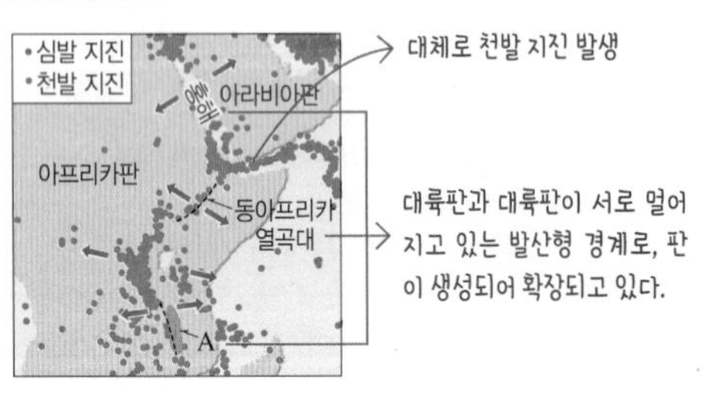

② 발산형 경계는 맨틀 대류가 상승하는 지역이므로 이 지역에서는 화산 활동이 활발할 것이다.
바로알기 ① 홍해를 경계로 아프리카판과 아라비아판이 서로 멀어지고 있으므로, 홍해는 발산형 경계에 해당한다.
③ 동아프리카 열곡대에는 대륙판과 대륙판이 서로 멀어지면서 장력이 작용하여 정단층이 주로 발달할 것이다.
④ 동아프리카 열곡대는 발산형 경계이므로 열곡대 하부에서 맨틀 물질이 상승하여 판이 생성된다.
⑤ A 지역은 발산형 경계에 위치하므로 이 지역에 발달하는 호수의 폭은 점차 넓어질 것이다.

12 A－B 구간과 C－D 구간은 판의 발산형 경계이고, 판이 서로 어긋나는 B－C 구간은 판의 보존형 경계이다.
모범 답안 (가) B－C 구간
(나) 천발 지진이 일어나고, 변환 단층이 형성된다.

채점 기준	배점
(가)와 (나)를 모두 옳게 서술한 경우	100 %
(가)와 (나) 중 한 가지만 옳게 서술한 경우	50 %

13 꼼꼼 문제 분석

해양판과 대륙판의 경계
판 경계가 아니다.
(가)
안데스산맥
(나)
B
남아메리카판
A
나스카판
아프리카판
해구, 맨틀 대류 하강
해령, 맨틀 대류 상승

ㄱ. (가)에서 나스카판이 남아메리카판 아래로 섭입하고 있으므로 나스카판이 남아메리카판보다 밀도가 크다.
ㄷ. A는 나스카판이 남아메리카판 아래로 섭입하면서 형성된 해구이다.
ㄹ. B는 대서양 중앙 해령으로, 이곳에서는 맨틀 물질이 상승하면서 마그마가 생성되어 새로운 해양 지각이 생성된다.
바로알기 ㄴ. (가)는 나스카판(해양판)이 남아메리카판(대륙판) 아래로 섭입하는 수렴형 경계 지역으로 지진과 화산 활동이 활발하다. 남아메리카판은 대륙 지각과 해양 지각으로 구성된 하나의 판이다. 따라서 (나)는 판 경계 지역이 아니므로 지진과 화산 활동이 거의 일어나지 않는다.

14 ㄴ. (가)에서 천발 지진과 심발 지진의 진앙 사이의 폭은 A－B 구간보다 C－D 구간에서 더 좁다. 따라서 해구에서 섭입하는 판의 경사는 A－B 구간보다 C－D 구간에서 더 급하다.
바로알기 ㄱ. 일본 동쪽에 위치한 해구에서 해양판이 비스듬히 섭입하고 있으므로 B에서 A로 갈수록 진원의 깊이는 깊어진다.
ㄷ. 일본은 판의 수렴형 경계에서 마그마가 분출하여 생긴 화산섬(호상 열도)이다.

15 A는 동아프리카 열곡대(발산형 경계), B는 히말라야산맥(수렴형 경계), C는 산안드레아스 단층(보존형 경계), D는 페루－칠레 해구(수렴형 경계), E는 대서양 중앙 해령(발산형 경계)이다.
모범 답안 (1) A, E, 천발 지진과 화산 활동이 활발하게 일어난다.
(2) C 지역에서는 판이 생성되거나 소멸되지 않고, D 지역에서는 판이 소멸된다. C 지역에서는 천발 지진이 발생하고 화산 활동은 일어나지 않으며, D 지역에서는 천발~심발 지진이 발생하고, 화산 활동이 활발하다.
(3) B, D, 역단층은 횡압력이 작용하여 형성된다.

채점 기준		배점
(1)	A, E를 고르고, 지각 변동을 모두 옳게 서술한 경우	40 %
	A, E만 고른 경우	20 %
(2)	C와 D 지역의 판의 생성과 소멸, 지각 변동을 모두 옳게 서술한 경우	40 %
	C와 D 지역의 판의 생성과 소멸만 옳게 서술한 경우	20 %
	C와 D 지역의 지각 변동만 옳게 서술한 경우	
(3)	B, D를 고르고, 작용하는 힘을 모두 옳게 서술한 경우	20 %
	B, D만 고른 경우	10 %

16 (가)는 용암류에 의한 피해를 나타낸 것이고, (나)는 화산재에 의한 피해를 나타낸 것이다.

ㄱ. (나)의 화산재는 햇빛을 차단하여 지표의 기온을 하강시키므로 (가)의 용암류보다 기온 변화에 미치는 영향이 크다.

ㄴ. (나)의 화산재는 바람에 의해 넓은 지역까지 퍼져 나가기 때문에 (가)의 용암류보다 광범위한 지역에 피해를 입힌다.

ㄷ. (가)의 용암류에 물을 뿌려주면 용암을 식히고, 용암의 이동 속도를 줄일 수 있어 피해를 줄일 수 있다.

17 꼼꼼 문제 분석

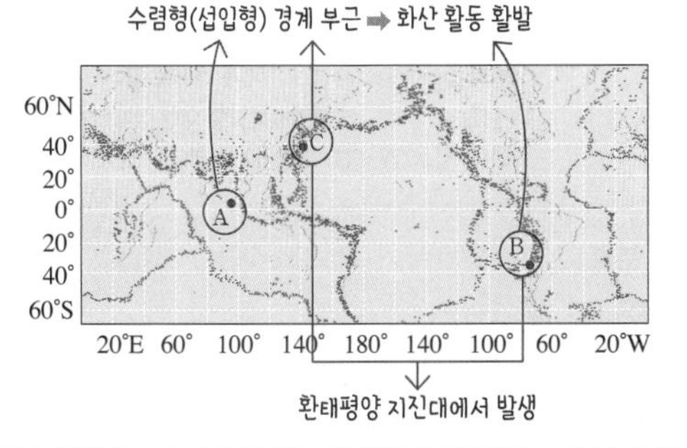

ㄴ. 지진 B는 판의 수렴형 경계인 페루－칠레 해구 부근에서 발생하였다. 이 지역은 환태평양 지진대에 속한다.

ㄷ. 지진 C는 일본 부근에서 발생하였으며 일본은 화산 활동이 활발한 호상 열도이다.

ㄹ. 지진의 규모가 클수록 지진에 의해 방출된 에너지양이 많으므로 지진 A가 가장 많은 에너지를 방출하였다.

바로알기 ㄱ. 지진 A는 인도네시아 부근에서 발생하였으므로 판의 수렴형 경계 부근에서 발생하였다.

중단원 고난도 문제 171쪽

01 ③ **02** ① **03** ① **04** ③

01 꼼꼼 문제 분석

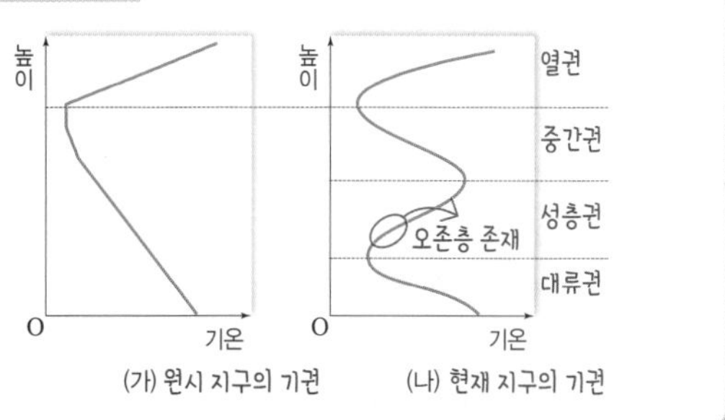

선택지 분석

㉠ (가)에는 오존층이 존재하지 않았을 것이다.

㉡ 기권의 구조가 (가) → (나)로 변한 것은 생물의 광합성 작용과 관련이 있다.

~~ㄷ~~. (나)에서 오존층이 사라지면 지구에는 어떠한 생물도 살 수 없을 것이다. 살 수 있는 생물도 있다

전략적 풀이 ❶ 기권의 층상 구조가 달라지는 원인을 찾는다.

ㄱ. (나)에서는 오존이 태양의 자외선을 흡수하면서 높이 올라갈수록 기온이 상승하는 성층권이 형성되었고, 그에 따라 중간권이 형성되었다. 따라서 두 층으로 구분되는 (가)에는 오존층이 없었다.

❷ 성층권에 존재하는 오존층이 어떻게 형성되었는지 파악한다.

오존층의 오존(O_3)은 산소 분자(O_2)와 산소 원자(O)가 결합하여 생성되므로 성층권은 대기에 산소가 축적된 후에 형성되었다.

ㄴ. 원시 지구에서 광합성을 하는 생물이 등장한 후 지구 대기에 산소가 점차 축적되었고, 오존층이 형성되었다.

❸ 오존층의 역할과 생명체의 출현을 고려한다.

ㄷ. 오존층은 지표에 도달하는 자외선을 막아 주지만, 오존층이 없던 시기에도 바다 속에 생물이 살고 있었으므로 기권에서 오존층이 사라져도 바다에서는 생물이 살 수 있을 것이다.

02 꼼꼼 문제 분석

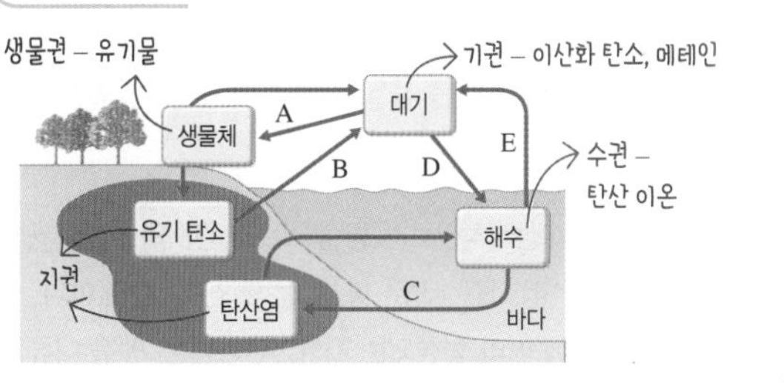

선택지 분석

㉠ 광합성에 의한 유기물의 생성은 A 과정에 해당한다.

~~ㄴ~~. B 과정이 활발해지면 지구 전체 탄소량은 증가한다. 일정하다

㉢ 석회암은 주로 C 과정을 통해 형성된다.

~~ㄹ~~. 수온이 상승하면 D 과정이 E 과정보다 더 활발하다. E 과정이 D 과정보다

전략적 풀이 ❶ 탄소가 지구 시스템의 각 권에서 어떤 형태로 존재하는지 파악한다.

탄소는 기권에서는 이산화 탄소와 메테인, 지권에서는 탄산염(석회암) 또는 화석 연료, 수권에서는 탄산 이온, 생물권에서는 유기물 형태로 존재한다.

ㄱ. 식물의 광합성에 의해 대기 중 이산화 탄소가 유기물로 식물에 저장된다. ➡ A 과정에 해당한다.

❷ 탄소가 각 권 사이에서 이동하면 각 권의 탄소량과 지구 시스템 전체 탄소량은 어떻게 변할지 생각한다.

ㄴ. B 과정이 활발해지면 기권의 탄소량은 증가하지만, 지권의 탄소량은 감소하여 지구 전체의 탄소량은 일정하다.

❸ 탄소 순환 과정의 예가 어느 권역의 상호 작용인지 파악한다.

ㄷ. 수권의 탄산 이온이 침전되어 지권에 석회암으로 저장되므로 석회암은 주로 C 과정을 통해 형성된다.

ㄹ. 수온이 상승하면 기체의 용해도가 감소하므로 수권에서 기권으로 이동하는 E 과정이 D 과정보다 더 활발하게 일어난다.

03 꼼꼼 문제 분석

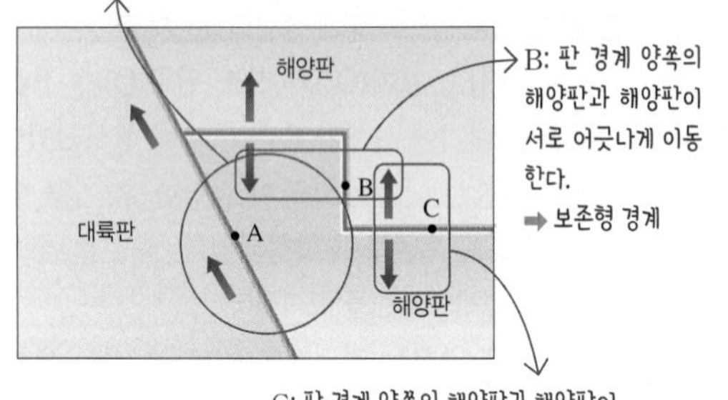

A: 판 경계 양쪽의 대륙판과 해양판이 서로 가까워지고 있다. ➡ 수렴형(섭입형) 경계
해양판
B
C
A
대륙판
해양판
B: 판 경계 양쪽의 해양판과 해양판이 서로 어긋나게 이동한다. ➡ 보존형 경계
C: 판 경계 양쪽의 해양판과 해양판이 서로 멀어지고 있다. ➡ 발산형 경계

선택지 분석

㉠ A에서는 해구가 형성될 수 있다.

~~ㄴ~~. B와 C에서는 심발 지진이 발생한다. 천발 지진

~~ㄷ~~. C의 하부에서는 맨틀 물질이 하강하여 판이 소멸한다. 상승하여 판이 생성된다

전략적 풀이 ❶ 판의 상대적인 이동 방향으로 판 경계의 유형을 판단한다.

A는 수렴형(섭입형), B는 보존형, C는 발산형 경계이다.

❷ 판 경계의 유형에 따라 형성되는 지형, 지각 변동, 맨틀 대류가 어떻게 다른지 파악한다.

판 경계	지형	지각 변동	맨틀 대류
A	해구, 습곡 산맥, 호상 열도	천발~심발 지진, 화산 활동	맨틀 대류 하강, 판 소멸
B	변환 단층	천발 지진	×
C	해령	천발 지진, 화산 활동	맨틀 대류 상승, 판 생성

❸ 각 보기에서 묻는 내용을 파악하고 잘못된 점을 찾는다.

ㄱ은 지형, ㄴ은 지각 변동, ㄷ은 맨틀 대류를 묻고 있다.

ㄱ. A 수렴형(섭입형) 경계에서는 밀도가 큰 해양판이 밀도가 작은 대륙판 아래로 섭입하는 과정에서 깊은 해저 골짜기인 해구가 형성될 수 있다.

ㄴ. B 보존형 경계에서는 판이 서로 어긋나면서 천발 지진이 발생하고, C 발산형 경계에서는 판이 서로 멀어지면서 천발 지진이 발생한다.

ㄷ. C 발산형 경계에서는 맨틀 물질이 상승하면서 마그마가 생성되어 새로운 판이 생성된다. 맨틀 물질이 하강하여 판이 소멸하는 곳은 A 수렴형(섭입형) 경계이다.

04 꼼꼼 문제 분석

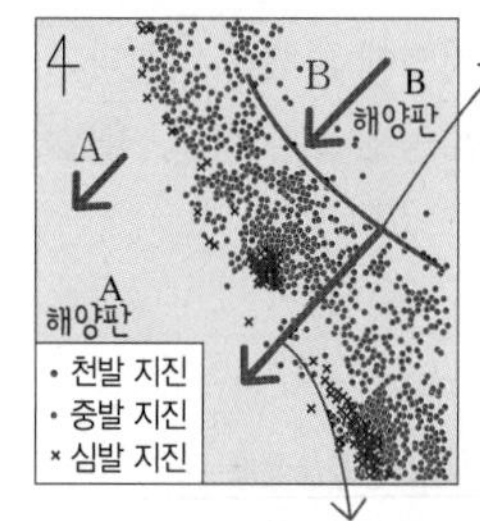

구분	A	B
이동 방향	남서쪽	남서쪽
이동 속력 (cm/년)	6	㉠

선택지 분석

㉠ ㉠은 6보다 크다.

㉡ 판의 밀도는 A가 B보다 작다.

~~ㄷ~~. 판의 경계를 따라 습곡 산맥이 발달한다. 해구, 호상 열도가 발달한다.

전략적 풀이 ❶ 지진이 발생한 깊이 분포로 판 경계의 유형을 판단하고, 판 경계가 형성되기 위한 두 판의 이동 속력을 파악한다.

진원의 깊이가 판 B에서 A로 갈수록 대체로 깊어지므로 B가 A 아래로 섭입하고 있다.

ㄱ. 수렴형(섭입형) 경계가 형성되려면 두 판이 서로 수렴해야 한다. 두 판이 모두 남서쪽 방향으로 이동하고 있으므로, A보다 B의 속력이 더 빠르다. 따라서 ㉠은 6보다 크다.

❷ 판 경계에서 두 판의 움직임으로 두 판의 밀도를 비교한다.

ㄴ. B가 A 아래로 섭입하고 있으므로 판의 밀도는 A가 B보다 작다.

❸ 판 경계의 종류에 따라 발달하는 지형을 파악한다.

ㄷ. 해양판이 대륙판 아래로 섭입하는 경우에는 안데스산맥처럼 습곡 산맥이 형성되지만, 해양판이 다른 해양판 아래로 섭입하는 경우에는 습곡 산맥이 형성되지 않고, 해구와 호상 열도가 발달한다.

3 생명 시스템

1 생명 시스템의 기본 단위

개념 확인 문제 176쪽

❶ 세포 소기관 ❷ 기관 ❸ 핵 ❹ 리보솜 ❺ 골지체 ❻ 엽록체 ❼ 미토콘드리아 ❽ 세포막

1 (1) × (2) × (3) ○ (4) ○ **2** 세포 **3** ㉠ 조직, ㉡ 기관 **4** (1) (가) (2) ㉠ 기관계, ㉡ 조직계 **5** A: 소포체, B: 핵, C: 엽록체, D: 세포벽, E: 세포막, F: 미토콘드리아 **6** C, D **7** F **8** ㉠ 핵, ㉡ 리보솜, ㉢ 소포체

1 (1) 생명 시스템은 생물 개체뿐 아니라 하나의 세포도 될 수 있다. 세포는 여러 세포 소기관이 상호 작용 하여 생명 현상을 나타낸다.
(2) 생물 개체는 환경 요소의 영향을 받으며, 외부와 끊임없이 상호 작용 한다.
(3) 지구 시스템은 지권, 수권, 기권, 생물권, 외권으로 구성되며, 생물은 생물권에 속한다.
(4) 세포는 세포막을 경계로 외부와 구분되어 있으며, 물질이 출입하는 세포막은 외부와 상호 작용 하는 통로이다.

2 생명 시스템에서 생명체를 구성하는 기본 단위는 세포로, 모든 생물은 세포로 구성되어 있다.

3 생명 시스템의 구성 단계는 '세포 → 조직(㉠) → 기관(㉡)→ 개체'이다.

4 (1) 동물체의 구성 단계는 세포 → 조직 → 기관 → 기관계 → 개체로, 기관 다음에 여러 기관이 모여 공통의 기능을 담당하는 기관계가 있다.
(2) ㉠은 동물체에만 있는 구성 단계인 기관계이고, ㉡은 식물체에만 있는 구성 단계인 조직계이다.

5 A는 물질을 운반하는 소포체, B는 유전 정보를 저장하고 있는 DNA가 있어 세포의 생명 활동을 조절하는 핵, C는 광합성이 일어나는 엽록체, D는 세포막 바깥쪽에 있는 단단한 세포벽, E는 세포 안팎으로의 물질 출입을 조절하는 세포막, F는 세포 호흡이 일어나는 미토콘드리아이다.

6 엽록체(C)와 세포벽(D)은 동물 세포에는 없고 식물 세포에만 있다.

7 미토콘드리아(F)는 세포 호흡으로 세포의 생명 활동에 필요한 에너지를 생산한다.

8 유전 정보는 핵(㉠) 속의 DNA에 저장되어 있으며, DNA의 유전 정보에 따라 리보솜(㉡)에서 단백질이 합성된다. 합성된 단백질은 소포체(㉢)를 통해 이동하여 골지체를 거쳐 분비된다.

개념 확인 문제 179쪽

❶ 인지질 ❷ 선택적 투과성 ❸ 확산 ❹ 지용 ❺ 막단백질 ❻ 삼투 ❼ 커 ❽ 작아

1 A: 단백질(막단백질), B: 인지질 **2** (1) × (2) ○ (3) × **3** 선택적 투과성 **4** (가) 단순 확산 (나) 촉진 확산 **5** (1) 산소 (2) 포도당, K^+ **6** (1) ○ (2) × (3) ○ **7** (1) × (2) × (3) ○

1 세포막을 관통하고 있는 A는 단백질이고, 2중층을 이루고 있는 B는 인지질이다.

2 (1) 인지질은 지질의 한 종류로, ㉠(머리 부분)은 친수성이고, ㉡(꼬리 부분)은 소수성이다.
(2) 인지질은 친수성인 머리 부분이 물과 접한 바깥쪽을 향해 있고, 소수성인 꼬리 부분이 서로 마주 보며 배열하여 2중층을 형성한다.
(3) 세포막에서 인지질과 단백질은 세포막의 특정 위치에 고정되어 있지 않고 유동적이다.

3 세포막은 물질의 종류에 따라 투과시키는 정도가 다른 선택적 투과성을 나타낸다.

4 (가)는 물질이 고농도에서 저농도로 세포막의 인지질 2중층을 직접 통과하는 단순 확산이고, (나)는 물질이 고농도에서 저농도로 막단백질을 통해 이동하는 촉진 확산이다.

5 (1) 산소, 이산화 탄소와 같이 크기가 매우 작은 기체 분자는 A와 같이 인지질 2중층을 직접 통과한다.
(2) 수용성 물질인 포도당, 전하를 띠는 이온(K^+)은 B와 같이 세포막의 막단백질을 통해 확산한다.

6 (1) 적혈구를 용액 X에 넣었을 때 적혈구의 부피 변화가 나타난 것은 삼투에 의해 물이 이동하였기 때문이다.
(2) 용액 X에 넣은 적혈구의 부피가 증가하였으므로 적혈구 막을 경계로 세포 안으로 들어온 물의 양이 세포에서 빠져나간 물의 양보다 많다(들어온 물의 양>빠져나간 물의 양).

(3) 삼투에 의한 물의 이동은 용액의 농도가 낮은 쪽에서 높은 쪽으로 일어나므로 용액의 농도는 적혈구 안이 용액 X보다 높다(적혈구 안 > 용액 X).

7 (1) 식물 세포를 세포 안보다 농도가 높은 용액에 넣으면 삼투에 의해 물이 세포 밖으로 많이 빠져나간다(들어오는 물의 양 < 빠져나가는 물의 양).
(2), (3) 세포 밖에서 안으로 들어오는 물의 양보다 세포 안에서 밖으로 빠져나가는 물의 양이 더 많으면 세포질의 부피는 작아지고, 그 결과 세포막이 세포벽에서 분리되는 현상(원형질 분리)이 나타난다.

내신 만점 문제

180~183쪽

01 ⑤	02 ④	03 ②	04 ③	05 ③	06 ⑤
07 ②	08 ③	09 ④	10 ①	11 ③	12 ㄱ, ㄷ
13 ③	14 ③	15 ①	16 ②	17 ②	18 ④
19 ⑤	20 ①	21 해설 참조	22 해설 참조	23 해설 참조	24 해설 참조

01 생명 시스템은 외부 환경과 상호 작용 하며, 생명체를 구성하고 생명 현상을 나타내는 기본 단위는 세포이다. 단세포 생물은 하나의 세포로 생명 활동을 유지한다.
바로알기 ⑤ 다세포 생물은 모양과 기능이 비슷한 세포들이 모여 조직을 이루고, 여러 종류의 조직이 모여 기관을 형성한다.

02 ㄱ. 생명 시스템의 구조적·기능적 단위는 세포(A)이며, 세포도 하나의 생명 시스템이다.
ㄷ. 심장은 기관(B)의 예에 해당한다.
바로알기 ㄴ. 기관(B)은 여러 조직이 모여 일정한 형태와 기능을 나타내는 단계이다.

03 ① 조직(A)은 여러 세포로 구성되며, 각 세포는 하나의 생명 시스템으로서 생명 활동이 일어난다.
③ 기관(B)은 여러 조직으로 구성되고, 조직마다 세포들의 모양과 기능이 다르다.
④ 기관계(C)는 공통된 기능을 담당하는 여러 기관으로 구성된다.
⑤ 조직(A)에서 기관(C)으로 갈수록 세포들이 유기적으로 구성되어 체제가 복잡해진다.
바로알기 ② 조직(A)은 모양과 기능이 비슷한 세포들의 모임이다.

04 꼼꼼 문제 분석

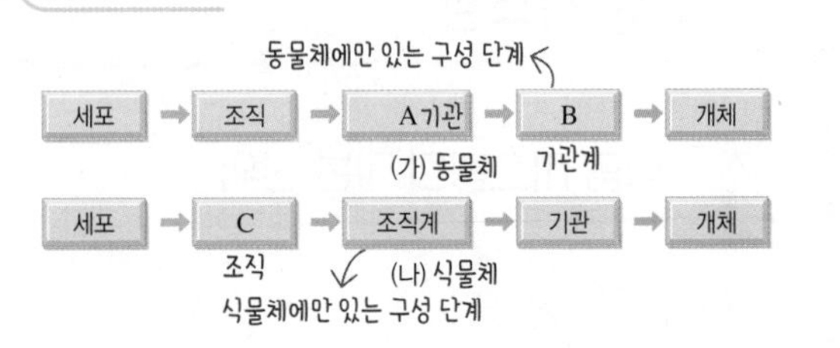

(나)의 조직계는 동물체의 구성 단계에는 없고 식물체의 구성 단계에만 있으므로 (가)는 동물체, (나)는 식물체의 구성 단계이다. 따라서 A는 기관, B는 기관계, C는 조직이다.
ㄷ. 식물의 생장점은 분열 능력이 있는 세포들로 이루어진 분열 조직으로, 식물의 조직(C) 단계에 해당한다.
바로알기 ㄱ. A는 기관으로 동물체와 식물체에 공통적으로 존재하는 구성 단계이다.
ㄴ. B(기관계)는 비슷한 기능을 하는 여러 기관의 모임으로, 동물체에만 있는 구성 단계이다. 기관계를 구성하는 각 기관은 모양과 기능이 다른 여러 세포로 구성된다.

05 세포벽과 엽록체는 동물 세포에는 없고 식물 세포에만 있는 세포 소기관이다.
바로알기 리보솜, 세포막, 미토콘드리아는 동물 세포와 식물 세포에 공통적으로 존재하는 세포 소기관이다.

06 ㄱ. 리보솜은 아미노산을 펩타이드 결합으로 연결시켜 단백질을 합성하는 장소이다.
ㄴ. 세포벽은 식물 세포의 바깥쪽에 있는 단단한 구조물로, 세포의 형태를 유지한다.
ㄷ. 미토콘드리아는 세포 호흡으로 세포의 생명 활동에 필요한 에너지를 생산하는 장소이다.

07 꼼꼼 문제 분석

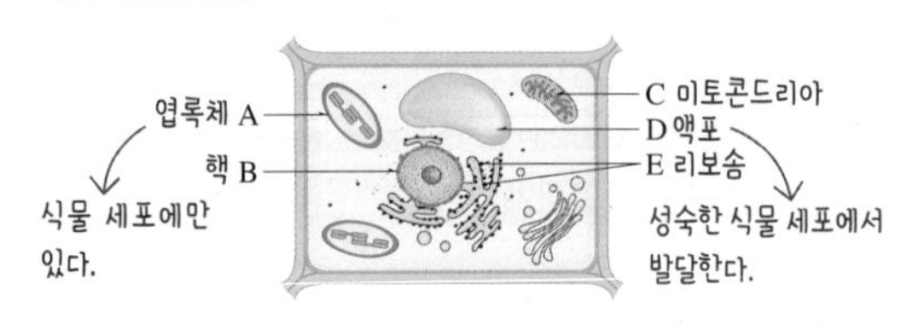

② 핵(B)에는 유전 물질인 DNA가 있다.
바로알기 ① 엽록체(A)에서는 광합성이 일어난다.
③ 미토콘드리아(C)에서는 세포 호흡이 일어나 포도당의 화학 에너지를 생명 활동에 필요한 형태의 에너지로 전환한다. 빛에너지를 화학 에너지로 전환하는 것은 엽록체이다.
④ 액포(D)는 성숙한 식물 세포에 크게 발달되어 있다.
⑤ 리보솜(E)은 알갱이 모양으로, 막으로 둘러싸여 있지 않다.

08 꼼꼼 문제 분석

단백질 합성
B 리보솜
핵 A
유전 물질 포함
세포 호흡
C
미토콘드리아

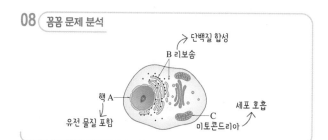

ㄱ. 핵(A)은 유전 정보가 저장된 DNA가 있어서 생명 활동을 조절한다.
ㄷ. 미토콘드리아(C)는 세포 호흡이 일어나는 장소로, 유기물을 산화시키기 위해 필요한 산소를 흡수하고 유기물의 산화 결과 생성된 이산화 탄소를 방출한다.
바로알기 ㄴ. 리보솜(B)은 아미노산을 펩타이드 결합으로 연결하여 단백질을 합성하는 장소이다. 녹말은 식물 세포의 엽록체에서 광합성으로 합성한 포도당을 결합시켜 만든다.

09 (가)는 엽록체, (나)는 미토콘드리아이다.
ㄴ. 엽록체(가)는 광합성이 일어나는 장소로, 광합성은 빛에너지를 흡수하여 무기물인 이산화 탄소와 물로부터 유기물인 포도당을 합성하는 작용이다.
ㄷ. 미토콘드리아(나)는 생명 활동에 필요한 에너지를 생산하며, 근육 세포와 같이 에너지가 많이 필요한 세포에 특히 많다.
바로알기 ㄱ. 엽록체(가)는 동물 세포에는 없고 식물 세포에만 있지만, 미토콘드리아(나)는 동물 세포와 식물 세포에 공통적으로 존재한다.

10 꼼꼼 문제 분석

리보솜이며, 단백질 합성 장소이다.
소포체이며, 합성된 단백질의 이동 통로이다.
골지체이며, 단백질을 막으로 싸서 분비한다.
A B C
세포막

핵 속에 있는 DNA의 유전 정보에 따라 리보솜(A)에서 단백질이 합성된다. 단백질은 소포체(B)를 통해 골지체(C)로 이동하여 저장되었다가, 막으로 싸인 주머니에 담겨 세포막 쪽으로 이동한 후 세포 밖으로 분비된다.

②, ③ 리보솜(A), 소포체(B), 골지체(C)는 모두 동물 세포와 식물 세포에서 공통적으로 볼 수 있다.
④ 소포체(B)와 골지체(C)는 막으로 둘러싸인 세포 소기관이다.
⑤ 리보솜에서 합성된 단백질은 소포체를 통해 골지체로 이동한 후 골지체에서 막으로 싸여 세포 밖으로 분비된다.
바로알기 ① 리보솜(A)에서는 세포질에서 운반해 온 아미노산을 펩타이드 결합으로 연결하여 단백질을 합성하지만, 아미노산을 합성하는 것은 아니다.

11 꼼꼼 문제 분석

구분	동물 세포에 존재	세포 호흡 장소	인지질 성분의 막
소포체 또는 세포막 A	○	×	○
엽록체 B	×	×	㉠○
미토콘드리아 C	○	㉡○	○
세포막 또는 소포체 D	?○	×	○
리보솜 E	?○	×	×

(○: 있음, ×: 없음)

• 동물 세포에 존재하는 것은 소포체, 세포막, 리보솜, 미토콘드리아이다. ➡ B는 엽록체이다.
• 세포 호흡 장소 ➡ C는 미토콘드리아이고, ㉡은 '○'이다.
• 인지질 성분의 막으로 된 구조는 소포체, 세포막, 엽록체, 미토콘드리아이다. ➡ E는 리보솜이고, ㉠은 '○'이다.

ㄱ. 엽록체(B)는 인지질로 된 막 구조를 가지고, 미토콘드리아(C)는 세포 호흡이 일어나는 장소이므로 ㉠과 ㉡은 모두 '○'이다.
ㄷ. 리보솜(E)은 단백질 합성이 일어나는 장소이다.
바로알기 ㄴ. D는 세포막 또는 소포체이므로 광합성이 일어나는 장소는 아니다. 이산화 탄소와 물로부터 포도당을 합성하는 광합성은 B(엽록체)에서 일어난다.

12 ㄱ. 세포막은 인지질 2중층에 단백질이 파묻혀 있거나 관통하고 있는 구조이다.
ㄷ. 세포막은 분자 크기가 작을수록, 수용성 물질보다는 지용성 물질을 잘 통과시키는 것과 같은 선택적 투과성을 나타낸다.
바로알기 ㄴ. 세포막은 인지질 2중층으로 되어 있지만, 그 자체로는 단일막이다. 이중막이란 단일막이 두 겹으로 되어 있는 것으로, 핵, 엽록체, 미토콘드리아가 이중막 구조이다.

13 ㄱ. A는 단백질이므로, 펩타이드 결합을 포함한다.
ㄴ. 인지질은 유동성이 있어 단백질(A)은 위치가 고정되어 있지 않고 움직일 수 있다.
바로알기 ㄷ. 인지질의 머리 부분(㉠)은 친수성이고, 꼬리 부분(㉡)은 소수성이다.

14 꼼꼼 문제 분석

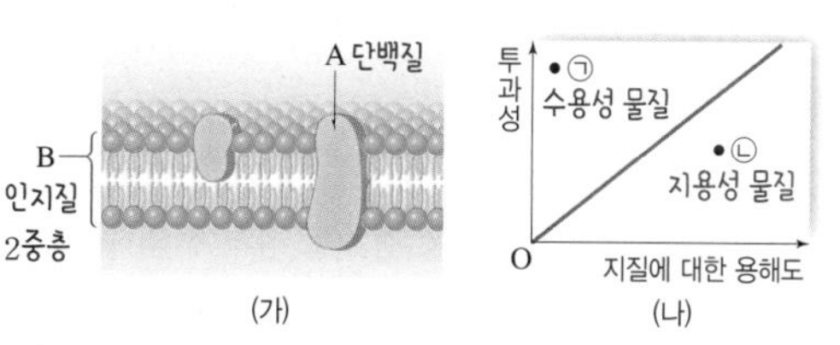

• 지질에 대한 용해도: ㉠<㉡ ➡ ㉠은 수용성 물질, ㉡은 지용성 물질
• 막 투과도: ㉠>㉡ ➡ 수용성 물질은 지용성 물질보다 인지질 2중층을 통과하기 어렵다. ➡ ㉠은 ㉡보다 분자의 크기가 매우 작거나 막단백질을 통해 이동한다.

ㄱ. 세포막의 곳곳에 박혀 있는 A는 단백질이며, 세포에서 단백질은 리보솜에서 합성된다.

ㄴ. B(인지질 2중층)의 안쪽은 소수성의 지방산 꼬리가 모여 있어 수용성 물질인 ㉠은 인지질 2중층을 통과하기 어렵다.

바로알기 ㄷ. ㉡은 지용성 물질이므로 수용성 물질인 ㉠보다 물에 대한 친화력이 작다.

15 꼼꼼 문제 분석

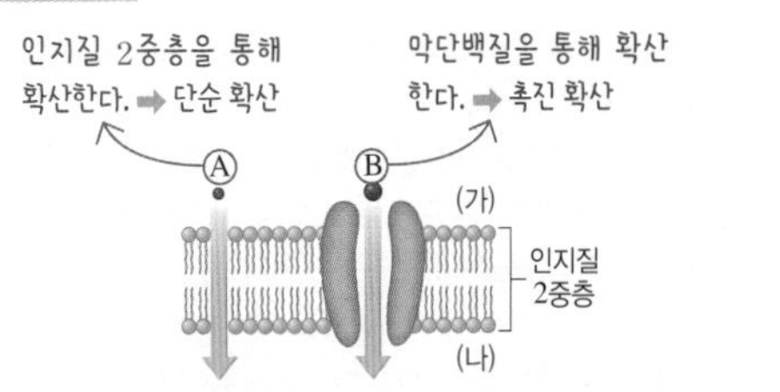

확산은 세포막을 경계로 고농도에서 저농도로 일어나며, 물질의 이동에 세포의 에너지를 사용하지 않는다. ➡ 농도: (가)>(나)

ㄱ. A는 세포막을 통해 단순 확산하며, (가)에서 (나) 쪽으로 이동하는 것으로 보아 A의 농도는 (가)>(나)이다.

바로알기 ㄴ. A와 같이 단순 확산하는 물질은 분자 크기가 작을수록, 세포막을 경계로 농도 차가 클수록 이동 속도가 빠르다.

ㄷ. B는 막단백질을 통해 촉진 확산하며, 이때 물질에 따라 통로 역할을 하는 단백질의 종류가 다르다. 즉, 촉진 확산하는 물질이 모두 같은 막단백질을 통해 확산하는 것이 아니다.

16 단순 확산하는 물질(A)에는 산소, 이산화 탄소 같은 기체 분자, 지방산과 같은 지용성 물질이 있다. 촉진 확산하는 물질(B)에는 포도당, 아미노산 같은 수용성 물질, 전하를 띠는 이온 등이 있다.

17 ㄴ. (나)는 물질이 고농도에서 저농도로 통로 단백질을 이용하지 않고 이동하므로 단순 확산이다. 단순 확산은 물질이 인지질 2중층을 직접 통과하는 방식이다.

바로알기 ㄱ. (가)는 물질이 고농도에서 저농도로 통로 단백질을 통해 이동하므로 촉진 확산이다. 확산에는 세포의 에너지가 사용되지 않는다.

ㄷ. 산소와 같이 크기가 매우 작은 기체 분자는 단순 확산(나)으로 세포막을 통해 이동한다.

18 ①, ②, ③, ⑤는 세포막을 경계로 삼투에 의해 용액의 농도가 낮은 쪽(저장액)에서 용액의 농도가 높은 쪽(고장액)으로 물이 이동하여 나타나는 현상이다.

바로알기 ④ 폐포에서 모세 혈관으로 산소가 이동하고, 모세 혈관에서 폐포로 이산화 탄소가 이동하여 기체 교환이 일어나는 것은 세포막의 인지질 2중층을 통해 일어나는 단순 확산이다.

19 꼼꼼 문제 분석

식물 세포의 부피가 커졌다. ➡ 삼투에 의해 물이 세포 안으로 들어왔다. ➡ 용액 X의 농도는 세포 안보다 낮다.

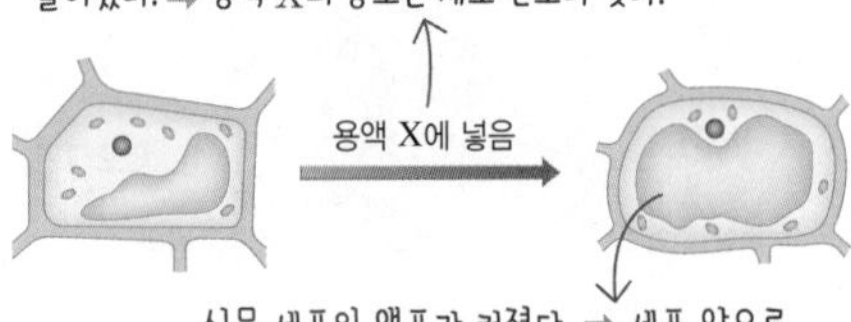

식물 세포의 액포가 커졌다. ➡ 세포 안으로 들어온 물의 일부가 액포 안으로 이동하였다.

ㄱ. 용액 X에 세포를 넣었을 때 세포 안으로 물이 들어와 세포의 부피가 커졌으므로 용액 X의 농도는 세포 안보다 낮다.

ㄴ. 세포의 액포가 커진 것은 세포질로 들어온 물의 일부가 액포로 이동하였기 때문이다.

ㄷ. 세포막을 통한 물의 이동은 양방향으로 일어나지만, 세포의 부피가 커진 까닭은 세포 안으로 들어오는 물의 양이 세포 밖으로 빠져나가는 물의 양보다 많기 때문이다.

20 꼼꼼 문제 분석

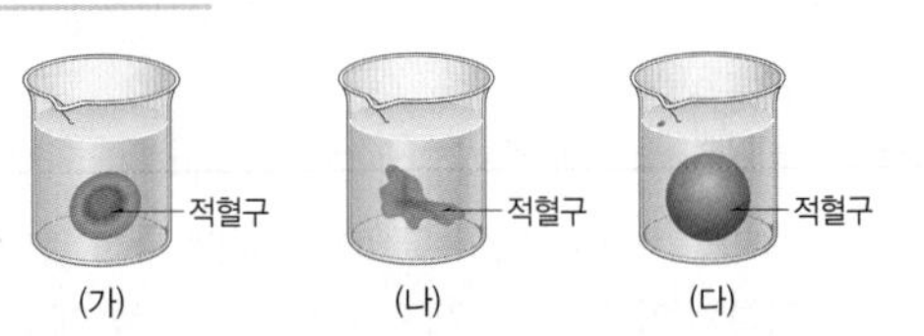

(가) 적혈구 안으로 이동하는 물의 양과 적혈구 밖으로 이동하는 물의 양이 같다. ➡ 소금 용액의 농도는 적혈구 안과 같다. ➡ 등장액

(나) 삼투에 의해 물이 적혈구 밖으로 많이 빠져나갔다. ➡ 소금 용액의 농도가 적혈구 안보다 높다. ➡ 고장액

(다) 삼투에 의해 물이 적혈구 안으로 많이 들어왔다. ➡ 소금 용액의 농도가 적혈구 안보다 낮다. ➡ 저장액

ㄱ. 소금 용액의 농도는 (나)가 가장 높고, (다)가 가장 낮으므로 (다)<(가)<(나)로 나타낼 수 있다.

바로알기 ㄴ. (가)에 넣은 적혈구가 부피 변화가 없는 것은 세포막을 통한 물의 이동이 없기 때문이 아니라 적혈구 안으로 들어오는 물의 양과 적혈구 밖으로 빠져나가는 물의 양이 같기 때문이다.

ㄷ. (다)보다 농도가 높은 소금 용액에 적혈구를 넣으면 적혈구 안으로 들어오는 물의 양이 줄어들게 되므로 적혈구의 부피는 (다)에 넣었을 때보다 작아지게 된다. 세포막이 터지는 현상은 (다)보다 농도가 낮은 용액에 적혈구를 넣어 적혈구 안으로 들어오는 물의 양이 증가할 때 나타날 수 있다.

21 모범 답안 ㉠ 엽록체, ㉡ 미토콘드리아, (가) 단백질 합성 장소 (나) 세포의 형태 유지

채점 기준	배점
㉠, ㉡, (가), (나)를 모두 옳게 쓴 경우	100 %
㉠, ㉡, (가), (나) 중 한 가지당 배점	25 %

22 단백질의 종류는 아미노산의 종류와 배열 순서에 의해 결정되는데, 이에 대한 정보는 핵 속의 DNA에 저장되어 있다. 유전 정보에 따라 리보솜에서 아미노산이 펩타이드 결합으로 연결되어 단백질이 만들어지면 소포체를 통해 골지체로 운반된 후 골지체에서 막으로 싸인 주머니에 담겨 세포막 쪽으로 이동하여 세포 밖으로 분비된다.

모범 답안 핵 속에 저장된 DNA의 유전 정보에 따라 리보솜에서 아미노산이 결합하여 단백질이 합성된다. 합성된 단백질은 소포체를 통해 골지체로 운반된 후 골지체에서 막으로 싸여 세포 밖으로 분비된다.

채점 기준	배점
네 가지 세포 소기관과 기능을 들어 단백질의 합성과 분비 과정을 모두 옳게 서술한 경우	100 %
세 가지 세포 소기관과 기능을 들어 단백질의 합성과 분비 과정을 옳게 서술한 경우	75 %
두 가지 세포 소기관과 기능을 들어 단백질의 합성과 분비 과정을 옳게 서술한 경우	50 %
리보솜에서 단백질이 합성된다고만 서술한 경우	25 %

23 (가)는 인지질 2중층을 통한 단순 확산이고, (나)는 막단백질을 통한 촉진 확산이다. 확산은 고농도에서 저농도로 일어나며, 세포가 별도의 에너지를 사용하지 않는다. 세포막을 통해 단순 확산하는 물질에는 분자 크기가 매우 작은 기체나 인지질의 소수성 부분을 통과할 수 있는 지용성 물질(지방산)이 있고, 촉진 확산하는 물질에는 수용성 물질(포도당, 아미노산)이나 전하를 띠는 이온 등이 있다.

모범 답안 물질이 세포막을 경계로 농도가 높은 쪽(고농도)에서 낮은 쪽(저농도)으로 이동한다. 물질이 이동하는 데 에너지를 사용하지 않는다.

채점 기준	배점
공통점 두 가지를 옳게 서술한 경우	100 %
공통점 한 가지를 옳게 서술한 경우	50 %

24 세포막을 통해 설탕 분자는 이동하지 못하지만 물은 이동한다. 삼투는 용질의 농도가 낮은 곳에서 농도가 높은 곳으로 물 분자가 이동하는 현상이다.

모범 답안 (1) (가)에 넣어 둔 것은 (나)에 넣어 둔 것보다 양파 표피 세포의 세포질이 많이 줄어들었으므로 설탕 용액의 농도는 (가)가 (나)보다 높다.
(2) (가)는 양파 표피 세포 안보다 농도가 높아서 삼투에 의해 세포에서 물이 빠져나가면서 세포질의 부피가 작아져 세포막이 세포벽에서 분리되었다.

채점 기준		배점
(1)	(가)와 (나)의 농도를 근거를 들어 옳게 비교하여 서술한 경우	50 %
	(가)와 (나)의 농도만 옳게 비교한 경우	20 %
(2)	(가)에 넣어 둔 양파 표피 세포에서 일어난 현상을 세포막을 통한 물질의 이동과 함께 옳게 서술한 경우	50 %
	(가)에 넣어 둔 양파 표피 세포에서 일어난 현상만을 옳게 서술한 경우	30 %

실력 UP 문제

184~185쪽

01 ④ 02 ④ 03 ① 04 ③ 05 ⑤ 06 ③
07 ① 08 ③

01 꼼꼼 문제 분석

구분	(가) 소나무	(나) 사람
A 조직 또는 기관	있음	㉠ 있음
B 조직계	있음	없음
C 기관 또는 조직	㉡ 있음	? 있음

조직, 기관은 동물체와 식물체에 공통으로 있는 구성 단계이고, 조직계는 동물체에는 없고 식물체에만 있는 구성 단계이다. ➡ B는 조직계이고, (가)는 소나무, (나)는 사람이다.

ㄴ. (가)에는 있고 (나)에는 없는 구성 단계 B는 조직계이다. (나)는 조직계가 없으므로 사람이고, 사람과 같은 동물체는 같은 기능을 하는 여러 기관의 모임인 기관계가 있는 것이 식물체와 다르다.

ㄷ. A와 C는 각각 동물체와 식물체에 공통으로 있는 조직과 기관 중 하나이다. 따라서 ㉠과 ㉡ 모두 '있음'이다.

바로알기 ㄱ. 식물의 잎, 줄기는 기관이므로 A 또는 C에 해당한다. B는 식물체에만 있는 구성 단계인 조직계이다.

02 
꼼꼼 문제 분석

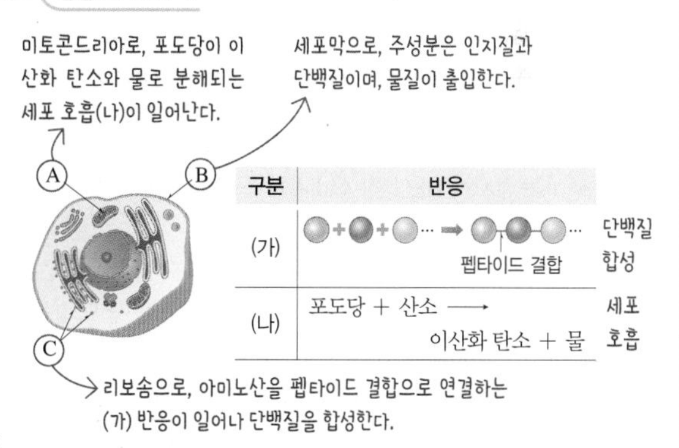
미토콘드리아로, 포도당이 이산화 탄소와 물로 분해되는 세포 호흡(나)이 일어난다.
세포막으로, 주성분은 인지질과 단백질이며, 물질이 출입한다.
A
B
C
구분
반응
(가)
펩타이드 결합
단백질 합성
(나)
포도당 + 산소 ⟶ 이산화 탄소 + 물
세포 호흡
리보솜으로, 아미노산을 펩타이드 결합으로 연결하는 (가) 반응이 일어나 단백질을 합성한다.

ㄴ. (나)는 포도당이 산소에 의해 산화되어 이산화 탄소와 물로 분해되는 세포 호흡 과정으로, 주로 미토콘드리아(A)에서 일어난다.

ㄷ. 세포 호흡(나)으로 생성된 이산화 탄소는 세포막(B)의 인지질 2중층을 통해 세포 밖으로 확산한다.

바로알기 ㄱ. (가) 반응에서 아미노산 배열 순서에 대한 정보는 핵 속의 DNA에 저장되어 있으며, 리보솜(C)에서는 DNA로부터 전달된 유전 정보에 따라 아미노산을 펩타이드 결합으로 연결하여 단백질을 합성한다.

03 꼼꼼 문제 분석

구분	㉠	㉡	㉢
소포체 A	×	○	○
리보솜 B	×	○	×
엽록체 C	○	×	×

(○: 있음, ×: 없음)

(가)

특징(㉠~㉢)
• 포도당을 합성한다. **엽록체 ➡ ㉠**
• 동물 세포에 존재한다. **소포체, 리보솜 ➡ ㉡**
• 단일막 구조이다. **소포체 ➡ ㉢**

(나)

'동물 세포에 존재한다.'는 소포체와 리보솜의 특징이므로 A와 B에 모두 있는 특징 ㉡이다. '포도당을 합성한다.'는 엽록체에만 해당하는 특징이므로 A와 B에는 없고 C에만 있는 특징 ㉠이고, C는 엽록체이다. 특징 ㉢은 '단일막 구조이다.'이고, ㉢이 있는 A는 소포체이고, ㉢이 없는 B는 리보솜이다.

ㄴ. 엽록체(C)는 빛에너지를 흡수하여 이산화 탄소와 물로부터 포도당과 산소를 생성하는 광합성을 한다.

바로알기 ㄱ. 리보솜(B)에서 합성된 단백질은 소포체(A)를 통해 운반된다.

ㄷ. 특징 ㉢은 소포체(A)에만 해당하는 '단일막 구조이다.'이다.

04 꼼꼼 문제 분석

구분	방사선이 검출된 장소			
	A 골지체	B 분비 소낭	C 소포체	세포 밖
정상 세포	○	○	○	○
돌연변이 세포 Ⅰ	○	○	○	×
돌연변이 세포 Ⅱ	○	×	○	×
돌연변이 세포 Ⅲ	×	×	○	×

단백질은 소포체 → 골지체 → 분비 소낭 → 세포 밖으로 이동한다.
➡ 돌연변이 세포 Ⅰ은 분비 소낭 → 세포 밖의 경로에 이상이 생긴 세포이고, 돌연변이 세포 Ⅱ는 골지체 → 분비 소낭의 경로에 이상이 생긴 세포이며, 돌연변이 세포 Ⅲ은 소포체 → 골지체의 경로에 이상이 생긴 세포이다. ➡ A는 골지체, B는 분비 소낭, C는 소포체이다.

ㄱ. 소포체, 골지체, 분비 소낭은 모두 세포막과 동일한 구조의 막으로 되어 있다. 즉, A~C 모두 인지질 2중층에 단백질이 있는 단일막 구조를 가진다.

ㄴ. 리보솜에서 합성된 단백질이 세포 밖으로 분비되는 경로는 '소포체 → 골지체 → 분비 소낭 → 세포 밖'이다. 단백질이 합성되어 이동함에 따라 단백질에 포함된 아미노산의 방사성 동위 원소로 인해 이동 경로에 있는 세포 소기관에서 방사선이 검출된다. 돌연변이 세포 Ⅲ에서는 C에서만 방사선이 검출되고 A와 B에서는 방사선이 검출되지 않으므로 C는 리보솜에서 합성된 단백질이 처음으로 이동하는 소포체이다. 돌연변이 세포 Ⅱ에서는 C와 A에서는 방사선이 검출되지만 B에서는 검출되지 않으므로 A는 골지체이다. B는 골지체에서 단백질을 막으로 싸서 떨어져 나온 분비 소낭이다. 따라서 단백질이 합성되어 이동하는 경로는 'C(소포체) → A(골지체) → B(분비 소낭) → 세포 밖'이다.

바로알기 ㄷ. 돌연변이 세포 Ⅱ는 소포체(C)와 골지체(A)에서는 방사선이 검출되지만 분비 소낭(B)에서는 방사선이 검출되지 않으므로 골지체에서 분비 소낭으로의 단백질 운반에 이상이 생긴 세포이다. 소포체에서 골지체로의 단백질 운반에 이상이 생긴 세포는 골지체(A)에서 방사선이 검출되지 않은 Ⅲ이다.

05 꼼꼼 문제 분석

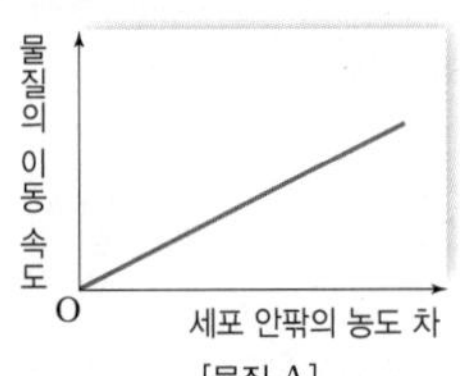

[물질 A]

세포 안팎의 농도 차에 비례하여 이동 속도가 빨라진다. ➡ 인지질 2중층을 통해 확산한다.

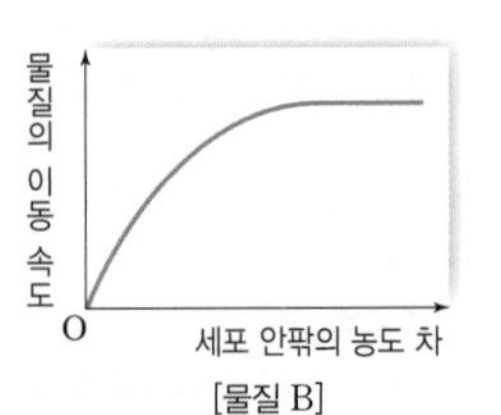

[물질 B]

세포 안팎의 농도 차가 어느 정도 이상이 되면 이동 속도가 더 이상 빨라지지 않는다. ➡ 막단백질을 통해 확산하며, 막단백질이 포화 상태에 이르면 확산 속도가 더 이상 빨라지지 않는다.

ㄱ, ㄴ. A는 인지질 2중층을 통해 확산하고, B는 막단백질을 통해 확산한다.

ㄷ. A는 세포 안팎의 농도 차가 클수록 이동 속도가 빠르므로, 단위시간 동안 세포막을 통해 이동하는 양이 많다.

06 꼼꼼 문제 분석

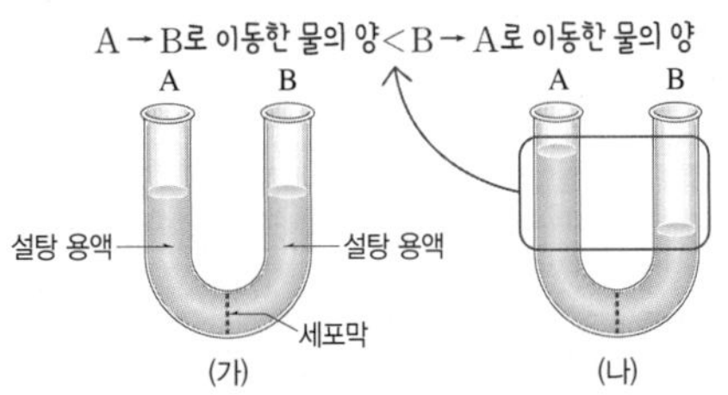

(가) (나)

세포막을 경계로 삼투에 의해 설탕 용액의 농도가 낮은 쪽에서 높은 쪽으로 물이 이동한다. ➡ 농도가 높은 쪽은 수면 높이가 높아지고, 농도가 낮은 쪽은 수면 높이가 낮아진다. ➡ 설탕 용액의 농도는 A > B이다.

ㄱ. 설탕 분자는 세포막을 통과하지 못하므로 세포막을 경계로 설탕 용액의 농도가 낮은 쪽에서 높은 쪽으로 삼투에 의해 물이 이동한다. (나)에서 A 쪽이 B 쪽보다 수면 높이가 높아졌으므로 B → A로 이동한 물의 양이 A → B로 이동한 물의 양보다 많다. 따라서 (가)에서 설탕 용액의 농도는 A 쪽이 B 쪽보다 높다.

ㄷ. 시간이 지나면서 B 쪽에서 A 쪽으로 물이 이동하여 B 쪽의 수면 높이가 낮아졌다. B 쪽에 넣어준 설탕의 양은 처음과 같지만 삼투에 의해 물이 이동하여 물의 양이 줄어들었으므로 B 쪽의 설탕 용액 농도는 (가)일 때보다 (나)일 때가 높다.

바로알기 ㄴ. (나)에서 수면 높이의 변화가 없는 것은 A → B로 이동하는 물의 양과 B → A로 이동하는 물의 양이 같기 때문이다.

07 꼼꼼 문제 분석

[생리식염수에 넣었을 때]

생리식염수는 사람의 체액과 농도가 같으므로 적혈구의 부피는 변화가 없다.

[A에 넣었을 때]

생리식염수에 넣은 적혈구보다 부피가 크다. ➡ 생리식염수보다 농도가 낮은 용액 (나)에 넣은 것이다.

[B에 넣었을 때]

생리식염수에 넣은 적혈구보다 부피가 작다. ➡ 생리식염수보다 농도가 높은 용액 (가)에 넣은 것이다.

ㄱ. 생리식염수보다 농도가 높은 용액 (가)에 넣은 적혈구는 물이 빠져나가 쭈그러든다. 따라서 B는 용액 (가)이다.

바로알기 ㄴ. A에 넣은 적혈구에서는 세포 안으로 들어오는 물의 양이 빠져나가는 물의 양보다 많으므로 적혈구 내 용액의 농도는 감소한다.

ㄷ. 생리식염수에 넣은 적혈구에서는 세포막을 통해 물이 이동하지만, 세포 안팎으로 이동하는 물의 양이 같으므로 부피 변화가 없다.

08 꼼꼼 문제 분석

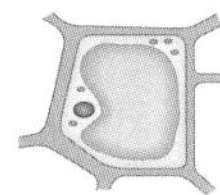

(가)

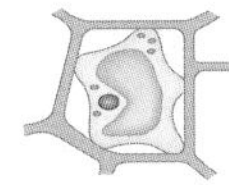

X에 넣었을 때

세포막이 세포벽으로부터 분리되었다(원형질 분리). ➡ X는 세포액보다 고장액이다.

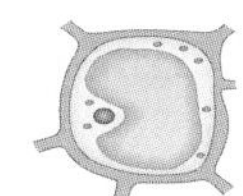

Y에 넣었을 때

세포의 부피가 커졌다. ➡ Y는 세포액보다 저장액이다.

ㄱ. (가)를 X에 넣었을 때는 세포로부터 물이 많이 빠져나가 세포막이 세포벽에서 분리되었으므로 X는 세포액보다 농도(삼투압)가 높다. (가)를 Y에 넣었을 때는 세포로 물이 많이 들어와 세포의 부피가 커졌으므로 Y는 세포액보다 농도(삼투압)가 낮다. 따라서 설탕 농도는 X가 Y보다 높다.

ㄴ. (가)를 X에 넣었을 때 세포막이 세포벽에서 분리되는 현상이 나타났는데, 이를 원형질 분리라고 한다.

바로알기 ㄷ. 설탕 분자는 세포벽은 통과하지만 세포막은 통과하지 못하므로 세포질이나 액포 쪽으로 이동하지 못한다. 액포는 물을 저장하고 있는데, 세포액의 농도에 따라 물의 이동이 일어나 세포의 삼투압을 조절한다.

(가)를 고장액인 X에 넣었을 때 액포의 크기가 줄어든 것은 세포에서 물이 많이 빠져나가 세포질의 농도가 높아지게 되자 액포에 저장된 물이 세포질로 이동하였기 때문이다. 또 (가)를 저장액인 Y에 넣었을 때 액포의 크기가 커진 것은 세포 안으로 물이 많이 들어와 세포질의 농도가 낮아지게 되자 액포로 물이 이동하여 물의 저장량이 늘어났기 때문이다.

2 생명 시스템에서의 화학 반응

개념 확인 문제

188쪽

❶ 물질대사 ❷ 동화 ❸ 이화 ❹ 효소 ❺ 활성화 에너지 ❻ 반응물(기질) ❼ 기질 특이성

1 (1) ○ (2) ○ (3) × **2** (1) ㄴ, ㄷ, ㅁ (2) ㄱ, ㄹ, ㅂ **3** ㉠ 낮고, ㉡ 단계적으로, ㉢ 필요하다 **4** (1) E (2) A **5** (1) B (2) 반응물: A, 생성물: C, D **6** 기질 특이성 **7** (1) × (2) × (3) × (4) ○

1 (2) 물질대사가 일어날 때에는 반드시 에너지 출입이 함께 일어난다.
(3) 물질대사에는 효소(생체 촉매)가 관여한다.

2 물질대사 중 동화 작용은 저분자 물질을 고분자 물질로 합성하는 반응으로, 반응이 일어나는 과정에서 에너지를 흡수하며, 대표적인 예로 광합성이 있다. 이화 작용은 물질을 분해하면서 에너지를 방출하는 반응으로, 예로는 세포 호흡이 있다.

3 생명체 내에서 일어나는 세포 호흡은 체온 정도의 낮은 온도에서 단계적으로 반응이 일어나며, 효소가 필요하다. 그러나 생명체 밖에서 일어나는 연소는 매우 높은 온도에서 한 번에 반응이 일어나며, 효소가 필요하지 않다.

4 (1) A는 반응열, D는 효소가 없을 때의 활성화 에너지, E는 효소가 있을 때의 활성화 에너지이다.
(2) 반응열(A)은 반응물의 에너지와 생성물의 에너지 차이이므로 효소의 유무에 관계없이 일정하다.

5 효소는 생체 촉매로서 반응 전후에 변하지 않으므로 B가 효소이다. 효소와 결합하는 A는 반응물이고, 효소의 작용으로 생성된 C와 D는 생성물이다.

6 아밀레이스는 입체 구조가 맞는 녹말의 분해만을 촉진하며, 단백질과 지방은 입체 구조가 맞지 않아 작용하지 못한다. 이와 같이 효소가 입체 구조에 들어맞는 특정 반응물(기질)하고만 결합하여 촉매 작용을 하는 특성을 기질 특이성이라고 한다.

7 (1) 효소는 생명체 밖에서도 작용할 수 있어 다양한 분야에서 활용된다.
(2), (3) 효소는 입체 구조에 들어맞는 한 종류의 반응물에만 작용할 수 있으며, 반응 전후에 변하지 않으므로 재사용된다.
(4) 효소는 반응물과 결합한 상태에서 활성화 에너지를 낮춘다.

189쪽

완자쌤 비법 특강

Q1 효소를 더 넣어 준다.

Q2 열에 의해 효소의 주성분인 단백질의 입체 구조가 변하기(변성) 때문이다.

Q3 침 아밀레이스의 최적 pH는 중성인데, 위 속은 강한 산성이기 때문이다.

Q1 (나)에서는 모든 효소가 반응물과 결합한 상태이므로 반응물의 농도가 증가해도 초기 반응 속도가 더 이상 빨라지지 않는다. 따라서 효소를 더 넣어 주면 초기 반응 속도를 증가시킬 수 있다.

Q2 효소의 주성분은 단백질이며, 단백질은 열을 받으면 입체 구조가 변하여 그 기능을 잃는다.

Q3 효소의 주성분인 단백질은 pH에 따라 입체 구조가 변하므로 적절한 pH가 아닌 상태에서는 효소가 제 기능을 하지 못한다.

내신 만점 문제

190~192쪽

01 ④	02 ③	03 ④	04 ④	05 ①	06 ②
07 ⑤	08 ③	09 ④	10 ③	11 ①	12 ③	13 ⑤
14 해설 참조	15 해설 참조	16 해설 참조	17 해설 참조		

01 ㄴ. 물질대사는 생명체 내에서 일어나는 모든 화학 반응으로 반드시 에너지 출입이 따른다.
ㄷ. 생명체는 물질대사를 통해 생명 시스템 유지에 필요한 물질과 에너지를 얻는다.
바로알기 ㄱ. 생명체 내에서 일어나는 물리적 반응은 물질대사라고 할 수 없다.

02 ㄱ. (가)는 작은 분자를 큰 분자로 합성하는 동화 작용이다.
ㄴ. (나)는 큰 분자를 작은 분자로 분해하는 이화 작용으로, 예로는 영양소의 소화, 세포 호흡 등이 있다.
바로알기 ㄷ. ㉠은 효소로, 활성화 에너지를 낮추어 낮은 온도에서도 반응이 잘 일어나게 한다.

03 그림은 반응물의 에너지가 생성물의 에너지보다 크므로 에너지를 방출하며 반응이 일어나는 발열 반응의 에너지 변화이다.
ㄱ. 큰 분자가 작은 분자로 분해되는 이화 작용이 일어날 때 에너지가 방출된다.
ㄷ. 포도당이 이산화 탄소와 물로 분해되는 반응은 이화 작용으로, 에너지가 방출되는 발열 반응이다.
바로알기 ㄴ. 반응이 일어날 때 에너지가 방출된다.

04 꼼꼼 문제 분석

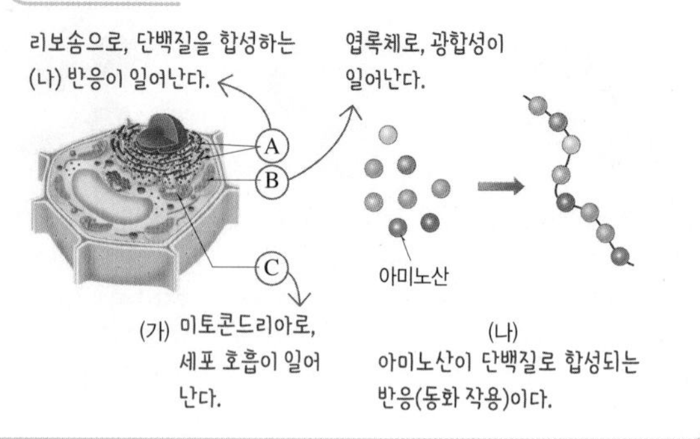
리보솜으로, 단백질을 합성하는 (나) 반응이 일어난다.
엽록체로, 광합성이 일어난다.
A
B
C
아미노산
(가) 미토콘드리아로, 세포 호흡이 일어난다.
(나) 아미노산이 단백질로 합성되는 반응(동화 작용)이다.

ㄱ. 리보솜(A)에서 아미노산이 결합하여 단백질이 합성되는 (나) 반응이 일어난다.
ㄷ. 엽록체(B)에서는 빛에너지를 흡수하여 이산화 탄소와 물로 포도당을 합성하는 광합성이 일어난다.
ㄹ. 미토콘드리아(C)에서 일어나는 세포 호흡은 이화 작용이다.
바로알기 ㄴ. (나)는 작은 분자(아미노산)를 큰 분자(단백질)로 합성하는 동화 작용이므로, 반응이 일어날 때 에너지를 흡수한다.

05 (가)는 반응이 한 번에 일어나므로 연소이고, (나)는 반응이 단계적으로 일어나므로 세포 호흡이다.
ㄱ. 포도당의 연소(가)는 400 ℃에서 일어나고, 세포 호흡(나)은 체온 정도인 37 ℃에서 일어난다.
바로알기 ㄴ. 연소와 세포 호흡은 반응 경로는 다르지만 반응물과 생성물이 같으므로 (가)와 (나)에서 방출되는 에너지 총량은 같다.
ㄷ. 연소(가)는 효소가 필요 없으며, 세포 호흡(나)의 경우 효소는 정해진 기질에만 작용하므로 반응의 각 단계마다 다른 종류의 효소가 필요하다.

06 ② 효소는 화학 반응의 활성화 에너지를 낮추어 반응 속도를 빠르게 한다.
바로알기 ① 효소의 주성분은 단백질이다.
③ 효소의 종류마다 입체 구조가 달라서 결합할 수 있는 기질이 다르다.
④ 온도가 어느 수준 이상으로 높아지면 효소의 주성분인 단백질의 입체 구조가 바뀌어 기능을 잃게 된다.
⑤ 효소는 반응물과 일시적으로 결합하여 활성화 에너지를 낮추지만, 화학 반응에 직접 참여하지 않아 반응 전후에 그대로 유지된다.

07 ㄱ. 활성화 에너지가 높은 ㉠일 때보다 활성화 에너지가 낮은 ㉡일 때가 반응 속도가 빠르다.
ㄴ. 제시된 반응은 반응물(A)이 생성물(B, C)보다 에너지가 크므로(A>B+C) 반응이 진행되면서 에너지가 방출되는 발열 반응이다.
ㄷ. 효소가 있을 때의 에너지 변화는 활성화 에너지가 낮은 ㉡이다.

08 꼼꼼 문제 분석

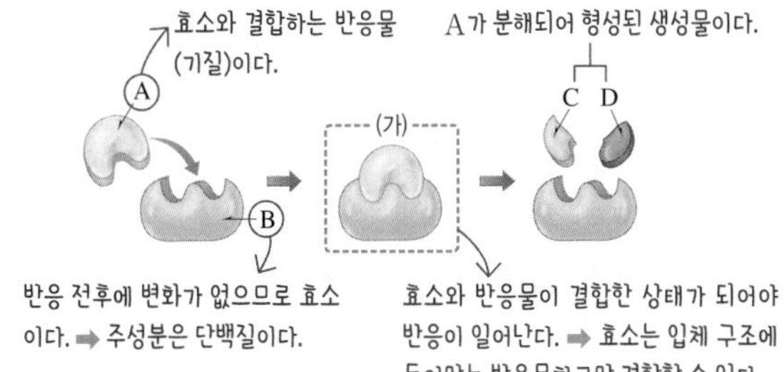

ㄱ. 큰 분자 A가 작은 분자 C와 D로 분해되므로 효소(B)는 이화 작용에 관여한다.

ㄷ. 화학 반응이 진행됨에 따라 반응물인 A의 양은 감소하고, 생성물인 C와 D의 양은 증가한다. 그러나 촉매 기능을 하는 효소의 총량은 반응 전후에 변화없다.

바로알기 ㄴ. (가)는 효소가 기질과 일시적으로 결합한 효소·기질 복합체이고, 이 상태에서 효소는 활성화 에너지를 낮춘다.

09 ㄴ. 생간 속에는 카탈레이스가 있어서 과산화 수소를 물과 산소로 분해하는 반응을 촉진한다. (가)에서 삶은 간을 넣은 B에서 기포가 발생하지 않은 것은 고온에서는 효소의 주성분인 단백질이 변성되어 촉매로서의 기능을 잃었기 때문이다.

ㄷ. (가)에서 생간을 넣은 A에서는 과산화 수소가 분해되어 기포가 발생하였는데, 기포 발생이 끝나더라도 효소는 그대로 남아 있다. 따라서 (나)에서 추가로 과산화 수소수를 넣으면 카탈레이스의 작용으로 과산화 수소가 분해되어 기포가 다시 발생한다.

바로알기 ㄱ. 과산화 수소가 분해되어 발생하는 기포에는 산소가 있다.

10 꼼꼼 문제 분석

A와 B의 차이점은 감자 조각의 유무이다. 즉, A에는 효소가 없고, B에는 효소가 있다. ➡ 감자에는 과산화 수소 분해를 촉진하는 카탈레이스가 들어 있다.

B와 C의 차이점은 과산화 수소수의 양이다. 즉, 반응물의 양이 B보다 C가 많다.

삼각 플라스크	A	B	C
과산화 수소수(mL)	100	100	150
감자 조각(개)	0	5	5

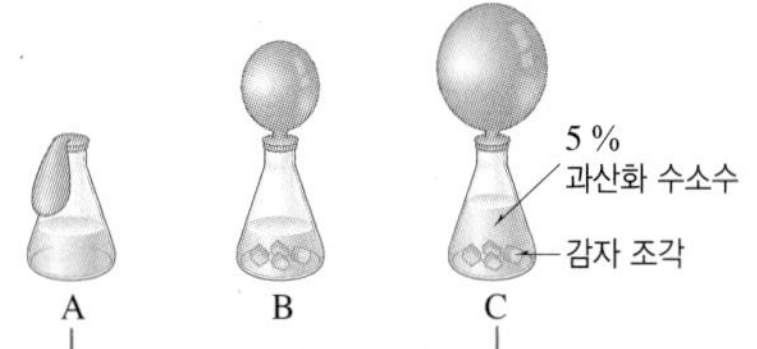

과산화 수소는 물과 산소로 분해되며, 산소 기체 발생량이 많을수록 고무풍선이 크게 부푼다. ➡ 산소 기체 발생량은 C에서 가장 많고, 효소가 없는 A에서는 과산화 수소의 분해가 거의 일어나지 않았다.

ㄱ. A와 B의 결과를 비교하면 B에서만 고무풍선이 부풀었으므로 감자에는 과산화 수소 분해를 촉진하는 효소(카탈레이스)가 들어 있다는 것을 알 수 있다.

ㄴ. B와 C의 결과를 비교하면 감자 조각의 양이 같은데, 과산화 수소수의 양이 더 많은 C가 B보다 고무풍선이 많이 부풀었다. 이것은 효소의 양이 일정할 때, 반응물의 양이 많을수록 생성물의 양이 많아지기 때문이다.

바로알기 ㄷ. 과산화 수소수의 농도를 높이면 반응물인 과산화 수소의 양이 늘어나 생성물의 양도 늘어난다. 따라서 10 % 과산화 수소수로 실험하면 B와 C의 고무풍선의 크기는 더 커질 것이다.

11 꼼꼼 문제 분석

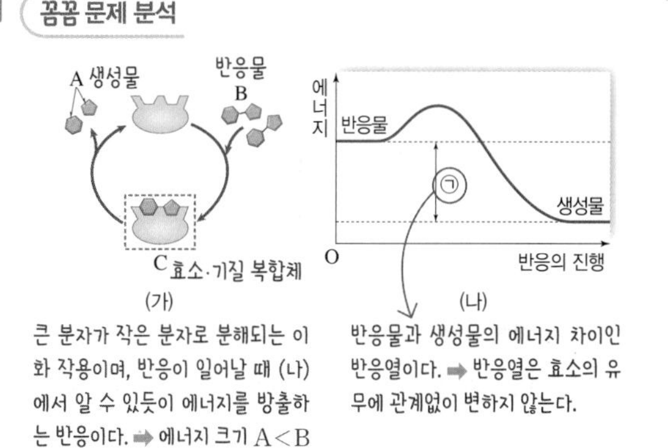

A 생성물
반응물 B
C 효소·기질 복합체
(가)
에너지
반응물
㉠
생성물
O
반응의 진행
(나)
큰 분자가 작은 분자로 분해되는 이화 작용이며, 반응이 일어날 때 (나)에서 알 수 있듯이 에너지를 방출하는 반응이다. ➡ 에너지 크기 A<B
반응물과 생성물의 에너지 차이인 반응열이다. ➡ 반응열은 효소의 유무에 관계없이 변하지 않는다.

ㄱ. 반응물(B)이 생성물(A)로 분해되므로 A는 B보다 에너지가 작다.

바로알기 ㄴ. 효소는 반응물(B)과 결합하여 C를 형성함으로써 활성화 에너지를 낮춘다. 그러나 효소의 유무에 관계없이 반응열(㉠)은 변하지 않는다.

ㄷ. 반응물(B)의 양이 일정할 때 반응 속도에 관계없이 생성물(A)의 총량은 같다. 한편 효소·기질 복합체(C)의 형성 속도가 빠를수록 생성물(A)의 생성 속도가 빠르다.

12 꼼꼼 문제 분석

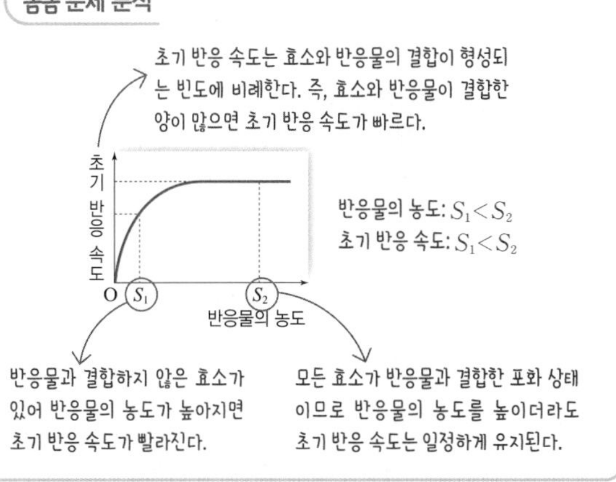

초기 반응 속도는 효소와 반응물의 결합이 형성되는 빈도에 비례한다. 즉, 효소와 반응물이 결합한 양이 많으면 초기 반응 속도가 빠르다.
초기 반응 속도
O
S_1
S_2
반응물의 농도
반응물의 농도: $S_1 < S_2$
초기 반응 속도: $S_1 < S_2$
반응물과 결합하지 않은 효소가 있어 반응물의 농도가 높아지면 초기 반응 속도가 빨라진다.
모든 효소가 반응물과 결합한 포화 상태이므로 반응물의 농도를 높이더라도 초기 반응 속도는 일정하게 유지된다.

ㄱ. S_1일 때보다 S_2일 때 초기 반응 속도가 빠르므로 생성물의 생성 속도도 빠르다.

ㄴ. S_1일 때보다 S_2일 때 초기 반응 속도가 빠르므로 반응물과 결합한 효소의 비율이 높다.

바로알기 ㄷ. S_1일 때와 S_2일 때 관여하는 효소는 같으므로 활성화 에너지의 크기도 동일하다.

13 효소를 활용하는 사례로는 엿기름 속의 아밀레이스를 이용한 식혜 제조, 미생물의 효소를 이용한 김치와 된장 같은 발효 식품 제조, 포도당 산화 효소를 이용한 혈당 측정기, 키위와 파인애플 등 과일 속의 단백질 분해 효소를 이용하여 고기를 연하게 만드는 것 등이 있다.

바로알기 ⑤ 큰 감자를 작게 자르면 빨리 삶아지는 것은 표면적을 증가시키는 물리적인 효과이다. 이 과정에 효소가 관여하지는 않는다.

14 (1) 세포 호흡은 포도당과 같은 유기물을 이산화 탄소와 물로 분해하는 이화 작용으로, 주로 미토콘드리아에서 일어난다.

(2) 생명체 내에서 일어나는 세포 호흡은 연소와는 달리 체온 정도의 낮은 온도에서 효소의 작용으로 일어나며, 반응이 단계적으로 진행되어 에너지가 소량씩 방출된다.

모범 답안 (1) 미토콘드리아

(2) 세포 호흡은 반응이 단계적으로 일어나지만, 연소는 반응이 한 번에 일어난다. 세포 호흡은 체온 정도의 낮은 온도에서 일어나지만, 연소는 매우 높은 온도에서 일어난다. 세포 호흡에는 생체 촉매인 효소가 필요하지만, 연소는 효소가 필요하지 않다. 세포 호흡에서는 에너지가 소량씩 여러 차례에 걸쳐 방출되지만, 연소에서는 에너지가 한꺼번에 방출된다. 중 2가지

채점 기준		배점
(1)	미토콘드리아라고 쓴 경우	30 %
(2)	차이점 두 가지를 모두 옳게 서술한 경우	70 %
	차이점 두 가지 중 한 가지만 옳게 서술한 경우	30 %

15 그림에서 효소는 입체 구조에 맞는 특정 반응물(기질)하고만 결합한다. 반응이 끝난 후 효소는 변하지 않으므로 다시 반응물과 결합하여 화학 반응을 촉진할 수 있다.

모범 답안 효소는 반응물과 결합하여 작용한다. 효소는 입체 구조에 들어맞는 특정 물질에만 작용한다. 효소는 반응 전후에 변하지 않는다.

채점 기준	배점
효소의 특성 세 가지를 모두 옳게 서술한 경우	100 %
효소의 특성 세 가지 중 두 가지만 옳게 서술한 경우	60 %
효소의 특성 세 가지 중 한 가지만 옳게 서술한 경우	30 %

16 화학 반응이 일어나기 위해 필요한 최소한의 에너지를 활성화 에너지라고 하는데, 활성화 에너지가 크면 반응이 일어나기 어렵다. 효소는 반응물인 기질과 일시적으로 결합하여 활성화 에너지를 낮춤으로써 화학 반응이 빠르게 일어날 수 있게 한다.

모범 답안 (1) 카탈레이스

(2) 효소는 화학 반응의 활성화 에너지를 낮추어 반응이 빠르게 일어나도록 한다.

채점 기준		배점
(1)	카탈레이스라고 쓴 경우	30 %
(2)	효소는 활성화 에너지를 낮춘다고 옳게 서술한 경우	70 %
	효소가 반응물(기질)과 결합하기 때문이라고만 서술한 경우	30 %

17 모범 답안 한 종류의 효소는 한 종류의 반응물(기질)에만 작용하는 기질 특이성이 있다. 물질대사는 여러 단계를 거쳐 일어나는데, 각 단계마다 반응물이 다르므로 많은 종류의 효소가 필요하다. 그러나 효소는 반응 전후에 변하지 않아 재사용이 가능하므로 종류가 많은 데 비해 그 양은 많지 않다.

채점 기준	배점
기질 특이성, 재사용과 관련지어 옳게 서술한 경우	100 %
특정 반응물하고만 결합하는 특성이 있다고 서술한 경우	50 %
효소가 재사용될 수 있기 때문이라고 서술한 경우	

01 ㄱ. A는 미토콘드리아, B는 엽록체이고, (가)는 광합성, (나)는 세포 호흡이다. 광합성(가)은 엽록체(B)에서 빛에너지를 흡수하여 일어나고, 세포 호흡(나)은 주로 미토콘드리아(A)에서 일어난다.

바로알기 ㄴ. 세포 호흡(나)은 단계적으로 반응이 진행되어 에너지가 여러 단계에서 소량씩 방출되며, 방출된 에너지의 일부는 ATP의 화학 에너지로 저장되고 나머지는 열로 방출된다.

ㄷ. 광합성(가)과 세포 호흡(나)은 반응 물질도 다르고 서로 다른 중간 산물을 형성하면서 반응이 일어나므로 이에 관여하는 효소의 종류가 다르다.

02 ㄱ. 이 반응은 반응물의 에너지보다 생성물의 에너지가 크므로 에너지를 흡수하여 일어나는 동화 작용이다.

ㄴ. 활성화 에너지는 반응이 일어나는 데 필요한 최소한의 에너지로, 효소가 없을 때의 활성화 에너지는 A이고, 효소가 있을 때의 활성화 에너지는 A−C+B이다.

ㄷ. 효소의 작용으로 활성화 에너지는 C−B만큼 감소하여 효소가 없을 때보다 반응이 잘 일어난다.

03 꼼꼼 문제 분석

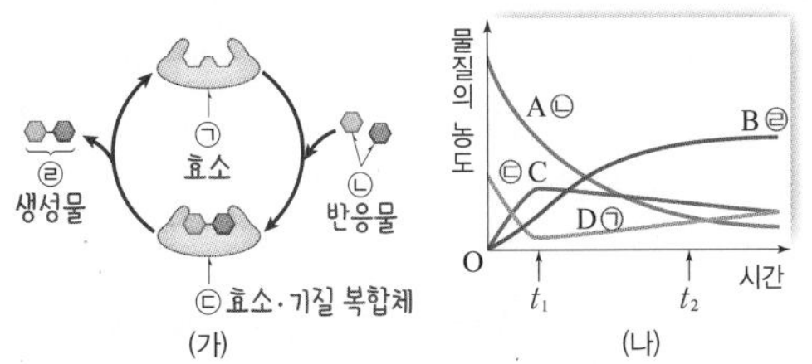

- A: 시간이 지날수록 농도가 감소하므로 반응물 ㉡이다.
- B: 시간이 지날수록 농도가 증가하므로 생성물 ㉣이다.
- C: 처음에는 0이었지만 반응이 진행되면서 일정한 정도로 생성되었으므로 효소·기질 복합체 ㉢이다.
- D: ㉠이다.

ㄷ. ㉢(효소·기질 복합체)의 농도는 C이다. C의 농도는 t_1일 때가 t_2일 때보다 높다.

바로알기 ㄱ. 효소(㉠)는 처음에는 일정 농도로 있지만 기질과 결합하여 효소·기질 복합체(㉢)를 형성함에 따라 농도가 낮아지므로 D이다.

ㄴ. 반응물(㉡)의 농도를 2배로 증가시키면 생성물(㉣, B)의 양이 2배로 증가하나, 효소의 총량은 기질과의 결합 여부나 반응물의 증가에 관계없이 일정하므로 C+D(㉠+㉢)의 농도는 일정하다.

04 꼼꼼 문제 분석

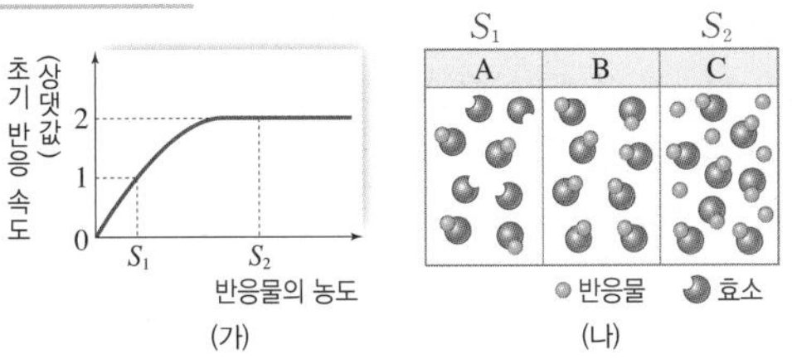

- S_1일 때 반응물의 농도가 높아지면 초기 반응 속도가 증가한다. ➡ 반응물과 결합하지 않은 효소가 있다. ➡ 효소와 반응물의 결합 정도는 (나)의 A이다.
- S_2일 때 반응물의 농도가 높아지더라도 초기 반응 속도가 더 이상 증가하지 않는다. ➡ 모든 효소가 반응물과 결합한 상태이다. ➡ 효소와 반응물의 결합 정도는 (나)의 C이다.

① S_1일 때 효소와 반응물의 결합 정도는 A로, 반응물과 결합하지 않은 효소가 있다.

② S_2일 때가 S_1일 때보다 초기 반응 속도가 빠르므로 생성물의 생성 속도도 S_2일 때가 S_1일 때보다 빠르다.

④ S_2일 때 효소와 결합하지 않은 반응물이 있으므로 효소를 더 넣어 주면 초기 반응 속도가 2보다 커진다.

⑤ S_1일 때는 반응물과 결합하지 않은 효소가 있지만, S_2일 때는 모든 효소가 반응물과 결합하고 있다. 따라서 반응물과 결합하고 있는 효소의 비율은 S_2일 때가 S_1일 때보다 높다.

바로알기 ③ 효소 반응의 활성화 에너지 크기는 반응물의 농도와 관계없이 동일하다.

3 생명 시스템에서 정보의 흐름

개념 확인 문제

197쪽

❶ 유전자 ❷ 생명 중심 ❸ DNA ❹ 3염기 조합 ❺ 전사 ❻ 코돈 ❼ 번역 ❽ 리보솜 ❾ 아미노산

1 (1) ○ (2) × (3) ○ **2** 단백질 **3** A: 전사, B: 번역 **4** –UAUCGGAGU– **5** (1) ㉠ 3염기 조합, ㉡ 코돈 (2) (가) GGT (나) UAU **6** (1) ○ (2) × (3) ○ (4) ○

1 (1), (3) 유전자는 DNA의 특정 부분에 염기 서열 형태로 존재한다.
(2) 염색체 1개는 DNA 한 분자와 단백질로 되어 있으며, 한 분자의 DNA에는 수많은 유전자가 있다.

2 유전자에 저장된 유전 정보에 따라 단백질(㉠)이 합성되고, 단백질이 기능을 수행함으로써 형질이 나타난다.

3 DNA의 유전 정보를 RNA로 전달하는 과정(A)은 전사이고, RNA의 유전 정보에 따라 단백질이 합성되는 과정(B)은 번역이다.

4 전사가 일어날 때에는 DNA 염기 서열에 상보적인 염기 서열을 가진 RNA가 합성된다. A → U, T → A, G → C, C → G로 전사된다.
DNA 염기 서열: –ATAGCCTCA–
RNA 염기 서열: –UAUCGGAGU–

5 (1) 하나의 아미노산을 지정하는 DNA의 연속된 3개의 염기를 3염기 조합이라고 하고, 하나의 아미노산을 지정하는 RNA의 연속된 3개의 염기를 코돈이라고 한다.
(2) (가)의 염기는 이중 나선을 이루고 있는 DNA의 염기 서열 CCA에 상보적인 GGT이다. RNA는 DNA 이중 나선 중 아래쪽 가닥에서 전사되었다. 따라서 (나)의 염기 서열은 ATA에 상보적인 UAU이다.

6 (1) DNA의 유전 정보는 RNA로 전사된 후 RNA에 의해 단백질로 전달된다.
(2) 동물 세포에서 전사는 DNA가 있는 핵 속에서 일어난다.
(3) 번역은 RNA의 유전 정보에 따라 단백질이 합성되는 과정으로, 단백질 합성 장소인 리보솜에서 일어난다.
(4) DNA로부터 유전 정보가 전달된 RNA의 염기 서열에 의해 아미노산 배열 순서가 결정된다.

개념 확인 문제

199쪽

❶ 염기 서열 ❷ 단백질 ❸ 헤모글로빈 ❹ DNA
❺ RNA ❻ 사람

1 (1) ○ (2) ○ (3) × (4) × (5) ○ 2 페닐케톤뇨증 3 (1) ㉢
(2) ㉣ (3) ㉡ (4) ㉠ 4 유전부호 체계

1 꼼꼼 문제 분석

DNA의 염기 T이 A으로 바뀜
코돈이 GAA에서 GUA로 달라짐
정상 헤모글로빈 유전자
비정상 헤모글로빈 유전자
전사된 RNA
아미노산 배열
글루탐산
발린
아미노산 배열이 달라짐
정상 헤모글로빈
비정상 헤모글로빈
정상 적혈구
낫 모양 적혈구
비정상 헤모글로빈이 합성됨
적혈구가 낫 모양이 됨

(1) 유전자는 DNA에 있다.
(2) DNA에 있는 유전자의 염기 서열이 바뀌면 바뀐 염기에 대해 상보적인 염기를 갖는 RNA가 만들어지므로 전사되는 RNA 염기 서열도 바뀌게 된다.
(3) RNA의 코돈 GAA는 글루탐산을, GUA는 발린을 지정한다.
(4) 이상이 생긴 유전자에서 전사된 RNA도 바뀐 염기 서열에 따라 번역된다.
(5) 낫 모양 적혈구의 경우 헤모글로빈 유전자 이상으로 합성된 비정상 헤모글로빈의 특성이 정상 헤모글로빈과 달라 적혈구가 낫 모양으로 바뀌었다.

2 유전자 이상으로 페닐알라닌을 분해하는 효소가 합성되지 않아 페닐알라닌이 체내에 축적되어 나타나는 유전 질환은 페닐케톤뇨증이다.

3 (1) DNA는 유전 정보를 저장하고 있는 물질이다.
(2) RNA는 DNA의 유전 정보를 전달하고 단백질 합성에 관여하는 물질이다.
(3) 유전 정보는 DNA의 염기 서열에 저장되며, RNA의 염기 서열로 전달된다.
(4) 리보솜은 유전 정보에 따라 아미노산을 결합시켜 단백질을 합성하는 장소이다.

4 거의 모든 생명체에서 유전부호 체계가 동일하기 때문에 사람의 유전자를 대장균에 넣으면 대장균에서 사람의 단백질이 만들어진다.

내신 만점 문제

200~202쪽

01 ③	02 ⑤	03 ①	04 ③	05 ⑤	06 ③
07 ④	08 ④	09 ①	10 ④	11 ㄴ	12 ④
13 ⑤	14 해설 참조	15 해설 참조			

01 ㄱ. 유전자는 DNA에서 유전 정보가 저장된 부분으로, DNA의 염기 서열 형태로 저장되어 있다.
ㄷ. DNA의 유전 정보는 RNA로 전사되며, RNA는 단백질 합성에 관여한다.
바로알기 ㄴ. 한 분자의 DNA에는 많은 수의 유전자가 존재한다.

02 꼼꼼 문제 분석

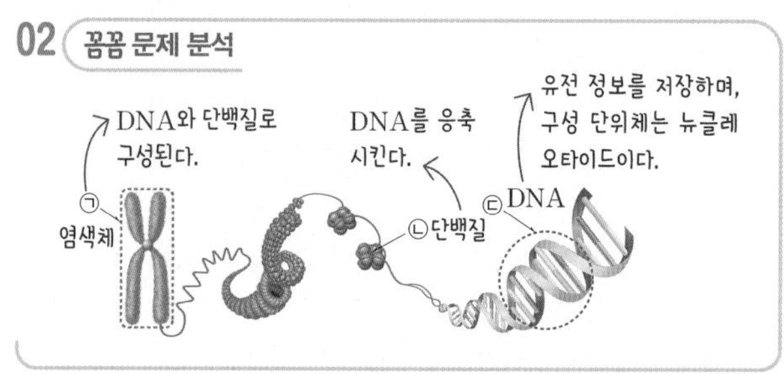
DNA와 단백질로 구성된다.
DNA를 응축시킨다.
유전 정보를 저장하며, 구성 단위체는 뉴클레오타이드이다.
㉠ 염색체
㉡ 단백질
㉢ DNA

ㄱ. DNA는 단백질과 결합한 상태로 세포의 핵에 존재하며, 분열 중인 세포에서는 막대 모양의 염색체로 나타난다. 분열하지 않는 세포에서 염색체는 실처럼 풀어져 있다.
ㄴ. ㉡은 히스톤 단백질이며, 단백질은 리보솜에서 합성된다.
ㄷ. ㉢은 유전 정보를 저장하고 있는 이중 나선 DNA이다. DNA를 구성하는 기본 단위는 뉴클레오타이드이다.

03 ㄱ. 유전 정보는 유전자를 이루는 DNA(㉠)의 염기 서열에 저장되어 있다.
바로알기 ㄴ. DNA(㉠) 뉴클레오타이드를 구성하는 염기에는 아데닌(A), 구아닌(G), 사이토신(C), 타이민(T)의 4종류가 있다. 유라실(U)은 DNA에는 없고 RNA에만 있는 염기이다.
ㄷ. 유전자 A에 이상이 생기면 단백질 A에는 이상이 생기지만, 단백질 B는 정상적으로 합성된다.

04 ㄱ. 멜라닌 합성량이 많으면 눈동자 색이 갈색으로 나타나고, 멜라닌 합성량이 적으면 눈동자 색이 파란색으로 나타난다. 즉, 눈동자 색 형질은 멜라닌 합성량에 따라 결정된다.
ㄴ. 눈동자 색을 결정하는 유전자에 의해 멜라닌 합성 효소가 합성되는데, 효소의 주성분은 단백질이므로 유전자에는 단백질에 대한 정보가 저장되어 있다는 것을 알 수 있다.
바로알기 ㄷ. 눈동자 색에 관여하는 색소는 멜라닌 한 종류이고, 색소의 양에 따라 눈동자 색이 다르게 나타난다.

05 ㄱ. A는 DNA의 유전 정보가 RNA(ⓐ)로 전달되는 전사로, 핵 속에서 일어난다.

ㄴ. ⓐ는 단백질의 아미노산 배열 정보를 전달하는 RNA이며, 뉴클레오타이드가 결합하여 형성된다. RNA를 구성하는 뉴클레오타이드는 당으로 리보스를 갖는다.

ㄷ. B는 RNA의 염기 서열에 따라 아미노산이 결합하여 단백질을 합성하는 번역이다. 번역 과정에서는 RNA의 염기 서열이 아미노산 서열로 바뀐다.

06 꼼꼼 문제 분석

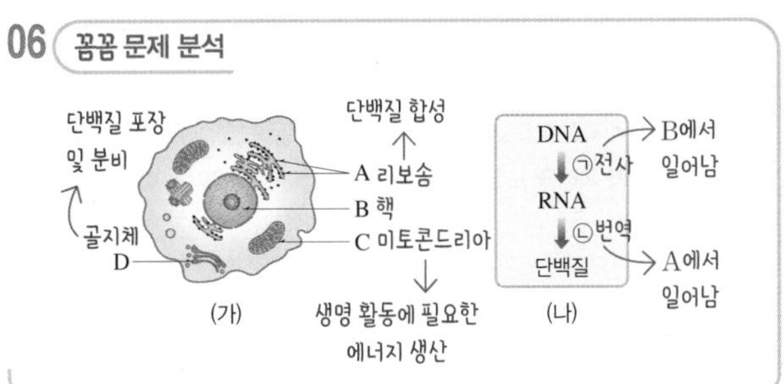

ㄷ. 골지체(D)는 전사와 번역 과정을 거쳐 합성된 단백질을 저장했다가 막으로 싸서 세포 밖으로 분비한다.

바로알기 ㄱ. 전사(㉠)는 DNA가 있는 핵(B) 속에서 일어나고, 번역(㉡)은 단백질 합성 장소인 리보솜(A)에서 일어난다.

ㄴ. 번역(㉡) 과정에 필요한 아미노산은 세포막을 통해 흡수한다. 동물의 경우 먹이를 섭취한 후 소화 기관에서 단백질을 아미노산으로 소화시킨 후 혈액을 통해 조직 세포로 공급한다. 미토콘드리아(C)는 유기물을 분해하여 생명 활동에 필요한 에너지(ATP)를 생산한다.

07 꼼꼼 문제 분석

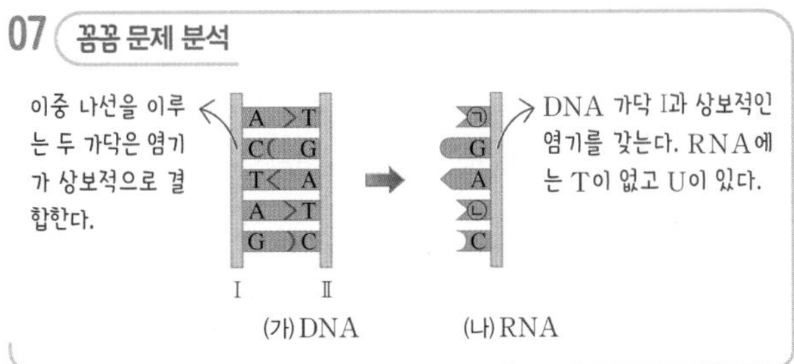

ㄱ. (가)는 DNA, (나)는 RNA이다. 전사는 DNA 이중 나선 중 한 가닥에 대해 상보적인 염기 서열을 갖는 RNA가 합성되는 과정이다. 따라서 RNA(나)는 상보적인 염기 서열을 갖는 DNA 가닥 Ⅰ로부터 전사된 것이다.

ㄷ. DNA(가)에서 아미노산 1개를 지정하는 연속된 3개의 염기를 3염기 조합이라고 하고, RNA(나)에서 아미노산 1개를 지정하는 연속된 3개의 염기를 코돈이라고 한다.

바로알기 ㄴ. RNA에서 DNA 가닥 Ⅰ의 아데닌(A)에 상보적인 염기는 유라실(U)이다. 타이민(T)은 DNA에는 있지만 RNA에는 없다.

08 RNA의 연속된 염기 3개가 하나의 단위가 되어 아미노산 하나를 지정한다. 따라서 30개의 아미노산으로 구성된 부분의 유전 정보를 저장하고 있는 RNA는 90개의 염기로 구성된다.

09 꼼꼼 문제 분석

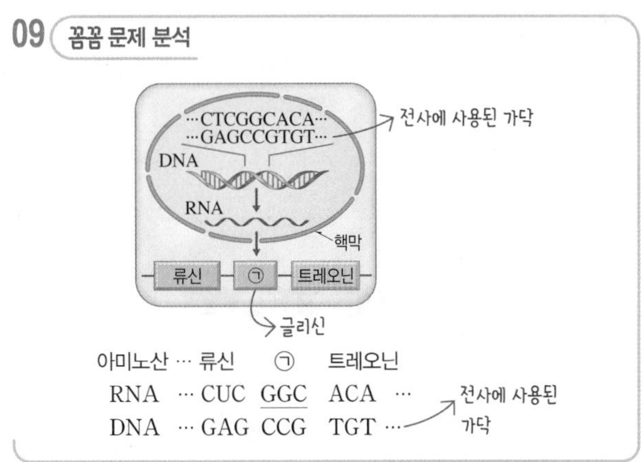

류신과 트레오닌을 지정하는 RNA의 코돈은 CUC, ACA이다. 따라서 RNA의 염기 서열은 ···CUC○○○ACA···이고, 이것은 DNA의 아래쪽 가닥 ···GAGCCGTGT···로부터 전사된 것이다.

ㄱ. ㉠을 지정하는 RNA의 코돈은 전사에 사용된 가닥의 염기 서열에 상보적인 GGC이고, 이것은 글리신을 지정한다.

바로알기 ㄴ. RNA의 염기 서열은 DNA의 아래쪽 가닥에 상보적인 ···CUCGGCACA···이다.

ㄷ. 펩타이드 결합은 아미노산 사이의 결합으로, 세포질의 리보솜에서 일어난다.

10 꼼꼼 문제 분석

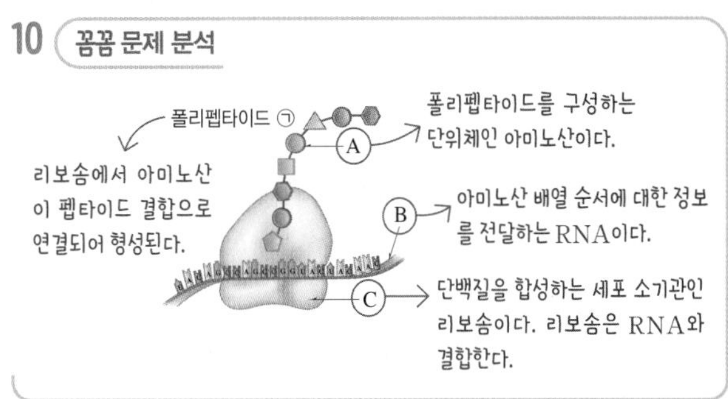

ㄱ. A는 단백질을 구성하는 단위체인 아미노산으로, 20종류가 있다.

ㄷ. C는 리보솜으로, 아미노산을 펩타이드 결합으로 연결하여 단백질을 합성한다.

바로알기 ㄴ. RNA의 코돈 1개는 3개의 염기로 구성되며, 코돈 1개당 아미노산 하나를 지정한다. 폴리펩타이드 ㉠은 8개의 아미노산으로 구성되어 있으므로 RNA(B)의 코돈 8개가 번역된 것이다.

11 ㄴ. 페닐케톤뇨증과 낫 모양 적혈구 빈혈증은 DNA의 염기 서열에 이상이 생겨 나타나는 유전 질환이다.

바로알기 ㄱ. DNA 염기 서열 이상에 의한 유전 질환자의 경우 염색체 수는 정상인과 같다.

ㄷ. 페닐케톤뇨증은 페닐알라닌 분해 효소가 만들어지지 않아 발생하고, 낫 모양 적혈구 빈혈증은 비정상 단백질의 합성으로 발생한다. 생식세포의 DNA 염기 서열에 이상이 생긴 경우에는 질환이 자손에게 유전될 수 있다.

12 꼼꼼 문제 분석

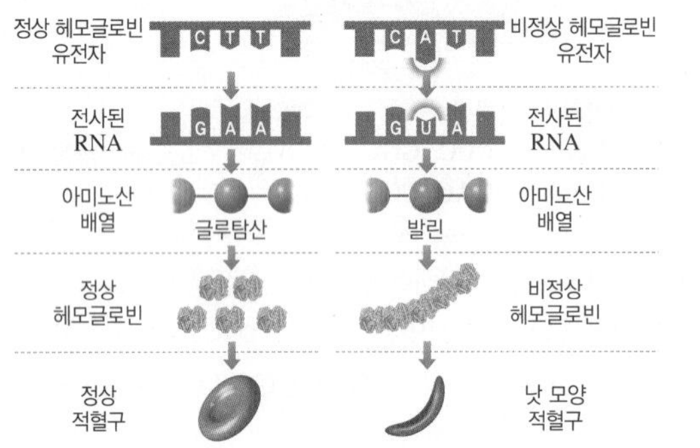

- DNA: 정상 헤모글로빈 유전자에서 염기 T이 A으로 바뀌었다. ➡ 낫 모양 적혈구 빈혈증은 DNA의 염기 1개가 바뀐 것이 원인이다.
- RNA: DNA의 염기에 따라 정상적으로 전사되었다. ➡ 코돈이 GAA에서 GUA로 바뀌었다.
- 아미노산: 코돈 GAA는 글루탐산을, GUA는 발린을 지정하여 아미노산 배열 순서가 바뀌었다.
- 단백질: 정상 헤모글로빈과 비정상 헤모글로빈은 아미노산 1개가 다르다. ➡ 아미노산 개수는 같다.
- 세포: 비정상 헤모글로빈은 서로 엉겨 붙어 길쭉한 모양이 되고, 그에 따라 적혈구가 낫 모양으로 바뀐다.

ㄴ. 코돈 GAA는 글루탐산을, GUA는 발린을 지정한다.

ㄷ. 정상 헤모글로빈과 비정상 헤모글로빈은 아미노산 1개가 서로 다를 뿐 아미노산 개수는 같다.

바로알기 ㄱ. 낫 모양 적혈구 빈혈증은 DNA의 염기 1개가 바뀐 것이 원인으로, 전사 과정에서 염기가 바뀐 것이 아니다.

13 ㄴ. 거의 모든 생명체에서 유전 정보는 DNA의 염기 서열로 저장되고, RNA가 유전 정보의 전달자로 이용된다는 공통점이 있다.

ㄷ. 모습과 생활 방식이 서로 다른 여러 생명체의 유전부호 체계가 공통적이라는 것은 생명체의 진화 과정에서 유전 정보는 달라졌지만 공통 조상의 유전부호 체계는 보존되어 왔다는 것을 의미한다.

바로알기 ㄱ. 유전부호 체계는 종에 관계없이 거의 모든 생물에서 공통적이다.

14 생물의 형질을 결정하는 유전 정보는 DNA에 염기 서열 형태로 저장되어 있다. 유전자가 전사와 번역 과정을 거쳐 단백질이 합성되고, 이 단백질이 특정 기능을 수행함으로써 형질이 나타난다.

모범 답안 (1) DNA, 유전 정보는 DNA의 염기 서열에 저장되어 있다.
(2) DNA의 염기 서열에 저장된 유전 정보는 RNA로 전사되고, RNA의 유전 정보에 따라 리보솜에서 아미노산이 펩타이드 결합으로 연결되어 단백질이 만들어지는 번역이 일어난다.

채점 기준		배점
(1)	DNA의 염기 서열에 유전 정보가 저장된다고 옳게 서술한 경우	40 %
	DNA에 유전 정보가 저장된다고만 서술한 경우	20 %
(2)	전사와 번역 과정을 포함하여 옳게 서술한 경우	60 %
	전사와 번역 과정을 포함하여 서술하였으나 일부 내용이 누락된 경우	30 %

15 꼼꼼 문제 분석

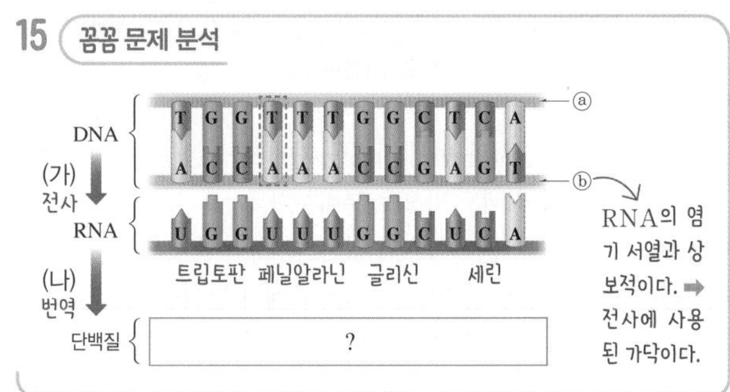

DNA 유전 정보는 핵 속에서 RNA로 전사되고, RNA의 유전 정보에 따라 리보솜에서 단백질로 번역된다. 이때 DNA와 RNA의 연속된 3염기가 하나의 아미노산을 지정하며, DNA의 염기 서열이 바뀌면 RNA의 염기 서열도 바뀌어 이상 단백질이 만들어질 수 있다.

모범 답안 (1) (가) 전사 (나) 번역
(2) (가) 핵 (나) 리보솜
(3) RNA는 DNA의 ⓑ와 상보적인 염기 서열로 되어 있으므로 ⓑ로부터 전사되었다.
(4) 트립토판 – 페닐알라닌 – 글리신 – 세린
(5) RNA의 2번째 코돈이 UUU에서 GUU로 바뀌고, 그에 따라 단백질의 2번째 아미노산이 페닐알라닌에서 발린으로 바뀌게 된다.

채점 기준		배점
(1)	(가)와 (나)를 모두 옳게 쓴 경우	10 %
	(가)와 (나) 중 하나만 옳게 쓴 경우	5 %
(2)	(가)와 (나)를 모두 옳게 쓴 경우	10 %
	(가)와 (나) 중 하나만 옳게 쓴 경우	5 %
(3)	근거를 들어 ⓑ라고 옳게 서술한 경우	30 %
	ⓑ라고만 쓴 경우	10 %
(4)	아미노산 배열 순서를 4개 모두 옳게 서술한 경우	20 %
(5)	RNA와 단백질의 변화를 모두 옳게 서술한 경우	30 %
	RNA와 단백질의 변화 중 한 가지만 옳게 서술한 경우	10 %

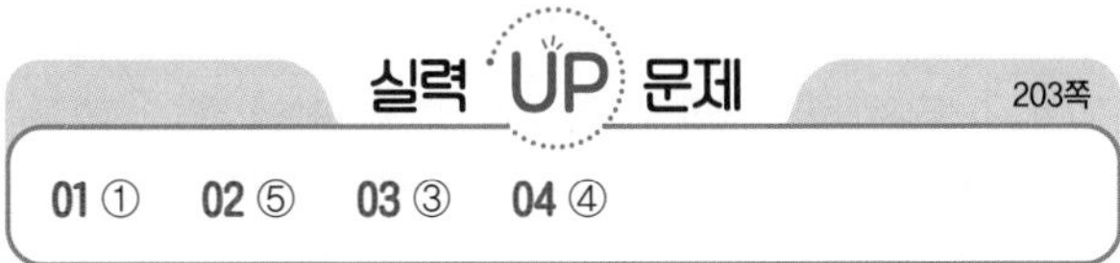

01 꼼꼼 문제 분석

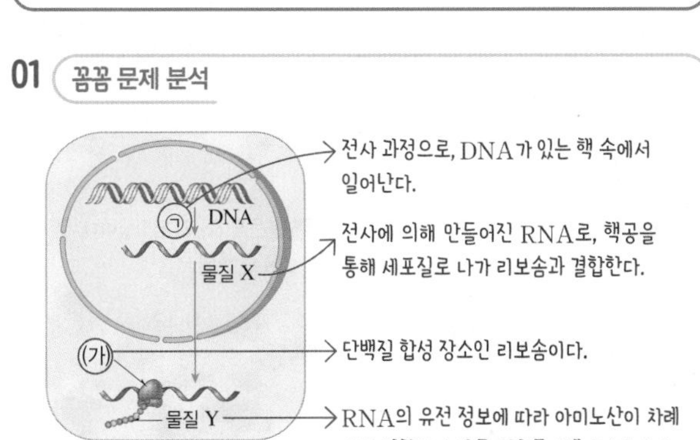

전사에 의해 만들어진 RNA로, 핵공을 통해 세포질로 나가 리보솜과 결합한다.

ㄴ. ㉠은 전사이며, DNA의 염기 서열에 상보적인 염기를 가진 뉴클레오타이드를 결합시켜 RNA(물질 X)를 합성한다.

바로알기 ㄱ. 리보솜(가)은 알갱이 모양으로, 막으로 둘러싸여 있지 않다.

ㄷ. RNA(X)를 구성하는 단위체는 4종류이고, 단백질(Y)을 구성하는 단위체는 20종류이다. 따라서 물질을 구성하는 단위체의 종류는 X가 Y보다 적다.

02 꼼꼼 문제 분석

구분	염기 조성(%)					
	아데닌 (A)	구아닌 (G)	사이토신 (C)	타이민 (T)	유라실 (U)	계
(가)	28	33	22	17	0	100
(나)	㉠ 17	22	㉡ 33	㉢ 28	0	100
(다)	㉣ 17	22	33	0	㉤ 28	100

- 타이민(T)은 DNA에만 있는 염기이고, 유라실(U)은 RNA에만 있는 염기이다. ➡ (가)와 (나)는 이중 나선을 이루는 DNA 가닥이고, (다)는 이 중 한 가닥으로부터 전사되어 만들어진 RNA이다.
- DNA 이중 나선에서 염기 A과 T, G과 C은 상보결합을 한다. 따라서 (가)와 (나)에서 아데닌(A)과 타이민(T) 비율이 같고, 구아닌(G)과 사이토신(C) 비율이 같다. ➡ ㉠=17, ㉡=33, ㉢=28
- RNA는 전사에 이용된 DNA 가닥과 상보적인 염기 서열을 갖는다. ➡ RNA의 구아닌(G) 비율은 전사에 사용된 DNA 가닥의 사이토신(C) 비율과 같다. ➡ (다)는 (가)로부터 전사되었다. ➡ ㉣=17, ㉤=28

① ㉠+㉡=17+33=50이다.

② ㉢과 ㉤은 모두 (가)의 아데닌(A) 비율과 같은 28이다.

③ ㉣은 (가)의 타이민(T) 비율과 같은 17이다.

④ (가)와 (나)는 DNA이고, (다)는 RNA이다.

바로알기 ⑤ RNA(다)의 구아닌(G)과 사이토신(C) 비율로 보아 RNA의 염기 서열은 (가)와 상보적이다.

03 꼼꼼 문제 분석

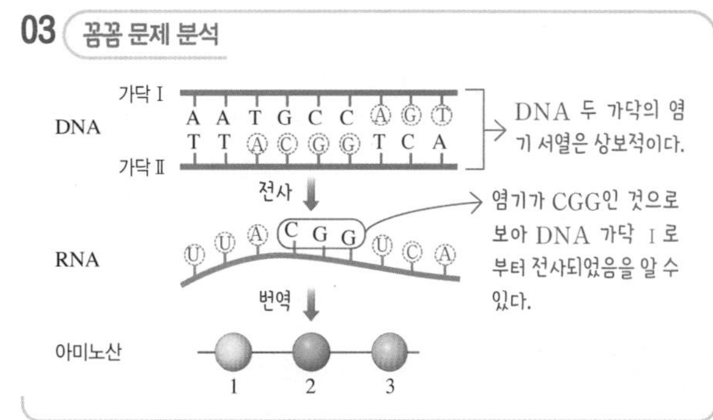

① 가닥 Ⅰ의 마지막 3개의 염기는 가닥 Ⅱ의 염기에 상보적인 AGT이다.

② 가닥 Ⅱ의 비어 있는 4개 염기의 서열은 ACGG로 G이 2개 있다.

④ RNA는 상보적인 염기 서열을 갖는 DNA 가닥 Ⅰ로부터 전사된 것이다.

⑤ 제시된 RNA에서 U은 3개, A은 2개로 염기의 수는 U이 A보다 1개 더 많다.

바로알기 ③ 아미노산 1을 지정하는 코돈은 UUA이다.

04 꼼꼼 문제 분석

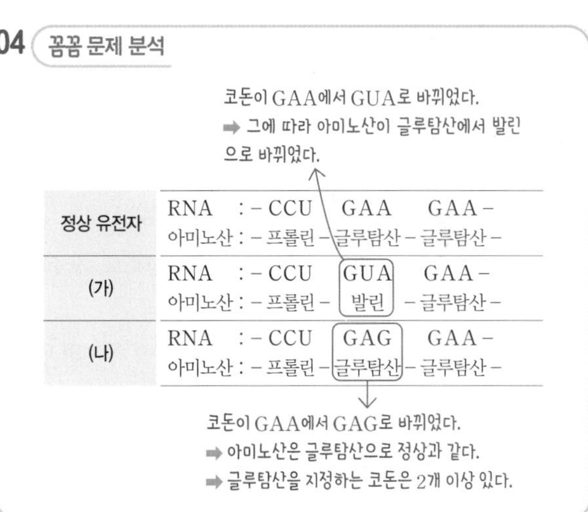

코돈이 GAA에서 GUA로 바뀌었다.
➡ 그에 따라 아미노산이 글루탐산에서 발린으로 바뀌었다.
정상 유전자
RNA : – CCU GAA GAA –
아미노산 : – 프롤린 – 글루탐산 – 글루탐산 –
(가)
RNA : – CCU GUA GAA –
아미노산 : – 프롤린 – 발린 – 글루탐산 –
(나)
RNA : – CCU GAG GAA –
아미노산 : – 프롤린 – 글루탐산 – 글루탐산 –
코돈이 GAA에서 GAG로 바뀌었다.
➡ 아미노산은 글루탐산으로 정상과 같다.
➡ 글루탐산을 지정하는 코돈은 2개 이상 있다.

ㄱ. (가)로부터 합성되는 단백질은 정상 단백질과 비교하여 아미노산 1개가 글루탐산에서 발린으로 바뀌었지만 아미노산 개수는 정상 단백질과 같다.

ㄷ. 코돈 GAA와 GAG는 모두 글루탐산을 지정한다. 이로부터 글루탐산을 지정하는 코돈은 최소 2개 이상 있음을 유추할 수 있다.

바로알기 ㄴ. (나)는 DNA의 염기 1개가 바뀌었지만, RNA에서 바뀐 코돈이 지정하는 아미노산을 보면 글루탐산으로 정상과 같다. 유전 정보는 단백질을 통해 형질이 발현되므로, (나)는 정상 적혈구를 형성한다. 따라서 (가)가 낫 모양 적혈구 빈혈증을 유발한다.

중단원 핵심 정리 204~205쪽

❶ 기관 ❷ 조직계 ❸ 리보솜 ❹ 미토콘드리아 ❺ 세포막 ❻ 인지질 ❼ 선택적 ❽ 확산 ❾ 삼투 ❿ 효소 ⓫ 단백질 ⓬ 활성화 에너지 ⓭ 유전자 ⓮ 전사 ⓯ 번역 ⓰ 3염기 조합 ⓱ 코돈 ⓲ DNA ⓳ RNA

중단원 마무리 문제 206~210쪽

01 ③ 02 ② 03 골지체 04 해설 참조 05 ① 06 해설 참조 07 ③ 08 ③ 09 갈치>오리>개구리 10 ② 11 ② 12 ① 13 해설 참조 14 해설 참조 15 ① 16 ⑤ 17 해설 참조 18 ① 19 ④ 20 생명 중심 원리 21 ⑤ 22 ⑤ 23 ③ 24 ③ 25 해설 참조 26 ④ 27 해설 참조

01 ㄱ. (가)는 동물체의 구성 단계이고, A는 모양과 기능이 비슷한 근육 세포들이 모여 이루어진 근육 조직이다.
ㄴ. (나)는 식물체의 구성 단계이므로 B는 기본 조직계이며, 기본 조직계에는 울타리 조직뿐만 아니라 해면 조직, 저수 조직 등 다양한 조직이 포함된다. 따라서 조직계를 구성하는 세포의 종류는 울타리 조직보다 다양하다.
바로알기 ㄷ. C는 잎으로, 여러 조직이 모여 고유한 형태와 기능을 나타내는 기관의 단계이다.

02 ① 핵(A)에는 유전 물질인 DNA가 들어 있다.
③ 미토콘드리아(C)는 세포 호흡이 일어나는 장소로, 산소를 소모하고 이산화 탄소를 발생한다.
④ 엽록체(D)는 빛에너지를 화학 에너지로 전환하는 광합성이 일어나는 장소이다.
⑤ 셀룰로스는 세포벽(E)의 주요 구성 성분이다.
바로알기 ② 액포(B)는 물, 색소, 노폐물 등을 저장하며, 성숙한 식물 세포에 크게 발달되어 있다.

03 골지체는 단백질을 막으로 싸서 분비하는 세포 소기관으로, 동물 세포와 식물 세포에 모두 있다.

04 A는 엽록체, B는 핵, C는 세포막, D는 미토콘드리아, E는 세포벽이다. 핵, 세포막, 미토콘드리아는 동물 세포와 식물 세포에 공통적으로 존재하지만, 엽록체와 세포벽은 동물 세포에는 없고 식물 세포에는 있다.
모범 답안 (가)는 동물 세포이고, (나)는 식물 세포이다. A(엽록체)와 E(세포벽)가 (가)에는 없고 (나)에는 있기 때문이다.

채점 기준	배점
(가)와 (나) 세포의 종류와 그렇게 판단한 근거를 모두 옳게 서술한 경우	100 %
(가)와 (나) 세포의 종류와 그렇게 판단한 근거를 옳게 서술하였으나 기호를 누락한 경우	80 %
(가)와 (나) 세포의 종류만 옳게 서술한 경우	50 %

05 꼼꼼 문제 분석

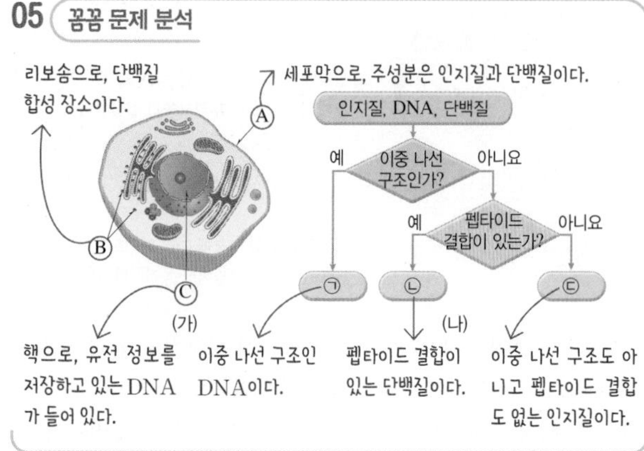
리보솜으로, 단백질 합성 장소이다.
세포막으로, 주성분은 인지질과 단백질이다.
A
B
C
인지질, DNA, 단백질
이중 나선 구조인가?
예
아니요
펩타이드 결합이 있는가?
예
아니요
㉠
㉡
㉢
(가)
(나)
핵으로, 유전 정보를 저장하고 있는 DNA가 들어 있다.
이중 나선 구조인 DNA이다.
펩타이드 결합이 있는 단백질이다.
이중 나선 구조도 아니고 펩타이드 결합도 없는 인지질이다.

ㄱ. 세포막(A)의 주성분은 단백질(㉡)과 인지질(㉢)이다.
바로알기 ㄴ. 리보솜(B)에서는 단백질(㉡)이 합성되며, DNA(㉠)는 핵(C) 속에 있다.
ㄷ. 핵(C)에는 DNA가 단백질(㉡)과 결합한 상태로 존재한다. 또 DNA 복제와 전사에 필요한 효소(단백질) 등이 있다.

06 모범 답안 세포막의 주요 성분인 인지질은 머리 부분(㉠)은 친수성이고, 꼬리 부분(㉡)은 소수성이다. 세포 안과 밖은 물이 풍부한 환경이어서 친수성의 머리 부분은 바깥쪽으로 향하고 소수성의 꼬리 부분은 서로 마주보며 안쪽으로 배열하게 되어 인지질 2중층을 이룬다.

채점 기준	배점
물이 풍부한 환경에서 인지질의 친수성 부분과 소수성 부분을 언급하여 2중층을 이루게 되는 까닭을 옳게 서술한 경우	100 %
인지질의 친수성 부분은 바깥으로, 소수성 부분은 안쪽으로 배열하기 때문이라고 서술한 경우	70 %
인지질이 친수성 부분과 소수성 부분을 모두 가지기 때문이라고 서술한 경우	50 %

07 ㄱ. A는 세포막에서 2중층을 이루는 인지질이다. 인지질의 머리 부분은 글리세롤과 인산이 포함되어 있고, 꼬리 부분은 지방산 2분자로 구성된다.
ㄴ. B는 단백질로, 리보솜에서 합성된다.
바로알기 ㄷ. 산소와 같이 분자 크기가 매우 작은 기체는 인지질 2중층을 통해 확산한다. B(단백질)를 통해 확산하는 물질에는 포도당, 아미노산과 같은 수용성 물질, 칼륨 이온이나 나트륨 이온과 같은 전하를 띠는 물질이 있다. 인슐린과 같은 고분자 물질은 막으로 둘러싸여 세포막을 통과한다.

08 꼼꼼 문제 분석

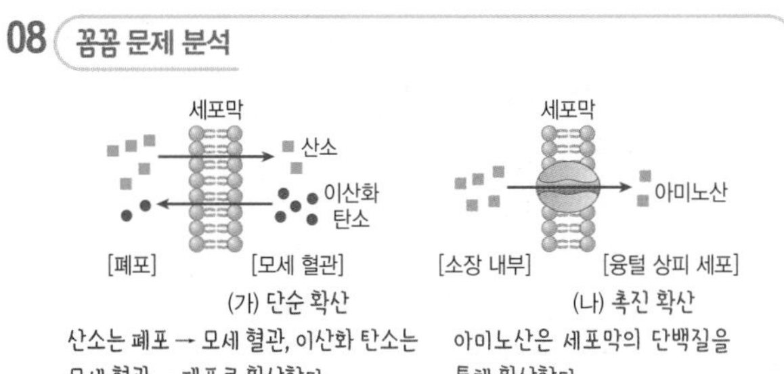

(가) 단순 확산　(나) 촉진 확산

산소는 폐포 → 모세 혈관, 이산화 탄소는 모세 혈관 → 폐포로 확산한다.

아미노산은 세포막의 단백질을 통해 확산한다.

ㄱ. 확산은 물질의 농도가 높은 쪽에서 낮은 쪽으로 일어난다. (가)에서 이산화 탄소는 모세 혈관에서 폐포 쪽으로 확산되므로 이산화 탄소 농도는 모세 혈관>폐포이다.

ㄴ. 단순 확산은 농도 차가 클수록 빠르게 일어난다. (가)에서 폐포의 산소 농도가 높아져 모세 혈관과의 농도 차가 커지면 산소의 확산 속도가 빨라지므로 단위시간당 모세 혈관으로 이동하는 산소의 양이 증가한다.

바로알기 ㄷ. (나)에서 소장에서 융털 상피 세포로의 아미노산 이동은 촉진 확산이다. 촉진 확산에는 막단백질이 관여하지만, 농도 차에 따른 이동이므로 세포의 에너지가 사용되지 않는다.

09 사람의 적혈구를 개구리의 등장액에 넣었을 때 적혈구 안으로 물이 들어와 부풀었으므로 삼투압은 '사람의 적혈구>개구리 등장액'이다. 사람의 적혈구를 오리의 등장액에 넣었을 때 부피 변화가 거의 없으므로 사람의 적혈구와 오리의 등장액의 삼투압은 거의 같다. 사람의 적혈구를 갈치의 등장액에 넣었을 때 적혈구에서 물이 빠져나가 오므라들었으므로 삼투압은 '갈치의 등장액>사람의 적혈구'이다. 따라서 개구리, 오리, 갈치 중 혈장 삼투압이 가장 큰 것은 갈치이고, 가장 작은 것은 개구리이다.

10 꼼꼼 문제 분석

A　B　h　세포막

(가)

세포막을 경계로 농도가 서로 다른 용액이 있으므로 삼투가 일어난다.

수면 높이　h　0　설탕 용액 넣음　t_1　t_2　시간

(나)

시간이 지나면서 B 쪽의 수면이 높아졌다. ➡ A 쪽에서 B 쪽으로 이동한 물의 양이 많다. ➡ (가)에서 넣어 준 설탕 용액의 농도는 B 쪽이 A 쪽보다 높다.

ㄴ. 설탕은 분자의 크기가 커서 세포막을 통과하지 못하므로 A 쪽의 설탕의 양은 일정하다. 시간이 경과하면서 삼투에 의한 물의 이동으로 A와 B 쪽의 수면 높이의 변화가 나타난다. B 쪽의 수면이 높아진 만큼 A 쪽의 물의 양은 감소하므로 A 쪽의 물의 양은 t_2일 때가 t_1일 때보다 적다. 따라서 A 쪽 설탕 용액의 농도는 t_2일 때가 t_1일 때보다 높다.

바로알기 ㄱ. 시간이 지나면서 B 쪽의 수면 높이가 h보다 높아졌으므로 A 쪽 → B 쪽으로 이동한 물의 양이 많았다. 삼투에 의한 물의 이동은 용액의 농도가 낮은 쪽에서 높은 쪽으로 일어나므로 (가)에서 설탕 용액의 농도는 A<B이다.

ㄷ. 설탕은 세포막을 통과하지 못하므로 B 쪽의 설탕의 양은 t_2일 때와 t_1일 때가 같다.

11 ㄴ. 세포의 모양 변화는 물의 이동에 의해 나타난다. (나)에서 세포막이 세포벽으로부터 분리된 것은 삼투에 의해 물이 세포 밖으로 많이 빠져나갔기 때문이다. 따라서 (나)가 20 % 설탕 용액에 넣어 둔 것이다.

바로알기 ㄱ. 농도가 가장 높은 20 % 설탕 용액에 넣어 둔 것은 원형질 분리가 일어난 (나)이다. (가)는 10 % 설탕 용액에 넣어 둔 것이고, 세포의 부피가 커진 (다)는 증류수에 넣어 둔 것이다.

ㄷ. 배추를 소금물에 절이면 배추 세포에서 물이 빠져나간다.

12 ㄱ. (가)는 이산화 탄소와 물로부터 포도당을 합성하는 광합성이다. 광합성은 작은 분자의 물질을 큰 분자의 물질로 합성하는 동화 작용이다.

바로알기 ㄴ. 광합성(가)에 필요한 에너지는 빛에너지를 흡수하여 공급한다.

ㄷ. (나)는 포도당을 이산화 탄소와 물로 분해하는 세포 호흡이며, 포도당에서 방출된 에너지 중 일부만 ATP에 저장되어 생명 활동에 이용되고 나머지는 열로 방출된다.

13 모범 답안 A에서는 이산화 탄소와 물로부터 포도당을 합성하는 광합성이 일어나며, 이때 에너지가 흡수된다. B에서는 아미노산을 펩타이드 결합으로 연결하는 단백질 합성이 일어나며, 이때 에너지가 흡수된다. C에서는 포도당과 같은 유기물을 이산화 탄소와 물로 분해하는 세포 호흡이 일어나며, 이때 에너지가 방출된다.

채점 기준	배점
A~C의 물질대사와 에너지 출입을 모두 옳게 서술한 경우	100 %
A~C의 물질대사와 에너지 출입 중 두 가지만 옳게 서술한 경우	60 %
A~C의 물질대사와 에너지 출입 중 한 가지만 옳게 서술한 경우	30 %

14 꼼꼼 문제 분석

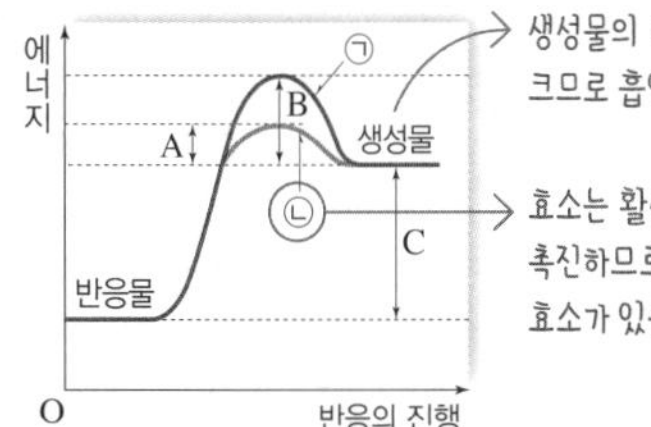

→ 생성물의 에너지가 반응물의 에너지보다 크므로 흡열 반응이다.

→ 효소는 활성화 에너지를 낮추어 반응을 촉진하므로 활성화 에너지가 작은 쪽이 효소가 있을 때의 에너지 변화이다.

활성화 에너지는 반응물이 반응을 일으키는 데 필요한 최소한의 에너지로, ㉠의 활성화 에너지는 B+C이고, ㉡의 활성화 에너지는 A+C이다.

모범 답안 효소가 있을 때의 에너지 변화는 ㉡이다. ㉠의 활성화 에너지는 B+C이고, ㉡의 활성화 에너지는 A+C이다. 효소는 활성화 에너지를 낮추는 작용을 하므로, 활성화 에너지가 작은 ㉡이 효소가 있을 때의 에너지 변화이다.

채점 기준	배점
㉡이 효소가 있을 때의 에너지 변화라고 쓰고, A~C를 활용하여 근거를 옳게 서술한 경우	100 %
㉡이 효소가 있을 때의 에너지 변화라고 쓰고, A~C를 활용하지 않고 서술한 경우	70 %
㉡이 효소가 있을 때의 에너지 변화라고만 쓴 경우	30 %

15 꼼꼼 문제 분석

반응물이 생성물로 분해된다. ➡ 이화 작용, 발열 반응

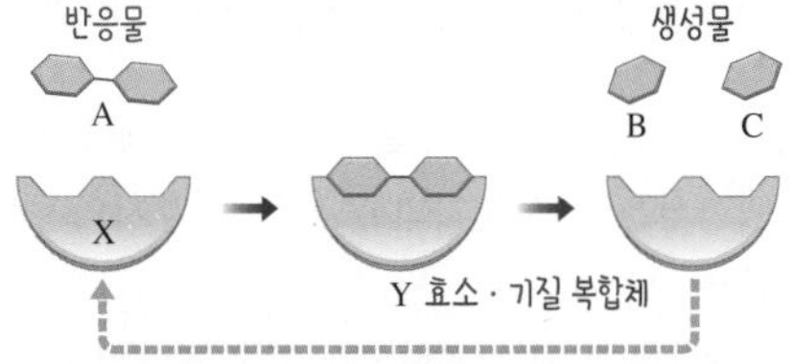

반응물
생성물
A
B
C
X
Y 효소 · 기질 복합체

효소는 반응 전후에 변하지 않으므로 재사용된다.

효소는 반응물과 결합한 상태에서 활성화 에너지를 낮춘다. ➡ 효소·기질 복합체의 생성량이 많을수록 반응 속도가 증가한다.

ㄴ. 효소 X와 결합하는 A는 반응물이다. 효소는 반응물과 결합하여 활성화 에너지를 낮추므로 Y(효소·기질 복합체)의 생성량이 많을수록 반응 속도가 증가한다.

바로알기 ㄱ. A는 반응물이므로 반응 후에 그 양이 줄어들고 생성물인 B와 C의 양은 증가한다. 그러나 효소 X의 양은 반응 전후에 변하지 않는다.

ㄷ. 반응물 A가 생성물 B와 C로 분해되므로 효소 X는 이화 작용(발열 반응)을 촉매하는 효소이다.

16 꼼꼼 문제 분석

효소 중에 반응물과 결합하지 않은 것이 있다. ➡ 반응물의 농도가 높아지면 초기 반응 속도가 증가한다.

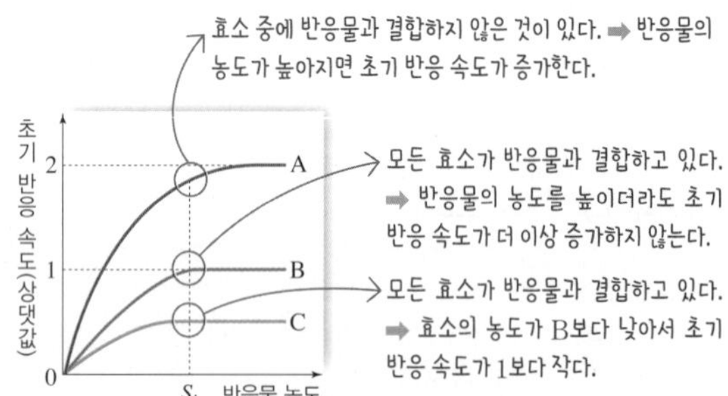

초기 반응 속도(상댓값)
2
1
0
A
B
C
S_1
반응물 농도
모든 효소가 반응물과 결합하고 있다. ➡ 반응물의 농도를 높이더라도 초기 반응 속도가 더 이상 증가하지 않는다.
모든 효소가 반응물과 결합하고 있다. ➡ 효소의 농도가 B보다 낮아서 초기 반응 속도가 1보다 작다.

➡ S_1일 때(반응물의 농도가 같을 때) 초기 반응 속도는 효소의 농도에 비례한다. ➡ A>B>C

ㄱ. 반응물의 농도가 일정할 때 효소의 농도가 높을수록 반응물과 효소가 결합하는 빈도가 높아져 초기 반응 속도는 증가한다. 따라서 효소의 농도는 A>B>C이다.

ㄴ. 효소의 농도가 B일 때 반응물의 농도가 S_1에 이르기까지는 반응물의 농도가 증가할수록 초기 반응 속도도 증가한다.

ㄷ. S_1에서 효소의 농도가 B일 때에는 모든 효소가 반응물과 결합하여 $\frac{\text{반응물과 결합한 효소의 수}}{\text{전체 효소의 수}}=1$이다. 그러나 효소의 농도가 A일 때에는 반응물과 결합하지 않은 효소가 있으므로 $\frac{\text{반응물과 결합한 효소의 수}}{\text{전체 효소의 수}}<1$이다. 따라서 이 값은 A<B이다.

17 간 속에는 카탈레이스라는 효소가 있어서 과산화 수소를 물과 산소로 분해하는데, 이때 발생한 산소가 기포로 발생한다. 그런데 간을 삶으면 효소의 주성분인 단백질의 입체 구조가 변하여 기능을 잃게 된다.

모범 답안 과산화 수소수에 생간을 넣으면 간 속의 카탈레이스가 과산화 수소가 물과 산소로 분해되는 반응을 촉진하여 기포가 발생한다. 그런데 간을 삶으면 고온에서 효소의 주성분인 단백질이 변성되어 카탈레이스의 촉매 기능이 상실되므로 과산화 수소수에 삶은 간을 넣으면 기포가 발생하지 않는다.

채점 기준	배점
㉠과 ㉡의 결과를 모두 옳게 서술한 경우	100 %
㉠과 ㉡의 결과 중 한 가지만 옳게 서술한 경우	50 %

18 꼼꼼 문제 분석

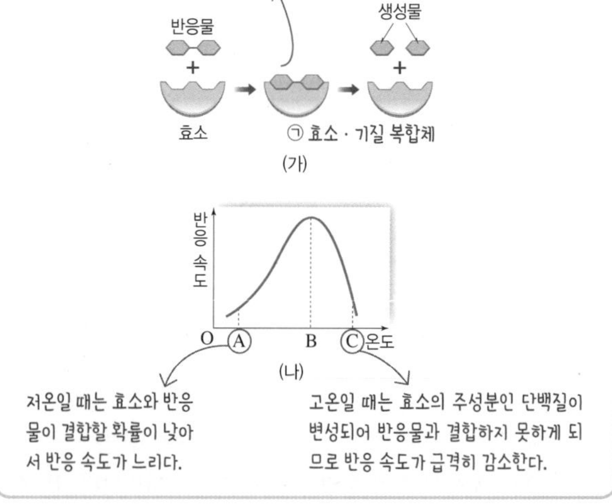

효소는 반응물과 결합하여 ㉠ 상태가 되었을 때 활성화 에너지를 낮출 수 있다.
➡ 효소에 의한 반응 속도는 ㉠의 생성 속도에 비례한다.
반응물
생성물
효소
㉠ 효소 · 기질 복합체
(가)
반응 속도
O
A
B
C
온도
(나)
저온일 때는 효소와 반응물이 결합할 확률이 낮아서 반응 속도가 느리다.
고온일 때는 효소의 주성분인 단백질이 변성되어 반응물과 결합하지 못하게 되므로 반응 속도가 급격히 감소한다.

ㄱ. 효소·기질 복합체(㉠)가 많이 형성될수록 효소의 반응 속도가 빠르다. 따라서 ㉠의 생성 속도는 A에서보다 반응 속도가 빠른 B에서가 빠르다.

바로알기 ㄴ. 효소는 A와 B에서 모두 활성화 에너지를 낮추지만, 온도가 낮은 A에서는 B에서보다 기질과 잘 결합하지 못하여 반응 속도가 느리다.

ㄷ. C에서 반응 속도가 느린 것은 고온에서 효소의 입체 구조가 바뀌어 효소와 기질이 결합하지 못하기 때문이다.

19 ㄴ. A에 저장된 유전 정보는 RNA로 전사되고, RNA의 유전 정보에 따라 리보솜에서 아미노산이 펩타이드 결합으로 연결되어 단백질이 합성된다. 따라서 A에 의해 멜라닌 합성 효소가 합성되기까지 RNA와 리보솜이 관여한다.

ㄷ. 유전자의 염기 서열에 이상이 생겨 멜라닌 합성 효소가 정상적으로 형성되지 않으면 멜라닌이 합성되지 않아 사슴의 털색이 갈색이 아닌 흰색이 될 수 있다.

바로알기 ㄱ. A에는 멜라닌이 아니라 멜라닌 합성 효소의 정보가 들어 있다.

20 세포 내에서 유전 정보는 'DNA → RNA → 단백질'로 흐른다고 설명하는 것을 생명 중심 원리라고 한다.

21 꼼꼼 문제 분석

유전 정보를 저장하고 있다. — DNA

세포막

(가) DNA의 유전 정보를 RNA로 전달하는 전사이다.

㉠ RNA로, DNA로부터 전달받은 유전 정보가 있다.

㉡ 단백질(폴리펩타이드)로, RNA의 코돈에 따라 아미노산이 순서대로 펩타이드 결합으로 연결되어 형성된다.

ㄱ. 전사(가)는 DNA의 염기 서열에 상보적인 염기 서열을 갖는 RNA를 합성하는 과정이다.

ㄴ. RNA(㉠)의 단위체는 뉴클레오타이드이며, 당, 인산, 염기로 구성된다.

ㄷ. DNA에는 단백질(㉡)을 구성하는 아미노산의 배열 순서에 대한 정보가 저장되어 있으며, 이 정보는 RNA(㉠)를 통해 리보솜으로 전달된다.

22 ① 염색체는 DNA와 단백질로 되어 있으며, DNA에는 많은 수의 유전자가 있다.

② 전사는 DNA로부터 RNA가 합성되어 유전 정보가 DNA에서 RNA로 전달되는 것이다.

③ 코돈은 RNA에서 하나의 아미노산을 지정하는 연속된 3개의 염기로, 64종류가 있다.

④ 리보솜에서는 RNA의 유전 정보에 따라 아미노산을 결합시켜 단백질을 합성하는 번역이 일어난다.

바로알기 ⑤ 전사가 일어날 때는 이중 나선을 이루는 DNA의 두 가닥 중 한 가닥을 이용하여 RNA가 합성된다.

23 꼼꼼 문제 분석

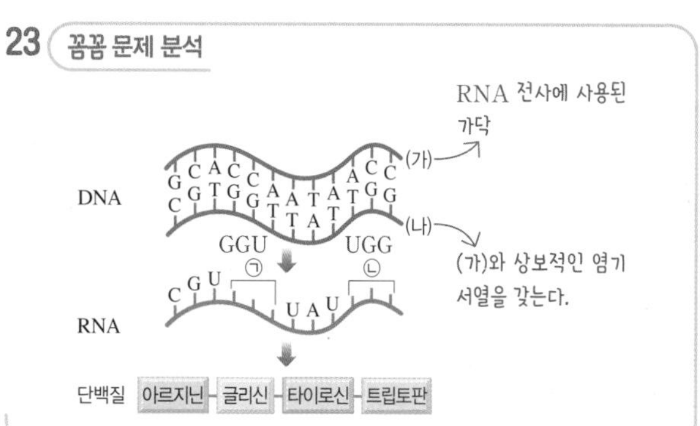

ㄱ. DNA에서 RNA로 유전 정보가 전사될 때 DNA를 이루는 두 가닥 중 한 가닥을 이용하여 상보적인 염기 서열을 갖는 RNA를 합성한다. 따라서 RNA와 상보적인 염기 서열을 갖는 (가)로부터 RNA가 전사되었다.

ㄷ. 글리신을 지정하는 코돈 ㉠은 GGU이고, 트립토판을 지정하는 코돈 ㉡은 UGG이다.

바로알기 ㄴ. 코돈은 RNA에서 한 아미노산을 지정하는 연속된 3개의 염기로, 타이로신을 지정하는 코돈은 UAU이고, ATA는 UAU로 전사된 DNA의 염기 서열이다.

24 ㉠과 ㉡에 해당하는 염기와 이로부터 합성된 단백질의 아미노산 서열은 다음과 같다.

		GCA		⬇	
DNA 가닥	… TGG	㉠	CTC	ACC	TCG …
전사된 RNA	… ACC	CGU	GAG	㉡ (UGG)	AGC …
코돈 번호	54	55	56	57	58
아미노산 서열	… 트레오닌	아르지닌	글루탐산	트립토판	세린 …

ㄱ. ㉠에 해당하는 염기 서열은 RNA의 코돈 CGU에 상보적이므로 GCA이다.

ㄷ. ⬇ 부분에 염기 A이 삽입되면 이후의 DNA의 염기 서열이 AAC CTC G…가 되어 58번 코돈으로 전사되는 염기 서열이 CTC가 된다. 그에 따라 58번 코돈은 GAG가 되어 글루탐산을 지정하게 된다.

바로알기 ㄴ. 코돈 ㉡은 DNA의 염기 서열 ACC에 상보적인 UGG로, 트립토판을 지정한다.

25 RNA는 전사에 사용된 DNA 가닥과 상보적인 염기 서열을 가지며, 염기 T 대신 U이 있다. RNA의 연속된 3개의 염기 조합을 코돈이라고 하며, 하나의 코돈은 하나의 아미노산을 지정한다.

모범 답안 (1) GCCTTGATACGGAGGATA
(2) 6개, RNA의 연속된 염기 3개가 한 조가 되어 하나의 아미노산을 지정하므로 염기 18개로 구성된 RNA가 모두 번역된다면 총 6개의 아미노산으로 구성된 폴리펩타이드가 형성된다.

채점 기준		배점
(1)	RNA의 염기 서열을 옳게 서술한 경우	40 %
(2)	6개라고 쓰고, 근거를 옳게 서술한 경우	60 %
	6개라고 쓰고, RNA 염기 3개가 하나의 코돈이 된다고 서술한 경우	40 %
	6개라고만 쓴 경우	20 %

26 꼼꼼 문제 분석

DNA
글루탐산
아미노산 프롤린 글루탐산
정상 헤모글로빈
정상 적혈구
T이 A으로 바뀌었다.
GAA가 글루탐산을 지정하는 코돈이므로 아래쪽 가닥이 RNA 전사에 사용된 DNA 가닥이다.
DNA
발린
아미노산 프롤린 글루탐산
비정상 헤모글로빈
낫 모양 적혈구

ㄴ. DNA의 염기 1개가 달라졌는데 지정하는 아미노산이 글루탐산에서 발린으로 달라졌다. 즉, 유전자에 이상이 생기면 저장되는 유전 정보가 달라질 수 있다.
ㄷ. 단백질은 아미노산 배열 순서에 따라 종류와 특성이 결정된다. 따라서 아미노산이 하나만 달라져도 정상적인 기능을 하지 못하는 단백질이 만들어질 수 있고, 그에 따라 유전 질환이 나타날 수 있다.

바로알기 ㄱ. DNA의 염기 서열 CTT가 CAT로 바뀌면 RNA의 코돈이 GUA로 된다. 이것은 발린을 지정하는 코돈이다.

27 유전자에 저장된 유전 정보는 단백질을 통해 형질로 발현된다. 따라서 유전자에 이상이 생기면 정상 단백질이 합성되지 않아 유전 질환이 나타날 수 있다.

모범 답안 페닐알라닌 분해 효소 유전자에 이상이 생겨 페닐알라닌 분해 효소가 합성되지 않은 결과 페닐알라닌이 타이로신으로 전환되지 않고 체내에 축적되어 페닐케톤뇨증이 나타난다.

채점 기준	배점
유전자, 단백질, 형질 발현의 관계를 포함하여 옳게 서술한 경우	100 %
유전자, 단백질, 형질 발현의 관계 중 일부만 포함하여 서술한 경우	50 %

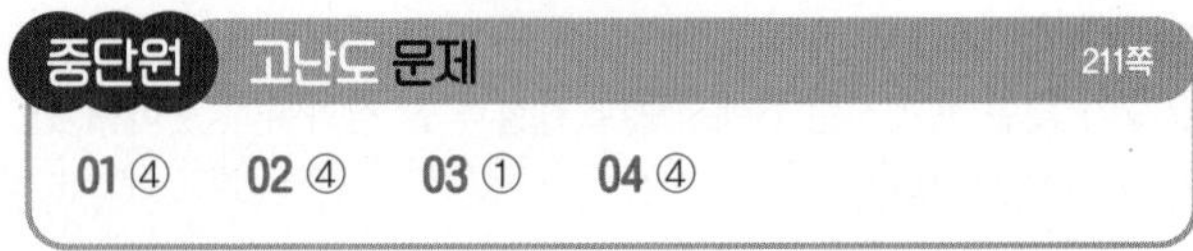

중단원 고난도 문제 211쪽

01 ④ 02 ④ 03 ① 04 ④

01 꼼꼼 문제 분석

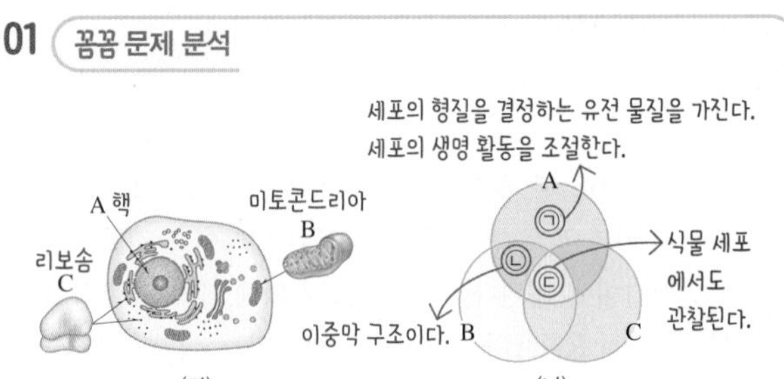

선택지 분석

~~ㄱ~~. '세포 호흡을 통한 이화 작용이 일어난다.'는 ㉠에 해당한다. 해당하지 않는다
ⓛ '이중막 구조이다.'는 ㉡에 해당한다.
ⓒ '식물 세포에서도 관찰된다.'는 ㉢에 해당한다.

전략적 풀이 ❶ 형태를 보고 A~C가 어떤 세포 소기관인지 알아낸다.
A는 핵, B는 미토콘드리아, C는 리보솜이다.
❷ A~C의 특징을 생각하여 이들의 공통점과 차이점을 구분한다.
ㄱ. ㉠은 미토콘드리아와 리보솜에는 없고 핵(A)에만 있는 특징이므로 '세포의 형질을 결정하는 유전 물질을 가진다.', '세포의 생명 활동을 조절한다.' 등이 될 수 있다. '세포 호흡을 통한 이화 작용이 일어난다.'는 미토콘드리아(B)만이 가지는 특징이다.
ㄴ. 이중막 구조의 세포 소기관에는 핵, 미토콘드리아, 엽록체가 있다. 따라서 '이중막 구조이다.'는 핵(A)과 미토콘드리아(B)의 공통 특징 ㉡에 해당한다.
ㄷ. 핵(A), 미토콘드리아(B), 리보솜(C)은 모두 동물 세포와 식물 세포에 공통적으로 존재하는 세포 소기관이다. 따라서 '식물 세포에서도 관찰된다.'는 A~C의 공통 특징인 ㉢에 해당한다.

02 꼼꼼 문제 분석

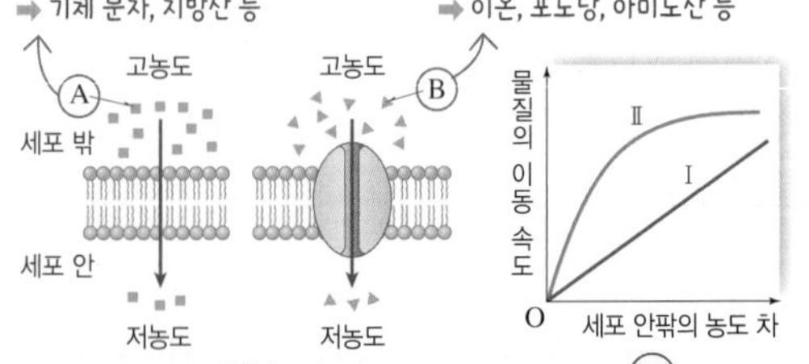

• Ⅰ: 세포 안팎의 농도 차가 클수록 이동 속도가 빠르다. ➡ A의 이동 속도
• Ⅱ: 세포 안팎의 농도 차가 클수록 이동 속도가 빠르지만, 어느 정도 이상에서는 더 이상 빨라지지 않는다. ➡ B의 이동 속도

선택지 분석

㉠ 폐포와 모세 혈관 사이에서 기체는 A가 이동하는 방식으로 세포막을 통과한다.

~~ㄴ~~. B의 이동 속도는 (나)의 Ⅰ이다. Ⅱ

㉢ A와 B는 세포막을 경계로 농도 차에 따라 세포 안팎으로 확산한다.

전략적 풀이 ❶ A와 B가 세포막을 통해 이동하는 방식과 그 원리가 무엇인지 파악한다.

A는 인지질 2중층을 통해, B는 막단백질을 통해 고농도에서 저농도로 확산한다.

❷ A, B와 같은 방식으로 이동하는 물질에는 어떤 것이 있는지 연관 지어 생각한다.

ㄱ. 분자의 크기가 매우 작은 O_2, CO_2와 같은 기체는 A와 같이 인지질 2중층을 직접 통과하여 확산한다.

ㄴ. B는 어느 정도까지는 세포 안팎의 농도 차가 클수록 이동 속도가 증가하지만, 일정 농도 차 이상에서는 막단백질이 포화되어 더 이상 이동 속도가 증가하지 않는다. 즉 B의 이동 속도는 (나)의 Ⅱ이다.

ㄷ. A와 B는 모두 농도가 높은 곳에서 낮은 곳으로 확산에 의해 세포막을 통과한다.

03 꼼꼼 문제 분석

반응물이 생성물보다 분자가 크다. ➡ 효소 X는 이화 작용에 관여한다.

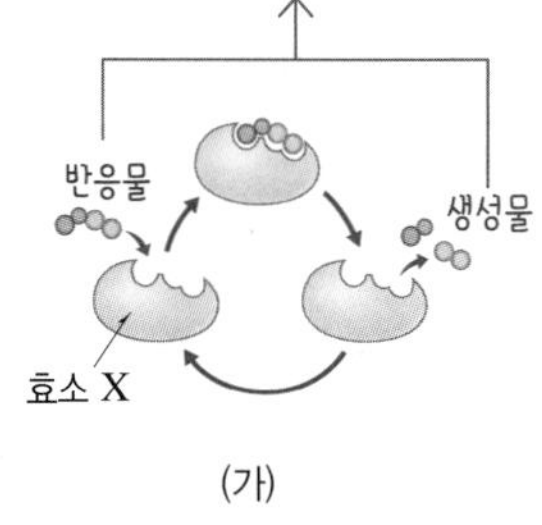

(가)

반응물 농도가 S_3 이상으로 증가하더라도 더 이상 초기 반응 속도가 증가하지 않는다. ➡ 모든 효소가 반응물과 결합하여 포화 상태에 이르렀다. ➡ 효소를 더 첨가하면 초기 반응 속도가 증가한다.

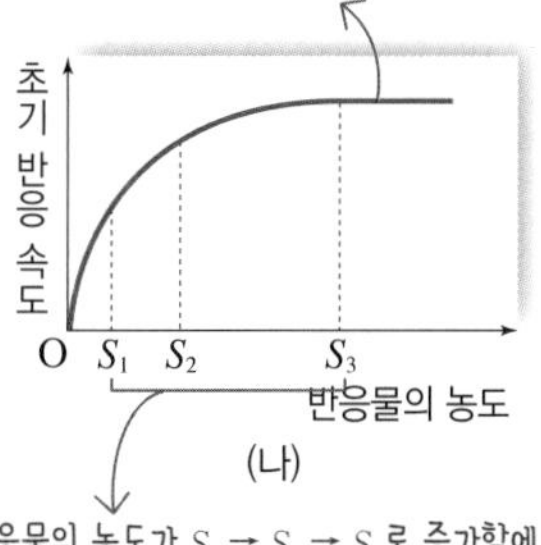

(나)

반응물의 농도가 $S_1 \rightarrow S_2 \rightarrow S_3$로 증가함에 따라 초기 반응 속도가 증가한다. ➡ 효소·기질 복합체의 형성 속도가 빠르다.

선택지 분석

㉠ 효소 X는 이화 작용을 촉진한다.

~~ㄴ~~. S_2일 때는 S_1일 때보다 반응의 활성화 에너지가 작다.

~~ㄷ~~. S_3일 때 효소 X는 더 이상 반응물과 결합하지 않는다. 모두 반응물과 결합한 상태이다

전략적 풀이 ❶ 효소 X는 물질의 합성과 분해 중 어떤 반응을 촉진하는지 파악한다.

ㄱ. 효소 X는 큰 분자가 작은 분자로 분해되는 이화 작용을 촉진한다.

❷ 초기 반응 속도는 효소와 반응물의 결합 정도에 비례한다는 것을 파악한다.

ㄴ. 반응물의 농도에 관계없이 같은 효소가 작용하는 반응이므로 S_2일 때와 S_1일 때 반응의 활성화 에너지의 크기는 같다.

ㄷ. S_3일 때는 효소 X가 모두 반응물과 결합하여 반응을 촉진하므로 초기 반응 속도가 최대인 상태이다.

04 꼼꼼 문제 분석

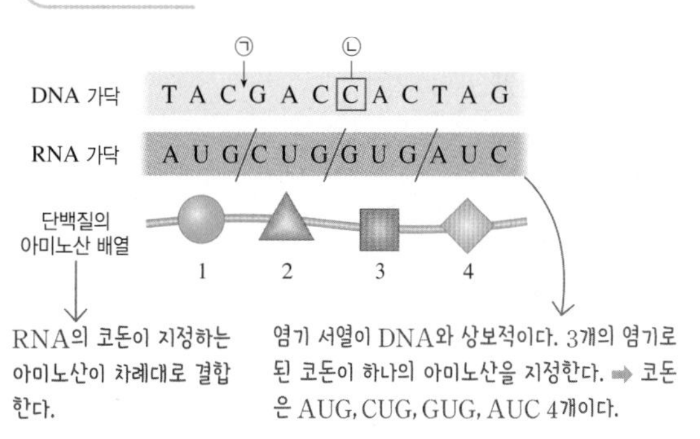

선택지 분석

~~ㄱ~~. 아미노산 4를 지정하는 코돈은 CUG이다. AUC

㉡ ㉠ 부분에 염기 A이 삽입되면 세 번째 코돈이 GGU가 된다.

㉢ ㉡ 부분의 염기 C이 G로 바뀌면 아미노산 2와 아미노산 3이 같아진다.

전략적 풀이 ❶ RNA의 연속된 염기 3개가 하나의 코돈으로 하나의 아미노산을 지정한다는 것을 이해한다.

ㄱ. 왼쪽 첫 번째 염기 A으로부터 중복되지 않고 3개씩 코돈이 되어 하나의 아미노산을 지정하므로 아미노산 4를 지정하는 코돈은 왼쪽에서 10, 11, 12번째 염기 조합인 AUC이다.

❷ DNA에 염기가 삽입되거나 다른 염기로 치환되는 등의 이상이 발생하면 이상이 생긴 상태로 RNA로 전사되고, 그에 따라 코돈이 바뀌어 지정하는 아미노산이 달라질 수 있다는 것을 생각한다.

ㄴ. ㉠ 부분에 염기 A이 삽입되면 DNA 염기 서열이 TACAGACCACTAG가 되고, 이로부터 전사된 RNA의 염기 서열은 AUGUCUGGUGAUC가 되어 세 번째 코돈이 GUG에서 GGU로 바뀐다.

ㄷ. ㉡ 부분의 염기 C이 G으로 바뀌면 DNA 염기 서열이 TACGACGACTAG가 된다. 이로부터 전사된 RNA의 염기 서열은 AUGCUGCUGAUC가 되어 두 번째와 세 번째 코돈이 CUG로 같으므로 동일한 아미노산을 지정한다.

III 변화와 다양성

1 화학 변화

1 산화 환원 반응

개념 확인 문제 218쪽

❶ 광합성 ❷ 이산화 탄소(CO_2) ❸ 철(Fe) ❹ 산소 ❺ 산화 ❻ 환원

1 (1) × (2) ○ (3) ○ **2** 산소(O) **3** (1) × (2) ○ (3) × **4** (1) ㉠ 환원, ㉡ 산화 (2) ㉠ 산화, ㉡ 환원 (3) ㉠ 산화, ㉡ 환원 **5** (1) 산화 (2) 환원 (3) 옅어진다

1 (1) 원시 지구에 광합성을 하는 남세균이 출현하면서 산소가 생성되었고, 대기 중의 산소 농도가 증가함에 따라 오존층이 형성되었다.
(2) 인류는 석탄을 에너지원으로 하는 증기 기관을 발명하였고, 이를 이용하여 산업 혁명을 일으켰다.
(3) 자연 상태에서 철은 주로 철광석으로 얻어지는데, 철광석의 주성분은 철과 산소가 결합한 산화 철(Ⅲ)이다. 따라서 순수한 철을 얻기 위해서는 제련 과정을 거쳐야 한다.

2 광합성, 화석 연료의 연소, 철의 제련은 모두 산소가 관여하는 산화 환원 반응이다.

3 (1), (2) 어떤 물질이 산소를 얻거나 전자를 잃는 반응은 산화이고, 산소를 잃거나 전자를 얻는 반응은 환원이다.
(3) 어떤 물질이 산소를 얻거나 전자를 잃고 산화되면 다른 물질은 산소를 잃거나 전자를 얻어 환원되므로 산화와 환원은 항상 동시에 일어난다.

4 (1) $2CuO + C \longrightarrow 2Cu + CO_2$ (CuO: 산소를 잃음: 환원, C: 산소를 얻음: 산화)

(2) $Cu + 2Ag^{+} \longrightarrow Cu^{2+} + 2Ag$ (Cu: 전자를 잃음: 산화, Ag^{+}: 전자를 얻음: 환원)

(3) $2Na + Cl_2 \longrightarrow 2NaCl(2Na^{+} + 2Cl^{-})$ (Na: 전자를 잃음: 산화, Cl_2: 전자를 얻음: 환원)

5 (1) 아연(Zn)은 전자를 잃고 아연 이온(Zn^{2+})으로 산화된다.
(2) 구리 이온(Cu^{2+})은 전자를 얻어 구리(Cu)로 환원된다.
(3) 수용액이 푸른색을 띠는 것은 구리 이온 때문인데 구리 이온이 구리로 환원되어 석출되므로 수용액의 푸른색은 점점 옅어진다.

개념 확인 문제 221쪽

❶ 환원 ❷ 산화 ❸ 산화 ❹ 환원 ❺ 산소 ❻ 산소

1 (1) ㉠ 환원, ㉡ 산화 (2) ㉠ 산화, ㉡ 환원 **2** 산화되는 물질: CO, 환원되는 물질: Fe_2O_3 **3** (1) ○ (2) × (3) ○ **4** ㄱ, ㄴ, ㄷ

1 (1) $6CO_2 + 6H_2O \longrightarrow C_6H_{12}O_6 + 6O_2$ (CO_2: 환원, H_2O: 산화)

(2) $CH_4 + 2O_2 \longrightarrow CO_2 + 2H_2O$ (CH_4: 산화, O_2: 환원)

2 $Fe_2O_3 + 3CO \longrightarrow 2Fe + 3CO_2$ (CO: 산소를 얻음: 산화, Fe_2O_3: 산소를 잃음: 환원)

3 (1), (3) 철 표면에 페인트를 칠하거나 알루미늄으로 얇은 막을 입히면 철이 공기 중의 산소나 수분과 접촉하는 것을 막아 철의 부식을 방지할 수 있다.
(2) 철을 습기가 많은 공기 중에 보관하면 철의 부식이 잘 일어나게 된다.

4 반딧불이의 불빛, 섬유 표백, 철의 부식은 모두 산화 환원 반응의 예이다.

내신 만점 문제 222~224쪽

01 ㄴ, ㄷ 02 ④ 03 ㄱ, ㄴ, ㄷ 04 ④ 05 ④ 06 ⑤ 07 ② 08 ③ 09 ③ 10 ③ 11 ④ 12 ① 13 ② 14 해설 참조 15 해설 참조 16 해설 참조

01 ㄴ. 원시 지구에 광합성을 하는 생물(남세균)이 출현하면서 생성된 산소로 인해 메테인, 암모니아 등으로 이루어져 있던 원시 지구의 대기 조성이 변하였다.

ㄷ. 광합성을 하는 생물이 출현한 후 대기 중의 산소 농도가 증가하면서 산소 호흡을 하는 생물이 출현하였고, 오존층이 형성되었다. 이후 오존층에 의해 물속에 살던 생물들이 육지로 올라와 살 수 있게 되었으므로 (나) → (가) → (다) 순으로 일어났다.

바로알기 ㄱ. ㉠은 오존이다.

02 ① 원시 바다에 광합성을 하는 남세균이 출현하면서 산소가 생성되었고, 원시 바다에 축적된 산소가 대기로 방출되었다. 대기 중의 산소는 자외선을 흡수하여 오존을 생성하면서 오존층이 형성되었다.

② 화석 연료가 증기 기관의 연료로 사용되면서 산업 혁명을 일으키는 데 기여하였다.

③ 인류는 철의 제련 기술을 개발하여 여러 가지 도구를 만들어 사용하는 철기 시대를 열어 문명을 발전시켰다.

⑤ 광합성, 화석 연료의 연소, 철의 제련은 모두 산소가 관여하는 산화 환원 반응이다.

바로알기 ④ 광합성, 화석 연료의 연소, 철의 제련 반응에는 모두 산소가 관여한다.

03 ㄱ. 어떤 물질이 산소와 결합하거나 전자를 잃는 반응은 산화이다.

ㄴ. 어떤 물질이 산소를 잃거나 전자를 얻는 반응은 환원이다.

ㄷ. 어떤 물질이 산소를 얻거나 전자를 잃고 산화되면 다른 물질은 산소를 잃거나 전자를 얻어 환원되므로 산화와 환원은 항상 동시에 일어난다.

04 꼼꼼 문제 분석

검은색 산화 구리(Ⅱ)와 탄소 가루를 시험관 속에 함께 넣고 가열하였더니 붉은색 고체가 생성되었고, 석회수가 뿌옇게 흐려졌다. → $Ca(OH)_2 + CO_2 \longrightarrow CaCO_3 + H_2O$

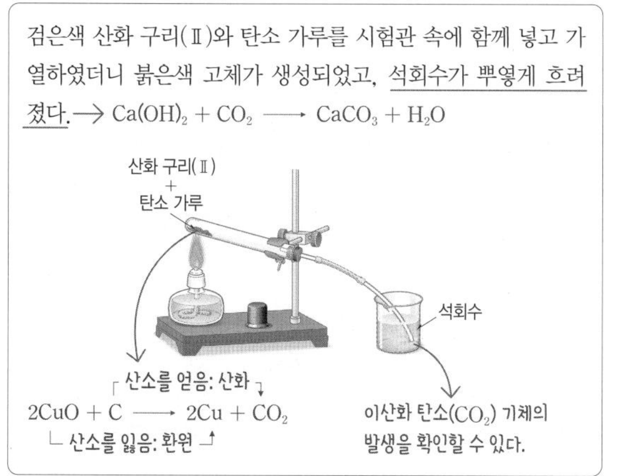

ㄴ. 석회수가 뿌옇게 흐려진 것으로 보아 발생한 기체는 이산화 탄소(CO_2)이다.

ㄷ. 시험관 속에서는 산소의 이동에 의한 산화 환원 반응이 일어난다.

바로알기 ㄱ. 검은색 산화 구리(Ⅱ)(CuO)는 산소를 잃고 붉은색 구리(Cu)로 환원된다.

05 꼼꼼 문제 분석

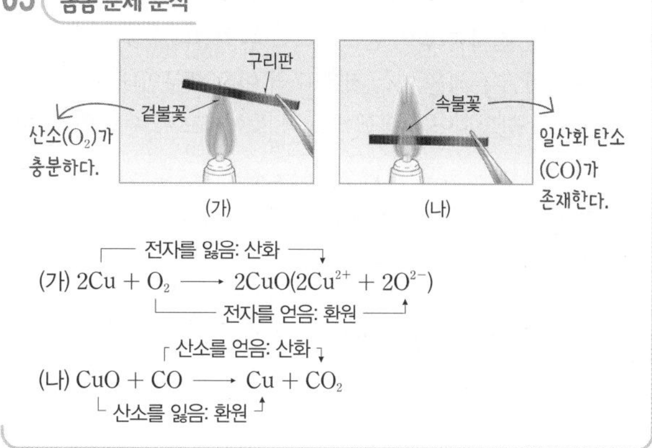

①, ② (가)에서 구리(Cu)는 전자를 잃고 구리 이온(Cu^{2+})이 되고, 산소(O)는 전자를 얻어 산화 이온(O^{2-})이 되며, 구리 이온과 산화 이온이 결합하여 산화 구리(Ⅱ)(CuO)를 생성한다.

③ (가)에서 구리는 결합한 산소의 질량만큼 질량이 증가한다.

⑤ (나)에서 검게 변한 구리판은 산소를 잃고 구리로 환원된다.

바로알기 ④ (가)에서 생성된 산화 구리(Ⅱ)는 알코올램프의 속불꽃에서 일산화 탄소(CO)와 반응하여 구리로 환원된다.

06 꼼꼼 문제 분석

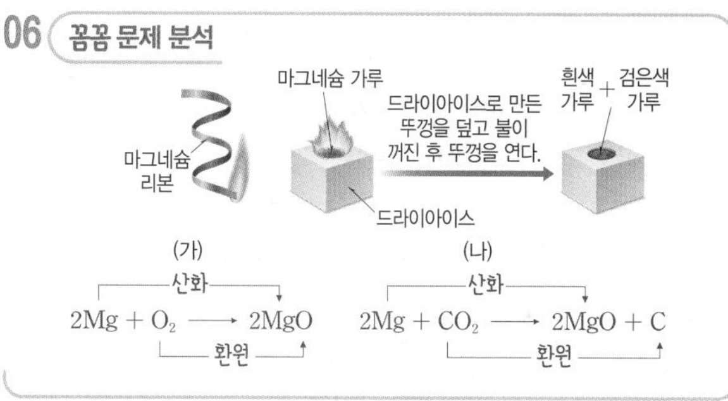

ㄱ. (가)와 (나)에서 모두 산화 마그네슘(MgO)이 생성된다.

ㄴ. (나)에서 드라이아이스는 산소를 잃어 탄소(C)로 환원된다.

ㄷ. 반응 결과 생성된 검은색 가루는 탄소이다.

07 ㄴ. 산화 구리(Ⅱ)(CuO)는 산소를 잃어 구리(Cu)로 환원된다.

바로알기 ㄱ. $2Fe_2O_3 + 3C \longrightarrow 4Fe + 3CO_2$ (산소를 얻음: 산화 / 산소를 잃음: 환원)

ㄷ. $Mg + Cu^{2+} \longrightarrow Mg^{2+} + Cu$ (전자를 잃음: 산화 / 전자를 얻음: 환원)

08 꼼꼼 문제 분석

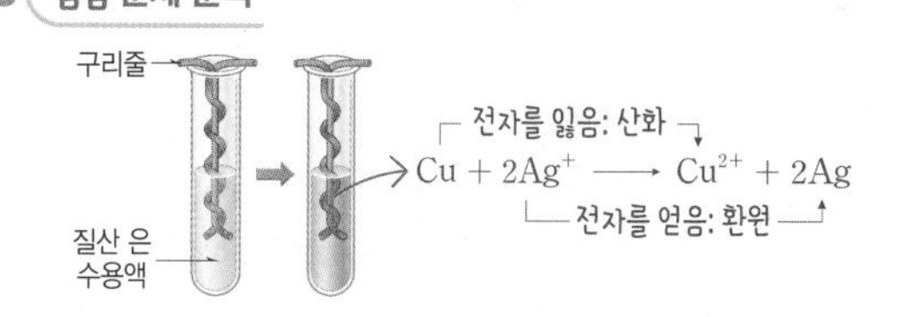

ㄱ. 구리(Cu)는 전자를 잃고 구리 이온(Cu^{2+})으로 산화되고, 은 이온(Ag^{+})은 전자를 얻어 은(Ag)으로 환원된다.
ㄷ. 수용액이 푸른색을 띠는 것은 구리 이온 때문인데, 구리가 구리 이온으로 산화되어 수용액에 녹아 들어가므로 수용액이 푸른색으로 변한다.
바로알기 ㄴ. 질산 이온(NO_3^{-})은 반응에 참여하지 않으므로 전자를 얻거나 잃지 않는다.

09 꼼꼼 문제 분석

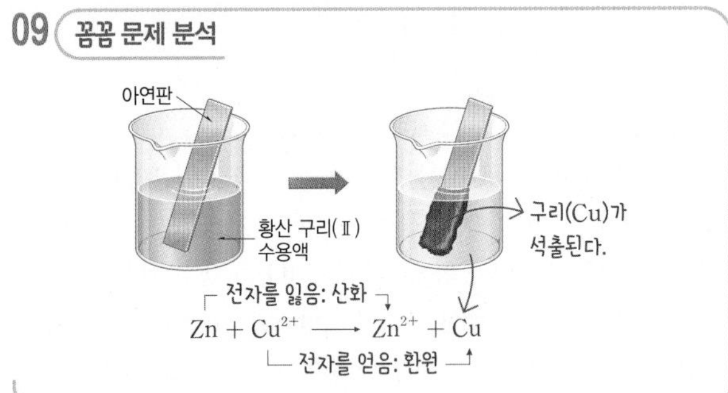

ㄱ, ㄷ. 아연(Zn)은 전자를 잃고 아연 이온(Zn^{2+})으로 산화되고, 구리 이온(Cu^{2+})은 그 전자를 얻어 구리(Cu)로 환원되므로 전자는 아연에서 구리 이온으로 이동한다.
바로알기 ㄴ. 아연 원자 1개가 아연 이온으로 녹아 들어갈 때 구리 이온 1개가 구리로 환원되어 아연판 표면에 석출되므로 수용액 속 전체 이온 수는 일정하다.

10 (가)는 엽록체에서 빛에너지를 이용하여 이산화 탄소(CO_2)와 물(H_2O)로 산소(O_2)와 포도당($C_6H_{12}O_6$)을 만드는 광합성이고, (나)는 미토콘드리아에서 산소와 포도당이 반응하여 이산화 탄소와 물이 생성되면서 에너지가 발생하는 세포 호흡이다.
A. 광합성의 반응물과 세포 호흡의 생성물은 이산화 탄소와 물로 같다.
C. (가)와 (나)는 모두 산소가 관여하는 산화 환원 반응이다.
바로알기 B. (가)에서 이산화 탄소는 환원되고, 물은 산화된다.

11 꼼꼼 문제 분석

CO_2

(가) $6(\ ㉠\ ) + 6H_2O \longrightarrow C_6H_{12}O_6 + 6O_2$ 광합성
(나) $CH_4 + 2O_2 \longrightarrow (\ ㉠\ ) + 2H_2O$ 메테인의 연소

ㄴ. 도시가스의 주성분인 메테인(CH_4)이 공기 중에서 연소할 때에는 산소(O_2)와 반응하여 이산화 탄소(CO_2)와 물(H_2O)이 생성되고, 열에너지가 발생한다.
ㄷ. (가)와 (나) 반응에서 ㉠은 이산화 탄소이다.
바로알기 ㄱ. (가)는 엽록체에서 빛에너지를 이용하여 이산화 탄소와 물로 산소와 포도당($C_6H_{12}O_6$)을 만드는 광합성이다.

12 꼼꼼 문제 분석

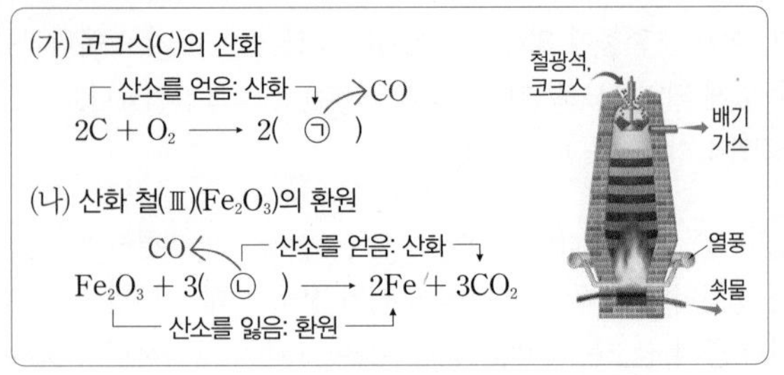

(가) 코크스(C)의 산화
산소를 얻음: 산화
CO
$2C + O_2 \longrightarrow 2(\ ㉠\ )$
(나) 산화 철(Ⅲ)(Fe_2O_3)의 환원
CO
산소를 얻음: 산화
$Fe_2O_3 + 3(\ ㉡\ ) \longrightarrow 2Fe + 3CO_2$
산소를 잃음: 환원
철광석, 코크스
배기 가스
열풍
쇳물

② (가)에서 탄소(C)는 산소를 얻어 일산화 탄소(CO)로 산화된다.
③ (나)에서 산화 철(Ⅲ)(Fe_2O_3)은 산소를 잃고 철(Fe)로 환원된다.
④ (나)에서 일산화 탄소는 산소를 얻어 이산화 탄소(CO_2)로 산화된다.
⑤ (가)와 (나)는 모두 산소가 이동하는 산화 환원 반응이다.
바로알기 ① ㉠과 ㉡은 일산화 탄소로, 서로 같은 물질이다.

13 ①, ③, ④, ⑤ 오래된 음식물이 썩는 것, 도시가스를 연소시켜 난방을 하는 것, 깎아 놓은 사과가 갈색으로 변하는 것, 철가루가 들어 있는 손난로를 흔들면 따뜻해지는 것은 모두 산화 환원 반응이 일어나는 예이다.
바로알기 ② 철 표면에 페인트를 칠하는 것은 철이 공기 중의 산소나 수분과 접촉하는 것을 막아 부식되는 것을 방지하는 것이므로 산화 환원 반응이 일어나는 예가 아니다.

14 모범 답안 (1) $2CuO + C \longrightarrow 2Cu + CO_2$
(2) 검은색 산화 구리(Ⅱ)(CuO)가 산소를 잃고 붉은색 구리(Cu)로 환원되었기 때문이다.

채점 기준		배점
(1)	시험관에서 일어나는 반응을 화학 반응식으로 옳게 나타낸 경우	50 %
(2)	붉은색 물질이 생성되는 까닭을 산화 환원 반응과 관련하여 옳게 서술한 경우	50 %
	붉은색 물질이 생성되는 까닭을 구리가 생성되었기 때문이라고만 서술한 경우	25 %

15
전자를 잃음: 산화
$$Cu^{2+} + Zn \longrightarrow Cu + Zn^{2+}$$
전자를 얻음: 환원

모범 답안 수용액의 푸른색이 점점 옅어진다. 수용액의 구리 이온(Cu^{2+})이 전자를 얻어 구리(Cu)로 환원되어 석출되므로 수용액 속 구리 이온의 수가 점점 감소하기 때문이다.

채점 기준	배점
수용액의 색 변화를 쓰고, 그 까닭을 산화 환원 반응과 관련하여 옳게 서술한 경우	100 %
수용액의 색 변화를 쓰고, 그 까닭을 구리 이온이 감소하기 때문이라고만 서술한 경우	70 %
수용액의 색 변화만 옳게 쓴 경우	30 %

16 어떤 물질이 전자를 잃는 반응은 산화이고, 전자를 얻는 반응은 환원이다.

모범 답안 산화되는 물질: Mg, 환원되는 물질: O_2, 마그네슘(Mg)은 전자를 잃고 마그네슘 이온(Mg^{2+})이 되고, 산소(O)는 전자를 얻어 산화 이온(O^{2-})이 되기 때문이다.

채점 기준	배점
산화되는 물질과 환원되는 물질을 옳게 쓰고, 그 까닭을 전자의 이동과 관련하여 옳게 서술한 경우	100 %
산화되는 물질과 환원되는 물질만 옳게 쓴 경우	50 %

실력 UP 문제

225쪽

01 ⑤ 02 ④ 03 ① 04 ③

01 꼼꼼 문제 분석

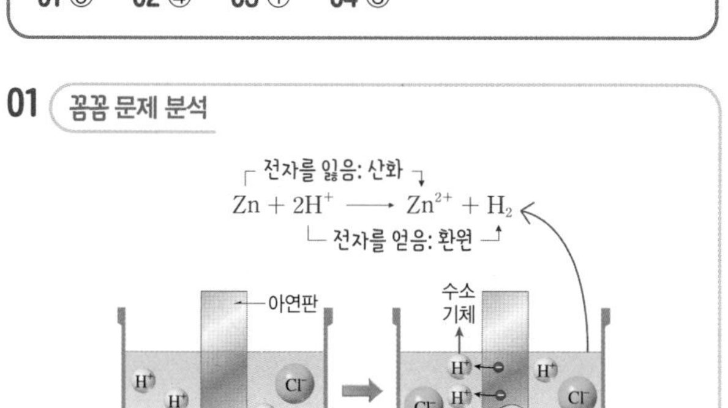

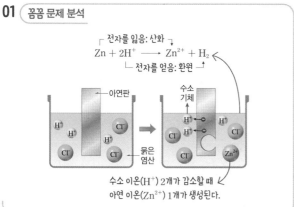

①, ② 아연(Zn)은 전자를 잃고 아연 이온(Zn^{2+})으로 산화되고, 수소 이온(H^+)은 전자를 얻어 수소(H_2)로 환원된다.
③ 아연이 아연 이온으로 수용액에 녹아 들어가므로 아연판의 질량은 점점 감소한다.
④ 염화 이온(Cl^-)은 반응에 참여하지 않으므로 염화 이온의 수는 변하지 않는다.
바로알기 ⑤ 수소 이온 2개가 감소할 때 아연 이온 1개가 생성되므로 수용액 속 양이온 수는 점점 감소한다.

02 꼼꼼 문제 분석

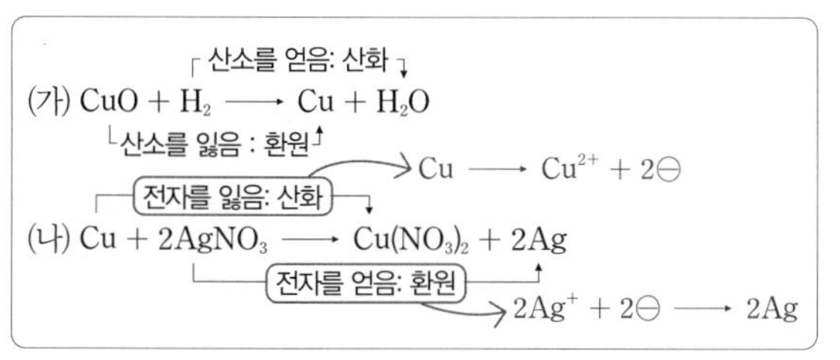

ㄴ. (나)에서 구리(Cu)는 전자를 잃고 구리 이온(Cu^{2+})으로 산화된다.
ㄷ. 구리 원자 1개가 전자 2개를 잃고 구리 이온 1개를 생성하므로 구리 원자 1개가 반응할 때 이동한 전자는 2개이다.
바로알기 ㄱ. (가)에서 산화 구리(Ⅱ)(CuO)는 산소를 잃고 구리로 환원된다.

03 꼼꼼 문제 분석

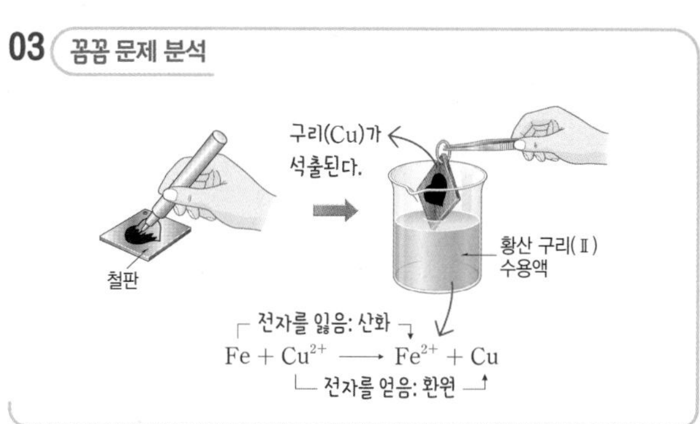

ㄱ. 철(Fe)은 전자를 잃고 철 이온(Fe^{2+})으로 산화되고, 구리 이온(Cu^{2+})은 전자를 얻어 구리(Cu)로 환원된다.
바로알기 ㄴ. 철 원자 1개가 철 이온으로 산화되어 수용액에 녹아 들어갈 때 구리 이온 1개가 구리 원자 1개로 환원되어 석출된다. 이때 원자량은 구리가 철보다 크므로 철판의 질량은 증가한다.
ㄷ. 구리 이온 1개가 감소할 때 철 이온 1개가 생성되고, 황산 이온(SO_4^{2-})은 반응에 참여하지 않으므로 수용액의 전체 이온 수는 반응 전과 후가 같다.

04 꼼꼼 문제 분석

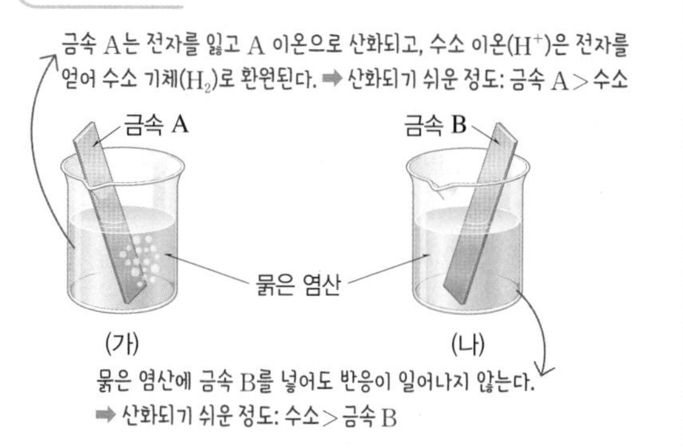

ㄱ. (가)에서 반응이 일어나므로 금속 A는 산화되고, (나)에서 반응이 일어나지 않으므로 금속 B는 산화되지 않는다. 따라서 금속 A는 금속 B보다 산화되기 쉽다.
ㄷ. 금속 A가 잃은 총 전자 수와 수소 이온(H^+)이 얻은 총 전자 수는 같다.
바로알기 ㄴ. 산화제는 자신은 환원되면서 다른 물질을 산화시키는 물질이다. 금속 A는 전자를 잃고 산화되면서 수소 이온을 수소 기체(H_2)로 환원시키므로, 금속 A는 환원제이다.

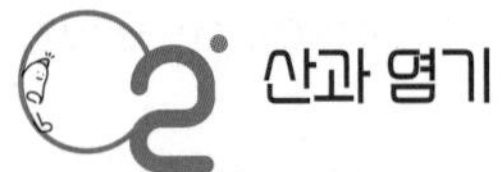

산과 염기

개념 확인 문제

229쪽

❶ 수소 이온(H^+) ❷ 신 ❸ 수소(H_2) ❹ 이산화 탄소(CO_2) ❺ 붉 ❻ 수산화 이온(OH^-) ❼ 쓴 ❽ 단백질 ❾ 푸르 ❿ 붉

1 (1) Cl^- (2) $2H^+$ (3) CH_3COO^- (4) KOH (5) $2OH^-$ **2** (1) ○ (2) × (3) ○ (4) ○ (5) × **3** 이온 **4** (−) **5** (1) ㄴ, ㅁ, ㅂ (2) ㄱ, ㄴ, ㄷ, ㄹ, ㅁ, ㅂ (3) ㄱ, ㄷ, ㄹ (4) ㄱ, ㄷ, ㄹ

1 산은 물에 녹아 H^+과 음이온으로 나누어지고, 염기는 물에 녹아 양이온과 OH^-으로 나누어진다. 이때 수용액은 전기적으로 중성이어야 하므로 양이온 전하의 전체 합과 음이온 전하의 전체 합이 같아야 한다.

(1) $HCl \longrightarrow H^+ + Cl^-$

(2) $H_2SO_4 \longrightarrow 2H^+ + SO_4^{2-}$

(3) $CH_3COOH \longrightarrow H^+ + CH_3COO^-$

(4) $KOH \longrightarrow K^+ + OH^-$

(5) $Ca(OH)_2 \longrightarrow Ca^{2+} + 2OH^-$

2 (1) 산은 물에 녹아 이온화하여 H^+을 내놓는다.

(2) 묽은 황산(H_2SO_4)은 산성 용액이므로 마그네슘(Mg)과 반응하여 수소 기체(H_2)를 발생시킨다.

(3) 염기는 물에 녹아 공통으로 OH^-을 내놓기 때문에 공통적인 성질을 나타낸다.

(4) 염기는 단백질을 녹이는 성질이 있으므로 손에 묻으면 미끈거린다.

(5) 수산화 나트륨(NaOH) 수용액은 염기성 용액이므로 페놀프탈레인 용액을 떨어뜨리면 붉은색으로 변한다.

3 산 수용액과 염기 수용액에는 이온이 존재하므로 전류를 흘려 주면 이온이 움직이면서 전류가 흐른다.

4 질산 칼륨(KNO_3) 수용액에 적신 푸른색 리트머스 종이 위에 묽은 염산(HCl)에 적신 실을 올려놓고 전류를 흘려 주면 H^+이 (−)극 쪽으로 이동하므로 푸른색 리트머스 종이가 실에서부터 (−)극 쪽으로 붉게 변해 간다.

5 식초, 레몬 즙, 탄산음료는 산성 물질이고, 비눗물, 유리 세정제, 하수구 세정제는 염기성 물질이다.

(1) 붉은색 리트머스 종이를 푸르게 변화시키는 물질은 염기성 물질인 비눗물, 유리 세정제, 하수구 세정제이다.

(2) 산성 물질과 염기성 물질은 모두 전기 전도성이 있다.

(3), (4) 산성 물질에 대한 설명이다.

개념 확인 문제

231쪽

❶ 지시약 ❷ 붉은색 ❸ 노란색 ❹ 파란색 ❺ pH ❻ 이산화 탄소(CO_2)

1 (1) ○ (2) × **2** (1) ㉢ (2) ㉡ (3) ㉠ **3** (1) ○ (2) × (3) ○ **4** 수소 이온(H^+)

1 (1) 메틸 오렌지 용액은 산성 용액에서 붉은색, 중성 용액과 염기성 용액에서 노란색을 띤다. 따라서 산성 용액인 묽은 염산(HCl)에 메틸 오렌지 용액을 떨어뜨리면 붉은색으로 변한다.

(2) 페놀프탈레인 용액은 산성 용액과 중성 용액에서 색 변화가 없으므로 페놀프탈레인 용액으로 산성 용액과 중성 용액을 구별할 수 없다.

2 (1) 비눗물은 염기성 용액이므로 BTB 용액을 떨어뜨렸을 때 파란색을 띤다.

(2) 증류수는 중성 용액이므로 BTB 용액을 떨어뜨렸을 때 초록색을 띤다.

(3) 식초는 산성 용액이므로 BTB 용액을 떨어뜨렸을 때 노란색을 띤다.

3 (1) pH가 7보다 작은 용액의 액성은 산성, pH가 7인 용액의 액성은 중성, pH가 7보다 큰 용액의 액성은 염기성이다.

(2) 용액 속 H^+ 농도가 진할수록 산성이 강하고, pH가 작다.

(3) pH가 7보다 큰 용액은 염기성 용액이므로 붉은색 리트머스 종이를 푸르게 변화시킨다.

4 동식물의 호흡이나 화석 연료의 연소 과정에서 발생하는 이산화 탄소(CO_2)는 바닷물에 녹아 탄산(H_2CO_3)을 생성한다. 탄산은 $H_2CO_3 \longrightarrow H^+ + HCO_3^-$으로 이온화하므로 바닷물 속 H^+의 농도가 증가하게 된다. 바닷물 속 H^+은 산호나 조개류가 석회질 껍데기를 만드는 것을 방해하여 개체 수 감소를 일으키고 해양 생태계에 전반적인 영향을 미친다.

내신 만점 문제

232~234쪽

01 ⑤	02 ③	03 ②	04 ③	05 ㄴ	06 ⑤
07 ③	08 ①	09 ②	10 ④	11 ②	12 ②
13 ③	14 해설 참조				

01 꼼꼼 문제 분석

H^+

• $HCl \longrightarrow$ (㉠) + Cl^-
• $HNO_3 \longrightarrow$ (㉠) + NO_3^-

ㄱ, ㄴ. ㉠은 H^+으로 산의 공통적인 성질이 나타나게 한다.
ㄷ. 산의 종류에 따라 성질이 다른 까닭은 산의 종류에 따라 음이온이 각각 다르기 때문이다.

02 **바로알기** ① $H_2SO_4 \longrightarrow 2H^+ + SO_4^{2-}$
② $NaOH \longrightarrow Na^+ + OH^-$
④ $Ca(OH)_2 \longrightarrow Ca^{2+} + 2OH^-$
⑤ $CH_3COOH \longrightarrow H^+ + CH_3COO^-$

03 ③ 산 수용액과 염기 수용액에는 모두 이온이 존재하므로 전기 전도성이 있다.
④ 묽은 질산(HNO_3)은 산성 용액이므로 금속과 반응하여 수소 기체(H_2)를 발생시킨다.
⑤ 수산화 칼륨(KOH) 수용액은 염기성 용액이므로 페놀프탈레인 용액을 떨어뜨리면 붉은색으로 변한다.
바로알기 ② 염기 수용액은 탄산 칼슘($CaCO_3$)과 반응하지 않는다.

04 꼼꼼 문제 분석

물질	(가)	(나)	(다)
양이온	H^+	K^+	Ca^{2+}
음이온	Cl^-	OH^-	OH^-

(가) $HCl \longrightarrow H^+ + Cl^-$ 산성 용액
(나) $KOH \longrightarrow K^+ + OH^-$ 염기성 용액
(다) $Ca(OH)_2 \longrightarrow Ca^{2+} + 2OH^-$ 염기성 용액

(가)는 염산(HCl), (나)는 수산화 칼륨(KOH), (다)는 수산화 칼슘($Ca(OH)_2$)이다.
ㄱ. (가)는 물에 녹아 H^+을 내놓으므로 산이고, (나)와 (다)는 물에 녹아 OH^-을 내놓으므로 염기이다.
ㄴ. (나)는 염기이므로 단백질을 녹이는 성질이 있다.
바로알기 ㄷ. (다)에서 양이온과 음이온 수의 비는 1 : 2이다.

05 기준 (가)에 해당하는 염산(HCl)과 질산(HNO_3)은 산이고, 기준 (가)에 해당하지 않는 수산화 나트륨(NaOH)과 수산화 칼륨(KOH)은 염기이다.
ㄴ. 수용액에 탄산 칼슘($CaCO_3$)을 넣으면 기체가 발생하는 것은 산에만 해당하는 성질이다.
바로알기 ㄱ. 수용액에서 전류가 흐르는 것은 산과 염기의 공통적인 성질이다.
ㄷ. 수용액에 페놀프탈레인 용액을 넣으면 붉게 변하는 것은 염기에만 해당하는 성질이다.

06 ㄱ. HA는 물에 녹아 다음과 같이 이온으로 나누어지므로 전기 전도성이 있다.

$$HA \longrightarrow H^+ + A^-$$

ㄴ. 산 수용액은 금속과 반응하여 수소 기체(H_2)를 발생시킨다.
ㄷ. 푸른색 리트머스 종이가 붉게 변하는 까닭은 수용액에 ㉠인 H^+이 들어 있기 때문이다.

07 꼼꼼 문제 분석

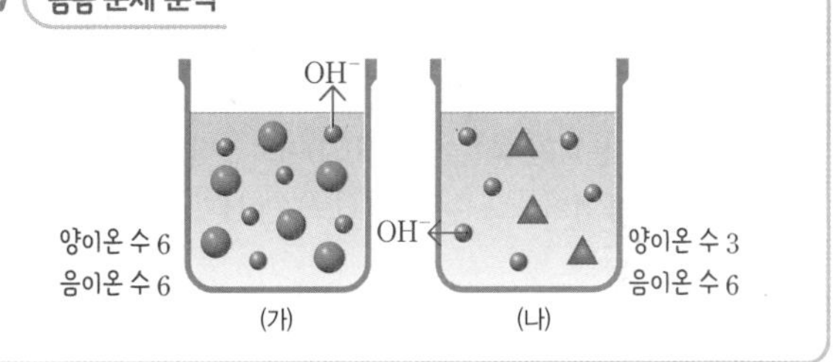

ㄱ. (가)와 (나)에는 모두 ●가 있으므로, ●는 OH^-이다.
ㄴ. 양이온 수는 (가)가 6, (나)가 3이므로 (가)가 (나)보다 크다.
바로알기 ㄷ. 염기성 용액에 BTB 용액을 떨어뜨리면 모두 파란색으로 변하므로, BTB 용액을 이용하여 두 수용액을 구별할 수 없다.

08 꼼꼼 문제 분석

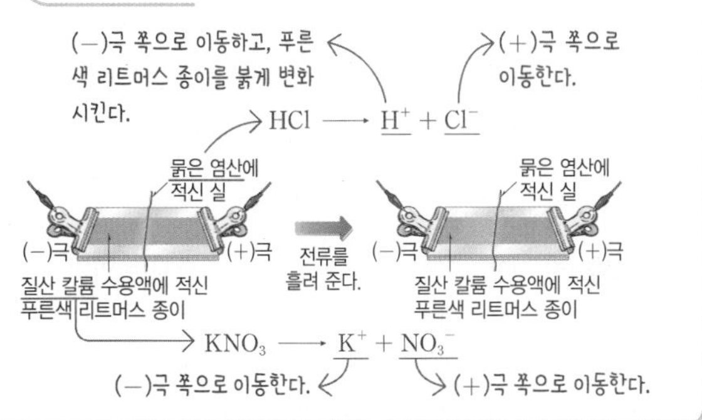

ㄱ. 푸른색 리트머스 종이를 붉게 변화시키는 이온은 H^+으로, 전류를 흘려 주면 실에서부터 (−)극 쪽으로 이동한다. 따라서 붉은색의 이동은 H^+ 때문에 나타난다.
바로알기 ㄴ. (+)극 쪽으로 이동하는 이온은 Cl^-과 NO_3^-으로 두 가지이다.
ㄷ. 수산화 나트륨(NaOH) 수용액은 염기성 용액이므로 푸른색 리트머스 종이의 색을 변화시키지 못한다. 따라서 전류를 흘려 주어도 리트머스 종이의 색 변화가 없다.

09 꼼꼼 문제 분석

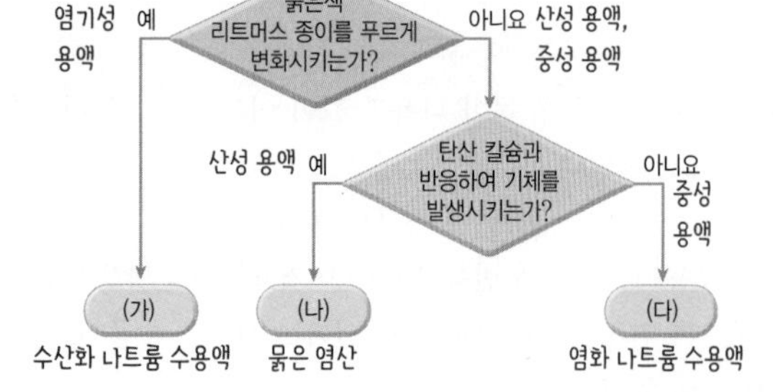

ㄷ. (가)는 수산화 나트륨(NaOH) 수용액, (다)는 염화 나트륨(NaCl) 수용액이므로 (가)와 (다)에는 모두 Na^+이 들어 있다.

바로알기 ㄱ. (가)는 수산화 나트륨 수용액이므로 아연(Zn) 조각을 넣어도 반응이 일어나지 않는다.

ㄴ. (나)는 산성 용액인 묽은 염산(HCl)이고, (다)는 중성 용액인 염화 나트륨 수용액이므로 (나)는 (다)보다 pH가 작다.

10 꼼꼼 문제 분석

	산성 물질		염기성 물질
물질	식초	레몬 즙	유리 세정제
리트머스 종이를 대었을 때	푸른색 → 붉은색	푸른색 → 붉은색	붉은색 → 푸른색
마그네슘 리본을 넣었을 때	(가) 기체 발생	기체 발생	(나) 변화 없음
전기 전도계를 담갔을 때	전류 흐름	(다) 전류 흐름	전류 흐름

(가)~(다) 모두 전류가 흐르는 것으로 보아 세 물질에는 모두 이온이 존재한다.

ㄴ. 레몬 즙에 푸른색 리트머스 종이를 대면 붉은색으로 변하고, 마그네슘(Mg) 리본을 넣었을 때 기체가 발생하는 것으로 보아 레몬 즙은 산성 물질이고, 레몬 즙에는 이온이 존재한다. 따라서 (다)는 '전류 흐름'이 적절하다.

ㄷ. 식초와 레몬 즙은 산성 물질이고, 유리 세정제는 염기성 물질이므로 pH는 식초와 레몬 즙이 유리 세정제보다 작다.

바로알기 ㄱ. 식초에 마그네슘 리본을 넣으면 기체가 발생하고, 유리 세정제에 마그네슘 리본을 넣으면 기체가 발생하지 않는다.

11 꼼꼼 문제 분석

구분	A 수용액	B 수용액	C 수용액	D 수용액
페놀프탈레인 용액	무색	붉은색	무색	무색
메틸 오렌지 용액	(가) 붉은색	노란색	노란색	붉은색
BTB 용액	노란색	파란색	(나) 초록색	노란색

(B 수용액: 염기성 용액, C 수용액: 중성 용액, A 수용액과 D 수용액: 산성 용액)

ㄴ. B 수용액은 페놀프탈레인 용액을 떨어뜨렸을 때 붉은색, 메틸 오렌지 용액을 떨어뜨렸을 때 노란색, BTB 용액을 떨어뜨렸을 때 파란색을 띠므로 염기성 용액이다. 따라서 B 수용액에는 OH^-이 들어 있다.

바로알기 ㄱ. A 수용액은 페놀프탈레인 용액을 떨어뜨렸을 때 색 변화가 없고, BTB 용액을 떨어뜨렸을 때 노란색을 띠므로 산성 용액이다. 따라서 메틸 오렌지 용액을 떨어뜨리면 붉은색을 띤다. C 수용액은 페놀프탈레인 용액을 떨어뜨렸을 때 색 변화가 없고, 메틸 오렌지 용액을 떨어뜨렸을 때 노란색을 띠므로 중성 용액이다. 따라서 BTB 용액을 떨어뜨리면 초록색을 띤다.

ㄷ. 마그네슘(Mg) 조각을 넣었을 때 기체가 발생하는 수용액은 산성 용액으로 A와 D 두 가지이다.

12 ① 비누의 pH는 7보다 크므로 비누는 염기성 물질이다.

③ pH가 작을수록 산성이 강하므로 산성이 가장 강한 물질은 레몬이다.

④ 탄산음료와 커피는 pH가 7보다 작은 산성 물질이므로 모두 H^+이 들어 있다.

⑤ 수용액에 페놀프탈레인 용액을 떨어뜨렸을 때 붉게 변하는 물질은 염기성 물질로, pH가 7보다 큰 물질이다. 주어진 물질 중 pH가 7보다 큰 물질은 베이킹 소다와 비누로 두 가지이다.

바로알기 ② 증류수의 pH는 7이므로 증류수의 액성은 중성이지만 우유의 pH는 7보다 작으므로 우유의 액성은 산성이다.

13 ㄱ, ㄴ. 동식물의 호흡이나 화석 연료의 연소 과정에서 발생하는 이산화 탄소(CO_2)는 바닷물에 녹아 탄산(H_2CO_3)을 생성하고, 탄산은 수소 이온(H^+)과 탄산수소 이온(HCO_3^-)으로 이온화한 형태로 존재한다. 따라서 바닷물 속 H^+의 농도가 증가한다.

$$CO_2 + H_2O \longrightarrow H_2CO_3$$

$$H_2CO_3 \longrightarrow H^+ + HCO_3^-$$

바로알기 ㄷ. H^+의 농도가 증가하면 바닷물의 pH가 작아지고 산호나 조개류의 개체 수가 감소한다.

14 꼼꼼 문제 분석

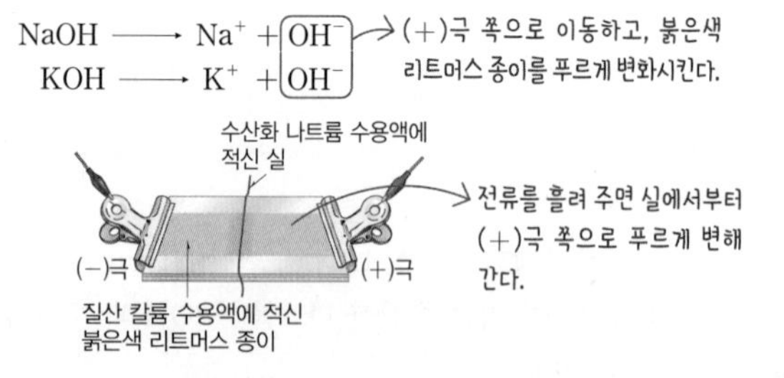

모범 답안 수산화 나트륨(NaOH) 수용액과 수산화 칼륨(KOH) 수용액에 공통으로 들어 있는 OH^-이 (+)극 쪽으로 이동하기 때문이다.

채점 기준	배점
색 변화의 까닭을 옳게 서술한 경우	100 %
OH^- 때문이라고만 서술한 경우	50 %

실력 UP 문제

235쪽

01 ② 02 ③ 03 ② 04 ②

01 꼼꼼 문제 분석

수용액	(가) 산성	(나) 염기성	(다) 중성
이온 모형	H^+	OH^-	
BTB 용액	노란색	파란색	초록색

(다)에는 H^+, OH^-이 존재하지 않는다.

ㄴ. (나)에서 BTB 용액의 색을 변화시키는 것은 OH^-인 ■이다.

바로알기 ㄱ. (가)와 (다)에 들어 있는 양이온의 종류는 서로 다르고, 음이온의 종류는 같다.

ㄷ. 메틸 오렌지 용액은 산성에서 붉은색, 중성과 염기성에서 노란색이므로, 메틸 오렌지 용액을 떨어뜨렸을 때 노란색을 나타내는 수용액은 (나)와 (다) 두 가지이다.

02 꼼꼼 문제 분석

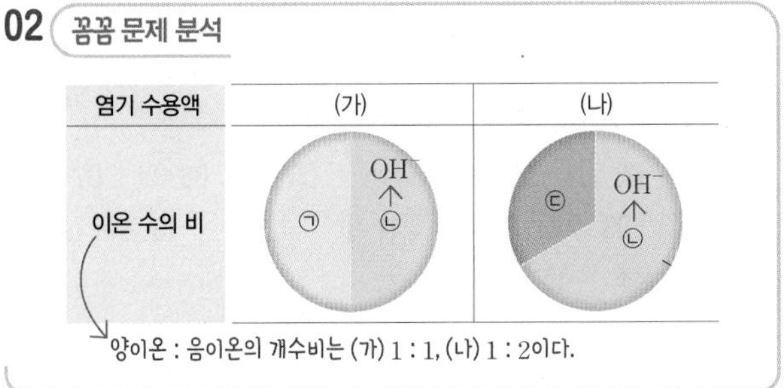

염기 수용액
(가)
(나)
이온 수의 비
㉠
㉡
㉢
OH^-
OH^-
양이온 : 음이온의 개수비는 (가) 1 : 1, (나) 1 : 2이다.

ㄱ. ㉡은 (가)와 (나)에 모두 녹아 있으므로 염기성을 나타내는 OH^-이다.

ㄷ. 수산화 칼슘($Ca(OH)_2$)은 물에 녹아 이온화하였을 때 양이온과 음이온의 개수비가 1 : 2로 존재한다.

$$Ca(OH)_2 \longrightarrow Ca^{2+} + 2OH^-$$

따라서 수산화 칼슘은 (나) 수용액에 녹아 있는 염기의 예로 적절하다.

바로알기 ㄴ. (가)는 ㉠과 ㉡이 1 : 1의 개수비로 존재하므로 ㉠의 전하량은 +1이고, (나)는 ㉢과 ㉡이 1 : 2의 개수비로 존재하므로 ㉢의 전하량은 +2이다. 따라서 ㉠의 전하량은 ㉢의 전하량보다 작다.

03 꼼꼼 문제 분석

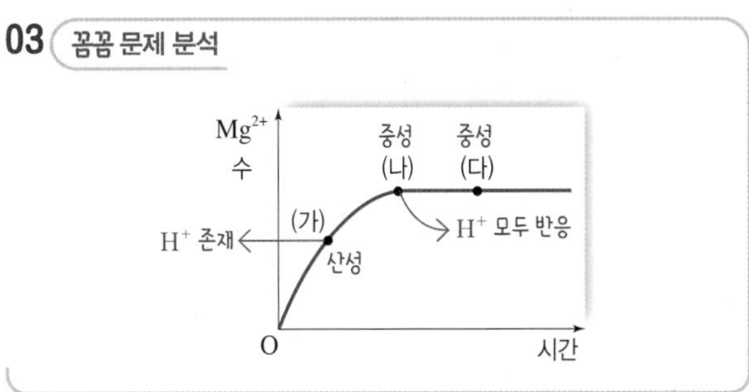

① (가)에는 H^+이 존재하므로 수용액의 액성은 산성이다.

③ 반응이 일어나면 H^+ 수가 감소하므로 수용액의 pH는 증가한다. 따라서 수용액의 pH는 (가)<(나)이다.

④ (다)는 반응이 완결된 이후이므로 수용액 속에 H^+이 존재하지 않는다. 따라서 수용액의 액성은 중성이고, 페놀프탈레인 용액을 떨어뜨려도 붉은색으로 변하지 않는다.

⑤ (가)~(다) 수용액에는 이온이 존재하므로 모두 전류가 흐른다.

바로알기 ② H^+ 2개가 반응하여 Mg^{2+} 1개를 생성하므로 반응이 일어날 때 전체 양이온 수는 감소한다. (가)는 반응이 완결되기 전이고, (나)는 반응이 완결된 순간이므로 수용액 속 전체 양이온 수는 (나)<(가)이다.

04 꼼꼼 문제 분석

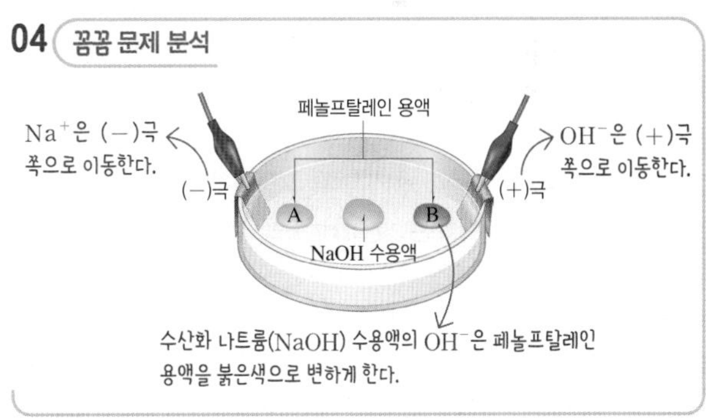

ㄴ. 수산화 나트륨(NaOH) 수용액과 수산화 칼륨(KOH) 수용액은 모두 염기성 용액이므로 수산화 나트륨 수용액 대신 수산화 칼륨 수용액으로 실험해도 같은 결과가 나타난다.

바로알기 ㄱ. 전류를 흘려 주었을 때 B에 떨어뜨린 페놀프탈레인 용액이 붉은색으로 변하는 것으로 보아 OH^-은 (+)극 쪽으로 이동한다.

ㄷ. 수산화 나트륨 수용액 대신 묽은 염산(HCl)으로 실험하면 H^+은 (−)극 쪽으로 이동하고, Cl^-은 (+)극 쪽으로 이동한다. 페놀프탈레인 용액은 산성과 중성 용액에서 색 변화가 없으므로 A와 B에 떨어뜨린 페놀프탈레인 용액은 모두 색 변화가 없다.

3 중화 반응

개념 확인 문제

238쪽

❶ 중화 반응 ❷ 1 : 1 ❸ H^+(OH^-) ❹ OH^-(H^+)
❺ 중화점 ❻ 산성 ❼ 염기성 ❽ 중화열

1 (1) ○ (2) ○ (3) × (4) × (5) ○ **2** (1) (가) 파란색 (나) 파란색 (다) 초록색 (라) 노란색 (2) (다) **3** 염기성 **4** B **5** (1) × (2) ○ (3) × (4) ○ (5) ○

1 (1), (2) 중화 반응에서 산의 H^+과 염기의 OH^-은 1 : 1의 개수비로 반응하여 물을 생성한다.
(3) 염은 산의 음이온과 염기의 양이온이 결합하여 생성된 물질이다.
(4) 중화점은 H^+과 OH^-이 모두 반응하여 산과 염기가 완전히 중화된 지점이므로 용액의 액성은 중성이다. 따라서 BTB 용액을 넣으면 초록색을 띤다.
(5) 같은 온도의 산성 용액과 염기성 용액을 혼합하면 중화 반응이 일어나 중화열이 발생하므로 용액의 온도가 높아진다.

2 (1) (가)와 (나)는 OH^-이 존재하는 염기성 용액이므로 BTB 용액을 떨어뜨리면 파란색을 띤다. (다)는 H^+과 OH^-이 모두 반응하여 존재하지 않는 중성 용액이므로 BTB 용액을 떨어뜨리면 초록색을 띤다. (라)는 H^+이 존재하는 산성 용액이므로 BTB 용액을 떨어뜨리면 노란색을 띤다.
(2) 반응하는 H^+과 OH^-의 수가 많을수록 중화열이 많이 발생하므로 중화 반응이 많이 진행될수록 용액의 온도가 높아진다. 따라서 (가)에 들어 있는 OH^- 2개가 모두 반응하여 산과 염기가 완전히 중화된 (다)에서 용액의 최고 온도가 가장 높다. (라)는 (다)보다 온도가 낮은 묽은 염산(HCl)을 더 넣어 준 것이므로 (라)의 최고 온도는 (다)보다 낮다.

3 산의 H^+과 염기의 OH^-은 1 : 1의 개수비로 반응하여 물(H_2O)을 생성하므로 H^+의 수가 10개인 산성 용액과 OH^-의 수가 20개인 염기성 용액을 혼합하면 물 분자 10개가 생성되고, OH^- 10개가 남는다. 따라서 혼합 용액의 액성은 염기성이다.

4 용액의 최고 온도가 가장 높은 B에서 중화 반응이 가장 많이 일어났으므로 생성된 물의 양이 가장 많다.

5 (1) 표백제로 옷을 하얗게 만드는 것은 산화 환원 반응의 예이다.
(2) 생선 비린내의 원인이 되는 물질은 염기성 물질로 산성 물질인 레몬 즙을 뿌려 비린내를 제거하는 것은 중화 반응의 예이다.
(3) 깎아 놓은 사과가 갈색으로 변하는 것은 산화 환원 반응의 예이다.
(4) 산성화된 토양에 염기성 물질인 석회 가루를 뿌리는 것은 중화 반응의 예이다.
(5) 공장에서 산성비의 원인이 되는 이산화 황을 배출하기 전에 염기인 산화 칼슘으로 중화하여 제거하는 것은 중화 반응의 예이다.

완자쌤 비법 특강

239쪽

Q1 (다)
Q2 해설 참조

[Q1~Q2] (나)에서 혼합 용액 12 mL에 존재하는 이온 수는 H^+ 4, Cl^- 8, Na^+ 4이다.
➡ 수산화 나트륨(NaOH) 수용액 4 mL에 존재하는 이온 수는 Na^+ 4, OH^- 4이고, 생성된 물 분자 수는 4이다.
➡ 묽은 염산(HCl) 8 mL에 존재하는 이온 수는 H^+ 8, Cl^- 8이다.
(다)에서는 묽은 염산 8 mL와 수산화 나트륨 수용액 8 mL가 반응하여 물 분자 8개를 생성한다.
➡ 용액 속에 H^+과 OH^-은 남아 있지 않고, Na^+과 Cl^-만 같은 수(각 8개)로 남아 있다.

Q2 모범 답안

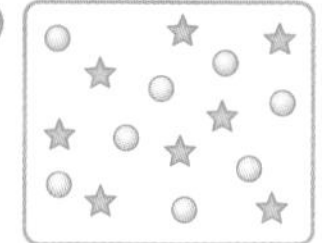

내신 만점 문제

240~242쪽

01 ④ 02 ② 03 ④ 04 ④ 05 ⑤ 06 ③ 07 ④ 08 ② 09 ⑤ 10 ③ 11 ③ 12 ⑤ 13 해설 참조 14 해설 참조 15 해설 참조

01 ①, ② 중화 반응은 산의 H^+과 염기의 OH^-이 1 : 1의 개수비로 반응하여 물을 생성하는 반응이다.
③ 산의 H^+과 염기의 OH^-이 모두 반응하여 완전히 중화된 지점이 중화점이다.
⑤ 중화 반응에서 염은 산의 음이온과 염기의 양이온이 결합하여 생성된 물질이다.
바로알기 ④ 중화 반응이 일어나면 중화열이 발생하므로 혼합 용액의 온도가 높아진다.

02 ② 중화 반응에서 H^+과 OH^-은 1 : 1의 개수비로 반응하여 물을 생성하며, H^+과 OH^-이 모두 반응하여 중화 반응이 완결되었을 때 용액의 액성은 중성이 된다. 따라서 혼합 전 수산화 나트륨(NaOH) 수용액 50 mL에 들어 있는 OH^-의 개수는 H^+과 같은 100개이다.

03 꼼꼼 문제 분석

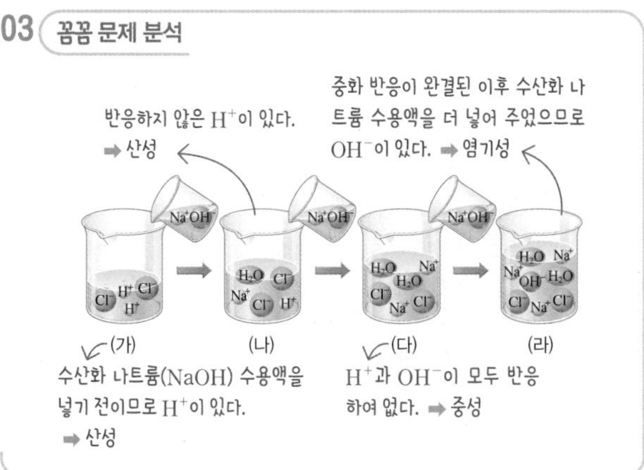

ㄴ. 중화 반응이 많이 일어날수록 중화열이 많이 발생하므로 중화 반응이 완결된 (다)에서 용액의 최고 온도가 가장 높다. (라)는 중화 반응이 더 이상 일어나지 않고 (다)보다 온도가 낮은 수산화 나트륨(NaOH) 수용액이 가해진 용액이므로 (다)보다 온도가 낮다.
ㄷ. (나)에는 H^+ 1개가 들어 있고, (라)에는 OH^- 1개가 들어 있으므로 (나)와 (라)를 혼합한 용액의 액성은 중성이다. 따라서 BTB 용액을 떨어뜨리면 초록색을 띤다.
바로알기 ㄱ. (가)와 (나)는 산성, (다)는 중성, (라)는 염기성 용액이므로 pH가 가장 큰 용액은 (라)이다.

04 꼼꼼 문제 분석

산의 H^+과 염기의 OH^-은 1 : 1의 개수비로 반응하여 물을 생성한다.

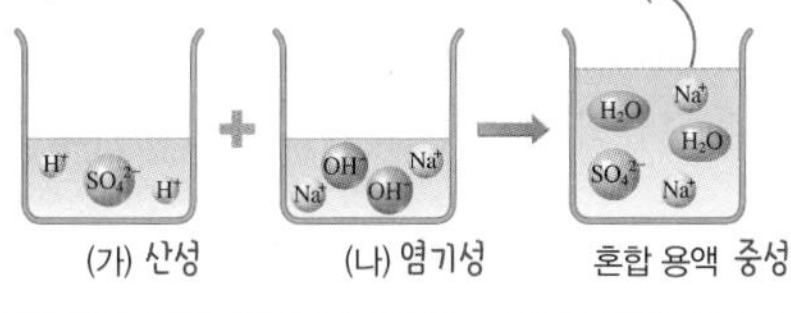

ㄴ. (가)와 (나)를 혼합하면 중화 반응이 일어나 중화열이 발생하므로 용액의 최고 온도는 혼합 용액이 (가)보다 높다.
ㄷ. (가)의 H^+ 2개와 (나)의 OH^- 2개가 반응하여 물 분자 2개를 생성하므로 생성된 물 분자 수는 (나)에 들어 있는 Na^+의 수(2개)와 같다.
바로알기 ㄱ. (가)의 H^+ 2개와 (나)의 OH^- 2개가 모두 반응하여 혼합 용액에는 남아 있는 H^+이나 OH^-이 없으므로 혼합 용액의 액성은 중성이고, pH는 7이다.

05 꼼꼼 문제 분석

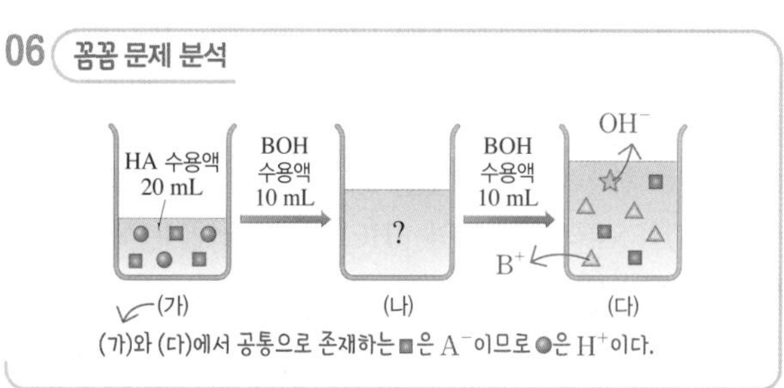

ㄱ, ㄴ. 혼합 용액의 액성은 산성이므로 BTB 용액을 떨어뜨리면 노란색으로 변한다.
ㄷ. 혼합 전 묽은 염산(HCl)에 들어 있는 H^+의 수(3개)는 수산화 칼륨(KOH) 수용액에 들어 있는 OH^-의 수(2개)보다 크다.

06 꼼꼼 문제 분석

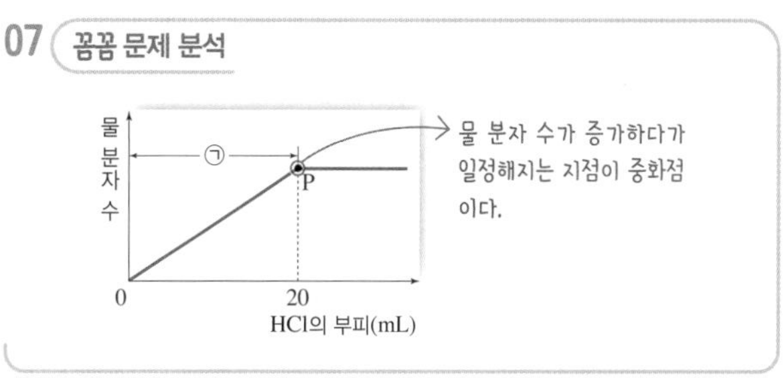

ㄱ. (가)와 (다)로부터 반응에 참여하지 않아 입자 수가 같은 ■은 산의 음이온인 A^-이므로 ●은 H^+임을 알 수 있다. 이때 (다)에 존재하는 △는 염기의 양이온인 B^+이고, ☆은 OH^-에 해당한다.
ㄴ. BOH 10 mL에는 B^+ 2개, OH^- 2개가 존재하므로 (나)에서는 H^+ 2개와 OH^- 2개가 반응하여 물을 생성하고, H^+ 1개가 남는다. 따라서 (나)에서 혼합 용액의 액성은 산성이다.
바로알기 ㄷ. (나)와 (다)에 들어 있는 물 분자 수는 (나) 2, (다) 3이다.

07 꼼꼼 문제 분석

물 분자 수
㉠
P
0
20
HCl의 부피(mL)
물 분자 수가 증가하다가 일정해지는 지점이 중화점이다.

ㄴ. 수산화 나트륨(NaOH) 수용액에 묽은 염산(HCl)을 조금씩 넣으면 혼합 용액의 액성은 염기성에서 중성, 산성으로 변하게 되므로 혼합 용액은 붉은색에서 무색으로 변한다.
ㄷ. 묽은 염산 20 mL를 가했을 때 생성된 물 분자 수가 가장 많고 그 이후에는 더 이상 물이 생성되지 않으므로 중화점에 해당함을 알 수 있다. 따라서 묽은 염산 20 mL를 가한 P 지점에서 혼합 용액의 온도가 가장 높다.
바로알기 ㄱ. 중화 반응이 진행됨에 따라 혼합 용액의 액성이 달라지므로 ㉠ 구간에서 혼합 용액의 pH는 점점 감소한다.

08 꼼꼼 문제 분석

같은 농도의 묽은 염산과 수산화 나트륨 수용액은 1 : 1의 부피비로 반응한다.

구분		(가)	(나)	(다)	(라)
묽은 염산의 부피(mL)		10	20	30	40
수산화 나트륨 수용액의 부피(mL)		50	40	30	20
반응한 용액(mL)	묽은 염산	10	20	30	20
	수산화 나트륨 수용액	10	20	30	20
혼합 용액에 남아 있는 H^+ 또는 OH^-		OH^-	OH^-	없음	H^+
혼합 용액의 액성		염기성	염기성	중성	산성

ㄷ. (나)에는 반응하지 않은 OH^-이 남아 있고, (라)에는 반응하지 않은 H^+이 남아 있다. 따라서 H^+은 (나)에는 존재하지 않고, (라)에만 존재한다.

바로알기 ㄱ. 반응하는 H^+과 OH^-의 수가 많을수록 중화열이 많이 발생한다. 따라서 묽은 염산(HCl) 30 mL와 수산화 나트륨(NaOH) 수용액 30 mL가 모두 반응하여 중화 반응이 완결된 (다)에서 용액의 최고 온도가 가장 높다.

ㄴ. 혼합 용액에 들어 있는 이온의 종류는 (가) Cl^-, Na^+, OH^-, (나) Cl^-, Na^+, OH^-, (다) Cl^-, Na^+, (라) H^+, Cl^-, Na^+이다. 따라서 혼합 용액에 들어 있는 이온의 종류가 가장 적은 것은 (다)이다.

09 꼼꼼 문제 분석

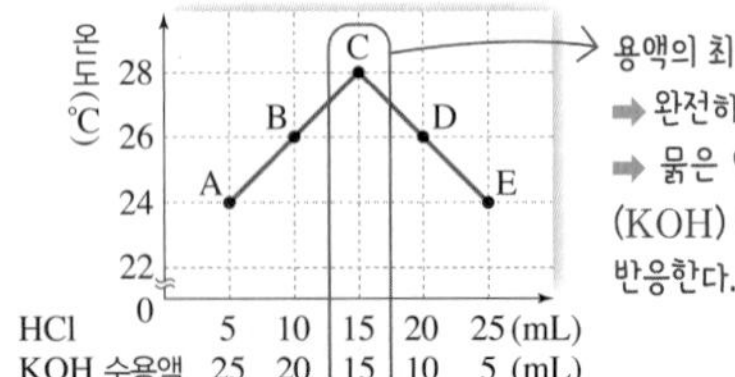

용액의 최고 온도가 가장 높다.
➡ 완전히 중화되었다.
➡ 묽은 염산(HCl)과 수산화 칼륨(KOH) 수용액은 1 : 1의 부피비로 반응한다.

구분		A	B	C	D	E
반응한 용액(mL)	묽은 염산	5	10	15	10	5
	수산화 칼륨 수용액	5	10	15	10	5
혼합 용액에 남아 있는 H^+ 또는 OH^-		OH^-	OH^-	없음	H^+	H^+
혼합 용액의 액성		염기성	염기성	중성	산성	산성

① A와 B에는 반응하지 않은 OH^-이 남아 있으므로 A와 B의 액성은 염기성이다.

② C에서 용액의 최고 온도가 가장 높은 것으로 보아 C는 산과 염기가 완전히 중화된 상태이다.

③ B와 D에서는 묽은 염산(HCl)과 수산화 칼륨(KOH) 수용액이 각각 10 mL씩 반응하여 물을 생성하므로 B와 D에서 생성된 물의 양은 같다.

④ E에는 반응하지 않은 H^+이 남아 있으므로 E와 온도가 같은 수산화 나트륨(NaOH) 수용액을 넣어 주면 중화 반응이 일어나 용액의 온도가 높아진다.

바로알기 ⑤ D와 E에는 반응하지 않은 H^+이 남아 있으므로 D와 E의 액성은 산성이다. 따라서 페놀프탈레인 용액을 떨어뜨려도 색이 변하지 않는다.

10 꼼꼼 문제 분석

구분		(가)	(나)	(다)
혼합 전 부피(mL)	묽은 염산	40	60	80
	수산화 나트륨 수용액	80	60	40
최고 온도(℃)		28	t_1	28
혼합 용액에 존재하는 이온의 종류 수(개)		㉠	2	㉡

(나)에서 혼합 용액에 존재하는 이온의 종류 수가 2개이므로 중화 반응이 완전히 일어났으며, 묽은 염산(HCl)과 수산화 나트륨(NaOH)) 수용액은 1 : 1의 부피비로 반응한다는 것을 알 수 있다.

ㄱ. (나)는 중화점이므로 중화열이 가장 많이 발생한다. 따라서 t_1은 28 ℃보다 높다.

ㄷ. 묽은 염산(HCl)과 수산화 나트륨(NaOH) 수용액은 1 : 1의 부피비로 반응하므로 묽은 염산 10 mL에 들어 있는 H^+ 수와 수산화 나트륨 수용액 10 mL에 들어 있는 Na^+ 수는 같다.

바로알기 ㄴ. (가)에는 반응하지 않고 남은 수산화 나트륨 수용액 40 mL가 존재하므로 혼합 용액 속에는 Cl^-, Na^+, OH^-이 들어 있고, (다)에는 반응하지 않고 남은 묽은 염산 40 mL가 존재하므로 혼합 용액 속에는 H^+, Cl^-, Na^+이 들어 있다. 따라서 ㉠과 ㉡은 각각 3이다.

11 ③ 묽은 염산(HCl) 40 mL에 들어 있는 H^+과 Cl^- 수를 각각 4개라고 하면 수산화 나트륨(NaOH) 수용액 40 mL에 들어 있는 Na^+과 OH^- 수도 각각 4개이므로 수산화 나트륨 수용액 80 mL에 들어 있는 Na^+과 OH^- 수는 각각 8개이다. 따라서 (가)에는 Cl^- 4개, OH^- 4개, Na^+ 8개가 존재한다. 즉, (가)에는 서로 다른 종류의 이온이 1 : 1 : 2의 개수비로 존재한다.

12 ① 산성화된 토양에 염기성 물질인 석회 가루를 뿌려 중화시킨다.

② 벌레의 독은 산성 물질이므로 염기성 물질인 암모니아수를 발라 중화시킨다.

③ 김치의 신맛을 줄이기 위해 염기성 물질인 소다를 넣는다.

④ 산성인 위액이 과다하게 분비될 경우 염기성 물질인 제산제를 먹어 중화시킨다.

바로알기 ⑤ 머리카락으로 하수구가 막혔을 때 세정제를 사용하는 것은 단백질을 녹이는 염기성 물질의 성질을 이용한 것이다.

13 꼼꼼 문제 분석

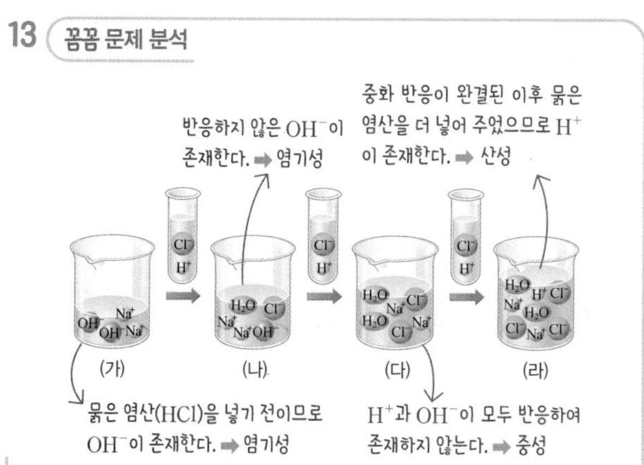

반응하지 않은 OH^-이 존재한다. ➡ 염기성
중화 반응이 완결된 이후 묽은 염산을 더 넣어 주었으므로 H^+이 존재한다. ➡ 산성
(가)
(나)
(다)
(라)
묽은 염산(HCl)을 넣기 전이므로 OH^-이 존재한다. ➡ 염기성
H^+과 OH^-이 모두 반응하여 존재하지 않는다. ➡ 중성

모범 답안 (다), (다)에는 H^+과 OH^-이 모두 반응하여 존재하지 않기 때문이다.

채점 기준	배점
중화점에 도달한 용액을 쓰고, 그 까닭을 옳게 서술한 경우	100 %
중화점에 도달한 용액만 옳게 쓴 경우	50 %

14 꼼꼼 문제 분석

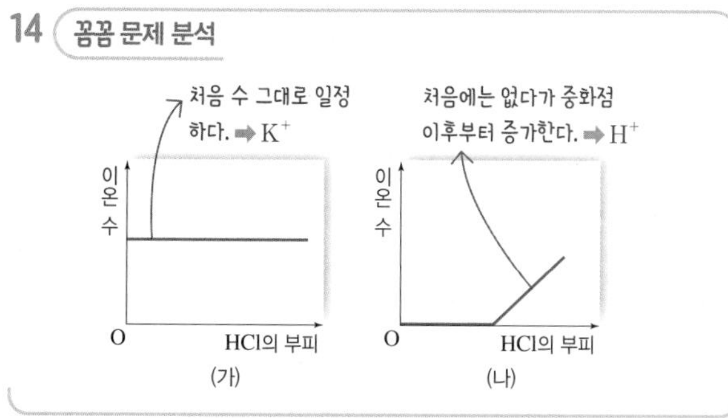

모범 답안 (1) K^+, 반응에 참여하지 않고 처음 수 그대로 일정하기 때문이다.
(2) H^+, OH^-과 반응하므로 처음에는 존재하지 않다가 중화점 이후부터 증가하기 때문이다.

채점 기준		배점
(1)	이온을 쓰고, 그 까닭을 옳게 서술한 경우	50 %
	이온만 옳게 쓴 경우	25 %
(2)	이온을 쓰고, 그 까닭을 옳게 서술한 경우	50 %
	이온만 옳게 쓴 경우	25 %

15 생선 요리에서 나는 비린내는 트라이에틸아민이라는 염기성 물질이므로 레몬 즙을 뿌리면 산성 물질과 반응하여 중화되어 비린내가 줄어든다.

모범 답안 생선 요리에서 나는 비린내 성분은 염기성 물질이므로 산성 물질인 레몬 즙을 뿌리면 중화되어 비린내를 줄일 수 있다.

채점 기준	배점
중화 반응을 이용하여 옳게 서술한 경우	100 %
중화 반응을 이용하여 서술하지 못한 경우	0 %

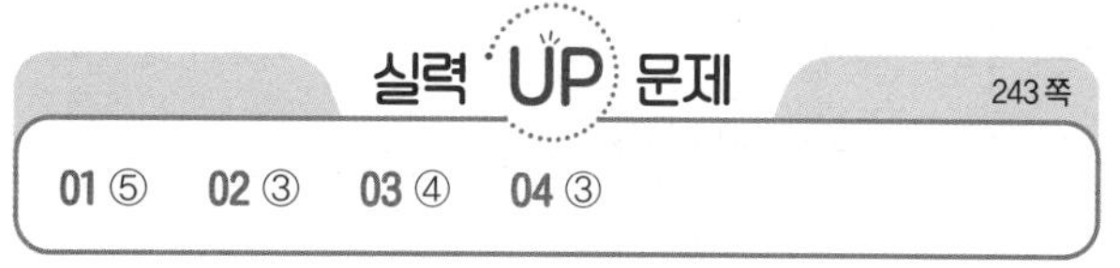

01 꼼꼼 문제 분석

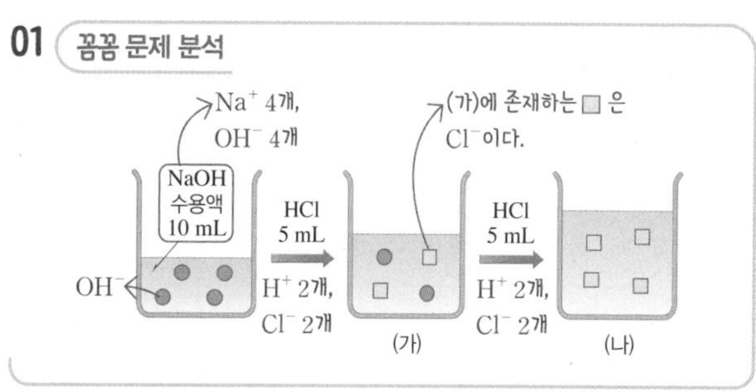

ㄱ. 수산화 나트륨(NaOH) 수용액에 묽은 염산(HCl)을 넣은 후 (가)에 존재하는 □은 중화 반응에 참여하지 않는 Cl^-이다.
ㄴ. (가)는 중화 반응이 절반만 일어난 상태이고, (나)는 중화 반응이 완결된 상태이므로 (나)에서 중화열이 더 많이 발생한다. 따라서 용액의 최고 온도는 (나)가 (가)보다 높다.
ㄷ. 혼합 전 수산화 나트륨 수용액 10 mL에 들어 있는 전체 이온 수는 8개(Na^+ 4개, OH^- 4개)이고, 묽은 염산 5 mL에 들어 있는 전체 이온 수는 4개(H^+ 2개, Cl^- 2개)이므로 같은 부피에 들어 있는 전체 이온 수는 수산화 나트륨 수용액과 묽은 염산이 같다.

02 꼼꼼 문제 분석

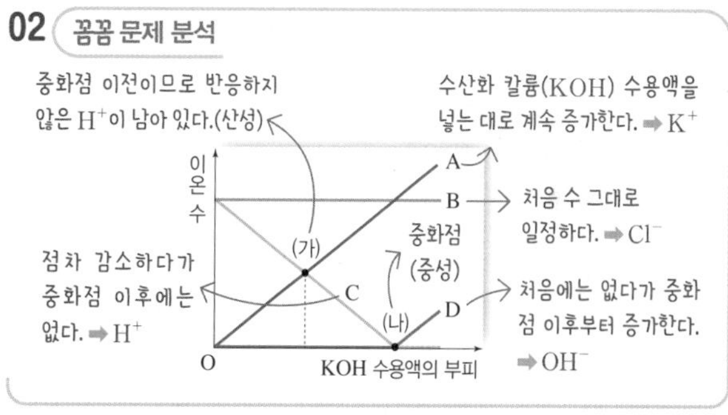

① A는 넣어 준 수산화 칼륨(KOH) 수용액에 따라 그 수가 증가하므로 K^+이고, B는 처음 수 그대로 일정하므로 Cl^-이다. 따라서 A와 B는 중화 반응에 참여하지 않는 이온이다.
② C는 수산화 칼륨 수용액을 넣을수록 점차 감소하다가 중화점 이후에는 존재하지 않으므로 H^+이고, D는 처음에는 없다가 중화점 이후부터 증가하므로 OH^-이다.
④ (가) 용액은 H^+이 존재하므로 산성 용액이고, (나) 용액은 중화점에 도달하였으므로 중성 용액이다. 따라서 용액의 pH는 (나)가 (가)보다 크다.
⑤ (나)는 중화 반응이 완결된 상태이고, (가)는 중화 반응이 절반만 일어난 상태이므로 생성된 물의 양은 (나)가 (가)보다 많다.
바로알기 ③ (가) 용액은 H^+이 존재하는 산성 용액이므로 마그네슘(Mg)과 반응하여 수소 기체(H_2)를 발생시킨다.

03 꼼꼼 문제 분석

구분	혼합 전 용액의 부피(mL)		전체 양이온 수	존재하는 양이온
	묽은 염산	수산화 나트륨 수용액		
(가)	20	20	$10N$	H^+, Na^+
(나)	20	40	$12N$	Na^+

(나)에는 Na^+만 존재한다. ➡ 수산화 나트륨(NaOH) 수용액 40 mL에 포함된 Na^+, OH^- 수는 각각 $12N$이다. ➡ 수산화 나트륨 수용액 20 mL에 포함된 Na^+, OH^- 수는 각각 $6N$이다.
(가)에는 Na^+ $6N$과 H^+ $4N$이 존재한다. ➡ H^+ $6N$은 OH^-과 반응하였다. ➡ 묽은 염산(HCl) 20 mL에 포함된 H^+, Cl^- 수는 각각 $10N$이다.

ㄴ. (나)는 묽은 염산(HCl) 20 mL와 수산화 나트륨(NaOH) 수용액 40 mL를 혼합한 용액이다. 묽은 염산 20 mL에 포함된 H^+ 수는 $10N$, 수산화 나트륨 수용액 40 mL에 포함된 OH^- 수는 $12N$이므로 두 수용액이 반응하면 OH^- $2N$이 남는다. 따라서 혼합 용액은 염기성 용액이다.
ㄷ. 묽은 염산 60 mL에 포함된 H^+ 수는 $30N$, 수산화 나트륨 수용액 100 mL에 포함된 OH^- 수는 $30N$이므로 두 수용액을 혼합한 용액의 액성은 중성이다.
바로알기 ㄱ. (나)에서 혼합 전 수산화 나트륨 수용액 40 mL에 존재하는 Na^+과 OH^- 수는 각각 $12N$이고, (가)에서 혼합 전 수산화 나트륨 수용액 20 mL에 존재하는 Na^+과 OH^- 수는 각각 $6N$이다. 따라서 (가)에 존재하는 H^+ 수는 $10N-6N=4N$이다.

04 꼼꼼 문제 분석

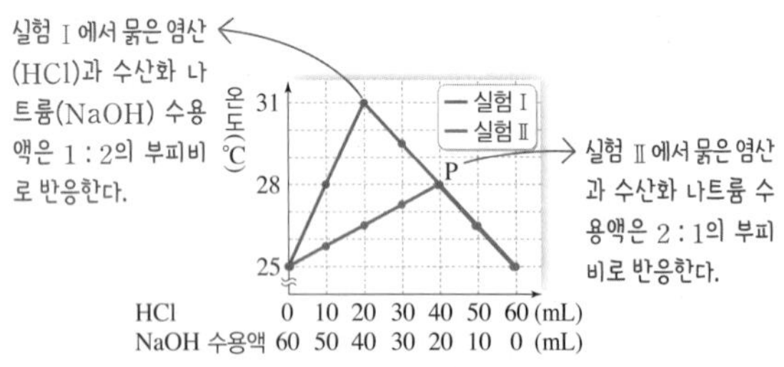

ㄱ. 실험 Ⅰ에서 묽은 염산(HCl) 20 mL와 수산화 나트륨(NaOH) 수용액 40 mL가 반응할 때 H^+과 OH^-이 남김없이 모두 반응한 중화점이다. 따라서 같은 부피에 들어 있는 이온 수는 Cl^-이 Na^+의 2배이다.
ㄴ. 실험 Ⅱ에서 묽은 염산 40 mL와 수산화 나트륨 수용액 20 mL가 반응할 때 H^+과 OH^-이 남김없이 모두 반응한 중화점이다. 이때 실험 Ⅰ과 Ⅱ에서 사용한 수산화 나트륨 수용액은 같으므로 같은 부피에 들어 있는 묽은 염산의 H^+ 수는 실험 Ⅰ이 실험 Ⅱ의 4배임을 알 수 있다. 따라서 같은 부피에 들어 있는 Cl^-의 수는 실험 Ⅰ이 실험 Ⅱ의 4배이다.
바로알기 ㄷ. 실험 Ⅰ과 Ⅱ에서 사용한 수산화 나트륨 수용액은 같고 각 실험에서 사용한 H^+ 수는 실험 Ⅰ이 실험 Ⅱ의 4배이다. 따라서 P에서 생성된 물 분자 수는 실험 Ⅰ과 실험 Ⅱ가 같다.

중단원 핵심 정리

244쪽

❶ 산소 ❷ 얻는 ❸ 잃는 ❹ 잃는 ❺ 얻는 ❻ 수소 이온(H^+) ❼ 수산화 이온(OH^-) ❽ 단백질 ❾ 붉은색 ❿ 붉은색 ⓫ 초록색 ⓬ 물(H_2O) ⓭ 중화열

중단원 마무리 문제

245~248쪽

01 ⑤ 02 ⑤ 03 ③ 04 해설 참조 05 ⑤ 06 ④ 07 ④ 08 ㄱ, ㄹ, ㅁ 09 ② 10 ① 11 ④ 12 ③ 13 ④ 14 ② 15 ③ 16 해설 참조 17 ③ 18 ⑤

01 (가)는 광합성, (나)는 화석 연료의 연소, (다)는 철의 제련 반응이다.
ㄱ. ㉠은 산소(O_2)로 생명체의 호흡에 사용된다.
ㄴ. ㉡과 ㉢은 이산화 탄소(CO_2)로 같은 물질이다.
ㄷ. 광합성, 화석 연료의 연소, 철의 제련은 모두 산소가 관여하는 산화 환원 반응이다.

02 ①, ②, ④ 산화 구리(Ⅱ)(CuO)가 탄소(C)와 반응하면 구리(Cu)와 이산화 탄소(CO_2)가 생성된다. 이때 산화 구리(Ⅱ)는 산소를 잃어 구리로 환원되고, 탄소는 산소를 얻어 이산화 탄소로 산화된다.

$$2CuO + C \longrightarrow 2Cu + CO_2$$
(산화: C → CO_2, 환원: CuO → Cu)

③ 생성된 붉은색 물질은 구리이다.
바로알기 ⑤ 석회수($Ca(OH)_2$)와 이산화 탄소(CO_2)가 반응하면 탄산 칼슘($CaCO_3$)이 생성되므로 뿌옇게 흐려진다. 이 반응은 전자의 이동이 없으므로 산화 환원 반응이 아니다.

03 꼼꼼 문제 분석

산화 구리(Ⅱ)(CuO)가 생성되었기 때문이다.
(가) 붉은색 구리판을 공기 중에서 가열하였더니 검게 변하였다.

산소를 얻음: 산화
$$2Cu + O_2 \longrightarrow 2CuO$$

(나) 검게 변한 구리판을 가열하여 수소 기체가 들어 있는 시험관에 넣었더니 다시 붉은색 구리판이 되었고, 시험관에 액체 물질이 생성되었다. 구리(Cu)로 환원되었기 때문이다.

산소를 얻음: 산화
$$CuO + H_2 \longrightarrow Cu + H_2O$$
산소를 잃음: 환원

ㄱ. (가)에서 구리(Cu)는 산소를 얻어 산화 구리(Ⅱ)(CuO)로 산화된다.

ㄷ. (나)에서 산화 구리(Ⅱ)와 수소(H_2)가 반응하면 구리와 물(H_2O)이 생성된다. 따라서 (나)에서 생성된 액체 물질은 물이다.

바로알기 ㄴ. 검게 변한 구리판은 산화 구리(Ⅱ)이며, (나)에서 산화 구리(Ⅱ)는 산소를 잃고 구리로 환원된다.

04 꼼꼼 문제 분석

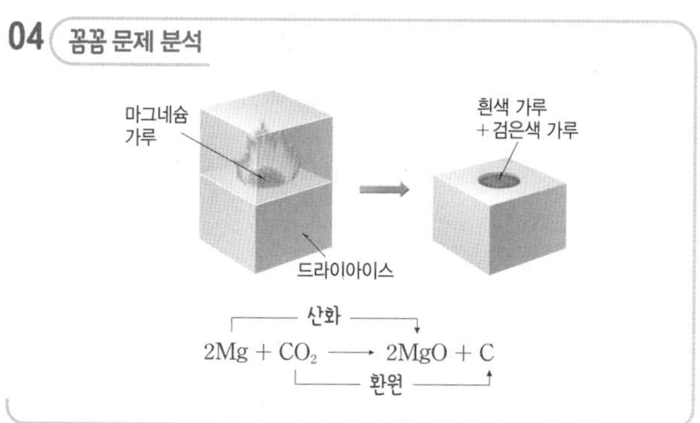

모범 답안 (1) $2Mg+CO_2 \longrightarrow 2MgO+C$
(2) 산화된 물질: Mg, 환원된 물질: CO_2

채점 기준		배점
(1)	화학 반응식을 옳게 나타낸 경우	50 %
(2)	산화된 물질과 환원된 물질을 옳게 쓴 경우	50 %

05 꼼꼼 문제 분석

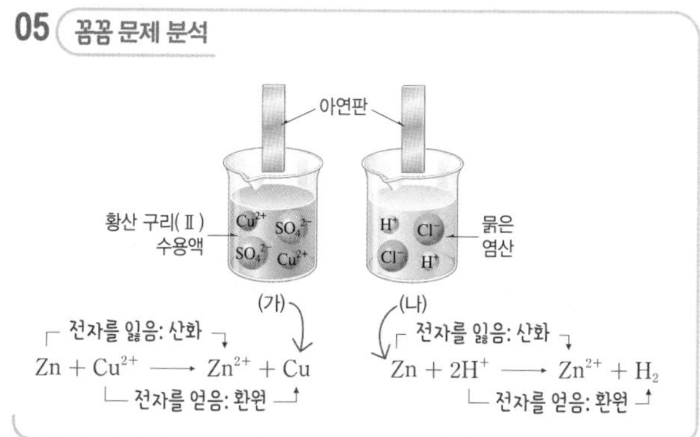

① (가)와 (나)에서 아연(Zn)은 모두 전자를 잃고 아연 이온(Zn^{2+})으로 산화된다.

② (가)에서 구리 이온(Cu^{2+})이 구리(Cu)로 환원되어 석출되므로 수용액 속 구리 이온은 점점 감소한다. 따라서 수용액의 푸른색은 점점 옅어진다.

③ (나)에서 묽은 염산(HCl)과 아연이 반응하면 수소 기체(H_2)가 발생한다.

④ (나)에서 아연이 전자를 잃고 아연 이온으로 산화되어 수용액 속에 녹아 들어가므로 아연판의 질량은 점점 감소한다.

바로알기 ⑤ (가)에서는 구리 이온 1개가 감소할 때 아연 이온 1개가 생성되므로 수용액의 양이온 수 변화는 없다. (나)에서는 수소 이온(H^+) 2개가 감소할 때 아연 이온 1개가 생성되므로 수용액의 양이온 수는 점점 감소한다.

06 꼼꼼 문제 분석

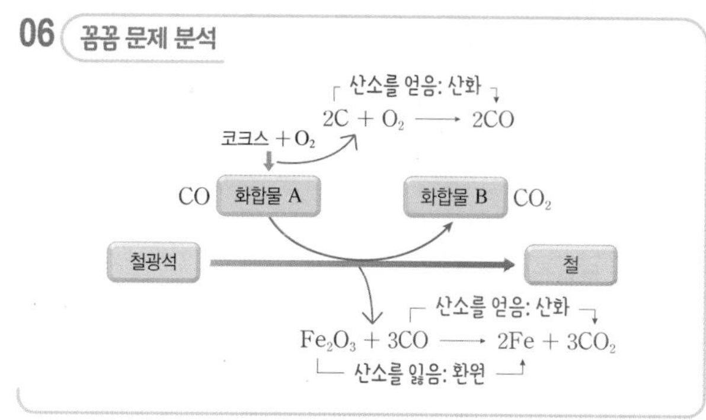

ㄴ. 철광석의 주성분인 산화 철(Ⅲ)(Fe_2O_3)은 산소를 잃고 철(Fe)로 환원된다.

ㄷ. 화합물 B는 이산화 탄소(CO_2)이므로 석회수에 통과시키면 석회수가 뿌옇게 흐려진다.

바로알기 ㄱ. 화합물 A는 일산화 탄소(CO)이고, 화합물 B는 이산화 탄소이므로 분자 1개에 들어 있는 산소 원자의 수는 화합물 A가 화합물 B보다 작다.

07 ㄴ. 방안에 둔 머리핀에 붉은 녹이 생성된 것은 철로 이루어진 머리핀이 공기 중의 산소와 반응하며 산화된 것이다.

$$4Fe+3O_2 \longrightarrow 2Fe_2O_3$$

ㄷ. 검게 변한 은수저를 소금물에 적셔 알루미늄 포일로 감싸면 알루미늄(Al)은 전자를 잃고 황화 은(Ag_2S)은 전자를 얻어 광택이 나는 은수저를 얻을 수 있다.

$$3Ag_2S+2Al+6H_2O \longrightarrow 6Ag+2Al^{3+}+6OH^-+3H_2S$$

바로알기 ㄱ. 탄산 칼슘($CaCO_3$)은 염기성 물질이고, 식초는 산성 물질이므로, 탄산 칼슘과 식초의 반응은 전자의 이동이 없는 중화 반응이다. 따라서 산화 환원 반응은 (나), (다) 두 가지이다.

08 ㄱ, ㄹ, ㅁ. HCl, HNO_3, H_2SO_4은 산 수용액이므로 마그네슘(Mg) 조각과 반응하여 수소 기체(H_2)를 발생시킨다.

바로알기 ㄴ, ㄷ, ㅂ. KOH, NaOH, $Ca(OH)_2$은 염기 수용액이므로 마그네슘 조각과 반응하지 않는다.

09 꼼꼼 문제 분석

	산성 물질		염기성 물질
물질	레몬 즙	탄산음료	소다 수용액
메틸 오렌지 용액	붉은색	붉은색	노란색
BTB 용액	노란색	노란색	파란색

ㄴ. 지시약의 색 변화로 보아 소다 수용액은 염기성 물질이다. 따라서 pH는 7보다 크다.

바로알기 ㄱ. 지시약의 색 변화로 보아 레몬 즙과 탄산음료는 산성 물질이다. 따라서 레몬 즙과 탄산음료에는 H^+이 들어 있다.

ㄷ. 산과 염기는 물에 녹아 이온화하므로 레몬 즙, 탄산음료, 소다 수용액에는 모두 이온이 존재한다. 따라서 세 가지 물질 모두 전기 전도성이 있다.

10 꼼꼼 문제 분석

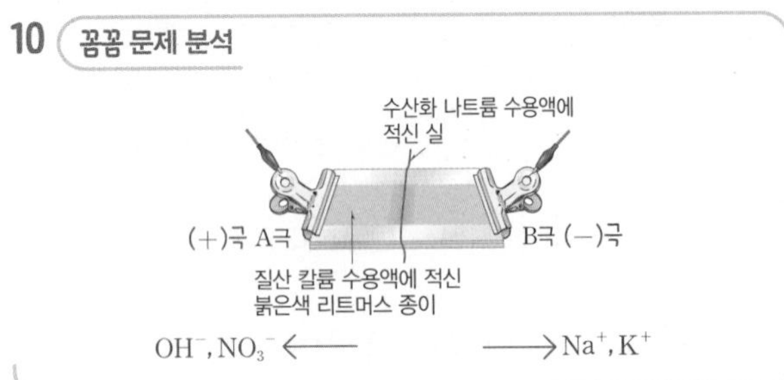

ㄱ. OH^-은 붉은색 리트머스 종이를 푸르게 변화시킨다.

바로알기 ㄴ. OH^-이 A극 쪽으로 이동하였으므로 A극은 (+)극이고, B극은 (−)극이다. 따라서 Na^+과 K^+은 B극 쪽으로 이동한다.

ㄷ. 묽은 염산(HCl)으로 실험하면 H^+이 (−)극인 B극 쪽으로 이동하지만 붉은색 리트머스 종이는 산에 의해 색 변화가 나타나지 않으므로 아무 변화가 없다.

11 꼼꼼 문제 분석

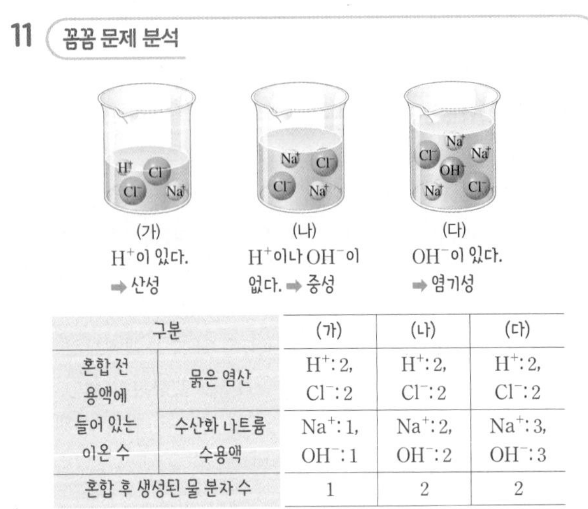

(가) H^+이 있다. ➡ 산성
(나) H^+이나 OH^-이 없다. ➡ 중성
(다) OH^-이 있다. ➡ 염기성

구분		(가)	(나)	(다)
혼합 전 용액에 들어 있는 이온 수	묽은 염산	H^+: 2, Cl^-: 2	H^+: 2, Cl^-: 2	H^+: 2, Cl^-: 2
	수산화 나트륨 수용액	Na^+: 1, OH^-: 1	Na^+: 2, OH^-: 2	Na^+: 3, OH^-: 3
혼합 후 생성된 물 분자 수		1	2	2

ㄴ. (가)는 산성 용액이고, (나)는 중성 용액이다. 페놀프탈레인 용액은 산성 용액과 중성 용액에서 색이 변하지 않으므로 (가)와 (나)에 페놀프탈레인 용액을 떨어뜨려도 색 변화가 없다.

ㄷ. (다)는 염기성 용액이므로 (다)의 pH는 7보다 크다.

바로알기 ㄱ. 생성된 물 분자 수는 (나)와 (다)가 2개로 같고, (가)는 1개로 가장 적다.

12 꼼꼼 문제 분석

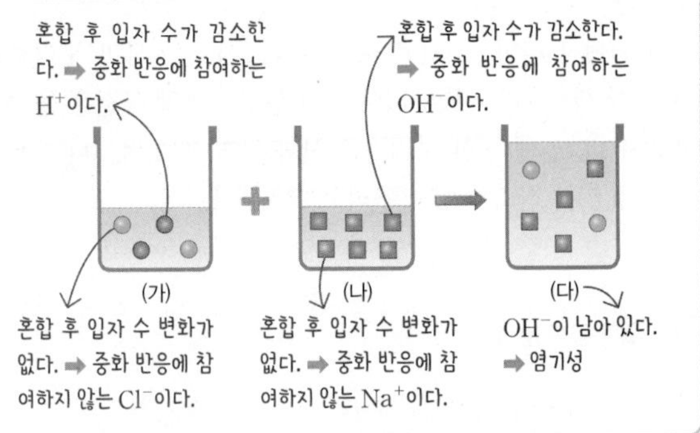

ㄱ. ●은 (가)에는 존재하지만 (다)에는 존재하지 않으므로 중화 반응에 참여하는 H^+이다.

ㄴ. ■은 혼합 후 입자 수가 감소하므로 중화 반응에 참여하는 OH^-이다. 따라서 OH^-이 남아 있는 (다)의 액성은 염기성이고, (다)에 페놀프탈레인 용액을 떨어뜨리면 붉은색을 띤다.

바로알기 ㄷ. 묽은 염산(HCl) (가)와 수산화 나트륨(NaOH) 수용액 (나)를 혼합하면 중화 반응이 일어나 중화열이 발생한다. 따라서 용액의 최고 온도는 (나)가 (다)보다 낮다.

13 꼼꼼 문제 분석

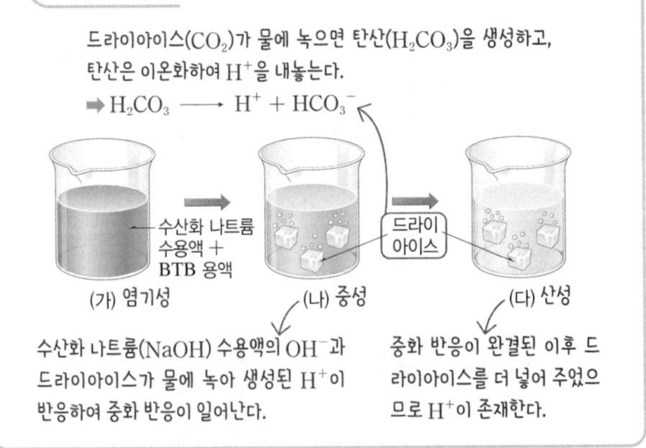

드라이아이스(CO_2)가 물에 녹으면 탄산(H_2CO_3)을 생성하고, 탄산은 이온화하여 H^+을 내놓는다.
➡ $H_2CO_3 \longrightarrow H^+ + HCO_3^-$
수산화 나트륨 수용액 + BTB 용액
드라이아이스
(가) 염기성
(나) 중성
(다) 산성
수산화 나트륨(NaOH) 수용액의 OH^-과 드라이아이스가 물에 녹아 생성된 H^+이 반응하여 중화 반응이 일어난다.
중화 반응이 완결된 이후 드라이아이스를 더 넣어 주었으므로 H^+이 존재한다.

ㄴ. 용액의 액성이 (가) 염기성 → (나) 중성 → (다) 산성으로 변하므로 용액의 pH는 점점 작아진다.

ㄷ. (가)의 액성은 염기성이고, (다)의 액성은 산성이므로 (가)와 (다)를 혼합하면 중화 반응이 일어난다.

바로알기 ㄱ. 드라이아이스(CO_2)는 물에 녹아 H^+을 생성한다.

14 꼼꼼 문제 분석

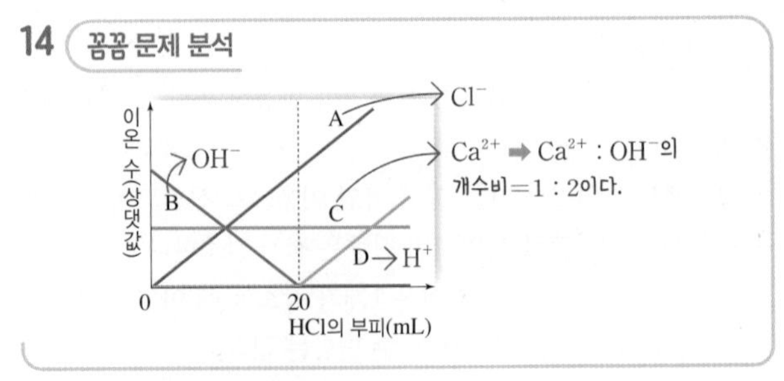

ㄴ. D는 OH^-과 반응하므로 처음에는 존재하지 않다가 중화점 이후부터 증가하는 H^+이다.

바로알기 ㄱ. A는 반응에 참여하지 않고 넣는대로 증가하는 Cl^-이고, C는 반응에 참여하지 않고 처음 수 그대로 일정한 Ca^{2+}이다. 두 이온은 반응에 참여하지 않는다.

ㄷ. 묽은 염산(HCl) 20 mL와 수산화 칼슘($Ca(OH)_2$) 수용액 10 mL가 반응한 지점이 중화점이다. 이때 묽은 염산 20 mL에 H^+ 20개와 Cl^- 20개가 있다고 가정하면 수산화 칼슘 수용액 10 mL에는 Ca^{2+} 10개와 OH^- 20개가 있다. 따라서 반응 전 같은 부피에 들어 있는 이온 수는 수산화 칼슘 수용액이 묽은 염산보다 크다.

15 꼼꼼 문제 분석

구분		(가)	(나)	(다)	(라)	(마)
묽은 염산의 부피(mL)		2	6	10	14	18
수산화 나트륨 수용액의 부피(mL)		18	14	10	6	2
반응한 용액 (mL)	묽은 염산	2	6	10	6	2
	수산화 나트륨 수용액	2	6	10	6	2
혼합 용액에 남아 있는 H^+ 또는 OH^-		OH^-	OH^-	없음	H^+	H^+
혼합 용액의 액성		염기성	염기성	중성	산성	산성

ㄱ. 중화 반응한 양이 많을수록 중화열이 많이 발생하므로 용액의 최고 온도는 (다)가 (가)보다 높다.

ㄴ. (나)와 (라)에서는 묽은 염산(HCl)과 수산화 나트륨(NaOH) 수용액이 각각 6 mL씩 반응하여 물을 생성한다. 따라서 생성된 물의 양은 (나)와 (라)가 같다.

바로알기 ㄷ. (마)에는 반응하지 않은 H^+이 남아 있다. 따라서 (마)의 액성은 산성이고, BTB 용액을 떨어뜨리면 노란색을 띤다.

16 꼼꼼 문제 분석

용액의 최고 온도가 가장 높다. ➡ 완전히 중화되었다. ➡ 묽은 염산(HCl)과 수산화 칼륨(KOH) 수용액은 1 : 1의 부피비로 반응한다.

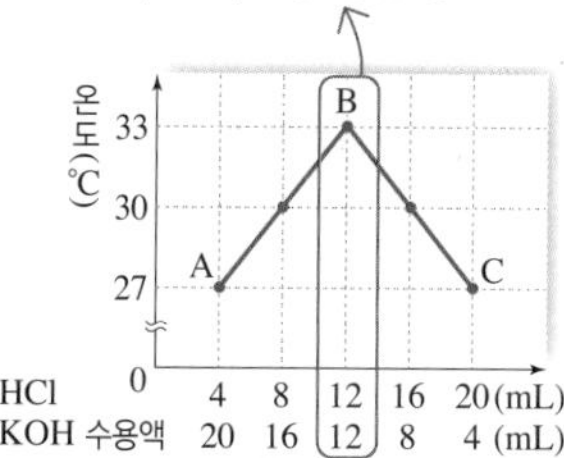

구분		A	B	C
반응한 용액(mL)	묽은 염산	4	12	4
	수산화 칼륨 수용액	4	12	4
혼합 용액에 남아 있는 H^+ 또는 OH^-		OH^-	없음	H^+
혼합 용액의 액성		염기성	중성	산성

모범 답안 A, A는 반응하지 않은 OH^-이 남아 있는 염기성 용액이므로 페놀프탈레인 용액을 떨어뜨리면 붉은색으로 변한다.

채점 기준	배점
A를 쓰고, 그 까닭을 옳게 서술한 경우	100 %
A만 쓴 경우	50 %

17 ㄱ, ㄴ. (가), (나)는 중화 반응이므로 반응 과정에서 열이 발생하고 pH가 달라진다.

바로알기 ㄷ. 생선 요리에 레몬 즙을 뿌리는 것은 중화 반응이고, 화석 연료의 연소는 산화 환원 반응이다.

18 ⑤ 신맛(㉠), 악취(㉢), 위액(㉤)은 산성 물질이고, 소다(㉡), 수산화 나트륨(㉣), 제산제(㉥)는 염기성 물질이다.

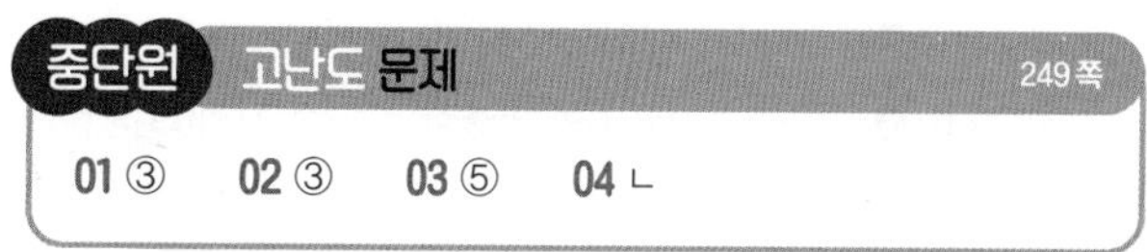

01 꼼꼼 문제 분석

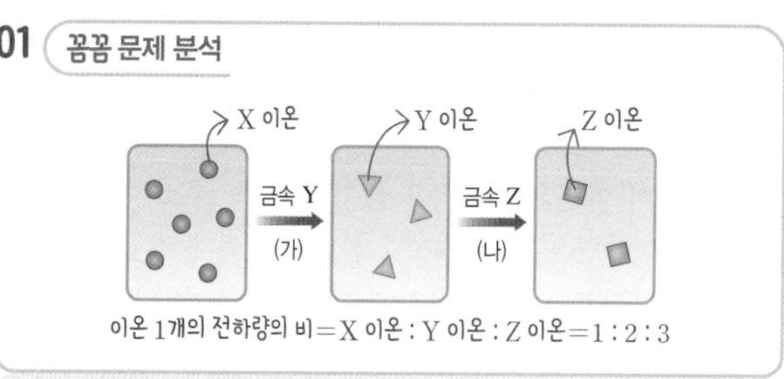

선택지 분석

㉠ (가)에서 환원되는 물질은 X 이온이다.

~~ㄴ~~. 이온 1개의 전하량은 Z 이온이 Y 이온의 3배이다. 3배가 아니다

㉢ (가)와 (나)는 모두 산화 환원 반응이다.

전략적 풀이 ❶ (가)를 통해 금속 X와 금속 Y 중 환원되는 물질을 알아낸다.

ㄱ. (가)에서 금속 X 이온이 전자를 얻어 환원되고 금속 Y가 전자를 잃어 산화되므로 환원되는 물질은 X 이온이다.

❷ (나)를 통해 Y 이온과 Z 이온의 전하량의 비를 파악한다.

ㄴ. Y 이온 3개가 들어 있는 수용액에 Z를 넣었을 때 Y 이온 3개가 모두 반응하여 Z 이온 2개가 생성되었으므로 Y 이온 3개가 얻은 전자 수는 Z 원자 2개가 잃은 전자 수와 같다. Y 이온 3개가 얻은 전자 수를 $6N$이라고 하면 Z 원자 2개가 잃은 전자 수도 $6N$이어야 하므로 이온 1개의 전하량의 비는 Y 이온 : Z 이온＝2 : 3이다. 따라서 Z 이온의 전하량은 Y 이온 전하량의 3배가 아니다.

ㄷ. (가)와 (나)는 모두 전자가 이동하는 산화 환원 반응이다.

02 꼼꼼 문제 분석

(가) 아연(Zn)과 묽은 염산(HCl)을 반응시켜 발생한 기체 X를 포집한다. → $Zn+2HCl \longrightarrow ZnCl_2+H_2$

(나) (가)에서 포집한 기체 X를 산화 구리(Ⅱ)(CuO)와 함께 시험관에 넣고 가열하면 구리(Cu)와 액체 Y가 생성된다. → $CuO+H_2 \longrightarrow Cu+H_2O$

선택지 분석

ㄱ X는 수소 기체이다.

ㄴ Y는 물이다.

ㄷ 아연은 구리보다 전자를 얻기 쉽다. 잃기

전략적 풀이 ❶ (가), (나) 반응을 화학 반응식으로 나타내어 생성된 물질의 종류를 확인한다.

ㄱ. 아연(Zn)과 묽은 염산(HCl)이 반응하면 수소 기체(H_2)가 발생하므로 X는 수소 기체이다.

ㄴ. 산화 구리(Ⅱ)(CuO)와 수소 기체가 반응하면 구리(Cu)와 물(H_2O)이 생성되므로 (나)에서 생성된 액체 Y는 물이다.

❷ (가)와 (나) 반응에서 산화되는 물질과 환원되는 물질을 찾아 산화되기 쉬운 정도를 비교한다.

ㄷ. (가)에서 아연은 산화되고 묽은 염산 속 수소 이온(H^+)은 환원되므로 아연은 수소(H)보다 산화되기 쉽다. (나)에서 수소 기체가 산화되고 산화 구리(Ⅱ)가 환원되므로 수소는 구리보다 산화되기 쉽다. 따라서 아연은 구리보다 전자를 잃고 산화되기 쉽다.

03 꼼꼼 문제 분석

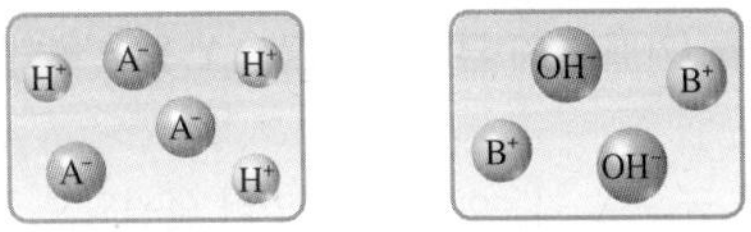

(가) HA 수용액　　(나) BOH 수용액

같은 부피에 들어 있는 이온 수의 비$=H^+:OH^-=3:2$

선택지 분석

ㄱ (가)와 (나)를 혼합한 용액에 BTB 용액을 떨어뜨리면 노란색을 띤다.

ㄴ pH는 (나)가 (가)보다 크다.

ㄷ (가)와 (나)를 2 : 3의 부피비로 혼합한 용액의 액성은 중성이다.

전략적 풀이 ❶ 같은 부피에 들어 있는 이온 수의 비를 확인하여 혼합 용액의 액성을 알아내고, 용액의 액성과 pH의 관계를 생각해 본다.

ㄱ. (가)와 (나)를 혼합하면 H^+ 1개가 남으므로 혼합 용액의 액성은 산성이다. 따라서 이 혼합 용액에 BTB 용액을 떨어뜨리면 노란색을 띤다.

ㄴ. (가)는 산성 용액, (나)는 염기성 용액이므로 pH는 (나)가 (가)보다 크다.

❷ H^+과 OH^-은 1 : 1의 개수비로 반응함을 알고, (가)와 (나)의 부피비를 파악한다.

ㄷ. (가)와 (나)에서 같은 부피에 들어 있는 H^+과 OH^- 수의 비가 3 : 2이다. 따라서 (가)와 (나)를 2 : 3의 부피비로 혼합할 경우 H^+과 OH^-의 수가 같게 되어 혼합 용액은 중성을 나타낸다.

04 꼼꼼 문제 분석

실험 Ⅰ과 실험 Ⅱ에서 묽은 염산(HCl)의 농도비=2 : 1

➡ 실험 Ⅰ과 실험 Ⅱ에서 수산화 나트륨(NaOH) 수용액의 농도비=2 : 1

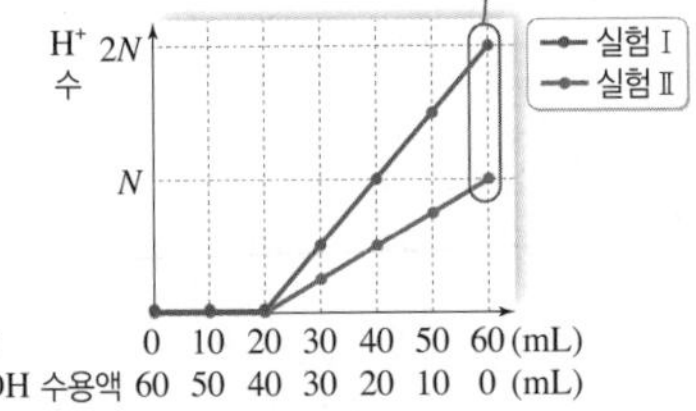

선택지 분석

ㄱ. 반응 전 실험 Ⅰ에서 같은 부피에 들어 있는 H^+ 수는 OH^- 수와 같다. OH^- 수의 2배이다

ㄴ 수산화 나트륨 수용액에서 같은 부피에 들어 있는 Na^+ 수는 실험 Ⅰ이 실험 Ⅱ의 2배이다.

ㄷ. 중화점에서 발생한 물 분자 수의 비는 실험 Ⅰ : 실험 Ⅱ = 1 : 2이다. 2 : 1

전략적 풀이 ❶ 중화점에서 산과 염기의 반응 부피비를 통해 같은 부피에 들어 있는 이온 수를 알아낸다.

ㄱ. 묽은 염산(HCl) 20 mL와 수산화 나트륨(NaOH) 수용액 40 mL가 반응할 때 중화 반응이 완결되었으므로 반응 전 같은 부피에 들어 있는 H^+ 수는 OH^- 수의 2배이다.

❷ 제시된 자료를 분석하여 실험 Ⅰ과 실험 Ⅱ에서 각 수용액의 농도비를 알아낸다.

ㄴ. 묽은 염산 60 mL일 때 존재하는 H^+ 수는 실험 Ⅰ이 Ⅱ의 2배이므로, 수산화 나트륨 수용액에서 같은 부피에 들어 있는 OH^- 수도 실험 Ⅰ이 실험 Ⅱ의 2배이다. 따라서 같은 부피에 들어 있는 Na^+ 수는 실험 Ⅰ이 실험 Ⅱ의 2배이다.

ㄷ. 반응한 H^+과 OH^-의 양은 실험 Ⅰ이 실험 Ⅱ의 2배이므로 중화점에서 생성된 물 분자 수의 비는 실험 Ⅰ : 실험 Ⅱ=2 : 1이다.

2 생물 다양성과 유지

1 지질 시대의 환경과 생물

개념 확인 문제 254쪽

❶ 환경 ❷ 표준 화석 ❸ 화석 ❹ 지질 시대 ❺ 화석
❻ 신생대

1 (1) ○ (2) × (3) × **2** ㉠ 퇴적물, ㉡ 화석, ㉢ 지각 변동
3 (1) 시 (2) 표 (3) 표 (4) 시 **4** (1) ㉠ (2) ㉢ (3) ㉡
5 ㄴ, ㅁ, ㅂ **6** ㄴ, ㄹ **7** A: 선캄브리아 시대, B: 고생대, C: 중생대, D: 신생대

1 (1) 생물의 유해나 흔적이 빠르게 퇴적물에 묻히고, 퇴적층이 쌓여 오랜 시간이 지나면 화석이 만들어진다.
(2) 화석은 대부분 석회암, 셰일 등의 퇴적암에서 발견된다. 화성암은 온도가 높은 마그마가 식어서 생성되어 생물의 유해가 파손되거나 형태가 사라지기 때문에 화석이 발견되기 어렵다.
(3) 뼈, 알 등 생물의 유해뿐만 아니라 발자국, 배설물 등 생물의 흔적도 화석이 될 수 있다.

2 생물이 갑자기 퇴적물에 묻히고, 퇴적층이 쌓여 오랜 시간이 지나면서 화석화 작용을 받으면 화석이 만들어진다. 화석이 포함된 지층이 지각 변동을 받아 땅 위로 올라온 후 침식 작용을 받으면 지층이 깎이면서 화석이 드러난다.

3 (1), (4) 시상 화석은 특정 환경에 살았던 생물의 화석으로, 긴 기간 동안 좁은 면적에 분포한 생물의 화석이다. 지층의 생성 환경을 알려주고, 예로 고사리, 산호, 조개 화석 등이 있다.
(2), (3) 표준 화석은 특정 시기에 살았던 생물의 화석으로, 짧은 기간 동안 넓은 면적에 분포한 생물의 화석이다. 지층의 생성 시기를 알려주고, 예로 방추충, 공룡, 매머드 화석 등이 있다.

4 (1) 삼엽충, 갑주어, 방추충 화석 등은 고생대의 표준 화석이다.
(2) 공룡, 암모나이트 화석 등은 중생대의 표준 화석이다.
(3) 화폐석, 매머드 화석 등은 신생대의 표준 화석이다.

5 • 산호(ㄴ), 삼엽충(ㅁ), 암모나이트(ㅂ)는 해양 생물이므로 이 화석들이 발견되면 과거 바다 환경이었음을 알 수 있다.
• 공룡(ㄱ), 고사리(ㄷ), 매머드(ㄹ)는 육상 생물이므로 이 화석들이 발견되면 과거 육지 환경이었음을 알 수 있다.

6 지질 시대는 화석의 변화로 알 수 있는 생물계의 급격한 변화를 기준으로 구분한다. 또한, 부정합과 같은 대규모 지각 변동을 기준으로 구분하기도 한다.

7 지질 시대의 상대적 길이를 비교하면 선캄브리아 시대(A)가 가장 길고, 그 다음으로 고생대(B), 중생대(C), 신생대(D) 순으로 길이가 짧아진다.

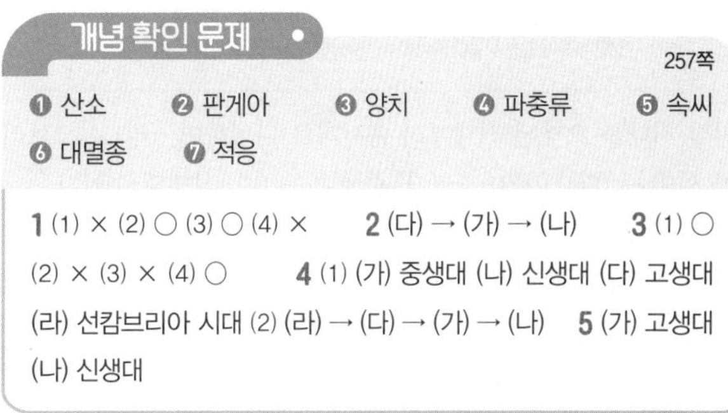

개념 확인 문제 257쪽

❶ 산소 ❷ 판게아 ❸ 양치 ❹ 파충류 ❺ 속씨
❻ 대멸종 ❼ 적응

1 (1) × (2) ○ (3) ○ (4) × **2** (다) → (가) → (나) **3** (1) ○ (2) × (3) × (4) ○ **4** (1) (가) 중생대 (나) 신생대 (다) 고생대 (라) 선캄브리아 시대 (2) (라) → (다) → (가) → (나) **5** (가) 고생대 (나) 신생대

1 (1) 선캄브리아 시대는 전반적으로 온난한 기후였지만, 말기에 빙하기가 있었을 것으로 추정된다.
(2) 고생대는 대체로 온난하였지만, 말기에 빙하기가 있었다.
(3) 중생대는 빙하기 없이 전반적으로 온난한 기후였다.
(4) 신생대 후기에 여러 번의 빙하기가 있었다.

2 꼼꼼 문제 분석

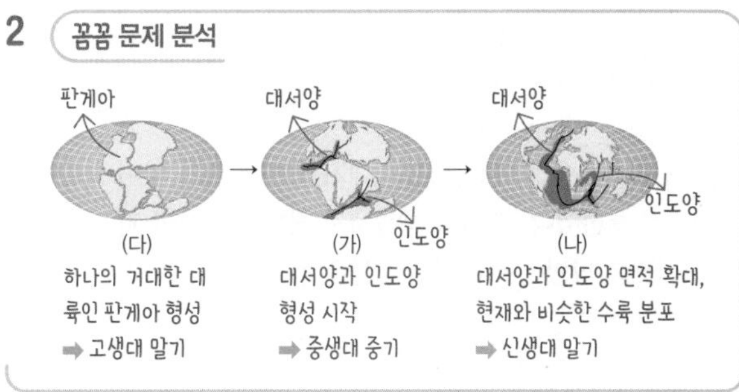

3 (1) 선캄브리아 시대에 자외선이 차단되는 바다에서 최초의 생명체가 출현하였다.
(2) 고생대 바다에서는 삼엽충을 포함한 무척추동물이, 육지에서는 양서류, 곤충류, 양치식물 등이 번성하였다. 바다에서 암모나이트가, 육지에서 공룡이 번성한 지질 시대는 중생대이다.
(3) 최초의 육상 생물이 출현한 지질 시대는 고생대이다.
(4) 신생대에는 속씨식물과 매머드를 포함한 포유류가 번성하였고, 후기에 인류의 조상이 출현하였다.

4 꼼꼼 문제 분석

(가) 공룡과 같은 파충류, 암모나이트가 서식하고 있으므로 중생대이다.
(나) 매머드, 말 등 포유류가 서식하고 있으므로 신생대이다.
(다) 곤충류, 삼엽충, 양치식물이 서식하고 있으므로 고생대이다.
(라) 단단한 부분이 없는 생물이 바다에서만 서식하고 있으므로 선캄브리아 시대이다.

지질 시대를 오래된 시대부터 순서대로 나열하면, (라) 선캄브리아 시대 → (다) 고생대 → (가) 중생대 → (나) 신생대 순이다.

5 (가) 지질 시대 동안 생물 과의 수가 가장 많이 감소한 고생대 말기에 생물이 가장 크게 멸종하였다. 고생대 말기에 대멸종이 일어난 원인은 판게아 형성, 화산 폭발, 소행성 충돌 등으로 추정하고 있다.
(나) 신생대에 생물 과의 수가 가장 많다. 따라서 신생대에 생물의 종류가 가장 다양하였다.

258쪽

완자쌤 비법 특강 Q1 오존층

Q1 선캄브리아 시대 초기에는 대기 중에 산소가 없어 오존층이 형성되지 못하였다. 따라서 생물에 유해한 자외선이 지표에 강하게 내리쬐고 있었기 때문에 생물들은 자외선이 닿지 않는 바다에서만 활동할 수 있었다.

내신 만점 문제

259~262쪽

01 ②	02 ①	03 ③	04 ④	05 ④	06 ④
07 ⑤	08 ②	09 ⑤	10 ③	11 ③	12 ④
13 ③	14 ④	15 ③	16 ②	17 ②	18 ④
19 ①	20 해설 참조	21 해설 참조	22 해설 참조		
23 해설 참조					

01 ① 화석은 대부분 석회암, 셰일 등의 퇴적암에서 발견된다.
③ 화석이 만들어지는 과정: 홍수나 산사태 등에 의해 생물의 유해나 흔적이 갑자기 퇴적물에 묻힌다. → 퇴적층이 쌓여 오랜 시간이 지나면 화석이 만들어진다. → 지각 변동으로 퇴적층이 땅 위로 올라온 후 침식 작용을 받아 화석이 드러난다.
④ 지질 시대는 생물계의 급격한 변화(화석의 변화)를 기준으로 구분한다.
⑤ 고생대, 중생대, 신생대는 화석이 많이 발견되는 시대로, 생물계의 변화를 기준으로 구분한다.
바로알기 ② 생물의 유해뿐만 아니라 생물이 기어간 흔적, 발자국 등 생물의 흔적도 화석이 될 수 있다.

02 ②, ③ 생물의 유해는 시간이 오래 지날수록 지각 변동과 풍화 작용을 많이 받는다. 따라서 생물의 개체 수가 많고, 생물체에 단단한 뼈나 껍데기가 있을수록 생물이 화석으로 남을 가능성이 크다.
④, ⑤ 생물의 몸체가 썩으면 화석으로 남기 어려우므로 썩기 전에 지층 속에 빨리 묻히고 화석화 작용을 받아야 화석으로 남을 가능성이 크다.
바로알기 ① 생물의 크기가 크다고 해서 화석으로 남기 쉬운 것은 아니다.

03 꼼꼼 문제 분석

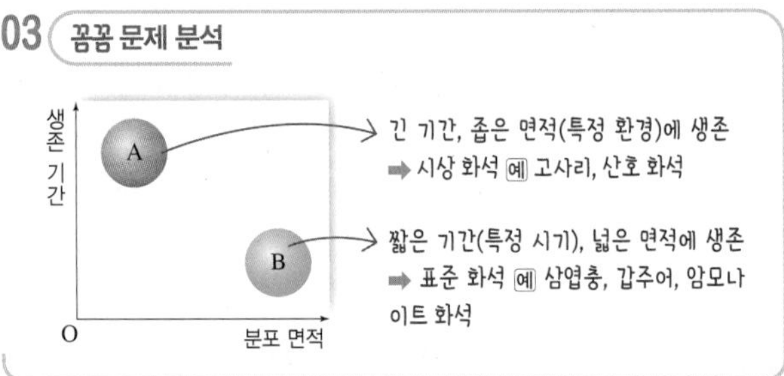

표준 화석으로 이용되기 위해서는 생존 기간이 짧고 분포 면적이 넓어야 하며, 시상 화석으로 이용되기 위해서는 생존 기간이 길고 분포 면적이 좁아야 한다. 따라서 A는 시상 화석이고, B는 표준 화석이다.
ㄱ. 고사리나 산호 화석은 과거의 환경을 추정하는 데 이용되는 시상 화석(A)에 해당한다.
ㄴ. 표준 화석은 특정한 시기를 알려주므로 B를 이용하여 지층의 생성 시대를 알 수 있다.
바로알기 ㄷ. 환경 변화에 민감한 생물은 특정 환경에서만 서식한다. 따라서 분포 면적이 좁은 A가 B보다 환경 변화에 민감하다.

04 ① (가)는 지층의 생성 환경을 알려주는 시상 화석이고 (나)와 (다)는 지층의 생성 시기를 알려주는 표준 화석이다.
② (나)는 표준 화석으로, 특정 시기를 알려주는 화석이므로 생존 기간이 짧고, 분포 면적이 넓다.

③ (나) 삼엽충은 고생대의 표준 화석이고, 방추충도 고생대의 표준 화석이므로 (나)가 발견된 지층에서 방추충 화석이 발견될 수 있다.
⑤ 지층의 생성 시대를 결정하는 데 이용되는 것은 표준 화석이므로 (다)는 (가)보다 지질 시대 구분에 유용하다. 고사리는 고생대에 출현하여 오늘날에도 존재하지만, 화폐석은 신생대에만 생존했던 생물이다.
바로알기 ④ (다) 화폐석은 바다에서 서식하였던 생물이다. 따뜻하고 습한 육지에서 서식하였던 생물에는 (가) 고사리가 있다.

05 ① 바다에 살았던 생물의 화석이 육지에서 발견된 경우, 이 지층은 바다 밑에서 만들어진 이후 수면 위로 융기했다는 것을 알 수 있다.
② 멀리 떨어진 대륙에서 발견되는 화석을 비교하여 과거 대륙의 분포 및 이동 과정을 알 수 있다.
③ 화석으로 발견된 생물의 서식 환경을 통해 지층이 생성될 당시의 환경을 알 수 있다.
⑤ 화석을 시대 순으로 나열하면 생물이 어떤 과정을 거쳐 진화하였는지를 알 수 있다.
바로알기 ④ 과거의 지진 활동은 화석으로 알아내기 어렵다.

06 꼼꼼 문제 분석

지층	A	B	C
화석	매머드	공룡 발자국	삼엽충, 산호
	신생대, 육지 환경	중생대, 육지 환경	고생대, 바다 환경 / 수온이 높고 얕은 바다

ㄴ. 공룡은 중생대의 육지에서 서식하였으므로 공룡 발자국 화석이 포함된 지층 B는 중생대의 육지에서 퇴적되었다.
ㄷ. 지층 C에서 산호 화석이 발견되었으므로 지층 C는 수온이 높은 바다에서 퇴적되었다.
바로알기 ㄱ. 매머드는 신생대, 공룡은 중생대, 삼엽충은 고생대의 표준 화석이므로 가장 먼저 생성된 지층은 C이다.

07 꼼꼼 문제 분석

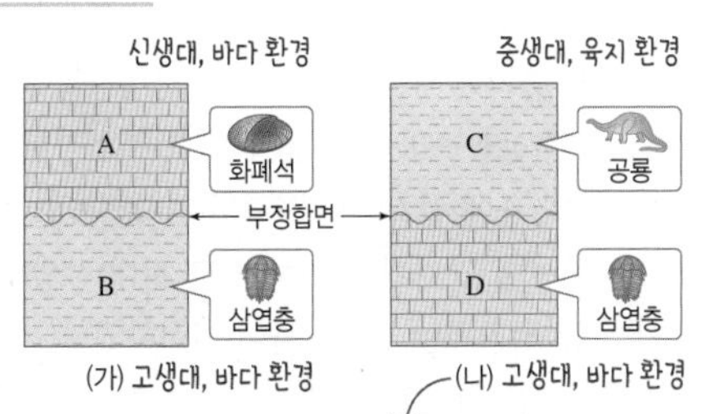

(나) 지층은 고생대에 바다 환경이었다가 중생대에 육지 환경으로 변화되었으므로 지층이 융기된 적이 있다.

ㄴ. (가) 지역은 지층 A에서 화폐석 화석이 발견되었으므로 지층 A가 퇴적될 당시 바다 환경이었고, (나) 지역은 지층 C에서 공룡 화석이 발견되었으므로 지층 C가 퇴적될 당시 육지 환경이었다.
ㄷ. 지층 B와 D에서 고생대 표준 화석인 삼엽충 화석이 발견되었으므로 두 지층 모두 고생대에 퇴적되었다.
ㄹ. (나) 지역에서 지층 D는 바다 환경이었고 지층 C는 육지 환경이었으므로 이 지역은 지층 C와 D 사이에 수면 위로 융기된 적이 있다.
바로알기 ㄱ. 지층 A에서 신생대 표준 화석인 화폐석 화석이 발견되었으므로 지층 A는 신생대에 퇴적되었다.

08 꼼꼼 문제 분석

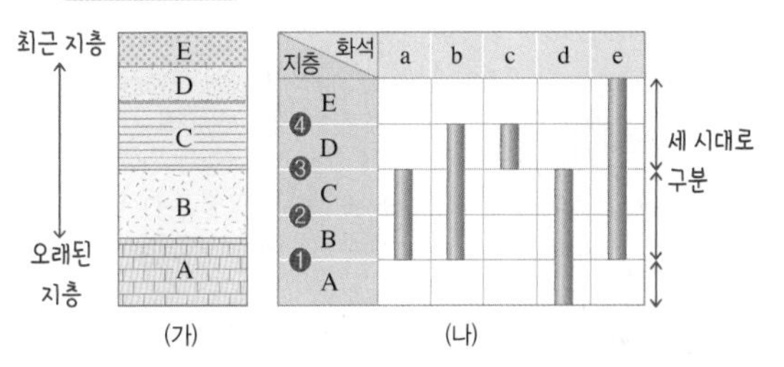

❶ A와 B의 경계: 화석 a, b, e가 새롭게 발견되었다.
❷ B와 C의 경계: 새롭게 발견되거나 더 이상 발견되지 않은 화석이 없다.
❸ C와 D의 경계: 화석 c가 새롭게 발견되었고, 화석 a, d가 더 이상 발견되지 않았다.
❹ D와 E의 경계: 화석 b, c가 더 이상 발견되지 않았다.

ㄷ. 지층 A와 B의 경계에서 생물 a, b, e가 출현하였다. 지층 C와 D의 경계에서는 생물 a, d가 멸종하였고, c가 출현하였다. 따라서 지층 A와 B, C와 D 사이에서 화석의 변화가 급격하게 나타나므로 두 경계가 지질 시대 경계로 적합하다.
바로알기 ㄱ. 생존 기간만을 고려하면 표준 화석으로 가장 적합한 화석은 생존 기간이 가장 짧고, 현재는 멸종한 상태인 c이다.
ㄴ. 생존 기간만을 고려하면 시상 화석으로 가장 적합한 화석은 생존 기간이 가장 길고, 최근 지층에서도 발견되는 e이다.

09 ① 선캄브리아 시대에는 생물의 개체 수가 적었고, 생물체에 단단한 골격이 없었으며, 화석이 되어도 오랜 시간 동안 많은 지각 변동과 풍화 작용을 받았기 때문에 화석이 적게 발견된다.
② 선캄브리아 시대는 약 46억 년 전 지구가 탄생한 후부터 고생대가 시작된 약 5억4천1백만 년 전까지이다. 따라서 지질 시대 중 상대적 길이가 가장 길다.
③ 선캄브리아 시대에 바다에서 최초의 생명체가 출현하였다.
④ 선캄브리아 시대 초기에는 대기 중에 산소가 없었고 오존층이 없어 자외선을 차단하지 못하였다. 따라서 태양의 자외선이 지표에 강하게 도달하였기 때문에 육지에서 생물이 출현할 수 없었다.
바로알기 ⑤ 선캄브리아 시대에 바다에서 광합성을 하는 남세균이 출현하였고, 남세균이 쌓여 스트로마톨라이트를 형성하였다. 따라서 스트로마톨라이트는 바다 환경에서 형성된다.

10 ③ 고생대에 오존층이 두껍게 형성되면서 지표에 도달하는 자외선을 차단하여 생물이 육지로 진출할 수 있었다.

바로알기 ① 동물(척추동물)은 어류 → 양서류 → 파충류 → 조류와 포유류로 진화하였다. 포유류는 중생대에 출현하여 신생대에 번성하였다.
② 다세포 생물은 선캄브리아 시대 후기에 출현하였다.
④ 고생대에는 삼엽충, 방추충을 포함한 무척추동물, 어류, 양서류, 곤충류, 양치식물 등이 번성했다. 파충류와 겉씨식물이 번성했던 시대는 중생대이다.
⑤ 고생대의 대표적인 화석으로 삼엽충, 갑주어, 방추충 등이 있다. 공룡과 암모나이트는 중생대의 대표적인 화석이다.

11 꼼꼼 문제 분석

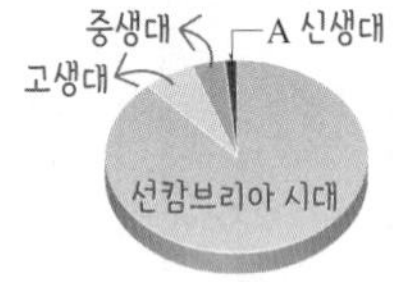

지질 시대의 대부분을 선캄브리아 시대가 차지하며, 신생대로 올수록 지질 시대의 길이가 짧다.
➡ A는 지질 시대 중 길이가 상대적으로 가장 짧은 신생대이다.

③ 신생대에는 참나무, 단풍나무 등의 속씨식물과 매머드 등의 포유류가 번성하였다.

바로알기 ① 신생대에는 육지와 바다에서 모두 생물이 서식하였다. 생물이 바다에서만 살았던 시대는 선캄브리아 시대이다.
② 어류 및 양서류가 번성한 시대는 고생대이다.
④ 신생대는 기간이 짧지만, 화석이 많이 발견된다.
⑤ 초기에 해양 생물의 수가 폭발적으로 증가한 시대는 고생대이다. 고생대에는 바다와 대기 중 산소 농도가 증가했기 때문에 초기에 해양 생물의 수가 폭발적으로 증가하였다.

12 (가)는 중생대, (나)는 고생대, (다)는 신생대, (라)는 선캄브리아 시대의 생물에 대한 설명이다. 따라서 오래된 시대부터 순서대로 나열하면 (라) → (나) → (가) → (다)이다.

13 (가)는 신생대 바다에서, (나)는 중생대 바다에서, (다)는 고생대 바다에서 서식하였던 생물의 화석이다.
① (가)는 신생대, (나)는 중생대, (다)는 고생대에 번성하였으므로 (다) → (나) → (가) 순으로 번성하였다.
② (가) 화폐석은 신생대에 번성하였고, 신생대 후기에는 빙하기와 간빙기가 여러 번 반복되어 나타났다.
④ (다) 갑주어가 번성한 지질 시대는 고생대로, 이 시대에는 양치식물이 번성하여 대규모 석탄층이 형성되었다.
⑤ (가)~(다)는 모두 바다에서 서식하였던 생물이므로 바다에서 퇴적된 지층에서 발견된다.

바로알기 ③ 고생대에 오존층이 자외선을 차단하여 생물이 육상으로 진출하였으므로 (나) 암모나이트가 번성한 중생대에는 오존층이 있었다.

14 꼼꼼 문제 분석

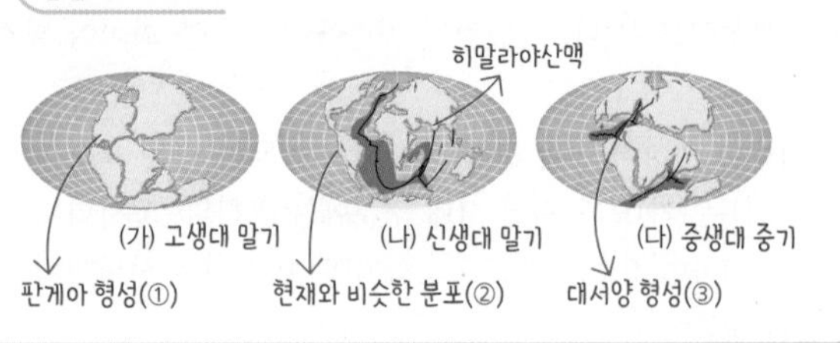

⑤ (가)보다 (나)가 해안선의 길이가 길어 얕은 바다의 면적이 넓으므로 해양 생물의 수가 더 많았을 것이다.

바로알기 ④ 히말라야산맥은 (나) 신생대에 인도 대륙과 유라시아 대륙이 충돌하면서 형성되었다.

15 꼼꼼 문제 분석

ㄱ. 양치식물이 번성한 시기는 (가) 고생대이다.
ㄷ. (가) 고생대 말에 대륙들이 하나로 합쳐져서 판게아가 형성되었고, (다) 중생대에 판게아가 분리되기 시작하였다.

바로알기 ㄴ. (나) 신생대 전기에는 대체로 온난하였지만, 후기에 빙하기와 간빙기가 여러 번 반복되었다. 빙하기 없이 전반적으로 온난했던 시기는 (다) 중생대이다.

16 꼼꼼 문제 분석

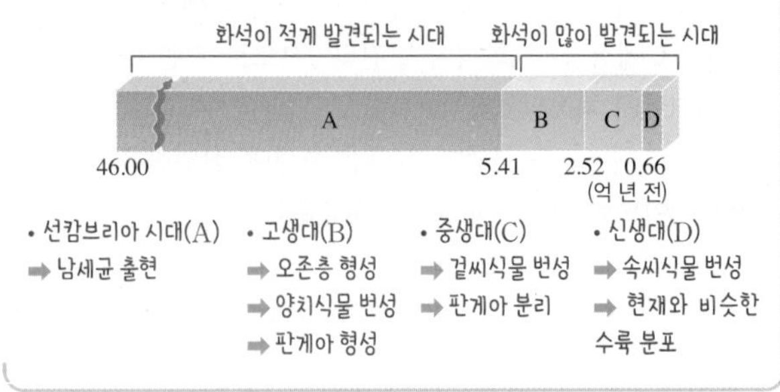

② B 시대(고생대) 말기에 모든 대륙이 모여 판게아를 형성하였다.

바로알기 ① A 시대(선캄브리아 시대)에 바다에서 살던 남세균의 광합성에 의해 대기 중에 산소가 축적되기 시작하였다.
③ 속씨식물은 중생대 말기에 출현하여 D 시대(신생대)에 번성하였다. C 시대(중생대)에는 겉씨식물이 번성하였다.
④ 오존층이 자외선을 차단하여 생물이 바다에서 육지로 진출한 것은 B 시대(고생대)이다.
⑤ 화석이 가장 드물게 발견되는 시대는 A(선캄브리아 시대)이다.

17 ② 5차 대멸종은 중생대 말기의 대멸종이며, 중생대 말기의 대멸종을 설명하는 여러 가설 중 하나가 소행성 충돌설이다.

바로알기 ① 가장 큰 대멸종은 고생대 말기에 일어났다.

③ 대멸종 이후에는 살아남은 종과 새롭게 등장한 종이 생태계의 새로운 지배자로 등장한다. 따라서 대멸종 이전에 번성했던 생물종이 대멸종 이후에도 다시 번성한 사례는 거의 없다.

④ 대멸종은 지구상에서 거의 동시대에 많은 생물종이 한꺼번에 멸종하는 것을 말한다. 따라서 지질 시대 전체 시간과 비교하여 보았을 때 매우 짧은 기간에 걸쳐 일어났다.

⑤ 대멸종 이후 살아남은 생물이 번성하거나 다양한 종으로 진화하여 번성하면서 생물 다양성은 유지되었다.

18 꼼꼼 문제 분석

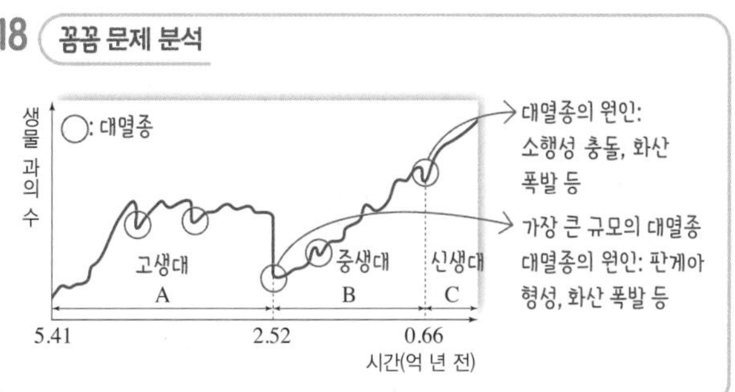

④ 신생대(C)에 생물 과의 수가 가장 많으므로 생물의 다양성이 가장 높았다.

바로알기 ① A 시대는 5억4천1백만 년 전부터 2억5천2백만 년 전까지이므로 고생대이다. 신생대는 6천6백만 년 전부터이므로 C 시대이다.

② 고생대(A) 말기에 삼엽충, 방추충 등이 멸종하였다. 암모나이트는 중생대(B) 말기에 멸종하였다.

③ 중생대(B) 말기에는 소행성 충돌, 화산 폭발 등의 원인으로 대멸종이 일어났다. 판게아가 형성되어 대멸종이 일어난 시기는 고생대(A) 말기이다.

⑤ 지질 시대 동안 대멸종은 총 5번 일어났다.

19 꼼꼼 문제 분석

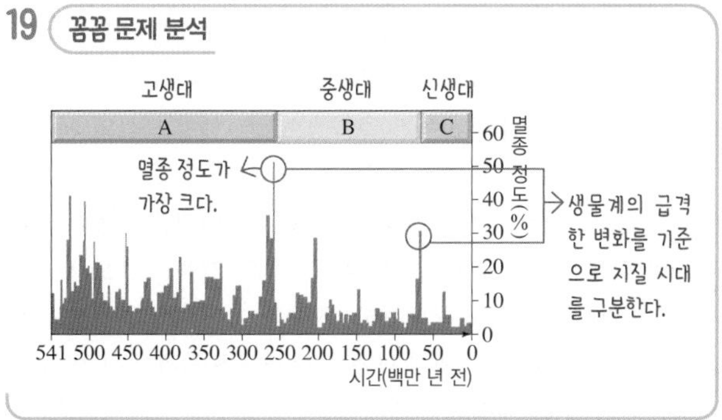

ㄱ. 지질 시대는 생물계의 급격한 변화를 기준으로 구분한다. 따라서 생물이 대규모로 멸종한 시기가 지질 시대의 경계가 된다.

바로알기 ㄴ. 멸종의 규모가 가장 큰 시기는 고생대(A) 말기이다.

ㄷ. 생물의 멸종 비율은 고생대 말기에 가장 높았으며, 중생대 말기의 멸종 비율이 고생대 말기보다 낮은 것으로 보아 최근으로 올수록 생물의 멸종 비율이 증가한다고 볼 수 없다.

20 (1) 암모나이트 화석은 중생대 표준 화석이고, 산호는 따뜻하고 수심이 얕은 바다에서 서식했던 생물이다.

모범 답안 (1) 중생대, 따뜻하고 수심이 얕은 바다 환경이었다.
(2) 암모나이트나 산호와 같이 바다에 살았던 생물의 화석이 바다 밑에서 만들어진 이후 지층이 수면 위로 융기했기 때문에 육지에서 발견된다.

채점 기준		배점
(1)	지층이 퇴적된 지질 시대와 생성 환경을 옳게 서술한 경우	50 %
	지질 시대나 생성 환경 중 한 가지만 옳게 서술한 경우	25 %
(2)	지층의 융기를 포함하여 옳게 서술한 경우	50 %

21 모범 답안 선캄브리아 시대의 생물은 개체 수가 적었고, 생물체에 단단한 부분이 없었으며, 화석이 되었어도 오랜 시간 동안 지각 변동을 많이 받아 남아 있기 어렵기 때문에 선캄브리아 시대는 발견되는 화석이 적다.

채점 기준	배점
적은 생물의 개체 수, 단단한 부분이 없음, 많은 지각 변동 중 두 가지를 옳게 서술한 경우	100 %
한 가지만 옳게 서술한 경우	50 %

22 선캄브리아 시대 초기에는 대기 중에 산소가 없었고, 강한 자외선으로 인해 생물의 활동 영역은 물속으로 제한되었다. 이후 바다에서 광합성을 하는 남세균이 출현하여 바다와 대기 중 산소량이 점차 증가하였고 고생대에 육지에도 생물이 출현하였다.

모범 답안 (가) 선캄브리아 시대 초기에는 대기 중 산소가 없어 오존층이 형성되지 못하였다. 따라서 지표에 강한 자외선이 도달했기 때문에 육지에서 생물이 출현할 수 없었고, 자외선이 차단되는 바다에서 생물이 출현하였다.
(나) 고생대에는 바다와 대기 중의 산소 농도가 증가하였기 때문에 생물종의 수가 급격히 증가하였다.

채점 기준	배점
(가)와 (나)를 모두 옳게 서술한 경우	100 %
(가)와 (나) 중 한 가지만 옳게 서술한 경우	50 %

23 모범 답안 (1) 삼엽충: 고생대 말기, 공룡: 중생대 말기
(2) 급격하게 변한 지구 환경에 적응하지 못한 생물은 멸종하지만, 새로운 환경에 적응한 생물은 다양한 종으로 진화하면서 생태 공간을 채우기 때문에 생물 다양성이 유지된다.

채점 기준		배점
(1)	삼엽충과 공룡의 멸종 시기를 모두 옳게 쓴 경우	40 %
	한 가지의 멸종 시기만 옳게 쓴 경우	20 %
(2)	멸종, 적응, 진화를 모두 포함하여 옳게 서술한 경우	60 %
	두 가지 단어만 포함하여 옳게 서술한 경우	30 %

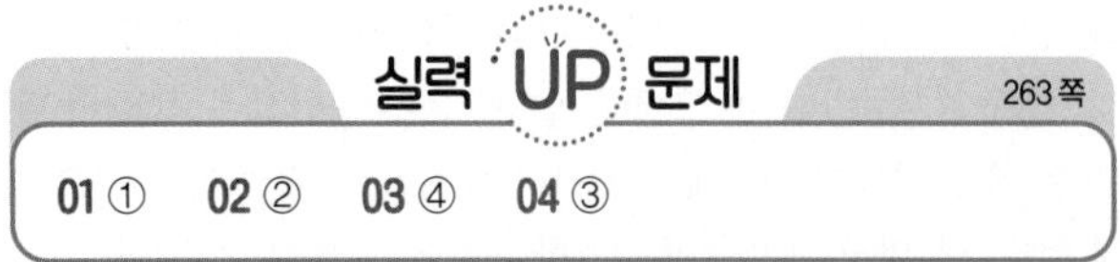

01 꼼꼼 문제 분석

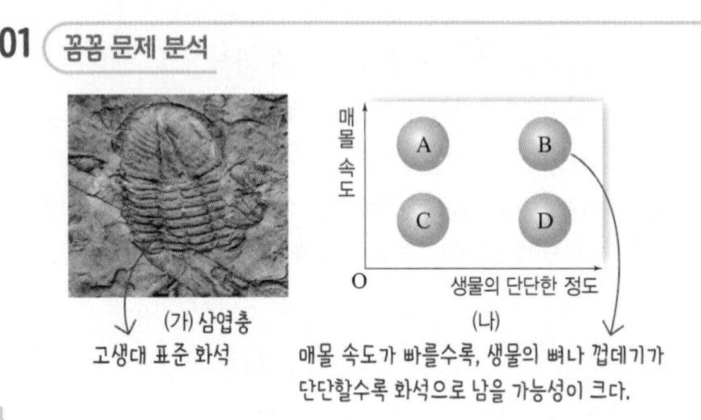

ㄱ. (가)는 삼엽충 화석으로, 삼엽충은 고생대에 번성하였다.

바로알기 ㄴ. 생물의 뼈나 껍데기 같은 단단한 부분이 빠르게 매몰되어야 생물체의 유해가 훼손되지 않고 화석으로 남을 가능성이 크다. 따라서 화석은 B 조건에서 가장 잘 만들어진다.

ㄷ. 삼엽충 화석은 고생대의, 매머드 화석은 신생대의 표준 화석이므로 삼엽충이 발견된 지층에서 매머드 화석이 발견될 수 없다.

02 꼼꼼 문제 분석

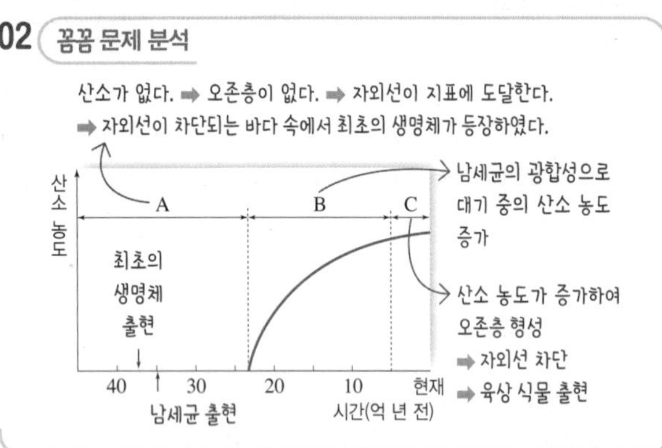

② A 시기에는 산소가 없었으므로 오존층이 형성되지 않아 자외선이 지표에 강하게 내리쬐고 있었다. 따라서 최초의 생명체는 자외선으로부터 보호받을 수 있는 바다 속에서 탄생하였을 것이다.

바로알기 ① 지구에서 남세균이 출현한 시기는 약 35억 년 전이므로, A 시기에는 지구에 생명체가 존재했다.

③ A 시기에 광합성을 하는 남세균이 출현하여 B 시기에 대기 중 산소 농도가 점점 증가하였다. 육상 식물은 오존층이 형성되어 자외선이 차단되는 C 시기에 출현하였다.

④ C 시기에는 산소 농도가 현재와 비슷하므로 오늘날과 같은 오존층이 형성되었을 것으로 추정된다. 따라서 지표에 도달하는 자외선의 양은 A 시기보다 C 시기에 적었을 것이다.

⑤ C 시기에는 자외선이 차단되어 육상 생물이 출현할 수 있었다. 따라서 A 시기에 수권으로만 제한되었던 생물권의 분포 범위는 C 시기에 지권과 기권으로까지 확대되었다.

03 꼼꼼 문제 분석

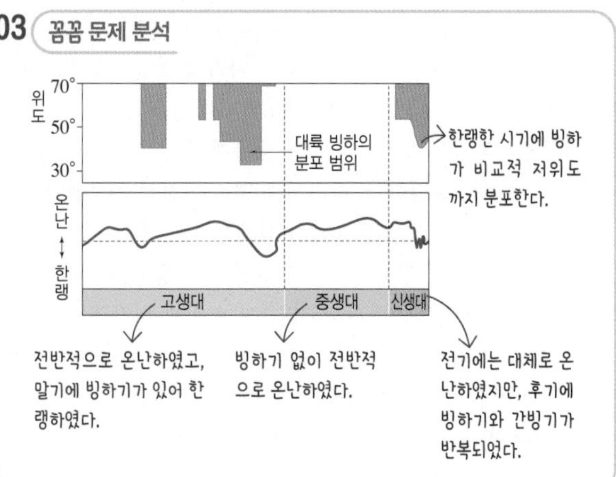

ㄴ. 중생대는 대륙 빙하가 위도 70°보다 저위도인 지역에는 분포하지 않았으므로 빙하기가 없었고, 전반적으로 온난한 기후였다.

ㄷ. 신생대 후기에는 중생대보다 평균적으로 기후가 한랭했으며, 비교적 저위도까지 대륙 빙하가 분포하였다. 따라서 신생대 후기에는 중생대보다 해수가 대륙 빙하로 존재하는 양이 많았기 때문에 중생대에 비해 평균 해수면이 낮았을 것이다.

바로알기 ㄱ. 고생대 초기에는 비교적 온난하였지만, 고생대 말기에는 대륙 빙하가 비교적 저위도까지 분포한 것으로 보아 빙하기가 있었고 한랭하였다.

04 꼼꼼 문제 분석

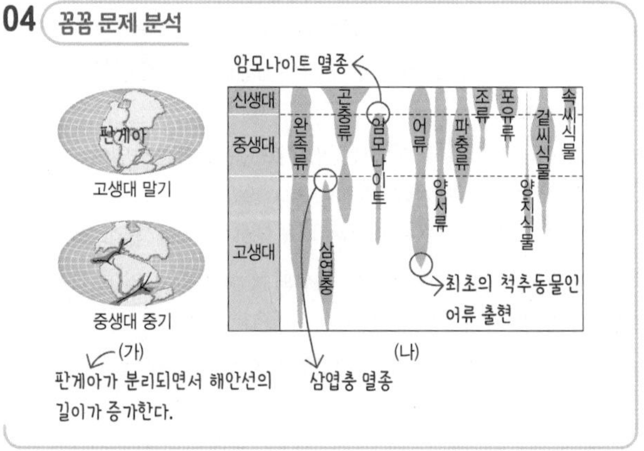

ㄱ. 해양 생물의 주요 서식지인 얕은 바다의 면적은 해안선의 길이가 길어질수록 넓어진다. 고생대 말기보다 중생대 중기에 대륙이 분리되어 해안선의 길이가 증가했으므로 해양 생물의 서식지는 고생대 말기보다 중생대 중기에 더 넓어졌다.

ㄷ. 고생대 말기에 삼엽충을 비롯한 생물의 대멸종이 일어났다. 판게아가 형성되면(대륙이 합쳐질 때), 해양 생물의 주요 서식지인 얕은 바다의 면적이 줄어들고, 기후대가 단순해져 생물의 수가 감소한다. 따라서 고생대 말기에 나타난 생물계의 큰 변화(대멸종)는 판게아의 형성과 관련이 있다.

바로알기 ㄴ. 최초의 척추동물인 어류는 고생대에 출현하였다. 중생대에는 조류와 포유류가 출현하였다.

02 자연 선택과 생물의 진화

개념 확인 문제 265쪽

❶ 진화 ❷ 변이 ❸ 자연 선택

1 (1) ○ (2) × (3) × (4) × (5) ×　　2 자연 선택설, 다윈
3 (다) → (가) → (라) → (나)　　4 (1) × (2) ○ (3) ○

1 (1) 진화는 오랜 시간에 걸친 생물의 변화이다.
(2) 진화의 결과 오늘날과 같이 지구의 생물종이 다양해졌다.
(3) 변이는 진화의 원동력이므로 변이가 없는 집단에서는 진화가 일어나지 않는다.
(4) 같은 종의 개체들이라도 형질이 조금씩 다른 변이가 있어 환경에 적응하는 능력이 다르다.
(5) 자연 선택은 환경 변화에 따라 생존에 유리한 형질을 가진 개체가 생존하여 자신의 형질을 자손에게 전달함으로써 일어난다.

2 다윈은 개체 사이에 변이가 있고 생존 경쟁이 일어나 환경에 잘 적응한 개체가 살아남아 자연 선택됨으로써 생물이 진화한다는 자연 선택설을 주장하였다.

3 다윈의 자연 선택설에 따르면 과잉 생산된 개체들 사이에는 형질이 다른 변이(다)가 있고, 이들 사이에서 먹이나 서식 공간 등을 두고 생존 경쟁(가)이 일어난다. 이때 주어진 환경에서 생존에 유리한 형질을 가진 개체가 살아남아 더 많은 자손을 남기고(라), 이러한 과정이 오랫동안 누적되어 생물의 진화(나)가 일어난다.

4 (1) 다윈의 진화론이 발표되던 당시의 사람들은 생물종이 변하지 않는다고 믿었으나, 다윈의 진화론이 발표된 이후 생물종이 변할 수 있다는 생각을 가지게 되었다.
(2) 다윈의 진화론은 개인 또는 기업 간의 경쟁을 기본으로 하는 자본주의의 발달을 촉진하였다.
(3) 사회진화론에서는 사회나 국가 간의 관계에 생존 경쟁과 적자생존을 도입하여 인간 또는 국가 간의 불평등은 자연스러운 것이라 주장하였다.

개념 확인 문제 269쪽

❶ 변이 ❷ 유전적 ❸ 돌연변이 ❹ 자연 선택

1 변이　　2 (1) 유 (2) 유 (3) 비 (4) 유 (5) 비　　3 ㄱ, ㄷ
4 (1) ○ (2) ○ (3) ○　　5 (1) ○ (2) × (3) ○ (4) ×

1 같은 종의 개체들 사이에서 나타나는 형질의 차이를 변이라고 한다. 앵무의 깃털 색이 다양한 것은 변이의 예이다.

2 (1), (2) 유전적 변이는 개체가 가진 유전자의 차이에 의해 나타나므로 형질이 자손에게 유전된다. 따라서 진화가 일어나는 원동력이 된다.
(3) 환경의 영향으로 나타나는 비유전적 변이는 자손에게 유전되지 않으므로 진화에 영향을 주지 않는다.
(4) 유럽정원달팽이의 껍데기 무늬와 색깔이 개체마다 다른 것은 유전자의 차이에 의한 것이다.
(5) 운동으로 단련된 팔의 근육은 후천적인 영향으로 나타난 것이므로 자손에게 유전되지 않는 비유전적 변이의 예이다.

3 ㄱ, ㄷ. 유전적 변이는 오랫동안 축적된 돌연변이와 유성 생식 과정에서 생식세포의 다양한 유전자 조합으로 발생한다.

4 (1) 돌연변이는 유전자가 변하여 부모에게 없던 형질이 자손에게 나타나는 것으로, 집단에 없던 새로운 변이를 만든다.
(2) 같은 변이라도 어떤 환경에서는 생존에 유리하게 작용하지만, 다른 환경에서는 생존에 불리하게 작용한다. 따라서 환경이 변하면 생존에 유리한 형질이 달라질 수 있으므로 자연 선택의 방향이 달라질 수 있다.
(3) 주어진 환경에 적응하여 살아남는 데 유리한 변이를 가진 개체가 살아남아 자손을 남기게 되고, 이러한 자연 선택 과정이 오랫동안 반복되면 집단 내 각 변이의 비율이 달라지면서 진화가 일어난다.

5 (1) ㉠은 항생제 내성이 없는 세균, ㉡은 항생제 내성 세균이다. ㉠과 ㉡의 형질은 자손에게 전달되므로 유전자의 차이로 나타나는 유전적 변이이다.
(2) 항생제를 사용하기 전에도 이미 변이가 있었다.
(3) 항생제를 지속적으로 사용하는 환경에서 ㉡과 같은 형질을 갖는 개체들의 비율이 증가하였으므로, 항생제에 내성이 있는 ㉡이 자연 선택되었다.
(4) ㉠과 ㉡의 차이는 유전자의 차이에 의한 것이므로 항생제를 사용하지 않더라도 ㉡이 ㉠으로 바뀌지는 않는다.

내신 만점 문제 270~272쪽

01 C　02 ③　03 (다) → (가) → (라) → (나)　04 ⑤
05 ⑤　06 ⑤　07 ①　08 ④　09 ②　10 ⑤
11 ③　12 ④　13 해설 참조　14 해설 참조　15 해설 참조

01 C: 진화는 오랜 시간에 걸친 생물의 변화이며, 이 과정에서 생물들의 유전적 구성이 변하고 종이 다양해진다.

바로알기 A: 같은 종의 개체들 사이에서 나타나는 형질의 차이를 변이라고 한다.
B: 생물의 진화는 일반적으로 오랜 시간에 걸쳐 여러 세대를 거치는 동안 일어난다.

02 ㄱ. ㉠은 변이, ㉡은 자연 선택이다. 변이는 같은 종의 개체들 사이에서 나타나는 형질의 차이이다.
ㄴ. 자연 선택설에 의하면 생물은 주어진 환경에서 살아남을 수 있는 것보다 많은 수의 자손을 낳기 때문에 먹이와 서식 공간 등을 두고 생존 경쟁이 일어난다.

바로알기 ㄷ. ㉡은 생존에 유리한 형질을 가진 개체들이 살아남아 자손을 더 많이 남기는 자연 선택으로, 우수한 형질을 가진 개체들이 자손을 더 많이 남기는 것은 아니다.

03 (가)는 생존 경쟁, (나)는 진화, (다)는 과잉 생산과 변이, (라)는 자연 선택이다. 자연 선택설에 따른 생물의 진화 과정은 '과잉 생산과 변이(다) → 생존 경쟁(가) → 자연 선택(라) → 진화(나)'이다.

04 꼼꼼 문제 분석

(가)
많은 수의 기린이 태어났고, 기린의 목 길이는 다양하였다.

(나)
생존에 유리한 목이 긴 기린이 살아남아 자손을 남겼다.

(다)
이 과정이 오랫동안 반복되어 기린의 목이 지금처럼 길어졌다.

ㄱ. (가)는 서식할 수 있는 것보다 많은 수의 자손이 태어났고, 이들 사이에 목 길이가 다양한 변이가 있는 것을 나타낸다.
ㄴ. (나)는 변이를 가진 개체들 사이에서 생존 경쟁이 일어나고 목이 긴 기린이 자연 선택되는 것을 나타낸다.
ㄷ. (다)는 목이 긴 기린이 자연 선택되는 과정이 오랫동안 반복되어 지금처럼 기린의 목이 길어졌음을 나타낸다.

05 ⑤ 다윈은 생존에 유리한 형질을 가진 개체들이 살아남아 자손을 더 많이 남기는 자연 선택이 생물 진화의 핵심 원리라고 설명하였다.

바로알기 ①, ② 다윈이 자연 선택설을 발표하던 당시에는 유전의 원리가 알려지지 않았기 때문에 변이의 원인과 부모의 형질이 자손에게 유전되는 원리를 명확하게 설명하지 못하였다.
③ 많이 사용하는 기관이 발달하여 자손에게 유전된다고 설명하는 진화설은 라마르크의 용불용설이다.
④ 개체들의 생존력은 환경에 적응하기 유리한 형질이 있는지에 의해 결정되는 것이지 특정 형질을 획득하는 것에 있지 않다.

06 ㄱ. 다윈의 진화론이 발표되기 전까지는 생물은 변하지 않는다고 생각하였으나, 다윈의 진화론이 발표된 이후 생물은 자연 선택을 통해 진화한다고 생각하게 되었다. 이는 진화의 관점에서 생물의 유연관계를 파악하는 등 생명 과학의 이론적 기반을 제시한 것이다.
ㄴ. 다윈의 진화론은 생산성을 높이는 방향으로 산업 구조를 변화시키는 데 아이디어를 제공하였으며, 경쟁을 바탕으로 하는 자본주의의 발달에 영향을 주었다.
ㄷ. 다윈의 자연 선택설은 사회나 국가 사이에도 생존 경쟁이 일어나고 가장 적합한 것이 살아남게 되므로, 인간 또는 국가 간의 불평등은 자연스러운 일이라고 주장하는 사회진화론에 영향을 주었고, 인종 차별이나 식민 지배의 정당화에 악용되었다.

07 꼼꼼 문제 분석

(가) 유전적 변이
모두 같은 종이지만 개체가 가진 유전자가 달라 형질이 다르게 나타난다. ➡ 형질이 자손에게 유전된다.

(나) 비유전적 변이
어릴 적부터 여러 개의 링을 목에 걸고 생활한 결과 목이 길어졌다. ➡ 후천적으로 나타난 형질이므로 형질이 자손에게 유전되지 않는다.

ㄱ. (가)는 시클리드의 색 변이로 자손에게 유전되는 유전적 변이이다. 변이는 같은 종에 속한 개체들 사이에서 나타나는 형질의 차이이므로, (가)의 시클리드는 모두 같은 종에 속한다.

바로알기 ㄴ. (나)는 목에 링을 끼워서 생활한 결과 목이 길어진 것으로, 비유전적 변이이다. 따라서 개체가 가진 유전자와는 관련이 없어 형질이 자손에게 유전되지 않는다.
ㄷ. (가)와 같이 자손에게 유전되는 변이는 진화에 영향을 주지만, (나)와 같이 자손에게 유전되지 않는 변이는 진화에 영향을 주지 않는다.

08 ㄴ. 붉은색 딱정벌레 무리에서 새롭게 초록색 딱정벌레가 나타나고, 이 형질이 자손에게 전달되었으므로 초록색 딱정벌레(㉡)는 돌연변이로 생긴 것이다.
ㄷ. 딱정벌레의 몸 색은 자손에게 전달되므로 유전자에 의해 나타나는 형질이며, 형질이 자손에게 유전되는 유전적 변이이다.

바로알기 ㄱ. 붉은색 딱정벌레들(㉠)이 몸 색의 붉은색 정도가 개체마다 다른 것은 개체들이 가진 유전자의 차이로 나타나는 변이이다.

09 꼼꼼 문제 분석

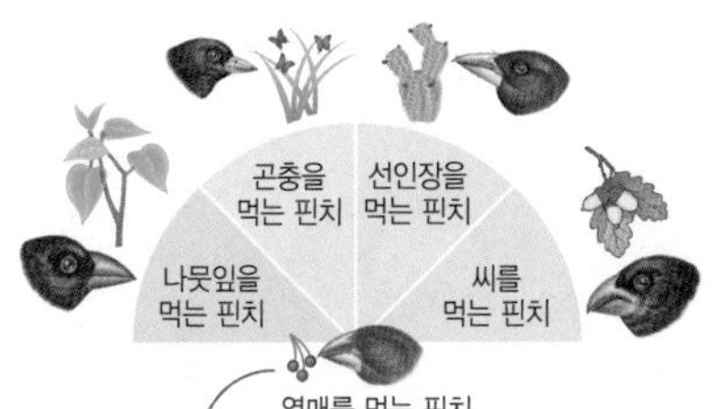

곤충을 먹는 핀치
선인장을 먹는 핀치
나뭇잎을 먹는 핀치
씨를 먹는 핀치
열매를 먹는 핀치
갈라파고스 제도의 각 섬에 서식하는 핀치는 모두 남아메리카 대륙에 살던 핀치에서 분화한 종이다.

섬마다 먹이 환경이 달랐고 각 섬에 풍부한 먹이를 잘 먹을 수 있는 부리 모양을 가진 핀치가 자연 선택되었다. 오랜 시간 동안 이러한 변이가 누적되어 다른 종으로 진화하였다.

ㄴ. 갈라파고스 제도의 각 섬에 서식하는 여러 종의 핀치는 각 섬의 풍부한 먹이 환경에 적응한 것이 자연 선택되어 나타난 결과이다.

바로알기 ㄱ. 자주 사용하여 후천적으로 획득한 형질은 자손에게 유전되지 않는다.

ㄷ. 각 섬에 사는 핀치는 모두 같은 종에서 유래된 것으로 여겨진다.

10 ㄴ. 낫 모양 적혈구는 심한 빈혈을 유발하므로 일반적으로는 생존에 불리하다. 그러나 말라리아가 많이 발생하는 지역에서는 생존에 유리하여 자연 선택되었다.

ㄷ. 말라리아를 유발하는 말라리아 원충은 적혈구에 기생하여 증식하는데, 낫 모양 적혈구에서는 증식이 어렵다. 이 때문에 낫 모양 적혈구 유전자를 가진 사람은 말라리아에 저항성을 가지며, 말라리아가 많이 발생하는 지역에서 자연 선택되었다.

바로알기 ㄱ. 낫 모양 적혈구는 헤모글로빈 유전자에 이상이 생겨 나타나며, 이러한 유전자 변이는 자손에게 유전된다.

11 꼼꼼 문제 분석

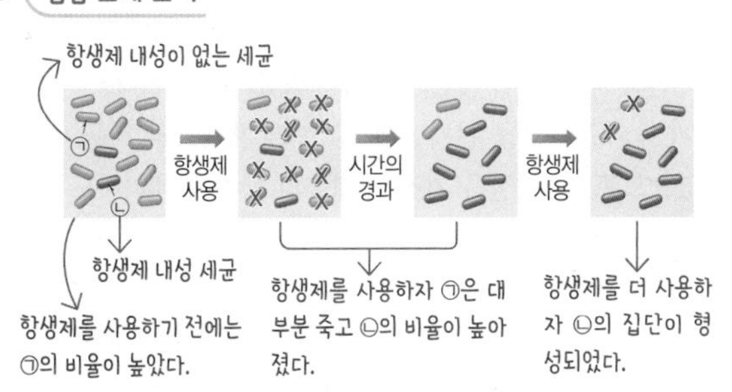

항생제 내성이 없는 세균
㉠
㉡
항생제 사용
시간의 경과
항생제 사용
항생제 내성 세균
항생제를 사용하기 전에는 ㉠의 비율이 높았다.
항생제를 사용하자 ㉠은 대부분 죽고 ㉡의 비율이 높아졌다.
항생제를 더 사용하자 ㉡의 집단이 형성되었다.

ㄷ. 항생제를 사용하는 환경에서는 ㉠보다 ㉡이 생존에 유리하여 자연 선택되었다.

바로알기 ㄱ. 항생제를 사용하는 환경에서 ㉠은 대부분 죽고 ㉡이 살아남은 것으로 보아 ㉡이 항생제 내성 세균이라는 것을 알 수 있다.

ㄴ. 항생제 내성 형질은 유전적 변이이므로 항생제 내성 형질은 세균이 번식하는 과정에서 자손에게 유전된다.

12 꼼꼼 문제 분석

> 스타이로폼 구 / 털실 방울
>
> 항생제 내성 세균 모형과 항생제 내성이 없는 세균 모형을 쟁반 위에 잘 섞어 놓은 후 벨크로 테이프를 이용해 세균 모형을 제거한다. 이때 쟁반 위에 남은 세균 모형의 수만큼 세균 모형을 더 넣어 주고, 이 과정을 2회 반복한다.

- 벨크로 테이프는 항생제에 해당하며, 세균 모형을 제거하는 것은 항생제에 의해 세균이 제거되는 것을 의미한다.
- 항생제 내성이 없는 세균 모형은 벨크로 테이프에 잘 붙는 재질을 사용하고, 항생제 내성 세균 모형은 벨크로 테이프에 잘 붙지 않는 재질을 사용한다.
- 남은 세균 모형의 수만큼 세균 모형을 더 넣어 주는 것은 세균의 증식을 의미한다.

ㄴ. 벨크로 테이프로 세균 모형을 제거한 후 쟁반 위에 남은 세균 모형은 항생제에 의해 항생제 내성 세균이 자연 선택되는 것에 비유할 수 있다.

ㄷ. 실험이 진행될수록 항생제 내성 세균 모형의 비율이 높아지는데 이것은 지속적인 항생제의 사용으로 항생제 내성 세균의 비율이 점차 높아져 항생제 내성 세균 집단이 형성되는 것에 해당한다.

바로알기 ㄱ. 항생제 내성 세균은 항생제에 의해 쉽게 제거되지 않으므로 항생제 내성 세균 모형은 벨크로 테이프(항생제)에 잘 달라붙지 않아야 한다.

13 다윈의 자연 선택설은 생물의 진화를 '과잉 생산과 변이 → 생존 경쟁 → 자연 선택 → 진화'의 과정으로 설명한다.

모범 답안 주어진 환경에서 살아남을 수 있는 것보다 많은 수의 기린이 태어났고, 목 길이가 다양한 변이가 있었다. 먹이를 두고 생존 경쟁을 한 결과 생존에 유리한 목이 긴 기린이 자연 선택되었고, 이 과정이 오랫동안 누적되어 기린의 목이 지금처럼 길어졌다.

채점 기준	배점
제시된 단어를 모두 사용하여 옳게 서술한 경우	100 %
제시된 단어 중 두 개만 사용하여 옳게 서술한 경우	50 %
제시된 단어 중 한 개만 사용하여 옳게 서술한 경우	20 %

14 항생제 내성이 없는 세균 집단에서 돌연변이가 일어나 항생제 내성 유전자를 갖는 세균이 나타났다. 항생제를 지속적으로 사용하는 환경에서는 항생제 내성이 없는 세균이 사라지고 항생제 내성 세균이 자연 선택되어 항생제 내성 세균 집단이 형성된다.

모범 답안 (1) (가) → (다) → (나) → (라) (2) 돌연변이
(3) 항생제를 지속적으로 사용하는 환경 변화가 있었다.

채점 기준		배점
(1)	순서대로 옳게 쓴 경우	30 %
(2)	돌연변이라고 쓴 경우	20 %
(3)	항생제를 지속적으로 사용했다고 옳게 서술한 경우	50 %
	항생제를 사용했다고만 서술한 경우	30 %

15 살충제를 지속적으로 사용하는 환경에서 살충제 내성 모기가 자연 선택되어 점차 집단 내 살충제 내성 모기의 비율이 높아지게 되었다.

모범 답안 살충제를 살포하기 전에는 살충제 내성이 없는 모기가 대부분이었고, 살충제 내성 모기가 일부 있었다. 살충제를 살포하자 살충제 내성이 없는 모기는 대부분 죽고, 살충제 내성 모기가 살아남아 더 많은 자손을 남기게 되었다. 살충제를 지속적으로 살포하는 환경에서 이러한 자연 선택 과정이 반복되어 집단 내에 살충제 내성 모기의 비율이 크게 높아졌다.

채점 기준	배점
변이와 자연 선택으로 진화 과정을 옳게 서술한 경우	100 %
변이와 자연 선택 중 하나만 사용하여 진화 과정을 옳게 서술한 경우	50 %

실력 UP 문제

273쪽

01 ② 02 ③ 03 ④ 04 ④

01 꼼꼼 문제 분석

• A, B, C는 유전적 변이를 나타낸다.
• (가)에서는 돌연변이로 B가 나타났으며, B가 자연 선택되었다.
• (나)에서는 돌연변이로 C가 나타났으며, C가 자연 선택되었다.

ㄴ. (가)에서는 A가 도태되고 B가 자연 선택되었으므로 A보다 B의 생존율이 높았다.

바로알기 ㄱ. 날개 형질이 A만 있던 나비 집단에서 돌연변이(㉠)가 일어나 새로운 날개 형질을 가진 B와 C가 나타났으므로 ㉠에 의해 나비 집단의 변이가 증가하였다. 그런데 자연 선택(㉡) 과정에서 (가)와 (나) 지역에서 모두 A가 도태되고 B와 C만 남았으므로 ㉡에 의해 나비 집단의 변이가 감소하였다.
ㄷ. C는 유전자에 돌연변이가 일어나 새로운 형질이 나타난 것이므로 A와 C는 유전적으로 서로 다르다.

02 꼼꼼 문제 분석

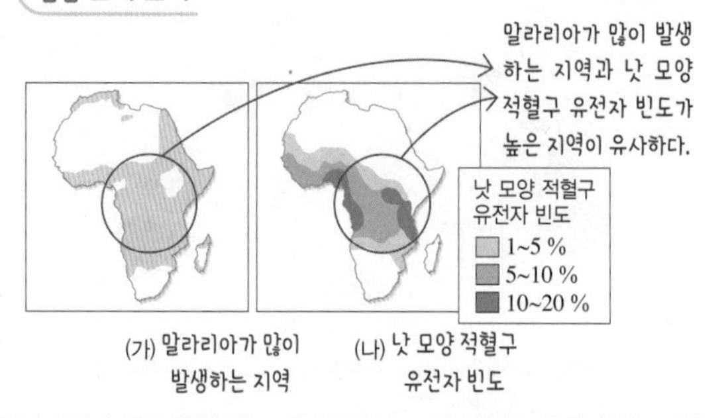

말라리아가 많이 발생하는 지역에서 낫 모양 적혈구 유전자 빈도가 높다. ➡ 말라리아가 낫 모양 적혈구를 가진 사람의 생존에 유리하게 작용한다.

ㄱ. 제시된 자료에서 말라리아가 많이 발생하는 지역에서는 낫 모양 적혈구 유전자 빈도가 그렇지 않은 지역보다 높게 나타난다.
ㄴ. 말라리아가 많이 발생하는 지역과 낫 모양 적혈구 유전자 빈도가 높은 지역이 유사한 것을 통해 말라리아가 낫 모양 적혈구 유전자를 가진 사람의 생존에 유리하게 작용하였다는 것을 알 수 있다.

바로알기 ㄷ. 낫 모양 적혈구 유전자는 일반적인 환경에서는 심한 빈혈을 일으켜 생존에 불리하지만, 말라리아가 많이 발생하는 환경에서는 말라리아에 저항성이 있어서 생존에 유리하게 작용하여 자연 선택된다.

03 꼼꼼 문제 분석

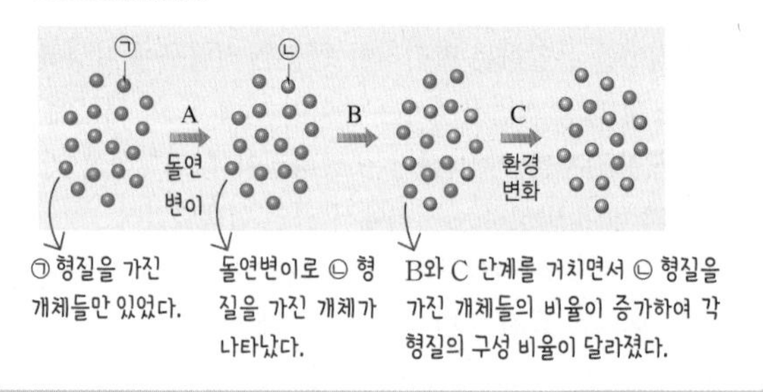

ㄱ. A 과정에서 돌연변이가 일어나 ㉡ 형질을 가진 개체가 나타났다.
ㄴ. B 과정에서 ㉡ 형질 개체들이 증가한 것은 ㉡ 형질 개체들이 번식하면서 ㉡ 형질이 자손에게 유전되었기 때문이다.

바로알기 ㄷ. C 과정을 거치면서 ㉡ 형질 개체들의 비율이 더 증가하였으므로 ㉡ 형질을 가진 개체들의 생존에 유리하도록 환경이 변하였음을 알 수 있다.

04 ㄱ, ㄴ. 가뭄 전에도 핀치 부리가 큰 것과 작은 것의 변이가 있었다. 가뭄으로 작고 연한 씨앗보다 크고 딱딱한 씨앗이 많아짐에 따라 이를 먹기에 적합한 부리가 큰 핀치가 생존에 유리하여 자연 선택되었고, 시간이 지남에 따라 집단에서 부리가 큰 핀치의 비율이 증가하여 핀치 부리의 평균 크기도 증가하였다.

바로알기 ㄷ. 가뭄으로 먹이인 씨앗의 총 수가 줄어들어 핀치의 전체 개체 수는 크게 감소하였다.

3 생물 다양성의 중요성과 보전 방안

개념 확인 문제

277쪽

❶ 생물 다양성 ❷ 유전적 ❸ 종 ❹ 생태계 ❺ 높 ❻ 생물 자원

1 (가) 생태계 다양성 (나) 종 다양성 (다) 유전적 다양성 **2** (1) × (2) ○ (3) × **3** ㉠ 많을수록, ㉡ 균등할수록 **4** ⑤ **5** (1) × (2) ○ (3) ○ **6** (1) ○ (2) × (3) ×

1 꼼꼼 문제 분석

(가) 생태계 다양성

강, 초원, 삼림 등 다양한 생태계가 존재한다.

(나) 종 다양성

달팽이, 개구리, 고슴도치, 무당벌레 등 다양한 생물종이 살고 있다.

(다) 유전적 다양성

모두 같은 종이지만, 서로 다른 유전자를 가지고 있어 다양한 형질이 나타난다.

(가)는 일정한 지역에 존재하는 생태계의 다양한 정도를 의미하는 생태계 다양성, (나)는 일정한 지역에 서식하는 생물종의 다양한 정도를 의미하는 종 다양성, (다)는 같은 종이라도 개체마다 유전자가 달라 서로 다른 형질이 나타나는 유전적 다양성이다.

2 (1) 유전적 다양성은 같은 생물종에서 유전자 차이로 개체마다 다양한 형질이 나타나는 것을 의미한다.
(2) 유전적 다양성이 높은 집단은 하나의 형질을 결정하는 유전자가 다양하게 나타나므로 변이가 다양하다.
(3) 유전적 다양성이 높은 집단은 다양한 변이를 가지고 있어 급격한 환경 변화가 일어나더라도 멸종될 가능성이 낮다.

3 종 다양성은 일정한 지역에 얼마나 많은 생물종이 얼마나 고르게 분포하여 살고 있는지를 의미한다. 따라서 서식하는 생물종의 수가 많을수록, 각 생물종의 분포 비율이 균등할수록 종 다양성이 높다.

4 ⑤ 열대 우림은 식물의 종류가 많으며, 그 식물을 이용하는 동물이나 균류의 종류도 많으므로 종 다양성이 가장 높은 생태계이다.
바로알기 ①, ③ 갯벌과 습지는 육상 생태계와 수생태계를 잇는 완충 지대로, 두 생태계의 자원을 모두 이용하는 생물종이 공존하므로 종 다양성이 다른 생태계보다 상대적으로 높다. 하지만 생물 다양성이 가장 높은 생태계는 아니다.
② 사막은 물이 부족하여 생물이 살기에 힘든 환경이므로 종 다양성이 낮다.
④ 농경지는 작물을 재배하기 위해 인위적으로 만든 생태계로, 대부분 한 농경지에 단일 작물을 재배하므로 생물 다양성이 낮다.

5 꼼꼼 문제 분석

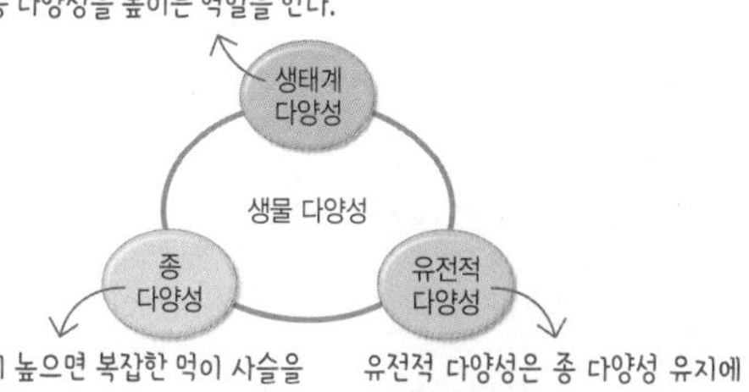
생태계 다양성은 생물에게 다양한 서식지와 환경을 제공함으로써 종 다양성을 높이는 역할을 한다.
생태계 다양성
생물 다양성
종 다양성
유전적 다양성
종 다양성이 높으면 복잡한 먹이 사슬을 형성하여 생태계의 안정성이 높아진다.
유전적 다양성은 종 다양성 유지에 중요한 역할을 한다.

(1) 유전적 다양성, 종 다양성, 생태계 다양성은 모두 생물 다양성 유지에 중요한 역할을 한다.
(2) 종 다양성이 높으면 복잡한 먹이 사슬을 형성하여 생태계의 안정성이 높아진다.
(3) 생태계가 다양할수록 생태계의 환경과 상호 작용을 하며 서식하는 생물종이 많아진다. 따라서 생태계 다양성이 높으면 종 다양성이 높아진다.

6 (1) 생물 다양성이 높으면 이용할 수 있는 생물이 많아 생물 자원이 풍부해진다.
(2) 버드나무 껍질에서는 진통 해열제인 아스피린의 원료를 얻는다. 항생제인 페니실린의 원료는 푸른곰팡이에서 얻는다.
(3) 생물 자원은 인간의 생활과 생산 활동에 이용되는 유전자, 생물, 생태계 등의 모든 생물적 자원을 말한다. 현재는 이용되지 않지만 잠재적으로 이용될 가치가 있는 것도 생물 자원이다.

개념 확인 문제

279쪽

❶ 서식지 ❷ 포획 ❸ 외래종

1 (1) × (2) ○ (3) × (4) ○ **2** 외래종 **3** ㉠ 생태 통로, ㉡ 단편화 **4** 람사르 협약

1 (1) 생물 다양성 감소의 가장 큰 원인은 서식지 파괴이다. 서식지가 파괴되면 그 서식지에 살던 생물종의 약 80 %가 영향을 받는다.
(2) 열대 우림의 나무를 베어내면 그곳에 살던 야생 생물의 서식지가 파괴되어 생물종이 감소한다.
(3) 도로 건설, 택지 개발 등으로 서식지가 단편화되면 서식지의 면적이 감소한다.

(4) 생활 하수나 공장 폐수로 인한 하천 오염 등은 수중 생물에게 피해를 입히고, 생물 다양성을 감소시키는 원인이 된다.

2 원래 살고 있던 서식지에서 벗어나 다른 지역으로 유입된 생물을 외래종이라고 한다. 대부분의 외래종은 새로운 환경에 적응하지 못하지만, 일부 외래종은 적응하여 생태계 평형을 위협한다.

3 꼼꼼 문제 분석

→ 생태 통로

처음에는 하나의 서식지였으나 도로 건설로 인해 서식지가 나누어졌다.
➡ 생태 통로를 설치하여 서식지를 연결한다.

도로 건설 등으로 단편화(㉡)된 서식지에 생태 통로(㉠)를 설치하면 서식지가 연결되어 야생 동물이 이동할 수 있다.

4 람사르 협약은 물새 서식지로 중요한 습지를 보전하기 위해 1971년 체결한 국제 협약이다.

내신 만점 문제

280~282쪽

01 ③ 02 ① 03 ④ 04 ② 05 ⑤ 06 ④
07 ③ 08 ① 09 ① 10 ② 11 ③ 12 ㉠ 서식지 단편화, ㉡ 생태 통로 13 해설 참조 14 해설 참조

01 ① 생물 다양성은 일정한 생태계에 존재하는 생물의 다양한 정도를 의미하며, 유전적 다양성, 종 다양성, 생태계 다양성을 모두 포함한다.
② 종 다양성이 낮으면 먹이 사슬이 끊어져 생태계 평형이 깨지기 쉽다.
④ 생태계 다양성은 삼림, 초원, 하천, 갯벌, 해양 등 어느 지역에 존재하는 생태계의 다양한 정도를 의미한다.
⑤ 종 다양성은 일정한 지역에 서식하는 생물종의 다양한 정도를 의미하며, 생물종이 많을수록, 각 생물종의 분포 비율이 균등할수록 종 다양성이 높다.
바로알기 ③ 유전적 다양성은 같은 생물종에서 유전자 변이의 다양함을 의미한다.

02 (가)는 같은 종이라도 개체마다 유전자가 달라 형질이 다르게 나타나는 유전적 다양성, (나)는 생태계의 다양한 정도를 의미하는 생태계 다양성, (다)는 생물종의 다양한 정도를 의미하는 종 다양성의 예를 나타낸 것이다.

03 ㄱ. 생물 다양성을 구성하는 요소는 유전적 다양성, 종 다양성, 생태계 다양성이다. (나)에서 기린마다 몸 색과 무늬가 조금씩 다른 것은 개체마다 유전자가 다르기 때문으로, 유전적 다양성에 해당한다. 유전적 다양성은 같은 종 내에서 형질이 다양하게 나타나는 것이므로 (나)의 기린은 모두 같은 종이다.
ㄴ. (나)가 유전적 다양성에 해당하므로 A는 유전적 다양성, B는 생태계 다양성이다. 유전적 다양성(A)이 높으면 급격한 환경 변화에도 적응하여 살아남는 개체가 있을 확률이 높아 종을 유지할 가능성이 높다.
바로알기 ㄷ. 생태계 다양성(B)은 일정한 지역에 존재하는 생태계의 다양한 정도이다. 한 생태계 내에 존재하는 생물종의 다양한 정도는 종 다양성이다.

04 (가)는 종 다양성, (나)는 생태계 다양성, (다)는 유전적 다양성이다.
ㄴ. 생태계 다양성(나)이 높을수록 다양한 환경에 서식하는 생물종이 많아지므로 종 다양성(가)도 높아진다.
바로알기 ㄱ. 종 다양성(가)은 일정한 지역에 서식하는 생물종의 다양한 정도를 의미한다.
ㄷ. 유전적 다양성(다)은 같은 종의 개체들에서 나타나는 형질의 다양함이므로 이들 사이에서 먹이 사슬이 형성되지는 않는다. 먹이 사슬은 다른 종 사이에 형성되므로 종 다양성(가)이 높을수록 복잡한 먹이 사슬이 형성된다.

05 꼼꼼 문제 분석

A: 4개체, B: 4개체, C: 4개체, D: 3개체
A: 10개체, B: 1개체, C: 1개체, D: 3개체
A B C D
(가) 4종, 15개체 (나) 4종, 15개체

ㄱ. (가)와 (나)에 서식하는 식물종의 수는 4종으로 같다.
ㄴ. (가)와 (나)에 서식하는 식물의 총 개체 수는 15개체로 같지만, A는 (가)에서 4개체, (나)에서 10개체이다. 따라서 A의 분포 비율은 (가)보다 (나)에서 높다.
ㄷ. (가)와 (나)에서 식물종의 수는 4종으로 같지만, 각 식물종의 분포 비율은 (가)가 (나)보다 더 균등하다. 따라서 종 다양성은 (가)가 (나)보다 높다.

06 ①, ③ 목화는 면섬유의 원료를 제공하며, 벼, 밀, 콩, 옥수수 등은 식량으로 이용된다.
② 나무, 풀 등은 주택 재료로 사용된다.
⑤ 자연 휴양림은 사람들에게 휴식 장소를 제공한다.

바로알기 ④ 버드나무 껍질은 아스피린 원료로 이용되며, 주목 열매에서 항암제 원료를 얻는다.

07 ① 서식지가 파괴되면 그 서식지에 살던 생물종 대부분이 영향을 받는다. 따라서 생물 다양성 감소에 가장 큰 영향을 주는 것은 서식지 파괴이다.
② 대부분의 외래종은 새로운 환경에 적응하지 못하지만 일부 생물종은 적응하여 원래 그 지역에 살던 고유종의 생존을 위협한다.
④ 남획이란 생물을 과도하게 많이 잡는 것을 말한다. 보호 동식물을 불법 포획하거나 야생 동식물을 남획하면 해당 생물종의 개체 수가 급격하게 감소하여 멸종 위험을 높일 수 있다.
⑤ 유전적 다양성이 낮은 생물종은 급격한 환경 변화(자연재해, 질병 등)가 일어났을 때 살아남는 개체가 있을 가능성이 낮아 멸종 위기에 처할 수 있다.
바로알기 ③ 환경 오염이 발생하면 깨끗한 환경에서만 서식하는 생물들은 그렇지 않은 생물들에 비해 더 큰 영향을 받는다.

08 꼼꼼 문제 분석

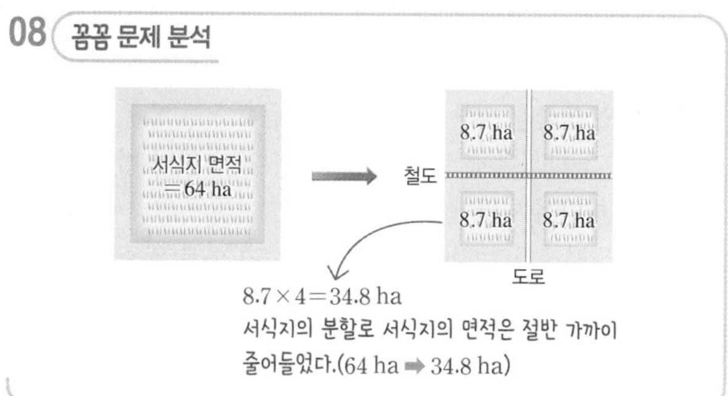

ㄱ. 하나의 큰 서식지가 4개의 작은 서식지로 분할되었다.
바로알기 ㄴ. 서식지가 소규모로 분할되면 가장자리(서식지 주변부)의 면적이 증가하므로 서식지의 면적은 철도와 도로의 면적보다 훨씬 더 많이 감소하였다.
ㄷ. 서식지가 단편화되면 가장자리의 면적은 증가하지만, 중심부의 면적은 줄어든다. 따라서 서식지 중심부에 살던 생물종이 가장자리에 살던 생물종보다 사라질 위험이 더 높다.

09 ㄱ. 외래종은 원래 서식지에서 벗어나 다른 서식지로 유입된 생물종이다. 외래종이 새로운 환경에 적응하여 대량으로 번식하면 고유종의 서식지를 차지하여 생존을 위협하고 먹이 관계에 변화를 일으켜 생태계 평형을 깨뜨릴 수 있다.
바로알기 ㄴ. 외래종이 도입되면 생태계의 기존 먹이 사슬에 변화가 생기며, 외래종의 개체 수가 급격하게 증가할 경우 생물 다양성이 감소할 수 있다.
ㄷ. 외래종 도입은 기존의 생태계에 영향을 줄 수 있기 때문에 생물의 국가 간 이동은 신중하게 결정하고 엄격하게 관리할 필요가 있다.

10 ㄱ. 특정 품종의 대량 재배는 종 다양성과 유전적 다양성을 낮추어 생물 다양성이 감소할 수 있다.
ㄴ. 하나의 커다란 서식지를 여러 개로 분할하여 단편화하면 서식지의 면적이 감소하고 생물종의 이동을 제한하여 생물 다양성이 감소할 수 있다.
바로알기 ㄷ. 국립 공원의 자연 휴식년제는 사람의 간섭을 배제하여 생물 다양성을 증가시킨다.

11 ① 환경 오염은 생물의 생존을 위협하므로 환경 오염을 줄이는 것은 생물 다양성 보전에 중요하다.
② 야생 동식물의 불법 포획이나 남획을 금지하여 종 다양성을 보전하고 생태계 평형을 유지한다.
④ 단편화된 서식지는 생태 통로를 만들어 생물들의 이동이 가능하도록 한다.
⑤ 생물 다양성을 보전하기 위해서는 국제 협약을 통한 국가 간 협력이 중요하다.
바로알기 ③ 특정 종의 서식지만을 보호하기보다 군집 전체를 국립 공원으로 지정하여 보호하는 것이 생물 다양성을 유지하는 데 더 효과적이다.

12 하나의 큰 서식지가 작은 서식지로 나누어지는 것을 서식지 단편화라고 하고, 단편화된 서식지를 연결하는 인공적인 길을 생태 통로라고 한다.

13 바나나 야생종(㉠)은 암수 생식세포의 수정으로 만들어진 씨로 번식하므로 유전적 다양성이 높다. 그러나 우리가 흔히 먹는 바나나(㉡)는 땅속줄기를 이용한 무성 생식의 한 방법으로 번식시키므로 유전적으로 모두 동일하다.

모범 답안 (1) ㉡
(2) ㉡은 무성 생식으로 번식하므로 유전적 다양성이 매우 낮아 모든 개체들이 똑같이 질병에 취약하여 멸종될 가능성이 높다.

채점 기준		배점
(1)	㉡이라고 쓴 경우	30 %
(2)	무성 생식으로 번식하여 유전적 다양성이 낮기 때문이라고 옳게 서술한 경우	70 %
	유전적 다양성이 낮다고만 서술한 경우	50 %

14 꼼꼼 문제 분석

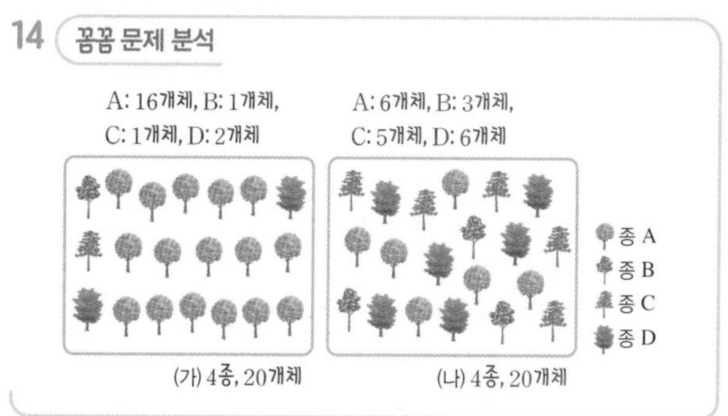

모범 답안 (1) (나)

(2) 서식하는 생물종의 수가 많을수록, 각 생물종의 분포 비율이 균등할수록 종 다양성이 높다. (가)와 (나)에 분포하는 식물종 수는 4종으로 같지만, (나)는 (가)에 비해 종 A~D가 고르게 분포하므로 종 다양성은 (나)에서가 (가)에서보다 높다.

채점 기준		배점
(1)	(나)라고 쓴 경우	30 %
(2)	식물종의 수와 분포 비율을 모두 들어 옳게 서술한 경우	70 %
	식물종의 분포 비율만 들어 서술한 경우	30 %

실력 UP 문제

283쪽

01 ⑤ 02 ③ 03 ③ 04 ⑤

01 꼼꼼 문제 분석

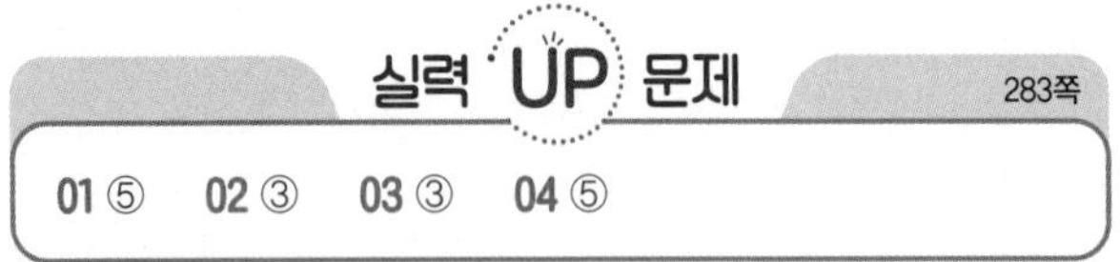

10^4 이전까지는 개체 수가 많아질수록 유전자 변이의 수가 증가한다.
10^4 이후부터는 개체 수가 많아져도 유전자 변이의 수가 일정하게 유지된다.

ㄴ, ㄷ. 유전자 변이의 수가 많을수록 집단의 유전적 다양성이 높아져 환경에 대한 적응력이 높아진다. 개체 수가 10^2일 때보다 10^5일 때 유전자 변이의 수가 많으므로 환경 변화에 대한 적응력이 높다.

바로알기 ㄱ. 개체 수가 10^4이 될 때까지는 유전자 변이의 수가 개체 수에 비례하여 증가하지만, 그 이상에서는 더 이상 증가하지 않고 유지된다.

02 꼼꼼 문제 분석

구분	A	B	C	D	E	F
㉠	30	30	28	33	50	49
㉡	122	30	21	14	20	13

- ㉠: 6종, 220개체, 종 A~F가 균등하게 분포한다.
- ㉡: 6종, 220개체, 종 A의 분포 비율이 매우 높다.

ㄷ. 생물 다양성이 높을수록 생태계가 안정적으로 유지된다. 따라서 종 다양성이 높은 ㉠이 ㉡보다 생태계가 안정적으로 유지된다.

바로알기 ㄱ. 생물종의 수가 많고, 각 생물종이 균등하게 분포할수록 종 다양성이 높다. ㉠과 ㉡에서 생물종 수는 6종으로 같은데, ㉠에서는 종 A~F가 균등하게 분포하지만, ㉡에서는 종 A의 분포 비율이 매우 높다. 따라서 식물의 종 다양성은 ㉠이 ㉡보다 높다.

ㄴ. ㉠과 ㉡에는 모두 6종, 220개체가 서식한다. 종 B의 개체 수는 ㉠과 ㉡에서 30개체로 동일하므로 종 B가 전체 식물에서 차지하는 개체 수의 비율도 ㉠과 ㉡에서 동일하다.

03 꼼꼼 문제 분석

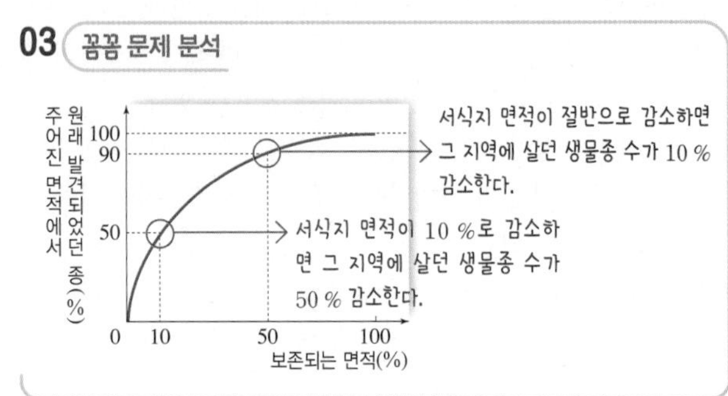

주어진 면적에서 원래 발견되었던 종(%)
보존되는 면적(%)
서식지 면적이 절반으로 감소하면 그 지역에 살던 생물종 수가 10 % 감소한다.
서식지 면적이 10 %로 감소하면 그 지역에 살던 생물종 수가 50 % 감소한다.

ㄱ. 서식지 면적이 100 %에서 10 %로 감소하면 그 지역에서 원래 발견되었던 종의 비율이 100 %에서 50 %로 감소되므로, 그 지역에 살던 생물종 수가 절반으로 줄어든다.

ㄷ. 서식지가 파괴됨에 따라 원래 발견되었던 종의 비율이 감소하므로 종 다양성이 낮아진다.

바로알기 ㄴ. 서식지 면적이 100 %에서 50 %로 감소하면 원래 발견되었던 종의 비율이 100 %에서 90 %로 10 % 감소한다. 그러나 개체 수의 감소 비율은 제시된 자료만으로는 알 수 없다.

04 꼼꼼 문제 분석

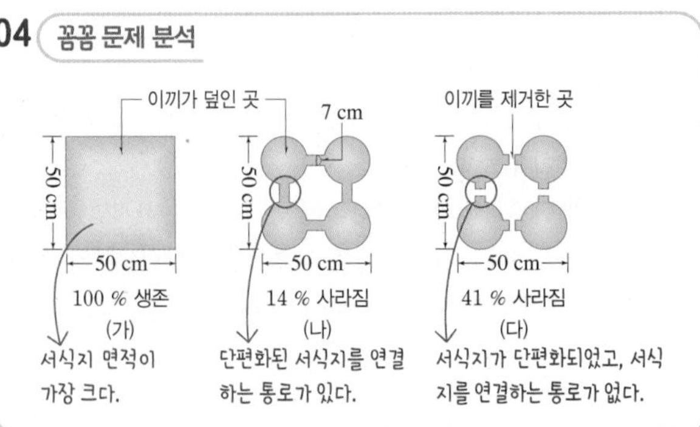

이끼를 제거한 곳

100 % 생존

14 % 사라짐

41 % 사라짐

ㄱ. 이끼 밑에 서식하는 소형 동물의 생물종 수를 조사하고 있으므로 서식지 면적은 이끼가 덮인 면적이다. 따라서 서식지 면적은 (가)>(나)>(다)이다.

ㄴ. 6개월 후 (나)에는 처음보다 종 수가 14 % 줄어 86 %의 생물종이 있지만 (다)에는 처음보다 종 수가 41 % 줄어 59 %의 생물종이 있다. 따라서 종 다양성은 (나)가 (다)보다 높다.

ㄷ. 산을 관통하는 도로를 만들 때 산을 절개하면 서식지가 단절되지만, 터널을 건설하면 터널 위로 생물들이 이동할 수 있어 생물 다양성 보전에 도움이 된다.

중단원 핵심 정리 284~285쪽

❶ 시상 화석 ❷ 표준 화석 ❸ 화석 ❹ 선캄브리아 시대 ❺ 판게아 ❻ 중생대 ❼ 신생대 ❽ 진화 ❾ 변이 ❿ 자연 선택 ⓫ 유전적 ⓬ 돌연변이 ⓭ 자연 선택 ⓮ 항생제 ⓯ 유전적 다양성 ⓰ 많고 ⓱ 균등 ⓲ 생물 자원 ⓳ 아스피린 ⓴ 단편화

중단원 마무리 문제 286~290쪽

01 ② 02 해설 참조 03 ① 04 ③ 05 해설 참조
06 ① 07 ④ 08 ③ 09 해설 참조 10 ③ 11 ⑤
12 ⑤ 13 ⑤ 14 ③ 15 ④ 16 ⑤ 17 해설 참조
18 ③ 19 ① 20 ⑤ 21 ② 22 ① 23 해설 참조
24 (가) 생물 다양성 협약 (나) 람사르 협약

01 ㄷ. 공룡 발자국 화석의 보존 상태가 양호하므로 이 지층은 화석이 생성된 이후에 심한 지각 변동을 받지 않았다.

바로알기 ㄱ. 화석은 대부분 퇴적암에서 발견된다. 변성암은 높은 열과 압력을 받아 생성되었기 때문에 화석이 발견되기 어렵다.
ㄴ. 공룡은 중생대, 삼엽충은 고생대의 표준 화석이므로 두 화석이 함께 발견될 수 없다.

02 모범 답안 D, 표준 화석은 생물의 생존 기간이 짧고, 분포 면적이 넓어야 하기 때문이다.

채점 기준	배점
D를 고르고, 표준 화석으로 적당한 까닭을 옳게 서술한 경우	60 %
D만 고른 경우	40 %

03 꼼꼼 문제 분석

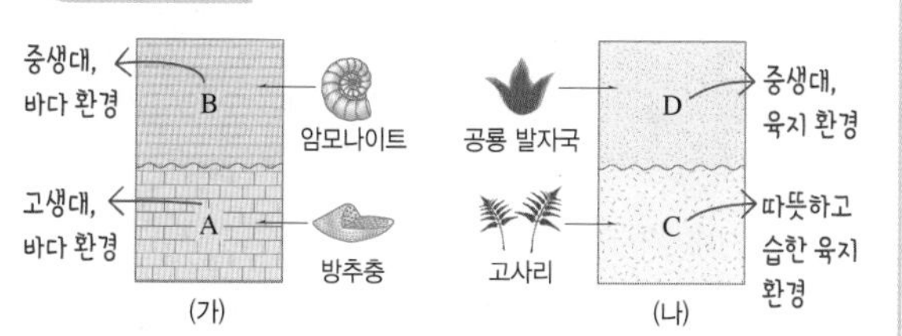

② 지층 B와 D는 모두 중생대에 퇴적되었다.
③ 방추충과 암모나이트는 바다 생물이므로 지층 A와 B가 퇴적될 때 (가) 지역은 바다 환경이었다.
④ 고사리와 공룡은 육지 생물이므로 지층 C와 D가 퇴적될 때 (나) 지역은 육지 환경이었다.
⑤ 고사리는 고생대에 출현하여 지금도 따뜻하고 습한 육지 환경에서 서식하고 있다.

바로알기 ① 방추충은 고생대 표준 화석이다. 따라서 방추충 화석이 발견된 지층 A는 고생대에 퇴적되었다.

04 지질 시대의 상대적 길이는 D>C>A>B이므로 D는 선캄브리아 시대, C는 고생대, A는 중생대, B는 신생대이다.
ㄴ. 속씨식물이 번성한 지질 시대는 신생대이므로 B이다.
ㄷ. C 시대(고생대) 말기에는 여러 대륙이 합쳐져 판게아가 형성되었다.

바로알기 ㄱ. 오존층이 형성되어 육상 생물이 출현한 시대는 고생대이므로 C이다.
ㄹ. D 시대(선캄브리아 시대)는 생물의 개체 수가 적고 지각 변동을 많이 받아 지층에서는 화석이 거의 발견되지 않는다.

05 모범 답안 고생대, 오존층이 지표에 도달하는 자외선을 차단하였기 때문에 육상 생물이 출현할 수 있었다.

채점 기준	배점
고생대를 쓰고, 육상 생물이 출현한 까닭을 옳게 서술한 경우	100 %
고생대만 쓴 경우	50 %
육상 생물이 출현한 까닭만 옳게 서술한 경우	50 %

06 (가)는 선캄브리아 시대, (나)는 신생대, (다)는 중생대, (라)는 고생대의 동물계의 변화이다.
ㄱ. (가) 선캄브리아 시대에는 자외선을 차단할 만큼 오존층이 형성되지 않았으므로 생물이 모두 바다에서 생활하였다.
ㄷ. (다) 중생대의 바다에는 암모나이트가 번성하였다.

바로알기 ㄴ. (나) 신생대 후기에는 여러 번의 빙하기가 있었다. 빙하기 없이 기후가 대체로 온난한 시대는 (다) 중생대이다.
ㄹ. (가) 선캄브리아 시대는 지질 시대의 약 88.2 %를 차지하므로 (라) 고생대보다 훨씬 오래 지속되었다.

07 꼼꼼 문제 분석

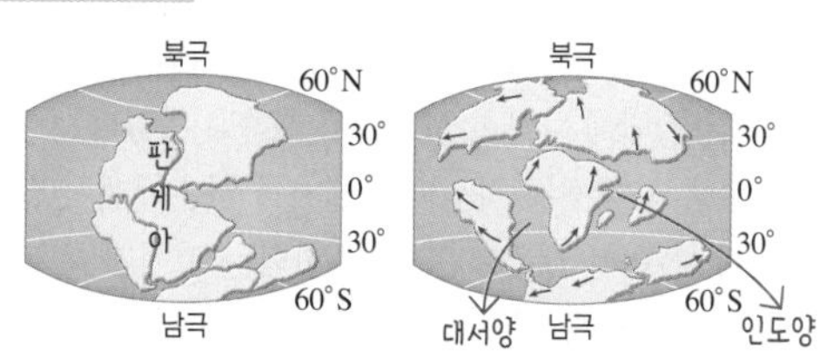

(가) 고생대 말기 (나) 중생대 말기
(가) → (나)로 갈수록 판게아가 분리되어 대륙과 해양의 분포가 다양해진다.

① (가) 시기에 흩어져 있던 대륙들이 모여 판게아가 형성되었다.
② 판게아가 형성되었던 고생대 말기에는 삼엽충과 방추충 등 많은 해양 생물이 멸종하였다.
③ 중생대 말기에 공룡과 암모나이트 등이 멸종하였다.
⑤ 중생대에 판게아가 분리되어 대륙이 점점 이동하면서 신생대에는 현재와 비슷한 수륙 분포가 형성되었다.

바로알기 ④ 판게아가 분리되면서 대서양과 인도양이 형성되어 면적이 점점 넓어졌다.

08 꼼꼼 문제 분석

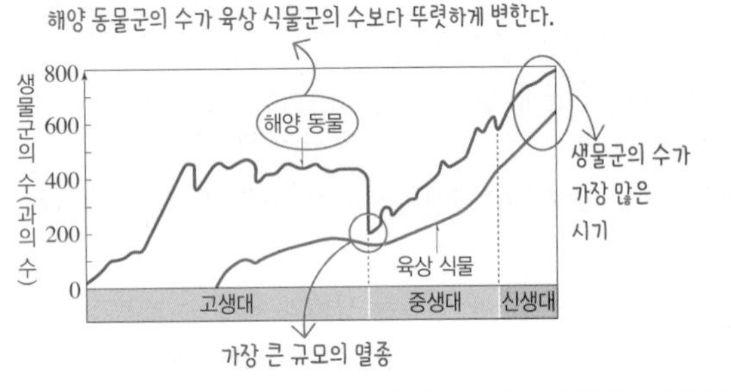

ㄱ. 고생대 말기에 해양 동물의 수가 급격히 감소하였으므로 해양 동물의 대멸종이 일어났다.
ㄷ. 해양 동물군의 수가 육상 식물군의 수보다 뚜렷하게 변하므로 해양 동물은 육상 식물보다 지질 시대 구분에 더 유용하다.
바로알기 ㄴ. 생물의 종류가 가장 다양한 시기는 생물군의 수가 가장 많은 신생대이다.

09 모범 답안 수륙 분포 변화, 소행성 충돌(운석 충돌), 대규모 화산 분출 등에 의한 급격한 환경 변화로 대멸종이 일어났다.

채점 기준	배점
생물 대멸종을 일으킨 급격한 환경 변화의 요인 두 가지를 옳게 서술한 경우	100 %
한 가지만 옳게 서술한 경우	50 %

10 ㄴ. 환경에 적응하기 유리한 형질을 가진 개체는 그렇지 않은 개체에 비해 생존 경쟁에서 살아남아 자손을 더 많이 남긴다. 그 결과 집단에서 환경에 적응하기 유리한 형질을 가진 개체의 비율이 높아진다.
ㄹ. 생물은 주어진 환경에서 살아남을 수 있는 것보다 많은 수의 자손을 낳아 개체 사이에서 생존 경쟁이 일어난다.
바로알기 ㄱ. 환경 변화로 다양한 형질이 나타난 것이 아니라, 이미 기린 집단 내에 다양한 형질이 존재하고 있었다.
ㄷ. 자연 선택된 개체는 자신의 유전자를 자손에게 전달하는데, 이때 생존에 유리한 형질도 함께 유전되는 것이지 특정 형질만 유전되는 것은 아니다.

11 같은 종의 개체들 사이에서 나타나는 유전적 형질의 차이는 유전적 변이이다.
ㄱ. 변이가 다양할수록 유전적 다양성이 높아서 생물 다양성이 높아진다.
ㄴ. 같은 종 내에서의 유전적 변이는 환경에 대한 적응력의 차이를 가져와 생물 집단이 진화하는 데 영향을 준다.
ㄷ. 유전적 변이는 자손에게 전달되어 진화에 영향을 준다.
바로알기 ㄹ. 오른손을 많이 써서 오른손이 왼손보다 커진 것은 후천적으로 획득한 비유전적 변이이다.

12 ㄱ. 갈색 토끼 무리에서 갑자기 흰색 토끼가 태어난 것은 돌연변이에 의한 것이다.
ㄴ, ㄷ. (나)에서 갈색 털 유전자를 가진 생식세포와 흰색 털 유전자를 가진 생식세포가 만들어지고, 이들이 수정하여 태어난 얼룩무늬 토끼는 갈색 털 유전자와 흰색 털 유전자를 모두 가진다. 세대를 거듭하면서 이와 같은 과정이 반복되면 자손의 유전자 조합이 다양해지고, 변이가 다양해진다.

13 ㄱ. 밝은 숲에서는 흰색 나방이 검은색 나방보다 천적의 눈에 잘 띄지 않아 생존에 유리하여 더 많이 살아남았고, 어두운 숲에서는 검은색 나방이 흰색 나방보다 천적의 눈에 잘 띄지 않아 생존에 유리하여 더 많이 살아남았다.
ㄴ. 어두운 숲에서 검은색 나방이 재포획된 비율이 높은 것은 검은색 나방이 생존에 유리하여 자연 선택되었기 때문이다.
ㄷ. 흰색 나방과 검은색 나방의 재포획된 비율은 숲의 밝기와 같은 환경 변화에 따라 생존에 유리한 형질이 달라지는 자연 선택의 결과로 설명할 수 있다.

검은색 나방이 천적의 눈에 잘 띄어 더 많이 잡아먹혔다.
➡ 흰색 나방이 더 많이 살아남아 재포획된 비율이 높다.
지의류
검은색 나방
흰색 나방
흰색 나방이 천적의 눈에 잘 띄어 더 많이 잡아먹혔다.
➡ 검은색 나방이 더 많이 살아남아 재포획된 비율이 높다.
밝은 숲
어두운 숲

14 꼼꼼 문제 분석

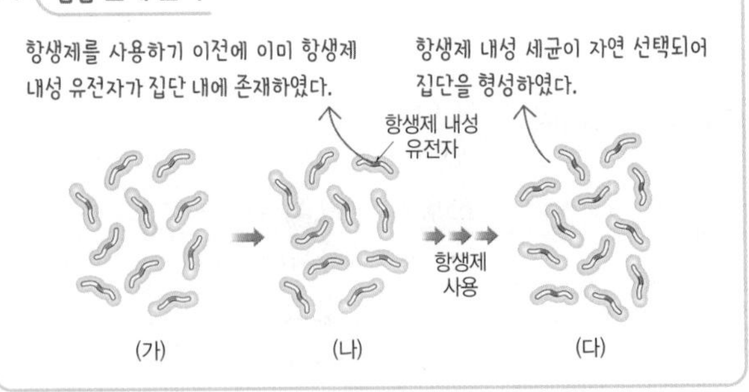

③ (나) → (다)에서 항생제 내성이 없는 세균은 항생제를 지속적으로 사용하는 환경에서 생존에 불리하여 도태되었다.
바로알기 ① 항생제 내성 유전자는 항생제 사용 이전에 이미 집단 내에 존재하였다.
② (나) → (다)에서 항생제 내성 세균이 자연 선택되었다. (가) → (나)에서는 돌연변이로 항생제 내성 유전자가 나타났다.
④ 지속적인 항생제 사용 등 환경이 달라지면 집단의 구성이 변화될 수 있다.
⑤ 항생제 사용을 중단하더라도 항생제 내성 세균은 사라지지 않는다.

15 꼼꼼 문제 분석

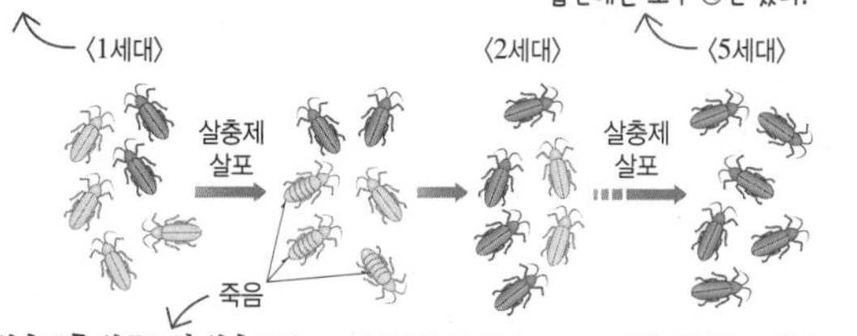
살충제에 대한 내성 여부와 몸 색이 다른 변이가 있다. ➡ ㉠보다 ㉡의 비율이 높다.
살충제를 지속적으로 살포하는 환경에서는 ㉡이 모두 제거되어 집단에는 모두 ㉠만 있다.
〈1세대〉
〈2세대〉
〈5세대〉
살충제 살포
살충제 살포
죽음
살충제를 살포하면 살충제에 죽는 ㉡이 제거되어 집단에서 ㉡의 비율이 감소한다.
살충제를 잘 견디고 색이 진한 개체(㉠)
살충제에 죽고 색이 옅은 개체(㉡)

ㄴ. 살충제를 살포하는 환경에서는 살충제를 잘 견디는 ㉠이 살충제에 죽는 ㉡에 비해 환경 적응력이 높다.

ㄷ. 2세대 이후 살충제 살포를 중지하고 색이 진한 개체를 잡아먹는 천적이 나타난다면, 살충제에 의해 ㉡이 죽지는 않고 ㉠이 천적에게 잡아먹혀 ㉠의 개체 수가 감소할 것이다. 그 결과 ㉡이 자연 선택되어 세대를 거듭할수록 ㉡의 비율이 다시 증가할 것이다.

바로알기 ㄱ. 1세대에는 ㉠과 ㉡ 형질이 모두 있지만, 5세대에는 ㉠ 형질만 있으므로 유전적 다양성은 1세대가 5세대보다 더 높다.

16 ㄱ, ㄴ. 이 실험에서 벨크로 테이프는 항생제에 해당한다. 벨크로 테이프에 붙어서 쟁반에서 제거되는 A는 항생제 내성이 없는 세균 모형이고, 벨크로 테이프에 붙지 않아 제거되지 않는 B는 항생제 내성 세균 모형이다.

ㄷ. 벨크로 테이프 사용 후 쟁반에 남은 세균 모형의 수만큼 더해 2세대를 만드는 것은 살아남은 세균이 증식하는 것을 의미한다.

17 모범 답안 세균 집단에는 항생제에 내성이 있는 것과 없는 것의 변이가 있다. 항생제를 지속적으로 사용하는 환경에서는 항생제 내성이 없는 세균은 도태되고 항생제 내성 세균이 자연 선택되어 그 비율이 점점 높아져 항생제 내성 세균 집단이 출현한다.

채점 기준	배점
제시된 용어를 모두 사용하여 항생제 내성 세균 집단의 출현 과정을 옳게 서술한 경우	100 %
항생제를 사용하는 환경에서 항생제 내성 세균이 자연 선택되기 때문이라고 서술한 경우	50 %

18 꼼꼼 문제 분석

구분	의미
A 유전적 다양성	같은 종이라도 개체마다 형질이 다르게 나타나는 것을 의미한다.
B 생태계 다양성	어느 지역에 존재하는 생태계의 다양한 정도를 의미한다.
C 종 다양성	㉠

(가)

유전적 다양성에 해당한다.

(나)

ㄱ. (나)는 같은 종에 속하는 개체들 사이에서 나타나는 형질의 차이이므로 유전적 다양성(A)에 해당한다.

ㄷ. ㉠은 종 다양성의 의미인 '일정한 지역에 서식하는 생물종의 다양한 정도를 의미한다.'이다.

바로알기 ㄴ. 유전적 다양성(A)이 높을수록 변이가 다양하여 급격한 환경 변화에 적응하여 살아남는 개체가 있을 가능성이 높다.

19 꼼꼼 문제 분석

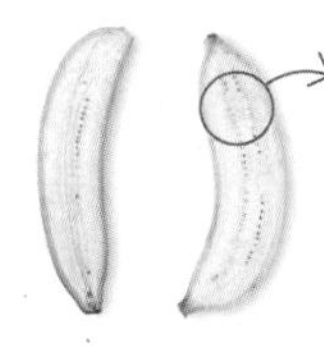
야생 바나나
씨가 있다. ➡ 유성 생식으로 번식한다.
➡ 변이가 많다. ➡ 유전적 다양성이 높다.

ㄱ. ㉠은 유전적 다양성이 높아 변이가 많지만, ㉡은 유전적 다양성이 낮아 변이가 적다.

바로알기 ㄴ. ㉠은 암수 생식세포를 만들고, 그 생식세포가 수정하여 새로운 개체가 되는 유성 생식으로 번식하기 때문에 유전적 다양성이 높지만, ㉡은 땅속줄기를 잘라 옮겨 심는 무성 생식의 한 방법으로 번식하기 때문에 유전적 다양성이 낮다.

ㄷ. 급격한 환경 변화가 일어났을 때 ㉠은 유전적 다양성이 높아 살아남는 개체가 있을 확률이 높지만, ㉡은 유전적 다양성이 낮아 멸종될 가능성이 크다.

20 꼼꼼 문제 분석

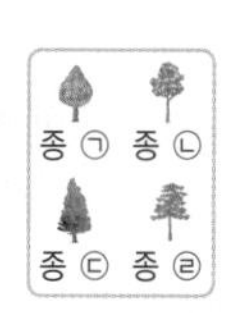
종 ㉠ 종 ㉡
종 ㉢ 종 ㉣

(가) (나)

구분	종 ㉠	종 ㉡	종 ㉢	종 ㉣
(가)	12개체	1개체	1개체	1개체
(나)	5개체	3개체	3개체	4개체

- 생물종 수: (가)와 (나) 모두 4종으로 같다.
- 분포 비율: (가)보다 (나)에서 각 종의 분포 비율이 균등하다.

ㄱ. 생태계에 서식하는 생물종의 수가 많고 각 생물종이 고르게 분포할수록 종 다양성이 높다. (가)와 (나)의 생물종 수는 4종으로 같은데, (가)는 종 ㉠의 분포 비율이 매우 높지만 (나)는 각 종이 고르게 분포한다. 따라서 종 다양성은 (가)보다 (나)에서 높다.

ㄴ. 식물의 종 수는 (가)와 (나)에서 모두 4종으로 같다.

ㄷ. (가)와 (나)의 면적이 같으므로 $\frac{\text{개체 수}}{\text{면적}}$의 값은 개체 수에 비례한다. 종 ㉡의 개체 수는 (가)에서는 1이고, (나)에서는 3이다. 따라서 종 ㉡의 $\frac{\text{개체 수}}{\text{면적}}$의 값은 (나)에서가 (가)에서의 3배이다.

21 ㄱ. (가)에서 푸른곰팡이와 버드나무 같이 서로 다른 생물종에서 서로 다른 의약품 원료를 얻으므로 종 다양성을 높게 유지해야 한다.

ㄴ. 세균의 유전자를 옥수수에 주입하여 만든 해충 저항성 옥수수는 생물의 유전자 자원을 활용한 사례이다.

바로알기 ㄷ. 자연 상태의 생태계는 휴식, 여가 활동, 관광 등의 장소를 제공하므로 도시를 많이 개발하기보다는 다양한 생태계를 유지하는 것이 필요하다.

22 ㄱ. 서식지 면적이 64 ha에서 8.7 ha 4개로 나뉘어지고 각 서식지는 도로와 철도로 끊어져 있다. 즉, 하나의 큰 서식지가 소규모로 단편화되었다.

바로알기 ㄴ. 도로와 철도 때문에 서식지의 총 면적이 8.7 ha×4=34.8 ha로 줄어들어 서식할 수 있는 생물의 개체 수가 줄어든다. 또한 서식지가 단편화되어 가장자리의 면적은 늘어났지만 중심부의 면적은 줄어들어 서식지 중심부에 사는 생물종이 사라질 위험이 높으므로 종 다양성이 낮아진다.

ㄷ. 단편화된 서식지에 생물들이 이동할 수 있는 생태 통로를 만들면 생물 다양성이 감소하는 것을 줄일 수는 있지만 생물 다양성이 서식지를 분할하기 전보다 높아질 수는 없다.

23 가시박과 같이 원래 서식지에서 다른 서식지로 유입된 생물을 외래종이라고 한다. 외래종은 기존의 생태계를 구성하는 고유종의 서식지를 차지하거나 먹이 관계를 교란시킨다.

모범 답안 (1) 외래종

(2) 외래종을 도입하기 전에 외래종이 기존 생태계에 주는 영향을 철저하게 검증한다. 외래종이 불법적으로 유입되는 것을 막는다.

채점 기준		배점
(1)	외래종이라고 쓴 경우	20 %
(2)	두 가지 방안을 모두 옳게 서술한 경우	80 %
	두 가지 방안 중 한 가지만 옳게 서술한 경우	40 %

24 생물 다양성 협약은 생물 다양성의 보전과 생물 자원의 지속 가능한 이용 등을 제안하였다. 습지 보전과 관련된 협약은 람사르에서 채택되었다.

중단원 고난도 문제 291쪽

01 ③ 02 ① 03 ② 04 ④

01 꼼꼼 문제 분석

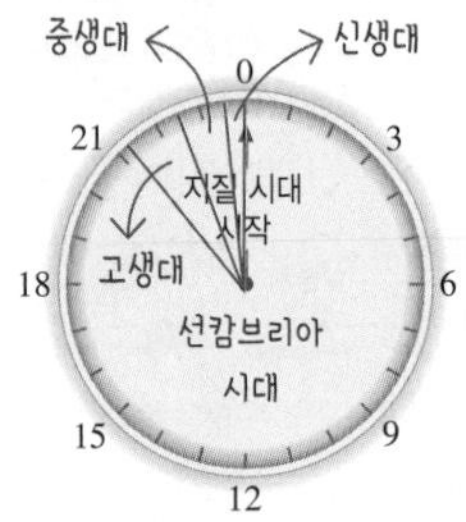

지질 시대	시작 시기 (억 년 전)	지질 시계
선캄브리아 시대	46	0시
고생대	5.41	약 21.2시
중생대	2.52	약 22.7시
신생대	0.66	약 23.7시

선택지 분석

ㄱ 전체 지질 시대 중 선캄브리아 시대가 차지하는 비율은 85 % 이상이다.

~~ㄴ~~. 시계에서 삼엽충이 번성한 기간은 2시간보다 길다. 짧다

ㄷ 공룡이 멸종한 시기는 23시와 24시 사이이다.

전략적 풀이 ❶ 각 지질 시대의 지속 기간을 지질 시계에 적용한다.

24시간이 46억 년에 해당하므로 1시간은 약 1.9억 년이다.

지질 시대	지질 시계에 적용
선캄브리아 시대	5.41억 년은 $\frac{5.41}{1.9}$≒2.8시간이므로, 선캄브리아 시대는 지질 시계로 약 21.2시(24시−2.8시간)까지이다.
고생대	2.52억 년은 $\frac{2.52}{1.9}$≒1.3시간이므로, 고생대는 지질 시계로 약 22.7시(24시−1.3시간)까지이다.
중생대	0.66억 년은 $\frac{0.66}{1.9}$≒0.3시간이므로, 중생대는 지질 시계로 약 23.7시(24시−0.3시간)까지이다.
신생대	약 23.7시부터 24시까지이다.

❷ 선캄브리아 시대가 전체 지질 시대에서 차지하는 비율을 계산한다.

ㄱ. $\frac{21.2시간}{24시간}\times100$≒88 %이므로 85 % 이상이다.

❸ 지질 시계에서 삼엽충이 번성했던 고생대 전 기간의 길이와 공룡이 멸종했던 중생대 말의 시점을 구한다.

ㄴ. 삼엽충은 고생대 전 기간에 걸쳐 번성하였다. 지질 시계에서 고생대의 지속 기간은 약 22.7시−약 21.2시=약 1.5시간이다.

ㄷ. 공룡은 중생대 말기인 약 23.7시에 멸종했으므로, 공룡이 멸종한 시기는 23시와 24시 사이이다.

02 꼼꼼 문제 분석

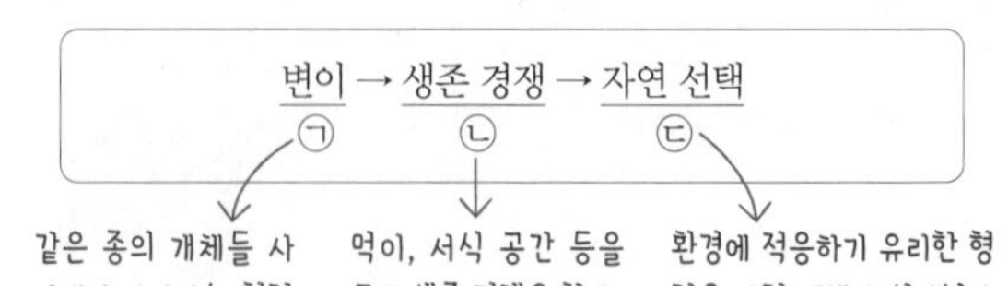

선택지 분석

ㄱ. '터키달팽이 집단에서 개체마다 껍데기의 무늬와 색깔이 다르다.'는 ㉠의 예에 해당한다.

~~ㄴ~~. ㉡ 과정에서 이론적으로 집단 내 개체들의 생존율에는 차이가 없다. 있다

~~ㄷ~~. ㉢에서 환경 변화에 관계없이 우수한 형질을 가진 개체들이 선택된다. 환경에 적응하기 유리한 형질을

전략적 풀이 ❶ 변이의 정의를 생각한다.

ㄱ. 변이는 같은 종에 속한 개체들 사이에서 나타나는 형질의 차이이다. 터키달팽이 집단에서 개체마다 껍데기의 무늬와 색깔이 다른 것은 개체가 가진 유전자가 다르기 때문이며, 이를 변이(㉠)라고 한다.

❷ 변이가 있어 개체마다 환경에 적응하는 능력이 다르고, 그에 따라 생물이 진화한다는 것을 생각한다.

ㄴ. 집단 내 개체들 사이에 변이가 있어 환경 적응력이 다르고, 그에 따라 개체들의 생존율이 달라진다. 즉, 환경에 잘 적응하는 개체가 살아남아(적자 생존) 자손에게 자신의 형질을 전달한다.

ㄷ. 환경 변화에 따라 환경에 적응하기 유리한 형질을 가진 개체가 자연 선택되는 것이다. 즉, 자연 선택은 환경에 대한 적응으로 일어나는 것이지 객관적인 형질의 우수성으로 일어나지는 않는다.

03 꼼꼼 문제 분석

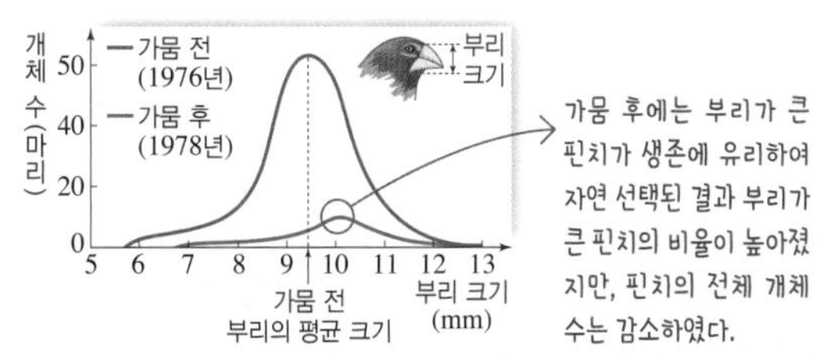

개체 수(마리)
가뭄 전 (1976년)
가뭄 후 (1978년)
부리 크기
가뭄 전 부리의 평균 크기
부리 크기 (mm)
가뭄 후에는 부리가 큰 핀치가 생존에 유리하여 자연 선택된 결과 부리가 큰 핀치의 비율이 높아졌지만, 핀치의 전체 개체 수는 감소하였다.

선택지 분석

~~ㄱ~~. 크고 딱딱한 씨앗을 먹기 위해 핀치의 부리가 커졌다.

~~ㄴ~~. 먹이 환경의 변화는 핀치의 부리 크기 유전자의 돌연변이를 유발하였다.

ㄷ. 가뭄 시에 부리가 큰 핀치보다 부리가 작은 핀치의 생존 확률이 낮았다.

전략적 풀이 ❶ 생물의 진화는 환경에 따라 개체의 유전자가 변하거나 형질이 바뀌어 일어나는 것이 아니라는 점을 생각한다.

ㄱ. 핀치의 부리가 먹이에 따라 변하는 것이 아니라 가뭄 전에도 핀치 부리의 크기가 큰 것과 작은 것의 변이가 있었다.

ㄴ. 먹이 환경의 변화가 유전자를 변화시키는 돌연변이의 원인이라고 할 수는 없다.

❷ 자연 선택은 환경 변화에 따라 특정 형질을 가진 개체가 도태되거나 선택되어 일어난다.

ㄷ. 부리가 작은 핀치는 크고 딱딱한 씨앗을 먹기가 어려우므로 가뭄으로 작고 연한 씨앗이 많이 사라진 환경에서 생존율이 감소하였다. 반면, 부리가 큰 핀치는 크고 딱딱한 씨앗을 먹기에 적합하여 더 많이 살아남아 더 많은 자손을 남겼고, 이러한 과정이 누적됨에 따라 집단 내에 부리가 큰 핀치가 많아져서 핀치 부리의 평균 크기가 커졌다.

04 꼼꼼 문제 분석

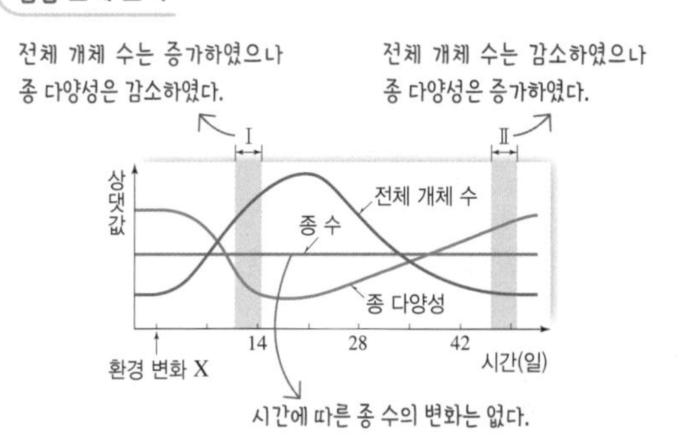

전체 개체 수는 증가하였으나 종 다양성은 감소하였다.
전체 개체 수는 감소하였으나 종 다양성은 증가하였다.
Ⅰ
Ⅱ
상댓값
전체 개체 수
종 수
종 다양성
환경 변화 X
14
28
42
시간(일)
시간에 따른 종 수의 변화는 없다.

- 종 다양성: 종 수가 많을수록, 각 종의 분포 비율이 균등할수록 종 다양성이 높다.

➡ 종 수가 같으므로 종 다양성이 높을수록 각 종의 분포 비율이 더 균등하다.

선택지 분석

ㄱ. 구간 Ⅰ에서 개체 수가 증가하는 종이 있다.

ㄴ. 전체 개체 수에서 각 종이 차지하는 비율은 구간 Ⅰ에서보다 구간 Ⅱ에서 더 균등하다.

~~ㄷ~~. X는 생물 다양성을 높이는 작용을 한다. 낮추는

전략적 풀이 ❶ 종 다양성은 종 수가 많고 각 종의 분포 비율이 균등할수록 높다는 것을 생각한다.

환경 변화 X가 일어난 후 시간에 따른 종 수는 변화 없지만 종 다양성은 변화하였다. 따라서 종 다양성 변화는 각 종의 분포 비율 변화 때문에 나타난 것이다.

ㄷ. 환경 변화 X가 일어난 직후 종 다양성이 감소하였으므로 X는 생태계 내의 특정 종의 개체 수 변화에 영향을 주어 생물 다양성을 낮추는 요인으로 작용하였다고 볼 수 있다.

❷ 종 다양성과 전체 개체 수 그래프를 통해 구간 Ⅰ과 Ⅱ에서의 각 종의 분포 비율 변화를 추론한다.

ㄱ. 구간 Ⅰ에서 전체 개체 수는 증가하였지만 종 다양성은 감소하였으므로 생태계를 구성하는 어떤 종의 개체 수가 크게 증가하여 그 종의 분포 비율이 높아졌다고 추론할 수 있다.

ㄴ. 전체 개체 수에서 각 종이 차지하는 비율이 고를수록 종 다양성이 높다. 따라서 각 종의 비율은 종 다양성이 낮은 구간 Ⅰ에서보다 종 다양성이 높은 구간 Ⅱ에서 더 균등하다.

Ⅳ 환경과 에너지

1 생태계와 환경

1 생태계 구성 요소와 환경

개념 확인 문제 295쪽

❶ 생태계 ❷ 환경 ❸ 생산자 ❹ 소비자 ❺ 분해자 ❻ 비생물적 요인

1 군집 **2** (1) ㄱ, ㅈ (2) ㄴ, ㅂ, ㅅ, ㅊ (3) ㅁ, ㅇ, ㅌ (4) ㄷ, ㄹ, ㅋ **3** (1) ㉡ (2) ㉠ (3) ㉠ (4) ㉡ (5) ㉢

1 같은 종의 개체들이 모여 개체군을 이루고, 같은 지역에 사는 여러 개체군이 모여 군집을 이룬다.

2 (1) 생산자는 빛에너지를 이용하여 광합성을 하여 스스로 양분을 얻는 생물이다.
(2) 소비자는 다른 생물을 먹이로 하여 양분을 얻는 생물이다.
(3) 분해자는 생물의 사체나 배설물에 포함된 유기물을 무기물로 분해하여 에너지를 얻는 생물이다.
(4) 생물을 둘러싸고 있는 모든 환경 요인을 비생물적 요인이라고 한다. 비생물적 요인에는 빛, 온도, 물, 토양, 공기 등이 있다.

3 (1), (4) 낙엽(생물)이 쌓여 분해되면 토양(비생물적 요인)이 비옥해지는 것과 지렁이(생물)가 흙 속을 돌아다니며 토양(비생물적 요인)의 통기성을 높이는 것은 생물이 비생물적 요인에 영향을 주는 ㉡의 예이다.
(2), (3) 토양(비생물적 요인) 속 양분이 풍부하면 식물(생물)이 잘 자라는 것과 가을에 기온(비생물적 요인)이 낮아지면 은행나무(생물)의 잎이 노랗게 변하는 것은 비생물적 요인이 생물에 영향을 주는 ㉠의 예이다.
(5) 메뚜기(생물)의 개체 수가 증가하면 이를 먹고 사는 개구리(생물)의 개체 수도 증가하는 것은 서로 다른 생물 개체군 사이에서 일어나는 상호 작용 ㉢의 예이다.

개념 확인 문제 299쪽

❶ 울타리 ❷ 파장 ❸ 크고 ❹ 작다 ❺ 비늘 ❻ 많아

1 (1) ㄷ (2) ㄱ (3) ㄴ (4) ㅁ **2** (나) **3** ④ **4** 온도 **5** (가)

1 (1) 곤충은 몸 표면이 키틴질로 되어 있어 몸속 수분이 증발하는 것을 막는다.
(2) 꾀꼬리는 일조 시간이 길어지는 봄에 번식하고, 노루는 일조 시간이 짧아지는 가을에 번식한다.
(3) 개구리와 같은 변온 동물은 스스로 체온을 조절하지 못해 겨울이 되면 체온이 낮아져 물질대사가 원활하게 일어나지 않으므로 온도 변화가 적은 땅속에 들어가 겨울잠을 잔다.
(4) 공기가 희박한 고산 지대에 사는 사람들은 평지에 사는 사람들에 비해 혈액 속 적혈구 수가 많아 산소를 효율적으로 운반한다.

2 꼼꼼 문제 분석

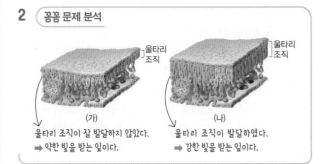

울타리 조직 (가): 울타리 조직이 잘 발달하지 않았다. ➡ 약한 빛을 받는 잎이다.

울타리 조직 (나): 울타리 조직이 발달하였다. ➡ 강한 빛을 받는 잎이다.

한 식물에서도 강한 빛을 받는 잎은 광합성이 활발하게 일어나는 울타리 조직이 잘 발달하여 잎이 두껍고, 약한 빛을 받는 잎은 울타리 조직이 잘 발달하지 않아 잎이 얇다.

3 파장이 긴 적색광은 바다 얕은 곳까지만 투과하므로 바다 얕은 곳에는 적색광을 주로 이용하는 녹조류가 많이 분포한다. 파장이 짧은 청색광은 바다 깊은 곳까지 투과하므로 바다 깊은 곳에는 청색광을 주로 이용하는 홍조류가 많이 분포한다. 즉, 바다의 깊이에 따라 도달하는 빛의 파장이 달라 바다의 깊이에 따라 서식하는 해조류의 종류가 다르다.

4 단풍나무와 같은 낙엽수는 기온이 낮아지면 단풍이 들고 잎을 떨어뜨리지만, 동백나무와 같은 상록수는 잎의 큐티클층이 두꺼워 잎을 떨어뜨리지 않고 추운 겨울을 난다. 이는 식물이 온도에 적응한 현상이다.

5 물이 풍부한 환경에 서식하는 식물은 관다발이나 뿌리가 잘 발달하지 않고, 통기 조직이 발달하여 물 위에 떠서 살 수 있다. 반면, 건조한 환경에 서식하는 식물은 물을 저장하는 저수 조직이 발달하였다. 따라서 (가)는 물이 풍부한 환경에 서식하는 수생 식물이고, (나)는 건조한 지역에 서식하는 건생 식물이다.

내신 만점 문제 300~302쪽

01 ② 02 ① 03 ④ 04 ⑤ 05 ② 06 ⑤
07 ① 08 ① 09 ⑤ 10 ⑤ 11 ③ 12 (가) 일조 시간 (나) 물 (다) 공기 13 해설 참조 14 해설 참조 15 해설 참조

01 ㄴ. 생태계는 생물 군집뿐 아니라 생물 군집에 영향을 주는 빛, 온도, 물, 공기 등과 같은 비생물적 요인을 포함한 개념이다.
바로알기 ㄱ. 생태계는 생물적 요인인 생산자, 소비자, 분해자와 비생물적 요인으로 구분할 수 있다.
ㄷ. 일정한 지역에 사는 같은 종의 무리를 개체군이라 하고, 일정한 지역에 사는 여러 개체군의 무리를 군집이라고 한다.

02 ① 미역과 식물 플랑크톤은 광합성을 통해 스스로 유기물을 합성하는 생산자이다.
바로알기 ② 멸치와 고등어는 서로 다른 종이므로 다른 개체군에 속한다.
③ 생태계를 구성하는 요소 중 생물적 요인은 제시되어 있지만 비생물적 요인(빛, 온도, 물, 토양, 공기 등)은 제시되어 있지 않다.
④ 멸치는 식물 플랑크톤을 먹는 1차 소비자이고, 멸치를 먹는 고등어가 이 생태계에서 최종 소비자이다.
⑤ 세균은 생물의 사체나 배설물에 포함된 유기물을 분해하여 에너지를 얻는 분해자이다.

03 A: 생산자는 광합성을 하는 생물이다.
C: 소비자는 다른 생물을 먹이로 하여 양분을 얻는 생물이다.
바로알기 B: 버섯은 생물의 사체나 배설물을 분해하는 분해자이다.

04 ㄱ. 생물적 요인은 생산자, 소비자, 분해자(가)로 구성된다.
ㄴ. 생태계를 구성하는 요소인 생산자, 소비자, 분해자, 비생물적 요인은 서로 영향을 주고받는다.
ㄷ. 도토리(생산자)가 많이 열리면 도토리를 먹이로 하는 다람쥐(소비자)의 개체 수가 증가한다. 이는 생산자가 소비자에게 영향을 주는 ㉠의 예이다.

05 꼼꼼 문제 분석

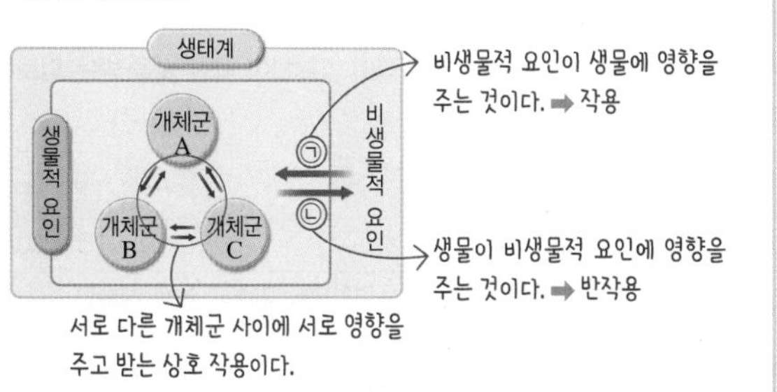

생태계
생물적 요인
개체군 A
개체군 B
개체군 C
㉠
㉡
비생물적 요인
비생물적 요인이 생물에 영향을 주는 것이다. ➡ 작용
생물이 비생물적 요인에 영향을 주는 것이다. ➡ 반작용
서로 다른 개체군 사이에 서로 영향을 주고 받는 상호 작용이다.

① ㉠은 비생물적 요인이 생물에 영향을 주는 작용이고, ㉡은 생물이 비생물적 요인에 영향을 주는 반작용이다.
③ 군집은 같은 지역에 서식하는 여러 개체군의 무리로 이루어진다. 하나의 생태계를 구성하는 개체군 A와 개체군 B는 같은 군집에 속한다.
④ 온도(비생물적 요인)가 내려가 단풍나무(생물)의 잎이 붉게 변하는 것은 작용(㉠)의 예에 해당한다.
⑤ 식물(생물)의 광합성으로 숲의 공기(비생물적 요인) 성분이 달라지는 것은 반작용(㉡)의 예에 해당한다.
바로알기 ② 세균은 생물적 요인 중 분해자에 해당한다.

06 (가) 스라소니(생물)가 눈신토끼(생물)를 잡아먹는 것은 생물 사이에 영향을 주고받는 상호 작용의 예이다.
(나) 지렁이(생물)가 토양(비생물적 요인)의 통기성을 높이는 것은 생물이 비생물적 요인에 영향을 주는 반작용의 예이다.
ㄱ, ㄴ. 나무(생물)가 숲 속의 습도(비생물적 요인)를 높이는 것과 지의류(생물)가 암석(비생물적 요인)의 풍화를 촉진하는 것은 생물이 비생물적 요인에 영향을 주는 반작용의 예이다.
ㄷ. 토끼풀(생물)과 뿌리혹박테리아(생물)가 서로 양분과 질소 화합물을 공급하는 것은 생물 사이에 영향을 주고받는 상호 작용의 예이다.

07 ㄱ. (가)는 강한 빛을 받는 잎(양엽)이고, (나)는 약한 빛을 받는 잎(음엽)이다. 즉, (가)와 (나)의 잎의 두께 차이는 빛의 세기와 관련이 있다.
바로알기 ㄴ. (가)와 (나)는 모두 울타리 조직을 가지고 있지만, 강한 빛을 받는 (가)가 약한 빛을 받는 (나)에 비해 울타리 조직이 더 두껍게 발달되어 있다.
ㄷ. 울타리 조직은 광합성이 활발하게 일어나는 조직이므로, 빛이 있을 때 울타리 조직이 발달한 (가)에서가 (나)에서보다 광합성이 더 활발하게 일어난다.

08 꼼꼼 문제 분석

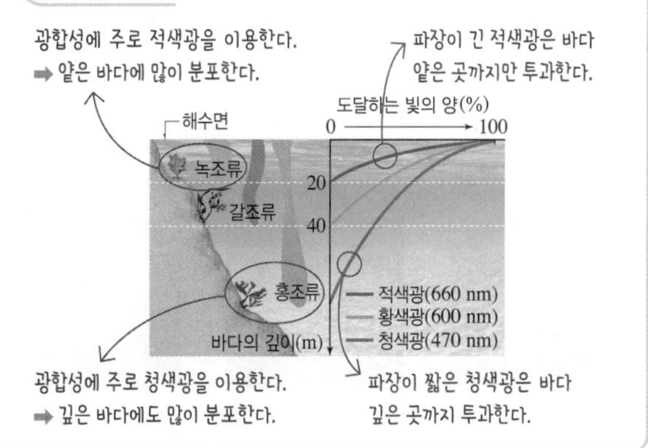

광합성에 주로 적색광을 이용한다.
➡ 얕은 바다에 많이 분포한다.
파장이 긴 적색광은 바다 얕은 곳까지만 투과한다.
도달하는 빛의 양(%)
0
100
해수면
녹조류
갈조류
홍조류
20
40
바다의 깊이(m)
적색광(660 nm)
황색광(600 nm)
청색광(470 nm)
광합성에 주로 청색광을 이용한다.
➡ 깊은 바다에도 많이 분포한다.
파장이 짧은 청색광은 바다 깊은 곳까지 투과한다.

ㄱ. 파장이 짧은 청색광은 투과도가 커서 바다 깊은 곳까지 도달한다.

ㄴ. 바다의 깊이에 따라 분포하는 해조류가 다른 것은 바다의 깊이에 따라 도달하는 빛의 파장과 양이 다르기 때문으로, 생물이 빛의 파장에 적응한 결과이다.

바로알기 ㄷ. 녹조류는 주로 적색광을 광합성에 이용하고, 홍조류는 주로 청색광을 광합성에 이용한다. 즉, 해조류는 몸 색깔과 보색인 색깔의 빛을 주로 광합성에 이용한다.

ㄹ. 홍조류는 붉은색을 띠는 조류로, 김, 우뭇가사리 등이 있다. 미역은 갈색을 띠는 갈조류에 속한다.

09 꼼꼼 문제 분석

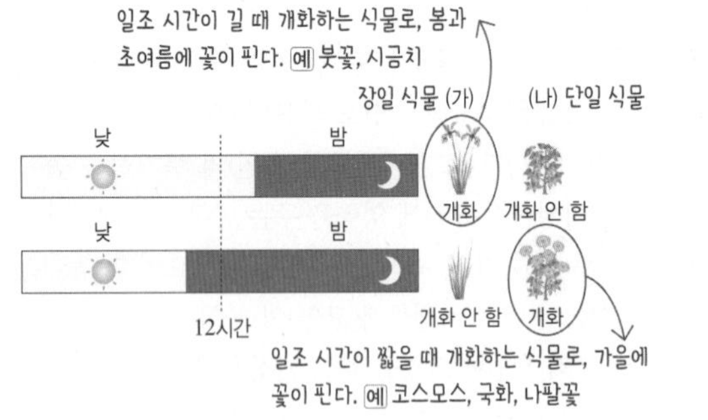

ㄴ, ㄷ. (가)는 일조 시간이 길어질 때 꽃이 피는 장일 식물로, 붓꽃, 시금치 등이 있고, (나)는 일조 시간이 짧아질 때 꽃이 피는 단일 식물로, 코스모스, 국화, 나팔꽃 등이 있다.

ㄹ. 자연 상태에서 장일 식물(가)은 낮의 길이가 길어지는 봄과 초여름에 꽃이 피고, 단일 식물(나)은 낮의 길이가 짧아지는 가을에 꽃이 핀다.

바로알기 ㄱ. (가)는 장일 식물, (나)는 단일 식물이다.

10 개구리의 겨울잠과 온대 활엽수의 낙엽은 모두 온도에 대한 생물의 적응 현상이다.

ㄴ. 철새가 계절에 따라 적합한 온도의 장소로 이동하는 것으로, 온도에 대한 적응 현상이다.

ㄷ. 사는 지역의 온도에 따라 여우의 귀의 크기가 다른 것으로, 온도에 대한 적응 현상이다.

바로알기 ㄱ. 국화가 낮의 길이가 짧아지는 가을에 꽃이 피는 것으로, 일조 시간에 대한 적응 현상이다.

11 꼼꼼 문제 분석

(가) 선인장
건조한 지역에 사는 식물로 물을 저장하는 저수 조직이 발달하였다.

(나) 민들레
육상에 사는 식물로 뿌리, 줄기, 잎이 잘 발달해 있다.

(다) 수련
물에 사는 식물로 뿌리가 잘 발달하지 않으며, 통기 조직이 발달하였다.

ㄱ. 선인장(가)은 사막과 같은 건조한 지역에 서식하는 건생 식물이다. 건생 식물은 물을 저장하는 저수 조직이 발달하였고, 일부 식물은 잎이 가시로 변해 수분 증발을 막는다.

ㄷ. 서식지에 따라 (가)~(다) 식물들의 몸 구조와 형태가 달라진 것은 물에 대한 적응 현상과 관련이 깊다.

바로알기 ㄴ. 민들레(나)는 육상에 서식하는 육상 식물이고, 수련(다)은 물에 서식하는 수생 식물이다. 물에 사는 식물은 관다발이나 뿌리가 잘 발달하지 않으며, 통기 조직이 발달하여 물 위에 떠서 살 수 있다. 즉, (다)보다 (나)에서 뿌리가 잘 발달해 있다.

12 (가) 꾀꼬리는 일조 시간이 길어지는 봄에, 노루는 일조 시간이 짧아지는 가을에 번식하는 것으로, 일조 시간에 대한 동물의 적응 현상이다.

(나) 파충류의 몸이 비늘로 덮여 있고 알이 단단한 껍데기로 싸여 있는 것은 물이 부족한 육상에서 몸속의 수분 증발을 막기 위한 것으로, 물에 대한 적응 현상이다.

(다) 공기 중 산소가 부족한 고산 지대에 사는 사람들은 평지에 사는 사람들에 비해 적혈구 수가 많아서 산소를 효율적으로 운반할 수 있다. 이는 공기(산소)에 대한 적응 현상이다.

13 생물적 요인은 생태계에서의 역할에 따라 생산자, 소비자, 분해자로 구분한다. 생산자는 광합성을 하는 생물이고, 소비자는 다른 생물을 먹고 사는 생물이며, 분해자는 생물의 사체나 배설물을 분해하는 생물이다.

모범 답안 (가)는 생물의 사체나 배설물에 포함된 유기물을 무기물로 분해하는 분해자이고, (나)는 다른 생물을 먹이로 하여 양분을 얻는 소비자이며, (다)는 광합성을 하여 스스로 양분을 만드는 생산자이다.

채점 기준	배점
양분을 얻는 방법과 생태계에서의 역할을 (가)~(다) 모두 옳게 서술한 경우	100 %
(가)~(다) 중 두 가지만 옳게 서술한 경우	70 %
(가)~(다) 중 한 가지만 옳게 서술한 경우	40 %
(가)~(다) 모두 생태계에서의 역할만 쓴 경우	30 %

14 한 식물에서도 강한 빛을 받는 잎은 울타리 조직이 발달하여 두껍고, 약한 빛을 받는 잎은 울타리 조직이 상대적으로 덜 발달하여 얇다.

모범 답안 (1) (가)

(2) 강한 빛을 받는 잎은 울타리 조직이 발달하여 약한 빛을 받는 잎보다 두께가 두껍다.

채점 기준		배점
(1)	(가)라고 쓴 경우	30 %
(2)	울타리 조직이 발달하여 잎이 두껍기 때문이라고 옳게 서술한 경우	70 %
	잎이 더 두껍기 때문이라고만 서술한 경우	30 %

15 추운 곳에 사는 북극여우는 몸집이 크고 몸의 말단부가 작아 열 방출이 적지만, 더운 곳에 사는 사막여우는 몸집이 작고 몸의 말단부가 커서 열을 잘 방출한다. 정온 동물인 여우는 서식하는 지역의 온도에 맞추어 체온을 유지하는 데 적합하도록 몸의 형태가 적응되어 있다.

모범 답안 (1) 온도

(2) 추운 곳에 사는 북극여우는 귀의 크기가 작아 외부로 열이 방출되는 것을 막아 추운 곳에서 체온을 유지하는 데 효과적이고, 더운 곳에 사는 사막여우는 귀의 크기가 커서 외부로 열을 잘 방출하여 더운 곳에서 체온을 유지하는 데 효과적이다.

채점 기준		배점
(1)	온도라고 쓴 경우	30 %
(2)	귀의 크기가 차이가 나는 까닭을 열의 방출과 체온 유지를 모두 포함하여 옳게 서술한 경우	70 %
	귀의 크기가 차이가 나는 까닭을 열의 방출과 체온 유지 중 한 가지만 포함하여 옳게 서술한 경우	30 %

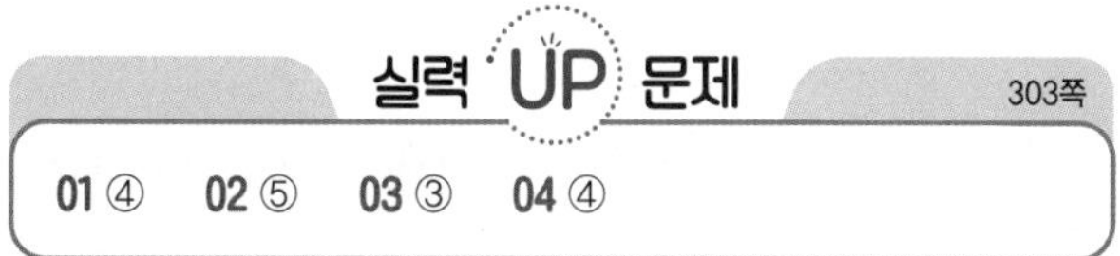

01 꼼꼼 문제 분석

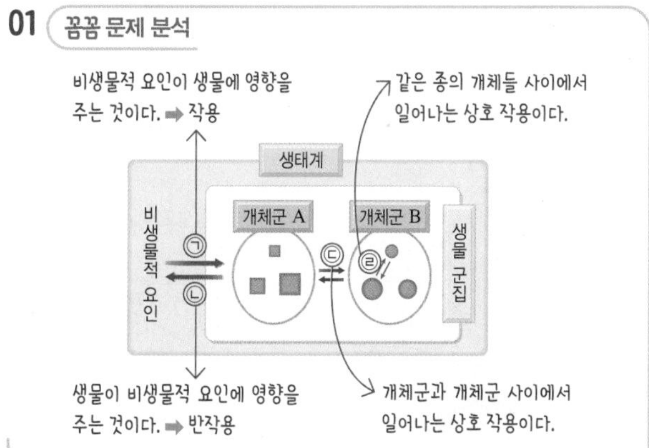

④ 개구리의 개체 수가 증가하자 뱀의 개체 수가 증가하는 것은 개구리 개체군과 뱀 개체군 사이에서 일어나는 상호 작용으로 ㉢에 해당한다.

바로알기 ① 하나의 개체군은 한 종의 개체들로 구성된다.

② 식물(생물) 뿌리에 의해 바위(비생물적 요인)의 토양화가 촉진되는 것은 생물이 비생물적 요인에 영향을 주는 ㉡에 해당한다.

③ 붓꽃(생물)이 일조 시간(비생물적 요인)에 따라 개화가 조절되는 것은 비생물적 요인이 생물에 영향을 주는 ㉠에 해당한다.

⑤ 쏘가리(생물)가 버들치(생물)를 잡아먹는 것은 쏘가리 개체군과 버들치 개체군 사이에서 일어나는 상호 작용이므로 ㉢에 해당한다. ㉣은 같은 종의 개체들 사이에서 일어나는 상호 작용이다.

02 꼼꼼 문제 분석

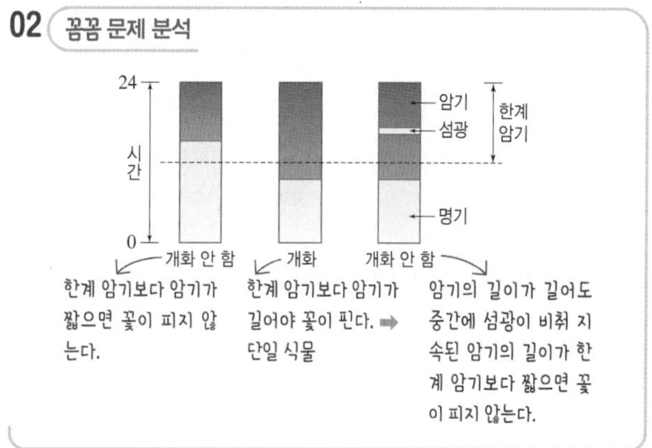

24
시간
0
암기
섬광
한계 암기
명기
개화 안 함
개화
개화 안 함
한계 암기보다 암기가 짧으면 꽃이 피지 않는다.
한계 암기보다 암기가 길어야 꽃이 핀다. ➡ 단일 식물
암기의 길이가 길어도 중간에 섬광이 비춰 지속된 암기의 길이가 한계 암기보다 짧으면 꽃이 피지 않는다.

ㄱ. A는 암기의 길이가 짧으면 꽃이 피지 않고 암기의 길이가 길어야 꽃이 피는 단일 식물이다.

ㄴ. 암기의 길이가 길어도 중간에 빛이 비추어 지속된 암기의 길이가 한계 암기보다 짧으면 꽃이 피지 않는다. 따라서 A의 개화에 영향을 미치는 결정적인 요인은 지속적인 암기의 길이라는 것을 알 수 있다.

ㄷ. 낮과 밤의 길이에 따라 식물의 개화가 결정되는 것은 일조 시간에 대한 적응 현상이다. 꾀꼬리와 송어의 번식도 일조 시간의 영향을 받는다.

03 꼼꼼 문제 분석

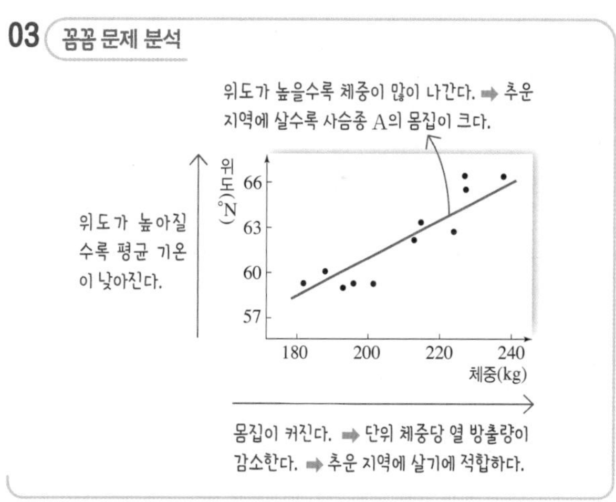

ㄱ. 사슴종 A는 고위도에 서식할수록 체중이 많이 나가는 것으로 보아 고위도에 서식할수록 몸집이 크다는 것을 알 수 있다.

ㄷ. 사슴종 A의 서식 지역에 따라 체중이 달라지는 것과 개구리가 겨울잠을 자는 것은 모두 온도에 대한 적응 현상이다. 온도는 생명체 내에서 일어나는 물질대사 과정에 영향을 주므로 생물은 온도의 영향을 많이 받는다.

바로알기 ㄴ. 사슴종 A는 체중이 많이 나갈수록 단위 체중당 열 방출량이 적어 온도가 낮은 환경에서 체온을 잘 유지하도록 적응하였다. 반면, 체중이 적게 나가는 사슴종 A는 단위 체중당 열 방출량이 많아 온도가 높은 환경에서 체온을 잘 유지하도록 적응하였다.

04 꼼꼼 문제 분석

체내 수분이 손실되는 것을 막는다.
➡ 건조한 환경에 적응하였다.
큐티클층
표피
공기가 있어 물에 잘 뜬다.
표피 털
표피
통기 조직
기공
(가) 건조한 곳에 사는 식물
(나) 물에 사는 식물

ㄴ. (가)의 표피와 큐티클층은 건조한 환경에서 체내 수분이 증발되는 것을 막는다.

ㄷ. 통기 조직은 물에 사는 식물에서 발달하였으며, 물에 사는 식물은 관다발이나 뿌리가 잘 발달하지 않는다.

바로알기 ㄱ. (가)는 건조한 지역에 사는 식물이고, (나)는 물에 사는 식물이다.

2 생태계 평형

개념 확인 문제

307쪽

❶ 먹이 사슬 ❷ 먹이 그물 ❸ 빛 ❹ 생태 피라미드 ❺ 평형 ❻ 먹이 사슬(먹이 관계)

1 (1) ○ (2) ○ (3) × (4) × **2** (1) ○ (2) ○ (3) × **3** (1) 생태 피라미드 (2) ㄱ, ㄴ **4** (나) → (라) → (다) → (가) **5** ㄱ, ㄴ, ㄷ, ㅁ, ㅂ

1 (1) 당근, 옥수수, 벼는 생산자이다.
(2) 쥐는 생산자인 당근, 옥수수, 벼를 먹는 1차 소비자이면서 1차 소비자인 메뚜기를 먹는 2차 소비자이다.
(3) 이 생태계의 최종 소비자는 매와 늑대이다.
(4) 메뚜기의 개체 수가 갑자기 증가하면 메뚜기를 먹이로 하는 개구리의 개체 수도 증가한다.

2 (1) 생산자는 광합성을 통해 태양의 빛에너지를 화학 에너지로 전환하여 유기물에 저장한다.
(2) 유기물에 저장된 에너지는 먹이 사슬을 따라 하위 영양 단계에서 상위 영양 단계로 이동한다.
(3) 유기물에 저장된 에너지는 각 영양 단계에서 생명 활동을 통해 열에너지로 방출되고 남은 것이 상위 영양 단계로 이동한다. 따라서 상위 영양 단계로 갈수록 에너지양은 감소한다.

3 (1) 생태계에서 측정된 값을 하위 영양 단계부터 상위 영양 단계로 쌓아올려 피라미드 형태가 되는 것을 생태 피라미드라고 한다.
(2) 안정된 생태계에서 에너지양, 생물량, 개체 수는 상위 영양 단계로 갈수록 줄어든다. 개체 크기는 피식자보다 포식자가 큰 경우가 많다.

4 1차 소비자의 개체 수가 증가하면(나) → 1차 소비자의 먹이가 되는 생산자의 개체 수는 감소하고, 1차 소비자를 먹이로 하는 2차 소비자의 개체 수는 증가한다(라). → 생산자의 개체 수 감소와 2차 소비자의 개체 수 증가로 1차 소비자의 개체 수가 감소하면(다) → 생산자의 개체 수는 증가하고 2차 소비자의 개체 수는 감소하여 생태계가 평형을 회복한다(가).

5 생태계 평형을 깨뜨리는 요인으로는 산사태와 같은 자연재해와 벌목, 경작지 개발, 남획, 폐수 방류 등과 같은 인간의 활동이 있다. 하천 복원은 생태계를 보전하기 위한 방법 중 하나이다.

내신 만점 문제

308~310쪽

01 ② **02** ⑤ **03** ④ **04** ④ **05** ④ **06** ③ **07** ② **08** ③ **09** ④ **10** ④ **11** ④ **12** 해설 참조 **13** 해설 참조 **14** 해설 참조

01 꼼꼼 문제 분석

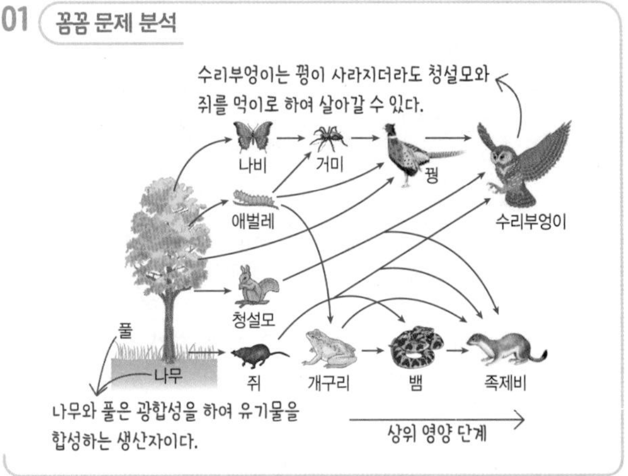
수리부엉이는 꿩이 사라지더라도 청설모와 쥐를 먹이로 하여 살아갈 수 있다.
나비
거미
꿩
애벌레
수리부엉이
청설모
풀
나무
쥐
개구리
뱀
족제비
나무와 풀은 광합성을 하여 유기물을 합성하는 생산자이다.
상위 영양 단계

ㄱ. 나무와 풀은 광합성을 통해 무기물로부터 유기물을 합성하는 생산자이다.

ㄴ. 상위 영양 단계로 갈수록 에너지양은 감소한다. 따라서 개체군이 가진 에너지양은 하위 영양 단계인 쥐 개체군이 상위 영양 단계인 뱀 개체군보다 많다.

바로알기 ㄷ. 이 생태계에서 꿩이 사라지더라도 수리부엉이는 청설모와 쥐를 먹이로 하여 살아갈 수 있으므로 사라지지 않는다.

02 꼼꼼 문제 분석

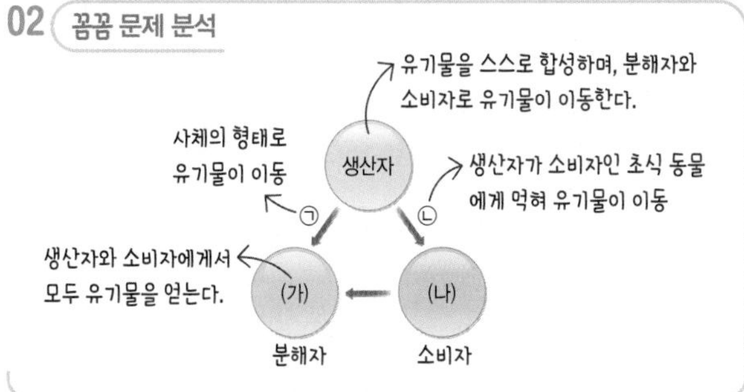

ㄱ. 세균이 속한 (가)는 분해자이고, (나)는 소비자이다.
ㄴ, ㄷ. 생산자에서 분해자로 유기물이 이동할 때(㉠)는 사체의 형태로 이동하고, 생산자에서 소비자로 유기물이 이동할 때(㉡)는 먹이 사슬을 따라 이동한다.

03 꼼꼼 문제 분석

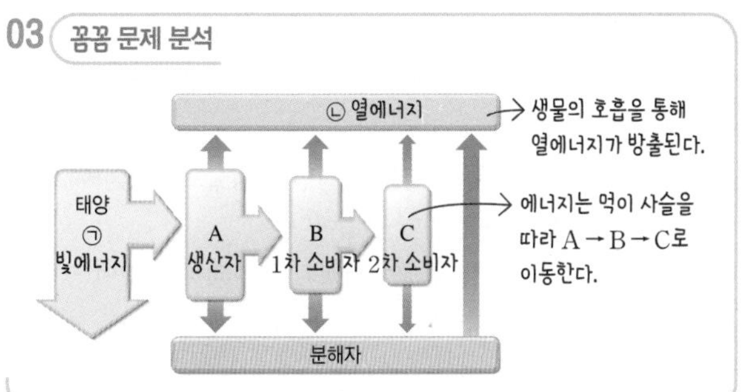

ㄱ. A는 태양의 빛에너지를 유기물의 화학 에너지로 바꾸어 생태계 내로 들여오는 생산자이다. B는 1차 소비자, C는 2차 소비자이다.
ㄴ. ㉠은 태양의 빛에너지이고, ㉡은 생물의 생명 활동을 통해 방출되는 열에너지이다.
ㄷ. 생산자는 광합성을 통해 빛에너지를 유기물의 화학 에너지로 전환한다. 이 에너지는 먹이 사슬 A → B → C를 따라 유기물의 형태로 이동한다.
바로알기 ㄹ. 에너지양은 상위 영양 단계로 갈수록 감소하므로 B가 C보다 많다.

04 꼼꼼 문제 분석

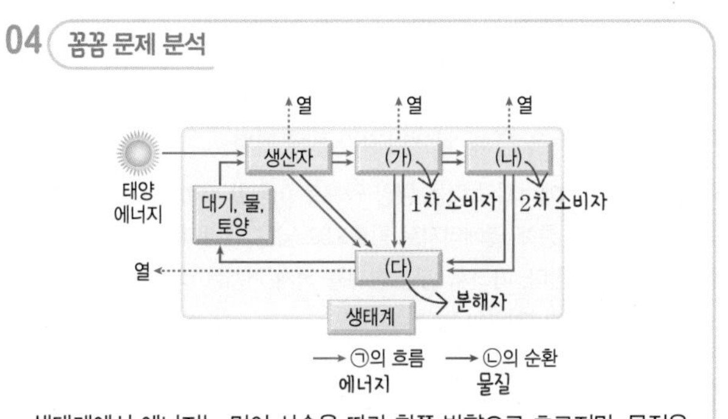

생태계에서 에너지는 먹이 사슬을 따라 한쪽 방향으로 흐르지만, 물질은 생물적 요인과 비생물적 요인 사이를 순환한다.

① ㉠은 태양으로부터 생태계로 들어와 먹이 사슬을 따라 한쪽 방향으로 흐르다가 결국 열의 형태로 방출되므로 에너지이다. ㉡은 생물적 요인과 비생물적 요인 사이를 순환하므로 물질이다.
② 생산자는 광합성을 통해 빛에너지를 유기물의 화학 에너지로 전환한다.
③ 생산자의 에너지는 먹이 사슬을 통해 유기물의 형태로 (가)로 전달된다.
⑤ 세균과 곰팡이는 분해자(다)에 속한다.
바로알기 ④ 1차 소비자(가)의 에너지는 생명 활동을 통해 열의 형태로도 방출되므로, 2차 소비자(나)와 분해자(다)에게 모두 전달되는 것은 아니다.

05 꼼꼼 문제 분석

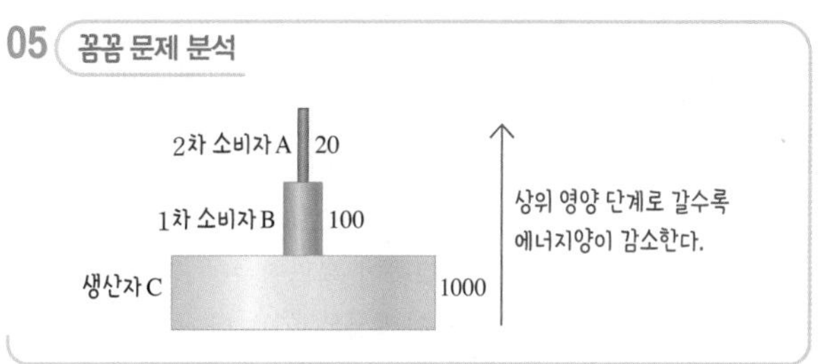

ㄴ. 에너지 효율(%)$=\frac{\text{현 영양 단계의 에너지양}}{\text{전 영양 단계의 에너지양}}\times 100$으로 계산한다. A의 에너지 효율은 $\frac{20}{100}\times 100=20(\%)$이고, B의 에너지 효율은 $\frac{100}{1000}\times 100=10(\%)$이다. 따라서 에너지 효율은 A가 B보다 2배 높다.
ㄷ. 상위 영양 단계로 갈수록 이용할 수 있는 에너지양은 1000 → 100 → 20으로 점차 감소한다.
바로알기 ㄱ. 생태 피라미드의 가장 아래쪽에 있는 C는 생산자이다. B는 1차 소비자이고, A는 2차 소비자이다.

06 꼼꼼 문제 분석

생물량: C > B > D > A　　에너지양: C > B > D > A

영양 단계	생물량(상댓값)	에너지양(상댓값)
A 3차 소비자	0.1	0.1
B 1차 소비자	1.25	26.8
C 생산자	17.7	280
D 2차 소비자	0.66	1.2

안정된 생태계에서는 상위 영양 단계로 갈수록 생물량, 에너지양이 감소하므로 이 생태계의 먹이 사슬은 C → B → D → A이다.

ㄱ. A는 3차 소비자이고, D는 2차 소비자이므로 A는 D보다 상위 영양 단계이다.
ㄷ. C는 생산자로 광합성을 통해 무기물로부터 유기물인 탄수화물을 합성한다.

바로알기 ㄴ. 에너지는 먹이 사슬을 따라 한쪽 방향으로 흐르므로 1차 소비자(B)의 에너지는 생산자(C)로 이동하지 않는다.

07 꼼꼼 문제 분석

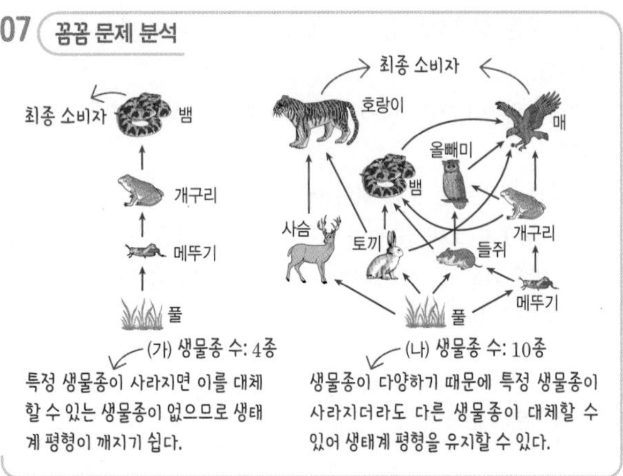

ㄱ. (가)는 4종의 생물들로 구성되어 있고, (나)는 10종의 생물들로 구성되어 있으므로 종 다양성은 (가)보다 (나)가 높다.
ㄷ. 생물종이 다양하여 먹이 그물이 복잡할수록 생태계 평형이 잘 유지된다. 따라서 생태계의 안정성은 (가)보다 (나)가 높다.
바로알기 ㄴ. (가)에서 최종 소비자인 뱀은 3차 소비자이지만 (나)에서 최종 소비자인 매는 4차 소비자이다. 따라서 영양 단계의 수는 (가)보다 (나)에서 많다.
ㄹ. (가)에서 최종 소비자는 뱀이지만, (나)에서 최종 소비자는 호랑이와 매이다.

08 꼼꼼 문제 분석

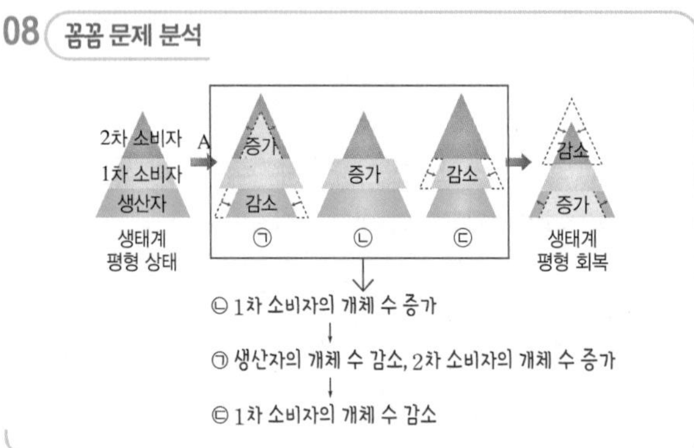

ㄱ. 1차 소비자의 개체 수가 증가하면 1차 소비자의 먹이가 되는 생산자의 개체 수는 감소한다.
ㄴ. 일시적으로 한 영양 단계에 속하는 생물의 개체 수가 증가하거나 감소하여 생태계 평형이 깨지더라도 대부분 먹이 사슬에 의해 생태계 평형이 회복될 수 있다.
바로알기 ㄷ. 생태계 평형이 회복되는 과정을 순서대로 나열하면 ㉡ → ㉠ → ㉢ 순이다.

09 ㄱ. A가 사라지면 A만을 먹이로 하는 C가 사라지고, C만을 먹이로 하는 F도 사라진다.
ㄷ. H가 사라지면 E의 개체 수가 일시적으로 증가하고, E가 먹이로 하는 B의 개체 수는 일시적으로 감소한다.
바로알기 ㄴ. 에너지는 하위 영양 단계에서 상위 영양 단계로 이동한다. 따라서 G가 C와 D로부터 에너지를 얻는다.

10 B: 생태계를 구성하는 생물종이 많아 먹이 그물이 복잡할수록 생태계 평형이 잘 유지된다.
C: 가뭄, 홍수 등의 자연재해는 생물의 서식지를 파괴하고, 먹이 그물에 변화를 일으켜 생태계 평형을 깨뜨릴 수 있다.
바로알기 A: 생태계 평형은 생태계를 구성하는 생물의 종류와 개체 수, 물질의 양, 에너지 흐름 등이 안정된 상태를 유지하는 것이다.

11 ① 훼손된 생물의 서식지를 복원하기 위해 생태 하천 복원 사업을 실시하는 것은 생태계 보전을 위한 방법이다.
② 삼림이나 하천 등 생물의 서식지를 함부로 훼손하지 않도록 엄격하게 규제하는 것은 생태계 보전을 위한 방법이다.
③ 도시에 옥상 정원을 가꾸고 숲을 조성하면 생물의 서식지가 늘어나고, 열섬 현상을 줄일 수 있다.
⑤ 멸종 위기에 처한 야생 생물을 천연 기념물로 지정하여 보호하는 것은 생태계 보전을 위한 방법이다.
바로알기 ④ 간척 사업은 생물의 서식지를 파괴하는 것이므로 생태계를 파괴하는 요인이다.

12 생태계에서 먹이 관계의 시작이면서 다른 생물에게 먹히기만 하고 다른 생물을 먹지 않는 종이 생산자이다. 또 생태계에서 특정 종의 개체 수가 감소하면 상위 영양 단계의 개체 수는 감소하고, 하위 영양 단계의 개체 수는 증가한다.

모범 답안 (1) A, B
(2) C가 사라지면 C의 먹이가 되는 A의 개체 수는 증가하고, C를 먹이로 하는 F와 G의 개체 수는 감소한다. 특히 F는 C만을 먹이로 하므로 C가 사라지면 F도 사라진다.

채점 기준		배점
(1)	A, B를 모두 쓴 경우	30 %
(2)	A, F, G의 개체 수 변화를 모두 옳게 서술한 경우	70 %
	A, F, G의 개체 수 변화 중 두 가지만 옳게 서술한 경우	50 %
	A, F, G의 개체 수 변화 중 한 가지만 옳게 서술한 경우	30 %

13 에너지가 영양 단계를 거칠 때마다 그 영양 단계에 속한 생물의 생명 활동을 통해 열에너지가 방출된다.

모범 답안 (가), 에너지가 다음 영양 단계로 이동할 때마다 각 영양 단계에서 생명 활동을 통해 열에너지로 방출되고 남은 에너지의 일부가 다음 영양 단계로 이동한다. 따라서 영양 단계를 적게 거치는 (가)가 (나)보다 사람에게 전달되는 에너지양이 많다.

채점 기준	배점
(가)를 쓰고, 그 근거를 옳게 서술한 경우	100 %
(가)만 쓴 경우	50 %

14 포식자의 개체 수가 감소하면 피식자의 개체 수가 증가하고, 피식자의 개체 수가 증가하면 포식자의 개체 수가 증가한다.

모범 답안 해달의 개체 수가 감소하면 해달의 먹이인 성게의 개체 수가 증가하고 성게의 먹이인 해초의 개체 수는 감소한다. 성게의 개체 수가 증가함에 따라 성게를 먹이로 하는 해달의 개체 수는 증가하고 성게의 개체 수는 다시 감소하게 된다. 그 결과 해초의 개체 수는 다시 증가하여 생태계가 평형을 회복한다.

채점 기준	배점
해초, 성게, 해달의 먹이 관계를 통해 생태계 평형이 회복되는 과정을 옳게 서술한 경우	100 %
해초, 성게, 해달의 먹이 관계를 통해 생태계 평형이 회복되는 과정을 서술하였으나 일부 과정이 누락된 경우	50 %

01 꼼꼼 문제 분석

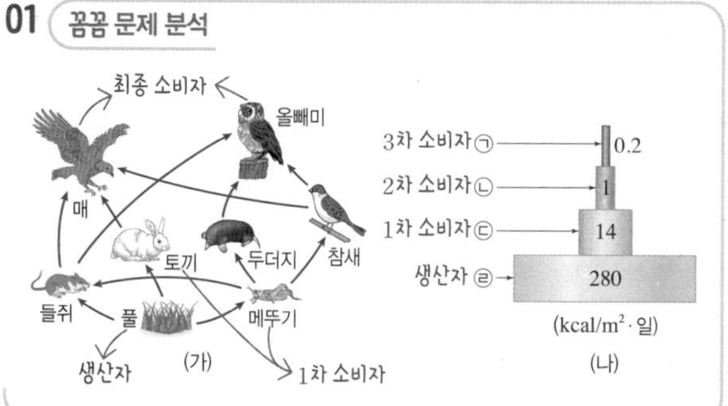

ㄱ. (나)에서 ㉢은 생산자를 먹이로 하는 1차 소비자이다. (가)에서 토끼와 메뚜기는 생산자인 풀을 먹는 1차 소비자(㉢)에 해당한다.

ㄷ. 안정된 생태계에서는 생물량과 개체 수도 상위 영양 단계로 갈수록 감소하여 (나)와 같은 피라미드 형태를 나타낸다.

바로알기 ㄴ. 들쥐의 개체 수가 증가하면 들쥐를 먹이로 하는 매와 올빼미의 개체 수도 증가한다.

02 꼼꼼 문제 분석

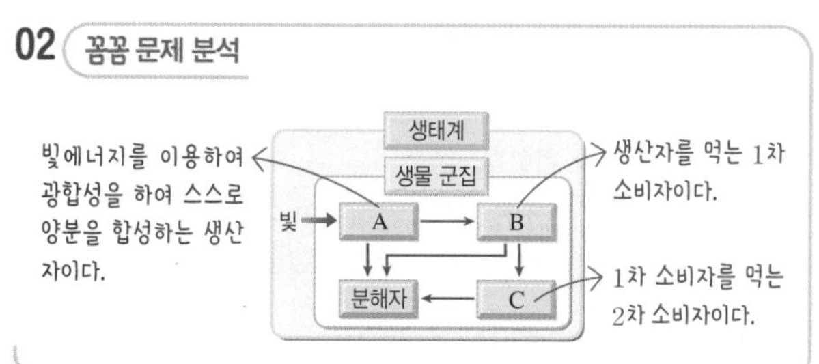

ㄱ. A는 광합성을 하여 스스로 양분을 합성하는 생산자이다.

ㄴ. 먹이 사슬에서 에너지는 유기물의 형태로 이동하며, 상위 영양 단계로 갈수록 이동하는 에너지의 양이 줄어든다. 따라서 안정된 생태계에서 유기물의 이동량은 '생산자(A) → 1차 소비자(B)'로 이동하는 양이 '1차 소비자(B) → 2차 소비자(C)'로 이동하는 양보다 많다.

바로알기 ㄷ. 생물 집단이 보유한 에너지양은 가장 하위 영양 단계인 생산자(A)가 가장 많다.

03 꼼꼼 문제 분석

각 영양 단계의 생명 활동을 통해 에너지가 열의 형태로 방출된다.

빛에너지 100000, 5500, 600, ㉡150, 3750, 1000 ㉠, A 생산자, B 1차 소비자, C 2차 소비자, 3500, 200, 50, 90000, 분해자

각 영양 단계의 사체나 배설물에 포함된 에너지는 분해자로 이동한다.

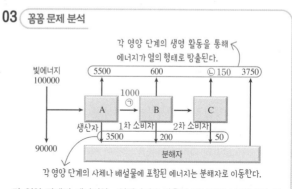

각 영양 단계의 에너지양=열에너지로 방출된 에너지양+분해자로 이동한 에너지양+다음 영양 단계로 이동한 에너지양

각 영양 단계의 생물이 가진 에너지 중 일부는 그 생물의 생명 활동을 통해 열에너지로 방출되고, 일부는 사체나 배설물에 포함되어 분해자로 이동하며, 나머지는 먹이 사슬을 통해 다음 영양 단계의 생물로 이동한다.

ㄱ. 빛에너지 중에서 생산자(A)로 유입된 에너지양은 100000−90000=10000이다. 이 중 생산자에서 생명 활동으로 5500이 방출되고, 사체와 배설물로 분해자에게 3500이 이동하였으므로 1차 소비자(B)로 이동한 에너지양 ㉠=10000−(5500+3500)=1000이다. 같은 원리로, 1차 소비자(B)에서 2차 소비자(C)로 이동한 에너지양은 1000−(600+200)=200이다.

ㄴ. C의 에너지는 생명 활동으로 ㉡이 방출되고, 사체와 배설물로 분해자에게 50이 이동하였다. 따라서 C의 에너지양=㉡+50 =200이고, ㉡은 150이다.

ㄷ. A의 에너지양은 10000이고, C의 에너지양은 200이므로 에너지양은 A가 C의 50배이다.

04 ㄱ. 1차 소비자의 개체 수가 증가하였으므로 (가)에서는 1차 소비자를 먹이로 하는 2차 소비자의 개체 수가 증가한다.

바로알기 ㄴ. (가)에서 2차 소비자의 개체 수가 증가하면 (나)에서 2차 소비자의 먹이인 1차 소비자의 개체 수가 감소한다. 따라서 1차 소비자의 개체 수는 (가)보다 (나)에서 더 적다.

ㄷ. (다)에서 생태계 평형이 회복되었다는 것은 새로운 평형 상태에 도달했다는 것이지 원래의 개체 수로 돌아갔다는 것을 의미하는 것은 아니다.

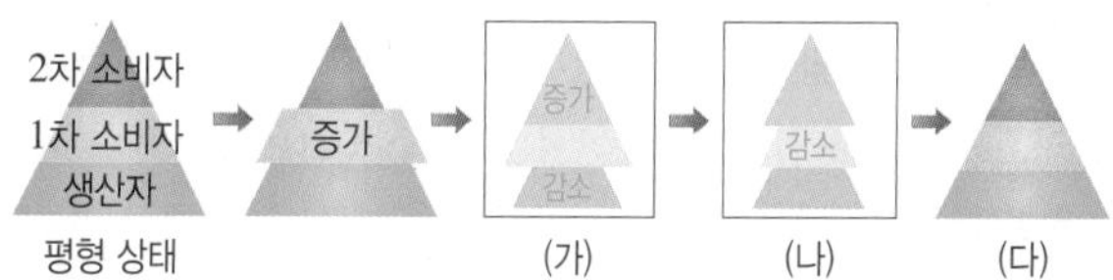

지구 환경 변화와 인간 생활

개념 확인 문제 314쪽

❶ 내적 ❷ 외적 ❸ 온난 ❹ 지구 온난화
❺ 온실 기체 ❻ 융해 ❼ 열팽창 ❽ 감소 ❾ 상승

1 (1) × (2) ○ (3) ○ (4) × (5) ○ **2** ㄱ, ㄴ, ㄷ **3** ②
4 ㉠ 화석 연료, ㉡ 이산화 탄소 **5** (1) ○ (2) × (3) ○ (4) ×

1 (1) 빙하는 햇빛을 잘 반사하므로 빙하 면적이 감소한 지역은 지표면의 반사율이 감소한다.
(2) 화산재는 햇빛의 대기 투과율을 낮추어 지구 기온을 낮춘다.
(3) 지구 자전축의 기울기 변화로 인한 기후 변화는 지구의 운동과 태양의 관계에서 일어나므로 지구 외적 원인에 해당한다.
(4) 인간 활동에 의해 지표면의 반사율이 변하거나 이산화 탄소가 배출되는 등 대기 조성이 변하면 기후 변화가 일어날 수 있다.
(5) 지질 시대에는 빙하기와 간빙기가 여러 차례 반복되었다.

2 ㄱ. 빙하 코어를 분석하여 과거 대기 조성을 알 수 있다.
ㄴ. 해저 퇴적물 속에서 발견된 화석의 서식 환경을 연구하여 과거의 기후를 알 수 있다.
ㄷ. 나무의 나이테 연구로 과거의 강수량이나 기후를 알 수 있다.
ㄹ. 화성암의 생성 과정 연구로는 기후 변화를 알 수 없다.

3 질소는 지구 대기 성분의 약 78 %를 차지하는 기체이며, 온실 기체가 아니다.

4 산업 혁명 이후 화석 연료의 사용량이 증가하였고, 화석 연료의 연소 과정에서 온실 기체인 이산화 탄소가 배출되었다.

5 (2) 봄꽃의 개화 시기가 점차 빨라지고 있다.
(4) 20세기에 한반도의 평균 기온 상승률은 지구 전체의 평균 기온 상승률의 약 2배이다.

개념 확인 문제 317쪽

❶ 무역풍 ❷ 편서풍 ❸ 아열대 고압대 ❹ 바람
❺ 편서풍 ❻ 난류 ❼ 사막화 ❽ 엘니뇨 ❾ 라니냐

1 A: 해들리 순환, B: 페렐 순환, C: 극순환 **2** (1) ○ (2) × (3) ○ (4) ○ (5) × **3** ⑤ **4** ㄴ, ㄷ **5** (1) × (2) × (3) ○
6 평상시: B, 엘니뇨: A

2 (1) 대기 대순환의 바람에 의해 형성된 표층 해류는 동서 방향으로 흐르고, 대륙에 막히면 남북 방향으로 흐른다.
(2) 북태평양 해류는 편서풍에 의해 서에서 동으로 흐른다.
(3) 쿠로시오 해류는 저위도에서 고위도로 흐르는 난류이다.
(4) 멕시코만류는 북대서양에서 저위도에서 고위도로 흐르는 난류이므로 북쪽으로 흐른다.
(5) 남극 순환 해류는 편서풍에 의해 서에서 동으로 흐른다.

3 황사 발생 빈도 증가는 사막화의 영향으로 일어나는 현상이다.

4 사막은 증발량이 강수량보다 많아 기후가 건조한 지역에 주로 분포한다. 따라서 하강 기류가 발달하여 고압대가 형성된 위도 30° 부근에 많이 분포한다. 적도 부근은 상승 기류가 발달하여 저압대가 형성되므로 사막이 거의 분포하지 않는다.

5 (1), (2) 엘니뇨는 평상시보다 무역풍이 약해질 때, 적도 부근의 따뜻한 표층 해수가 동쪽으로 이동하여 적도 부근 동태평양 해역의 표층 수온이 평상시보다 높게 유지되는 현상이다.
(3) 엘니뇨는 대기 대순환의 변화에 따라 해수의 이동이 변하여 발생하므로 기권과 수권의 상호 작용으로 발생한다.

6 평상시에는 무역풍에 의해 적도 부근의 따뜻한 표층 해수가 서쪽으로 이동(B)한다. 엘니뇨는 무역풍이 약해질 때 발생하므로 적도 부근의 따뜻한 표층 해수가 동쪽으로 이동(A)한다.

내신 만점 문제 318~320쪽

01 ⑤ **02** ② **03** ③ **04** ⑤ **05** ⑤ **06** ㄱ, ㄷ
07 ⑤ **08** A: 극동풍, B: 편서풍, C: 무역풍 **09** ④ **10** ①
11 ⑤ **12** ① **13** ③ **14** ⑤ **15** ① **16** 해설 참조
17 해설 참조 **18** 해설 참조 **19** 해설 참조 **20** 해설 참조

01 ① 대기와 해수는 에너지를 수송하므로 대기와 해수의 순환이 변하면 기후가 변한다.
② 지구 자전축의 기울기, 지구 자전축의 기울기 방향, 지구 공전 궤도 모양 등의 변화로 태양 복사 에너지의 입사량이 변하면 기후가 변한다.
③ 다량의 화산재는 햇빛을 차단하므로 햇빛의 투과율을 낮춘다.
④ 대기 중의 이산화 탄소 농도가 증가하면 온실 효과가 강화되어 기온이 상승한다.
바로알기 ⑤ 빙하는 햇빛을 잘 반사하므로 빙하 면적이 증가하면 태양 복사 에너지의 지표면 반사율이 증가하여 흡수율이 감소한다.

02 ㄱ. (가)는 화산 분출로 방출된 화산재로 인해 햇빛의 대기 투과율이 변하는 것으로, 지구 내적 원인이다.
ㄹ. (다) 자전축의 기울기가 변한 상태로 지구가 태양 주위를 공전하면 여름과 겨울에 지구가 받는 태양 복사 에너지의 양이 변하여 기온의 연교차가 변하는 등 기후 변화가 일어난다.
바로알기 ㄴ. 화산 분출로 대기 중으로 방출된 화산재는 햇빛의 대기 투과율을 감소시키므로 지구의 기온이 하강한다.
ㄷ. (나) 대륙 이동은 지구상에서 일어나는 변화이므로 지구 내적 원인이다. (다) 지구 자전축의 기울기 변화는 태양 복사 에너지의 입사량을 변화시켜 기후 변화가 발생하므로 지구 외적 원인(천문학적 원인)이다.

03 ㄱ. 빙하 코어에 포함된 대기 조성, 미량 원소의 변화 등을 통해 수십만 년 단위의 기후를 연구할 수 있다.
ㄴ. 기후에 따라 화석으로 산출되는 꽃가루의 종류가 달라지므로 이를 통해 수억 년 단위의 기후를 연구할 수 있다.
ㄷ. 나무의 나이테는 기온과 강수량에 따라 폭이 달라지므로 이를 통해 1만 년 전~수십 년 전의 기후를 연구할 수 있다.
따라서 가장 오래 전의 기후를 알 수 있는 것부터 나열하면 ㄴ → ㄱ → ㄷ이다.

04 꼼꼼 문제 분석

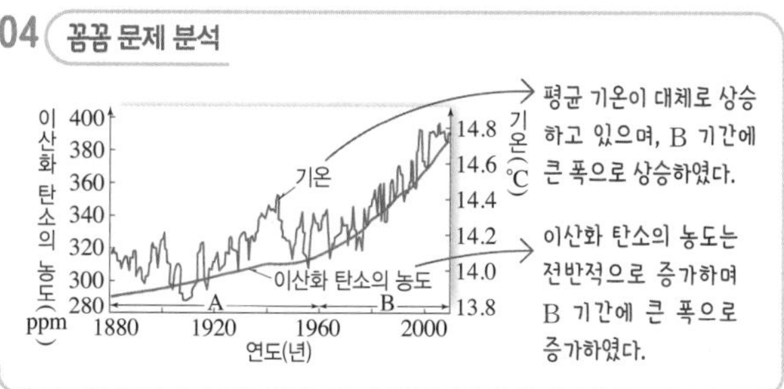

ㄱ. 이 기간 동안 이산화 탄소의 농도와 평균 기온이 상승하는 경향이 비슷하므로 대기 중 이산화 탄소의 농도 변화로 지구의 평균 기온이 상승하였을 것이다.
ㄴ. A 기간보다 B 기간에 기온 그래프의 기울기가 급하므로 기온 상승률은 A 기간보다 B 기간에 더 컸다.
ㄷ. 이 기간 동안 지구의 평균 기온이 상승하였으므로 빙하가 녹아 지구의 빙하 면적은 감소하였을 것이다.

05 ① 지구의 평균 기온이 상승하면 빙하가 융해되고 해수가 열팽창하여 해수면이 상승한다.
② 지구 온난화로 해수면이 상승하면 해안 저지대가 침수된다.
③ 태풍의 에너지원은 해수에서 증발한 수증기의 응결열이므로 수온이 상승하면 증발량이 증가하여 태풍의 강도가 강해진다.
④ 멸종하는 생물이 증가하여 생물 다양성이 감소할 수 있다.
바로알기 ⑤ 대기 중의 이산화 탄소가 증가하면 해수에 녹은 이산화 탄소가 증가하므로 해양 산성화가 일어난다.

06 ㄱ. 이 기간 동안 우리나라와 지구 전체의 평균 기온이 상승하였으므로 대기 중 이산화 탄소의 농도가 증가하였을 것이다.
ㄷ. 우리나라의 기온 상승 폭이 지구 전체의 기온 상승 폭보다 크므로 우리나라는 지구 전체보다 온난화의 영향이 컸다.
바로알기 ㄴ. 평균 기온이 상승하였으므로 강물의 결빙 일수는 감소하였을 것이다.

07 ⑤ 지구 온난화의 영향으로 우리나라 주변 해양의 수온이 상승하므로 난류성 어종이 증가한다.
바로알기 ① 지구 온난화의 영향으로 우리나라의 아열대 기후구는 북쪽으로 확대된다.
②, ③ 여름이 길어지고, 겨울이 짧아져 봄꽃의 개화 시기가 빨라진다.
④ 여름이 길어지고, 평균 기온이 상승하여 열대야 일수가 증가한다.

[08~09] 꼼꼼 문제 분석

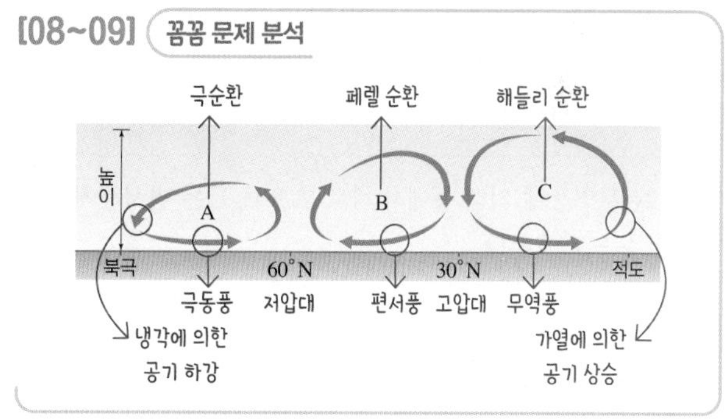

08 북반구에서는 바람이 진행 방향의 오른쪽으로 휘어진다.
• A의 지상에서 부는 바람: 북극에서 위도 60°N으로 이동하던 공기가 오른쪽으로 휘어져 동에서 서로 극동풍이 분다.
• B의 지상에서 부는 바람: 위도 30°N에서 위도 60°N으로 이동하던 공기가 오른쪽으로 휘어져 서에서 동으로 편서풍이 분다.
• C의 지상에서 부는 바람: 위도 30°N에서 적도로 이동하던 공기가 오른쪽으로 휘어져 동에서 서로 무역풍이 분다.

09 ① 저위도는 흡수하는 태양 복사 에너지의 양이 방출하는 지구 복사 에너지의 양보다 많아 에너지가 남는다. 따라서 공기가 가열되어 적도 부근에서는 상승 기류가 형성된다.
② 적도에서 가열된 공기가 상승하고, 극에서 냉각된 공기가 하강하여 순환을 이루는데, 지구가 자전하여 3개의 순환 세포가 형성된다.
③ A는 극순환, B는 페렐 순환, C는 해들리 순환이다.
⑤ 적도 부근에는 상승 기류가 발달하여 저압대가 형성되므로 기후가 습하여 열대 우림이 많이 분포한다.
바로알기 ④ B와 C 사이에는 하강 기류가 발달하므로 고압대가 형성된다.

10 ② 바람에 의해 동서 방향으로 흐르던 해류가 대륙에 막히면 방향이 바뀌어 남북 방향으로 흐른다.
③ 해류는 저위도의 남는 에너지를 고위도로 운반하는 역할을 한다.
④ 남극 순환 해류는 대륙에 막히지 않아 지구 주위를 순환한다.
⑤ 북반구의 아열대 해역에서는 시계 방향으로, 남반구의 아열대 해역에서는 시계 반대 방향으로 표층 순환이 일어난다.
바로알기 ① 해수의 표층 순환은 해수면 위에서 지속적으로 부는 대기 대순환의 바람에 의해 발생한다.

11 꼼꼼 문제 분석

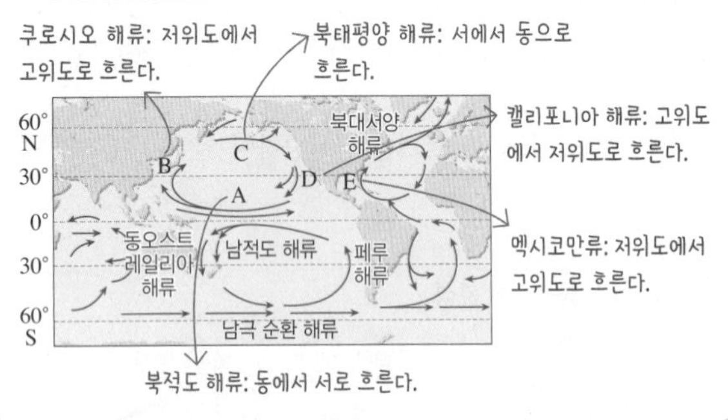

ㄱ. A는 무역풍에 의해 동에서 서로 흐르고, C는 편서풍에 의해 서에서 동으로 흐른다.
ㄴ. B는 저위도에서 고위도로 흐르는 난류이고, D는 고위도에서 저위도로 흐르는 한류이다.
ㄷ. B와 E는 난류이므로 저위도의 에너지를 고위도로 운반한다.

12 ② 강수량이 적고 증발량이 많은 지역은 기후가 건조하여 사막이 주로 분포한다.
③ 대기 대순환의 변화로 증발량이 강수량보다 많아져 가뭄이 지속되면 사막화가 촉진될 수 있다.
④, ⑤ 무분별한 삼림 벌채는 사막화의 원인이 된다. 따라서 숲의 면적을 늘리면 사막화를 방지할 수 있다.
바로알기 ① 사막은 주로 고압대가 형성되어 건조한 기후가 나타나는 위도 30° 부근의 중위도 지역에서 발달한다. 적도 부근은 저압대가 형성되어 열대 우림이 잘 발달한다.

13 ㄱ. 사막은 주로 위도 30° 부근에 분포한다. 이 지역은 대기 대순환에서 하강 기류가 발달하여 고압대가 형성되는 곳으로, 건조한 기후가 나타난다.
ㄴ. 사막화는 건조한 지역이 넓어지면서 사막 주변 지역의 토지가 황폐해져 점차 사막으로 변하는 현상이다.
바로알기 ㄷ. 타클라마칸 사막이나 고비 사막은 중위도에 위치하므로 이곳의 모래 먼지는 편서풍을 타고 동쪽으로 이동하여 우리나라 부근의 황사 발생에 영향을 준다. 따라서 고비 사막 주변의 사막화는 우리나라의 황사 발생 빈도를 증가시킨다.

14 무역풍이 약해지는 시기에는 엘니뇨가 발생한다.
ㄷ, ㄹ. 무역풍이 약해져 적도 부근의 따뜻한 표층 해수가 동쪽으로 이동하면, 동태평양에서 찬 해수의 용승은 약해진다. 심해에서 올라오는 찬 해수에는 영양분이 풍부하므로 찬 해수의 용승이 약해지면 어획량이 감소한다.
바로알기 ㄱ. 무역풍이 약해지면 적도 부근의 따뜻한 표층 해수가 동쪽으로 이동하여 동태평양의 표층 수온은 높아진다.
ㄴ. 해수의 표층 수온이 높아지면 증발량이 많아지고 상승 기류가 발달하여 강수량이 증가한다. 따라서 홍수가 발생하기도 한다.

15 꼼꼼 문제 분석

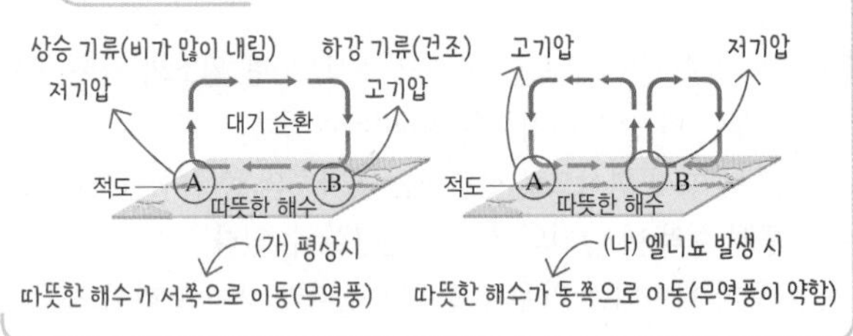

ㄱ. (가)는 따뜻한 해수가 서쪽으로 이동하여 동태평양의 표층 수온이 낮고, (나)는 따뜻한 해수가 동쪽으로 이동하여 동태평양의 표층 수온이 높으므로 (가)는 평상시, (나)는 엘니뇨 발생 시이다.
바로알기 ㄴ. (가)에서 A 해역은 B 해역보다 표층 수온이 높고 상승 기류가 발달하므로 해수가 많이 증발하고 구름이 잘 발달한다. 따라서 강수량은 A 해역이 B 해역보다 많다.
ㄷ. A 해역은 (가)일 때 저기압이 발달하고, (나)일 때 고기압이 발달하므로 A 해역의 해수면 평균 기압은 (나)가 (가)보다 높다.

16 모범 답안 지구의 평균 기온이 상승하여 빙하가 녹아 해수로 유입되고, 해수의 열팽창이 일어나 해수의 부피가 증가하였기 때문이다.

채점 기준	배점
빙하의 융해와 해수의 열팽창 내용을 모두 포함하여 옳게 서술한 경우	100 %
둘 중 한 가지만 포함하여 옳게 서술한 경우	50 %

17 모범 답안 대기 대순환은 위도에 따른 에너지 불균형에 의해 일어나고, 지구의 자전에 의해 3개의 순환 세포로 만들어진다.

채점 기준	배점
대기 대순환의 원인과 3개의 순환 세포가 형성되는 까닭을 모두 옳게 서술한 경우	100 %
대기 대순환의 원인과 3개의 순환 세포가 형성되는 까닭 중 한 가지만 옳게 서술한 경우	50 %

18 북태평양에서는 시계 방향의 큰 순환이 형성되는데, 이를 아열대 순환이라고 한다. 아열대 순환은 북적도 해류(무역풍에 의해 발생) → 쿠로시오 해류(난류) → 북태평양 해류(편서풍에 의해 발생) → 캘리포니아 해류(한류)로 이어진다.

모범 답안 무역풍에 의해 북적도 해류가 동에서 서로 흐르고, 편서풍에 의해 북태평양 해류가 서에서 동으로 흐른다.

채점 기준	배점
무역풍과 편서풍에 의해 형성되는 해류의 이름과 이동 방향을 모두 옳게 서술한 경우	100 %
무역풍이나 편서풍 중 한 가지에 의해 형성된 해류의 이름과 이동 방향만 옳게 서술한 경우	50 %
무역풍과 편서풍에 의해 형성된 해류의 이름만 모두 옳게 쓴 경우	50 %

19 모범 답안 • 자연적인 원인: 대기 대순환의 변화에 의해 발생한 지속적인 가뭄으로 사막화가 일어난다.
• 인위적인 원인: 과도한 방목, 과도한 경작, 무분별한 삼림 벌채 등에 의해 토지가 황폐화되어 사막화가 일어난다.

채점 기준	배점
자연적인 원인을 대기 대순환의 변화로 서술하고, 인위적인 원인을 제시한 것 중 한 가지를 포함하여 옳게 서술한 경우	100 %
자연적인 원인과 인위적인 원인 중 한 가지만 옳게 서술한 경우	50 %

20 A는 평상시보다 동태평양의 표층 수온이 높은 엘니뇨, B는 평상시보다 동태평양의 표층 수온이 낮은 라니냐 시기이다.
모범 답안 A 시기에 엘니뇨가 발생하였고, 동태평양에서는 강수량이 증가하여 홍수가 발생할 수 있다. B 시기에 라니냐가 발생하였고, 동태평양에서는 강수량이 감소하여 가뭄이 발생할 수 있다.

채점 기준	배점
엘니뇨와 라니냐 시기를 옳게 고르고, 기상 재해를 옳게 서술한 경우	100 %
엘니뇨와 라니냐 시기만 옳게 고른 경우	50 %

01 ㄷ. 현재 북반구는 원일점에서 여름이고 근일점에서 겨울이지만, 지구 자전축의 기울기 방향이 반대가 되면 원일점에서 겨울이 되고 근일점에서 여름이 된다.
바로알기 ㄱ. 지구 자전축의 기울기 변화는 지구 외적 원인이다.
ㄴ. 지구 자전축의 기울기가 작아지면 여름에는 태양 복사 에너지의 입사량이 적어지고 겨울에는 태양 복사 에너지의 입사량이 많아진다. 따라서 기온의 연교차가 작아진다.

02 ③ 빙하가 형성될 때 대기 중 공기 방울이 빙하 속에 갇히므로 빙하 코어를 연구하여 과거의 대기 조성을 알 수 있다.
바로알기 ① 나무의 나이테 연구로 1만 년 전~수십 년 전의 기후를 알 수 있고, 빙하 연구로 수십만 년 단위의 기후를 알 수 있다.
② 온난한 기후에는 나무의 생장 속도가 빨라지므로 나무의 나이테 간격이 넓어진다.
④ 기온이 높을수록 빙하를 이루는 물 분자의 산소 동위 원소비($^{18}O/^{16}O$)가 높으므로 빙하 코어에 포함된 산소 동위 원소비($^{18}O/^{16}O$)가 낮았던 시기는 한랭한 기후였다.
⑤ 기온이 높을수록 해수 속 ^{18}O의 비율과 해양 생물 속 ^{18}O의 비율이 낮아진다. 따라서 해양 생물 속의 산소 동위 원소비($^{18}O/^{16}O$)가 낮았던 시기는 온난한 기후였다.

03 (가)만 고려할 경우, 위도별 에너지 불균형에 의해 적도에서 상승한 공기가 극으로 이동하고, 극에서 하강한 공기는 지표를 따라 적도 쪽으로 이동하여 북반구 지상에서는 북풍이 분다. (가)와 (나)를 모두 고려할 경우, 지구 자전의 영향을 받아 대기 대순환이 3개의 순환 세포를 형성하므로 각 순환 세포의 지상에서는 극동풍, 편서풍, 무역풍이 분다.

모범 답안
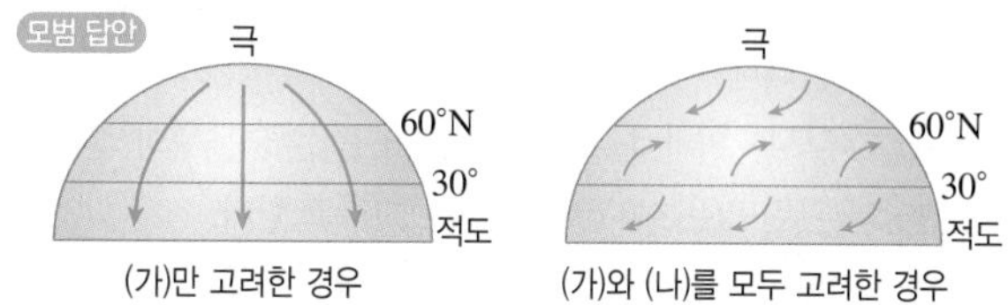

(가)만 고려한 경우 (가)와 (나)를 모두 고려한 경우

04 꼼꼼 문제 분석
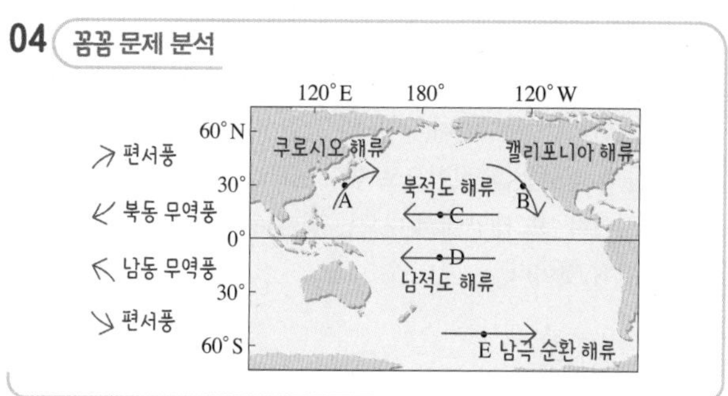

ㄱ. A에서는 난류가 북쪽으로 흐르고, B에서는 한류가 남쪽으로 흐른다. 따라서 고위도로의 에너지 수송량은 A가 B보다 많다.
ㄷ. E는 남반구의 편서풍대에 위치하므로 E에서는 편서풍에 의해 서에서 동으로 남극 순환 해류가 흐른다.
바로알기 ㄴ. C에서는 북동 무역풍에 의해 동에서 서로 해류가 흐르고, D에서는 남동 무역풍에 의해 동에서 서로 해류가 흐른다. 따라서 C와 D에서 흐르는 해류의 방향은 서로 같다.

05 평상시보다 동태평양 적도 부근 해역의 표층 수온이 높은 시기는 엘니뇨이고, 낮은 시기는 라니냐이다.
ㄷ. 표층 수온이 높은 곳에서 해수의 증발이 잘 일어나고 상승 기류가 발달하여 강수량이 많으므로 적도 부근 동태평양의 홍수 피해 가능성은 (가)보다 (나) 시기에 높았다.
바로알기 ㄱ. 적도 부근 동태평양 해역의 표층 수온이 (나) 시기에 더 높으므로 (가)는 라니냐 시기, (나)는 엘니뇨 시기이다.
ㄴ. 무역풍은 적도 부근의 따뜻한 표층 해수를 서쪽으로 이동시키므로 (나)보다 동태평양의 표층 수온이 낮은 (가) 시기에 강했다.

4 에너지 전환과 효율적 이용

개념 확인 문제 324쪽

❶ 에너지 ❷ J(줄) ❸ 화학 에너지 ❹ 전환 ❺ 전기 ❻ 화학 ❼ 보존 ❽ 열에너지

1 (1) 파동 에너지 (2) 핵에너지 (3) 열에너지 (4) 빛에너지 **2** 빛 **3** ㉠ 운동, ㉡ 화학, ㉢ 빛 **4** (1) ○ (2) × (3) ○ **5** (1) 에너지 보존 (2) 열에너지 **6** 260 J

1 (1) 소리나 파도를 포함하여 지진파 등과 같이 파동이 전달하는 에너지를 파동 에너지라고 한다.
(2) 무거운 원자핵이 분열하거나 가벼운 원자핵이 융합할 때 발생하는 에너지를 핵에너지라고 한다.
(3) 물체를 이루는 원자나 분자의 진동이 클수록 물체의 온도가 높은 현상과 관련 있는 에너지를 열에너지라고 한다.
(4) 눈에 보이는 빛인 가시광선이나 눈에 보이지 않는 자외선과 같이 빛의 형태로 전달되는 에너지를 빛에너지라고 한다.

2 전구는 전기를 이용하여 불을 밝히므로 전기 에너지가 빛에너지로 전환되는 장치이며, 식물의 광합성은 태양빛을 이용하여 포도당을 합성하는 과정이므로 빛에너지가 화학 에너지로 전환되는 과정이다. 또 태양에서 나오는 빛에너지는 태양에서 핵에너지가 전환된 것이다.

3 (1) 폭포에서 물이 흘러내릴 때 높은 곳의 물이 가진 퍼텐셜 에너지가 운동 에너지로 전환된다.
(2) 반딧불이는 배 부분의 발광 물질에서 빛을 방출하므로, 화학 에너지가 빛에너지로 전환된다.
(3) 번개는 전기를 띤 구름과 지표면 사이에서 전자가 이동할 때 빛이 방출되는 현상이므로, 전기 에너지가 빛에너지로 전환된다.

4 (1) 에너지는 한 형태에서 다른 형태, 즉 다른 종류의 에너지로 전환될 수 있다.
(2) 텔레비전에서 발생하는 열에너지를 포함하여 화면에서 나오는 빛에너지나 스피커에서 나오는 소리 에너지는 모두 공간으로 퍼져 나가는데, 이를 회수하여 다시 사용할 수는 없다.
(3) 에너지는 여러 단계의 전환 과정을 거치면서 점점 다시 사용하기 어려운 형태인 열에너지로 전환된다.

5 (1) 에너지는 전환될 수 있지만 전환 과정에서 에너지가 새로 생기거나 없어지지 않고, 에너지의 전체 양이 항상 일정하게 보존되는 법칙을 에너지 보존 법칙이라고 한다.
(2) 에너지가 전환되는 과정에서 일부는 다시 사용하기 어려운 형태의 열에너지로 전환되어 버려진다.

6 에너지 보존 법칙에 따라 연료의 화학 에너지양과 각 부분에서 소비된 에너지양의 합이 같다. 1000 J=450 J+㉠+200 J+90 J에서 ㉠=260 J이다. 따라서 엔진 피스톤의 운동 에너지양 ㉠은 260 J이다.

개념 확인 문제 327쪽

❶ 효율 ❷ 작 ❸ 열기관 ❹ 일 ❺ 높 ❻ 에너지 소비 효율

1 (1) ○ (2) × (3) × **2** ㉠ Q_1, ㉡ W, ㉢ Q_2 **3** ㄱ, ㄴ **4** 20 % **5** (1) B (2) B **6** (1) × (2) ○ (3) ○ **7** 하이브리드 자동차

1 (2) 공급한 에너지의 양이 같을 때, 에너지 효율이 높을수록 버려지는 열에너지의 양은 적다.
(3) 에너지를 이용하는 과정에서 항상 에너지의 일부가 불필요한 열에너지로 전환되므로, 에너지 효율은 100 %가 될 수 없다.

2 열기관은 열에너지를 일로 전환시키는 장치로, 고열원에서 열에너지 Q_1을 공급받아 외부에 일 W를 하고 저열원으로 열에너지 Q_2를 방출한다.

3 ㄱ. 열기관의 열효율은 열기관에 공급된 에너지에 대해 열기관이 한 일의 비율이므로, $e=\dfrac{W}{Q_1}\times100$이다.
ㄴ. 에너지 보존 법칙에 따라 $Q_1=W+Q_2$에서 $W=Q_1-Q_2$이므로, 열효율 $e=\left(\dfrac{Q_1-Q_2}{Q_1}\right)\times100$이다.
ㄷ. $e=\left(\dfrac{Q_1-Q_2}{Q_1}\right)\times100=\left(1-\dfrac{Q_2}{Q_1}\right)\times100$이다.

4 열효율(%)$=\dfrac{100\text{ J}}{500\text{ J}}\times100=20$ %

5 (1) A와 B의 밝기가 같을 때, 소비하는 전기 에너지의 양은 에너지 효율이 높은 B가 더 적다.
(2) A와 B의 밝기가 같을 때, 에너지 효율이 높을수록 버려지는 열에너지가 더 적으므로 B에서 버려지는 열에너지가 더 적다.

6 (1) 에너지 효율이 높은 제품을 사용해야 에너지를 절약할 수 있다.

(2) 에너지 절약 표시가 붙은 제품은 대기 전력을 줄인 제품이므로, 에너지 절약 표시가 붙은 제품을 사용하면 에너지를 절약할 수 있다.
(3) 전기 제품은 사용하지 않을 때에도 대기 전력을 소비하므로 전기 제품을 사용하지 않을 때는 플러그를 뽑아 두어야 대기 전력을 줄일 수 있다.

7 하이브리드 자동차는 엔진, 배터리, 전기 모터를 함께 사용하는 자동차로, 브레이크를 밟는 동안 자동차의 운동 에너지를 전기 에너지로 전환하여 다시 사용한다. 따라서 일반 자동차보다 에너지 효율이 높다.

내신 만점 문제

328~330쪽

01 ④	**02** ①	**03** ②	**04** ㄴ, ㄷ	**05** ⑤	**06** ①
07 ③	**08** ③	**09** ⑤	**10** ①	**11** 10 kJ	**12** 168 J
13 ④	**14** ③	**15** ⑤	**16** ⑤	**17** 해설 참조	
18 해설 참조					

01 ㄴ. 에너지는 일을 할 수 있는 능력이다.
ㄷ. 한 형태의 에너지는 다른 형태의 에너지로 전환될 수 있으며, 에너지가 전환될 때 에너지의 전체 양은 일정하다.
바로알기 ㄱ. 에너지와 일은 서로 전환될 수 있는 양이므로 단위도 J(줄)로 같다.

02 ② 광합성은 태양의 빛을 이용하여 포도당을 합성하는 과정이므로 빛에너지가 화학 에너지로 전환된다.
③ 선풍기는 전기를 이용하여 날개를 돌리므로 전기 에너지가 운동 에너지로 전환된다.
④ 충전기는 전기를 이용하여 전지에 화학 에너지를 저장하는 장치이므로 전기 에너지가 화학 에너지로 전환된다.
⑤ 전기 밥솥은 전기를 이용하여 발생시킨 열로 밥을 지으므로, 전기 에너지가 열에너지로 전환된다.
바로알기 ① 폭포는 높은 곳에 있는 물이 아래로 떨어지므로 퍼텐셜 에너지가 운동 에너지로 전환된다.

03 꼼꼼 문제 분석

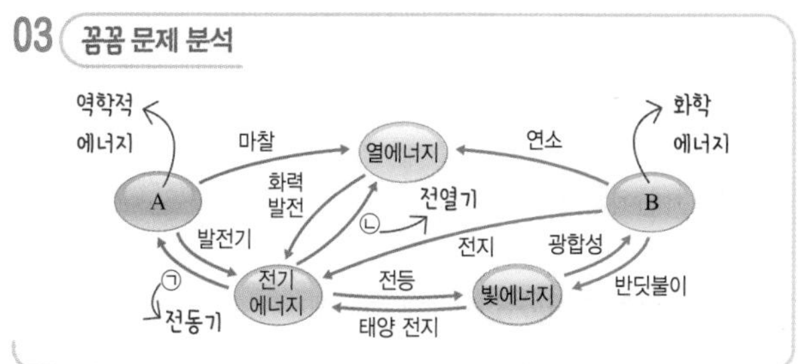

ㄷ. 전동기는 전기 에너지를 이용하여 회전력을 얻는 장치이므로, 전기 에너지가 역학적 에너지(A)로 전환되는 ㉠의 예로 들 수 있다. 또, 전열기는 전기 에너지를 이용하여 열을 발생시키는 장치이므로, 전기 에너지가 열에너지로 전환되는 ㉡의 예로 들 수 있다.
바로알기 ㄱ. 발전기는 자석과 코일의 상대적 운동에 의해 전기 에너지가 생산되는 장치이다. 즉, 발전기에서는 역학적 에너지가 전기 에너지로 전환되므로, A는 역학적 에너지이다.
ㄴ. 광합성은 태양의 빛에너지를 이용하여 포도당을 합성하는 과정이다. 즉, 광합성은 빛에너지가 화학 에너지로 전환되는 과정이므로, B는 화학 에너지이다.

04 ㄴ. 석탄으로 물을 끓이면 석탄이 연소하면서 화학 에너지가 열에너지로 전환된다.
ㄷ. 청소기를 사용하면 청소기에 공급된 전기 에너지는 모터를 회전시키는 운동 에너지뿐만 아니라 소리 에너지와 열에너지 등으로도 전환된다.
바로알기 ㄱ. 형광등을 켜면 전기 에너지가 빛에너지와 열에너지로 전환된다.

05 ㄱ. 에너지 보존 법칙에 따라 에너지가 전환될 때 전체 양은 일정하게 유지된다.
ㄴ. 에너지가 전환되는 과정에서 일부는 다시 사용하기 어려운 열에너지로 전환된다.
ㄷ. 에너지가 전환될 때마다 항상 에너지의 일부는 열에너지로 전환된다. 따라서 에너지가 전환될 때마다 우리가 사용할 수 있는 유용한 에너지의 양은 점점 감소한다.

06 꼼꼼 문제 분석

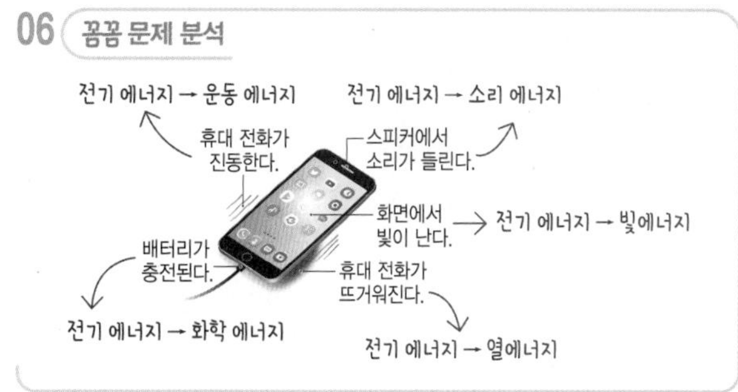

ㄱ. 휴대 전화의 화면이 켜져 있을 때, 화면에서 전기 에너지가 빛에너지로 전환된다.
바로알기 ㄴ. 배터리가 충전될 때 전기 에너지가 화학 에너지로 전환되어 배터리에 저장된다.
ㄷ. 휴대 전화를 오랫동안 사용하면 전기 에너지의 일부가 열에너지로 전환되면서 휴대 전화가 뜨거워지는데, 이렇게 열에너지 형태로 전환된 에너지는 다시 사용하기 어렵다.

07 꼼꼼 문제 분석

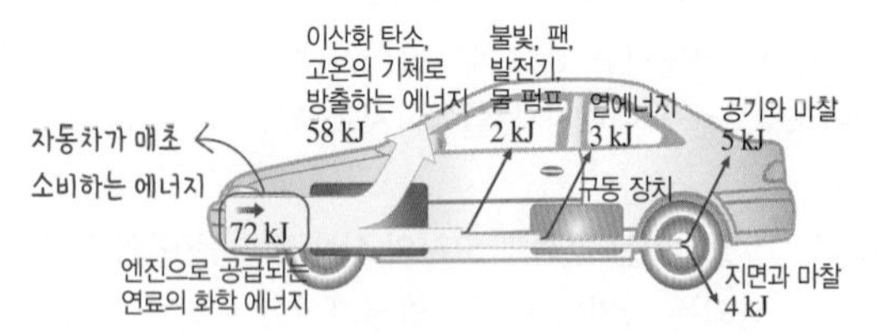

ㄱ. 에너지 보존 법칙에 따라 자동차에 공급되는 연료의 에너지와 자동차가 소비하는 에너지의 총합은 같다.
ㄴ. 자동차에서 방출되는 열에너지는 버려지는 에너지로 자동차가 달리도록 하는 데 다시 이용하기 어렵다.
바로알기 ㄷ. 엔진으로 공급되는 에너지의 일부는 열이나 빛, 소리 에너지와 같은 형태로 전환된다. 따라서 엔진으로 공급되는 연료의 화학 에너지가 모두 운동 에너지로 전환되는 것은 아니다.

08 조명 기구에서 유용하게 사용한 에너지는 18 J의 빛에너지이므로, 에너지 효율(%)$=\frac{18\text{ J}}{60\text{ J}}\times100=30$ %이다.

09 ㄴ. 열에너지는 모두 일로 바꿀 수 없으므로, 열기관의 열효율은 항상 100 %보다 작다.
ㄷ. 열기관의 예로 자동차의 엔진인 가솔린 엔진, 디젤 엔진과 증기 기관 등이 있다.
바로알기 ㄱ. 열기관은 연료가 연소할 때 발생하는 열에너지로 일을 하는 장치이다. 즉, 열에너지를 일로 바꾸는 장치이다.

[10~12] 꼼꼼 문제 분석

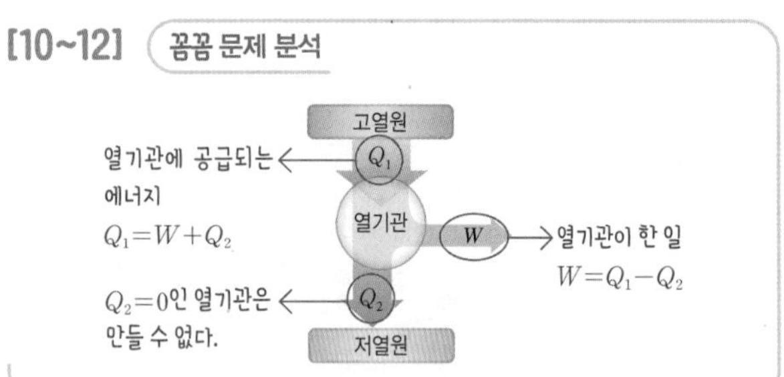

10 ㄱ. 열기관의 열효율(%) $=\frac{\text{열기관이 한 일}(W)}{\text{열기관에 공급된 에너지}(Q_1)}\times100$이다.
바로알기 ㄴ. 에너지가 전환될 때마다 항상 에너지의 일부는 열에너지로 버려진다. 열기관에서도 공급받은 에너지의 일부만 일로 전환되고 나머지는 열에너지의 형태로 버려지므로 저열원으로 방출되는 열에너지 $Q_2=0$인 열기관은 만들 수 없다.
ㄷ. 저열원으로 방출되는 열에너지 Q_2를 감소시키면, 열기관에 공급되는 열에너지 Q_1에서 열기관이 한 일 W가 증가하므로 열효율이 높아진다.

11 열효율(%)$=\frac{W}{Q_1}\times100$이므로 20 %$=\frac{W}{50\text{ kJ}}\times100$에서 열기관이 한 일 $W=10$ kJ이다.

12 열효율(%)$=\left(1-\frac{Q_2}{Q_1}\right)\times100$이므로 30 %$=\left(1-\frac{Q_2}{240\text{ J}}\right)\times100$에서 $Q_2=0.7\times240\text{ J}=168$ J이다.

13 ㄱ. 같은 에너지를 공급할 때, 같은 시간 동안 한 일의 양은 에너지 효율이 낮을수록 적으므로 A가 B보다 적다.
ㄴ. 공급한 에너지에서 불필요하게 발생하는 열에너지의 비율은 에너지 효율이 낮을수록 크므로 A가 B보다 크다.
바로알기 ㄷ. 같은 양의 일을 할 때, 같은 시간 동안 연료를 소비하는 양은 에너지 효율이 높을수록 적으므로, B가 A보다 적다.

14 하이브리드 자동차의 전기 모터가 발전기로 작동하면서 역학적 에너지를 전기 에너지(㉠)로 전환시키고, 배터리가 충전될 때 전기 에너지는 화학 에너지(㉡)로 전환된다.

15 꼼꼼 문제 분석

전등	1초 동안 공급된 전기 에너지(J)	1초 동안 발생한 에너지(J)		
		빛	열	기타
백열등	60	3.8	55.6	0.6
형광등	20	4	15.5	0.5
LED등	10	4.9	4.8	0.3

빛으로 전환되는 에너지 비율
- 백열등: $\frac{3.8\text{ J}}{60\text{ J}}\times100=$약 6.33 %
- 형광등: $\frac{4\text{ J}}{20\text{ J}}\times100=20$ %
- LED등: $\frac{4.9\text{ J}}{10\text{ J}}\times100=49$ %

ㄱ. 형광등을 조명으로 사용할 때 형광등의 에너지 효율은 $\frac{\text{빛에너지}}{\text{전기 에너지}}\times100=\frac{4\text{ J}}{20\text{ J}}\times100=20$ %이다.
ㄴ. 전기 에너지에서 열에너지로 전환되는 비율은 백열등이 $\frac{55.6\text{ J}}{60\text{ J}}\times100=$약 92.7 %, 형광등이 $\frac{15.5\text{ J}}{20\text{ J}}\times100=77.5$ %이므로 백열등이 형광등보다 높다.
ㄷ. 전등의 밝기가 같을 때, 빛에너지로 전환되는 에너지 효율이 높을수록 전등이 1초 동안 소비하는 전기 에너지가 적다. 따라서 같은 밝기일 때 1초 동안 소비하는 전기 에너지가 가장 적은 것은 LED등이다.

16 ① (가)에서 1~5는 에너지 소비 효율 등급을 나타내므로 작은 숫자를 가리키는 제품일수록 에너지 효율이 높다.
② 같은 조건일 때 5등급 제품일수록 에너지 효율이 낮으므로 불필요한 열에너지가 많이 발생한다.

③ 이산화 탄소(CO_2)는 기후 변화와 같은 환경 문제를 일으키는 온실 기체이므로, CO_2 항목의 숫자가 작을수록 친환경적이다.
④ (나)는 에너지 절약 표시로 전원을 끈 상태에서도 전자 제품이 소비하는 대기 전력을 줄인 제품에 붙이는 표시이다.
바로알기 ⑤ (나)가 붙은 제품은 대기 전력을 줄인 제품이지 대기 전력이 0인 제품이 아니다. 따라서 제품의 전원을 껐을 때 플러그가 꽂혀 있으면 전기 에너지를 소비한다.

17 모범 답안 에너지를 사용하는 과정에서 에너지의 일부가 다시 사용할 수 없는 열에너지로 전환되어 버려지므로, 이용할 수 있는 에너지의 양이 점차 감소하기 때문이다.

채점 기준	배점
에너지 전환 과정에서 에너지의 일부가 열에너지로 전환되어 이용할 수 있는 에너지의 양이 감소한다는 내용을 포함하여 옳게 서술한 경우	100 %
에너지 전환 과정에서 에너지의 일부가 열에너지로 전환된다고만 서술한 경우	50 %

18 꼼꼼 문제 분석

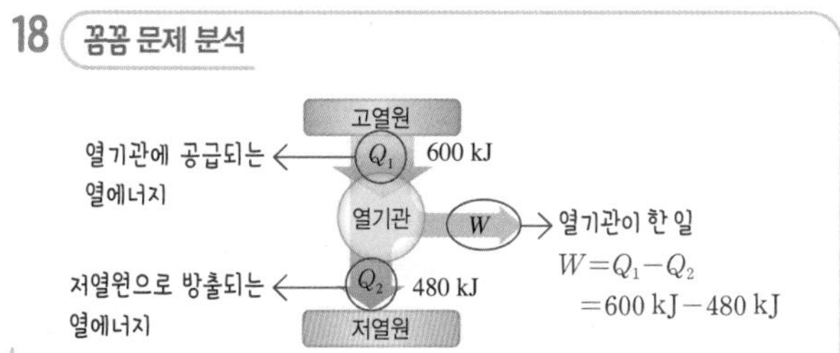

(1) 열기관이 한 일 $W=600\text{ kJ}-480\text{ kJ}=120\text{ kJ}$이다.

모범답안 (1) 120 kJ

(2) $e=\frac{W}{Q_1}\times100=\frac{120\text{ kJ}}{600\text{ kJ}}\times100=20\ \%$

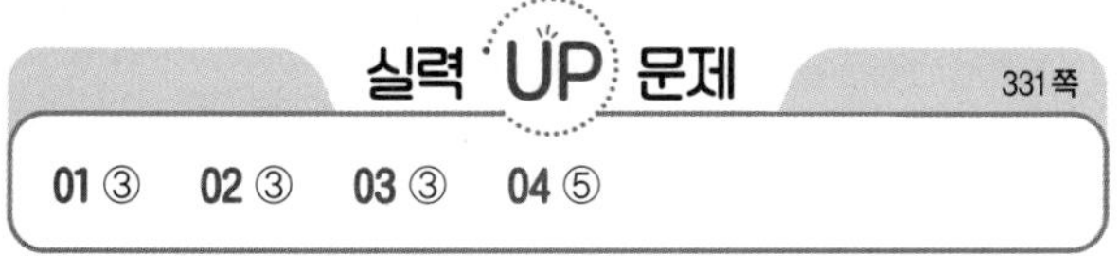

채점 기준		배점
(1)	120 kJ이라고 옳게 쓴 경우	40 %
(2)	계산 과정을 포함하여 열효율을 옳게 구한 경우	60 %
	열효율만 옳게 구한 경우	30 %

실력 UP 문제

331쪽

01 ③ 02 ③ 03 ③ 04 ⑤

01 ㄱ. 휴대 전화의 화면에서 전기 에너지가 빛(㉠)에너지로 전환된다. 전등에서도 전기 에너지가 빛(㉠)에너지로 전환된다.
ㄴ. 휴대 전화의 진동은 전기 에너지가 운동(㉡) 에너지로 전환된 것이다. 폭포에서는 물의 퍼텐셜 에너지가 운동(㉡) 에너지로 전환된다.
바로알기 ㄷ. 휴대 전화가 점점 따뜻해지는 까닭은 전기 에너지가 열에너지로 전환되었기 때문이다. 에너지가 다른 형태의 에너지로 전환될 때 에너지 보존 법칙에 따라 에너지 총량은 보존된다.

02 ㄱ. 에너지 보존 법칙에 따라 연료의 화학 에너지와 최종적으로 전환된 에너지의 총합은 같으므로, $100\ \%=\text{A}+2\ \%+20\ \%+6\ \%$에서 $\text{A}=72\ \%$이다.
ㄷ. 바퀴의 구동력으로 전달되는 에너지도 마찰과 공기 저항으로 인해 결국 열에너지로 전환되어 공간으로 퍼져 나간다.
바로알기 ㄴ. 자동차에 공급된 연료의 화학 에너지 중에서 유용하게 사용된 에너지는 바퀴의 구동력으로 전달되는 에너지 20 %와 전등과 같은 부속품에 사용된 에너지 2 %이다. 따라서 자동차의 에너지 효율은 $20\ \%+2\ \%=22\ \%$이다.

03 꼼꼼 문제 분석

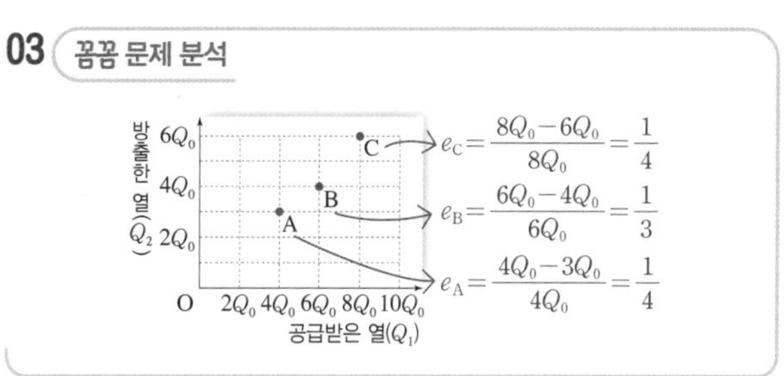

ㄱ. 열기관은 고열원에서 공급받은 열에너지의 일부로 일을 하고 나머지 열에너지를 저열원으로 방출하므로, A가 한 일은 $W=Q_1-Q_2=4Q_0-3Q_0=Q_0$이다.
ㄷ. 열기관의 열효율$=\frac{\text{열기관이 한 일}}{\text{공급받은 열에너지}}$이므로, C의 열효율(%)은 $e=\left(\frac{Q_1-Q_2}{Q_1}\right)\times100=\frac{8Q_0-6Q_0}{8Q_0}\times100=25\ \%$이다.
바로알기 ㄴ. A의 열효율은 $\frac{4Q_0-3Q_0}{4Q_0}=\frac{1}{4}$, B의 열효율은 $\frac{6Q_0-4Q_0}{6Q_0}=\frac{1}{3}$이다. 따라서 열효율은 A가 B보다 작다.

04 꼼꼼 문제 분석

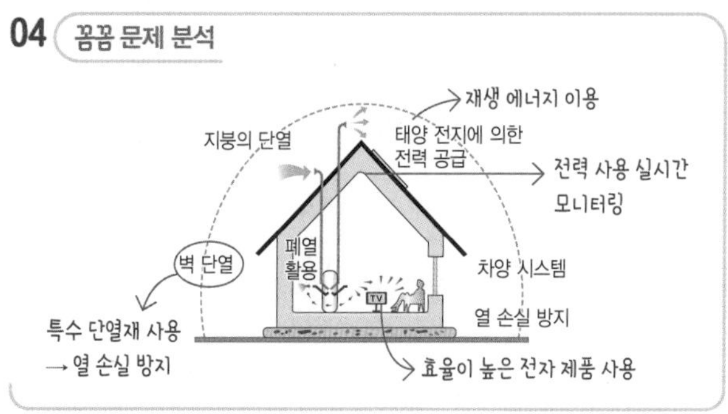

에너지 제로 하우스에서 에너지 공급은 재생 에너지를 활용하고 건물은 특수 단열재를 사용하여 열 손실을 최대한 막는다. 또한 효율이 높은 전자 제품을 이용하고 전력 사용량을 실시간 모니터링하여 에너지를 효율적으로 이용한다.
바로알기 ⑤ 에너지 제로 하우스는 자연의 에너지로 난방과 발전을 하므로 화석 연료에 대한 의존도가 낮다.

중단원 핵심 정리 332~333쪽

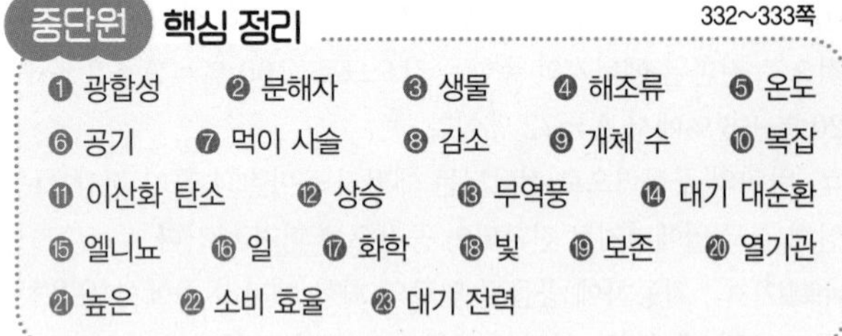

① 광합성 ② 분해자 ③ 생물 ④ 해조류 ⑤ 온도
⑥ 공기 ⑦ 먹이 사슬 ⑧ 감소 ⑨ 개체 수 ⑩ 복잡
⑪ 이산화 탄소 ⑫ 상승 ⑬ 무역풍 ⑭ 대기 대순환
⑮ 엘니뇨 ⑯ 일 ⑰ 화학 ⑱ 빛 ⑲ 보존 ⑳ 열기관
㉑ 높은 ㉒ 소비 효율 ㉓ 대기 전력

중단원 마무리 문제 334~338쪽

01 ⑤	02 ③	03 ③	04 ④	05 해설 참조	06 ③
07 해설 참조	08 ③	09 ⑤	10 ③	11 ①	12 ③
13 ③	14 해설 참조	15 ④	16 ⑤	17 ④	18 ⑤
19 ③	20 ①	21 ①	22 ③	23 ②	24 ①

01 ① 식물 플랑크톤(㉠)은 광합성을 하는 생산자이다.
② 세균(㉡)은 생물의 사체나 배설물을 분해하는 분해자이다.
③ (가)는 강의 유속과 수온(비생물적 요인)이 식물 플랑크톤(생물)에 영향을 준 것이다.
④ (나)는 식물 플랑크톤(생물)이 물고기(생물)에 영향을 준 것이다.
바로알기 ⑤ (다)는 세균(생물)이 물속 산소(비생물적 요인)의 양에 영향을 준 것이다.

02 꼼꼼 문제 분석

생태계
반작용 ㉠
생물 군집 → 비생물적 환경 요인
㉡ 작용
(가)

파장이 짧은 청색광은 수심이 깊은 곳까지 도달한다.
도달하는 빛의 양(%) 0 50 100
수심(m) 0 20 40
녹조류 갈조류 홍조류
—적색광(660 nm)
—황색광(600 nm)
—청색광(470 nm)
(나)

해조류는 몸 색과 보색인 파장의 빛을 광합성에 주로 이용한다. ➡ 녹조류는 수심이 얕은 곳에 많이 분포하고, 홍조류는 수심이 깊은 곳까지 분포한다.

ㄱ. 생물 군집은 일정한 지역에 사는 여러 개체군으로 이루어진다.
ㄴ. (나)는 빛의 파장에 따라 해조류의 분포가 다른 것으로, 비생물적 요인이 생물에 영향을 주는 작용(㉡)의 예이다.
바로알기 ㄷ. 세균(생물)이 식물(생물)의 낙엽을 분해하는 것은 생산자와 분해자 사이, 즉 생물 사이에서 일어나는 상호 작용이다. ㉠은 생물이 비생물적 요인에 영향을 주는 반작용이다.

03 A는 강한 빛에서 잘 자라는 양지 식물이고, B는 약한 빛에서 잘 자라는 음지 식물이다.
ㄱ. 양지 식물(A)은 울타리 조직이 발달하여 잎의 두께가 음지 식물(B)보다 두껍다.
ㄷ. 양지 식물(A)은 강한 빛에 적응하여 울타리 조직이 발달해 있으므로 빛이 강할 때 음지 식물(B)보다 단위시간당 광합성량이 많다.
바로알기 ㄴ. 숲의 아래쪽은 나무 그늘 때문에 빛이 약하므로 양지 식물(A)보다 음지 식물(B)이 잘 자란다.

04 ㄴ. 사막여우는 귀와 같은 몸의 말단부가 커서 열을 몸 밖으로 방출하는 데 유리하다.
ㄷ. 북극여우와 사막여우의 몸집과 몸의 말단부의 크기가 다른 것은 서식하는 지역의 온도에 적응한 결과이다. 곰이 겨울잠을 자는 것도 온도에 적응한 현상이다.
바로알기 ㄱ. 북극여우는 사막여우보다 몸집이 크고 몸의 말단부가 작다. 따라서 몸 밖으로 방출되는 열이 적어 추운 곳에서 체온을 유지하는 데 유리하다.

05 건조한 지역에 서식하는 동물과 식물은 몸 표면을 통한 수분 손실을 줄이고, 몸속에 수분을 저장할 수 있도록 적응하였다. 한편, 물에 서식하는 동물과 식물은 몸이 물에 뜨거나 헤엄칠 수 있도록 적응하였다.
모범 답안 선인장은 잎이 가시로 변하였으며, 저수 조직이 발달하였다. 수련은 줄기에 통기 조직이 발달하였고, 관다발이나 뿌리가 잘 발달하지 않았다.

채점 기준	배점
선인장과 수련의 특징을 모두 옳게 서술한 경우	100 %
선인장과 수련의 특징 중 한 가지만 옳게 서술한 경우	50 %

06 꼼꼼 문제 분석

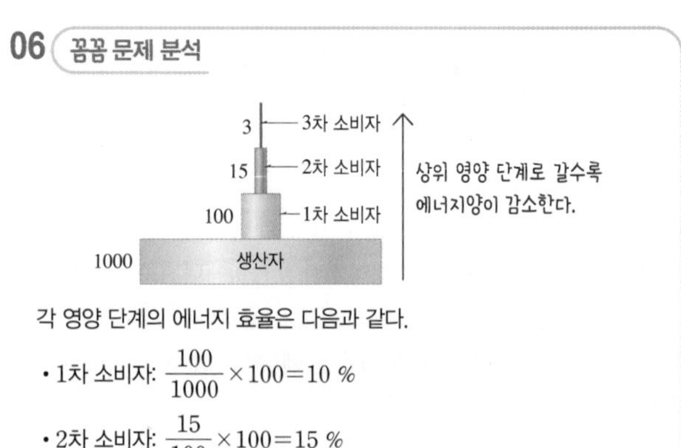

각 영양 단계의 에너지 효율은 다음과 같다.

- 1차 소비자: $\frac{100}{1000}\times100=10\ \%$
- 2차 소비자: $\frac{15}{100}\times100=15\ \%$
- 3차 소비자: $\frac{3}{15}\times100=20\ \%$

ㄱ. 상위 영양 단계로 갈수록 에너지양은 1000 → 100 → 15 → 3으로 감소한다.

ㄴ. 1차 소비자의 에너지양은 100이므로 생산자의 에너지양 1000의 10 %이다.

바로알기 ㄷ. 2차 소비자가 가진 에너지양 15 중 20 %인 3만 3차 소비자로 이동하였다. 나머지 80 %에는 2차 소비자의 생명 활동을 통해 열에너지로 방출된 것과 사체나 배설물의 형태로 분해자로 이동한 것이 포함되어 있다.

07 꼼꼼 문제 분석

영양 단계	생물량 (상댓값)	에너지양 (상댓값)	에너지 효율 (%)
A 1차 소비자	37	200	10
B 3차 소비자	1.5	6	㉠ $\frac{6}{30}\times100=20$
C 2차 소비자	11	30	15
D 생산자	809	2000	1

(생물량: D>A>C>B, 에너지양: D>A>C>B)

- 안정된 생태계에서 생물량과 에너지양은 생산자가 가장 많고 상위 영양 단계로 갈수록 감소한다.
- 각 영양 단계의 에너지 효율은 $\frac{\text{현 영양 단계의 에너지양}}{\text{전 영양 단계의 에너지양}}\times100(\%)$으로 계산한다.

모범 답안 (1) D → A → C → B, 안정된 생태계에서 생물량과 에너지양은 상위 영양 단계로 갈수록 감소한다.

(2) 20(%)

(3) 2차 소비자인 C의 개체 수가 증가하면 1차 소비자인 A의 개체 수는 감소한다. 그에 따라 생산자인 D는 피식량이 줄어 개체 수가 증가한다.

채점 기준		배점
(1)	먹이 사슬을 옳게 나타내고, 근거를 옳게 서술한 경우	40 %
	먹이 사슬만 옳게 나타낸 경우	20 %
(2)	20(%)이라고 쓴 경우	20 %
(3)	C, A, D의 먹이 관계를 들어 D의 개체 수가 증가한다고 옳게 서술한 경우	40 %
	D의 개체 수가 증가한다고만 서술한 경우	20 %

08 ㄷ. (가)에서는 고등어의 개체 수가 급격히 증가하면 참치의 개체 수도 급격히 증가한다. (나)에서는 고등어를 먹는 포식자가 참치뿐 아니라 가다랑어도 있고, 참치와 가다랑어의 포식자인 범고래가 있어서 고등어의 개체 수가 급격히 증가하더라도 참치의 개체 수 증가가 (가)에서만큼 크지 않다.

바로알기 ㄱ. (가)와 (나)에서 생산자는 식물 플랑크톤으로 같지만, (가)에서 최종 소비자는 참치, (나)에서 최종 소비자는 범고래로 다르다.

ㄴ. 고등어가 사라지면 (가)에서는 참치가 먹이가 없어 사라지지만, (나)에서는 참치가 멸치, 전갱이, 가다랑어를 먹고 살아갈 수 있어 사라지지 않는다.

09 꼼꼼 문제 분석

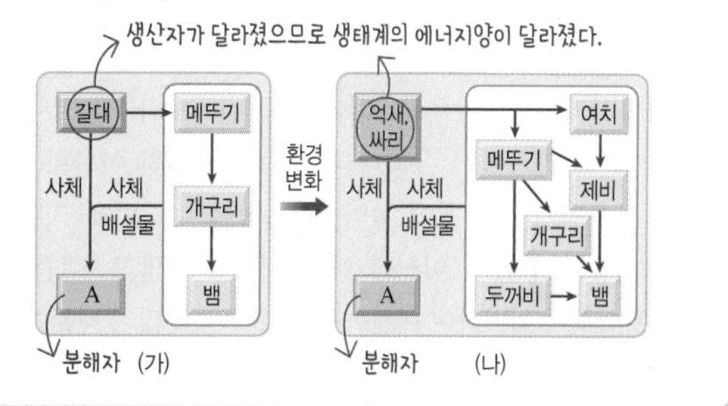

① 분해자(A)의 예로는 세균, 곰팡이, 버섯 등이 있다.

② 환경 변화로 생산자의 종류가 갈대에서 억새와 싸리로 달라졌다.

③, ④ (가)보다 (나)일 때 생물종이 다양하여 종 다양성이 높고, 먹이 그물이 복잡하여 생태계 안정성이 높다.

바로알기 ⑤ 생산자가 달라졌으므로 생태계의 에너지양이 달라졌으며, 그에 따라 생물종과 개체 수가 달라졌다.

10 꼼꼼 문제 분석

구분	녹조류 (생산자)	A (2차 소비자)	B (1차 소비자)	C (3차 소비자)
생산자 녹조류 개체 수 증가		증가	증가	증가
2차 소비자 A 개체 수 증가	증가		감소	증가
1차 소비자 B 개체 수 증가	감소	증가		증가
3차 소비자 C 개체 수 증가	감소	감소	증가	

- 생산자 증가 ➡ 1차·2차·3차 소비자 증가
- 1차 소비자 증가 ➡ 생산자 감소, 2차·3차 소비자 증가
- 2차 소비자 증가 ➡ 1차 소비자 감소, 생산자 증가, 3차 소비자 증가
- 3차 소비자 증가 ➡ 2차 소비자 감소, 1차 소비자 증가, 생산자 감소

A는 2차 소비자, B는 1차 소비자, C는 3차 소비자이다. 생태계에서 에너지는 상위 영양 단계로 이동하므로, 이 생태계에서 에너지 이동 방향은 녹조류 → B → A → C이다.

11 ㄱ. (가)에서 사슴의 개체 수가 증가한 것은 늑대 사냥을 허가하여 사슴의 천적인 늑대의 개체 수가 감소하였기 때문이다.

바로알기 ㄴ. (가)에서 초원의 생산량이 감소한 것은 사슴의 개체 수가 증가함에 따라 사슴이 풀을 많이 뜯어먹었기 때문이다.

ㄷ. (나)에서 사슴의 개체 수가 감소한 주된 원인은 초원의 생산량이 줄어들어 사슴의 먹이가 부족해졌기 때문이다.

12 A는 기온이 높은 시기, B는 기온이 낮은 시기이다.

ㄱ. 약 40만 년 동안 기온이 높고 낮은 시기가 반복되었다.

ㄴ. A 시기는 B 시기보다 기온이 높았으므로 빙하 면적이 좁고 수온이 높아 해수면 높이가 높았을 것이다.

바로알기 ㄷ. 그림은 약 40만 년 동안의 기후 변화이고, 나무의 나이테를 조사하면 1만 년 전~수십 년 전의 기후 변화만 알 수 있다.

13 ㄱ. 우리나라는 대기 중 이산화 탄소의 농도가 지구 전체보다 높으므로 온난화의 영향을 더 많이 받았을 것이다.
ㄴ. 일 년 중 대기 중 이산화 탄소의 농도가 높은 값과 낮은 값의 차이(계절별 변동성)는 우리나라가 지구 전체보다 크다.
바로알기 ㄷ. 그래프에서 우리나라와 지구 전체의 이산화 탄소의 농도는 가을철보다 봄철에 높다. 겨울철에는 난방에 의한 화석 연료의 사용량이 많아 이산화 탄소 배출량이 많고, 여름철에는 식물의 광합성이 활발하여 이산화 탄소 흡수량이 많기 때문이다.

14 모범 답안 저위도에서는 에너지가 남고 고위도에서는 에너지가 부족하기 때문에, 대기와 해수의 순환에 의해 저위도에서 고위도로 에너지가 이동한다.

채점 기준	배점
에너지의 이동 방향과 이동 수단, 까닭을 모두 옳게 서술한 경우	100 %
에너지의 이동 방향과 이동 수단만 옳게 서술한 경우	60 %
에너지의 이동 방향과 이동 수단 중 한 가지만 옳게 서술한 경우	30 %

15 ① A는 극순환, B는 페렐 순환, C는 해들리 순환이다.
② B 순환의 지표면 부근에서는 저위도에서 고위도로 이동하던 공기가 오른쪽으로 휘어져 서에서 동으로 편서풍이 분다.
③ B와 C 순환 사이의 지표면에는 하강 기류 발달로 고압대가 형성되어 건조한 기후가 나타나므로 사막이 많이 분포한다.
⑤ 30°N은 하강 기류가 발달하므로 고압대이고, 0°는 상승 기류가 발달하므로 저압대이다. 따라서 30°N에서 기압이 더 높다.
바로알기 ④ B 순환의 지표면 부근에서 부는 편서풍에 의해 북태평양 해류가 흐른다. 북적도 해류는 무역풍에 의해 흐른다.

16 ① A는 쿠로시오 해류, B는 북태평양 해류, C는 캘리포니아 해류이다.
② B는 중위도에서 편서풍에 의해 서에서 동으로 흐른다.
③ C는 고위도에서 저위도로 흐르는 한류이다.
④ 해수가 순환하면서 열에너지를 운반하여 위도별 에너지 불균형을 해소한다.
바로알기 ⑤ 북태평양의 아열대 순환은 시계 방향으로 일어난다. 북반구와 남반구의 아열대 순환 방향은 서로 반대이므로 남반구의 아열대 순환은 시계 반대 방향으로 일어난다.

17 꼼꼼 문제 분석

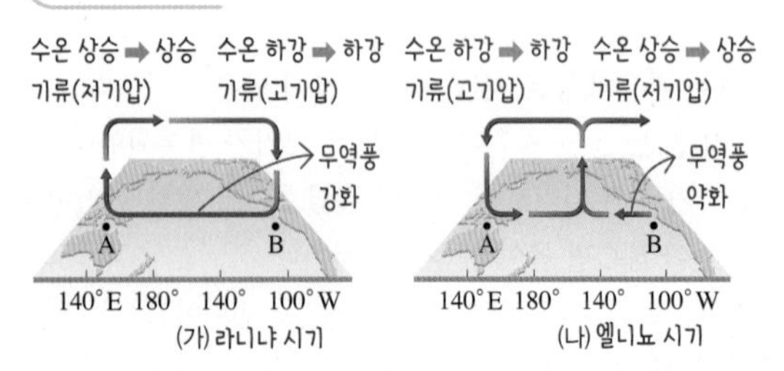

ㄴ. (가) 시기에는 무역풍이 강해져 적도 부근의 따뜻한 해수가 동(B)에서 서(A)로 이동하므로 A에서 해수면이 상승한다. 그러나 (나) 시기에는 무역풍이 약해져 적도 부근의 따뜻한 해수가 서(A)에서 동(B)으로 이동하므로 A에서 해수면이 하강한다. 따라서 해수면 높이 차(A 지점−B 지점)는 (가)가 (나)보다 크다.
ㄷ. (가) 시기에는 무역풍이 강해져 B 지점의 용승이 강해지고, (나) 시기에는 무역풍이 약해져 B 지점의 용승이 약해진다.
바로알기 ㄱ. (가)는 적도 부근 동태평양(B) 해역에 하강 기류가 형성되므로 평상시보다 표층 수온이 낮은 라니냐 시기이고, (나)는 상승 기류가 형성되는 해역이 평상시보다 동쪽으로 이동해 있으므로 엘니뇨 시기이다.

18 ㄴ. 전동기는 전류가 흐르는 도선이 자기장 속에서 받는 힘으로 회전력을 얻으므로, 전기 에너지가 운동 에너지로 전환된다.
ㄷ. 건전지로부터 자동차에 공급된 전기 에너지는 발광 다이오드에서 사용한 전기 에너지와 전동기에서 사용한 전기 에너지의 합과 같다. 따라서 발광 다이오드에서 사용한 전기 에너지는 건전지로부터 자동차에 공급된 전기 에너지보다 작다.
바로알기 ㄱ. 건전지에서는 화학 에너지가 전기 에너지로 전환된다.

19 휴대 전화를 충전할 때는 전기 에너지가 배터리의 화학 에너지로 전환되어 저장되고, 휴대 전화를 사용할 때는 배터리에 저장된 화학 에너지가 전기 에너지로 전환된다.

20 에너지가 다른 형태로 전환될 때 에너지 보존 법칙에 따라 에너지의 전체 양은 보존되지만, 에너지의 일부는 다시 사용하기 어려운 열에너지 형태로 전환된다. 따라서 사용 가능한 에너지의 양은 점점 감소한다.

21 꼼꼼 문제 분석

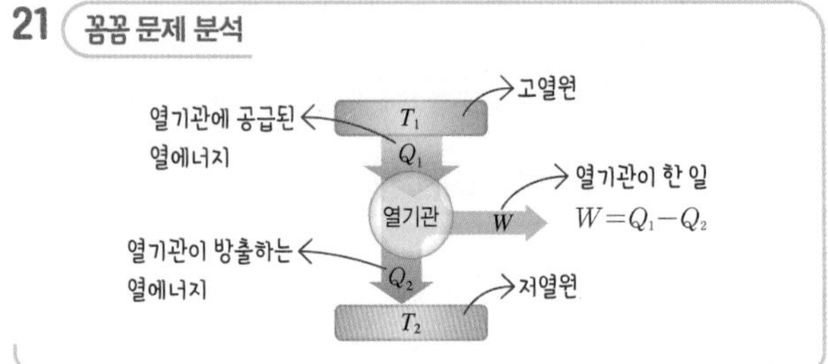

ㄱ. 열기관은 고열원에서 열에너지를 흡수하여 일을 하고 저열원으로 남은 열에너지를 방출하므로 온도는 T_1이 T_2보다 높다.
바로알기 ㄴ. 열기관의 열효율(%)$=\dfrac{W}{Q_1}\times100=\left(\dfrac{Q_1-Q_2}{Q_1}\right)\times100$ $=\left(1-\dfrac{Q_2}{Q_1}\right)\times100$이므로, $\dfrac{Q_2}{Q_1}$가 클수록 열효율은 작아진다.
ㄷ. $Q_1=W$이면 저열원으로 방출되어 버려지는 열에너지가 0이 된다. 그러나 저열원으로 방출되어 버려지는 열에너지는 항상 존재하므로, $Q_1=W$인 열기관은 만들 수 없다.

22 열효율(%)=$\frac{\text{열기관이 한 일}}{\text{열기관에 공급된 에너지}}$×100이므로, 이 열기관의 열효율(%)=$\frac{400\ J}{2000\ J}$×100=20 %이다.

23 꼼꼼 문제 분석

전구	에너지 효율(%)	열기관	에너지 효율(%)
A	8	C	30
B	24	D	45

• 밝기 : A<B(전기 에너지가 같을 때)
• 소비하는 전기 에너지 : A>B (밝기가 같을 때)
• 버려지는 열 : C>D(공급된 에너지가 같을 때)
• 연료 소비 : C>D(같은 양의 일 할 때)

ㄱ. 같은 전기 에너지를 소비할 때, 전구는 에너지 효율이 낮을수록 더 어두우므로 전구의 밝기는 A가 B보다 어둡다.
ㄹ. 열기관에 같은 양의 에너지가 공급될 때, 에너지 효율(열효율)이 낮을수록 버려지는 열에너지가 많으므로 같은 시간 동안 버려지는 열에너지는 C가 D보다 많다.

바로알기 ㄴ. 전구의 밝기가 같을 때, 같은 시간 동안 소비하는 전기 에너지는 에너지 효율이 높을수록 적으므로 같은 시간 동안 소비하는 전기 에너지는 B가 A의 $\frac{1}{3}$배이다.
ㄷ. 열기관이 같은 양의 일을 할 때, 에너지 효율이 낮을수록 연료를 더 많이 소비하므로 C가 D보다 연료를 더 많이 소비한다.

24 ② 하이브리드 자동차의 에너지 효율이 일반 가솔린 자동차보다 높으므로, 하이브리드 자동차를 사용하면 에너지 이용의 효율을 높일 수 있다.
③ 전기 기구를 사용할 때는 에너지 소비 효율 등급이 1등급에 가까울수록 에너지 절약 효과가 크다.
④ 에너지 제로 하우스는 자연의 에너지를 이용하여 자체적으로 난방과 발전을 하는 에너지 자립 건물이므로 에너지 사용량을 줄일 수 있다.
⑤ 스마트 기기로 스마트 플러그에 연결된 전기 제품의 전원을 실시간으로 확인하고 제어하면 전기 에너지가 낭비되는 것을 줄일 수 있다.

바로알기 ① 대기 전력은 전원을 끈 상태에서도 전기 제품이 소비하는 전력이므로, 대기 전력을 감소시킨 제품을 사용해야 에너지를 절약할 수 있다.

중단원 고난도 문제 339쪽

01 ① 02 ⑤ 03 ④ 04 ④

01 꼼꼼 문제 분석

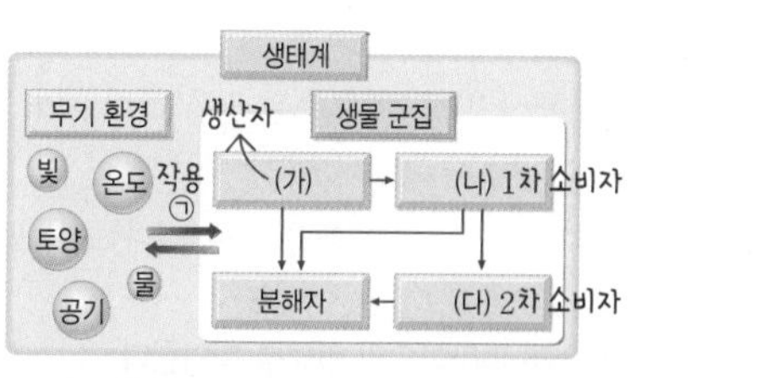

선택지 분석
㉠ '양엽은 음엽보다 울타리 조직이 발달하였다.'는 ㉠의 예에 해당한다.
㉡ 광합성을 하는 생물은 (가)에 속한다.
~~ㄷ~~. (가)에서 분해자로 무기물이 이동한다. 유기물
~~ㄹ~~. (나)의 개체 수가 갑자기 증가하면 (다)의 개체 수는 감소한다. 증가

전략적 풀이 ❶ ㉠이 무엇인지 생각한다.
ㄱ. ㉠은 비생물적 요인인 무기 환경이 생물 군집에 영향을 주는 작용이다. 양엽과 음엽의 울타리 조직의 발달 차이는 빛의 세기(비생물적 요인)에 따른 식물(생물)의 적응 현상이므로 작용(㉠)의 예에 해당한다.
❷ (가)~(다)가 생물적 요인 중 어떤 요소인지를 파악하고, 먹이 사슬에 의해 연결된다는 것을 이해한다.
ㄴ. (가)는 생산자이며, 광합성을 하여 무기물로부터 유기물을 합성한다. 생산자에는 식물, 식물 플랑크톤 등이 있다.
ㄹ. (나)는 1차 소비자이고, (다)는 2차 소비자이다. 1차 소비자 (나)의 개체 수가 갑자기 증가하면 이를 먹이로 하는 2차 소비자 (다)의 개체 수도 증가한다.
❸ 생물 사이의 에너지 이동 형태를 생각한다.
ㄷ. 생물 군집 내에서는 먹이 사슬을 통해 유기물의 형태로 에너지가 이동하며, 분해자는 생물의 사체와 배설물에 포함된 유기물을 분해하여 에너지를 얻는다. 따라서 생산자(가)에서 분해자로 유기물이 이동한다.

02 꼼꼼 문제 분석

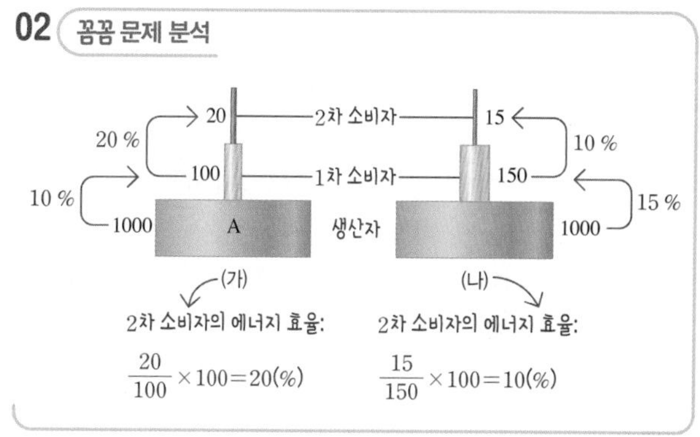

선택지 분석

㉠ A는 생산자이다.

~~ㄴ~~. (가)에서 생산자의 개체 수는 1차 소비자의 개체 수의 10배이다. 개체 수는 알 수 없다.

㉢ 2차 소비자의 에너지 효율은 (가)가 (나)보다 높다.

전략적 풀이 ❶ 생태 피라미드의 형태를 파악한다.

각 영양 단계의 에너지양을 하위 영양 단계부터 상위 영양 단계로 차례로 쌓아올린 에너지 피라미드이다.

ㄱ. 생태 피라미드의 가장 아래쪽에 있는 A가 생산자이다.

❷ (가)와 (나)의 에너지양을 이용해 각각의 에너지 효율을 계산한다.

ㄴ. 제시된 자료는 각 영양 단계의 에너지양을 상댓값으로 나타낸 것으로, (가)에서 생산자의 에너지가 1차 소비자로 이동한 비율이 10 %라는 것은 알 수 있지만, 개체 수는 알 수 없다.

ㄷ. 2차 소비자의 에너지 효율은 (가)에서는 20 %이고, (나)에서는 10 %이므로 (가)가 (나)보다 높다.

03 꼼꼼 문제 분석

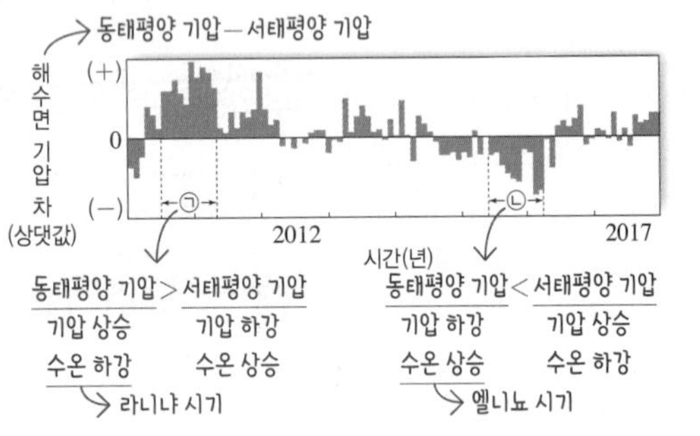

선택지 분석

~~ㄱ~~. 무역풍은 ㉠ 시기가 ㉡ 시기보다 약하다. 강하다

㉡ 서태평양에서 강수량은 ㉠ 시기가 ㉡ 시기보다 많다.

㉢ 표층 수온의 차(서태평양－동태평양)는 ㉠ 시기가 ㉡ 시기보다 크다.

전략적 풀이 ❶ 해수면 기압 차로부터 라니냐 시기와 엘니뇨 시기를 판단한다.

무역풍이 강해지는 라니냐 시기에는 서태평양 쪽으로 이동하는 따뜻한 표층 해수의 양이 증가하므로 서태평양에서는 표층 수온이 높아져 해수면 기압이 낮아지고, 동태평양에서는 표층 수온이 낮아져 해수면 기압이 높아진다. 이에 따라 해수면 기압 차(동태평양 기압－서태평양 기압)는 평상시보다 큰 (+) 값이 되므로 ㉠은 라니냐 시기이다. 이와 반대로 무역풍이 약해지는 엘니뇨 시기에는 서태평양의 해수면 기압이 높아지고, 동태평양의 해수면 기압이 낮아진다. 이에 따라 해수면 기압 차(동태평양 기압－서태평양 기압)는 (－) 값이 되므로 ㉡은 엘니뇨 시기이다.

❷ 엘니뇨와 라니냐 시기의 무역풍의 세기를 비교한다.

ㄱ. ㉠은 라니냐 시기, ㉡은 엘니뇨 시기이고, 무역풍은 라니냐 시기가 엘니뇨 시기보다 강하다.

❸ 라니냐 시기와 엘니뇨 시기의 강수량 변화를 이해한다.

ㄴ. 라니냐 시기(㉠)에는 서태평양에서 표층 수온이 상승하여 해수 증발이 잘 일어나고 상승 기류가 발달하므로 강수량이 증가한다. 엘니뇨 시기(㉡)에는 서태평양에서 표층 수온이 하강하여 해수 증발이 감소하고 하강 기류가 발달하므로 강수량이 감소한다. 따라서 서태평양에서 강수량은 ㉠ 시기가 ㉡ 시기보다 많다.

❹ 라니냐 시기와 엘니뇨 시기에 동서 방향의 표층 수온 변화를 이해한다.

ㄷ. 평상시에는 따뜻한 표층 해수가 서태평양 쪽으로 이동하므로 서태평양의 표층 수온이 동태평양의 표층 수온보다 높다. 라니냐 시기(㉠)에는 따뜻한 표층 해수가 서태평양 쪽으로 강하게 이동하므로 표층 수온 차(서태평양－동태평양)가 평상시보다 커지고, 엘니뇨 시기(㉡)에는 따뜻한 표층 해수가 동태평양 쪽으로 이동하므로 표층 수온 차(서태평양－동태평양)가 평상시보다 작아진다. 따라서 표층 수온 차(서태평양－동태평양)는 ㉠ 시기가 ㉡ 시기보다 크다.

04 꼼꼼 문제 분석

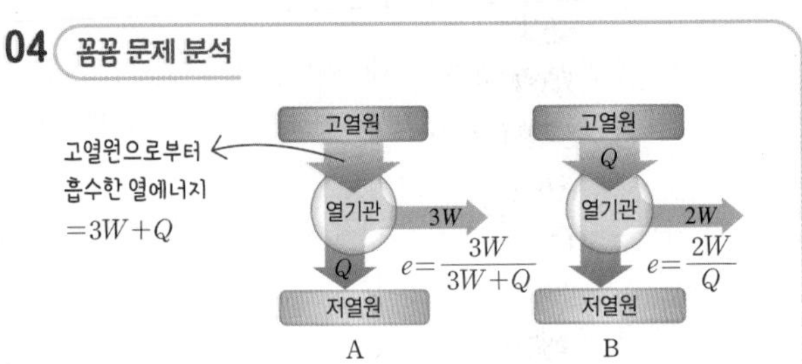

전략적 풀이 ❶ 에너지 보존 법칙을 이용하여 A가 고열원으로부터 흡수한 열에너지를 구한다.

에너지 보존 법칙에 따라 고열원으로부터 흡수한 열에너지＝열기관이 한 일＋저열원으로 방출한 열에너지이므로 A가 고열원으로부터 흡수한 열에너지$=3W+Q$이다.

❷ 열기관의 열효율을 정의하는 식을 이용하여 A와 B의 열효율을 구한다.

열기관의 열효율은 고열원으로부터 흡수한 열에너지에 대해서 열기관이 한 일의 비율이므로 A의 열효율$=\frac{3W}{3W+Q}$이고, B의 열효율$=\frac{2W}{Q}$이다.

❸ A와 B의 열효율(e)은 같다는 조건을 이용하여 Q와 e를 각각 계산한다.

A와 B의 열효율이 같으므로 $e=\frac{3W}{3W+Q}=\frac{2W}{Q}$이다. 관계식을 정리하면 $Q=6W$이고, $e=\frac{2W}{6W}=\frac{1}{3}$이다.

2 발전과 신재생 에너지

1 전기 에너지의 생산과 수송

개념 확인 문제

345쪽

❶ 전자기 유도 ❷ 유도 전류 ❸ 빠를 ❹ 셀 ❺ 많을
❻ 발전기 ❼ 운동 ❽ 터빈

1 ㄱ, ㄴ, ㄷ 2 (1) ○ (2) × (3) ○ 3 ㉠ b, ㉡ a, ㉢ a, ㉣ b
4 ③ 5 ㉠ 자석, ㉡ 전자기 유도 6 발전기 7 (1) ㉠ (2) ㉢
(3) ㉡

1 유도 전류의 세기는 코일의 감은 수가 많을수록, 자석의 세기가 셀수록, 자석을 빠르게 움직일수록 세진다. 코일의 감은 방향은 유도 전류의 방향에 영향을 준다.

2 (1) 코일 근처에서 자석을 움직일 때 코일을 통과하는 자기장의 변화가 생겨 유도 전류가 흐르므로, 검류계 바늘이 움직인다.
(2) 코일 속에 자석이 정지해 있을 때는 코일을 통과하는 자기장의 변화가 없으므로 유도 전류가 흐르지 않는다. 따라서 검류계의 바늘도 움직이지 않는다.
(3) 코일에 자석을 가까이 할 때는 척력이 작용하는 방향으로, 자석을 멀리 할 때는 인력이 작용하는 방향으로 코일에 유도 전류가 흐르므로 유도 전류의 방향이 반대가 된다. 따라서 검류계의 바늘이 반대 방향으로 움직인다.

3 자석의 N극을 가까이 할 때는 코일의 위쪽에 N극이 형성되도록 코일에 유도 전류가 흐르므로, b → Ⓖ → a 방향으로 유도 전류가 흐른다. 또 자석의 N극을 멀리 할 때는 코일의 위쪽에 S극이 형성되도록 코일에 유도 전류가 흐르므로, a → Ⓖ → b 방향으로 유도 전류가 흐른다.

4 ③ 세탁기에는 전동기가 들어 있어서 전기 에너지가 운동 에너지로 전환된다.

5 발전소의 발전기는 바깥쪽에 고정되어 있는 코일과 안쪽에서 축을 따라 회전하는 자석으로 구성되어 있으며 전자기 유도 현상을 이용하여 전기 에너지를 생산하는 장치이다.

6 화력, 수력, 핵발전소에서 에너지원은 각각 다르지만 모두 발전기에 연결된 터빈을 돌려 전기 에너지를 생산한다.

7 (1) 석유나 석탄과 같은 화석 연료의 연소로 물을 끓여서 얻은 증기로 터빈을 돌려 전기 에너지를 생산하는 방식은 화력 발전이다.
(2) 댐에 의해 높은 곳에 있던 물의 퍼텐셜 에너지로 터빈을 돌려 전기 에너지를 생산하는 방식은 수력 발전이다.
(3) 우라늄의 핵에너지로 물을 끓여서 얻은 증기로 터빈을 돌려 전기 에너지를 생산하는 방식은 핵발전이다.

개념 확인 문제

349쪽

❶ 전력 ❷ 전압 ❸ 전력 수송 ❹ 열에너지 ❺ 전류
❻ 전압 ❼ 작은 ❽ 변압기 ❾ 초전도

1 (1) × (2) ○ (3) ○ (4) ○ 2 (1) ○ (2) × (3) ○ 3 $\frac{1}{4}$배
4 전자기 유도 현상 5 ㄱ, ㄴ 6 ㉠ 높게, ㉡ 지중화
7 지능형 전력망(스마트 그리드)

1 (1) 전력은 전압과 전류의 곱과 같다.
(3) 전력은 단위시간당 공급 또는 사용되는 전기 에너지이다.
(4) 전력=전압×전류이므로, 1 W는 1 V의 전압에서 1 A의 전류가 흐를 때의 전력이다.

2 (1), (3) 손실 전력=(전류)^2×저항이므로, 손실 전력을 줄이려면 송전선에 흐르는 전류를 줄이거나 송전선의 저항을 줄여야 한다.
(2) 손실 전력을 줄이기 위해 송전선에 흐르는 전류를 줄이려면 높은 전압으로 송전해야 한다.

3 전력=전압×전류이므로 일정한 전력을 송전할 때 전압을 2배 높이면 전류는 $\frac{1}{2}$배가 된다. 송전선에서 손실되는 전력은 전류의 제곱에 비례하므로 손실 전력은 $\left(\frac{1}{2}\right)^2=\frac{1}{4}$배가 된다.

4 변압기는 1차 코일과 2차 코일의 감은 수를 조절하여 전압을 변화시키는 장치로, 전자기 유도 현상을 이용한다.

5 ㄱ. 1차 코일의 전압과 2차 코일에 유도되는 전압의 비는 1차 코일의 감은 수와 2차 코일의 감은 수의 비와 같으므로, $\frac{V_1}{V_2}=\frac{N_1}{N_2}$가 성립한다.
ㄴ. 변압기에서 에너지 손실을 무시하면 1차 코일의 전력과 2차 코일의 전력이 같으므로, $V_1I_1=V_2I_2$가 성립한다.
바로알기 ㄷ. $\frac{V_1}{V_2}=\frac{N_1}{N_2}$이고, $V_1I_1=V_2I_2$에서 $\frac{V_1}{V_2}=\frac{I_2}{I_1}$가 성립하므로, $\frac{I_2}{I_1}=\frac{N_1}{N_2}$이다.

6 ㉠ 송전 전압이 높으면 공기 중으로 전하가 이동하는 방전이 일어날 수 있어 감전의 위험이 커진다. 따라서 송전 전압이 높을수록 송전탑을 인적이 드문 곳에 높게 설치한다.
㉡ 감전과 같은 사고를 방지하고, 전선에서 발생하는 전자파의 피해를 줄이면서 도시 경관을 아름답게 하기 위해 전선을 지하에 묻는 것을 전선 지중화라고 한다.

7 지능형 전력망(스마트 그리드)는 소비자와 전력 회사가 실시간으로 정보를 주고받는 전력 공급 기술이다.

내신 만점 문제 350~352쪽

01 ④	02 ②	03 ②	04 ③	05 ③	06 ④
07 ⑤	08 ⑤	09 ①	10 ②	11 ③	12 ③
13 ④	14 ④	15 해설 참조	16 해설 참조		

01 꼼꼼 문제 분석

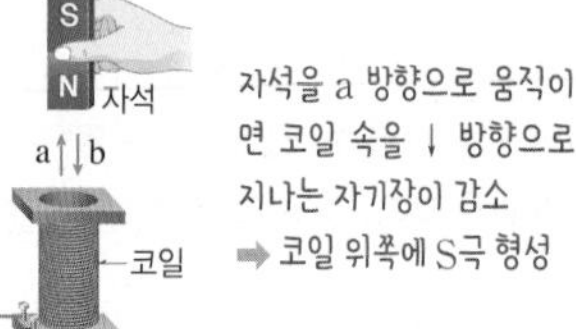

자석을 a 방향으로 움직이면 코일 속을 ↓ 방향으로 지나는 자기장이 감소
➡ 코일 위쪽에 S극 형성

자석의 N극을 아래로 향하고 a 방향으로 움직일 때는 코일의 위쪽에 S극이 생기는 방향으로 유도 전류가 흐르며, 이 방향일 때 검류계 바늘은 오른쪽으로 움직인다.
ㄱ. 자석의 N극을 아래로 향하고 b 방향으로 움직일 때는 코일의 위쪽에 N극이 생기는 방향으로 유도 전류가 흐르므로, 검류계 바늘이 왼쪽으로 움직인다.
ㄴ. 자석의 S극을 아래로 향하고 a 방향으로 움직일 때는 코일의 위쪽에 N극이 생기는 방향으로 유도 전류가 흐르므로, 검류계 바늘이 왼쪽으로 움직인다.
바로알기 ㄷ. 자석의 S극을 아래로 향하고 b 방향으로 움직일 때는 코일의 위쪽에 S극이 생기는 방향으로 유도 전류가 흐르므로, 검류계 바늘이 오른쪽으로 움직인다.

02 꼼꼼 문제 분석

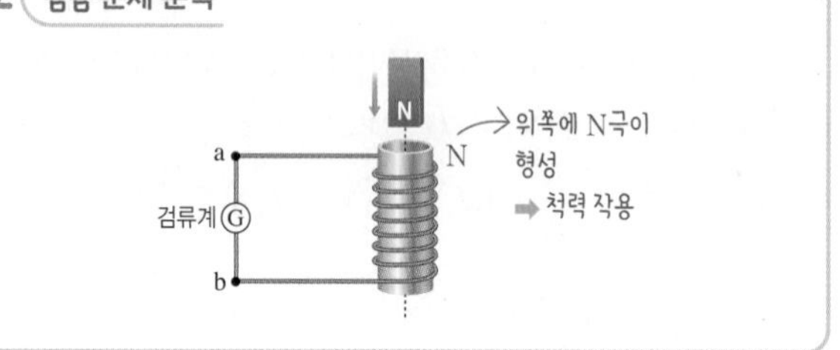

① 유도 전류는 자석의 운동을 방해하는 방향으로 흐른다. 따라서 자석의 N극이 코일에 가까워질 때 코일의 위쪽은 N극을 띤다.
③ 코일의 위쪽이 N극일 때 유도 전류의 방향은 a → Ⓖ → b이다.
④ 유도 전류는 자석의 운동을 방해하는 방향으로 흐르므로 자석과 코일 사이에는 척력이 작용한다.
⑤ 자석이 코일에 가까워지는 속력이 클수록 단위시간당 코일을 통과하는 자기장의 변화가 크므로, 유도 전류의 세기는 세진다.
바로알기 ② 자석이 코일에 가까워질 때 코일 내부의 자기장은 세진다.

03 꼼꼼 문제 분석

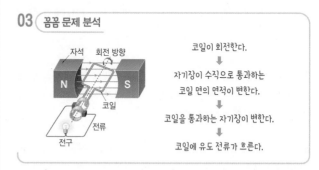

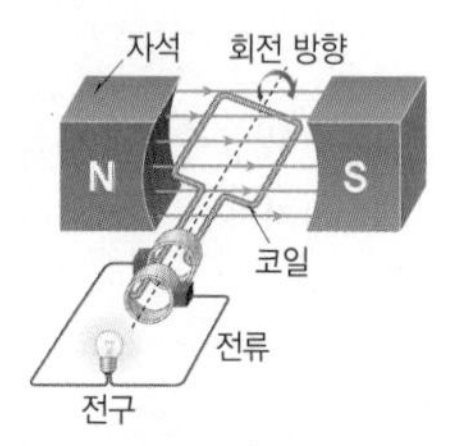

코일이 회전한다.
⬇
자기장이 수직으로 통과하는 코일 면의 면적이 변한다.
⬇
코일을 통과하는 자기장이 변한다.
⬇
코일에 유도 전류가 흐른다.

ㄷ. 코일이 회전할 때 자기장이 수직으로 통과하는 코일 면의 면적이 증가와 감소를 반복한다. 이는 코일을 통과하는 자기장이 세지고 약해지는 것을 반복하는 것과 같은 현상으로, 이때 코일에는 유도 전류가 흐른다.
바로알기 ㄱ. 발전기에서는 회전하는 코일의 운동 에너지가 전기 에너지로 전환된다.
ㄴ. 코일이 빠르게 회전할수록 코일을 통과하는 자기장의 변화가 크므로 유도 전류의 세기도 세진다.

04 ㄱ. 발전소의 발전기는 자석이 회전할 때 코일을 통과하는 자기장의 변화로 유도 전류가 흐르는 전자기 유도를 이용하여 전기 에너지를 생산한다.
ㄴ. 발전기에 연결된 터빈은 기체나 액체의 흐름을 이용하여 회전 운동을 얻는 장치로, 터빈을 돌리는 에너지원에 따라 화력 발전, 수력 발전, 핵발전으로 구분된다.
바로알기 ㄷ. 수력 발전에서 에너지 전환 과정은 물의 퍼텐셜 에너지 → 운동 에너지 → 전기 에너지이다.

05 ㄱ, ㄷ. 화력 발전소와 핵발전소에서는 물을 끓여서 발생한 증기의 힘으로 발전기와 연결된 터빈을 돌려 전기 에너지를 생산한다.
바로알기 ㄴ. 화력 발전소는 화석 연료의 화학 에너지를 이용하고, 핵발전소는 우라늄과 같은 핵연료의 핵에너지를 이용한다.

06 전력＝전압×전류이므로 220 V× 2 A＝440 W이다.

07 꼼꼼 문제 분석

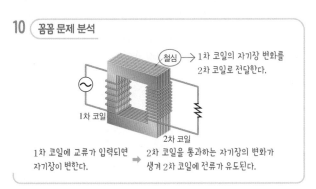

전압을 더 낮추어 가정에 공급한다.
송전선
발전소 / 초고압 변전소 / 1차 변전소 / 2차 변전소 / 주상 변압기 / 가정
발전소에서 생산된 전력의 전압을 높인다.
1차, 2차 변전소에서 단계적으로 전압을 낮춘다.

ㄱ. 전력 손실을 줄이기 위해 초고압 변전소에서 전압을 높여 송전한다.
ㄴ. 1차 변전소의 변압기는 전압을 낮추는 역할을 한다. 따라서 1차 코일에 걸리는 전압이 2차 코일에 걸리는 전압보다 크다.
ㄷ. 주상 변압기는 전압을 낮추어 가정이나 소형 공장에 공급한다.

08 ① 송전선에 전류가 흐를 때 송전선의 저항에 의해 발생하는 열에너지가 손실되는 전력에 해당한다.
②, ④ 일정한 전력을 송전할 때 손실 전력=(전류)^2×저항이므로 전력 손실을 줄이기 위해 송전 전압을 높여 송전선에 흐르는 전류를 감소시킨다.
③ 송전선의 길이가 줄어들면 송전선의 저항이 감소하므로 전력 손실을 줄일 수 있다.
바로알기 ⑤ 송전선의 굵기를 굵게 만들수록 송전선의 저항이 작아지므로 손실되는 전력을 줄일 수 있다.

09 발전소에서 생산한 전력=전압×전류이므로, 일정한 전력을 송전할 때 전압을 10배 높이면 전류는 $\frac{1}{10}$배가 된다. 손실 전력=(전류)^2×저항이므로, 전류가 $\frac{1}{10}$배가 될 때 손실 전력은 $\frac{1}{100}$배가 된다.

10 꼼꼼 문제 분석

철심 → 1차 코일의 자기장 변화를 2차 코일로 전달한다.
1차 코일
2차 코일
1차 코일에 교류가 입력되면 자기장이 변한다. ➡ 2차 코일을 통과하는 자기장의 변화가 생겨 2차 코일에 전류가 유도된다.

ㄴ. 1, 2차 코일의 전압은 1, 2차 코일의 감은 수에 비례하므로, 전압을 높이려면 2차 코일을 1차 코일보다 많이 감아야 한다.
바로알기 ㄱ. 1차 코일에 교류가 흘러야 자기장의 변화가 생기며, 이 자기장의 변화가 2차 코일에 영향을 주어 전자기 유도 현상을 일으킬 수 있다.
ㄷ. 변압기에서 일어나는 에너지 손실이 없을 때 코일의 감은 수와 관계없이 2차 코일에 유도되는 전력은 1차 코일에 공급되는 전력과 같다.

11 변압기의 1차 코일과 2차 코일의 감은 수의 비가 1 : 100이면, 1차 코일과 2차 코일의 전압의 비도 1 : 100이다. 따라서 2차 코일의 전압은 1차 코일의 100배가 된다. 변압기에서 에너지 손실이 없을 때 1차 코일에 공급되는 전력과 2차 코일에 유도되는 전력은 같으므로, 2차 코일의 전압이 1차 코일의 100배가 되면 전류는 $\frac{1}{100}$배가 된다.

12 전력=전압×전류이므로 200 W =100 V×전류에서 송전선에 흐르는 전류는 2 A이다. 이때 손실 전력=(전류)^2×저항이므로 $(2\ A)^2 \times 4\ \Omega = 16\ W$이다. 따라서 소비자가 최대로 사용할 수 있는 전력=송전 전력−손실 전력이므로, 소비자가 사용할 수 있는 최대 전력은 200 W−16 W=184 W이다.

13 ① 전기 시설을 지중화하면 도시 미관을 개선하고 통행 불편 등을 해소하며 자연 재해나 사고의 위험으로부터 보호할 수 있다.
② 사람 대신 로봇을 이용해 선로를 점검하거나 수리하면 고전압에 의한 안전사고를 줄일 수 있다.
③ 전력 사용량을 정확히 예측하여 발전량을 조절하면, 남은 전력이 버려지는 것을 최소화할 수 있다.
⑤ 거미줄 같은 송전 전력망을 구축하면 송전 과정에서 문제가 생겼을 때 그 부분을 차단하고 우회하여 송전할 수 있다.
바로알기 ④ 송전 전압을 낮게 송전하면 송전선의 저항에 의해 열에너지로 전환되어 손실되는 전력이 많아지므로 송전 전압을 높게 송전해야 한다. 대신 송전탑을 인적이 드문 곳에 높게 건설하거나, 각종 안전장치를 설치하여 높은 전압으로 인한 감전 사고 등의 피해가 없도록 해야 한다.

14 ㄴ. 초고압 직류 송전은 전선을 따라 전류의 크기가 일정한 직류가 흐르기 때문에 전자기파 발생이 없고 전력 손실이 적다.
ㄷ. 초고압 직류 송전은 전선을 지하에 묻는 비용이 교류 송전보다 적게 든다.
바로알기 ㄱ. 초고압 직류 송전은 교류를 전력용 반도체를 이용하여 높은 전압의 직류로 바꿔 송전하는 방식이다.

15 모범 답안 막대자석을 빠르게 움직인다. 코일의 감은 수를 많게 한다. 센 자석을 사용한다.

채점 기준	배점
유도 전류의 세기를 증가시키는 방법을 세 가지 모두 옳게 서술한 경우	100 %
두 가지만 옳게 서술한 경우	70 %
한 가지만 옳게 서술한 경우	40 %

16 꼼꼼 문제 분석

• 변압기에서 $\frac{V_1}{V_2}=\frac{N_1}{N_2}$이므로 전압의 비는 코일의 감은 수의 비와 같다.

• 에너지 손실이 없으면 1차 코일과 2차 코일의 전력은 같다. ($V_1I_1=V_2I_2$)

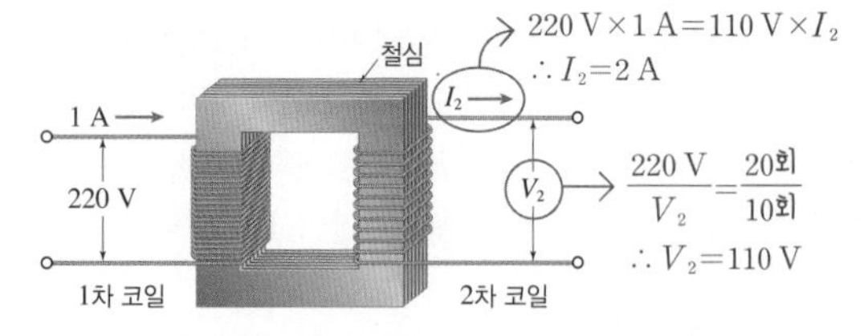

모범 답안 (1) 1, 2차 코일의 전압은 1, 2차 코일의 감은 수에 비례하므로 $\left(\frac{V_1}{V_2}=\frac{N_1}{N_2}\right)$, 1차 코일과 2차 코일의 감은 수의 비가 2 : 1일 때 전압의 비도 2 : 1이다. 따라서 2차 코일의 전압 V_2=110 V이다.
(2) 1차 코일의 전력과 2차 코일의 전력은 같으므로($V_1I_1=V_2I_2$), 1차 코일과 2차 코일의 전압의 비가 2 : 1일 때 전류의 비는 1 : 2이다. 따라서 2차 코일에 흐르는 전류 I_2=2 A이다.

채점 기준		배점
(1)	계산 과정과 2차 코일에 유도되는 전압을 모두 옳게 구한 경우	50 %
	2차 코일에 유도되는 전압만 옳게 구한 경우	20 %
(2)	계산 과정과 2차 코일에 흐르는 전류를 모두 옳게 구한 경우	50 %
	2차 코일에 흐르는 전류만 옳게 구한 경우	30 %

실력 UP 문제 353쪽

01 ② 02 ② 03 ⑤ 04 ⑤

01 꼼꼼 문제 분석

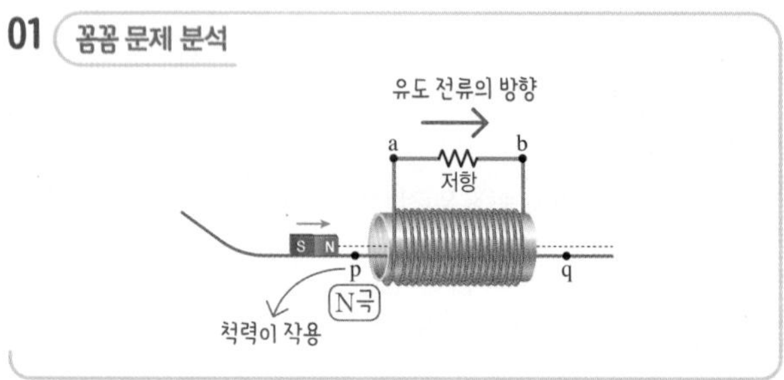

ㄴ. 코일의 유도 전류는 자석의 움직임을 방해하는 방향으로 흐른다. 자석의 운동이 유도 전류에 의해 방해를 받으므로 자석의 속력은 q에서가 p에서보다 느리다.

바로알기 ㄱ. 자석이 p를 지날 때는 코일의 왼쪽에 N극이 생기도록 유도 전류가 흐르므로, 유도 전류는 a → 저항 → b 방향으로 흐른다.
ㄷ. 자석이 p를 지날 때는 코일에 가까워지므로 자석과 코일 사이에 척력이 작용하고, q를 지날 때는 코일에서 멀어지므로 자석과 코일 사이에 인력이 작용한다.

02 꼼꼼 문제 분석

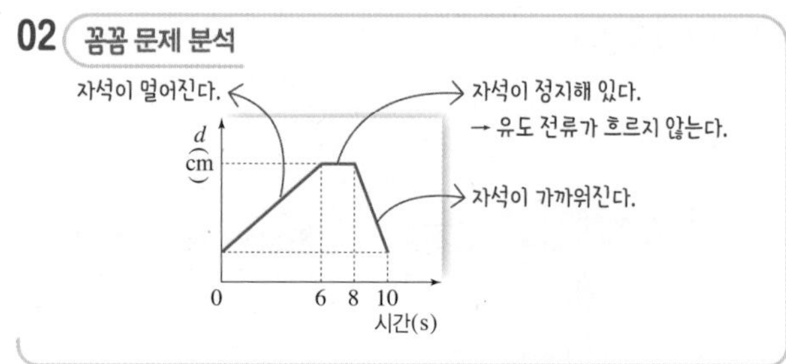

ㄷ. 자석의 운동 방향은 3초일 때와 9초일 때가 서로 반대이므로, 유도 전류의 방향도 3초일 때와 9초일 때가 서로 반대이다.

바로알기 ㄱ. 7초일 때 자석과 코일 사이의 간격이 변하지 않으므로 자석이 정지해 있다. 따라서 코일을 통과하는 자기장의 변화가 없으므로 유도 전류가 흐르지 않는다.
ㄴ. 자석과 코일 사이의 간격은 9초일 때가 3초일 때보다 더 빠르게 변한다. 자석을 빠르게 움직일수록 유도 전류의 세기가 크므로, 유도 전류의 세기는 9초일 때가 3초일 때보다 크다.

03 꼼꼼 문제 분석

변압기에서 에너지 손실은 없으므로 변압기에 입력되는 전력과 변압기에서 출력되는 전력은 같다.
1만 V × 400 A = 4만 V × $I_{(가)}$ $V_1I_{(가)}=V_2I_{(나)}$

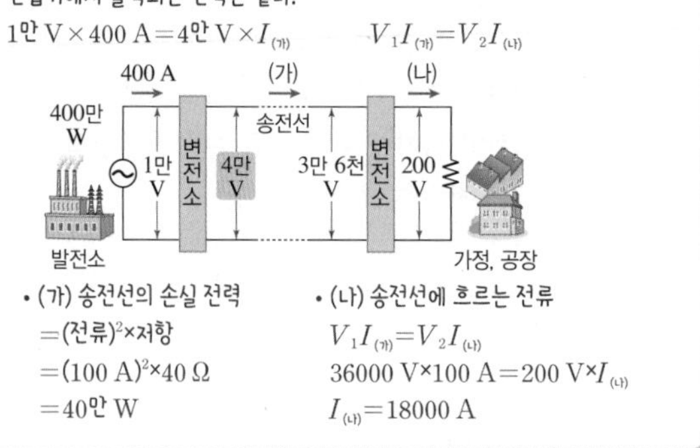

• (가) 송전선의 손실 전력
=(전류)^2×저항
=(100 A)^2×40 Ω
=40만 W

• (나) 송전선에 흐르는 전류
$V_1I_{(가)}=V_2I_{(나)}$
36000 V×100 A=200 V×$I_{(나)}$
$I_{(나)}$=18000 A

ㄴ. 송전선에서 손실되는 전력은 (전류)^2 × 저항이므로 (가) 송전선에서 손실되는 전력은 (100 A)^2 × 40 Ω=40만 W이다.
ㄷ. 변전소의 변압기에서 에너지 손실이 없으므로 전력은 일정하게 유지된다. 따라서 36000 V × 100 A=200 V × $I_{(나)}$에서 (나) 송전선에 흐르는 전류 $I_{(나)}$=18000 A이다.

바로알기 ㄱ. (가) 송전선에 흐르는 전류는 $\frac{전력}{전압}=\frac{400만\text{ W}}{4만\text{ V}}$

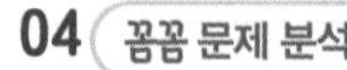

=100 A이다.

04 꼼꼼 문제 분석

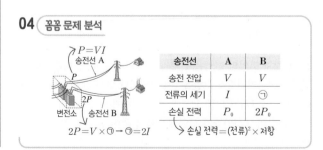

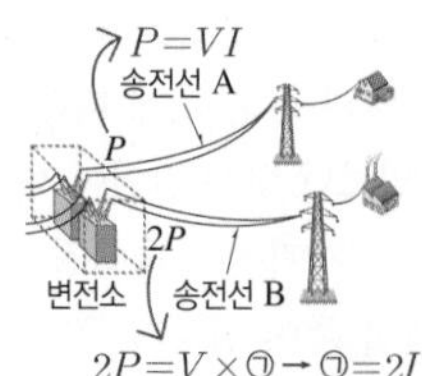

송전선	A	B
송전 전압	V	V
전류의 세기	I	㉠
손실 전력	P_0	$2P_0$

→ 손실 전력=(전류)^2 × 저항

ㄱ. 변전소에서는 변압기로 전압을 변화시킨다. 변압기의 1차 코일에 교류가 입력될 때 2차 코일에 교류가 유도되므로, A, B에 교류가 흐른다.
ㄴ. 전력=전압×전류이므로, 송전선 A의 송전 전력 $P=VI$이고 송전선 B의 송전 전력 $2P=V\times$㉠이다. 따라서 ㉠은 $2I$이다.
ㄷ. 송전선 A와 B의 저항을 각각 R_A, R_B라고 할 때, 손실 전력 =(전류)^2×저항이므로 송전선 A의 손실 전력 $P_0=I^2R_A$이고 송전선 B의 손실 전력 $2P_0=(2I)^2R_B$이다. 따라서 $R_A : R_B=2:1$이므로, 송전선의 저항값은 A가 B의 2배이다.

2 태양 에너지의 생성과 전환

개념 확인 문제

356쪽

❶ 수소 핵융합 ❷ 질량 결손 ❸ 빛 ❹ 열 ❺ 전기 ❻ 대기 ❼ 해수 ❽ 탄소

1 (1) ○ (2) ○ (3) × **2** ㉠ 수소, ㉡ 헬륨 **3** (1) ○ (2) × (3) ○ **4** 태양 에너지 **5** ③ **6** ㄴ, ㄹ, ㅁ

1 (2) 태양은 주로 수소와 헬륨으로 구성되어 있는데, 태양 중심부와 같은 초고온 상태에서 원자는 원자핵과 전자로 분리되어 활발하게 움직이는 플라스마 상태로 존재한다.
(3) 태양 에너지는 태양 중심부에 있는 핵에서 일어나는 수소 핵융합 반응으로 생성된다.

2 태양의 핵에서 일어나는 수소 핵융합 반응은 4개의 수소 원자핵이 융합하여 1개의 헬륨 원자핵이 만들어지는 반응이다.

3 (1) 아인슈타인의 이론에 따르면 질량과 에너지는 서로 변환될 수 있는 물리량이다.
(2) 물체의 질량이 Δm만큼 감소하면 $E=\Delta mc^2$만큼의 에너지가 발생한다.
(3) 태양 에너지는 수소 원자핵이 융합하여 헬륨 원자핵이 만들어지는 과정에서 발생한 질량 결손에 해당하는 에너지이다.

4 태양 에너지는 여러 가지 다른 형태의 에너지로 전환되며, 지표면에서 자연 현상의 대부분을 일으킨다. 따라서 태양 에너지는 지구의 지표와 대기 및 해양에서 여러 가지 기상 변화를 일으키며 지구에서 여러 가지 에너지 순환을 일으키는 근원이 된다.

5 태양의 열에너지에 의해 물이 증발하여 대기 중의 수증기가 되고 구름이 되면서 퍼텐셜 에너지로 전환되었다가, 비가 내리는 과정에서 태양의 열에너지는 비의 역학적 에너지(퍼텐셜 에너지+운동 에너지)로 전환된다.

6 지구 내부 에너지와 핵에너지를 제외하면 지구에서 사용하는 대부분 에너지의 근원은 태양 에너지이다.
ㄱ. 우라늄과 같은 방사성 원소는 우주에서 초신성이 폭발할 때 만들어져서 지구가 생성될 때 지각에 포함된 것이다. 따라서 우라늄의 핵에너지는 태양 에너지가 전환된 에너지 형태가 아니다.
ㄴ. 화석 연료의 화학 에너지는 광합성을 통해 태양 에너지를 이용하여 포도당을 만드는 식물과 이를 에너지원으로 살아가는 동물의 유해가 오랫동안 땅속에 묻혀 생성된 것이므로 태양 에너지가 전환된 것이다.
ㄷ. 지열 발전의 지열 에너지는 지구가 만들어질 때 저장된 에너지나 마그마와 같은 지구 내부 에너지로, 태양 에너지가 전환된 에너지 형태가 아니다.
ㄹ. 풍력 발전에 의한 전기 에너지는 바람과 같이 태양 에너지에 의한 기상 현상을 이용해서 만들어진 에너지이므로, 태양 에너지가 전환된 것이다.
ㅁ. 댐에 저장된 물은 태양 에너지에 의해 증발한 수증기가 비나 눈으로 모인 것으로, 댐에 저장된 물의 퍼텐셜 에너지는 태양 에너지가 전환된 것이다.

내신 만점 문제

357~358쪽

01 ③	02 ⑤	03 ①	04 ②	05 ②	06 ②
07 ③	08 ②	09 ③	10 해설 참조	11 해설 참조	

01 ㄱ. A는 태양 중심부인 핵으로, 온도가 약 1500만 K인 초고온 상태이다. 핵(A)에서는 수소 핵융합 반응이 일어나서 에너지가 방출되며, 방출되는 에너지는 복사층과 대류층을 거쳐 우주 공간으로 방출된다.
ㄴ. 초고온 상태인 태양 중심부(A)에서 수소와 헬륨은 원자핵과 전자가 분리되어 활발하게 운동하는 플라스마 상태로 존재한다.
바로알기 ㄷ. 태양 중심부(A)에서는 수소 핵융합 반응으로 수소 원자핵 4개가 융합하여 헬륨 원자핵 1개가 만들어지므로 시간이 지날수록 헬륨의 양은 점점 증가한다.

02 꼼꼼 문제 분석

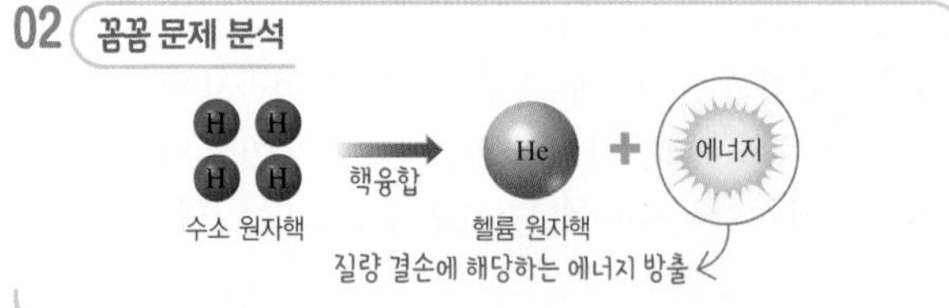

ㄱ. 수소 핵융합 반응은 태양의 중심부인 핵에서 일어나며, 태양의 핵은 온도가 약 1500만 K인 초고온 상태이다.
ㄴ. 수소 핵융합 반응에서 질량 결손에 해당하는 에너지를 방출하므로 질량이 감소한다. 따라서 핵융합 반응 전의 전체 질량이 반응 후의 전체 질량보다 크다.
ㄷ. 수소 핵융합 반응에서 발생하는 에너지는 태양 에너지로, 태양 에너지는 지구에 도달하여 다른 형태의 에너지로 전환된다.

03 ① 수소 핵융합 반응에서 핵반응 후 질량의 합이 핵반응 전 질량의 합보다 작다. 이때 감소한 질량이 에너지로 전환된다.

04 ㄴ. 질량과 에너지는 서로 전환될 수 있으므로, 핵반응에서 질량이 감소한 만큼 에너지가 발생한다.
바로알기 ㄱ. 질량이 m인 물체가 가지는 에너지 $E=mc^2$이다.
ㄷ. 아인슈타인의 이론에 따르면 질량과 에너지는 서로 전환될 수 있는 양으로, 에너지도 질량으로 전환될 수 있다.

05 ㄴ. 태양 에너지는 지구에서 다른 에너지로 전환되고 에너지의 순환을 일으키며 생명체의 생명 활동을 유지시킨다.
바로알기 ㄱ. 지구 내부 에너지는 지구 내부의 방사성 원소의 붕괴열로 생기는 에너지로, 태양 에너지가 근원이 아니다.
ㄷ. 지구에 도달하는 태양 에너지는 태양에서 방출하는 에너지의 약 $\frac{1}{20억}$이다.

06 ① 태양의 열에너지에 의해 바닷물이 증발한다.
③, ⑤ 식물은 태양 에너지를 이용해서 광합성을 하여 포도당을 생성하므로 태양 에너지가 동식물에 화학 에너지로 축적된다. 이 화학 에너지는 오랫동안 땅속에 묻혀 화석 연료로 변환된다.
④ 바람이 불고, 비나 눈이 내리는 강수 현상은 태양 에너지에 의해 일어나는 기상 현상이다.
바로알기 ② 지진이나 화산 활동은 지구 내부 에너지에 의해 일어나는 현상으로, 태양 에너지가 전환되면서 생기는 현상이 아니다.

07 대기 중에 탄소는 이산화 탄소로 존재하며, 탄소가 식물의 양분으로 저장되는 광합성 과정에서 태양의 빛에너지는 화학 에너지의 형태로 포도당에 저장된다. 이 양분을 에너지원으로 사용하는 생명체의 유해가 땅속에 묻히면 화석 연료가 된다. 화석 연료의 화학 에너지는 화력 발전소에서 열에너지와 전기 에너지의 형태로 전환된다.

08 꼼꼼 문제 분석

태양 → 대기와 지표 (㉠) → 공기 (㉡) : 대기의 순환 / 물 : 물의 순환
태양 에너지
열에너지
운동 에너지
퍼텐셜 에너지

태양 에너지는 대기와 지표에 열에너지로 흡수되어 바람을 일으키고 물을 증발시켜 구름을 만든다. 이 과정에서 대기와 지표에 흡수된 열에너지는 공기의 운동 에너지, 구름과 높은 곳에 있는 물의 퍼텐셜 에너지로 전환된다.

09 꼼꼼 문제 분석

바닷물이 태양 에너지를 흡수하여 증발하면 수증기로 변해 높은 곳으로 올라가서 구름이 되고, 비와 눈으로 내린 뒤, 다시 바다로 흘러든다. ➡ 물이 순환한다.

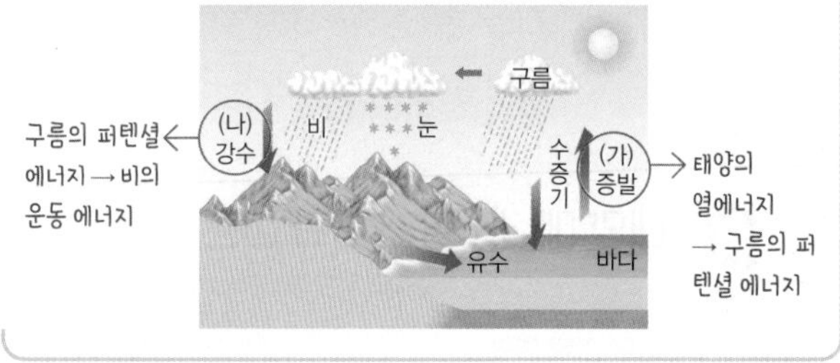

ㄱ. 물이 순환하며 일어나는 기상 현상은 태양 에너지가 일으키는 에너지 순환 과정이다.
ㄷ. (나)에서 높은 곳에 있던 구름이 비가 되어 떨어질 때 구름의 퍼텐셜 에너지가 비의 운동 에너지로 전환된다.
바로알기 ㄴ. (가)에서 바닷물이 증발하여 높은 곳으로 올라가면 구름이 된다. 이때 태양의 열에너지가 구름의 퍼텐셜 에너지로 전환된다.

10 모범 답안 태양 중심부에서 수소 원자핵이 헬륨 원자핵으로 변환되는 수소 핵융합 반응에서 질량 결손에 해당하는 에너지가 방출된다.

채점 기준	배점
단어를 모두 포함하여 태양 에너지가 생성되어 방출되는 원리를 옳게 서술한 경우	100 %
수소 핵융합 반응에 의해 생성된다고만 서술한 경우	50 %

11 모범 답안 핵반응 후 입자들의 질량 합이 핵반응 전 입자들의 질량 합보다 줄어드는데 이때의 질량 차이를 말한다.

채점 기준	배점
핵반응 전과 후 입자들의 질량 합이 줄어드는데 이때의 질량 차이라고 서술한 경우	100 %
질량이 줄어드는 것이라고만 서술한 경우	50 %

실력 UP 문제

359쪽

01 ② 02 ② 03 ② 04 ③

01 꼼꼼 문제 분석

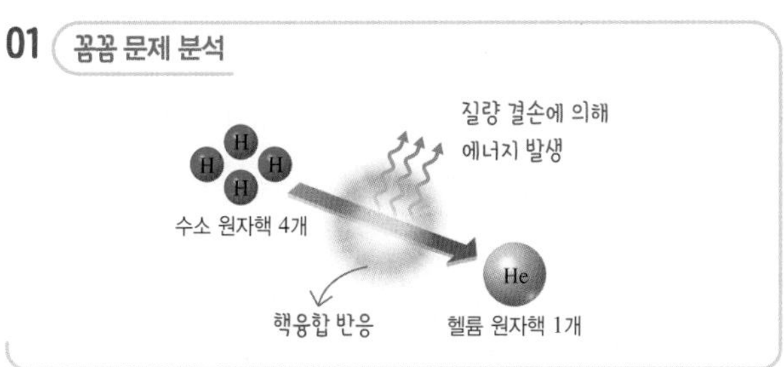

ㄷ. 태양에서 일어나는 수소 핵융합 반응에서 질량 결손 Δm에 의해 발생하는 에너지는 질량 에너지 등가 원리에 따라 $E = \Delta mc^2$으로 계산할 수 있다.

바로알기 ㄱ. 태양 에너지는 수소 원자핵 4개가 융합하여 헬륨 원자핵 1개를 만드는 수소 핵융합 반응을 통해 만들어지므로 태양 내부에서 수소의 양은 감소한다.

ㄴ. 수소 핵융합 반응에서 질량 결손에 의해 에너지가 발생하므로, 수소 원자핵 4개의 질량 합은 헬륨 원자핵 1개의 질량보다 크다.

02 태양에서 일어나는 핵융합 반응은 수소 원자핵들이 서로 충돌하여 헬륨 원자핵을 만드는 반응이고, 핵융합 발전에서 일어나는 핵융합 반응은 중수소와 3중 수소를 충돌시켜 헬륨 원자핵을 만드는 반응이다.

03 꼼꼼 문제 분석

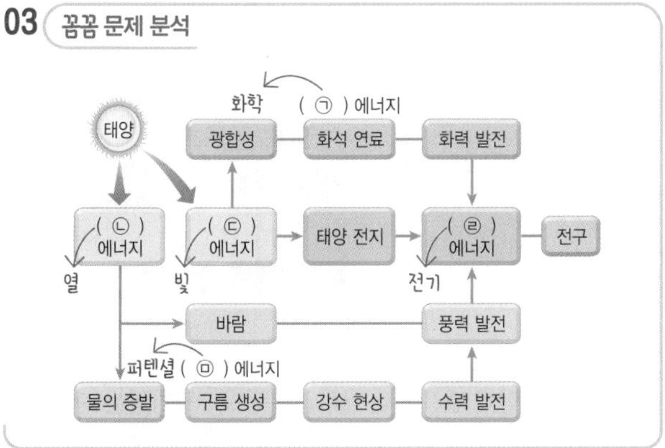

ㄴ. 식물은 광합성을 통해 태양의 빛에너지(㉢에너지)를 화학 에너지(㉠ 에너지)로 전환하여 저장한다.

바로알기 ㄱ. ㉡에너지는 열에너지이다.

ㄷ. 화력 발전은 발전 과정에서 터빈의 운동 에너지가 전기 에너지(㉣ 에너지)로 전환된다. ㉤ 에너지는 퍼텐셜 에너지이다.

04 꼼꼼 문제 분석

태양 복사 에너지
지구 복사 에너지
극
대기와 해수의 순환
적도
(가)
대기와 해수의 순환에 의해 에너지 불균형 해소

이산화 탄소
화석 연료 연소
대기 중 (㉠)
광합성
화석 연료
(나)
탄소의 순환

ㄱ. 대기 중에 이산화 탄소로 존재하는 탄소가 식물의 광합성에 의해 포도당으로 저장되므로, ㉠은 이산화 탄소이다.

ㄴ. 대기와 해수가 순환하며 저위도의 남는 에너지가 고위도로 이동하여 지구는 전체적으로 에너지 평형을 이룬다.

바로알기 ㄷ. 화석 연료는 근원적으로 태양 에너지가 화학 에너지로 전환되어 저장된 것이다.

3 발전과 지구 환경

개념 확인 문제

362쪽

❶ 화석 연료 ❷ 태양광 발전 ❸ 핵발전 ❹ 감속재 ❺ 제어봉 ❻ 풍력 발전

1 (1) ○ (2) ○ (3) × (4) × **2** ㉠ 석탄, ㉡ 석유 **3** (1) ○ (2) ○ (3) × **4** ㉠ 중성자, ㉡ 핵분열 **5** ㉠ 운동, ㉡ 전기 **6** (1) 핵발전 (2) 풍력 발전 (3) 태양광 발전

1 (1) 생명체의 유해가 땅속에 묻힌 후 높은 열과 압력을 받아 만들어진 석탄, 석유, 천연가스를 화석 연료라고 한다.

(2) 현재 인류가 소비하는 에너지 대부분을 화석 연료에서 얻는다.

(3) 화석 연료의 연소 과정에서 배출되는 이산화 탄소 등은 기후 변화와 대기 오염과 같은 환경 문제를 일으킨다.

(4) 화석 연료는 매장량에 한계가 있어 언젠가는 고갈될 에너지이다.

2 석탄은 식물의 유해가 땅속에 퇴적되어 만들어지고, 석유와 천연가스는 미생물이 바다나 호수에 퇴적되어 만들어진다.

3 (1) 태양광 발전은 태양의 빛에너지를 이용하므로 발전 과정에서 환경 문제를 거의 유발하지 않는다.

(2) 태양 전지는 수명이 길고, 유지와 보수가 간편하다는 장점이 있다.

(3) 태양광 발전은 일조량의 영향을 받으므로, 날씨에 따라 발전량이 달라진다.

4 원자로 안에서 우라늄 원자핵에 속력이 느린 중성자를 충돌시키면 원자핵이 둘로 쪼개지는 핵분열 반응이 일어나면서 중성자와 에너지가 발생한다. 핵발전은 이를 이용하여 물을 끓이고, 터빈을 돌려 전기 에너지를 생산한다.

5 풍력 발전기는 바람의 운동 에너지를 이용해서 발전기를 돌려 전기 에너지를 생산하는 장치이다.

6 (1) 핵발전은 화력 발전에 비해 연료비가 저렴하지만, 방사성 폐기물을 처리하기 어렵다는 단점이 있다.
(2) 풍력 발전은 전력 생산 단가가 저렴하지만, 소음이 발생하고 새들이 풍력 발전기의 날개에 충돌하는 문제가 발생한다.
(3) 태양광 발전은 태양 에너지를 이용하므로 에너지원을 자연에서 쉽게 얻을 수 있지만, 태양 전지에서 반사되는 빛이 인가나 축사에 피해를 주기도 한다.

내신 만점 문제 363~364쪽

01 ⑤	02 ③	03 ⑤	04 ③	05 ④	06 ⑤
07 ④	08 ①	09 ⑤	10 해설 참조	11 해설 참조	
12 해설 참조					

01 ㄱ. 화석 연료는 매장량의 한계가 있으며 새로 생성될 때까지 오랜 시간이 걸리지만 누적된 소비량은 증가하고 있으므로, 언젠가는 고갈될 에너지이다.
ㄴ. 화석 연료를 연소시킬 때 발생하는 이산화 탄소 등과 같은 물질들은 지구 온난화와 같은 기후 변화와 대기 오염을 일으킨다.
ㄷ. 화석 연료는 생명체의 유해가 땅속에 묻힌 후 오랫동안 높은 열과 압력을 받아 생성된다.

02 꼼꼼 문제 분석

태양광
반도체로 만든다.
반도체에 태양광을 비추면 자유 전자가 발생한다. 빛에너지 → 전기 에너지
전류
태양 전지

ㄱ. 태양 전지는 반도체에 빛이 흡수되면 태양 전지 내부에 자유 전자가 발생하는 원리를 이용하여 만든다.
ㄷ. 태양 전지에 빛을 비추면 외부 회로를 통해 전류가 흐르므로 태양 전지는 태양의 빛에너지를 직접 전기 에너지로 전환한다.
바로알기 ㄴ. 태양 전지는 태양 에너지를 직접 전기 에너지로 전환하므로 전자기 유도를 이용하지 않는다.

03 ① 태양광 발전은 태양 전지를 생산하고, 발전 설비를 설치하는 데 비용이 많이 들기 때문에 초기 설치 비용이 많이 든다.
② 태양광 발전은 환경 문제를 거의 일으키지 않는다.
③ 태양광 발전은 계절과 일조량에 따라 발전 시간이 제한적이므로, 발전량이 달라진다.
④ 태양 전지 하나의 발전량은 매우 적기 때문에 실제 태양광 발전에서는 태양 전지를 여러 개 합친 태양 전지판을 사용한다. 따라서 대규모 발전을 위해 태양 전지판을 설치할 수 있는 넓은 장소가 필요하다.
바로알기 ⑤ 태양 전지 하나의 발전량이 매우 적기 때문에 태양광 발전 시설의 발전 효율은 화력 발전에 비해 낮은 편이다.

04 꼼꼼 문제 분석

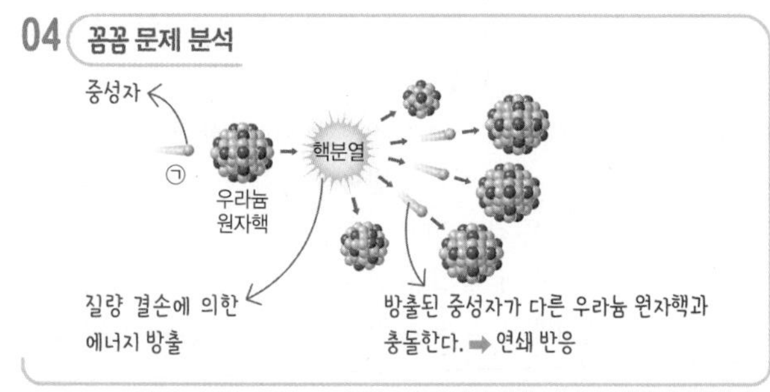

ㄱ. 우라늄 원자핵에 속력이 느린 중성자를 충돌시키면 핵분열 반응이 일어난다. 따라서 ㉠은 중성자이다.
ㄷ. 우라늄 원자핵이 분열할 때 핵분열 후 물질의 질량 합이 핵분열 전 물질의 질량 합보다 작아지는 질량 결손이 생기며, 이 질량 결손에 해당하는 에너지가 방출된다.
바로알기 ㄴ. 우라늄과 같이 무거운 원자핵에 중성자를 충돌시키면 원자핵이 불안정해져서 두 개의 가벼운 원자핵으로 분열한다.

05 꼼꼼 문제 분석

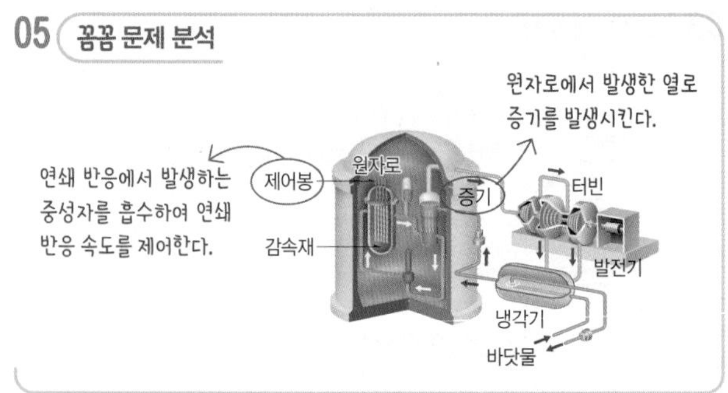

ㄴ. 핵분열의 연쇄 반응에서 기하급수적으로 증가하는 중성자를 제어봉으로 흡수하여 연쇄 반응 속도를 제어하면 에너지 방출량을 조절할 수 있다.
ㄷ. 핵발전소는 원자로에서 발생한 열로 물을 끓여서 발생한 증기로 발전기의 터빈을 돌려 전기 에너지를 생산한다.
바로알기 ㄱ. 핵발전은 발전 과정에서 이산화 탄소를 거의 배출하지 않는다.

06 핵분열이 연속으로 일어나는 현상을 ㉠연쇄 반응이라고 하며, 원자로에서는 중성자의 속력을 느리게 하여 연쇄 반응이 계속 잘 일어나도록 하기 위해 ㉡감속재를 사용한다. 또 연쇄 반응에서 기하급수적으로 증가하는 중성자를 흡수하여 연쇄 반응 속도를 제어하기 위해 ㉢제어봉을 사용한다.

07 ① 핵발전은 사고가 발생하면 방사성 물질이 유출될 위험성이 높다.
② 방사성 폐기물 처리로 인한 사회적 갈등이 발생한다.
③ 우라늄의 매장량이 한정되어 있어 언젠가는 고갈될 수 있다.
⑤ 핵발전은 연료의 단위질량당 발생하는 에너지가 크므로, 에너지 효율이 높아 대용량 발전이 가능하다.
바로알기 ④ 핵발전은 화력 발전에 비해 연료비가 저렴하다.

08 ② 풍력 발전은 바람의 운동 에너지를 이용하므로 발전 과정에서 대기 오염 물질을 배출하지 않는다.
③ 풍력 발전기의 날개가 돌아갈 때 소음이 발생한다.
④ 풍력 발전기는 설비가 비교적 간단하고 바람을 이용하므로 전력 생산 단가가 저렴하다.
⑤ 바람의 세기가 강하거나 날개의 길이가 길수록 날개를 통과하는 공기의 양이 많아지므로 전력 생산량이 증가한다.
바로알기 ① 풍력 발전은 바람의 방향과 세기가 일정하지 않으므로 발전량이 일정하지 않고, 발전량을 예측하기 어렵다.

09 ㄱ. 화력 발전(가)에서 사용하는 화석 연료는 연소 과정에서 이산화 탄소를 배출한다.
ㄴ. 태양광 발전(나)은 태양 전지가 태양의 빛에너지를 전기 에너지로 직접 전환하므로 발전기를 사용하지 않는다.
ㄷ. 태양광 발전(나)과 풍력 발전(다)은 자연의 에너지를 이용하므로 에너지원이 고갈될 염려가 없다.

10 모범 답안 우라늄 원자핵에 중성자를 충돌시키면, 우라늄 원자핵이 분열되면서 방출되는 2~3개의 중성자가 다른 원자핵에 계속 충돌하여 핵분열이 연쇄적으로 일어난다.

채점 기준	배점
핵분열 시 방출되는 2~3개의 중성자가 다른 우라늄 원자핵에 계속 충돌하여 핵분열이 연쇄적으로 일어난다라고 옳게 서술한 경우	100 %
핵분열이 계속 일어난다라고만 서술한 경우	50 %

11 모범 답안 빛에너지 → 전기 에너지, 고갈될 염려가 없다. 환경 문제를 일으키지 않는다. 진동과 소음이 적고 수명이 길다.

채점 기준	배점
에너지 전환 과정과 장점 두 가지를 모두 옳게 서술한 경우	100 %
장점 두 가지만 옳게 서술한 경우	70 %
에너지 전환 과정만 옳게 서술한 경우	30 %

12 모범 답안 지속적으로 바람이 부는 지역인 산이나 바다 근처에 설치하거나 해양에 설치한다.

채점 기준	배점
지속적으로 바람이 부는 지역인 산이나 바다 근처에 설치하거나 해양에 설치한다고 옳게 서술한 경우	100 %
산이나 바다 근처에 설치하거나 해양에 설치한다고만 서술한 경우	70 %

01 꼼꼼 문제 분석

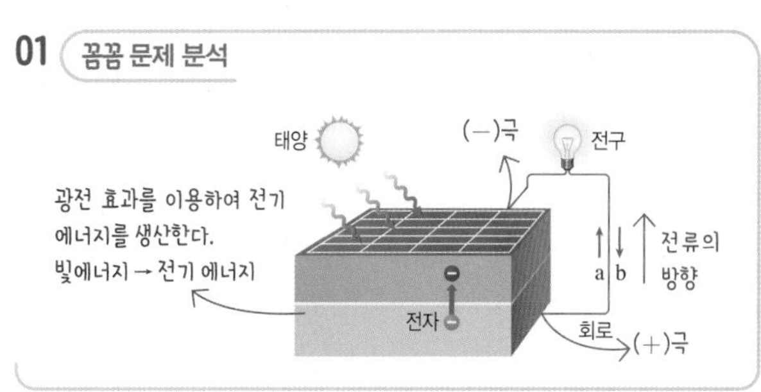

ㄱ. 전류가 흐르는 방향은 전자가 흐르는 방향과 반대이다. 전자는 태양 전지의 (−)극에서 b 방향으로 흘러 (+)극으로 이동하므로, 외부 회로에 흐르는 전류의 방향은 a이다.
ㄴ. 태양 전지의 반도체에 빛을 비추면 자유 전자가 발생하는 것은 광전 효과와 같은 원리이다.
바로알기 ㄷ. 태양 전지는 태양의 빛에너지를 직접 전기 에너지로 전환하므로 열에너지를 운동 에너지로 전환하는 과정이 없다.

02 꼼꼼 문제 분석

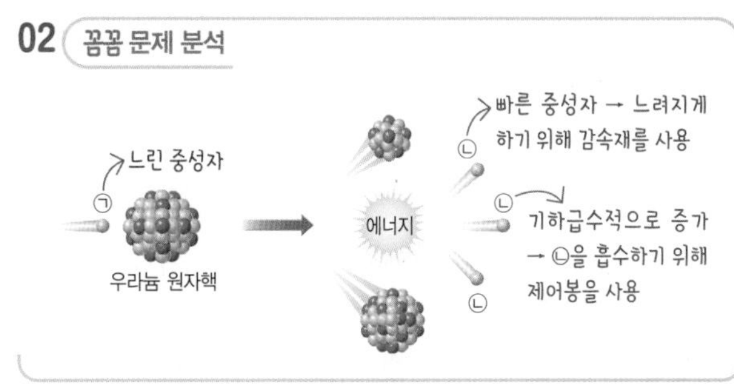

ㄷ. 원자로에서 일어나는 핵분열 반응에서는 질량 결손에 해당하는 에너지가 방출되므로, 반응 후 생성물의 질량 합은 반응 전 반응물의 질량 합보다 작다.
바로알기 ㄱ. 원자로에서 우라늄 원자핵에 속력이 느린 중성자(㉠)를 충돌시키면 핵분열 반응이 일어나면서 빠른 중성자(㉡)와 에너지를 방출한다.
ㄴ. 제어봉은 핵분열 반응에서 기하급수적으로 증가하는 중성자를 흡수하여 연쇄 반응 속도를 제어한다. 따라서 연쇄 반응 속도를 조절하기 위해 ㉡을 흡수하는 것은 제어봉이다.

03 ㄴ. (나)의 화력 발전에서 사용하는 화석 연료는 언젠가 고갈될 에너지이므로 지속 가능한 발전 방식에 해당하지 않는다.
ㄹ. (가)의 핵발전에서는 핵분열 반응에서 발생한 열에너지로, (나)의 화력 발전에서는 화석 연료를 연소시켜 발생한 열에너지로 각각 증기를 발생시켜 발전기를 돌린다. 따라서 (가), (나) 모두 '열에너지 → 운동 에너지 → 전기 에너지'의 에너지 전환 과정이 나타난다.
바로알기 ㄱ. (가)의 핵발전은 핵분열 반응을 이용하여 전기 에너지를 생산한다.
ㄷ. (나)의 화력 발전의 근원이 되는 에너지는 태양 에너지이지만, (가)의 핵발전의 근원이 되는 에너지는 우라늄의 핵에너지로 태양 에너지와 관련 없다.

04 태양광 발전에 사용되는 태양 전지는 태양의 빛에너지를 전기 에너지로 직접 전환하므로, 태양광 발전에서는 발전기를 사용하지 않는다. 태양 전지에 빛이 비춰지면 자유 전자가 발생하여 한쪽 전극으로 이동하므로 외부 회로에 전류의 세기와 방향이 일정한 직류가 흐르게 된다.

4 미래의 지속 가능한 발전

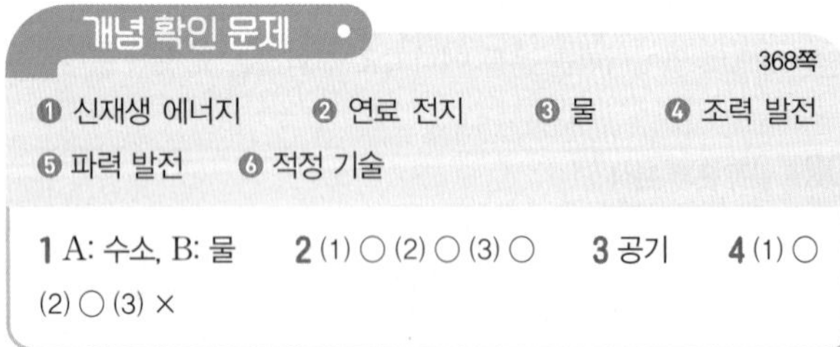

개념 확인 문제 368쪽

❶ 신재생 에너지 ❷ 연료 전지 ❸ 물 ❹ 조력 발전 ❺ 파력 발전 ❻ 적정 기술

1 A: 수소, B: 물 **2** (1) ○ (2) ○ (3) ○ **3** 공기 **4** (1) ○ (2) ○ (3) ×

1 수소 연료 전지의 (−)극에서는 공급한 수소가 산화되면서 전자를 내놓으므로 A는 수소이다. (+)극에서는 산소가 환원되면서 수소 이온과 반응하여 물이 생성되므로 B는 물이다.

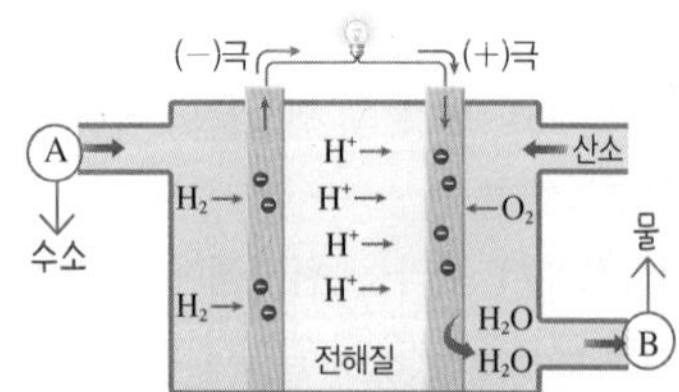

2 (1) 조력 발전은 밀물 때 바닷물을 받아들이면서 터빈을 돌려 전기를 생산하거나(예 시화호 조력 발전소), 썰물 때 바닷물을 방출하면서 터빈을 돌려 전기 에너지를 생산한다.
(2) 에너지원으로 밀물과 썰물 때 생기는 해수면의 높이차를 이용하므로 에너지원이 고갈될 염려가 없고, 온실 기체와 환경 오염 물질이 거의 발생하지 않는다.
(3) 제방 안쪽에 바닷물을 가두므로 갯벌이 파괴되어 해양 생태계에 혼란을 줄 수 있다.

3 파력 발전은 파도와 함께 해수면이 상승 또는 하강할 때 발전소 안의 공기가 압축되면서 생기는 공기의 흐름으로 터빈을 돌려 전기 에너지를 생산한다.

4 (1) 신재생 에너지를 활용하기 위해 주택의 지붕에 태양 전지판을 설치하여 전기 에너지를 생산한다.
(2) 건물 외벽에 고효율 단열재를 사용하여 건물 밖으로 빠져나가는 열을 줄인다.
(3) 모든 도로는 보행자, 자전거 통행자에게 우선권을 주어 자동차의 운행을 줄임으로서 이산화 탄소 배출량을 줄인다.

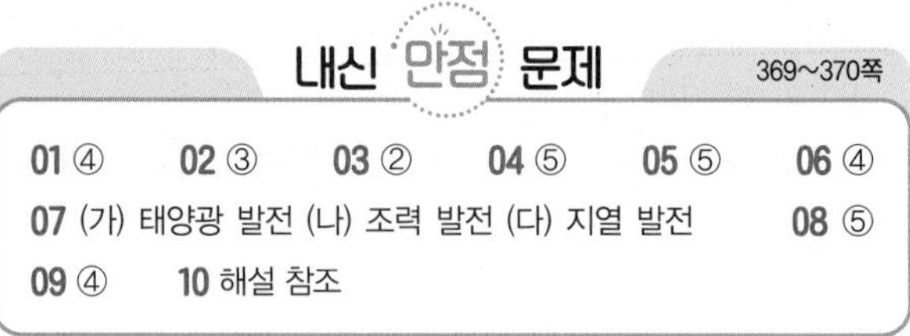

내신 만점 문제 369~370쪽

01 ④ **02** ③ **03** ② **04** ⑤ **05** ⑤ **06** ④
07 (가) 태양광 발전 (나) 조력 발전 (다) 지열 발전 **08** ⑤
09 ④ **10** 해설 참조

01 ①, ⑤ 신재생 에너지는 자원 고갈의 염려가 없고, 이산화 탄소 배출로 인한 환경 문제가 거의 발생하지 않는다.
② 신재생 에너지를 이용한 발전 방식은 대부분 화력 발전에 비해 에너지 효율이 낮다.
③ 신재생 에너지는 새로운 기술이 적용된 신에너지와 계속해서 다시 사용할 수 있는 재생 에너지를 말한다.
바로알기 ④ 신재생 에너지는 기존의 에너지원에 비해 초기 투자 비용이 많이 든다.

02 꼼꼼 문제 분석

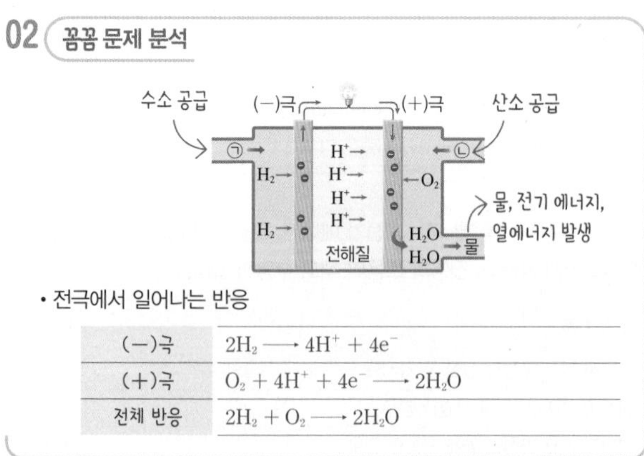

• 전극에서 일어나는 반응

(−)극	$2H_2 \longrightarrow 4H^+ + 4e^-$
(+)극	$O_2 + 4H^+ + 4e^- \longrightarrow 2H_2O$
전체 반응	$2H_2 + O_2 \longrightarrow 2H_2O$

ㄷ. 수소 연료 전지는 수소와 산소의 화학 반응을 통해 화학 에너지를 전기 에너지로 전환하는 장치이다.

바로알기 ㄱ. (−)극에 공급한 수소(㉠)와 (+)극에 공급한 산소(㉡)가 반응하여 물과 전기 에너지, 열에너지가 발생한다.

ㄴ. 수소 연료 전지에서 생성되는 물질은 물뿐이다.

03 ① 수소 연료 전지는 에너지 효율이 높고, 생성물이 물뿐이므로 환경 오염 문제가 거의 없다.

③ 수소 연료 전지의 수소가 폭발할 위험이 있으므로, 수소의 저장 기술과 안정성 확보가 중요하다.

④ 연료 전지의 연료로 수소 이외에 수소를 포함한 천연가스, 메탄올 등의 다양한 연료를 사용할 수 있다.

⑤ 수소 연료 전지는 소규모의 휴대용 전자 제품부터 자동차, 대형 연료 전지 발전소까지 넓은 영역에 이용될 수 있다.

바로알기 ② 수소 연료 전지는 수소를 연소시키는 것이 아니라 화학 반응을 통해 화학 에너지를 전기 에너지로 전환한다.

04 꼼꼼 문제 분석

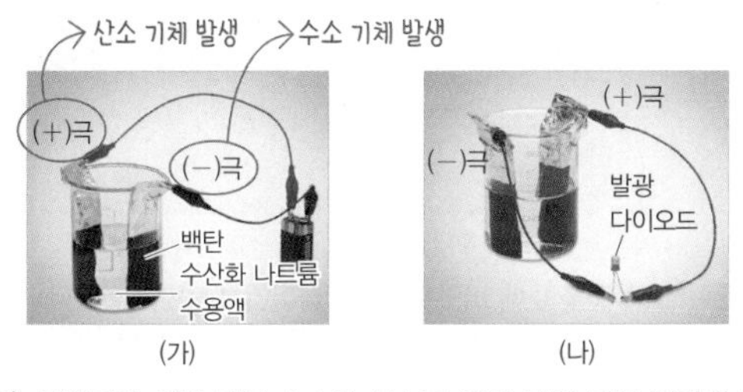

(가) (나)

- (가): 건전지에 의해 물이 수소와 산소로 전기 분해 되어 백탄의 무수히 많은 구멍 속에 각각 저장된다.
- (나): 백탄을 발광 다이오드와 전선으로 연결하면 (−)극에서 수소의 산화가 일어나 전자를 내어 놓는다. 이 전자가 전선을 통해 (+)극으로 이동하고 산소가 환원되며 수소 이온과 반응하여 물이 생성된다. 이 과정에서 전선에 전류가 흘러 발광 다이오드에 불이 켜진다.

ㄱ. (가)에서 물이 전기 분해될 때 (+)극에서는 산소가, (−)극에서는 수소가 발생한다.

ㄴ. (나)의 발광 다이오드에 흐르는 전류는 수소와 산소가 반응하여 물이 되는 과정에서 생긴 것이다.

ㄷ. (가)는 물이 수소와 산소로 분해되는 반응이고 (나)는 수소와 산소가 반응하여 물이 되는 반응이므로, (나)의 반응은 (가)의 반응을 반대로 이용한 것이다.

05 꼼꼼 문제 분석

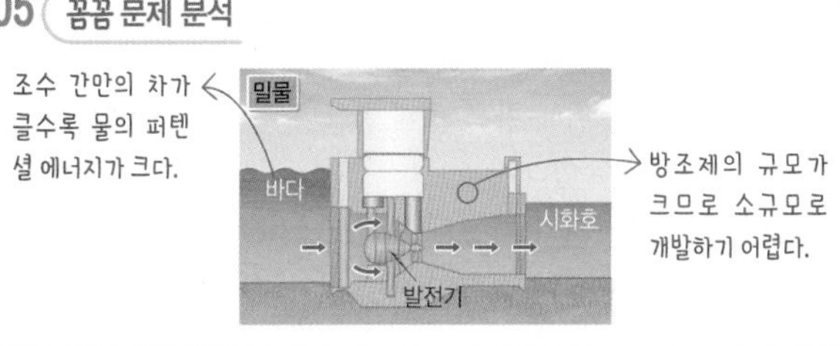

ㄴ. 조력 발전소는 대규모 시설이므로 초기 건설 비용이 많이 들고, 갯벌을 파괴할 수 있으므로 주변 환경이 변할 수 있다.

ㄷ. 조수 간만의 차가 클수록 물의 퍼텐셜 에너지가 커지므로, 많은 양의 전기 에너지를 생산할 수 있다.

바로알기 ㄱ. 조력 발전소는 방조제의 규모가 크므로 소규모로 개발하기 어렵다. 또한 조수 간만의 차가 큰 강의 하구나 만에 설치해야 하므로 장소 선정에 제한이 따른다.

06 꼼꼼 문제 분석

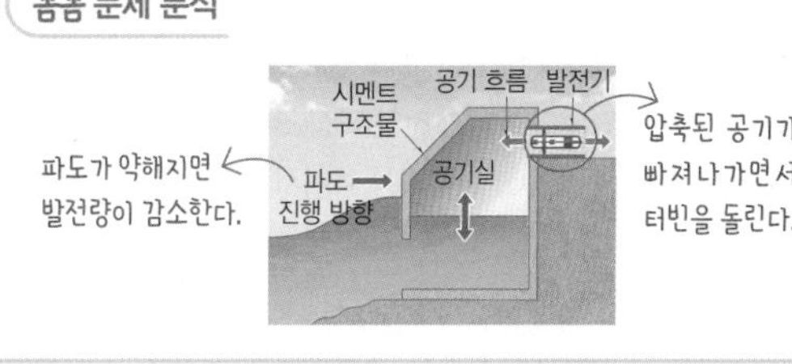

ㄴ. 발전 방식에 따라 발전 시설을 방파제로 활용할 수 있다.

ㄷ. 파도가 밀려와 해수면이 높아지면서 공기실의 공기가 압축될 때 공기의 흐름이 터빈을 돌려 전기 에너지를 생산한다.

바로알기 ㄱ. 파력 발전은 기후에 따라 파도가 약해지면 발전량이 감소하므로 발전량이 일정하지 않다.

07 꼼꼼 문제 분석

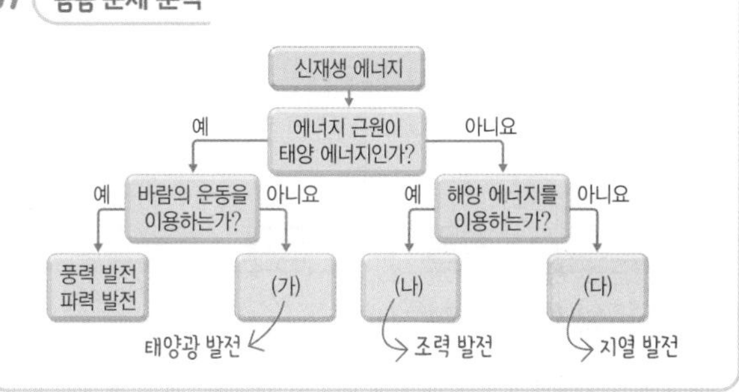

(가) 에너지의 근원이 태양 에너지이며 바람의 운동을 이용하지 않는 방식은 태양광 발전이다.

(나) 에너지의 근원이 태양 에너지가 아니며, 해양 에너지를 이용하는 방식은 조력 발전이다.

(다) 에너지의 근원이 태양 에너지가 아니며, 해양 에너지를 이용하지 않는 방식은 지구 내부 에너지가 근원인 지열 발전이다.

08 ㄱ. 친환경 에너지 도시는 온실 기체를 줄이기 위해서 태양광 발전, 풍력 발전, 열병합 발전 등 재생 가능한 에너지를 적극적으로 활용한다.

ㄴ. 고효율 단열재를 사용하여 건물의 열손실을 줄이고, 열교환기가 부착된 환풍기, 자연 채광 등을 이용해 실내 온도 유지에 필요한 에너지를 최소화한다.

ㄷ. 친환경 에너지 도시는 지역 환경에 맞는 신재생 에너지를 생산하고 판매함으로써 환경 문제와 에너지 문제를 함께 해결할 수 있는 도시이다.

09 ㄴ. 적정 기술은 화석 연료를 사용하지 않는 친환경적인 기술이며, 과학 기술의 혜택에서 소외된 사람들의 삶의 질을 개선할 수 있는 기술이다.
ㄷ. 적정 기술은 사회 공동체의 특성을 고려해 해당 지역에서 지속적인 생산과 소비가 가능해야 한다.
바로알기 ㄱ. 적정 기술은 대규모의 사회 기반 시설이 필요하지 않은 단순한 수준의 기술이다.

10 모범 답안 (1) $2H_2 + O_2 \longrightarrow 2H_2O$
(2) 휴대용 전자 제품, 수소 연료 전지 자동차, 대형 연료 전지 발전소 등
(3) 화력 발전은 여러 단계의 에너지 전환 과정(화학 에너지 → 열에너지 → 운동 에너지 → 전기 에너지)을 거치면서 에너지 손실이 많이 발생하지만, 연료 전지는 연료의 화학 에너지를 전기 에너지로 직접 전환하므로 에너지 효율이 더 높다.

채점 기준		배점
(1)	화학 반응식을 옳게 쓴 경우	30 %
(2)	연료 전지가 활용되는 분야를 두 가지 모두 옳게 서술한 경우	30 %
	한 가지만 옳게 서술한 경우	15 %
(3)	화력 발전의 에너지 전환 과정과 비교하여 연료 전지의 에너지 효율이 더 높은 까닭을 옳게 서술한 경우	40 %
	연료 전지는 연료의 화학 에너지가 전기 에너지로 직접 전환되기 때문이라고만 서술한 경우	20 %

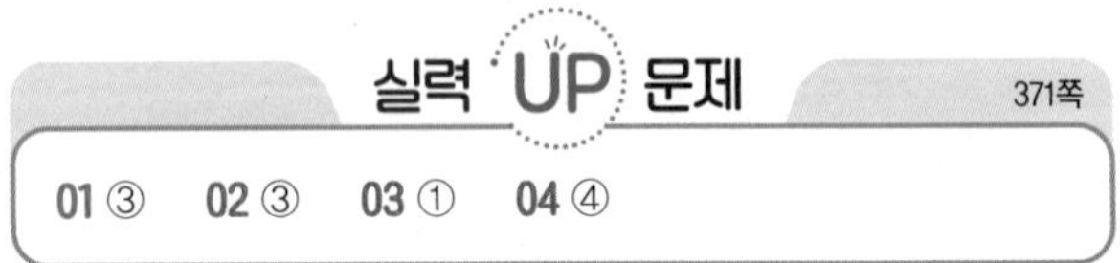

실력 UP 문제

371쪽

01 ③ 02 ③ 03 ① 04 ④

01 꼼꼼 문제 분석

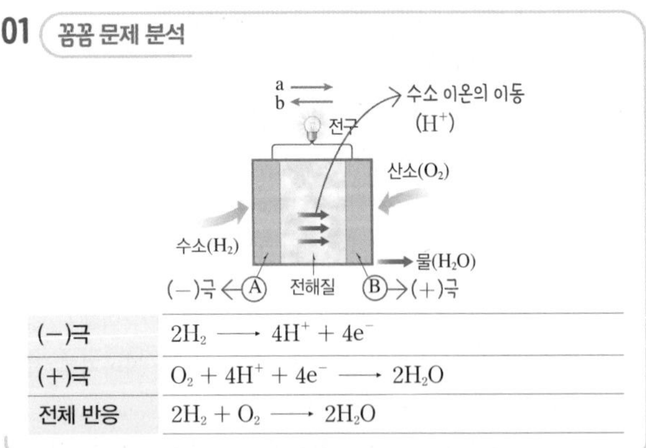

(−)극	$2H_2 \longrightarrow 4H^+ + 4e^-$
(+)극	$O_2 + 4H^+ + 4e^- \longrightarrow 2H_2O$
전체 반응	$2H_2 + O_2 \longrightarrow 2H_2O$

ㄴ. (+)극인 B에서 산소가 환원되며 수소 이온과 반응하여 물과 함께 전기 에너지와 열에너지가 발생한다.
ㄷ. 전자는 도선을 통해 (−)극인 A에서 (+)극인 B를 향해 a 방향으로 이동한다. 전류의 방향은 전자의 이동 방향과 반대이므로, 전류의 방향은 b이다.
바로알기 ㄱ. A는 (−)극이고, B가 (+)극이다.
ㄹ. 전자는 도선을 통해 (−)극인 A에서 (+)극인 B로 이동한다. 전해질을 통해 A에서 B로 이동하는 것은 수소 이온이다.

02 ㄱ. 화력 발전에서는 여러 단계의 에너지 전환 과정을 거쳐 전기 에너지를 생산하지만, 수소 연료 전지에서는 연료의 화학 에너지를 전기 에너지로 직접 전환한다. 따라서 에너지 효율은 (가)가 (나)보다 높다.
ㄴ. 수소 연료 전지는 연소 과정이 없으므로 전기를 생산할 때 소음과 환경 오염 물질이 거의 발생하지 않는다.
바로알기 ㄷ. 화력 발전은 연료를 연소시켜 전기 에너지를 생산하며 화학 에너지 → 열에너지→ 운동 에너지 → 전기 에너지의 전환 과정을 거치지만, 연료 전지는 연료의 화학 에너지가 전기 에너지로 직접 전환된다.

03 꼼꼼 문제 분석

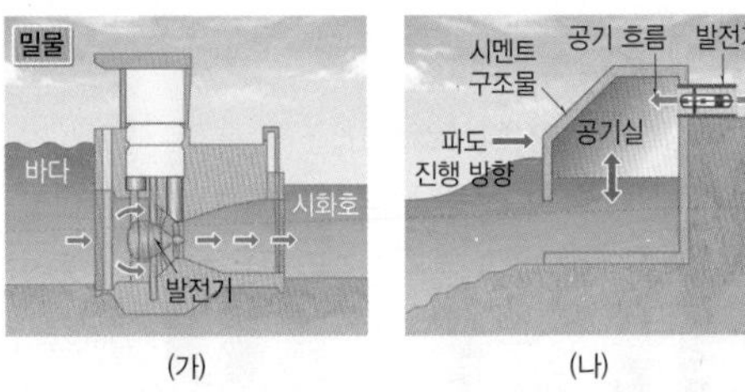

(가) (나)

(가) 조력 발전: 밀물일 때 바닷물을 받아들이면서 터빈을 돌린다.
(나) 파력 발전: 파도가 밀려와서 수면이 높아지면 발전소 안의 공기가 압축되면서 터빈을 돌린다.

ㄱ. 조석 현상이 매일 약 두 번씩 정해진 시간에 일어나므로, (가)는 지속적이고 예측 가능한 발전이다.
ㄴ. (가)는 조수 간만의 차를 이용하여 전기 에너지를 생산하므로 조수 간만의 차가 큰 서해안이 동해안보다 적합하다.
바로알기 ㄷ. (가)는 대규모 발전이 가능하며, (나)는 소규모 발전이 가능하다.
ㄹ. (가)는 바닷물의 높이차가 없을 때는 가동이 중단되므로 발전량이 일정하지 않고, (나)는 기후나 파도의 상황에 따라 발전량이 일정하지 않다. 따라서 (가)와 (나) 모두 발전량의 변동이 크다.

04 ㄱ. (가)의 환풍기에 열교환기를 부착하여 건물 밖의 찬 공기와 건물 안의 더운 공기를 섞이게 하면 난방 기구 없이 실내 온도를 조절할 수 있다.
ㄴ. (나)의 3중 유리창은 단열 효과가 크므로 열손실을 줄일 수 있는 한편, 채광을 위해 창을 넓게 만들면 조명에 소비되는 전기 에너지를 절약할 수 있다.
바로알기 ㄷ. (다)의 전기 자동차 충전소에서는 태양광과 같은 신재생 에너지를 활용하여 직접 생산한 전기 에너지로 전기 자동차를 충전한다.

중단원 핵심 정리 372쪽

❶ 전자기 유도 ❷ 열 ❸ 전류 ❹ 높은 ❺ 수소 핵융합
❻ 질량 결손 ❼ 전기 ❽ 운동 ❾ 물 ❿ 조력

중단원 마무리 문제 373~375쪽

01 ③ **02** ③ **03** ① **04** ③ **05** 해설 참조 **06** ③
07 ③ **08** 화석 연료 **09** ⑤ **10** ⑤ **11** ① **12** ①
13 ② **14** ② **15** A: 연료 전지 발전, B: 지열 발전, C: 조력 발전 **16** ③

01 꼼꼼 문제 분석

자석의 세기가 셀수록 코일에 흐르는 유도 전류의 세기도 세진다.
코일에 가까이 할 때 유도 전류가 흐르는 방향
a 저항 b
S N

ㄱ. 자석의 세기가 셀수록 단위시간당 코일을 통과하는 자기장의 변화가 크므로, 유도 전류의 세기는 세진다.
ㄷ. 자석의 N극을 코일에 가까이 할 때 코일의 왼쪽에 N극이 생기도록 유도 전류가 흐르므로, 방향은 a → 저항 → b 방향이다.
바로알기 ㄴ. 코일에 흐르는 유도 전류는 자석의 운동을 방해하는 방향으로 흐르므로, 자석의 N극을 코일에서 멀리 할 때 코일의 왼쪽 부분은 S극이 된다.

02 ① 영구 자석이 회전할 때 코일을 통과하는 자기장이 변하므로 코일에 유도 기전력(전압)이 발생한다.
② 영구 자석의 회전에 의해 유도 기전력(전압)이 발생하므로 코일에 유도 전류가 흐른다.
④ 자전거의 바퀴가 빠르게 회전할수록 유도 전류는 더 세지므로 전조등은 더 밝아진다.
⑤ 회전하는 영구 자석의 운동 에너지가 발전기에 의해 전기 에너지로 전환된다.
바로알기 ③ 전자기 유도 현상에 의해 흐르는 전류는 교류이므로, 전조등에 흐르는 전류의 방향과 세기는 계속 변한다.

03 ㄱ. 송전선에 전류가 흐를 때 송전선의 저항으로 인해 열이 발생하는데, 이는 전기 에너지의 일부가 열로 손실되는 것이다.
바로알기 ㄴ. 송전 전력=송전 전압×전류이므로, 일정한 전력을 송전할 때 전압을 100배 높여 송전하면 송전선에 흐르는 전류는 $\frac{1}{100}$배로 줄어든다. 따라서 손실되는 전력은 (전류)^2×저항에서 $\left(\frac{1}{100}\right)^2=\frac{1}{10000}$배로 줄어든다.
ㄷ. 송전선의 굵기가 굵을수록 저항이 작으므로 전력 손실을 줄이려면 굵기가 굵은 송전선을 사용해야 한다.

04 꼼꼼 문제 분석

• 1차 코일과 2차 코일에 걸리는 전압의 비는 1차 코일과 2차 코일의 감은 수의 비와 같다. $\left(\frac{V_1}{V_2}=\frac{N_1}{N_2}\right)$
• 변압기에서 에너지 손실이 없으므로 1차 코일의 전력과 2차 코일의 전력이 같다. ($P_1=P_2$)

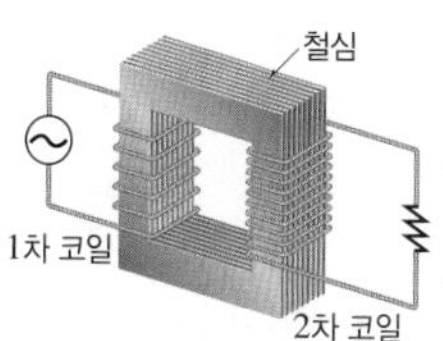

• 2차 코일에 걸린 전압은 $\frac{110\text{ V}}{V_2}=\frac{200\text{회}}{400\text{회}}$에서 $V_2=220$ V이다.
• 2차 코일의 전력은 $P_1=P_2$에서 220 W$=P_2$이다.

ㄱ. 변압기는 코일의 감은 수를 조절하여 전압을 변화시키는 장치로, 전자기 유도를 이용한다.
ㄴ. 1, 2차 코일의 감은 수의 비는 1, 2차 코일에 걸리는 전압의 비와 같다. 따라서 2차 코일의 전압 V_2는 220 V이다.
바로알기 ㄷ. 변압기에서 발생하는 에너지 손실을 무시하면 1, 2차 코일의 전력이 같으므로 2차 코일의 전력 P_2도 220 W이다.

05 모범 답안 송전선에서 손실 전력은 (전류)^2×저항=$\left(\frac{\text{전력}}{\text{전압}}\right)^2$×저항이다. 지역 A, B에서 송전선의 손실 전력이 서로 같을 때, $\left(\frac{P}{V}\right)^2\times R=\left(\frac{2P}{V}\right)^2\times$(가)이므로 지역 B에서 송전선의 저항 (가)는 $0.25R$이다.

채점 기준	배점
B에서 송전선의 저항을 계산 과정과 함께 옳게 구한 경우	100 %
B에서 송전선의 저항만 옳게 구한 경우	50 %

06 꼼꼼 문제 분석

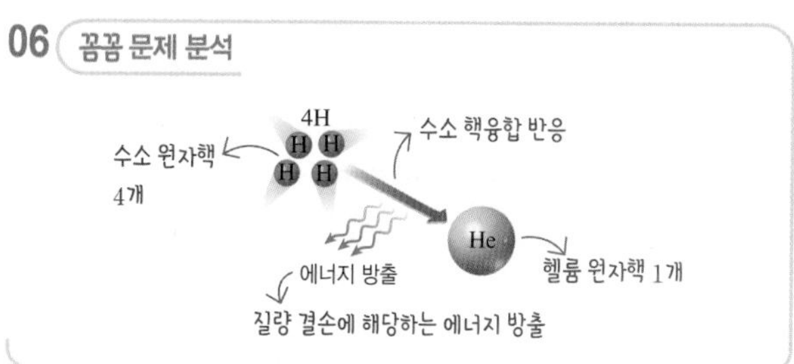

ㄱ. 태양 에너지는 태양 중심부에서 수소 원자핵이 융합하여 헬륨 원자핵으로 바뀌는 수소 핵융합 반응으로 생성된다.
ㄷ. 태양 에너지는 지구에 도달하여 지구에서 에너지 전환과 순환을 일으킨다.
바로알기 ㄴ. 수소 핵융합 반응에서 질량 결손에 해당하는 에너지가 발생하므로, 핵반응 후 전체 질량이 줄어든다. 따라서 핵반응 전과 후 전체 질량의 합은 보존되지 않는다.

07 ㄱ. 태양의 열에너지는 지구에서 대기와 해수에 흡수되어 대기와 해수의 순환을 일으키고 비, 눈 등의 기상 현상의 원인이 된다.
ㄷ. 태양의 빛에너지는 식물의 광합성을 통해 포도당을 합성하는 과정에서 화학 에너지로 전환되어 포도당에 저장된다. 생명체는 포도당에 저장된 화학 에너지를 에너지원으로 이용하여 생명 활동을 유지한다.
바로알기 ㄴ. 우라늄은 우주의 초신성이 폭발할 때 생겨나서 지구의 지각에 포함된 것이므로 우라늄의 핵에너지는 태양 에너지와 관계가 없다.

08 화석 연료는 18세기 이후부터 사용하여 현재 가장 많이 사용하고 있는 에너지원으로, 사용 과정에서 대기 오염 물질과 온실 기체가 발생하여 환경 문제를 일으킨다.

09 꼼꼼 문제 분석

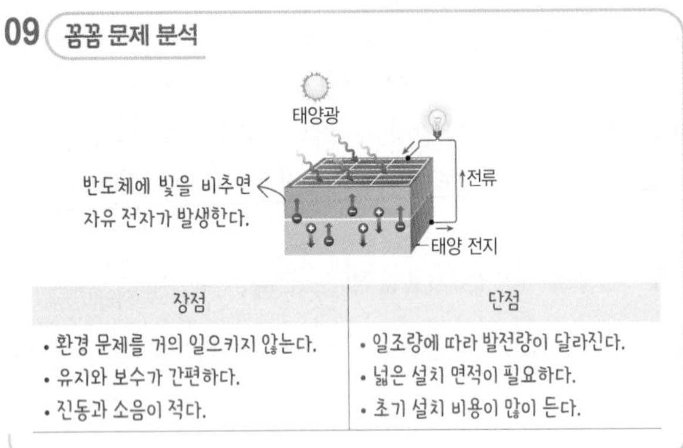

장점	단점
• 환경 문제를 거의 일으키지 않는다. • 유지와 보수가 간편하다. • 진동과 소음이 적다.	• 일조량에 따라 발전량이 달라진다. • 넓은 설치 면적이 필요하다. • 초기 설치 비용이 많이 든다.

① 태양 전지는 생산하고 설치하는 데 비용이 많이 들어 초기 투자 비용이 많이 든다.
② 태양 전지는 태양의 빛에너지를 직접 전기 에너지로 전환하므로, 이산화 탄소와 환경 오염 물질이 거의 발생하지 않는다.
③ 태양광 발전 설비는 수명이 길고 유지와 보수가 간편하다.
④ 태양 전지는 반도체에 빛을 비추면 내부에 자유 전자가 생기는 원리를 이용하여 전기 에너지를 생산한다.
바로알기 ⑤ 태양 전지 하나의 발전량은 매우 적기 때문에, 태양광 발전으로 많은 전력량을 생산하기 위해서는 태양 전지의 설치 면적이 넓어야 한다.

10 ㄴ. 연쇄 반응이 계속 일어나도록 하기 위해서는 핵분열 과정에서 발생하는 중성자의 속도를 느리게 해야 하므로, 감속재를 사용한다.
ㄷ. 제어봉은 기하급수적으로 증가하는 중성자를 흡수하여 연쇄 반응의 속도를 조절하기 위해 사용한다.
바로알기 ㄱ. 핵분열 과정에서 발생하는 에너지는 질량 결손에 해당하는 만큼의 핵에너지이다.

11 ② 발전기를 돌려서 전자기 유도를 이용해 전기 에너지를 생산하는 발전 방식은 (가) 화력 발전, (다) 풍력 발전, (라) 핵발전이다.
③ 대기 오염 물질을 방출하는 발전 방식은 화석 연료를 사용하는 (가) 화력 발전이다.
④ 에너지원이 고갈될 염려가 없는 발전 방식은 재생 가능한 에너지원을 사용하는 (나) 태양광 발전, (다) 풍력 발전이다.
⑤ 에너지의 근원이 태양 에너지가 아닌 발전 방식은 (라) 핵발전이다. 핵발전은 우라늄의 핵에너지가 에너지의 근원이다.
바로알기 ① (나) 태양광 발전은 발전기를 사용하지 않으므로, 소음과 진동이 발생하지 않는다.

12 핵발전의 연료인 우라늄은 매장량이 한정되어 있기 때문에 언젠가 고갈될 수 있다. 따라서 핵발전은 재생 가능한 에너지를 변환하여 이용하는 발전 방식에 해당되지 않는다.

13 꼼꼼 문제 분석

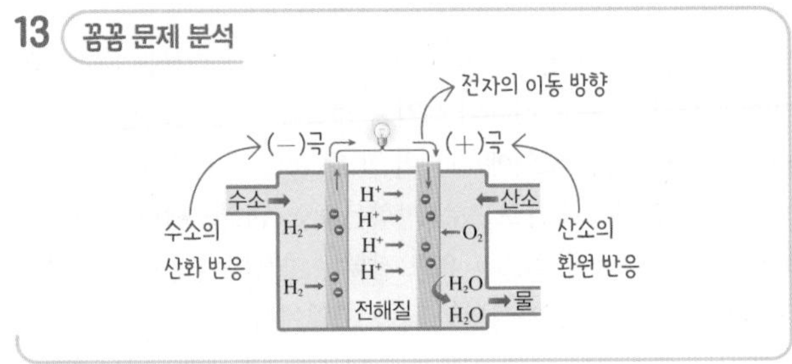

ㄴ. 수소 연료 전지에서 일어나는 반응은 수소와 산소가 반응하여 물이 생성되는 반응이므로 최종 생성물은 물이다. 따라서 환경 오염을 거의 일으키지 않는다.
바로알기 ㄱ. 수소 연료 전지에서 수소는 (−)극에 공급되어 전자를 잃고 산화된다.
ㄷ. 수소 이온은 전해질을 통해 (−)극에서 (+)극으로 이동한다.

14 ①, ⑤ 조력 발전과 파력 발전은 재생 에너지인 해양 에너지를 이용하므로, 자원이 고갈될 염려가 없고 발전 과정에서 대기 오염 물질이 거의 발생하지 않는다.
③ 조력 발전과 파력 발전은 모두 발전기를 이용하므로, 전자기 유도 현상에 의해 전기 에너지를 생산한다.
④ 조력 발전소는 조수 간만의 차가 큰 지역에 설치할 수 있고, 파력 발전소는 송전 거리가 짧고 수심이 깊지 않으면서 파도가 풍부한 연안 지역에 설치할 수 있다. 따라서 모두 발전소를 건설할 수 있는 장소 선정에 제한이 있다.
바로알기 ② 조력 발전은 대규모 발전이 가능하여 많은 양의 전기를 생산할 수 있지만, 파력 발전은 소규모 발전이 가능하므로 많은 양의 전기를 생산하기 어렵다.

15 꼼꼼 문제 분석

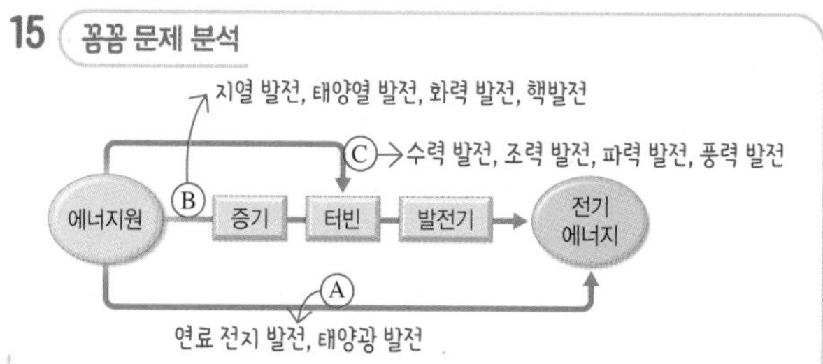

A: 발전기 없이 에너지원을 직접 전기 에너지로 전환하는 방식은 연료 전지 발전이다.

B: 에너지원의 열에너지로 물을 끓여 증기를 만든 후, 증기를 이용해 발전기에 연결된 터빈을 돌려 전기 에너지를 생산하는 방식은 지열 발전이다.

C: 물을 끓이는 과정 없이 에너지원의 역학적 에너지를 이용해 발전기에 연결된 터빈을 돌려 전기 에너지를 생산하는 방식은 조력 발전이다.

16 ① 친환경 에너지 도시는 빗물을 저장하여 옥상 정원 관리에 활용하고, 오수를 정화하여 화장실에 활용한다.

② 친환경 에너지 도시는 석유, 석탄 등의 화석 연료를 사용하지 않고 신재생 에너지를 활용하여 환경 문제와 에너지 문제를 함께 해결할 수 있는 도시이다.

④, ⑤ 주택 지붕 위에 태양광 패널을 설치하고 환풍구를 특수 제작하는 등 태양과 바람의 에너지를 이용하는 고효율의 친환경 건축물을 지어 사용한다.

바로알기 ③ 친환경 에너지 도시는 화석 연료를 사용하지 않도록 개발되었으므로, 열병합 발전소에서는 산업 폐기물로 나온 목재 등을 소각하여 에너지를 생산한다.

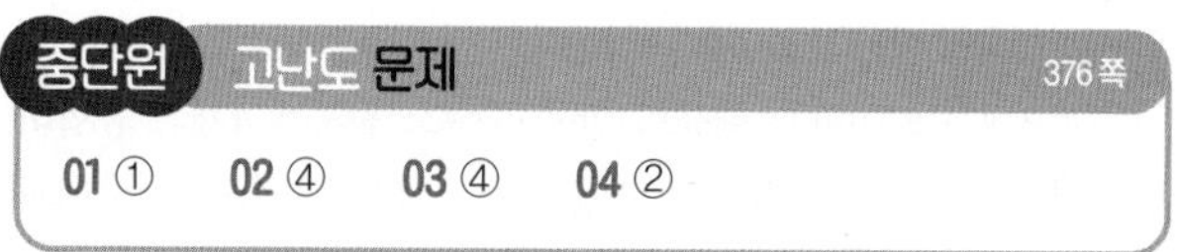

중단원 고난도 문제 376쪽

01 ① **02** ④ **03** ④ **04** ②

01 꼼꼼 문제 분석

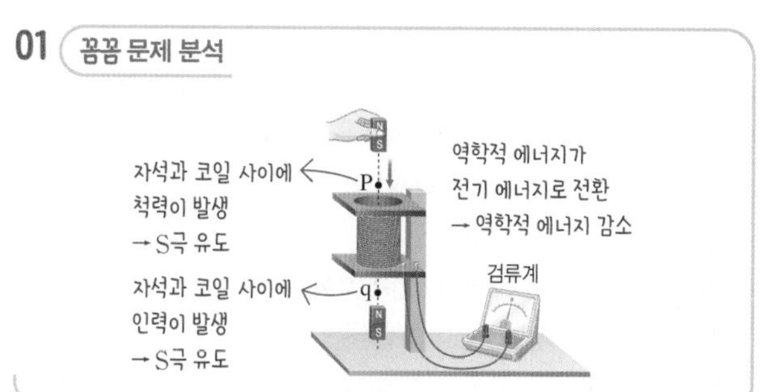

선택지 분석

㉠ 자석이 p를 지날 때와 q를 지날 때, 자석에 작용하는 자기력의 방향은 같다.

~~ㄴ~~. 자석이 p를 지날 때와 q를 지날 때, 검류계에 흐르는 유도 전류의 방향은 같다. 반대이다

~~ㄷ~~. 자석이 p에서 q까지 낙하하는 동안 자석의 역학적 에너지는 보존된다. 감소한다

전략적 풀이 ❶ 코일 주변에서 자석이 움직일 때 자석과 코일 사이에 작용하는 힘을 파악한다.

ㄱ. 자석이 p를 지날 때는 코일과 자석 사이에 척력이 작용하므로 자석에 작용하는 자기력의 방향이 위쪽이고, 자석이 q를 지날 때는 코일과 자석 사이에 인력이 작용하므로 자석에 작용하는 자기력의 방향이 위쪽이다. 따라서 자석이 p를 지날 때와 q를 지날 때 코일에 의해 자석에 작용하는 자기력의 방향은 같다.

❷ 자석과 코일 사이에 작용하는 힘의 방향에 따라 코일에 흐르는 유도 전류의 방향을 파악한다.

ㄴ. 자석이 p를 지날 때는 코일의 위쪽이 S극이 되도록 유도 전류가 흐른다. 또 자석이 q를 지날 때는 코일의 아래쪽이 S극이 되도록 유도 전류가 흐른다. 따라서 자석이 p를 지날 때와 q를 지날 때 검류계에 흐르는 유도 전류의 방향은 반대이다.

❸ 에너지 보존 법칙에 따라 자석의 역학적 에너지의 변화를 파악한다.

ㄷ. 자석이 낙하하는 동안 유도 전류가 흐르므로 자석의 역학적 에너지의 일부가 전기 에너지로 전환된다. 따라서 자석이 p에서 q까지 낙하하는 동안 자석의 역학적 에너지는 감소한다.

02 꼼꼼 문제 분석

자기장이 수직으로 통과하는 코일 면의 면적 증가
= 코일을 통과하는 자기장의 세기가 증가 ➡ 유도 전류가 흐른다.

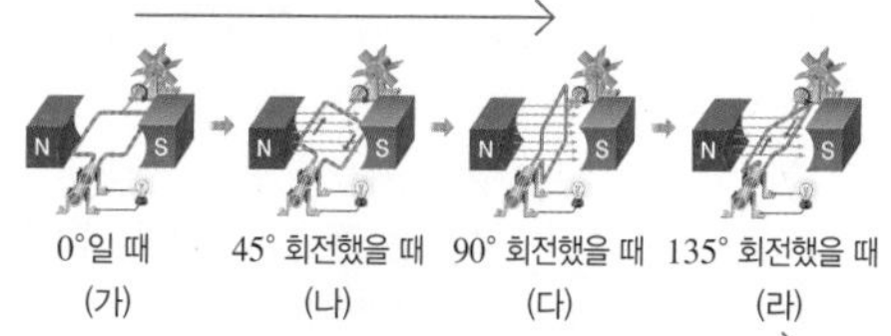

자기장이 수직으로 통과하는 코일 면의 면적 감소
= 코일을 통과하는 자기장의 세기가 감소
➡ 반대 방향으로 유도 전류가 흐른다.

선택지 분석

~~ㄱ~~. (가)에서 (다)까지 코일 면이 회전할 때, 자기장이 코일 면을 수직으로 통과하는 면적은 감소한다. 증가한다

㉡ 전자기 유도 현상에 의해 코일에 전류가 흐른다.

㉢ (나)와 (라)에서 코일에 흐르는 전류의 방향은 반대이다.

전략적 풀이 ❶ 코일이 회전하는 동안 자기장이 코일을 수직으로 통과하는 면적의 변화를 파악한다.

ㄱ. 0°일 때 자기장이 코일 면을 수직으로 통과하는 면적은 0이고 90°일 때 자기장이 코일 면을 수직으로 통과하는 면적은 최대이다. 따라서 코일 면이 (가)에서 (다)까지 회전할 때, 자기장이 코일 면을 수직으로 통과하는 면적은 증가한다.

❷ 자기장이 코일을 수직으로 통과하는 면적과 자기장의 세기를 연관 지어 생각한다.

ㄴ. 코일이 회전할 때 자기장이 코일 면을 수직으로 통과하는 면적이 변하므로 코일을 통과하는 자기장의 세기도 변한다. 따라서 전자기 유도 현상에 의해 코일에 유도 전류가 흐른다.

❸ 코일을 통과하는 자기장의 세기가 증가하거나 감소함에 따라 유도 전류의 방향을 판단한다.

ㄷ. 코일 면을 수직으로 통과하는 자기장의 세기가 (나)에서는 증가하고 (라)에서는 감소하므로, (나)와 (라)에서 코일에 흐르는 유도 전류의 방향은 반대이다.

03 꼼꼼 문제 분석

변압기에서 $\frac{N_1}{N_2}=\frac{V_1}{V_2}=\frac{I_2}{I_1}$이므로, 전압은 코일의 감은 수에 비례하고, 전류는 코일의 감은 수에 반비례한다.

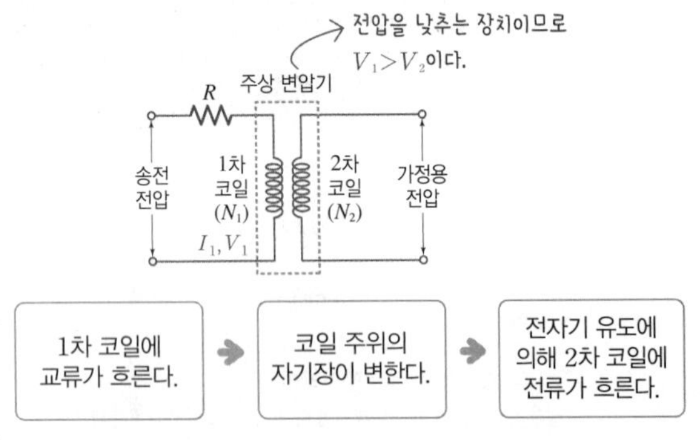

선택지 분석

ⓐ $N_1>N_2$이다.

~~ㄴ~~. 1차 코일과 2차 코일에 흐르는 전류의 세기는 같다. 1차 코일에 흐르는 전류의 세기가 2차 코일보다 작다

ⓒ 가정에서 사용하는 전력이 증가하면 송전선에서 손실되는 전력이 증가한다.

전략적 풀이 ❶ 변압기에서 1, 2차 코일의 감은 수, 전압, 전류의 관계를 파악한다.

ㄱ. 변압기의 1, 2차 코일의 감은 수의 비는 전압의 비와 같다. 1차 코일의 전압을 V_1, 2차 코일의 전압을 V_2라고 하면, 주상 변압기는 전압을 낮추는 장치이므로 $V_1>V_2$이다. 따라서 코일의 감은 수를 비교하면 $N_1>N_2$이다.

ㄴ. 변압기에서 에너지 손실이 없으므로 1차 코일과 2차 코일의 전력은 같다. 1차 코일에 흐르는 전류의 세기를 I_1, 2차 코일에 흐르는 전류의 세기를 I_2라고 하면, $V_1I_1=V_2I_2$에서 $V_1>V_2$이므로 $I_1<I_2$이다. 따라서 1차 코일에 흐르는 전류의 세기가 2차 코일보다 작다.

❷ 가정에서 사용하는 전력과 송전선에 흐르는 전류의 관계를 파악한다.

가정에서 사용하는 전력과 1차 코일에 입력되는 전력이 같으므로($V_2I_2=V_1I_1$), 가정에서 사용하는 전력이 증가하면 송전선에 흐르는 전류 I_1도 증가한다.

❸ 송전선에 흐르는 전류와 손실 전력의 관계를 파악한다.

ㄷ. 송전선의 저항(R)에 의한 손실 전력 $P_{손실}=I_1^2R$이다. 가정에서 사용하는 전력이 증가하면 송전선에 흐르는 전류도 증가하므로 송전선에서 손실되는 전력 $P_{손실}=I_1^2R$도 증가한다.

04 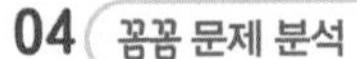 꼼꼼 문제 분석

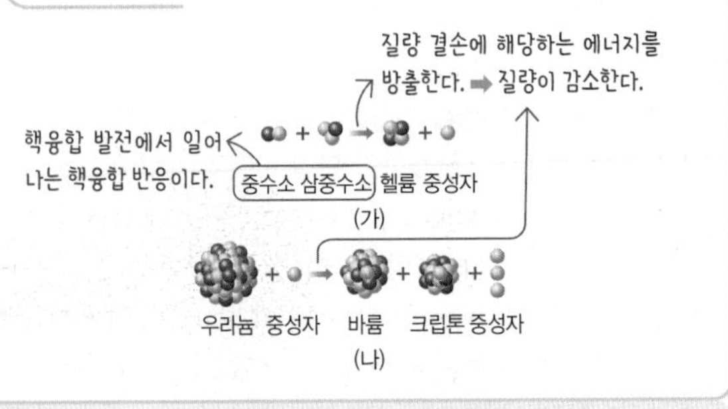

선택지 분석

~~ㄱ~~. (가)는 태양에서 일어나는 핵융합 반응이다. 핵융합 발전에서

ⓛ (나)에서 연쇄 반응이 계속 일어나도록 하기 위해서는 감속재를 사용해야 한다.

~~ㄷ~~. (가)와 (나)에서 핵반응이 일어나기 전과 후의 질량의 합은 같다. 핵반응 후 질량이 감소한다

전략적 풀이 ❶ 태양에서 일어나는 핵융합 반응과 핵융합 발전에서 일어나는 핵융합 반응의 차이를 파악한다.

ㄱ. 태양에서 일어나는 핵융합 반응은 수소 원자핵 4개가 융합하여 헬륨 원자핵으로 변하는 반응이다. (가)는 중수소 원자핵과 3중 수소 원자핵이 융합하여 헬륨 원자핵으로 변하는 핵융합 발전에서 일어나는 핵융합 반응이다.

❷ 연쇄 반응이 일어나도록 하기 위한 조건을 파악한다.

ㄴ. (나)의 핵분열 반응에서 방출되는 중성자가 다른 우라늄 원자핵에 연쇄적으로 충돌하기 위해서는 중성자의 속력을 느리게 하는 감속재를 사용해야 한다.

❸ 핵반응에서 질량과 에너지의 관계를 파악한다.

ㄷ. (가)와 (나)의 핵반응에서 방출되는 에너지는 모두 질량 결손에 의한 것으로, 핵반응 후의 질량의 합은 핵반응 전보다 감소한다.

완자쌤의

비밀노트

완벽한 자율학습서

시험 직전! 시간이 부족해? 시험에 꼭 나오는 핵심 자료만 모아놓은 비밀노트로 한 번에 정리해!

통합과학

visang

1 우주 초기 원소의 생성

01 빅뱅 우주론과 정상 우주론 비교

point 1° 두 우주론은 모두 우주가 팽창한다는 것을 바탕으로 한다.

point 2° 시간이 지남에 따라 일정한 물리량과 변하는 물리량을 구분하여 알아둔다.

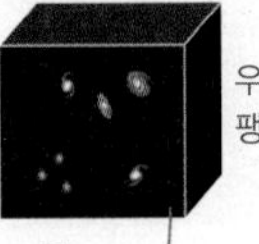

▲ 빅뱅 우주론 모형

- 일정한 물리량: 우주의 질량
- 감소하는 물리량: 우주의 온도, 밀도
- 주장한 과학자: 가모프

▲ 정상 우주론 모형

- 일정한 물리량: 우주의 온도, 밀도
- 증가하는 물리량: 우주의 질량
- 주장한 과학자: 호일

02 원자를 구성하는 입자

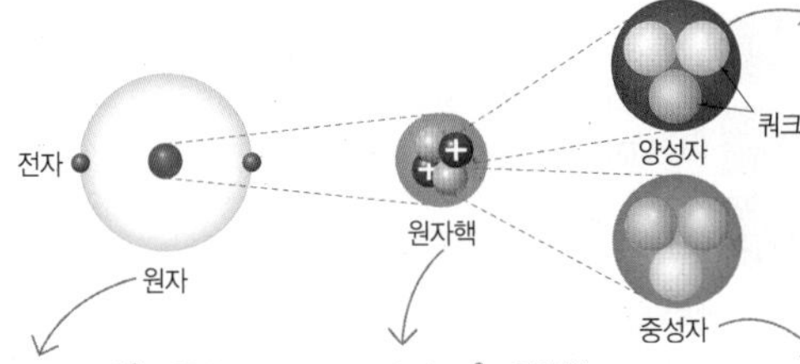

point 1° 원자
- 전자와 원자핵으로 구성
- 전기적으로 중성
- 전자 수=양성자수
- 양성자수=원자 번호

point 2° 원자핵
- (+)전하를 띠는 양성자와 전하를 띠지 않는 중성자로 구성
- 양전하를 띰

point 3° 양성자
- 쿼크 3개로 구성
- 위 쿼크 2개+아래 쿼크 1개
- 양전하를 띰
  ➡ 전하량: $\left(+\frac{2}{3}\right)\times2+\left(-\frac{1}{3}\right)=+1$

point 4° 중성자
- 쿼크 3개로 구성
- 위 쿼크 1개+아래 쿼크 2개
- 전기적으로 중성
  ➡ 전하량: $\left(+\frac{2}{3}\right)+\left(-\frac{1}{3}\right)\times2=0$

03 빅뱅과 입자의 생성 순서

point 1° 빅뱅 후 원자가 생성되기까지 입자가 생성된 순서를 알아야 한다.

point 2° 빅뱅 후 1초가 되기 전
- 쿼크 3개가 다르게 결합하여 양성자와 중성자 생성
- [개수비] 양성자 : 중성자=1 : 1
- 양성자는 그 자체로 수소 원자핵이 된다.

point 3° 빅뱅 후 약 3분
- 우주의 온도 약 10억 K
- 양성자와 중성자가 결합하여 헬륨 원자핵 생성
- [개수비] 양성자 : 중성자=7 : 1
- [질량비] 수소 원자핵 : 헬륨 원자핵=약 3 : 1

point 4° 빅뱅 후 약 38만 년
- 우주의 온도 약 3000 K
- 전자와 원자핵이 결합하여 원자 생성
- 수소와 헬륨 원자 생성
- 우주 배경 복사 생성

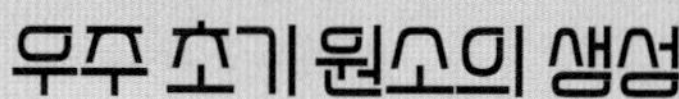

우주 초기 원소의 생성

04 빅뱅 이후 우주의 변화와 입자의 생성

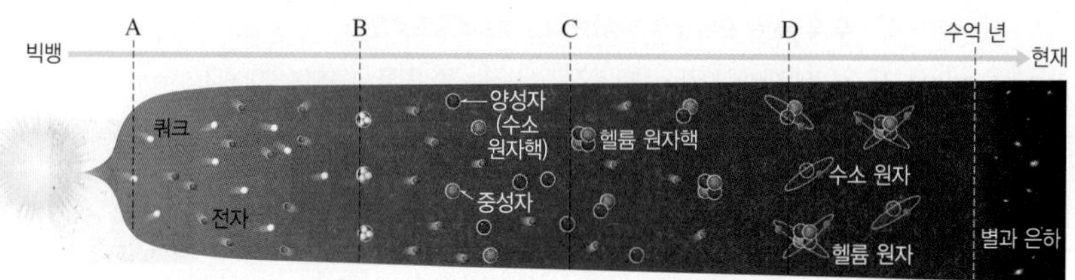

point 1° 각 시기의 우주 변화를 비교한다. ➡ • 우주의 크기: $A<B<C<D$ • 우주의 온도: $A>B>C>D$

point 2° 각 시기에 생성된 입자를 안다. ➡ A: 기본 입자, B: 양성자와 중성자, C: 헬륨 원자핵, D: 수소와 헬륨 원자

05 별빛의 스펙트럼 분석

point 1° 스펙트럼의 종류를 구분하고, 각 스펙트럼이 나타나는 관측 대상을 알아야 한다.

- (가): 연속 스펙트럼 ➡ 고온의 물체, 백열등
- (나), (다): 방출 스펙트럼 ➡ 고온의 성운, 특정 원소의 기체 방전관
- (라): 흡수 스펙트럼 ➡ 저온의 기체를 통과한 별빛

point 2° 스펙트럼의 특징을 적용하여 스펙트럼을 분석한다.

- 원소의 종류에 따라 방출선의 위치가 다르다. ➡ (나)와 (다)는 다른 원소이다.
- 같은 원소에 의한 방출선과 흡수선의 위치는 같다. ➡ (라) 천체에 (나) 원소는 포함되어 있고, (다) 원소는 포함되어 있지 않다.

06 빅뱅 우주론의 증거

point 1° 우주 배경 복사

- 빅뱅 약 38만 년 후, 우주의 온도가 약 3000 K일 때, 원자가 형성되면서 우주로 퍼져 나간 빛
- 우주가 팽창하면서 파장이 길어져서 현재는 약 3 K의 전파(마이크로파)로 관측된다. ➡ 펜지어스와 윌슨이 관측

point 2° 수소와 헬륨의 질량비 약 3 : 1

- 빅뱅 우주론의 계산에 따르면, 우주에 분포하는 수소와 헬륨의 질량비는 약 3 : 1이어야 한다.

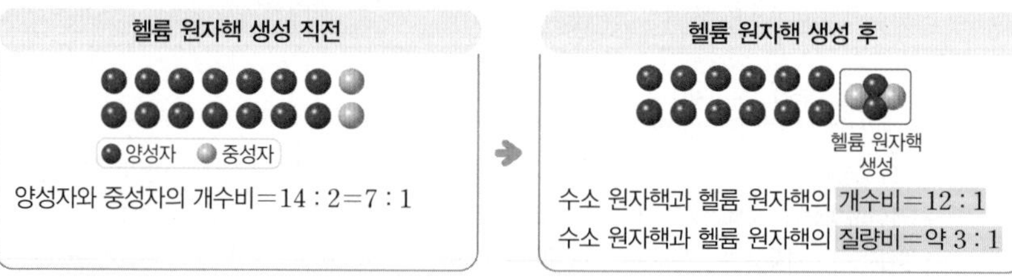

- 여러 천체의 스펙트럼 분석으로 현재 우주에 분포하는 수소와 헬륨의 질량비가 약 3 : 1임이 밝혀졌다.

2 지구와 생명체를 구성하는 원소의 생성

01 별의 진화와 원소의 생성

point 1 주계열성의 특징: 수소 핵융합 반응, 크기 일정(중력=내부 압력), 별이 일생의 대부분을 보내는 단계

point 2 질량에 따른 별의 진화 과정에서 생성되는 원소와 생성된 원소가 우주로 방출되는 단계를 알아둔다.

질량이 태양 정도인 별	질량이 태양의 10배 이상인 별	
헬륨, 탄소, 산소 생성	철보다 가벼운 원소와 철의 생성	철보다 무거운 원소의 생성
• 주계열성 중심부: 수소 핵융합 반응 ➡ 헬륨 생성	• 주계열성 중심부: 수소 핵융합 반응 ➡ 헬륨 생성	• 초신성 폭발: 금, 구리, 우라늄 등 철보다 무거운 원소 생성
• 적색 거성 중심부: 헬륨 핵융합 반응 ➡ 탄소, 산소까지 생성	• 초거성 중심부: 헬륨, 탄소, 산소, 규소 등의 핵융합 반응 ➡ 철까지 생성	
수소 헬륨 탄소, 산소	수소 헬륨 탄소, 산소 산소, 네온, 마그네슘 규소, 황 철	
• 행성상 성운: 원소가 방출됨	• 초신성 폭발: 원소가 방출됨	

02 태양계의 형성 과정

point 1 태양계 성운으로부터 태양과 행성이 형성된 과정을 알아야 한다.

태양계 성운 형성 ➡ 원시 태양과 원반 형성 ➡ 고리와 미행성체 형성 ➡ 원시 태양계 형성

point 2 지구형 행성과 목성형 행성의 특징을 구분할 수 있어야 한다.

구분	지구형 행성(수성, 금성, 지구, 화성)	목성형 행성(목성, 토성, 천왕성, 해왕성)
형성 환경	태양에 가까운 곳 ➡ 온도가 높은 환경	태양에서 먼 곳 ➡ 온도가 낮은 환경
구성 물질	녹는점이 높고 무거운 물질	녹는점이 낮고 가벼운 물질
평균 밀도	크다.	작다.
질량과 반지름	작다.	크다.

03 지구의 형성 과정

point 1 지구의 형성 과정을 순서대로 나열할 수 있어야 한다.

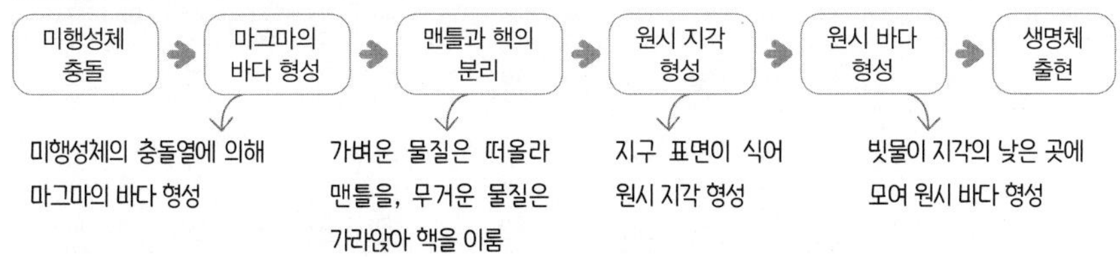
미행성체 충돌
마그마의 바다 형성
맨틀과 핵의 분리
원시 지각 형성
원시 바다 형성
생명체 출현
미행성체의 충돌열에 의해 마그마의 바다 형성
가벼운 물질은 떠올라 맨틀을, 무거운 물질은 가라앉아 핵을 이룸
지구 표면이 식어 원시 지각 형성
빗물이 지각의 낮은 곳에 모여 원시 바다 형성

01 원소

point 1° 원소는 물질을 이루는 기본 성분으로 더 이상 다른 물질로 분해되지 않는다. ➡ 현재까지 알려진 원소의 종류는 약 110가지이다.

point 2° 원소의 종류가 물질의 종류에 비해 적은 까닭: 원소들이 모여 다양한 물질을 생성하기 때문이다.

02 주기율 및 주기율표와 관련된 과학자

point 1° 주기율 및 주기율표와 관련된 과학자를 시대 순으로 기억한다.

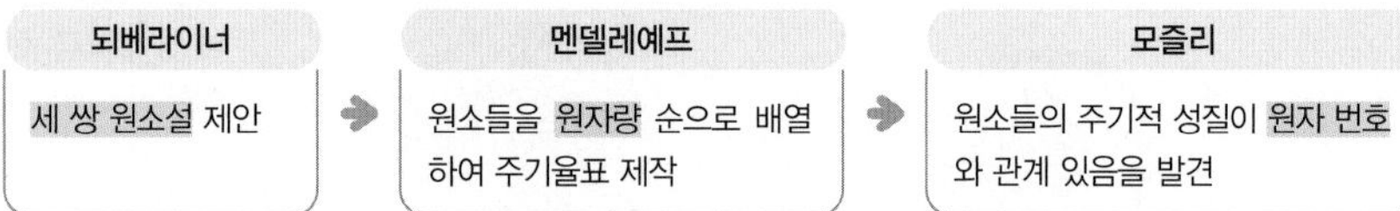

point 2° 주기율표의 기틀을 마련한 과학자는 멘델레예프이지만, 우리가 사용하고 있는 주기율표는 모즐리가 발견한 원자 번호 순서로 원소를 배열한 것이다.

되베라이너
세 쌍 원소설 제안
멘델레예프
원소들을 원자량 순으로 배열하여 주기율표 제작
모즐리
원소들의 주기적 성질이 원자 번호와 관계 있음을 발견

03 현대의 주기율표

point 1° 현대의 주기율표는 원소들을 원자 번호(양성자수) 순서로 나열하되, 화학적 성질이 비슷한 원소들이 같은 세로 줄에 오도록 배열하였다.

point 2° 족과 주기

- 족: 주기율표의 세로줄, 1~18족으로 구성된다.
- 주기: 주기율표의 가로줄, 1~7주기로 구성된다.

주기 \ 족	1	2	3	4	5	6	7	8	9	10	11	12	13	14	15	16	17	18
1	1 H 수소																	2 He 헬륨
2	3 Li 리튬	4 Be 베릴륨											5 B 붕소	6 C 탄소	7 N 질소	8 O 산소	9 F 플루오린	10 Ne 네온
3	11 Na 나트륨	12 Mg 마그네슘											13 Al 알루미늄	14 Si 규소	15 P 인	16 S 황	17 Cl 염소	18 Ar 아르곤
4	19 K 칼륨	20 Ca 칼슘	21 Sc 스칸듐	22 Ti 타이타늄	23 V 바나듐	24 Cr 크로뮴	25 Mn 망가니즈	26 Fe 철	27 Co 코발트	28 Ni 니켈	29 Cu 구리	30 Zn 아연	31 Ga 갈륨	32 Ge 저마늄	33 As 비소	34 Se 셀레늄	35 Br 브로민	36 Kr 크립톤
5	37 Rb 루비듐	38 Sr 스트론튬	39 Y 이트륨	40 Zr 지르코늄	41 Nb 나이오븀	42 Mo 몰리브데넘	43 Tc 테크네튬	44 Ru 루테늄	45 Rh 로듐	46 Pd 팔라듐	47 Ag 은	48 Cd 카드뮴	49 In 인듐	50 Sn 주석	51 Sb 안티모니	52 Te 텔루륨	53 I 아이오딘	54 Xe 제논
6	55 Cs 세슘	56 Ba 바륨	57~71 *란타넘족	72 Hf 하프늄	73 Ta 탄탈럼	74 W 텅스텐	75 Re 레늄	76 Os 오스뮴	77 Ir 이리듐	78 Pt 백금	79 Au 금	80 Hg 수은	81 Tl 탈륨	82 Pb 납	83 Bi 비스무트	84 Po 폴로늄	85 At 아스타틴	86 Rn 라돈
7	87 Fr 프랑슘	88 Ra 라듐	89~103 **악티늄족	104 Rf 러더포듐	105 Db 더브늄	106 Sg 시보귬	107 Bh 보륨	108 Hs 하슘	109 Mt 마이트너륨	110 Ds 다름슈타튬	111 Rg 뢴트게늄	112 Cn 코페르니슘	113 Nh 니호늄	114 Fl 플레로븀	115 Mc 모스코븀	116 Lv 리버모륨	117 Ts 테네신	118 Og 오가네손

*란타넘족	57 La 란타넘	58 Ce 세륨	59 Pr 프라세오디뮴	60 Nd 네오디뮴	61 Pm 프로메튬	62 Sm 사마륨	63 Eu 유로퓸	64 Gd 가돌리늄	65 Tb 터븀	66 Dy 디스프로슘	67 Ho 홀뮴	68 Er 어븀	69 Tm 툴륨	70 Yb 이터븀	71 Lu 루테튬
**악티늄족	89 Ac 악티늄	90 Th 토륨	91 Pa 프로트악티늄	92 U 우라늄	93 Np 넵투늄	94 Pu 플루토늄	95 Am 아메리슘	96 Cm 퀴륨	97 Bk 버클륨	98 Cf 캘리포늄	99 Es 아인슈타이늄	100 Fm 페르뮴	101 Md 멘델레븀	102 No 노벨륨	103 Lr 로렌슘

04 금속 원소와 비금속 원소

point 1° 금속 원소와 비금속 원소의 특징을 비교해서 알아둔다.

구분	금속 원소	비금속 원소
주기율표에서 위치	왼쪽과 가운데	오른쪽(단, 수소는 왼쪽)
실온에서 상태	고체(단, 수은은 액체)	기체 또는 고체(단, 브로민은 액체)
광택	있다.	없다.
열, 전기 전도성	크다.	작다.(단, 흑연은 예외)
뽑힘성, 펴짐성	있다.	없다.

05 알칼리 금속과 할로젠

point 1° 알칼리 금속과 할로젠의 주기율표에서의 위치와 성질을 기억한다.

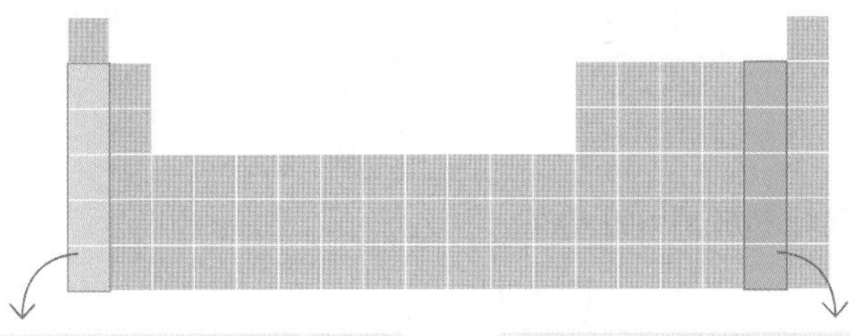

알칼리 금속

- 밀도가 작고, 무르다.
- 산소와 반응하여 광택을 잃는다.
- 물과 반응하여 수소 기체를 발생시키고, 이때 생성된 수용액은 염기성을 띤다.
- 반응성: Li < Na < K

할로젠

- 실온에서 이원자 분자로 존재한다.
- 금속과 반응하면서 열과 빛을 낸다.
- 수소와 반응하여 생성된 할로젠화 수소는 물에 녹아 산성을 띤다.
- 반응성: $F_2 > Cl_2 > Br_2 > I_2$

point 2° 알칼리 금속의 성질을 실험으로 확인한다.

(가) 알칼리 금속을 칼로 자르는 경우

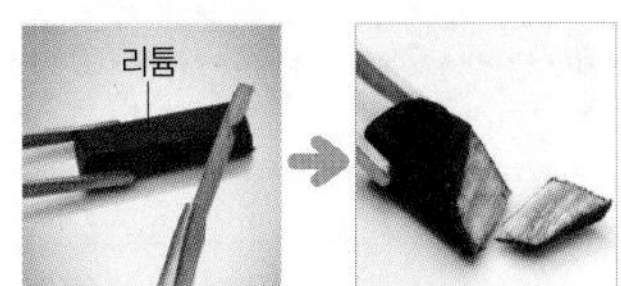

(나) 알칼리 금속을 물과 반응시키는 경우

구분		리튬	나트륨	칼륨
(가)	단단한 정도	쉽게 잘림		
	단면의 색 변화	광택이 서서히 사라짐	광택이 금방 사라짐	광택이 빠르게 사라짐
(나)	물과 반응 정도	잘 반응함	격렬히 반응함	매우 격렬히 반응함
	수용액의 색 변화	무색 → 붉은색		

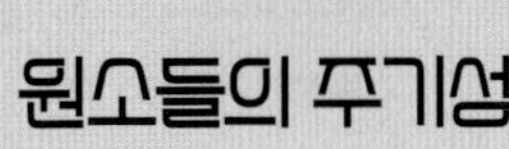

06 원자의 구조

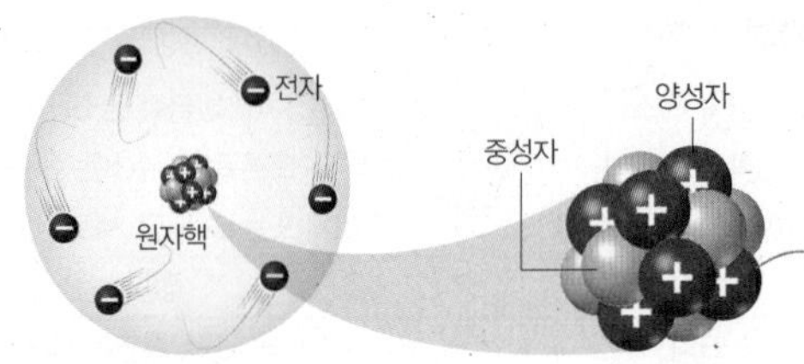

point 1° 원자의 양성자수와 전자 수는 같다.
➡ 원자는 전기적으로 중성이다.

point 2° 양성자수는 원자마다 다르다.
➡ 양성자수로 원자 번호를 정한다.

point 1+2° 원자의 양성자수=전자 수=원자 번호=6

07 산소 원자의 전자 배치

point 1° 전자는 원자핵에서 가까운 전자 껍질부터 차례대로 채워진다. ➡ 첫 번째 전자 껍질에 전자 최대 2개, 두 번째와 세 번째 전자 껍질에 전자 최대 8개

첫 번째 전자 껍질: 에너지 준위가 낮아 전자 2개가 먼저 채워진다.

8+

두 번째 전자 껍질: 첫 번째 전자 껍질을 채우고 남은 전자 6개가 들어 있다.

08 주기율표와 전자 배치의 관계

point 1° 족과 전자 배치
- 같은 족 원소들은 원자가 전자 수가 같다.
  ➡ 원자가 전자 수=족 번호의 일의 자리 수
- 화학적 성질이 비슷하다.(단, 수소 및 3~12족 원소는 예외)

주기 \ 족	1	2	13	14	15	16	17	18
1	1+ H	전자 껍질 — 1+ — 전자						2+ He
2	3+ Li	4+ Be	5+ B	6+ C	7+ N	8+ O	9+ F	10+ Ne
3	11+ Na	12+ Mg	13+ Al	14+ Si	15+ P	16+ S	17+ Cl	18+ Ar
원자가 전자 수	1	2	3	4	5	6	7	0

point 2° 주기와 전자 배치
- 같은 주기 원소들은 전자가 들어 있는 전자 껍질 수가 같다.
  ➡ 전자가 들어 있는 전자 껍질 수=주기 번호
- 같은 주기에서 원자가 전자 수는 원자 번호가 증가함에 따라 점차 커지다가 18족 원소에서 0이 된다.

point 1+2° 원소의 주기성이 나타나는 까닭: 원자 번호가 증가함에 따라 원소의 화학적 성질을 결정하는 원자가 전자 수가 주기적으로 변하기 때문이다.

4 원소들의 화학 결합과 다양한 물질

01 비활성 기체의 전자 배치와 화학 결합의 원리

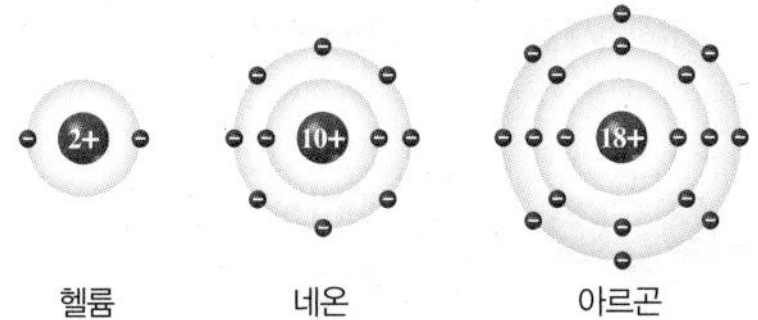

point 1° 비활성 기체는 가장 바깥 전자 껍질에 전자가 8개 채워진 안정한 전자 배치를 이룬다.(단, 헬륨은 2개)

point 2° 화학 결합이 형성되는 까닭: 원소들은 화학 결합을 형성하여 비활성 기체와 같은 안정한 전자 배치를 이루려고 하기 때문이다.

02 원자가 전자 수와 이온의 생성

point 1° 주기율표에서 양이온과 음이온이 되기 쉬운 원소들의 위치를 알아둔다.

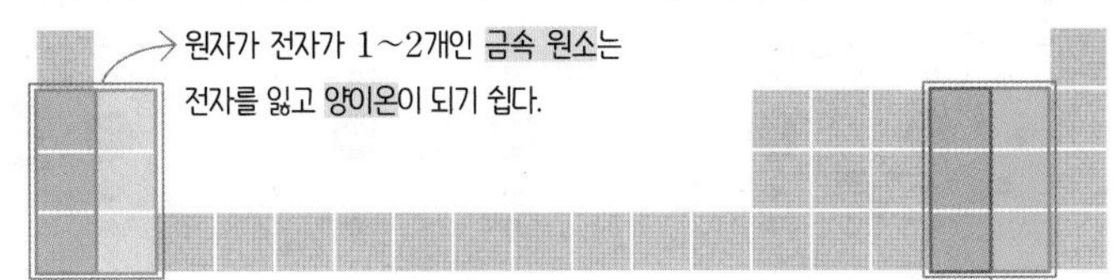

원자가 전자가 1～2개인 금속 원소는
전자를 잃고 양이온이 되기 쉽다.
원자가 전자가 6～7개인 비금속 원소는 전자를 얻어 음이온이 되기 쉽다.

03 염화 나트륨의 이온 결합 형성 과정

point 1° 이온 결합은 금속 양이온과 비금속 음이온 사이의 정전기적 인력으로 형성되는 화학 결합이다.

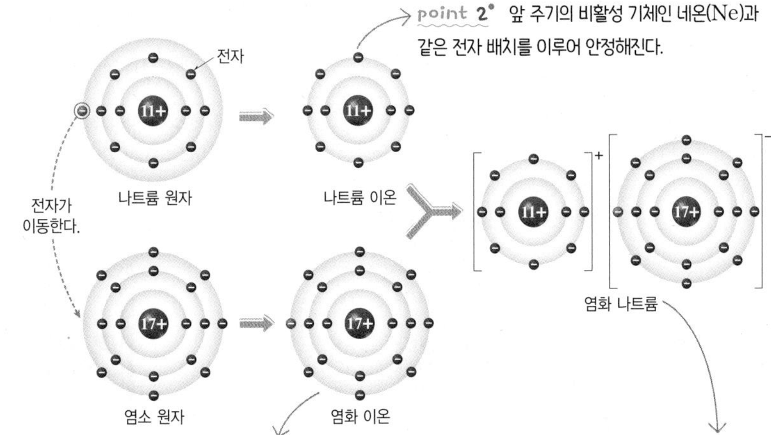

point 3° 같은 주기의 비활성 기체인 아르곤(Ar)과 같은 전자 배치를 이루어 안정해진다.

point 4° 나트륨 이온(Na^+)과 염화 이온(Cl^-)이 정전기적 인력에 의해 결합을 형성한다.

원소들의 화학 결합과 다양한 물질

04 수소 분자의 공유 결합 형성 과정

point 1° 공유 결합은 비금속 원소의 원자들이 전자쌍을 공유하면서 형성되는 결합이다.

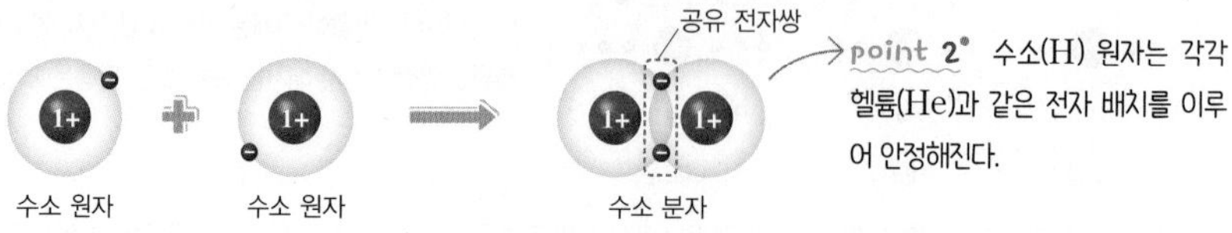

point 2° 수소(H) 원자는 각각 헬륨(He)과 같은 전자 배치를 이루어 안정해진다.

05 공유 결합의 종류

point 1° 이웃한 두 원자 사이에 공유하는 전자쌍 수에 따라 단일 결합, 2중 결합, 3중 결합으로 구분한다.

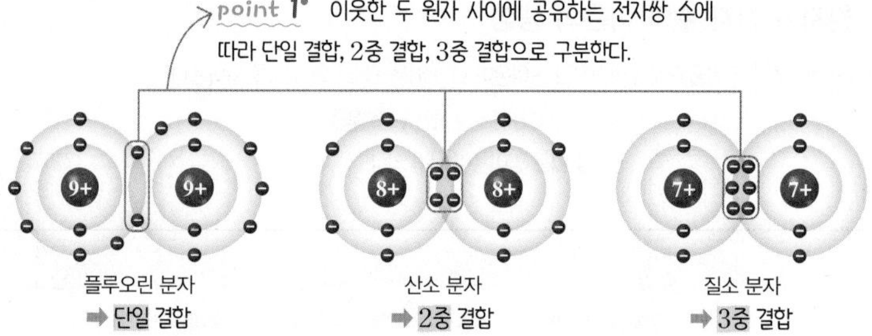

플루오린 분자 ➡ 단일 결합

산소 분자 ➡ 2중 결합

질소 분자 ➡ 3중 결합

06 이온 결합 물질과 공유 결합 물질의 성질

point 1° 이온 결합 물질과 공유 결합 물질의 성질을 비교해서 기억한다.

구분	이온 결합 물질	공유 결합 물질
녹는점과 끓는점	높다. ➡ 실온에서 대부분 고체 상태	낮다. ➡ 실온에서 대부분 액체나 기체 상태
물에 대한 용해성	대부분 물에 잘 녹는다.	분자의 성질에 따라 물에 녹는 것도 있고, 물에 녹지 않는 것도 있다.
전기 전도성	• 고체 상태: 없다. • 액체 상태 및 수용액 상태: 있다. (−)극 (+)극 Cl^- Na^+ 염화 나트륨 수용액 ➡ 이온들이 자유롭게 이동할 수 있기 때문이다.	• 대부분 없다. (−)극 (+)극 설탕 수용액 ➡ 대부분 이온이 아닌 전기적으로 중성인 분자 상태로 존재하기 때문이다.

1 지각과 생명체 구성 물질의 결합 규칙성

01 지각과 생명체를 구성하는 원소의 비율

point 1° 지각과 생명체에는 공통적으로 산소가 가장 많다.

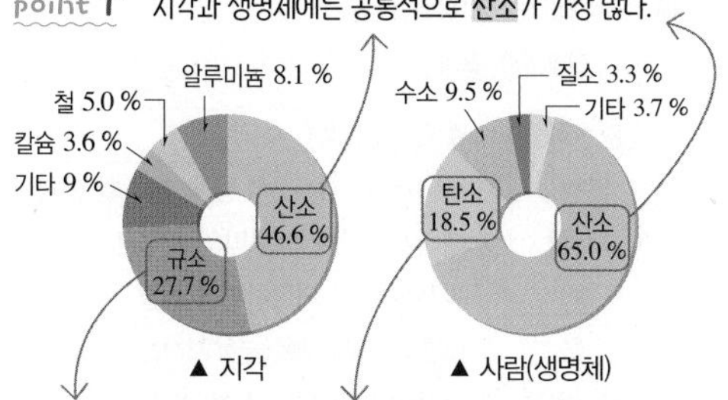

▲ 지각 ▲ 사람(생명체)

point 2° 지각은 산소 다음으로 규소의 비율이 높고, 생명체는 산소 다음으로 탄소의 비율이 높다.

point 3° 지각과 생명체를 구성하는 원소의 기원

원소	원소의 기원
산소	별 내부의 핵융합 반응
탄소	별 내부의 핵융합 반응
규소	별 내부의 핵융합 반응
수소	빅뱅 우주 탄생 초기

02 지각을 구성하는 규산염 광물의 결합 규칙성

point 1° 규산염 사면체와 규산염 광물의 결합 구조를 알아둔다.

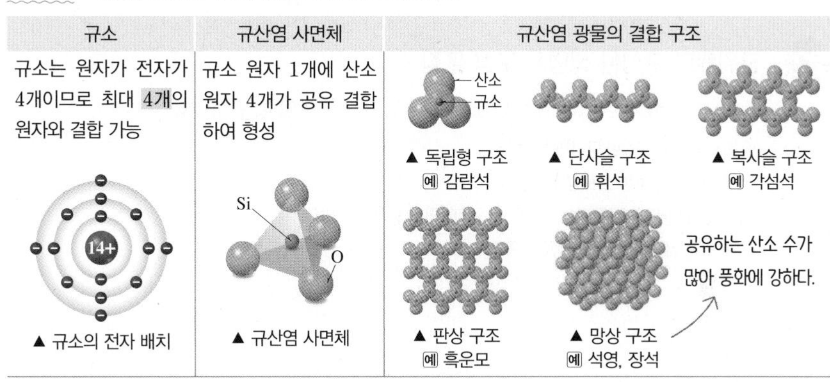

규소	규산염 사면체	규산염 광물의 결합 구조
규소는 원자가 전자가 4개이므로 최대 4개의 원자와 결합 가능 ▲ 규소의 전자 배치	규소 원자 1개에 산소 원자 4개가 공유 결합하여 형성 ▲ 규산염 사면체	▲ 독립형 구조 예 감람석 ▲ 단사슬 구조 예 휘석 ▲ 복사슬 구조 예 각섬석 ▲ 판상 구조 예 흑운모 ▲ 망상 구조 예 석영, 장석 공유하는 산소 수가 많아 풍화에 강하다.

03 생명체를 구성하는 탄소 화합물의 결합 규칙성

point 1° 탄소 화합물과 탄소 원자의 결합 방식을 알아둔다.

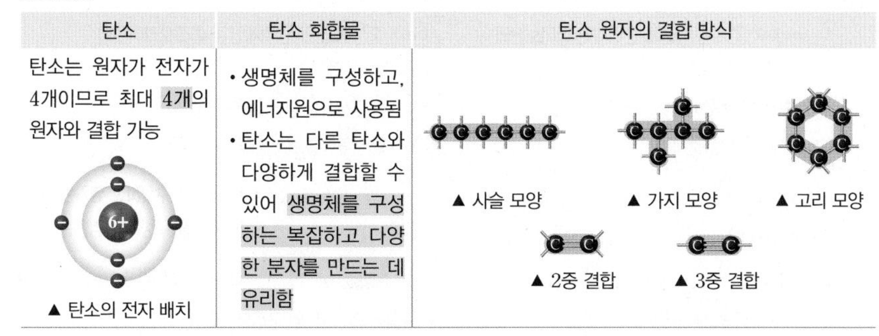

탄소	탄소 화합물	탄소 원자의 결합 방식
탄소는 원자가 전자가 4개이므로 최대 4개의 원자와 결합 가능 ▲ 탄소의 전자 배치	• 생명체를 구성하고, 에너지원으로 사용됨 • 탄소는 다른 탄소와 다양하게 결합할 수 있어 생명체를 구성하는 복잡하고 다양한 분자를 만드는 데 유리함	▲ 사슬 모양 ▲ 가지 모양 ▲ 고리 모양 ▲ 2중 결합 ▲ 3중 결합

생명체 구성 물질의 형성

01 생명체를 구성하는 물질

point 1° 사람을 구성하는 물질의 비율과 함께 각 물질의 기능을 알아둔다.

사람을 구성하는 물질 중 가장 많다.

탄소 화합물 중 가장 많다.

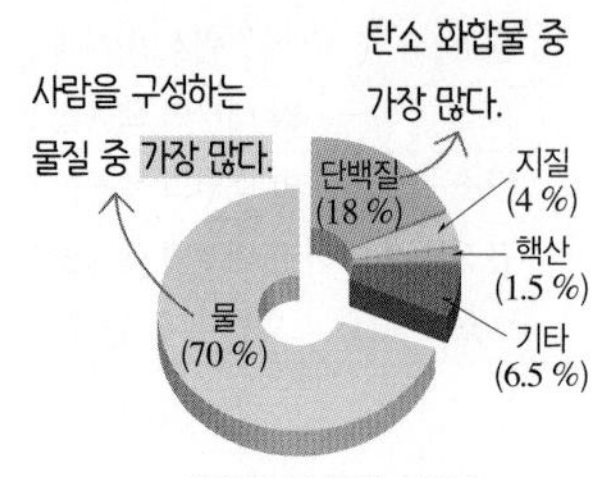

▲ 사람을 구성하는 물질

탄소 화합물이다.

탄수화물	주요 에너지원
단백질	생명체의 주요 구성 물질, 효소와 항체의 주성분
지질	에너지원이며, 세포막의 주성분
핵산	유전 정보를 저장하거나 전달
물	비열이 커서 체온을 유지하는 데 도움
무기염류	다양한 생리 작용 조절

02 단위체로 구성된 생명체 구성 물질

point 1° 생명체 구성 물질 중 단위체로 구성된 탄소 화합물은 탄수화물, 단백질, 핵산이다.

point 2° 각 물질의 단위체를 알아둔다.

- 탄수화물의 단위체: 포도당 1종류
- 단백질의 단위체: 아미노산 20종류 ➡ 단위체의 종류가 가장 많다.
- 핵산의 단위체: 뉴클레오타이드 8종류

03 아미노산의 구조와 뉴클레오타이드의 구조

point 1° 단백질의 단위체인 아미노산의 구조를 알아둔다.

곁사슬의 종류에 따라 아미노산의 종류가 달라진다.

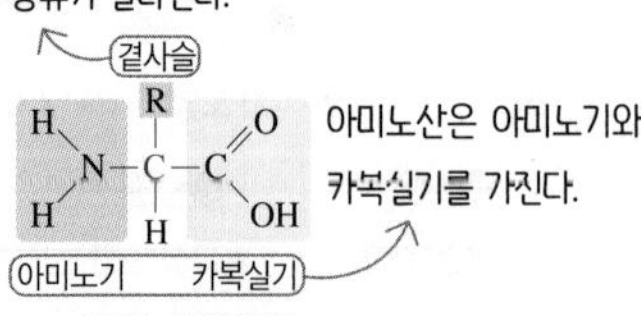

아미노산은 아미노기와 카복실기를 가진다.

▲ 아미노산의 구조

point 2° 핵산의 단위체인 뉴클레오타이드의 구조를 알아둔다.

DNA를 구성하는 당은 디옥시리보스, RNA를 구성하는 당은 리보스

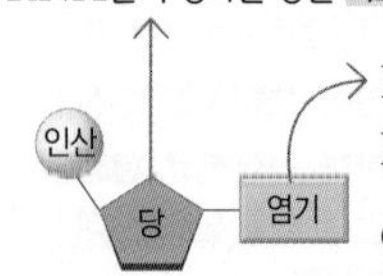

DNA를 구성하는 염기는 A, G, C, T, RNA를 구성하는 염기는 A, G, C, U

인산, 당, 염기가 1 : 1 : 1로 결합되어 있다.

▲ 뉴클레오타이드의 구조

04 단백질 형성 과정

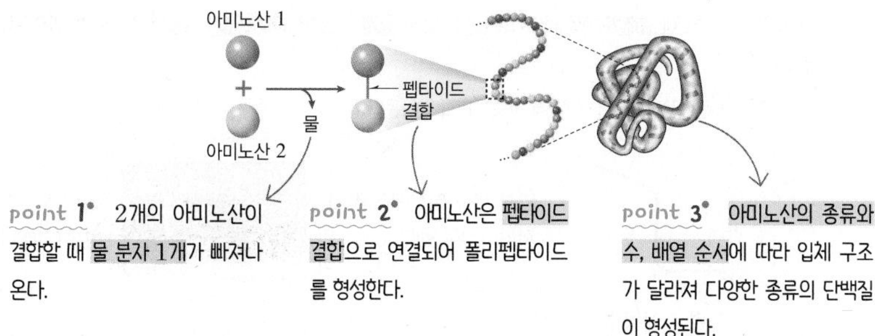

point 1° 2개의 아미노산이 결합할 때 물 분자 1개가 빠져나온다.

point 2° 아미노산은 펩타이드 결합으로 연결되어 폴리펩타이드를 형성한다.

point 3° 아미노산의 종류와 수, 배열 순서에 따라 입체 구조가 달라져 다양한 종류의 단백질이 형성된다.

05 DNA와 RNA의 비교

point 1° 핵산의 종류인 DNA와 RNA를 비교하여 알아둔다.

구분	DNA	RNA
분자 구조	이중 나선 구조	단일 가닥 구조
당	디옥시리보스	리보스
염기	아데닌(A), 구아닌(G), 사이토신(C), 타이민(T)	아데닌(A), 구아닌(G), 사이토신(C), 유라실(U)
기능	유전 정보 저장	유전 정보 전달, 단백질 합성에 관여

06 DNA의 구조

point 1° DNA의 단위체: 뉴클레오타이드(인산+당+염기)

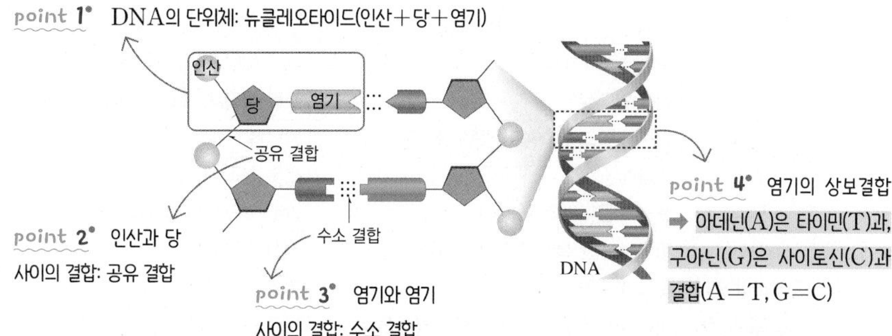

point 2° 인산과 당 사이의 결합: 공유 결합

point 3° 염기와 염기 사이의 결합: 수소 결합

point 4° 염기의 상보결합
➡ 아데닌(A)은 타이민(T)과, 구아닌(G)은 사이토신(C)과 결합(A=T, G=C)

03 신소재의 개발과 이용

01 초전도체

point 1 초전도체: 초전도 현상을 나타내는 물질 ➡ 임계 온도 이하에서 전기 저항이 0이 되며, 외부 자기장을 밀어내는 성질이 있다.

point 2 초전도체의 특징을 어떻게 이용하는지 알아둔다.

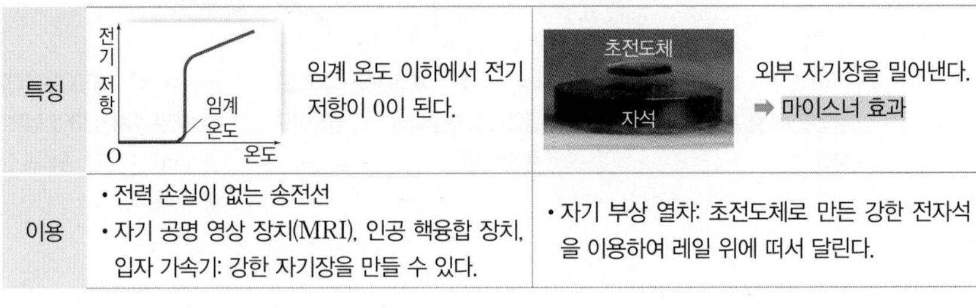

특징	(그래프: 전기 저항 – 온도, O, 임계 온도) 임계 온도 이하에서 전기 저항이 0이 된다.	(사진: 초전도체, 자석) 외부 자기장을 밀어낸다. ➡ 마이스너 효과
이용	• 전력 손실이 없는 송전선 • 자기 공명 영상 장치(MRI), 인공 핵융합 장치, 입자 가속기: 강한 자기장을 만들 수 있다.	• 자기 부상 열차: 초전도체로 만든 강한 전자석을 이용하여 레일 위에 떠서 달린다.

02 그래핀과 탄소 나노 튜브

point 1 그래핀과 탄소 나노 튜브의 특징을 기억한다.

구분	그래핀	탄소 나노 튜브
구조	탄소 원자가 공유 결합하여 육각형 벌집 모양으로 연결된 평면적인 구조 ➡ 흑연의 한 층	그래핀이 나선형으로 말려 있는 구조
특징	투명하고 강도가 높으며 열을 잘 전달하고 전기 전도성이 좋다.	열을 잘 전달하고 전기 전도성이 좋다.
단점	대량 생산이 어렵고 생산 비용이 많이 들며, 제품의 수송과 저장이 어렵다.	
이용	휘어지는 디스플레이, 의복형 컴퓨터 등	첨단 현미경의 탐침, 나노 핀셋 등

03 자연을 모방한 신소재

point 1 여러 가지 생체 모방의 예를 알아둔다.

구분	특징(모방대상)	이용
도마뱀붙이	발바닥의 미세 섬모	게코 테이프, 의료용 패치, 스티키봇
홍합	접착 단백질	수중 접착제, 의료용 생체 접착제
거미	강도가 높고 신축성이 좋은 거미줄	방탄복
박쥐	초음파	로봇 청소기
연잎	표면의 돌기와 기름 성분	방수 코팅제, 오염 방지 페인트
상어	피부에 있는 특수한 모양의 비늘	전신 수영복
도꼬마리 열매	갈고리 구조	벨크로 테이프
모르포 나비	여러 층의 얇은 막과 격자로 이루어진 날개	모르포텍스 섬유

1 물체의 운동

01 이동 거리와 변위, 속력과 속도

point 1 속력, 속도, 가속도를 구하는 식을 기억한다.

- 속력$=\dfrac{\text{이동 거리}}{\text{걸린 시간}}$ [단위: m/s, km/h]
- 속도$=\dfrac{\text{변위}}{\text{걸린 시간}}$ [단위: m/s, km/h]
- 가속도$=\dfrac{\text{속도 변화량}}{\text{걸린 시간}}$ [단위: $\mathrm{m/s^2}$]

point 2 이동 거리는 물체가 실제로 움직인 총 거리이고, 변위는 처음 위치에서 나중 위치까지의 직선거리와 방향이다.

point 3 이동 거리와 속력은 크기만 있는 물리량이고, 변위와 속도, 가속도는 크기와 방향이 있는 물리량이다.

02 힘과 가속도 법칙

point 1 힘은 물체의 모양이나 운동 상태를 변화시키는 원인으로, 힘의 단위는 N(뉴턴)이다.

point 2 알짜힘은 물체에 여러 힘이 작용할 때 모든 힘을 합한 것으로, 물체의 운동 상태는 알짜힘에 의해 결정된다.

point 3 가속도 법칙(뉴턴 운동 제2법칙): 물체의 가속도 $a(\mathrm{m/s^2})$는 물체에 작용한 알짜힘 $F(\mathrm{N})$에 비례하고, 물체의 질량 $m(\mathrm{kg})$에 반비례한다.

$$\text{가속도}=\frac{\text{알짜힘}}{\text{질량}},\ a=\frac{F}{m} \Rightarrow F=ma$$

03 등속 직선 운동과 등가속도 직선 운동

point 1 등속 직선 운동과 등가속도 직선 운동의 그래프와 식을 기억한다.

속도가 일정한 운동

등속 직선 운동

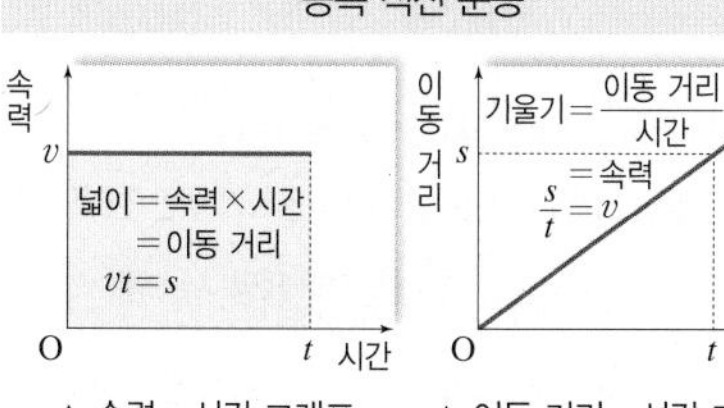

▲ 속력 – 시간 그래프 ▲ 이동 거리 – 시간 그래프

- 이동 거리=속력×시간, $s=vt$

가속도의 크기와 운동 방향이 일정한 운동

등가속도 직선 운동

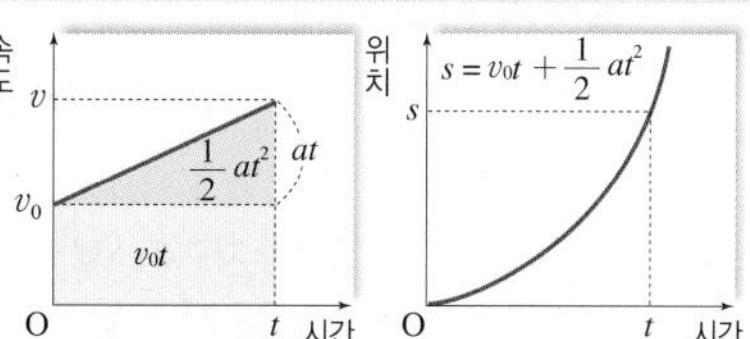

▲ 속도 – 시간 그래프 ▲ 위치 – 시간 그래프

- $v=v_0+at,\ s=v_0t+\dfrac{1}{2}at^2,\ 2as=v^2-v_0{}^2$

(v: 나중 속도, v_0: 처음 속도, a: 가속도, t: 시간, s: 변위)

중력과 역학적 시스템

01 중력

point 1° 중력의 작용과 특징을 알아둔다.

- 중력: 지구와 물체 사이에 항상 작용하는 서로 당기는 힘, 일반적으로 질량이 있는 모든 물체 사이에 상호 작용 하는 힘
- 지구 중력의 방향: 지구 중심 방향
- 무게: 물체에 작용하는 중력의 크기 ➡ 지표면에서 질량 1 kg인 물체에 작용하는 중력의 크기는 약 9.8 N이다.

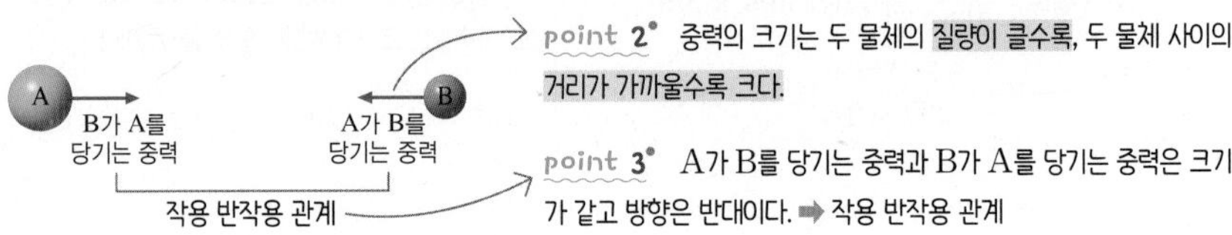

point 2° 중력의 크기는 두 물체의 질량이 클수록, 두 물체 사이의 거리가 가까울수록 크다.

point 3° A가 B를 당기는 중력과 B가 A를 당기는 중력은 크기가 같고 방향은 반대이다. ➡ 작용 반작용 관계

02 자유 낙하 운동과 수평 방향으로 던진 물체의 운동

point 1° 자유 낙하 운동과 수평 방향으로 던진 물체의 운동에서 물체에 작용하는 힘과 속도 변화를 파악한다.

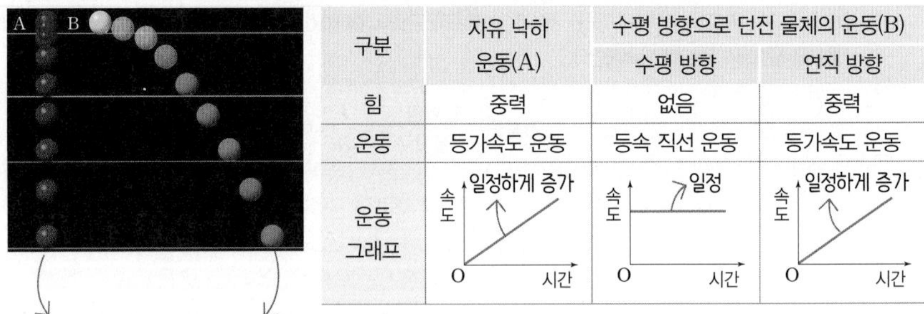

구분	자유 낙하 운동(A)	수평 방향으로 던진 물체의 운동(B)	
		수평 방향	연직 방향
힘	중력	없음	중력
운동	등가속도 운동	등속 직선 운동	등가속도 운동
운동 그래프	(속도-시간 그래프: 일정하게 증가)	(속도-시간 그래프: 일정)	(속도-시간 그래프: 일정하게 증가)

point 2° 같은 높이에서 동시에 운동을 시작하는 A와 B는 동시에 바닥에 도달한다.

03 중력과 자연 현상

point 1° 중력이 지구 시스템과 생명 시스템에 작용하여 나타나는 여러 가지 현상을 알아둔다.

생명 시스템에서는 중력에 적응하기 위한 진화의 흔적이 보인다.

중력과 지구 시스템	중력과 생명 시스템
• 태양의 중력에 의해 행성이 태양 주위를 공전하고, 지구 중력에 의해 달과 인공위성이 지구 주위를 공전한다. • 밀물과 썰물의 주된 원인은 달과 태양이 지구에 작용하는 중력이다.	• 목이 매우 긴 기린은 중력을 극복하기 위해 다른 동물에 비해 심장이 크고 혈압이 높다. • 몸무게가 무거운 코끼리나 하마는 단단한 골격으로 중력을 이겨낸다.

01 관성

point 1° 관성: 물체가 현재의 운동 상태를 유지하려는 성질 ➡ 물체의 질량이 클수록 관성이 크다.

point 2° 관성에 의해 나타나는 현상을 알아둔다.

정지 관성에 의한 현상	운동 관성에 의한 현상
정지해 있던 물체는 계속 정지해 있으려고 한다. 예 버스가 갑자기 출발하면 승객이 뒤로 쏠린다.	운동하던 물체는 계속 등속 직선 운동을 하려고 한다. 예 달리던 버스가 갑자기 멈추면 승객이 앞으로 쏠린다.

point 3° 관성 법칙(뉴턴 운동 제1법칙): 물체에 작용하는 알짜힘이 0이면 정지해 있던 물체는 계속 정지해 있고, 운동하던 물체는 계속 등속 직선 운동을 한다.

02 운동량과 충격량

point 1° 운동량과 충격량을 알고 둘의 관계를 설명할 수 있어야 한다.

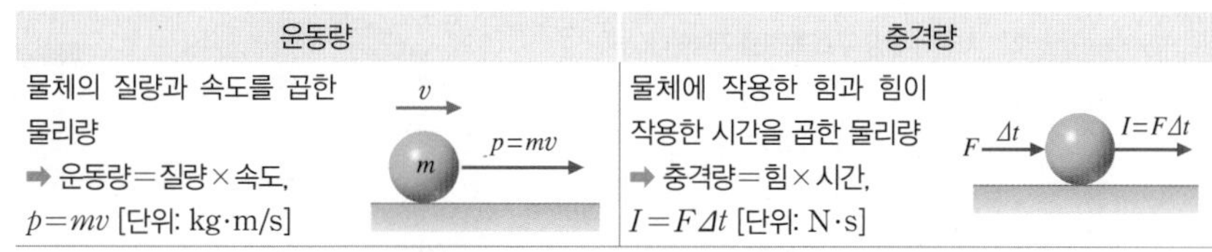

운동량	충격량
물체의 질량과 속도를 곱한 물리량 ➡ 운동량=질량×속도, $p=mv$ [단위: kg·m/s]	물체에 작용한 힘과 힘이 작용한 시간을 곱한 물리량 ➡ 충격량=힘×시간, $I=F\Delta t$ [단위: N·s]
운동량과 충격량의 관계: 물체가 힘을 받으면 속도가 변하므로 운동량이 변한다. ➡ 충격량=운동량의 변화량=나중 운동량−처음 운동량	

03 충돌과 안전장치

point 1° 충격량=충격력×충돌 시간 ➡ 충격량이 같을 때 충격력과 충돌 시간은 반비례한다.

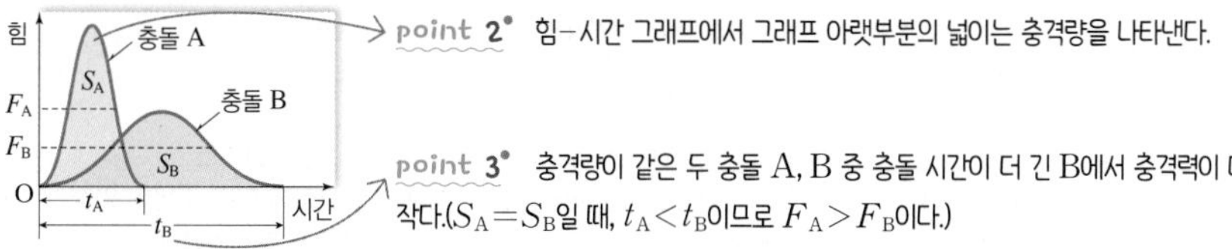

point 2° 힘-시간 그래프에서 그래프 아랫부분의 넓이는 충격량을 나타낸다.

point 3° 충격량이 같은 두 충돌 A, B 중 충돌 시간이 더 긴 B에서 충격력이 더 작다.($S_A=S_B$일 때, $t_A<t_B$이므로 $F_A>F_B$이다.)

point 4° 충돌 시 안전을 위해서는 몸이 튀어 나가는 것을 막거나 충격량을 줄여야 하며, 충격량이 같을 때에는 충돌 시간을 길게 하여 충격력을 작게 해야 한다.

- 충돌 시 사람의 몸이 관성에 의해 튀어 나가는 것을 막기 위해 안전띠를 착용한다.
- 충돌 시 각 물체가 받는 충격량은 충돌 전 상대적인 속도에 의해 결정되므로 충격량을 작게 하기 위해 과속을 하지 않는다.
- 충격량이 같을 때, 충돌 시간을 길게 하면 충격력을 줄일 수 있으므로 자동차에는 에어백과 범퍼가 있다.

1 지구 시스템의 에너지와 물질 순환

01 기권의 층상 구조

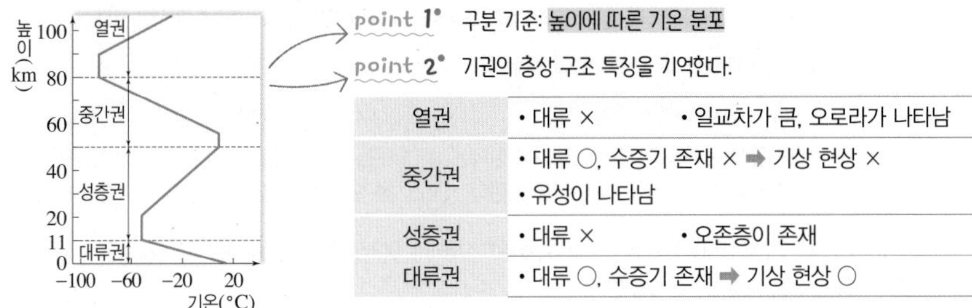

point 1° 구분 기준: 높이에 따른 기온 분포

point 2° 기권의 층상 구조 특징을 기억한다.

열권	• 대류 ×	• 일교차가 큼, 오로라가 나타남
중간권	• 대류 ○, 수증기 존재 × ➡ 기상 현상 × • 유성이 나타남	
성층권	• 대류 ×	• 오존층이 존재
대류권	• 대류 ○, 수증기 존재 ➡ 기상 현상 ○	

02 지권의 층상 구조

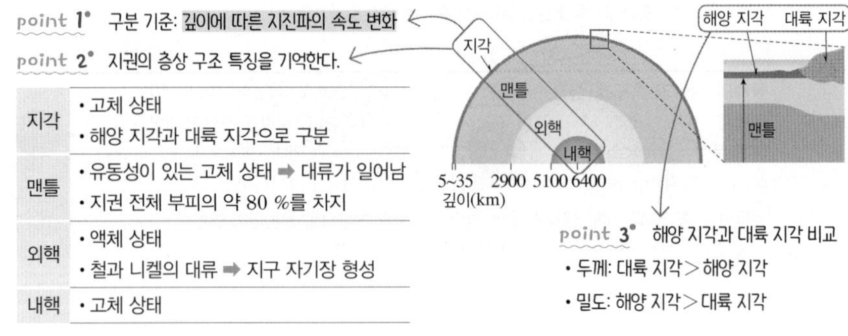

point 1° 구분 기준: 깊이에 따른 지진파의 속도 변화

point 2° 지권의 층상 구조 특징을 기억한다.

지각	• 고체 상태 • 해양 지각과 대륙 지각으로 구분
맨틀	• 유동성이 있는 고체 상태 ➡ 대류가 일어남 • 지권 전체 부피의 약 80 %를 차지
외핵	• 액체 상태 • 철과 니켈의 대류 ➡ 지구 자기장 형성
내핵	• 고체 상태

point 3° 해양 지각과 대륙 지각 비교

• 두께: 대륙 지각 > 해양 지각

• 밀도: 해양 지각 > 대륙 지각

03 수권의 층상 구조

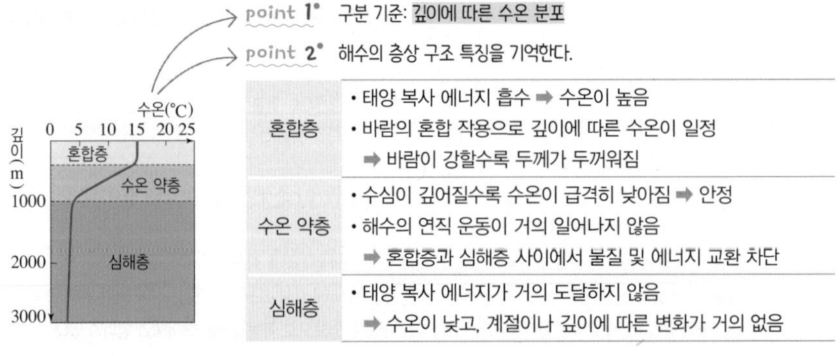

point 1° 구분 기준: 깊이에 따른 수온 분포

point 2° 해수의 층상 구조 특징을 기억한다.

혼합층	• 태양 복사 에너지 흡수 ➡ 수온이 높음 • 바람의 혼합 작용으로 깊이에 따른 수온이 일정 ➡ 바람이 강할수록 두께가 두꺼워짐
수온 약층	• 수심이 깊어질수록 수온이 급격히 낮아짐 ➡ 안정 • 해수의 연직 운동이 거의 일어나지 않음 ➡ 혼합층과 심해층 사이에서 물질 및 에너지 교환 차단
심해층	• 태양 복사 에너지가 거의 도달하지 않음 ➡ 수온이 낮고, 계절이나 깊이에 따른 변화가 거의 없음

04 생물권

point 1° 생물권: 지구에 살고 있는 모든 생물 예 동물, 식물, 미생물 등

point 2° 분포: 생물권은 기권, 지권, 수권에 걸쳐 분포한다. ➡ 생물권이 가장 마지막으로 형성되었다.

point 3° 역할

- 생물은 광합성과 호흡을 통해 지구 대기를 변화시킨다.
- 토양 속 미생물이 생물의 사체나 배설물을 분해하여 토양의 성분을 변화시키기도 한다.

05 외권

point 1° 외권: 기권 밖의 우주 공간 예 태양계 천체(태양, 달, 행성), 별, 은하 등

point 2° 에너지와 물질의 이동: 지구는 외권과 끊임없이 에너지를 교환하지만, 운석 외에는 물질의 이동이 거의 없다.

point 3° 지구 자기장: 우주선이나 태양풍의 고에너지 입자를 차단한다.

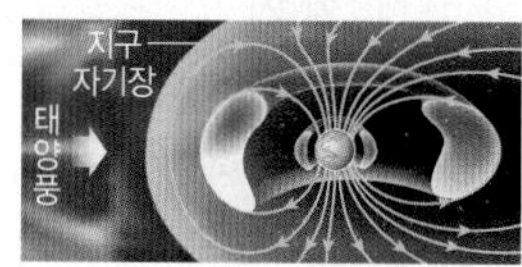

▲ 지구 자기장

06 지구 시스템 구성 요소의 상호 작용

point 1° 특징: 각 권 자체에서 일어나거나 서로 다른 권 사이에서도 일어난다.

point 2° 에너지와 물질의 이동: 상호 작용 과정에서 물질의 순환과 에너지 교환이 함께 일어난다.

point 3° 지구 시스템 구성 요소의 상호 작용 그림에서 각 상호 작용의 예를 알아둔다.

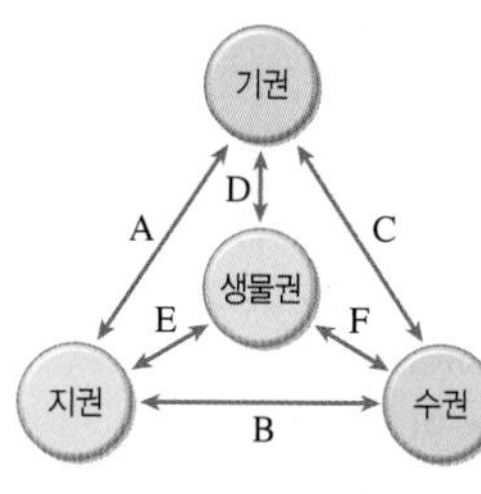

상호 작용	예
기권 ↔ 지권(A)	화산 활동으로 대기와 기온 변화, 사구, 버섯바위, 황사
지권 ↔ 수권(B)	지진 해일, 석회 동굴, 해식 동굴, 해안 절벽, U자곡, V자곡, 석회암 형성
수권 ↔ 기권(C)	해류 발생, 태풍, 엘니뇨, 증발, 이산화 탄소의 용해
기권 ↔ 생물권(D)	광합성, 호흡, 종자와 포자 운반
지권 ↔ 생물권(E)	화석 연료 생성, 서식처 제공
수권 ↔ 생물권(F)	부패 물질의 이동, 서식처 제공

07 지구 시스템의 에너지원

point 1 태양 에너지: 지구 시스템의 에너지원 중 가장 많은 양을 차지한다.

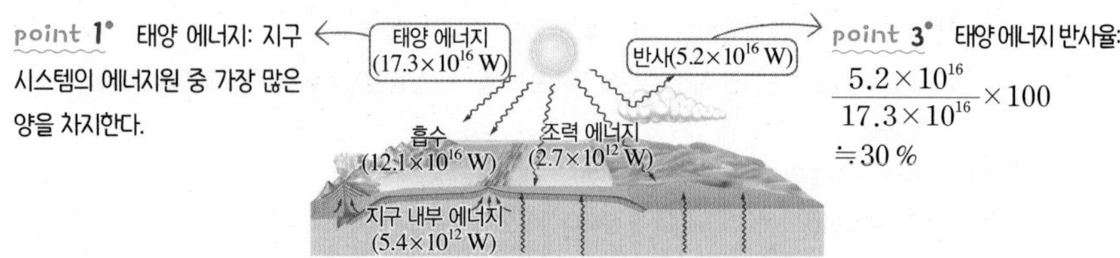

point 3 태양 에너지 반사율: $\frac{5.2\times10^{16}}{17.3\times10^{16}}\times100 \fallingdotseq 30\,\%$

point 2 지구 시스템의 에너지원의 근원과 에너지원에 의한 자연 현상의 예를 알아둔다.

에너지원	근원	자연 현상의 예
태양 에너지	태양의 수소 핵융합 반응	물과 대기의 순환, 기상 현상, 해류
지구 내부 에너지	방사성 원소의 붕괴열 등	지각 변동(지진, 화산 활동), 맨틀 대류
조력 에너지	달과 태양의 인력	밀물과 썰물

08 물의 순환과 물의 평형

point 1 물을 순환시키는 에너지원: 태양 에너지

point 2 물의 평형: 각 권에서 물을 얻은 양과 잃은 양이 같다.

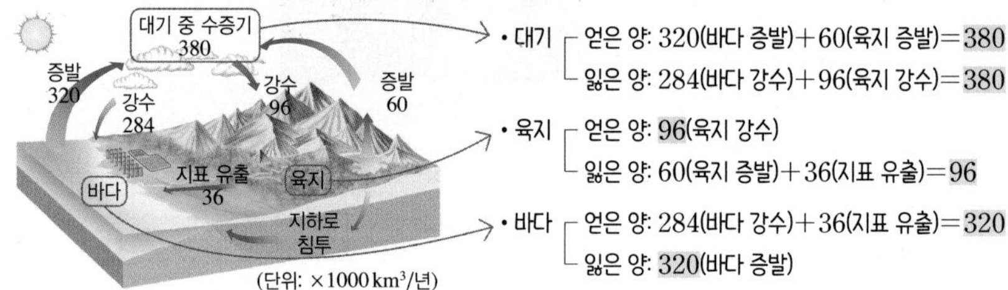

- 대기
  - 얻은 양: 320(바다 증발)+60(육지 증발)=380
  - 잃은 양: 284(바다 강수)+96(육지 강수)=380
- 육지
  - 얻은 양: 96(육지 강수)
  - 잃은 양: 60(육지 증발)+36(지표 유출)=96
- 바다
  - 얻은 양: 284(바다 강수)+36(지표 유출)=320
  - 잃은 양: 320(바다 증발)

09 탄소의 존재 형태와 탄소의 순환의 예

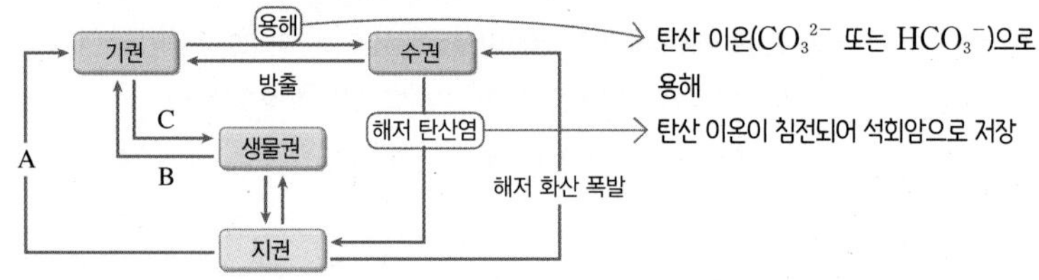

→ 탄산 이온(CO_3^{2-} 또는 HCO_3^-)으로 용해

→ 탄산 이온이 침전되어 석회암으로 저장

point 1 탄소의 존재 형태를 기억한다.

- 기권: 이산화 탄소(CO_2), 메테인(CH_4)
- 수권: 탄산 이온(CO_3^{2-} 또는 HCO_3^-)
- 생물권: 유기물
- 지권: 탄산 칼슘(석회암), 화석 연료

point 2 탄소의 순환의 예를 알아둔다.

- 지권 → 기권(A): 화산 분출, 화석 연료의 연소
- 생물권 → 기권(B): 호흡
- 기권 → 생물권(C): 광합성

지권의 변화

01 화산대와 지진대

point 1° 화산대와 지진대가 거의 일치한다. ➡ 지진과 화산 활동은 주로 판 경계에서 발생하기 때문이다.

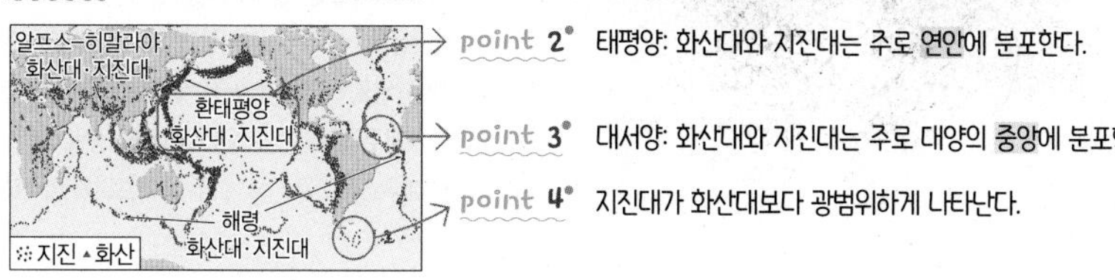

point 2° 태평양: 화산대와 지진대는 주로 연안에 분포한다.

point 3° 대서양: 화산대와 지진대는 주로 대양의 중앙에 분포한다.

point 4° 지진대가 화산대보다 광범위하게 나타난다.

02 판의 구조

point 1° 암석권(판): 지각 + 상부 맨틀 일부

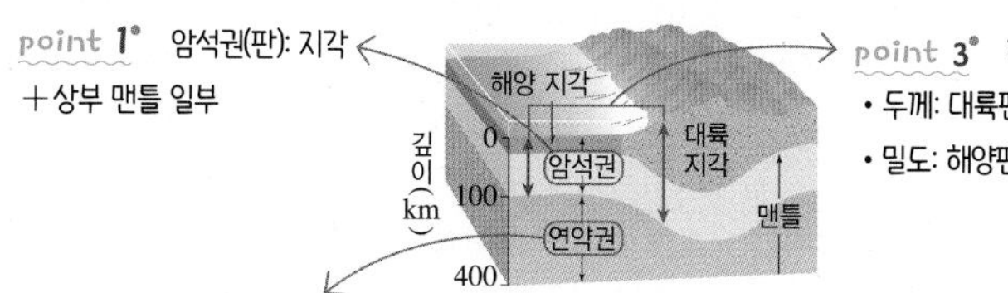

point 3° 해양판(↕)과 대륙판(↕) 비교
- 두께: 대륙판 > 해양판
- 밀도: 해양판 > 대륙판

point 2° 연약권: 암석권 아래에서 맨틀 물질이 부분적으로 녹아 있는 곳 ➡ 연약권의 대류: 판 이동의 원동력

03 판 경계에서 일어나는 지각 변동과 형성되는 지형

point 1° 발산형 경계

판의 종류	해양판과 해양판	대륙판과 대륙판
맨틀 대류	맨틀 대류 상승	
판 생성	새로운 판 생성	
지각 변동	천발 지진, 화산 활동	
지형	해령	열곡대
예	대서양 중앙 해령	동아프리카 열곡대

point 2° 보존형 경계

맨틀 대류	맨틀 대류의 상승과 하강 없음
판 생성	판의 생성과 소멸 없음
지각 변동	천발 지진
지형	변환 단층
예	산안드레아스 단층

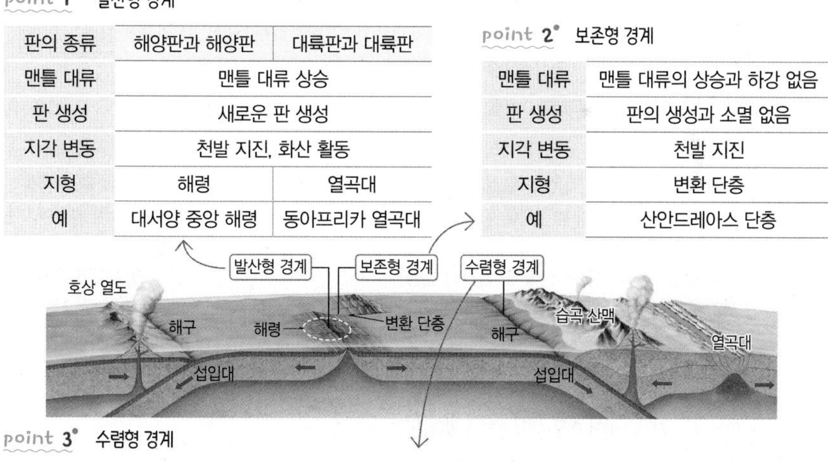

point 3° 수렴형 경계

판의 종류	해양판과 해양판	해양판과 대륙판	대륙판과 대륙판
맨틀 대류	맨틀 대류 하강		
판 생성	판 소멸		판과 판의 충돌
지각 변동	천발~심발 지진, 화산 활동		천발~중발 지진
지형	해구, 호상 열도	해구, 호상 열도, 습곡 산맥	습곡 산맥
예	마리아나 해구	안데스산맥	히말라야산맥

지권의 변화

04 전 세계의 판 경계와 지각 변동

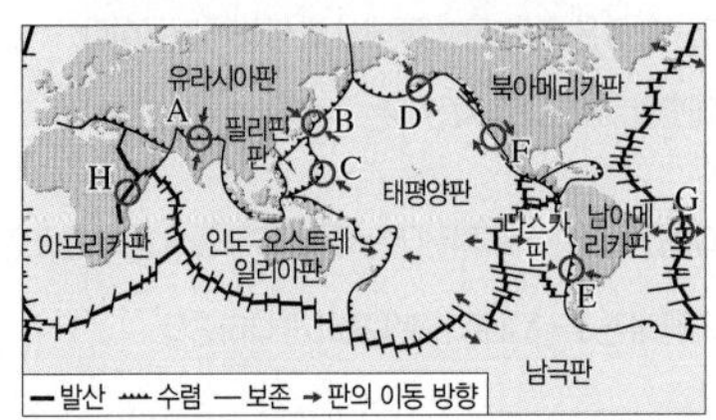

point 1° 전 세계의 판 경계 지역을 알아둔다.

- A: 히말라야산맥
- B: 일본 해구·열도
- C: 마리아나 해구·열도
- D: 알류샨 해구·열도
- E: 페루-칠레 해구, 안데스산맥
- F: 산안드레아스 단층
- G: 대서양 중앙 해령
- H: 동아프리카 열곡대

point 2° 판 경계를 구분하고, 각각의 판 경계에서 형성되는 지형과 일어나는 지각 변동을 찾는다.

지역	판 경계	지형	지각 변동
A	수렴형(충돌형)	습곡 산맥	천발~중발 지진
B, C, D	수렴형(섭입형)	해구, 호상 열도	천발~심발 지진, 화산 활동
E		해구, 습곡 산맥	
F	보존형 경계	변환 단층	천발 지진
G, H	발산형 경계	해령, 열곡대	천발 지진, 화산 활동

05 화산 활동

point 1° 화산 분출물
- 화산 가스(기체): 수증기(약 70 %~90 %), 이산화 탄소, 이산화 황 등
- 용암(액체): 마그마에서 화산 가스가 빠져 나가고 남은 고온의 액체
- 화산 쇄설물(고체): 화산암괴, 화산력, 화산재, 화산진 등

point 2° 화산 활동의 피해와 이용을 알아둔다.

피해	이용
• 화산 가스: 이산화 황, 이산화 탄소가 녹아 있는 산성비가 내림 • 용암: 용암이 마을이나 농경지를 뒤덮어 인명과 재산 피해 발생 • 화산 쇄설물 – 화산 쇄설류가 흐르면서 산불 및 산사태 발생 – 화산재가 대기를 뒤덮어 일시적으로 기온 하강	• 유용한 금속 광물 형성 • 난방 및 지열 발전에 이용 • 화산재가 쌓이고 오랜 시간이 지난 후 토양이 비옥해짐 • 온천 등의 관광 자원으로 활용

06 지진

point 1° 지진의 피해, 이용, 대처 방법을 알아둔다.

피해	이용	대처 방법
• 건물 붕괴 • 누전과 합선으로 인한 화재 발생 • 산사태, 지진 해일(쓰나미) 발생	• 지진 기록을 분석하여 지구 내부 구조 연구 • 인공 지진의 지진파를 분석하여 지하자원 탐색 • 인공 지진 기록을 이용하여 지질 구조 파악	• 활성 단층 지역이나 지반이 약한 곳을 피해 건물 건설 • 건물 설계 시 내진 설계 • 지진파보다 빠른 라디오파(전파)를 이용하여 빠른 예보에 활용

1 생명 시스템의 기본 단위

01 생명 시스템의 구성 단계

point 1 생명 시스템의 구성 단계는 세포 → 조직 → 기관 → 개체이다.

• 세포는 생명 시스템의 구조적·기능적 단위이며, 모양과 기능이 비슷한 세포들이 모여 조직을 이룬다.

point 2 동물체에는 여러 기관이 모여 공통의 기능을 담당하는 기관계가 있고, 식물체에는 여러 조직이 모여 통합적으로 기능을 수행하는 조직계가 있다.

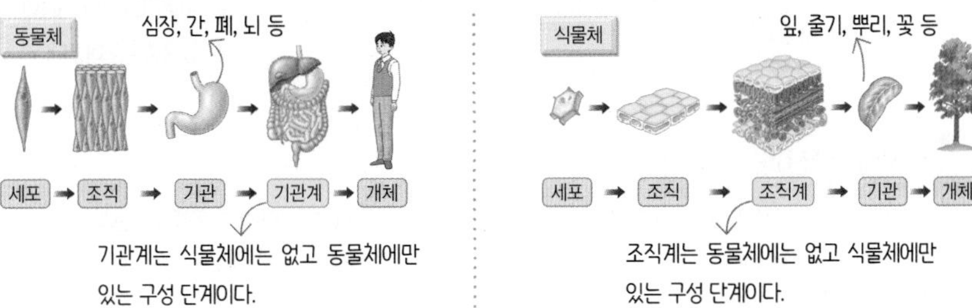

02 세포의 구조

point 1 세포의 구조와 세포 소기관의 기능을 연결지어 알아둔다.

구조	기능
핵	DNA가 있어 세포의 생명 활동 조절
리보솜	단백질 합성 장소
소포체	단백질의 운반 통로
골지체	단백질을 막으로 싸서 분비
미토콘드리아	세포 호흡 장소, 세포의 생명 활동에 필요한 에너지 생산
엽록체	광합성 장소, 포도당 합성
액포	물, 색소 등을 저장
세포막	세포 안팎으로의 물질 출입 조절
세포벽	식물 세포의 세포막 바깥에 있으며, 세포 형태 유지

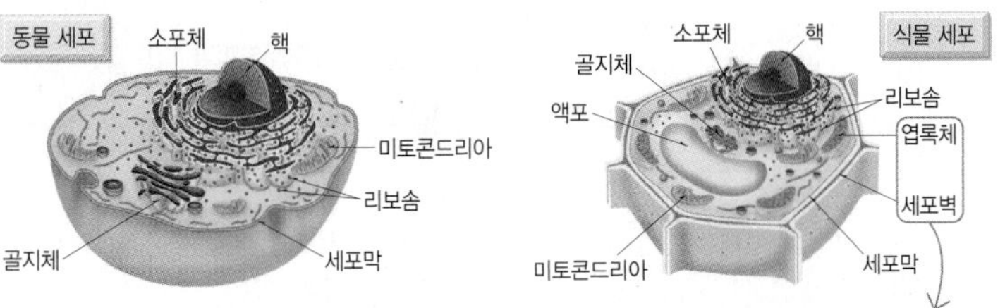

point 2 엽록체와 세포벽은 동물 세포에는 없고 식물 세포에만 있는 세포 소기관이다.

03 세포막의 구조

point 1° 세포막의 주성분은 인지질과 단백질이다.

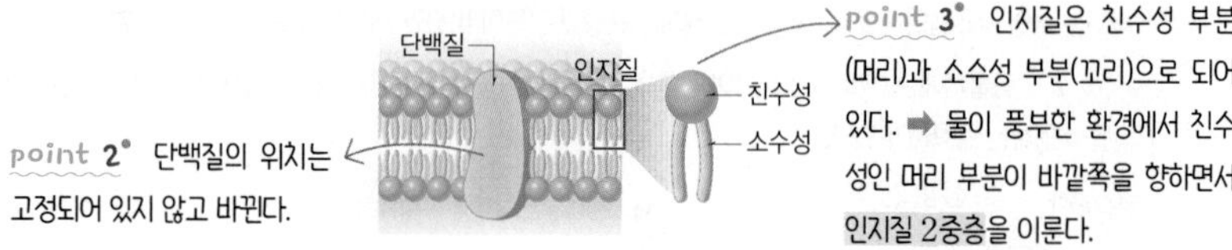

point 2° 단백질의 위치는 고정되어 있지 않고 바뀐다.

point 3° 인지질은 친수성 부분(머리)과 소수성 부분(꼬리)으로 되어 있다. ➡ 물이 풍부한 환경에서 친수성인 머리 부분이 바깥쪽을 향하면서 인지질 2중층을 이룬다.

04 단순 확산과 촉진 확산

point 1° 확산: 분자가 고농도에서 저농도로 이동하는 현상 ➡ 세포의 에너지를 사용하지 않는다.

point 2° 세포막에서 단순 확산과 촉진 확산이 일어나는 장소, 이동하는 물질, 예를 비교하여 알아둔다.

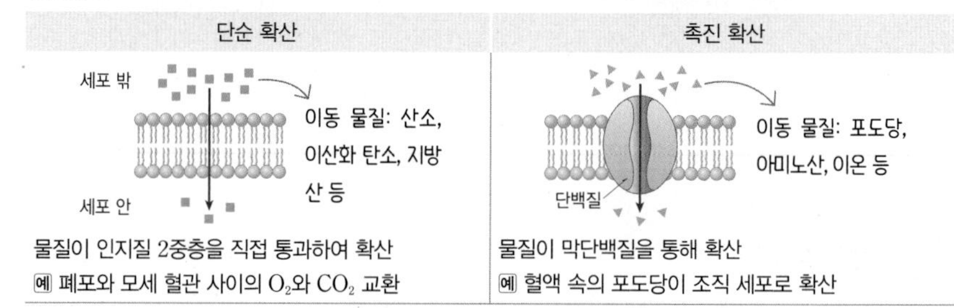

단순 확산	촉진 확산
이동 물질: 산소, 이산화 탄소, 지방산 등	이동 물질: 포도당, 아미노산, 이온 등
물질이 인지질 2중층을 직접 통과하여 확산 예 폐포와 모세 혈관 사이의 O_2와 CO_2 교환	물질이 막단백질을 통해 확산 예 혈액 속의 포도당이 조직 세포로 확산

05 적혈구와 식물 세포에서의 삼투

point 1° 삼투: 세포막을 경계로 용질의 농도가 낮은 용액에서 높은 용액으로 물이 이동하는 현상 ➡ 세포의 에너지를 사용하지 않는다.

point 2° 적혈구와 식물 세포를 저장액, 등장액, 고장액에 넣었을 때의 변화를 그림과 함께 알아둔다.

• 용액의 농도: 저장액 < 등장액 < 고장액

구분	저장액에 넣었을 때 (세포로 들어오는 물이 많음)	등장액에 넣었을 때 (세포 안팎으로 드나드는 물의 양이 같음)	고장액에 넣었을 때 (세포에서 빠져나가는 물이 많음)
적혈구	H_2O H_2O 세포의 부피가 커지다가 터지기도 함	H_2O H_2O 세포의 부피가 변화 없음	H_2O H_2O 세포의 부피가 작아짐
식물 세포	H_2O H_2O 세포의 부피가 커지다가 팽팽해짐	H_2O H_2O 세포의 부피가 변화 없음	H_2O H_2O 세포질의 부피가 작아지다가 세포막이 세포벽에서 분리

2 생명 시스템에서의 화학 반응

01 물질대사

point 1 물질대사: 생명체에서 일어나는 모든 화학 반응 ➡ 효소가 관여하며, 반드시 에너지 출입이 일어난다.

point 2 동화 작용과 이화 작용을 비교하여 알아둔다.

동화 작용	이화 작용
작은 분자로부터 큰 분자를 합성하는 과정 예 광합성, 단백질 합성	큰 분자를 작은 분자로 분해하는 과정 예 세포 호흡, 소화

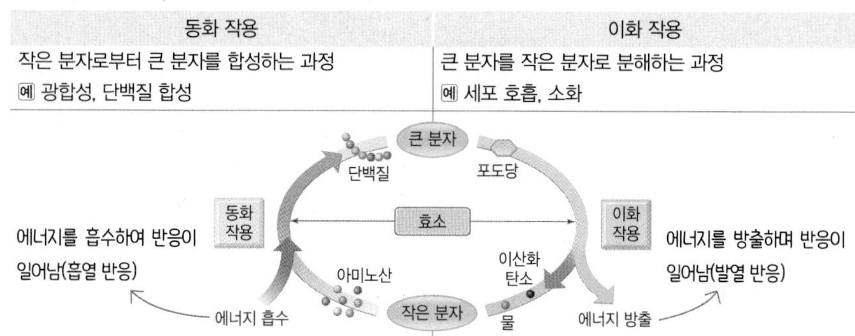

02 효소와 활성화 에너지

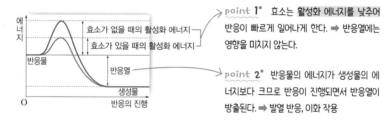

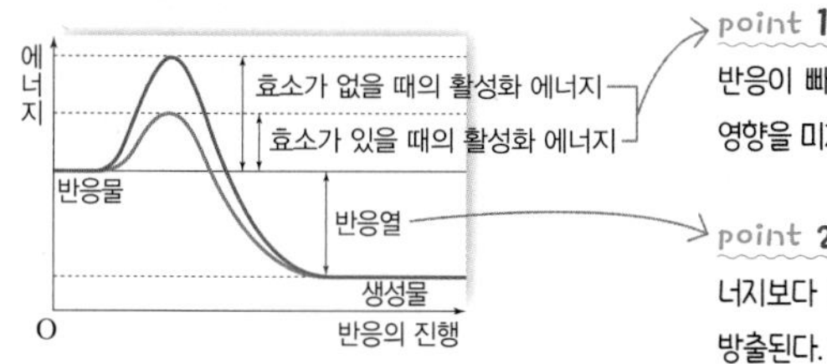

point 1 효소는 활성화 에너지를 낮추어 반응이 빠르게 일어나게 한다. ➡ 반응열에는 영향을 미치지 않는다.

point 2 반응물의 에너지가 생성물의 에너지보다 크므로 반응이 진행되면서 반응열이 방출된다. ➡ 발열 반응, 이화 작용

03 효소의 작용

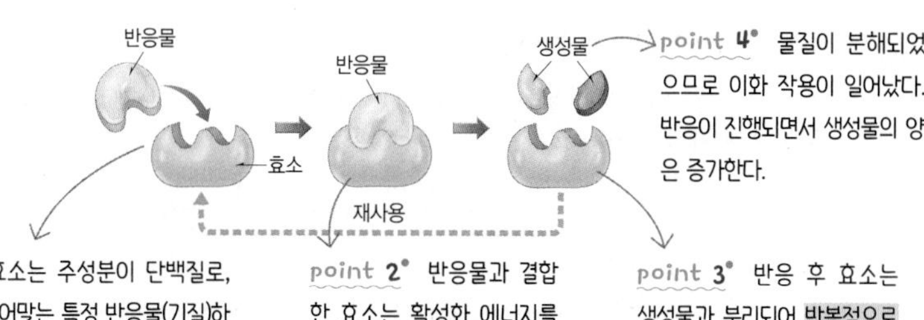

point 4 물질이 분해되었으므로 이화 작용이 일어났다. 반응이 진행되면서 생성물의 양은 증가한다.

point 1 효소는 주성분이 단백질로, 입체 구조에 들어맞는 특정 반응물(기질)하고만 결합하여 작용한다. ➡ 기질 특이성

point 2 반응물과 결합한 효소는 활성화 에너지를 낮춘다.

point 3 반응 후 효소는 생성물과 분리되어 반복적으로 사용된다.

01 DNA, 유전자, 단백질의 관계

point 1° 염색체는 DNA와 단백질로 구성된다.

point 2° 유전자는 유전 정보가 저장된 DNA의 특정 부분이다. ➡ 하나의 DNA에는 많은 수의 유전자가 있다.

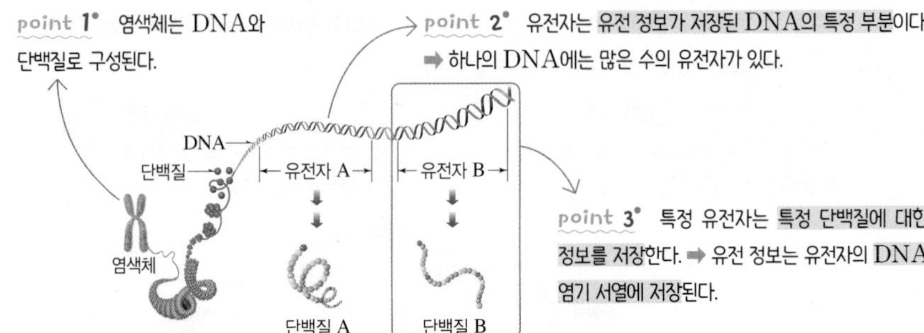

point 3° 특정 유전자는 특정 단백질에 대한 정보를 저장한다. ➡ 유전 정보는 유전자의 DNA 염기 서열에 저장된다.

02 유전 형질이 나타나는 과정

point 1° 생물은 유전자의 유전 정보에 따라 다양한 단백질을 합성하고, 이 단백질에 의해 다양한 형질이 나타난다.

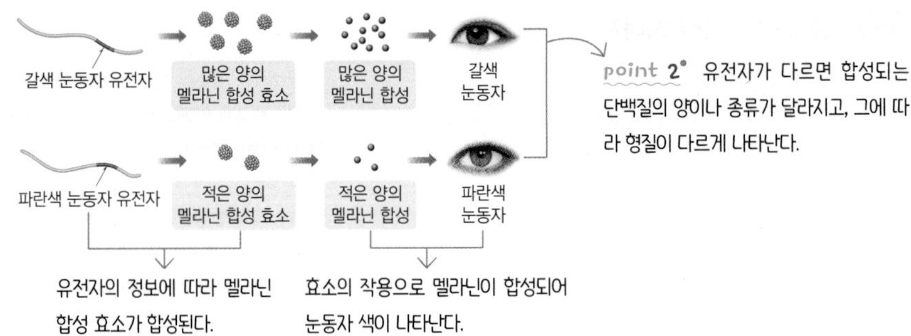

유전자의 정보에 따라 멜라닌 합성 효소가 합성된다.

효소의 작용으로 멜라닌이 합성되어 눈동자 색이 나타난다.

point 2° 유전자가 다르면 합성되는 단백질의 양이나 종류가 달라지고, 그에 따라 형질이 다르게 나타난다.

03 세포 내 유전 정보의 흐름

point 1° 세포 내에서 유전 정보는 DNA에서 RNA를 거쳐 단백질로 전달된다(생명 중심 원리).
➡ DNA → RNA → 단백질

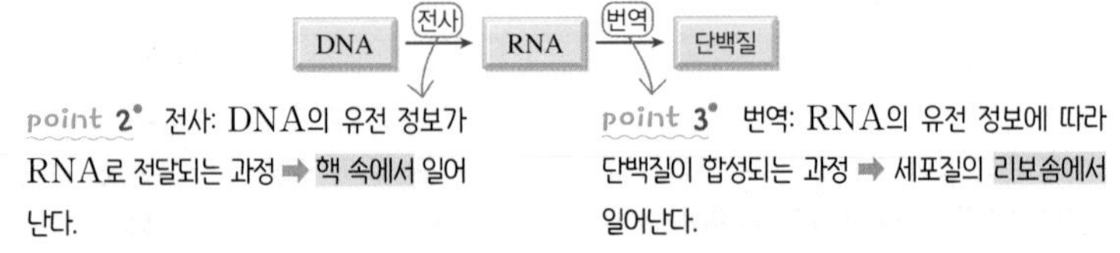

point 2° 전사: DNA의 유전 정보가 RNA로 전달되는 과정 ➡ 핵 속에서 일어난다.

point 3° 번역: RNA의 유전 정보에 따라 단백질이 합성되는 과정 ➡ 세포질의 리보솜에서 일어난다.

04 유전 정보의 전달과 단백질 합성 과정

point 1° 3염기 조합: DNA에서 하나의 아미노산을 지정하는 연속된 3개의 염기

point 2° 코돈: RNA에서 하나의 아미노산을 지정하는 연속된 3개의 염기

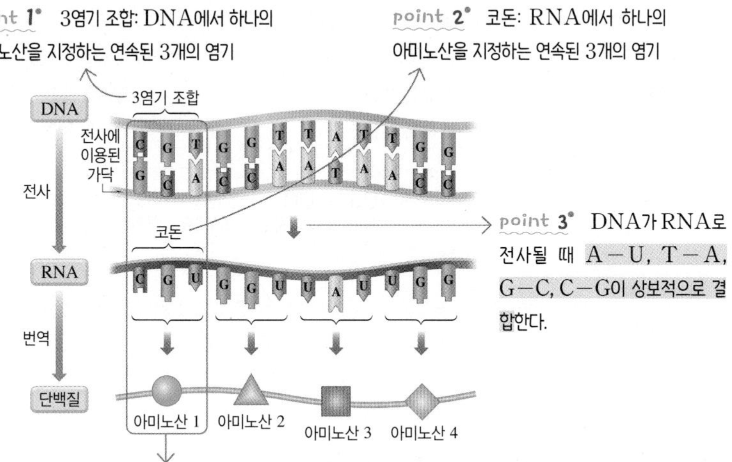

point 3° DNA가 RNA로 전사될 때 A－U, T－A, G－C, C－G이 상보적으로 결합한다.

point 4° DNA의 염기 GCA는 RNA 염기 CGU로 전사되고, RNA 염기 CGU는 아미노산 1로 번역된다. 이와 같은 방법으로 지정된 아미노산들은 펩타이드 결합으로 연결되어 단백질이 합성된다.

05 낫 모양 적혈구 빈혈증이 나타나는 과정

point 1° 낫 모양 적혈구는 유전자를 구성하는 DNA의 염기 서열에 이상이 생겨 나타난다.

point 2° DNA 염기 하나가 바뀐 결과 RNA의 코돈이 달라지고, 그에 따라 아미노산 배열이 달라짐으로써 비정상 헤모글로빈이 합성된다.

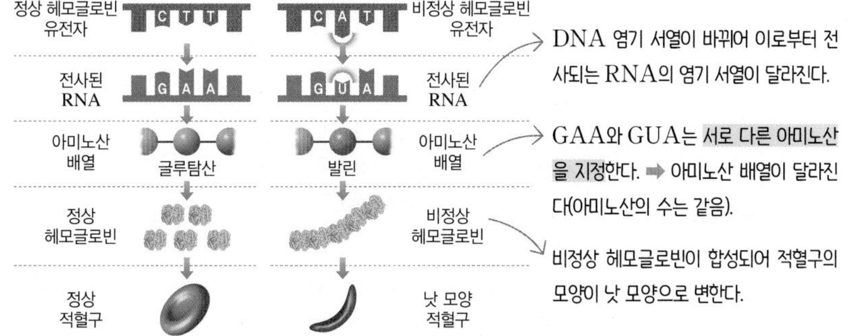

DNA 염기 서열이 바뀌어 이로부터 전사되는 RNA의 염기 서열이 달라진다.

GAA와 GUA는 서로 다른 아미노산을 지정한다. ➡ 아미노산 배열이 달라진다(아미노산의 수는 같음).

비정상 헤모글로빈이 합성되어 적혈구의 모양이 낫 모양으로 변한다.

1 산화 환원 반응

01 산화 환원 반응

point 1° 산소의 이동과 전자의 이동으로 산화 환원 반응을 파악한다.

구분	산소의 이동	전자의 이동
산화	산소를 얻는 반응	전자를 잃는 반응
환원	산소를 잃는 반응	전자를 얻는 반응
예	$2CuO + C \rightarrow 2Cu + CO_2$ (산화 구리(Ⅱ), 탄소, 구리, 이산화 탄소; C → CO_2: 산화, CuO → Cu: 환원)	$Mg + Cu^{2+} \rightarrow Mg^{2+} + Cu$ (마그네슘, 구리 이온, 마그네슘 이온, 구리; Mg → Mg^{2+}: 산화, Cu^{2+} → Cu: 환원)
산화 환원 반응의 동시성	화학 반응에서 어떤 물질이 산소를 얻거나 전자를 잃고 산화되면 다른 물질은 산소를 잃거나 전자를 얻어 환원된다. ➡ 산화와 환원은 항상 동시에 일어난다.	

02 산화 구리(Ⅱ)와 탄소의 산화 환원 반응

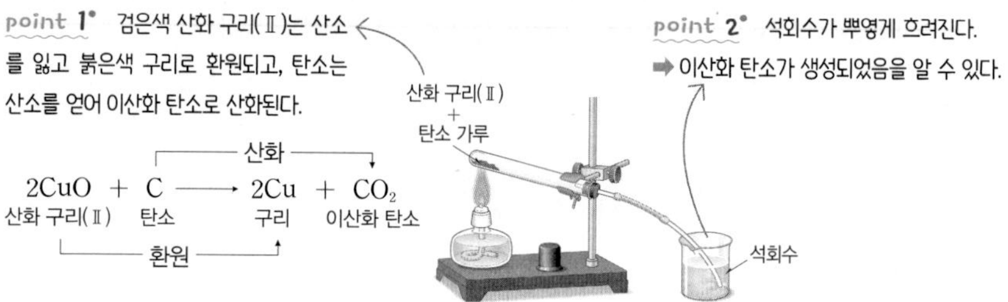

point 1° 검은색 산화 구리(Ⅱ)는 산소를 잃고 붉은색 구리로 환원되고, 탄소는 산소를 얻어 이산화 탄소로 산화된다.

$$2CuO + C \rightarrow 2Cu + CO_2$$

산화 구리(Ⅱ) 탄소 구리 이산화 탄소 (C → CO_2: 산화, CuO → Cu: 환원)

point 2° 석회수가 뿌옇게 흐려진다.
➡ 이산화 탄소가 생성되었음을 알 수 있다.

03 구리의 가열에 의한 산화 환원 반응

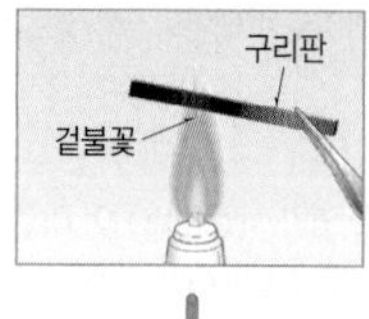

point 1° 구리판을 알코올램프의 겉불꽃 속에 넣으면 구리가 산소를 얻어 검은색 산화 구리(Ⅱ)로 산화된다. ➡ 구리판의 질량이 증가한다.

$$2Cu + O_2 \rightarrow 2CuO$$

구리 산소 산화 구리(Ⅱ) (Cu → CuO: 산화)

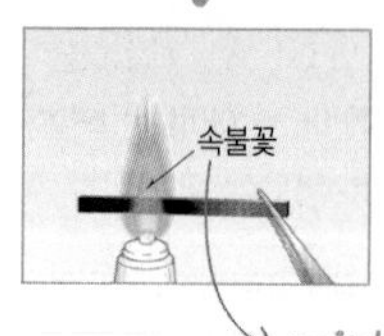

point 2° 검은색 산화 구리(Ⅱ)를 알코올램프의 속불꽃 속에 넣으면 산화 구리(Ⅱ)가 산소를 잃고 붉은색 구리로 환원된다. ➡ 구리판의 질량이 감소한다.

$$CuO + CO \rightarrow Cu + CO_2$$

산화 구리(Ⅱ) 일산화 탄소 구리 이산화 탄소 (CuO → Cu: 환원)

point 3° 속불꽃 속에는 일산화 탄소가 존재한다.
➡ 산소가 충분하지 않아 알코올이 불완전 연소하기 때문이다.

04 질산 은 수용액과 구리의 산화 환원 반응

point 1° 질산 은 수용액에 구리줄을 넣으면 구리는 전자를 잃고 구리 이온으로 산화되고, 은 이온은 전자를 얻어 은으로 환원된다. ➡ 구리줄 표면에 은이 석출된다.

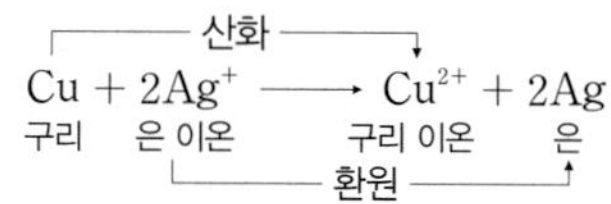

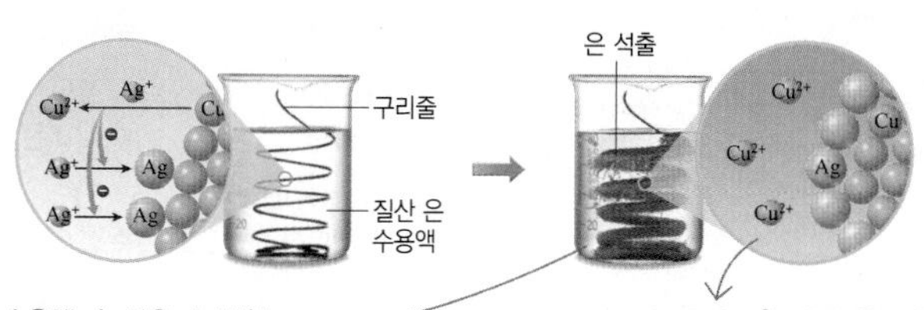

point 2° 수용액 속 이온 수 변화: 구리 이온 증가, 은 이온 감소, 질산 이온 일정

point 3° 질산 은 수용액에 구리줄을 넣으면 수용액이 점점 푸른색으로 변한다. ➡ 수용액이 푸른색을 띠는 것은 구리 이온 때문이다.

05 지구와 생명의 역사를 바꾼 산화 환원 반응

point 1° 광합성과 세포 호흡 과정을 비교하여 이해한다.

광합성	세포 호흡
식물의 엽록체에서 빛에너지를 이용하여 이산화 탄소와 물로 포도당과 산소를 만드는 반응	미토콘드리아에서 포도당과 산소가 반응하여 이산화 탄소와 물이 생성되고, 에너지가 발생하는 반응
산화 (물 → 산소), 환원 (이산화 탄소 → 포도당) $6CO_2 + 6H_2O \xrightarrow{빛에너지} C_6H_{12}O_6 + 6O_2$ 이산화 탄소, 물, 포도당, 산소	산화 (포도당 → 이산화 탄소), 환원 (산소 → 물) $C_6H_{12}O_6 + 6O_2 \longrightarrow 6CO_2 + 6H_2O +$ 에너지 포도당, 산소, 이산화 탄소, 물

point 2° 화석 연료의 연소: 도시가스의 주성분인 메테인이 산소와 반응하여 이산화 탄소와 물이 생성되고 많은 열이 발생한다.

산화 (메테인 → 이산화 탄소), 환원 (산소 → 물)

$$CH_4 + 2O_2 \longrightarrow CO_2 + 2H_2O$$

메테인, 산소, 이산화 탄소, 물

point 3° 철의 제련: 철광석에 들어 있는 산화 철(Ⅲ)이 일산화 탄소와 반응하면 산소가 분리되어 순수한 철을 얻을 수 있다.

산화 (일산화 탄소 → 이산화 탄소), 환원 (산화 철(Ⅲ) → 철)

$$Fe_2O_3 + 3CO \longrightarrow 2Fe + 3CO_2$$

산화 철(Ⅲ), 일산화 탄소, 철, 이산화 탄소

point 1+2+3° 광합성과 호흡, 화석 연료의 연소, 철의 제련 반응의 공통점을 알아둔다.

- 지구와 생명의 역사를 바꾼 화학 반응이다.
- 산소가 관여하는 산화 환원 반응이다.

2 산과 염기

01 산

point 1° 산은 물에 녹아 수소 이온(H^+)을 내놓는 물질이다.

point 2° 산은 물에 녹아 수소 이온(H^+)과 음이온(A^-)으로 나누어진다.

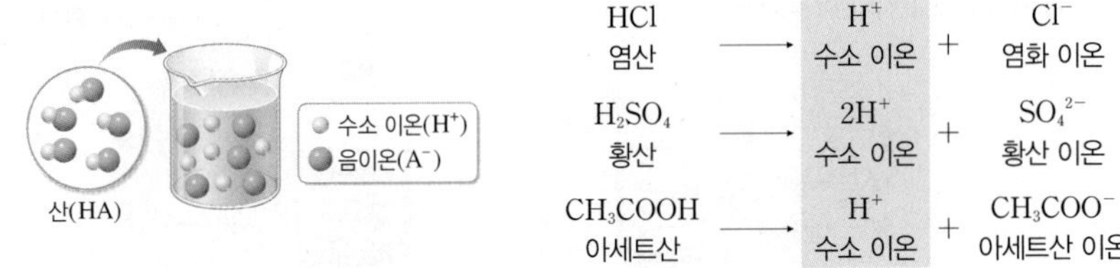

point 3° 산의 공통적인 성질은 수소 이온(H^+) 때문에 나타난다.

02 염기

point 1° 염기는 물에 녹아 수산화 이온(OH^-)을 내놓는 물질이다.

point 2° 염기는 물에 녹아 양이온(B^+)과 수산화 이온(OH^-)으로 나누어진다.

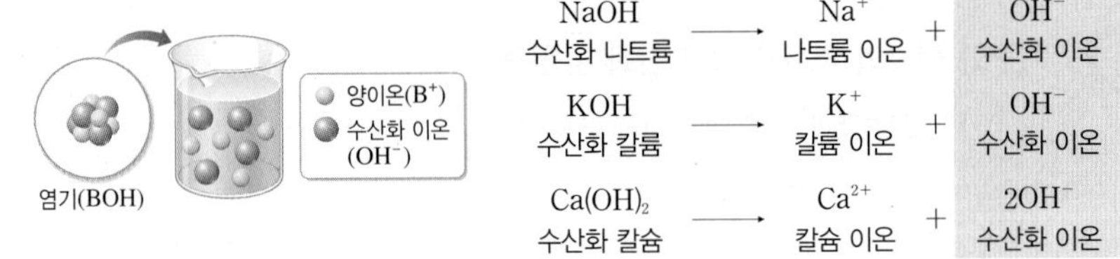

point 3° 염기의 공통적인 성질은 수산화 이온(OH^-) 때문에 나타난다.

03 산과 염기의 성질

point 1° 산과 염기의 성질을 비교하여 파악한다.

구분	산성	염기성
맛	신맛	쓴맛
수용액에서 전기 전도성	있다.	있다.
금속과의 반응	수소 기체가 발생한다.	반응하지 않는다.
탄산 칼슘과의 반응	이산화 탄소 기체가 발생한다.	반응하지 않는다.
단백질을 녹이는 성질	없다.	있다.
리트머스 종이의 색 변화	푸른색 → 붉은색	붉은색 → 푸른색
페놀프탈레인 용액의 색 변화	변하지 않는다.	붉은색

04 산성과 염기성을 나타내는 이온의 확인

point 1° 산과 염기의 성질을 나타내는 이온의 확인 방법을 비교하여 파악한다.

산성을 나타내는 이온의 확인	염기성을 나타내는 이온의 확인
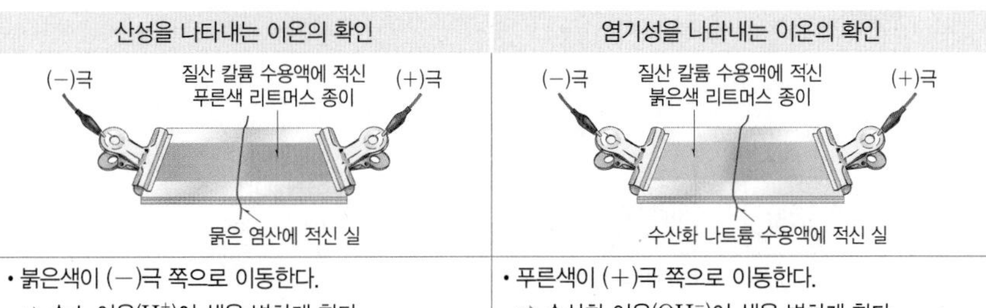	
• 붉은색이 (−)극 쪽으로 이동한다. ➡ 수소 이온(H^+)이 색을 변하게 한다. • 다른 산 수용액을 이용해도 같은 결과가 나타난다. ➡ 산성은 수소 이온(H^+) 때문에 나타난다.	• 푸른색이 (+)극 쪽으로 이동한다. ➡ 수산화 이온(OH^-)이 색을 변하게 한다. • 다른 염기 수용액을 이용해도 같은 결과가 나타난다. ➡ 염기성은 수산화 이온(OH^-) 때문에 나타난다.

05 지시약의 색 변화

point 1° 액성에 따른 지시약의 색 변화를 알아둔다.

구분	산성	중성	염기성
리트머스 종이	푸른색 → 붉은색	−	붉은색 → 푸른색
페놀프탈레인 용액	무색	무색	붉은색
메틸 오렌지 용액	붉은색	노란색	노란색
BTB 용액	노란색	초록색	파란색

06 pH

point 1° 수용액에 들어 있는 수소 이온(H^+) 농도를 0～14 사이의 숫자로 나타낸 것이다. ➡ pH가 작을수록 산성이 강하고, pH가 클수록 염기성이 강하다.

pH<7 ➡ 산성　　pH=7 ➡ 중성　　pH>7 ➡ 염기성

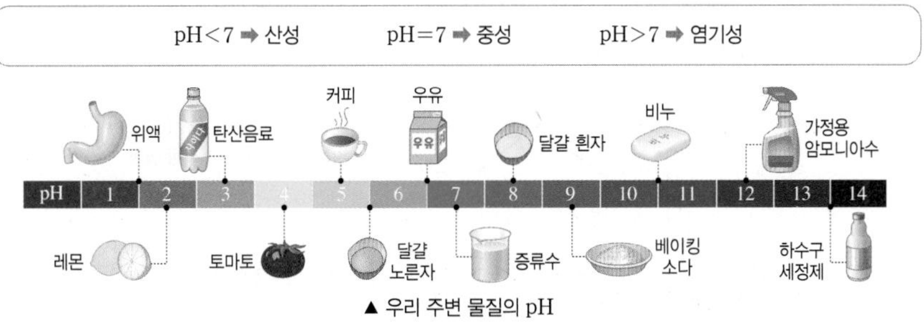

▲ 우리 주변 물질의 pH

중화 반응

01 중화 반응

point 1 산과 염기가 반응하여 물이 생성되는 반응이다. ➡ 수소 이온(H^+)과 수산화 이온(OH^-)이 1 : 1의 개수비로 반응한다.

$$H^+ + OH^- \longrightarrow H_2O$$

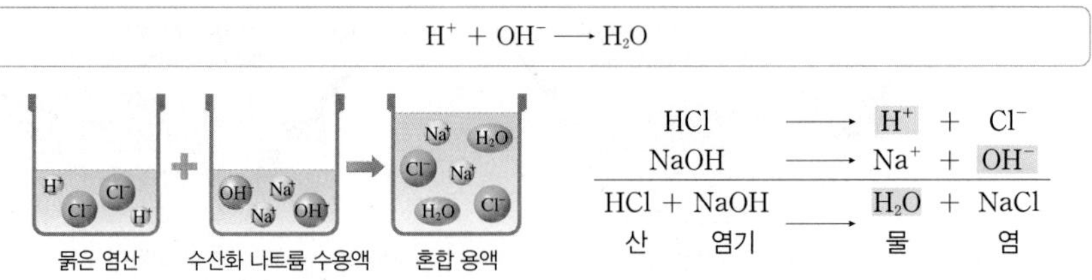

02 중화 반응이 일어날 때 이온 수, 용액의 액성, 지시약의 색 변화

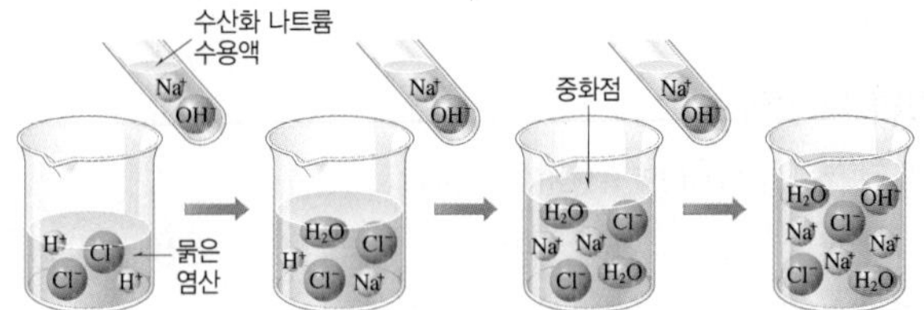

point 1 이온 수 변화를 알아둔다.

- H^+: 점차 감소하다가 중화점 이후에는 존재하지 않는다.
- Cl^-: 처음 수 그대로 일정하다.
- Na^+: 넣는 대로 증가한다.
- OH^-: 존재하지 않다가 중화점 이후부터 증가한다.

point 2 용액의 액성 변화를 확인한다.

- 산성 → 중성(중화점) → 염기성

point 3 지시약(BTB 용액)의 색 변화를 확인한다.

- 노란색 → 초록색(중화점) → 파란색

03 중화 반응이 일어날 때 온도 변화

point 1 같은 농도와 온도의 묽은 염산과 수산화 나트륨 수용액의 부피를 다르게 하여 섞을 때: 반응한 수소 이온(H^+)과 수산화 이온(OH^-)의 수가 많을수록 중화열이 많이 발생한다.

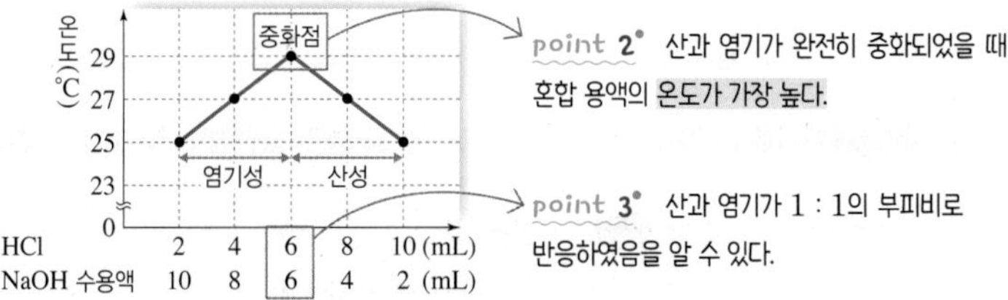

point 2 산과 염기가 완전히 중화되었을 때 혼합 용액의 온도가 가장 높다.

point 3 산과 염기가 1 : 1의 부피비로 반응하였음을 알 수 있다.

1 지질 시대의 환경과 생물

01 시상 화석과 표준 화석의 예

point 1° 시상 화석과 표준 화석으로 구분하고, 생성 조건을 비교한다.

point 2° 화석으로 생물이 살았던 과거의 시대나 환경을 판단한다.

구분	산호	고사리	삼엽충	암모나이트	매머드
사진					
종류	시상 화석		표준 화석		
생성 조건	분포 면적이 좁고(특정 환경), 생존 기간이 길다.		생존 기간이 짧고(특정 시기), 분포 면적이 넓다.		
과거 해석	따뜻하고 얕은 바다	따뜻하고 습한 육지	고생대	중생대	신생대
수륙 분포	바다 환경	육지 환경	바다 환경	바다 환경	육지 환경

02 화석을 이용한 과거의 해석

point 1° 지층의 생성 환경: 시상 화석으로 판단 ➡ A는 따뜻하고 얕은 바다, C는 따뜻하고 습한 육지 환경에서 생성

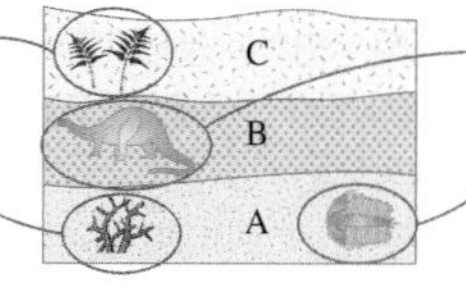

point 2° 지층의 생성 시대: 표준 화석으로 판단 ➡ A는 고생대, B는 중생대에 생성

point 3° 과거 수륙 분포: 산호, 삼엽충은 해양 생물이고, 공룡, 고사리는 육상 생물이다. ➡ A가 퇴적될 때는 바다 환경, B와 C가 퇴적될 때는 육지 환경이었다.

point 4° 지층의 융기: A와 B 퇴적 시기 사이에 지층의 융기가 있었다.

03 지질 시대의 상대적 길이

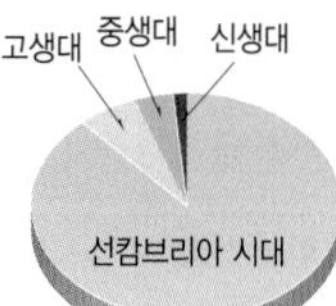

point 1° 지질 시대의 상대적 길이: 선캄브리아 시대≫고생대>중생대>신생대

point 2° 지질 시대 구분 기준: 주로 생물계의 큰 변화(화석의 변화)

- 선캄브리아 시대: 화석이 거의 발견되지 않는다.
- 고생대, 중생대, 신생대: 화석이 많이 발견된다.

04 지질 시대의 환경 변화

point 1° 수륙 분포의 변화: 지질 시대별 수륙 분포의 특징을 알아야 한다.

고생대 말기	중생대 중기	신생대 말기

• 모든 대륙이 하나로 모여 판게아 형성	• 판게아가 분리되면서 대서양과 인도양 형성	• 히말라야산맥 형성 • 현재와 비슷한 수륙 분포

point 2° 지질 시대 기후 변화: 전반적인 기온, 빙하기 유무를 기억한다.

선캄브리아 시대	고생대	중생대	신생대
• 전반적으로 온난 • 말기에 빙하기 추정	• 대체로 온난 • 말기에 빙하기	• 전반적으로 온난 • 빙하기 없음	• 전기에 온난 • 후기에 4번의 빙하기

05 지질 시대의 생물 변화

point 1° 번성한 생물과 출현한 생물, 대표적인 화석을 구분하여 기억한다.

선캄브리아 시대	• 자외선이 차단되는 바다에서 최초의 생물 출현 • 남세균(광합성 생물) 출현 ➡ 스트로마톨라이트 화석 • 다세포 생물 출현 ➡ 에디아카라동물군 화석
고생대	• 오존층이 자외선을 차단하여 생물의 육상 진출 • 번성: 무척추동물(삼엽충, 방추충 등), 어류(갑주어), 양서류, 곤충류, 양치식물 • 출현: 파충류, 겉씨식물
중생대	• 번성: 파충류(공룡 등), 암모나이트, 겉씨식물(소철, 은행나무 등) • 출현: 조류, 포유류, 속씨식물
신생대	• 번성: 화폐석, 포유류(매머드 등), 조류, 속씨식물 • 출현: 최초의 인류

06 생물의 대멸종

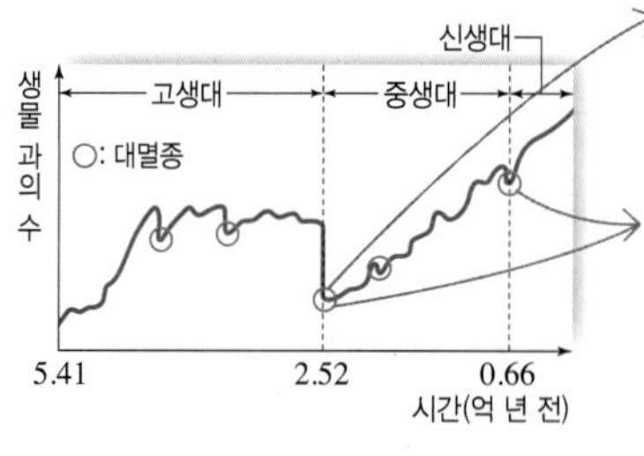

point 1° 5번의 대멸종 중 가장 큰 규모의 멸종이 일어난 시기: 고생대 말기

point 2° 멸종한 생물과 멸종 원인

구분	고생대 말기	중생대 말기
멸종한 생물	삼엽충, 방추충 등	공룡, 암모나이트 등
멸종 원인	판게아 형성, 화산 폭발, 소행성 충돌 등	소행성 충돌, 화산 폭발 등

2 자연 선택과 생물의 진화

01 다윈의 자연 선택설

point 1 자연 선택설에 따른 진화 과정: 과잉 생산과 변이 → 생존 경쟁 → 자연 선택 → 진화

point 2 자연 선택설의 한계점: 변이가 나타나는 원인과 부모의 형질이 자손에게 전달되는 원리를 명확하게 설명하지 못하였다.

point 3 자연 선택설에 따른 기린의 진화 과정을 알아둔다.

많은 수의 기린이 태어났고(과잉 생산), 기린의 목 길이는 다양하였다(변이).

먹이를 두고 경쟁하였으며(생존 경쟁), 생존에 유리한 목이 긴 기린이 살아남아 자손을 남겼다(자연 선택).

자연 선택 과정이 오랫동안 누적되어 기린의 목이 지금처럼 길어졌다(진화).

02 변이와 관련된 예시

point 1 유전적 변이와 비유전적 변이에 해당하는 예시를 구분한다.

구분	예시
비유전적 변이의 예 (환경의 영향으로 나타남)	• 훈련으로 단련된 사람은 근육이 발달하였다. • 카렌 족 여인들은 어릴 적부터 여러 개의 링을 목에 걸고 생활한 결과 목이 길어졌다.
유전적 변이의 예 (유전자의 차이로 나타남)	• 앵무의 깃털 색이 다양하다. • 유럽정원달팽이의 껍데기는 무늬, 색깔, 나선 방향 등이 개체마다 다르다. • 붉은색 딱정벌레 무리의 개체들은 몸 색의 붉은색 정도가 개체마다 다르다.

point 2 유전적 변이가 나타나는 원인에 해당하는 예시를 구분한다.

구분	예시
돌연변이의 예 (새로운 유전자가 나타남)	• 붉은색 딱정벌레 무리의 자손 중에 초록색 딱정벌레가 나타났다. • 갈색 토끼 무리에서 이전에 없던 흰색 토끼가 태어났다.
생식세포의 다양한 유전자 조합의 예 (자손에서 다양한 형질이 나타남)	• 갈색 토끼와 흰색 토끼 사이에서 갈색, 흰색, 얼룩무늬의 토끼들이 태어났다.

03 핀치 부리의 자연 선택

point 1 갈라파고스 제도의 핀치는 먹이 환경에 유리한 핀치가 자연 선택되어 부리 모양이 다른 여러 종의 핀치로 진화하였다.

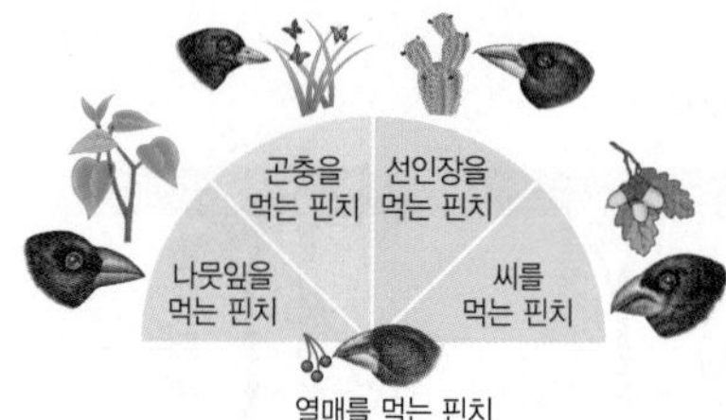

- 같은 종의 핀치 무리에 다양한 부리 모양의 변이가 있었다.
- 먹이를 두고 경쟁한 결과 각 섬의 먹이 환경에 적합한 부리를 가진 핀치가 자연 선택되었다.
- 이 자연 선택 과정이 반복되어 각 섬마다 서로 다른 부리 모양을 가진 종으로 진화하게 되었다.

04 낫 모양 적혈구 유전자의 자연 선택

point 1 말라리아가 많이 발생하는 환경에서는 낫 모양 적혈구 유전자가 자연 선택되어 비율이 높게 나타난다.

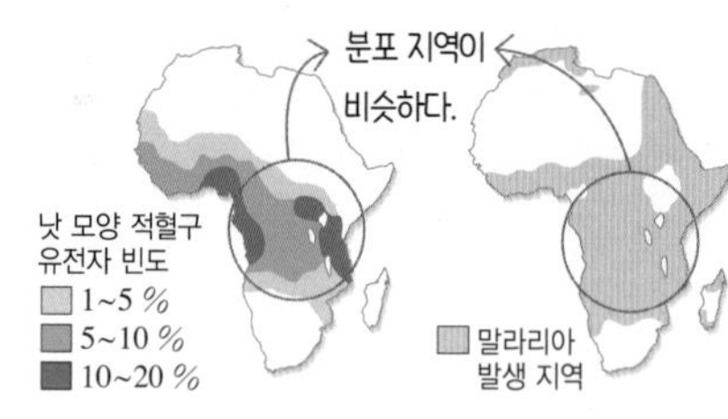

- 낫 모양 적혈구는 심한 빈혈을 유발하기 때문에 일반적으로 드물게 발견된다.
- 낫 모양 적혈구를 가진 사람은 말라리아에 저항성이 있어 말라리아가 많이 발생하는 지역에서는 낫 모양 적혈구 유전자가 생존에 유리하여 자연 선택된다.
- 말라리아가 많이 발생하는 지역에서는 낫 모양 적혈구 유전자의 빈도가 높다.

05 항생제 내성 세균의 자연 선택

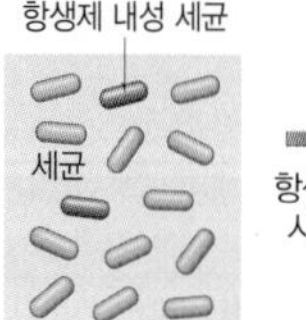

→ 항생제 사용

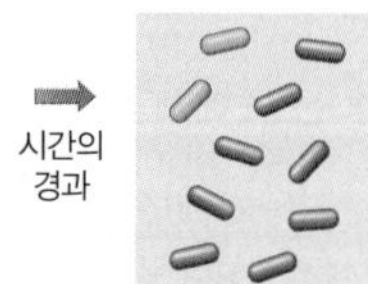

→ 시간의 경과

→ 항생제 사용

point 1 항생제 내성이 없는 세균 집단에서 돌연변이가 일어나 항생제 내성 세균이 나타났다.

point 2 항생제를 사용하면 항생제 내성이 없는 세균은 대부분 죽고 항생제 내성 세균이 살아남아 자손을 남긴다. ➡ 자연 선택

point 3 항생제를 지속적으로 사용하는 환경에서는 항생제 내성 세균의 비율이 점점 높아져 항생제 내성 세균 집단이 형성된다.

3 생물 다양성의 중요성과 보전 방안

01 생물 다양성

point 1 생물 다양성은 유전적 다양성, 종 다양성, 생태계 다양성을 모두 포함한다. 각각의 의미, 예, 중요성을 비교하여 알아둔다.

구분	유전적 다양성	종 다양성	생태계 다양성
그림			
의미	같은 생물종에서 유전자 차이로 개체마다 다양한 형질이 나타나는 것	일정한 지역에 서식하는 생물종의 다양한 정도	일정한 지역에 존재하는 생태계의 다양한 정도
예	아시아무당벌레는 개체마다 겉날개 무늬와 색이 다르다.	숲에는 무당벌레, 개구리, 달팽이 등 다양한 생물이 살고 있다.	지구에는 삼림, 갯벌, 해양 등 다양한 생태계가 존재한다.
중요성	유전적 다양성이 낮으면 급격한 환경 변화가 일어났을 때 멸종될 가능성이 높다.	종 다양성이 높을수록 생태계가 안정적으로 유지된다.	생태계가 다양할수록 종 다양성도 높아진다.

02 종 다양성 비교

point 1 서식하는 생물종의 수가 많을수록, 각 생물종의 분포 비율이 균등할수록 종 다양성이 높다.

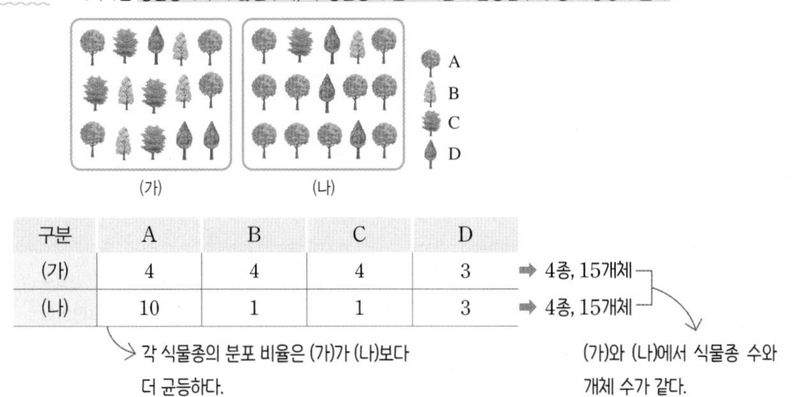

구분	A	B	C	D	
(가)	4	4	4	3	➡ 4종, 15개체
(나)	10	1	1	3	➡ 4종, 15개체

각 식물종의 분포 비율은 (가)가 (나)보다 더 균등하다.

(가)와 (나)에서 식물종 수와 개체 수가 같다.

point 2 생물종의 수가 같은 경우, 각 생물종의 분포 비율이 더 균등할수록 종 다양성이 높다. ➡ (가)가 (나)보다 종 다양성이 높다.

03 생물 다양성과 생물 자원

point 1° 각 생물 자원에 이용되는 생물을 알아둔다.

의식주 재료	• 의복 재료: 목화, 누에 등 • 식량 재료: 벼, 밀, 옥수수 등 • 주택 재료: 나무, 풀 등
의약품 원료	• 버드나무 껍질: 아스피린 원료 • 푸른곰팡이: 페니실린 원료 • 주목 열매: 항암제 원료 • 청자고둥: 진통제 원료
생물 유전자 자원	병충해 저항성 유전자 등을 이용하여 새로운 농작물을 개발
사회적·심미적 가치	휴식 장소, 여가 활동 장소, 생태 관광 장소 제공

04 생물 다양성의 감소 원인과 보전 방안

point 1° 생물 다양성의 감소 원인과 보전 방안을 알아둔다.

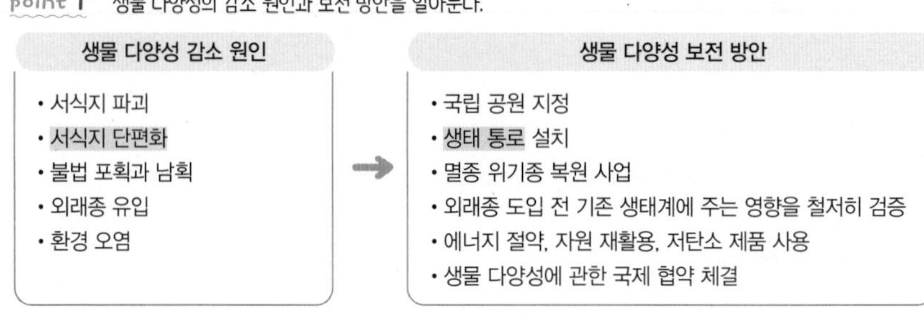

생물 다양성 감소 원인
• 서식지 파괴
• 서식지 단편화
• 불법 포획과 남획
• 외래종 유입
• 환경 오염
생물 다양성 보전 방안
• 국립 공원 지정
• 생태 통로 설치
• 멸종 위기종 복원 사업
• 외래종 도입 전 기존 생태계에 주는 영향을 철저히 검증
• 에너지 절약, 자원 재활용, 저탄소 제품 사용
• 생물 다양성에 관한 국제 협약 체결

05 서식지 단편화의 영향

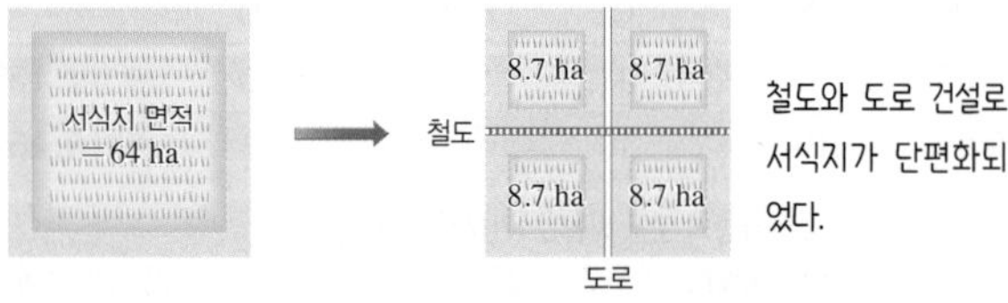

point 1° 서식지 단편화로 서식지 면적이 줄어들어 생물종이 사라질 위험이 높아졌다.

point 2° 서식지 단편화로 야생 동물의 이동이 제한된다. ➡ 생태 통로를 만들어 서식지를 연결하고 로드킬을 방지한다.

1 생태계 구성 요소와 환경

01 생태계 구성 요소

point 1° 생태계를 구성하는 요소와 각각에 해당하는 예를 알아둔다.

생물적 요인	생산자	광합성을 하여 양분을 스스로 만드는 생물	예 식물, 식물 플랑크톤
	소비자	다른 생물을 먹이로 하여 양분을 얻는 생물	예 동물, 동물 플랑크톤
	분해자	사체나 배설물에 포함된 유기물을 분해하여 에너지를 얻는 생물	예 세균, 곰팡이, 버섯
비생물적 요인		생물을 둘러싸고 있는 모든 환경 요인	예 빛, 온도, 토양, 물, 공기 등

02 생태계 구성 요소 사이의 관계

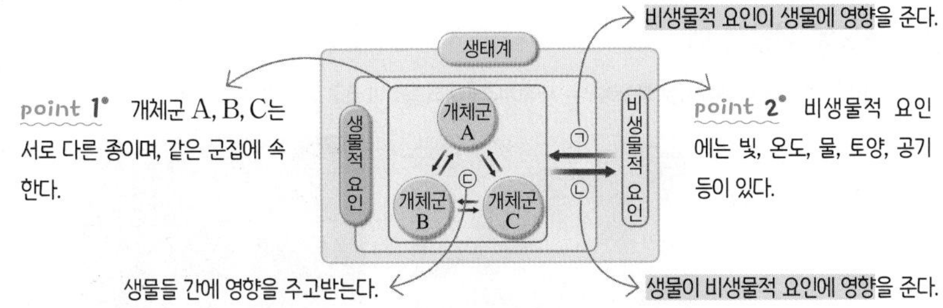

point 1° 개체군 A, B, C는 서로 다른 종이며, 같은 군집에 속한다.

point 2° 비생물적 요인에는 빛, 온도, 물, 토양, 공기 등이 있다.

point 3° 생태계 구성 요소 사이의 관계 ㉠, ㉡, ㉢에 해당하는 예를 구분할 수 있어야 한다.

㉠(작용)에 해당하는 예	• 토양 속 양분이 풍부하면 식물이 잘 자란다. • 가을에 기온이 낮아지면 단풍잎이 붉게 변한다.
㉡(반작용)에 해당하는 예	• 낙엽이 쌓여 분해되면 토양이 비옥해진다. • 지렁이가 흙 속을 돌아다니며 토양의 통기성을 높인다.
㉢(생물 간 상호 작용)에 해당하는 예	• 메뚜기의 수가 증가하면 개구리의 수도 증가한다. • 뱀이 개구리를 잡아먹는다.

03 빛의 세기에 적응한 예

point 1° 강한 빛을 받는 잎은 약한 빛을 받는 잎보다 두께가 두껍다.

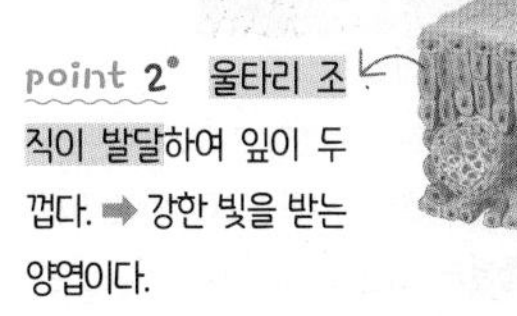

point 2° 울타리 조직이 발달하여 잎이 두껍다. ➡ 강한 빛을 받는 양엽이다.

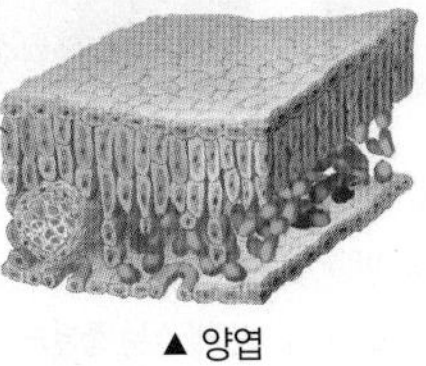

▲ 양엽

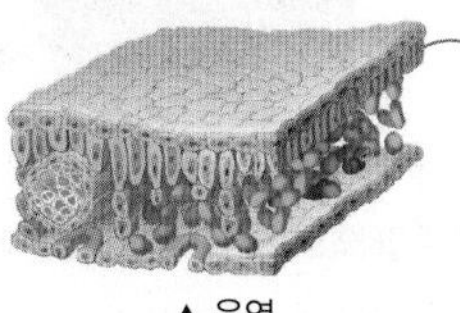

▲ 음엽

point 3° 울타리 조직이 덜 발달하여 잎이 얇다. ➡ 약한 빛을 받는 음엽이다.

04 빛의 파장에 적응한 예

point 1° 바다의 깊이에 따라 서식하는 해조류의 종류가 다르다.

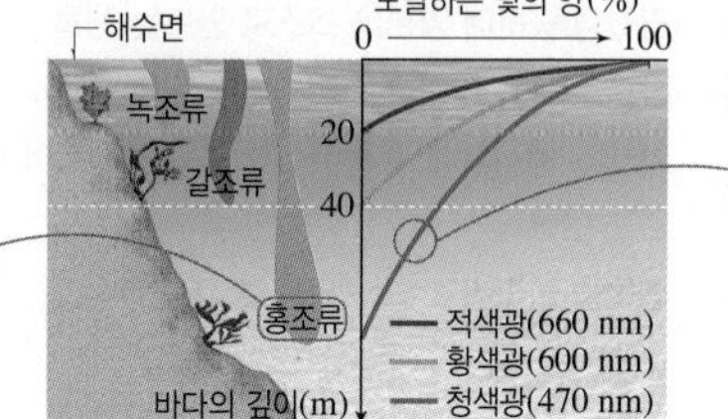

point 2° 빛은 파장이 짧을수록 바다 깊은 곳까지 투과한다. ➡ 파장이 짧은 청색광은 바다 깊은 곳까지 투과한다.

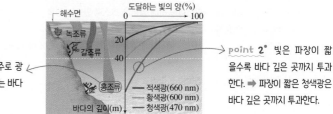

point 3° 청색광을 주로 광합성에 이용하는 홍조류는 바다 깊은 곳까지 분포한다.

05 온도에 적응한 예

point 1° 추운 곳에 사는 북극여우는 사막여우에 비해 몸집이 크고 몸의 말단부가 작다.

▲ 북극여우

▲ 사막여우

point 2° 북극여우는 귀가 작다. ➡ 열이 방출되는 것을 막아 추운 곳에서 체온을 유지하는 데 효과적이다.

point 3° 사막여우는 귀가 크다. ➡ 열을 잘 방출하여 더운 곳에서 체온을 유지하는 데 효과적이다.

06 물에 적응한 예

point 1° 식물은 서식하는 곳에 따라 몸의 구조가 다르게 적응하였다.

▲ 수련

▲ 선인장

point 2° 수련은 물에 사는 식물이다. ➡ 통기 조직이 발달하였으며, 관다발이나 뿌리가 잘 발달하지 않았다.

point 3° 선인장은 건조한 지역에 사는 식물이다. ➡ 저수 조직이 발달하였으며, 잎이 가시로 변해 수분 증발을 막는다.

생태계 평형

01 에너지 피라미드

point 1° 각 영양 단계의 에너지양을 하위 영양 단계부터 차례로 쌓아올린 것이다. ➡ 맨 아래쪽이 생산자이다.

2차 소비자 20
1차 소비자 100
생산자 1000

point 2° 상위 영양 단계로 갈수록 에너지양이 줄어든다. ➡ 각 영양 단계에서 생명 활동을 통해 열에너지로 방출되고 남은 것이 상위 영양 단계로 이동하기 때문이다.

point 3° 각 영양 단계에서 에너지 효율은 $\frac{\text{현 영양 단계의 에너지양}}{\text{전 영양 단계의 에너지양}} \times 100(\%)$이다.

- 1차 소비자의 에너지 효율: $\frac{100}{1000} \times 100 = 10(\%)$
- 2차 소비자의 에너지 효율: $\frac{20}{100} \times 100 = 20(\%)$

02 생태계에서의 먹이 관계

point 1° 각 생물의 영양 단계를 알고, 생태계 평형이 잘 유지되는 생태계를 파악해야 한다.

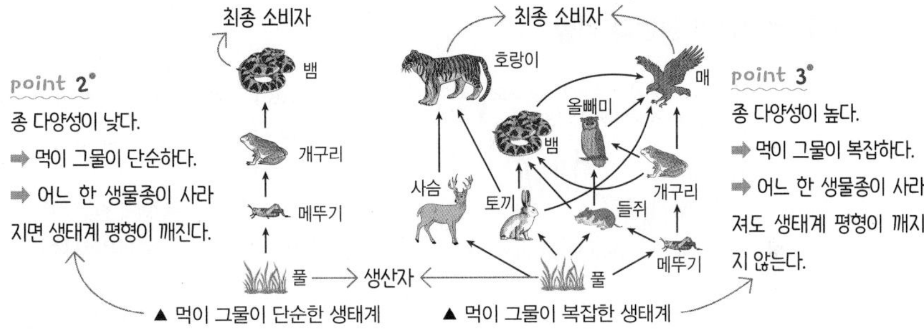

point 2° 종 다양성이 낮다. ➡ 먹이 그물이 단순하다. ➡ 어느 한 생물종이 사라지면 생태계 평형이 깨진다.

point 3° 종 다양성이 높다. ➡ 먹이 그물이 복잡하다. ➡ 어느 한 생물종이 사라져도 생태계 평형이 깨지지 않는다.

▲ 먹이 그물이 단순한 생태계 ▲ 먹이 그물이 복잡한 생태계

03 생태계 평형 회복 과정

point 1° 생태계 평형이 회복되는 과정을 그림으로 기억한다.

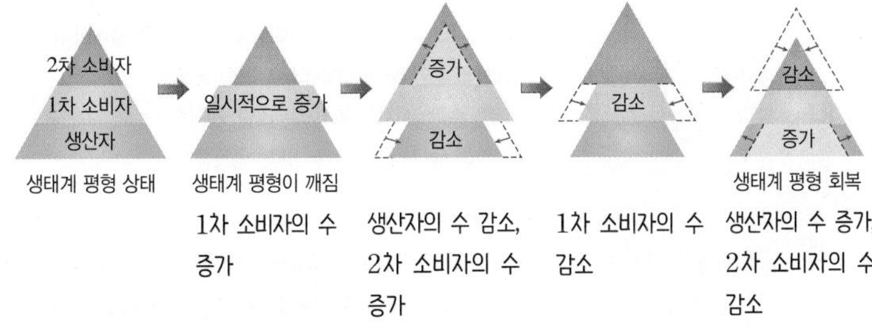

1차 소비자의 수 증가 → 생산자의 수 감소, 2차 소비자의 수 증가 → 1차 소비자의 수 감소 → 생산자의 수 증가, 2차 소비자의 수 감소

3 지구 환경 변화와 인간 생활

01 기후 변화의 원인과 연구 방법

point 1° 지구 내적 원인과 지구 외적 원인을 구분하고, 기온 변화를 알아야 한다.

지구 내적 원인	지구 외적 원인(천문학적 원인)
• 지표면 반사율 변화 예 빙하 면적 감소 → 지표면 반사율 감소 → 기온 상승 • 화산 활동 예 화산재 방출 → 햇빛의 대기 투과율 감소 → 기온 하강 • 대기 조성 변화 예 이산화 탄소 농도 증가 → 온실 효과 증대 → 기온 상승 • 수륙 분포 변화 예 대륙 이동	• 지구 자전축의 기울기 변화 예 자전축의 기울기 증가 → 기온의 연교차가 커짐 • 지구 자전축 방향의 변화 예 자전축 방향이 현재와 반대로 변화 → 원일점과 근일점에서 계절이 반대로 나타남 • 지구 공전 궤도 모양 변화

point 2° 과거의 기후 변화 연구 방법: 나무의 나이테, 빙하, 화석, 산호의 성장률, 고문서 연구 등

- 나무의 나이테 연구: 기온이 높고 강수량이 많을수록 나이테 간격이 넓다.
- 빙하 연구: 빙하에 포함된 공기 방울을 분석하여 과거의 대기 성분을 알 수 있다.
- 빙하 속 산소 동위 원소비($^{18}O/^{16}O$): 온난한 기후에 빙하 속 물 분자의 산소 동위 원소비($^{18}O/^{16}O$)가 높다.

02 지구 온난화의 원인과 영향

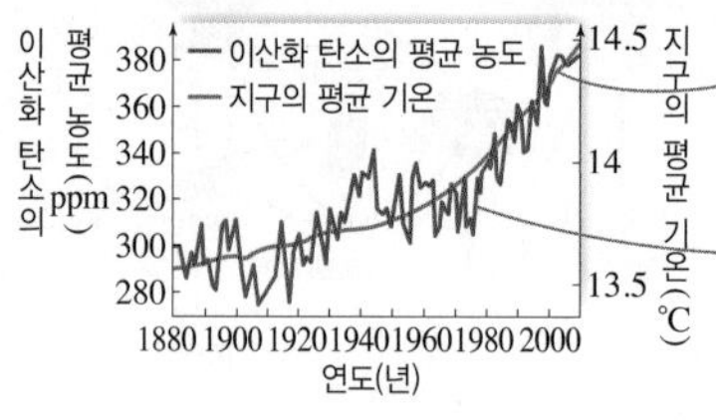

point 1° 지구 온난화: 지구의 평균 기온이 대체로 상승, 최근 더 큰 폭으로 상승

point 2° 지구 온난화의 원인: 대기 중의 온실 기체 농도 증가(주로 이산화 탄소)

point 3° 지구 온난화의 영향

- 빙하의 융해, 해수의 열팽창 → 해수면 상승 → 육지 면적 감소
- 기상 이변, 생태계 변화, 해양 산성화 등

point 4° 지구 온난화의 영향(한반도)

- 여름이 길어지고 겨울이 짧아짐, 열대야 증가
- 봄꽃의 개화 시기가 빨라짐
- 아열대 기후구 북쪽으로 확대, 난류성 어종 증가

03 대기 대순환

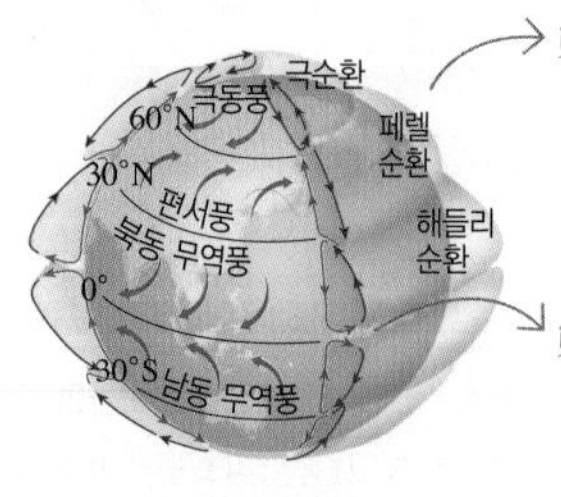

point 1° 지구 자전에 의해 적도~극 사이에 3개의 순환 세포 형성

- 해들리 순환 ➡ 지상에서 부는 바람: 무역풍
- 페렐 순환 ➡ 지상에서 부는 바람: 편서풍
- 극순환 ➡ 지상에서 부는 바람: 극동풍

point 2° 기압대

- 위도 0° 부근: 적도 저압대 ➡ 열대 우림
- 위도 30° 부근: 아열대 고압대 ➡ 사막
- 위도 60° 부근: 한대 전선대(저압대)
- 위도 90° 부근: 극고압대

04 해수의 표층 순환

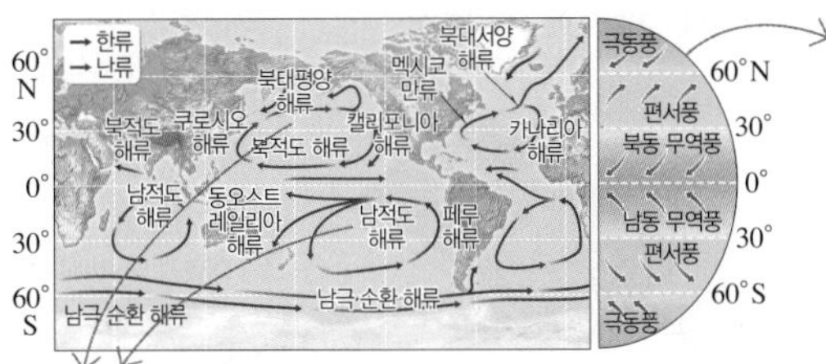

point 1° 대기 대순환에 의해 형성된 해류
- 편서풍(서 → 동): 북태평양 해류, 북대서양 해류, 남극 순환 해류
- 무역풍(동 → 서): 북적도 해류, 남적도 해류

point 2° 한류와 난류
- 난류: 쿠로시오 해류, 멕시코만류, 동오스트레일리아 해류 등 ➡ 고위도로 열 수송
- 한류: 캘리포니아 해류, 카나리아 해류, 페루 해류 등

point 3° 아열대 순환의 방향
- 북반구: 시계 방향
- 남반구: 시계 반대 방향

서로 반대 방향

05 사막화

point 1° 사막과 사막화 지역의 분포: 주로 위도 30° 부근 ➡ 고압대가 형성되어 건조한 기후가 나타난다.

point 2° 사막화의 원인
- 자연적 원인: 대기 대순환 변화에 따른 지속적인 가뭄
- 인위적 원인: 과도한 방목, 과도한 경작, 무분별한 삼림 벌채

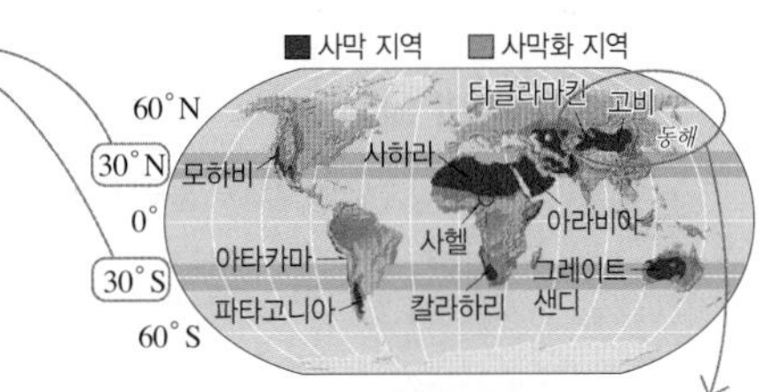

point 3° 우리나라에 미치는 영향: 중국과 몽골 지역의 사막화 ➡ 우리나라 황사 발생 빈도가 증가

06 평상시와 엘니뇨, 라니냐 비교

point 1° 평상시 적도 부근 태평양의 표층 수온과 강수량: 평상시 서태평양은 표층 수온이 높고, 강수량이 많다. 동태평양은 용승이 일어나며, 표층 수온이 낮고, 강수량이 적다.

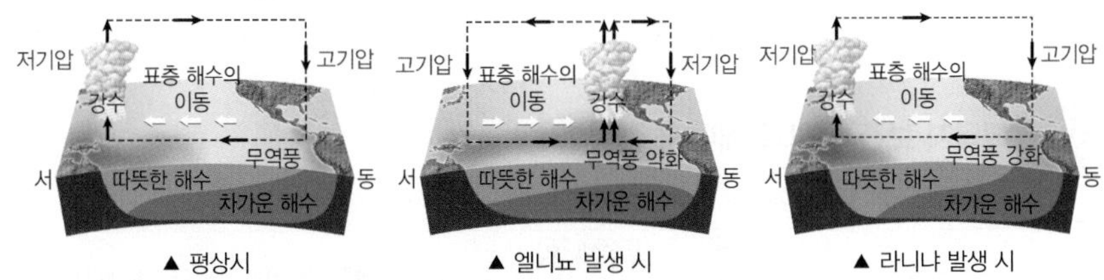

▲ 평상시 ▲ 엘니뇨 발생 시 ▲ 라니냐 발생 시

point 2° 평상시와 비교하여 엘니뇨와 라니냐가 발생할 때의 특징을 알아둔다.

구분	엘니뇨	라니냐
무역풍	무역풍 약화	무역풍 강화
표층 수온	서태평양 하강, 동태평양 상승	서태평양 상승, 동태평양 하강
강수량	서태평양 감소, 동태평양 증가	서태평양 증가, 동태평양 감소

에너지 전환과 효율적 이용

01 휴대 전화에서 일어나는 에너지 전환

point 1° 휴대 전화에서 일어나는 다양한 에너지 전환의 예를 알아둔다.

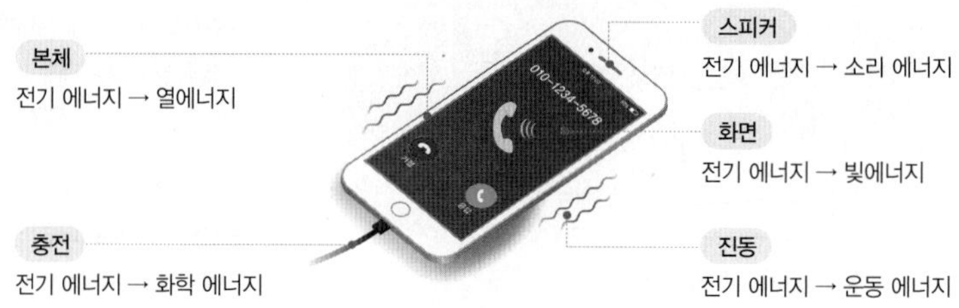

02 에너지 전환의 예

point 1° 자연 현상과 일상생활에서 일어나는 여러 가지 에너지 전환의 예를 알아둔다.

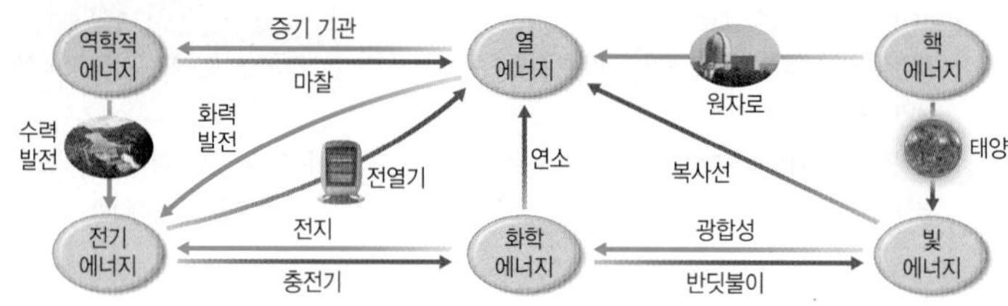

03 에너지 보존 법칙과 에너지 절약

point 1° 에너지의 전체 양은 항상 일정하게 보존된다. ➡ 에너지 보존 법칙

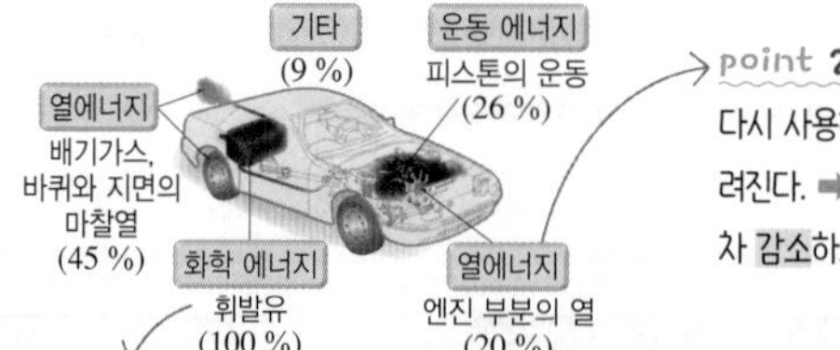

point 2° 에너지의 전체 양은 보존되지만, 일부는 다시 사용하기 어려운 형태의 열에너지로 전환되어 버려진다. ➡ 우리가 이용할 수 있는 에너지의 양은 점차 감소하므로 에너지를 절약해야 한다.

화학 에너지(100 %)＝운동 에너지(26 %)＋열에너지(45 %＋20 %)＋기타(9 %)

04 에너지 효율

point 1° 에너지 효율: 공급한 에너지 중에서 유용하게 사용된 에너지의 비율

$$에너지\ 효율(\%)=\frac{유용하게\ 사용된\ 에너지}{공급한\ 에너지}\times 100$$

point 2° 에너지 효율은 항상 1(=100 %)보다 작다는 것을 기억한다.

05 열기관

point 1° 열기관의 작동 원리를 파악한다. 열기관은 고열원에서 열에너지(Q_1)를 공급받아 외부에 일(W)을 하고 저열원으로 남은 열에너지(Q_2)를 방출한다.

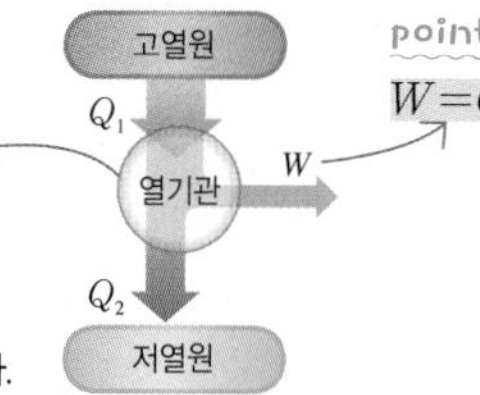

point 2° 에너지 보존 법칙에 따라 $W=Q_1-Q_2$이다.

point 3° 열효율은 열기관의 에너지 효율이다.

$$열효율(\%)=\frac{열기관이\ 한\ 일}{열기관에\ 공급된\ 열에너지}\times 100,\ e=\frac{W}{Q_1}\times 100=\left(1-\frac{Q_2}{Q_1}\right)\times 100$$

06 에너지의 효율적 이용

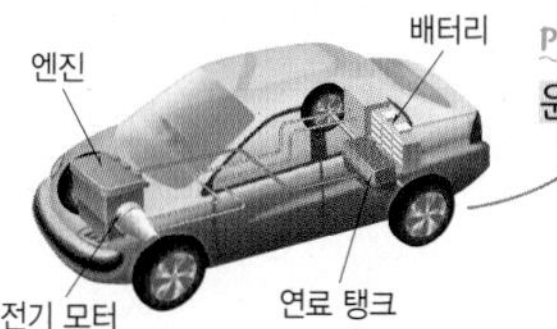

point 1° 하이브리드 자동차는 엔진, 배터리, 전기 모터를 함께 사용하여 운행 중 버려지는 에너지의 일부를 전기 에너지로 전환하여 다시 사용한다.

point 2° 에너지 소비 효율 등급 표시에 나타나 있는 내용을 알아둔다.

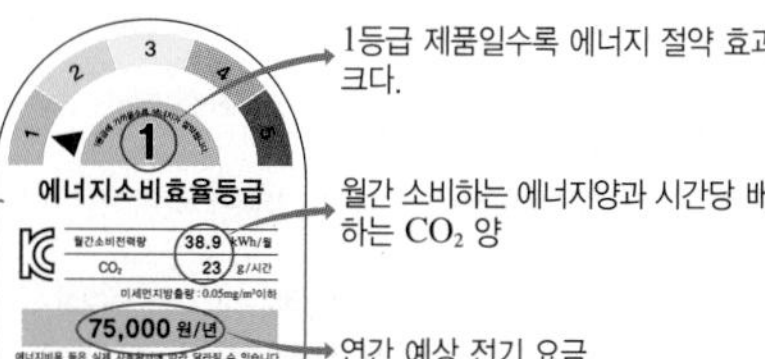

point 3° 에너지 제로 하우스는 필요한 에너지를 태양, 지열, 풍력 등의 재생 에너지를 통해 얻고, 단열로 외부와의 열 출입을 차단하여 에너지 사용량을 줄인 미래형 주택이다.

1 전기 에너지의 생산과 수송

01 전자기 유도

point 1° 유도 전류의 세기를 강하게 하는 방법을 알아둔다.

- 자석을 빠르게 움직인다.
- 자석의 세기가 강한 것을 사용한다.
- 코일의 감은 수를 늘린다.

point 2° 자석을 움직이는 방향을 다르게 할 때 자석과 코일 사이에 작용하는 힘과 유도 전류의 방향을 알아둔다.

구분	N극을 가까이 할 때	N극을 멀리 할 때	S극을 가까이 할 때	S극을 멀리 할 때
자기장 변화	N 가까이 한다. N, S, A, G, I, B	N 멀리 한다. S, N, A, G, I, B	S 가까이 한다. S, N, A, G, I, B	S 멀리 한다. N, S, A, G, I, B
자석과 코일 사이의 힘	척력 작용	인력 작용	척력 작용	인력 작용
유도 전류 방향	B → Ⓖ → A	A → Ⓖ → B	A → Ⓖ → B	B → Ⓖ → A

02 발전기에서의 전기 에너지 생산

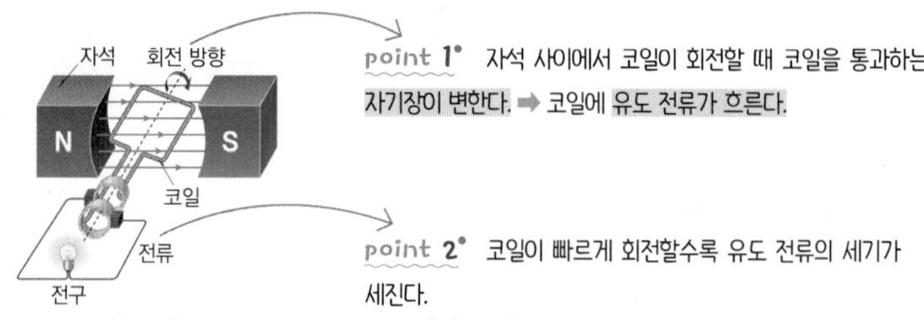

point 1° 자석 사이에서 코일이 회전할 때 코일을 통과하는 자기장이 변한다. ➡ 코일에 유도 전류가 흐른다.

point 2° 코일이 빠르게 회전할수록 유도 전류의 세기가 세진다.

point 3° 발전기에서 코일의 운동 에너지가 전기 에너지로 전환된다.

03 여러 가지 발전

point 1° 발전기의 터빈을 돌리는 에너지원에 따라 발전 방식이 구분된다.

구분	화력 발전	수력 발전	핵발전
에너지원	화석 연료의 화학 에너지	높은 곳에 있는 물의 퍼텐셜 에너지	우라늄과 같은 핵연료의 핵에너지
에너지 전환	화학 에너지 → 열에너지 → 운동 에너지 → 전기 에너지	퍼텐셜 에너지 → 운동 에너지 → 전기 에너지	핵에너지 → 열에너지 → 운동 에너지 → 전기 에너지

point 2° 화력 발전과 핵발전에서는 열에너지로 물을 끓여 얻은 고온, 고압의 수증기로 터빈을 돌린다.

point 3° 화력 발전, 수력 발전, 핵발전에서는 모두 터빈의 운동 에너지가 전기 에너지로 전환된다.

04 전력 수송 과정

point 1° 발전소에서 생산된 전력은 초고압 변전소에서 전압을 높여서 송전한다.

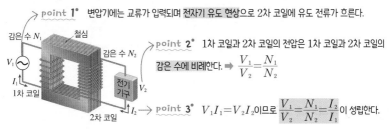

10~20 kV
154 kV 345 kV 765 kV 송전선
154 kV
22.9 kV 11.4 kV 6.6 kV
220 V
380 V
발전소 초고압 변전소 1차 변전소 2차 변전소 주상 변압기 가정 소형 공장

point 2° 1차 변전소, 2차 변전소, 주상 변압기에서는 전압을 낮춘다.

05 전력 손실

point 1° 송전선에 흐르는 전류 I가 셀수록, 송전선의 저항 R가 클수록 손실 전력이 크다.

$$손실\ 전력=(전류)^2\times 저항,\ P_{손실}=I^2R$$

point 2° 손실 전력을 줄이는 방법을 기억한다.

송전선의 저항을 줄인다.	송전 전류의 세기를 줄인다.
• 저항이 작은 송전선을 사용한다. • 송전선을 굵게 만들어 사용한다.	송전 전압을 n배 높이면 전류의 세기는 $\frac{1}{n}$배가 되어 송전선에서 손실되는 전력은 $\frac{1}{n^2}$배가 된다.

06 변압기

point 1° 변압기에는 교류가 입력되며 전자기 유도 현상으로 2차 코일에 유도 전류가 흐른다.

감은 수 N_1 철심 감은 수 N_2 V_1 I_1 1차 코일 전기 기구 V_2 I_2 2차 코일

point 2° 1차 코일과 2차 코일의 전압은 1차 코일과 2차 코일의 감은 수에 비례한다. ➡ $\frac{V_1}{V_2}=\frac{N_1}{N_2}$

point 3° $V_1I_1=V_2I_2$이므로 $\frac{V_1}{V_2}=\frac{N_1}{N_2}=\frac{I_2}{I_1}$이 성립한다.

07 효율적이고 안전한 전력 수송

point 1° 효율적이고 안전한 전력 수송 방법을 알아둔다.

효율적인 전력 수송	안전한 전력 수송
• 고전압 송전 • 송전선으로 초전도 케이블 사용 • 거미줄 같은 송전 전력망 • 지능형 전력망(스마트 그리드)	• 전선 지중화 사업 • 로봇을 이용한 선로 점검 및 수리 • 송전 시설에 안전장치 설치

02 태양 에너지의 생성과 전환

01 태양 에너지의 생성

point 1° 태양의 중심에서 일어나는 수소 핵융합 반응을 알아둔다.

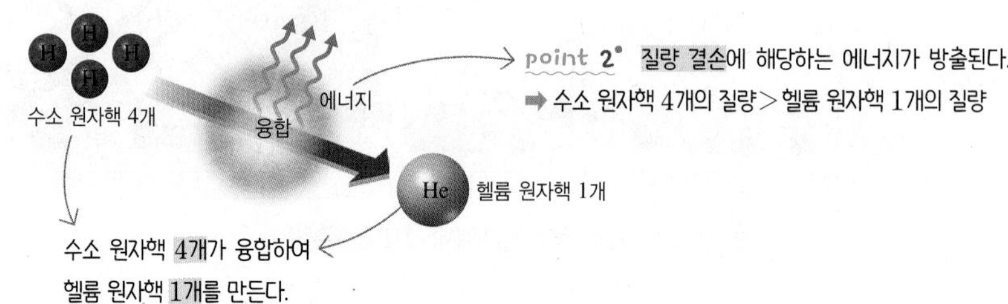

02 태양 에너지의 전환

point 1° 태양 에너지는 지구에 도달하여 여러 가지 다른 형태의 에너지로 전환되며 지구에서 일어나는 에너지 순환의 근원이 된다.

point 2° 태양 에너지가 다양한 형태의 에너지로 전환되는 과정을 알아둔다.

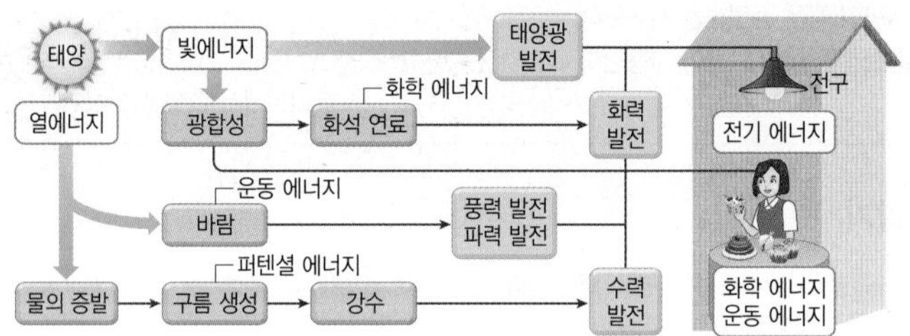

point 3° 태양 에너지가 근원이 아닌 에너지 ➡ 지구 내부 에너지, 우라늄 핵에너지

03 태양 에너지에 의한 에너지 순환

point 1° 태양 에너지가 대기와 해수에 열에너지로 흡수되어 대기와 해수의 순환을 일으킨다.

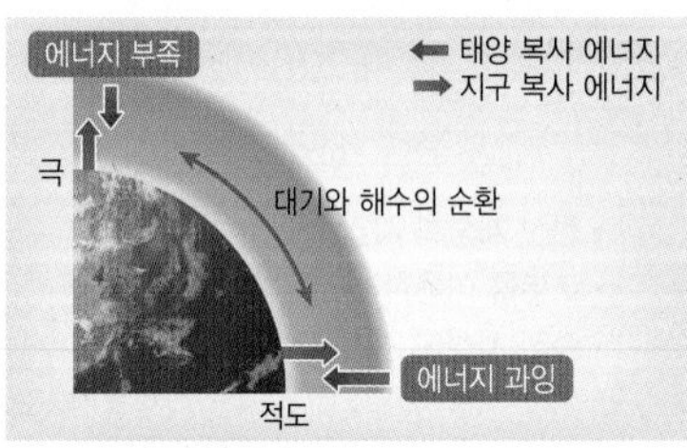

point 2° 태양 에너지가 광합성에 의해 탄소를 매개로 하는 순환을 일으키며 다양한 에너지로 전환된다.

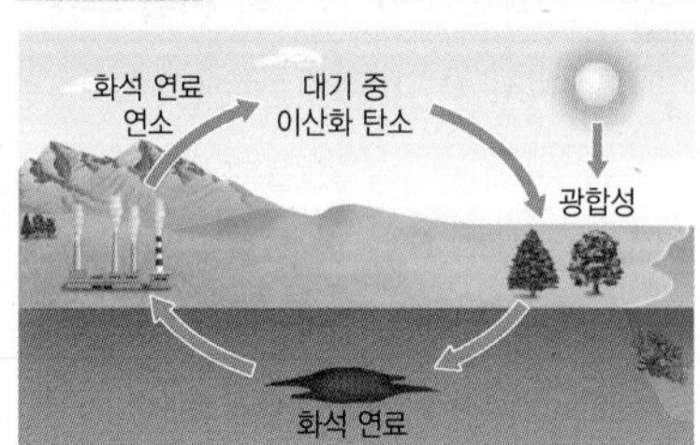

3 발전과 지구 환경

01 태양광 발전

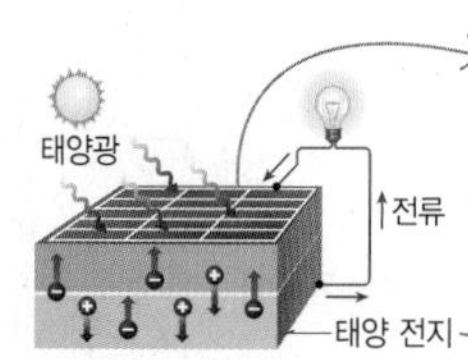

point 1° 태양 전지에 빛을 비추면 내부에 자유 전자가 발생한다.

point 2° 태양 전지는 태양의 빛에너지를 직접 전기 에너지로 전환한다.

point 3° 태양광 발전의 장단점을 알아둔다.

장점	• 환경 문제를 거의 일으키지 않는다.	• 수명이 길고 유지와 보수가 간편하다.
단점	• 발전 시간이 제한적이다.	• 화력 발전에 비해 발전 효율이 낮다.

02 핵발전

point 1° 질량 결손에 해당하는 에너지가 발생한다.

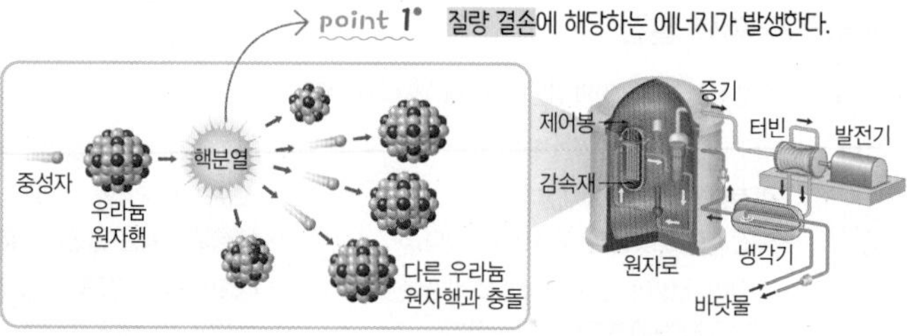

point 2° 감속재는 중성자의 속력을 느리게 하여 연쇄 반응이 계속 일어나게 하고, 제어봉은 중성자를 흡수하여 연쇄 반응 속도를 조절한다.

point 3° 핵발전의 장단점을 알아둔다.

장점	• 이산화 탄소를 거의 배출하지 않는다.	• 에너지 효율이 높다.
단점	• 핵연료의 매장량이 한정되어 있다.	• 방사능 유출의 위험이 있다.

03 풍력 발전

point 1° 바람의 세기가 강하거나 날개의 길이가 길수록 전력 생산량이 증가한다.

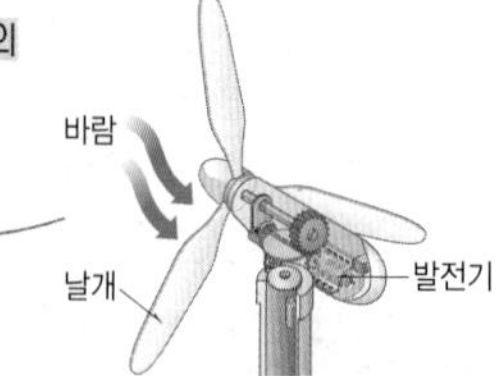

point 2° 풍력 발전의 장단점을 알아둔다.

장점	• 환경 문제를 거의 일으키지 않는다.	• 설비가 간단하고, 설치 기간이 짧다.
단점	• 발전량을 예측하기 어렵다.	• 소음이 발생하고 새들이 충돌하기도 한다.

01 연료 전지

point 1° (+)극과 (−)극에서 일어나는 일을 파악한다.

point 2° 화학 반응식을 알아둔다.

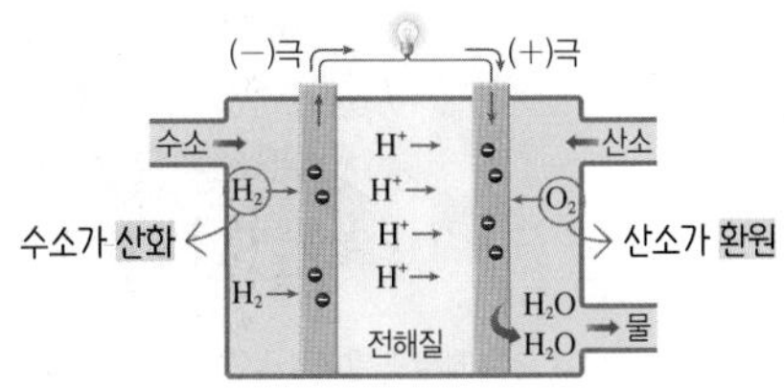

(−)극	$2H_2 \longrightarrow 4H^+ + 4e^-$
(+)극	$O_2 + 4H^+ + 4e^- \longrightarrow 2H_2O$
전체 반응	$2H_2 + O_2 \longrightarrow 2H_2O$

point 3° 연료 전지의 장단점을 기억한다.

장점	• 환경 오염 물질을 거의 배출하지 않는다.	• 에너지 효율이 높다.
단점	• 수소의 생산 비용이 비싸다.	• 수소 저장 기술 개발이 더 필요하다.

02 조력 발전과 파력 발전

point 1° 조력 발전과 파력 발전의 장단점을 비교해서 기억한다.

구분	조력 발전	파력 발전
장점	• 발전량을 예측할 수 있다. • 발전소를 오랫동안 이용할 수 있다.	• 소규모로 개발할 수 있다. • 환경에 미치는 영향이 적다.
단점	• 건설비가 많이 들고 설치 장소가 제한적이다. • 해양 생태계에 혼란을 줄 수 있다.	• 파도에 따라 발전량이 달라진다. • 시설이 파도에 노출되어 내구성이 약하다.

03 에너지 문제를 해결하기 위한 노력

point 1° 친환경 에너지 도시에 적용하는 에너지 문제를 해결하기 위한 방법을 알아둔다.

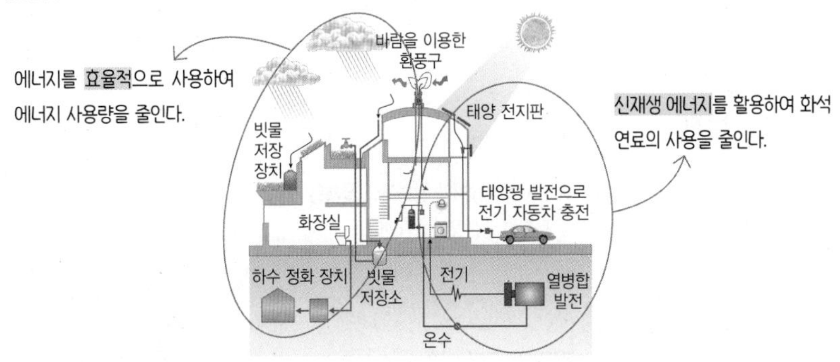

point 2° 적정 기술의 특징과 예를 알아야 한다.

• 특징: 대규모 사회 기반 시설이 필요하지 않고, 친환경적인 기술이다.

• 예 생명 빨대, 큐 드럼, 페트병 전구, 항아리 냉장고, 페달 세탁기, 와카 워터 탑 등

자르는 선

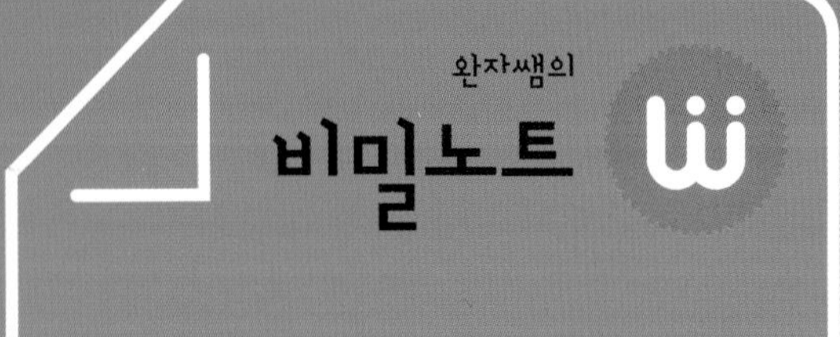

visang